Kurt Lemy

Chemie

10., völlig überarbeitete Auflage

Herausgeber:
Jürgen Falbe
Manfred Regitz

Band 1	**A – Cl**	1996
Band 2	**Cm – G**	1997
Band 3	**H – L**	1997
Band 4	**M – Pk**	1998
Band 5	**Pl – S**	1998
Band 6	**T–Z**	1999

Biotechnologie
1992

Umwelt
1993

Lebensmittelchemie
1995

Naturstoffe
1997

Lacke und Druckfarben
1997

RÖMPP

LEXIKON

Chemie

10., völlig überarbeitete Auflage

Herausgeber

Prof. Dr. Jürgen Falbe
Prof. Dr. Manfred Regitz

Bearbeitet von

Dr. Eckard Amelingmeier
Dr. Michael Berger
Dr. Uwe Bergsträßer
Prof. Dr. Alfred Blume
Prof. Dr. Henning Bockhorn
Prof. Dr. Peter Botschwina
Dr. Jörg Falbe
Dr. Jürgen Fink
Dr. Hans-Jochen Foth
Dr. Burkhard Fugmann
Prof. Dr. Susanne Grabley
Dr. Ubbo Gramberg
Dr. Herta Hartmann
Prof. Dr. Hermann G. Hauthal
Dr. Hans-Wolfgang Helb
Dr. Heinrich Heydt
Dr. Claudia Hinze
Dr. Kurt Hussong
Cornelia Imming

PD Dr. Peter Imming
Dr. Martin Jager
Dr. Margot Janzen
Prof. Dr. Claus Klingshirn
Dr. Herbert Lamp
Dr. Susanne Lang-Fugmann
Dr. Michael Lindemann
Dr. Gisela Lück
Dr. Thomas Neumann
Dr. Gustav Penzlin
Dr. Reinhard Philipp
Dr. Matthias Rehahn
Dr. Karsten Schepelmann
Dr. Helmut Sitzmann
PD Dr. Ralf Thiericke
Dr. Christa Wagner-Klemmer
Dr. Bernd Weber
Dr. Gotthelf Wolmershäuser

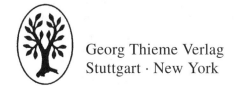

Georg Thieme Verlag
Stuttgart · New York

Redaktion:
Dr. Martina Bach
Ute Rohlf
Dr. Barbara Frunder
Georg Thieme Verlag
Rüdigerstraße 14
70469 Stuttgart

Übersetzungen:
Karina Gobbato
Jean-Louis Servant
Dr. Salvatore Venneri

Zolltarif-Codenummern:
Karl Kettnaker

Grafik:
Hanne Haeusler
Kornelia Wagenblast
Ruth Hammelehle

Einbandgestaltung: Dominique Loenicker

Die Deutsche Bibliothek – CIP-Einheitsaufnahme

Römpp-Lexikon Chemie / Hrsg.: Jürgen Falbe ;
Manfred Regitz. Bearb. von Eckard Amelingmeier ... –
Stuttgart ; New York : Thieme.
   9. Aufl. u.d.T.: Römpp-Chemie-Lexikon
   NE: Römpp, Hermann [Begr.]; Falbe, Jürgen [Hrsg];
   Amelingmeier, Eckard [Bearb.]
   Bd. 2. Cm–G. – 10., völlig überarb. Aufl. – 1997

1.–5. Auflage (1947–1962) Dr. H. Römpp
6. Auflage (1966) Dr. E. Ühlein
7. u. 8. Auflage (1972/1979) Dr. O.-A. Neumüller
9. Auflage (1992) Prof. Dr. J. Falbe u. Prof. Dr. M. Regitz

© 1997 Georg Thieme Verlag
Rüdigerstraße 14, D-70469 Stuttgart
Printed in Germany

Gesamtherstellung:
Konrad Triltsch GmbH
Graphischer Betrieb, Würzburg

Gedruckt auf Permaplan, archivierfähiges Werkdruckpapier aus chlorfrei gebleichtem Zellstoff von Gebrüder Buhl Papierfabriken, Ettlingen.

In diesem Lexikon sind zahlreiche Gebrauchs- und Handelsnamen, Marken, Firmenbezeichnungen sowie Angaben zu Vereinen und Verbänden, DIN-Vorschriften, Codenummern des Zolltarifs, MAK- und TRK-Werten, Gefahrklassen, Patenten, Herstellungs- und Anwendungsverfahren aufgeführt. Alle Angaben erfolgten nach bestem Wissen und Gewissen. Herausgeber und Verlag machen ausdrücklich darauf aufmerksam, daß vor deren gewerblicher Nutzung in jedem Falle die Rechtslage sorgfältig geprüft werden muß.

Das Werk, einschließlich aller seiner Teile, ist urheberrechtlich geschützt. Jede Verwertung außerhalb der engen Grenzen des Urheberrechtsgesetzes ist ohne Zustimmung des Verlages unzulässig und strafbar. Das gilt insbesondere für Vervielfältigungen, Übersetzungen, Mikroverfilmungen und die Einspeicherung und Verarbeitung in elektronischen Systemen.

ISBN 3-13-734710-6 (Band 2)
ISBN 3-13-107830-8 (Band 1–6)

2 3 4 5 6

Xi	Xn	T	T+		
Reizend	Mindergiftig	Giftig	Sehr Giftig	Radioaktiv	Umweltgefährlich

Lsg.	Lösung	Selbsteinst.	Klassifizierung in WGK gemäß Konzept zur Selbsteinstufung des VCI
Lsm.	Lösemittel		
MAK	Maximale Arbeitsplatz-Konzentration		
max.	maximal	sog.	sogenannt(e)
Meth.	Methode	Subl.	Sublimation
MHK	minimale Hemmkonzentration	subl.	sublimiert
MIK	Maximale Immissions-Konzentration	Synth.	Synthese
		Syst.	System
		SZ	Säure-Zahl
min	Minute	Tab.	Tabelle
mind.	mindestens	Tabl.	Tablette(n)
Mio.	Million	teilw.	teilweise
Modif.	Modifikation	Temp.	Temperatur
mol.	molekular	tert.	tertiär
Mol.	Molekül	TH	Technische Hochschule
M_R	molare Masse	Tl.	Teil, Teile
Mrd.	Milliarde	TRgA	Technische Regeln für gefährliche Arbeitsstoffe
Nachw.	Nachweis		
n	Brechungsindex	TRK	Technische Richtkonzentration
neg.	negativ	TU	Technische Universität
od.	oder	u.	und
Oxid.	Oxidation	unlösl.	unlöslich
p.o.	peroral, per os	v.a.	vor allem
pos.	positiv	Vak.	Vakuum
ppb	parts per billion = 10^{-9}	Verb.	Verbindung
ppm	parts per million = 10^{-6}	verd.	verdünnt
ppt	parts per trillion = 10^{-12}	Verf.	Verfahren
Präp.	Präparat	Verl.	Verlag
prim.	primär	Verw.	Verwendung
qual.	qualitativ	vgl. (Vgl.)	vergleiche, Vergleich(e)
quant.	quantitativ	VO	Verordnung
®	Marke, Warenzeichen	Vol.	Volumen
Red.	Reduktion	Vork.	Vorkommen
Rp	verschreibungspflichtig	VZ	Verseifungszahl
S	spanische Bezeichnung	wäss.	wäßrig
S.	Seite	WGK	Wasser-Gefährdungs-Klasse
s	Sekunde	WHO	World Health Organization
s. (S.)	siehe	Zers.	Zersetzung
s.c.	subcutan		
Schmp.	Schmelzpunkt (Fusionspunkt)	*	als Stichwort in diesem Werk behandelt
Sdp.	Siedepunkt (Kochpunkt)		
sek.	sekundär	°C	Grad Celsius

Hinweise für die Benutzung

Alphabet
Im Römpp Chemie Lexikon folgt die Einordnung der Stichwörter dem ABC der DIN-Norm 5007 (11/1962), d.h. Umlaute werden wie ae, oe, ue behandelt. Griechische Buchstaben gehen den lateinischen, klein geschriebene den Großbuchstaben voraus (*Beisp.*: rh, rH, Rh, RH). Bei Eigennamen werden Adelsprädikate u. ähnliche Namensbestandteile im allgemeinen bei der Einordnung unberücksichtigt gelassen. Vorsilben wie primär-, cis-, endo- u. dgl. werden in der alphabetischen Einordnung der Stammverbindungen zunächst übergangen; sie werden ebenso wie α- (alpha), o- (ortho), N- (Stickstoff) u. dgl. als Sortiermerkmale erst innerhalb der Einzelwörter wirksam. Ziffern bleiben bei der Einreihung eines Stichworts zunächst ebenfalls unberücksichtigt.

Schreibweise
Als Schreibweise der Fachbegriffe wird jeweils die derzeit im wissenschaftlichen Schrifttum gebräuchlichste gewählt. Wird ein Wort mit k oder z nicht an der erwarteten Stelle gefunden, so sehe man unter c nach und umgekehrt, das gleiche gilt für Ä.- bzw. Ö- und E-Schreibweise.

Abkürzungen
Die in der aufgeführten Zusammenstellung nicht enthaltenen Abkürzungen sind im Buch an den betreffenden Stellen des Alphabets erläutert. Wird ein Stichwort im darauffolgenden Text wiederholt, so ist als Abkürzung vielfach nur der Anfangsbuchstabe (also etwa A., B. usw.) od. ein geläufiges Akronym (z.B. GDCh) eingesetzt. Die adjektivische Endung „isch" ist häufig abgekürzt und durch einen Punkt ersetzt worden.

Marken (Warenzeichen) und Bezugsquellen
Im Chemie Lexikon sind die eingetragenen Marken nach bestem Wissen mit dem nachgestellten Symbol ® gekennzeichnet. Fehlt dieser Hinweis, so kann daraus *nicht* geschlossen werden, daß die betreffende Bezeichnung im Sinne der Warenzeichen- und Markenschutz-Gesetzgebung als frei zu betrachten wäre und daher von jedermann benutzt werden dürfte. Umgekehrt können aus der irrtümlichen Kennzeichnung einer Benennung mit ® in diesem Werk keine Schutzrechte abgeleitet werden.
Die 10. Auflage des Chemie Lexikons nennt Bezugsquellen nur für eingetragene *Marken *(®). Lieferanten- und Herstellerverzeichnisse für andere Chemikalien befinden sich bei den Stichworten *Bezugsquellenverzeichnisse u. *Chemikalien.

Literaturzitate
Die im Stichworttext zu einem speziellen Aspekt der Abhandlung erwähnten Fremdzitate sind mit einem Index versehen und im zugehörigen Literaturteil (z.B. *Lit.*[1]) aufgeführt; anschließend folgen in alphabetischer Ordnung diejenigen Zitate, die sich mit dem besprochenen Begriff insgesamt beschäftigen (*allg.:*). Die Zitierweise erfolgt in Anlehnung an Chemical Abstracts Service. Herausgeberwerke sind unter dem Personennamen aufgenommen u. nicht unter dem Sachtitel, da dieser meist nicht so einprägsam ist (Landolt-Börnstein statt: Zahlenwerte und Funktionen...). Bei mehr als zwei Autoren ist zumeist nur der erste mit dem Zusatz „et al." aufgeführt.

Codenummern des Zolltarifs
Bei der Mehrzahl der chemischen Verbindungen bzw. Waren finden sich am Schluß des Literaturteils die *kursiv* gesetzte, in eckige Klammern eingeschlossene und mit *HS* gekennzeichnete Angabe des Codes der Nomenklatur des im Januar 1988 in Kraft getretenen Harmonisierten Systems zur internationalen Bezeichnung und Codierung von Waren. Die Angaben erfolgen nach bestem Wissen und Gewissen, aber ohne Gewähr.

Gefahrenklassen
Für den Transport *gefährlicher Güter auf der Straße, auf Schienen-, Wasser- u. Luftwegen existieren eine Reihe von Bestimmungen (s.a. das Stichwort *Transportbestimmungen). In der BRD sind die wichtigsten dieser Bestimmungen die GGVE (Gefahrgutverordnung Eisenbahn = Verordnung über die innerstaatliche und grenzüberschreitende Beförderung gefährlicher Güter mit Eisenbahnen) und die GGVS (Gefahrgutverordnung Straßen = Verordnung über die innerstaatliche und grenzüberschreitende Beförderung gefährlicher Güter auf Straßen). Allen gemeinsam ist die Einteilung der Güter in sog. Gefahrklassen. Die hier ebenfalls nach bestem Wissen u. Gewissen, aber ohne Gewähr gemachten Angaben der Gefahrenklassen finden sich am Ende des Literaturteils, ggf. hinter der CAS-Nr., in eckige Klammern eingeschlossen u. durch *G* gekennzeichnet.

MAK- und TRK-Werte
Die im Chemie Lexikon gemachten Angaben über die Einstufung giftiger Stoffe und Zubereitungen nach der *Gefahrstoffverordnung wie *MAK-, *BAT-, *TRK-Wert sowie LD_{50} (s. Letale Dosis), nach oraler Gabe, erfolgen nach bestem Wissen und Gewissen. Soweit zugänglich wurden auch wichtige Umweltparameter wie Wasser-Gefährdungs-Klasse (*WGK), Angaben zur *biologischen Abbaubarkeit und *Lipid-Löslichkeit aufgenommen.

Häufig zitierte Werke

ACHEMA-Jahrb. **1988**, 2172	Achema-Jahrbuch 88, Frankfurt: DECHEMA 1988 (hier Nr. 2172 des Teiles „Wer weiß über was Bescheid?"; analog **1991** für die Ausgabe 91 bzw. **1994** für die Ausgabe 1994; erscheint alle 3 Jahre)
Analyt.-Taschenb. **5**, 100	Analytiker-Taschenbuch, Berlin: Springer seit 1980 (hier Bd. 5, S. 100)
ApSimon **1**, 100	ApSimon (Hrsg.), The Total Synthesis of Natural Products, Bd. 1–9, New York: Wiley 1973–1992 (hier Bd. 1, S. 100)
Arzneimittelchemie II, 100	Schröder et al., Arzneimittelchemie (3 Bd.), Stuttgart: Thieme 1976 (hier Bd. II, S. 100)
ASP	Dinnendahl u. Fricke (Hrsg.), Arzneistoffprofile, Basisinformation über arzneiliche Wirkstoffe im Auftrag der Arbeitsgemeinschaft für Pharmazeutische Information (API), Loseblattsammlung, das Werk ist alphabetisch geordnet; Stammlieferung 1982 mit 1.–11. Ergänzungslieferung Januar 1996
Barton-Ollis **1**, 100	Barton u. Ollis, Comprehensive Organic Chemistry, Vol. 1–6, Oxford: Pergamon Press 1979 (hier Bd. 1, S. 100)
Batzer **3**, 100	Batzer, Polymere Werkstoffe, Bd. 1–3, Stuttgart: Thieme 1984/1985 (hier Bd. 3, S. 100)
Beilstein E IV **7**, 5000	Beilsteins Handbuch der Organischen Chemie, 4. Aufl., Berlin: Springer seit 1918 [hier 4. Ergänzungswerk, Bd. 7, 1969, S. 5000; analog E III/IV **17** für das 3./4. u. E V **17/11** für das 5. Ergänzungswerk]
Belitz-Grosch (4.), S. 100	Belitz u. Grosch, Lehrbuch der Lebensmittelchemie, 4. Aufl., Berlin: Springer 1992 (hier S. 100)
Blaue Liste, S. 100	Blaue Liste, Inhaltsstoffe kosmetischer Mittel (Hrsg.: Fiedler et al.), Aulendorf: Editio Cantor 1989 (hier S. 100)
Brauer **1**, 100	Brauer, Handbuch der Präparativen Anorganischen Chemie, Bd. 1–2, Stuttgart: Enke 1960, 1962 [hier Bd. 1, S. 100; analog (3.) für die 3. Aufl. 1975–1981; Nachfolgewerk ab 1996 s. Herrmann-Brauer]
Braun-Frohne (5.), S. 100	Braun (Hrsg.), Heilpflanzen-Lexikon für Ärzte und Apotheker, 4. Aufl., Stuttgart: Fischer 1981 [hier S. 100; analog Braun-Frohne (5.) für die 5. Aufl. 1987 bzw. Braun-Frohne (6.) für die 6. Aufl. 1994]
Braun-Dönhardt, S. 100	Braun u. Dönhardt, Vergiftungsregister, Stuttgart: Thieme 1975 (hier S. 100)
Büchner et al. (2), S. 100	Büchner et al., Industrielle Anorganische Chemie, 2. Aufl., Weinheim: VCH Verlagsges. 1986 (hier S. 100).
Carey-Sundberg, S. 100	Carey u. Sundberg, Organische Chemie, Weinheim: VCH Verlagsges. 1995 (hier S. 100)
Compr. Polym. Sci. **5**, 100	Allen u. Bevington, Comprehensive Polymer Science, Vol. 1–7, Oxford: Pergamon Press 1989 (hier Bd. 5, S. 100)
Crueger-Crueger (3.), S. 100	Crueger u. Crueger, Biotechnologie-Lehrbuch der angewandten Mikrobiologie, 3. Aufl., München: Oldenbourg 1989 (hier S. 100)
DAB **10** (bzw. **1996**) u. Komm.	Deutsches Arzneibuch, 10. Ausgabe, mit Ergänzungen (Stand: 4. Ergänzung 05/1995), Frankfurt: Govi 1991 (analog DAB **10/1** für die 1. Ergänzung der 10. Ausgabe; analog Komm. **10** für den Kommentar zur 10. Ausgabe; alphabetisch)
Deer et al. (2.), S. 100	Deer, Howie u. Zussmann, An Introduction to the Rock Forming Minerals, 2. Aufl., Harlow (England): Longman Scientific & Technical 1992 (hier S. 100)
Ehrhart-Ruschig, S. 100	Ehrhart u. Ruschig, Arzneimittel, Weinheim: Verl. Chemie 1968 [hier S. 100; analog (2.) **1** für Bd. 1 der 2. Aufl., Bd. 1–5, 1972]
Elias, S. 100	Elias, Makromoleküle, 4. Aufl., Basel: Hüthig u. Wepf 1981 (hier S. 100; analog Elias (5.) **1**, 100 für Bd. 1 der 5. Aufl., 2 Bd., 1990/1992

Elsevier **14**, 100	Elsevier's Encyclopaedia of Organic Chemistry, Series III: Carboisocyclic Condensed Compounds (Bd. 12, 13 u. 14 mit Teilbänden u. Supplementen), Amsterdam: Elsevier 1940–1954, Berlin: Springer 1954–1969 [hier Bd. 14 (1949) S. 100; analog 14 S, S. 5000 S für Supplement 14]
Encycl. Gaz, S. 100	Encyclopédie des gaz (L'Air Liquide, Hrsg.), Amsterdam: Elsevier 1976 (hier S. 100)
Encycl. Polym. Sci. Eng. **7**, 100	Mark et al., Encyclopedia of Polymer Science and Engineering, New York: Wiley-Interscience 1985–1990 (hier Bd. 7, 1987, S. 100)
Encycl. Polym. Sci. Technol. **12**, 230	Mark, Gaylord u. Bikales, Encyclopedia of Polymer Sciences and Technology (18 Bd.), New York: Wiley-Interscience 1964–1978 (hier Bd. 12, 1971, S. 230; analog **S 1**, 100 für Supplement 1, 1977, S. 100; analog **S 2**, 1978)
Farm	Farm Chemicals Handbook, 37841 Enclid Ave., Meister Publishing Co., Willoughby, Ohio 44094 (erscheint jährlich in aktualisierter Aufl.)
Florey **6**, 100	Florey u. Brittain (Hrsg.), Analytical Profiles of Drug Substances and Excipients (23 Bd.), New York: Academic Press 1972–1992 (hier Bd. 6, S. 100)
Forth et al. (6.), S. 100	Forth, Henschler u. Rummel (Hrsg.), Allgemeine und spezielle Pharmakologie u. Toxikologie, 6. Aufl., Mannheim: BI Wissenschaftsverl. 1992 [hier S. 100; analog (7.) für die 7. Aufl. 1996]
Fries-Getrost, S. 100	Fries u. Getrost, Organische Reagenzien für die Spurenanalyse, Darmstadt: Merck 1975 (hier S. 100)
Giftliste	Roth u. Daunderer, Giftliste (mit Ergänzungen), Landsberg: ecomed seit 1981
Gildemeister **3a**, 100	Gildemeister u. Hoffmann, Die ätherischen Öle, 4. Aufl. (7 Bd. u. Teilbände), Berlin: Akademie-Verl. 1956–1968 (hier Bd. 3a, 1960, S. 100)
Gmelin	Gmelins Handbuch der Anorganischen Chemie, 8. Aufl., Weinheim: Verl. Chemie seit 1922, Berlin: Springer seit 1974
Gräfe, S. 100	Gräfe, Biochemie der Antibiotika, Heidelberg: Spektrum Akadem. Verl. 1992 (hier S. 100)
Hager (4.) **7b**, 100	Hagers Handbuch der Pharmazeutischen Praxis (List u. Hörhammer, Hrsg.), 4. Aufl., 1967–1989; Bruchhausen et al., 5. Aufl., 9 Bd., Berlin: Springer 1993–1995 [hier Bd. 7b, S. 100; analog (5.), S. 100 für die 5. Aufl.]
Handbook **56**, F 50	Handbook of Chemistry and Physics, Boca Raton: CRC Press (hier 56. Aufl., 1975, Abschnitt F, S. 50; analog 66. Aufl., 1985)
Hassner-Stumer, S. 100	Hassner u. Stumer, Organic Syntheses Based on Name Reactions and Unnamed Reactions, Oxford: Pergamon Press 1994 (hier S. 100)
Helwig-Otto II/100	Arzneimittel. Ein Handbuch für Ärzte und Apotheker, 8. Aufl., 1995, Stuttgart: Wissenschaftliche Verlagsges. (hier Bd. II/100)
Herrmann-Brauer **1**, 100	Herrmann u. Brauer, Synthetic Methods of Organometallic and Inorganic Chemistry, Vol. 1–8, Stuttgart: Thieme 1996 (hier Band 1, S. 100)
Hollemann-Wiberg (101.), S. 100	Hollemann u. Wiberg, Lehrbuch der Anorganischen Chemie, 101. Aufl., Berlin: de Gruyter 1995 (hier S. 100)
Hommel, Nr. 100	Hommel, Handbuch der gefährlichen Güter, 2. Aufl., Berlin: Springer seit 1983 [hier Nr. 100; analog (3.) für die 3. Aufl. bzw. (4.) für die 4. Aufl. 1988]
Houben-Weyl **5/1a**, 100	Houben u. Weyl, Methoden der organischen Chemie, 4. Aufl., Stuttgart: Thieme seit 1952 (hier Bd. 5, Teilband 1a, 1970, S. 100; analog **E2** für den Erweiterungsband 2, 1982)
Hutzinger **1A**, 100	Hutzinger (Hrsg.), The Handbook of Environmental Chemistry, Berlin: Springer seit 1980 (hier Bd. 1A, 1980, S. 100)
Janistyn (3.) **1**, 100	Janistyn, Handbuch der Kosmetika und Riechstoffe, 3. Aufl., 3 Bd., Heidelberg: Hüthig 1978 (hier Bd. 1, S. 100)
Karrer, Nr. 100	Karrer et al., Konstitution und Vorkommen der organischen Pflanzenstoffe (exklusive Alkaloide), Basel: Birkhäuser 1958 (Hauptwerk), 1977 (Ergänzungs-Bd. 1), 1981 (Ergänzungs-Bd. 2/1), 1985 (Ergänzungs-Bd. 2/2) (hier Nr. 100)
Katritzky et al. **4**, 100	Katritzky, Meth-Cohn u. Rees, Comprehensive Organic Group Transformation, Vol. 1–10, Oxford: Elsevier Science 1995 (hier Bd. 4, S. 100)

Häufig zitierte Werke VIII

Katritzky-Rees **1**, 100	Katritzky u. Rees, Comprehensive Heterocyclic Chemistry, Vol. 1–8, Oxford: Pergamon Press 1984 (hier Bd. 1, S. 100)
Kirk-Othmer (2.) **17**, 100	Kirk-Othmer (Hrsg.), Encyclopedia of Chemical Technology, 24 Bd., 2. Aufl., New York: Interscience 1963–1972; 3. Aufl., 26 Bd., New York: Wiley 1978–1984; 4. Aufl. seit 1992 [hier Bd. 17, S. 100; analog **S** für das Supplement; analog (3.) **1** für Bd. 1 der 3. Aufl. bzw. (4.) **1** für Bd. 1 der 4. Aufl.]
Kleemann-Engel (2.), S. 100	Kleemann u. Engel, Pharmazeutische Wirkstoffe, 2. Aufl., Stuttgart: Thieme 1982 (hier S. 100)
Knippers (6.), S. 100	Knippers, Molekulare Genetik, 6. Aufl., Stuttgart: Thieme 1995 (hier S. 100)
Korte (3.), S. 100	Korte, Lehrbuch der Ökologischen Chemie, Grundlagen u. Konzepte für die ökologische Beurteilung von Chemikalien, 3. Aufl., Stuttgart: Thieme 1992 (hier S. 100)
Krafft, S. 100	Krafft, Große Naturwissenschaftler, Düsseldorf: VCI 1986 (hier S. 100)
Kürschner (15.), S. 100	Kürschners Deutscher Gelehrten-Kalender, Berlin: De Gruyter (hier 15. Aufl., 1986, S. 100; analog 9. Aufl. 1961; 10. Aufl. 1966; 11. Aufl. 1970; 12. Aufl. 1976; 14. Aufl. 1983)
Laue-Plagens, S. 100	Laue u. Plagens, Namen- u. Schlagwortreaktionen in der Organischen Synthese, Stuttgart: Teubner 1995 (hier S. 100)
Luckner (3.), S. 100	Luckner, Secondary Metabolism in Microorganisms, Plants and Animals, 3. Aufl., Berlin: Springer 1990 (hier S. 100)
MAK-Werte-Liste 1996	Deutsche Forschungsgemeinschaft, Senatskommission zur Prüfung gesundheitsschädlicher Arbeitsstoffe (Hrsg.), MAK- u. BAT-Werte-Liste 1996, Weinheim: VCH Verlagsges. 1996
Manske **11**, 100	The Alkaloids, Chemistry and Pharmacology, 45 Bd. bis 1994, Hrsg.: Manske u. Holmes, Bd. 1–4; Manske, Bd. 5–16; Manske u. Rodrigo, Bd. 17; Rodrigo, Bd. 18–20; Brossi, Bd. 21–40; Brossi u. Cordell, Bd. 41; Cordell, Bd. 42–44; Cordell u. Brossi, Bd. 45, New York: Academic Press seit 1950 (hier Bd. 11, S. 100)
March (4.), S. 100	March, Advanced Organic Chemistry, 4. Aufl., New York: Wiley 1992 (hier S. 100)
Martindale (29.), S. 100	Martindale, The Extra Pharmacopoeia (Reynolds, Hrsg.), 29. Aufl., London: The Pharmaceutical Press 1989 [hier S. 100; analog (30.) für die 30. Aufl. von 1993]
McKetta **24**, 100	McKetta, Encyclopedia of Chemical Processing and Design, New York: Dekker seit 1976 (hier Bd. 24, 1986, S. 100)
Merck-Index (12.), Nr. 1328	The Merck Index, An Encyclopedia of Chemicals, Drugs, and Biologicals, 12. Aufl., Whitehouse Station, N.J.: Merck & Co., Inc. 1996 (hier Nr. 1328)
Methodicum Chimicum **1**, 100	Methodicum Chimicum (Korte, Hrsg.), Bd. 1, 4–8, Stuttgart: Thieme 1976 (hier Bd. 1, S. 100)
Mutschler (7.), S. 100	Arzneimittelwirkungen. Lehrbuch der Pharmakologie und Toxikologie, 7. Aufl., Stuttgart: Wissenschaftliche Verlagsges. 1996 (hier S. 100)
Negwer (6.), Nr. 100	Negwer, Organic-Chemical Drugs and their Synonyms, 6. Aufl., Berlin: Akademie-Verl. 1987; New York: VCH Publishers 1987 [hier Nr. 100; auch Angabe der Seitenzahl möglich; analog (7.) für die 7. Aufl. 1994]
Neufeldt, S. 100	Neufeldt, Chronologie der Chemie 1800–1980, Weinheim: Verl. Chemie 1987 (hier S. 100)
Odian (3.), S. 100	Odian, Principles of Polymerization, 3. Aufl., New York: J. Wiley & Sons, Inc. 1991 (hier S. 100)
Ohloff, S. 100	Ohloff, Riechstoffe u. Geruchssinn, Berlin: Springer 1990 (hier S. 100)
Organikum, S. 100	Organikum, 19. Aufl., Leipzig: Barth Verlagsges. 1993 (hier S. 100)
Paquette **1**, 100	Paquette, Encyclopedia of Reagents for Organic Synthesis, Vol. 1–8, Chichester: Wiley 1995 (hier Bd. 1, S. 100)
Pelletier **1**, 100	Pelletier (Hrsg.), Alkaloids, Chemical and Biological Perspectives, New York: Wiley 1983, Oxford: Pergamon 1994 (hier Bd. 1, S. 100)
Perkow	Perkow, Wirksubstanzen der Pflanzenschutz- und Schädlingsbekämpfungsmittel, Berlin: Parey seit 1971 (Losebattwerk)
Pesticide Manual	The Pesticide Manual, A World Compendium (Incorporating the Agrochemical Handbook) (Worthing u. Hance, Hrsg.), 10. Aufl., Farnham: The British Crop Protection Council 1994

Pharm. Biol. **2**, 100	Pharmazeutische Biologie (Bd. 2–4), Stuttgart: Fischer [hier Bd. 2, 1980, S. 100); analog (2.) **3** bzw. (3.) **2** für die 2. bzw. 3. Aufl. 1984, 1985]
Pötsch, S. 100	Pötsch, Lexikon bedeutender Chemiker, Leipzig: VEB Bibliograph. Institut 1988 (hier S. 100)
Poggendorff **7b/3**, 100	Poggendorff, Biographisch-literarisches Handwörterbuch der exakten Naturwissenschaften, Leipzig: Barth seit 1863, Berlin: Akademie-Verl. (hier Bd. 7b, Teil 3, 1988, S. 100)
Präve et al. (4.), S. 100	Präve et al., Handbuch der Biotechnologie, 4. Aufl., München: Oldenburg 1994 (hier S. 100)
Ramdohr-Strunz, S. 100	Ramdohr u. Strunz, Klockmann's Lehrbuch der Mineralogie, 16. Aufl., Stuttgart: Enke 1978 (hier S. 100)
R.D.K. (3.), S. 100	Roth, Daunderer u. Kormann (Hrsg.), Giftpflanzen, Pflanzengifte, 3. Aufl., Landsberg: ecomed 1988 [hier S. 100; analog (4.) für die 4. Aufl. von 1994]
Rehm-Reed (2.), S. 100	Rehm et al., Biotechnology: a Multi-Volume Comprehensive Treatise, 2. Aufl., Weinheim: VCH Verlagsges. seit 1991 (hier S. 100)
Rippen	Rippen, Handbuch Umweltchemikalien, Landsberg: ecomed, seit 1984
Römpp Lexikon Biotechnologie, S. 100	Dellweg, Schmidt u. Trommer (Hrsg.), Römpp Lexikon Biotechnologie, Stuttgart: Thieme 1992 (hier S. 100)
Römpp Lexikon Lebensmittelchemie, S. 100	Eisenbrandt u. Schreier (Hrsg.), Römpp Lexikon Lebensmittelchemie, Stuttgart: Thieme 1995 (hier S. 100)
Römpp Lexikon Umwelt, S. 100	Hulpke, Koch u. Wagner (Hrsg.), Römpp Lexikon Umwelt, Stuttgart: Thieme 1993 (hier S. 100)
Sax (8.), Nr. 100	Lewis (Hrsg.), Sax's Dangerous Properties of Industrial Materials, 8. Aufl., 3 Bd., New York: Van Nostrand Reinhold 1992 (hier Nr. 100; auch Angabe der Seitenzahl möglich)
Scheuer I **1**, 100	Scheuer, Marine Natural Products – Chemical and Biological Perspectives, Bd. 1–5, New York: Academic Press 1978–1983 (hier Bd. 1, S. 100)
Scheuer II **1**, 100	Scheuer, Bioorganic Marine Chemistry, 6 Bd., Berlin: Springer 1987–1992 (hier Bd. 1, S. 100)
Schlee, S. 100	Schlee, Ökologische Biochemie, Berlin: Springer 1986 (hier S. 100)
Schlegel (7.), S. 100	Schlegel, Allgemeine Mikrobiologie, 7. Aufl., Stuttgart: Thieme 1992 (hier S. 100)
Schormüller, S. 100	Schormüller, Lehrbuch der Lebensmittelchemie, Berlin: Springer 1974 (hier S. 100)
Schröcke-Weiner, S. 100	Schröcke u. Weiner, Mineralogie, Berlin: de Gruyter 1981 (hier S. 100)
Schweppe, S. 100	Schweppe, Handbuch der Naturfarbstoffe. Vorkommen, Verwendung, Nachweis, Landsberg: ecomed 1992 (hier S. 100)
Skeist, S. 100	Skeist, Handbook of Adhesive, 2. Aufl., New York: Van Nostrand Reinhold 1977 (hier S. 100)
Snell-Ettre **18**, 100	Snell u. Hilton (ab Band 8: Snell u. Ettre), Encyclopedia of Industrial Chemical Analysis (20 Bd.), New York: Interscience 1966–1975 (hier Bd. 18, 1973, S. 100)
Strube **2**, 100	Strube, Der historische Weg der Chemie, Leipzig: Grundstoffindustrie 1986 (hier Bd. 2, S. 100)
Strube et al., S. 100	Strube et al., Geschichte der Chemie, Berlin: Dtsch. Verl. der Wissenschaften 1986 (hier S. 100)
Stryer (5.), S. 100	Stryer, Biochemie, 5. Aufl., Heidelberg: Spektrum der Wissenschaft Verlagsges. 1990 (hier S. 100)
Stryer 1996, S. 100	Stryer, Biochemistry, 4. Aufl. (engl.), Heidelberg: Spektrum Akadem. Verl. 1996 (hier S. 100)
Synthetica **2**, 100	Jonas et al., Synthetica Merck, 2 Bd., Darmstadt: Merck 1969, 1974 (hier Bd. 2, 1974, S. 100)
Trost-Fleming **3**, 100	Comprehensive Organic Synthesis, Vol. 1–9, New York: Pergamon Press 1991 (hier Vol. 3, S. 100)
Turner **1**, 100	Turner bzw. Turner u. Aldrige, Fungal Metabolites, Bd. 1 u. 2, London: Academic Press 1971, 1983 (hier Bd. 1, S. 100)
Ullmann (3.) **7**, 100	Ullmanns Enzyklopädie der Technischen Chemie, 3. Aufl., München: Urban und Schwarzenberg 1951–1970; 4. Aufl., Weinheim: Verl. Chemie 1972–1984; 5. Aufl. in Englisch, 1985–1995 [hier Bd. 7 der 3. Aufl., S. 100; analog **E** für den Ergänzungs-Bd.; analog (4.) für die 4. Aufl. bzw. (5.) für die 5. (englische) Aufl., z.B. Ullmann (5.) **A12**, 100]
Voet-Voet (2.), S. 100	Voet u. Voet, Biochemie, Weinheim: VCH Verlagsges. 1992; 2. Aufl., Chichester: Wiley 1995 [hier S. 100; analog (2.) für die 2. Aufl.]

Weissberger **14/3**, 100	Weissberger (Hrsg.), The Chemistry of Heterocyclic Compounds, New York: Interscience seit 1950 (hier Bd. 14, Teil 3, 1962, S. 100)
Weissermel-Arpe (4.), S. 100	Weissermel u. Arpe, Industrielle organische Chemie, 4. Aufl., Weinheim: VCH Verlagsges. 1994 (hier S. 100)
Wer ist wer, S. 100	Wer ist wer? Das Deutsche Who's Who, 33. Ausgabe, Lübeck: Schmidt-Römhild 1994 (hier S. 100)
Who's Who in America, S. 100	Who's Who in America, 49. Ausgabe, New Providence (USA): Marquis Who's Who 1995 (hier S. 100).
Who's Who in the World, S. 100	Who's Who in the World, 58. Ausgabe, London: Europe Publications Limited 1995 (hier S. 100)
Wichtl (2.), S. 100	Wichtl, Teedrogen, 2. Aufl., Stuttgart: Wissenschaftliche Verlagsges. mbH 1989 (hier S. 100)
Wilkinson-Stone-Abel (2.) **1**, 100	Wilkinson, Stone u. Abel, Comprehensive Organometallic Chemistry, Vol. 1–9, Oxford: Pergamon Press 1981, 2. Aufl. 1995 (hier Bd. 1, S. 100 der 2. Aufl.)
Winnacker-Küchler (3.) **6**, 100	Winnacker u. Küchler, Chemische Technologie, 3. Aufl., 7 Bd., München: Hanser 1970–1975 [hier Bd. 6, 1973, S. 100; analog (4.) für die 4. Aufl., 1981–1986]
Wirkstoffe iva (2.), S. 100	Industrieverband Agrar e.V. (Hrsg.), Wirkstoffe in Pflanzenschutz- u. Schädlingsbekämpfungsmitteln. Physikalisch-chemische u. toxikologische Daten, 2. Aufl., München: BLV Verlagsges. 1990 (hier S. 100)
Zechmeister **35**, 100	Zechmeister (Hrsg.), Fortschritte der Chemie organischer Naturstoffe, Berlin: Springer seit 1938 (hier Bd. 35, S. 100)
Zipfel, C 100	Zipfel, Lebensmittelrecht, Kommentar der gesamten Lebensmittel- u. weinrechtlichen Vorschriften sowie des Arzneimittelrechts, München: Becksche Verlagsbuchhandlung, Loseblattsammlung, Neuausgabe seit 1982 [hier Kommentar 100 zum Lebensmittelrecht; analog A (Text zum Lebensmittelrecht), D (Text u. Kommentar zum Arzneimittelgesetz)]

C

Cm. Chem. Symbol für *Curium.

CM. Kurzz. für *chloriertes Polyethylen, s. Elastomere.

CM-1. Kurzz. für Poly(vinylidenfluorid-*alt*-hexafluorpropylen), ~CH_2–CF_2–CF_2–$CF(CF_3)$~; s. Fluor-Polymere u. Fluor-Elastomere.

CMC. 1. Kurzz. (nach DIN 7728, Tl. 1, 01/1988) für *Carboxymethylcellulose.
2. Abk. (abgeleitet von engl.: critical micelle concentration) für krit. Micellbildungskonz.; s. Micellen.
Lit. (zu 2.): Pure Appl. Chem. **51**, 1083 ff. (1979) ▪ Ullmann (4.) **22**, 464 ff.

CM23-Cellulose Servacel® p. A. Carboxymethylcellulose, vernetzte Fasern, wenig Feinkorn, Kapazität 0,6±0,1 mmol/g, Körnung 0,05–0,20 mm; auch CM52–C.S. u. CM80–C.S. *B.:* Serva.

CMHEC. Kurzz. für (Carboxymethyl)(2-hydroxyethyl)cellulose.

CMP s. Cytidinphosphate.

cmr-Stoffe. Abk. für *c*ancerogene, *m*utagene u. *r*eproduktionstox. Stoffe.

CM-X. Kurzz. für Poly(hexafluorisobutylen-covinylidenfluorid); s. Fluorthermoplaste.

CN. 1. Kurzz. (nach DIN 7728, Tl. 1, 01/1988) für *Cellulosenitrat. – 2. US-Codewort für ω-*Chloracetophenon als Tränenreizstoff.

CN-Cyclus s. Sonne.

CNDO. Abk. für *C*omplete *N*eglect of *D*ifferential *O*verlap. Von *Pople u. Mitarbeitern entwickeltes *semiempirisches Verfahren der *Quantenchemie.

Cnicin (Centaurin, Cynisin).

$C_{20}H_{26}O_7$, M_R 378,42. Krist., Schmp. 143 °C, $[\alpha]_D^{20}$ +158° (C_2H_5OH), in Wasser wenig, in Ethanol gut löslich. Das Sesquiterpenoid C. (*Germacran-Typ) ist der *Bitterstoff des Benediktenkrautes (*Cnicus benedictus*, Asteraceae). C. kommt in dessen oberird. Pflanzenteilen zu 0,2% vor. C. ist antibiot. gegen Trichomonaden wirksam. – *E* cnicin – *F* cnicine – *I* cnicina – *S* cnicina
Lit.: Beilstein E III/IV **18**, 1267 ▪ Merck-Index (12.), Nr. 2486 ▪ R.D.K. (4.), S. 245 f. – *[CAS 24394-09-0]*

CNR. Kurzz. für Carboxynitroso-Kautschuk (Handelsname PCR), einem *Nitroso-Kautschuk, der ca. 1% 2,2,3,3,4,4-Hexafluor-4-nitrosobuttersäure-Einheiten enthält.

Über letzteren kann eine Vulkanisation mit Metalloxiden od. Chromtrifluoracetat erfolgen.

CNTF (ciliary neurotrophic factor) s. neurotrophe Faktoren.

C/N-Verhältnis (Kohlenstoff/Stickstoff-Verhältnis/ Quotient). Massenverhältnis von Kohlenstoff zu Stickstoff in *Abfällen, *Abwasser, *Humus, *Boden, *Detritus usw.; Kennwert für die Beurteilung von Abfall für Kompostierung od. von Abwasser für Faulgas-Gewinnung etc. In Böden liegen C u. N organ. gebunden v. a. in Humus vor, der durch Mikroorganismen teilw. mineralisiert wird; dabei werden Pflanzen-verfügbare N-Verb. freigesetzt. Von daher ist die Bodenfruchtbarkeit bei niedrigem C/N-V. größer als bei hohem. Das C/N-V. beträgt typischerweise für fruchtbare Schwarzerde u. Humus 10, für Ackerböden 25, für Hochmoore 50, für Gülle 10–20, für kommunales Abwasser 12 u. für Stroh 50–100. Der *biologische Abbau organ. Substanz ist bei einem C/N-V. von etwa 25 optimal u. wird bei größeren Abweichungen gehemmt, da dann der Mangel an einem der Elemente den Aufbau körpereigener Substanz bei den *Destruenten hemmt. Da beim biolog. Abbau von organ. Substraten Kohlendioxid schneller in die Umwelt gelangt als die N-haltigen Abbauprodukte (Refixierung), sinkt das C/N-V. im Laufe des biolog. Abbaus. – *E* C/N ratio – *F* rapport C/N – *I* proporzione C/N – *S* relación C/N
Lit.: Römpp Lexikon Umwelt, S. 402 ▪ Scheffer u. Schachtschabel, Lehrbuch der Bodenkunde (13.), S. 263 f., Stuttgart: Enke 1992.

Co. Chem. Symbol für *Cobalt.

CO. Kurzz. für Homopolymere des Epichlorhydrins; s. Polyepichlorhydrine.

CoA s. Coenzym A.

Coadaptation s. Coevolution.

Coagulant. Engl. Bez. für *Hämostyptika (Mittel zur Förderung der Blutgerinnung), im erweiterten Sinne auch gebräuchlich als Synonym für *Flockungsmittel (s. a. Koagulation). – *E* = *F* coagulant – *S* coagulante

Coagulin s. Schlangengifte.

Coatomer. *Protein-Komplex, der *Membran-*Vesikeln einhüllt, die vom *Golgi-Apparat abgeschnürt werden. Eine ähnliche Rolle spielt *Clathrin bei der *Endocytose u. *Exocytose. C. besteht aus 7 verschiedenen Untereinheiten, die *COP* (coat protein subunits) genannt werden. Am Aufbau u. Zerfall der C.-Vesikelhülle ist das Protein *ARF beteiligt. Ihre Bildung ist außerdem von der Hydrolyse von *Adenosin-5′-triphosphat begleitet. Bei Vesikeln mit *endoplasmatischen Retikulum hat man eine weitere Sorte von Hüllproteinen (COP II) gefunden [1]. – *E* coatomer – *F* coatomère – *I* coatomero – *S* coatómero

Lit.: [1] FEBS Lett. **369**, 93 ff. (1995).
allg.: Alberts et al., Molekularbiologie der Zelle, 3. Aufl., S. 756 ff., Weinheim: VCH Verlagsges. 1995 ▪ Annu. Rev. Cell Develop. Biol. **11**, 677 – 706 (1995) ▪ Curr. Opin. Cell Biol. **6**, 533 – 537 (1994) ▪ Science **271**, 1526 – 1533; **272**, 227 – 234 (1996) ▪ Spektrum Wiss. **1996**, Nr. 5, 46 – 51.

Cobalamine. Derivate des *Vitamin B_{12} (Formel s. Corrinoide). Den C. liegt das Gerüst des *Corrins zugrunde mit dreiwertigem Cobalt als Zentralatom u. einem über D-Ribofuranose-3-phosphat α-glykosid. gebundenen 5,6-Dimethylbenzimidazol-Rest. Letzterer kann in einigen C. jedoch auch, v. a. in Mikroorganismen, durch andere Stickstoff-Heterocyclen ersetzt sein wie z. B. Benzimidazol-5-ol od. *Adenin. Das Cobalt-Ion ist derart fest gebunden, daß es bislang aus dem Corrin-Liganden nicht ohne dessen Zerstörung entfernt werden konnte. Es kann zusätzlich noch Liganden in der sog. β-Position besitzen, die sich leicht austauschen lassen. Bei den beiden Formen mit bekannter Coenzym-Aktivität sind dies die Methyl- bzw. die 5′-Desoxyadenosyl-Gruppierung (s. Coenzym B_{12}). OH (*Hydroxo-C.*) u. OH_2^+ (*Aquo-C.*) kommen ebenfalls in biolog. Syst. als Liganden vor. Die Verb. mit dem Substituenten CN wird als *Cyanocobalamin (Vitamin B_{12}) bezeichnet u. bei der Extraktion der natürlichen Formen aus organ. Material gebildet. In verschiedenen C. kann das Zentralatom durch milde Reduktionsmittel zu Cobalt(II) reduziert werden; das resultierende Syst. heißt Cob(II)-alamin od. B_{12r}, ist an der β-Position unsubstituiert u. paramagnetisch. Stärkere Reduktionsmittel reduzieren zu Cob(I)-alamin (auch: B_{12s}; diamagnet.; beide axiale Positionen unbesetzt). – *E* cobalamins – *F* cobalamines – *I* cobalammine – *S* cobalaminas

Lit.: J. Am. Chem. Soc. **117**, 4654 – 4670 (1995). – [HS 2936 26]

Cobalt. Metall. Element, chem. Symbol Co, Ordnungszahl 27, Atomgew. 58,9332. Co besitzt nur ein natürlich vorkommendes, stabiles Isotop (^{59}Co); die weiteren bekannten 12 Isotope sind radioaktiv mit HWZ zwischen 0,2 s u. 5,3 a. Von ihnen hat das ^{60}Co (γ-Strahler, HWZ 5,3 a) bes. Bedeutung erlangt, s. unten. Co gehört zur Gruppe 9 des Periodensyst., es zeigt nahe Verwandtschaft mit *Eisen u. *Nickel u. bildet mit diesen Elementen die Gruppe der Eisen-Metalle. Das reine Co zeigt starken Metallglanz; es ist härter u. fester als Stahl u. außerordentlich zäh, D. 8,9, Schmp. 1495 °C, Sdp. etwa 3100 °C, H. 5,5, krist. hexagonal (α-Co) od. kub. flächenzentriert (β-Co, >417 °C). Co ist ferromagnet. u. verliert seinen Magnetismus erst beim Erhitzen auf über 1121 °C (*Curie-Temperatur). An Luft u. Wasser ist es bei gewöhnlicher Temp. beständig; beim Erhitzen wird es oxidiert u. bildet ein schwarzes Oxid ($CoO \cdot Co_2O_3$). Es reagiert in der Kälte nur langsam mit verd. Salzsäure u. Schwefelsäure, löst sich leicht in verd. Salpetersäure, zeigt wie Eisen *Passivität gegen konz. Salpetersäure u. ist beständig gegen geschmolzene Alkalien. Co bildet mit vielen Elementen Leg., unter ihnen sind Molybdän, Platin, Wolfram, Chrom sowie Seltenerdmetalle (vgl. Cobalt-Legierungen). Die wichtigsten Oxidationsstufen von Co sind +2 u. +3, aber auch –3, –1, 0, +1, +4 u. +5 sind möglich. Bei den einfachen Co-Verb. ist die zweiwertige Oxidationsstufe wesentlich beständiger als die dreiwertige, in Ggw. von Komplexbildnern läßt sich Co(II) dagegen leicht zu Co(III) oxidieren. Die einfachen Salze des Co(II)-Ions sind in wäss. Lsg. u. in hydratisierter Form meist rosa gefärbt, was auf die Bildung des oktaedr. $[Co(H_2O)_6]^{2+}$-Ions zurückzuführen ist. Beim Trocknen wechselt die Farbe nach Blau, weshalb sich einige Co(II)-Salze als *Feuchtigkeitsindikatoren* eignen, z. B. im *Blaugel. Co(III) bildet zahlreiche Ammin-(*Cobaltammine), Acido- u. Aquo-Komplexe.

Physiologie: Bedeutung besitzt C. als *essentielles Spurenelement; es ist Zentralatom im *Vitamin B_{12} (Formel s. bei Corrinoide, s. a. Cobalamine u. Cyanocobalamin), das hauptsächlich zur Bildung der roten Blutkörperchen benötigt wird. Der Tagesbedarf beim Menschen beträgt 3 µg Vitamin B_{12} ($\triangleq$0,1 µg Co) [1]. Wiederkäuer benötigen C., damit Vitamin B_{12} durch Bakterien im Pansen synthetisiert werden kann. In Regionen mit C.-armen Böden können deshalb Mangelkrankheiten (Hinsch-Krankheit, Bush Sickness) auftreten, die sich durch geringe C.-Gabe in Form von Co(II)-Salzen vermeiden lassen [2]. C. besitzt bei oraler Aufnahme für den Menschen eine relativ geringe Giftigkeit. Erst bei Dosierungen von 25 – 30 mg/d tritt eine tox. Wirkung auf, die zu Haut- u. Lungenerkrankungen, Magenbeschwerden, Leber-, Herz- u. Nierenschäden führt. LD_{50} (Ratte oral) 6170 mg/kg [3]. Stäube u. Aerosole von Co u. Co-Verb., auch die der schwerlösl. Salze, haben sich im Tierversuch als carcinogen erwiesen (Liste A 2 der krebserzeugenden Arbeitsstoffe). Die MAK [3] in der C.-verarbeitenden Ind. beträgt 0,5 mg/m^3, sonst 0,1 mg/m^3.

Nachw.: Qual. läßt sich Co als blaue Phosphor-*Salzperle, als gelbes, schwerlösl. *Kaliumhexanitrocobaltat(III) {Cobaltgelb, $(K_3[Co(NO_2)_6]$} od. als tiefblaues, mit Ether extrahierbares Thiocyanat nachweisen. Meth. zur maßanalyt. Co-Bestimmung: Komplexometrie, Spektroskopie, Röntgenfluoreszenzanalyse, Atomabsorptionsspektroskopie, Voltammetrie, s. *Lit.*[4]

Vork.: Co tritt fast immer in Begleitung von Nickel auf; das durchschnittliche Co/Ni-Verhältnis beträgt 1/4. In der Verbreitung der Elemente auf der Erde nimmt Co den 32. Platz ein u. ist mit 20 mg/kg in der obersten, 16 km dicken Erdkruste enthalten. Als Spurenelement ist C. in den meisten Böden anzutreffen u. kommt in zahlreichen Mineralien vor. Die wichtigsten C.-Erze sind der *Cobaltin (Kobaltglanz, CoAsS), der *Skutterudit (Speiskobalt, Smaltin, $CoAs_3$) u. der *Erythrin [Kobaltblüte, $Co_3(AsO_4)_2 \cdot 8H_2O$]. Co wird auch aus Nickel-Erzen (s. Kobaltnickelkiese), Kupfer-haltigem

Magnetkies u. Kupfer-Erzen gewonnen, die wechselnde Mengen Co enthalten. Größere Lagerstätten gibt es in Zaire, USA, Kuba, Neukaledonien u. Australien; auch die marinen *Mangan-Knollen enthalten bis zu 1% Co u. bilden eine geschätzte C.-Ressource von 6 Mrd. Tonnen.

Herst.: Die Gewinnung des Metalls erfolgt je nach Zusammensetzung der Ausgangsstoffe durch eine Kombination von aufarbeitungstechn., schmelz- u. naßmetallurg. Prozeßstufen. Trennungsoperationen zur Entfernung der Hauptbegleiter Ni, Cu, Fe, Mn, As bestimmen maßgeblich den Verfahrensgang. Bei der Verhüttung von *Kiesabbränden reichert man das Co ähnlich wie beim Kupfer-Gewinnungsverf. an, löst die beim Abrösten der sulfid. od. arsenid. Erze mit Soda u. Salpeter gebildeten Oxide in heißer Salz- od. Schwefelsäure u. behandelt die Lsg. mit Kalkmilch u. Chlorkalk. Die ausgefällten Co-Oxide u. -Hydroxide werden schließlich mit Koks zum Metall reduziert. Beim kanad. *Sherritt-Gordon-Verf.* werden durch ammoniakal. Drucklaugung Ni, Cu u. Co aus sulfid. Konzentraten in Lsg. gebracht u. die Metalle nach Reinigungs- u. Trennverf. durch Druckreduzierung mit Wasserstoff ausgefällt. Näheres zu den verschiedenen Verf.-Abläufen s. Kirk-Othmer u. Winnacker-Küchler (*Lit.*). Die jährliche Produktion an Co betrug 1995 weltweit 17 000 t, hauptsächlich in Zaire, Marokko, Schweden u. Kanada [5].

Verw.: Zur Herst. von hochwarmfesten *Cobalt-Legierungen für Maschinenbauteile, Hart- u. Schneidmetallen, Magnet-Leg., zur Verfestigung von Wolframcarbid für Schneidwerkzeuge, zur Herst. von Pigmenten in der Glas-, Email- u. Keramik-Ind., ferner in Mischkatalysatoren (z.B. bei der *Fischer-Tropsch-Synthese, bei der *Oxo-Synthese, bei Hydrierungen) u. in *Sikkativen. Das in Reaktoren gewinnbare radioaktive Isotop ^{60}Co wird anstelle von *Radium zur Krebsbehandlung verwendet (sog. *Cobalt-Kanone*) u. findet Anw. in der *Gammagraphie, Sterilisation, Konservierung, Strahlenchemie usw.

Geschichte: C. verdankt seinen Namen dem bösen Erdgeist Kobold. Ihn machten die Bergleute dafür verantwortlich, daß die Co enthaltenden Erze, die ein schönes, vielversprechendes Aussehen besaßen, beim Rösten einen üblen, knoblauchähnlichen Geruch entwickelten (Arsen-Gehalt!) u. daß sich mit den damaligen Verhüttungsmeth. kein wertvolles Metall gewinnen ließ. Mit Co-Verb. haben bereits im Altertum die Ägypter, Griechen, Römer u. Babylonier Gläser blau gefärbt. Die Entdeckung des Metalls erfolgte 1735 durch den schwed. Chemiker Brandt. – *E = F* cobalt – *I = S* cobalto

Lit.: [1] Belitz-Grosch (4.), S. 381. [2] Merian (Hrsg.), Metalle in der Umwelt, Verteilung, Analytik u. Biologische Relevanz, S. 425–33, Weinheim: Verl. Chemie 1984. [3] Giftliste, Stand 05/1995. [4] Townshend, Encyclopedia of Analytical Science, Bd. 2, S. 777–783, London: Academic Press 1995. [5] Internet: http://www.shef.ac.uk/chemistry/web-elements.
allg.: Brauer **2**, 1319 f. ▪ Fries-Getrost, S. 178–192 ▪ Gmelin, Syst.-Nr. 58, Co, 1930–1932, 2 Erg.-Bd., 1961–1964 ▪ Kirk-Othmer (3.) **6**, 481–510; (4.) **6**, 760–793 ▪ McKetta **9**, 452–480 ▪ Rev. Environ. Contam. Toxicol. **108**, 105–132 (1989) ▪ Smith u. Carson, Cobalt, Ann Arbor: Ann Arbor Sci. Publ. 1981 ▪ Ullmann (5.) **A 7**, 281–313 ▪ Winnacker-Küchler (4.) **4**, 407–415. – [*HS 8105 10; CAS 7440-48-4*]

Cobalt(II)-acetat. Co(O–CO–CH$_3$)$_2$, C$_4$H$_6$CoO$_4$, M_R 177,02. Das Tetrahydrat bildet rote Krist., wird bei 140 °C wasserfrei, lösl. in Wasser, entsteht beim Auflösen von Cobaltcarbonat in Essigsäure.
Verw.: Bleich- u. Trockenmittel für Lacke u. Firnisse, Katalysator bei der Herst. von Adipinsäure, Reagenz. – *E* cobalt(II) acetate – *F* acétate de cobalt(II) – *I* acetato di cobalto(II) – *S* acetato de cobalto(II)
Lit.: Beilstein E IV **2**, 120 ▪ Gmelin, Syst.-Nr. 58, Co, Tl. A, 1932, S. 350–357, Erg.-Bd., 1961, S. 703 f. ▪ Kirk-Othmer (4.) **6**, 779 ▪ Paquette **2**, 1284 ▪ Ullmann (5.) **A 7**, 304 f. – [*HS 2915 23; CAS 71-48-7*]

Cobaltaluminat s. Cobaltblau.

Cobaltammine (Cobaltiake). Eine Klasse von mehr als 2000 farbigen, oktaedr. Ammoniak-Komplexen des Cobalt(III). C. entstehen aus Cobalt(II)-Salzen u. NH$_3$ unter Einwirkung von Luftsauerstoff od. anderen Oxidationsmitteln. C. zählten zu den Studienobjekten, an denen A. Werner seine bahnbrechenden Untersuchungen zu Struktur, Isomerie u. Reaktivität von oktaedr. Komplexen durchführte; vgl. a. Ammin-Salze; zur Namensgebung entsprechend ihrer Farbe s. *Lit.*[1]. – *E = F* cobaltammine – *I* ammine di cobalto – *S* cobaltoaminas
Lit.: [1] Greenwood u. Earnshaw, Chemie der Elemente, S. 1437, Weinheim: Verl. Chemie 1988.
allg.: Gmelin, Syst.-Nr. 58, Co, Tl. B, 1930, S. 1–376, Erg.-Bd., 1964, S. 315–821 ▪ Kirk-Othmer (3.) **6**, 496.

Cobalt-Anlage. Gerät zur Anw. von *Gammastrahlen. Die beim Zerfall von ^{60}Co in ^{60}Ni entstehenden β-Strahlen werden durch die Edelstahl-Umhüllung der Quelle absorbiert, so daß nur die Gammastrahlung von 1,17 MeV u. 1,33 MeV (s. Abb. Gammastrahlen) für die Teletherapie verwendet wird. Ferner werden C.-A. zur Sterilisierung von z.B. medizin. Gegenständen u. pharmazeut. Erzeugnissen eingesetzt. Übliche ^{60}Co-Präp. besitzen eine *Aktivität zwischen 20 u. 500 TBq (1 TBq = 10^{12} Bq). Details über den Aufbau einer solchen Quelle s. *Literatur*. In industriell genutzten Anlagen können bis zu 120 TBq pro Anlage eingesetzt werden. Weltweit gibt es z. Z. ca. 180 solcher Anlagen. In der BRD gibt es 8 Großanlagen mit einer installierten Aktivität von ca. 37 · 10^{16} Bq, in Mitteleuropa arbeiten ca. 40 solcher Anlagen. – *E* cobalt bomb – *F* source au cobalt – *I* impianto di cobalto – *S* equipo de colbato
Lit.: Krieger u. Petzold, Strahlenphysik, Dosimetrie u. Strahlenschutz, Bd. 2, Stuttgart: Teubner 1989.

Cobalt-Beschleuniger. Handelsbez. für solche *Metallseifen des Cobalts, die als *Trockenstoffe bei der Härtung von Kunstharzen beschleunigend wirken, z.B. Cobaltnaphthenat, -octoat, -resinat u. dgl. – *E* cobalt accelerators – *F* accélérateurs à cobalt – *I* acceleratore di cobalto – *S* aceleradores de cobalto
Lit.: Ullmann (4.) **23**, 423; (5.) **A 9**, 63 f. – [*HS 3823 20*]

Cobaltblau (Thenards Blau, Dumonts Blau, Coelestinblau, Leithners Blau, Cobaltaluminat). CoO · Al$_2$O$_3$ od. CoAl$_2$O$_4$, M_R 176,89. Blaues, amorphes Farbpulver, das, mit der 1,4fachen Gewichtsmenge Öl angerührt, als Künstlerfarbe verwendet wird. C. gehört zu den *Spinellen u. ist gegen Licht, Luft, Temp.-Unterschiede, Alkalien u. die meisten Säuren beständig;

in heißer Salzsäure wird es allmählich gelöst. In China verwendete man C. schon zur Zeit der Tang-Dynastie (618–906 n. Chr.), in Persien bereits einige Jh. früher zur Dekoration von Tonwaren. Die Wiederentdeckung von C. erfolgte 1777 durch Gahn u. Wenzel (bei Lötrohrproben); einige Jahre später wurde es auch von *Thenard {durch Glühen von Tonerde-Hydrat [Al(OH)$_3$] mit Cobaltphosphat} hergestellt, der damit ein Vermögen verdiente. Heute gewinnt man C. durch Glühen von Alaun [KAl(SO$_4$)$_2$ · 12 H$_2$O] mit Cobaltsulfat od. nach Thenards Verf.; auf ähnliche Weise entsteht es beim Lötrohr-Nachw. von Al. C. wird auch oft als Bez. für *Coelinblau verwendet. Zur Physiologie s. Cobalt. – *E* cobalt blue – *F* bleu de cobalt – *I* azzurro di cobalto – *S* azul de cobalto

Lit.: Gmelin, Syst.-Nr. 58, Co, Tl. A, 1932, S. 469 f., Erg.-Bd., 1961, S. 863 ff. ▪ Ullmann (4.) **18**, 607; (5.) **A 7**, 307. – *[HS 2841 10; CAS 13820-62-7]*

Cobaltbombe s. Kernwaffen.

Cobalt(II)-carbonat. CoCO$_3$, M$_R$ 118,94. Rote, trigonale Krist., die sich beim Erhitzen unter CO$_2$-Abgabe zersetzen; unlösl. in Wasser, lösl. in Säuren unter Salzbildung, kommt in der Natur als Mineral *Sphärokobaltit* vor.

Verw.: In Keramik, als Katalysator, Pigment, zur Herst. anderer Co-Verbindungen. Zur Physiologie s. Cobalt. – *E* cobalt(II) carbonate – *F* carbonate de cobalt(II) – *I* carbonato di cobalto(II) – *S* carbonato de cobalto(II)

Lit.: Gmelin, Syst.-Nr. 58, Co, Tl. A, 1932, S. 347 ff., Erg.-Bd., 1961, S. 700 ff. ▪ Kirk-Othmer (4.) **6**, 779 ▪ Ullmann (5.) **A 7**, 306. – *[HS 2836 99; CAS 513-79-1]*

Cobaltcarbonyle. Gruppe von *Metallcarbonylen des Cobalts, von denen einige als Katalysatoren Bedeutung erlangt haben. Es gibt mehrkernige C. des Typs Co$_2$(CO)$_8$ (orange), Co$_4$(CO)$_{12}$ (grünschwarz) u. Co$_6$(CO)$_{16}$ (schwarz), Carbonylat-Anionen wie Co(CO)$_4^-$ u. Co(CO)$_3^{3-}$ sowie *Hydrocarbonyle*, z. B. das flüssige hellgelbe HCo(CO)$_4$, den eigentlichen Katalysator bei der *Oxo-Synthese (s. a. Hydroformylierung). Außerdem können C. mit einer Reihe anderer Elemente *Cluster-Verbindungen bilden.

Physiologie: Co$_2$(CO)$_8$ kann Krebs erzeugen, LD$_{50}$ (Ratte, Inhalation) 165 mg/m^3, Einstufung T (Giftig), s. a. Cobalt. – *E* cobalt carbonyls – *F* cobalt-carbonyles – *I* carbonili di cobalto – *S* carbonilos de cobaltos

Lit.: Chem. Unserer Zeit **22**, 113–122 (1988) ▪ Gmelin Erg. Werk, Bd. 5 (1973) u. 6 (1972) ▪ Kirk-Othmer (4.) **6**, 781 ▪ Ullmann (5.) **A 7**, 302 f. ▪ Wilkinson-Stone-Abel (2.) **8**, 1–114 ▪ s. a. Carbonyl-Komplexe u. Metallcarbonyle.

Cobalt(II)-chlorid. CoCl$_2$, M$_R$ 129,84. Blaßblaue, hygroskop. Krist., D. 3,356, Schmp. 724 °C (in HCl-Atmosphäre). C. bildet Hydrate der Zusammensetzung CoCl$_2$ · H$_2$O (blauviolett), CoCl$_2$ · 1,5 H$_2$O (dunkelblauviolett), CoCl$_2$ · 2 H$_2$O (rosaviolett), CoCl$_2$ · 4 H$_2$O (pfirsichblütenrot), CoCl$_2$ · 6 H$_2$O (rosa), lösl. in Wasser, Alkoholen, Aceton, Pyridin u. Ether. LD$_{50}$ (Ratte oral) 80 mg/kg (zur Physiologie s. a. Cobalt). Das aus rosafarbenen wäss. Lsg. bei 20 °C auskristallisierende himbeerrote, monoklin-prismat. Hexaquo-C. geht beim Erwärmen unter Krist.-Wasser-Abgabe zunächst (bei ca. 35 °C) in tiefblaue, wasserärmere Hydrate u. schließlich in das wasserfreie blaßblaue, sublimierbare C. über. An feuchter Luft vollzieht sich der umgekehrte Vorgang. Auf dieser Erscheinung beruht die Verw. des C. zu *Wetterbildern, Wetterblumen* (C.-getränkte Papiere, die je nach Feuchtigkeitsgehalt der Luft Farbänderungen zwischen blau u. rötlich zeigen), zu *Feuchtigkeits-Indikatoren* (z. B. in *Blaugel) u. *Geheimtinten. Weitere Anw. findet CoCl$_2$ zur Herst. von *Vitamin B$_{12}$, als Absorptionsmittel für Ammoniak u. Kampfgase, als Reagenz u. als Ausgangsmaterial für die Herst. anderer Cobalt-Verb. sowie in der Glas- u. Porzellanmalerei, Photographie (zur Brauntonung von Entwicklungspapieren, zur indirekten Grüntonung), in Galvanisierungsflüssigkeiten; als Schaumstabilisator in Bier ist C. in der BRD nicht zulässig. – *E* cobalt(II) chloride – *F* chlorure de cobalt(II) – *I* cloruro di cobalto(II) – *S* cloruro de cobalto(II)

Lit.: Brauer **2**, 1320 ▪ Gmelin, Syst.-Nr. 58, Co, Tl. A, 1932, S. 269–299, Erg.-Bd., 1961, S. 533–580 ▪ Kirk-Othmer (4.) **6**, 779 ▪ Ullmann (5.) **A 7**, 305. – *[HS 2827 34; CAS 7646-79-9]*

Cobaltfluorid. (a) *Cobalt(II)-fluorid*, CoF$_2$, M$_R$ 96,94. Rosarote Krist., D. 4,46, Schmp. ca. 1200 °C, Sdp. 1400 °C, in Wasser wenig lösl., bildet ein Di-, Tri- u. Tetrahydrat.

(b) *Cobalt(III)-fluorid*, CoF$_3$, M$_R$ 115,94. Bräunliche Krist., D. 3,88, ist in verschlossenen Behältern stabil, reagiert an feuchter Luft u. in Wasser unter Bildung von Sauerstoff. CoF$_3$ gibt bei Temp. über 600 °C einen Teil des gebundenen Fluors ab (2 CoF$_3$ → 2 CoF$_2$ + F$_2$) u. wird deshalb als Fluorierungsmittel, z. B. für Kohlenwasserstoffe, verwendet (Regenerierung mit elementarem Fluor). Metalloxide lassen sich durch CoF$_3$ in höhervalente Metallfluoride umwandeln [Herst. von Uranhexafluorid UF$_6$ aus Uran(IV, VI)-oxid, U$_3$O$_8$]. – *E* cobalt fluorides – *F* fluorures de cobalt – *I* fluoruri di cobalto – *S* fluoruros de cobalto

Lit.: Gmelin, Syst.-Nr. 58, Co, Tl. -A, 1932, S. 263–266, Erg.-Bd., 1961, S. 523–528 ▪ Kirk-Othmer (4.) **11**, 336 ff. ▪ Ullmann (5.) **A 7**, 329. – *[HS 2826 19; CAS 10026-17-2 (a); 10026-18-3 (b)]*

Cobaltgelb s. Kaliumhexanitrocobaltat(III).

Cobalt-Glas. *Cobaltoxid-haltige, blaue Glassorte, die schon in der Antike von den Ägyptern, Babyloniern, Griechen u. Römern hergestellt wurde u. seit dem 16. Jh. nach der „Wiedererfindung" durch den sächs. Glasbläser Christian Schürer Verw. für Kirchenfenster u. a. Schmuckzwecke fand; auch beim Kalium-Nachw. durch *Flammenfärbung benutzt man es. – *E* cobalt glass – *F* verre bleu, verre au cobalt – *I* vetro al cobalto – *S* vidrio de cobalto

Lit.: s. Glas.

Cobaltgrün [Rinman(n)s Grün, Türkisgrün, Zinkcobaltat(III)]. ZnO · Co$_2$O$_3$ od. ZnCo$_2$O$_4$. Verb. mit *Spinell-Struktur, die durch Glühen von Zinkoxid mit Cobalt(II)-oxid erhalten wird. Mit steigendem Co-Gehalt verschiebt sich der Farbton nach dunkleren Tönen. C.-Pigmente zeichnen sich durch hohe Licht-, Wetter-, Wasser- u. Lsm.-Echtheit aus, sie werden v. a. für Künstlerfarben u. *Zementfarben verwendet. C. entsteht auch beim Nachw. von *Zink; es wurde 1780 von Rinman(n) durch Ausfällen von Zink- u. Cobaltsulfat mit Soda u. Glühen des Niederschlagsgemisches erstmals hergestellt. Zur Physiologie s. Cobalt. – *E* cobalt

green – *F* vert de cobalt – *I* verde di cobalto – *S* verde de cobalto
Lit.: Gmelin, Syst.-Nr. 58, Co, Tl. A, 1932, S. 461, Erg.-Bd., 1961, S. 849 ▪ Ullmann (4.) **18**, 607. – *[HS 2841 90; CAS 12187-36-9]*

Cobaltiake. Veraltete Bez. für *Cobaltammine.

Cobaltin (Cobaltit, Kobaltglanz). CoAsS, früher wichtiges Cobalt-Erz. Metall. glänzende, silberweiße bis rötlichgraue, kub., stets eingewachsene, spröde Krist. od. derbe körnige Aggregate. C. hat trotz der Ähnlichkeit mit *Pyrit eine orthorhomb. (pseudokub.) Symmetrie, Kristallklasse mm2 – C_{2v}, s. dazu u. zur Struktur *Lit.*[1,2]. D. 6,0 – 6,4, H. 5,5, Strich grauschwarz. Theoret. 35,5% Co, 45,2% As, 19,3% S; Fe- u. Ni-Gehalte können jeweils 5% erreichen. Lösl. in Salpetersäure.
Vork.: Mehrorts (u. a. Tunaberg, Håkansboda) in Schweden, in Cobalt/Ontario/Kanada, in Queensland u. New South Wales/Australien. – *E* cobaltite, cobaltine – *F* cobaltine – *I* = *S* cobaltina
Lit.: [1] Am. Mineral. **67**, 1048 – 1057 (1982). [2] Can. Mineral. **28**, 719 – 723 (1990).
allg.: Anthony et al., Handbook of Mineralogy, Bd. 1, S. 103, Tucson/Arizona: Mineral Data Publishing 1990 ▪ Ramdohr-Strunz, S. 460 f. – *[HS 2605 00; CAS 1303-15-7]*

Cobaltit s. Cobaltin.

Cobaltkaliumnitrit s. Kaliumhexanitrocobaltat(III).

Cobalt-Legierungen. Etwa zwei Drittel der Co-Erzeugnisse werden *Legierungen zugesetzt. In reiner Form wird Co dagegen kaum verwendet. Bei den C.-L. kann man fünf größere Gruppen unterscheiden:
1. *Hochtemperaturwerkstoffe (s. Superlegierungen). Diese Leg. mit Co-Cr-Matrix weisen sowohl extreme *Festigkeit bei Temp. bis oberhalb 1000 °C als auch gute *Zunder-Beständigkeit als Folge einer sehr komplexen Zusammensetzung (Ni, W, Fe, Ta, Ti, Zr, B) auf. Verw. bes. in Flugtriebwerken. Allerdings könnten die Wärmenutzungsordnung u. die sich daraus ergebenden Forderungen nach Wirkungsgradsteigerung konventioneller Kraftwerke einen Einsatz dieser Leg. auch in der Energietechnik initiieren.
2. *Magnetwerkstoffe.* Hierbei wird Co zum einen als Legierungselement in gehärteten C-Stählen zur Steigerung der Koerzitivkraft eingesetzt, weiterhin liegt Co in Gehalten bis 36% in Ni-Fe-Al-Co-*Gußlegierungen (*Alnico-Magnete*) mit hohen Werten an Koerzitivkraft u. magnet. Sättigung vor. Eine Neuentwicklung stellen schließlich Permanentmagnete der Zusammensetzung MCo_5 mit M=Sm, Pr od. CeMM (*Cermischmetall) dar, die als Pulver in starken magnet. Feldern gerichtet kompaktiert werden.
3. *Hartmetalle. Ein hoher Anteil Co geht in sehr harte Metall-Leg. des Typs CoCrW (MoNi) mit C (*Stellite*). Anw. bevorzugt bei starker Verschleißbeanspruchung.
4. *Höchstfeste Stähle.* Bis ca. 10% Co wird hochverschleißfesten Stählen (z. B. Werkzeug-Stählen) zugesetzt (s. Fahrenwald-Legierungen). Stähle höchster Festigkeit enthalten neben Ni u. Mo bis ca. 20% Co (*Martensit-aushärtende Stähle).
5. Werkstoffe für die *Medizintechnik*. Vitallium (Co mit 30% Cr, 5% Mo sowie C- u. Si-Anteilen) wird als Zahnersatz eingesetzt, Co-Cr-Leg. als Endoprothesen (Hüftgelenke). Außerdem findet Co Anw. in Federleg. sowie Leg. mit bes. physikal. Eigenschaften (therm. Längendehnung, Tonträgereignung). Erwähnenswert ist schließlich die gemeinsame Verw. von Co u. Ni zur Bildung harter elektrolyt. abgeschiedener Schichten. – *E* cobalt alloys – *F* alliages au cobalt – *I* leghe di cobalto – *S* aleaciones de cobalto
Lit.: Ullmann (5.) A**7**, 293. – *[HS 8105 90]*

Cobaltnaphthenat s. Cobalt-Beschleuniger u. Naphthensäuren.

Cobaltnatriumnitrit s. Natriumhexanitrocobaltat(III).

Cobalt(II)-nitrat. Das als Hexahydrat, $Co(NO_3)_2 \cdot 6H_2O$, M_R 291,03, vorliegende C. bildet rote, hygroskop., monokline Krist., D. 1,87, Schmp. 55 – 56 °C, in Wasser, Alkohol u. vielen organ. Lsm. gut löslich. LD_{50} (Ratte oral) 691 mg/kg (s. a. Cobalt). C. wird durch Auflösen von Co, CoO, $CoCO_3$ u. dgl. in verd. Salpetersäure hergestellt.
Verw.: Zur Herst. von hochreinem Cobalt für elektron. Anw., als Rohmaterial für die Herst. von Buntpigmenten u. keram. Erzeugnissen. – *E* cobalt(II) nitrate – *F* nitrate de cobalt(II) – *I* nitrato di cobalto(II) – *S* nitrato de cobalto(II)
Lit.: Gmelin, Syst.-Nr. 58, Co, Tl. A, 1932, S. 252 – 262, Erg.-Bd., 1961, S. 515 – 523 ▪ Kirk-Othmer (4.) **6**, 780 ▪ Ullmann (5.) A**7**, 305. – *[HS 2834 29; CAS 10026-22-9]*

Cobaltocen s. Cobalt-organische Verbindungen.

Cobaltoctoat s. Cobalt-Beschleuniger.

Cobaltophyten. Pflanzen, die relativ hohe Cobalt-Konz. im Boden tolerieren; s. Metallophyten u. Cotoleranz. Normale Holzpflanzen enthalten typischerweise 0,5 ppm Cobalt. – *E* cobalt plants – *F* cobaltophiles – *I* cobaltofiti – *S* cobaltofitas
Lit.: Gibbs, Chemotaxonomy of Flowering Plants, Bd. 1, S. 481, Montreal-London: McGill-Queen's Univ. Press 1974 ▪ Schlee (2.), S. 187 – 203.

Cobalt-organische Verbindungen. Ähnlich wie von Eisen sind von Cobalt zahlreiche Komplex-Verb. mit Cobalt-Kohlenstoff-Bindungen bekannt. Die Komplexe können π-gebundene Liganden (z. B. CO od. Ethylen) wie auch σ-gebundene Liganden (z. B. Methyl- od. Norbornyl-Gruppen) enthalten. Auf dem Austausch dieser Liganden beruhen die katalyt. Eigenschaften einiger C.-o. V. in Polymerisations- u. Cyclisationsreaktionen, bzw. die *Oxo-Synthese usw. Im Unterschied zu *Ferrocen ist die *Bis(η^5-cyclopentadienyl)-Verb. des Cobalts [$(C_5H_5)_2Co$, *Cobaltocen*, s. a. Metallocene] eine stark reduzierend wirkende, paramagnet. Verb., die zu mannigfaltigen Radikal-Additionen befähigt ist u. katalyt. wirkt [1]. – *E* organocobalt compounds – *F* composés organo-cobaltiques – *I* composti organici di cobalto – *S* compuestos orgánicos de cobalto
Lit.: [1] Synthesis **1976**, 26 ff.
allg.: Gmelin, Erg.-Werk, Bd. 5 u. 6, 1973 ▪ Houben-Weyl **13/9 b**, 1 – 284 (1984) ▪ Wilkinson-Stone-Abel (2.) **8**, 1 – 114 ▪ s. a. Cobaltcarbonyle.

Cobalt(II)-oxalat. $Co(C_2O_4)$, M_R 146,95. Farblose od. rötliche Krist., D. 3,021, Schmp. 250 °C (Zers.), unlösl. in Wasser, bildet Di- u. Tetrahydrate. Es findet

Cobaltoxide 786

vorwiegend Verw. als Ausgangsmaterial für Cobalt-Metallpulver. Zur Physiologie s. Cobalt. – *E* cobalt(II) oxalate – *F* oxalate de cobalt(II) – *I* ossalato di cobalto – *S* oxalato de cobalto(II)
Lit.: Beilstein E IV 2, 1841 ▪ Gmelin, Syst.-Nr. 58, Co. Tl. A, 1932, S. 355 ff., Erg.-Bd., 1961, S. 704 ff. ▪ Kirk-Othmer (4.) **6**, 780 ▪ Ullmann (5.) **A 7**, 305. – *[HS 2917 11; CAS 814-89-1]*

Cobaltoxide. (a) *Cobalt(II)-oxid*, CoO, M_R 74,93. Olivgrünes Pulver, D. 6,45, Schmp. 1935 °C, unlösl. in Wasser, lösl. in Säuren, entsteht durch kontrollierte Metall-Oxid. über 900 °C. Es absorbiert bei 20 °C große Mengen an Sauerstoff.
(b) *Tricobalttetroxid*, Co_3O_4, M_R 240,80. Schwarze bis stahlgraue, oktaedr. Krist. mit *Spinell-Struktur, D. 6,07, geht >1000 °C in CoO über, wird durch H_2, C, CO u. Al zu Co reduziert. Zur Physiologie s. Cobalt.
Verw.: In der Email-Ind., in der Elektronik zur Herst. von *Ferriten, *Thermistoren u. Solarkollektoren, auch als Katalysator zur vollständigen Verbrennung von CO in Abgasen. – *E* cobalt oxides – *F* oxydes de cobalt – *I* ossidi di cobalto – *S* óxidos de cobalto
Lit.: Gmelin, Syst.-Nr. 58, Co, Tl. A, 1932, S. 222–263, Erg.-Bd., 1961, S. 475–498 ▪ Kirk-Othmer (4.) **6**, 781 ▪ Ullmann (5.) **A 7**, 503 ff. – *[HS 2822 00; CAS 1307-96-6 (a); 99397-46-3 (b)]*

Cobalt(II)-phosphat. Das vom C. gebildete Octahydrat $Co_3(PO_4)_2 \cdot 8H_2O$, M_R 510,86, ist ein rosarotes Pulver, D. 2,77, unlösl. in Wasser, lösl. in Mineralsäuren.
Verw.: Zur Blaufärbung von Porzellan, Glas, zur Herst. von Emails, Glasuren, Pigmenten. Durch Glühen einer Mischfällung aus C. u. Mg-Phosphat bei 800–1000 °C erhält man sog. *Cobaltviolett*, das für Künstlerfarben verwendet wird. Zur Physiologie s. Cobalt. – *E* cobalt(II) phosphate – *F* phosphate de cobalt(II) – *I* fosfato di cobalto(II) – *S* fosfato de cobalto(II)
Lit.: Gmelin, Syst.-Nr. 58, Co, Tl. A, 1932, S. 390, Erg.-Bd., 1961, S. 740 f. ▪ Kirk-Othmer (4.) **6**, 780 ▪ Ullmann (5.) **A 7**, 305. – *[HS 2835 29; CAS 13455-36-2]*

Cobalt-Pigmente s. Cobaltgrün u. Cobalt(II)-phosphat.

Cobalt-Quelle s. Cobalt-Anlage.

Cobalt(II)-sulfat. $CoSO_4$, M_R 154,99. Das Heptahydrat bildet luftbeständige, karminrote, monokline Krist., D. 1,948, Schmp. 97 °C, in Wasser u. Methanol leichtlösl.; LD_{50} (Ratte oral) 768 mg/kg (s. a. Cobalt).
Verw.: Zu Pigmenten, Glasuren, Porzellanmalerei, in der Photographie zur Tonung von Papieren u. dgl. Herst. s. *Lit.*[1]. – *E* cobalt(II) sulfate – *F* sulfate de cobalt(II) – *I* solfato di cobalto (II) – *S* sulfato de cobalto(II)
Lit.: [1] Brauer **2**, 1328.
allg.: Gmelin, Syst.-Nr. 58, Co, Tl. A, 1932, S. 324–338, Erg.-Bd. 1961, S. 654, Erg.-Bd., 1964, S. 628–634 ▪ Kirk-Othmer (4.) **6**, 780 ▪ Ullmann (5.) **A 7**, 305. – *[HS 2833 29; CAS 10124-43-3]*

Cobaltviolett s. Cobalt(II)-phosphat.

Cobamamid s. Corrinoide u. Coenzym B_{12}.

Cobamid, Cobamsäure, Cobinamid, Cobinsäure s. Corrinoide.

Cobox®. Fungizid auf der Basis von Kupferoxychlorid. *B.:* BASF.

Cobyr(in)säure s. Corrinoide.

COC. Kurzz. für *Cycloolefin-Copolymere.

Coca. Getrocknete Blätter des in Bolivien, Peru, Kolumbien, Brasilien u. Java heim., 1–2 m hohen Cocastrauchs (*Erythroxylum coca* Lam., Erythroxylaceae), die die eigentlichen *Coca-Alkaloide (*Cocain u. a. *Ecgonin-Derivate) neben *Pyrrolidin-Alkaloiden* (Hygrin u. *Cusc(o)hygrin) enthalten; beide Gruppen stellt man meist zu den *Tropan-Alkaloiden. Südamerikan. Sträucher enthalten ca. 0,5–1% Alkaloide, in der Hauptsache *Cocain, während die auf Java kultivierte Spezies vornehmlich Cinnamoylecgonin-Derivate (1,5–2,5%) enthält. Von den Andeneinwohnern wird C. mit etwas gebranntem Kalk gekaut, wobei Cocain freigesetzt u. zum großen Teil zum wesentlich weniger wirksamen Ecgonin hydrolysiert wird. Die Wirkung ist sympathomimet.: man fühlt sich gekräftigt, der Hunger wird gedämpft usw. Dieser Gebrauch des C. ist seit ca. 1000 Jahren bekannt; üblicherweise werden etwa 30 g C. täglich gekaut, doch erfordert die Gewöhnung an die Droge (*Sucht) eine Steigerung der benötigten Menge (bis zu 300 g/Tag) – man schätzt, daß die Andenvölker jährlich ca. 100 t C. kauen.
Verw.: Nicht nur für den genannten Zweck, sondern auch zur (z. T. illegalen) Herst. von Cocain u. C.-Extrakten. – *E = F = I = S* coca
Lit.: Hager (5.) **5**, 88–98 ▪ Steinegger u. Hänsel, Pharmakognosie, Berlin: Springer 1992 ▪ s. a. Cocain. – *[HS 1211 90]*

Coca-Alkaloide. Alkaloid-Gemisch aus den Blättern des Coca-Strauches (*Erythroxylum coca*), der in trop. Gebirgslagen Südamerikas u. Javas kultiviert wird. Es besteht aus *Tropan-Alkaloiden (bes. *Cocain u. a. *Ecgonin-Derivaten) sowie Pyrrolidin-Alkaloiden, z. B. *Hygrin u. *Cusc(o)hygrin. – *E* coca alkaloids – *F* alcaloides de coca – *I* alcaloidi di coca – *S* alcaloïdes de coca

Cocain (3β-Benzoyloxy-2β-tropancarbonsäuremethylester, Benzoylecgoninmethylester).

$C_{17}H_{21}NO_4$, M_R 303,36. Bitter schmeckende monokline Krist., Schmp. 98 °C, $[\alpha]_D$ –30° (CH_3OH). In organ. Lsm. gut, in Wasser mäßig unter alkal. Reaktion löslich. Mit Säuren bildet C. gut kristallisierende, wärme- u. lichtempfindliche, wasserlösl. Salze [Hydrochlorid; $C_{17}H_{22}ClNO_4$, M_R 339,82, Schmp. 195 °C, $[\alpha]_D^{20}$ –71,9° (H_2O)]. Das giftige C. (LD_{50} Ratte i.v.: 17,5 mg/kg) ist das Hauptalkaloid des *Coca-Strauches *Erythroxylon (Erythroxylum) coca* (s. a. Tropan-Alkaloide). C. wirkt lokal anästhesierend u. wurde 1884 zum erstenmal bei Operationen eingesetzt; wegen seiner Nachteile – leichte Zersetzlichkeit beim Sterilisieren u. suchterzeugende Wirkung – wird es heute fast nur noch als Lokalanästhetikum in der Augenheilkunde angewandt. Berüchtigt ist C. durch seine mißbräuchliche Verw. als Suchtgift. Das gewohnheitsmäßige Kauen von *Coca-Blättern, wie es auch heute noch v. a. unter den Andenbewohnern Südamerikas gebräuchlich ist,

bezeichnet man als Cocaismus. Ein Coca-Bissen besteht aus den mit etwas gebranntem Kalk od. Pflanzenasche vermischten Coca-Blättern, deren Blattrippen zuvor entfernt wurden. Beim Kauen wird in dem schwach alkal. Milieu das extrahierte Cocain teilw. zum nicht suchterregenden *Ecgonin verseift. Der Tageskonsum der Coca-Kauer Südamerikas („Coquereos") kann bis zu 50 Blätter, entsprechend 1–2 g C., betragen. Charakterist. ist die leistungssteigernde u. appetithemmende Wirkung. Die suchtbedingte Einnahme von Coca-Paste od. reinem C. durch Schnupfen, Rauchen od. parenterale Zufuhr (Injektion) wird als Cocainismus (Cocain-Sucht) bezeichnet. Häufiger Gebrauch führt zu psych. Abhängigkeit, eine phys. Gewöhnung tritt jedoch nicht ein, so daß es beim Absetzen der Droge nicht zu Entzugserscheinungen kommt. Allerdings kann die psych. Abhängigkeit so stark werden, daß es aufgrund von hohen Einnahmedosen (Überdosis) zu Vergiftungen u. sogar zum Tod durch Herz- u. Atemlähmung kommt. C. verursacht durch Einnahme für kurze Zeit Hyperstimulierung des sympath. Nervensystems, die durch Euphorie, Machtgefühl u. bes. Lebhaftigkeit gekennzeichnet ist. Bes. problemat. ist die Einnahme od. Inhalation der freien Base, die schon nach seltenem Gebrauch zur Sucht führen kann. In den USA stellen Cocain-Hydrochlorid (Deckname: Koks, Schnee) u. die freie Base C. (Deckname: Crack[1]) die am häufigsten konsumierte illegale Droge dar. Neuere Entwicklungen in der Bekämpfung der Cocain-Sucht sind die Entwicklung einer auf C.-Antikörpern beruhenden Vaccine[2] u. die Entdeckung von 4-Iodcocain als bisher stärkstem C.-Antagonisten[3]. C. wirkt gegen Insektenlarven[4].
Geschichte: 1750 kamen die ersten Coca-Sträucher aus Südamerika nach Europa, 1860 Isolierung, 1898 Konstitutionsaufklärung u. 1902 Synth. von C. durch *Willstätter. Struktur u. Wirkung des C. gaben den Anstoß zur Entwicklung der Anästhetika (Endung ...cain, z. B. *Lidocain, *Procain). – *E* cocaine – *F* cocaïne – *I* cocaina – *S* cocaína

Lit.: [1] Schmidbauer u. vom Scheidt, Handbuch der Rauschdrogen (7.), S. 632 ff., München: Nymphenburger 1988. [2] Nature (London) **378**, 725 (1995). [3] Chem. Ind. (London) **1995**, 295. [4] Proc. Nat. Acad. Sci. USA **90**, 9645 (1993).
allg.: Andrews u. Solomon, The Coca Leaf and Cocaine Papers, London: Harcourt Brace Jovanovich 1975 ▪ Beilstein E V **22/5**, 54 f. ▪ Braun-Frohne (6.), S. 250 ff. ▪ Kirk-Othmer (4.) **1**, 1048 f.; **9**, 723; **11**, 918 ▪ Manske **44**, 1–114 ▪ Ullmann (5.) A **1**, 360 f. – *Synth.:* Pharm. Unserer Zeit **11**, 55 (1982). – *Biosynth.:* J. Chem. Soc., Chem. Commun. **1980**, 1170 ▪ Manske **33**, 50 f. ▪ Planta Med. **56**, 339–352 (1990). – *Reviews:* (Cocain-Hydrochlorid) Florey **15**, 151–231 ▪ Dtsch. Apoth.-Ztg. **129**, 1955–1959 (1989) ▪ J. Heterocycl. Chem. **24**, 19 (1987) ▪ Schmidbauer u. vom Scheidt, Handbuch der Rauschdrogen (7.), S. 187–208, 412–420, München: Nymphenburger 1988. – *[HS 2939 90; CAS 50-36-2 (C.); 21206-60-0 (Racemat)]*

Cocancerogene s. Cocarcinogene.

Cocarboxylase. Internat. Freiname für *Thiamindiphosphat.

Cocarcinogene (Cocancerogene). Bez. für solche Stoffe, die ohne das Vorliegen bereits irreversibel veränderter (initiierter) Zellen keine *Tumoren erzeugen können. Man unterscheidet in neuerer Lit. zwischen (Tumor-)*Promotoren* u. C. im engeren Sinne; manchmal werden die Begriffe auch synonym gebraucht. Während erstere keine DNA-Veränderung auslösen, aber die Proliferation von Tumorzellen fördern, erhöhen letztere die Wirksamkeit von eigentlichen *Carcinogenen auf die DNA.
Zu den biochem. Effekten, die eine cocarcinogene Wirkung begründen, gehören: Erhöhung der Aktivität verschiedener *Enzyme wie *Oxygenasen, *Protein-Kinasen, *Proteasen, Ornithin-Decarboxylasen, Verminderung der Aktivität von *Superoxid-Dismutasen u. *Katalase, Verstärkung der DNA-, RNA- u. Protein-Synth., Erhöhung der *Arachidonsäure- u. *Prostaglandin-Freisetzung. *Beisp.:* Sehr geringe Dosen von *7,12-Dimethylbenz[*a*]anthracen rufen bei Mäusen noch keine Tumoren hervor – erst nachträgliche Applikation eines für sich selbst nicht carcinogen wirksamen Phorbolesters löst die Bildung von Papillomen u. Carcinomen aus. Phorbolester wie 12-*O*-Tetradecanoylphorbol-13-acetat (TPA, s. Phorbol) werden als die stärksten C. überhaupt angesehen. Sie wirken über die Aktivierung der *Protein-Kinase C, die ihrerseits Tyrosin-Reste phosphoryliert. TPA u. andere Diterpenester kommen in einer Reihe höherer Pflanzen, bes. in Wolfsmilchgewächsen (Euphorbiaceae) u. Seidelbastgewächsen (Thymelaeaceae) vor. Die cocarcinogen wirksamen Diterpenester sind ident. mit den hautreizenden Prinzipien dieser Pflanzen, wobei die cocarcinogen wirksame Dosis in der Größenordnung von Hormon-Dosen liegt. C.-verdächtig sind auch 2,3,7,8-*Tetrachlordibenzo[1,4]dioxin (TCDD), Antioxidantien wie 2,6-*Di-*tert*-butyl-4-methylphenol (BHT) u. *tert*-*Butylmethoxyphenol (BHA), *DDT, *Eisenoxid, bestimmte *Indol-Alkaloide, *Limonen u. *Phenobarbital (durch Enzyminduktion). Es gibt Hinweise dafür, daß auch aktive Sauerstoff-Spezies wie O_2^- u. organ. *Hydroperoxide cocarcinogen wirksam sein können. – *E* cocarcinogenes – *F* cocancérigènes – *I* cocancerogeni – *S* cocancerígenos

Lit.: IARC Sci. Publ. **56** (1984) ▪ Mutschler (7.), 834 f. ▪ Nature (London) **301**, 621 (1983); **306**, 487 (1983) ▪ s. a. Carcinogene.

Coccinellin.

Coccinellin   Convergin   Precoccinellin

$C_{13}H_{23}NO$, M_R 209,33. Abwehr-Alkaloid (*Allomon) der Marienkäfer (Coccinellidae). C. besitzt vier Chiralitätszentren, von den möglichen Diastereomeren konnte *Convergin* nachgewiesen werden. Vorläufer des C. in den Marienkäfern ist *Precoccinellin* ($C_{13}H_{23}N$, M_R 193,33), von dem auch die Diastereomeren *Hippodamin* u. *Myrrhin* nachgewiesen wurden. Auch polycycl. Dimere des C. sind bekannt. – *E* coccinellin – *F* coccinelline – *I* cocciniglia – *S* coccinelina

Lit.: Beilstein E V **20/5**, 156 ▪ Habermehl, Gift-Tiere u. ihre Waffen (5.), S. 64 f., Berlin: Springer 1994 ▪ Tetrahedron **51**, 8711 (1995). – *[CAS 34290-97-6]*

Cochenille (C. I. Natural Red 4). Bez. für getrocknete weibliche Nopal-Schildläuse (*Coccus cacti*, ausschließlich auf Kakteen als Wirtspflanzen), aus denen *Karmin gewonnen wird; heim. in Mittelamerika u. kultiviert im westlichen Mittelmeerraum sowie auf den Kanarischen Inseln. *Cochenille A* ist ein zur Lebensmittel- u. Kosmetikafärbung zugelassener *Azofarbstoff. – *E* cochineal – *F* cochenille – *I* cocciniglie – *S* cochinilla

Lit.: Schweppe, S. 261 ▪ Ullmann (5.) **A 11**, 572. – [HS 3203 00; CAS 1260-17-9]

Cochius-Viskosimeter s. Viskosimetrie.

Cockroft, Sir John Douglas (1897–1967), Direktor des Atomforschungsinst. Harwell (England). *Arbeitsgebiete:* Kernphysik, Anw. der Kernenergie, erste künstliche Umwandlung von Atomkernen, Nobelpreis für Physik 1951 (zusammen mit *Walton).

Lit.: Neufeldt, S. 179 f. ▪ Nobel Lectures, Physics 1942–1962, S. 163–186, Amsterdam: Elsevier 1964 ▪ Phys. Today **20**, 129 ff. (1967) ▪ Science **157**, 1416 (1967) ▪ Strube et al., S. 161.

Cocktail s. alkoholische Getränke (Spirituosen).

Cocoamidopropylbetaine (Abk. CAPB). Sammelbez. für *Amphotenside der allg. Formel

$$C_nH_{2n-1}-CO-\overset{+}{N}H-(CH_2)_3-CH_2-COO^-.$$

Herst.: C. werden in zwei Stufen durch Amidierung von Kokosfettsäure od. deren Glycerinester (Kokosfett) mit 3-Dimethylamino-1-propylamin u. anschließende Carboxymethylierung mit *Chloressigsäure synthetisiert. Die Jahresproduktion beträgt etwa 70 000 t 30%ige Ware (Europa, 1996).

Verw.: C. werden als *Cotenside zusammen mit *Aniontensiden in der Kosmetik, z.B. in Körperreinigungsmitteln, zur Verbesserung der Schaumqualität u. sensor. Eigenschaften (angenehmes glattes Hautgefühl, verbesserter Griff auf Haaren) sowie zur Verringerung der Irritationswirkung von Primärtensiden eingesetzt. Aufgrund der günstigen dermatolog. Eigenschaften u. der guten Umweltverträglichkeit gewinnen C. auch für manuelle *Geschirrspülmittel u. andere Haushaltsprodukte sowie im techn. Sektor Bedeutung. INCI/CTFA-Bez.: Cocamidopropyl Betaine. – *E* cocoamidopropyl betaines

Lit.: Parfuem. Kosmet. **77**, 244 (1996) ▪ Tenside Surf. Deterg. **33**, 8–14 (1996).

COD. 1. Abk. für Chemical Oxygen Demand, s. CSB. – 2. s. *cis,cis*-1,5-Cyclooctadien.

Code, genetischer s. genetischer Code, Codon, Proteine.

Codein (Methylmorphin, Morphin-3-methylether).

$C_{18}H_{21}NO_3$, M_R 299,37; das Monohydrat bildet orthorhomb. Platten, Schmp. 154–156 °C, D. 1,32, $[\alpha]_D$ –137,8° (C_2H_5OH). C. ist leicht lösl. in organ. Lsm.; C. bildet mit Säuren in Wasser leicht lösl. Salze, von denen in der Medizin am häufigsten *Codeinphosphat* verwendet wird. C. gehört zu den *Opium-Alkaloiden (griech. Kodeia = Mohnkopf) u. ist zu 0,3–3% im Opiumsaft enthalten, in dem es 1833 von Robiquet entdeckt wurde. Aufgrund ihrer das Hustenzentrum dämpfenden Eigenschaften werden C.-Salze in Antitussiva angewandt. C. ist im Gegensatz zu *Morphin kaum analget. wirksam. Es wird partialsynthet. aus Morphin durch Methylierung mit Diazomethan od. aus *Thebain hergestellt. – *E* codeine – *F* codéine – *I* codeina – *S* codeína

Lit.: Acta Crystallogr. Sect. C **43**, 977 (1987) (Struktur) ▪ Florey **10**, 93 (Review) ▪ Braun-Frohne (6.), S. 403 ▪ Dtsch. Apoth.-Ztg. **133**, 433 (1993) ▪ Hager (5.) **7**, 1070 ▪ Manske **2**, 171–189; **6**, 219–245 ▪ Sax (8.), CNF 500 ▪ Tetrahedron **39**, 2393 (1983) (Synth.) ▪ Ullmann (5.) **A 1**, 377. – [HS 2939 10; CAS 76-57-3]

Codeinum phosphoricum Compretten®. Tabl. mit dem Antitussivum Codeinphosphat-Hemihydrat. *B.:* Cascan/Cascapharm.

CODEN (CASSI Code Number). Von *Chemical Abstracts Service (seit 1975, vorher von *ASTM) vergebene, aus 6 Zeichen (Buchstaben od. Ziffern) bestehende, unverwechselbare u. maschinenlesbare Abk. für Zeitschriftentitel. Die ersten vier Zeichen sind für chemische Zeitschriften meist eine Abk. des Titels; *Beisp.:* *Chem*ische *Ber*ichte = CHBEAM, *Chem*ie-*I*ngenieur-*T*ech*n*ik = CITEAH. Wichtige CODEN enthalten meistens A als fünften Buchstaben; das sechste (Prüf-)Zeichen wird nach einem Modul ermittelt:

$$\frac{(11 \cdot B_1) + (7 \cdot B_2) + (5 \cdot B_3) + (3 \cdot B_4) + (1 \cdot B_5)}{34} = Q + \frac{X}{34}$$

wobei B_N die Werte 1...26, 27...35 u. 36 für die Zeichen A...Z, 1...9 u. 0 annimmt. CHBEA (= Chem. Ber.) ergibt mit $(11 \cdot 3) + (7 \cdot 8) + (5 \cdot 2) + (3 \cdot 5) + (1 \cdot 1) = 115$ den Wert 115/34 = 3 + 13/34. Das Prüfzeichen X ist also 13, u. der 13. Buchstabe des Alphabets ist M.; für X = 27...34 werden als Prüfzeichen die Ziffern 2...9 vergeben. Näheres s. in CASSI.

Lit.: CODEN Directory, Columbus: CAS (jährlich; Vertretung: Weinheim: VCH Verlagsges.).

Codenummern des Zolltarifs s. Vorwort u. harmonisiertes System.

Codex Alimentarius. Von der *WHO u. der *FAO wurde 1963 eine Kommission gegr., die sich mit der Herausgabe eines weltweit gültigen Lebensmittelbuches, dem C. A., befaßt. Diese Kommission soll den Schutz der Verbraucher im Verkehr mit Lebensmitteln verbessern, den zwischenstaatlichen Handel fördern u. Entwicklungsländer beim Erlassen eigener Lebensmittelgesetze sowie beim Aufbau einer wirksamen Lebensmittelüberwachung unterstützen. Dazu hat die Kommission 20 Fachkomitees eingesetzt, die Lebensmittelstandards weltweiter Geltung erarbeiten. Inzwischen sind mehr als 200 Lebensmittelstandards, Richtlinien u. ähnliche Dokumente verabschiedet worden. Die Veröffentlichung der Codex Standards erfolgt in der BRD im Behrs-Verl. (Hamburg)

Codicaps®. Kindersaft u. Kapseln mit *Codein u. *Chlorphenamin-Maleat, C. mono Kapseln nur mit Codein gegen Husten. *B.:* Thiemann.

Codicompren®. Retardtabl. mit dem Antitussivum Codeinphosphat-Hemihydrat. *B.:* Cascan/Cascapharm.

Codipront®. Saft, Kapseln u. Tropfen gegen Reizhusten mit *Codein u. *Phenyltoloxamin mit Langzeitwirkung infolge Adsorption an Ionenaustauscher; C. mono enthält nur Codein. **B.:** Mack.

Codlemone [(8E,10E)-8,10-Dodecadien-1-ol].

H₃C–...–OH (8E,10E)

$C_{12}H_{22}O$, M_R 182,31, Krist., Schmp. 29–30 °C, Sdp. (1,3 Pa) 80–85 °C. Sexualpheromon des Apfelwicklers *Laspeyresia pomonella* (Schädling in Apfelkulturen). – E codlemone
Lit.: J. Org. Chem. **47**, 4801 (1982); **51**, 4934 (1986) ▪ Tetrahedron Lett. **24**, 1247 (1983); **33**, 3643 (1992). – [CAS 33956-49-9]

Codon. Nucleotid-Triplett in einem Gen (auf *DNA- u. *mRNA-Ebene), das während der *Translation nach den Regeln des *genetischen Codes für eine *Aminosäure codiert od. einen Translationsstop bewirkt (*Stop-Codon). – $E = F$ codon – I codone – S codón
Lit.: Knippers (6.), S. 74–81 ▪ s. a. genetischer Code.

Coecotrophie s. Koprophagen.

Coehnsches Gesetz s. elektrochemische Doppelschicht.

Coelenterazin. $C_{26}H_{21}N_3O_3$, M_R 423,47. Prosthet. Gruppe mit Imidazopyrazin-Struktur des Photoproteins *Aequorin aus biolumineszierenden Quallen-Arten der Gattung *Aequorea*. Blaue Lumineszenz wird in Ggw. von Spuren an Ca^{2+}-Ionen beobachtet. Natürliches Aequorin benötigt zur Biolumineszenz keinen mol. Sauerstoff, weshalb man annimmt, daß es in Form eines Peroxids vorliegt. Dieses zerfällt mit Ca^{2+}-Ionen unter Lichtemission in CO_2 u. *Coelenteramid*, $C_{25}H_{21}N_3O_3$, zum Mechanismus s. *Lit.*[1]. In vitro läßt sich funktionsfähiges Aequorin aus dem Apoprotein, C. u. Sauerstoff regenerieren. – E coelenterazine – F coélentérazine – S celenterazina
Lit.: [1] Chem. Unserer Zeit **29**, 189 (1995).
allg.: Chem. Lett. **1975**, 141; **1979**, 249–252 ▪ Scheuer I **3**, 193–202 ▪ s. a. Biolumineszenz, Luciferin, Luciferase u. Photoproteine.

Cölestin. $SrSO_4$, wichtigstes Strontium-Mineral, krist. rhomb., Kristallklasse mmm-D_{2h}, ist isotyp u. vollständig mischbar mit *Baryt u. gewöhnlich mit etwas Ca od. Ba verunreinigt; zur Struktur s. *Lit.*[1]. Flächenreiche dicktafelige u. stengelige Krist., körnige, stengelige, knollige u. faserige Aggregate. Weiß, gelblich, farblos, blau bis blaugrau (griech.: coelestis = himml.). H. 3–3,5, D. 3,9–4. C. färbt die Flamme karminrot (Sr!).
Vork.: In Hohlräumen in *Kalken u. *Dolomiten, als *Konkretionen in Kalken, *Mergeln u. *Gipsen. Schöne Krist. von Sizilien, Katsepy/Madagaskar, Bristol/England, Polen u. Metlaoui/Tunesien. Hauptförderländer[2] sind Mexiko (Staat Coahuila; Fördermenge 1994: 111 485 t[3]), Spanien (1993: 92 000 t[4]) u. die Türkei.
Verw.[2]*:* V. a. zur Herst. von *Strontiumcarbonat (für Fernsehbildröhren, Computerbildschirme, Sr-Verb. usw.) u. *Strontiumnitrat; ferner in der Feuerwerkerei u. bei der Zink-Elektrolyse. – E celestite, celestine – F célestine – I celestina, celestite – S celestina, celestita

Lit.: [1] Am. Mineral. **63**, 506–510 (1978). [2] Ind. Miner. **1992**, No. 301, 21–33. [3] Ind. Miner. **1995**, No. 336, 35 f. [4] Ind. Miner. **1995**, No. 332, 64 ff.
allg.: Deer et al. (2.), S. 610 f. ▪ Gmelin, Syst.-Nr. 29, Sr, Erg-Bd., 1960, S. 78–81 ▪ Ramdohr-Strunz, S. 597 f. – [HS 252020; CAS 14291-02-2]

Coelestinblau s. Cobaltblau.

Coelinblau (Coeruleum). Säure-, alkali-, licht- u. luftbeständige Künstlerfarbe, entsteht beim Glühen von Cobaltsulfat, Kreide u. Zinnsalz.

Coenospezies s. Art.

Coenzym A (CoA, CoA–SH).

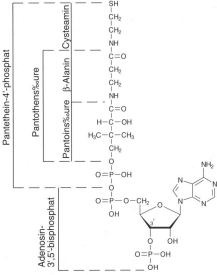

$C_{21}H_{36}N_7O_{16}P_3S$, M_R 767,54. Farbloses, in Wasser leicht, in Alkohol, Ether u. Aceton nicht lösl. Pulver. Wäss. Lsg. sind bei leicht sauren pH-Werten (2–6) recht stabil, jedoch wird CoA an der Luft leicht zum Disulfid oxidiert (2 CoA–SH → CoA–S–S–CoA). Synth. s. *Lit.*[1].

Biosynth.: CoA entsteht im Organismus aus Pantethein-4'-phosphat (4'-Phosphopantethein; s. Abb.), das mit *Adenosin-5'-triphosphat (ATP) zu 3'-Dephospho-CoA unter Freisetzung von 2 Mol anorgan. Phosphat verknüpft wird. Die zum CoA noch fehlende Phosphat-Gruppe in 3'-Stellung wird von einem weiteren Mol ATP gespendet.

Funktionen: CoA hat im *Stoffwechsel – u. zwar sowohl im Katabolismus wie auch im Anabolismus – wichtige Aufgaben bei der Aktivierung, Umwandlung u. Übertragung von Acyl-Gruppen zu erfüllen. Seine Thiol-Gruppe (SH-Gruppe) ist zur Bildung von Thioestern befähigt, die diese Acyl-Reste bereitwillig auf Nucleophile übertragen. Man nennt die Thioester deshalb auch *aktivierte* Säure-Derivate, bezeichnet die Bindung der Acyl-Gruppe an CoA als energiereich u. schreibt sie oft mit dem Zeichen „~", z.B. CoA–S–CO–CH₃ für *Acetyl-CoA, das als Acetyl-Gruppendonor eine zentrale Stellung im Stoffwechsel einnimmt. Außerdem dissoziiert die α-Methyl(en)-Gruppe des Acyl-Restes bes. leicht unter Bildung eines Carbanions. Der überwiegende Teil des Mol. ist je-

Coenzym B₁₂ 790

doch nicht direkt an den Reaktionen beteiligt, sondern ermöglicht die meist sehr spezif. Erkennung u. Bindung durch das jeweilige Enzym. Neben zahlreichen Transacylierungsreaktionen (s. Transacylasen) wie z. B. die Bildung von Acetylphosphat, *Acetylcholin u. *N*-Acylneuraminsäuren beobachtet man oft auch Umwandlungen an der Acyl-Gruppe, während sie an CoA gebunden ist. Dazu gehören u. a. deren Oxid. (beim *Fettsäure-Abbau), Red. zum Aldehyd sowie Reaktionen der α-Methyl(en)-Gruppe wie Carboxylierung (bei der *Fettsäure-Biosynthese) u. Aldol-Additionen (z. B. bei der Citrat-Synth.; s. Citronensäure-Cyclus).

Die quant. Bestimmung des CoA u. seiner Acyl-Derivate kann durch *HPLC, *enzymatische Analyse od. *Gaschromatographie/*Massenspektrometrie erfolgen[2]. Aufbau u. Funktion des CoA wurden bes. von *Lipmann u. *Lynen untersucht, die Totalsynth. gelang 1959 Moffatt u. *Khorana. – $E = F$ coenzyme A – $I = S$ coenzima A

Lit.: [1] Isler et al., Vitamine II, S. 323 ff., Stuttgart: Thieme 1988. [2] Anal. Biochem. **204**, 228 ff. (1992).
allg.: Beilstein E V **26/16**, 430 ▪ Stryer 1996, S. 475 f., 638 f. – [HS 2933 59; CAS 85-61-0]

Coenzym B₁₂ [(5′-Desoxyadenosin-5′-yl)cobalamin, internat. Freiname: Cobamamid]. $C_{72}H_{100}CoN_{18}O_{17}P$, M_R 1579,60, rote Krist., lösl. in Ethanol, Phenol, kaum in Aceton, Ether, Dichlorethen, Dioxan, Zers. bei 150–200 °C. Strukturformel s. Corrinoide.
Vork.: C. B₁₂ kommt in tier. Gewebe (vorwiegend in Niere u. Leber), in Darminhalt u. Fäzes, in zahlreichen Bakterien, in Faul- u. *Belebtschlamm vor. Im menschlichen Organismus findet es sich im Serum weitgehend an gewisse α-*Globuline (*Transcobalamine*) gebunden. Es wird im Körpergewebe gespeichert, insbes. in der Leber, die ca. 0,8 mg enthält. Der Gesamtvorrat des Körpers liegt bei 3–6 mg u. ist für 3–5 Jahre ausreichend. Da die axialen Liganden des C. B₁₂ leicht austauschbar sind, bildet sich bei der Aufarbeitung *Cyanocobalamin (Vitamin B₁₂, zur physiol. Bedeutung s. a. dort).
Biochemie: C. B₁₂ spielt nicht nur bei der bakteriellen Red. der Ribonucleosiddi- u. -triphosphate zu den entsprechenden *Desoxynucleotiden, sondern auch bei Umlagerungen mit Wasserstoff-Wanderung eine Rolle, so z. B. als Cofaktor der Umwandlung von (*R*)-Methylmalonyl-Coenzym A zu Succinyl-Coenzym A, einer Reaktion, die den Abbau von Fettsäuren mit einer ungeraden Anzahl von Kohlenstoff-Atomen erlaubt u. durch das Enzym *Methylmalonyl-Coenzym-A-Mutase* (EC 5.4.99.2) katalysiert wird. So wird denn auch B₁₂-Mangel durch das Auftreten von Methylmalonsäure im Harn diagnostiziert. Neben C. B₁₂ kennt man noch eine andere Coenzym-Form des Cobalamins, *Methylcobalamin*. Als wesentlich für die Wirkungsweise dieser Cofaktoren wird die Reaktivität der Cobalt-Kohlenstoff-Bindung angesehen.
Zur Biosynth. des C. B₁₂[1] sind ausschließlich Mikroorganismen befähigt, z. B. die der Darmflora von Weidetieren, u. sie bilden es wie die *Porphyrine über *Porphobilinogen aus Uroporphyrinogen III. C. B₁₂ wurde als Anabolikum 1965 von Glaxo, 1969 von Yamanouchi patentiert. – $E = F$ coenzyme B₁₂ – $I = S$ coenzima B₁₂

Lit.: [1] Angew. Chem. **105**, 1281–1302 (1993).
allg.: Beilstein E III/IV **26**, 3711 ▪ Stryer 1996, S. 675 ▪ Vitamins and Hormones **50**, 1–76 (1995). – [HS 2936 26]

Coenzyme (veraltet: Cofermente). Bez. für (im Gegensatz zu *Enzymen) verhältnismäßig niedermol. Verb., die bei enzymat. katalysierten Reaktionen eine Übertragungsrolle spielen. Da sie (wieder im Gegensatz zu Enzymen) während der Reaktion chem. verändert werden, sind sie nicht als Cokatalysatoren zu betrachten, sondern eher als Cosubstrate („zweite Substrate"). Von den *Substraten unterscheiden die C. sich jedoch dadurch, daß sie in einem kurzen Cyclus, d. h. meist in einem einzigen Reaktionsschritt regeneriert werden. Daher treten viele C. in zwei verschiedenen Formen auf u. können als Gruppenüberträger wirken. C. binden normalerweise reversibel u. nicht-kovalent an die entsprechenden Enzyme (Apoenzym + C. ⇌ Holoenzym), können jedoch in etlichen Fällen auch kovalent gebunden sein u. sind dann eher als *prosthetische Gruppen zu bezeichnen. Jedoch wird in diesem Punkt nicht immer unterschieden. Vorläufer vieler C. sind *Vitamine. Für techn. Prozesse od. die *Affinitätschromatographie kann es sinnvoll sein, C. an polymere Träger zu binden (*Immobilisierung). – $E = F$ coenzymes – I coenzimi – S coenzimas

Lit.: Voet-Voet (2.), S. 315 f.

Coenzym F₄₂₀.

oxidierte Form CoF₄₂₀   reduzierte Form CoF₄₂₀H₂

$C_{29}H_{36}N_5O_{18}P$, M_R 773,60 (oxidierte Form). Ein 5-Deazaflavin-Derivat, dessen reduzierte Form als Redox-Coenzym methanogener *Archaea bei der Red. von 5,10-Methenyl- u. 5,10-Methylen-*Tetrahydromethanopterin als Elektronen-Donor wirkt u. durch eine *Flavin-Adenin-Dinucleotid-abhängige *Hydrogenase regeneriert wird. – $E = F$ coenzyme F₄₂₀ – $I = S$ coenzima F₄₂₀

Lit.: Eur. J. Biochem. **227**, 169–174 (1995). – [CAS 64885-97-8]

Coenzym F₄₃₀ (Faktor F₄₃₀).

$C_{42}H_{51}ClN_6NiO_{13}$, M_R 942,04. Nickel-haltiges Tetrapyrrol, Coenzym der Methyl-Coenzym-M-Reduktase bei methanogenen *Archaea (s. a. Methanogenese). Als solches ist es beteiligt an der Red. der an *Coenzym M gebundenen Methyl-Gruppe unter Freisetzung von Methan u. Coenzym M. Zur Biosynth. s. *Lit.*[1]. – $E = F$ coenzyme $F_{430} - I = S$ coenzima F_{430}
Lit.: [1] Ciba Foundation Symp. **180**, 210–227 (1994).
allg.: FEMS Microbiol. Rev. **7**, 4427–4434 (1992) ▪ Nachr. Chem. Tech. Lab. **41**, 1092–1099 (1993). – [CAS 73145-13-8]

Coenzym M (CoM, CoM–SH, 2-Mercaptoethansulfonsäure, s. a. Mesna).

$$HS-CH_2-CH_2-\underset{\underset{O}{\|}}{\overset{\overset{O}{\|}}{S}}-OH$$

$C_2H_6O_3S_2$, M_R 142,19. An der *Methanogenese (daher „M") bestimmter anaerober Archaebakterien beteiligtes Coenzym. CoM übernimmt die Methyl-Gruppe von 5-Methyl-*Tetrahydromethanopterin (Methyl-H$_4$MPT), von Methanol od. von Triethylamin, wobei *Corrinoide als Cofaktoren beteiligt sind[1]. Bei *Methanobacterium thermoautotrophicum* ist der Methyl-Transfer von Methyl-H$_4$MPT auf CoM zum Speichern von Energie an das Pumpen von Natrium-Ionen durch die Plasmamembran in die Zelle gekoppelt[2]. Die Methyl-Gruppe wird unter Beteiligung von *Coenzym F$_{430}$ zu Methan reduziert, während sie an die Thiol-Gruppe von CoM gebunden ist, wobei wieder freies CoM–SH entsteht. – $E = F$ coenzyme M – $I = S$ coenzima M
Lit.: [1] Arch. Microbiol. **159**, 530–536 (1993). [2] Eur. J. Biochem. **228**, 640–648 (1995).
allg.: Beilstein E IV **4**, 85 f.

Coenzym Q s. Ubichinone.

Coesit. SiO_2, bei 500–800 °C u. 3,5 GPa hergestellte monokline Hochdruck-Modif. (D. 2,92–2,93) des *Siliciumdioxids, bildet unregelmäßige bis fast rechteckige Körner. Kristallklasse $2/m-C_{2h}$, zur Struktur s. *Lit.*[1], zur Phasenumwandlung C./*Stishovit s. *Lit.*[2].
Vork.: In Meteoritenkratern u. in Gesteinen der *Hochdruckmetamorphose[3], z. B. in *Eklogiten in China[4] u. Norwegen; in Fremdgesteinseinschlüssen in Diamant-führenden *Kimberliten, z. B. in Yakutien/Sibirien. – $E = F = I$ coesite – S coesita
Lit.: [1] Am. Mineral. **75**, 748–754 (1990). [2] Phys. Chem. Miner. **23**, 1–16 (1996). [3] Fortschr. Mineral. **63**, 227–261 (1985). [4] Am. Mineral. **81**, 181–186 (1996).
allg.: Deer et al. (2.), S. 457–472 ▪ Heaney, Prewitt u. Gibbs (Hrsg.), Silica (Reviews in Mineralogy, Bd. 29), S. 41–81, Washington (D.C.): Mineralogical Society of America 1994. – [CAS 13778-38-6]

Coevolution. In der Biologie bezeichnet C. die gemeinsame stammesgeschichtliche Entwicklung (*Evolution) zweier Organismen-*Arten, in deren Verlauf eine der Arten immer besser an die durch die andere Art geschaffene *ökologische Nische angepaßt wird (*Adaptation); häufig zu beobachten bei *Synökien, *Symbiosen, Parasitismus. Im Gegensatz zu C. wird mit *Coadaptation* meist nicht der Vorgang der Anpassung, sondern das Anpassungsinstrument gemeint, z. B. Lock- u. Beköstigungsstoffe (*Attraktantien) zur Sicherung der Bestäubung insektenblütiger Pflanzen (Entomogamie). Andererseits werden C. u. Coadaptation insoweit unterschieden, daß C. nur einem Teil der sich wandelnden Arten, Coadaptation allen einen Vorteil bringt. Molekularbiolog. erfolgt C. durch 1. Veränderung der *DNA (Mutation); – 2. durch Exprimierung der veränderten DNA (Veränderung des Phänotypus); – 3. durch *Selektion – 4. durch *Rekombination. In diesem Zusammenhang wird unter C. auch die gleichzeitige Bildung zweier Merkmale in einer Organismenart verstanden.
Durch C. werden v. a. die nicht für den Grundstoffwechsel notwendigen Metaboliten gebildet u. verändert, z. B. die sek. Pflanzenstoffe; es entstehen Stoffe, welche die Beziehungen zwischen Organismenarten regeln, z. B. *Allomone u. *Kairomone (s. a. Allelopathika, Repellentien).
Synevolution wird sowohl synonym zu C. als auch spezif. zur Bez. einer gemeinsamen stammesgeschichtlichen Entwicklung mehrerer Organismenarten verwendet. – $E = F$ coévolution – I coevoluzione – S coevolución
Lit.: Harborne, Ökologische Biochemie, S. 221–250, Heidelberg: Spektrum Akadem. Verl. 1995 ▪ Schlee (2.), S. 20, 235 f.

Coex®. Gasreinigungskatalysator aus Pt/Al_2O_3 zur Entfernung von CO u. O_2 aus Gasen. *B.:* Doduco.

Coextrusion. Verf. zur Herst. von Folien aus zwei od. mehr Schichten für Verpackungen u. als *Halbzeuge. Die verschiedenen Schichten können dabei aus dem gleichen Material bestehen, wie z. B. bei porenfreien Folien aus zwei Schichten von *Poly(ethylen) niedriger Dichte für allg. Verpackungszwecke. Bei anderen coextrudierten Verpackungsfolien sorgt die Deckschicht für die therm. Verschweißbarkeit, die Innenschicht wirkt dagegen als Aroma- u. Gasbarriere. – $E = F$ coextrusion – I coestrusione – S coextrusión
Lit.: Elias (5.) **2**, 397.

Cofaktoren. Stoffliche Faktoren, die außer Apoenzymen (den reinen *Protein-Anteilen von *Enzymen) u. *Substraten zum Ablauf von enzymat. Stoffwechselreaktionen nötig sind; dies sind v. a. *Coenzyme (bzw. deren Vorläufer, die *Vitamine) u. *prosthetische Gruppen sowie Enzym-Aktivatoren, speziell auch Metall-Ionen. – E cofactors – F cofacteurs – I cofattori – S cofactores

Coffearin s. Trigonellin.

Coffein (Thein, Guaranin, 1,3,7-Trimethylxanthin).

$C_8H_{10}N_4O_2$, M_R 194,19. Geruchlose, bitter schmeckende Krist. Schmp. 238 °C (subl. ab 178 °C), in Wasser u. Chloroform gut, in Alkoholen mäßig löslich. C. ist ein zu den *Purinen zählendes Pflanzen-*Alkaloid u. bildet mit Säuren in Wasser leichtlösl. Salze.
Vork.: C. findet sich an *Chlorogensäure gebunden in *Kaffee-Bohnen (1–1,5%), in getrocknetem, schwarzem Tee (bis zu 5%; früher wurde dieses Tee-C. auch als *Thein* bezeichnet), im *Mate- od. Paraguay-Tee (0,3–1,5%), in *Cola (ca. 1,5%) u. in der *Gua-

rana-Paste (bis 6,5%); auch *Kakao-Kerne enthalten C. (ca. 0,2%).
Physiologie: C. wirkt erregend auf das ZNS, da es durch Hemmung der Phosphodiesterase die Umwandlung des cAMP in *AMP verzögert (vgl. Adenosin-3',5'-monophosphat). Mäßige C.-Mengen regen Herztätigkeit, Stoffwechsel u. Atmung an, der Blutdruck, die Körpertemp. u. Blutumlaufgeschw. steigen, die Blutgefäße im Hirn erweitern sich ein wenig, während sie sich in den Eingeweiden verengen; bekannt ist die harntreibende Wirkung des Kaffees (*Diuretikum). Die bessere Durchblutung des Großhirns hat im Bereich des Bewußtseins Verscheuchung der Müdigkeit, vorübergehende Besserung der Arbeitsleistung u. Hebung der Stimmung zur Folge. C. kann als Antagonist von Adenosin die Freisetzung von Neurotransmittern fördern. C. übt einen lipolyt. Effekt auf das Fettgewebe aus (Anstieg der freien Fettsäuren im Serum). Chron. Mißbrauch von C. kann eine leichte Form der Abhängigkeit erzeugen, die sich bei Entzug z. B. in Kopfschmerzen äußert. Höhere C.-Dosen (etwa von 300 mg aufwärts) rufen Händezittern, Blutandrang zum Kopf, Druck in der Herzgegend hervor; die letale Dosis für den Menschen liegt zwischen 5 u. 30 g. Im Organismus hat C. eine HWZ von 3–5 h. Näheres zu den physiolog. Wirkungen von Coffein s. *Lit.* Der Nachw. kann dünnschichtchromatograph. od. gaschromatograph. erfolgen.
Herst.: Durch Extraktion von Teeblättern, durch Methylierung des aus Kakaoschalen u. -abfällen gewonnenen *Theobromins u. als Rückstand von der Herst. C.-freien Kaffees. Zur *Entcoffeinierung* s. Kaffee.
Synth.: Die C.-Synth. erfolgt aus Harnsäure, Harnstoff od. dessen Dimethyl-Derivaten, durch – ggf. modifizierte – *Traube-Synthese od. *Theophyllin, zur *Biosynth.* von C. s. *Lit.*
Verw.: Genußmittel in Kaffee, Tee u. C.-haltigen Erfrischungsgetränken, deren C.-Gehalt mind. 65 mg u. max. 250 mg je Liter betragen muß; Cola-Getränke enthalten ca. 160 mg/L u. „Bohnenkaffee" ca. 500 mg/L. In der Medizin findet die Anw. bei Herzschwächen, Neuralgien, Kopfschmerz, asthmat. Anfällen, Heufieber, Nicotin-, Morphin- u. Alkohol-Vergiftungen.
Geschichte: Rein-C. wurde 1819 von Runge aus Kaffeebohnen gewonnen u. 1895 erfolgte die C.-Synth. durch E. Fischer. – *E* caffeine, coffein(e) – *F* caféine – *I* caffeina – *S* cafeína
Lit.: Arzneimittelchemie I, 363 ff., II, 101 ▪ Beilstein E V 26/13, 558 ff. ▪ Braun-Frohne (6.), S. 176–180 ▪ Braun-Dönhardt, S. 115 ▪ Chem. Ber. **126**, 1955 (1993) (Synth.) ▪ Chem. Unserer Zeit **18**, 17 (1984) ▪ Dtsch. Apoth. Ztg. **129**, 1550 (1989) ▪ Eichler, Kaffee u. Coffein, Berlin: Springer 1976 ▪ Florey **15**, 71 (Analytik) ▪ IARC Monogr. **51**, 291 (1991) ▪ Int. J. Toxicol. **26**, 521 (1988) ▪ McKetta **5**, 424–440 (Synth.) ▪ Pharm. Unserer Zeit **12**, 44 (1983) ▪ Photochem. **15**, 1235 (1976) (Biosynth.). ▪ Sax (8.), CAK 500. – *Reviews zu Pharmakologie u. Toxikologie:* Annu. Rev. Med. **41**, 277 (1990) ▪ Food Technol. Aust. **40**, 106, 110, 114 (1988) ▪ J. Am. Diet. Assoc. **87**, 1048–1053 (1988) ▪ Pharmacol. **2**, 33 (1988) (Pharmakokinetik) ▪ Pharmacol., Biochem. Behav. **29**, 419–427 (1988) ▪ Prog. Drug. Res. **31**, 273 (1987). – *[HS 2939 30; CAS 58-08-2]*

Coffinit. USiO$_4$ bzw. U(OH)$_{4x}$[SiO$_4$]$_{1-x}$, wirtschaftlich wichtiges, schwarzes, stark radio- aktives Uran-Mineral. Gelartig traubige Massen od. winzige Krist. od. Körner, radialstrahlig, büschelig, meist in nur mikroskop. auflösbaren Verwachsungen mit *Uranpecherz, organ. Substanzen od. *Tonmineralen, D. 7,26.
Vork.: In den Uran-Vanadium-Lagerstätten des Colorado-Plateaus/USA; in hydrothermalen Co–Ag–Ni–Bi–U-Gängen, z. B. im Erzgebirge u. in Jachymov/Böhmen. – *E* = *F* = *I* coffinite – *S* cofinita
Lit.: Am. Mineral. **74**, 263–270 (1989) ▪ Anthony et al., Handbook of Mineralogy, Bd. II, Tl. 1, S. 157, Tucson/Arizona: Mineral Data Publishing 1995 ▪ Ramdohr-Strunz, S. 671. – *[HS 2612 10; CAS 14485-40-6]*

Cofill® 11. Mischung 50% Resorcin u. 50% Ultrasil VN 3 (feingemahlen), ein Bestandteil des Degussa-Haftsyst. für die Direktbindung von Kautschuk-Mischungen an Stahlcord, Stahlseilen u. Textilmaterialien. *B.:* Degussa.

Cognac s. Spirituosen.

Cognacöl s. Weinhefeöl.

Cohedur®. Mittel für Haftmischungen zur direkten Bindung an Verstärkungsmaterialien (Baumwolle, Synth.- u. Glasfasern, Stahlcord). C. sind Mehrkomponentensyst. aus Methylolgruppen-haltigen Komponenten (A), *Resorcin u. Derivaten (RS, RK) u. aktiver *Kieselsäure, die getrennt der Gummimischung beigefügt werden. *B.:* Bayer.

Cohen, Stanley (geb. 1922), Prof. für Biochemie, Nashville (Tennessee). *Arbeitsgebiete:* Untersuchung hormonartiger Wachstumsfaktoren, die eine Signalwirkung auf die Zell- u. Gewebeentwicklung ausüben. Entdeckung eines speziellen Epidermis-Wachstumsfaktors. 1986 erhielt er zusammen mit Rita *Levi-Montalcini den Nobelpreis für Physiologie od. Medizin als Anerkennung für ihre Arbeiten über die Immunität.
Lit.: Neufeldt, S. 296 ▪ Pötsch, S. 91 ▪ Who's Who in America, S. 712.

Cohenit (Cementit) s. Eisencarbid.

Cohoba. Als *Halluzinogen mißbrauchtes Schnupfpulver aus den Bohnen südamerikan. *Anadenanthera*-Arten (Fabaceae); wird auch als *Yopo* bezeichnet. Die Wirkung beruht auf dem Gehalt an *Tryptamin- u. β-*Carbolin-Derivaten. – *E* = *F* = *I* cohoba
Lit.: Schultes u. Hofmann, The Botany and Chemistry of Hallucinogens, S. 83–93, Springfield (Ill.): Ch. C. Thomas 1973.

Coil Coating. Ein- od. doppelseitige kontinuierliche Beschichtung von *Stahl-Band (Dicke 0,35–1,6 mm, Breite bis 1,85 m) mit Kunststoffbahnen von max. 300 μm Dicke. Die Bahnen werden im Durchlauf-Verf. aufgeklebt; das Aufbringen von Dekorfolien ist möglich. Die so beschichteten Stahl-Bänder können stark verformt werden, ohne daß Schädigungen an der Beschichtung auftreten. Anw. finden Ein- u. Zweischichtsyst., wobei der Schichtaufbau für Bandober- u. -unterseite verschieden sein kann. Derartige Beschichtungen verbinden *Korrosionsschutz mit hohem Gebrauchswert. Die Anw. erfolgt in allen Bereichen, in denen hochwertige Blechteile dauerhaft (u. opt. ansprechend) vor *Korrosion geschützt werden sollen. – *E* = *F* = *I* coil coating – *S* revestimiento de banda en rollo

Coin®. Geschirrspülmittel von Colgate-Palmolive.

Cola (Kolanuß). Unter der „C." des Handels versteht man die rundlichen, 2,5–4 cm großen, 25–45 g schweren, braunen, bitter schmeckenden Samenkerne des C.-Baums, einer 15–25 m hohen Sterculiaceae (*Cola vera*). Diese ist bes. im südlichen Streifen von Westafrika zwischen Kamerun u. Sierra Leone verbreitet u. wird auch im trop. Amerika kultiviert. Die Weltproduktion beträgt pro Jahr ca. 20 000 t.
Die getrocknete C.-Nuß enthält durchschnittlich etwa 12% Wasser, 9% Eiweißstoffe, 3,5% *Gerbstoff, 44% *Stärke, 8% *Cellulose, 3% unverbrennbare Mineralsubstanzen u. als wirksamen, anregenden Bestandteil 1,6% *Alkaloide, u. zwar vorwiegend *Coffein neben wenig *Theobromin. In der frischen C.-Nuß ist das Coffein völlig an C.-*Tannine gebunden. Bei der Trocknung u. Lagerung wird die Gerbstoff-Coffein-Bindung enzymat. gespalten u. das Coffein freigesetzt. Die C.-Nuß wird von den Afrikanern seit Jh. gekaut. Die Alkaloide gelangen in den Blutkreislauf u. entfalten dabei ihre stimulierende Wirkung, deretwegen C. auch Eingang in Anregungs- u. Kräftigungsmittel des Handels gefunden hat; *Beisp.*: C.-Getränke (vgl. Limonaden) wie Coca-Cola, Pepsi Cola. – **E** = **F** = **S** cola – **I** noce di cola
Lit.: Belitz-Grosch (4.), S. 869 ▪ Franke, Nutzpflanzenkunde (5.), S. 324 f., Stuttgart: Thieme 1992 ▪ Steinegger u. Hänsel, Lehrbuch der Pharmakognosie u. Phytopharmazie (4.), S. 610 f., Berlin: Springer 1988 ▪ s. a. Coffein. – *[HS 0802 90]*

Colamin s. Aminoethanole.

Colanyl®. Pigment-Präparationen vorwiegend für Dispersionsfarben; darüber hinaus für Tuschen, Büroartikel u. Holzbeizen. **B.**: Hoechst.

CO-Laser. Gas-Laser (typ. Aufbau s. dortige Abb.), bei dem CO als Lasergas verwendet wird. Es können durch gepulste Entladung elektron. Übergänge angeregt werden, die Laserlinien im UV um $\lambda = 187$ nm u. im sichtbaren Spektralgebiet von 450 bis 600 nm erzeugt. Anregung von Vibrations- u. Rotationsübergängen erfolgt bei gepulster od. kontinuierlicher *Gasentladung in einer Mischung aus CO mit N_2, manchmal auch mit He, Xe od. Hg. Viele Linien werden nur bei einer Kühlung auf 77 K erzeugt. Emissionslinien sind von 2,34 bis 2,57 µm, 4,73 bis 8,26 µm (*Lit.*). Bei $\lambda = 5,4$ µm wurde eine Leistung von 940 Watt erreicht. Ein Prototyp mit einem Fasersyst. u. einer Leistung von 15–30 Watt wurde im Rahmen des Eureka-Projekts Eu 113 entwickelt[1]. – **E** CO laser – **F** laser à CO – **I** laser a CO – **S** láser de CO
Lit.: [1] Opto & Laser Europe **35**, 27 (1996).
allg.: Appl. Phys. B **57**, 185–191 (1993) ▪ Infrared Phys. Technol. **36**, 465–473 (1995) ▪ Laser Optoelektronik **23**, Nr. 1, 52 (1991).

CO_2-Laser. Dieser 1964 entwickelte *Gas-Laser verwendet CO_2 als aktives Medium, wobei die emittierten Linien Schwingungsübergängen im CO_2-Mol. entsprechen. Der prinzipielle Aufbau ist bei Gas-Laser gezeigt. In einer *Gasentladung werden Mol. aus dem 00°0 Grundzustand (Σ_g^+ Symmetrie) in den 00°1-Schwingungszustand (Σ_u^+) angeregt. Dieses Niveau ist mit 2,25 ms relativ langlebig, weshalb sich hier eine hohe Besetzung aufbauen kann. Laserübergänge existieren zum 02°0 Niveau mit $\lambda \approx 9,6$ µm u. zum 10°0 Niveau mit $\lambda \approx 10,6$ µm; beide haben Σ_g^+ Symmetrie (s. Abb.). Die Besetzung der beiden unteren Laserniveaus wird durch Strahlung über das 01°0 Niveau (Π_u) od. Relaxation wieder abgebaut.
Bei direkter Anregung in den 00°1-Zustand ist die Energieeffizienz (Verhältnis Energie des Laserphotons zur Anregungsenergie) 38%; in der Praxis wurde eine Effizienz von elektr. Energie → Lichtstrahlung von 20% erreicht, was für einen Laser sehr hoch ist. Die emittierte Laserintensität ist abhängig von der Temp. der Gas-Mol. in der Gasentladung; je höher die Temp., um so mehr Mol. bevölkern die unteren Laserniveaus, wodurch die Absorption steigt. Als höchste Temp. hat sich ca. 150 °C herausgestellt. Beim herkömmlichen Lasertyp wird die Wärme durch Wärmeleitung durch die Wand des Entladungsrohres weggeführt. Bei den modernen Gas-Transport-Lasern (GTL) wird die Wärme mit dem Lasergas abgeführt, das Gas extern gekühlt[1]. Eine reine CO_2-Gasentladung ergibt keine sehr große Laserleistung. Die Beigabe von Stickstoff erhöht die Auskoppelleistung wesentlich, wofür Schwingungsenergietransfer bei Stößen verantwortlich gemacht wird (s. Abb.). Auch die Beimischung von Helium verbessert die Auskoppelleistung; hierbei füllen Kaskadenprozesse das obere 00°C1 Niveau auf. Eine typ. Mischung $CO_2:N_2:He$ ist 1:2,5:10. Der CO_2-L. emittiert auf mehreren Rotationslinien um $\lambda = 4,36$ µm, 9,07 bis 11,25 µm, 11,7 µm, 16,9 µm u. 17,7 µm[2]. Durch Wahl verschiedener Isotope wird die Linienvielfalt noch erhöht.
Unter einem *TEA-Laser versteht man einen transversal angeregten Laser mit einem Gasfülldruck im Bereich von 100 kPa (engl. transverse excited atmospheric pressure); er liefert Impulsenergien von einigen kJ bei Impulszeiten von 100 ns.

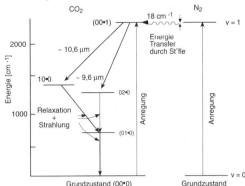

Abb.: Elektronische Übergänge beim CO_2-Laser.

Anw.: Aufgrund der hohen Absorption von Wasser bei 10,6 µm werden CO_2-Laser in der Chirurgie zum Schneiden eingesetzt. Da sie eine große Wärmeeinwirkung auf die obersten Zellschichten ausüben, verschließen sie Blutadern sofort, so daß auch stark durchblutete Organe damit operiert werden können. Die hierbei eingesetzten Laser sind kontinuierlich od. gepulst mit typ. Leistungen um 20 Watt[3]. Da noch keine flexiblen *Lichtleitfasern für $\lambda = 10,6$ µm im medizin. Einsatz sind, muß das Licht zur Zeit noch über Spiegel zum Operationsgebiet gebracht werden.

In der Materialbearbeitung werden CO_2-L. u. a. zum Schneiden (mit einem 10 kW Syst. können Stahlplatten von mehreren cm Dicke geschnitten werden), zum Schweißen u. Beschriften eingesetzt [4]. Gepulste Hochleistungs-Laser liefern Energien bis 100 kJ; Aufbau u. techn. Probleme solcher Syst. s. Lit.[5]. Die leistungsstärksten CO_2-L. liefern Pulse von 20 TW bei einer Impulszeit von 800 ps bzw. 80 TW bei 150 ps [6]. – **E** CO_2 laser – **F** laser à CO_2 – **I** laser a CO2 – **S** láser de CO_2
Lit.: [1] Losev, Gasdynamic Laser, Berlin: Springer 1981. [2] Beck et al., Table Laser Lines in Gases, Berlin: Springer 1978. [3] Kaplan u.Giler, CO_2 Laser Surgery, Berlin: Springer 1984. [4] Laser + Optoelektronik **20** (2), 44, 48 (1988); **18** (1), 35 (1986). [5] Laser + Optoelektronik **20** (2), 68 (1988). [6] Hora, Laser and Particle Beams, in Encycl. of Physical Science and Technology, Bd. 8, S. 435 f., San Diego: Academic Press 1992.
allg.: Bass (Hrsg.), Laser Materials Processing, Amsterdam: North Holland 1983.

Colcemid®. Marke von Ciba-Geigy für *Demecolcin.

Colchicin (Kolchizin, Colchizin).

R^1	R^2	R^3	R^4	
$COCH_3$	OCH_3	OCH_3	H	Colchicin
CH_3	OCH_3	OCH_3	H	Colchamin (Demecolcin)
$COCH_3$	OCH_3	OGlc	H	Colchicosid
$COCH_3$	OH	OCH_3	H	Colchicein
$COCH_3$	OCH_3	OCH_3	OH	Colchicillin
$CO-CH_2OH$	OCH_3	OCH_3	H	Colchifolin

$C_{22}H_{25}NO_6$, M_R 399,44, bitter schmeckende Nadeln, Schmp. 155–157 °C, $[\alpha]_D^{20}$ –121° ($CHCl_3$), in Wasser mäßig, in Alkohol u. Chloroform gut lösl., nicht lösl. in Petrolether. Aufgrund der Acetylierung der Amino-Gruppe reagiert es in wäss. Lsg. nicht alkalisch. Das hochgiftige C. ist eines der wenigen in der Natur vorkommenden *Tropolon-Derivate. C. kommt zusammen mit anderen strukturverwandten *Alkaloiden [*Colchamin (Demecolcin), Cholchicosid, Colchicein, Colchicilin, Colchifolin*] in Herbstzeitlosen (Wiesensafran, *Colchicum autumnale*) vor. C. ist ein hochwirksames Mitosegift [LD_{50} Erwachsener 20 mg, Kind 5 mg (entspricht einem Samen)] u. ruft Stunden nach der Einnahme Erbrechen, Übelkeit, Lähmungen des *ZNS u. Atemstillstand hervor. Als *Mitosehemmer fixiert C. die *Mitose in der Metaphase durch Zerstörung der Mikrotubuli; durch geeignete C.-Dosen kann man Pflanzenrassen mit erhöhter Chromosomen-Zahl (*Polyploidie*) u. Riesenwuchs willkürlich hervorrufen. Von ähnlicher Wirkung, aber geringerer Toxizität, ist *Colchicosid*, ein Glucosid, das statt der Methyl- eine Glucose-Gruppierung am Tropolon-Ring enthält. *Lumicolchicin* ist ein Photoisomeres von Colchicin. Zur Synth. von C. s. Lit.[1], zur Biosynth. Lit.[2].
Geschichte: C. wurde von Pelletier u. Caventou 1819 entdeckt, die Konstitution – nach Vorarbeiten von Zeisel, Windaus u. Cook – von Dewar (1945) festgelegt. Die Totalsynth. gelang unabhängig voneinander amerikan., japan. u. schweizer. Arbeitsgruppen um 1959. – **E** = **F** colchicine – **I** = **S** colchicina
Lit.: [1] J. Chem. Soc., Perkin Trans. 1 **1992**, 1415–1426. [2] Luckner (3.), S. 377; Tetrahedron Lett. **1974**, 3315.
allg.: Beilstein E IV **14**, 946 ▪ Chem. Listy **86**, 445–460 (1992) (Review) ▪ Manske **23**, 1–70; **36**, 172–223; **41**, 125–176 (Review) ▪ Pharm. Unserer Zeit **14**, 149–152 (1985) ▪ Phytochemistry **27**, 1371–1378 (1988) ▪ Sax (8.), CNG 830 ▪ Schönharting, Colchicin (Hohenh. Arb. **104**), Stuttgart: Ulmer 1980 ▪ Ullmann (5.) **A 1**, 380. – *[HS 2939 90; CAS 64-86-8 (C.); 477-30-5 (Demecolcin)]*

Colchicosid s. Colchicin.

Colchicum dispert®. Dragees mit Gesamtalkaloiden aus Colchicum-Samen zur Therapie bei akutem Gichtanfall. *B.:* Kali-Chemie.

Colcolor®. Hochgefüllte Rußkunststoff-Konzentrate auf der Basis von verschiedenen Polymeren zur Schwarzeinfärbung von Rohren, Folien usw. *B.:* Degussa.

Coldastop®. Nasenöl mit *Retinol-Palmitat, α-*Tocopherol-Acetat, *Terpineol, Zitronen- u. Pomeranzenschalenöl gegen trockene Rhinitis. *B.:* Desitin (Declimed).

Cold Creams s. Hautpflegemittel.

Coleb®. Tabl. mit *Isosorbidmononitrat gegen Angina pectoris u. koronare Herzkrankheit. *B.:* Promed.

Colecalciferol. Internat. Freiname für Cholecalciferol [s. Calciferole u. Vitamine (B_3)].

Colemanit. $Ca[B_3O_4(OH)_3] \cdot H_2O$, wichtiges Borat-Mineral, Ino-Borat mit B in 3er- u. 4er- Koordination [1]. Flächenreiche monokline, stark glasglänzende, kurzsäulige Krist. od. körnige u. dichte Massen. Kristallklasse 2/m–C_{2h}, Struktur s. Lit.[2]. Farblos, weiß, gelblichweiß, grau. Durchsichtig bis durchscheinend. D. 2,4, H. 4,5.
Vork.: Wichtige Lagerstätten v. a. in Californien (Boron, Death Valley) u. in der Türkei (Bigadiç, Emet).
Verw.: Zur Herst. von Borax-Pentahydrat, Borsäure, Glasfasermatten, s. a. Borax. Wird auch als Konzentrat (calciniertes Pulver u. Flotations-Konzentrat) gehandelt. – **E** = **I** colemanite – **F** colémanite – **S** colemanita
Lit.: [1] Fortschr. Mineral. **41**, 79 (1963). [2] Can. Mineral. **31**, 297–304 (1993).
allg.: Harben u. Bates, Industrial Minerals, Geology and WorldDeposits, S. 31–37, London: Industrial Minerals Division of Metal Bulletin Plc 1990 ▪ Ramdohr-Strunz, S. 590. – *[HS 2528 90; CAS 1318-33-8]*

Coleone.

Coleon A   Coleon B

Gruppe von chinoiden Diterpenoiden aus den Blattdrüsen u. Blättern von afrikan. *Coleus*-Arten (Lippenblütler). Die C. sind meistens tricycl. (Hydrophenanthren-Typ) krist. Verb. von gelber bis roter Farbe. Bisher wurden ca. 20 verschiedene Verb. bes. vom Arbeitskreis *Eugster (Coleone A–Z) isoliert u. untersucht. *C. A*: $C_{20}H_{22}O_6$, M_R 358,39, Schmp. 136,5 °C, $[\alpha]_D^{22}$ +100° (C_2H_5OH); *C. B*: $C_{19}H_{20}O_5$, M_R 344,36, $[\alpha]_D$ +130° (C_2H_5OH). – *E* coleons – *F* coléone – *I* coleone – *S* coleonas

Lit.: Bull. Chem. Soc. Jpn. **55**, 1168 (1982) ▪ Chem. Pharm. Bull. **39**, 3041 (1991) ▪ Contact Dermatitis **19**, 217 f. (1988) ▪ Helv. Chim. Acta **66**, 429 (1983); **67**, 201 (1984); **71**, 577–587, 1638 (1988) (Synth.) ▪ Phytochemistry **22**, 2005 (1983). – *[CAS 1984-44-7 (C. A); 20710-79-6 (C. B)]*

Colestipol. Internat. Freiname für das den Serum-Cholesterinspiegel senkende Copolymere von *Diethylentriamin u. *α-Epichlorhydrin. Verwendet wird das Hydrochlorid, schwach gelbe, transparente, hygroskop. Perlen. LD_{50} (Ratte oral) >1 g/kg, (Ratte i.p.) >4 g/kg. Es wurde 1969, 1971 u. 1974 von Upjohn (Colestid®) patentiert u. ist auch von Fournier (Cholestabyl®) im Handel. – *E* = *F* = *S* colestipol – *I* colestipolo

Lit.: Drugs **19**, 161–180 (1980) ▪ Hager (5.) **7**, 1085 ff. – *[CAS 26658-42-4; 37296-80-3 (Hydrochlorid)]*

Colestyramin. Internat. Freiname für das Chlorid eines quartäre Ammonium-Gruppen enthaltenden Styrol-Divinylbenzol-Copolymerisats, das als Anionenaustauscher zur Bindung von *Gallensäuren bei Gallenstauung u. Hypercholesterinämie wirksam ist. Weißes, hygroskop. feines Pulver. Es wurde 1968 von Merck & Co patentiert u. ist generikafähig. – *E* c(h)olestyramine – *F* colestyramine – *I* = *S* colestiramina

Lit.: Hager (5.) **7**, 1088 ff. ▪ J. Clin. Pharmacol. **30**, 99–106 (1990). – *[HS 391400; CAS 11041-12-6]*

Colfarit®. Tabl. mit mikroverkapselter *Acetylsalicylsäure gegen Thrombosen, zur Prophylaxe von Herz-Reinfarkten. *B.*: Bayer Pharma Deutschland.

Colfosceril-Palmitat.

Internat. Freiname für Dipalmitoylphosphatidylcholin, $C_{40}H_{80}NO_8P$, M_R 734,05, erweicht bei 75–79 °C, Schmp. 234–235 °C; $[\alpha]_D^{23}$ +6,6° (c 4,2/Chloroform-Methanol, 1:1). Es wurde 1975 patentiert, als *Surfactant gegen Atemnotsyndrom bei intubierten Neugeborenen mit einem Mindestgew. von 700 g von Wellcome (Exosurf® Neonatal) 1992 ausgeboten. – *E* colfosceril palmitate – *F* colfoscéril-Palmitat – *I* palmitato di colfoscerile – *S* palmitato de colfoscerilo

Lit.: Merck-Index (12.), Nr. 2540. – *[CAS 63-89-8]*

Colgate®. Zahnpflegemittel bzw. Rasierseife. *B.*: Colgate-Palmolive.

Colgate-Palmolive. Kurzbez. für die amerikan. Colgate-Palmolive Company, 300 Park Avenue, New York, N.Y. 10022. *Daten* (1994): Ca. 32800 Beschäftigte, 3,7 Mrd. $ Kapital, 7,6 Mrd. $ Umsatz. *Produktion:* Haushaltsreinigungsmittel, Seifen, synthet. Waschmittel, Kosmetika, Körperpflegemittel, Pharmazeutika, diätetische Tierfuttermittel. *Tochterges.* (98,5%) in der BRD: Colgate-Palmolive GmbH, 22113 Hamburg (850 Beschäftigte, 64 Mio. DM Kapital, 694 Mio. DM Umsatz).

Colicine. Antibakteriell wirkende Substanzen, die von bestimmten pathogenen Stämmen von *Escherichia coli, Salmonella, Shigella* u. *Citrobacter* gebildet werden. Bis auf wenige Ausnahmen sind C. Polypeptide mit einer Molmasse von 1,5 bis 90 kDa. Die niedermol. C. werden auch *Microcine* genannt. Es sind etwa 20 C. beschrieben. Ihre Biosynth. ist in der Regel an *Plasmide gebunden, die auch als *Col-Faktoren* bezeichnet werden. C. heften sich an Oberflächen-Rezeptoren u. töten Zellen ab, ohne ihre Oberfläche zu durchdringen. Die verschiedenen C. bewirken je nach C.-Typ unterschiedliche Störungen: C. E1 hemmt die oxidative Phosphorylierung u. die ATP-Bildung, C. E2 degradiert *DNA od. verhindert ihre Synth., C. E3 hemmt die *Protein-Biosynthese durch Aktivierung von *Ribonucleasen. Aufgrund ähnlicher Strukturen zwischen Col-Plasmiden u. *temperenten Phagen wird ein evolutiver Zusammenhang vermutet; s.a. Bacteriocine. – *E* colicins – *F* colicines – *I* colicine – *S* colicinas

Lit.: Ibelgaufts, Gentechnologie von A bis Z, S. 111, Weinheim: VCH Verlagsges. 1993.

Colifoam®. Rektalschaum mit *Hydrocortison-Acetat gegen Entzündungen im unteren Dickdarm. *B.*: Trommsdorff.

Colistine. Gruppe von cycl. *Peptidantibiotika, die zu den *Polymyxinen gehören u. als charakterist. Aminosäure 2,4-Diaminobuttersäure enthalten. Durch Gegenstromverteilung ließen sich aus Kulturflüssigkeit von *B. colistinus* die 3 C. A, B u. C abtrennen. Ein Gemisch von C. B u. C (von der WHO vorgeschlagener Freiname *Colistin*) wird als Antibiotikum gegen Gramneg. Bakterien z.B. bei Harnwegs- u. Magen-Darm-Infektionen genutzt. Wegen ihrer Giftigkeit dürfen C. nur lokal angewandt werden, von Schleimhäuten werden sie nicht resorbiert. – *E* colistins – *F* colistines – *I* colistine (colimicine) – *S* colistinas

Lit.: ASP ▪ Beilstein E III/IV **26**, 4245 ▪ DAB **1996** u. Komm. (C.-sulfat, Colistimethat-Na). – *[HS 2941 90; CAS 1066-17-7]*

Collaborative International Pesticides Analytic Council s. CIPAC.

Collacral®. Sortiment wäss. Lsg. von hochmol. Homo- u. Copolymerisaten auf der Basis von Polyacryl-sauren Salzen (C.-P) bzw. von Polyvinylpyrrolidon (C.-VL), die aufgrund ihrer Schutzkolloid-Eigenschaften zur Herst. von Kleb- u. Beschichtungsstoffen, Anstrichen, Imprägnier- u. Streichmassen verwendet werden. *B.*: BASF.

Collagenasen. *Proteinasen (speziell Metall-Proteinasen, s. Metall-Proteasen), die spezif. *Collagene u. deren Abbauprodukte (z.B. *Gelatine) in Einheiten mit M_R 500–700 zerlegen. C. kommen in größeren Mengen vor in *Leukocyten, *Lysosomen, Krebsgewebe, Kaulquappen (Wirbeltier-C., EC 3.4.24.7) u. in manchen Mikroorganismen[1]; wegen des Vork. in *Clostridium*-Arten (EC 3.4.24.3) wurde früher von einer *Clostridiopeptidase A* gesprochen. Die Wirbeltier-C. dienen der Umgestaltung von Bindegewebe bei Embryonalentwicklung, Metamorphose (z.B. Abspalten des Kaulquappen-Schwanzes), Entzündung u. Wundheilung. Sie enthalten Zink-Ionen u. gehören aufgrund

von Strukturähnlichkeiten zur Familie der *Matrix-Metall-Proteinasen* (*Matrixine*; zusammen mit den *Stromelysinen u. Gelatinasen) u. zur Superfamilie der *Metzinkine* (vgl. Astacin). – *E* collagenases – *F* collagénases – *I* collagenasi – *S* colagenasas
Lit.: [1] Microbiology **65**, 257–265 (1996).
allg.: FASEB J. **5**, 2145–2154 (1991) ▪ Nature (London) **263**, 375 ff. (1994).

Collagene. Von griech.: kolla=Leim u. *...gen abgeleitete Bez. für eine Familie langfaseriger, linearkolloider, hochmol. *Skleroproteine der *extrazellulären Matrix, die in *Bindegeweben (z. B. *Haut, *Knorpel, Sehnen, Bänder, Blutgefäße), in *Ossein (der proteinhaltigen Grundsubstanz des Knochens) u. im *Dentin (Zahnbein) zusammen mit *Proteoglykanen vorkommen. Sie gelten mit einem Anteil von 25–30% als die mengenmäßig häufigsten tier. Proteine. Durch *Fibronectin, das C. u. a. Bestandteile der extrazellulären Matrix zu binden vermag, sich aber auch an *Rezeptoren der Zelloberflächen anheftet, wird eine gegenseitige Verankerung der C.-Fasern u. der Zellen geschaffen. Die C. sind entwicklungsgeschichtlich sehr frühzeitig (bei Schwämmen, Seeanemonen usw.) entstanden; bei den Muscheln findet sich mit den *Conchagenen eine den C. funktionell ähnliche Substanz. C.-ähnliche Strukturbereiche besitzen z. B. die *Collectine, die Komplement-Komponente C1q, die Membran-gebundene Form der *Acetylcholin-Esterase u. der Säuberungsrezeptor der *Makrophagen.

Zusammensetzung u. Eigenschaften: Bei der Pyrolyse von Knochen sind C. verantwortlich für das Schwarzwerden (*Knochenkohle). Beim Erwärmen mit Wasser wandeln sich die wasserunlösl. C. allmählich in *Gelatine, dann in Leim (*Glutin) um. Bei Säure-Hydrolyse erhält man *Aminosäuren, u. zwar geben 100 g C. u. a. 27 g Glycin, 19,7 g L-Prolin, 14,4 g *trans*-4-Hydroxy-L-prolin, 11,8 g L-Glutaminsäure, 9,1 g L-Arginin, 9,2 g L-Alanin, 6,7 g L-Asparaginsäure, 5,9 g L-Lysin, 4,2 g L-Leucin, 3,3 g L-Serin u. 1,9 g L-Isoleucin. L-Tryptophan, L-Tyrosin u. L-Cystin fehlen gewöhnlich; v. a. der hohe Gehalt an L-Prolin, *trans*-4-Hydroxy-L-prolin u. Glycin unterscheidet die C. von den ähnlichen *Elastinen, die als Begleitsubstanzen häufig zusammen mit *Chondroitinsulfaten u. C. auftreten. Durch das regelmäßige Auftreten des räumlich anspruchslosen Glycin-Rests an jeder 3. Position wird die Ausbildung der speziellen, eng gewundenen C.-*Helix (s. unten) ermöglicht. Die Zusammensetzung der C. kann je nach Herkunft variieren; man kennt C. der Typen I bis XIV, von denen jedoch nur die Typen I – III, V u. XI die unten beschriebene Faserstruktur besitzen. Gegen enzymat. Zers. sind die C. meist recht beständig, weshalb der Mensch sie nicht verdauen kann. Das Enzym *Collagenase jedoch zerlegt sie in niedermol. Bruchstücke.

Die Konservierung *fossiler C.* ist außergewöhnlich gut, da sie den verbreiteten Proteasen widerstehen u. nur wenige Bakterien-Arten über Collagenasen verfügen. So fanden sich C.-Fibrillen z. B. noch in Dinosaurierknochen. Die *Radiokohlenstoffdatierung von C. ist wegen der guten Erhaltung des Materials anderen archäolog. Zeitbestimmungen an Genauigkeit überlegen.

Biosynth. u. Struktur: C. werden in Fibroblasten (Bindegewebszellen) zunächst als *Procollagen*-α-Ketten synthetisiert (M_R 140000). Diese werden nach Hydroxylierung von L-Prolin- u. L-Lysin-Resten (durch EC 1.14.11.2 bzw. EC 1.14.11.4; L-*Ascorbinsäure als Cofaktor, bei deren Fehlen: *Skorbut) sowie nach Glykosylierung (ca. 1% Kohlenhydrat) im *endoplasmatischen Retikulum bzw. im *Golgi-Apparat, wobei sie zu je 3 zusammentreten, in den extrazellulären Raum ausgeschieden. Dort werden von den Enden der Ketten Peptide abgespalten, u. es entsteht das *Tropo-C.*, das sich zu *Fibrillen* zusammenlagert. Durch Oxid. von Amino-Gruppen der L-Lysin-Seitenketten (katalysiert durch eine Amin-Oxidase, EC 1.4.3.6; bei *Lathyrismus gehemmt) zu Aldehyd-Gruppen u. deren Aldol- u. Aldimin-Bildung mit Aldehyd- bzw. Amino-Gruppen benachbarter Ketten werden diese miteinander verknüpft (*Vernetzung*). Die strukturelle Grundeinheit der C., das Tropo-C. (M_R ca. 300000), besteht aus 3 Polypeptid-Ketten in Form spezieller linksgewundener Helices, die – nach einer auch in der Seilerei bekannten Technik – wiederum rechtsgängig umeinander gedreht sind (*Tripelhelix*). Sie besitzen oft etwas unterschiedliche Aminosäure-Sequenzen; man unterscheidet z. B. bei *C. Typ I* zwei α_1- u. eine α_2-Kette von je etwa 1000 Aminosäuren. Das Tropo-C.-Mol. ist ein „Seil" von 280 nm Länge bei einem Durchmesser von 1,4 nm; die Fibrillen messen im Querschnitt 200–500 nm. Darin sind die einzelnen Mol. um je 1/4 ihrer Länge gegeneinander versetzt, so daß eine charakterist. Periodik von ca. 70 nm entsteht, die im Elektronenmikroskop als Strukturspezifikum der C.-Fibrille zur Darstellung gebracht werden kann.

Das *C.-Typ-IV*-Mol.[1], das das stabile Grundgerüst der *Basalmembran bildet, besteht aus zwei α_1- u. einer α_2-Kette, ist 400 nm lang u. besitzt neben dreifachhelikalen Bereichen auch globuläre u. unregelmäßigere Anteile. Letztere dienen dazu, die Trimeren zu Netzwerken zu verbinden. C. IV enthält außerdem Bindungsstellen für *Integrin-Rezeptoren, mit deren Hilfe sich Zellen an die Basalmembran heften können.

Physiologie: Im Gegensatz zu den meisten Proteinen des Tierkörpers werden die C. nicht laufend erneuert. Sie nehmen – einmal gebildet – nicht weiter am Stoffwechsel teil u. altern, wie durch Isotopen-Markierung nachgewiesen werden konnte, durch regelmäßige Zunahme der Vernetzung infolge Bildung von *Wasserstoff-Brückenbindungen, Ester-Bindungen von Aminosäure- mit Zucker-Resten u. von *Isopeptid-Bindungen zwischen langgestreckten Aminosäure-Ketten. Diese Prozesse werden gelegentlich als eine der Ursachen des *Alterns beim Menschen angesehen. Bindegewebserkrankungen faßt man oft als *Kollagenosen* zusammen; sie beruhen – mind. zum großen Teil – auf Vorgängen im Bereich der *Autoimmunität. Eine erbliche C.-Störung mit Hyperelastizität der Haut u. Gelenke ist das *Ehlers-Danlos-Syndrom*[2].

Verw.: C. ist als Grundstoff für die Herst. von Gelatine u. Leim u. als wesentlicher Bestandteil tier. Häute in der *Gerberei bzw. der *Leder-Produktion von Bedeutung. In der Medizin wird modifiziertes C. als temporärer Hautersatz, zur Arzneimittel-Dosierung für Auge u. Haut, u. in der Wundheilung erprobt. C.-

Schwamm wird als Blutstillungs-Mittel verwendet. In kosmet. Präp. soll das Wasserbindungsvermögen des C. bei richtiger Dosierung den Wasserhaushalt der Haut günstig beeinflussen, doch wird die biolog. Wirkung von vielen Seiten bezweifelt. – *E* collagens – *F* collagènes – *I* collageni – *S* colágenos
Lit.: [1] Matrix Biol. **14**, 439–445 (1994). [2] Thrombosis Hemostasis **75**, 379–386 (1996).
allg.: Annu. Rev. Biophys. Biophys. Chem. **20**, 137–152 (1991) ▪ Biochem. J. **316**, 1–11 (1996) ▪ Essays Biochem. **27**, 49–67 (1992) ▪ FASEB J. **5**, 2814–2823 (1991) ▪ FEBS Lett. **307**, 49–54 (1992) ▪ Kucharz, The Collagens: Biochemistry and Pathophysiology, Berlin: Springer 1991 ▪ Nimni, Collagens (5 Bd.), Boca Raton: CRC Press 1988–1991. – [CAS 9007-34-5]

Collapress®. Dispersionsholzleime für die industrielle Holzverarbeitung. *B.:* Henkel.

Collapur®. Natives, lösl. Kalbscollagen für die intensive Hautpflege, After sun-Präp., Ampullen, Wirkstoffkonzentrate mit Moisturizereffekt. *B.:* Henkel.

Collapurol®. Alkohol-lösl., modifiziertes Kalbscollagen für alkohol.-wäss. Kosmetika. *B.:* Henkel.
Lit.: Parfüm. Kosmet. **73**, Nr. 10, 688–699 (1992).

Collardin. Kurzbez. für die Gerhard Collardin GmbH, 35722 Herborn, seit 1955 eine 100%ige Tochterges. von Henkel, die Produkte für die chem. Behandlung metall. Oberflächen herstellt.

Collectine (Collagen-ähnliche Lektine). Trimere *Proteine aus Säugern, die globuläre *Domänen mit Kohlenhydrat-bindender (*Lektin-)Aktivität besitzen u. mit *Collagen-ähnlichen dreifachhelikalen Fortsätzen ausgestattet sind. Die Trimeren können sich wiederum zu größeren Komplexen (4 bzw. 6 Trimere) zusammenlagern. Zu den C. gehören die *Mannose-bindenden Proteine, die *Lungen-Surfaktans-Proteine A u. D, Conglutinin [1] sowie C. 43 [1]. Ihre Lektin-Aktivität vom Typ C (Calcium-abhängiger Typ) [2] läßt sie Kohlenhydrat-Strukturen erkennen, die v. a. auf Infektionserregern vorkommen. Aufgrund ihrer Ähnlichkeit zur *Komplement-Komponente C1q binden sie an deren Rezeptor auf Phagocyten [3]. Durch diese *Opsonin-Wirkung u. ihre Fähigkeit, das Komplement-Syst. zu aktivieren, erfüllen die C. wichtige Funktionen im Bereich der angeborenen *Immunität. – *E* collectins – *F* collectines – *I* collectine – *S* colectinas
Lit.: [1] Biochem. Soc. Trans. **22**, 95–100 (1994). [2] Biochem. Soc. Trans. **22**, 83–88 (1994). [3] Behring Inst. Mitt. **93**, 254–261 (1993).
allg.: Curr. Opin. Immunol. **8**, 29–35 (1996) ▪ Protein Sci. **3**, 1143–1158 (1994).

Collinomycin s. Rubromycine.

Collins, John (geb. 1945), Prof. für Genetik, TU Braunschweig, Bereichsleiter Zellbiologie u. Genetik, GBF-Ges. für Biotechnolog. Forschung, Braunschweig. *Arbeitsgebiete:* Molekulare Genetik, „Protein Design", Gentechnologie in der Biotechnologie, Cosmide, Lymphokine, Interferon, CMV, Protease-Inhibitoren.
Lit.: Kürschner (16.), S. 513.

Collmans Reagenz [Dinatriumtetracarbonylferrat(II)]. $Na_2[Fe(CO)_4] \cdot 1,5$ Dioxan, M_R 386,00. Leicht gelbliches, luft- u. feuchtigkeitsempfindliches Pulver, das zur Synth. von Carbonyl-Verb., Estern u. Amiden aus Alkyl- u. Acylhalogeniden Verw. finden kann. – *E* Collman's reagent – *F* réactif de Collman – *I* reagente di Collman – *S* reactivo de Collman
Lit.: s. Ferrate.

Collo. Kurzbez. für die 1936 gegr. Firma Collo GmbH, 53332 Bornheim (Hersel). *Produktion:* Haushalts- u. Hautreinigungsmittel, Autopflege, chem. Geruchsfilter.

Collo®-Allschaum. Spezialbehandelte PU-Schaumstoffe für unterschiedliche Einsatzzwecke, z. B. mit inkorporierten Wirkstoffen für den Reinigungs- u. Sanitärbereich. *B.:* COLLO.

Collodin. Kurzbez. für die 1875 gegr. Klebstoffwerke Collodin Dr. Schultz & Nauth KG, Vibeler Landstraße 20, 60386 Frankfurt/Main. *Produktion:* Industrie-Klebstoffe, Papierchemikalien, Carboxymethylcellulose.

Collodiumseide s. Chardonnet-Seide.

Collodium(wolle) [von griech.: kollodes = klebrig; Kollodium(wolle), Pyroxylin]. Bez. für ein faseriges, leicht entflammbares *Cellulosenitrat mit einem Stickstoff-Gehalt von ca. 10–12,8 Gew.-%. Zu C. rechnet man u. a. die Alkohol- u. Ester-lösl. Lackwollen (s. Cellulosenitrat) sowie die Celluloid- u. Dynamitwollen. C. wird aus Sicherheitsgründen nur mit Ethanol durchfeuchtet in den Handel gebracht. Zur Herst. u. Verw. von C. s. Cellulosenitrat.
Collodium ist eine viskose, ca. 4%ige Lsg. von Collodiumwolle in einem Ethanol/Ether-Gemisch u. wurde früher als Wundverschluß verwendet. Das auf kleinere Wunden applizierte Collidium hinterläßt nach Verdunsten des Lsm. einen abschließenden flexiblen Film. – *E* collodion wool – *F* coton collodion – *I* cotone di collodio – *S* algodón colodion
Lit.: Balser, in Cellulose, Schriftenreihe des Fonds der Chem. Ind., Heft 24, S. 58, 1985 ▪ Ullmann (4.) **17**, 347 ▪ s. a. Cellulosenitrat. – [HS 3912 20]

COLLO®-FILTarom. Geruchs-, Staub-, Fettfilter-Kombinationsmatten zur Luftreinigung; Spezialtypen für verschiedene Einsatzgebiete. *B.:* COLLO.

Collomack®. Lsg. mit *Salicylsäure, *Milchsäure u. *Polidocanol gegen Hornhaut, Hühneraugen, Warzen u. dgl. *B.:* Mack.

COLLO®-sanilan. Filtermaterial zur Entfernung von Geruchsstoffen u. Schadgasen aus der Luft; Spezialtypen für verschiedene Einsatzgebiete. *B.:* COLLO.

Colocynthis s. Koloquinthen.

Colony-stimulating factors s. Kolonie-stimulierende Faktoren.

Colorfin®. Pigmentpräparationen in Pulver- u. Pastenform. *B.:* Brockhues.

Colorona®. Perlglanz-Pigmente für Kosmetika. *B.:* Merck.

Colour Index (Abk.: C.I.). Mehrbändiges engl. Nachschlagewerk, in dem Konstitution, Name, Handelsbez. usw. von Farbstoffen, Pigmenten, opt. Aufhellern u. a. Färbereihilfsmitteln aufgeführt u. klassifiziert sind. Viele Farbstoffe (z. B. in Chemikalienverzeichnissen, Katalogen u. dgl.) tragen zusätzlich zu ihren systemat.

u. Trivialnamen noch die eine eindeutige Zuordnung ermöglichende C.I.-Bezeichnung. Diese besteht aus einer fünfstelligen Zahl u./od. aus einer Wortfolge mit Zahl; *Beisp.:* C.I. 45440 = C.I. Acid Red 94 = Bengalrosa. Übliche Wortanfänge für klassifizierende Bez.: Acid..., Basic..., Direct..., Disperse..., Fluorescent Brightener..., Food..., Mordant..., Natural..., Pigment..., Reactive..., Solubilisate..., Solvent..., Vat... – *E* colour index – *F* index des couleurs – *I* indice dei colori – *S* índice de colores

Lit.: Analyt.-Taschenb. **1**, 353–379 ▪ Colour Index, 3. Aufl., 4. Revision, 9 Bd. u. Ergänzungs-Bd., Bradford: Society of Dyers and Colourists 1971–1992.

Colt®. Fungizid auf der Basis von Triadimenol u. Tridemorph. *B.:* Bayer.

Columbit. Gruppenbez. für Minerale der allg. Formel AB_2O_6, mit A = Fe^{2+}, Mn, auch Mg; B = Nb, Ta, ferner können Sn, Ti, u. Sc anwesend sein. Bei *C.* ist Nb>Ta, *(C.-)Tantalit* hat Ta>Nb. Weitere Unterteilung mit Präfixen, z.B. Manganotantalit (Mn>Fe in A). Zu Systematik u. Kristallstrukturen in der C.-Gruppe s. *Lit.*[1]. Im *C.-Viereck* $FeTa_2O_6$ – $MnTa_2O_6$ – $FeNb_2O_6$ – $MnNb_2O_6$ besteht eine Mischungslücke zwischen den Gliedern der rhomb. C.-Gruppe (Kristallklasse mmm-D_{2h}) u. dem tetragonalen *Tapiolit* $FeTa_2O_6$ [2]. Zu geordneten bis ungeordneten (bei der Abart *Ixiolith*) Verteilungen der Kationen auf die A- u. B-Plätze s. *Lit.*[3] (völlig geordnet), *Lit.*[4] (teilw. geordnet) u. *Lit.*[1]. In der C.-Struktur krist. auch synthet. Verb., z.B. $NiNb_2O_6$, $CdTa_2O_6$ [3]. C. u. C.-Tantalit bilden derbe Massen, eingesprengte Körner u. plattig-tafelige od. prismat. Krist.; D. 5,2–8,1, H. 6. Farbe schwarz bis braun, auch rotbraun (Mn-reich), Strich schwarz bis braun. Gegen *Verwitterung u. Säuren beständig.
Vork.: In Alkali-*Graniten, z.B. Nigeria; in Li-reichen Granit-*Pegmatiten, z.B. USA, Kanada, Madagaskar; wichtige Förderländer sind Australien, Brasilien, Zaire, Rußland, Kanada u. Nigeria. C. dient als Rohstoff zur Gewinnung von Tantal u. Niob. – *E* = *F* = *I* columbite – *S* columbita

Lit.: [1] Am. Mineral. **80**, 613–619 (1995). [2] Can. Mineral. **30**, 587–596 (1992). [3] Z. Kristallogr. **144**, 238–258 (1976). [4] Am. Mineral. **76**, 1897–1904 (1991).
allg.: Möller, Cerny u. Saupe (Hrsg.), Lanthanides, Tantalium and Niobium, S. 28–79, New York: Springer 1989 ▪ Ramdohr-Strunz, S. 540f. ▪ Ullmann (5.) **A 26**, 71–83. – *[HS 261590; CAS 1306-08-7]*

Columbium (chem. Symbol Cb). Ältere, nach IUPAC unzulässige Bez. für das Element *Niob.

CoM, CoM-SH s. Coenzym M.

Combactam®. Trockensubstanz für Injektions- u. Infusionslsg. mit *Sulbactam-Natrium zur Kombinationstherapie mit *Penicillinen gegen schwere Infektionen β-Lactamase-bildender Erreger. *B.:* Pfizer.

Combelen®. Propionylpromazin als veterinärmedizin. Tranquilizer. *B.:* Bayer.

Combilabor®. Geräte u. Verbrauchsmaterialien für die Dentaltechnik. *B.:* Heraeus Kulzer GmbH.

Combismalt®. Emaillierverf. für Zwei- u. Mehrschichtaufträge in einem Einbrand. *B.:* Bayer.

Combithen®. Zwei- u. mehrschichtiger Verbund mit PP-, P- od. PA-Trägerfilm, gegebenenfalls metallisiert. *B.:* Wolff-Walsrode.

Combitherm®. Mehrschichtige Verbundfolien aus Polyamid u. Polyethylen mit EVA od. Ionomer-Siegelschicht, für Schutzgas-Verpackungen mit EVOH-Sperrschicht ausgerüstet. Alle Folien werden Lsm.-frei produziert. Verw. für Deckelfolien, Muldenfolien auf Tiefziehsystem, Schlauchbeutelpackungen. *B.:* Wolff-Walsrode.

Comes, Franz Josef (geb. 1928), Prof. für Physikal. u. Theoret. Chemie, Univ. Frankfurt. *Arbeitsgebiete:* Spektroskopie, Dynamik chem. Reaktionen, atmosphär. Chemie, amorphe Halbleiter.
Lit.: Kürschner (16.), S. 514 ▪ Wer ist wer, S. 203.

Cometabolismus (von latein.: cum = mit u. griech.: metabolé = Umsturz, Umwandlung). Bez. für einen Sonderfall des *biologischen Abbaues bzw. der *Biotransformation eines Stoffes, wobei der die Umwandlung bewirkende Organismus aus dieser keinen (bekannten) Nutzen zieht. Bei Mikroorganismen wird von C. gesprochen, wenn sie einen Stoff umwandeln, aber nicht auf ihm als einziger Kohlenstoff u. Energiequelle wachsen können. Prim. Umwandlungsreaktionen sind Oxid., Red. u. Hydrolyse; ein Stoff kann vollständig zu Kohlendioxid, Wasser u. evtl. anderen anorgan. Stoffen mineralisiert werden od. an biogene, organ. od. anorgan. Stoffe gebunden werden. Im letzteren Fall ist zu unterscheiden zwischen Ausscheidungsform – in der Regel ist der Bindungspartner eine niedermol. Verb. – od. Ablagerungsform, wo die Umwandlungsprodukte in biogene Makromol. gelangen – experimentell beobachtet man die Bildung von nicht extrahierbaren Rückständen. Bei der Ablagerungsform ist in der Regel kaum experimentell zu unterscheiden zwischen dem nutzbringenden Einbau als Baustein von Makromol. u. der Bindung an Makromol., bei der diese ihre normale Funktion nicht beibehalten können. Da C. die Wechselwirkung zwischen einem Stoff u. einem einzelnen Organismus bezeichnet, ist die Unterscheidung zwischen Metabolismus u. C. im Ökosyst., wo eine Vielzahl von metabolisierbaren Stoffen u. metabolisierenden Organismen vorliegen kann, weitgehend bedeutungslos. – *E* cometabolism – *F* cométabolisme – *I* = *S* cometabolismo

Lit.: Korte, Lehrbuch der Ökologischen Chemie (3.), S. 70, Stuttgart: Thieme 1992.

Comité Européen des Agents de Surface et leur Intermédiaires Organiques s. CESIO.

commo-. In der Nomenklatur der *Borane benutztes, kursiv gesetztes Präfix, das eine ähnliche Bedeutung wie das Präfix *Spiro... hat (IUPAC-Regel I-11.3.1.2b–e): Die höheren käfigartigen Borane u. Carborane sind gelegentlich mit weiteren Käfigen über gemeinsame Bor-, Kohlenstoff- od. Metall-Atome (engl. common atoms) verknüpft, die man im Namen nach den *CEP-Regeln mit ihren Stellungsziffern u. *commo-* bezeichnet; *Beisp.:* 2,2′,3,3′-Tetracarba-1-nickela-$\{(12v)[I_h$-(1551)-Δ^{20}-*closo*]-1-*commo*-1′-$(12v)[I_h$-(1551)-Δ^{20}-*closo*]}-tricosaboran(22) (Abb. s. *Lit.*). – *E* = *F* = *I* = *S* commo-

Lit.: Block, Powell u. Fernelius, Inorganic Chemical Nomenclature, S. 109, Washington, DC, USA: ACS 1990.

Common Names (Generic Names). Bez. für die *chemischen Kurzbezeichnungen*, die (ähnlich wie die internat. *Freinamen konstruiert) für die spezif. Wirkstoffe von *Pflanzenschutz- u. *Schädlingsbekämpfungsmitteln u. a. Produkten vergeben werden; *Beisp.:* Azinphos-methyl, Dichlorvos, Endosulfan. Die C. N. werden vom jeweiligen Hersteller aufgrund der Konstitution der Substanzen vorgeschlagen, über den Industrieverband Agrar u. das *DIN der internat. Normungsbehörde *ISO (Technical Committee TC 81) zugeleitet u. von dort nach Prüfung endgültig zuerteilt. Listen von C. N. finden sich in *Lit.*[1]. – *E* common names – *F* dénominations communes – *I* nomi comuni – *S* nombres comunes

Lit.: [1] Kirk-Othmer (2.) **11**, 735 ff.; (3.) **12**, 299–302.

Compactin (Mevastatin).

$C_{23}H_{34}O_5$, M_R 390,52. Inhaltsstoff von *Penicillium brevicompactum*, Schmp. 152 °C, $[\alpha]_D^{29}$ +221,2° (CH_2Cl_2), gut lösl. in Methanol u. Aceton. C. ist ein potenter Inhibitor der Cholesterin-Biosynth., es bindet kompetitiv an 3-Hydroxy-3-methylglutaryl-Coenzym-A-Reduktase, vgl. mit dem noch aktiveren Lovastatin. – *E* compactin – *F* compactine – *I* = *S* compactina

Lit.: Beilstein E V **18/3**, 145 ▪ Merck-Index (12.), Nr. 6251. – *Biosynth.:* J. Antibiotics (Tokio) **38**, 444, 447 (1985). – *Isolierung:* J. Chem. Soc., Perkin Trans. 1 **1976**, 1165. – *Pharmakologie:* J. Med. Chem. **28**, 401 (1985) ▪ Trends Biochem. Sci. **6**, 10 (1981). – *Synth.:* J. Chem. Soc., Perkin Trans. 1 **1995**, 777 ▪ Stud. Nat. Prod. Chem. **11**, 335–377 (1992). – [HS 293229; CAS 73573-88-3]

Comperlan®. Fettsäurealkanolamide als Schaumstabilisatoren, Verdickungsmittel u. Perlglanzgeber für Tensid-Präp.; Konsistenzfaktoren für Stifte, schaum- u. viskositätssteigernde Komponenten. *B.:* Henkel.

Complamin®. Tabl., Infusionslösung u. Ampullen mit *Xantinolnicotinat gegen arterielle u. cerebrale Durchblutungs- u. Stoffwechselstörungen. *B.:* Smithkline Beecham.

Complesal®. NP- u. NPK-Mehrnährstoffdünger; enthält Stickstoff je zur Hälfte als NH_4 u. NO_3, P_2O_5, voll Citrat-lösl. u. zu ca. 1/3 wasserlöslich. Typen (Zahlenverhältnis N:P:K): C. NP 20+20+0; C. Gelb 15+15+15; C. Rot 13+13+21; C. Blau 12+12+17+2 (mit B-, Mn-, Zn- u. Co-Zusätzen); C. fluid zur Blattdüngung mit Spurenelementen (B, Fe, Cu, Co, Mn, Mo, Zn). *B.:* Hoechst.

Complicatsäure (Dehydrohirsutsäure C).

$C_{15}H_{18}O_4$, M_R 262,31, Öl, lösl. in Chloroform. C. ist ein Sesquiterpen aus dem Striegeligen Schichtpilz (*Stereum hirsutum*), einem häufig auf totem Laubholz anzutreffenden Baumpilz (vgl. a. Hirsutsäure). – *E* complicatic acid – *F* acide complicatique – *I* acido complicatico – *S* ácido complicático

Lit.: Beilstein E V **18/8**, 300 ▪ J. Org. Chem. **51**, 2742 (1986) (Synth.) ▪ Tetrahedron **37**, 2202–2209 (1981) (Review). – [CAS 51741-93-6]

COMPO. Kurzbez. für die zur BASF (100%) gehörende COMPO GmbH, 78157 Münster-Handorf. *Produktion:* Blumenerde, Blumenpflege-, Dünge-, Pflanzenschutz- u. Bodenverbesserungsmittel, Torfprodukte.

Compositae s. Asteraceen.

Composites s. Polymercomposites.

Composition A (B, C). Amerikan. Bez. für militär. genutzte *Sprengstoffe auf Basis von *Hexogen mit div. Zusätzen.

Lit.: Meyer, Explosivstoffe (6. Aufl.), S. 64, Weinheim: Verl. Chemie 1985.

Compound-Öle. Umgangssprachliche Bez. einer Gruppe von *Schmierölen, die aus *Mineralölen (z. B. hergestellt durch Dest. od. Raffination von *Erdöl) u. fetten Ölen (z. B. Raps-, Knochen- od. Rüböl) gemischt (compoundiert) werden. – *E* compound lubricants – *F* lubrifiants composés – *I* lubricanti compound – *S* compuestos lubricantes

Lit.: Ullmann (4.) **20**, 457 ▪ s. a. Schmieröle, Schmierstoffe. – [HS 271000]

Compounds s. Polymercompounds.

Compretten®. Marke der ehem. Firma *MBK für sehr kleine Tabl., die aus den Arznei- u. Hilfsstoff-Pulvern durch bes. starkes Zusammenpressen (Komprimieren) hergestellt werden. *B.:* Cascan.

Compton, Arthur Holly (1892–1962), Prof. für Physik, Univ. St. Louis u. Chicago, Direktor des Metallurgical-Atomic-Projekts. *Arbeitsgebiete:* Kettenreaktionen im natürlichen Uran, Herst. von reinem Uran u. Plutonium, Wellenlängenbestimmung der Gammastrahlen, Röntgenstrahlen. 1922 Entdeckung des nach ihm benannten Effekts, 1927 dafür Nobelpreis für Physik.

Lit.: Neufeldt, S. 146, 357, 381 ▪ Poggendorff **7 b/2**, 876 ff.

Compton-Effekt. Von *Compton 1922 entdeckter u. nach ihm benannter Effekt, der bei der *Streuung einer elektromagnet. Welle (*Photonen, *Röntgenstrahlung od. *Gammastrahlen) an den Elektronen eines Atoms auftritt. Trifft ein Photon mit der Energie E u. dem Impuls $\vec{p}$ auf ein Elektron (s. Abb., S. 800), so überträgt es beim Stoß einen geringen Teil seiner Energie u. seines Impulses auf das Elektron, das als Rückstoßelektron od. *Compton-Elektron* bezeichnet wird. Der C.-E. ist das klass. Beisp. dafür, daß in einem *Elementarprozeß elektromagnet. Strahlung wie ein Teilchen beschrieben werden muß, wobei die Erhaltungssätze für Energie u. Impuls gelten: $E = E_e + E'$ bzw. $\vec{p} = \vec{P}_e + \vec{p}'$. Die Restenergie des Photons ergibt sich zu

$$E' = \frac{E}{1 + \varepsilon \cdot (1 - \cos\varphi)} \quad \text{mit} \quad \varepsilon = \frac{E}{m_e \cdot c^2}.$$

Hieraus folgt für die Differenz der Wellenlänge $\lambda'-\lambda = \lambda_e \cdot (1-\cos\varphi)$, mit der sog. *Comptonwellenlänge* des Elektrons: $\lambda_e = 3{,}86159323 \cdot 10^{-12}$ m.

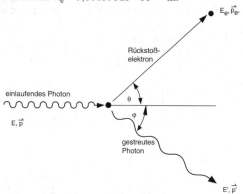

Abb: Compton-Streuung energiereicher Quanten.

Der C.-E. ist der dominierende Wechselwirkungsprozeß, wenn Substanzen mit niedriger Ordnungszahl, wie z. B. menschliches Weichteilgewebe zu therapeut. od. diagnost. Zwecken, mit Photonen bestrahlt werden. – *E* Compton effect – *F* effet de Compton – *I* effetto di Compton – *S* efecto Compton

Lit.: Krieger u. Petzold, Strahlenphysik, Dosimetrie u. Strahlenschutz Bd. 2, Stuttgart: Teubner 1989 ▪ Musiol et al., Kern- u. Elementarteilchenphysik, Weinheim: VCH Verlagsges. 1988.

Compton-Streuung. Streuung von *Photonen an freien Elektronen od. a. geladenen *Elementarteilchen auf Grund des *Compton-Effektes. C.-S. kann zur Analyse von Festkörperproben[1] u. in der medizin. Diagnostik[2] verwendet werden (s. *Lit.*). – *E* Compton scattering – *F* diffusion Compton, diffusion comptonienne – *I* dispersione di Compton – *S* dispersión de Compton

Lit.: [1] Phys. Bl. **39**, 146 (1983). [2] Sharp, Radionuclide Imaging Techniques, Clinical, Encycl. of Physical Science and Technology, Bd. 14, S. 191–200, San Diego: Academic Press 1992.

Computer Aided Drug Design (Computer Assisted Drug Design, CADD). Bez. für die computerunterstützte Entwicklung u. Optimierung von neuen *Wirkstoffen. In den meisten Fällen beinhaltet das Design von biolog. aktiven Verb. die Suche nach *Liganden, die effektiv an einen (Enzym-)*Rezeptor binden. Die Liganden-Rezeptor-Bindung hängt von der chem. u. geometr. Komplementarität zwischen Ligand u. Rezeptor ab. Im Kontext mit Wirkstoff-Design werden die spezif. chem. u. geometr. Eigenschaften, die zu einer signifikanten Wirkstoff-Rezeptor-Affinität führen, als „Pharmakophor" bezeichnet.

Die Suche nach neuen, biolog. wirksamen Verb. kann auf zwei Arten erfolgen. Entweder wird eine Klasse von chem. Verb., von denen bei einigen Vertretern schon bekannt ist, daß sie die gewünschte biolog. Aktivität besitzen, weiter erforscht u. modifiziert (=Ausdehnung bekannter Leitstrukturen) od. man sucht nach neuen chem. Verbindungsklassen, die die erforderlichen chem. u. geometr. Kriterien für eine starke Liganden-Rezeptor-Bindung erfüllen (=Suche nach neuen Leitstrukturen).

Das CADD erfolgt auf unterschiedlichem Niveau in Abhängigkeit davon, wie genau die Struktur des jeweiligen Rezeptors bekannt ist:

1. Wenn die räumlichen Koordinaten aller Atome des Rezeptors bekannt sind, kann die Struktur des Liganden-Rezeptor-Komplexes eingehend untersucht werden. Mittels *Molecular Modelling können u. a. die Liganden-Rezeptor-Wechselwirkungsenergien berechnet u. der Liganden-Rezeptor-Komplex durch vielfältige, graf. Darstellungsmöglichkeiten veranschaulicht werden. Über die berechneten Wechselwirkungsenergien kann die Rezeptoraffinität verschiedener Liganden quantifiziert werden (s. a. Computersimulation u. Molekulardynamik).

2. Wenn die Struktur des Rezeptors wenig od. gar nicht bekannt ist, kann man nur versuchen, empir. Struktur-Wirkungs-Beziehungen (s. QSAR) abzuleiten.

In zunehmendem Maße findet man sich heute in der Situation, daß man begrenzte Informationen über die Struktur des Rezeptors bzw. komplementär dazu Strukturanforderungen an eine „wirksame" Verbindung besitzt. Genauer, man hat eine grobe Beschreibung des Pharmakophors – einen Hinweis auf verschiedene Arten von „Substituenten" u. auf die räumlich-geometr. Anordnung dieser „Substituenten", die zu einer bevorzugten Liganden-Rezeptor-Wechselwirkung führt. Unter diesen Umständen ist eine Suche nach Verb., welche die chem. u. geometr. Bedingungen erfüllen, in einer (großen) 3D-Datenbank (s. Datenbanken) sinnvoll. Bei entsprechender Größe der Datenbank u. möglichst großer Diversität der enthaltenen Strukturen werden in aller Regel nicht nur „Hits" (Verb., die die Suchkriterien erfüllen), die eine ähnliche Struktur wie bereits bekanntermaßen wirksame Verb. besitzen, sondern auch völlig unerwartete, im Extremfall neue Verbindungsklassen gefunden. – *E* Computer aided molecular design – *F* design de substances assisté par ordinateur – *S* diseño de drogas asistido por computadoras

Lit.: Böhm, Klebe u. Kubinyi, Wirkstoffdesign, Heidelberg: Spektrum Akadem. Verl. 1996 ▪ Curr. Opin. Biotechnol. **6**, 646–651 (1995) ▪ Kubinyi (Hrsg.), 3D QSAR in Drug Design: Theory, Methods and Applications, Leiden: ESCOM Science Publishers B. V. 1993 ▪ Pharmazie **49**, 551–561 (1994) ▪ Prog. Drug Res. **45**, 205–243 (1995).

Computer Aided Molecular Design (Computer Assisted Molecular Design, CAMD). Bez. für die computerunterstützte Entwicklung von Mol.-Modellen (s. a. Computer Aided Drug Design). – *E* computer aided molecular design

Computergestützte analytische Chemie (Chemometrie, Chemometrik). C. a. C. ist die Anw. mathemat. u. statist. Meth., um chem. Verf. u. Experimente in optimaler Weise zu planen, zu entwickeln od. auszuwählen u. so auszuwerten, daß ein Maximum an chem. Informationen aus den experimentellen Meßdaten gewonnen werden kann. Die dazu angewandten Verf. können hier nur in einer Auswahl aufgeführt werden; zum tieferen Einstieg muß auf entsprechende Monographien u. Computerprogramme verwiesen werden. Zu den grundlegenden Prüfverf. gehören mathemat.-statist. Anw. wie die *Zufallsstreuung*, die *Autokorrelationsfunktion*, die Grundlagen der *Informations-*

theorie (Informationsgewinn, Informationsausbeute), die(er) *Faktoranalyse(-plan)* zur Feststellung von Störeinflüssen, *Polynomangleich* zur Linearisierung von Kalibrierfunktionen, die *Korrelationsbestimmung* zur Minimierung von Meßfehlern, die *Simplexoptimierung* zur Optimierung von Meßfehlern, der *F-Test* u. der *t-Test* zum Meth.-Vergleich. Hierbei beschränkt sich die *univariate* Datenanalyse auf die Bewertung von Daten, die nur von einem Parameter abhängen. Sind die Eigenschaften eines Syst. von mehreren Parametern abhängig – wie z. B. die Trenneigenschaften eines chromatograph. Syst. – muß die *multivariate* Datenanalyse angewandt werden. Bei der multivariaten Datenanalyse sollen Zusammenhänge zwischen Meßgrößen durch simultane Analyse aller Variablen festgestellt werden. Das Prinzip der Vorgehensweise kann als Untersuchung der Struktur auf der Basis der gesamten Matrix aus Varianzen u. Kovarianzen angesehen werden. Als Meth. dienen dabei Verf. wie die *Faktorenanalyse*, die *Clusteranalyse* sowie *Klassifikationsmethoden*. – *E* computer assisted analysis, chemometric – *F* analyse assistée par ordinateur – *I* chimica analitica assistita dal computer – *S* química analítica asistida por computadora

Lit.: Danzer, Mathematische Methoden zur Klassifizierung u. Interpretation analytischer Ergebnisse, in: Danzer et al., Analytik, Systematischer Überblick, 2. Aufl., Stuttgart: Wissenschaftliche Verlagsges. 1987 ▪ Doerffel, Statistik in der analytischen Chemie, 5. Aufl., Weinheim: VCH Verlagsges. 1990 ▪ Schwedt, Analytische Chemie, S. 32–45, Stuttgart: Thieme 1995.

Computersimulation. Auch in der Chemie werden heutzutage zur Simulation komplexer Wechselwirkungen u. Prozesse Computer eingesetzt. Beisp. sind C. zur Aufklärung von Struktur u. Dynamik von *Flüssigkeiten od. *Lösungen od. C. der Wechselwirkung biolog. Mol., z. B. Enzym-Substrat-Wechselwirkung. Wichtige Meth. der C. sind die Molekulardynamik u. die Monte-Carlo-Methode; Näheres s. dort. – *E* computer simulation – *F* simulation par ordinateur – *I* simulazione al computer – *S* simulación en computadoras

Con-A s. Concanavalin A.

Conalbumin (Ovotransferrin). Zu den *Siderophilinen zählendes hämfreies *Eisen- u. *Glykoprotein [M_R ca. 86000, eine Polypeptid-Kette, ca. 6% Kohlenhydrat-Anteil, zwei Bindungsstellen für Eisen(III)] aus dem Eiklar von Vogeleiern. C. entspricht in seiner Eisen-Bindungsfähigkeit dem *Transferrin des *Serums, von dem es sich nur im Kohlenhydrat-Anteil unterscheidet. Wegen seiner Eisen-chelatisierenden Eigenschaft wirkt C. antimikrobiell. Zur Verw. als Trennmedium auf Kieselgel s. *Lit.*[1]. – *E* conalbumin – *F* conalbumine – *I* conalbumina – *S* conalbúmina

Lit.: [1] J. Chromatogr. **603**, 105–109 (1992).

Concanavalin A (Con-A). Zur Gruppe der *Lektine (*Phytohämagglutinine*) zählendes, jedoch Kohlenhydrat-freies, bereits 1919 von *Sumner rein hergestelltes Samenprotein der Schwertbohne (*Canavalia ensiformis*, engl.: jack bean), ein *Metallprotein aus 4 ident. Untereinheiten, die jeweils ein M_R von 26000 besitzen u. aus 238 Aminosäure-Resten, je einem Ca^{2+}- u. Mn^{2+}-Zentrum sowie einer Bindungsstelle für *Kohlenhydrat bestehen. Die Biosynth. von Con-A vollzieht sich durch Umordnung der Aminosäure-Kette (*Transpeptidierung*) eines Vorläuferproteins derart, daß der ehemalige Amino-Terminus in die Mitte der Sequenz zu liegen kommt[1]. Andere pflanzliche Lektine zeigen Sequenzähnlichkeit mit diesem Vorläufer. Con-A vermag sich an die Kohlenhydrat-*Rezeptoren von Membran-*Glykoproteinen von Zellen (z. B. *Erythrocyten, *Lymphocyten) spezif. zu binden u. die Zellen dadurch zu agglutinieren. Es ist ein Mitogen (vgl. Mitose) für T-Lymphocyten (T-Zellen), da es in Kulturen, in denen *Makrophagen zugegen sind, die Proliferation (Vermehrung) der T-Zellen induziert, indem es die Ausschüttung von *Interleukin 2 anregt. Cytotox. T-Zellen, die normalerweise antigenspezif. wirken, werden durch Con-A zum unspezif. Abtöten von Zellen veranlaßt. Dies wird wahrscheinlich durch *Agglutination der cytotox. T-Zelle mit der Zielzelle vermittelt. Con-A-*Antikörper-*Konjugate stimulieren auch B-Zellen.

Verw.: Con-A kann als Stimulans in der Lymphocyten-Kultur sowie aufgrund seiner Affinität zu D-Glucopyranosyl- u. D-Mannopyranosyl-reichen Oligosacchariden zum Nachw. dieser Kohlenhydrate, zur *Affinitätschromatographie u. zur Enzym-Immobilisierung[2] eingesetzt werden. Zur Verw. als Neuromodulator in der neurochem. Forschung s. *Lit.*[3]. – *E* concanavalin A – *F* concanavaline A – *I* = *S* concanavalina A

Lit.: [1] Curr. Biol. **1**, 71 ff. (1991). [2] Enzyme Microb. Technol. **13**, 290–295 (1991). [3] Trends Neurosci. **14**, 273–277 (1991). – [HS 350400; CAS 11028-71-0]

Conceplan M®. Antikonzeptionsmittel mit *Norethisteron u. *Ethinylestradiol (Tabl.). *B.*: Grünenthal.

Conchagene (Conchioline). Eiweiß-artige Grundmassen in den Schalen der Muscheltiere (latein.: concha = Muschel), in welche feinkrist. Calciumcarbonat eingelagert ist. Funktionell stehen die C. dem *Collagen nahe, bestehen jedoch aus *Chitin u. *Protein mit hohem Anteil an sauren (Asparaginsäure) u. Hydroxyhaltigen (Serin) *Aminosäuren. – *E* conchagens – *F* conchagènes – *I* concageni – *S* conchágenos

Conchieren. Arbeitsgang bei der Herst. von *Schokolade. Dabei wird in einem früher meist aus Granit bestehenden länglichen od. runden Gefäß (der *Conche*, von latein.: concha = Muschel, Schale) maschinell die innige Durchmengung der Inhaltsstoffe vorgenommen. Je nach Qualität der Schokolade dauert das C. 0,5–4 Tage bei Temp. von 45–85 °C. – *E* conching – *F* conchage – *I* lavorare alla conca – *S* conchado
Lit.: s. Schokolade.

Conchioline s. Conchagene.

Concor®. Film-Tabl. mit *Bisoprolol-Fumarat, C. plus zusätzlich mit *Hydrochlorothiazid gegen Hypertonie u. koronare Herzkrankheit. *B.*: Merck.

Concretes s. Absolues.

Condea. Kurzbez. für die Firma Condea Chemie GmbH mit Sitz in Hamburg. Die 100%ige Tochterges. der RWE-DEA AG für Mineralöl u. Chemie vertreibt die chem. u. petrochem. Produkte der RWE-DEA AG sowie

Condensol®

der DEA Mineralöl AG. *Daten* (1995/96): ca. 4,5 Mrd. DM Umsatz.

Verkaufsprogramm: Lineare geradzahlige Fettalkohole (C_2–C_{22}), Fettalkohol-Derivate, Guerbet-Alkohole u. Derivate, hochreine aktivierte Aluminiumoxide für Katalysatoren, hochreine Aluminiumhydroxide für Spezialanw., Tonerden, Aromaten-freie Kohlenwasserstoffe, Alkylchloride, Aluminiumalkoholate u. Derivate, Methylisopropylketon, Maleinsäureanhydrid, Polyolester, Additive für Benzin- u. Dieselkraftstoff, C-9-Lsm., Isopropylalkohole, *sec.*-Butylalkohol, Diisopropylether, Methylethylketon, Ethylamylketon, Leimharze, Lackharze, Polymerdispersionen, Paraffinemulsionen, Ethylen, Propylen, C-4-Raffinate, Benzol, Toluol, Xylole, Ethylbenzol, Methanol, Dimethylether, Ammoniak, Harnstoff, Schwefel, Acrylnitril, Kohlensäure, Ind.-Gase, Terephthalsäure, *N*-Paraffine, lineares Alkylbenzol, *n*-Olefine, Oxo-alkohole, Alkoholethoxylate.

Condensol®. Sortiment von Katalysatoren auf der Basis von anorgan. Metall-Salzen sowie von anorgan. u. organ. Säuren für das Vernetzen Formaldehyd-haltiger Verb. für die Hochveredelung von Textilien aus Cellulose-Fasern u. deren Mischungen mit synthet. Fasern. *B.:* BASF.

Condis-Kristalle. Kurzz. für „konformativ-ungeordnete Kristalle". C.-K. bilden neben den Flüssigkrist. u. den plast. Krist. den dritten Ordnungstyp mesophas. bzw. mesomorpher Substanzen. In C.-K. liegen mehrere konformative Isomere nebeneinander vor, während die Ordnung idealer Krist. hinsichtlich der Position u. der Orientierung weitgehend erhalten bleibt. C.-K. von Makromol. mit relativ starrem Rückgrat od. mit starren Seitenketten können bei höheren Temp. od. in geeigneten Lsm. Flüssigkrist. bilden. C.-K. liegen z.B. bei der hexagonalen Hochdruckphase der gestrecktkettigen Poly(ethylen)-Krist. u. der Kristallform II des *trans*-1,4-Poly(butadien)s vor. – *E* conformationally disordered crystal – *F* cristaux en désordre conforme – *I* cristalli conformativamente disordinati – *S* cristales desordenados conformacionalmente
Lit.: Elias (5.) **1**, 766.

Conessin (3β-Dimethylamino-5-conen).

$C_{24}H_{40}N_2$, M_R 356,60, Krist., Schmp. 123–124 °C, $[\alpha]_D$ –1,9° ($CHCl_3$), gut lösl. in organ. Lösemitteln. C. stammt aus *Holarrhena*-Arten („Kurchi", Apocynaceae, Immergrüngewächse). C. u. a. Apocynaceen-Steroid-Alkaloide werden auch unter den Bez. Kurchi- bzw. Holarrhena-Alkaloide zusammengefaßt. – *E = F* conessine – *I* conessina – *S* conesina
Lit.: Beilstein EV **22/10**, 215 f. ▪ Ullmann (5.) **A 1**, 399. – *[HS 2939 90; CAS 546-06-5]*

Confidor®. Insektizid auf der Basis von Imidacloprid. *B.:* Bayer.

Configuration Interaction (CI). Wichtiges Verf. der *Quantenchemie für Elektronenstrukturrechnungen (s. a. ab initio u. Theoretische Chemie). Die CI-*Wellenfunktion ist eine Linearkombination aus sog. *Konfigurationszustandsfunktionen, die ihrerseits aus einer od. mehreren *Slater-Determinanten aufgebaut sind. Die Linearkoeffizienten der Konfigurationszustandsfunktionen werden energieoptimiert (s. Energievariationsprinzip). Damit gehört die CI-Meth. zu den *Variationsverfahren*; die berechnete Gesamtenergie stellt eine obere Schranke dar. Man unterscheidet verschiedene Varianten, z. B. CI (SD): CI mit Einfach- (S) u. Zweifachsubstitutionen (D) bzgl. einer Referenz-Slater-Determinante mit optimierten Orbitalen (s. Hartree-Fock-Verfahren); MR-CI: Multireferenz-CI, d. h. die Referenzwellenfunktion umfaßt mehrere Konfigurationszustandsfunktionen; in modernen Anw. können dies einige tausend sein. Bei dem sog. „full CI"-Verf. werden alle im Rahmen eines vorgegebenen *Basissatzes konstruierbaren Konfigurationszustandsfunktionen berücksichtigt; da deren Zahl mit zunehmender Basisgröße u. Elektronenzahl sehr rasch ansteigt, sind derartige Rechnungen auf Atome u. Mol. mit wenigen *Elektronen u. auf Verw. relativ kleiner Basissätze beschränkt. – *E* configuration interaction – *F* interaction de configurations – *I* interazione di configurazione – *S* interación de configuración
Lit.: Szabo u. Ostlund, Modern Quantum Chemistry, New York: Macmillan Publishing Co. 1989.

Congressan (Diamantan, Pentacyclo[$7.3.1.1^{4,12}.0^{2,7}.0^{6,11}$]-tetradecan).

$C_{14}H_{20}$, M_R 188,31, farblose Krist., Schmp. 236–237 °C. Das dem *Adamantan ähnliche C. (der Name wurde von *Prelog im Scherz für das Kongreßsymbol des IUPAC-Symposiums 1963 vergeben [1]) läßt sich durch Aluminiumchlorid-katalysierte Umlagerung des photochem. erzeugten Dimeren des Bicyclo[2.2.1]heptens herstellen. – *E = F* congressane – *I* congressano – *S* congresano
Lit.: [1] Pure Appl. Chem. **6**, 545–560 (1963).
allg.: Angew. Chem. **77**, 180 (1965) ▪ Merck-Index (12.), Nr. 2563 ▪ Tetrahedron Lett. **1970**, 3877. – *[CAS 2292-79-7]*

Conhydrin s. Conium-Alkaloide.

Conidendrin (α-Conidendrin, Tsugalacton, Tsugaresinol).

$C_{20}H_{20}O_6$, M_R 356,38, Krist., Schmp. 254–255 °C, $[\alpha]_D^{20}$ –54,5° (Aceton). *Lignan aus Fichtenharz u. a. Nadelhölzern (*Tsuga, Trachelospermum, Abies*). Es kann aus den Ablaugen der Fichtenzellstoffproduktion isoliert werden. Demethylierung liefert Conidendrole. – *E* conidendrin – *F* conidendrine – *I* = *S* conidendrina

Lit.: Beilstein E V **18/5**, 352 ▪ Chem. Lett. **1983**, 1543 ▪ Tetrahedron **42**, 2005 (1986).

Coniferin (Abietin).

$C_{16}H_{22}O_8$, M_R 342,35, schwach bitter schmeckende Nadeln, Schmp. 186°C, $[\alpha]_D^{20}$ –66,9° (Pyridin/H_2O), in siedendem Wasser gut, in Alkohol u. Ether kaum löslich. C. ist das Glucosid des Coniferylalkohols ($C_{10}H_{12}O_3$, M_R 180,20, Schmp. 73–74 °C) u. kann aus der Kambium-Schicht von Nadelbäumen isoliert werden, aber auch aus Spargel, Schwarzwurzeln, Zuckerrüben u. a. Pflanzen. C. ist die nicht spontan polymerisierende Speicher- u. Transportform des Oxid.-empfindlichen Coniferylalkohols zum Ort der Lignin-Biosynth. (vgl. Lignin); es wird von *Emulsin in Glucose u. Coniferylalkohol gespalten. Coniferylalkohol ensteht auch beim Holzaufschluß aus Lignin bei der Zellstoffproduktion. – *E* coniferin – *F* coniférine – *I* = *S* coniferina

Lit.: Beilstein E V **17/7**, 130 ▪ Luckner (3.), S. 387 ▪ Merck-Index (12.), Nr. 2567 ▪ Tetrahedron **41**, 309 (1985). – [CAS 531-29-3 (C.); 458-35-5 (Coniferylalkohol)]

Coniferylalkohol s. Coniferin.

Coniin (2-Propylpiperidin, Cicutin, Conicin).

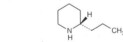

(*S*)-Form

$C_8H_{17}N$, M_R 127,23, Öl, n_D^{23} 1,4505, Schmp. –2 °C, Sdp. 166 °C, $[\alpha]_D$ +8,0° ($CHCl_3$), dunkelt u. polymerisiert bei Luft- u. Lichteinwirkung, lösl. in organ. Lsm., wenig lösl. in Wasser, wasserdampfflüchtig, reagiert stark alkalisch. C. ist ein stark giftiges Alkaloid [LD_{50} (Mensch) 0,5–1 g] aus dem Gefleckten Schierling (*Conium maculatum*). Es wird von Schleimhäuten u. der intakten Haut rasch resorbiert. Es bewirkt zuerst Erregung der motor. Nervenendigungen, dann *Curare-artige Lähmung der quergestreiften Muskulatur. Der Tod erfolgt nach ca. 0,5–5 h bei vollem Bewußtsein durch Lähmung der Brustkorbmuskulatur – das Vergiftungsbild hat Plato bei Sokrates Tod 399 v. Chr. geschildert. C. ist der lähmende Wirkstoff der insektenfressenden amerikan. Kannenpflanze (*Sarracenia flava*)[1]. Zur chiralen Synth. von C. s. *Lit.*[2], zur Biosynth. s. Conium-Alkaloide.

Geschichte: C. wurde 1826 von Giesecke entdeckt u. 1886 von Ladenburg synthetisiert. – *E* coniine – *F* coniine, conine – *I* ciniina – *S* coniina, conina

Lit.: [1] Experientia **32**, 829 (1976). [2] J. Org. Chem. **60**, 7084 (1995).

allg.: Beilstein E V **20/4**, 205 ▪ Hager (5.) **3**, 343 ff. ▪ Kirk-Othmer (4.) **1**, 1083 ▪ Manske **1**, 211–217; **11**, 473; **26**, 163 f. ▪ R.D.K. (4.), S. 789 ▪ Sax (8.), S. 2928. – [HS 2939 90; CAS 458-88-8]

Conium-Alkaloide.

(+)-Conhydrin

Giftige Alkaloide des Gefleckten Schierlings (*Conium maculatum*), der kurz vor der Reife bis zu 3,5% Piperidin-Alkaloide enthält: *Coniin ist zu 90% enthalten, γ-Conicein ($C_8H_{15}N$, M_R 125,21, Schmp. 171–172 °C) zu 9% u. als Nebenalkaloide *Conhydrin* {$C_8H_{17}NO$, M_R 143,23; Öl, $[\alpha]_D$ +10° (C_2H_5OH)}, *Pseudoconhydrin* {$C_8H_{17}NO$, M_R 143,23, Schmp. 105–106 °C, $[\alpha]_D^{15}$ +11° (C_2H_5OH)} u. *N-Methylconiin*. Die C. sind Pseudoalkaloide, deren C-Gerüst nicht aus dem Aminosäure-, sondern aus dem Polyketid-Stoffwechsel stammt. – *E* hemlock alkaloids – *F* alcaloïdes de conium – *I* alcaloidi di conio – *S* alcaloides de la cicuta, alcaloides de conium

Lit.: Manske **1**, 218 ▪ Tetrahedron Lett. **24**, 4577 (1983); **25**, 1555 (1984) ▪ Ullmann (5.) A **1**, 359. – [HS 2939 90; CAS 1604-01-9 (γ-Conicein); 495-20-5 (Conhydrin); 35305-13-6 (N-Methylconiin); 140-55-6 (Pseudoconhydrin)]

Connatin [N^5-(Dimethylcarbamoyl)-N^5-hydroxyornithin].

$C_8H_{17}N_3O_4$, M_R 219,24, Krist., Schmp. 184–188 °C (Zers.), $[\alpha]_D$ +25,5° (H_2O), lösl. in Wasser u. Methanol, unlösl. in Ether. C. ist Inhaltsstoff des Pilzes Weißer Rasling (*Lyophyllum connatum*), wo es neben *Lyophyllin u. N'-Hydroxy-N,N-dimethylharnstoff vorkommt. Beide sind verantwortlich für die blaue Farbreaktion des Fruchtfleisches mit Eisen(III)-Ionen. – *E* connatin – *F* connatine – *S* conatina

Lit.: Angew. Chem. **96**, 71 (1984). – [CAS 88245-12-9 (C.); 52253-32-4 (N'-Hydroxy-N,N-dimethylharnstoff)]

Connectin s. Titin.

Connexin, Connexone s. gap junctions.

Connick, Robert E. (geb. 1917), Prof. für Physikal. Chemie, Univ. Berkeley. *Arbeitsgebiete:* Radiochemie, Reaktionsmechanismen, Komplex-Ionen, wäss. Lsg. von Zr- u. Ru-Salzen, NMR-Spektroskopie, Schwefelchemie, Lösungsverhalten von Metall-Ionen.

Lit.: Who's Who in America, S. 741.

CONOCO INC. Kurzbez. für das 1920 gegr. amerikan. Unternehmen *Con*tinental *O*il *Co*mpany mit Sitz in Houston, Texas 77079, USA, seit 1981 Tochterfirma der E.I. Du Pont de Nemours and Company. Verarbeitung u. Vertrieb von Mineralölprodukten aller Art. *Daten* (1995): 15800 Mio. $ Umsatz. *Vertretung* in der BRD: Conoco Mineraloel GmbH, 22297 Hamburg.

Conolan®. Deckender od. lasierender Oberflächenschutz für Holz u. andere Untergründe im Innen- u. Außenbereich auf Wasserbasis. *B.:* DESOWAG.

Conotoxine.

H–Glu–Cys–Cys–Asn–Pro–Ala–Cys–Gly–Arg–His–Tyr–Ser–Cys–NH_2

Conotoxin G 1

Conpin®

Peptid-Gifte aus Kegelschnecken (Conidae) subtrop. u. trop. Meere. Die Schnecken stechen zum Beutefang mit Hilfe von harpunenartigen Giftzähnchen (Länge etwa 7 mm), die mit dem Neurotoxin beladen sind. Jede der etwa 500 *Conus*-Arten hat eine typ. Giftzusammensetzung, die aus bis zu 100 verschiedenen Peptiden bestehen kann, von denen jedes nur im Gift dieser Art vorkommt, so daß Zehntausende von aktiven Peptiden in den Giften der *Conus*-Arten vorhanden sind. Die Zahl der Aminosäuren liegt typischerweise zwischen 10 u. 30, teilw. linear, teilw. über S–S-Brücken miteinander verknüpft, z. B. Conotoxin G 1 (vgl. Formelbild). Die meisten C. gehören zu 3 Hauptklassen mit charakterist. Disulfid-Strukturen. Die Stiche sind sehr schmerzhaft, gefolgt von allmählicher Taubheit, die bald den ganzen Körper erfaßt. In schweren Fällen tritt Muskellähmung ein. Für Todesfälle beim Menschen infolge Herzversagens sind insbes. *Conus geographus*, *C. textile* u. *C. tulipa* verantwortlich. – *E* conotoxins – *F* conotoxines – *I* conotossine – *S* conotoxinas

Lit.: Habermehl, Gifttiere u. ihre Waffen, 5. Aufl., S. 25ff., Berlin: Springer 1994 ▪ J. Biol. Chem. **262**, 15821 (1987) ▪ J. Toxicol., Toxin Rev. **4**, 107–132 (1985). – *Review:* Baldomero et al., in Tu, Marine Toxins and Venoms, S. 327–352, New York: Dekker 1988 ▪ Trends Biotechnol. **13**, 422–426 (1995).

Conpin®. Tabl. mit *Isosorbidmononitrat gegen koronare Herzkrankheit, zur Vorbeugung von Angina-pectoris-Anfällen. *B.:* TAD Pharmazeut. Werk GmbH.

Conradty. Kurzbez. für die 1855 gegr. Firma C. Conradty Nürnberg GmbH, 90006 Nürnberg. *Daten* (1995): 515 Beschäftigte, 24 Mio. DM Kapital. *Produktion:* Diverse Kohle- u. Graphiterzeugnisse für die Metallurgie, Chemie, Elektrotechnik, Lichttechnik u. den Maschinen- u. Apparatebau.

Conray®. Röntgenkontrastmittel für die Angiographie u. Urographie, enthält *Iotalaminsäure-Megluminat, C. 70 OES enthält zusätzlich das Natriumsalz. *B.:* Mallinckrodt.

Conseil Européen des Fédérations de l'Industrie Chimique s. CEFIC.

Conseil Européen pour la Recherche Nucléaire s. CERN.

Consensus-Sequenz (auch kanon. Sequenz). Bez. für eine fiktive, aus vielen vergleichbaren Nucleinsäure- od. Protein-Sequenzen statist. abgeleitete Sequenz. Die C.-S. zeigt das Monomer, das am häufigsten in jeder Position anzutreffen ist. Die Ableitung einer C.-S. erlaubt festzustellen, welches die in den untersuchten Sequenz-Abschnitten essentiellen Positionen im Hinblick auf die Funktion sind. Beisp. für DNA-C.-S. sind regulative *DNA-Elemente wie die *CAAT-Box* od. die *TATA-Box* im Bereich von *Promotoren. C.-S. sind ebenso für bestimmte Funktionen von Proteinen bekannt, wie Bindungsdomänen *DNA-bindender Proteine od. charakterist. Sequenzen in den aktiven Zentren von Enzymen. – *E* consensus sequence – *F* séquence consensus – *I* sequenza di consenso – *S* secuencia de consenso

Lit.: Knippers (6.), S. 50.

Contac® 700. Kapseln mit *Chlorphenamin u. *Phenylpropanolamin gegen Schnupfen. C. H enthält zusätzlich *Dextromethorphan; C. Erkältungstrunk enthält *Paracetamol, *Phenylephrin-Hydrochlorid u. Dextromethorphan Hydrobromid. *B.:* Fink.

Contactol®. Palladiumchlorid zur Herst. von Katalysatoren. *B.:* Doduco.

Container Dri®. Luftentfeuchtungsmittel für den Container-Versand zur Verhinderung von Tau- u. Kondenswasser. *B.:* Süd-Chemie.

Containment. Bez. für Sicherheits-Maßnahmen u. -Vorschriften bei gentechn. od. allg. mikrobiolog. Arbeiten, wobei zwischen physikal.-techn. (*physikal. C.*) u. biolog. Sicherheit (*biolog. C.*) unterschieden wird. Ihre Einhaltung dient der Arbeits-, Produkt- u. Umweltsicherheit. Das Maß an Sicherheitsvorkehrungen (engl.: C. level), durch das verhindert werden soll, daß potentiell gefährliche Organismen, Substanzen od. Materialien aus einer „definierten Begrenzung" (engl.: containment facility), also dem Gebäude, dem Raum, dem Arbeitsplatz od. dem Bioreaktor, entweichen können, hängt vom Ausmaß der Gefährdung ab. Die entsprechenden Sicherheitsvorkehrungen sind in verbindlichen Regelungen u. Sicherheitsverordnungen zu Konstruktionsart u. prakt. Handhabung beim Umgang mit pathogenen Keimen, genet. rekombinierten Organismen, gefährlichen biolog. Substanzen, radioaktiven Verb. u. a. potentiellen Gefahrstoffen festgelegt (s. a. biologische Sicherheitsmaßnahmen, Gentechnik-Gesetz).

Beim biolog. C. sind 4 Sicherheitsstufen festgelegt, die sich in den Anforderungen unterscheiden u. die sich nach dem Risikopotential der betreffenden Organismen richten: Bei den in (Risiko-)*Gruppe 1* eingestuften Organismen u. Viren wurde bisher keine Gefährdung des Menschen beobachtet. Gesamtbewertung: Fehlendes (bis sehr geringes) Risiko. – Die in *Risikogruppe 2* eingestuften Organismen u. Viren können bei den Beschäftigten Krankheiten hervorrufen. Das Risiko ist unter Berücksichtigung der Infektiosität, der Pathogenität u. des Vorhandenseins von prophylakt. u./od. therapeut. Maßnahmen für die Beschäftigten nur gering. Gleiches gilt für die Bevölkerung. Gesamtbewertung: Geringes bis mäßiges Risiko. – Die in *Risikogruppe 3* eingestuften Organismen u. Viren können bei den Beschäftigten Krankheiten hervorrufen. Das Risiko ist unter Berücksichtigung der oben genannten Punkte für die Beschäftigten mäßig bis hoch, für die Bevölkerung gering bis mäßig u. wird insgesamt als mäßig bis unbekannt eingestuft. – Die in *Risikogruppe 4* eingestuften Organismen u. Viren können bei den Beschäftigten Krankheiten hervorrufen. Das Risiko ist unter Berücksichtigung der oben genannten Punkte für die Beschäftigten u. für die Bevölkerung hoch u. wird insgesamt als hoch eingestuft. – *E* containment – *F* confinement – *I* contenimento – *S* confinamiento

Lit.: Berufsgenossenschaft der chem. Ind., Sichere Biotechnologie: Merkblätter seit 1990, Heidelberg: Jedermann Verl. Dr. Pfeffer (seit 1990) ▪ DECHEMA, Materialien u. Basisdaten für gentechnisches Arbeiten u. für die Errichtung u. den Betrieb gentechnischer Anlagen, Bd. 2, Containment, Frankfurt/Main: DECHEMA 1994 ▪ Hasskarl, Gentechnikrecht,

Textsammlung, Aulendorf: Editio Cantor 1990 ■ Ibelgaufts, Gentechnologie von A bis Z, S. 113–117, Weinheim: VCH Verlagsges. 1993 ■ Rehm-Reed **12**.

Conteben®. Marke von Bayer für das von Domagk entwickelte, nicht mehr im Handel befindliche Tuberkulostatikum *Tb 1698 auf der Basis von Thioacetazon.

Contergan®. Marke von Grünenthal für ein Präp. auf Basis *Thalidomid, das von 1958 an als Schlafmittel im Handel war, aufgrund der *Teratogen-Wirkung des Thalidomids (vgl. *Lit.*[1]) jedoch 1962 zurückgezogen werden mußte. Zwischen 1958 u. 1962 wurden in der BRD ca. 10 000 Kinder (nach anderen Angaben 4000) mit Mißbildungen der Extremitäten geboren, von denen ca. 2600 überlebten (1979). Näheres zur physiolog. Wirkung s. Thalidomid.
Lit.: [1] Ehrhart-Ruschig S. 290 f.
allg.: s. Thalidomid.

Contifuge®. Hochgeschwindigkeitszentrifugen mit einem autoklavierbaren Durchlaufrotor zur kontinuierlichen Trennung von Fest-Flüssiggemischen. *B.:* Heraeus Instruments GmbH.

Continental Aktiengesellschaft. 1871 gegr. Ges., Vahrenwalder Str. 9, 30165 Hannover, Tochter- u. Beteiligungsges. u.a. Uniroyal Englebert Reifen GmbH (100%), Semperit Reifen AG (99,8%), Continental General Tire Inc. (100%). *Daten* (1995 Konzern): DM 470 Mio. Kapital, 48 000 Beschäftigte, DM 10,3 Mrd. Umsatz. *Produktion:* Reifen für Fahrzeuge aller Art (73% des Umsatzes); Techn. Produkte aus Elastomeren u. Kunststoffen: Transportband, beschichtete Gewebe, Antriebstechnik, Formteile, Schläuche, Profile, Luftfedern u. Polstertechnik. Diverse Beteiligungen im In- u. Ausland: Bamberger Kaliko GmbH, Bamberg (48,3%), Benecke-Kaliko AG, Hannover (48,3%), Clouth Gummiwerke AG, Köln, Dtsch. Schlauchbootfabrik Hans Scheibert GmbH & Co. KG. Eschershausen (100%), Dtsch. Semperit GmbH, Köln (100%), Uniroyal Englebert Reifen GmbH Aachen (100%), Uniroyal Englebert Tyre Trading (100%) Aachen u. andere.

Contra®. Spezialprodukte in flüssiger u. pulveriger Form zur Entkalkung von Spülmaschinen, zur Beseitigung von säurelösl. Verunreinigungen; enthalten Tenside-Phosphorsäure-Korrosionsinhibitor-Gemische bzw. Amidoschwefelsäure. *B.:* Henkel-Ecolab.

Contraceptiva s. Antikonzeptionsmittel.

Contractubex® compositum. Salbe mit Zwiebelextrakt, *Heparin-Natriumsalz u. *Allantoin zur Erweichung von Narben u. Kontrakturen. *B.:* Merz Pharma.

Contramutan®. Dragees, Tropfen u. Saft mit Urtinkturen aus *Echinacea angustifolia, Aconitum, Belladonna* u. *Eupatorium perfoliatum* zur Anw. bei grippalen Infekten u. zur Steigerung der Immunabwehr. *B.:* Nattermann.

Contraneural® 200/400/600/800. Schmerztabl. mit *Ibuprofen. C. forte Schmerztabl. u. -suppositarien mit *Codein-Phosphat u. *Paracetamol. *B.:* Pfleger.

Contrax®. Konzentrate u. gebrauchsfertige Präp. auf der Basis von Bromadiolone u. Difethialone zur Bekämpfung von Ratten u. Mäusen. *B.:* Frowein GmbH & Co.

Controx®. Antioxidantien auf der Basis von natürlichem *Vitamin E zum Einsatz in der Lebensmittel-, Kosmetik- u. Pharma-Industrie. *B.:* Grünau.

Convallaria majalis. Botan. Name für *Maiglöckchen, s. a. Convallatoxin.

Convallatoxin.

$C_{29}H_{42}O_{10}$, M_R 550,65, Krist., Schmp. 232–240 °C, in Alkohol u. Aceton gut, in Wasser, Chloroform wenig, in Ether u. Petrolether nicht löslich. C. ist ein Glykosid aus Rhamnose u. Strophanthidin (s. Strophanthine). *Convallosid* ist ein Glucosid des C. ($C_{35}H_{52}O_{15}$, M_R 712,74). Beide Verb. finden sich in den Blüten des *Maiglöckchens u. werden gegen Herzinsuffizienz verwendet. – *E* convallatoxin – *F* convallatoxine – *I* convallatossina – *S* convalatoxina
Lit.: Beilstein E V **18/5**, 134 ■ Braun-Frohne (6.), S. 188 ■ Hager (5.) **4**, 980; **7**, 1094 ■ Karrer, Nr. 2249, 2250 ■ Sax (8.), CNH 780, CQH 750. – *[HS 2938 90; CAS 508-75-8 (C.); 13473-51-3 (Convallosid)]*

Convallosid s. Convallatoxin.

Convergin s. Coccinellin.

Convertin s. Proconvertin.

Convidol®. Spülöle für synthet. Fäden, Paraffin- u. Esteröle mit nichtion. Emulgatoren sowie Antielektrostatika. *B.:* Schill & Seilacher GmbH & Co.

Convol®. Konz. volumetr. Lsg. zur Herst. von Normallösungen. *B.:* Merck Ltd.

Convolvulin s. Jalape u. vgl. Ipomoea-Harz.

Convulex®. Kapseln u. Tropf-Lsg. mit dem Antikonvulsivum *Valproinsäure-Natriumsalz. *B.:* Promonta.

Cookeit s. Chlorite.

Cooper, Leon N. (geb. 1930), Prof. für Physik, Brown Univ., Providence (Rhode Island). *Arbeitsgebiete:* Theorie der Supraleitung *(BCS-Theorie),* wofür er 1972 zusammen mit *Bardeen u. *Schrieffer den Nobelpreis für Physik erhielt.
Lit.: Neufeldt, S. 253, 361 ■ Who's Who in America, S. 758.

Cooper-Paar. Paar od. *Quasiteilchen aus 2 *Elektronen mit entgegengesetzt gerichtetem *Spin u. entgegengesetzter Fermi-Grenzgeschwindigkeit. Ein C.-P. hat den Gesamtspin 0 u. gehorcht damit im Gegensatz zu einem einzelnen Elektron der *Bose-Einstein-Statistik. Das C.-P. nimmt eine zentrale Stellung in der BCS-Theorie ein; Näheres s. Supraleitung. – *E* Cooper pair – *F* paire de Cooper – *I* coppia di Cooper – *S* par de Cooper

Lit.: Kittel, Einführung in die Festkörperphysik, 10. Aufl., München: Oldenbourg 1993.

COP, COP II s. Coatomer.

Cope, Arthur C. (1909–1966), Prof. für Chemie, MIT, Cambridge (Massachusetts). *Arbeitsgebiete:* Präparative organ. Chemie. *Cope-Umlagerung, Synth. von ungesätt. Estern, Eliminierungs- u. Kondensationsreaktionen, Barbitursäuren, Aminoalkohole, cycl. Polyolefine.

Lit.: Chem. Eng. News **39**, 72 ff. (1961); **44**, 25 ff. (1966).

Cope-Eliminierung s. Eliminierung.

Co-Pencil. In ihrer gebräuchlichsten Form bestehen Co-P. aus Cobalt-Tabl. von 6,35 mm Durchmesser u. einer Länge von ca. 2,5 cm. 16 solcher Tabl. sind in 2 Edelstahlröhren doppelt eingeschweißt. Die Länge eines solchen Stabes beträgt ca. 45 cm, mit einer aktiven Länge von ca. 41 cm. Die handelsübliche Aktivität pro Pencil beträgt ca. $0{,}5 \times 10^{15}$ Bq. – *E* cobalt pencil

Cope-Umlagerung. Von *Cope systemat. untersuchte *Valenzisomerisierung. Diese [3.3]-*sigmatrope Umlagerung gehört mit zu den am besten untersuchten *pericyclischen Reaktionen. Prototyp der C.-U. ist die Isomerisierung von 1,5-Hexadien, die degeneriert ist, da bei der Umlagerung die Positionen der Bindungen, nicht aber die Struktur verändert wird (s. Topomerisierung u. Bullvalen). Sowohl mit cycl. als auch acycl. Syst. ist die C.-U. bekannt. Im letzteren Fall befindet sich oft ein ungesättigter Substituent in 3-Stellung, der nach der Umlagerung mit einer Doppelbindung in Konjugation treten kann.

Bei der therm. Dimerisierung von 1,3-Butadien zu Cycloocta-1,5-dien u. bei der von *cis*-1,2-Divinylcyclopropan zu Cyclohepta-1,4-dien ist die C.-U. am Reaktionsgeschehen beteiligt; ebenso ist auch der Einbau von Heteroelementen in das Kohlenstoff-Gerüst möglich (sog. *Heterocope-Umlagerung*). Die bekannteste Heterocope-Umlagerung ist die unter Beteiligung von Sauerstoff ablaufende *Claisen-Umlagerung.

– *E* Cope rearrangement – *F* réarrangement de Cope – *I* trasposizione di Cope – *S* transposición de Cope, reagrupamiento de Cope

Lit.: Hassner-Stumer, S. 74 ▪ Laue-Plagens, S. 71 ff. ▪ March (4.), S. 1130–1136 ▪ Org. React. **22**, 1–252 (1975); **41**, 1–133 (1992) ▪ Trost-Fleming **5**, 785–826.

Copherol®. *Vitamin E natürlichen Ursprungs: α-Tocopherol u. α-Tocopherylacetat als Konzentrat für top. Anw. in Kosmetika. *B.:* Henkel.

Copiapit. $(Fe,Mg)Fe_4^{3+}[(OH)_2/(SO_4)_6] \cdot 20\,H_2O$, triklines Mineral, Kristallklasse $\bar{1}-C_i$, Struktur s. *Lit.*[1]. Tafelige Krist., meist lockere Aggregate winziger Schüppchen, als Krusten. Hell- bis orangegelb, grünlichgelb bis olivgrün. D. 2,08–2,17, H. 2,5–3. Häufigstes Ferrisulfat, entsteht bei der Oxid. von *Pyrit od. anderen Sulfiden.

Vork.: Vielerorts in den westlichen USA, in Copiapo (Name!) u. Chuquicamata/Chile, in Frankreich, Italien u. der BRD. – *E = F = I* copiapite – *S* copiapita

Lit.: [1] Z. Kristallogr. **135**, 34–55 (1972); Am. Mineral. **58**, 314–322 (1973).

allg.: Roberts, Campbell u. Rapp, Encyclopedia of Minerals (2.), S. 190, New York: Van Nostrand Reinhold 1990 ▪ Rösler, Lehrbuch der Mineralogie (4.), S. 677, Leipzig: VEB Deutscher Verl. für Grundstoffind. 1988. – *[CAS 12173-13-6]*

Copisil®. Pigment u. Zusatzstoff auf *Bentonit-Basis als Farbentwickler für kohlefreie Kopierpapiere, als Streichpigment für gestrichene Papiere u. als TiO_2-Extender. *B.:* Süd-Chemie.

Copolyaddition. C. ist eine *Polyaddition, bei der mehr konstitutionell verschiedenartige *Monomere eingesetzt werden, als für eine Unipolyaddition notwendig wären (z. B. mehrere Diisocyanate). Je nach Anzahl der verwendeten Monomeren mit jeweils gleichen funktionellen Gruppen, aber sonst unterschiedlicher Struktur unterteilt man die anfallenden Polymeren in Bi-, Ter- u. Multipolyaddukte. – *E = F* copolyaddition – *I* copoliaddizione – *S* copoliadición

Lit.: Elias (5.) **1**, 218 ff., 264 ff. ▪ s. a. Copolymerisation u. Polyaddition.

Copolyaddukte. Bez. für die bei einer *Copolyaddition anfallenden Polymeren.

Copolykondensate. Bez. für die bei einer *Copolykondensation anfallenden Polymeren.

Copolykondensation. C. ist eine *Polykondensation, bei der mehr *Monomere (z. B. mehrere Hydroxycarbonsäuren, Aminocarbonsäuren, Dicarbonsäuren, Diole od. Diamine) eingesetzt werden, als für eine *Unipolymerisation notwendig wären. Je nach Anzahl der verwendeten Monomeren mit jeweils gleichen funktionellen Gruppen, aber sonst unterschiedlicher Struktur unterteilt man die anfallenden Polymeren in Bi-, Ter- u. Multipolykondensate. Die Polykondensation eines AA- mit einem BB-Monomeren (*AA/BB-Polykondensation) wird dagegen nicht als C. bezeichnet, wenn beide Monomere unter den Reaktionsbedingungen keine Selbstkondensation eingehen. – *E = F* copolycondensation – *I* copolicondensazione – *S* copolicondensación

Lit.: Elias (5.) **1**, 220 ff., 264 ff. ▪ Houben-Weyl **E 20**, 575 ff. ▪ s. a. Copolymerisation u. Polykondensation.

Copolymer®. Copolymere aus *Vinylpyrrolidon u. *Methacrylat mit unterschiedlichen Molmassen, werden als Filmbildner u. konditionierende Mittel für Haarpflegemittel u. Cremes verwendet. *B.:* ISP.

Copolymere. Bez. für *Polymere, die aus mehr verschiedenartigen *Monomeren entstanden sind, als für eine Polymerisation gemäß dem jeweiligen Reaktionsmechanismus erforderlich gewesen wären. Je nach Anzahl bzw. Anordnung der Monomeren in der Copolymerkette unterscheidet man zwischen *Bi-, *Ter- od. *Quaterpolymeren (hergestellt aus 2, 3 od. 4 verschiedenartigen Monomeren) bzw. *alternierenden, *statistischen, *Gradienten-, *Block- od. *Pfropf-Copolymeren. – *E* copolymers – *F* copolymères – *I* copolimeri – *S* copolímeros

Lit.: Elias (5.) **2**, 45 ■ s. a. Copolymerisation, Polymere, Polymerisation.

Copolymerisation. C. (frühere, mißverständliche Bez.: Inter- od. Mischpolymerisation) ist eine *Polymerisation, bei der zwei od. mehr verschiedenartige *Monomere in einer Polymerkette eingebaut werden. Die anfallenden *Copolymere enthalten somit zwei od. mehr unterschiedliche Wiederholungseinheiten. Je nach Anordnung der Comonomeren (z. B. A u. B) im Copolymer unterscheidet man
*statistische –ABAABABBB–,
*alternierende –ABABABAB–,
*Block –AAABBBAAA–
od. *Pfropf-Copolymere

```
        –AAAAAA–
         |    |
         B    B
         B    B
         B    B
         |    |
```

Über Art, Verhältnis u. Anordung der verschiedenen Monomeren im Copolymer lassen sich die Polymer-Eigenschaften gezielt beeinflussen. – *E* copolymerization – *F* copolymérisation – *I* copolimerizzazione – *S* copolimerización

Lit.: Compr. Polym. Sci. **3**, 17–30; **4**, 377–419 ■ Elias (5.) **1**, 512 ff. ■ Odian (3.), S. 452 ff.

Copolymerisationsparameter. Als C. (Symbol: r) wird das Verhältnis der Geschwindigkeitskonstanten bezeichnet, mit der die einzelnen an einer *Copolymerisation beteiligten *Monomeren an das aktive Ende der wachsenden Polymerkette angelagert werden. Bei der Copolymerisation von z. B. 2 Monomeren A u. B kann die wachsende Polymerkette prinzipiell zwei unterschiedliche Endgruppen ~A* u. ~B* haben, an die das fremde Monomer entweder ausschließlich (r = 0), bevorzugt (r <1), mit gleicher (r = 1) bzw. geringerer (r >1) Wahrscheinlichkeit als das arteigene od. auch gar nicht (r = ∞) angelagert wird. Im letzteren Falle erfolgt keine Co-, sondern *Homopolymerisation der Monomeren unter Bildung von Gemischen (Blends) der anfallenden *Homopolymeren. Die C. für eine Vielzahl von Monomerpaaren sind experimentell bestimmt worden. Zu tabellar. Zusammenstellungen von C. s. *Lit.*[1]. – *E* copolymerization parameter – *F* paramètres de copolymérisation – *I* parametro della copolimerizzazione – *S* parámetros de copolimerización

Lit.: [1] Brandrup u. Immergut, Polymer Handbook, New York: Wiley & Sons 1975; Houben-Weyl **14/1**, 101–110.
allg.: Elias (5.) **1**, 514 ff.; **2**, 82 f. ■ Odian (3.), S. 452 f.

COPOLYMER® VC 713. Terpolymer aus Vinylcaprolactam/Polyvinylpyrrolidon/Dimethylaminoethylmethacrylat, wasserlösl., kation. Funktionalität, Verträglichkeit mit vielen Harzen u. Lsm., für alle Arten von Hairstyling Produkten. *B.:* ISP.

Coprin.

$C_8H_{14}N_2O_4$, M_R 202,21, Krist., Schmp. 197–199 °C, $[\alpha]_D$ –7,6° (H_2O), lösl. in Methanol. Aminosäure aus dem Speisepilz Faltentintling (*Coprinus atramentarius*). C. ist verantwortlich für die Giftwirkung dieses Pilzes, wenn zur Mahlzeit Alkohol getrunken wird. C. bewirkt, daß die Fähigkeit der Leber, Alkohol abzubauen, vorübergehend verloren geht (Hemmung der Acetaldehyd-Dehydrogenase), so daß es zu erhöhtem Acetaldehyd-Blutspiegel kommt („Antabus-Alkohol-Reaktion", Acetaldehyd-Vergiftung). Anzeichen hierfür sind starker Kopfschmerz u. intensives Unwohlsein bis zum Kreislaufkollaps. – *E* = *F* coprine – *I* = *S* coprina

Lit.: Bresinsky u. Besl, Giftpilze, S. 119 ff., Stuttgart: Wissenschaftliche Verlagsges. 1985 ■ Hatfield, in Rumack (Hrsg.), Mushroom Poisoning: Diagn. Treat. 1978, S. 181–186, Florida: CRC Press 1978 ■ Turner **2**, 386 ■ Zechmeister **39**, 236, 240, 262. – *[CAS 120912-88-1]*

Copro... s. Kopro...

Copyrapid®. Marke von Agfa für photograph. Material zur Herst. von Bürokopien u. Offsetfolien. Das bereits 1949 eingeführte C.-Verf. arbeitet nach dem sog. *Silbersalz-Diffusionsverf.* mit C.-Negativpapieren u. C.-Positivmaterial sowie C.-Entwickler; Näheres s. Photographie.

Copyright (Symbol ©, *E* Recht zur Vervielfältigung). Bez. für das Urheberrecht einer Einzelperson od. einer Körperschaft (z. B. Verl.), ein Manuskript, Bild od. anderes Dokument zu vervielfältigen. Das C. gilt als Rechtsschutz in allen Ländern, die dem Welturheberrechtsabkommen vom 6. 9. 1952 beigetreten sind, wenn im Impressum das © mit dem Namen des Inhabers u. dem Jahr des (ersten) Erscheinens des Werkes eingedruckt ist. In den USA kann das C. durch Eintragung im Register of C. für 28 Jahre, nach beantragter Verlängerung um weitere 28 Jahre bzw. aufgrund des C. Act vom 19. 10. 1976 um 47 Jahre geschützt werden. Für neue Werke beträgt die Schutzfrist 50 Jahre nach dem Tod des Urhebers. Durch die Literaturverarbeitung über *Referateorgane, *Schnellinformationsdienste u. dgl., insbes. aber durch das bequeme Photokopieren wird das C. heute häufig verletzt; eine Generalklausel für erlaubte Nutzungen (*E* fair use) trägt dieser modernen Entwicklung Rechnung. In Novellen zum C. werden auch Computerprogramme als schutzfähige Werke anerkannt.

Copyrkal N®. Tabl. mit *Propyphenazon u. *Coffein gegen Schmerzen u. Fieber. *B.:* Berlin-Chemie.

Cor... Von latein.: cor = Herz abgeleiteter anlautender Namensbestandteil in meist durch Marken geschützten Handelsnamen für herzwirksame Präparate.

Corail®. Fungizid auf der Basis von *Tebuconazole für den Weinbau. *B.:* Bayer.

CORAL®. Pulverförmiges u. flüssiges Feinwaschmittel, enzymhaltig, frei von opt. Aufhellern u. Bleichstoffen, für die pflegende Wäsche farbiger u. empfindlicher Textilien aus Baumwolle, Wolle, Seide, Synthetikfasern u. Mischgeweben bis 60 °C. *B.:* LEVER GmbH.

Coralon®. Sortiment von Egalisierungsmitteln für die Leder-Ind. sowie für Pelz- u. Veloursfärbungen; C.L ist ein Flotationshilfsmittel. *B.:* Hoechst.

Corangin®. Tabl. mit dem Vasodilatator *Isosorbidmononitrat zur Dauerbehandlung koronarer Herzkrankheiten u. Vorbeugung von Angina-Pectoris-Anfällen. C. Nitro: Kapseln u. Spray mit *Glycerintrinitrat zur Behandlung akuter Angina-Pectoris-Anfälle. *B.:* Ciba Pharma.

Corannulen. Von latein.: cor (Herz) u. an(n)ulus (Ring) abgeleitete Bez. für eine auch [5]Circulen genannte Verb., bei der fünf angular anellierte Benzol-Ringe ein Fünfeck umschließen.

Corannulen ([5]-Circulen)   [6]-Circulen

Die C.-Geometrie bewirkt, daß die Benzol-Ringe nicht in einer Ebene liegen, sondern verbogen sind. Das C.-Ringgerüst ist auch Bestandteil der *Fullerene, die man sich aus C.-Einheiten aufgebaut denken kann. Allg. bezeichnet man Verb., bei denen *m* aromat. Ringe kreisförmig angeordnet sind, als [m]Circulene. Im Gegensatz zu C. ist [6]Circulen (*Coronen) eben gebaut. – *E = I* corannulene – *S* corannuleno
Lit.: J. Am. Chem. Soc. **113**, 7082 (1991) ▪ Nickon u. Silversmith, The Name Game, S. 203, New York: Pergamon Press 1987. – *[CAS 5821-51-2]*

Corasol®. Universell einsetzbare, leicht benetzbare Rußtypen zur Verw. als Schwarzpigmente im Bauwesen, zur Papierherst. usw. *B.:* Degussa.

Coratyl®. Hilfsmittel zum Gerben, Neutralisieren u. Maskieren bei der Leder-Herst.; Hilfsmittel zum Neutralisieren bei der Pelzveredlung. *B.:* Henkel.
Lit.: J. Am. Leather Chem. Assoc. **90**, Nr. 6, 177–200 (1995).

Corax®. Furnaceruß zur Verstärkung von Kautschuk zur Erzielung von hohem Abriebwiderstand, sehr guter Rutsch-, Zug- u. Weiterreißfestigkeit, von Ermüdungs- u. Knickbeständigkeit, verleiht günstige dynam. Eigenschaften sowie gute Extrudierbarkeit. *B.:* Degussa.

Coraxil®. Ruß-Kieselsäuregemisch zur Verstärkung von Kautschuk. *B.:* Degussa.

Corbadrin.

Internat. Freiname für das sympathikomimet. u. vasokonstriktor. wirkende (−)-4-((1*R*,2*S*)-2-Amino-1-hydroxypropyl)-brenzcatechin, $C_9H_{13}NO_3$, M_R 183,21. Verwendet wurde das Hydrochlorid, ein weißes, krist. Pulver, Zers. bei 212–215 °C, $[\alpha]_D^{25}$ −31,0° (c 0,5/0,01 N HCl); λ_{max} (0,01 N HCl) 279 nm ($A_{1cm}^{1\%}$ 120–130); LD_{50} (Maus i.v.) 12,6 mg/kg. Es wurde als *Sympath(ik)omimetikum u. *Vasokonstriktoren 1913 erstmals von Bayer patentiert. – *E = F* corbadrine – *I = S* corbadrina
Lit.: Hager (5.) **7**, 1095 f. – *[HS 2922 50; CAS 829-74-3]*

Corbel®. *Fungizid auf der Basis von *Fenpropimorph gegen Getreidekrankheiten (speziell Mehltau); Mischungspartner für Triazol-Fungizide, Strobilurine u. Kontaktfungiziden. *B.:* BASF.

Cord. Von latein. chorda = Seil, Saite abgeleitete Bez. für ein sog. Hohlschußgewebe mit Längsrippen. Bei *Cordsamt,* der heute meist (fälschlich) als C. bezeichnet wird, sind die durch Polschüsse gebildeten Rippen aufgeschnitten, so daß eine samtartige, gerippte Oberfläche entsteht. Die Karkassen von *Reifen werden aus sog. *Reifencord* hergestellt. – *E = F* cord – *I* corda – *S* pana

Cordanum®. Injektionslsg. u. Dragees mit dem β-Rezeptorenblocker *Talinolol. *B.:* AMW Dresden.

Cordarex®. Injektionslsg. u. Tabl. mit dem Antiarrhythmikum *Amiodaron Hydrochlorid. *B.:* Sanofi Winthrop.

Cordenka®. Techn. *Rayon für techn. Anwendungen. *B.:* AKZO Nobel Faser AG.

Cordes®. Marke für verschiedene Dermatika; C. Beta: Creme u. Salbe mit *Betamethason-17-valerat gegen Dermatosen, C. BPO: Gel mit *Benzoylperoxid bzw. C. VAS: Creme mit *Tretinoin, beide gegen Akne. C. Estriol: Vaginalcreme mit *Estriol zur hormonellen Behandlung entzündlicher, degenerativer Prozesse; C. Nystatin: Paste gegen Soor. *B.:* Ichthyol-Gesellschaft.

Cordicant®. Kapseln, Lsg. u. Retardtabl. mit *Nifedipin gegen koronare Herzkrankheit, Angina pectoris. *B.:* Mundipharma GmbH.

Cordichin®. Filmtabl. mit *Verapamil Hydrochlorid u. *Chinidin zur Therapie von tachykarden Herzrhythmusstörungen. *B.:* Knoll, Deutschland.

Cordierit (Dichroit). $(Mg,Fe)_2[Al_4Si_5O_{18}] \cdot n\,H_2O$, gewöhnlich Mg-reich. Durchscheinendes bis durchsichtiges, fettglänzendes Mineral. Farbe hell- bis tiefblau, violettblau, schwarzblau, bläulichgrün. C. krist. rhomb. (pseudohexagonal), Kristallklasse mmm – D_{2h}. Hexagonale Symmetrie hat das Hochtemp.-Form *Indialith.* Struktur ähnlich der von *Beryll; die Sechserringe aus $[(Si,Al)O_4]$-Tetraedern sind jedoch horizontal u. vertikal durch zusätzliche (Si,Al)-Tetraeder verbunden, so daß C. eher den Gerüst-*Silicaten zuzurechnen ist. Kanal- u. käfigartige Hohlräume in der Struktur können Alkalien (Na, K), bewegliche[1] Wasser-Mol. (bis 2,5% H_2O), CO_2, Ar, CO, N_2 usw. enthalten[2]; dazu u. zu Gehalten an Li, Be u. Na s. *Lit.*[3]. H. 7, D. 2,53–2,78. Kurzsäulige Krist., meist aber derb, körnig. Öfters *Pleochroismus zwischen violblau u. rauchgrau (Name *Dichroit*!). Schmp. 1460 °C.

Vork.: Überwiegend in *metamorphen Gesteinen (u. a. *Gneise), z. B. Bayer. Wald, Norwegen (u. a. Bamble), Namibia, Madagaskar, Indien.
Verw.: Wegen seines sehr niedrigen Wärmeausdehnungskoeff. für silicatkeram. Werkstoffe[4] zur Herst. Temp.-wechselbeständiger Gebrauchsgegenstände (z. B. kochfeste Geschirre) u. techn. Artikel. Selten als Edelstein. – ***E*** cordierite – ***F*** cordiérite, dichroïte – ***I*** cordierite (dicroite) – ***S*** cordierita
Lit.: [1] Am. Mineral. **79**, 801–808 (1994). [2] Bull. Soc. Franc. Minéral. **108**, 273–291 (1985). [3] Lithos **32**, 95–107 (1994). [4] Salmang u. Scholze, Keramik (6.), Tl. 1, 213 ff; Tl. 2, 113 f., Berlin: Springer 1982, 1983.
allg.: Deer et al. (2.), S. 122–129 ▪ Deer, Howie u. Zussman, Rock-Forming Minerals (2.), Bd. 1 B, S. 410–540, Harlow (England): Longman Scientific & Technical 1986 ▪ Ramdohr-Strunz, S. 707 ff. – *[CAS 1302-88-1]*

Cordit. In England Ende des 19. Jh. von Abel u. M. *Dewar entwickeltes, rauchloses Schießpulver aus *Nitroglycerin u. *Cellulosenitrat unter Zusatz von Paraffinen. – ***E = F = I*** cordite – ***S*** cordita
Lit.: Meyer, Explosivstoffe (6. Aufl.), S. 65, Weinheim: Verl. Chemie 1985. – *[HS 3601 00]*

Cordura®. Hochfeste, teilw. texturierte Garne aus Polyamid 6.6, z. B. für Rucksäcke, Sportschuhe u. -bekleidung, Kraftfahrzeug-Airbags. ***B.:*** DuPont.

Cordycepin (3′-Deoxyadenosin).

$C_{10}H_{13}N_5O_3$, M_R 251,24, Nadeln, Schmp. 225–226 °C, $[\alpha]_D^{20}$ –47° (H_2O). Metabolit aus Kulturbrühen von *Cordyceps*-, *Isaria*-, *Emericella*- u. *Aspergillus*-Arten. C. zeigt eine stark cytostat. Wirkung durch Hemmung der RNA-Biosynthese. Aufgrund dieser Eigenschaften wurde C. für Untersuchungen der messenger-RNA-Transkription verwendet. C. war das erste beschriebene *Nucleosid-Antibiotikum* (isoliert 1951). – ***E*** cordycepin – ***F*** cordycépine – ***I = S*** cordicepina
Lit.: Angew. Chem. **107**, 356 (1995) ▪ Beilstein E V **26/16**, 300 f. ▪ Merck-Index (12.), Nr. 2593 ▪ Phytochemistry **31**, 1409 (1992). – *[CAS 73-03-0]*

Co-Repressor s. Regulation.

Corey, Elias J. (geb. 1928), Prof. für Chemie, Harvard Univ., Cambridge (Massachusetts). *Arbeitsgebiete:* Präparative organ. Chemie, Entwicklung von Synth.-Methoden, z. B. für Prostaglandine, Terpene, Sesqui- u. Triterpene, organ. Schwefel-Verb., Photochemie, Entwicklung von Atommodellen (CPK), Enzymchemie.
Lit.: Neufeldt, S. 269, 291 ▪ Pötsch, S. 94 ▪ Who's Who in America, S. 767.

Corey-Winter-Reaktion s. Olefine.

Corezeptoren. Membran-Proteine, die mit Membranständigen *Rezeptoren assoziiert sind u. die während der Erkennung der Liganden durch die Rezeptoren mit anderen Bereichen des Liganden wechselwirken od. andere Mol. binden, die mit den Liganden assoziiert sind (Coliganden). Dabei modulieren die C. die Antwort der Rezeptoren u. deren Effektivität in der *Signaltransduktion. *Beisp.:* CD4 u. CD8 als C. des Antigen-Rezeptors der T-Lymphocyten[1] od. der CR2/CD19-Komplex als C. der B-Zell-Antigen-Rezeptoren[2]. – ***E*** coreceptors – ***F*** corécepteurs – ***I*** corecettori – ***S*** correceptores
Lit.: [1] Ann. N.Y. Acad. Sci. **766**, 117–133 (1995); Annu. Rev. Immunol. **10**, 645–674 (1992). [2] Curr. Biol. **6**, 548 ff. (1996).

Corfam®. Marke von DuPont für ein bis 1970 produziertes *Poromer aus Polyurethan-beschichtetem Polyester-Wirrfaservlies, das als luftdurchlässiges Kunstleder für Schuhobermaterial sowie für Täschnerwaren u. dgl. geeignet ist. Technologie u. Werk wurden 1971 von DuPont an den poln. Staatsbetrieb Polimex-Cekop verkauft (Polcofam®).

Cori, Carl Ferdinand (1896–1984) u. Gerty Theresa (1896–1957), beide Prof. für Biochemie, Washington Univ. Med. School, St. Louis. *Arbeitsgebiete:* Zuckerstoffwechsel, Glykogen-Abbau (Cori-Ester, s. α-D-Glucose-1-phosphat), Phosphorylasen. 1947 erhielt das Ehepaar Cori den Nobelpreis für Medizin od. Physiologie (zusammen mit Houssay) für die Entdeckung des Glykogen-Abbaus.
Lit.: Nobel Lectures Physiology or Medicine 1942–1962, S. 179–209, Amsterdam: Elsevier 1964.

Coriamyrtin s. Corianin.

Corian®. Marke für Polymethylmethacrylate mit mineral. Beimischungen, die zu hochwiderstandsfähigen Massivplatten u. Formteilen für die Innenarchitektur verarbeitet werden. ***B.:*** DuPont.

Corianin.

Corianin   R = H : Coriamyrtin
             R = OH : Tutin

$C_{15}H_{18}O_6$, M_R 294,30, Schmp. 214–216 °C, lösl. in Chloroform u. Ethanol. *Sesquiterpen aus *Coriaria japonica* u. der parasitären Mistel-Art *Loranthus parasiticus*, deren wäss. Extrakt im südwestlichen Teil Chinas zur Schocktherapie der Schizophrenie benutzt wird. Die Wirkung ist vergleichbar mit einem Elektroschock od. überdosiertem Insulin. Allerdings ist sie nicht auf das ungiftige C. zurückzuführen, sondern auf die strukturverwandten Sesquiterpene *Coriamyrtin* ($C_{15}H_{18}O_5$, M_R 278,30, Schmp. 229–230 °C) u. *Tutin* ($C_{15}H_{18}O_6$, M_R 294,30, Schmp. 212–213 °C), die ebenfalls aus der parasitären Pflanze isoliert wurden. Es ist anzunehmen, daß diese Verb. bzw. biosynthet. Vorstufen aus der Wirtspflanze transferiert werden. – ***E*** corianin – ***F*** corianine – ***I = S*** corianina
Lit.: Aust. J. Chem. **42**, 1881 (1989) ▪ Beilstein E V **19/10**, 439 f., 508 ▪ Chem. Pharm. Bull. **35**, 182 (1987) ▪ Synform **3**, 188 (1985). – *[CAS 35481-77-7 (C.); 2571-86-0 (Coriamyrtin); 2571-22-4 (Tutin)]*

Coric®. C. card, C. mite, C. forte: Tabl. mit dem *ACE-Hemmer *Lisinopril. C. plus zusätzlich mit dem *Diuretikum *Hydrochlorothiazid. **B.:** DuPont Pharma, AMW Dresden.

Cori-Ester s. α-D-Glucose-1-phosphat.

Corinfar®. Dragees, Tropflösung, Kapseln u. Retarddragees mit dem Calcium-Antagonisten *Nifedipin. **B.:** AMW Dresden.

Corioline.

R = OH : Coriolin A
R = CO—C_7H_{15} : Coriolin B
R = CO—CH(OH)—C_6H_{13} : Coriolin C

C. A: $C_{15}H_{20}O_5$, M_R 280,32, Krist., Schmp. 175 °C, $[\alpha]_D$ −20,7° (CHCl$_3$). Sesquiterpenoid vom Hirsutan-Typ (vgl. Hirsuten) aus dem Baumpilz *Coriolus (Trametes) consors* (Polyporaceae) mit antibiot. Wirkung auf Gram-pos. Bakterien, Trichomonaden u. Yoshida Sarkom-Zellen. Der Pilz produziert außerdem die Ester *C. B*, ($C_{23}H_{34}O_6$, M_R 406,52, Schmp. 215−216 °C), dessen 4-Hydroxy-Gruppe mit einem Octanoyl-Rest substituiert ist u. das Antitumor-Eigenschaften besitzt, sowie *C. C*, ($C_{23}H_{34}O_7$, M_R 422,52) mit R = 4-(2-Hydroxyoctanoyl). − *E* coriolin − *F* corioline − *I* = *S* coriolina

Lit.: J. Am. Chem. Soc. **108**, 4149 (1986) ▪ Justus Liebigs Ann. Chem. **1993**, 1133; **1994**, 99 ▪ Mulzer, Organic Synthesis Highlights, S. 323, Weinheim: VCH Verlagsges. 1991 ▪ Tetrahedron **37**, 2202−2209 (1981) (Review) ▪ Turner **2**, 244−247. − [CAS 33404-85-2 (C.A); 33400-89-4 (C.B); 33400-90-7 (C.C)]

Cormack, Allen MacLeod (geb. 1924), Prof. für Physik an der Tufts Univ. in Medford (Massachusetts). *Arbeitsgebiete:* Streuung von Nukleonen an Nukleonen u. Kernen in mittleren Energiebereichen. Er schuf die theoret. Voraussetzungen für die Gewinnung radiograph. Querschnitte von biolog. Syst., die später zur Computertomographie von G. N. Houndsfield weiterentwickelt wurden. 1979 erhielten beide dafür den Nobelpreis für Physiologie od. Medizin.
Lit.: Who's Who in America, S. 768.

Corneregel®. Augentropfen mit *Dexpanthenol gegen Hornhautschädigungen. **B.:** Mann.

Cornforth, Sir John Warcup (geb. 1917), Prof. (emeritiert), Univ. Sussex (England). *Arbeitsgebiete:* Naturstoffchemie, Penicillin, heterocycl. Chemie, Totalsynth. u. Biogenese von Steroiden, Squalen, Abscisinsäure, Stereospezifität enzymat. Reaktionen; hierfür (zusammen mit *Prelog) Nobelpreis für Chemie 1975.
Lit.: Chem. Unserer Zeit **9**, A 68 f. (1975) ▪ Pötsch, S. 95 ▪ Umschau **75**, 749 (1975) ▪ Who's Who in America, S. 770.

Cornils, Boy (geb. 1938), Dr. rer. nat., Hoechst AG, Frankfurt/M. *Arbeitsgebiete:* Fluor-Chemie, Synthesegas-Chemie, Kohlevergasung, homogene u. heterogene Katalyse, Feinchemikalien.

Cornina®. Hornhaut- u. Hühneraugenpflaster mit *Salicylsäure. **B.:** Beiersdorf.

COROLASE®. Enzyme zur Protein-Modifizierung. **B.:** Röhm, Darmstadt.

Coronadit s. Braunsteine.

Coronand s. Kronenether.

Coronaphene s. Cycloarene.

Coronarsklerose (coronare Herzerkrankung) s. Arteriosklerose u. Herz.

Coronat s. Kronenverbindungen.

Coronen.

$C_{24}H_{12}$, M_R 300,36. Gelbe Nadeln, D. 1,377, Schmp. 438−440 °C, Sdp. 525 °C, in Benzol etwas lösl. unter blauer Fluoreszenz, in konz. H_2SO_4 unlöslich. Das aus Steinkohlenteerpech isolierbare C. kommt auch als Bestandteil von „organ. Mineralien" im *Pendletonit vor. C. entsteht bei unvollständiger Verbrennung u. ist im Tabakrauch u. in Auspuffgasen nachweisbar. − *E* coronen − *F* coronène − *I* coronene − *S* coroneno

Lit.: Beilstein E IV **5**, 2830 f. ▪ Elsevier **14**, 506; **14 S**, 871 S − 874 S ▪ IARC Monogr. **32**, 263−268 (1983) ▪ Kirk-Othmer (3.) **22**, 572. − [HS 2902 90; CAS 191-07-1]

Corotrend®. Kapseln mit *Nifedipin gegen koronare Herzkrankheit, Hypertonie. **B.:** Kytta-Siegfried.

Corphin s. Porphyrine.

Corpus-Luteum-Hormon s. Progesteron.

Corrin.

Corrin   Corrol

$C_{19}H_{22}N_4$, M_R 306,41. Von engl.: core = Kern abgeleiteter Name für das Grundgerüst, das den *Cobalaminen (vgl. Coenzym B$_{12}$, Cyanocobalamin, Vitamin B$_{12}$) u. allg. den *Corrinoiden zugrunde liegt. Die 4 partiell hydrierten Pyrrol-Ringe sind üblicherweise mit den Buchstaben A−D bezeichnet. Das zehnfach ungesätt. Syst., das beim Einführen von 4 weiteren Doppelbindungen entsteht, heißt *Corrol* (Octadehydrocorrin, s. Abb.). Dieses unterscheidet sich durch das Fehlen einer Methin-Gruppe (−CH=) zwischen C^{19} u. C^1 von *Porphyrin. Einführen dieser Methin-Gruppe u. einer weiteren Doppelbindung in C. ergibt Corphin (s. Porphyrine). − *E* corrin − *F* corrine − *I* = *S* corrina

Corrinoide.

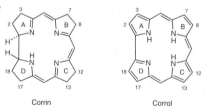

	R^1-R^5 R^7	R^6
Cobyrinsäure	—OH	—OH
Cobyrsäure (Cby)	—NH$_2$	—OH
Cobinsäure	—OH	—NH—CH$_2$—C(CH$_3$)(H)—OH
Cobinamid (Cbi)	—NH$_2$	—NH—CH$_2$—C(CH$_3$)(H)—OH
Cobamsäure	—OH	—NH—CH$_2$—C(CH$_3$)(H)—O—P(O)(O⁻)—O—Ribose—H, OH
Cobamid (Cba)	—NH$_2$	—NH—CH$_2$—C(CH$_3$)(H)—O—P(O)(O⁻)—O—Ribose—H, OH
*Cobalamin (Cbl)	—NH$_2$	—NH—CH$_2$—C(CH$_3$)(H)—O—P(O)(O⁻)—O—Ribose—Dimethylbenzimidazol (zum Co)

L = 5'-Desoxyadenosyl : *Coenzym B$_{12}$ (Cobamamid);
L = CN : *Cyanocobalamin (*Vitamin B$_{12}$).

Abb.: Struktur verschiedener Corrinoide.

Gruppenbez. für Verb., die sich vom *Corrin ableiten. Die roten, makrocycl. C. sind eng verwandt mit den *Porphyrinen wenn auch im Vgl. zu letzteren ihre 4 Pyrrol-Ringe partiell hydriert u. nur durch 3 statt 4 *Methin-Gruppen miteinander verbunden sind. Aus diesem Grunde benutzt die Nomenklatur der C. (*Lit.*[1]) u. der Porphyrine auch dieselbe Numerierung der Kohlenstoff-Atome 1–19 (C$_{20}$ fehlt dem Corrin). Die – im allg. mit einer Dreibuchstabennotation abgekürzten – synthet. wichtigen u./od. physiolog. wirksamen C. besitzen Cobalt als Zentralatom u. eine Vielfalt von Substituenten an der Peripherie des Corrin-Systems. – *E* corrinoids – *F* corrinoïdes – *I* corrinoidi – *S* corrinoides

Lit.: [1] Pure Appl. Chem. **48**, 495–502 (1976).

Corrodkote-Verfahren. Ein Prüfverf. für die Korrosionsschutzwirkung von galvan. Metallüberzügen, insbes. von verchromten Gegenständen. Dabei wird das überzuggeschützte Werkstück mit einer korrodierend wirkenden Prüfpaste, die Kupfer(II)nitrat, Eisen(III)chlorid, Ammoniumchlorid u. Kaolin enthält, bedeckt u. feuchtwarmem Klima ausgesetzt. Der nach der Prüfzeit zu beobachtende Umfang der *Korrosion ist ein Maß für die Schutzwirkung des Überzugs. – *E* corrodkote test – *F* méthode de Corrodkote – *I* processo di Corrodkote – *S* método de Corrodkote

Lit.: DIN 50958 (05/1979) ▪ Ullmann (5.) **A 9**, 180.

Corrol s. Corrin.

Corsodyl®. Gel u. Lsg. mit *Chlorhexidin-Digluconat gegen Infektionen im Mund- u. Rachenraum. *B.:* Fink.

cor tensobon®. Tabl. mit dem *ACE-Hemmer *Captopril. *B.:* Schwarz Pharma.

Cortex (*der* Cortex; latein. = Rinde, Borke). In der Pharmazie übliche Bez. für *Drogen liefernde Rinde. *Beisp.*: C. Cascarae sagradae = Kascararinde; C. Chinae = Chinarinde; C. Cinnamomi = Zimt; C. Frangualae = Faulbaumrinde; C. Hippocastani = Roßkastanienrinde; C. Quercus = Eichenrinde; C. Suberis = Kork.
Von der latein. Bez. für *Nebennierenrinde* (C. glandulae suprarenalis) leiten sich auch die Stichwörter unter Corti... ab, z.B. *Corticosteroide u. *Cortison.
Lit.: s. Drogen u. pharmazeutische Biologie.

Cortexolon s. Cortodoxon.

Cortexon (21-Hydroxy-pregn-4-en-3,20-dion, 11-Desoxycorticosteron, Desoxycorton, Reichsteins Substanz Q).

$C_{21}H_{30}O_3$, M_R 330,47. Farblose Plättchen, Schmp. 142 °C, in Wasser kaum, in Alkohol, Ether u. Aceton leicht löslich. Das in der *Nebennieren-Rinde natürlich vorkommende C. (Biosynth. durch Hydroxylierung von *Progesteron) wird in veresterter Form, z.B. als *Cortexonacetat*, als mineralcorticoides Hormon (s. Corticosteroide) medizin. verwendet. In ähnlicher Weise, aber als lähmend wirkende Waffe, wird C. von Gelbrandkäfern gegen Fische eingesetzt; ein Käfer verfügt dabei über ebensoviel C., wie in den Nebennieren von 750 Rindern enthalten ist. – *E = F = I* cortexone – *S* cortexona

Lit.: Beilstein E IV **8**, 2195. – [HS 29 37 29]

Corticoide s. Corticosteroide.

Corticoliberin [corticotrop(h)in *r*eleasing *h*ormone, corticotrop(h)in *r*eleasing *f*actor, Abk.: CRH, CRF].

Ser-Glu-Glu-Pro-Pro-Ile-Ser-Leu-Asp-Leu-Thr-Phe-His-Leu-Leu-Arg-Glu-Val-Leu-Glu-Met-Ala-Arg-Ala-Glu-Gln-Leu-Ala-Gln-Gln-Ala-His-Ser-Asn-Arg-Lys-Leu-Met-Glu-Ile-Ile-NH$_2$

Abb.: Aminosäure-Sequenz des menschlichen CRH.

$C_{208}H_{344}N_{60}O_{63}S_2$, M_R 4757,50. Polypeptid mit 41 Aminosäure-Resten, ein *Releasing-Hormon des *Hypothalamus, das den *Hypophysen-Vorderlappen zur Ausschüttung von *Corticotropin u. β-*Endorphin anregt. Da durch Corticotropin in der Nebennierenrinde die Produktion von Glucocorticosteroiden (s. Corticosteroide) stimuliert wird u. diese wiederum die Wirkung od. Produktion von CRH hemmen, kommt es zu einer Regulation durch neg. Rückkopplung (engl.: *negative feedback*). CRH wird u.a. bei Streß sezerniert u. löst im Gehirn Verhaltensreaktionen aus (Angstverhalten, Inhibition des Sexualverhaltens). Es inhibiert in der Hypophyse die *Lutropin-Ausschüttung u. im

Hoden die Lutropin-Wirkung[1]. Die CRH-Rezeptoren gehören zur 7-Transmembran-Helix-Familie u. signalisieren über *G-Proteine[2]. Im Blutplasma bindet CRH an ein CRH-Bindungsprotein. An den CRH-Rezeptoren ist auch das in Rattenhirn gefundene *Neuropeptid *Urocortin* (40 Aminosäure-Reste; 45% Sequenz-Identität mit CRH) als Agonist wirksam[3]. – *E* corticoliberin – *F* corticolibérine – *I* = *S* corticoliberina

Lit.: [1] FASEB J. **7**, 299–307 (1993). [2] Psychoneuroendocrinology **20**, 789–819 (1995); Trends Pharmacol. Sci. **17**, 166–172 (1996). [3] Science **378**, 233f., 287–292 (1995).

allg.: Chadwick et al., Corticotropin-Releasing Factor, Chichester: Wiley 1993 ▪ Taché u. Rivier, Corticotropin-Releasing Factor and Cytokines: Role in the Stress Response, New York: N. Y. Acad. Sci. 1993. – [CAS 9015-71-8]

Corticostatine (CS).

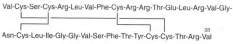

Abb.: Kovalente Struktur des Corticostatins HP4 (Mensch).

$C_{157}H_{255}N_{49}O_{43}S_6$, M_R 3709,41. Gruppe Arginin- u. Cystin-reicher Peptide, die in *Makrophagen, *Monocyten u. neutrophilen Granulocyten (s. Leukocyten) von Säugern vorkommen. Die CS binden in den Zellen der Nebennieren-Rinde an den Rezeptor des *Corticotropins u. verhindern dadurch die Stimulation der Synth. von *Corticosteroiden (daher Name). Bei Entzündungen bewirken sie die *Chemotaxis von Monocyten u. die *Histamin-Entleerung von Mastzellen. Die CS sind außerdem ident. mit bestimmten *Defensinen (klass. Defensine; *CS/Defensin-Familie*), die bakterizide u. viruzide Eigenschaften haben. – *E* corticostatins – *F* corticostatines – *I* corticostatine – *S* corticostatinas

Lit.: Regulatory Peptides **40**, 87–100 (1992) ▪ Trends Endocrinol. Metab. **4**, 260–264 (1993). – [CAS 113255-28-0]

Corticosteroide (Corticoide). Sammelbegriff für die *Steroid-Hormone der *Nebennieren-Rinde (NNR, latein.: cortex glandulae suprarenalis, daher Name), die dort unter dem Einfluß des Hormons *Corticotropin aus dem *Hypophysen-Vorderlappen gebildet werden; dessen Ausschüttung wird wiederum durch *Corticoliberin, das aus dem *Hypothalamus freigesetzt wird, initiiert. Nach ihrer Wirkung teilt man die ca. 30 natürlichen u. noch zahlreicheren synthet. C. in mehrere Gruppen ein: Die *Glucocortico(stero)ide*, z.B. *Cortison, *Corticosteron u. *11-Dehydrocorticosteron* steuern den Eiweiß- u. Zucker-Stoffwechsel, indem sie die Speicherung der aus Protein-Abbauprodukten gebildeten Kohlenhydrate als *Glykogen in der *Leber bewirken. Glucocorticoide stimulieren auch den Aufbau der Speicherfette. Ihre indirekte Hemmwirkung auf die *Eicosanoid-Biosynth. beruht wahrscheinlich auf einer Induktion (Anregung der Biosynth.) von *Annexinen. Daher besitzen diese Hormone therapeut. einsetzbare *Antirheumatika- u. *Antiphlogistika-Wirkung u. werden auch bei *Arthritis u. *Allergien verwendet. Diese Effekte lassen sich durch Halogen- u./od. Methyl-Substitution verstärken. Eine Potenzierung der glucocorticoiden Wirkung tritt nach Einführung einer weiteren Doppelbindung zwischen C_1 u. C_2 des Cortisols bzw. Cortisons auf, z.B. bei *Predni-

solon bzw. *Prednison, u. eine weitere Wirkungssteigerung läßt sich durch Kombination dieser Abwandlungsreaktionen erreichen (s. Dexamethason, Triamcinolon, Methylprednisolon, Fludrocortison, Fluocortolon u. a.).

Eine andere Gruppe der körpereigenen C., die der *Mineralcortico(stero)ide*, regelt den Mineralstoffwechsel: durch die Wirkung von Cortexolon (s. Cortodoxon), *Cortexon u. v. a. *Aldosteron werden Natrium-Salze u. Wasser zurückgehalten, Kalium- u. Calcium-Salze dagegen vermehrt ausgeschüttet. Die erwähnten C. werden zur Therapie der *Addisonschen Krankheit u. bei Streß- u. Schockzuständen eingesetzt.

Schließlich sei noch die Gruppe der als *Androgene wirkenden *Androcortico(stero)ide* erwähnt, die zwar hauptsächlich in den Hoden, aber z. T. auch in der NNR gebildet werden u. zu denen z. B. Androstendion, *Adrenosteron u. *Testosteron gehören, sowie die *Estrocortico(stero)ide*, *Estrogene, die in den weiblichen Geschlechtsorganen produziert werden.

Auf mol. Ebene wirken die C. wie auch andere Steroid-Hormone durch Bindung an spezif. Steroid-*Rezeptoren im Zellkern. Die Rezeptor-Hormon-Komplexe lagern sich wiederum spezif. an bestimmte Sequenzen der *Desoxyribonucleinsäuren (DNA; diese Sequenzen werden als *Responsivelement* bezeichnet) an u. regulieren die *Transkription benachbarter *Gene (*Transkriptionsfaktoren). Im Blut werden C. durch das Protein *Transcortin* (Corticosteroid-bindendes Globulin) transportiert. Aufgrund seiner Ähnlichkeit zu *Serpinen bindet dieses in Entzündungsherden an der Oberfläche von neutrophilen Granulocyten (s. Leukocyten) an die *Serin-Protease *Elastase, wird von ihr an einer bestimmen Stelle gespalten u. setzt daraufhin gebundenes C. frei[1].

Die arzneilich genutzten C., deren Präp.-Namen häufig auf *Corti...* anlauten, werden heute alle synthet. gewonnen, indem geeignet substituierte Naturprodukte, z.B. *Cholesterin u. *Diosgenin, oxidativ abgebaut werden. Die Zwischenprodukte wie Progesteron u. Derivate lassen sich z. T. bequem mikrobiol. dehydrieren u. hydroxylieren. – *E* corticosteroids – *F* corticostéroïdes – *I* corticosteroidi – *S* corticosteroides

Lit.: [1] J. Steroid Biochem. Mol. Biol. **40**, 755–762 (1991).
allg.: Bioessays **18**, 371–378 (1996) ▪ de Kloet et al., Brain Corticosteroid Receptors. Studies on the Mechanism, Function, and Neurotoxicity of Corticosteroid Action, New York: N. Y. Acad. Sci. 1994 ▪ Nachr. Chem. Tech. Lab. **41**, 454f. (1993) ▪ Science **259**, 1132f., 1161–1165 (1993) ▪ Trends Pharmacol. Sci. **17**, 145–149 (1996). – [HS 293721–293729]

Corticosteron (11β,21-Dihydroxy-pregn-4-en-3,20-dion).

$C_{21}H_{30}O_4$, M_R 346,47. Farblose, trigonale Plättchen, Schmp. 180–186 °C, in Wasser nicht, in organ. Lsm. löslich. Glucocorticoid (s. Corticosteroide), das in der *Nebennieren-Rinde aus *Progesteron durch zweifache Hydroxylierung, zuerst in 21-Position zu *Cortexon u.

dann an C_{11}, entsteht. C. dient als Ausgangsmaterial für eine photochem. Synth. von *Aldosteron. – ***E = I*** corticosterone – ***F*** corticostérone – ***S*** corticosterona
Lit.: Beilstein E IV **8**, 2907. – *[HS 293729; CAS 50-22-6]*

Corticotrop(h)in releasing factor, corticotrop(h)in releasing hormone s. Corticoliberin.

Corticotropin (Corticotrophin, Adrenocorticotropin, adrenocorticotropes Hormon, ACTH).

Ser-Tyr-Ser-Met-Glu-His-Phe-Arg-Trp-Gly-Lys-Pro-Val-
                                                    24
Gly-Lys-Lys-Arg-Arg-Pro-Val-Lys-Val-Tyr-Pro-Asn-Gly-
                                                    31
Ala-Glu-Asp-Glu-Ser-Ala-Glu-Ala-Phe-Pro-Leu-Glu-Phe

Abb.: Aminosäure-Sequenz des menschlichen ACTH.

$C_{207}H_{308}N_{56}O_{58}S$, M_R 4541,12. *Polypeptid aus 39 Aminosäuren (AS); farbloses, wasserlösl. Pulver. ACTH ist eines der zahlreichen *Hormone des Hypophysenvorderlappens (s. Hypophyse); es wird u. a. bei Streß ausgeschüttet [1] u. regt die Nebennierenrinde zur Bildung von *Corticosteroiden an. Menschliches ACTH besitzt die obige AS-Sequenz, während Schweine-ACTH in Stellung 31 Leu statt Ser aufweist (zur Symbolik s. Aminosäuren). Um Konstitutionsaufklärung u. Synth. des ACTH hat sich bes. *Schwyzer verdient gemacht.
Biogenese: ACTH wird *in vivo* durch Proteolyse aus *Proopiomelanocortin* (241 AS-Reste) gebildet, das zugleich den Vorläufer für weitere *Peptidhormone darstellt (α- u. β-*Melanotropin, β- u. γ-*Lipotropin u. die *Endorphine. Die Sequenz der α-Melanotropins (α-MSH) stimmt mit den ersten 13 AS des ACTH überein. Die ACTH-Ausschüttung wird durch *Corticoliberin, ein spezif. *Releasing-Hormon aus dem *Hypothalamus, u. durch *Vasopressin angeregt.
Wirkungsweise: ACTH ist oral unwirksam, denn es wird als Proteohormon im Magen verdaut. Wenn im Organismus kein ACTH gebildet wird, so verkümmert die Nebennierenrinde allmählich, u. ihre *Cortison-Bildung wird unzureichend; vielfältige Stoffwechsel-Störungen sind die Folgen. Therapeut. hat ACTH nur als Depotpräp. in der Nachbehandlungsphase einer länger dauernden Corticoid-Therapie Bedeutung. Da jedoch bereits die AS-Sequenz 1–24 ebenso wirksam ist wie natürliches ACTH, wird heute synthet. *Tetracosactid anstelle des Schweine-ACTH therapeut. genutzt. Noch wesentlich wirksamer sind Derivate, die D-AS in Stellung 1 enthalten. Gewisse Teilpeptide des ACTH, z. B. ACTH(4–10) od. α-MSH sind ohne corticotrope Wirkung, fördern aber Nervenwachstum u. -Regeneration [2]. – ***E*** corticotropin – ***F*** corticotropine – ***I = S*** corticotropina
Lit.: [1] Ann. N.Y. Acad. Sci. **771**, 41–54 (1995). [2] Peptides **16**, 979–993 (1995).
allg.: Experientia **46**, 26–40 (1990). – *[HS 293710; CAS 9002-60-2 (allg.); 12279-41-3 (Human-C.)]*

Cortisol s. Hydrocortison.

Cortison (17,21-Dihydroxypregn-4-en-3,11,20-trion).

$C_{21}H_{28}O_5$, M_R 360,45. C. bildet farblose, rhomboedr. Plättchen, Schmp. 230–231 °C, lösl. in Methanol, Ethanol, Aceton, weniger lösl. in Ether, Benzol, Chloroform, kaum lösl. in Wasser (0,28 g/L). C. als ein *Nebennierenrinden-Hormon* (s. Corticosteroide, Nebennierenhormone), das *in vivo* wahrscheinlich erst nach Red. zu *Hydrocortison wirksam wird, wurde 1935 erstmals von *Kendall aus dem Extrakt von tier. *Nebennieren-Rinden isoliert. Etwa zur gleichen Zeit gelang auch *Reichstein u. Wintersteiner die Reinherst.; zur Gewinnung von 0,2 g C. benötigte Reichstein die Organe von 20 000 Rindern. Erst ab 1948 konnte man C. in den Merck-Laboratorien (USA) grammweise aus Gallensäuren gewinnen, u. heute kann C. in größerem Maßstab aus einfacher zugänglichen Steroiden wie *Cholesterin, *Ergosterin od. *Diosgenin hergestellt werden. Bei diesen Partialsynth. lassen sich Mikroorganismen zur Hydroxylierung u. Dehydrierung einsetzen. Die 1951–1952 von *Woodward u. Sarett durchgeführten Totalsynth. haben noch keine größere techn. Bedeutung. Heute ist in pharmazet. Präp. C. meist durch synthet. Präp. verdrängt worden, die z. B. Fluor- od. Chlor-Substituenten, weitere Hydroxy- u./od. Methyl-Gruppen sowie häufig eine weitere Doppelbindung zwischen den Kohlenstoff-Atomen 1 u. 2 tragen (*Prednison-Derivate).
Verw.: Als Glucocorticoid (s. Corticosteroide), Antiarthritikum, Antirheumatikum, Antiphlogistikum, Antiallergikum u. bei Nebennieren-Insuffizienz. – ***E = F = I*** cortisone – ***S*** cortisona
Lit.: Beilstein E IV **8**, 2480 f. ■ Kaiser u. Kley, Cortisontherapie, 9. Aufl., Stuttgart: Thieme 1991. – *[HS 293721; CAS 53-06-5]*

Cortodoxon.

Von der WHO vorgeschlagener Freiname für das Glucocorticoid *Cortexolon*, 17α,21-Dihydroxy-4-pregnen-3,20-dion, $C_{21}H_{30}O_4$, M_R 346,47, Schmp. 212,8–216,8 °C, λ_{max} = 242 nm ($A_{1cm}^{1\%}$ 500). – ***E = F = I*** cortodoxone – ***S*** cortodoxona
Lit.: Beilstein E IV **8**, 2913. – *[HS 291440; CAS 152-58-9]*

Corto-Tavegil®. Tabl. bzw. Gel mit *Clemastin-Hydrogenfumarat u. *Dexamethason bzw. *Clocortolon-Pivalat gegen allerg. Erscheinungen. ***B.:*** Sandoz.

Corvaton®. Injektionslsg. u. Tabl. mit dem Koronartherapeutikum *Molsidomin. ***B.:*** Hoechst.

Cor-Vel N Salbe®. Salbe mit *Campher, *Menthol, Fichtennadel- u. *Rosmarinöl zur Segmenttherapie nervös bedingter Herzschmerzen. ***B.:*** Truw.

Corydalin s. Corydalis-Alkaloide.

Corydalis-Alkaloide.

Sammelbez. für eine Reihe von tetracycl. *Isochinolin-Alkaloiden mit Aporphin- bzw. Berbin-Grundgerüsten (vgl. die Abb. bei Boldin u. Berberin) aus den Wurzeln des *Lerchensporns (*Corydalis* sp., Papaveraceae), z.B. *Corydalin*, $C_{22}H_{27}NO_4$, M_R 369,46, farblose, in Ether u. Chloroform lösl. Krist., Schmp. 135 °C. Die C.-A. sind giftig, haben z.T. narkot., auch muskellähmende Wirkung u. die gepulverten Wurzelstöcke der C.-A.-haltigen Pflanzen werden gelegentlich in *Schlafmitteln verwendet. – *E* corydalis alcaloids – *F* alcaloïdes de Corydalis – *I* alcaloidi del coridale – *S* alcaloides de coridalis

Lit.: Beilstein E V **21/6**, 174 (Corydalin) ▪ Hager (4.) **4**, 311–315, 525 f. ▪ Steinegger u. Hänsel, Pharmakognosie, Berlin: Springer 1992. – [HS 1211 90, 2939 90]

Corynanthe-Alkaloide.

R¹ = H, R² = CH=CH₂ : Corynanthein
R¹ = C₂H₅, R² = H : Corynantheidin

Gruppe von monoterpenoiden *Indol-Alkaloiden aus *Corynanthe*-, *Strychnos*-, *Pseudocinchona*- u.a. Rubiaceen- sowie *Rauwolfia*-Arten (Apocynaceae). Die wichtigsten Vertreter sind *Corynanthein*, $C_{22}H_{26}N_2O_3$, M_R 366,46, das als Sympatholytikum wirkt, sowie *Corynantheidin*, $C_{22}H_{28}N_2O_3$, M_R 368,48, hellgelbe Krist., Schmp. 117°C. Das namensähnliche *Corynanthin* ist kein C.-A., sondern ein *Yohimbin-Alkaloid. – *E* corynanthe alkaloids – *F* alcaloïdes de Corynanthe – *I* alcaloidi della corynanthe – *S* alcaloides de Corynanthe

Lit.: Hager (5.) **4**, 1030 f. ▪ Manske **27**, 131 f. ▪ Saxton, The Monoterpenoid Indole Alkaloids, Suppl. Vol. 25, Heterocyclic Compounds, S. 57, Chichester: Wiley & Sons 1994. – [HS 2939 90; CAS 18904-54-6 (Corynanthein)]

Coryn(anth)in s. Yohimbin.

Corynebacterium
(coryne = Keule). Die Gattung C. gehört zu den aeroben, gestreckt zylindr. Formen Gram-pos. Bakterien. Zu ihnen gehören *C. diphtheriae*, der Erreger der Diphtherie, sowie weitere tier- u. pflanzenpathogene Arten. Der biotechnolog. wichtigste Vertreter ist *C. glutamicum*, das zur großtechn. Herst. von *Glutaminsäure sowie für eine Reihe von *Biotransformationen eingesetzt wird u. auch auf langkettigen Kohlenwasserstoffen (Alkanen) als Kohlenstoff-Quelle wachsen kann. – *E* = *F* Corynebacterium – *I* corinebatteriacee – *S* corinebacteriacea

Lit.: Brock u. Madigan, Biology of Microorganisms, Englewood Cliffs: Prentice-Hall 1991 ▪ Schlegel (7.), S. 101 ff.

Cosaldon®.
C. mono Dragees mit *Pentifyllin, C. A mit *Retinol-Palmitat; C. A + E zusätzlich mit den *Vitaminen A u. E, gegen Cerebralsklerose u. Durchblutungsstörungen des Auges u. Innenohres. *B.:* Albert-Roussel Pharma.

Cosan® 80.
Netzschwefel als Spritzmittel gegen Echten Mehltau u.a. Pilzkrankheiten im Acker-, Obst-, Wein-, Gemüse- u. Zierpflanzenbau u. im Forst. *B.:* Hoechst.

Cosmenyl®.
Pigment-Präparationen zur Pigmentierung spezieller Malfarben u. Körperpflegemittel. *B.:* AgrEvo.

Cosmide.
*Plasmide, die neben den für ihre Vermehrung u. Selektion notwendigen Elementen zusätzlich die sog. *Cos-Stellen* (von engl. *cohesive site*) des *Bakteriophagen Lambda* (s. Phagen) tragen. Die Cos-Stellen ermöglichen es, daß C. *in vitro* in Phagenköpfe verpackt u. so mit hoher Effizienz in *Bakterien eingeführt werden können.
Anw.: Da mv C. relativ große DNA-Fragmente mit Längen von ca. 30–48 *Kilobasen (Kb) aufgenommen werden können, haben C. in der Molekulargenetik für den Aufbau von *Genbanken insbes. in *Escherichia coli* Bedeutung. C. selbst haben nur eine Länge von 4–9 Kb. – *E* cosmids – *F* cosmides – *I* cosmidi – *S* cósmidos

Lit.: Knippers (6.), S. 269 ▪ Watson et al., Rekombinierte DNA (2.), S. 112 ff., Heidelberg: Spektrum Akadem. Verl. 1993.

COST
(European Cooperation in the Field of Scientific and Technical Research). COST, mit einem Sekretariat in Rue de la Loi 170, B-1049 Brüssel, ist ein Instrument der europ. Zusammenarbeit auf dem Gebiet der nicht unmittelbar marktorientierten Forschung. Dazu gehört die Grundlagenforschung ebenso wie die angewandte Forschung in nicht wettbewerbsrelevanten Bereichen wie z.B. Meterologie, Chemie u. Telekommunikation. Themat. ist COST offen. Häufig werden dort auch Themen behandelt, die später in Gemeinschaftsprogramme od. *EUREKA-Projekte überführt werden. Für die Abwicklung u. Verwaltung des Netzes, an dem 25 europ. Staaten mitwirken, ist die Europ. Kommission zuständig. Das COST-Sekretariat unterhält eine Datenbank, die über das Internet zugänglich ist. – INTERNET-Adresse: http://www.cordis.lu/cost/home.html. – *E* european cooperation in the field of scientific and technical research

COSTAR®.
Biolog. Insektizid auf der Basis *Bacillus thuringiensis* zur Bekämpfung von Raupen an Gemüse u. Baumwolle. *B.:* Sandoz Agro.

Costra s. Chilesalpeter.

Costunolid s. Germacranolide.

Costuswurzelöl.
Ether. Öl aus den Wurzeln der im Himalaya-Hochland wild wachsenden *Saussurea lappa* (Compositae), D. 0,940–1,009, lösl. in Ethanol. C. riecht holzig-süß bis veilchenartig mit animal. Note, weshalb es in der Parfüm-Ind. verwendet wird. C. enthält Sesquiterpene, bes. Terpenlactone wie *Costunolid* ($C_{15}H_{20}O_2$, M_R 232,32)[1], die auch für die hautallergisierende Wirkung verantwortlich sind. – *E* costus root oil – *F* huile de racine de costus – *S* aceite de raíz de costo

Lit.: [1]Phytochemistry **39**, 839 (1995); Tetrahedron **49**, 4761 (1993).
allg.: Janistyn **2**, 29 ▪ Helv. Chim. Acta **60**, 2177–2194 (1977). – [CAS 553-21-9 (Costunolid)]

COT. Abk. für *Cyclooctatetraen.

Cotarnin s. (–)-α-Narcotin.

Cotazym®.
Kapseln mit magensaftresistenten Pellets, die *Pankreatin zur Verdauungsförderung enthalten. *B.:* Thiemann.

Cotenside (früher auch: Sekundärtenside). Bez. für spezielle *Tenside, die als – meist in geringen Mengenanteilen zugesetzte – Bestandteile von Tensidmischungen deren Leistungsprofil durch *synergistische Wirkung ausprägen od. verbessern. Beisp. für moderne C. sind *Alkylpolyglucoside u. *Fettsäure-N-glucamide. Für die Bildung von *Mikroemulsionen aus Wasser, Öl u. ion. Tensiden mit nur einer hydrophoben Kette sind C., in diesem Fall mittelkettige Alkohole od. Amine, essentiell. – *E* cosurfactants
Lit.: Bourrel u. Schechter, Microemulsions and Related Systems: Formulation, Solvency, and Physical Properties, New York: Dekker 1988 ▪ Dörfler, Grenzflächen- u. Kolloidchemie, Weinheim: VCH Verlagsges. 1994 ▪ Laughlin, The Aqueous Phase Behavior of Surfactants, London: Academic Press 1996.

Cotoleranz. Form der *Toleranz (Verträglichkeit), bei der aufgrund eines einzigen biochem. Entgiftungsmechanismus mehrere (tox.) Stoffe toleriert werden. Im Gegensatz zu C. liegt multiple Toleranz vor, wenn mehrere (tox.) Stoffe aufgrund verschiedener physiolog. *Adaptationen toleriert werden. – *E* cotolerance – *F* cotolérance – *I* cotolleranza – *S* cotolerancia
Lit.: Schlee (2.), S. 197.

Cotransmitter. *Neurotransmitter, die zusammen an derselben *Synapse ausgeschüttet werden, z.B. *Adenosin-5′-triphosphat als C. des *Noradrenalins bei der Kontraktion von Blutgefäßen od. *Calcitonin-Gen-zugehöriges Peptid als C. von *Acetylcholin. – *E* cotransmitters – *F* cotransmetteurs – *I* cotrasmettitori – *S* cotransmisores
Lit.: Pharmacol. Rev. **48**, 113–178 (1996).

Cotransport s. Symport.

Cotrimerisation s. Trimerisation u. Cyclooligomerisation.

Co-trimoxazol. Freiname für die synergist. wirkende Kombination von *Trimethoprim u. *Sulfamethoxazol im Verhältnis 1 : 5. LD_{50} (Maus oral) 5513 mg/kg. Es wird als *Chemotherapeutikum bes. bei Bronchial- u. Urogenitaltrakt-Infektionen eingesetzt. Es ist generikafähig. – *E* = *S* cotrimoxazol – *F* cotrimoxazole – *I* cotrimossazolo
Lit.: ASP ▪ Bernstein u. Salter, Trimethoprim Sulphamethoxazole in Bacterial Infections, Edinburgh: Livingstone 1974 ▪ Hager (5.) **7**, 1103.

Cottestren®. Mischungen aus Dispersions- u. Küpenfarbstoffen mit sehr guter therm. Beständigkeit zum einbadigen Ton-in-Ton-Färben von Polyester-Cellulosefaser-Mischungen. *B.:* BASF.

Cottoclarin®. Tensid-Gemische als Vorbehandlungsprodukte für Cellulose-Faserware u. deren Mischungen mit Synthesefasern. *B.:* Henkel.
Lit.: TPI Text: Prax. Int. **1991**, Nr. 8, 780–785.

Cotton-Effekt. Von A. A. Cotton 1896 erstmals beschriebene Anomalie in der *Rotationsdispersions-Kurve, die in der Nähe der Absorptionsbande auftritt (*Lit.*[1]). Zusammen mit der *Oktantenregel trägt der C.-E. zur Bestimmung der abs. *Konfiguration bei (*Lit.*[2]). Unter dem *Cotton-Mouton-Effekt* versteht man eine magnetoopt. Erscheinung, nämlich die in isotropen Flüssigkeiten beobachtbare *Doppelbrechung, die unter dem Einfluß eines von außen einwirkenden Magnetfeldes auftritt. – *E* Cotton effect – *F* effet de Cotton – *I* effetto di Cotton – *S* efecto Cotton
Lit.: [1] Ann. Chim. Phys. **8**, 347 (1986). [2] Z. Chem. **17**, 250–258 (1977).

Cottonöl s. Baumwollsamenöl.

Cottosint®. Stärke-Derivate für die waschbeständige Ausrüstung von Baumwoll- u. Zellwollwaren aller Art. *B.:* Henkel.

COTTOZON®. Sortiment von Stabilisatoren für die Bleiche von Textilien. *B.:* Rotta.

Cottrell, Frederick Gardner (1877–1948), amerikan. Chemiker u. Erfinder. Studium in Berlin u. Leipzig; danach Dozent für Physikal. Chemie, Univ. California, Berkeley. *Arbeitsgebiete:* Erschließung der Helium-Quellen von Texas, Stickstoff, Entwicklung des nach ihm benannten Entstaubungsverf., das als wichtigste Neuerung Wechselstrom hoher Spannung einsetzte. Dieses Verf. des Einsatzes elektr. Spannung löste beim Schweröltransport auch Probleme bei der Entstehung von O/W-Emulsionen.
Lit.: Pötsch, S. 96 ▪ Poggendorff **7 b/2**, 911 f.

Cottrell-Verfahren. Von *Cottrell entwickeltes Verf. zur elektrostat. *Entstaubung von Gasen. Beim C.-V. werden die mit Hilfe einer Sprühkathode aufgeladenen *Staub- od. Flüssigkeits-Teilchen an einer Niederschlags-Elektrode abgeschieden. Diese sog. *Elektrofiltration* kann aufgrund ihres hohen Wirkungsgrades (bis 99,5%) zur Rückgewinnung von Wertstoffen aus Abgasen od. Nutzgasen od. zur *Gasreinigung angewandt werden. – *E* Cottrell process – *F* procédé Cottrell – *I* processo di Cottrell – *S* procedimiento Cottrell
Lit.: Ullmann (5.) **B 2**, 13-29ff. ▪ VDI-Richtlinie 3676, Elektrische Abscheider, Düsseldorf: VDI 1980 ▪ Winnacker-Küchler (4.) **1**, 63, 626 ff.

Couchman-Gleichung. Die C.-G. lautet:

$$\ln T_G = \frac{kw_S \ln T_{G,S} + w_P \ln T_{G,P}}{kw_S + w_P}$$

mit T_G = Glasübergangstemp. des weichgemachten Polymeren; $T_{G,S}$ = Glasübergangstemp. des reinen Weichmachers; $T_{G,P}$ = Glasübergangstemp. des reinen Polymeren; w_S = Massenanteil des Weichmachers; w_P = Massenanteil des Polymeren u. $k = \Delta c_{p,S}/\Delta c_{p,P}$ = Verhältnis der spezif. Wärmekapazitäten von Weichmacher u. Polymer.
Mit Hilfe der C.-G. läßt sich die Abhängigkeit der *Glasübergangstemperatur eines weichgemachten *Polymeren von den Masseanteilen des *Weichmachers u. des Polymeren beschreiben. Die C.-G., die theoret. für rein entrop. Effekte abgeleitet wurde, kann lineare, konkave u. konvexe Abhängigkeiten der Glastemp. von den Masseanteilen der Komponenten darstellen. Unter vereinfachenden Annahmen geht die C.-G. in die *Fox-Gleichung über. – *E* Couchman equation – *F* équation de Couchman – *I* equazione di Couchman – *S* ecuación de Couchman
Lit.: Elias (5.) **1**, 854; **2**, 618.

Couette-Strömung s. Viskosimetrie.

Coulomb (Kurzz. C). Nach C. *Coulomb benannte abgeleitete *SI-Einheit der Elektrizitätsmenge. Bei der

Stromstärke von 1 A (s. Basiseinheiten) fließt in 1 s die Elektrizitätsmenge 1 C durch den Leiter (1 C – 1 A · s, *Amperesekunde*); diese scheidet aus einer wäss. AgNO$_3$-Lsg. 1,118 mg Ag aus (s. Faradaysche Gesetze), 1 C wird repräsentiert durch $6,24 \cdot 10^{18}$ Elektronen. Einheitenzeichen für die *Ionendosis* ist C/kg. – *E* = *F* = *I* = *S* coulomb

Coulomb, Charles Augustin de (1736–1806), französ. Physiker, Generalinspekteur des Unterrichtswesens, Paris. *Arbeitsgebiete:* Elektrostatik u. Magnetostatik, Elektrizitätsmenge, mechan. Reibung, innere Reibung von Flüssigkeiten u. Torsion.
Lit.: Gillmor, Coulomb and the Evolution of Physics and Engineering in Eighteenth-Century France, Princeton: Univ. Press 1971 ▪ Krafft, S. 91 f.

Coulomb-Anziehung. Anziehende Wechselwirkung zwischen entgegengesetzt geladenen Teilchen; Näheres s. Coulombsches Gesetz u. Coulomb-Potential. – *E* Coulomb attraction – *F* attraction de Coulomb – *I* attrazione Coulomb – *S* atracción de Coulomb

Coulomb-Barriere. Begriff aus der *Kernphysik. Energiebarriere, die ein pos. geladenes Teilchen – z. B. ein *Proton od. *Alpha-Teilchen – überwinden muß, um in den Atomkern eindringen zu können od. aus ihm herauskommen zu können. Die C.-B. resultiert aus der Konkurrenz zwischen langreichweitigen *Coulomb-Kräften u. kurzreichweitigen anziehenden *Kernkräften. Höhe u. Form der C.-B. bestimmen z. B. die Wahrscheinlichkeit für das Auftreten von *Alpha-Zerfall. – *E* Coulomb barrier – *F* barrière de Coulomb – *I* barriera di Coulomb – *S* barrera de Coulomb

Coulomb-Explosion. Effekt, der zur Bestimmung von Molekülstrukturen, insbes. für kurzlebige u. nichtstarre Spezies, verwendet wird (sog. „*Coulomb Explosion Imaging*"). Die Meth. der *C.-E.* wird schemat. in der Abb. beschrieben.

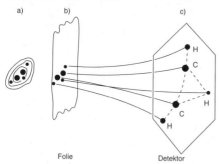

Abb.: Schematische Darstellung des Experiments zur Coulomb-Explosion. Die einzelnen Schritte umfassen a) die Molekülpräparation (einschließlich Beschleunigung u. Massenanalyse), b) das Abstreifen der Elektronen beim Passieren der Folie („Stripping") u. c) den freien Flug der Fragmente u. ihren Nachweis auf dem Detektor.

Ein Strahl der zu untersuchenden Mol. wird auf ca. 2% der Lichtgeschw. beschleunigt, womit die Mol. im Strahl Energien von einigen Mev erhalten. Der Strahl trifft dann auf eine dünne Folie (Dicke: ca. 30 nm), wobei innerhalb einer geringen Zeitspanne von ca. 10^{-16} s ein Projektil-Mol. einen Großteil seiner *Elektronen, im allg. sämtliche *Valenzelektronen, verliert. Nach dem Durchgang durch die Folie bestehen die Mol. so-

mit aus pos. geladenen Atom-Rümpfen, die infolge stark abstoßender *Coulomb-Kräfte explosionsartig auseinander getrieben werden. Die charakterist. Zeit für diesen raschen Dissoziationsprozeß beträgt ca. 10^{-15} s u. ist damit deutlich kürzer als die typ. Zeit für Molekülschwingungen (ca. 10^{-14} s) od. Rotationen (ca. 10^{-12} s). Die einzelnen Bruchstücke werden in einem positions- u. zeitempfindlichen Detektor nachgewiesen. Die hohe Zeitauflösung von ca. 0,1 ns erlaubt zu bestimmen, welche Bruchstücke von einem Mol. stammen; auf Grund der guten Ortsauflösung kann die Bahn jedes Bruchstückes u. daraus seine Lage in dem ursprünglichen Mol. berechnet werden (Näheres s. *Lit.*[1]). Die Meth. der C.-E. wurde bisher v. a. zur Bestimmung der Struktur von Mol.-Ionen verwendet, da sich diese leicht auf die notwendigen Geschw. beschleunigen lassen. Z. B. konnten die Strukturen von CH_4^+, $C_2H_3^+$ (s. Abb.) od. C_3^+ aufgeklärt werden. Über einen Umweg sind auch neutrale Mol. der Untersuchung mittels C.-E. zugänglich. Dem zu untersuchenden Mol. wird zunächst ein Elektron angelagert (s. Attachment), womit das zugehörige Anion erzeugt wird. Dieses wird dann beschleunigt u. kurz vor Passieren der Folie wird das überschüssige Elektron mit Hilfe eines Laserpulses (s. Photodetachment) abgestreift. – *E* Coulomb explosion – *F* explosion coulombienne – *I* esplosione di Coulomb – *S* explosión de Coulomb

Lit.: [1] Maier, Ion and Cluster Ion Spectroscopy and Structure, S. 1–26, Amsterdam: Elsevier 1989.

Coulomb-Kräfte. Kräfte zwischen elektr. Punktladungen od. Ladungsverteilungen; s. a. Coulombsches Gesetz u. zwischenmolekulare Kräfte.

Coulomb-Potential. Im Wasserstoff-Atom bewegt sich ein neg. geladenes Elektron im *Potential des pos. geladenen Protons, dem sog. Coulomb-Potential. Das C.-P., hier mit V bezeichnet, ist proportional zum Abstand r der beiden Punktladungen q_1 u. q_2; es gilt:

$$V = \frac{q_1 \cdot q_2}{4 \pi \varepsilon_0 \, r}$$

wobei ε_0 die elektr. Feldkonstante ist. Damit ist das C.-P. von langreichweitiger Natur; s. a. Coulomb-Barriere, Coulombsches Gesetz u. Coulomb-Kräfte. – *E* Coulomb potential – *F* potentiel coulombien – *I* potenziale di Coulomb – *S* potencial de Coulomb

Coulombsches Gesetz. Von C. *Coulomb 1785 formuliertes Gesetz der Elektrostatik, das beschreibt, welche Kraft zwischen zwei punktförmigen elektr. Ladungen Q_1 u. Q_2 herrscht, die zueinander den Abstand r besitzen:

$$F = \frac{1}{4 \cdot \pi \cdot \varepsilon_0} \frac{1}{\varepsilon_r} \frac{Q_1 \cdot Q_2}{r^2}$$

mit ε_0 = allg. *Dielektrizitätskonstante = $8,854187818 \cdot 10^{-12}$ A · s/(V · m), ε_r = relative Dielektrizitätskonstante.
Haben beide Ladungen das gleiche Vorzeichen (+ ↔ +, – ↔ –), ist die Kraft abstoßend; bei ungleichem Vorzeichen ist sie anziehend. Formal entspricht das C. G. dem Newtonschen Gravitationsgesetz. Das C.G. ist nicht nur in der Physik von Bedeutung (z. B. für die

Definition der elektrostat. Ladungseinheit), sondern erlaubt auch in der Chemie die Berechnung der *Coulomb-Kräfte*, die die Ionenbindung (s. chemische Bindung 1.) bewirken, u. der *Gitterenergien von Krist., die aus Ionen aufgebaut sind. – *E* Coulomb law – *F* loi de Coulomb – *I* legge di Coulomb – *S* ley de Coulomb

Lit.: s. chemische Bindung u. zwischenmolekulare Kräfte.

Coulometrie. Ein Verf. der *Elektroanalyse, das auf dem *Faradayschen Gesetz basiert, also auf der Äquivalenzbeziehung zwischen der gemessenen Elektrizitätsmenge u. dem chem. Umsatz. Die C. ermöglicht die Bestimmung der Menge irgendeiner Substanz, die elektrolyt. umgesetzt werden kann, ebenso wie die Bestimmung des *elektrochemischen Äquivalents eines Elements od. einer Verbindung. Unter der Annahme 100%iger Stromausbeute läßt sich als Arbeitsgleichung formulieren: $S = M \cdot Q/F \cdot n$ mit S = umgesetzte Substanzmenge, $M = M_R$, Q = verbrauchte Elektrizitätsmenge (in Coulomb), F = Faraday-Konstante (= 96 484 Coulomb/mol) u. n = Anzahl der Elektronen pro Mol., die an der Reaktion beteiligt sind. Die Bestimmung von Metallen wird entweder bei konstantgehaltenem Potential (*potentiostat. C.* unter Messung von Q gegen die Zeit t) od. bei konstantgehaltenem Strom (coulometr. Titration unter Messung des Potentials gegen die Zeit) vorgenommen [1]. Zur terminolog. Abgrenzung der einzelnen Verf. s. *Lit.*[2].

Verw.: Unter den elektroanalyt. Verf. spielen coulometr. Bestimmungen fast nur in Form von *Titrationen eine Rolle. *Beisp.*: Chlorid-Bestimmung als Fällungstitration, Bestimmung von Kjeldahl-Stickstoff als Ammoniak mit Brom als Titrator, Sauerstoff mit Cr^{2+}-Ionen, von organ. Stoffen wie z. B. Hydrochinon u. Resorcin mit Ag^{2+}-Ionen, von Phenolen, Alkylphenolen u. Alkylaminen mit Brom usw. Bes. Verf. sind die *Chronocoulometrie* (*Chronopotentiometrie) u. die *Mikro-Coulometrie*. – *E* coulometry – *F* coulométrie – *I* coulometria – *S* culometría, culombimetría

Lit.: [1] Analyt.-Taschenb. **1**, 127 ff. [2] Pure Appl. Chem. **45**, 81 (1976).

allg.: Henze u. Neeb, Elektrochemische Analytik, S. 68 – 80, Berlin: Springer 1986 ▪ Schwedt, Analytische Chemie, S. 141 – 145, Stuttgart: Thieme 1995 ▪ Wilson u. Wilson, Coulometric Analysis, Amsterdam: Elsevier 1975.

Coulson, Charles Alfred (1911 – 1974), Prof. für Theoret. Chemie u. Physik, London u. Oxford. *Arbeitsgebiete:* Theoret. organ. Chemie, chem. Bindung, HMO-Theorie, Entwicklung der sog. *Valence Bond-Methode.

Lit.: Pötsch, S. 97.

Coulsonit s. Spinelle.

Coulter-Verfahren. Zur Partikelgrößen-Bestimmung von in einem flüssigen *Elektrolyten suspendierten Stäuben, Bakterien, Zellen etc. entwickeltes Verfahren. Dieses beruht auf der Messung des elektr. Widerstands, der sich beim Durchtritt von Teilchen durch eine enge Meßöffnung in charakterist. Weise ändert. – *E* Coulter method – *F* méthode de Coulter – *I* processo di Coulter – *S* método de Coulter

Lit.: Nachr. Chem. Tech. Lab. **43**, 553 – 566 (1995).

Coumaphos.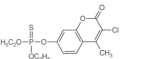

Common name für *O*-(3-Chlor-4-methylcoumarin-7-yl)-*O*,*O*-diethylthiophosphat, $C_{14}H_{16}ClO_5PS$, M_R 362,76, Schmp. ca. 95 °C, LD_{50} (Ratte oral) 16 mg/kg (GefStoffV), von Bayer eingeführtes Insektizid zur Bekämpfung von Ektoparasiten an Großvieh sowie der Varroamilbe bei Bienen. – *E* = *F* coumaphos – *I* = *S* coumafos

Lit.: Pesticide Manual. – [HS 2932 29; CAS 56-72-4]

Coumarin s. Cumarin.

Coumatetralyl s. Cumatetralyl.

Coumingin s. Erythrophleum-Alkaloide.

Couper, Archibald Scott (1831 – 1892), schott. Chemiker. *Arbeitsgebiete:* Entdeckung der Vierwertigkeit u. der C–C-Bindung (1858, unabhängig von Kekulé, aber aufgrund universitärer Regularien einen Monat nach Kekulés Publikation in Justus Liebigs Annalen der Chemie), erstmalige Anw. von Bindestrichen zwischen den Atomen bei Strukturformeln.

Lit.: Farber, Great Chemists, S. 705 – 715, New York: Interscience 1961 ▪ Neufeldt, S. 48 ▪ Pötsch, S. 97 ▪ Strube et al., S. 94 f., 130.

Couper-Butlerow-Strukturen s. chemische Zeichensprache.

Coupled Cluster (CC). Von Čížek (*Lit.*[1]) eingeführtes Verf. der *Quantenchemie zur Berechnung der durch *Elektronenkorrelation verursachten Effekte. Das CC-Verf. zählt z. Z. zu den leistungsfähigsten u. genauesten quantenchem. Verfahren. Die CC-*Wellenfunktion hat die Form $\Psi_{cc} = \exp(\hat{T}) \Phi_0$, wobei Φ_0 die sog. Referenzwellenfunktion ist (im allg. eine *Slater-Determinante mit energieoptimierten *Orbitalen, s. Hartree-Fock-Verfahren). $\hat{T}$ ist ein Exponentialoperator:

$$\hat{T} = \sum_{i=1}^{N} \hat{T}_i = \hat{T}_1 + \hat{T}_2 + \hat{T}_3 \ldots \text{ (N: Elektronenzahl)}.$$

$\hat{T}_1$ erzeugt hierbei Einfachsubstitutionen, d. h. ein in Φ_0 besetztes Orbital wird durch ein unbesetztes ersetzt, $\hat{T}_2$ Zweifachsubstitutionen (Substitution von 2 besetzten Orbitalen durch 2 unbesetzte) usw. In der Praxis wird die Entwicklung des Exponentialoperators meist nach $\hat{T}_2$ od. $\hat{T}_3$ abgebrochen; die entsprechenden Varianten bezeichnet man als CCSD bzw. CCSDT; s. a. ab initio u. Quantenchemie. – *E* coupled cluster – *F* couple de particules corrélées – *S* cluster acoplado

Lit.: [1] J. Chem. Phys. **45**, 4256 (1966) ▪ Adv. Chem. Phys. **14**, 35 (1969).

allg.: Lipkowitz u. Boyd, Reviews in Computational Chemistry, Bd. 5, Weinheim: VCH Verlagsges. 1994.

Coupled Units-Test. Prüfung einer wasserlösl., nichtflüchtigen, organ. Testsubstanz in einem Modellsyst. auf biolog. Primär- u. Endabbau unter Simulation der Konkurrenzsituation in einer biolog. Kläranlage mit einem Überschuß an leicht abbaubaren Stoffen nach OECD-Richtlinie 303 A. Beim C.U.T. werden zwei mit Belebtschlamm beaufschlagte Modellkläranlagen parallel betrieben, wobei der Zulauf der einen (Kon-

trolle) nur synthet. Abwasser enthält, während der zweiten zusätzlich Testsubstanz zudosiert wird. Aus der Differenz des Gehalts an gelöstem organ. Kohlenstoff (*DOC-Gehalt) in beiden Abläufen u. dem C-Gehalt der Testsubstanz im Zulauf ergibt sich deren DOC-Wert. Monitoring-Ergebnisse belegen, daß Daten aus solchen Simulationen das reale Abbauverhalten in der Praxis gut beschreiben bzw. eher unterbewerten. – *E* coupled units test
Lit.: OECD Guidelines for Testing Chemicals. Vol. 1. Paris: OECD 1993 ▪ SÖFW J. **121**, 1063–1075 (1995).

Coupsil®. Silanisierte Kieselsäure für Gummi-Anwendungen. *B.:* Degussa.

Cournand, André Frederic (1895–1988), Prof. für Medizin an der Columbia Univ., New York. *Arbeitsgebiete:* Herzerkrankungen, Lungenkrankheiten. Er verbesserte die von *Forßmann eingeführte Herzkatheterisierung. 1956 erhielt er zusammen mit W. *Forßmann u. D. W. *Richards den Nobelpreis für Physiologie od. Medizin.

Covellin (Kupferindig). CuS, Kupfer-Erzmineral mit kompliziertem hexagonalem Schichtengitter, Kristallklasse 6/mmm–D_{6h}, zur Struktur s. *Lit.*[1] u. *Lit.*[2] (bei hohen Drücken). Blättchenartige bis plattige Krist.; meist als pulveriger od. häutchenartiger Überzug auf verwitternden Kupfersulfiden od. imprägnationsartig, in einigen Vork. auch grobspätig (z.B. Butte, Montana/USA u. Bor/Serbien). Indigoblau bis blauschwarz, infolge sehr hoher Lichtbrechung Farbwechsel in anderen Medien: in Wasser violett, in hoch lichtbrechendem Öl rot. Strich bleigrau bis schwarz. D. 4,68, H. 1,5–2. Theoret. 66,4% Cu, 33,6% S, meist mit geringen Fe-Gehalten. Der sog. „*blaubleibende C.*" der älteren Lit. hat sich als aus den Mineralen *Spionkopit* $Cu_{10}S_7$ (auch: $Cu_{39}S_{28}$) u. *Yarrowit* Cu_9S_8 bestehend erwiesen[3].
Vork.: Weltweit verbreitet in sek. Anreicherungszonen in sulfid. Kupfererz-Lagerstätten; im *Kupferschiefer, z.B. Sangerhausen/Thüringen.
Verw.: Zusammen mit anderen Kupfererzen (*Bornit, *Chalkosin usw.) wichtiges Kupfererz. – *E* = *F* covellite, covelline – *I* = *S* covellina
Lit.: [1] Am. Mineral. **61**, 996–1000 (1976); Phys. Chem. Miner. **21**, 317–324 (1994). [2] Z. Kristallogr. **173**, 119–128 (1985). [3] Can. Mineral. **18**, 511–518 (1980).
allg.: Anthony et al., Handbook of Mineralogy, Bd. 1, S. 112, Tucson (Arizona): Mineral Data Publishing 1990 ▪ Lapis **17**, Nr. 7/8, 9ff. (1992) („Steckbrief") ▪ Ramdohr-Strunz, S. 448. – *[HS 2603 00; CAS 19138-68-2]*

Coversum® Cor. Tabl. mit dem *ACE-Hemmer *Perindopril-erbumin. *B.:* Servier.

Covi-ox®. Tocopherol-Konzentrate natürlichen Ursprungs u. Mischtocopherol-Konzentrat als Antioxidantien für Lebensmittel u. Kosmetika. *B.:* Henkel.

Coviren s. Viren.

Covitol®. *Vitamin E natürlichen Ursprungs, α-*Tocopherol u. seine Derivate Tocopherylacetat u. Tocopherylhydrogensuccinat als Konzentrat u. Reinsubstanz für Vitamin-E-Präp. in der pharmazeut. Ind. u. in Nahrungsergänzungsmitteln. *B.:* Henkel.

Covolumen. Alte Schreibweise für Kovolumen, s. Gasgesetze.

cp. Kurzz. für *Cyclopentadienyl.

c_p. Kurzz. für die *spezifische Wärmekapazität bei konstantem Druck.

cP. Kurzz. für *Centipoise.

C_p. Symbol für die *Molwärme bei konstantem Druck.

Cp. 1. Symbol für Cassiopeium (s. Lutetium). – 2. Kurzz. für *Cyclopentadienyl.

CP. Kurzz. (nach DIN 7728, Tl. 1, 01/1988) für *Cellulosepropionat.

CPB. Abk. für *chemisch-physikalische Behandlung.

CPE. In einigen Ländern anstelle von *PEC verwendetes Kurzz. für *chloriertes Polyethylen.

CPF. Abk. für *Coupled Pair Functional*. Von Ahlrichs, Scharf u. Ehrhardt (*Lit.*[1]) eingeführtes *ab initio-Verf. zur effizienten Beschreibung der *Elektronenkorrelation. – *E* coupled pair functional
Lit.: [1] J. Chem. Phys. **82**, 890 (1985).

C₃-Pflanzen. Pflanzen, die Kohlendioxid über den Calvin-Cyclus (s. Photosynthese) assimilieren u. (nach Isotopenmarkierungsversuchen mit $^{14}CO_2$) als erstes (ursprünglich nachweisbares) Photosynth.-Produkt eine Verb., die drei C-Atome enthält, die 3-*O*-*Phosphoglycerinsäure, bilden (s.a. C₄-Pflanzen). Zu den C₃-P. gehören die meisten Pflanzen; über den Calvin-Cyclus assimilieren auch die meisten chemolithoautotrophen sowie anoxygen phototrophe Bakterien $^1 CO_2$ (s.a. Lithotrophie). – *E* C_3 plants – *F* plantes C_3 – *I* piante C_3 – *S* plantas de C_3
Lit.: [1] Schlegel (7.), S. 391–396.
allg.: Adv. Ecol. Res. **19**, 58–110 (1989) ▪ Marcelle et al. (Hrsg.), Biological Control of Photosynthesis, Dordrecht, Martinus Nijhoff 1986 ▪ Nultsch, Allgemeine Botanik (10.), Stuttgart: Thieme 1996 ▪ Richter, Biochemie der Pflanzen, S. 128ff., Stuttgart: Thieme 1996.

C₄-Pflanzen. Pflanzen, die während der *Photosynthese (in der Belichtungsphase) als erstes Kohlendioxid-Aufnahme-Produkt im sog. *Hatch-Slack-Cyclus eine vier C-Atome enthaltende Verb., Oxalessigsäure (*Oxobernsteinsäure), bilden. Blätter von C₄-P. weisen zwei verschiedene Typen photosynthet. Zellen, um Blattleitbündel geschichtet (s. Hatch-Slack-Cyclus), auf u. haben einen niedrigeren CO_2-Kompensationspunkt sowie geringere *Photorespiration als *C₃-Pflanzen. Zu den C₄-P. gehören Mais, Zuckerrohr, mehrere Hirsearten sowie einige Chenopodiaceen, Amaranthaceen, Portulacaceen u. Euphorbiaceen. – *E* C_4 plants – *F* plantes C_4 – *I* piante C_4 – *S* plantas de C_4
Lit.: s. C₃-Pflanzen.

cps. Im angelsächs. Sprachgebrauch Abk. für *cycles per second* (auch c/s) als Frequenzbez.; 1 cps = 1 Hz = 1 s^{-1}.

CPVC. 1. Kurzz. (engl.) für *critical pigment-volume concentration*. Die CPVC gibt den größtmöglichen Anteil an Pigmenten (einschließlich Füllstoffen) in einem fertigen Anstrich aus Pigmenten u. Bindemittel (Polymeren) an. Oberhalb der CPVC verschlechtern sich die Eigenschaften von Anstrichen drast., weil nicht mehr ausreichend Bindemittel vorhanden ist, um die Pigment-Teilchen vollständig zu umhüllen. – 2. Kurzz. für chloriertes *Poly(vinylchlorid). – *E* 1. critical pig-

ment-volume concentration – *F* 1. concentration volumique critique de pigments – *I* 1. concentrazione critica del volume dei pigmenti
Lit.: Elias (5.) **2**, 691 ff.

Cr. Chem. Symbol für *Chrom.

CR. Kurzz. (nach ISO 1043, 1975) für *Polychloropren-Kautschuk.

Crack s. Cocain.

Crafts, James Mason (1839–1917), Prof. für Chemie, MIT, Cambridge (Massachusetts). Ausbildung bei *Wurtz an der Ecole de Medicine, Freundschaft mit *Friedel. Aufenthalt in USA u. Mexiko, ab 1874 wieder in Paris, wo er 1877 zusammen mit Friedel die katalyt. Wirkung des Aluminiumchlorids bei organ. Reaktionen entdeckte. *Arbeitsgebiete:* *Friedel-Crafts-Reaktion, organ. Silicium-Verb., Dichte von Halogenen bei hohen Temperaturen.
Lit.: Neufeldt, S. 54, 68 ▪ Pötsch, S. 98 ▪ Strube et al., S. 134, 136 f.

Crafil®. Anionaktiver Phosphorsäureester, auch in Kombination mit sulfoniertem Öl, als Weichmachungsmittel u. Egalisiermittel in der Textilfärbung. – *B.:* Dr. Th. Böhme KG.

Craig-Verteilung s. Gegenstromverteilung.

Cram, Donald J. (geb. 1919), Prof. für Chemie, California Univ., Los Angeles. *Arbeitsgebiete:* Stereochemie, Pilz-Metabolie, Neber-Umlagerung, Tropolon-Synth., Kohlensuboxid, Cyclophane, aliphat. Konformationsanalyse, asymmetr. Induktion, elektrophile Substitution u. a. Reaktionsmechanismen, Host-Guest Komplexierung. C. erhielt 1987 zusammen mit Jean-Marie *Lehn u. Charles J. Pedersen den Nobelpreis für Chemie für die Herst. niedrigmol. organ. Verb. mit sehr speziellen Eigenschaften.
Lit.: Bibliogr. Chemists **1**, 45–58 (1971) ▪ Chem. Eng. News **31**, 4900 f. (1953) ▪ Pötsch, S. 98 ▪ Who's Who in America 1995, S. 794.

Cramer, Friedrich (geb. 1923), Prof. für Chemie, MPI für experimentelle Medizin, Göttingen. *Arbeitsgebiete:* Nucleinsäuren, Einschluß-Verb., Enzym-Modelle, Lektine, Papierchromatographie.
Lit.: Kürschner (16.), S. 521 ▪ Nachr. Chem. Tech. **21**, 421 (1973) ▪ Poggendorff **7 a/1**, 361 ▪ Wer ist wer, S. 208.

Cramsche Regeln s. diastereoselektive Reaktionen (Synthesen).

Crandallit (Pseudowavellit). $CaAl_3H[(OH)_6/(PO_4)_2]$, gelbes bis weißes od. graues Phosphat-Mineral, das nur derb als knollige Massen od. kugelige Gebilde mit faserigem, feinkörnigem od. *Chalcedon-ähnlichem Aufbau vorkommt u. in laterit. (*Laterit) Phosphat-Gesteinen in Amberg/Bayern, in den USA sowie in Brasilien, Bolivien u. Senegal gefunden wird. H. 5, D. 2,78–2,92; Struktur s. *Lit.*[1]. – *E* = *F* = *I* crandallite – *S* crandallita
Lit.: [1] Am. Mineral. **59**, 41–47 (1974); **65**, 953–956 (1980). *allg.:* Nriagu u. Moore (Hrsg.), Phosphate Minerals, S. 32, Berlin: Springer 1984. – [*CAS 1318-36-1*]

Crane, Evan Jay (1889–1966), Prof. für Chemie, Columbus (Ohio). *Arbeitsgebiete:* Chem. Dokumentation, Nomenklatur, Hrsg. der Chemical Abstracts.
Lit.: Chem. Eng. News **45**, 5, 18 (1967) ▪ J. Chem. Doc. **7**, 62 f. (1967).

Cranoc®. Kapseln mit dem Lipidsenker *Fluvastatin-Natrium. *B.:* Astra/Promed.

Craquelée s. Glasur.

Crastin®. *PETP- u. *PBTP-Formmassen zur Spritzgieß- u. Extrusionsverarbeitung. *B.:* Ciba-Geigy.

Crat... Anlautender Wortbestandteil in meist durch Wz. geschützten Handelsnamen von Arzneipräp., die herzwirksame Extrakte des *Weißdorns (*Crataegus oxyacantha*, Rosaceae), häufig kombiniert mit anderen *Herz-aktiven Stoffen wie Digitalis-Glykosiden, Rutosid, Strophantin u. Aminopurinen enthalten.

Crataegus s. Weißdorn.

Crataegutt® novo/forte. Filmtabl. u. Kapseln mit standardisiertem Trockenextrakt aus *Weißdorn-Blättern mit Blüten zur unterstützenden Therapie bei Altersherz. *B.:* Schwabe.

Crayvallac®. Verdickungsmittel für Lacke u. Druckfarben. *B.:* Langer & Co.

Crazes. C. sind Mikrohohlräume (Pseudobrüche) in amorphen thermoplast. *Polymeren, die sich bei Belastung orthogonal zur Belastungsrichtung ausbilden. Kennzeichnend für C. ist, daß die inneren Oberflächen der Mikrohohlräume durch hochorientierte Fibrillen des Polymermaterials verbrückt sind. Diese Fibrillen bilden sich nur dann aus, wenn die Molmasse des Polymeren einen krit. Wert übersteigt, ab dem stabile Verschlaufungen zwischen verschiedenen Polymerketten möglich sind.

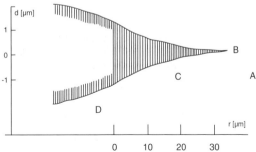

Abb.: Schemat. Darstellung der Craze-Bildung u. des Craze-Wachstums. A: elast. Region, B: Region der Fibrillen-Bildung, C: Bereich des Fibrillen-Wachstums, D: Umwandlung der Crazes in einen Riß durch Bruch der Fibrillen; nach *Lit.*[1].

C. spielen eine große Rolle bei der Energie-Dissipation in *Thermoplasten u. beeinflussen Eigenschaften wie deren Zähigkeit sehr stark. C. können, wenn sie bei mechan. Beanspruchung von Polymeren in zu geringer Anzahl entstehen, so daß sie für die Dissipation der eingebrachten Energie nicht ausreichen, zur Ausbildung von (Haar-)Rissen führen. – *E* = *I* crazes – *S* grietas
Lit.: [1] Kausch, Polymer Fracture, Berlin: Springer 1978. *allg.:* Elias (5.) **2**, 973 f. ▪ J. Mater. Sci. **24**, 1399–1405 (1989) ▪ Macromolecules **22**, 1002 ff. (1989) ▪ Ward u. Hadley, Mechanical Properties of Solid Polymers, Chichester: Wiley 1993.

Crazing. 1. Bez. für das Phänomen der Ausbildung von *Crazes in *Thermoplasten. – 2. Bez. für ein bei der Bewitterung, insbes. bei Sonnenbestrahlung, von ungespannten hellen Kautschuk-Vulkanisaten auftreten-

des Phänomen, das der Oberfläche des Vulkanisats ein runzeliges (Apfelsinen-, Elefantenhaut) Aussehen verleiht. – *E* = *I* crazing – *S* agrietamiento
Lit. (zu 1.): s. Crazes. – *(zu 2.):* Ullmann (4.) **13**, 646.

CRBP s. Retinol-bindendes Protein.

crd. Abk. für latein. crudum = roh; s. chemische Reinheit.

C-reaktives Protein (CRP). Bez. für ein *Protein (5 ident. Untereinheiten zu je 187 Aminosäure-Resten u. M_R 21 500), das von der Leber synthetisiert wird u. im *Serum normalerweise zu ca. 1 mg/l vorkommt, bei Entzündungen, Verletzungen u. Tumoren jedoch bis 1000fach erhöht sein kann. Daher wird es den *Akutphasen-Proteinen zugeordnet; strukturell gehört das CRP zu den *Pentraxinen. Es fördert die *Phagocytose, aktiviert das *Komplement-Syst. u. steht damit im Dienst der unspezif. angeborenen *Immunität. In Membran-gebundener Form dient es *Makrophagen als Galactose-spezif. Partikel-Rezeptor[1]. Seinen Namen erhielt das CRP, weil es mit der *C-Substanz* reagiert, einem Polysaccharid aus Streptokokken-Zellwänden. – *E* C-reactive protein – *F* protéine C-réactive – *I* proteina C-reattiva – *S* proteína C-reactiva
Lit.: [1] Pathobiology **59**, 272 ff. (1991).
allg.: Immunol. Today **15**, 81–88 (1994). – *[CAS 9007-41-4]*

CREB s. Adenosin-3',5'-monophosphat.

Crelan®. Bindemittel u. Vernetzer auf der Basis von Polyestern bzw. Polyacrylaten in Kombination mit verkappten Isocyanaten zur Herst. versprühbarer Pulverlacke. *B.:* Bayer.

Creme-Bäder s. Hautpflegemittel.

Cremer, Erika (1900–1996), Dr. phil., Dr. rer. nat. h.c. (TU Berlin), Prof. für Physikal. Chemie, Innsbruck. *Arbeitsgebiete:* Reaktionskinetik, Katalyse, Adsorption, Aufdampfschichten, Diffusion, chromatograph. Mikroanalyse von Gasen, Dünnfilmchromatographie.
Lit.: Attlmayr, Beiträge zur Technikgeschichte Tirols, Heft 5, Innsbruck: Wagnersche Univ. Buchhandlung 1973 ▪ Ber. Bunsenges. Phys. Chem. **69**, 277 f. (1965) ▪ Kürschner (16.), S. 523 ▪ Nachr. Chem. Tech. **23**, 217 f. (1975) ▪ Neufeldt, S. 159 ▪ Poggendorff **7 a/1**, 364.

Cremes. Bez. für pastöse, wasserhaltige Zubereitungen, die Emulsionssyst. (s. Emulsionen) aus *Salbengrundlagen (Fetten, Wachsen u. ä.), Wasser u. *Emulgatoren darstellen. Von den *Salben heben sie sich durch den höheren Wassergehalt ab. Üblicherweise unterscheidet man: *lipophile C.* vom Typ Wasser-in-Öl (W/O), *hydrophile C.* vom Typ Öl-in-Wasser (O/W) u. *amphiphile C.* vom Typ einer Mischemulsion. Bei allen C. kommt dem HLB-Wert (s. HLB-System) des Emulgators bzw. des Emulgatoren-Gemisches entscheidende Bedeutung zu, da durch diese Komponente die Qualität u. Stabilität der C. u. auch ihr Emulsionssyst. bestimmt wird. Ein Maß für die Qualität einer C. ist auch ihr Schmelzverhalten. C. werden nicht nur als *Hautpflegemittel (vgl. dort zur Zusammensetzung), sondern auch zur Behandlung von Hautschäden (als *Dermatika*) eingesetzt. – *E* creams – *F* crèmes – *I* creme – *S* cremas
Lit.: Kirk-Othmer (3.) **7**, 148–154 ▪ Ullmann (4.) **12**, 562 f.; (5.) **A 24**, 221 ▪ Umbach (Hrsg.), Kosmetik (2.), S. 121 ff., Stuttgart: Thieme 1995.

Cremophor®. Sortiment von flüssigen bis pastösen od. wachsartigen Emulgatoren u. Lösungsvermittlern für Kosmetik u. Pharmazie. Die C.-Typen sind Ethoxylate von Fettalkoholen bzw. hydriertem Ricinusöl, die als nichtionogene Emulgatoren zur Herst. von Öl-in-Wasser-Emulsionen für Cremes bzw. zur Solubilisierung von Parfümölen u. Vitaminen in kosmet. Produkten dienen. *B.:* BASF.

Cresyl... (im Deutschen meist Kresyl...). Veraltete Bez. sowohl für die (Hydroxy-methyl-phenyl)-Reste [(*ar*-Hydroxytolyl)-Reste, –C_6H_3(OH)(CH_3)] als auch für die Tolyl-Reste (–C_6H_4–CH_3, meist als Ester od. Ether gebunden); ist wegen Zweideutigkeit zu vermeiden. *Beisp.:* *Trikresylphosphat (TCF). – *E* cresyl... – *F* crésyl... – *I* = *S* cresil...

Cresylit. Französ. *Sprengstoff, Mischung aus *2,4,6-Trinitro-*m*-kresol u. *Pikrinsäure, heute nur noch von histor. Interesse. – *E* cresylite – *F* crésylite – *I* cresilite – *S* cresilita

Cretonne s. Nessel.

CRF s. Corticoliberin.

C-RFP-Verfahren s. Gerberei.

CRH s. Corticoliberin.

Crick, Francis Harry Compton (geb. 1916), Prof. für Molekularbiologie, The Salk Inst. for Biological Studies, San Diego (California). *Arbeitsgebiete:* Desoxyribonucleinsäure, Entwurf des DNA-Modells (Helixstruktur), genet. Code, Mechanismus der Gen-Reduplikation; zusammen mit *Watson u. *Wilkins 1962 Nobelpreis für Physiologie od. Medizin.
Lit.: Neufeldt, S. 239, 375 ▪ Nobel Lectures Physiology or Medicine 1942–1962, S. 751 ff., 811–821, Amsterdam: Elsevier 1964 ▪ Pötsch, S. 99 ▪ Science **138**, 498 ff. (1962) ▪ Who's Who in America, S. 803.

Criegee, Rudolf (1902–1975), Prof. für Organ. Chemie, Univ. Karlsruhe. *Arbeitsgebiete:* Glykol-Spaltung, organ. Peroxide, Ozonide, Verw. von Blei(IV)-Salzen zu Oxid., Synth. u. Photochemie von kleinen Ringen.
Lit.: Chem. Unserer Zeit **12**, 49–55 (1978) ▪ Jahrb. Bayer. Akad. Wiss. **1976**, 234–238 ▪ Nachr. Chem. Tech. **8**, 168 (1960); **10**, 167 (1962) ▪ Neufeldt, S. 175 ▪ Pötsch, S. 100 ▪ Poggendorff **7 a/1**, 367 f.

...crin. Nachsilbe in internat. Freinamen für chemotherapeut. wirksame Acridin-Derivate. – *E* = *F* ...crine – *I* = *S* ...crina

Crinin s. Amaryllidaceen-Alkaloide.

Crinipelline.

R^1	R^2	R^3	R^4	R^5	R^6	
OH	H	O		O		Crinipellin A
OCOCH$_3$	H	O		O		O-Acetylcrinipellin A
O		H	OH			Crinipellin B
O		H	OH	H		OH	Dihydrocrinipellin B

Aus Kulturbrühen verschiedener Stämme des Haarschwindlings (*Crinipellis stipitaria*) isolierte Diterpenoid-Antibiotika mit Tetraquinan-Gerüst, das hier zum

ersten Mal in der Natur aufgefunden wurde. Es handelt sich um die Verb. *C. A* {$C_{20}H_{26}O_4$, M_R 330,42, Krist., Schmp. 148 °C, $[\alpha]_D -168°$ ($CHCl_3$)}, *C. B* {$C_{20}H_{24}O_4$, M_R 328,41, Krist., Schmp. 150–151 °C, $[\alpha]_D -118,5°$ ($CHCl_3$)}, *O-Acetyl-C. A* {$C_{22}H_{28}O_5$, M_R 372,46, Krist., Schmp. 107 °C, $[\alpha]_D -136°$ (Essigester)} u. *Dihydro-C. B* ($C_{20}H_{26}O_4$, M_R 330,42, Öl). – *E* crinipellins – *F* crinipellines – *I* crinipelline – *S* crinipelinas
Lit.: Angew. Chem. **97**, 714 (1985) ▪ Forum Microbiol. **11**, 21 (1988) ▪ J. Antibiot. **32**, 130 (1979) ▪ J. Chem. Soc., Perkin Trans. 1 **1991**, 693. – *[CAS 97294-60-5 (C.A); 97294-61-6 (C.B); 97315-00-9 (O-Acetyl-C.)]*

Crino-Kaban N®. Tinktur mit *Clocortolon-21-pivalat u. *Salicylsäure gegen Kopfhautentzündungen, Ekzeme, Psoriasis. *B.:* Asche.

CRIP s. Cystein-reiches intestinales Protein.

Criss-cross-Addition s. 1,3-dipolare Cycloaddition.

Cristatsäure.

$C_{23}H_{28}O_5$, M_R 384,47, Krist., Schmp. 104 °C, lösl. in organ. Lösemitteln. C. ist ein modifiziertes Farnesylphenol aus Fruchtkörpern des Grünen Kammporlings (*Albatrellus cristatus*) mit antibakterieller, cytotox. u. hämolyt. Wirkung. – *E* cristatic acid – *F* acide cristatique – *I* acido cristatico – *S* ácido cristático
Lit.: Justus Liebigs Ann. Chem. **1981**, 2099 ▪ Tetrahedron **44**, 41 (1988). – *[CAS 80557-13-7]*

Cristobalit. SiO_2, Mineral, bei Standardbedingungen metastabile Hochtemp.-Modif. des *Siliciumdioxids, von der es eine kub. Hochtemp.-Form (β-*C.*), Kristallklasse m3m-O_h, gibt, die sich unterhalb etwa 500 K in eine metastabile tetragonale Tieftemp.-Form (α-*C.*) umwandelt[1,2]; zur Struktur von α-C. s. *Lit.*[3]. Bei ca. 1,5 GPa Druck wandelt sich α-*C.* in cine monokline, als C.-II bezeichnete Hochdruck-Modif. um[4]; weitere Phasenumwandlungen wurden bei 10 GPa u. 35 GPa beobachtet[5]. Hoch-*C.* bildet winzige helle oktaedr. Krist., feinfaserige Aggregate od. Krusten; H. 6–7, D. 2,2–2,3. *C.* kann als Verunreinigungen Na, Al, K, Ti, Fe u. Ca enthalten[6].
Vork.: In vulkan. Gesteinen, z. B. in Blasenräumen von *Obsidian, in *Basalten (z. B. Mendig/Eifel), in Mondbasalten. In *Achaten u. *Opalen. Hoch-*C.* als wichtiger Bestandteil in feuerfesten Steinen, bes. in *Silika-Steinen, u. in *Cordierit-C.- u. *Amphibol-C.-Glaskeramiken. Tief-*C.* entsteht bei der Entglasung mancher Gläser. – *E* = *F* = *I* cristobalite – *S* cristobalita
Lit.: [1] Phys. Chem. Miner. **17**, 554–562 (1991). [2] Z. Kristallogr. **201**, 125–145 (1992). [3] Am. Miner. **79**, 9–14 (1994). [4] Am. Miner. **79**, 1–8 (1994). [5] Nature (London) **347**, 267ff. (1990). [6] Neues Jahrb. Mineral., Monatsh. **1986**, Nr. 10, 433–444. *allg.:* Deer et al. (2.), S. 457, 461 ff., 465 f., 471 ▪ Heaney, Prewitt u. Gibbs (Hrsg.), Silica (Reviews in Mineralogy, Bd. 29), Washington (D.C.): Mineralogical Society of America 1994 ▪ Ramdohr-Strunz, S. 527. – *[HS 281 1 22; CAS 14464-46-1]*

Croceosalze. Veraltete Bez. (von latein.: croceus = safrangelb) für *Cobaltammine mit *trans*-Tetrammin-bis(nitrito-*N*)cobalt(1+)-Ion.

Crocetin.

R = H : Crocetin
R = Gentiobiose : Crocin

$C_{20}H_{24}O_4$, M_R 328,39, ziegelrote rhomb. Krist., Schmp. 285–287 °C (*all-E*-Form, α-*C.*), lösl. in Pyridin u. a. organ. Basen. Die Z-Form von *C.* kommt als Glykosid in Safran (*Crocus sativus*) vor. Das als Lebensmittelfarbstoff u. -würzmittel zugelassene Apo-*Carotinoid *C.* wirkt photosensibilisierend, erhöht die Sauerstoff-Diffusion im Plasma u. beeinflußt die Bilirubin-Bildung, im Tierversuch arteriosklerot. wirksam (s. a. Crocin). – *E* crocetin – *F* crocétine – *I* = *S* crocetina
Lit.: Chem. Ber. **110**, 3582 (1977) ▪ Helv. Chim. Acta **62**, 1944 (1979) ▪ Karrer, Nr. 1862 ▪ Schweppe, S. 171. – *[CAS 27876-94-4]*

Crocin (Gardenin). $C_{44}H_{64}O_{24}$, M_R 976,99, braunrote Nadeln, Schmp. 180–190 °C, lösl. in heißem Wasser, wenig lösl. in Ethanol, Ether u. a. organ. Lösemitteln. *C.* ist der Digentiobioseester des α-*Crocetins, Strukturformel s. dort. *C.* kommt in *Crocus-* u. *Gardenia*-Arten vor. *C.* ist der Safran-Farbstoff (*Crocus sativus*, Gehalt 24–27 Gew.-%). Bei der Fortpflanzung von Algen der *Chlamydomonas*-Gruppe soll es eine Rolle spielen. *C.* ist als Lebensmittel-Farbstoff zugelassen. – *E* crocin – *F* crocine – *I* = *S* crocina
Lit.: Beilstein E V 17/8, 112 ▪ Helv. Chim. Acta **58**, 1608 (1975) ▪ Karrer, Nr. 1864. – *[CAS 42553-65-1]*

Croconazol.

Internat. Freiname für 1-{1-[2-(3-Chlorbenzyloxy)-phenyl]vinyl}-1*H*-imidazol, $C_{18}H_{15}ClN_2O$, M_R 310,78, Schmp. 72–73 °C. Verwendet wird das Monohydrochlorid, Schmp. 148,5–150 °C, LD_{50} (Ratte s.c.) 7000; (Ratte oral) 2500 mg/kg. Es wurde als *Antimykotikum 1980 u. 1982 von Shionogi patentiert u. ist von Merz & Co. (Pilzcin®) im Handel. – *E* = *F* croconazole – *I* croconazolo – *S* croconazol
Lit.: ASP ▪ Merck-Index (12.), Nr. 2429. – *[CAS 77175-51-0 (C.); 77174-66-4 (Monohydrochlorid)]*

Cromargan®. Ein Chrom-Nickelstahl (V2A-Stahl), der insbes. gegen Speisen korrosionsbeständig ist. *B.:* Württemberg. Metallwarenfabrik.

Cromoglicinsäure.

Internat. Freiname für 5,5'-(2-Hydroxytrimethylendioxy)-bis(4-oxo-4*H*-chromen-2-carbonsäure), $C_{23}H_{16}O_{11}$, M_R 468,37. Verwendet wird das Dinatriumsalz, ein weißes, krist. Pulver, Schmp. 258–264 °C; auch 241–242 °C (Zers.) angegeben. LD_{50} (Maus, Ratte oral) >8000 mg/kg. Es wurde als *Antiallergikum

(Mastzellenstabilisator) 1968 von Fisons (Colimune®, Intal®, Lomupren®) patentiert u. ist generikafähig. – *E* cromoglicic acid – *F* ácide cromoglicique – *I* acido cromoglicinico – *S* ácido cromoglícico

Lit.: Beilstein EV **18/9**, 74 ▪ Hager (5.) **7**, 1109f. – *[HS 292 99; CAS 16110-51-3; 15826-37-6 (Di-Natrium-Salz)]*

Cromophtal®. Azo-, Phthalocyanin-, Anthrachinon-, Dioxazin-, Tetrachlorisoindolinon- u. Thioindigo-Pigmente für die Anw. in Kunststoffen, Anstrichstoffen, Druckfarben u. Spinnfasern. *B.:* Ciba-Geigy.

Croneton®. Insektizid auf der Basis von *Ethiofencarb gegen Blattläuse im Gemüse-, Acker-, Obst- u. Zierpflanzenbau. *B.:* Bayer.

Cronin, James Watson (geb. 1931), Prof. für Physik, Univ. Chicago. *Arbeitsgebiete:* Kernphysik, Mesonen u. a. Elementarteilchen, Kaonen-Zerfall u. Verletzung der Parität hierbei; Nobelpreis Physik 1980 (zusammen mit V. L. *Fitch).

Lit.: Who's Who in America, S. 807.

Cronstedt, Axel Fredrik (1722–1765), schwed. Chemiker u. Mineraloge. *Arbeitsgebiete:* Anw. des Lötrohrs u. der chem. Analyse in der Mineralogie, Entdeckung des Nickels, Aufstellung der Mineralgruppe der Zeolithe, Unterscheidung von Bleiglanz u. Graphit, die bis dahin als ident. angesehen wurden.

Lit.: Krafft, S. 346f. ▪ Pötsch, S. 101 ▪ Strube, **2**, 101f. ▪ Strube et al., S. 74.

Crookes, Sir William (1832–1919), engl. Chemiker u. Physiker. *Arbeitsgebiete:* Entdeckung des Thalliums, Kathodenstrahlen, Radiometer, Uran-Zerfallsreihe, Entwicklung des Zinkblendeschirms zum Zählen auftreffender α-Teilchen.

Lit.: Neufeldt, S. 51, 111, 394 ▪ Pötsch, S. 101.

Cross-flow-Filtration (Querstromfiltration). In der *Biotechnologie Bez. für eine reine Siebfiltration, wobei im Gegensatz zur stat. Filtration die zu filtrierende Lsg. tangential über die Siebmembran gepumpt wird. Dadurch wird der Aufbau eines Filterkuchens verhindert u. höhere Durchsatzraten gegenüber der stat. Filtration erzielt (s. Abb.).

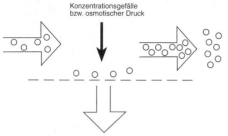

Abb.: Cross-flow-Filtration.

Überwiegend werden die von der *Ultrafiltration her bekannten Hohlfaser-, Platten- u. Spiralmodule eingesetzt. Die Hauptanwendungsgebiete der C.-f.-F. sind Zellkonzentrierung, *Sterilfiltration von biol. Flüssigkeiten, Entfernung von *Pyrogenen u. Wasserreinigung. – *E* cross flow filtration – *F* filtration transverse au flux – *I* filtrazione a flusso trasversale – *S* filtración de flujo cruzado

Lit.: Präve et al. (4.), S. 448.

Crossover. Während der Chromosomenpaarung in der Meiose (s. Mitose) stattfindender wechselseitiger Austausch von Genmaterial zwischen zwei homologen *Chromosomen (s. Abb.).

Die beiden von einem Elternteil (AB) u. die beiden vom anderen Elternteil (ab) abstammenden Chromatiden (s. Chromosomen) kommen in der Prophase der Meiose zum sog. Vierstrangstadium (Tetrade, Bivalent) zusammen. Bruch u. kreuzweise Wiedervereinigung von zwei Chromatiden führen zum Austausch gleich langer Abschnitte; es entstehen zwei rekombinante Chromatiden (Ab u. aB), die beiden anderen behalten den elterlichen Typus. C. ist die Ursache der in vivo auftretenden genetischen *Rekombination. – *E* = *F* = *I* = *S* crossing over

Crotamiton.

$$H_3C-CH=CH-CO-N\begin{array}{c}C_2H_5\\ \\H_3C-\phi\end{array}$$

Internat. Freiname für das juckreizstillende *N*-Ethyl-*N*-*o*-tolyl-crotonamid, $C_{13}H_{17}NO$, M_R 203,28. Farblose bis schwach gelbe Flüssigkeit, Sdp. 153–155 °C (1,69 kPa), $d_D^{20} = 1,006–1,011$; n = 1,540–1,542; λ_{max} (Cyclohexan) 242 mm ($A_{1cm}^{1\%}$ 315). Es wurde als Antipruriginosum 1949 von Geigy (Euraxil®, heute Zyma) patentiert u. ist auch von gepepharm (Crotamitex®) im Handel. – *E* = *F* crotamiton – *I* crotamitone – *S* crotamitón

Lit.: Beilstein EIII **12**, 1856 ▪ Hager (5.) **7**, 1111f. – *[HS 292429; CAS 483-63-6]*

Crotodur®. (Hexahydro-6-methyl-2-oxo-4-pyrimidinyl)-harnstoff, als Stickstoff-liefernde Komponente in Düngemitteln. *B.:* BASF.

Lit.: Ullmann (4.) **10**, 232–235.

Crotonaldehyd s. 2-Butenal.

Crotonöl. Fettes, brennend schmeckendes, schwach ranzig riechendes Öl aus den Samen des Purgierbaumes (*Croton tiglium*, Euphorbiaceae). Braungelbe, stark viskose, giftige Flüssigkeit, D. 0,935 bis 0,950, in Alkohol wenig lösl. (besser nach längerer Lagerung), gut lösl. in Eisessig, Schwefelkohlenstoff, Ölen, Petrolether, Ether u. Chloroform. C. enthält neben 5% Harz u. a. die Glycerinester der Stearin-, Palmitin-, Myristin-, Laurin- u. Tiglinsäure. C. ist nicht nur ein drast. *Abführmittel, sondern wirkt auch stark lokal reizend, insbes. aber als *Cocarcinogen, als dessen wirksame Bestandteile sich Phorbolester (s. 4β-Phorbol) erwiesen haben. Es ist humanmedizin. nicht mehr im Gebrauch. – *E* croton oil – *F* huile de croton – *I* olio di crotone – *S* aceite de crotón

Lit.: Hager (4.) **4**, 346ff. ▪ s. a. Cocarcinogene u. 4β-Phorbol.

Crotonyl... [(*E*)-2-Butenoyl..., Crotonyl...]. Nach IUPAC-Regel C-404.1 Bez. für die *trans*-konfigurierte Atomgruppierung –CO–CH=CH–CH₃. *cis*-Isomer: s. Isocrotonoyl...; in der Lit. bedeutet C. oft allg. 2-Butenoyl... – *E* = *F* crotonoyl... – *I* = *S* crotonoil...

Crotonsäure s. Butensäure.

Crotonsäureethylester s. 2-Butensäureethylester.

Crotonyl... s. Crotonoyl...

Crotonylsenföl s. Senföle.

Crotoxin. Der Hauptbestandteil des *Schlangengiftes von Klapperschlangen (Crotalidae) ist der Komplex einer bas. Phospholipase A_2 (C. B, M_R ~13 500) mit einem sauren Protein (C. A, M_R ~10 000), das die Phospholipase an ihren Wirkort bringt, die präsynapt. Membran der Nervenendplatte. Die Vergiftung führt lokal zu Schmerzen, Rötung u. Nekrose. System. Folgen sind Müdigkeit, Kollaps u. Schock bis zum Tod. C. besitzt auch *Hämolyse-Wirkung. – *E* crotoxin – *F* crotoxine – *I* crotossina – *S* crotoxina
Lit.: Mebs, Gifttiere, S. 191, 237f., Stuttgart: Wissenschaftliche Verlagsges. 1992 ▪ Pharmacol. Ther. **48**, 223 (1990) ▪ Tu, Handbook of Natural Toxins, Vol. 5, S. 53–84, New York: Dekker 1991. – *[CAS 9007-40-3]*

Crotyl... s. 2-Butenyl...

Crownglas s. Kronglas.

CRP s. cAMP-Rezeptor-Protein, c-reaktives Protein.

Cruciferae (Kreuzblütler). Nach der kreuzständigen Anordnung der 4 Blütenblätter benannte, auch als Brassicaceae bezeichnete, große Pflanzenfamilie, deren charakterist. Merkmal der Gehalt an *Senföl-Glykosiden (*Glucosinolate) ist. Zu den C. zählen eine Reihe wichtiger Nutzpflanzen wie z. B. *Raps, Rüben, alle *Kohl-Arten, *Rettich, *Radieschen, *Meerrettich, *Kapern, *Kressen, schwarzer u. weißer *Senf. – *E* crucifers – *F* crucifères – *I* crocifere – *S* crucíferas
Lit.: Frohne u. Jensen, Systematik des Pflanzenreichs, S. 206–210, Stuttgart: Fischer 1992 ▪ Hegi, Illustrierte Flora von Mitteleuropa, Bd. 4, Tl. 1, Berlin: Blackwell 1986.

crudum (Abk. crud. od. crd., latein. = roh, ungereinigt) s. chemische Reinheit.

Cruise Missiles (Marschflugkörper) s. Kernwaffen.

Crusta... s. Krebse.

Crustecdyson s. Ecdyson.

Crust-Leder s. Leder.

Crutzen, Paul, J. (geb. 1933), Prof. für Chemie am MPI, Mainz. *Arbeitsgebiete:* Chemie der anthropogenen Veränderungen der Erdatmosphäre. 1995 erhielt er zusammen mit Mario J. Molina u. F. Sherwood Rowland den Nobelpreis für Chemie „für Arbeiten zur Chemie der Atmosphäre, insbes. über Bildung u. Abbau von Ozon".
Lit.: Nachr. Chem. Tech. Lab. **40**, Nr. 9, 1041 (1992); **43**, Nr. 11, 1164 (1995) ▪ Wer ist wer, S. 210.

Cryofluoran s. FCKW.

Cryogen®. Flüssigstickstoff-Kühlanlagen zum Kühlen u. Gefrieren von verderblichen Gütern für Transport u. Lagerung, zur Feinzerkleinerung von nicht mahlfähigen od. wärmeempfindlichen Stoffen (Gefriermahlung), zur Innenkühlung beim Extrusionsblasen von Kunststoffhohlkörpern u. dgl. *B.:* Messer Griesheim.

Cryojet®. Messer Griesheim-Einrichtung zum Entgraten von Formteilen mit flüssigem Stickstoff.
Lit.: gas aktuell **29**, 17–20 (1985).

Cryopel®-Verfahren. Messer Griesheim-Verf. zum Pelletieren u. Frosten biolog. Substrate.

Cryoprotektoren. Zusätze zu Zell- od. Protein-Suspensionen, die unerwünschte Veränderungen (Denaturierungen, Verlust der Enzymaktivität etc.) während der Aufbewahrung bei tiefen Temp. (Cryopräservation) verhindern sollen. C. wirken durch Gefrierpunktserniedrigung u. erhalten die Zellpermeabilität. Mehrfaches Einfrieren u. Auftauen der Zellsuspensionen kann so ohne größere Verluste an biolog. Aktivität vorgenommen werden. Die in der Praxis am häufigsten verwendeten Zusätze sind 5–10% *Dimethylsulfoxid (DMSO), *Glycerin od. *Saccharose. Zu weiteren Substanzen zur Senkung des Gefrierpunktes (Frostschutzmittel) s. Gefrierschutzmittel. – *E* cryoprotectants, antifreezes – *F* antigels – *I* anticongelanti – *S* anticongelantes
Lit.: Biosci. Rep. **14**, 259–281 (1994).

Cryosolv®-Verfahren. Messer Griesheim-Verf. zur Lsm.-Rückgewinnung durch Kondensation.
Lit.: gas aktuell **31**, 19–24 (1986).

Cryostop®-Verfahren. Messer Griesheim-Verf. zum gezielten Gefrieren eines Rohrinhalts.
Lit.: gas aktuell **23**, 7–12 (1982).

Cryptopin, Cryptocavin s. Protopin-Alkaloide.

Cryptoxanthin [(3*R*)-β,β-Carotin-3-ol].

$C_{40}H_{56}O$, M_R 552,88. *Carotinoid-Alkohol aus gelbem Mais, Eidotter, Butter, Kürbissen u. den Hülsen der Judenkirsche. Das all-*E*-C. bildet rote Krist., Schmp. 169 °C (3*R*-Form), 158–159 °C (racem.), gut lösl. in Chloroform, wenig lösl. in Methanol u. Ethanol. C. ist als Lebensmittel-Farbstoff (E 161c) zugelassen. – *E* cryptoxanthin – *F* cryptoxanthine – *I* = *S* criptoxantina
Lit.: Beilstein E IV **6**, 5111 ▪ Karrer, Nr. 1837 ▪ s. a. Carotinoide. – *[CAS 472-70-8]*

Crystex®. Unlösl. Schwefel für Kautschuk-Artikel. *B.:* Kali-Chemie.

Cs. Chem. Symbol für *Cäsium.

CS. 1. Abk. für *Chemical Society. – 2. US-Codename für (2-Chlorbenzyliden)-malonsäuredinitril als *Kampfstoff (Tränenreizstoff).

CSB. Abk. für Chem. Sauerstoff-*Bedarf*, eine nach einem genormten Verf.[1] ermittelte Kenngröße zur summar. Erfassung (Summenparameter) der oxidierbaren Inhaltsstoffe eines Wassers/Abwassers. Neben einigen anorgan. Stoffen wie Fe^{2+} u. reduzierte S-Verb. handelt es sich dabei nahezu ausschließlich um organ. Material (s. *Lit.*[2]). Hierzu bestimmt man den Verbrauch der Wasserprobe an Kaliumdichromat als Oxidationsmittel; die Reaktion wird in saurer Lsg. in Ggw. von Silbersulfat als Katalysator u. Quecksilbersulfat zur Maskierung von Chlorid-Ionen durchgeführt. Der CSB ist kein Abwasserbestandteil; zum Zusammenhang mit dem BSB s. dort. – *E* chemical oxygen demand (COD)

– *F* demande chimique en oxygene (DCO) – *I* fabbisogno chimico d'ossigeno – *S* requerimiento de oxígeno químico
Lit.: [1] DIN 38409, Tl. 41 (12/1980), Tl. 43 (12/1981), Tl. 44 (05/1992). [2] Römpp Lexikon Umwelt, S. 161.

CSE-Hemmer. Hemmstoffe des Cholesterin-Synth.-Enzyms, präziser der 3-Hydroxy-3-methylglutaryl (HMG)-CoA-Reduktase (EC 1.1.1.34; s. Mevalonsäure). Die Hemmung der körpereigenen *Cholesterin-Synth. führt dazu, daß vermehrt LDL-Rezeptoren gebildet werden (s. Lipoproteine), dadurch vermehrt LDL-Cholesterin aus dem Blut aufgenommen u. somit der Cholesterin-Blutspiegel gesenkt wird. Das ist bei allen Formen von *Hypercholesterinämie erwünscht, um das *Arteriosklerose-Risiko zu senken. Therapeut. eingesetzt werden Mevalonsäure-Derivate. Seit 1989 machen C.-H. ca. die Hälfte aller Verordnungen an *Lipidsenkern aus. Der erste C.-H., *Lovastatin, wurde aus einer *Aspergillus-Art isoliert; semisynthet. Analoga sind z. B. *Pravastatin u. *Simvastatin. – *E* CSE inhibitors – *F* inhibiteur de l'enzyme de synthétisation du cholestérol – *I* inibitore CSE
Lit.: Mutschler (7.), S. 437 f. ■ Pharm. Unserer Zeit **22**, 286–295 (1993) ■ Pharm. Ztg. **135**, 1919–1924 (1990) ■ Schwabe u. Paffrath, Arzneiverordnungsreport '95, S. 285 f., Stuttgart: Fischer 1995.

CSF. 1. Abk. von *E* colony-stimulating factors, s. Kolonie-stimulierende Faktoren. – 2. Nach DIN 7728 Tl. (01/1988) Kurzz. für *Casein-Formaldehyd in *Kunststoffen.

CSM. Kurzz. (nach DIN 55950, 04/1978) für *chlorsulfoniertes Polyethylen.

Csp s. cysteine string protein.

cSt. Abk. für *Centistokes.

C-Stoff s. Raketentreibstoffe.

CT. 1. Kurzz. (nach DIN 60001, Tl. 1, 08/1970) für Chemiefasern aus *Celluloseacetat. – 2. Abk. für *Charge-transfer(-Komplexe).

CTA. 1. Kurzz. (nach DIN 7728 Tl. 1, 01/1988) für Cellulosetriacetat. – 2. Abk. für *Chemisch-technische(r) Assistent(in).

CTAB. Abk. für *Cetyltrimethylammoniumbromid.

CTAC. Abk. für *Cetyltrimethylammoniumchlorid.

CTBN. Kurzz. für Carboxy-terminierten *Nitril-Kautschuk.

CTFE. Abk. für Chlortrifluorethylen, s. FCKW.

CTNR. Kurz. für Carboxy-terminierten *Polyisopren-Kautschuk.

C-Toxiferin I s. Curare.

CTP, CTP-Synthetase s. Cytidinphosphate.

CTX s. Ciguatoxin.

Cu. Chem. Symbol für *Kupfer.

CUB. Abk. für *Chemie-Umweltberatungs GmbH.

Cuban (Pentacyclo[4.2.0.0^{2,5}.0^{3,8}.0^{4,7}]octan.

C_8H_8, M_R 104,15. Schimmernde, farblose Rhomben, Schmp. 130–131°C, die sich bei ca. 200°C zersetzen. Die Herst. bedient sich – ähnlich wie bei anderen *Käfigverbindungen – meist photochem. Cycloisomerisierungsschritte, in denen aus einander gegenüberliegenden Doppelbindungen 4-Ringe gebildet werden. Bei Hydrierungen [1] u. unter dem Einfluß von Edelmetall-Verb. lagert sich C. in andere, ebenfalls käfigartige Verb. um. Die Synth. eines Tetraphosphacubans [2] mit alternierenden Kohlenstoff- u. Phosphor-Atomen sowie die Synth. eines Tetraphosphatetrasilacubans [3] gelang 1989; zur Phosphor-Funktionalisierung am Tertraphosphacuban s. *Lit.*[4], einen Ausblick in die C.-Chemie der 90er Jahre gibt *Lit.*[5]. – *E* = *F* cubane – *I* = *S* cubano
Lit.: [1] Angew. Chem. **89**, 430 f. (1977). [2] Angew. Chem. **101**, 1035 (1989). [3] Angew. Chem. **101**, 352 (1989). [4] Angew. Chem. **104**, 870 f. (1992). [5] Angew. Chem. **104**, 1447 f. (1992).
allg.: Helv. Chim. Acta **61**, 547–557 (1978) ■ Houben-Weyl **4/4**, 396 ff. ■ J. Am. Chem. Soc. **86**, 3157 (1964); **110**, 7232 (1988) ■ Merck-Index (12.), Nr. 2678 ■ Stang u. Diederich, Modern Acetylene Chemistry, S. 173–201, Weinheim: VCH Verlagsges. 1995 ■ Synthesis **1975**, 347–357 ■ Z. Chem. **8**, 121–128 (1968) ■ s. a. Käfigverbindungen u. Ringsysteme. – [CAS 277-10-1]

Cubanit. $CuFe_2S_3$, messing- bis bronzegelb metallglänzendes, lokal wichtiges, rhomb. Kupfer-Erzmineral, Kristallklasse mmm-D_{2h}, Struktur s. *Lit.*[1]; wandelt sich bei ca. 3,3 GPa Druck in eine hexagonale Hochdruck-Modif. um [2]. Gestreckte od. tafelige gestreifte Krist., dünntafelige Einlagerungen in *Kupferkies, massiv, derb. H. 3,5, D. 4,03–4,18; stark magnet. in einer Richtung.
Vork.: Z. B. Morro Velho/Brasilien, Sudbury in Ontario/Kanada, Barracanao/Cuba (Name!), mehrorts in Schweden. In kohligen Chondriten (*Meteoriten). – *E* = *F* = *I* cubanite – *S* cubanita
Lit.: [1] Z. Kristallogr. **132**, 276–287 (1970); **140**, 218–239 (1974); Am. Mineral. **77**, 937–944 (1992). [2] Am. Mineral. **80**, 1–8 (1995).
allg.: Anthony et al., Handbook of Mineralogy, Bd. 1, S. 117, Tucson (Arizona): Mineral Data Publishing 1990 ■ Ramdohr-Strunz, S. 438 f. – [HS 260300; CAS 12140-08-8]

Cubeben (Kubeben, Stielpfeffer). Bez. für die 6–8 mm langen, grau-schwarzen Früchte des indonesien heim. Kletterstrauches *Piper cubeba* L. f. (Piperaceae). C. enthalten 3–12% ether. Öl (Sabinen, Caren, Cineol, Cadinen, Cadinol), ca. 1% fettes Öl, Harze sowie das nichtflüchtige, wasserunlösl. *Cubebin* (Tetrahydro-3,4-dipiperonyl-2-furanol, $C_{20}H_{20}O_6$, M_R 356,36, Schmp. 131–132°C), das harntantisept. wirkt. C. werden gelegentlich als Pfefferersatz verwendet – *E* cubebs – *F* cubèbes – *I* cubebi – *S* cubebas
Lit.: Hager (5.) **6**, 194 ff. ■ Melchior u. Kastner, Gewürze, S. 46, 50–52, Berlin: Parey 1974. – [HS 121190; CAS 98-82-8 (Cubebin)]

Cubebin s. Cubeben.

Cucurbitacine.

	R^1	R^2	R^3	R^4	
	OH	O		CH_2OH	C.A
	OH	O		CH_3	C.B
	H	OH		CH_2OH	C.C

Umfangreiche Gruppe von tetracycl. *Triterpenen, die als Bitterstoffe in Gurken- u. Kürbisgewächsen (Cucurbitaceae) u. einigen Kreuzblütlern (*Cruciferae) vorkommen. Es handelt sich um ungesätt. Lanostan-Derivate mit Hydroxy- u. Keto-Gruppen, die ggf. acetyliert sind. Im Unterschied zum *Lanosterin ist eine anguläre Methyl-Gruppe an C-9, nicht an C-10 gebunden. Charakterist. für die C. ist eine 11-Oxo-Gruppe. Bisher wurden etwa 17 verschiedene C. isoliert. Alle haben eine Δ^5-Doppelbindung, in der Seitenkette liegt eine α,β-ungesätt. Carbonyl-Gruppe vor. Die C. unterscheiden sich an Ring A durch An- od. Abwesenheit einer Δ^1-Doppelbindung u. durch Substituenten an C-2 od. C-3. Die Hydroxy-Gruppe an C-25 liegt entweder frei od. acetyliert vor. Häufig anzutreffen sind C. B [Amarin, $C_{32}H_{46}O_8$, M_R 558,71, Krist., Schmp. 184–186 °C, $[\alpha]_D$ +87,5 (C_2H_5OH), LD_{50} (Maus p.o.) 5 mg/kg], C. C u. C. E [α-Elaterin, zusätzliche Doppelbindung an C-1/C-2, $C_{32}H_{44}O_8$, M_R 556,70, Schmp. 232–233 °C, $[\alpha]_D$ –60° ($CHCl_3$), LD_{50} (Maus p.o.) 340 mg/kg]. Die C. bewirken z. B. den Geschmack bitter gewordener Salatgurken (Geschmacksschwelle 10^{-6} Mol/L) u. sind stark abführend. Im Altertum war die Wildgurke wegen dieser Wirkung gefürchtet. Kultivierte Gurken (*Cucumis sativus*), die einen bitteren Geschmack aufweisen, sollten nicht gegessen werden. Daneben zeigen C. diuret., blutdrucksenkende u. antirheumat. Wirkung. Alle C. sind sehr toxisch. – *E = F* curcurbitacines – *I* cucurbitacine – *S* cucurbitacinas
Lit.: J. Chem. Ecol. **12**, 1109–1124 (1986) ■ Pharm. Unserer Zeit **7**, 149 (1978); **16**, 168, 174 (1987) ■ Phytochemistry **27**, 3225 (1988) ■ PTA Heute **4**, 4–8 (1990) ■ R.D.K. (4.), S. 795 ■ Tetrahedron Lett. **33**, 6755 (1992) ■ Zechmeister **29**, 307–362. – *[CAS 6199-67-3 (C. B); 18444-66-1 (C. E)]*

Cuen. Kurzbez. für den Kupfer-Ethylendiamin-Komplex [$Cu(H_2N-(CH_2)_2-NH_2)_2(OH)_2$] als Lsm. für *Cellulose.
Lit.: Ullmann (4.) **9**, 185; (5.) **A 5**, 378.

Cularin-Alkaloide.

R¹	R²	R³	
H	CH_3	CH_3	Cularidin
CH_3	CH_3	CH_3	Cularin (*R*-Form)
H		CH_2	Cularicin
H	CH_3	H	Cularcorin

Kleine Gruppe von Benzylisochinolin-Alkaloiden aus dem Lerchensporn (*Corydalis claviculata*, Fumariaceae, Erdrauchgewächse). Als bes. Strukturmerkmal weisen sie einen Oxepin-Ring auf.
Die Synth. erfolgt durch Diarylether-Bildung via Ullmann-Kondensation od. oxidative Phenol-Kupplung. C. haben anästhesierende u. blutdrucksenkende Eigenschaften[1]. – *E* cularine alkaloids – *F* alcaloïdes de cularine – *I* alcaloidi della cularina – *S* alcaloides de cularina

Tab.: Daten für Cularin-Alkaloide.

Name	Summen-formel	M_R	Schmp. [°C]	$[\alpha]_D$ (CH_3OH)	CAS
Cularcorin	$C_{18}H_{19}NO_4$	313,35	250	+188°	16209-79-3
Cularicin	$C_{18}H_{17}NO_4$	311,34	185	+295°	2271-08-1
Cularidin	$C_{19}H_{21}NO_4$	327,38	157	+282°	5140-50-1
Cularin	$C_{20}H_{23}NO_4$	341,41	115	+285°	479-39-0

Lit.: [1] Eur. J. Pharmacol. **196**, 183 (1991); Nat. Prod. Rep. **10**, 453 (1993).
allg.: Heterocycles **27**, 2783 ff. (1988) ■ Manske **29**, 287–325 ■ R.D.K. (4.), S. 300, 796 ■ Ullmann (5.) **A 1**, 372. – *[HS 2939 90]*

CULMINAL®. Marke für wasserlösl. Polymere auf Cellulose-Basis: Methylcellulose (MC) u. -Derivate wie Methylhydroxycellulose (MHEC) u. Methylhydroxypropoylcellulose (MHPC). *B.:* Aqualon (s. Hercules).

Culmomarasmin s. Welkstoffe.

Cult-Dip-Merck®. Eintauchnährböden für die Mikrobiologie. *B.:* Merck.

Cumalin s. Pyrone.

Cumarin [Coumarin, Chromen-2-on, Kumarin, 2*H*-1-Benzopyran-2-on, *o*-Cumar(in)säurelacton, Tonkabohnencampher].

R = H : Cumarinsäure
R = β-D-Glucopyranosyl : Glucosid der Cumarinsäure

$C_9H_6O_2$, M_R 146,14. Prismen (Schmp. 70 °C, Sdp. 297–299 °C) von brennendem Geschmack u. angenehm würzigem Geruch nach Vanille, D. 0,935, lichtempfindlich (Bildung von Dimeren). C. ist leicht lösl. in Alkohol, Chloroform, Ether u. ether. Ölen, schwer lösl. in Wasser. Bei Behandlung mit Alkali bildet C. die entsprechenden Cumarinsäure-Salze, bei der katalyt. Hydrierung entstehen 3,4-Dihydrocumarin bzw. Octahydrocumarin. C. leitet sich von 2*H*-*Chromen ab u. ist Grundkörper einer Reihe z.T. photoallergisierender u. -irritierender Naturstoffe wie z. B. des *Umbelliferons, des *Aesculins u. der *Furocumarine.
Synth.: C. läßt sich mittels Perkin-Synth. aus Salicylaldehyd od. durch den Raschig-Prozeß aus *o*-Cresol herstellen[1].
Vork.: C. kommt, teilw. in Form des Glucosids der Cumarinsäure, in den Blüten u. Blättern von vielen Gras- u. Kleearten, im Steinklee (*Meliotus*-Arten), im Waldmeister [*Galium (Asperula) odoratum*(a)], im Lavendel-Öl u. in der Tonkabohne [*Dipteryx odorata*] vor. Biosynthet. entsteht es durch Hydroxylierung von Zimtsäure, Glykosidierung u. Cyclisierung. Die Abspaltung des Zuckers erfolgt häufig bei Verletzung der Pflanzen (Duft frisch gemähten Grases) od. beim Welken (Heuduft).
Toxikologie: Größere Dosen C. verursachen heftige Kopfschmerzen, Erbrechen, Schwindel, Schlafsucht, noch höhere Dosen zentrale Lähmung u. Atemstillstand im Koma [LD_{50} (Ratte p.o.) 293 mg/kg u. (Meer-

Cumaron

schweinchen p.o.) 202 mg/kg], außerdem treten Leber- u. Nierenschädigung auf. C. wirkt im Tierversuch carcinogen. C. u. manche seiner Derivate wirken auf Pflanzen als *Hemmstoffe; bes. als *Keimungshemmstoffe.
Verw.: Hydroxycumarine wie z. B. das in faulendem Heu entstehende Dicumarin od. synthet. C.-Derivate (Coumachlor, Warfarin) sind infolge ihrer *Antikoagulantien-Wirkung für *Thrombose-Therapie u. als *Rodentizide geeignet. Andere C. werden wegen ihrer Fluoreszenz-Eigenschaften als *optische Aufheller u. als Farbstoffe für Laser verwendet. C. selbst kann als Riechstoff u. Fixateur in der Parfümerie sowie zur Odorierung techn. Produkte eingesetzt werden. Limonaden, Backwaren usw. sowie Tabak dürfen nach der Essenzen-VO nicht mehr mit C. od. C.-haltigen Pflanzen aromatisiert werden. Zum C.-Nachw. s. *Lit.*^{2} – *E* coumarin – *F* coumarine – *I* = *S* cumarina
Lit.: ^{1}Ullmann (5.) **A 1**, 208 f. ^{2}Int. Flavours Food Additives **9**, 223, 228 (1978).
allg.: Arch. Pharm. (Weinheim, Ger.) **311**, 52–58 (1978) ▪ Beilstein E V **17/10**, 143 ▪ Braun-Dönhardt, S. 119 f. ▪ Hager (5.) **4**, 898 f.; **7**, 1122 ff. ▪ Houben-Weyl **6/3**, 610–629 ▪ Karrer, Nr. 1318–1393, 4517–4548 ▪ Kirk-Othmer (4.) **7**, 647 (Review) ▪ Mendez u. Murray, The Natural Coumarins, Chichester: Wiley 1982 (702 Seiten) ▪ Sax (8.), CNV 000 ▪ Zechmeister **35**, 199–430. – *[HS 2932 21; CAS 91-64-5 (C.); 695-79-4 (Cumarinsäure)]*

Cumaron s. Benzofuran.

Cumaronharze s. Cumaron-Indenharze.

Cumaron-Indenharze (Inden-Cumaronharze). Die C.-I. sind die ältesten synthet. *Thermoplaste, die techn. Verw. gefunden haben. Sie fallen als *Copolymere bei der *Polymerisation der im Leichtöl des *Steinkohlenteers enthaltenen ungesätt. Verb. an. Zu diesen gehören neben *Inden *Benzofuran, deren 2-Methyl-Derivate, (Methyl-)*Styrol, *Cyclopentadien u. *Dicyclopentadien. Bei der durch Schwefelsäure od. Lewissäuren initiierten Polymerisation der Monomergemische erhält man hellgelbe bis schwarze, dickflüssige bis feste, bei Temp. bis ca. 170 °C schmelzende Massen. Die wirtschaftliche Bedeutung der C.-I. ist in den letzten Jahrzehnten zugunsten der *petrochemischen Harze zurückgegangen.
Verw.: In Kombination mit anderen Thermoplasten, Elastomeren u. Wachsen für Lacke, Beschichtungsmassen, techn. Gummimassen, Klebstoffe, Druckfarben u. zur Modifizierung von Epoxidharzen u. Polyurethanen. – *E* coumarone-indene resins, coal-tar resins – *F* résines de coumarone-indène – *I* resine cumaron-indeniche – *S* resinas de cumarona-indeno
Lit.: Elias (5.) **2**, 152 ▪ Encycl. Polym. Sci. Eng. **7**, 759 ff. ▪ Ullmann (4.) **9**, 641 ff.; **12**, 545 f. – *[HS 3911 10]*

o-Cumarsäure s. (*E*)-2-Hydroxyzimtsäure.

Cumatetralyl.

Common name für 4-Hydroxy-3-(1,2,3,4-tetrahydro-1-naphthyl)cumarin, $C_{19}H_{16}O_3$, M_R 292,3, Schmp. 172–176 °C, LD_{50} (Ratte oral) 16,5 mg/kg, LD_{50} (Kaninchen oral) >500 mg/kg, von Bayer 1957 eingeführtes *Rodentizid. – *E* = *F* coumatetralyl – *I* cumatetralile – *S* cumetetralil
Lit.: Farm ▪ Perkow ▪ Pesticide Manual. – *[HS 2932 29; CAS 5836-29-3]*

Cumberland-Soße. Würzsoße, die ursprünglich aus Fleischbrühe, Rotwein u. Pomeranzenschalen (unter Zusatz bestimmter Geschmackskorrigenzien) für die Verfeinerung u. Würzung von Pasteten, Wildgerichten u. Geflügel entwickelt wurde. Industrielle Fertigprodukte basieren auf der Verw. von Walfleischextrakt, Johannisbeergelee, engl. Senfmehl (Mustard), Orangen- u. Citronensaft, Olivenöl u. Dessertwein; sie enthalten außerdem Dickungsmittel.

Cummingtonit s. Amphibole.

Cumol (2-Phenylpropan, Isopropylbenzol). C_9H_{12}, M_R 120,19 (Formel s. Cumolhydroperoxid). Farblose Flüssigkeit, D. 0,864, Schmp. –96 °C, Sdp. 152–153 °C, FP. 31 °C c.c., lösl. in Ethanol u. Ether, wenig mischbar mit Wasser. Das Einatmen der Dämpfe in hohen Konz. führt zu Reizung der Atemwege u. hat betäubende Wirkung. Die Flüssigkeit wird auch über die Haut aufgenommen, Lebergift, MAK 50 ppm (MAK-Werte-Liste 1996), LD_{50} (Ratte oral) 1400 mg/kg, WGK 1. C. wird techn. ausschließlich durch Alkylierung von Benzol mit Propen hergestellt.
Verw.: C. dient überwiegend zur Herst. von Phenol nach dem Hock-Verf. (s. Hocksche Spaltung), C.-haltige Alkylierungsprodukte des Benzols werden zur Octanzahl-Verbesserung für Vergaserkraftstoffe eingesetzt. Sulfonierung führt zum Cumolsulfonat, das als Hydrotropikum (s. Hydrotropie) Verw. findet. – *E* cumene – *F* cumène, cumol – *I* cumene – *S* cumeno, cumol
Lit.: Beilstein E IV **5**, 985 ff. ▪ Hommel, Nr. 66 ▪ Kirk-Othmer (4.) **7**, 730 f. ▪ Ullmann (4.) **7**, 237; (5.) **A 13**, 257 f. ▪ Weissermel-Arpe (4.), S. 370 f. – *[HS 2902 70; CAS 98-82-8; G 3]*

Cumolhydroperoxid (α,α-Dimethylbenzylhydroperoxid).

R = H : Cumol
R = OOH : Cumolhydroperoxid

$C_9H_{12}O_2$, M_R 152,19, Schmp. 44–45 °C, erhältlich als farblose bis blaßgelbe Flüssigkeit von 80% C. in Cumol; wenig lösl. in Wasser, leicht lösl. in Alkohol, Aceton, Estern od. Kohlenwasserstoffen. Dämpfe u. Flüssigkeit reizen Atemwege, Lunge, Augen u. Haut, allerg. Erscheinungen möglich, WGK 2.
C. ist ein Zwischenprodukt bei der großtechn. Herst. von Phenol u. Aceton; es wird aus *Cumol durch Oxid. mit Luftsauerstoff hergestellt. Unter dem Einfluß von starken Säuren geht es in *Phenol u. *Aceton über (*Hocksche Spaltung):

$$H_5C_6-\underset{\underset{CH_3}{|}}{\overset{\overset{CH_3}{|}}{C}}-O-OH \longrightarrow H_3C-\overset{O}{\overset{\|}{C}}-CH_3 + H_5C_6-OH$$

C. dient ferner als Polymerisationsinitiator in Redox-Syst. bes. bei niederen Temp. (Cold Rubber), als flüs-

siger Härter für ungesätt. Polyesterharze u. als Ausgangsprodukt zur Herst. von *Dicumylperoxid, in organ. Synth. als Oxidationsmittel. – *E* cumene hydroperoxide – *F* hydroperoxyde de cumène – *I* idroperossido di cumene – *S* hidroperóxido de cumeno
Lit.: Beilstein E IV **6**, 3221 ff. ▪ Hommel, Nr. 251 ▪ Kirk-Othmer (4.) **7**, 734 f. ▪ Paquette **2**, 1407 ▪ Ullmann (4.) **7**, 29 ff.; **17**, 661; (5.) **A 13**, 258; **A 19**, 201 f. ▪ Weissermel-Arpe (4.), S. 383 f. – [*HS 2909 60; CAS 80-15-9; G 5.2*]

Cumolsulfonat s. Cumol.

Cuoxam. In der Chemiefaser-Ind. gebräuchliche Bez. für *Schweizers Reagenz als Lsm. für Cellulose bei der Herst. von *Kupferseide. – *E* = *F* = *I* = *S* cuoxam

10 CUP. Nach DIN 60001 Tl. 4 (08/1991) Kurzz. für *Kupferseide.

Cupanon®. Pulverisiertes Natronwasserglas. *B.:* Van Baerle.

Cuprate(I). Salze, welche komplexe Anionen des Typs [CuR$_2$]$^-$ enthalten (R = Alkyl, Alkenyl, Alkinyl, Aryl), s. Kupfer-organische Verbindungen. – *E* = *F* cuprates(I) – *I* cuprati(I) – *S* cupratos(I)

Cuprate(II). Salze, die die komplexen Anionen [Cu(OH)$_4$]$^{2-}$ od. [Cu(OH)$_6$]$^{4-}$ [Tetra- bzw. Hexahydroxocuprat(II)-Ionen] enthalten.

Cuprate(III). Salze, die das Anion CuO$_2^-$ enthalten.

Cupravit®. Fungizid auf der Basis von Kupfer(II)-hydroxid bzw. -oxidchlorid. *B.:* Bayer.

Cupren. Polymerisationsprodukt von *Acetylen in Ggw. von Kupfer-Kieselgur in Paraffinöl od. Methylnaphthalin bei 100–230 °C, od. in Ggw. von Kupfer u. geringen Mengen Magnesium bei 250–300 °C. C. bildet sich auch bei der Einwirkung von Licht sowie α- od. β-Strahlen auf Acetylen. Name von latein. cuprum = Kupfer. – *E* = *I* cuprene – *F* cuprène – *S* cupreno
Lit.: Beilstein E III **1**, 914 ▪ J. Polym. Sci. Part B **2**, 803–808 (1964).

Cupressaceae. Latein. Name für die zu den Coniferen zählenden, überall verbreiteten Zypressengewächse, zu denen u. a. die eigentliche *Zypresse, *Lebensbaum (*Thuja*), *Wacholder (*Juniperus communis*) u. Sadebaum (*J. sabina*) gehören. Typ. Inhaltsstoffe der C. sind phenol. *Terpene u. *Tropolon-Derivate, s. Zypressenöl. – *E* cupressaceae – *F* cupressacées – *I* cupressacee – *S* cupresáceas
Lit.: Frohne u. Jensen, Systematik des Pflanzenreichs, S. 93 f., Stuttgart: Fischer 1992.

Cupri... Veraltete Bez. für Kupfer(II)...

Cuprit (Rotkupfererz). Cu$_2$O, mit 88,8% Cu reichstes, lokal wichtiges Kupfererz. D. 5,8–6,2, H. 3,5–4, durchscheinend bis undurchsichtig karminrot, rotbraun bis grau, Strich bräunlichrot. C. krist. kub., Kristallklasse m3m – O$_h$; zur Struktur s. *Lit.*[1], zu Bindungsverhältnissen u. Ladungsdichte s. *Lit.*[2]. Krist. hauptsächlich oktaedr., auch nadel- bis haarförmig (Chalkotrichit, Kupferblüte). Auch derb, körnig u. dicht. Häufig in *Malachit umgewandelt. Lösl. in heißer Salzsäure.
Vork.: In *Oxidationszonen von sulfid. Kupfer-Erzen, z. B. Chessy bei Lyon/Frankreich, Onganja/Namibia (von hier auch als Edelstein verschliffen), Tsumeb/Namibia, Morenci u. Ray/Arizona u. New Mexico/USA; ferner in Mexiko, Chile u. Zaire. Zahlreiche *Synonyma: Ziegelerz* (C., verwachsen mit Brauneisen), *Kupferpecherz* (C., verwachsen mit *Tenorit CuO), *Kupferlebererz*. – *E* cuprite, red copper ore – *F* = *I* cuprite – *S* cuprita
Lit.: [1] Acta Crystallogr., Sect. **A 46**, 271–284 (1990). [2] Acta Crystallogr., Sect. **B 42**, 201–208 (1986).
allg.: Lapis **9**, Nr. 3, 5–6 (1984) ▪ Ramdohr-Strunz, S. 498 f. – [*HS 2603 00; CAS 1308-76-5*]

Cuprizon I s. Oxalsäurebis(cyclohexylidenhydrazid).

Cupro (Kurzz. CUP). Nach DIN 60001, Tl. 3 (10/1988) u. Tl. 4 (08/1991) Bez. für *Chemiefasern, die aus regenerierter *Cellulose bestehen u. nach dem Kupferoxidammoniak-Verf. hergestellt sind (*Kupferseiden). – *E* = *F* = *I* = *S* cupro

Cupro... Veraltete Bez. für Kupfer(I)...

Cuprodekapierung. Mit *Dekapieren wird allg. eine chem. Oberflächen-Vorbereitung (Aktivierung) metall. Werkstoffe vor dem Aufbringen von Schichten für den *Korrosionsschutz bezeichnet[1]. C. ist ein Verf., mit dem das zu behandelnde Werkstück in einem cyanid. Bad gleichzeitig elektrolyt. entfettet u. mit einem dünnen (ca. 0,5 µm) *Kupfer-Niederschlag versehen wird. Dieses Verf. führt zu einer sehr homogenen Ausgangsoberfläche u. zu einer guten Haftung anschließend elektrolyt. od. galvan. aufgebrachter, metall. Beschichtungen bei Eisen- u. Kupfer-Werkstoffen. Ein nennenswerter Korrosionsschutz ist durch die sehr dünne Cu-Schicht allerdings nicht gegeben. – *E* galvanic copper plating – *F* cuivrage – *I* cuprodecapaggio – *S* platinado galvánico de cobre
Lit.: [1] DIN 50902 (07/1994).

Cuprofix®. Substantive Nachkupferungsfarbstoffe für Cellulose-Fasern. *B.:* Sandoz.

Cuproin s. 2,2'-Bichinolin.

Cupron (α-Benzoinoxim).

$$H_5C_6-\underset{OH}{\underset{|}{C}}H-\underset{C_6H_5}{\underset{|}{C}}=N-OH$$

C$_{14}$H$_{13}$NO$_2$, M$_R$ 227,26, farbloses krist. Pulver, lösl. in Alkohol u. Ammoniak-Lsg., Schmp. 152 °C, gibt mit ammoniakal. Cu-Lsg. einen quant. grünen Niederschlag u. ist auch zum Nachw. von Molybdän u. Wolfram geeignet. Reagenz für die spektrometr. Bestimmung von Cu(II), Pd(II), Pt(IV), Rh(III) u. V(V). – *E* = *F* cupron – *I* cuprone – *S* cuprón
Lit.: Beilstein E IV **8**, 1282 ▪ Fries-Getrost, S. 211 f., 247 f. ▪ Merck-Index (12.), Nr. 1125. – [*HS 2928 00; CAS 441-38-3*]

Cuprophyten. Pflanzen, die ungewöhnlich hohe Konz. an (essentiellen) Kupfer-Ionen im Boden vertragen, z. B. Rassen von *Silene inflata* u. *Armeria maritima*. C. können oft mehr als 0,5% Massenanteil Kupfer im Boden vertragen; sie entgiften Kupfer durch Bindung an Zellwände, Komplexierung durch Aminosäuren od. z. Carbonsäuren, Bindung an Proteine (*Metallothionein) od. durch Akkumulation im Blattgewebe u. Eliminierung mit dem Blattfall; s. a. Metallophyten. – *E* copper plants – *F* cuprophiles – *I* cuprofiti – *S* cuprofitas
Lit.: Kabata-Pendias u. Pendias, Trace Elements in Soils and Plants (2.), Boca Raton: CRC 1985 ▪ Schlee (2.), S. 190–203.

Cuprorivait s. Ägyptisch Blau.

Cuprosklodowskit s. Sklodowskit.

Cuprum. Latein. Name für *Kupfer.

Curaçao. Feiner Fruchtaromalikör hergestellt unter überwiegender Verw. von Destillaten aus den bitteren, würzigen, unreifen Schalen einer auf der Insel Curaçao (Antillen) angebauten *Pomeranzen-Art. Heute ist C. durchweg eine Gattungsbez. für (die meisten) Liköre mit Orangenaroma, wie z. B. Cointreau, *Grand Marnier. – [HS 220890]

Curacin.

Antineoplast. wirksames Lipid aus dem marinen Cyanobakterium *Lyngbya majuscula*. $C_{23}H_{35}NOS$, M_R 373,60, Öl, $[\alpha]_D^{20}$ +86° (c 0,6/CHCl$_3$). C. hemmt die Tubulin-Polymerisation (bindet an die *Colchicin-Bindestelle des Tubulins). IC_{50} (verschiedene Tumorzelllinien): 1–10 nmol/l. – **E** curacin – **F** curacine – **I** curacina – **S** cura´cin

Lit.: J. Am. Chem. Soc. 117, 5612 (1995) ▪ J. Nat. Prod. 58, 1961 (1995) ▪ Tetrahedron Lett. 36, 1189 (1995); 37, 953, 1795, 1799 (1996). – [CAS 155233-30-0]

Curare. Sammelbez. für Pfeilgifte, die von den Indianern des trop. Südamerika in den Stromgebieten des Orinoko u. Amazonas aus den Rinden vieler *Strychnos*-Arten hergestellt werden. Auch andere Gewächse finden dazu Verwendung. Die einzelnen Indianervölker haben außer C. noch viele andere Bez. für dieses einfache od. zusammengesetzte Gift[1] (z. B. Urary, d. h. eine Flüssigkeit, die Vögel töten kann). Unter den ca. 40 Alkaloiden, die C. enthält, zeigen nur diejenigen die typ. Giftwirkung, die zwei quaternäre Stickstoff-Atome besitzen. Je nach Zusammensetzung unterscheidet man:

Kalebassen-C.: Sirupdicke Masse, in Flaschenkürbisse verpackt, die darin enthaltenen Alkaloide sind meist vom *Strychnin- seltener vom *Yohimbin-Typ. Einzelne Vertreter sind C-*Toxiferin-I* (als Dichlorid: $C_{40}H_{46}Cl_2N_4O_2$, M_R 685,73, Schmp. >350 °C, $[\alpha]_D^{22}$ –546°), *C-Dihydrotoxiferin* ($C_{40}H_{46}Cl_2N_4$, M_R 653,73, Schmp. >300 °C), *C-Curarin-I* (als Dichlorid: $C_{40}H_{44}Cl_2N_4O$, M_R 667,81, Nadeln, Schmp. >350 °C, $[\alpha]_D^{20}$ +73,6°, lösl. in Wasser u. Alkohol) u. *C-Calebassin* (C- steht für Calebassen).

R¹	R²	R³	
H	H	H	C-Dihydrotoxiferin
OH	H	H	C-Toxiferin-I
H		O	C-Curarin-I = Toxiferin

Tubo-C.: Pastenförmige od. harte dunkle Masse. Im Handel in Bambusröhren mit Palmblättern verschlossen. *Topf-C.:* Trockener, schwarzbrauner Extrakt, verpackt in kleinen mit Palmblättern zugebundenen Töpfchen. Hauptalkaloide dieser Zubereitungen sind *Tubocurarin* (als Dichlorid, $C_{37}H_{42}Cl_2N_2O_6$, M_R 681,65, Schmp. 268–270 °C, lösl. in Methanol, weniger lösl. in Wasser u. Ethanol) u. *Curarin*.

Tubocurarindichlorid

Verw.: C. wird zur Jagd verwendet, am häufigsten werden hierfür Blasrohre benutzt; diese werden vorzugsweise aus einem bambusartigen Rohr (*Arundinaria schomburgki*), das die Indianer „*Curata*" nennen, angefertigt[1].

Physiolog. Wirkung: Gerät C. in die Blutbahn, lähmt es schon in außerordentlich geringen Mengen (beim Frosch genügen 10 μg) die Endplatten der motor. Nerven in den quergestreiften, willkürlich bewegbaren Muskeln, so daß nacheinander die Muskeln in den Beinen u. Armen, am Kopf, am Rumpf u. Brustkorb bewegungsunfähig werden; der Tod tritt schnell durch Atemlähmung ein, die Herzmuskulatur ist von der Lähmung nicht betroffen. Das Fleisch der mit C. getöteten Tiere ist eßbar, da C. über den Magen-Darm-Trakt aufgenommen erst in relativ hohen Dosen giftig wirkt. Beim Menschen wirken ca. 50–120 mg giftig. Als Antidot können Acetylcholinesterase-Hemmer wie *Neostigmin verabreicht werden.

Geschichte[1]: Einzelne alte Funde sprechen für ein sehr hohes Alter des Giftgebrauchs, von den Giftpfeilen erhielt man in Europa erste Kunde nach der Weltumsegelung Magalhaes (1522), durch Sir Walter Raleigh (1596) u. Herrera (1601). Barrère berichtete 1741, daß das Gift aus einer Liane stamme, erst Humboldt u. Bonpland konnten im 1800 einen Curare-Herst. kennen. Die Inhaltsstoffe von C. sind aufgrund der Untersuchungen von H. O. Wieland u. vor allem Karrer, der mit seinen Mitarbeitern allein aus Kalebassen-C. über 30 verschiedene Alkaloide isolieren konnte, bekanntgeworden. – **E** = **F** = **S** curare – **I** curari

Lit.: [1] Lewin, Die Pfeilgifte, S. 413 f., Hildesheim: Gerstenberg 1984.
allg.: Conseiller et al., Curares and Curarisation, Amsterdam: Excerpta Med. 1980 ▪ Czygan, Hrsg., Biogene Arzneistoffe, S. 10, Braunschweig: Vieweg 1984 ▪ Hager (5.) **4**, 854; **6**, 818–830, 842 ▪ Teuscher u. Lundequist, Biogene Gifte, S. 420, Stuttgart: Fischer 1994 ▪ Ullmann (5.) **A 1**, 370 ff. – [CAS 8063-06-7; 7168-64-1 (C-Curarin-I); 6888-23-9 (C-Toxiferin-I); 57-95-4 ((+)-Tubocurarin-Dikation); 6533-76-2 (Tubocarindichlorid)]

Curaterr® (Curater). Insektizid u. Nematizid auf der Basis von Carbofuran zur Verw. im Reis-, Mais-, Rüben-, Kartoffel-, Erdnuß-, Tabak- u. Baumwollbau. *B.:* Bayer.

Curatoderm®. Salbe mit dem Vitamin-D$_3$-Analogon Tacalcitol gegen Psoriasis. *B.:* Hermal.

Curco®. Konservierungsmittel für Sauerkonserven. *B.*: Merck.

Curcuma (Gelbwurz, Gelber Ingwer). Längliche, fingerdicke, bräunlichgelbe, harte *Rhizome der im trop. Asien u. Afrika angebauten *Curcuma longa* L. (Zingiberaceae). Die Stücke riechen u. schmecken ähnlich wie *Ingwer; sie enthalten neben dem Farbstoff *Curcumin ca. 5,8% ether. Öl, das hauptsächlich aus einem alicycl. u. einem aromat. Sesquiterpenketon (Turmeron) sowie *Zingiberen besteht. C. ist nicht nur im *Senf enthalten, sondern auch ein Hauptbestandteil von *Curry-Pulver; es bestimmt sowohl dessen gelbe Farbe als auch die verdauungsfördernde Wirkung, da C. ausgesprochene *Cholagoga-Eigenschaften aufweist. Diese Wirkung tritt in den Arten *C. zedoaria* (*Zitwer) u. *C. xanthorrhiza* Roxb. (Javan. Gelbwurz [1]) bes. in Erscheinung. – *E* curcuma, turmeric, Indian saffron – *F* curcuma, safran des Indes – *I* curcuma – *S* cúrcuma

Lit.: [1] Bundesanzeiger 122/06.07.88 u. 164/01.09.90; Wichtl (2.), S. 191 f.
allg.: Bundesanzeiger 223/30.11.85 u. 164/01.09.90 ▪ DAB 1996 u. Komm. ▪ Hager (5.) **4**, 1084–1102 ▪ Melchior u. Kastner, Gewürze, S. 157–162, Berlin: Parey 1974 ▪ Wichtl (2.), S. 297 ff. – *[HS 091030]*

Curcumapapier s. Curcumin.

Curcumene.

α-Curcumen   β-Curcumen   γ-Curcumen

Gruppe von Sesquiterpenen, die zunächst aus der Wurzel des Ingwergewächses *Curcuma aromatica* isoliert wurden. Sie sind weitverbreitete Inhaltsstoffe zahlreicher Pflanzen. Man unterscheidet α-*Curcumen* {$C_{15}H_{22}$, M_R 202,34, Öl, Sdp. (2,3 kPa) 137 °C, $[\alpha]_D^{20}$ +36,2°, beide Enantiomere [(R)-(–)-Form, (S)-(+)-Form] kommen in der Natur vor}, β-*Curcumen* {(S)-(+)-Form, $C_{15}H_{24}$, M_R 204,36, Öl, Sdp. (0,29 kPa) 98–100 °C, $[\alpha]_D^{20}$ +26,7°} u. γ-*Curcumen* {(S)-(+)-Form, $C_{15}H_{24}$, M_R 204,36, Öl, Sdp. (0,4 kPa) 94 °C, $[\alpha]_D^{20}$ +31,8°}.

Curcumenether   Curcumenol

Vom α-C. leitet sich *Curcumenether* [1] ab ($C_{15}H_{20}O$, M_R 216,32). Ein anderes wichtiges Derivat ist *Curcumenol* [2] ($C_{15}H_{22}O_2$, M_R 234,34, Krist., Schmp. 119 °C), dessen Struktur ein Guajan-Syst. zugrunde liegt. – *E* curcumenes – *F* curcumènes – *I* curcumeni – *S* curcumenos

Lit.: [1] Indian J. Chem. **12**, 1202 (1974). [2] Chem. Pharm. Bull. **16**, 39 (1968).
allg.: Beilstein E IV **5/1**, 1173; **5/2**, 1465 ▪ Karrer, Nr. 42, 1870, 1871 ▪ Tetrahedron **44**, 4757–4766 (1988) ▪ Tetrahedron Lett. **1979**, 2155. – *[CAS 4176-17-4 (α-C., (R)-(–)-Form); 4176-06-1 (α-C., (S)-(+)-Form); 451-56-9 (β-C., (S)-(+)-Form); 28976-68-3 (γ-C., (S)-(+)-Form); 19431-84-6 (Curcumenol)]*

Curcumin {Curcumagelb, C.I. 75 300, 1,7-Bis(4-hydroxy-3-methoxyphenyl)-1,6-heptadien-3,5-dion; Enol-Form}.

$C_{21}H_{20}O_6$, M_R 368,39, orange Prismen, Schmp. 183 °C, lösl. in Alkohol u. Eisessig, unlösl. in Wasser u. Ether. C. ist der Farbstoff der Gelbwurzgewächse, bes. *Curcuma xanthorriza* u. *C. domestica*. C. löst sich in alkal. Lsg. mit rotbrauner u. in saurer Lsg. mit hellgelber Farbe, der Umschlagspunkt liegt im Bereich von pH 8–9. Mit *Curcuma-Extrakt getränktes Fließpapier wird deshalb zum Nachw. von Alkalien benutzt. Mit Curcuma-Papier kann auch ein Nachw. auf Borate geführt werden, da diese zusammen mit Oxalsäure in alkal. Lsg. eine grünschwarze Färbung verursachen.
Verw.: C. ist ein wichtiger Bestandteil von ind. *Curry u. wird als Lebensmittel-Farbstoff (E 300) bei Zuckerwaren, Puddingen, Likören u. Öl, aber auch in Holz, Lack, Papier, Salben, Wachs etc. gebraucht. C. hemmt die Lipid-Peroxidation u. wirkt antibakteriell [1]. – *E* curcumin – *F* curcumine – *I* = *S* curcumina

Lit.: [1] Chem. Ind. (London) **1994**, 289.
allg.: Acta Chem. Scand., Ser. B **36**, 475 (1982) ▪ Beilstein E IV **8**, 3697 ▪ Dtsch. Apoth. Ztg. **129**, 953 (1989) ▪ Schweppe, S. 810 ▪ Ullmann (5.) **A 11**, 572. – *[HS 2914 50; CAS 458-37-7]*

Curdlan. Bez. für ein neutrales Biopolymer, das in linearer Form vorliegt u. fast ausschließlich aus β-1,3-verknüpfter Glucose aufgebaut ist (β-1,3-*Glucan, Kettenlänge bis >400). C. wird von *Alcaligenes faecalis* var. *myxogenes* od. *Agrobacterium radiobacter* in der stationären Phase des Wachstums produziert. Während der Fermentation wird neben C. Succinoglucan gebildet mit zusätzlich ca. 10% Bernsteinsäure, Galactose u. 1,6- bzw. 1,4-glykosid. Verknüpfungen. C. ist bei 20 °C. nicht wasserlösl. u. bildet oberhalb 54 °C ein thermostabiles, elast. Gel. Bei 120 °C ändert sich die mol. Struktur von der Einzelstrang- zur Dreifach-*Helix. C. wird im Magen-Darm-Trakt nicht abgebaut u. kann als kalorienarmes Dickungsmittel Nahrungsmitteln zugesetzt werden. Weiterhin wird C. auch als Trägersubstanz für immobilisierte *Enzyme u. *Mikroorganismen, als Molekularsieb u. zur Herst. von wasserunlösl., luftundurchlässigen, jedoch biolog. abbaubaren Folien verwendet. – *E* = *F* = *I* = *S* curdlan
Lit.: Biotechnol. Lett. **11**, 125 (1989). – *[CAS 54724-00-4]*

Cure-Rite® 18. Vulkanisationsbeschleuniger auf der Basis eines Thiocarbamoylsulfonamids. *B.*: Goodrich.

Curie. Nach Marie u. Pierre *Curie benannte Maßeinheit für die Aktivität radioaktiver Stoffe. Nach der Definition von 1910 war 1 C. (Symbol C) auf *Radon bezogen; nach der Definition von 1951 versteht man unter 1 C. (Symbol c, seit 1965 Ci) die Menge irgendwelcher radioaktiver Atomkerne, in der $3,7 \cdot 10^{10}$ Zerfälle/s eintreten, d.h. die die gleiche Strahlungsaktivität besitzt wie 1 g Radium. Nach dem Gesetz über Einheiten im Meßwesen wird die Aktivität nach dem 1.1.1986 einheitlich in reziproken Sekunden (*Becquerel) angegeben: 1 Ci = $3,7 \cdot 10^{10}$ s^{-1} = 37 GBq; 1 Bq ≈ 27,03 pCi. – *E* = *F* = *I* = *S* curie

Lit.: Kohlrausch, Praktische Physik, Bd. 2, Stuttgart: Teubner 1985 ▪ Petzold u. Krieger, Strahlenphysik, Dosimetrie u. Strahlenschutz, Bd. 1, Stuttgart: Teubner 1988.

Curie, Marie geb. Sklodowska (1867–1934), Prof. für Physik, Sorbonne Paris, Ehefrau von Pierre *Curie u. Mutter von Irène *Joliot-Curie. *Arbeitsgebiete:* Physikal., chem. u. biolog. Wirkungen der Radioaktivität, Entdeckung des Radiums u. Poloniums (1898, zusammen mit ihrem Mann), Nobelpreis für Physik 1903 für die Erforschung der Radioaktivität (zusammen mit ihrem Mann u. A. *Becquerel), Reinherst. des Radiums (1910), Nobelpreis für Chemie 1911.
Lit.: Curie, Madame Curie, Frankfurt: Fischer 1977 ▪ Krafft, S. 93 f. ▪ Neufeldt, S. 101 f., 355, 364 ▪ Nobel Lectures, Chemistry, 1901–1921, S. 199–214, Amsterdam: Elsevier 1966 ▪ Pötsch, S. 103 f. ▪ Poggendorff **7b/2**, 941 ff. ▪ Sciene **160**, 1197 ff. (1968) ▪ Wolczek, Marie Sklodowska-Curie u. ihre Familie, Leipzig: Teubner 1980 ▪ s. a. Pierre Curie.

Curie, Pierre (1859–1906), Prof. für Physik, Sorbonne Paris, Ehemann von Marie *Curie, Vater von Irène *Joliot-Curie. *Arbeitsgebiete:* Entdeckung der Piezoelektrizität, Temp.-Abhängigkeit der magnet. Eigenschaften (s. Curie-Temperatur), Erforschung der natürlichen Radioaktivität. Entdeckung des Radiums u. Poloniums (1898, zusammen mit seiner Frau; gemeinsam mit ihr u. A. *Becquerel Nobelpreis für Physik 1903).
Lit.: Krafft, S. 93 f. ▪ Neufeldt, S. 101 f., 355 ▪ Nobel Lectures, Physics 1901–1921, S. 47–51, 79–83, Amsterdam: Elsevier 1967 ▪ Pötsch, S. 103 f.

Curie-Punkt(-Pyrolyse) s. Curie-Temperatur.

Curiesches Gesetz s. Magnetochemie, Curie-Weißsches Gesetz.

Curie-Temperatur (Curie-Punkt). Von P. *Curie 1895 erstmals beobachtete, für jeden ferromagnet. Stoff jeweils spezif. *Umwandlungstemperatur. Die C.-T. T_C ist die Temp., oberhalb der die spontane Magnetisierung verschwindet; sie trennt die ungeordnete paramagnet. Phase bei $T > T_C$ von der geordneten ferromagnet. Phase bei $T < T_C$. *Beisp.:* Eisen ist bis 768 °C ferromagnet. u. darüber paramagnet.; für Ni liegt die C.-T. bei 358 °C, für Gd bei 16 °C. Umgekehrt kann man den Effekt der C.-T. zur Erzielung einer (durch die Zusammensetzung des ferromagnet. Materials in der Höhe vorgegebenen) konstanten Temp. heranziehen, z. B. bei der auch in der *Gaschromatographie eingesetzten sog. *Curiepunkt-Pyrolyse.* – *E* Curie temperature – *F* température de Curie – *I* temperatura di Curie – *S* temperatura de Curie
Lit.: Bergmann u. Schaefer, Lehrbuch der Experimentalphysik, Bd. 6, Festkörper, S. 724, Berlin: de Gruyter 1992 ▪ Kohlrausch, Praktische Physik, Bd. 2, S. 36, Stuttgart: Teubner 1996 ▪ Weißmantel u. Hamann, Grundlagen der Festkörperphysik, S. 622 Heidelberg: Barth 1995 ▪ Kirk-Othmer (4.) **10**, 388.

Curie-Weißsches Gesetz. Das C.-G. beschreibt die Temperaturabhängigkeit der *magnetischen Suszeptibilität χ durch $\chi = M/B = C/(T+\Delta)$ mit M = Magnetisierung, B = angelegtes Magnetfeld, T = *absolute Temperatur u. C = Curie-Konstante. Bei einigen paramagnet. Stoffen ist $\Delta = 0$ u. es gilt das einfache Curiesche Gesetz. – *E* Curie Weiss law – *F* loi de Curie-Weiß – *I* legge Curie-Weiß – *S* ley de Curie-Weiß

Lit.: Bergmann u. Schaefer, Lehrbuch der Experimentalphysik, Bd. 6, Festkörper, S. 720 ff., Berlin: de Gruyter 1992 ▪ Kohlrausch, Praktische Physik, Bd. 2, S. 36, Stuttgart: Teubner 1996 ▪ Weißmantel u. Hamann, Grundlagen der Festkörperphysik, S. 612, 623, Heidelberg: Barth 1995 ▪ Kirk-Othmer (4.) **10**, 414.

Curing. Von *E* cure = heilen übernommene Bez. für die gezielte Eigenschaftenveränderung von Harzen od. Gummi-Mischungen durch chem. Reaktionen, die meist unter Anwendung von Wärme u. Druck durchgeführt werden. Die stofflichen Veränderungen verlaufen im allg. über eine Erhöhung der *Molmasse über Vernetzungsreaktionen, ggf. unter Einsatz bestimmter Vernetzungsmittel. C. wird in der Gummi-Ind. auch als *Vulkanisation bezeichnet. In der Lebensmittel-Ind. versteht man unter C. Pökel- u. Räucherprozesse. – *E* curing – *F* vulcanisation – *I* curing, curare – *S* curado
Lit.: Encycl. Polym. Sci. Eng. **4**, 519 ff. ▪ Mark u. Erman, Rubberlike Elasticity, S. 21 ff., New York: Wiley 1988 ▪ Randell (Hrsg.), Radiation Curing of Polymers II, Cambridge: R. Soc. Chem. 1991.

Curium (Symbol Cm). Künstliches radioaktives *Actinoiden-Element, Ordnungszahl 96 (*Transurane). Isotope 238–251 mit HWZ zwischen 16,8 min u. $1,56 \cdot 10^7$ a. Das häufigste Isotop 244, HWZ 18,11 a, ist ein α-Strahler mit Teilchenenergien von 5,81 MeV. Wegen seiner äußerst starken Radioaktivität ist Cm nur unter sorgfältigen Abschirmbedingungen zu handhaben. Cm-Metall ist silberweiß, duktil u. läuft an der Luft rasch an. Es krist. in hexagonalem Doppelschichtengitter, D. 13,51; außerdem sind 2 weitere Modif. bekannt (kub.-flächenzentriert u. orthorhomb.). Schmp. 1340 ± 40 °C, Sdp. 3110 °C. In seinen Verb. ist Cm im allg. 3-wertig, z. B. die in Lsg. farblosen Halogenide, in festem Zustand auch 4-wertig, z. B. schwarzes CmO_2. Die 3-wertigen Verb. ähneln in ihren Eigenschaften denen der 3-wertigen *Lanthanoide [1].
Physiologie: Als α-Strahler wirkt Cm zellschädigend; die Ablagerung im Organismus erfolgt bevorzugt in der Knochensubstanz. Die Aufnahme von Cm über die Nahrungskette ist nach Untersuchungen von Bulman allerdings gering u. eine Anreicherung nicht zu beobachten [2].
Herst.: Cm ist durch sukzessiven Neutroneneinfang von Plutonium in Kernreaktoren u. Abtrennung von den Begleitprodukten durch Ionenaustausch od. extraktive Chromatographie zu gewinnen; bisher wurden Mengen von mehreren kg hergestellt. Metall. Cm läßt sich durch Red. von CmF_3 mit Barium-Metall herstellen.
Verw.: Cm-Isotope in sog. Atombatterien als Wärmequelle zur direkten Stromerzeugung z. B. in Satelliten od. Herzschrittmachern, zur Herst. von isotopenreinem $^{238}_{94}Pu$ für Plutonium-Batterien sowie als Strahlenquelle bei der Materialprüfung.
Geschichte: Cm wurde 1944 von Seaborg u. a. durch Beschießen von Pu mit α-Teilchen des Berkeley-Cyclotrons gemäß $^{239}Pu(\alpha,n)^{242}Cm$ erstmals dargestellt; der Name wurde Marie *Curie zu Ehren vorgeschlagen. – *E* = *F* curium – *I* = *S* curio
Lit.: [1] Chem.-Ztg. **104**, 77–104 (1980). [2] Naturwissenschaften **65**, 137–143 (1978).

allg.: Hollemann-Wiberg (101.), S. 1797–1800 ▪ Nenot u. Stather, The Toxicology of Plutonium, Americium and Curium, Oxford: Pergamon 1979 ▪ s.a. Actinoide u. Transurane. – [HS 2844 40; CAS 7440-51-9]

Curl, Robert F. Jr. (geb. 1933), Prof. für Chemie, Rice University, Houston, Texas/USA. *Arbeitsgebiet:* Kohlenstoff-Verb., *Fullerene. 1996 erhielt er zusammen mit Kroto u. Smalley den Nobelpreis für Chemie für die Strukturaufklärung der Kohlenstoff-Modif. C_{60} als einem nahezu kugelförmigen, äußerlich einem traditionellen Fußball ähnelnden, polycycl. Aromaten.
Lit.: Nachr. Chem. Tech. Lab. **44**, Nr. 11, 1070 (1996).

Curo®. Lsm.-freie Kunstharzdispersionen zur Palettensicherung von Papiersäcken, Kartonagen, Polyethylen-Säcken. *B.:* Henkel.

CUROX®. Kaliummonoperoxosulfat der Peroxid-Chemie, als Tripelsalz $2 KHSO_5/KHSO_4/K_2SO_4$. *B.:* Peroxid-Chemie GmbH.

Current Abstracts of Chemistry and Index Chemicus®. Die wöchentlich erscheinenden Hefte des (1960 als *Index Chemicus* gegr.) *Referateorgans CAC & IC enthält neben vollständigen bibliograph. Angaben die von den Originalautoren der referierten Zeitschriftenaufsätze angefertigten Eigenreferate, Formelbilder u. Reaktionsschemata sowie konz. Angaben über die in den referierten Arbeiten angewandten physikal. Analysenmethoden. Alle in CAC & IC erfaßten neuen Verb. (ca. 210 000/a aus über 100 Zeitschriften, seit 1960 ca. 4,5 Mio.) werden in der sog. Wiswesser Linearnotation verschlüsselt; sie können über den *Chemical Substructure Index* od. das *Index Chemicus Registry System* (ICRS) entweder als Ganzes od. als Strukturfragmente wieder aufgefunden werden. Einmal monatlich werden neue chem. Reaktionen registriert (*Current Chemical Reactions*). *B.:* ISI. – INTERNET-Adresse: http://www.isinet.com.

Current Chemical Reaction s. Current Abstracts of Chemistry and Index Chemicus.

Current Contents®. Wöchentlich erscheinender *Schnellinformationsdienst, der sich darauf beschränkt, die Inhaltsverzeichnisse von 1350 einschlägigen Fachzeitschriften photomechan. verkleinert wiederzugeben. Mit C. C. hat der Leser zwar jährlich ca. 292 000 Aufsatztitel aus allen wichtigen Zeitschriften seines Gebietes (es gibt folgende Ausgaben der C. C.: Physical, Chemical and Earth Sciences; Life Sciences; Agriculture, Biology and Environmental Sciences; Engineering, Technology and Applied Sciences; Clinical Practice; Social and Behavioral Sciences; Arts and Humanities) vor sich, aber er kann nur vom (ggf. unpräzise gefaßten) Titel eines Aufsatzes auf dessen evtl. Wichtigkeit schließen. Seit 1994 können ausgewählte Daten aus den C. C. über *STN International in der Datenbank SciSearch abgerufen werden. Jedes Heft der C. C. enthält ein Verzeichnis der Anschriften sämtlicher Autoren, die im jeweiligen Heft in den Inhaltsverzeichnissen erwähnt werden, ein Verzeichnis mit Titeln neu erschienener Bücher u. bibliograph. Informationen sowie ein Sachverzeichnis. *B.:* ISI. – INTERNET-Adresse: http://www.isinet.com.

Curry. 1. Currypulver: Aus Indien stammende, durch *Curcuma gelb gefärbte, charakterist. riechende Gewürzmischung, die zum Würzen von Fleisch-, Fisch-, Geflügel- u. Gemüsegerichten u. zur Herst. von Soßen (u. a. *Worcester-Sauce) dient. Die aromatisierenden Bestandteile des C.-Pulvers sind: Gewürznelken, Gewürzpaprika, *Ingwer, *Kardamom, *Koriander, *Kreuzkümmel, Macis, *Pfeffer u. *Zimt, gelegentlich auch noch *Bockshornklee, Chillies, *Fenchel, *Lorbeer-Blätter, *Piment, *Rosmarin, *Senf-Samen u. *Sternanis sowie Blätter einer ind. Rutacee. – 2. In Indien das mit Currypulver gewürzte Gericht (nicht die Gewürzmischung). – *E = F = I = S* curry.
Lit. (zu 1.): Belitz-Grosch (4.), S. 887 ▪ Hager **4**, 387 ▪ Herrmann, Exotische Lebensmittel, S. 134, Berlin: Springer 1983. – [HS 0910 50]

Curtius, Theodor (1857–1928), Prof. für Chemie, Kiel, Bonn, Heidelberg. *Arbeitsgebiete:* Stickstoff-Wasserstoff-Verb., Diazo- u. Azido-Verb., Stickstoffwasserstoffsäure, Hydrazin; *Curtius-Umlagerung.
Lit.: Neufeldt, S. 74, 83, 87, 93 ▪ Pötsch, S. 104.

Curtius-Umlagerung. Von *Curtius 1894 entdeckte Reaktion, bei der Acylazide zu Isocyanaten thermolysiert werden. In Ggw. von Wasser entstehen durch Zerfall der prim. gebildeten Carbamidsäure Amine (Carbonsäure-Abbau zu einem um ein Kohlenstoff-Atom ärmeres Amin). Entsprechend erhält man in Ggw. von Alkoholen *Urethane. In mechanist. Hinsicht wird eine, mit der Stickstoff-Abspaltung simultane 1,2-Wanderung des R-Restes angenommen, obwohl bei der photochem. induzierten Stickstoff-Abspaltung eine elektronendefiziente *Nitren-Zwischenstufe nicht ausgeschlossen werden kann[1,2,3]; vgl. Beckmann-Umlagerung, Lossen-Abbau, Hofmannscher Abbau u. Schmidt-Reaktion.

$$R^1-C(=O)-\overset{-}{N}-\overset{+}{N}\equiv N \xrightarrow[-N_2]{h\nu} \left[R^1-C(=O)-N\right] \text{ Nitren}$$

$$\downarrow \Delta, [1,2\text{-}R^1\text{-}] , -N_2 \qquad \downarrow [1,2\text{-}R^1\text{-}]$$

$$R^1-N=C=O \quad \text{Isocyanat}$$

$$\swarrow +H_2O \qquad \searrow +R^2-OH$$

$$\left[R^1-NH-C(=O)-OH\right] \qquad R^1-NH-C(=O)-OR^2 \quad \text{Urethan}$$

Carbamidsäure

$$\downarrow -CO_2$$

$$R^1-NH_2$$

– *E* Curtius rearrangement – *F* réarrangement de Curtius – *I* trasposizione di Curtius – *S* transposición de Curtius
Lit.: [1] Mech. Mol. Migr. **2**, 267–318 (1967). [2] Lwoski, Nitrenes, S. 217–221, New York: Interscience 1970. [3] Angew. Chem. **79**, 922–931 (1967), engl.: **6**, 897–906.
allg.: Hassner-Stumer, S. 83 ▪ Laue-Plagens, S. 76 ff. ▪ March (4.), S. 1091 f. ▪ Patai, The Chemistry of the Azido Group, S. 397–405, New York: Wiley 1971 ▪ Trost-Fleming **6**, 806 ff.
▪ s. a. Nitrene u. Umlagerungen.

Cusc(o)hygrin [Cuskhygrin, Bellardin, 1,3-Bis(1-methyl-2-pyrrolidinyl)-2-propanon].

$C_{13}H_{24}N_2O$, M_R 224,35, Öl, Sdp. (0,3 kPa) 118–125 °C, Krist. mit 3,5 Mol H_2O, Schmp. 40–41 °C, $D.^{20}$ 0,9733, n^{20} 1,4832, lösl. in Wasser, Alkohol, Ether u. Benzol. Natürliches C. ist entweder die *meso*-Form od. ein Gemisch der *meso*-Form mit den D- u. L-Formen. Wie andere Alkaloide ähnlicher Struktur racemisiert es leicht, die opt. aktive Form ist unbekannt. C. kommt in vielen Pflanzen, u. a. im Cocastrauch (*Erythroxylum coca*) u. in den Wurzeln der Tollkirsche (*Atropa belladonna*) vor. Viele C. enthaltende Pflanzen werden in der Volksmedizin verschiedener Völker als Sedativa od. Narkotika benutzt. Zur Biosynth. s. *Lit.*[1]. – *E* cuscohygrine – *F* cuskhygrine – *I* cuscoigrina – *S* cuscohigrina
Lit.: [1]Phytochemistry **22**, 699 (1983); Planta Med. **56**, 339–352 (1990).
allg.: Beilstein E V **24/1**, 458 ▪ Hager (5.) **4**, 424f. ▪ Manske **1**, 91–106; **6**, 31–34. – *[CAS 454-14-8]*

Cutapol®. Fettungsmittel für Leder. *B.:* Dr. Th. Böhme KG.

Cutchextrakt s. Mangrovenrinde.

Cuticula (latein. = Häutchen). In der Biologie Bez. für die von den Zellen der Epidermis (s. Haut) nach außen abgeschiedene Schutzhaut/Schutzschicht, die v. a. dem Verdunstungsschutz dient. Bei *Pflanzen besteht die C. häufig aus *Cutin, bei vielen Tieren aus Proteinen (z. B. bei *Würmern) od. aus *Resilin u./od. *Chitin (z. B. bei *Insekten u. a. Arthropoden). Die C. der Gliederfüßer besteht aus 3 Hauptschichten: *Epi-, Exo-* u. *Endo-Cuticula*. Bei Insekten ist der Epi-C. eine Wachsschicht aufgelagert, bei *Krebsen u. Doppelfüßern werden in die Exo-C. Mineralien wie Calciumcarbonat u. -phosphat eingelagert. – *E* cuticle – *F* cuticule – *I* cuticola – *S* cutícula
Lit.: Eckert et al., Tierphysiologie, 2. Aufl., Stuttgart: Thieme 1993 ▪ Gewecke, Physiologie der Insekten, S. 156 ff., Stuttgart: Fischer 1995 ▪ Wehner u. Gehring, Zoologie, 23. Aufl., Stuttgart: Thieme 1995.

Cutin (von latein.: cutis = Haut). Wachsartiger Bestandteil der *Cuticula der verdickten Epidermisaußenwände von oberird. Pflanzenteilen mit Ausnahme von Blütenblättern. Netzwerk von untereinander veresterten ungesätt. u. gesätt. Hydroxyfettsäuren (bei Blatt-C. hauptsächlich C_{18}-Fettsäuren mit 2–3 Hydroxy-Gruppen je Mol.). C. kann von Pilzen u. Pollen mit Hilfe des Enzyms *Cutinase* gespalten werden. – *E* cutin – *F* cutine – *I* = *S* cutina
Lit.: Strasburger, Lehrbuch der Botanik, 33. Aufl., S. 329 f., Stuttgart: Fischer 1991.

Cutinase s. Cutin.

cutistad®. Creme, Puder, Spray u. Lsg. mit *Clotrimazol gegen Haut- u. Hautfaltenmykosen (z. B. Fußpilz). *B.:* Stada.

Cutrilon®. Spritzpulver mit Cu-EDTA-Komplex als Düngerzusatz gegen Kupfermangel in gärtner. Sonderkulturen. *B.:* BASF.

Cuvertin®. Sortiment von Lacken u. Lackhilfsmitteln zur Lackierung von Elastomeren u. Polyurethanen im Fahrzeugbau. *B.:* Henkel.

c_v. Symbol für die *spezifische Wärmekapazität bei konstantem Volumen.

C_v. Symbol für die *Molwärme bei konstantem Volumen.

CV. Nach DIN 60 001, Tl. 4 (08/1991) Kurzz. für *Chemiefasern aus nach dem Viskose-Verf. hergestellter, regenerierter *Cellulose (*Viskosefasern).

CVD. 1. Abk. für *chemical vapor deposition* (s. dünne Schichten). – 2. Abk. für *carbon vacuum deoxidized*, ein Verf. zur Härtung von *Stahl.
Lit. (zu 1.): Ullmann (5.) **A 8**, 134. – *(zu 2.):* Ullmann (5.) **A 25**, 107 f.

cwt. Kurzz. für hundredweight, s. Avoirdupois.

Cyamelid. In Wasser u. organ. Lsm. unlösl. weißes, porzellanartiges Produkt, das durch Polymerisation von Isocyansäure entsteht. C. besitzt wahrscheinlich folgende Kettenstruktur:

$$\cdots\cdots-O-\underset{NH}{\overset{\parallel}{C}}-O-\underset{NH}{\overset{\parallel}{C}}-O-\cdots\cdots$$

– *E* cyamelide – *S* ciamelida
Lit.: Beilstein E III **3**, 66 ▪ Beyer-Walter, Lehrbuch der organischen Chemie, S. 364, Stuttgart: Hirzel 1991 ▪ Kirk-Othmer (4.) **7**, 835. – *[CAS 462-02-2]*

Cyamemazin.

Internat. Freiname für 10-(3-Dimethylamino-2-methylpropyl)-phenothiazin-2-carbonitril, $C_{19}H_{21}N_3S$, M_R 323,46, das ähnliche Eigenschaften wie *Chlorpromazin besitzt. Es ist ein gelbes Öl, Sdp. 205–220 °C (26–65 Pa). Es wurde als *Neuroleptikum u. *Tranquilizer 1959 von Rhône Poulenc patentiert. – *E* cyamemazine – *F* cyamémazine – *I* = *S* ciamemazina
Lit.: Beilstein E V **27/15**, 329 ▪ Hager (5.) **7**, 1116f. – *[HS 2934 30; CAS 3546-03-0]*

Cyan... (a) Im Deutschen neben Cyano... (IUPAC-Regel C-832.5) Bez. für die Atomgruppierung –CN als Substituent in organ. Verb. (weitere Benennungsweisen für Cyan-Verb. s. Cyanide u. Nitrile). – (b) Bestandteil von Bez. für anorgan. Cyan-Verb. (engl.: cyanogen) u. *Cyansäure-Derivate; *Beisp.:* *Dicyan, *Bromcyan, *Cyanamid. – (c) Von griech.: kyanos = blau abgeleiteter Wortbestandteil, der auf blaue Farbe hinweist; *Beisp.:* *Anthocyane, *Cyanin-Farbstoffe. – (d) *Cyano...* ist dagegen Bez. für CN⁻ als Ligand in Komplexen (IUPAC-Regel I-10.4.5.5) u. für Austausch von –OH gegen –CN in mehrbasigen anorgan. Säuren [neben Infix ...cyanid(o)...; IUPAC-Regel I-9.9.3]. – *E* = *F* cyano... – *I* = *S* ciano...

Cyanacrylat-Klebstoffe. C.-K. sind *Reaktionsklebstoffe auf der Basis von monomeren *2-Cyanoacrylsäureestern, insbes. der Methyl-, Ethyl- u. Butylester, die sehr schnell – daher auch ihre Bez. Sekundenkleber – zu hochmol., unvernetzten *Polymeren aushär-

ten. Zur Initiierung der anion. Polymerisation genügen im allg. Spuren an Feuchtigkeit.
Verw.: C.-K. sind geeignet zum Verkleben von sehr unterschiedlichen Materialien wie Textilien, Papier, Holz, Keramik, Metallen u. Kunststoffen. In der Chirurgie werden sie als Wundkleber eingesetzt. – *E* cyanoacrylate adhesives – *F* colles de cyanoacrylate – *I* adesivi cianoacrilatici – *S* adhesivos de cianoacrilato, pegamentos de cianacrilato

Lit.: Batzer **3**, 264 ▪ Encycl. Polym. Sci. Eng. **1**, 299–304, 570 ▪ Habenicht, Kleben: Grundlagen, Technologie, Anwendung, 2. Aufl., Berlin: Springer 1990 ▪ Nachr. Chem. Tech. Lab. **43**, 1287 (1995) ▪ s. a. 2-Cyanoacrylsäureester.

Cyanamid. $H_2N-C\equiv N$, CH_2N_2, M_R 42,04. Farblose, hygroskop. Krist., D. 1,07, Schmp. 46 °C, Sdp. 132–138 °C (16 hPa), in Wasser, Alkohol, Ether u. a. polaren organ. Lsm. leicht löslich. C. ist sehr stark haut- u. schleimhautreizend, Einnahme od. Inhalation führen zu vorübergehender intensiver Gesichtsröte, Kopfschmerzen, Schwindel, gesteigerter Atmung, Tachykardie, Hypotension, MAK 2 mg/m^3, gemessen im Gesamtstaub (EG-Wert), LD_{50} (Ratte oral) 150 mg/kg, WGK 2, verursacht die gleiche Alkohol-Intoleranz wie *Calciumcyanamid. In wäss. Lsg. ist C. bei pH <5 stabil, bei pH 8–9,5 dimerisiert es zu *Cyanoguanidin. Mit Stabilisatoren auf Phosphat-Basis versetztes C. ist sowohl krist. als auch in wäss. Lsg. haltbar. Reines C. kann bereits bei 20 °C unter starker Wärme- u. Rauchentwicklung spontan di- bzw. polymerisieren[1]. C. kann auch aus seiner tautomeren Form (s. Carbodiimide) heraus reagieren. Die Herst. erfolgt aus Calciumcyanamid in wäss. Lsg. durch Einleiten von Kohlendioxid.
Verw.: Zur Synth. heterocycl. Verb., zu Reaktionen mit Polyhydroxy-Verb. (gibt mit Cellulose thermostabile Papiersorten, mit Stärke kaltwasserlösl. Stärke-Derivate für die Leimverstärkung, für die Papier- u. Textilveredelung), zur Herst. von Cyanotriazenen für die Farbstoff-Ind., als Guanidierungsmittel für pharmazeut. u. landwirtschaftliche Produkte, als Herbizid. Die Hauptmenge des C. wird unmittelbar in Cyanoguanidin umgewandelt u. weiterverarbeitet; s. a. Cyanamide, Calciumcyanamid u. Carbodiimide. – *E* = *F* canamide – *I* cianammide – *S* cianamida

Lit.: [1] Sichere Chemiearbeit **28**, 63 (1976).
allg.: Beilstein E IV **3**, 145 ff. ▪ Hager (5.) **3**, 364 ▪ Hommel, Nr. 1209 ▪ Gmelin, Syst.-Nr. 14, C, Tl. D1, 1971, S. 258–280 ▪ Kirk-Othmer (4.) **7**, 736 f. ▪ Paquette **2**, 1408 ▪ Ullmann (4.) **9**, 642 ff.; (5.) **A 8**, 145 f. – [HS 285100; CAS 420-04-2; G 6.1]

Cyanamid. Kurzbez. für die Cyanamid GmbH, 82515 Wolfratshausen. *Produktion:* Lederle Arzneimittel für Human- u. Tiermedizin, Futtermittelzusätze. *Daten:* 900 Beschäftigte, 397 Mio. DM Umsatz.

Cyanamide. Sammelbez. für anorgan. u. organ. Derivate des *Cyanamids. Die anorgan. C. enthalten das Anion CN_2^{2-}, *Beisp.:* $CaCN_2$ (*Calciumcyanamid, Kalkstickstoff), NaHNCN (Natriumhydrogencyanamid; über eine einfache Synth. s. Lit.[1]). Die organ. C. der allg. Formel R^1R^2N-CN sind z. B. beim von Braunschen Abbau mittels *Bromcyan zugänglich[2]. – *E* = *F* cyanamides – *I* cianammidi – *S* cianamidas

Lit.: [1] Angew. Chem. **86**, 590 (1974). [2] Org. React. **7**, 198–262 (1953).

allg.: Kirk-Othmer (4.), **7**, 735–752 ▪ Ullmann (5.), **A 8**, 139–156. – [HS 285100]

Cyanate. Salze u. Ester der *Cyansäure (HOCN) der allg. Formel R–O–C≡N; die häufig anzutreffende Schreibweise z. B. KCNO für Kaliumcyanat ist falsch (dies wäre Kaliumfulminat); Näheres s. bei Cyansäure. Von techn. Bedeutung sind vor allem die Alkalicyanate: ion. Verb. vom Typ $M^+[OCN]^-$, die aus Harnstoff u. Alkalicarbonaten (techn. Herst.) od. aus den *Cyaniden durch Oxid. hergestellt werden können. Sie sind farblose, ungiftige, wasserlösl. Salze, die als Hilfsstoffe bei der Wärmebehandlung von Werkstoffen aus Stahl usw. Verw. finden, außerdem als Ausgangsprodukt zur Herst. von Pharmaka u. Harnstoff-Herbiziden. Die Verb. der Cyansäure mit Schwermetallen liegen meist als *Isocyanate (M^1–NCO) vor; lange Zeit waren organ. Derivate der Cyansäure unbekannt, da diese sich im allg. polymerisieren (s. Cyamelid) bzw. in die stabileren Isocyanate umlagern. Inzwischen sind jedoch stabile organ. C. synthetisiert worden. Die Benennung der organ. C., die zu den Pseudohalogeniden (s. Pseudohalogene) gerechnet werden, erfolgt nach IUPAC-Regel C-833.1 entweder durch Voransetzen der Vorsilbe Cyanato... vor den Stammnamen od. durch Anhängen des Suffixes ...cyanat an den Radikalnamen z. B.: 4-Isocyanatophenylcyanat. – *E* = *F* cyanates – *I* cianati – *S* cianatos

Lit.: Beilstein E IV **3**, 82 f. ▪ Gmelin, Syst.-Nr. 14, C, Tl. D3, 1976 ▪ Golub et al., The Chemistry of Pseudo-Halides, Amsterdam: Elsevier 1986 ▪ Patai, The Chemistry of Cyanates and Their Thio Derivatives (2 Bd.), New York: Wiley 1977 ▪ Patai, The Chemistry of Halides, Pseudohalides and Azides, Chichester: Wiley 1995 ▪ Ullmann (5.), **A 8**, 157 f. ▪ Winnacker-Küchler (4.) **2**, 198 ▪ s. a. Cyansäure u. Isocyanate. – [HS 283800]

Cyanato... Bez. für die Atomgruppierung –O–CN in systemat. Namen von organ. Verb. (IUPAC-Regel C-833.1) u. Koordinationsverb. (hier als anion. Ligand). – *E* = *F* cyanato... – *I* = *S* cianato...

Cyanazin.

Common name für 2-(4-Chlor-6-ethylamino-1,3,5-triazin-2-ylamino)-2-methylpropionitril, $C_9H_{13}ClN_6$, M_R 240,70, Schmp. 166,5–169 °C, LD_{50} (Ratte oral) 182 mg/kg (GefStoffV), von Shell 1971 eingeführtes selektives system. *Herbizid gegen Ungräser u. Unkräuter im Mais-, Sorghum-, Sojabohnen-, Getreide- u. Erbsenanbau, oft in Kombination mit anderen Herbiziden. – *E* = *F* cyanazine – *I* = *S* cianazina

Lit.: Farm ▪ Perkow ▪ Pesticide Manual. – [HS 293369; CAS 21725-46-2]

Cyanbromid s. Bromcyan.

Cyanchlorid s. Chlorcyan.

Cyanein s. Brefeldine.

Cyanessigsäure s. Cyanoessigsäure.

Cyanex®. Marke der Cytec Industries Inc. für Trialkylphosphine, Trialkylphosphinoxide u. Dialkylphosphinsäuren u. die entsprechenden Thio-Derivate. Einsatzgebiet ist die Trennung von Schwermetallen aus wäss. Lsg. durch Lösemittelextraktion.

Cyanhydrine s. Cyanohydrine.

Cyanide. Salze der Cyanwasserstoffsäure T+ ☠ (*Blausäure, HCN). Diese enthalten das farblose, giftige Anion NC⁻, die sich von der tautomeren Form (⁻NC) ableitenden Verb. heißen *Isocyanide. Aufgrund formaler Parallelen faßt man manchmal die C. mit Cyanaten etc. als Pseudohalogenide zusammen. Die Alkali-C. (z. B. Kaliumcyanid KCN od. Natriumcyanid NaCN) u. die Erdalkali-C. [z. B. Calciumcyanid, $Ca(CN)_2$] sind wasserlösl., sehr giftig (MAK 5 mg/m³, als CN berechnet, vgl. Blausäure), reagieren infolge *Hydrolyse stark alkal. u. riechen nach Blausäure. Die einfachen, normalen Schwermetall-C. sind meist unlösl. (*Beisp.*: Silbercyanid, AgCN), dagegen ist Quecksilber(II)-cyanid [$Hg(CN)_2$] löslich. Durch Oxidationsmittel wie PbO od. Natriumhypochlorit werden die C. in *Cyanate, durch Schwefel od. Natriumthiosulfat in Thiocyanate übergeführt.

Neben den normalen C. (Formel M^{I}CN) sind noch viele *komplexe C.* bekannt; *Beisp.*: $K_4[Fe(CN)_6]$, das sog. Gelbe *Blutlaugensalz, u. a. Ferro- u. Ferricyanide (s. Hexacyanoeisensäuren), Bariumtetracyanoplatinat u. v. a. Übergangsmetall-C.-Komplexe [1]. Bes. Bedeutung haben die komplexen C. von Gold u. Silber, die bei der Gewinnung dieser Edelmetalle durch Extraktion mit Alkali-C. (*Cyanid-Laugerei*) entstehen:

$$Ag_2S + 4NaCN \rightarrow 2Na[Ag(CN)_2] + Na_2S$$

Diese stabilen Durchdringungskomplexe (s. Koordinationslehre) sind längst nicht so giftig wie die normalen C.; hier können die C.-Ionen erst nach Zerstörung des Komplexes nachgewiesen werden. Über den Nachw. von C-Spuren mit empfindlichen Meth. s. *Lit.*[2], mit Barbitursäure/Chloramin/Pyridin, Chloranilsäure od. 1,10-Phenanthrolineisen(II) s. *Lit.*[3] Zur elektrochem. Messung von C. in Abwässern u. dgl. s. *Lit.*[4].

Verw.: Als Zwischenprodukt in organ. Synth. von Carbonsäuren, Pharmazeutika, Farbstoffen, Schädlingsbekämpfungsmitteln; größere Mengen an C. werden auch als sog. Drücker bei der *Flotation, bei der Oberflächenvergütung von Metallen, der *Galvanotechnik u. der C.-Laugerei benötigt.

In Abwässern von solchen Verarbeitungsbetrieben stellen C. ein erhebliches Umweltproblem dar (s. *Lit.*[5]). Zur Entgiftung lassen sich C. oxidativ (mittels Hypochlorit, Wasserstoffperoxid u. Peroxo-Verb.) zerstören; für die Härtereitechnik wurden Prozesse zur Regeneration C.-haltiger Altsalze entwickelt. Über den Umgang mit Cyanwasserstoff/C. unterrichtet das Merkblatt für gefährliche Arbeitsstoffe (Kühn-Birett, B 019, Stand 11/95).

Die Bez. C. ist von griech.: kyanos = blau herzuleiten, weil die C.-Ionen im Berliner Blau enthalten sind. Die Ester der Blausäure heißen *Nitrile, die jedoch häufig auch als C. bezeichnet werden können; *Beisp.*: Methylcyanid (*Acetonitril, H_3C-CN), Benzylcyanid (*Phenylacetonitril, $H_5C_6-CH_2-CN$). Die Bez. der die *Cyano-Gruppe* enthaltenden organ. Verb. (zur Nomenklatur s. IUPAC-Regeln C-831 u. -832, s. a. Nitrile) wird meist dann als *Nitril* vorgenommen, wenn die nahe Beziehung zur Carboxy-Gruppe betont werden soll: Verseifung des Nitrils führt zur Säure. Dehydratisierung des Säureamids liefert das Nitril. Dagegen werden höher substituierte organ. C. meist mit dem Präfix *Cyano...* benannt; *Beisp.*: *Tetracyanoethylen, *7,7,8,8-Tetracyano-1,4-chinodimethan, *4,5-Dichlor-3,6-dioxo-cyclohexa-1,4-dien-1,2-dicarbonitril. In der Natur treten CN-haltige organ. Verb. gar nicht selten auf, z. B. als *cyanogene Glykoside. – *E* cyanides – *F* cyanures – *I* cinanuri – *S* cianuros

Lit.: [1] Wilkinson et al., Comprehensive Coordination Chemistry, Bd. 2, S. 7–14, Oxford: Pergamon 1987. [2] Townshend, Encyclopedia of Analytical Science, Bd. 9, S. 5273, London: Academic Press 1995. [3] Fries-Getrost, S. 120–123. [4] Houben-Weyl **E 19 A**, 65 f., 81, 86, 733; DECHEMA-Monogr. **75**, 295–309 (1974). [5] Nachr. Chem. Tech. Lab. **28**, 580–583 (1980).
allg.: Kirk-Othmer (4.) **7**, 753–782 ▪ Ullmann (5.) **A 8**, 165–179, 183–190 ▪ Winnacker-Küchler (4.) **2**, 194 ff.; **4**, 545 f., 548 ▪ s. a. Blausäure u. Nitrile. – [HS 2837 11, 2837 19, 2837 20; G 6.1]

Cyanidin s. Anthocyanidine u. Brombeeren.

Cyanidlaugerei s. Cyanide u. Gold.

Cyanierung. Einführung der Cyano-Gruppe (–CN) in organ. Verb., z. B. durch Umsetzung von Halogen-Verb. mit Alkalicyaniden, über die *Cyanohydrine, über *Cyanoethylierung od. über die Reaktion mit BrCN, ClCN, $(CN)_2$ u. dgl. – *E* cyanation – *F* cyanuration – *I* cianurazione – *S* cianuración
Lit.: s. Cyanide, Cyanohydrine, Cyanoethylierung, Nitrile.

Cyanin (O^3,O^5-Di-β-glucopyranosyl-cyanidin). $[C_{27}H_{31}O_{16}]^+$; Chlorid: $C_{27}H_{31}ClO_{16}$, M_R 646,99. C. ist das Diglucosid des *Cyanidins* (Formel s. Anthocyanidine), es kommt als Blütenfarbstoff in blauen u. violetten Lupinen, Hibiskus, der roten Rose u. der Kornblume vor. C. ist für bestimmte Lebensmittel unter Kenntlichmachung zugelassen. – *E* = *F* cyanine – *I* = *S* cianina
Lit.: Beilstein E V **17/8**, 476 ▪ Karrer, Nr. 1715 ▪ Schweppe, S. 397. – [HS 3203 00; CAS 2611-67-8 (C.); 528-58-5 (Cyanidin)]

Cyanin-Farbstoffe. Gruppe von synthet. Farbstoffen mit der allg. Struktur:

$$\underset{R^1}{N}-C=CH-(CH=CH)_n-\underset{R^2}{C=N}$$

Als *Polyene mit *Azomethin-Gruppierung sind die C.-F. eine Untergruppe der *Polymethin-Farbstoffe; in den am längsten bekannten C.-F. sind die im Bild angedeuteten Ringe Bestandteile des Chinolin-Syst., doch sind auch Thiazol-, Pyrrol-, Imidazol-, Oxazol-Syst. (v. a. kondensiert) zur Herst. von C.-F. herangezogen worden. Zu konjugierten C.-F. aus 2,3-Dimethylchinoxalin-Derivaten s. *Lit.*[1], über den Zusammenhang zwischen Struktur u. Farbe s. *Lit.*[2]. Zur Berechnung der Absorptionscharakteristiken der C.-F. in Abhängigkeit von n (s. Formelbild) vgl. *Lit.*[1,3,4].

Verw.: In der Textilfärberei sind die C.-F. wegen ihrer Farbunechtheit nur ausnahmsweise (z. B. Basacryl-Farbstoffe) verwendbar, gelegentlich auch in der Färbung von Fett, Knochengewebe sowie als *Anthelmintika u. a. Pharmazeutika[5]. Das Haupteinsatzgebiet der C.-F. liegt in der Photographie, wo sie als *Sensibilisatoren* unersetzlich sind, u. in organ. Farbstoff-Lasern, s. *Lit.*[6]. Mit der Theorie der *Sensibilisation photograph. Schichten durch C.-F. haben sich v. a. Scheibe, Pestemer u. Kuhn beschäftigt. – *E* cyanine dyes – *F* colorants de cyanine – *I* coloranti della cianina – *S* colorantes de cianina

Lit.: [1] Helv. Chim. Acta **60**, 2082 ff. (1977). [2] Chem. Unserer Zeit **12**, 1–11 (1978). [3] Kirk-Othmer (4.) **7**, 782–809. [4] Chem. Unserer Zeit **4**, 9–15 (1970). [5] Pharm. Unserer Zeit **5**, 145–154. [6] Angew. Chem. **82**, 25–41 (1970). *allg.:* Griffiths, Colour and Constitution of Organic Molecules, London: Academic Press 1976 ▪ Houben-Weyl **5/1d**, 227–299 ▪ Kirk-Othmer (4.) **7**, 782–809; **16**, 590 ff. ▪ The Vogel Centennial Dye-Sensitization Past and Future, Washington: Soc. Photogr. Scientists Engineers 1973 ▪ Ullmann (5.) **A 16**, 509–517 ▪ Venkataraman, The Chemistry of Synthetic Dyes, Bd. 4, New York: Academic Press 1971 ▪ Weissberger **18**; **30**, 441–587; **34/3**, 23–216 ▪ Winnacker-Küchler (3.) **4**, 263 ff.; **5**, 612 f. ▪ s. a. Farbstoffe, Polymethin-Farbstoffe.

Cyankalium s. Kaliumcyanid.

Cyannatrium s. Natriumcyanid.

Cyano... s. Cyan...

2-Cyanoacetamid (Malonamidnitril).
$NC–CH_2–CO–NH_2$, $C_3H_4N_2O$, M_R 84,08. Farblose Nadeln, Schmp. 121–122 °C, lösl. in Wasser, weniger in kaltem Alkohol. C. wird zur organ. Synth. von Cumarinen, Barbituraten, Harzen, Vitamin B_1 u. B_6 verwendet. – *E* cyanoacetamide – *F* cyanoacétamide – *I* cianoacetammide – *S* cianoacetamida

Lit.: Beilstein E IV **2**, 1891 f. ▪ Merck-Index (12.), Nr. 2758. – [HS 292690; CAS 107-91-5]

2-Cyanoacrylsäureester.

$$H_2C=C\begin{matrix}CN\\COOR\end{matrix}$$

(mit R = Methyl, Allyl, Butyl u. insbes. Ethyl für techn. wichtige Produkte). Die niederen C. sind farblose, stechend riechende, leicht brennbare u. zu Tränen reizende Flüssigkeiten (z. B. Methylester: Sdp. 47–49 °C bei 240 Pa, MAK 8 mg/m³). Der Kontakt mit Haut u. Augen muß sorgfältig vermieden werden, da er zu u. U. nur operativ lösbarem Verkleben von Hautpartien führen kann. Die techn. Herst. von C. erfolgt durch *Depolymerisation der bei der Umsetzung von Cyanoessigsäureester (I) mit Formaldehyd anfallenden *Poly-2-cyanoacrylsäureester (II) bei hohen Temperaturen.

$$n\begin{matrix}CN\\|\\CH_2\\|\\COOR\end{matrix} + n\,CH_2O \xrightarrow[-n\,H_2O]{Base} \left[CH_2-\begin{matrix}CN\\|\\C\\|\\COOR\end{matrix}\right]_n$$

I   II

$$\xrightarrow{\Delta} n\,H_2C=C\begin{matrix}CN\\COOR\end{matrix}$$

C. polymerisieren – durch Spuren von Wasser initiiert – sehr leicht. Sie finden Verw. als Lsm.-freie *Einkomponentenklebstoffe (s. Cyanacrylat-Klebstoffe) u. liefern Klebverbunde mit hohen Festigkeiten. – *E = F* 2-cyanoacrylates – *I* 2-cianoacrilati – *S* 2-cianoacrilatos

Lit.: Elias (5.) **2**, 708 ▪ Hinterwaldner, Acryl- u. Methacrylklebstoffe, S. 158–183, München: Hinterwaldner 1975 ▪ Kirk-Othmer (3.) **1**, 408–413 ▪ Ullmann (5.) **1**, 172 f., 240 ▪ s. a. Cyanacrylat-Klebstoffe.

Cyanobakterien (Cyanobacteriales, Cyanophyceae, Blaualgen). Von griech.: kyanos = blau u. bakterion = Stäbchen hergeleitete Bez. für eine Gruppe von etwa 2000 einzelligen, autotrophen Mikroorganismen-Arten.

Morphologie, Physiologie: Der Zellaufbau der C. entspricht weitgehend dem der übrigen *Bakterien. Im Vgl. zu *Algen fehlen Zellkern, Mitochondrien u. Chloroplasten; die C. weisen z. B. 70 S-*Ribosomen u. a. Prokaryonten-Merkmale auf. Die Zellhülle von C. besteht (von innen nach außen) aus einer Cytoplasma-Membran, die von einer *Murein-Schicht u. einer äußeren Zellwand aus *Lipopolysacchariden u. *Proteinen sowie häufig von einer weiteren, ein- od. mehrschichtigen, hauptsächlich aus *Polysacchariden aufgebauten Hülle (Scheide, Kapsel, Schleim) umgeben ist. Einstülpungen der Cytoplasma-Membran (Thylakoide) enthalten Pigmente zur *Photosynthese: photochem. aktiv ist *Chlorophyll-a, als Antennenpigmente treten zudem *Carotinoide u. in den der Membran aufgelagerten Phycobilisomen die *Phycobiline auf. Die Kohlendioxid-Fixierung erfolgt über den Calvin-Cyclus; das Schlüsselenzym der Photosynth., die Ribulose-1,5-diphosphat-Carboxylase wird teilw. krist. von einschichtigen Membranhüllen umgeben, in sog. Carboxysomen gelagert. Als Speicherstoffe dienen *Glykogene, Cyanophycin (ein Polymerisat aus *Arginin u. *Asparaginsäure), *Polyphosphate u. selten auch Polyhydroxybuttersäure (s. Hydroxybuttersäure u. Polyester).

Die C. leben einzeln od. bilden verzweigte od. unverzweigte Zellfäden (Trichome), wobei die kugelig bis fadenförmigen Zellen untereinander in Verbindung stehen u. differenziert sein können. Spezielle Überdauerungszellen werden als Akineten, auffällig verdickte Zellen, die in der Regel zur Fixierung von Luftstickstoff befähigt sind, als Heterocysten bezeichnet. Die C. vermehren sich durch Zweiteilung, seltener Vielteilung u. bilden bei fädigen Formen darüber hinaus typ. Fadenfragmente, Überdauerungsfilamente (Hormocysten) od. bewegliche Fadenstücke aus.

Ökologie: C. sind global in Boden, Wasser u. Luft verbreitet. Sie bilden oft schleimige od. fädige Überzüge in Gewässern auf Sedimenten; sie leben in od. auf Felsen, Eis (s. Kryokonit), Salz, Blättern (Phyloplanenflora) od. in heißen Quellen.

Viele C. beteiligen sich an Symbiosen, z. B. als *Flechten, Bewohner von Körperhöhlungen anderer Pflanzen (*Anabaena* in Azolla-Blättern, *Nostoc* in Lebermoosen u. Wurzeln sowie als sog. Cyanellen im Zellinneren farbloser Flagellaten). Bei den Symbiosen mit höheren Pflanzen versorgen die C. diese mit Stickstoff-Verb., bei Symbiosen mit Algen od. farblosen Flagellaten liefern die C. photosynthet. Assimilate. Die *Chloroplasten der Rotalgen werden als modifizierte, endosymbiont. C. aufgefaßt. Die C. haben als Phytoplankton (s. Plankton) u. als Siedler fast aller Biotope einen erheblichen Anteil an der photosynthet. Kohlendioxid-Fixierung u. tragen über die Stickstoff-Fi-

xierung häufig wesentlich zur Bodenfruchtbarkeit bei, z. B. können in Reisfeldern jährlich 50 kg Stickstoff je ha durch C. gebunden werden. Durch Klimaeinwirkung, hohe Nährstoffzufuhr (*Eutrophierung) od. andere Ursachen kann es zur starken Vermehrung (*Massenentwicklung) von C., zu einer sog. *Algenblüte, kommen, in deren Folge *Fischsterben, *Muschelvergiftungen od. Vergiftungen an Mensch u. Weidetieren auftreten können. – *E* bluegreen algae, cyanobacteria – *F* cyanobactéries – *I* cianobatteri – *S* cianobacterias
Lit.: Hickel et al., Cyanophyta/Cyanobacteria, Stuttgart: E. Schweizerbart 1991 ▪ Hoek, Algen, Stuttgart: Thieme 1993 ▪ Staley et al. (Hrsg.), Bergey's Manual of Systematic Bacteriology, Bd. 3, S. 1710–1798, Baltimore: Williams and Wilkins 1988 ▪ Water Sci. Technol. **21**, 1–14 (1989).

Cyanocobalamin {*Vitamin B$_{12}$, Coβ-Cyano-Coα-[α-(5,6-dimethylbenzimidazolyl)]-cobamid}. Strukturformel u. Nomenklatur s. Corrinoide. $C_{63}H_{88}CoN_{14}O_{14}P$, M_R 1355,38; dunkelrote, nadelförmige, hygroskop. Krist., die in hydratisierter Form an Luft stabil sind, bei 210–220 °C dunkel werden u. sich in Alkohol etwas, in Wasser kaum u. in Aceton, Ether u. Chloroform nicht lösen. Stark saure od. alkal. wäss. Lsg. zersetzen sich, u. a. durch Lichteinwirkung u. Reduktionsmittel wie *Ascorbinsäure, *Vanillin, Eisen(II)-sulfat wird C. verändert. Physiolog. Eigenschaften des Vitamin-B$_{12}$-Komplexes s. Vitamin B$_{12}$, Biosynth. u. Stoffwechsel s. Coenzym B$_{12}$.
Nachw.: Durch Lichtabsorption bei 278, 361 u. 548 nm in wäss. Lsg., durch kolorimetr. Bestimmung der durch Belichten freigesetzten Blausäure, biolog. durch Milchsäure-Bildung mit *Lactobacillus*-Arten bzw. durch nephelometr. Messung von deren Vermehrung.
Vork.: C. kommt als solches in der Natur nicht vor, sondern bildet sich bei der Aufarbeitung aus *Coenzym B$_{12}$*, indem dessen an Cobalt gebundener 5'-Desoxyadenosyl-Ligand durch Cyanid ersetzt wird.
Herst.: Hauptsächlich durch mikrobielle Fermentation in Submerskultur od. durch Isolierung aus Faulod. *Belebtschlamm. Jahresproduktion ca. 10 t weltweit.
Verw.: C. ist die häufigste Handelsform der Vitamin-B$_{12}$-Derivate (*Cobalamine) u. wird als Medikament gegen verschiedene Formen der *Anämie, insbes. solche mit *Hyperchromie (v. a. die sog. perniziöse Anämie, daher auch Bez. von C. als *Antiperniziosa-Faktor*), sowie gegen Neuritiden (Nervenentzündungen). Als Futterzusatz bewirkt C. bei Jungtieren eine bessere Futterverwertung.
Geschichte: Angesichts der Kompliziertheit der Struktur von C. ist es nicht verwunderlich, daß zwischen der Auffindung des Antiperniziosa-Faktors (1926, Minot u. *Murphy), der Isolierung des roten krist. Wirkstoffs aus Leber, Milch u. Kulturen von *Streptomyces griseus* (1948, *Folkers, sowie E. L. Smith), der Konstitutionsaufklärung (1955, D. *Hodgkin) u. der Totalsynth. (1971, *Eschenmoser u. *Woodward) relativ viel Zeit verging. – *E* cyanocobalamin – *F* cyanocobalamine – *I* cianocobalamina – *S* cianocobalamina
Lit.: Beilstein E V **26/15**, 342f. – *[HS 2936 26; CAS 68-19-9]*

Cyanoessigsäure (Malonsäuremononitril). NC–CH$_2$–COOH, $C_3H_3NO_2$, M_R 85,06. Farblose, hygroskop. Krist., Schmp. 71 °C, Sdp. 108 °C (0,2 hPa), zersetzt sich bei höherer Temp. unter Bildung von CO$_2$ u. Acetonitril; in Wasser, Alkohol, Ether löslich. Der Staub u. der feste Stoff reizen stark die Augen sowie die Atemwege. Die Herst. erfolgt aus Chloressigsäure u. Alkalicyaniden.
Verw.: Zur Synth. von Barbituraten, Aminosäuren, Farbstoffen, Reagenz für die Michael-Kondensation usw. – *E* cyanoacetic acid – *F* acide cyanoacétique – *I* cianoacetati – *S* ácido cianoacético
Lit.: Beilstein E IV **2**, 1888 f. ▪ Hommel, Nr. 344 ▪ Indian J. Chem. Sect. B **22**, 1156 (1983) ▪ Kirk-Othmer (4.) **1**, 167; **7**, 775 ▪ Paquette **2**, 1410 ▪ Ullmann (4.) **16**, 419; (5.) **A 16**, 68. – *[HS 2926 90; CAS 372-09-8; G 8]*

Cyanoessigsäureester. NC–CH$_2$–COOR. Die niederen Alkylester sind farblose, angenehm riechende Flüssigkeiten, die in Wasser fast nicht, in Alkohol, Ether u. a. organ. Lsm. lösl. sind; *Beisp.: Cyanoessigsäureethylester* (Ethylcyanoacetat), $C_5H_7NO_2$, M_R 113,12, D. 1,065, Schmp. –23 °C, Sdp. 205 °C; giftige Substanz, die Dämpfe reizen Augen, Atemwege, Lunge u. Haut; Kontakt mit der Flüssigkeit reizt Augen u. Haut; wird auch über die Haut aufgenommen. C. ist ein Zwischenprodukt bei der Synth. von Pharmazeutika, bes. Barbituraten, Aminosäuren, Folsäure, Pyrimidinen etc. – *E* cyanoacetates – *F* cyanoacétates – *I* estere dell' acido cianoacetico – *S* cianoacetatos
Lit.: Beilstein E IV **2**, 1889 ff. ▪ Hommel, Nr. 1124 ▪ Kirk-Othmer (4.) **15**, 937 ▪ Ullmann (4.) **16**, 419; (5.) **A 16**, 68 f. – *[HS 2926 90; CAS 105-56-6; G 6.1]*

Cyanoethyl... s. Cyanoethylierung.

Cyanoethylierung. Bez. für die Einführung der 2-Cyanoethyl-Gruppe in organ. Verb., wobei Acrylnitril unter dem Einfluß von alkal. Katalysatoren an Verb. mit aktiven Wasserstoff-Atomen addiert wird:

$$R-H + H_2C=CH-CN \xrightarrow{Base} R-CH_2-CH_2-CN$$

Ein bekanntes Beisp. für die C. ist die Herst. von Cyanoethylcellulose; vgl. a. Michael-Addition. – *E* cyanoethylation – *F* cyano-éthylation – *I* cianoetilazione – *S* cianoetilación
Lit.: Kirk-Othmer (3.) **7**, 370–385 ▪ March (4.), S. 742 ▪ Org. React. **5**, 79–135 (1949) ▪ Russ. Chem. Rev. **30**, 583–598 (1961) ▪ s. a. Acrylnitril u. Nitrile.

Cyanogen s. Dicyan.

Cyanogenbromid, -chlorid s. Bromcyan, Chlorcyan.

Cyanogene Glykoside (Blausäureglykoside, Nitriloside). Im Pflanzenreich weit verbreitete Gruppe von *Glykosiden, die aus Aminosäuren durch Decarboxylierung u. Dehydrierung der prim. Amino-Gruppe zur Cyano-Gruppe gebildet werden u. bei enzymat. Spaltung *Cyanohydrine bilden, die rasch in Blausäure u. die entsprechende Carbonyl-Verb. zerfallen, am bekanntesten ist *Amygdalin, das wie die meisten aromat. c. G. hauptsächlich in den Steinen von Rosaceen (Steinobst), Apfelkernen u. Mandeln vorkommt. Linustatin ist das *O*-β-Sophorosid von Acetoncyanhydrin.
Zum Nachw. u. zur Entfernung von Linamarin aus Lebensmitteln (Maniok, Bohnen) u. Viehfutter (Flachssamen) durch enzymat. Spaltung u. Extraktionsverf. s. *Lit.*[1]. Linamarin u. Lotaustralin kommen in der Hä-

Tab.: Daten u. Vorkommen cyanogener Glykoside.

cyanogenes Glykosid	Summenformel	M_R	Schmp. [°C]	opt. Aktivität	Vork.	CAS
Amygdalin	$C_{20}H_{27}NO_{11}$	457,43	214 (Trihydrat)	$[\alpha]_D -40,6°$ (H_2O)	s. dort	29883-15-6
Sambunigrin	$C_{14}H_{17}NO_6$	295,29	151–152	$[\alpha]_D -76,3°$ (Essigester)	*Sambucus nigra*	99-19-4
Prunasin	$C_{14}H_{17}NO_6$	295,29	147–148	$[\alpha]_D -29,6°$ (H_2O)	*Prunus* spp., *Cotoneaster* spp.	99-18-3
Holocalin	$C_{14}H_{17}NO_7$	311,29	154–155	$[\alpha]_D^{20} -59,1°$ (c 1,14/C_2H_5OH)	*Holocalyx balansae*	41753-54-2
Zicrin	$C_{14}H_{17}NO_7$	311,29	156	$[\alpha]_D^{20,3} -29,5°$	*Zieria laevigata*	645-02-3
Lotaustralin	$C_{11}H_{19}NO_6$	261,27	139	$[\alpha]_D^{20} -26,4°$ (H_2O)	*Lotus australis*, *Trifolium repens*	534-67-8
Taxiphyllin	$C_{14}H_{17}NO_7$	311,29	168-169	$[\alpha]_D^{20} -66°$ (c 0,37/C_2H_5OH)	*Taxus* spp., *Bambusa* spp., *Sorghum bicolor*, *Sorghum picolor*	21401-21-8
Dhurrin	$C_{14}H_{17}NO_7$	311,29	165 (Monohydrat)			499-20-7
Linamarin	$C_{10}H_{17}NO_6$	247,25	143–144	$[\alpha]_D -28,5°$ (c 3,86/H_2O)	*Linum usitatissimum*, *Manihot*, *Phaseolus lunatus*,	554-35-8

molymphe von Raupen des Schmetterlings *Zygaena trifolii* vor [2].

R¹, R² = H: (S)-(-)-Form : Sambunigrin
(R)-(-)-Form : Prunasin
(R,S)-Form : Prulaurasin
R¹ = OH, R² = H : (R)-(-)-Form : Taxiphyllin
(S)-Form : Dhurrin
R¹ = H, R² = OH : (R)-(-)-Form : Holocalin
(S)-(-)-Form : Zierin

R = H : Linamarin
R = Glc : Linustatin

(R)-(-)-Form : Lotaustralin

Wirkung: Die enzymat. Spaltung von c. G. durch β-Glucosidasen (z.B. Emulsin od. Linamarase, EC 3.2.1.21) liefert Cyanhydrine, welche Blausäure freisctzcn, so daß der Verzehr entsprechender Lebensmittel zu Vergiftungen führen kann. Dhurrin hemmt die β-D-Glucosidase aus Mais mit $K_i = 1$ mM.
Toxikologie: LD_{50} (Maus p.o.) 880 mg/kg (Amygdalin). – *E* cyanogenic glycosides – *F* glucosides cyanogènes – *I* glicosidi cianogeni – *S* glucósidos cianógenos, glucosidos cianhídricos
Lit.: [1] Food Chem. **48**, 99ff., 263–269 (1993); J. Am. Oil Chem. Soc. **71**, 603–607 (1994); J. Sci. Food Agric. **66**, 31 ff. (1994). [2] Insect Biochem. Mol. Biol. **24**, 161–165 (1994). allg.: ACS Symp. Ser. **533**, 170–204 (1992) ▪ Nat. Prod. Rep. **12**, 101–133 (1995) ▪ Phytochemistry **34**, 433–466 (1993) ▪ Planta Med. **57**, S1–S9 (1991) ▪ Zechmeister **28**, 74–108. – *Toxikologie:* Sax (8.), AOD500, GFC100, IHO700, MAP250, MLC750. – *[HS 2938 90]*

Cyanoguanidin (Dicyandiamid).

$C_2H_4N_4$, M_R 84,08. Farbloses Pulver, D. 1,40, Schmp. 212 °C (leichte Zers.), in Wasser, Ethylenglykol, Dimethylform- u. -acetamid lösl., in Alkoholen u. unpolaren organ. Lsm. nicht lösl., WGK 1. C. kann aus den oben aufgeführten zwei tautomeren Formen heraus reagieren. Das techn. aus Calciumcyanamid durch Umsetzung mit CO_2 in wäss. Medium in Ggw. von Alkalien zugängliche C. wird zur Herst. von *Melamin, Guanidinen, Barbituraten, Aminoplasten sowie in Form von *Dicyandiamid-Harzen* für Ledergerbstoffe, Imprägnierungsmittel zur Flammfestausrüstung von Textilien u. dgl. verwendet. – *E* cyanoguanidine – *F* 1-cyanoguanidine – *I* = *S* 1-cianoguanidina
Lit.: Beilstein E IV **3**, 160 f. ▪ Gmelin, Syst.-Nr. 14, C, Tl. D1, 1971, S. 280–295 ▪ Houben-Weyl **8**, 209–220 ▪ Kirk-Othmer (4.) **7**, 745 f. ▪ Ullmann (4.) **10**, 145–149; (5.) **A8**, 150 f. ▪ s. a. Cyanamid. – *[HS 2926 20; CAS 461-58-5]*

Cyanohydrine. In Analogie zu *Chlor- u. a. *Halohydrinen gebildete Sammelbezeichnung für α-Hydroxynitrile (s. Tab. S. 838). C. sind in der Regel farblose, od. schwach gelbe Flüssigkeiten mit einem dem Cyanwasserstoff verwandten Geruch. Bei Inhalation od. Ingestion sind C. hochgiftig. Auch Resorption durch die Haut kann zu Vergiftungen führen.
Vork.: Mit Zucker veretherte, chirale C.[1] sind als *cyanogene Glykoside in der Natur weit verbreitet; vielen Pflanzen u. Insekten dienen sie als Abwehrstoffe gegen Feinde [bekanntester Vertreter ist das *Amygdalin* aus Bittermandel (*Prunus amygdalis*)].
Herst.: C. bilden sich durch basen- oder säuren-katalysierte Addition von Cyanwasserstoff (*Blausäure) an Aldehyde od. Ketone.

Umwandlung: Die herausragende chem. Eigenschaft der α-C. ist ihre Fähigkeit, leicht in α-Hydroxycarbonsäuren, α-Aminocarbonsäuren (Aminosäuren) od. ungesätt. Carbonsäuren umwandelbar zu sein.
Die Hydrolyse der Nitril-Funktion zu Carbonsäuren verläuft über Amide als Zwischenstufen. Mit Ammoniumcarbonat bilden sich *Hydantoine, die nach Hy-

Tab.: Physikal. Eigenschaften einiger techn. wichtiger Cyanhydrine.

Cyanhydrin		Schmp. [°C]	Sdp. [°C/kPa (mm Hg)]	Gefahr-symbol	Gefahr-klasse	WGK	CAS
Formaldehydcyanhydrin C_2H_3NO, M_R 57,05	$H_2C\begin{smallmatrix}CN\\OH\end{smallmatrix}$	−72	119/3,2 (24)	T ☠	G 1		107-16-4
Acetaldehydcyanhydrin (s. Hydroxypropionitrile) C_3H_5NO, M_R 71,08	$H_3C-CH(CN)-OH$	−40	182–184	T ☠	G 1		78-97-7
Acetoncyanhydrin (s. 2-Hydroxy-2-methylpropionitril) C_4H_7NO, M_R 85,11	$(H_3C)_2C\begin{smallmatrix}CN\\OH\end{smallmatrix}$	−19	82/3,1 (23)	T ☠	G 1	3	75-86-5
Cyclohexanoncyanhydrin $C_7H_{11}NO$, M_R 125,17		29	109–113/1,2 (9)	T ☠			931-97-5
Benzaldehydcyanhydrin C_8H_7NO, M_R 133,15	$H_5C_6-CH(CN)-OH$	−10	170	T ☠	G 1		532-28-5

drolyse in Aminosäuren umgewandelt werden können (vgl. Erlenmeyer-Synthese). Die Hydroxy-Gruppe der

$$R^1\text{-}C(OH)(CN)\text{-}R^2 \xrightarrow{Hydrolyse} R^1\text{-}C(OH)(COOH)\text{-}R^2$$

$$\xrightarrow[\text{2. Hydrolyse}]{\text{1. NH}_3} R^1\text{-}C(NH_2)(COOH)\text{-}R^2$$

z.B. $R^1 = CH_3$ $\xrightarrow[-H_2O]{H^+}$ $H_2C=C(R^2)\text{-}COOH$

C. läßt sich nucleophil ersetzen, so z. B. bei der Reaktion mit Ammoniak. Die resultierenden α-Aminonitrile sind Zwischenstufen bei der Aminosäure-Synth. nach *Strecker.
Verw.: Als Zwischenstufe für die Herst. der oben genannten Verb., daneben auch für Oxazole (*Fischer-Reaktion) u. Zucker (*Kiliani-Synthese). Die techn. Synth. von Methacrylat über Acetoncyanhydrin ist industriell von großer Bedeutung[2]. C. werden auch als Lsm. u. Antiklopf-Additiva für Kraftstoffe eingesetzt; s. a. Cyanide u. Nitrile. – *E* cyanohydrins – *F* cyanohydrines – *I* cianodrine – *S* cianohidrinas
Lit.: [1] Angew. Chem. **106**, 1609–1619 (1994). [2] Weissermel-Arpe (4.), S. 305 ff.
allg.: Katritzky et al. **3**, 627–633 ▪ Kirk-Othmer (4.) **7**, 821–834 ▪ Org. React. **25**, 255–476 (1977) ▪ Patai-Rappoport, The Chemistry of the Carbonyl Group, Bd. 2, S. 21–32, London: Wiley-Interscience 1970 ▪ s.a. Cyanide u. Nitrile.

Cyanopsin. Sehfarbstoff der Fische aus 3-Dehydroretinal (dem oxidierten Vitamin A$_2$) u. dem *Opsin der Netzhautzäpfchen; s. Sehprozeß. – *E* cyanopsin – *F* cyanopsine – *I* = *S* cianopsina
Lit.: s. Sehprozeß.

Cyanose. Von griech.: kyanos = blau abgeleitete Bez. für eine blaugraue Verfärbung der Haut, bes. sichtbar an Lippen u. Fingernägeln, die bei Sauerstoff-Mangel im Blut auftritt. Bei Lungen-, Herz- u. Kreislaufschäden beruht die C. auf einem erhöhten Anteil von reduziertem *Hämoglobin. Außerdem beobachtet man eine C. bei Vergiftungen mit Anilin, Nitriten, Chloraten etc. als Folge vermehrter Bildung von *Methämoglobin. – *E* cyanosis – *F* cyanose – *I* cianosi – *S* cianosis

Cyanosorb Roth®. Mischung, die Blausäure u. Blausäure-haltige Substanzen u. Cyanide unschädlich macht. *B.:* Roth.

Cyanotypie s. Eisensalz-Verfahren.

Cyansäure. Die freie, sehr instabile C. (HO–C≡N) läßt sich bei der Photolyse von *Isocyansäure (HN=C=O) in einer Argon- od. Stickstoff-Matrix (4 K bzw. 20 K) nachweisen. In Lsg. existiert zwischen beiden Isomeren *kein tautomeres Gleichgew.*, sondern es liegt ausschließlich Isocyansäure vor. Dagegen kennt man Metallsalze u. Ester, die sich von beiden Säuren ableiten: *Cyanate (MO–C≡N, RO–C≡N) u. *Isocyanate (M–N=C=O, R–N=C=O). Mit C. isomer ist die *Knallsäure. Zur Nomenklatur s. a. IUPAC-Regeln S. 214, C-833 u. C-834. – *E* cyanic acid – *F* acide cyanique – *I* acido cianico – *S* ácido ciánico
Lit.: Beilstein E IV **3**, 80–83 ▪ Gmelin, Syst.-Nr. 14, C, Tl. D1, 1971, S. 346 ▪ Merck-Index (12.), Nr. 2756 ▪ Ullmann (5.) **A 8**, 157 f. – *[HS 283800; CAS 420-05-3 (Cyansäure); 75-13-8 (Isocyansäure)]*

Cyanurchlorid (2,4,6-Trichlor-1,3,5-triazin). $C_3Cl_3N_3$, M_R 184,41, Formel s. Cyanursäure. Farblose Krist., D. 1,32, Schmp. 146 °C, Sdp. 190 °C, lösl. in Alkohol, Chloroform, Tetrachlormethan, nicht lösl. in Wasser (Zers.). Der Staub reizt sehr stark die Augen, die Atemwege (Lungenödem) sowie die Haut. LD$_{50}$ (Ratte oral) 485 mg/kg, WGK 1

(Selbsteinst.). C. wird durch Einwirkung von Chlor auf Blausäure u. Trimerisieren des entstehenden *Chlorcyans hergestellt.
Verw.: Wichtiges Zwischenprodukt für Reaktivfarbstoffe, opt. Aufheller, Arzneimittel, Pflanzenschutzmittel, Lackrohstoffe, Textilhilfsmittel, Gerbstoffe, Weichmacher u. Kunststoffe, Basisprodukt für Triazin-Herbizide u. Fungizide. – *E* cyanuric chloride – *F* chlorure de cyanuryle – *I* cloruro cianurico – *S* cloruro de cianurilo
Lit.: Beilstein E IV **26**, 66 ▪ Gmelin, Syst.-Nr. 14, C, Tl. D3, S. 272–287 ▪ Hommel, Nr. 423 ▪ Kirk-Othmer (4.) **7**, 755, 840 ▪ Ullmann (4.) **9**, 650 ff.; (5.) **A 8**, 195 ▪ Weissermel-Arpe (4.), S. 51 f. ▪ s. a. Triazine. – *[HS 293 69; CAS 108-77-0; G 8]*

Cyanursäure (1,3,5-Triazin-2,4,6-triol bzw. 1,3,5-Triazin-2,4,6-trion).

a R = OH : Cyanursäure
R = Cl : Cyanurchlorid

b R = H : Isocyanursäure
R = Cl : Trichlorisocyansäure

$C_3H_3N_3O_3$, M_R 129,08, farblose Krist., D. 1,80, Schmp. 320–330 °C (Zers. zu Isocyansäure); enthält normalerweise 2 Mol. Kristallwasser, die an trockener Luft entweichen. In Wasser ist C. wenig lösl., in den meisten organ. Lsm. noch weniger; die gesätt. wäss. Lsg. hat pH 3,8–4,0. Das Trimerisierungsprodukt der Isocyansäure liegt überwiegend in der Ketoform (b), der Isocyanursäure, vor. Von beiden Grenzformen sind Derivate bekannt, s. Ullmann (5. Aufl., *Lit.*).
Herst.: Durch Hydrolyse von *Cyanurchlorid, Zers. von Melamin mit Säure od. techn. durch Erhitzen von Harnstoff auf 200–300 °C.
Verw.: Hauptsächlich zur Herst. der *N*-chlorierten Derivate (Chlorisocyanursäuren), die als Bleich- u. Desinfektionsmittel in Ind. u. Haushalt u. in *Schwimmbadpflegemitteln gebraucht werden, zur Herst. von Lackhilfsmitteln u. als Ausgangsmaterial für Isocyansäure bzw. Cyansäure in Laboratoriumsmengen. – *E* cyanuric acid – *F* acide cyanurique – *I* acido cianurico – *S* ácido cianúrico
Lit.: Beilstein E V **26/6**, 255 f. ▪ Gmelin, Syst-Nr. 14, C, Tl. D1, 1971, S. 366–381 ▪ Kirk-Othmer (4.) **7**, 837 f. ▪ Merck-Index (12.), Nr. 2767 ▪ Ullmann (4.) **9**, 648 ff.; (5.) **A 8**, 191 f. – *[HS 293 69; CAS 108-80-5]*

Cyanursäuretriamid s. Melamin.

Cyanursäuretrichlorid s. Cyanurchlorid.

Cyanwasserstoffsäure s. Blausäure.

Cyasorb®. UV-Absorber als Lichtschutzsubstanzen auf der Basis von hydroxylierten *Benzophenon-Derivaten. *B.:* Cytec Industries Inc.

Cyathane.

R^1	R^2	
=O		Cyathin A_3
OH	H	Cyathatriol

Tricycl. Diterpene aus Pilzen der Gattung *Cyathus*, den sog. „Vogelnestern" od. „Teuerlingen", bes. der Arten *C. earlei*, *C. helenae* u. *C. africanus*. Die C. bestehen aus drei annelierten Ringen, einem 5-, einem 6- u. einem 7-Ring. Die wichtigsten Verb. sind: *Cyathin A_3* {$C_{20}H_{30}O_3$, M_R 318,46, Schmp. 148–150 °C, $[\alpha]_D$ –160° (CH_3OH)} u. *Cyathatriol* ($C_{20}H_{32}O_3$, M_R 320,47, Schmp. 172–173 °C). Cyathin A_3 besitzt antibiot. Wirkung großer Bandbreite. – *E* cyathines – *F* cyathane – *I* ciatini – *S* ciatinas
Lit.: Tetrahedron **37**, 2230–2234 (1981) (Review) ▪ Turner **2**, 288 ff. – *[CAS 38598-35-5 (Cyathin A_3); 70116-99-3 (Cyathatriol)]*

Cybotaktische Struktur (von griech.: kybos = Würfel u. taxis = Anordnung). In flüssig krist. Phasen (s. flüssige Kristalle) gibt es verschiedene Ordnungszustände der Mol., die den *Flüssigkeiten anisotrope Eigenschaften verleihen. Auch in vollständig isotropen Flüssigkeiten sind die Mol. in regelmäßigen Gruppen (cybotakt. Gruppen) angeordnet, zwischen denen ein steter Mol.-Austausch stattfindet. – *E* cybotaxis – *F* cybotaxie – *I* cibotassia – *S* cibotaxia
Lit.: Brdička, Grundlagen der Physikalischen Chemie, S. 302, Berlin: Verl. der Wissenschaften 1988 ▪ Phys. Rev. **1928**, 558–563.

Cycasin (Methylazoxymethyl-β-D-glucosid).

R = H : Cycasin
R = ... : Macrozamin

$C_8H_{16}N_2O_7$, M_R 252,22, Nadeln, Schmp. 154 °C (Zers.), $[\alpha]_D^{18}$ –44° (H_2O). Alkaloid aus den Samen von Farnpalmen (Cycadaceae), ebenso wie das *O-[β-D-Xylopyranosyl-(1 → 6)-β-D-glucopyranosid] Macrozamin* {$C_{13}H_{24}N_2O_{11}$, M_R 384,34, Schmp. 199–200 °C, $[\alpha]_D^{16}$ –70° (H_2O)}. Höhere Oligoglykoside des Aglykons Methylazoxymethanol werden als Neocycasine bezeichnet. C. kommt auch in sich von Cycadaceen ernährenden Schmetterlingen als Abwehrsubstanz vor. Methylazoxymethanol ist aufgrund seiner methylierenden Eigenschaften als carcinogen u. mutagen einzustufen[1]. – *E* cycasin – *F* cycasine – *I* = *S* cicasina
Lit.: [1] ACS Monogr. Ser. **182** (1984); Bioact. Mol. **2**, 3–24 (1987); Biochem. Biophys. Acta **1193**, 151 (1994); CRC Handb. Nat. Occurring Food Toxicants **1983**, 43–61; Mutat. Res. **228**, 1–50 (1990).
allg.: Beilstein E V **17/7**, 149. – *[HS 293 90; CAS 14901-08-7 (C.); 6327-93-1 (Macrozamin); 590-96-5 (Methylazoxymethanol)]*

Cyclamat s. Natriumcyclamat.

Cyclamenaldehyd [3-(4-Isopropylphenyl)-2-methylpropionaldehyd].

$C_{13}H_{18}O$, M_R 190,29. Farblose, stark nach Cyclamenblüten (Alpenveilchen) u. Maiglöckchen riechende Flüssigkeit, D. 0,951, Sdp. 126–127 °C (12 hPa), in Wasser unlösl., in Alkohol löslich. Wird in der Parfümerie zur Erzielung von Cyclamennoten verwendet. –

E cyclamen aldehyde – *F* cyclamenaldéhyde – *I* ciclaminaldeide – *S* ciclamenaldehído

Lit.: Beilstein E IV **7**, 788 ▪ Ullmann (4.) **20**, 235; (5.) **A 11**, 187. – *[HS 291229; CAS 103-95-7]*

Cyclaminsäure (Cyclohexylsulfamidsäure) s. Natriumcyclamat.

Cyclandelat.

H_5C_6—CH(OH)—CO—O—[3,3,5-trimethylcyclohexyl]

Freie, internat. Kurzbez. für den spasmolyt. u. *Papaverin-ähnlich gefäßerweiternd wirksamen Mandelsäureester des 3,3,5-Trimethylcyclohexanols, $C_{17}H_{24}O_3$, M_R 276,38. Weißes, amorphes Pulver; subl. bei 20 °C; Schmp. 55–56,5 °C, Sdp. 192–194 °C (1,82 kPa); λ_{max} (CH_3OH) 252, 258, 264 mm ($A_{1cm}^{1\%}$ = 6,4; 7,7; 6,1). Es wurde als muskulotroper *Vasodilatator 1954 u. 1955 von Brocades Huch. patentiert u. ist von 3M Medica (Natil®, Spasmocyclon®) im Handel. – *E* cyclandelate – *F* cyclandélate – *I* = *S* ciclandelato

Lit.: Florey **21**, 149–168 ▪ Hager (5.) **7**, 1121 ff. – *[HS 291817; CAS 456-59-7]*

Cyclane s. cyclische Verbindungen.

Cyclanon®. Sortiment von Nachbehandlungsmitteln zur Echtheitsverbesserung von Färbungen mit entsprechenden Farbstoffklassen. *B.:* BASF.

Cyclazine.

Trivialnamen für durch Stickstoff verbrückte *Annulene, z. B. Cyclo[3.3.3]azin (Pyrido[2,1,6-*de*]chinolizin) (s. Formel). Die Verb. ist cycl.-konjugiert u. sollte mit 12 π-Elektronen antiaromat. Charakter (s. Antiaromatizität) besitzen, zumal durch den Brückenstickstoff eine planare Anordnung erzwungen wird. In der Tat weist das ^{1}H-NMR-Spektrum auf das Vorhandensein eines paramagnet. Ringstroms hin [1], wie er für antiaromat. Verb. vorhergesagt wird. – *E* = *F* cyclazines – *I* ciclazine – *S* ciclazinas

Lit.: [1] Günther, NMR-Spektroskopie, S. 86, Stuttgart: Thieme 1983.

allg.: Adv. Heterocycl. Chem. **22**, 321–365 (1978) ▪ Weissberger **30**, 245–270.

Cyclazocin.

Internat. Freiname für 3-(Cyclopropylmethyl)-1,2,3,4,5,6-hexahydro-6,11-dimethyl-2,6-methano-3-benzazocin-8-ol, $C_{18}H_{25}NO$, M_R 271,40, Schmp. 201–204 °C. Es wurde als *Analgetikum mit partiellen Agonist-Antagonist-Opiat-Eigenschaften 1962 von Sterlin Drug patentiert. – *E* = *F* cyclazocine – *I* = *S* ciclazocina

Lit.: Beilstein E V **21/3**, 154. – *[HS 293339; CAS 3572-80-3]*

Cyclic amplification and selection of targets s. CASTing.

Cyclin-abhängige Kinasen (CDK). Familie von Serin/Threonin-*Protein-Kinasen, die eine Schlüsselrolle bei der Regulation der *eukaryontischen *Zellcyclus* (s. Wachstum) spielen (mit Ausnahme von CDK 5). Sie werden von *Cyclinen aktiviert u. von spezif. *Inhibitoren (*CDK-interacting proteins, CIP* od. *CDK-Inhibitoren, CDI*) inhibiert. Selber phosphorylierende Enzyme, sind die CDK außerdem in ihrer Aktivität von ihrem eigenen Phosphorylierungszustand abhängig, der von weiteren *Kinasen u. von *Phosphatasen kontrolliert wird. Die CDK regulieren den Zellcyclus, indem sie das Produkt des Retinoblastom-Suszeptibilitäts-Gens (Rb) phosphorylieren (CDK 2, CDK 4, CDK 6) mit *Transkriptionsfaktoren wechselwirken (CDK 2) sowie u. a. das *Histon H1 phosphorylieren (CDK 1). CDK 7 aktiviert andere CDK. Bei Überfunktion der CDK (durch Viren, Mutationen od. Ausfall ihrer Inhibitoren) kann es zur Entstehung von Krebs kommen. Verfrühte Aktivierung von CDK führt zu *Apoptose [1]. Bei Hefe kennt man statt der CDK 1 die CDC 28-, bei Spalthefe die *cdc2-Protein-Kinase* [2]. – *E* cyclin-dependent kinases – *F* kinases dépendant de la cycline – *I* chinasi dipendenti dalla ciclina – *S* quinasas dependientes de la ciclina

Lit.: [1] J. Cell. Biochem. **58**, 160–174 (1995). [2] Trends Genet. **12**, 345–350 (1996).

allg.: Bioessays **17**, 471–480 (1995) ▪ Curr Opin. Cell Biol. **7**, 773–780 (1995) ▪ MS – Méd. Sci. **12**, 165–173 (1996) ▪ Nature (London) **374**, 131 ff. (1995).

Cycline. *Eukaryontische Proteine, deren intrazelluläre Konz. während des Verlaufs des Zellcyclus (s. Wachstum) regelmäßig steigt u. fällt, was durch kontrollierte Synth. u. Abbau zustande kommt. Die C. kontrollieren den Zellcyclus (daher Name), indem sie an *Cyclin-abhängige Kinasen (CDK) binden u. diese dadurch aktivieren. Dabei sind die C. D u. E zuständig für die Progression durch die G1- u. die Vorbereitung der Zelle auf die S-Phase; C. D arbeitet dazu mit den CDK 4 u. 6 zusammen [1]. C. A kontrolliert bei Bindung an CDK 2 (Struktur dieses Komplexes s. *Lit.*[2]) den Abschluß der G1-Phase u. den Beginn der Synth. von *Desoxyribonucleinsäuren sowie bei Aktivierung von CDK 1 die *Mitose (M-Phase). Der Komplex aus C. B u. CDK 1 wurde auch *maturation-promoting factor* genannt u. bewirkt ebenfalls den Eintritt in die M-Phase. Der Abbau der C. erfolgt auf dem *Ubiquitin-Weg [3]. Zur chem.-kinet. Analyse des Zellcyclus s. *Lit.*[4]. – *E* cyclins – *F* cyclines – *I* cicline – *S* ciclinas

Lit.: [1] Trends Biochem. Sci. **20**, 187 ff. (1995). [2] Nature (London) **376**, 313–320. [3] Curr. Biol. **6**, 455–466 (1996). [4] Trends Biochem. Sci. **21**, 89–96 (1995).

allg.: Alberts et al., Molekularbiologie der Zelle, 3. Aufl., S. 126 f., Weinheim: VCH Verlagsges. 1995 ▪ Biochem. J. **308**, 697–711 (1995).

Cyclische ADP-Ribose (cADPR).

$C_{15}H_{21}N_5O_{13}P_2$, M_R 541,30. Enzymat. (durch ADP-Ribosyl-Cyclase) in tier. Geweben aus *Nicotinamid-Adenin-Dinucleotid gebildetes Signal-Mol. (*second messenger), das als Modulator der Ca^{2+}-*induzierten* Ca^{2+}-*Freisetzung* imstande ist, (direkt od. indirekt) den *Ryanodin-Rezeptor zu aktivieren u. so die Freisetzung von Calcium-Ionen aus dem *endoplasmatischen Retikulum u. *sarkoplasmatischen Retikulum auszulösen. Der Abbau von cADPR zu Adenosin-5'-diphosphat-Ribose erfolgt durch das Enzym cADPR-Hydrolase, das mit der Cyclase zu einem bifunktionellen Enzym vereinigt sein kann, wie bei NAD^+-Glykohydrolase (s. Nicotinamid-Adenin-Dinucleotid) u. dem Lymphocyten-Differenzierungs-Antigen CD38. – *E* cyclic ADP-ribose – *F* ADP-ribose cyclique – *I* ADP-ribosio ciclico – *S* ADP-ribosa cíclica

Lit.: Biochimie **77**, 341–363 (1995) ▪ Curr. Biol. **6**, 989–996 (1996) ▪ Receptor **5**, 43–49 (1995) ▪ Structural Biol. **1**, 143f. (1994) ▪ Trends Pharmacol. Sci. **16**, 386–391 (1995). – [CAS 150155-83-2]

Cyclische Fermentation. Bez. für eine cycl. wiederholte halbkontinuierliche Prozeßführung. Nach einer Startphase, die als Fed-Batch-Prozeß (s. Fed-Batch-Fermentationen) geführt wird, kann nach ausreichender Bildung von Biomasse u. Produkt ein bestimmter Anteil der Fermentationslsg. abgenommen u. der Aufarbeitung zugeführt werden. Das frei gewordene Reaktorvol. wird mit frischer Nährlsg. im Fed-Batch-Betrieb substituiert, bis ein neuer Cyclus abgelaufen ist u. wieder ein Substitutionsanteil abgezogen werden kann usw.; die Fermentation ist beliebig fortführbar. Es stellt sich eine quasistationäre Produktkonz. ein, die vom Substitutionsanteil, der Cycluszeit u. der Produktivität in der Fed-Batch-Phase abhängt. C. F. werden mit Vorteil bei der *Antibiotika- u. Enzymproduktion eingesetzt. – *E* repeated fed-batch – *F* fermentation cyclique – *I* fermentazione ciclica – *S* fermentación cíclica

Cyclische Nucleotide (Cyclonucleotide; speziell: Nucleosid-3',5'-monophosphate). Gruppe von *Nucleotiden, in denen ein Phosphorsäure-Rest sowohl in 3'- als auch in 5'-Stellung an der D-*Ribose-Einheit fixiert ist u. somit eine intramol. Phosphodiester-Brücke ausbildet. *Beisp.:* *Adenosin-3',5'-monophosphat (cyclo-AMP, cAMP), Guanosin-3',5'-monophosphat (cyclo-GMP, cGMP; s. Guanosinphosphate). Die c. N. werden im Organismus durch die Einwirkung von Cyclasen (z. B. *Adenylat-Cyclase) auf die entsprechenden Nucleosidtriphosphate gebildet u. durch hydrolyt. Spaltung an Phosphodiesterasen wieder abgebaut. Die zentrale Rolle der c. N. bei hormonellen u. neuralen Stoffwechselprozessen (s. second messenger, Signaltransduktion) wurde zuerst von *Sutherland (Nobelpreis 1971) erkannt. Zur Kontrolle von *Ionenkanälen durch c. N. s. *Lit.*[1]. – *E* cyclic nucleotides – *F* nucléotides cycliques – *I* nucleotidi ciclici – *S* nucleótidos cíclicos

Lit.: [1] J. Bioenerg. Biomembr. **28**, 269–278 (1996).

Cyclische Verbindungen (griech.: kyklos = Kreis). Sammelbez. für chem. Verb., in denen einige od. alle Atome zu Ringstrukturen angeordnet sind. Obwohl es auch anorgan. c. V. gibt (*Beisp.:* *Cyclosilane, *Cycloschwefel, *Borane, cyclo-*Silicate, cyclo-*Polyphosphate), verbindet man doch mit dem Begriff der c. V. meist die Vorstellung von ringförmigen organ. Verb. (s. a. Cyclo…). Je nachdem, ob die Ringe aus Atomen des gleichen od. von mind. zwei verschiedenen Elementen bestehen, unterscheidet man *iso-* od. *homocyclische* – in der organ. Chemie insbes. *carbocyclische* – u. *heterocyclische Verbindungen*. Zu den c. V. gehören als wirtschaftlich bedeutendste Gruppe die *aromatischen Verbindungen. Die Aromaten können carbocycl. od. heterocycl. Struktur sein, u. sie können ein- od. mehrkernig vorliegen; in letzterem Fall spricht man von *kondensierten Ringsystemen od. polycycl. *Ringsystemen. Eine noch größere Vielfalt des Molekülbaus trifft man bei den partiell ungesätt. u. den gesätt. c. V. an, die auch *alicyclische Verbindungen, Alicyclen od. Cycloaliphaten genannt werden. Untergruppen dieser in der Natur sehr weit verbreiteten Verbindungsklasse sind die *Cycloalkane (Cyclane) od. Cycloparaffine, *Cycloalkene od. Cycloolefine, auch Cyclodiene usw., *Cycloalkine, *Spiro-Verbindungen, *Brücken- u. *Käfigverbindungen (vgl. Bicyclo[…]…) sowie exotischere *Ringsysteme, s. die Aufzählung dort. Zu den c. V. im weitesten Sinne kann man auch die *Chelate u. viele Komplexe (s. Koordinationslehre) rechnen. Da zu den c. V. so verschiedenartige Verb. wie Cyclopropan, Benzol, Coronen, Dioxan, Pyridin, Caren, Adamantan u. Cuban, Annulene, Cyclene, Cyclophane u. Makrolide (um nur einige wenige Grundkörper zu nennen) gehören, ist keine allg. Reaktionsweise dieser Ringverb. zu erwarten. Soweit die Ringsyst. nicht durch evtl. natürliches Vork. vorgegeben sind, entstehen c. V. aus acycl. Ausgangsstoffen durch *Cyclisierung, *Cycloaddition, *Cyclodimerisation od. *Cyclooligomerisation. Zu diesen *Ringschlußreaktionen* treten als weitere Bildungsweisen noch Ringerweiterungs- u. -verengerungsreaktionen hinzu. Die cycl. Struktur bringt es mit sich, daß c. V. über bes. Formen der *Stereoisomerie verfügen; zur *Konformation s. V. *Lit.*[1]. Die Ringgröße natürlicher c. V. reicht, wenn von den makrocycl. Peptiden (*Cyclopeptide) abgesehen wird, von C_3 bis etwa C_{18}; aus empir. u. prakt. Gründen unterscheidet man *kleine* (3–4 Glieder), *gewöhnliche* (5–7 Glieder), *mittlere* (8–12 Glieder) u. *große Ringe* (>13 Glieder, s. makrocyclische Verbindungen). – *E* cyclic compounds – *F* composés cycliques – *I* composti ciclici – *S* compuestos cíclicos

Lit.: [1] Eliel u. Wilen, Stereochemistry of Organic Compounds, S. 665–834, New York: Wiley 1994.
allg.: Contemp. Org. Synth. **1**, 433–455 (1994); **3**, 19–40 (1996).

Cyclisierter Kautschuk s. Cyclokautschuke.

Cyclisierung (Cyclisation). Im weitesten Sinne die Bildung einer *cyclischen Verb. aus *einer* (intramol. C.) od. *mehreren* (s. Cycloaddition) offenkettigen Verbindungen. Die intramol. C. kann z. B. als elektrocycl. Ringschlußreaktion (s. a. Ringsysteme u. pericyclische Reaktion) ablaufen od. durch Kondensationsreaktionen bewirkt werden. Auch säurekatalysierte C. von ungesätt. Verb. sind bekannt; vgl. Nazarov-Reaktion. Aus der Fülle der hier möglichen Reaktionen sei als Beisp.

für einen elektrocycl. Ringschluß die 1,3-Butadien/Cyclobuten-Isomerisierung, u. für eine C. unter Kondensationsbedingungen die *Dieckmann-Kondensation erwähnt.

$$H_2C=CH-CH=CH_2 \xrightarrow{\text{elektrocyclischer Ringschluß}} \square$$

$$(H_2C)_3\begin{Bmatrix}CH_2-COOC_2H_5\\COOC_2H_5\end{Bmatrix} \xrightarrow{NaOC_2H_5} \text{Cyclopentanon-COOC}_2H_5$$

Dieckmann-Cyclisierung

Ob eine intramol. C. leicht od. schwer abläuft, hängt nicht zuletzt von der Größe der gebildeten Ringsysteme ab. So sind Ringe mit 5–6 Ringgliedern bes. leicht zugänglich, da in diesen Syst. die geringste *Ringspannung herrscht (s. a. Baeyer-Spannung, Blancsche Regel). Zur Synth. größerer Ringsyst. wendet man oft das *Zieglersche Verdünnungsprinzip an. In jüngster Zeit werden C. zunehmend mit Hilfe von Übergangsmetallen durchgeführt[1,2,3]. Diese meist katalyt. Reaktionen erhöhen beträchtlich die Effizienz der C., wie auch *Kaskaden- und verwandte Reaktionen, die als *Eintopfreaktionen auch komplizierte cycl. Verb. einfach zugänglich machen. Die Abb. zeigt ein Beisp. für eine Eintopf-Domino-*Heck-*Diels-Alder-Reaktion.

– *E* cyclization, ring formation – *F* cyclisation – *I* ciclisazione, formazione di sistemi ciclici – *S* ciclización

Lit.: [1] Chem. Rev. **96**, 365–393, 635–662 (1996). [2] Synlett **1995**, 1–12. [3] CHEMTECH **25**, 15–21 (1995). *allg.:* Chem. Rev. **96**, 93–114 ▪ Tetrahedron **51**, 975–1016 (1995) ▪ Top. Curr. Chem. **177**, 77–124 (1996) ▪ Trost-Fleming **3**, 341–375, 379–407; **4**, 363–414, 476–480 ▪ s. a. Cycloaddition.

Cyclite. Gruppenbez. für Cycloalkane, die an mind. 3 Ringkohlenstoff-Atomen je eine Hydroxy-Gruppe tragen. Die bei weitem wichtigsten C. sind die 1,2,3,4,5,6-Hexahydroxycyclohexane, die *Inosite. Weitere Beisp. sind Validamin in *Validamycin, *Valienamin u. als Polyhydroxycyclopentan *Mannostatin A*[1] [$C_6H_{13}NO_3S$, M_R 179,24, Schmp. 121°C (Zers.)]. – *E = F* cyclitols – *I* ciclitoli – *S* ciclitoles

Lit.: [1] J. Am. Chem. Soc. **113**, 5089, 6317 (1991); **115**, 444 (1993) (Synth.); J. Antibiot. **42**, 883, 1008 (1989) (Isolierung). *allg.:* Karrer, Nr. 280–291, 3205 ff. ▪ Posternak, Les cyclitols, Paris: Hermann 1962 ▪ Rinehart u. Suami (Hrsg.) ACS Symp. Ser. **125**: Aminocyclitol Antibiotics, Washington, D.C.: ACS 1980 ▪ Wells u. Eisenberg, Cyclitols and Phosphoinositides, New York: Academic Press 1978 ▪ Zechmeister **24**, 149–205 ▪ s. a. Inosit. – *[CAS 102822-56-0 (Mannostatin A)]*

Cyclizin.

$$(H_5C_6)_2CH-N\overset{\frown}{\underset{\smile}{}}N-CH_3$$

Internat. Freiname für das als H_1-*Rezeptoren-Blocker wirksame *Antihistaminikum 1-Benzhydryl-4-methylpiperazin, $C_{18}H_{22}N_2$, M_R 266,37. Weißes, krist. Pulver; Schmp. 105,5–107,5°C, λ_{max} (0,1 N HCl): 269, 263, 258, 225 nm ($A_{1cm}^{1\%}$ = 20, 28, 26, 20, 424); LD_{50} (Maus oral) 147 mg/kg. Verwendet wird auch das Hydrochlorid, ein weißes Pulver, Zers. bei 285°C u. das Lactat. Es wurde als *Antiemetikum u. H_1-Rezeptorenblocker 1953 von Burroughs Wellcome patentiert. – *E = F* cyclizine – *I = S* ciclizina

Lit.: Beilstein E V 23/1, 232 ▪ Florey **6**, 83–97 ▪ Hager (5.) **7**, 1124 ff. – *[HS 293359; CAS 82-92-8; 303-25-3 (Monohydrochlorid); 5897-19-8 (Lactat)]*

Cyclo… (a) Von griech.: kyklos = Kreis abgeleitetes Präfix, das allg. eine Ringstruktur anzeigt; *Beisp.:* *Cyclodextrine, *Cyclopeptide, *Cyclophane. – (b) In systemat. Ringsyst.-Namen bedeutet C. die Umwandlung einer offenkettigen Verb. in einen Ring od. mehrere Ringe: s. Bicyclo… u. Tricyclo…) od. einen zusätzlichen Ringschluß in einem Ringsyst. (bes. bei Naturstoffen, IUPAC-Regel F-4.1) unter Austritt von 2 H-Atomen; *Beisp.:* Cyclohexan, Cyclotetrasilan, Cyclotrisilazan, 3,5-Cyclocholestan. – (c) Das klein u. kursiv gesetzte Präfix *cyclo-* bezeichnet Ringstrukturen bei anorgan. Mol. u. mehrkernigen Komplexen (IUPAC-Regeln I-9.7.3 u. I-10.8.3.5; Gegensatz: *catena-*); *Beisp.:* *cyclo*-Octaschwefel (s. Cycloschwefel), *cyclo*-Triphosphat (s. kondensierte Phosphate), *cyclo*-Trisilicat (s. Silicate), *cyclo*-Tris(tetracarbonylosmium)(3 Os–Os). – *E = F* cyclo… – *I = S* ciclo…

Cycloaddition. Nach *Woodward u. Roald *Hoffmann sind C. eine Untergruppe der *pericyclischen Reaktionen, zu denen u. a. auch elektrocycl. Ringschlüsse (intramol. *C.*), *sigmatrope Umlagerungen u. *cheletrope Reaktionen gehören. Die pericycl. C. (*synchrone od. konzertierte C.*) ist eine Reaktion, bei der zwei od. mehrere Mol. sich zu einem Ring vereinen, wobei π-Bindungen in σ-Bindungen umgewandelt werden. C. werden entweder durch die Anzahl der Atome[1] od. *Elektronen* der reagierenden Komponenten charakterisiert (s. Beisp.).

Wie leicht die C. abläuft, ist von der Reaktionsführung abhängig. So verlaufen [2+4]-C. (*Diels-Alder-Reaktionen) therm. mit geringer Aktivierungsenergie (ca. 120 kJ · mol^{-1}) während [2+2]- u. [4+4]-C. therm. nur schwer zu realisieren sind. Wird jedoch in diesen Fällen die C. photochem. initiiert, so sind sie ebenfalls leicht durchzuführen. Eine tiefere Begründung für dieses Verhalten gibt die Theorie der *pericyclischen Reaktionen, die entweder über Symmetriebetrachtungen aller beteiligten Molekülorbitale (*Woodward-Hoffmann-Regeln)^{2,3} od. einfacher über die Wechselwirkung der Grenzorbitale (*HOMO-LUMO-Modell nach Fukui)^4 Aussagen über die Leichtigkeit von C. macht. [2+3]-C. verlaufen als *1,3-dipolare Cycloadditionen^5 u. sind bes. von *Huisgen eingehend untersucht worden.

Die pericycl. Auswahlregeln erlauben es, auch Aussagen über die Stereochemie der C. zu machen. Betrachtet man z. B. die [2+4]-C. (Diels-Alder-Reaktion), so kann die Bindungsknüpfung im Dien-Teil entweder so erfolgen, daß beide neuen σ-Bindungen von der gleichen Seite des 4π-Elektronensyst. od. von unterschiedlichen Seiten ihren Ausgang nehmen, wodurch verschiedene Stereoisomere gebildet werden. Im ersten Falle spricht man davon, daß die 4π-Elektronenkomponente *suprafacial* (abgekürzt s) im anderen Falle *antarafacial* (abgekürzt a, s. Sigmatrop) reagiert. Wird die Anzahl der beteiligten Elektronen zur Reaktionscharakterisierung mitangegeben, so spricht man davon, daß das Dien als $4\pi_s$- od. $4\pi_a$-Komponente reagieren kann. Das Alken verhält sich in beiden Fällen als eine $2\pi_s$-Komponente. Die theoret. Voraussagen für die [2+4]-Cycloaddition zeigen, daß entweder beide Komponenten suprafacial od. antarafacial reagieren müssen. Letztere Möglichkeit ist aus ster. Gründen nicht zu realisieren. Die gesamte C. wird deshalb als $[2\pi_s+4\pi_s]$-Prozeß charakterisiert.

Reaktionsgeschw. u. Regiochemie der C. können mit Hilfe eines theoret. Ansatzes, der die gegenseitige Störung der sich aufeinander zubewegenden Molekülorbitale bei der Bindungsbindung in Betracht zieht (*PMO-Theorie), vorhergesagt werden^6. Sehr gut sind in dieser Hinsicht die *Diels-Alder-Reaktion u. die *1,3-dipolare C. untersucht; s. dort. Neuere Entwicklungen beinhalten C. mit Olefin- u. Dien-Radikalkationen^7, *Übergangsmetall vermittelte C.^{8}, *Tandem-Reaktionen unter Beteiligung von C.^{9} u. Aufbaureaktionen in der Naturstoffsynth. mit C. höherer Ordnung^{10}. Die Umkehrung der C. bezeichnet man als Cycloreversion^{11} od. Cycloeliminierung. – *E = F* cycloaddition – *I* cicloaddizione – *S* cicloadición

Lit.: ^{1}Angew. Chem. **80**, 329–337 (1968), engl.: **7**, 321. ^{2}Woodward u. Hoffmann, Die Erhaltung der Orbitalsymmetrie, Weinheim: Verl. Chemie 1970. ^{3}Trong Anh, Die Woodward-Hoffmann-Regeln u. ihre Anwendung, Weinheim: Verl. Chemie 1972. ^{4}Acc. Chem. Res. **4**, 57 (1971). ^{5}Padwa, 1,3-Dipolar Cycloaddition Chemistry, 2 Bd., New York: Wiley 1984. ^{6}Chem. Rev. **72**, 157 (1972); Pure Appl. Chem. **40**, 569 (1975). ^{7}Nachr. Chem. Tech. Lab. **36**, 376–382 (1988). ^{8}Chem. Rev. **96**, 49–92 (1996). ^{9}Chem. Rev. **96**, 137–165, 167–176 (1996). ^{10}Tetrahedron **52**, 6251–6282 (1996). ^{11}Angew. Chem. **94**, 231–253 (1982).
allg.: Carey-Sundberg, Carruthers, Cycloaddition Reactions in Organic Synthesis, S. 1027ff., Oxford: Pergamon Press 1990 ■ Fleming, Grenzorbitale u. Reaktionen organischer Verbindungen, Weinheim: VCH Verlagsges. 1988 ■ March (4.), S. 833–877 ■ Org. React. **44**, 297–588 (1993); **45**, 159–646 (1994) ■ Trost-Fleming **5**, 63–237 ([2+2]-C.), 239–314 ([2+3]-C.), 315–592 ([2+4]-C.), 593–673 (C. höherer Ordnung).

Cycloaliphatische Verbindungen s. alicyclische Verbindungen u. Cycloalkane.

Cycloalkane (Cycloparaffine). Gruppenbez. für gesätt. cycl. Kohlenwasserstoffe, die ausschließlich Kohlenstoff-Atome im Ring enthalten; die allg. Bruttoformel der monocycl. C. ist C_nH_{2n}. Sie können als Untergruppe der *alicyclischen Verbindungen (*cycloaliphat. Verb.*) aufgefaßt werden. Die Namen der C. leiten sich von denen der *Alkane mit gleicher C-Zahl durch Voransetzen des Präfixes *Cyclo*... ab (IUPAC-Regel A-11); bekannte Vertreter sind die in den Einzelstichwörtern behandelten Verb. Cyclopropan, -butan, -pentan, -hexan sowie deren Alkyl-Substitutionsprodukte. Aufgrund ihrer nicht ganz einheitlichen Reaktionsweisen kann man die C. in Gruppen verschiedener Ringgröße einteilen, vgl. cyclische Verbindungen. Aufgrund des Valenzwinkels zwischen den einzelnen Kohlenstoff-Atomen (s. Baeyer-Spannung) sind die C. nicht eben gebaut; zur – auch durch die sog. *Pitzer-Spannung beeinflußten – *Konformation s. *Lit.* bei cyclischen Verbindungen.

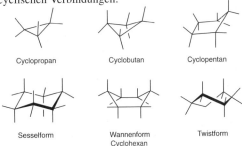

Unter Normalbedingungen sind die C. von C_3 u. C_4 Gase, die von C_5 bis etwa C_{10} Flüssigkeiten, u. die höheren C. sind Festkörper. Chem. sind die C. ziemlich reaktionsträge, weshalb sie als Lsm. Verw. finden können. In der Natur kommen lediglich Cyclopentan, -hexan u. -heptan im Erdöl vor; wegen dieser Herkunft werden die C. gelegentlich auch als *Naphthene* bezeichnet, wenn auch diese unpräzise Bez. wohl meist nur auf die Derivate des Cyclopentans u. -hexans angewandt wird. Aus Alkanen entstandene C. werden als Zwischenprodukt beim *Reformieren (s. a. Benzin) diskutiert. Alkyl-substituierte C. kommen ferner in äther. Ölen (*Terpene*) vor. Zur Herst. der C. geht man entweder von ungesätt. cycl. Verb. aus (*Cycloalkene, aromat. Verb.), die man hydriert, von Alkanen, die man der *Dehydrocyclisierung unterwirft, od. man reduziert die durch *Cyclisierung zugänglichen cycl. Ketone bis zur Kohlenwasserstoff-Stufe. Nur wenige C. finden techn. Verw., so z.B. Cyclohexan u. Cyclododecan als Ausgangsmaterialien für die Herst. von Caprolactam bzw. Laurinlactam (für Polyamide) od. der entsprechenden Dicarbonsäuren (ebenfalls für Polyamide). – *E* cycloalkanes – *F* cycloalcanes, cyclanes – *I* cicloalcani – *S* cicloalcanos

Lit.: s. Alkane, alicyclische u. cyclische Verbindungen. – [HS 2902 11, 2902 19]

Cycloalkene (Cycloolefine). Gruppenbez. für ungesätt. cycl. Kohlenwasserstoffe, die zu den *Cycloalkanen im gleichen Verhältnis stehen wie *Alkene* zu *Alkanen*. Die Nomenklatur der C. (IUPAC-Regel A-11) geht von den Namen der entsprechenden *Alkene aus, denen *Cyclo... als Präfix vorangestellt wird; *Beisp.:* Cyclopropen, *Cyclopentadien, *Cyclohexen, *1,3,5-Cycloheptatrien, s. a. die Abb. zur Zählweise.

Cyclopropen   Cyclopentadien   Cyclohexen

Cycloheptatrien   Cyclooctatetraen

Alkyl-substituierte C. treten in der Natur in ether. Ölen, Algen etc. auf. Synthet. werden C. aus Cycloalkanen bzw. deren Derivaten durch Dehydrierung, Abspaltung von Wasser u. a. Gruppen, durch *Cyclooligomerisation od. durch *Cycloaddition (z. B. *Diels-Alder-Reaktion; s. a. Cyclisierung) hergestellt. Im allg. sind die C. noch reaktionsfreudiger als die acycl. *Alkene, u. entsprechend spielen viele von ihnen als Zwischenprodukt in organ. Synth. eine große Rolle. Bes. Ringspannungen treten bei *trans*-C.[1] u. bei bicycl. Syst. auf, s. Bredtsche Regel. – *E* cycloalkenes – *F* cycloalcènes, cyclènes – *I* cicloalcheni – *S* cicloalquenos

Lit.: [1] Acc. Chem. Res. **13**, 213ff. (1980).
allg.: s. Alkene, alicyclische u. cyclische Verbindungen.

Cycloalkine. Gruppenbez. für cycl. Kohlenwasserstoffe, die Dreifachbindungen im Ring enthalten. Aus Gründen der Ringspannung müssen die C. eine Mindestgliederzahl haben; die kleinsten C. sind Cycloheptin u. Cyclooctadiin.

Cycloheptin   Cyclooctadiin   Dehydrobenzol

Zur Synth. der – techn. unbedeutenden – C. bieten sich bes. *Eliminierungs-Reaktionen[1] an. *Dehydrobenzol kann (als Cyclohexa-1,3-dien-5-in) auch zu den C. gerechnet werden. Cycloalkadiine mittlerer Ringgröße spielen bei der Synth. der *Annulene eine Rolle; sie zeigen interessante *transannulare Wechselwirkungen u. bilden mit Übergangsmetallen *Cyclobutadiene[2].

Das Cycloalkadiinien-Fragment ist auch bei den *Endiinen vorhanden, die als Aglykone einiger Cancerostatica fungieren. – *E* cycloalkynes – *F* cycloalcynes – *I* cicloalchini – *S* cicloalquinas

Lit.: [1] Synthesis **1972**, 235–253. [2] Angew. Chem. **104**, 29–46 (1992).
allg.: s. Alkine, alicyclische u. cyclische Verbindungen. – [HS 2902 19]

Cyclo-AMP s. Adenosin-3′,5′-monophosphat.

Cycloarene. Bez. für polycycl. aromat. Verb., die vollständig *angular u. *linear anelliert sind u. einen Hohlraum umschließen; vgl. auch Annulene u. Corannulen. Bekanntester Vertreter ist Kekulen (s. Abb. dort). Für C. wird auch der Begriff Coronaphene (von latein.: corona = Kranz, Krone) gebraucht, jedoch ist der allgemeinere Name C. vorzuziehen. – *E* cycloarenes – *F* cycloarènes – *I* cicloareni – *S* cicloarenos
Lit.: s. Textstichwörter.

Cycloartenol (9β,19-Cyclo-24-lanosten-3 β-ol).

$C_{30}H_{50}O$, M_R 426,73, Krist., Schmp. 99 °C (Hydrat), $[\alpha]_D$ +54° ($CHCl_3$). Tetracycl. Triterpen aus Wolfsmilchgewächsen u. Nebenbestandteil des Leinöls. C. ist in Spuren in allen photosynthet. aktiven Pflanzen enthalten. Es ist das erste Cyclisierungsprodukt von 2,3-Epoxysqualen bei der pflanzlichen Biosynth. von *Cholesterin. Im tier. u. pilzlichen Organismus erfolgt die Cholesterin-Biosynth. aus *Lanosterin. – *E* cycloartenol – *F* cycloarténol – *I* cicloartenolo – *S* cicloartenol

Lit.: Beilstein E IV **6**, 4202 ▪ Helv. Chim. Acta **72**, 1–13 (1989) (Struktur) ▪ J. Chem. Soc., Perkin Trans. 1 **1989**, 261 (Biosynth.). – [CAS 469-38-5]

Cycloat.

Common name für *S*-Ethyl-*N*-cyclohexyl-*N*-ethyl-(thiocarbamat), $C_{11}H_{21}NOS$, M_R 215,35, Schmp. 11,5 °C, Sdp. 145–146 °C (1,3 kPa), LD_{50} (Ratte oral) >2000 mg/kg (WHO), von Stauffer 1966 eingeführtes selektives system. *Herbizid gegen Ungräser u. einjährige Unkräuter im Zuckerrüben- u. Spinatanbau. – *E* = *F* cycloate – *I* = *S* cicloato

Lit.: Farm ▪ Perkow ▪ Pesticide Manual. – [HS 2930 90; CAS 1134-23-2]

Cyclobarbital.

Internat. Freiname für 5-(1-Cyclohexenyl)-5-ethylbarbitursäure, $C_{12}H_{16}N_2O_3$, M_R 236,27. Weiße Krist. od. krist. Pulver, Schmp. 171–174 °C, λ_{max} (1 N NaOH):

256 ($A_{1cm}^{1\%}$ 320); pK_a 7,6; LD_{50} (Maus, Ratte i.p.) 350, 290 mg/kg. Verwendet wird das Calciumsalz, Schmp. 172 °C; λ_{max} (1 N NaOH): 250 nm ($A_{1cm}^{1\%}$ 268). C. wurde 1924 als *Hypnotikum von Bayer (Phanodorm®, außer Handel) patentiert u. ist in Anlage IIIB der Btm VVO gelistet. – *E = F* cyclobarbital – *I* ciclobarbitale – *S* ciclobarbital

Lit.: Beilstein E V 24/9, 258 f. ▪ DAB 1996 u. Komm. ▪ Hager (5.) 7, 1127–1131. – *[HS 293351; CAS 52-31-3; 5897-20-1 (Calcium-Salz)]*

Cyclobutadiene. C. sind bis heute aktuelle Forschungsschwerpunkte im Bereich der organ. Chemie, da ihre interessanten elektron. Eigenschaften, die für diese Verbindungsklasse *Antiaromatizität voraussagen, reizvoll sowohl für den theoret. als auch synthet. Chemiker sind[1]. Unsubstituiertes C. kann durch Tieftemperaturphotolyse von α-Pyron in einer Edelgasmatrix nachgewiesen werden[2]. Es kann durch Koordination an Eisen in Form eines Tricarbonyl-cyclobutadien-eisen-Komplexes stabilisiert u. aus diesem durch Oxid. mit Cer(IV)-Salzen wieder in Freiheit gesetzt werden. Stabile, d.h. bei 20 °C isolierbare C., können durch Inkorporation des C.-Ringes in ein aromat. System (Benzoanellierung), durch Substitution des Vierringes mit Acceptor- u. Donorsubstituenten (*Push-pull-Stabilisierung) od. durch Substitution mit ster. aufwendigen Resten (kinet. Stabilisierung) erhalten werden.

Push-pull-Stabilisierung

Kinetische Stabilisierung

Die Frage nach der Geometrie u. der Multiplizität des C.-Grundzustandes war lange Zeit Gegenstand zahlreicher Kontroversen. Als gesichert sollte jedoch gelten, daß C. in einer planaren, rechteckigen Geometrie mit Singulett-Multiplizität vorliegt, wobei zwei Rechteckformen über einen Übergangszustand mit quadrat. Struktur miteinander im Gleichgew. stehen. Die neg. Resonanzenergie (*Antiaromatizität*) der C. steht ebenfalls außer Frage. – *E* cyclobutadienes – *F* cyclobutadiènes – *I* cyclobutadiene – *S* cyclobutadienos

Lit.: [1] Chem. Unserer Zeit 25, 51–58, 59–66 (1991). [2] J. Am. Chem. Chem. Soc. 95, 614, 1337, 2744 (1973).
allg.: Angew. Chem. 100, 317 (1988) ▪ Halton (Hrsg.), Advances in Strain in Organic Chemistry, Bd. 5, S. 161–243, Greenwich, Conn.: JAI Press, 1996 ▪ Houben-Weyl E 17 (in Vorbereitung). – *[HS 290219; CAS 1120-53-2]*

Cyclobutan.

C_4H_8, M_R 56,11. Bei 20 °C farbloses, brennbares Gas, D. 0,703 (bei 0 °C), Schmp. –90 °C, Sdp. 12 °C (nach anderen Angaben Schmp. –50 °C, Sdp. –15 °C). C. wird bei 180 °C in Ggw. von Wasserstoff u. Nickel unter H-Anlagerung u. Ringöffnung zu *n*-Butan reduziert. In Wasser ist C. nicht, in Ethanol gut löslich. C.-Derivate sind in der Natur nicht selten anzutreffen, z. B. in Caryophyllen, Pinen, ferner in Truxill- u. Truxinsäuren u. ein monocycl. C.-Monoterpenoid wurde im Wacholderbeeröl gefunden[1]. – *E = F* cyclobutane – *I = S* ciclobutano

Lit.: [1] J. Chem. Soc., Chem. Commun. 1973, 746.
allg. (auch für C.-Derivate): Beilstein E IV 5, 6 f. ▪ Encycl. Gaz., S. 691–696 ▪ Houben-Weyl 4/4, 1–444 ▪ Merck-Index (12.), Nr. 2783 ▪ Ullmann (4.) 5, 327; 14, 655 f.; (5.) A 13, 229, 234. – *[HS 290219; CAS 287-23-0]*

Cyclobutanon.

C_4H_6O, M_R 70,09, farblose Flüssigkeit, Schmp. –51,1 bis –52,5 °C, Sdp. 97–100 °C, D. 0,931, lösl. in den meisten organ. Lösemitteln. C. kann durch Einwirken von Diazomethan auf Keten bei –70 °C hergestellt werden. C. kann Ring-Expansions-, Ring-Kontraktions- u. Ring-Öffnungs-Reaktionen eingehen u. ist so in der organ. Chemie vielseitig verwendbar, z. B. zur Synth. von Cyclopentanonen, Tetrahydrofuranen, Cyclopropanen u. Buttersäure-Derivaten. – *E* cyclobutanone

Lit.: Paquette 2, 1424. – *[CAS 1191-95-3]*

Cyclobutyrol.

Internat. Freiname für die choleret. wirkende 2-(1-Hydroxycyclohexyl)-buttersäure, $C_{10}H_{18}O_3$, M_R 186,25, Schmp. 81–82 °C. Verwendet wird das Natrium-Salz, Schmp. 299–300 °C. Es wurde 1959 u. 1962 von Lab. Jacques Logeais patentiert. – *E = F* cyclobutyrol – *I* ciclobutirrolo – *S* ciclobutirol

Lit.: Hager (5.) 7, 1133. – *[HS 291819; CAS 512-16-3 (C.); 1130-23-0 (Natrium-Salz)]*

Cyclodextrine (Cycloamylosen, Cycloglucane; nach dem Entdecker auch Schardinger Dextrine). Beim Abbau von *Stärke durch *Bacillus macerans* od. *B. circulans* unter Einwirkung von Cyclodextrin-Glykosyltransferase gebildete cycl. Dextrine. Die C. bestehen aus 6, 7 od. 8 α-1,4-verknüpften Glucose-Einheiten (α-, β- bzw. γ-C.). Die Abb. zeigt das α-Cyclodextrin.

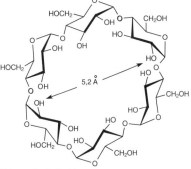

Abb.: α-Cyclodextrin.

Diese *Cyclohexa-(-hepta-, -octa-)amylosen* sind im Kristallgitter der C. so aufeinandergeschichtet, daß sie durchgehende innermol. Kanäle bilden, in denen sie hydrophobe Gastmol. in wechselnden Mengen bis zur Sättigung einschließen können, z. B. Gase, Alkohole od. Kohlenwasserstoffe. α-C. bildet auch mit Iod eine *Einschlußverbindung, die blau gefärbt ist u. in der die Iod-Atome perlschnurartig in den Kanälen angeordnet sind. C. werden aufgrund dieser Eigenschaften zur Fertigung von Nahrungsmitteln, *Kosmetika, Pharmazeutika u. *Pestiziden sowie zur Festphasenextraktion, als Reaktionskatalysatoren u. zur Enantiomeren-Trennung eingesetzt. – *E* cyclodextrins – *F* cyclodextrines – *I* ciclodestrine – *S* ciclodextrinas

Lit.: Adv. Carbohydr. Chem. **12**, 189 (1987) ▪ Angew. Chem. **92**, 343 (1980) ▪ Vögtle, Supramolekulare Chemie, 2. Aufl., S. 175 ff., Stuttgart: Teubner 1992. – *[HS 3505 10; CAS 10016-20-3 (α); 7585-39-9 (β); 17465-86-0 (γ)]*

Cyclodiastereomerie s. Cyclostereoisomerie.

Cyclodimerisation. Eine unter Ringbildung verlaufende *Dimerisation u. Spezialfall der *Cycloaddition.

Cyclododecan.

$C_{12}H_{24}$, M_R 168,32, farblose Masse, D. 0,861, Schmp. 61 °C. C. ist das durch Hydrierung von Cyclododecatrien zugängliche Ausgangsprodukt für die Herst. von Chemiefasern auf der Basis von Laurinlactam u. von C_{12}-Alkoholen u. Säuren. – *E* cyclododecane – *F* cyclododécane – *I* = *S* ciclododecano

Lit.: Beilstein E IV **5**, 169 f. ▪ Ullmann (4.) **9**, 677; (5.) **A 8**, 201; **A 13**, 238. – *[HS 2902 19; CAS 294-62-2]*

Cyclododecanol.

$C_{12}H_{24}O$, M_R 184,32, farblose Krist., D. 0,968, Schmp. 75–77 °C, Sdp. 273 °C, in Wasser kaum, in Benzol, Methanol od. Chloroform gut löslich.
Herst.: Durch Luftoxid. von *Cyclododecan in Ggw. von Borsäure. In flüssiger od. gasf. Phase kann es zu *Cyclododecanon dehydriert werden, oxidative Spaltung mit Salpetersäure in Ggw. von Vanadium(V)-oxid führt zur Dodecandisäure. Polyglykolether des C. können für die antistat. Ausrüstung von Polyolefinen eingesetzt werden, C. findet Verw. in organ. Synthesen. – *E* cyclododecanol – *F* cyclododécanol – *I* ciclododecanolo – *S* ciclododecanol
Lit.: Beilstein E IV **6**, 174 ▪ Ullmann (4.) **7**, 211; **9**, 674 ff.; (5.) **A 8**, 201; **A 13**, 238. – *[HS 2906 19; CAS 1724-39-6]*

Cyclododecanon.

$C_{12}H_{22}O$, M_R 182,31, farblose, Campher-artig riechende Krist., D. 0,991, Schmp. 61 °C, Sdp. 277,5 °C, in Wasser nicht, in Chloroform, Methanol od. Benzol gut löslich.
Herst.: Durch Luftoxid. von *Cyclododecan. Mit Alkoholen bildet C. Ketale, die wegen ihres angenehmen Geruches in der Parfüm-Ind. Verw. finden. Außerdem ist C. Ausgangsmaterial für die Herst. von Laurinlactam u. von Dodecandisäure. C. neigt, auf Mineralfasern od. auf Kieselgursteine aufgebracht, zur Selbstentzündung weit unter dem Zündpunkt [1]. – *E* cyclododecanone – *F* cyclododécanone – *I* ciclododecanone – *S* ciclododecanona

Lit.: [1] Chem.-Ing.-Tech. **39**, 667 (1967).
allg.: Beilstein E IV **7**, 100 ▪ Ullmann (4.) **9**, 674 f.; (5.) **A 8**, 202 f. ▪ Weissermel-Arpe (4.), S. 284 f. – *[HS 2914 29; CAS 830-13-7]*

1,5,9-Cyclododecatrien.

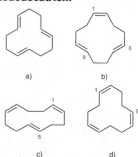

$C_{12}H_{18}$, M_R 162,27. Das *cis,trans,trans*-Isomere (b) ist eine farblose Flüssigkeit, D. 0,893, Schmp. –18 °C, Sdp. 241 °C; *all-trans*-C. (a): Schmp. 34–36 °C, Sdp. 234 °C; *cis,cis,trans*-C. (c): Schmp. –8 °C, Sdp. 244 °C; *cis,cis,cis*-C. (d): Schmp. –1 °C, Sdp. 110 °C (2,7 kPa). C. dient hauptsächlich als Ausgangsmaterial zur Herst. von *Cyclododecan, *Cyclododecanol, *Cyclododecanon u. deren Folgeprodukte wie Laurinlactam u. dessen Polymere. Die Synth. des C. erfolgt durch katalyt. Trimerisierung von Butadien. Mit dem Katalysatorsyst. $TiCl_4-Al(C_2H_5)Cl_2-Al(C_2H_5)_2Cl$ entsteht mit 90% Gesamtselektivität überwiegend das *trans,trans,cis*-Isomere (b). – *E* cyclododecatriene – *F* 1,5,9-cyclododécatriène – *I* 1,5,9-ciclododecatriene – *S* 1,5,9-ciclododecatrieno

Lit.: Beilstein E IV **5**, 1114 f. ▪ Hommel, Nr. 780 ▪ Ullmann (4.) **9**, 676 f.; (5.) **A 8**, 205 ▪ Weissermel-Arpe (4.), S. 263 f., 284 f. – *[HS 2902 19; CAS 4904-61-4 (a); 706-31-0 (b); 2765-29-9 (c); 4736-48-5 (d); G 6.1]*

Cycloeliminierung s. Cycloaddition.

Cycloenantiomerie s. Cyclostereoisomerie.

Cyclofenil.

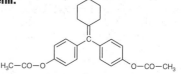

Internat. Freiname für das Gonadotropin-stimulierend wirkende 4,4'-(Cyclohexylidenmethylen)-bis(phenylacetat), $C_{23}H_{24}O_4$, M_R 364,44, Schmp. 135–136 °C, λ_{max} (Ethanol) 247 nm (ε 17000). Es wurde 1966 als Gonadotripin-Stimulans von Olsson et al. patentiert u. war von Schering (Fertodur®) im Handel. – *E* cyclofenil – *F* cyclofénil – *I* ciclofenile – *S* ciclofenilo
Lit.: Hager (5.) **7**, 1136 f. – *[HS 2915 39; CAS 2624-43-3]*

Cyclo-GMP s. Guanosinphosphate.

9-Cycloheptadecenon s. Zibeton.

Cycloheptan (Suberan).

C_7H_{14}, M_R 98,19, farblose Flüssigkeit, D. 0,811, Schmp. −13 °C, Sdp. 118 °C, WGK 1. Die Dämpfe reizen die Augen u. die Atemwege, hohe Dampfkonz. führen zur Lähmung des Zentralnervensystems. C. kommt im Erdöl vor u. kann durch *Clemmensen-Reduktion von *Cycloheptanon erhalten werden. – *E* = *F* cycloheptane – *I* cicloeptano – *S* cicloheptano
Lit.: Beilstein E IV **5**, 92 ▪ Hommel, Nr. 504. – *[HS 2902 19; CAS 291-64-5; G 3]*

Cycloheptanon (Suberon).

$C_7H_{12}O$, M_R 112,17, farblose Flüssigkeit, D. 0,949, Schmp. −21 °C, Sdp. 179–181 °C, in Wasser nicht, in Alkohol gut lösl.; C. findet Verw. zur Synth. von Pharmazeutika. – *E* = *F* cycloheptanone – *I* cicloeptanone – *S* cicloheptanona
Lit.: Beilstein E IV **7**, 38 ▪ Merck-Index (12.), Nr. 2791 ▪ Ullmann (5.) **A 15**, 86. – *[HS 2914 29; CAS 502-42-1; G 3]*

1,3,5-Cycloheptatrien (Tropyliden).

C_7H_8, M_R 92,14, gelbliche Flüssigkeit mit charakterist. Geruch, D. 0,89, Schmp. −79 °C, Sdp. 116–118 °C, in Wasser nicht, in organ. Lsm. löslich. Dämpfe u. Flüssigkeit reizen Augen, Atemwege u. Haut, kann auch über die Haut aufgenommen werden, dämpfende Wirkung auf das Zentralnervensystem.
Herst.: C. entsteht aus Benzol u. Diazomethan bei UV-Bestrahlung od. bei der Reaktion von Acetylen mit Cyclopentadien als Nebenprodukt. C. ist der Grundkörper der Cycloheptatrienylium-Salze (*Tropylium) u. des *Tropolons. – *E* 1,3,5-cycloheptatriene – *F* 1,3,5-cycloheptatriène – *I* 1,3,5-cicloeptatriene – *S* 1,3,5-cicloheptatrieno
Lit.: Beilstein E IV **5**, 765 f ▪ Hommel, Nr. 842 ▪ Houben-Weyl **5/1 d**, 301–416 ▪ Paquette **2**, 1428 ▪ Ullmann (4.) **16**, 599. – *[HS 2902 19; CAS 544-25-2; G 3]*

Cycloheptatrienon s. α-Tropolon.

Cyclohexadien.

C_6H_8, M_R 80,13. (a) *1,3-C.*: Farblose, charakterist. riechende Flüssigkeit, D. 0,84, Sdp. 80 °C, in Wasser nicht, in organ. Lsm. leicht löslich. Als typ. 1,3-Dien geht die Verb. sehr leicht Dien-Synth. ein.
(b) *1,4-C.*: Farblose Flüssigkeit von ähnlichen Eigenschaften wie (a), D. 0,855, Sdp. 82 °C, die durch *Birch-Reduktion von Benzol entsteht; findet Verw. in organ. Synthesen. – *E* cyclohexadiene – *F* cyclohexadiène – *I* cicloesadiene – *S* ciclohexadieno
Lit.: Beilstein E IV **5**, 382, 385 ▪ Tetrahedron Lett. **33**, 2299 (1992). – *[HS 2902 19; CAS 592-57-4 (a); 628-41-1 (b)]*

Cyclohexadienone. Gruppenbez. für zweifach ungesätt. cycl. Ketone, die *linear konjugiert* (2,4-C.) od. *gekreuzt konjugiert* (2,5-C.) bekannt sind (s. Dienone). Beide Verb.-Typen gehen unter dem Einfluß von Licht u./od. Säuren eine Vielzahl von *Umlagerungen ein, z. B.

2,5-Cyclohexadienon

– *E* cyclohexadienones – *F* cyclohexadiènones – *I* cicloesadienoni – *S* ciclohexadienona
Lit.: Angew. Chem. **81**, 45 (1969) ▪ Carey-Sundberg, S. 722 ff. ▪ de Mayo (Hrsg.), Rearrangements in Ground and Excited States, Bd. 3, S. 722 ff., New York: Academic Press 1980 ▪ s. a. Dienone.

Cyclohexan (Hexahydrobenzol).

C_6H_{12}, M_R 84,16, farblose, leicht brennbare Flüssigkeit, D. 0,788, Schmp. 6,4 °C, Sdp. 80,7 °C, FP. −18 °C c. c., in Wasser unlösl., in Alkoholen, Kohlenwasserstoffen, Ether od. Chlorkohlenwasserstoffen löslich. Die Dämpfe reizen die Augen u. die Atemwege, hohe Dampfkonz. führen zu Narkose, Leber- u. Nierenschäden möglich; WGK 1, MAK 200 ppm (MAK-Werte-Liste 1996), LD_{50} (Ratte oral) 12 705 mg/kg. Oxid. mit Luft in Ggw. von Katalysatoren (Borsäure, Mn- od. Co-Verb.) führt zu *Cyclohexanol u. *Cyclohexanon, katalyt. Dehydrierung zu Benzol u. H_2.
Schon die Sachse-Mohr-Theorie forderte den nicht ebenen Bau des C.: Die stabilste Konformation des C. ist die Sesselform, die mögliche Anordnung (*axial = a u. *äquatorial = e) der beiden Sätze von je 6 H-Atomen zeigt die Abbildung. Näheres zur Konformation des C. s. Konformation.

Vork. u. *Herst.*: C. ist in galiz. u. kaukas. Erdölen verbreitet; es wurde früher (zusammen mit anderen *Cycloalkanen) als *Naphthen* bezeichnet. Sabatier erhielt C. 1898 durch Anlagerung von Wasserstoff an Benzol bei 180–250 °C mit Nickel als Katalysator. C. kann durch fraktionierte Dest. aus geeigneten Rohbenzin-Schnitten gewonnen werden. Die Hauptmenge (etwa 80–85%) wird durch Hydrierung von Benzol erhalten.
Verw.: Zur Herst. von Cyclohexanol u./od. Cyclohexanon, Adipinsäure, ε-Caprolactam, Hexamethylendiamin, als Lsm. für Lacke, Harze, zur Extraktion ether. Öle u. als Lsm. in der Spektroskopie. C. ist zugelassen als Extraktionslösemittel. – *E* = *F* cyclohexane – *I* cicloesano – *S* ciclohexano
Lit.: Beilstein E IV **5**, 27–44 ▪ Hommel, Nr. 67 ▪ Kirk-Othmer (4.) **13**, 829 ff. ▪ Ullmann (4.) **7**, 108; **9**, 100, 680 ff.; (5.) **A 8**, 209 ff. ▪ Weissermel-Arpe (4.) S. 374 f. – *[HS 2902 11; CAS 110-82-7; G 3]*

1,2-Cyclohexandicarbonsäure.

1,4-Cyclohexandimethanol

$C_8H_{12}O_4$, M_R 172,19. 2 Isomere: *cis*-1,2-C. (a), Schmp. 192 °C, die opt. aktive *trans*-1,2-C. (b), Schmp. 179–183 °C [(+)- bzw. (–)-Form] bzw. 222 °C (Racemat), durch Hydrierung von Phthalsäure mit Rh-Katalysatoren erhältlich. C. läßt sich leicht in das *1,2-C.-Anhydrid* (c) ($C_8H_{10}O_3$, M_R 154,17), eine farblose, zähe Flüssigkeit, überführen. D. 1,19, Sdp. 158 °C, erstarrt bei 35–36 °C zu einer glasartigen, in organ. Lsm. leicht lösl. Masse.

Xi

Verw.: Als Härter für Epoxidharze u. zur Herst. von hellen Alkyd- u. Polyesterharzen, Weichmachern usw.; zur Synth. asymmetr. starrer Polyamide. – *E* cyclohexanedicarboxylic acids – *F* acides cyclohexanedicarboxyliques – *I* acidi cicloesandicarbonici – *S* ácidos ciclohexanodicarboxílicos

Lit.: Beilstein E III/IV **17**, 5931; IV **9**, 2801 ■ J. Polym. Sci., Polym. Chem. Ed. **22**, 1153 (1984). – *[HS 291720; CAS 2305-32-0 (b); 85-42-7 (c)]*

1,4-Cyclohexandimethanol [1,4-Bis(hydroxymethyl)cyclohexan, CHDM].

$C_8H_{16}O_2$, M_R 144,21. Ein Gemisch aus *cis*-C. [D. 1,04, Schmp. 43 °C, Sdp. 167 °C (13 hPa)] u. *trans*-C. [Schmp. 67 °C, Sdp. 163–165 °C (13 hPa)] wird durch katalyt. Hydrierung aus *Dimethylterephthalat erhalten u. zur Herst. von Polyurethanen u. -estern verwendet. – *E* 1,4-cyclohexanedimethanol – *F* 1,4-cyclohexanediméthanol – *I* 1,4-cicloesandimetanolo – *S* 1,4-ciclohexanodimetanol

Lit.: Beilstein E IV **6**, 5238 ■ Kirk-Othmer (4.) **12**, 727. – *[CAS 105-08-8 (Gemisch); 3236-47-3 (cis); 3236-48-4 (trans)]*

1,2-Cyclohexandiondioxim s. Nioxime.

Cyclohexanol (Anol).

Xn

$C_6H_{12}O$, M_R 100,16, Campher-artig riechender, farbloser Alkohol, D. 0,962, Schmp. 25 °C, Sdp. 161 °C, lösl. in Wasser, mit den meisten organ. Lsm. mischbar, löst Öle, Fette, Wachse, Harze, Asphalte, Kautschuk, Metallseifen, Acetylcellulose usw. C. wirkt leicht schleimhautreizend u. narkot., wird durch die Haut resorbiert u. kann Leber- u. Nierenschäden bewirken; MAK 50 ppm (MAK-Werte-Liste 1996), LD_{50} (Ratte oral) 2060 mg/kg, WGK 1.

Herst.: Durch Wasserstoff-Anlagerung an Phenol mit Nickel als Katalysator (160–170 °C) od. (hauptsächlich) durch katalyt. Oxid. von Cyclohexan.

Verw.: Als Extraktions-, Lösungs- u. Verdünnungsmittel bei der Herst. von Lacken, Bohnermassen, Schuhcremes, Kunststoffen usw. sowie als Zwischenprodukt bei der Herst. von Adipinsäure, Cyclohexanon, Caprolactam, Fruchtestern usw. sowie als Standardbezugssubstanz in der Gaschromatographie. – *E* = *F* cyclohexanol – *I* cicloesanolo – *S* ciclohexanol

Lit.: Beilstein E IV **6**, 20–25 ■ Hager (5.) **3**, 370 ■ Hommel, Nr. 68 ■ Kirk-Othmer (4.) **7**, 851 f. ■ Ullmann (4.) **7**, 107, 211; **9**, 689 ff.; (5.) **A 8**, 217. – *[HS 290612; CAS 108-93-0; G 3]*

Cyclohexanon (Anon).

Xn

Z = O : Cyclohexanon
Z = NOH : Cyclohexanonoxim

$C_6H_{10}O$, M_R 98,14, farblose, Pfefferminz-artig riechende Flüssigkeit, D. 0,946, Sdp. 155 °C, in Wasser, Alkohol u. Ether lösl., WGK 1. C. ist haut- u. schleimhautreizend, schwach narkot., evtl. leber- u. nierenschädigend, Stoff mit begründetem Verdacht auf krebserzeugendes Potential (Gruppe III B MAK-Werte-Liste 1996), LD_{50} (Ratte oral) 1535 mg/kg.

Herst.: Früher aus Cyclohexanol, heute durch Flüssigphasen-Oxid. von Cyclohexan mit Luft in Ggw. von Katalysatoren; ein anderes Herst.-Verf. beruht auf der Umsetzung von gasf. Phenol u. Wasserstoff an einem Pd-haltigen Katalysator bei erhöhten Temp., wobei direkt C. entsteht.

Verw.: Lsm. für viele Lackrohstoffe, Polyvinylchlorid u. bas. Farbstoffe, in Form von *Ketonharzen (*Cyclohexanonharze*) zur Verbesserung von Verlauf u. Glanz von Lacken u. als Zusatz für Lederdeckfarben, Spezialdruckfarben u. Abbeizmittel, zur Herst. von Adipinsäure u. *Cyclohexanonoxim, das für die Herst. des ε-*Caprolactams benötigt wird; einige C.-Derivate stellen Arzneimittel dar. – *E* = *F* cyclohexanone – *I* cicloesanone – *S* ciclohexanona

Lit.: Beilstein E IV **7**, 15 ■ Hager (5.) **3**, 371 ■ Hommel, Nr. 69 ■ Kirk-Othmer (4.) **7**, 851 f. ■ Ullmann (4.) **7**, 211; **9**, 97, 696 ff.; (5.) **A 8**, 217 ■ Weissermel-Arpe (4.), S. 273 ff. – *[HS 291422; CAS 108-94-1; G 3]*

Cyclohexanonoxim. $C_6H_{11}NO$, M_R 113,16, Formel s. Cyclohexanon. Farblose Krist., Schmp. 89–90 °C, Sdp. 206–210 °C, in Wasser, Alkohol u. Ether löslich.

Herst.: Durch Umsetzen von *Cyclohexanon mit Hydroxylamin, durch Nitrierung bzw. durch photochem. *Nitrosierung* von Cyclohexan.

Verw.: Durch säurekatalysierte *Beckmann-Umlagerung erhält man aus C. ε-*Caprolactam, das Ausgangsmaterial für die Perlon-Produktion. – *E* cyclohexanone oxime – *F* oxime de cyclohexanone – *I* ossima di cicloesanone – *S* oxima de ciclohexanona

Lit.: Beilstein E IV **7**, 21 ■ Ullmann (4.) **9**, 97 ff.; (5.) **5**, 33 ■ Weissermel-Arpe (4.), S. 272 f., 275. – *[HS 292800; CAS 100-64-1]*

Cyclohexanonperoxid [1-(1-Hydroperoxycyclohexylperoxy)cyclohexanol].

E
C

$C_{12}H_{22}O_5$, M_R 246,30, farblose, wasserlösl., explosionsfähige Krist. mit schwachem Geruch, Schmp. 78 °C, stark ätzend, gewebsnekrotisierend. Allg. Handelsformen: Als Pulver mit ca. 10% Wassergehalt od. als Flüssigkeit bzw. Paste mit mind. 50% Weichmacher. Leicht lösl. in organ. Lsm., nicht lösl. in Wasser.

Verw.: Als Polymerisationskatalysator für Polyester-Lacke u. Härter für ungesätt. Polyester-Harze in Verbindung mit Cobalt-Beschleunigern. – *E* cyclohexanone peroxide – *F* peroxyde de cyclohexanone – *I* perossido di cicloesanone – *S* peróxido de ciclohexanona

Lit.: Beilstein E IV **7**, 20 ■ Giftliste ■ Ullmann (3.) **8**, 256, 258; (5.) **A 19**, 225, 227. – *[HS 290960; CAS 78-18-2; G 5.2]*

Cyclohexen.

C_6H_{10}, M_R 82,15, farblose Flüssigkeit von Benzin-artigem Geruch, D. 0,81, Schmp. –103 °C, Sdp. 83 °C, lösl. in Akohol, unlösl. in Wasser. Kontakt mit den Dämpfen u. der Flüssigkeit führt zu leichter Reizung der Augen, der Atmungsorgane u. der Haut, in hohen Konz. narkot., MAK 300 ppm (MAK-Werte-Liste 1996), WGK 1. C. kann durch Wasserabspaltung aus Cyclohexanol mit konz. Schwefelsäure hergestellt werden.
Verw.: Zur Herst. von Adipinsäure, Maleinsäure od. von Butadien im Laboratorium, verschiedener C.-Derivate als Arzneimittel. – *E* cyclohexene – *F* cyclohexène – *I* cicloesene – *S* cicloexeno
Lit.: Beilstein E IV **5**, 218–227 ▪ Hager (5.) **3**, 373 ▪ Hommel, Nr. 406 ▪ Merck-Index (12.), Nr. 2796 ▪ Ullmann (4.) **7**, 108; **9**, 6, 680 f., 685 ff.; (5.) **A 8**, 210 f. – [HS 2902 19; CAS 110-83-8; G 3]

4-Cyclohexen-1,2-dicarbonsäureanhydrid (veraltet: *cis*-1,2,3,6-Tetrahydrophthalsäureanhydrid).

$C_8H_8O_3$, M_R 152,15, farblose Krist., D. 1,375, Schmp. 103–104 °C, Sdp. 195 °C (67 hPa), wenig lösl. in heißem Wasser, in Petrolether u. Ether, lösl. in Benzol, Aceton u. Chloroform. C. bildet ähnlich wie *Phthalsäureanhydrid mit Glycerin, Glykolen, Pentaerythrit (evtl. kombiniert mit Fettsäuren) Alkydharze. C. reizt die Augen, die Atemwege, die Lunge u. die Haut, wassergefährdender Stoff, WGK 2 (Selbsteinst.). Herst. durch Diels-Alder-Reaktion von Butadien mit Maleinsäureanhydrid.
Verw.: Zwischenprodukt bei der Herst. von Polyester- u. Alkydharzen, Weichmachern, Klebstoffen, Insektiziden u. Fungiziden. An Rhodium-Katalysatoren isomerisiert C. zu Verb. mit Doppelbindungen in 1-, 2- od. 3-Stellung. – *E* 4-cyclohexene-1,2-dicarboxylic anhydride – *F* anhydride 4-cyclohexène-1,2-dicarboxylique – *I* anidride teraidroftalica – *S* anhídrido tetrahidroftálico
Lit.: Beilstein E V **17/11**, 134 ▪ Hommel, Nr. 1023 ▪ Ullmann (5.) **A 8**, 533. – [HS 2917 20; CAS 85-43-8; G 8]

Cyclohexyl...
Bez. für die Atomgruppierung –C_6H_{11}, die sich von Cyclohexan durch Verlust eines H-Atoms ableitet, in systemat. Namen von organ. Verb. (über C.-Radikale s. *Lit.*). – *E* = *F* cyclohexyl... – *I* cicloesil... – *S* ciclohexil...
Lit.: Top. Stereochem. **4**, 1–38 (1969).

Cyclohexylacetat s. Essigsäurecyclohexylester.

Cyclohexylamin (Aminocyclohexan).

$C_6H_{13}N$, M_R 99,18, farblose Flüssigkeit mit fischigem Amin-Geruch, D. 0,867, Schmp. –17,7 °C, Sdp. 134,5 °C, starke Base, mischbar mit Wasser, Alkoholen, Ethern, Ketonen, aromat. Kohlenwasserstoffen usw. Die Dämpfe üben eine stark reizende u. ätzende Wirkung auf Augen, Atmungsorgane u. Haut aus, Lungenödem möglich. Die Flüssigkeit kann auch über die Haut aufgenommen werden, MAK 10 ppm (MAK-Werte-Liste 1996), LD_{50} (Ratte oral) 156 mg/kg, WGK 1. C. wurde als Metabolit von Cyclamaten im Urin von Menschen gefunden, vgl. hierzu *Lit.*[1].
Verw.: Zur Herst. von Cyclamaten, Schädlingsbekämpfungsmitteln u. Pharmazeutika, in der Kunststoff- u. Kautschuk-Ind. sowie für Korrosionsschutzmittel; in organ. Synthesen. – *E* = *F* cyclohexylamine – *I* cicloesilammina – *S* ciclohexilamina
Lit.: [1] Gesundheitsschädliche Arbeitsstoffe: toxikologisch-arbeitsmedizinische Begründung von MAK-Werten, Weinheim: VCH Verlagsges. 1972–1996.
allg.: Beilstein E IV **12**, 8 ▪ Hager (5.) **3**, 374 ▪ Hommel, Nr. 254 ▪ Ullmann (4.) **7**, 108, 378 ff.; **9**, 106; (5.) **A 2**, 10 ff. – [HS 2921 30; CAS 108-91-8; G 8]

Cyclohexylbromid s. Bromcyclohexan.

Cyclohexylchlorid s. Chlorcyclohexan.

1,2-Cyclohexylendinitrilotetraessigsäure s. CDTA.

Cyclohexyliden.
Nach IUPAC-Regel A-11.5 Bez. für das zweiwertige Radikal, das durch Entfernen von zwei Wasserstoff-Atomen vom gleichen C-Atom aus Cyclohexan gebildet wird; s. ...yliden. – *E* cyclohexylidene – *F* cyclohexylidène – *I* cicloesilideni – *S* ciclohexilideno

Cyclohexylsalicylate.
Riechstoff mit der Note blumig, balsamisch, grün. *B.:* Henkel.

Cyclohexylsulfamidsäure s. Natriumcyclamat.

Cycloimidiumbetaine s. Imidazoline.

Cyclokautschuke
(cyclisierte Kautschuke; nach DIN 55 950, 04/1980, Kurzz. RUI). C. sind Produkte, die bei Einwirkung von z. B. konz. Schwefelsäure auf *Natur- od. *Synthesekautschuke anfallen. Dabei erfolgt Abbau auf Molmassen von ca. 2000–10 000 u. gleichzeitig Cyclisierung.

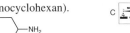

Je nach Umsatz u. Reaktionsbedingungen entstehen dabei mono-, di- u. tricycl. Strukturen u. 50–90% der ursprünglichen Doppelbindungen verschwinden. C. sind lösl. in aliphat., aromat. u. chlorierten Kohlenwasserstoffen, wärmebeständiger als die Ausgangsmaterialien u. werden von verd. Säuren, Alkalien, Salzlsg. u. a. korrodierenden Chemikalien nur wenig angegriffen.
Verw.: U. a. als Bindemittel für Klebstoffe, Lacke u. Papierdruckfarben. – *E* cyclized rubber – *F* caoutchouc cyclique – *I* caucciù ciclico – *S* caucho ciclizado
Lit.: Elias (5.) **1**, 567; **2**, 144 ▪ Encycl. Polym. Sci. Technol. **12**, 318 ff. ▪ Houben-Weyl **E 20**, 2016 ▪ s. a. Kautschuk. – [HS 3913 90]

Cyclokondensation s. Kondensation.

Cyclo-Menorette®. Dragees weiß mit *Estradiol-Valerat u. *Estriol u. Dragees rosa zusätzlich mit *Levonorgestrel gegen klimakter. Beschwerden, Osteoporose. *B.:* Wyeth Pharma.

Cyclometallierung s. Metallierung.

Cyclonit s. Hexogen.

Cyclonium s. Promethium.

Cyclonucleotide s. cyclische Nucleotide.

***cis,cis*-1,5-Cyclooctadien** (COD).

C_8H_{12}, M_R 108,18. Schmp. $-70\,°C$, Sdp. $151\,°C$, mit Wasser nicht mischbar. C. entsteht bei der Cyclodimerisation von 1,3-Butadien u. läßt sich relativ einfach in Cyclooctatetraen überführen [1]. C. ist ein wichtiger Ligand in der metallorgan. Chemie [2]. – *E cis,cis*-1,5-cyclooctadiene – *I cis,cis*-1,5-cicloottadiene – *S cis,cis*-1,5-ciclooctadieno

Lit.: [1] Angew. Chem. **90**, 380 (1978). [2] Paquette **2**, 1441 ff. *allg.:* Beilstein E IV **5**, 401 ff. ▪ Hommel, Nr. 629 ▪ Ullmann (4.) **9**, 676 f.; (5.) A **8**, 205. – *[HS 2902 19; CAS 1552-12-1; G 3]*

Cyclooctatetraen (COT).

C_8H_8, M_R 104,15, schwach gelbliche Flüssigkeit, D. 0,921, Schmp. $-7\,°C$, Sdp. $142-143\,°C$, in Wasser nicht lösl., dagegen in den meisten organ. Lösemitteln. Dämpfe u. Flüssigkeit reizen Augen, Atemwege u. Haut, hohe Dampfkonz. wirken betäubend.
Herst.: Nach Reppe durch Cyclooligomerisation von Acetylen in Ggw. von Nickel-Verb., aus *cis,cis*-1,5-Cyclooctadien od. aus *Barrelen neben *Semibullvalen durch Belichtung. C. zeigt keine Aromatizität; als Polyen, das leicht Valenzisomerisierungen unterliegt [1], ist C. chem. sehr reaktiv. C. wird zur Synth. von Korksäure u. Cyclooctan verwendet. – *E cyclooctatetraene – F cyclooctatétraène – I cicloottatetraene – S ciclooctatetraeno*

Lit.: [1] Angew. Chem. **76**, 36 ff. (1964).
allg.: Beilstein E IV **5**, 1331 ff. ▪ Hommel, Nr. 1151 ▪ Houben-Weyl **5/1 d**, 417–525 ▪ Ullmann (4.) **7**, 44; **16**, 599; (5.) A **18**, 229. – *[HS 2902 19; CAS 629-20-9; G 3]*

CycloÖstrogynal®. Dragees weiß mit *Estradiol-Valerat u. *Estriol, rosa zusätzlich mit *Levonorgestrel gegen klimakter. Beschwerden u. ovarielle Ausfallserscheinungen. *B.:* Asche.

Cycloolefin-Copolymere (COC). Die C.-C. bilden eine sehr junge Klasse transparenter *Thermoplaste mit großer Struktur- u. Eigenschaftsvielfalt. Sie werden durch *Copolymerisation von Cycloolefinen (z.B. *Norbornen, I) mit 1-Alkenen (z.B. *Ethylen, II) unter Katalyse durch Metallocene erhalten, z.B.:

Durch entsprechende Auswahl des *Metallocen-Katalysators u. der Reaktionsbedingungen lassen sich die Molmasse sowie die Abfolge der Monomerbausteine entlang den Polymerketten steuern. Von statist. Monomereinbau (*statistische Copolymere) über streng alternierend (*alternierende Copolymere) bis zu C.-C.-Typen verschiedener *Taktizität lassen sich die Struktur der Polymerketten u. damit die Polymereigenschaften breit variieren. Das abgebildete Copolymer (III) zeichnet sich beispielsweise durch ausgezeichnete Transparenz, hohen Brechungsindex (n_D^{20} 1,53), niedrige D. (1,02 g · cm^{-3}), hohe *Glasübergangstemperaturen (120–230 °C), gute Festigkeit u. Steifigkeit sowie Hydrolysestabilität u. geringe Wasseraufnahme (<0,05%) aus. Die C.-C. eignen sich daher bevorzugt für Anw. z.B. in opt. Datenspeichern od. für die Datenübertragung. – *E cycloolefin copolymers – F copolymères cycloolefines – I copolimeri cicloolefinici – S copolímeros de cicloolefinas*

Lit.: Angew. Makromol. Chem. **223**, 121–133 (1994) ▪ Kaminsky et al., in Kaminsky u. Sinn (Hrsg.), Transition Metals and Organometallics as Catalysts for Olefin Polymerisation, S. 291, Berlin: Springer 1988 ▪ Polym. Int. **28**, 251 (1992).

Cycloolefine s. Cycloalkene.

Cyclooligomerisation. Sonderfall der *Oligomerisation, bei der die Zusammenlagerung von *Monomeren Ringe statt Ketten ergibt. *Beisp.* sind die Gewinnung von Benzol (I) bzw. Cyclooctatetraen(II) aus 3 bzw. 4 Acetylen-Mol., von Cyclooctadien(III) bzw. Cyclododecatrien(IV) aus 2 bzw. 3 Butadien-Mol., od. die oxidative Kupplung von Diinen wie (V) zu Cyclen wie (VI) – (IX).

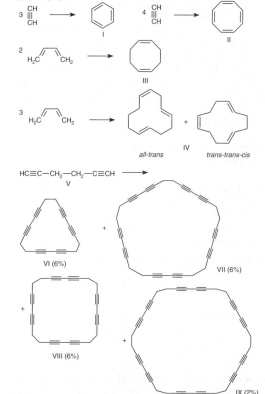

Derartige C. können auch als Cyclodi-, -tri-, -tetramerisationen etc. bezeichnet werden. Die Entstehung größerer Ringe ist dagegen selten. Als Katalysatoren für die C. sind vielfach *Übergangsmetalle geeignet. – *E* cyclooligomerization – *F* cyclooligomérisation – *I* ciclooligomerizzazione – *S* ciclooligopolimerización
Lit.: Pure Appl. Chem. **33**, 489–512 (1973) ▪ Uglea u. Negulescu, Synthesis and Characterization of Oligomers, Boca Raton: CRC Press 1991.

Cyclooxygenase (Prostaglandinendoperoxid-Synthase, EC 1.14.99.1). Im *endoplasmatischen Retikulum vorkommendes Schlüssel-Enzym der Biosynth. der *Prostaglandine u. *Thromboxane aus *Arachidonsäure. Man kennt zwei verschiedene Formen (*Isoenzyme) der C.: die konstitutive C. 1 u. die induzierbare C. 2. Entzündungshemmende Wirkungen nicht-steroider Arzneimittel, z. B. Aspirin®, beruhen wahrscheinlich auf der Hemmung der C. 2, die in inflammator. Zellen vorherrscht. – *E* cyclooxygenase – *F* cyclooxygénase – *I* ciclooissigenasi – *S* ciclooxigenasa
Lit.: Fundament. Clin. Pharmacol. **10**, 1–15 (1996) ▪ Med. Res. Rev. **16**, 181–206 (1996) ▪ Science **273**, 1660 (1996).

Cycloparaffine s. Cycloalkane.

Cyclopentadecanon.

$C_{15}H_{28}O$, M_R 224,39. Farblose, stark Moschus-ähnlich (s. a. Muscon) riechende Krist., D. 0,889, Schmp. 65–68 °C, Sdp. 120 °C (0,4 hPa), in Wasser sehr wenig, in Alkohol u. Aceton löslich. C. wird als Fixateur in der Parfümerie (Exalton) u. als Geruchskomponente verwendet. – *E* cyclopentadecanone – *F* cyclopentadécanone – *I* ciclopentadecanone – *S* ciclopentadecanona
Lit.: Beilstein E IV **7**, 113 ▪ Ullmann (5.) **A 11**, 181. – [HS 2914 29; CAS 502-72-7]

Cyclopentadien.

C_5H_6, M_R 66,10. Frisch dest. C. ist eine farblose Flüssigkeit, D. 0,802 (20 °C), Schmp. –85 °C, Sdp. 40 °C, in Wasser nicht, in Alkohol, Ether, Benzol leicht lösl., MAK 75 ppm (MAK-Werte-Liste 1996), hautreizend. Bei 20 °C aufbewahrtes C. cyclodimerisiert zu *Dicyclopentadien: Spezial-Fall einer *Diels-Alder-Reaktion. C. spaltet leicht ein Proton ab u. geht in das *Cyclopentadienyl-Anion* über; s. Cyclopentadienyl. Mit Carbonyl-Verb. kondensiert C. in Ggw. von Basen zu *Fulvenen. Üblicherweise wird C. in Form des Dimeren gehandelt, aus dem es durch Dest. leicht gewonnen werden kann.
Herst.: Techn. wird C. als Nebenprodukt aus Koksofengas, Steinkohlenteer, aus Erdölkrackprodukten hergestellt, es kann auch durch katalyt. Dehydrierung von Cyclopentan gewonnen werden.
Verw.: Aufgrund seines Doppelbindungssyst. ist C. sehr reaktiv: Als Dien addiert es sich leicht in einer *Dien-Synth.* an isolierte Doppelbindungen von Olefinen, ungesätt. Säuren od. Halogenkohlenwasserstoffe, Chinone sowie an Acetylene; es findet Verw. zur Synth. von Terpenen, Sesquiterpenen, Alkaloiden, Chlor-haltigen flammhemmenden Chemikalien u. chlorierten Insektiziden. C. u. sein Dimeres werden auch zur Herst. u. Modifizierung von *Kohlenwasserstoff-Harzen u. ungesätt. Polyestern eingesetzt. – *E* cyclopentadiene – *F* cyclopentadiène – *I* ciclopentadiene – *S* ciclopentadieno
Lit.: Beilstein E IV **5**, 377 ff. ▪ Hager (5.) **3**, 377 ▪ Kirk-Othmer (4.) **7**, 859 ff. ▪ Paquette **2**, 1449 ▪ Ullmann (4.) **9**, 699 ff.; (5.) **A 8**, 227; **A 13**, 232 ▪ Weissermel-Arpe (4.), S. 134 f. – [HS 2902 19; CAS 542-92-7; G 3]

Cyclopentadienyl. 1. Bez. für den von *Cyclopentadien abgeleiteten Rest C_5H_5 in systemat. Namen von organ. u. Metall-organ. Verbindungen.
2. Cyclopentadien kann leicht in das *C.-Anion* (ein *Carbanion) überführt werden, das, wie von der *Hückel-Regel* vorausgesagt, *Aromatizität aufweist – im Gegensatz zum *C.-Kation*, dem *Antiaromatizität zugeschrieben wird. Als Symbol wird für das C.-Anion ein regelmäßiges Fünfeck mit eingeschriebenem Kreis u. als Kurzz. „Cp" od. „cp" gewählt.

Seit Anfang der 50er Jahre hat das C.-Anion große Bedeutung in der Übergangsmetall-Chemie erlangt (mehr als 80% aller Metall-organ. Übergangsmetall-Komplexe sind C.-Verb., s. *Lit.*[1]). Beim ältesten Vertreter *Ferrocen [systemat. Name Bis(η^5-cyclopentadienyl)eisen] sind es zwei Cp-Reste, die das Metall-Atom so einschließen, daß eine sog. *Sandwich-Verbindung entsteht, s. die Abb. bei Ferrocen u. Metallocene. Da die Bindung des Metall-Atoms an den C.-Rest über die π-Elektronen des C_5H_5 erfolgt, spricht man auch von π-C.-Metallkomplexen. Wird nur 1 Cp vom Metall angelagert, dann können weitere Liganden mit *einsamen Elektronenpaaren od. *Pi-Bindungen addiert werden; man gelangt auf diese Weise zu Verb. wie Tricarbonyl(η^5-cyclopentadienyl)mangan [$Mn(C_5H_5)(CO)_3$], einem Carbonylkomplex (vgl. die Abb. dort).
Die Cp-Reste können bereits vor der Komplexierung substituiert sein od. im Cp-Komplex substituiert werden (s.*Lit.*[1]). Die überwiegend den *Aromaten-Übergangsmetall-Komplexen zuzurechnenden Cp-Verb. sind häufig katalyt. wirksam, s. z. B. Ziegler-Natta-Katalysatoren. Insbes. von den Hauptgruppenelementen sind auch Cp-Verb. mit Metall-Kohlenstoff-σ-Bindungen (*Sigma-Bindungen), von B, Al, Si, Ge, Sn, Pb, P, As, Sb u. Bi auch solche mit *fluktuierenden Bindungen bekannt[2]. Die Chemie der Cp-Verb. ist bes. von E. O. *Fischer u. *Wilkinson (zusammen Nobelpreis 1973) erforscht worden. Cp-Metall-Komplexe als mögliche Anti-Tumor-Mittel s. *Lit.*[3].
3. C.-Radikale können auf unterschiedlichen Wegen als instabile Spezies erzeugt werden[4], man kennt jedoch auch stabile C.-Radikale[5]. – *E* cyclopentadienyl – *F* cyclopentadiènile – *I* ciclopentadienile – *S* ciclopentadienil
Lit.: [1] Adv. Organomet. Chem. **33**, 291–393 (1991). [2] Chem. Rev. **86**, 983–996 (1986). [3] Struct. Bonding (Berlin) **70**, 103–185 (1988). [4] Houben-Weyl **E 19a**, 65 f., 81, 86, 733. [5] Angew. Chem. **108**, 1100 ff. (1996).
allg.: Wilkinson-Stone-Abel (2.) ▪ s. a. Metallocene, Ferrocen, Sandwich-Verbindungen.

Cyclopentadienyl-Anion s. Cyclopentadienyl.

Cyclopentamin.

Internat. Freiname für das sympathikomimet. wirkende 1-Cyclopentyl-2-(methylamino)-propan, $C_9H_{19}N$, M_R 141,26, Öl, Sdp. 83–86 °C (3,9 kPa), n_D^{25} 1,450; pK_b 2,5 od. 3,5. Verwendet wird das Hydrochlorid, ein weißes, krist. Pulver; Schmp 111–117 °C. Es wurde als *Sympath(ik)omimetikum 1950 von Lilly patentiert. – $E = F$ cyclopentamine – $I = S$ ciclopentamina
Lit.: Beilstein E IV **12**, 137 ▪ Hager (5.) **7**, 1137 f. – *[HS 2921 30; CAS 102-45-4]*

Cyclopentan. F

C_5H_{10}, M_R 70,13, leichtbewegliche, farblose Flüssigkeit, D. 0,746, Schmp. –94 °C, Sdp. 49 °C, in Wasser unlösl., mit den meisten organ. Lsm. mischbar. Dämpfe u. Flüssigkeit reizen Augen, Atemwege u. Haut, das Einatmen hoher Konz. hat narkot. Wirkung; WGK 1. C. kommt in Erdöl vor, kann durch Hydrierung von Cyclopentadien hergestellt werden u. findet Verw. v. a. als Lsm., auch in der Spektroskopie, einige C.-Derivate auch als Arzneimittel. Aus C-Ringen aufgebaute Käfigverb. werden *Polyquinane* genannt. – $E = F$ cyclopentane – $I = S$ ciclopentano
Lit.: Beilstein E IV **5**, 14–17 ▪ Hommel, Nr. 506 ▪ Topics Stereochem. **10**, 1–94 (1978) ▪ Ullmann (4.) **5**, 327; **14**, 655 ff; (5.) A **13**, 229, 231 ▪ s. a. Cycloalkane. – *[HS 2902 19; CAS 287-92-3; G 3]*

Cyclopentancarbonsäure s. Naphthensäuren.

Cyclopentanol.

$C_5H_{10}O$, M_R 86,13, farblose Flüssigkeit, D. 0,948, Schmp. –19 °C, Sdp. 141 °C, sehr wenig in Wasser, gut in Alkohol löslich. Dämpfe u. Flüssigkeit reizen Augen, Atemwege u. Haut, hohe Dampfkonz. führen zur Lähmung des Zentralnervensyst., WGK 1.
Der durch Druckhydrierung von Cyclopentanon zugängliche cycl. Alkohol wird zur Synth. von Arzneimitteln, Kosmetika u. Herbiziden verwendet. – $E = F$ cyclopentanol – I ciclopentanolo – S ciclopentanol
Lit.: Beilstein E IV **6**, 5 f. ▪ Hommel, Nr. 507 ▪ Merck-Index (12.), Nr. 2810. – *[HS 2906 19; CAS 96-41-3; G 3]*

Cyclopentanon. Xi

C_5H_8O, M_R 84,12, farblose, schwach Pfefferminz-artig riechende Flüssigkeit, D. 0,949, Schmp. –51 °C, Sdp. 131 °C, in Wasser unlösl., in den meisten organ. Lsm. löslich. Die Dämpfe reizen die Augen u. die Atemwege u. U. bis hin zum Lungenödem. Das Einatmen hoher Konz. führt zur Narkose u. kann Leber- u. Nierenschäden verursachen; WGK 1.
C. kann aus Adipinsäure-Salzen durch Erhitzen hergestellt werden (s. Blanc-Regel); es kondensiert leicht mit sich selbst u. anderen Verb. mit aktivierten CH_2-Gruppen. C. findet Verw. in organ. Synth., u. a. zur Synth. von Pharmazeutika. – $E = F$ cyclopentanone – I ciclopentanone – S ciclopentanona
Lit.: Beilstein E IV **7**, 5 ▪ Hommel, Nr. 508 ▪ Ullmann (5.) A **15**, 85 f. – *[HS 2914 29; CAS 120-92-3; G 3]*

13-(2-Cyclopentenyl)tridecansäure s. Chaulmoograsäure.

Cyclopenthiazid.

Internat. Freiname für 6-Chlor-3-(cyclopentylmethyl)-3,4-dihydro-2 H-1,2,4-benzothiadiazin-7-sulfonamid-1,1-dioxid, $C_{13}H_{18}ClN_3O_4S_2$, M_R 379,88, weißes, krist. Pulver; Schmp. 230 °C, λ_{max} (C_2H_5OH) 226, 270, 576 nm ($A_{1cm}^{1\%} = 1,000$; 576; 79); LD_{50} (Maus i.v.) 232 mg/kg. Es wurde als *Diuretikum u. *Antihypertonikum 1960 von Ciba patentiert. – $E = F$ cyclopenthiazide – I ciclopentiazide – S ciclopentiazida
Lit.: Hager (5.) **7**, 1138 f. – *[HS 2935 00; CAS 742-20-1]*

Cyclopentobarbital.

Kurzbez. für die 5-Allyl-5-(2-cyclopentenyl)-barbitursäure, $C_{12}H_{14}N_2O_3$, M_R 234,25, Schmp. 139–140 °C. Es wurde als *Hypnotikum 1930 von Comp. de Béthune patentiert. – $E = F$ cyclopentobarbital – I ciclopentobarbitale – S ciclopentobarbital
Lit.: Beilstein E V **24/9**, 269 f. – *[CAS 76-68-6]*

Cyclopentolat.

Internat. Freiname für den anticholinerg u. mydriat. wirkenden α-(1-Hydroxycyclopentyl)-phenylessigsäure-(2-dimethylamino)-ethylester, $C_{17}H_{25}NO_3$, M_R 291,39. Verwendet wird das Hydrochlorid, ein weißes, krist. Pulver; Schmp. 137–141 °C; λ_{max} (0,1 N HCl): 258, 254 nm ($A_{1cm}^{1\%} = 5,6$; 5,0). Es wurde 1951 von Schieffelin & Co patentiert u. ist von Mann (Zyklotat®) u. Alcon-Thilo (Cyclopentolat 0,5 %, 1 %) im Handel. – $E = F$ cyclopentolate – $I = S$ ciclopentolato
Lit.: ASP ▪ Beilstein E IV **10**, 1064 ▪ Hager (5.) **7**, 1139 ff. – *[HS 2922 50; CAS 512-15-2 (C.); 5870-29-1 (Hydrochlorid)]*

3-Cyclopentylpropionsäure.

$C_8H_{14}O_2$, M_R 142,20, Sdp. 130–132 °C (1,56 kPa), hautreizend. C. wird durch Erhitzen von (±)-3-(2-Oxocyclopentyl)-propionsäure mit amalgiertem Zink u. wäss. Salzsäure hergestellt; findet Verw. zur Synth. pharmazeut. Verbindungen. – E 3-cyclopentylpropionic acid – F acide 3-cyclopentylpropionique – I acido 3-ciclopentilpropionico – S ácido 3-ciclopentilpropiónico
Lit.: Beilstein E IV **9**, 46 ▪ Ullmann (4.) **13**, 40. – *[HS 2916 20]*

Cyclopeptide (cycl. Peptide). Polypeptide, deren *Aminosäure-Sequenzen zum Ring (od. zu mehreren Ringen) geschlossen sind. Daneben gibt es cycl. Verb. aus Peptid-Ketten (z. B. *Insulin, *Oxytocin), die über *Disulfid-Brücken geschlossen sind, die man jedoch nicht zu den C. im engeren Sinn rechnet (heterodet cycl. Peptide). Häufig enthalten C. ungewöhnliche Aminosäure-Reste, opt. *Antipoden der normalen Protein-bildenden Aminosäuren (d. h. D- statt L-Aminosäuren), Methyl-Gruppen an den Stickstoff-Atomen der Peptid-Bindungen (z. B. die *Immunsuppression bewirkenden *Cyclosporine), Hydroxycarbonsäuren in Ester-Bindung (Cyclodepsipeptide od. *Cyclopeptolide*; vgl. Peptolide) od. dergleichen. Insbes. von Mikroorganismen ausgeschiedene C. haben als *Antibiotika (Cyclopeptid-, allg. *Peptid-Antibiotika) interessante pharmakol. Eigenschaften, so z. B. die *Actinomycine, Echinomycin, manche *Gramicidine, *Bacitracin, die *Polymyxine (Circulin, *Colistine), *Etamycin A u. die *Tyrocidine. Andere C., insbes. Cyclodepsipeptide, wirken als *Ionophore, u. wieder andere, gelegentlich als *Cyclopeptid-Alkaloide* bezeichnete, sind starke Gifte (*Amanitine, *Phalloidin) od. Gegengifte (Antamanid). – *E = F* cyclopeptides – *I* ciclopeptidi – *S* ciclopéptidos

Cyclopeptolide s. Cyclopeptide.

Cyclophane. Von *Cram[1] geprägte Bez. für aromat. Verb., die durch Alkyl-Ketten überbrückt sind, u. zwar in *ortho-*, *meta-* od. *para-*Stellung. In der rationellen (noch nicht von der IUPAC sanktionierten) Nomenklatur der C. gibt man die Anzahl der zwischen den Verknüpfungsstellen befindlichen Alkyl-Kettenglieder in eckigen Klammern an u. die relative Stellung der Verknüpfungsstellen mit 1,2-, 1,3- od. 1,4- bzw. *o-*, *m-*, *p-*; die Schreibweise *Paracyclophane* bzw. *Metacyclophane* wird heute bevorzugt. Dagegen ist die Bez. *Orthocyclophane* unangebracht, da es sich bei diesen um *Benz(o)-anellierte *Cycloalkene handelt. Auf die Verwandtschaft der C. zu *Ansa-Verbindungen sei hingewiesen.

[7]Metacyclophan   [2.2]Paracyclophan   [2.2.2](1,3,5)(1,3,5)-Cyclophan

Die Numerierungsweise der C. geht aus den Abb. hervor; eine weitere Abb. findet sich bei *Metacyclophane. Inzwischen sind in der bes. von *Boekelheide, Hopf u. *Vögtle untersuchten Verb.-Klasse nicht nur, wie abgebildet, C. mit 1, 2 od. 3 *Brücken bekannt, sondern auch solche mit 4–6 Brücken, wobei letztere schon als *Käfigverbindungen betrachtet werden können. Eine bes. interessante Frage ist, ob elektron. Wechselwirkung „through bond" od. „through space" erfolgen. Nach dem C.-Bauprinzip kennt man auch Verb. mit mehrfach übereinander angeordneten Ringen sowie mit anderen carbo- od. heterocycl. aromat. Syst., wofür sich analoge *Phane-Bez. wie Naphthalino-, Azuleno-, Anthraceno-, Pyreno-, Furano-, Pyrrolo-, Pyridinophane eingebürgert haben. Bei den „kleinsten" C. (z. Z. [5]Metacyclophan u. [5]Paracyclophan) sind die Benzol-Ringe infolge der Winkelspannung stark deformiert. Eine interessante, bes. von *Staab untersuchte Verb.-Klasse ist die der *Chinhydrone vom C.-Typ[2]. – *E = F* cyclophanes – *I* ciclofani – *S* ciclofanos

Lit.: [1] J. Am. Chem. Soc. **73**, 5691–5704 (1951). [2] Angew. Chem. **89**, 839–842 (1977) u. dort zit. Lit.
allg.: Chem. Unserer Zeit **10**, 114–120 (1976) ▪ Diederich, Cyclophanes, Cambridge: Royal Society of Chemistry 1994 ▪ Keehn u. Rosenfeld, Cyclophanes, 2 Bd., New York: Academic Press 1983 ▪ Pure Appl. Chem. **62**, 373–382 (1990) ▪ Top. Curr. Chem. **48**, 67–129 (1974); **78**, 1–29 (1978); **113** (1983); **115** (1985); **172**, 1–86 (1994) ▪ Vögtle, Cyclophan-Chemie, Stuttgart: Teubner 1990 ▪ s. a. supramolekulare Chemie.

Cyclophan-Nomenklatur (Arena-Nomenklatur, Phan-Nomenklatur). Mit den Präfixen *Bicyclo..., *Tricyclo..., *Tetracyclo... etc. gebildete systemat. Namen für *Cyclophane sind unanschaulich. Deshalb haben IUPAC u. Beilstein-Inst. Regeln[1] erarbeitet, die „Arena"-Präfixe[2] für den Austausch von Atomen in hypothet. „Phan-Stammgerüsten" gegen „Arene" od. andere Ringsyst. einsetzen (*Beisp.:* Benzena, Indola, Adamantana) u. so Benennung u. Numerierung erleichtern; *Beisp.:* 1(1,3)-Benzena-cyclooctaphan, 1,4(1,4)-Dibenzena-cyclohexaphan, 1,4(1,3,5)-Tribenzena-bicyclo[2.2.2]octaphan-2,5,7-trien (s. Formeln bei Cyclophane; Chem. Abstr.: Bicyclo[7.3.1]trideca-1(13),9,11-trien, Tricyclo[8.2.2.2^{4,7}]hexadeca-1(12),4,6,10,13,15-hexaen, Tetracyclo[6.6.2.1^{3,13}.1^{6,10}]octadeca-1,3(17),4,6,8,10(18),11,13,15-nonaen). Substituenten-Ziffern in „Arena"-Teilsyst. werden hochgestellt; *Beisp.:* 1^{4,6}-Dimethyl-1(1,3)-benzena-cyclooctaphan-1^{2,5}-diol. – *E* cyclophane nomenclature – *I* nomenclatura dei ciclofoni e degli areni – *S* nomenclatura ciclofan

Lit.: [1] Pure Appl. Chem., im Druck: Phane Nomenclature. [2] Makromol. Chem. **23**, 32 (1957); Tetrahedron **28**, 5183 (1972); Tetrahedron Lett. **1972**, 2109.

Cyclophilin. Zu den *Immunophilinen gehörendes Protein aus dem *Cytosol von *Thymus od. Milz der Wirbeltiere (Mensch: M_R 17 800, 165 *Aminosäure-Reste), das jedoch auch in anderen *Eukaryonten u. in Bakterien vorkommt u. dem verschiedene Funktionen zugeschrieben werden: Einerseits bindet es das Immunsuppressivum *Cyclosporin A (CsA; vgl. a. Immunsuppression; zur Struktur des C./CsA-Komplexes s. *Lit.*[1]) mit hoher *Affinität u. hemmt dann die Aktivierung von T-*Lymphocyten u. die Produktion von *Interleukin 2 durch *Inhibition des dafür notwendigen *Calcineurins. Andererseits katalysiert C. als *Peptidylprolyl-cis-trans-Isomerase*[2] (PPIase, EC 5.2.1.8) die *cis-trans*-Isomerisierung der Peptid-Bindungen von *Prolin-Resten in Proteinen bei deren Faltungsvorgang. Die PPIase-Aktivität des C. wird durch CsA gehemmt; mit einer intakten Bindungsfähigkeit des C. für CsA scheint auch die Toxizität der letzteren einherzugehen. Eine von C. verschiedene PPIase bindet ebenfalls ein Immunsuppressivum, *FK506 seinerseits ein Inhibitor dieser PPIase. C. ist auch bei der Infektion mit den AIDS-erregenden *HIV-1-Viren notwendig[3]. – *E* cyclophilin – *F* cyclophiline – *I = S* ciclofilina

Lit.: [1] Nature (London) **361**, 88–94 (1993). [2] Annu. Rev. Biophys. Biomol. Struct. **22**, 123–143 (1993). [3] Nature (London) **372**, 359–365 (1994).
allg.: J. Biol. Chem. **267**, 13 115 ff. (1992).

Cyclophosphamid.

Internat. Freiname für 2-[Bis(2-chlorethyl)-amino]-1,3,2-oxazaphosphinan-2-oxid, $C_7H_{15}Cl_2N_2O_2P$, M_R 261,09, weißes, krist. Pulver, Schmp. 49,5–53 °C, 65–66 °C (wasserfrei), LD_{50} (Maus oral) 350 mg/kg. C. wurde 1962 von Asta Medica (Endoxan®) patentiert u. ist generikafähig. C. wird aufgrund seiner alkylierenden Wirkung als *Cytostatikum verwendet, gilt andererseits aber als carcinogen u. mutagen (*Lit.*[1]). Gegen die urotox. Nebenwirkung ist *Mesna als Antidot wirksam. Interessanterweise bewirkt C. bei Schafen nach einmaliger oraler Applikation eine einmalige Unterbrechung im Wachstumsprozeß der *Woll-Faser. An der geschwächten Stelle läßt sich das Haar abbrechen, weshalb man die Verw. von C. zur „chem. Schafschur" vorgeschlagen hat (*Lit.*[2]). – $E = F$ cyclophosphamide – I ciclofosfamide – S ciclofosfamida
Lit.: [1] IARC Monogr. **9**, 135–156 (1975). [2] Nature (London) **221**, 467 (1969).
allg.: Angew. Chem. **70**, 539–544 (1958); **89**, 336 (1977) ▪ ASP ▪ Beilstein E III/IV **27**, 9750 ▪ DAB **1996** u. Komm. ▪ Hager (5.) **7**, 1141–1146. – *[HS 2934 90; CAS 50-18-0]*

Cyclophosphane s. Phosphane.

Cyclophosphazane, -phosphazene s. Phosphazane.

Cyclopiazonsäure (α-Cyclopiazonsäure).

$C_{20}H_{20}N_2O_3$, M_R 336,39, Krist., Schmp. 245–246 °C. Giftiges pentacycl. Alkaloid aus *Penicillium-* u. *Aspergillus-*Arten, die Bohnen, Maismehl u. Weizen befallen [LD_{50} (Ratte p.o.) 36–63 mg/kg]. *P. camberti* u. a. Stämme, die zur Käse-Herst. verwendet werden, sind toxinfrei. C. zeigt neurotox. Wirkung. – E cyclopiazonic acid – F acide cyclopiazonique – I acido ciclopiazonico – S ácido ciclopiazónico
Lit.: Aust. J. Chem. **45**, 99–107 (1992) ▪ Cole u. Cox, Handbook of Toxic. Fungal Metabolites, S. 497, New York: Academic Press 1981 ▪ J. Chem. Soc., Chem. Commun. **1982**, 1367 ▪ Sax (8.), CQD 000 ▪ Steyn u. Vleggar (Hrsg.), Mycotoxins and Phycotoxins, S. 239–250, Amsterdam: Elsevier 1986. – *[CAS 18172-33-3]*

Cyclopolyaddition.
Als *Cyclopolymerisation verlaufende *Polyaddition von acycl. *Monomeren, bei der (Co-)Polymere mit cycl. Wiederholungseinheiten gebildet werden, z. B. die von Glutaraldehyd unter Bildung von Polymeren mit Tetrahydropyran-Ringen als Kettenbaustein.

– $E = F$ cyclopolyaddition – I ciclopoliaddizione – S ciclopoliadición
Lit.: Encycl. Polym. Sci. Eng. **4**, 564 f. ▪ s. a. Cyclopolymerisation.

Cyclopolykondensation.
C. sind Polykondensationen drei- od. mehrfunktioneller Monomerer, die zu mehr od. weniger linearen Polymeren mit intramol. gebildeten Ringen führen. Da jedoch derartige Monomere oft auch intermol. zu dann verzweigten od. vernetzten u. damit prakt. nicht mehr verarbeitbaren Polymeren reagieren können, muß die Reaktion geeignet gelenkt werden. Über C. hergestellt werden z. B. *Poly(imid)e, *Poly(benzimidazol)e, Poly(phenylenbenzbisoxazol)e und Poly(phenylenbenzbisthiazol)e. – $E = F$ cyclopolycondensation – I ciclopolimerizzazione – S ciclopolicondensación
Lit.: Elias (5.) **1**, 261 ▪ Rempp u. Merill, Polymer-Synthesis, S. 48, Basel: Hüthig & Wepf 1991 ▪ s. a. Cyclopolymerisation.

Cyclopolymere
(Cyclooligomere, Ringpolymere). Bez. für ringförmige *Polymere, die sich in der Regel durch intramol. Reaktion der beiden reaktiven Kettenenden eines Makromol. bilden. C. entstehen z. B. bei *Polykondensationen, *Polyadditionen od. *Ringöffnungspolymerisationen heterocycl. Monomerer. C. können jedoch auch durch Ringerweiterungspolymerisationen entstehen, bei denen cycl. Monomere in doppelt, dreifach, vierfach usw. so große Ringe übergehen. Die C. weisen allerdings in der Regel nur geringere Molmassen auf. – E cyclic polymers, cyclic oligomers – F cyclopolymères – I polimeri ciclici – S ciclopolímeros
Lit.: Elias (5.) **1**, 40, 363 ff. ▪ Compr. Polym. Sci. **5**, 63–96.

Cyclopolymerisation.
C. sind *Polymerisationen, die unter gleichzeitiger intramol. Cyclisierung der beiden im *Monomer vorhandenen bisfunktionellen u. räumlich zueinander günstig angeordneten reaktiven Gruppen erfolgen, wobei Polymere mit cycl. Wiederholungseinheiten entstehen. *Beisp.:* C. von 1,6-Heptadien:

Für die C. geeignete Monomere sind *nichtkonjugierte Diene, *o*-Divinylbenzol, Diallyl-Verb., Diacetylene, Dialdehyde, Diepoxide, Diisocyanate u. Dinitrile. Durch C. sind auch *Leiterpolymere zugänglich. – E cyclopolymerization – F cyclopolymérisation – I ciclopolimerizzazione – S ciclopolimerización
Lit.: Elias (5.) **1**, 185 ▪ Houben-Weyl **E 20**, 1023–1028 ▪ Odian (3.), S. 512.

Cyclo(poly)phosphate s. kondensierte Phosphate u. Metaphosphate.

Cyclo-Progynova®.
Dragees mit *Estradiol-Valerat, Dragees hellbraun zusätzlich mit *Norgestrel gegen Cyclus-Störungen. *B.:* Schering.

Cyclopropan.

C_3H_6, M_R 42,08. Farbloses, ether. riechendes Gas, Litergew. 1,879 g, Schmp. –128 °C, Sdp. –33 °C, in Wasser u. organ. Lsm. löslich. C. wirkt betäubend u. ruft Störungen des Herzrhythmus hervor. Im Bereich

2,41–10,3 Vol.-% bildet C. mit Luft explosive Gemische; in Ggw. von Katalysatoren lagert es sich in Propen um.

Herst.: Aus 1,3-Dihalogenpropanen mit Metallen od. aus Ethylen mit der *Simmons-Smith-Reaktion. Derivate des C. entstehen durch Cycloaddition von *Carbenen an Doppelbindungen, durch Reaktion von Olefinen mit organ. geminalen Dihalogen-Verb. u. Kupfer, mit sog. *Seyferth-Reagenzien* (s. Quecksilber-organische Verbindungen) u. auf anderen Wegen. In seinem chem. Verhalten zeigt C. weitgehende Ähnlichkeit mit dem Ethylen. In der Natur tritt C. nur in Form von Derivaten auf; C. selbst findet Verw. als Narkosegas. Bedingt durch das große Synthesepotential von Ringverb. ist auch die Herst. von C.-Derivaten von großem Interesse. Hierbei stehen asymmetr. Synth. im Vordergrund. Einen Überblick über „Neues bei enantioselektiven Synth. von C." gibt Lit.[1]. Zu Reaktionen von Halo- u. Alkoxycyclopropanen s. Lit.[2]. – *E* = *F* cyclopropane – *I* = *S* ciclopropano

Lit.: [1] Angew. Chem. **108**, 1049 (1996). [2] Adv. Strain Org. Chem. **5**, JAI (1996).

allg.: Beilstein E IV **5**, 3 ff. ▪ Chem. Rev. **74**, 315–350, 605–624 (1974) ▪ Encycl. Gaz., S. 591–596 ▪ Hager (5.) **7**, 1146 ▪ Hommel, Nr. 388 ▪ Houben-Weyl **E 21 c**, 3179 ff. ▪ Klessinger, Elektronenstruktur organischer Moleküle, S. 103, Weinheim: Verl. Chemie 1982 ▪ Ullmann (4.) **14**, 655 f.; **17**, 136; (5.) **A 2**, 291; **A 13**, 231, 234. – *[HS 2902 19; CAS 75-19-4; G 2]*

Cyclopropen.

A   B   C

C_3H_4, M_R 40,07. C. ist gasförmig, sehr unbeständig u. neigt stark zur Polymerisation, Sdp. –36 °C. Es wird aus Cyclopropylamin durch erschöpfende Methylierung u. anschließende trockene Dest. des Cyclopropyltrimethylammoniumhydroxids erhalten. Das *Cyclopropenylium-Kation (B) besitzt als aromat. 2π-Elektronensyst. theoret. Interesse; das cycl. Carben Cyclopropenyliden (C) ist eines der häufigsten interstellaren Moleküle. Zur Cyclopropen-Vinylcarben-Isomerisierung s. Lit.[1]. ▪ *E* cyclopropene

Lit.: [1] Adv. Strain Org. Chem. **5** (1996).

allg.: Beyer-Walter, Lehrbuch der organischen Chemie, S. 391, Stuttgart: Hirzel 1991. – *[CAS 2781-85-3]*

Cyclopropenylium-Kation. Nach der *Hückel-Regel sind cycl.-konjugierte π-Syst. mit [4n+2] Elektronen aromatisch. Das einfachste carbocycl. Syst. ist in dieser Hinsicht das Cyclopropenylium-Kation. Sowohl das unsubstituierte Kation als auch die stabileren substituierten Derivate sind synthetisiert worden. Das C.-K. gehört zu den stabilsten *Carbenium-Ionen. Eng verwandt mit dem C.-K. sind die Cyclopropenone, die oft Vorstufen zur Synth. von C.-K. sind. Auch bei diesen Carbocyclen kann die im Vgl. zu Cyclopropanonen überraschende Stabilität durch Beteiligung der Grenzformel mit aromat. Cyclopropenylium-Ring erklärt werden. Die Bindungsverhältnisse in allen diesen *Cyclopropan-Derivaten können durch das *Walsh-Diagramm veranschaulicht werden.

– *E* cyclopropenylium cation – *F* cation cyclopropenylium – *I* catione di ciclopropenilio – *S* catión ciclopropenilio

Lit.: Angew. Chem. **77**, 10–22 (1965) ▪ Chem. Rev. **36**, 557–563 (1974) ▪ Houben-Weyl **5/2 c**, 1–37 ▪ March (4.), S. 52 f. ▪ Patai, The Chemistry of the Cyclopropyl Group, S. 1533–1574, New York: Wiley 1987 ▪ Top. Curr. Chem. **40**, 47–72 (1973).

Cycloprothrin. Common name für (±)-(α-Cyano-3-phenoxybenzyl)-2,2-dichlor-1-(4-ethoxyphenyl)cyclopropancarboxylat.

$C_{26}H_{21}Cl_2NO_4$, M_R 482,36, Sdp. 140–145 °C (0,13 Pa), LD_{50} (Ratte oral) >5000 mg/kg, von Nippon Kayaku 1987 eingeführtes *Insektizid mit Kontakt- u. Fraßwirkung gegen verschiedene Insekten im Obst-, Gemüse-, Baumwoll-, Reis-, Sojaanbau sowie im Forst, guter Knockdown-Effekt, außerdem gewisse *Repellent- u. Antifraßwirkung. – *E* cycloprothrin – *F* cycloprothrine – *I* ciclopotrina – *S* ciclopotrín

Lit.: Farm ▪ Perkow ▪ Pesticide Manual. – *[CAS 63935-38-6]*

Cycloreversion s. Cycloaddition.

Cyclosa®. Tabl. mit *Ethinylestradiol u. *Desogestrel gegen Cyclus-Störungen. **B.:** Nourypharma

Cycloschwefel. Gruppenbez. für die Modif. des *Schwefels mit ringförmiger Anordnung der S-Atome. Z. Z. sind folgende krist. Schwefel-Modif. bekannt: S_n (n = 6–13, 15, 18, 20) (Cyclohexaschwefel, -heptaschwefel usw.). – *E* cyclic sulfur – *F* soufre cyclique – *I* zolfo ciclico – *S* azufre cíclico

Lit.: Klapötke u. Tornieporth-Oetting, Nichtmetall-Chemie, S. 356, Weinheim: VCH Verlagsges. 1994.

Cycloserin.

Internat. Freiname für (+)-(R)-4-Amino-3-isoxazolidinon, $C_3H_6N_2O_2$, M_R 102,09. Farblose Krist., Schmp. 155–156 °C, in Wasser gut, in Alkoholen wenig lösl.; im alkal. Bereich sind wäss. Lsg. stabil. Das aus Kulturflüssigkeit von *Streptomyces orchidaceus* bzw. *S. garyphalus* od. auch totalsynthet. zugängliche *Antibiotikum wirkt als *Antagonist des zum Aufbau von *Murein für die Bakterienzellwand benötigten Alanins.

Verw.: Wegen seiner Toxizität nur in Ausnahmefällen gegen Tuberkulose, Rickettsien, Protozoen u. Infektionen der Harnwege. – *E* cycloserine – *F* cyclosérine – *I* = *S* ciclosérina

Lit.: Beilstein E V **27/20**, 3 ▪ Florey **1**, 53–64 ▪ Hager (5.) **7**, 1147. – *[HS 2941 90; CAS 68-41-7, 68-39-3, 339-72-0]*

Cyclosilane. Systemat. Bez. für cycl. *Silane der allg. Zusammensetzung Si_nH_{2n}, deren Vertreter mit n=3 (Cyclotrisilan) bis n = 6 (Cyclohexasilan) bisher bekannt sind. – *E* = *F* cyclosilanes – *I* ciclosilani – *S* ciclosilanos

Lit.: s. Silane.

Cyclosilathiane s. Silathiane.

Cyclosilazane s. Silazane.

Cyclosilicate s. Silicate.

Cyclosiloxane s. Siloxane.

Cyclosporine.

Abu = L-α-Aminobuttersäure
MeBmt = (4R)-4-((E)-2-Butenyl-)N,4-dimethyl-L-threonin
MeLeu = N-Methyl-L-leucin
MeVal = N-Methyl-L-valin
Sar = N-Methylglycin (*Sarcosin)

Bei Sandoz 1972 entdeckte Gruppe von cycl. Oligopeptid-Antibiotika aus niederen Pilzen (z.B. *Trichodermapolysporum*) mit bemerkenswerten biolog. Eigenschaften. *C. A* {$C_{62}H_{111}N_{11}O_{12}$, M_R 1202,63, Nadeln, Schmp. 148–151 °C, $[\alpha]_D^{20}$ –244° ($CHCl_3$)} besteht aus 11, z.T. N-methylierten Aminosäuren, die zum Ring geschlossen sind. Neben C. A wurden in der Folge eine Reihe von Nebenmetaboliten isoliert[1], die strukturell u. z.T. auch wirkungsmäßig eine nahe Verwandtschaft zur A-Komponente aufweisen. An fast allen Positionen sind dabei Aminosäuren verändert od. ausgetauscht.

Wirkung: C. A wirkt immunsuppressiv (Sandimmun®) u. wird in der Transplantationsmedizin verwendet. Die Wirkung richtet sich auf die T-Helferzellen, die in der zellulären Immunantwort eine bedeutende Rolle spielen. Das Auftreten zahlreicher Nebenmetabolite u. die ungewöhnlichen Strukturelemente L-α-Aminobuttersäure, D-Alanin u. die C_9-Aminosäure 3-Hydroxy-4-methyl-2-methylamino-6-octensäure lassen darauf schließen, daß diese Peptide nicht ribosomal, sondern an einem multifunktionalen Enzymkomplex synthetisiert werden. Zusätzlich angebotene „fremde" Aminosäuren werden inkorporiert. Dies führte zum Nachw. bisher nicht in Wildstämmen erzeugter Metabolite. Bes. wichtig sind C. mit hoher immunsuppressiver bzw. mit antifung., antiparasitärer od. entzündungshemmender Wirkung. – *E* cyclosporins – *F* cyclosporines – *I* ciclosporine – *S* ciclosporinas

Lit.: [1] Römpp Chemie Lexikon (9.) **2**, 842 f.
allg.: Drugs **43**, 440 (1992); **45**, 953 (1993) ▪ Helv. Chim. Acta **78**, 355 (1995) (Struktur) ▪ Kahan, Cyclosporines, London: Grune & Stratton 1987 ▪ Martindale (30.), S. 1882 ▪ Merck-Index (12.), Nr. 2821 ▪ von Wartburg u. Traber, in Ciclosporins, Progress in Allergy, Vol. 38, Basel: Karger Ltd. 1986 ▪ Tejane, Cyclosporine in the Therapy of Renal Disease, Basel: Karger 1995 ▪ Zechmeister **50**, 123–168. – *[HS 2939 90; CAS 59865-13-3 (C.A)]*

Cyclostereoisomerie. Von *Prelog geprägte Bez. für eine *Stereoisomerie (*Cycloenantiomerie, Cyclodiasteriomerie*), die bei cycl. Anordnung von chiralen (s. Chiralität) Bauelementen mit einer Ringrichtung auftritt; s. z.B. Cyclopeptide. – *E* cyclostereoisomerism – *F* cyclostéréoisomérie – *I* ciclostereoisomeria – *S* cicloestereoisomería

Lit.: Eliel u. Wilen, Stereochemistry of Organic Compounds, S. 1176–1181, New York: Wiley 1994 ▪ Quinkert et al., Aspekte der Organischen Chemie, S. 35–38, Weinheim: VCH Verlagsges. 1995.

Cyclostin®. Dragees u. Trockensubstanz für Injektion mit *Cyclophosphamid gegen Leukämie u. metastasierende Carcinome. *B.:* Pharmacia.

Cyclotetramethylentetranitramin s. Octogen.

Cyclotole. Engl. u. amerikan. Bez. für *Explosivstoffe aus *Hexogen u. *TNT im Verhältnis 60/40 bis 70/30.
Lit.: Kirk-Othmer (3.) **9**, 595 f.; (4.) **10**, 31 ▪ Meyer, Explosivstoffe (6.), S. 66, Weinheim: Verl. Chemie 1985. – *[HS 3602 00]*

Cyclotrimethylentrinitramin s. Hexogen.

Cyclotron. Veraltete Schreibweise für *Zyklotron. Ionenbeschleuniger, bei dem die geladenen Teilchen auf Spiralbahnen beschleunigt werden.

Cyclovalon.

Internat. Freiname für das cholagog. u. choleret. wirksame 2,6-Bis(4-hydroxy-3-methoxybenzyliden)-cyclohexanon, $C_{22}H_{22}O_5$, M_R 366,41, weiße Krist., Schmp. 178–179 °C. Es wurde 1954 als *Cholagogum u. *Choleretikum von A. v. Waldheim Chem. Pharm. Fabrik patentiert. – *E* = *F* cyclovalone – *I* ciclovalone – *S* ciclovalona
Lit.: Beilstein E IV **8**, 3586. – *[HS 2914 50; CAS 579-23-7]*

Cyclovertal®. 3,6-Dimethyl-3-cyclohexen-1-carbaldehyd als Riechstoff; Duftnote: spritzig, grün. *B.:* Henkel.

Cycloxydim.

Common name für (±)-2-[1-(Ethoxyimino)butyl]-3-hydroxy-5-(tetrahydro-2H-thiopyran-3-yl)cyclohex-2-enon, $C_{17}H_{27}NO_3S$, M_R 325,47, Schmp. 37–39 °C, LD_{50} (Ratte oral) 3900 mg/kg (WHO), von BASF entwickeltes selektives Nachauflauf-*Herbizid gegen Ungräser in breitblättrigen Kulturen wie Baumwolle, Zuckerrüben u. Sojabohnen. – *E* cycloxydim – *F* cycloxydime – *I* cicloxidim – *S* dicloxidim
Lit.: Farm ▪ Perkow ▪ Pesticide Manual. – *[CAS 101205-02-1]*

Cycocel®. Bioregulator auf der Basis von *Chlormequatchlorid für Halmfestigung von Getreide. *B.:* BASF.

Cyd. Kurzz. für *Cytidin.

Cyfluthrin.

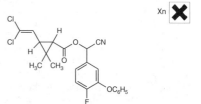

Common name für (RS)-α-Cyano-4-fluor-3-phenoxybenzyl-(1RS,3RS; 1RS,3SR)-3-(2,2-dichlorvinyl)-2,2-dimethylcyclopropancarboxylat, $C_{22}H_{18}Cl_2FNO_3$, M_R 434,29, Schmp. ca. 60 °C, LD_{50} (Ratte oral) 500–900 mg/kg (Bayer), von Bayer entwickeltes nicht-system. synthet. *Pyrethroid mit Kontakt- u. Fraßwirkung, schnelle u. langanhaltende Wirkung (bei sehr niedrigen Aufwandmengen) gegen beißende u. saugende Insekten im Raps-, Getreide-, Zierpflanzen-, Mais-, Baumwoll-, Erdnuß-, Kartoffel-, Luzerne-, Tabak-, Obst- u. Gemüseanbau sowie gegen Hygiene- u. Vorratsschädlinge. – **E** cyfluthrin – **F** cyfluthrine – **I** ciflutrin – **S** ciflutrín
Lit.: Farm ▪ Perkow ▪ Pesticide Manual. – *[CAS 68359-37-5]*

Cyhalothrin.

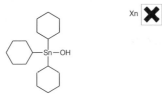

Common name für (RS)-α-Cyano-3-phenoxybenzyl-(Z)-(1RS,3RS)-(2-chlor-3,3,3-trifluorpropenyl)-2,2-dimethylcyclopropancarboxylat, $C_{23}H_{19}ClF_3NO_3$, M_R 449,86, Sdp. 187–190 °C (0,02 kPa), LD_{50} (Ratte oral) 56 mg/kg, von ICI entwickeltes nicht-system. synthet. *Pyrethroid mit rascher u. langanhaltender Wirkung gegen Ektoparasiten an Vieh. – **E** cyhalothrin – **F** cyhalothrine – **I** cihalotrin – **S** cihalotrín
Lit.: Perkow ▪ Pesticide Manual. – *[HS 2926 90; CAS 68085-85-8]*

Cyhexatin.

Common name für Tricyclohexylzinnhydroxid, $C_{18}H_{34}OSn$, M_R 385,16, Schmp. 195–198 °C, LD_{50} (Ratte oral) 540 mg/kg (GefStoffV), von Dow Chemicals 1968 eingeführtes nicht system. Kontakt-*Akarizid gegen bewegliche Spinnmilbenstadien, auch gegen Organophosphat-resistente Arten. – **E** = **F** cyhexatin – **I** cihexatin – **S** cihexatín
Lit.: Farm ▪ Perkow ▪ Pesticide Manual. – *[HS 2931 00; CAS 13121-70-5]*

Cyllind®. Filmtabl. u. Saft mit *Clarithromycin zur antibiot. Behandlung von Infektionen der oberen Luftwege u. der Haut. **B.:** Abott.

Cymarin s. Strophanthin.

Cymbal-Metall s. Dutch-Metall.

Cymenole s. Carvacrol, Thymol.

Cymeven®. Trockensubstanz zur Infusion mit dem *Virostatikum *Ganciclovir bei lebensbedrohender Cytomegalie-Erkrankung immunsuppressiver Patienten. **B.:** Hoffmann-La Roche.

Cymole (Cymene, Isopropylmethylbenzole).

$C_{10}H_{14}$, M_R 134,22; drei isomere Öle, am wichtigsten ist das angenehm riechende, leicht brennbare *p-Cymol*: Sdp. 177 °C, unlösl. in Wasser, lösl. in Alkohol u. Chloroform, bildet mit Luft explosionsfähige Gemische, FP. 47 °C. *m-Cymol*: Sdp. 175 °C; *o-Cymol*: Sdp. 178 °C.
Vork.: *p*-C. ist sehr weit verbreitet, z. B. im Terpentin-, Cypressen-, Zimt-, Eucalyptus-, Thymianöl u. a. Ölen. *m*-C. findet sich in Blättern u. Früchten der schwarzen Johannisbeere. *o*-C. kommt nicht in der Natur vor.
Wirkung: Ähnlich Toluol, Dämpfe reizen Haut u. Atemwege, LD_{50} (Ratte p.o.) 4,7 g/kg.
C. werden durch Alkylierung von Toluol synthetisiert. Sie finden als Duftstoffe in Kosmetika Verwendung. – **E** cymenes – **F** cymènes – **I** cimoli – **S** cimenos
Lit.: Beilstein E IV **5**, 1060 ff. ▪ Karrer, Nr. 39, 5620 ▪ Merck-Index (12.), Nr. 2832 ▪ Pharm. Unserer Zeit **14**, 11 (1985) ▪ Phytochemistry **30**, 3793 (1991) ▪ Sax (8.), CQL 500, CQL 750. – *[HS 2902 90; CAS 99-87-6 (p-C.); 535-77-3 (m-C.); G 3]*

Cymophan s. Chrysoberyll.

Cymoxanil.

Common name für 1-[Cyano(methoxyimino)acetyl]-3-ethylharnstoff, $C_7H_{10}N_4O_3$, M_R 198,18, Schmp. 160–161 °C, LD_{50} (Ratte oral) 1196 mg/kg (WHO), von DuPont eingeführtes Blatt-*Fungizid mit kurativer Wirkung gegen Peronosporaceen, v. a. gegen *Plasmopara viticola* im Weinbau u. *Phytophthora infestans* im Kartoffel- u. Gemüseanbau. C. wird häufig in Mischungen mit anderen vorbeugenden (protektiven) Fungiziden wie *Mancozeb od. *Folpet angewendet. – **E** = **F** cymoxanil – **I** = **S** cimoxanil
Lit.: Farm ▪ Perkow ▪ Pesticide Manual. – *[CAS 57966-95-7]*

Cynarin.

Internat. Freiname für 1,5-Dicaffeoylchinasäure ($C_{25}H_{24}O_{12}$, M_R 516,46), ein farbloses, schwach süßlich schmeckendes Pulver, das in *Artischocken-Blättern enthalten ist u. gegen Leber- u. Gallenkrankheiten angewendet wird. Schmp. 225–227 °C; $[\alpha]_D^{25}$ −59° (c 2/CH_3OH); λ_{max} (CH_3OH) 326 nm ($A_{1cm}^{1\%}$=616). C. wurde 1958 u. 1963 von Farmitalia patentiert. – **E** = **F** cynarine – **I** = **S** cinarina
Lit.: Beilstein E IV **10**, 2261 ▪ Hager (5.) **7**, 1149 f. (1980) ▪ weitere *Lit.* s. bei Artischocken. – *[HS 2918 29; CAS 1182-34-9]*

Cynaropikrin s. Artischocken.

Cynt®. Filmtabl. mit dem *Antihypertonikum (α-2-Rezeptorantagonist) *Moxonidin. **B.:** Beiersdorf, Lilly.

Cypermethrin. Xn ✖

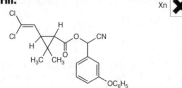

Common name für [(*RS*)-α-Cyano-3-phenoxybenzyl]-(1*RS*,3*RS*; 1*RS*,3*SR*)-3-(2,2-dichlorvinyl)-2,2-dimethylcyclopropancarboxylat, $C_{22}H_{19}Cl_2NO_3$, M_R 416,30, Schmp. 60–80 °C (techn.), LD_{50} (Ratte oral) ca. 250 mg/kg (WHO), von Ciba-Geigy, ICI u. Shell entwickeltes nicht-system. synthet. *Pyrethroid mit Kontakt- u. Fraßgiftwirkung gegen eine große Anzahl von Insekten in der Landwirtschaft u. im Hygienebereich sowie gegen Ektoparasiten an Vieh. – *E* cypermethrin – *F* cypermethrine – *I* cipermetrina – *S* cipermetrín

Lit.: Farm ▪ Perkow ▪ Pesticide Manual. – *[HS 2926 90; CAS 52315-07-8]*

Cypridina-Luciferin s. Luciferine.

Cyprinin s. Protamine.

Cyproconazol. Xn ✖

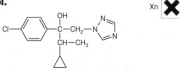

Common name für 2-(4-Chlorphenyl)-3-cyclopropyl-(1*H*-1,2,4-triazol-1-yl)-2-butanol, $C_{15}H_{18}ClN_3O$, M_R 291,78, LD_{50} (Ratte oral) 1020–1330 mg/kg, von Sandoz entwickeltes *Fungizid mit breitem Wirkungsspektrum gegen Pilzerkrankungen im Getreide-, Kaffee-, Obst-, Rüben-, Soja- u. Erdnußanbau. – *E* = *F* cyproconazole – *I* = *S* ciproconazol

Lit.: Farm ▪ Perkow ▪ Pesticide Manual. – *[CAS 94361-06-5]*

Cyprodinil. Common name für 4-Cyclopropyl-6-methyl-*N*-phenyl-2-pyrimidinamin.

$C_{14}H_{15}N_3$, M_R 225,29, LD_{50} (Ratte oral) >2000 mg/kg, von Ciba Geigy (jetzt Novartis) 1995 eingeführtes system. *Fungizid aus der neuen Klasse der Anilinopyrimidine, gegen Pilzerkrankungen im Getreide-, Obst- u. Gemüseanbau. – *E* = *F* cyprodinil – *I* ciprodinile – *S* ciprodinil

Lit.: Heye, Brighton Crop Protection Conference – Pests and Diseases, Bd. 2, S. 501–508, Farnham, England: The British Crop Protection Council 1994. – *[CAS 121552-61-2]*

Cyproheptadin.

Internat. Freiname für das antiallerg. u. orexigen wirksame 4-(5-Dibenzo[*a,d*]cycloheptenyliden)-1-methylpiperidin, $C_{21}H_{21}N$, M_R 287,40, Schmp. 112,3–113,3 °C. Verwendet wird das Hydrochlorid Sesquihydrat, ein weißes od. schwach gelbes Pulver; Zers. bei 252,6–253,6 °C; λ_{max} (0,1 N H_2SO_4) 224, 285 nm ($A^{1\%}_{1cm}$=1656, 355); LD_{50} (Maus oral) 74,2 mg/kg. Es wurde 1961 von Sharp u. Dohme patentiert u. ist von medphano (Peritol®) im Handel. – *E* = *F* cyproheptadine – *I* ciproeptadina – *S* ciproheptadina

Lit.: Beilstein E V **20/8**, 500 ▪ DAB **1996** u. Komm. ▪ Florey **9**, 155–179 ▪ Hager (5.) **7**, 1152 f. – *[HS 2933 39; CAS 129-03-3 (C.); 969-33-5 (Hydrochlorid)]*

Cyproteron.

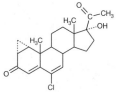

Internat. Freiname für das *Antiandrogen* (s. Anaphrodisiaka) 6-Chlor-17-hydroxy-1α,2α-cyclopropa[1,2]-pregna-4,6-dien-3,20-dion, $C_{22}H_{27}ClO_3$, M_R 374,91, Schmp. 237,5–240 °C. Verwendet wird das Acetat, Schmp. 200–204 °C, λ_{max} (CH_3OH) 281 nm ($A^{1\%}_{1cm}$=414,4). C. wurde 1958 erstmals von Schering (Androcur®) patentiert. Es blockiert als Antagonist des *Testosterons die *Androgen-Rezeptoren in den Erfolgsorganen u. ist daher u. a. zur Behandlung von Triebtätern (sog. *hormonelle Kastration*) geeignet. – *E* cyprotérone – *F* cyprotérone – *I* ciproterone – *S* ciproterona

Lit.: ASP ▪ Hager (5.) **7**, 1153 ff. – *[HS 2937 99; CAS 2098-66-0 (C.); 427-51-0 (Acetat)]*

CYROLITE®. Schlagzähes, Acrylnitril-freies MBS mit sehr guter Transparenz. **B.:** Röhm, Darmstadt.

Cyromazin.

Common name für *N*-Cyclopropyl-1,3,5-triazin-2,4,6-triamin, $C_6H_{10}N_6$, M_R 166,19, Schmp. 220–222 °C, LD_{50} (Ratte oral) 3300 mg/kg (WHO), von Ciba Geigy 1979 eingeführter insektizid wirkender Entwicklungshemmer gegen Minierfliegen im Gemüse- u. Zierpflanzenanbau sowie in der Tierhaltung. – *E* = *F* cyromazine – *I* = *S* ciromazina

Lit.: Farm ▪ Perkow ▪ Pesticide Manual. – *[CAS 66215-27-8]*

Cys. Symbol für die *Aminosäure L-*Cystein.

Cystamin [Bis-(2-aminoethyl)-disulfid, 2,2'-Dithiobis-(ethylamin)].

$$H_2N-CH_2-CH_2-S-S-CH_2-CH_2-NH_2$$

$C_4H_{12}N_2S_2$, M_R 152,27, in Wasser leicht lösl. viskoses Öl, nicht unzersetzt destillierbar; entsteht durch zweifache Decarboxylierung von L-*Cystin u. bei Oxid. von *Cysteamin. Als Dihydrochlorid (*Cystaminiumchlorid*) Krist., Schmp. 203–214 °C. – *E* = *F* cystamine – *I* cistam(m)ina – *S* cistamina

Lit.: Beilstein E IV **4**, 1577 f. – *[CAS 51-85-4]*

L-Cystathionin s. L-Homocystein.

Cystatine s. Cystein-Proteasen.

Cysteamin (2-Aminoethanthiol).

$$H_2N-CH_2-CH_2-SH$$

C_3H_7NS, M_R 77,14, farblose, unangenehm riechende Krist., Schmp. 99–100 °C, nicht unzersetzt destillierbar, in Wasser mit alkal. Reaktion leicht lösl., wird an Luft zu *Cystamin oxidiert; als Hydrochlorid Krist., Schmp. 70–71 °C. Im Organismus ist C. Bestandteil von *Coenzym A. Aufgrund seiner Radikalfänger-Eigenschaft hat C. in der Behandlung von Strahlenschäden Verw. gefunden. – *E* cysteamine – *F* cystéamine – *I* cisteammina – *S* cisteamina

Lit.: Beilstein E IV **4**, 1570 f. – [HS 293090; CAS 60-23-1]

L-Cystein [(*R*)-2-Amino-3-mercaptopropionsäure, Kurzz. Cys od. C].

$$HS-CH_2-\overset{NH_2}{\underset{H}{C}}-COOH$$

$C_3H_7NO_2S$, M_R 121,15, farblose Krist., $[\alpha]_D^{25}$ –16,5° (c 2/H_2O), +6,5° (c 2/5 m HCl), Schmp. 220–240 °C (Zers.), als Hydrochlorid Schmp. 175–178 °C. Reines Cys ist lösl. in Wasser, Alkohol, Essigsäure, unlösl. in Ether, Benzol, Kohlenstoffdisulfid. In neutralen od. alkal. wäss. Lsg. wird es bei Luftzutritt leicht zu L-*Cystin oxidiert; Einwirkung stärkerer Oxidationsmittel führt zur Bildung von L-*Cysteinsäure* [$HO_3S-CH_2-CH(NH_2)-COOH$]. Spuren von Schwermetallen (bes. Fe, Cu) wirken zersetzend.

Biochem. Bedeutung: Cys ist eine nichtessentielle, Protein-bildende (proteinogene) *Aminosäure, die aus L-*Serin u. Schwefel der Oxidationsstufe –2 biosynthetisiert wird. Letzterer entstammt in Pflanzen u. Hefen der reduktiven *Sulfat-Assimilation* (Sulfat → Sulfit → Sulfid), im tier. Organismus dem L-*Methionin (L-Methionin → S-*Adenosylmethionin → S-Adenosyl-L-homocystein → L-*Homocystein; L-Homocystein + L-Serin → L-*Cystathionin → Cys). Der Abbau erfolgt entweder zu *Pyruvat u. Sulfat od. zu *Taurin. Cys ist in den meisten *Proteinen enthalten u. in *Enzymen oft direkt od. indirekt am Katalysemechanismus beteiligt (s. z. B. Cystein-Proteasen). Als Bestandteil von *Glutathion ist es an der Regulierung des Redoxzustandes der Zellen beteiligt. Cys ist als zentrale Verb. des Schwefel-Stoffwechsels anzusehen, da sich viele Schwefel-haltige Derivate von ihm ableiten.

Herst.: Aus Proteinen, z. B. *Keratinen, durch Hydrolyse, od. meist synthetisch.

Verw.: Aufgrund der Radikalfänger-Eigenschaft der SH-Gruppe zur Vorbeugung gegen Strahlenschäden, bei Vergiftungen, z. B. durch Schwermetalle, bei Infektionskrankheiten, *Addisonscher Krankheit (Nebennierenrinden-Unterfunktion), bei Leberschäden u. dgl. sowie in der *Haarbehandlung u. in Backwaren. – *E* L-cysteine – *F* L-cystéine – *I* L-cisteina – *S* L-cisteína

Lit.: Beilstein E IV **4**, 3144 f. – [HS 293090; CAS 52-90-4]

Cysteine string protein (Csp). Aus *Drosophila melanogaster* u. dem Zitterrochen *Torpedo californica* isoliertes, mit synapt. *Vesikeln assoziiertes *Protein (M_R 34000), das präsynapt. *Calcium-Kanäle reguliert. 11 von 13 *Cystein-Resten des Proteins sind mit Fettsäure-Resten substituiert, wodurch eine sehr hydrophobe Domäne entsteht, die von zwei polareren flankiert wird[1].

Funktion: Der am präsynapt. Nervenende ankommende Nervenreiz besteht in einer Depolarisierung der Membran, wodurch spannungsabhängige Calcium-Kanäle geöffnet werden u. Calcium einströmt. Infolge des Calcium-Signals kommt es zu einer Verschmelzung *Neurotransmitter-haltiger Vesikeln mit der Plasmamembran (s. Cytoplasma) u. zur *Exocytose des Transmitters, der das Nervensignal über den synapt. Spalt weiterträgt. Das Csp gelangt so in die Plasmamembran, u. es wird vermutet, daß es eine Veränderung an den Calcium-Kanälen bewirkt, die mit einem Lerneffekt (*synapt. Plastizität*) der Synapse zu tun haben könnten[2]. Eine andere Theorie geht dahin, daß das Csp aufgrund seiner *amphiphilen Natur in der Lage ist, die Verschmelzung der Vesikel- mit der Plasmamembran zu erleichtern[3]. – *E* = *F* = *I* = *S* cysteine string protein

Lit.: [1] Biol. Chem. **269**, 19197 ff. (1994). [2] Science **263**, 981 f. (1994). [3] J. Theor. Biol. **172**, 269–277 (1995).

Cystein-Proteasen (Thiol-Proteasen). Bez. für eine Gruppe von *Proteasen (*Peptidhydrolasen*), die als katalyt. wirksame Gruppe einen L-*Cystein-Seitenrest besitzen, durch dessen *nucleophile Reaktion sich im Laufe der Katalyse Thiolester mit dem *N*-terminal abgespaltenen Teil des Substrats ausbilden. Als weitere wichtige Aminosäure-Seitengruppe besitzen sie einen L-*Histidin-Rest, der als Säure-Base-Katalysator wirkt. Bekannte Vertreter sind unter den Endopeptidasen (*Proteinasen) die Calcium-abhängigen *Calpaine, die *Kathepsine B u. L (EC 3.4.22.1 bzw. 3.4.22.15) u. *Papain (EC 3.4.22.2). Jedoch sind auch *Exopeptidasen aus dieser Gruppe bekannt, z. B. die lysosomale *Dipeptidylpeptidase I* (Kathepsin C, EC 3.4.14.1). Die z. B. im Hühnereiweiß vorkommenden Inhibitoren der C.-P. werden als *Calpastatine* (spezif. für Calpaine) bzw. *Cystatine* (M_R ca. 13000; auch: Cystatine Typ 2) bezeichnet u. bilden zusammen mit den *Stefinen* (M_R ca. 11000; auch Cystatine Typ 1) u. den *Kininogenen* (s. Kinine; auch: Cystatine Typ 3) u. eine Protein-Superfamilie[1]. Das Plasma-Protein α_2-*Makroglobulin inhibiert ebenfalls die Aktivität der Cystein-Proteasen. – *E* cysteine proteases – *F* cystéine-protéases – *I* cisteina proteasi – *S* cisteína-proteasas

Lit.: [1] Biol. Chem. Hoppe-Seyler **377**, 71–86 (1996); FEBS Lett. **285**, 213–219 (1991).

allg.: Barrett, Proteolytic Enzymes: Serine and Cysteine Peptidases, San Diego: Academic Press 1994.

Cystein-Proteinasen s. Cystein-Proteasen.

Cystein-reiches intestinales Protein (CRIP). Zink-Ionen bindendes *Protein (M_R 8550; 77 Aminosäure-Reste, davon 7 L-Cystein) des Darm u. Zellen des *Immunsystems (z. B. *Makrophagen). Die Zink-Bindungsstellen werden durch zwei L-Cystein-haltige Peptid-Schleifen (Doppel-*Zink-Finger od. LIM-Motiv) gebildet. Die Funktion des CRIP ist bis jetzt unbekannt, Vorschläge reichen von intrazellulärem Zink-Transport bis zur Aktivierung von Immunzellen. – *E* cysteine-rich intestinal protein – *F* protéine intestinale

Cysteinsäure

riche en cystéine – *I* proteina intestinale ricca di cisteina – *S* proteína intestinal rica en la cisteína
Lit.: Biochem. J. **299**, 445–450 (1994) ▪ J. Leukocyte Biol. **59**, 127–177 (1996) ▪ J. Mol. Biol. **257**, 153–174 (1996) ▪ J. Nutrition **124**, 13–17 (1994).

Cysteinsäure s. L-Cystein.

Cystic fibrosis transmembrane conductance regulator s. CFTR.

L-Cystin {3,3′-Dithiobis[(*R*)-2-aminopropionsäure], Kurzz.: (Cys)₂}.

$$HOOC-\overset{H}{\underset{NH_2}{C}}-CH_2-S-S-CH_2-\overset{NH_2}{\underset{H}{C}}-COOH$$

$C_6H_{12}N_2O_4S_2$, M_R 240,29, farblose Krist., D. 1,677, Schmp. 260–261 °C, in Wasser wenig, in Säuren u. Alkalien gut lösl., nicht dagegen in Alkohol, Ether, Benzol. Die Herst. erfolgt durch Extraktion aus *Eiweiß-Hydrolysaten, ggf. auch aus Haarabfällen.
Vork.: In der Natur kommt L-C. in zahlreichen Pflanzen vor; im menschlichen Körper ist es als Eiweiß-Spaltprodukt vorhanden. Bei *Cystinose* wird es vermehrt in Nieren, Knochenmark u. Augen abgelagert; als Folge von *Cystinurie* ist es Hauptbestandteil mancher Nierensteine. Wie in vielen *Proteinen, ist L-C. bes. auch in *Keratinen (in Haaren, Hörnern, Federn, Haut, Hufen, Nägeln, Wolle) enthalten u. gibt infolge seines Schwefel-Gehalts beim Verbrennen „Schwefel-Geruch" u. beim Erwärmen mit alkal. Bleiacetat-Lsg. schwarzes Bleisulfid.
Biochemie: Im Organismus kann L-C. aus L-*Methionin über L-*Cystein gebildet werden u. ist daher keine essentielle *Aminosäure, wenn es auch bei Haut u. Haaren wachstumsfördernde Eigenschaften zu haben scheint; sein Fehlen wirkt auf die Protein-Biosynth. des wachsenden Organismus verzögernd. In vielen Proteinen stellt es kovalente Bindungen (*Disulfid-Brücken) zwischen verschiedenen Polypeptid-Ketten od. zwischen verschiedenen Sequenzpositionen ein u. derselben Kette her u. wirkt dadurch stabilisierend auf die Raumstruktur dieser Makromoleküle.
Verw.: Als Futtermittelzusatz, als Zusatzstoff in Lebensmitteln, medizin. in Infusionslsg., Lebertherapeutika, Anabolika, Dermatika. – *E* = *F* L-cystine – *I* = *S* L-cistina
Lit.: Beilstein E IV **4**, 3155 f. – [HS 293090; CAS 56-89-3]

Cystin-Brücken s. Disulfid-Brücken.

Cystin-Knoten. Strukturmotiv einiger *Wachstumsfaktoren (*Nervenwachstumsfaktor, *Plättchen-entstammender Wachstumsfaktor, *transformierender Wachstumsfaktor *β*) u. *Glykoprotein-Hormone (*Chorio(n)gonadotrop(h)in), bei den sich mit Hilfe dreier *Disulfid-Brücken eine Knoten-artige Verschlingung ausbildet. – *E* cystine knot – *F* nœud cystine – *I* nodo di cistina – *S* nudo cistina
Lit.: Annu. Rev. Biophys. Biomol. Struct. **24**, 269–291 (1995) ▪ Cell **73**, 421 ff. (1993).

Cystinol®. *Urologikum mit Trockenextrakt aus *Bärentrauben-Blättern (C. akut Dragees), aus *Goldruten-Kraut (C. long Kapseln). Die Lsg. enthält ein Perkolat aus Bärentraubenblättern, Goldrutenkraut, *Birkenblättern u. Zinnkraut. *B.:* Schaper & Brümmer.

Cystium Wern®. Lsg. mit *Fenchelöl u. Campherbaumöl zur unterstützenden urolog. Harnstein-Therapie. *B.:* Pharma Wernigerode.

Cysto Fink®. Kapseln mit standardisierten Extraktzubereitungen aus *Kürbis-Samenöl, Gewürzsumach-Rinde, *Bärentrauben-Blättern, *Hopfen-Zapfen, Kava-Kava-Wurzelstock zur Therapie der Reizblase. *B.:* Fink/Kade.

Cystyl-Aminopeptidase s. Oxytocinase.

Cyt. 1. Kurzz. für *Cytosin. – 2. Zuweilen Abk. für *Cytochrom.

Cytarabin s. Cytosinarabinosid.

Cytec Industries INC. Hervorgegangen 1993 aus der American Cyanamid Company mit Sitz in West Paterson, New Jersey (USA). *Produktion:* organ. Ind.-Chemikalien u. Zwischenprodukte, Additive, Gummi-, Papier-, Wasser-/Abwasser- u. Textilchemikalien, Chemiefasern, Tenside, Phosphin-Derivate, Spezialwerkstoffe für die Luft- u. Raumfahrt. *Daten* (1995): ca. 5000 Beschäftigte, 1,26 Mio. US-$ Umsatz (netto). *Vertretung* in der BRD: Cytec Industries B. V., Hermann-Klammt-Str. 3, 41460 Neuss.

Cytidin [4-Amino-1-β-D-ribofuranosyl-2(1*H*)-pyrimidinon, Cytosin-1-β-D-ribofuranosid, Kurzz. Cyd].

$C_9H_{13}N_3O_5$, M_R 243,22. In *Ribonucleinsäuren enthaltenes *Nucleosid, farblose Nadeln, Schmp. 212–215 °C, wasserlösl.; aus *Desoxyribonucleinsäuren gewinnt man stattdessen das entsprechende *Desoxynucleosid 2′-Desoxycytidin. Bei der Biosynth. der *Nucleinsäuren u. der *Phospholipide sind *Cytidinphosphate beteiligt. Ein *Antimetabolit ist das *5-Azacytidin. – *E* = *F* cytidine – *I* = *S* citidina
Lit.: Beilstein E V **25/14**, 340 ff. – *[HS 293359; CAS 65-46-3]*

Cytidinphosphate. Von der Pyrimidin-Base *Cytosin abgeleitete *Nucleotide, die D-*Ribose u. einen od. mehrere Phosphat-Reste enthalten (in der Abb. als Phosphorsäure-Reste dargestellt).

So entstehen durch Veresterung der 5′-Hydroxy-Gruppe des *Cytidins mit Phosphorsäure, Di- u. Triphosphorsäure *Cytidin-5′-monophosphat* (CMP, 5′-

Cytidylat – die korrespondierende Säure heißt auch *5′-Cytidylsäure*, $C_9H_{14}N_3O_8P$, M_R 323,20), *Cytidin-5′-diphosphat* (CDP, als freie Säure $C_9H_{15}N_3O_{11}P_2$, M_R 403,16) bzw. *Cytidin-5′-triphosphat* (CTP, als freie Säure $C_9H_{16}N_3O_{14}P_3$, M_R 483,16). Bei Hydrolyse von *Ribonucleinsäuren (RNA) erhält man je nach Reaktionsbedingungen außer CMP auch *Cytidin-3′-monophosphat* (C-3′-MP, als freie Säure $C_9H_{14}N_3O_8P$, M_R 323,20). Aus *Desoxyribonucleinsäuren isoliert man dagegen die entsprechenden 2′-*Desoxynucleotide.

Biochemie: CTP entsteht im Organismus aus Uridin-5′-triphosphat (UTP, s. Uridinphosphate) durch Übertragung des Amid-Stickstoffs aus L-*Glutamin (Gln) auf Kohlenstoff-Atom 4 des Pyrimidin-Ringes. Gln geht dabei in L-*Glutaminsäure über. Die Reaktion wird von dem Enzym *CTP-Synthetase* (EC 6.3.4.2) katalysiert u. verläuft aus energet. Gründen unter begleitender Hydrolyse von *Adenosin-5′-triphosphat (ATP) zu *Adenosin-5′-diphosphat (ADP) u. anorgan. Phosphat. CTP kann seine beiden endständigen Phosphat-Reste in reversiblen enzymat. Reaktionen schrittweise auf ADP übertragen, wobei ATP u. CDP bzw. CMP entstehen; es trägt somit auch zur Energieladung der Zelle bei. Freies Cytidin kann jedoch auch in einer *Kinase-Reaktion zu CMP phosphoryliert werden; umgekehrt erfolgt der Abbau des letzteren durch Hydrolyse zu Cytidin in Gegenwart einer 5′-Nucleotidase. CTP wird zur Synth. von RNA benötigt; es wird unter Diphosphat-Abspaltung mit ATP, Guanosin-5′-triphosphat (s. Guanosinphosphate) u. UTP copolymerisiert. Zur DNA-Biosynth. werden CTP bzw. CDP am 2′-Atom reduziert (desoxygeniert). Eine andere wichtige Funktion von CTP ist die Aktivierung von L-Phosphatidsäuren sowie von Phosphorylcholin u. Phosphorylethanolamin bei der *Phospholipid-Biosynthese. Auf die Phosphat-Gruppen dieser Verb. wird dabei CMP übertragen (Diphosphat wird frei); man erhält die aktivierten CDP-L-1,2-Diglyceride, CDP-Cholin bzw. -Ethanolamin. Bei der anschließenden *nucleophilen Reaktion mit L-Serin bzw. in den beiden letztgenannten Fällen mit L-Phosphatidsäuren wird CMP wieder verdrängt unter Entstehung der L-Phosphatidyl-L-serine (*Kephaline), L-Phosphatidylcholine (*Lecithine) u. -ethanolamine (ebenfalls Kephaline). – *E* cytidine phosphates – *F* cytidine-phosphates – *I* fosfati della citidina – *S* citidina-fosfatos – *[HS 2933 59]*

Cytidylsäure s. Cytidinphosphate.

Cytisin (Baptitoxin, Sophorin, Ulexin).

$C_{11}H_{14}N_2O$, M_R 190,24, Prismen, Schmp. 155°C (subl.), $[\alpha]_D^{17}$ –119° (H_2O), auch lösl. in Chloroform u. Alkohol. Giftiges *Chinolizidin-Alkaloid der Fabaceae, kommt in Blüten u. Früchten von Goldregen (*Laburnum anagyroides*), Stechginster (*Ulex europaeus*), *Cytisus laburnum*, *Baptisia*, *Colutea*, *Genista*, *Ammodendron*, *Anagyris*, *Euchresta*, *Sophora*, *Thermopsis* (Leguminosae) vor, häufig in Begleitung von *N*-Methylcytisin {$C_{12}H_{16}N_2O$, M_R 204,27, Schmp. 137°C, $[\alpha]_D$ –221,6° (H_2O)}.

Wirkung: Ähnlich *Nicotin als Ganglienblocker. Es wirkt auf das *ZNS (bes. Brech-, vasomotor. u. Atemzentrum) erst erregend, dann lähmend. Es verursacht bei Mensch u. Tier in höheren Dosen Strychnin-artige Krämpfe, ruft Blässe, kalten Schweiß, Durst, Delirien, Halluzinationen, Benommenheit u. Bewußtlosigkeit hervor, nach letalen Dosen tritt der Tod durch zentrale Atemlähmung ein. Die Nicotin-ähnliche Wirkung des C. erklärt, daß starke Tabakraucher Goldregenblätter ohne die bei nicht an Nicotin gewöhnten Menschen auftretenden Vergiftungserscheinungen rauchen können. Der C.-Gehalt ist beim Goldregen am größten, der in der BRD für die meisten Vergiftungen von Kindern durch Pflanzen verantwortlich ist. 3–4 Früchte od. 15–20 Samen können für ein Kind tödlich sein [1]. Die Toxizität des C. ist für verschiedene Tierarten sehr unterschiedlich: LD_{50} (Katze) 3 mg/kg, (Hund) 4 mg/kg, (Maus) 100 mg/kg, (Ziege) 110 mg/kg (alle Angaben p.o.); Schnecken sind gegen C. – wie auch gegen *Strychnin – unempfindlich. C. hat gelegentlich medizin. Verw. als Antiemetikum u. Antitussivum gefunden. – *E* = *F* cytisine – *I* = *S* citisina

Lit.: [1] R.D.K. (4.), S. 801 f.

allg.: Beilstein E V 24/2, 535 f. ▪ Hager (5.) **3**, 382; **4**, 461; **5**, 624 ▪ Manske **3**, 143–156; **7**, 268–272 ▪ Phytochemistry **16**, 1460 (1977); **21**, 1470, 2385 (1982) (Synth.) ▪ Sax (8.), S. 1014 ▪ Ullmann (5.) **A 1**, 365. – *[HS 2939 90; CAS 485-35-8 (C.); 486-86-2 (N-Methylcytisin)]*

Cyto... Von griech.: kytos = Höhlung abgeleitete Vorsilbe in Bez., die mit *Zellen in Zusammenhang stehen, s. die folgenden Stichwörter. – *E* = *F* cyto... – *I* = *S* cito...

Cytobiologie. Bez. für die der *Molekularbiologie nahestehende Biologie der *Zellen. – *E* cytobiology – *F* cytobiologie – *I* citobiologia – *S* citobiología

Lit.: s. Cytochemie.

Cytochalasine (Cytochalasane). Von *Cyto... u. griech.: chalasis = Erschlaffung abgeleitete Bez. für eine Gruppe von *Mykotoxinen aus *Helminthosporium dematioideum*, *Phoma*-Arten u. verwandten Schimmelpilzen. Mehr als 20 C. wurden beschrieben, denen allen ein mehrfach substituierter hydrierter Isoindol-Ring mit ankondensiertem 11–14gliedrigem Makrocyclus gemeinsam ist. Die C. sind aufgrund ihrer vielfältigen biolog. Wirkungen interessant. Sie hemmen reversibel die Cytoplasmateilung (Cytokinese), aber nicht die Kernteilung (Mitose) u. können so zu vielkernigen Riesenzellen od. bei höheren Konz. zum Austritt des Kerns aus der Zelle (Denucleation) führen. Sie hemmen in Säugetierzellen Bewegungsvorgänge, die mit der Mikrotubuli-Aggregation u. Actin-Filamentbildung zusammenhängen (z.B. Blutgerinnselbildung durch Blutplättchen, Ausbildung der kontraktilen Ringe während der Cytokinese, Bildung von Mikrovilli). Während *Colchicin, *Vinblastin u. *Taxol am Tubulin angreifen, hemmen C. das Anfügen von Actin-Mol. an das „Stachel-Ende" der Actin-Filamente u. führen zu deren Depolymerisierung. Sie hemmen Phagozytose, Pinozytose bei Makrophagen, die Fortbewegung von Fibroblasten u. Amöben, aber nicht die Muskelkontraktion. Weitere biolog. Wirkungen sind antibiot. Eigenschaften sowie Hemmung des

Glucose-Transport u. der Sekretion von Thyroid- u. Wachstumshormonen. C. A u. 18-Deoxy-C. H hemmen die HIV-1 Protease.

R¹ = OH, R² = H : Cytochalasin B
R¹, R² = O : Cytochalasin A

Die größte Bedeutung hat neben dem *C. A* {Dehydrofomin, $C_{29}H_{35}NO_5$, M_R 477,60, Schmp. 185–187°C, $[\alpha]_D$ +92° (C_2H_5OH)} v. a. das *C. B* {Phomin, $C_{29}H_{37}NO_5$, M_R 479,62, Schmp. 218–221 °C, $[\alpha]_D$ +83° (CH_3OH), lösl. in Alkohol, Aceton, unlösl. in Wasser, vgl. Formelbild}.
Die Biosynth. von C. geht von einer Aminosäure – meist Phenylalanin – u. einem Octa- od. Nonaketid aus. Die Methyl-Gruppen stammen von Methionin. – *E* cytochalasans – *F* cytochalasanes – *I* citocalasine – *S* citocalasanos
Lit.: Agric. Biol. Chem. **51**, 2625 (1987); **53**, 1699 (1989); **55**, 1899 (1990) (Isolierung) ▪ Chem. Pharm. Bull. **35**, 902 (1987) (Isolierung) ▪ Cole u. Cox, Handbook of Toxic Fungal Metabolites, S. 264–343, New York: Academic Press 1981 ▪ J. Am. Chem. Soc. **112**, 4351 (1990) ▪ J. Chem. Soc., Chem. Commun. **1986**, 1447–1450 (Synth.) ▪ J. Chem. Soc., Perkin Trans. 1 **1989**, 57–65 (Synth., Isolierung C. N, O, P, Q, R), 489–497, 499, 507 (Synth. C. H), 519, 525 (Synth. C. G) ▪ Pendse (Hrsg.), Rec. Adv. in Cytochalasans, London: Chapman & Hall 1986 ▪ Pure Appl. Chem. **65**, 1309 (1993) (Biosynth.) ▪ Stud. Nat. Prod. Chem. **13**, 107–153 (1993) ▪ Tetrahedron **45**, 2323–2335, 2417–2429 (1989); **50**, 5615 (1994) (Synth.). – [CAS 14110-64-6 (C. A); 14930-96-2 (C. B)]

Cytochemie (von *cyto…). Bez. für dasjenige Arbeitsgebiet der *Cytologie, das sich vorwiegend mit dem chem. Aufbau, der chem. Funktion u. dem Stoffwechsel tier., pflanzlicher u. mikrobieller *Zellen u. ihrer Komponenten beschäftigt. – *E* cytochemistry – *F* cytochimie – *I* citochimica – *S* citoquímica

Cytochrom-c-Oxidase (Cytochrom aa_3, Komplex IV der *Atmungskette, EC 1.9.3.1). Das frühere Warburgsche *Atmungsferment* ist ein Lipid-haltiges Enzym der inneren *Mitochondrien-*Membran, kommt aber auch in der Plasmamembran vieler Bakterien vor. Das Enzym aus Rinderherz-Mitochondrien (M_R 200000; Raumstruktur s. *Lit.*[1]) ist ein Membrandurchspannender Komplex aus 13 Polypeptid-Ketten, von denen die drei größten (M_R 57000, 26000 u. 30000) in mitochondrialen *Genen kodiert sind. Es enthält im Mol. 2 Eisen-Ionen, genannt a u. a_3, – als *Cytohämin gebunden – u. 2 Kupfer-Ionen, Cu_A u. Cu_B; durch Herauslösen des Kupfers läßt sich das Enzym reversibel inaktivieren.
C. ist das enzymat. Endglied der Atmungskette u. überträgt die von reduziertem Cytochrom c (Cyt c) empfangenen Elektronen auf Sauerstoff:

$$4\, Cyt\, c\, (Fe^{2+}) + 4H^+ + O_2 \rightarrow 4\, Cyt\, c\, (Fe^{3+}) + 2H_2O$$

Bei dieser Reaktion werden also pro Sauerstoff-Mol. 4 Elektronen übertragen, u. es ist wichtig, daß zwischenzeitlich keine reaktionsfähigen *Radikale freigesetzt werden. Dabei katalysiert der Komplex gleichzeitig einen Transport von Wasserstoff-Ionen durch die Membran u. trägt so zur Energie-Gewinnung bzw. -Erhaltung der Zelle bei. Die Giftigkeit der Azide, Cyanide u. des Kohlenmonoxids beruhen hauptsächlich auf der Hemmung dieses Enzyms. Auch bakterielle C. sind bekannt. – *E* cytochrome c oxidase – *F* cytochrome c oxydase – *I* citocromo c ossidasi – *S* citocromo c oxidasa
Lit.: [1] Science **272**, 1125, 1136–1144 (1996).
allg.: Acc Chem. Res. **26**, 332–338 (1993) ▪ Adv. Enzymol. Rel. Areas Mol. Biol. **71**, 79–208 (1995) ▪ Biospektrum **1**, Nr. 6, 24ff. (1995) ▪ J. Bioenerg. Biomembr. **25**, 67–188 (1993) ▪ Nature (London) **376**, 660–669 (1995) ▪ Science **269**, 1063f., 1069–1074 ▪ Trends Biochem. Sci. **19**, 325–330 (1994).

Cytochrom-c-Reduktase (Ubichinol:Cytochrom-c-Reduktase, Cytochrom-bc_1-Komplex, Komplex III der Atmungskette, EC 1.10.2.2). Die innere *Mitochondrien-Membran durchspannender Häm-Protein-Komplex, der in der *Atmungskette Elektronen von Ubichinol (QH_2; s. Abb. bei Atmungskette) auf *Cytochrom (Cyt) c überträgt u. dabei Protonen durch die Membran nach außen pumpt. Ähnliche Komplexe gibt es auch in bakteriellen Elektronen-Transportketten u. bei der pflanzlichen *Photosynthese (Cyt-b_6f-Komplex).
Struktur: C.-c-R. aus Rinderherz besteht aus 3 ähnlichen Polypeptid-Ketten: ein Cyt b mit 2 *Häm-Gruppen ($b_L = b_{566}$ u. $b_H = b_{562}$ mit niedrigem bzw. hohem Redox-Potential; M_R 42000), ein Cyt c_1 (M_R 31000) u. ein Eisen-Schwefel-Protein mit einem 2Fe-2S-Cluster (*Rieske*-Untereinheit; M_R 24000). Weitere Untereinheiten sind zwei sog. *Kernproteine*[1] (M_R 49000 u. 46000) u. drei weitere Polypeptide niedrigerer molarer Masse.
Funktionsweise: Zunächst wird in der Nähe der äußeren Membran-Oberfläche Ubichinol unter H^+-Abgabe zu *Ubichinon (Q) oxidiert gemäß $QH_2 \xrightleftharpoons{-e^- -2H^+} Q^{\cdot -} \xrightleftharpoons{+e^-} Q$. Da Cyt c nur ein Elektron (e^-) aufnehmen kann ($Fe^{3+} \rightleftharpoons Fe^{2+}$), fließt das eine Elektron über b_L, das Eisen-Schwefel-Protein u. Cyt c_1 zu Cyt c; das andere Elektron wird in der Nähe der inneren Membran-Oberfläche von b_L über b_H auf ein Ubichinon-Mol. – bzw. in einem zweiten Durchlauf auf Ubisemichinon, das bei physiolog. pH-Wert ionisiert ist ($Q^{\cdot -}$), – zurücktransferiert (unter H^+-Aufnahme). Die Hälfte der Elektronen läuft somit in einer Warteschleife (Q-Cyclus): $QH_2 \rightarrow Q^{\cdot -} \rightarrow QH_2$. Durch Aufnahme innen u. Abgabe außen kommt es zum Transport von 2 H^+-Ionen pro Elektron. – *E* cytochrome c reductase – *F* cytochrome c réductase – *I* citocromo c reduttasi – *S* citocromo c reductasa
Lit.: [1] Trends Biochem. Sci. **20**, 171–175 (1995).
allg.: Annu. Rev. Biochem. **63**, 675–716 (1994) ▪ Biochim. Biophys. Acta **1143**, 243–271 (1993) ▪ FEBS Lett. **387**, 1–6 (1996) ▪ J. Bioenerg. Biomembr. **25**, 195–273 (1993) ▪ Stryer (5.), S. 420f. – [CAS 9027-03-6]

Cytochrome. Von *cyto… u. griech.: chroma = Farbe abgeleitete Bez. (Abk. zuweilen Cyt) für eine Gruppe von lebenswichtigen u. weitverbreiteten *Hämproteinen (ähnlich *Hämoglobin, *Myoglobin), die als Redoxkatalysatoren für das Funktionieren der *Atmungskette, der *Photosynthese, aber auch für den Stoffwechsel vieler Bakterien notwendig sind.

Nomenklatur: Die C. werden heute nach dem Substitutionsmuster ihres *Häms mit den Buchstaben a–d benannt, die zur weiteren Unterscheidung Indexziffern bekommen od. mit dem Absorptionsmaximum (in nm) versehen werden.

Struktur: Die *C. a* enthalten Häm a (Cytohäm, vgl. Cytohämin), das in Position 3 eine lange Alkyl-Kette u. in Position 18 eine Formyl-Gruppe trägt. Die *C. b* sind mit Häm b (Protohäm) ausgestattet, die Häm-Gruppen der *C. c* sind durch Addition von Thiol-Gruppen des Proteins an ihre Vinyl-Gruppen kovalent gebunden. Die *C. d* schließlich weisen ein *Chlorin auf. Die axialen Koordinationsstellen des Eisens werden von bas. Gruppen des Proteins eingenommen. Ausnahmen bzw. ältere Bezeichnungsweisen sind *Cytochrom P-450, *C. a_2* (heute: C. d), *C. f* (ein C. c) u. *C. o* (ein C. b).

Funktion: Allen C. gemeinsam ist der Wertigkeitswechsel des im Häm gebundenen Eisens [im Gegensatz zu Hämoglobin u. Myoglobin, die nur mit Eisen(II) funktionstüchtig sind] als Prinzip der *Elektronenübertragung:* Fe^{3+} (Ferrihäm) + e^- ⇌ Fe^{2+} (Ferrohäm). Trotz dieser Übereinstimmung besitzen die C. unterschiedliche Redoxpotentiale, da diese entscheidend durch die Protein-Anteile beeinflußt werden.

Beisp.: C. a, *C. a_3* s. Cytochrom-c-Oxidase; C. b, *C. c_1*, *C. bc_1*-Komplex s. Cytochrom-c-Reduktase. *C. b_{563}* kommt als Bestandteil des *C. b_6f*-Komplexes vor. Zahlreiche C. sind aus Mikroorganismen bekannt; sie variieren nicht nur von Art zu Art, sondern auch je nach Wachstumsbedingungen. Der *C. b_6f-Komplex*[1] ist an der Elektronen-Übertragung von Plastochinol (s. Plastochinon) auf *Plastocyanin bei der Photosynth. der grünen Pflanzen beteiligt. In Aufbau u. Funktionsweise ähnelt er dem *C. bc_1*-Komplex, wobei C. b u. b_6 sowie *C. c_1* u. f sich jeweils entsprechen. *C. c^2*: Das C. c der Atmungskette (s.a. dort) ist das bestuntersuchte C.; über 100 Aminosäure-Sequenzen verschiedener C. c sind bekannt. Der Vgl. zeigt, daß sich C. c seit 2 Mrd. Jahren durch Mutation nur relativ wenig verändert haben kann, was als Hinweis auf die große Bedeutung der C. c-Funktion für die Lebewesen verstanden werden muß. Menschliches C. c besitzt ein M_R von 12 400 bei einer Kettenlänge von 104 Aminosäure-Resten. Unabhängig von Herkunft u. Kettenlänge ist bei allen C. c das Häm an der gleichen Stelle der Polypeptid-Kette gebunden, u. zwar an den Cystein-Resten 14 u. 17 jeweils über Thioether-Gruppen. Aus der Röntgenstrukturanalyse geht hervor, daß die C. c in den Lysin-Resten 72 u. 73 ein Erkennungsmerkmal für Cytochrom c-Oxidase besitzen. Cyanide, Kohlenmonoxid u. Sauerstoff reagieren nicht mit der prosthet. (Häm-)Gruppe des nativen Proteins. C. c wird in pharmazeut. Präp. gegen Hypoxämie, Schlafmittel-, Kohlenmonoxid-Vergiftungen u. dgl. verwendet. – *E = F* cytochromes – *I* citocromi – *S* citocromos

Lit.: [1] Annu. Rev. Plant Physiol. Plant Mol. Biol. **47**, 477–508 (1996); Biochim. Biophys. Acta **1143**, 1–22 (1993); Stryer 1996, S. 696 f. [2] Scott u. Mauk, Cytochrome c. A Multidisciplinary Approach, New York: Freeman 1996.

allg.: Nomenclature Committee of the IUBMB, Enzyme Nomenclature 1992, S. 538–547, San Diego: Academic Press 1992. – *[HS 350400; CAS 9007-43-6 (C. c)]*

Cytochrom P-450 (EC 1.14.14.1 u. a.). Sammelbez. für in wohl allen Organismen vorkommende mischfunktionelle *Oxygenasen (Monooxygenasen; Lebermikrosomen: M_R 850 000, 16 ident. Untereinheiten), die für Hydroxylierungen vieler hydrophober Substanzen (z. B. *Steroide) u. oxidative Entgiftungsmechanismen, manchmal jedoch auch für die Aktivierung (Giftung) von *Carcinogenen verantwortlich sind. C. P-450 ist das vielseitigste bekannte Enzym, das nach Schätzungen in Säugetieren in bis zu 100 verschiedenen Formen pro Art vorkommt, nicht nur Hydroxylierungen, sondern bis zu 60 Reaktionstypen katalysieren kann, durch ca. 1000 Substanzen induziert wird u. über eine Mio. Substrate umsetzen kann. In C. P-450 ist das Ferri-*Häm am Eisen(III)-Ion durch eine L-Cystein-Gruppe komplexiert (*Hämthiolat-Protein*). Als Sauerstoff-Atome übertragendes Enzym ist C. P-450 kein Cytochrom im üblichen Sinne eines Elektronentransfer-Proteins. Das Kohlenstoffmonoxid-Addukt des reduzierten C. P-450 hat eine Absorptionsbande bei 450 nm, daher der Name „Pigment 450" aus Zeiten, als noch nichts über die Funktion bekannt war. Zu C. P-450 bei Pflanzen s. *Lit.*[1]. – *E = F* cytochrome P-450 – *I = S* citocromo P-450

Lit.: [1] Crit. Rev. Plant Sci. **15**, 235–284 (1996); Phytochemistry **43**, 1–21 (1996).
allg.: FASEB J. **10**, 202–214, 428–434, 552–558, 683–689, 809–818, 1112–1117 (1996) ■ Lewis, Cytochromes P-450. Structure, Function and Mechanism, London: Taylor and Francis 1996 ■ de Montellano, Cytochrome P-450. Structure, Mechanism and Biochemistry, 2. Aufl., New York: Plenum 1995 ■ World Wide Web: http://base.icgeb.trieste.it:80/p450/. – *[CAS 9035-51-2]*

Cytocolor®. Cytolog. Standard-Färbung nach Szczepanik. *B.:* Merck.

Cytohämin (Hämin a).

$C_{49}H_{56}ClFeN_4O_6$, M_R 888,31. Grünes *Hämin, Cofaktor der *Cytochrom-c-Oxidase. C. unterscheidet sich von Hämin durch die lipophile Seitenkette in 3-Stellung u. die Formyl-Gruppe in 18-Position. Bei Austausch der FeCl-Gruppe durch zwei Wasserstoff-Atome spricht man von *Cytoporphyrin* (Porphyrin A)[1]. – *E* cytoh(a)emin – *F* cytohémine – *I* citoemina – *S* citohemina

Lit.: [1] Beilstein E III/IV **26**, 3338 f. – *[CAS 19554-22-4]*

Cytokeratin s. Keratine.

Cytokine. Von *cyto... u. griech.: kinein = bewegen abgeleitete Bez. für *Polypeptide, die von Zellen ausgeschieden werden u. nach Bindung an spezif. *Rezeptoren[1] die Funktionen anderer Zellen beeinflussen. In manchen Fällen sind die C. produzierenden Zellen selbst Ziel dieser (dann *autokrin* genannten) Regulation. Durch lösl. Formen der Rezeptoren kann die C.-Wirkung moduliert werden[2]. C. regulieren u. a. das komplizierte Wechselspiel der Zellen des *Immunsystems.
Beisp.: *Interferone, *Kolonie-stimulierende Faktoren. Von *Lymphocyten ausgeschiedene C. werden als *Lymphokine, von *Monocyten abgegebene als *Monokine* bezeichnet. *Interleukine werden von *Leukocyten sezerniert u. wirken auch auf diese. *Chemokine beeinflussen die *Chemotaxis von Zellen. Auch die *Wachstumsfaktoren gehören zu den Cytokinen. Zur *Signaltransduktion durch C.-Rezeptoren s. *Lit.*[3].
– *E* = *F* cytokines – *I* citochine – *S* citocinas, citoquinas
Lit.: [1] Eur. Cytokine Network **5**, 353–368 (1994). [2] Blood **87**, 847–857 (1996). [3] Bioessays **18**, 567–577 (1996); Nature (London) **377**, 591 ff. (1995); Trends Biochem. Sci. **19**, 222–227 (1994).
allg.: Balkwill, Cytokines: A Practical Approach, 2. Aufl., Oxford: IRL Press 1995 ▪ Dtsch. Med. Wochenschr. **121**, 803–809 (1996) ▪ Ibelgaufts, Dictionary of Cytokines, Weinheim: VCH Verlagsges. 1995 ▪ J. Allergy Clin. Immunol. **97**, 719–733 (1996) ▪ Nicola, Guidebook to Cytokines and Their Receptors, Oxford: Oxford University Press 1995 ▪ World Wide Web: http://kbot.mig.missouri.edu:443/cytokines/explorer.html.

Cytokinine. Von *cyto... u. griech.: kinein = bewegen abgeleitete Bez. für eine Gruppe von *Pflanzenwuchsstoffen, die vorwiegend in den jungen Wurzeln gebildet werden, die Zellteilung stimulieren u. zusammen mit den *Gibberellinen die Entwicklungs- u. Differenzierungsprozesse bei der Fruchtbildung u. -reife, bei der Knospenbildung usw. regulieren. *Beisp.* für die im weitesten Sinne als *Pflanzenhormone (*Phytohormone*) betrachteten C. sind *Kinetin, *Zeatin, N^6-Isopentenyladenin u. verwandte, z. T. synthet. *Adenin-Derivate. Die C. wurden früher als *Phytokinine* von den „eigentlichen" *Kininen (Plasmakininen) abgegrenzt. – *E* cytokinins – *F* cytokinines – *I* citochinine – *S* citoquininas
Lit.: Annu. Rev. Plant Physiol. Plant Mol. Biol. **45**, 173–196 (1994).

Cytologie (von griech. *Cyto...* = Zelle, logos = Lehre, *Zellenlehre, Zellforschung*). Teilgebiet der allg. Biologie, das sich mit Bau u. Funktion pflanzlicher, tier. u. menschlicher *Zellen befaßt. Hierbei können Gesichtspunkte der Biologie (*Cytobiologie*), der Genetik (*Cytogenetik*) od. der Chemie (*Cytochemie*) vorherrschen. Das Jahr 1855 gilt als Geburtsjahr der klass. C. durch den von R. Virchow aufgestellten Satz „Omnis cellula e cellula". Eine erste, *deskriptive* Phase der C. wurde 1887 durch die *experimentelle* C. abgelöst. Weitere Fortschritte brachten phasenkontrast-, polarisations- u. fluoreszenzmikroskop. Meth., die Elektronenmikroskopie, Röntgenstrukturanalyse, Ultrazentrifugation u. der Einsatz von Radioisotopen. – *E* cytology – *F* cytologie – *I* citologia – *S* citología
Lit.: Kühnel, Taschenatlas der Zytologie, Histologie u. mikroskopischen Anatomie, 9. Aufl., Stuttgart: Thieme 1995.

Cytolyse (Lyse). Zerstörung von *Zellen (von *cyto... u. griech.: lysis = Auflösung). Cytolyt. Aktivität besitzen z. B. cytolyt. (cytotox.) T-*Lymphocyten (CTL) u. *natürliche Killerzellen (NK). CTL u. NK wirken v. a. durch Ausschüttung von *Perforin u. *Granzymen, CTL auch durch Aktivierung der *Apoptose der Zielzelle durch Wechselwirkung von Fas-Ligand mit Fas (CD95)[1]. Außerdem kann C. durch bakterielle Toxine (Cytolysine, Hämolysine, vgl. Hämolyse) ausgelöst werden[2] u. erfolgt auch oft durch die Wirkung von *Viren bzw. der von ihnen kodierten Enzyme. Zellwände Gram-pos. Bakterien werden durch das weit verbreitete Enzym *Lysozym hydrolysiert, was ebenfalls zur C. führt. – *E* cytolysis – *F* cytolyse – *I* citolisi – *S* citólisis
Lit.: [1] Annu. Rev. Immunol. **14**, 207–232 (1996); Crit. Rev. Immunol. **15**, 359–384 (1995); Science **265**, 528 ff. (1994). [2] Arch. Microbiol. **165**, 73–79 (1996).

Cytolysin s. Cytolyse, Perforin.

Cytoökologie (Cytökologie). Von *cyto... oikos = Hauswesen u. logos = Kunde hergeleitete Bez. für den Teil der *Ökologie, der sich mit physiol. Zelleigenschaften befaßt, z. B. *Osmoregulation. – *E* cytoecology – *F* cytoécologie – *I* citoecologia – *S* citoecología

Cytoperm®. Brutschränke mit CO_2-, Sauerstoff- u. Feuchteregelung sowie pyrolyt. Keimsperre u. 180 °C Hitzesterilisation. *B.:* Heraeus Instruments GmbH.

Cytoplasma. Derjenige Teil der Zellsubstanz, der sich außerhalb des Zellkerns befindet. Das C. wird nach außen hin von der C.-*Membran (auch *Plasmamembran, Plasmalemm*) umschlossen. Es besteht aus dem *Cytosol od. Grundplasma, in welches das *Cytoskelett, zahlreiche Zellorganellen sowie verschiedene körnige Substanzen eingebettet sind. Oft wird C. jedoch gleichbedeutend mit Cytosol verwendet, d. h. die partikulären Anteile werden begrifflich ausgeklammert. Das C. der lebenden Zelle ist keine stat. Struktur, sondern es finden in ihm Vesikel- u. a. Transporte statt, woran die Proteine *Dynein u. *Kinesin beteiligt sind. Vgl. auch Zellen. – *E* cytoplasm – *F* cytoplasme – *I* = *S* citoplasma

Cytoplasmatische Vererbung s. extrachromosomale Vererbung.

Cytoporphyrin s. Cytohämin.

Cytosin [4-Amino-2(1*H*)-pyrimidinon bzw. 4-Amino-2-pyrimidinol, Kurzz. Cyt].

$C_4H_5N_3O$, M_R 111,10, farblose Plättchen, als Monohydrat Schmp. 320–325 °C (Zers.), in siedendem Wasser u. in Alkohol mäßig, in Ether nicht löslich. C. ist in der Natur weit verbreitet, insbes. als Bestandteil von *Nucleinsäuren, s. a. Cytidinphosphate. Mit Natriumhydrogensulfit kann C. leicht zu *Uracil desaminiert werden[1]. Das Arabinosid des C. (s. folgendes Stichwort) wirkt als Cytostatikum. – *E* = *F* cytosine – *I* = *S* citosina

Lit.: [1] J. Am. Chem. Soc. **92**, 422 (1970).
allg.: Beilstein E V **25/14**, 283 ff. ▪ Ullmann (4.) **17**, 420; (5.) A **22**, 433. – [HS 293359; CAS 71-30-7]

Cytosinarabinosid [4-Amino-1-β-D-arabinofuranosyl-2(1H)-pyrimidinon, Cytosin-1-β-D-arabinofuranosid, internat. Freiname: Cytarabin].

$C_9H_{13}N_3O_5$, M_R 243,22, Schmp. 212–213 °C, lösl. in Wasser, schwer lösl. in Ethanol, Chloroform. Synthet. zugängliches *Arabinonucleosid, das als *Antimetabolit des 2′-Desoxycytidins (s. Desoxynucleoside) die Synth. der *Desoxyribonucleinsäuren hemmt u. dadurch als *Viruzid u. *Cytostatikum[1] wirkt. – *E* cytosine arabinoside – *F* cytosine-arabinoside – *I* citosinarabinoside – *S* citosina-arabinósido
Lit.: [1] Cancer J. **9**, 83–88 (1996).
allg.: Beilstein E V **25/14**, 343. – [HS 293490; CAS 147-94-4]

Cytoskelett (Zellskelett). Bez. für das hauptsächlich aus *Protein-Fasern bestehende, das *Cytoplasma durchziehende, aber auch als *Membranskelett* der Cytoplasmamembran innen aufliegende sowie als *Kernskelett* den Zellkern umgebende Gerüst der *eukaryontischen *Zellen. Das C. ist in der Plasmamembran verankert u. mit verschiedenen Organellen verbunden, ist in lebenden Zellen wahrscheinlich als dynam. Struktur in ständigem Auf- u. Abbau begriffen u. ist verantwortlich für die Form der Zelle (z.B. des tellerförmigen *Erythrocyten), den innerzellulären Transport von Vesikeln u. Organellen (z.B. im Axon, dem langgestreckten Fortsatz der Nervenzelle) sowie für die Zell-Beweglichkeit (z.B. bei Fibroblasten, das sind Bindegewebszellen, die auf festen Oberflächen kriechen können). Der jeweilige Aufbau des C. einer Zelle kann von den Nachbarzellen beeinflußt u. bei Zellteilung auf die Tochterzellen vererbt werden, ohne daß *Gene des Zellkerns beteiligt sind. Die faserigen Bestandteile des C. sind die aus *Actin aufgebauten *Mikrofilamente, die in verschiedenen Zellen aus verschiedenen Proteinen gebildeten, sehr dauerhaften *intermediären Filamente u. die sich aus *Tubulin zusammensetzenden *Mikrotubuli. Zusätzlich bindet noch eine Vielzahl weiterer Proteine, u. a. *Adducin, *Ankyrin, *Bande 3, *Bande 4.1, Calpactine (s. Annexine), *Dystrophin, *Fodrin, *Glykophorine, *Mikrotubulus-assoziierte Proteine, *Spectrin, *Synapsine, *Talin, *Vimentin, *Vinculin u. *Zyxin, direkt od. indirekt an das Cytoskelett. An *Desmosomen u. *Adhärenz-Verbindungen sind die C. benachbarter Zellen miteinander verbunden, an Fokalkontakten (s. Adhärenz-Verbindungen) u. Hemidesmosomen (s. Desmosomen) sind sie an der *extrazellulären Matrix befestigt. An der Regulation des C. ist das *kleine GTP-bindende Protein Rho beteiligt[1]. Das C. kann durch Techniken der *Immunfluoreszenz im Fluoreszenzmikroskop sichtbar gemacht werden. – *E* cytoskeleton – *F* cytosquelette – *I* citoscheletro – *S* citoesqueleto

Lit.: [1] Trends Biochem. Sci. **20**, 227–231 (1995); **21**, 178–181 (1996).
allg.: Bearer, Cytoskeleton in Development, San Diego: Academic Press 1992 ▪ Isenberg, Cytoskeleton Proteins. A Purification Manual, Berlin: Springer 1995 ▪ Int. Rev. Cytol. – Survey Cell Biol. **166**, 1–58 (1996) ▪ Jockusch et al., The Cytoskeleton, Berlin: Springer 1995 ▪ Kreis u. Vale, Guidebook to the Cytoskeletal and Motor Proteins, Oxford: Oxford University Press 1993.

Cytosol. Bez. für den lösl., d. h. nicht aus elektronenmikroskop. erkennbaren Partikeln od. Organellen bestehenden Teil des *Cytoplasmas. – *E* = *F* cytosol – *I* = *S* citosol

Cytostatika. Von Heilmeyer aus *Cyto… u. …*statikum geprägte Bez. für Verb., die in allg. Weise tox. auf körpereigene Zellen wirken u. so das Zellwachstum hemmen. Bes. davon betroffen sind schnellwachsende Zellen, wie sie bei *Tumoren u. *Leukämien vorliegen. Daher versteht man unter C. meist *Chemotherapeutika gegen *Krebs (Cancerostatika, Carcinostatika). C. greifen in unterschiedlicher Weise in den Stoffwechsel ein. Pauschal lassen sich die bisher erprobten C. in folgende Gruppen einteilen:
1. *Alkylierende u. quervernetzende Verb.:* Sie schädigen dadurch DNA; hierzu gehören *Stickstofflost-Derivate wie *Cyclophosphamid, *N*-Nitroso-Verb. wie *Carmustin, Ethylenimin-(Aziridin-)Derivate wie *Thiotepa, Methansulfonate wie *Busulfan, Platin-Komplexe wie *Cisplatin, ferner *Procarbazin u. a.
2. *Cytostat. *Antibiotika:* *Anthracycline (z. B. *Daunorubicin, *Doxorubicin), *Bleomycin u. *Mitomycine schädigen die Zelle u. a. durch Interkalation in DNA[1] u. Hemmung von Topoisomerasen.
3. *Antimetabolite:* Sie verdrängen natürliche Stoffwechselbausteine; *Beisp.:* Folsäure-Antagonisten wie *Methotrexat, Nucleosid-Analoga wie *Mercaptopurin, *Fluorouracil u. a.
4. *Mitosehemmstoffe:* Sie hemmen den Aufbau od. Abbau der Kernspindeln, bes. *Vinca-Alkaloide u. *Taxane (z. B. *Paclitaxel).
5. *Hormone u. Hormon-Antagonisten:* Sie werden bei Tumoren eingesetzt, deren Wachstum hormonabhängig ist; hierher gehören (Anti-)*Estrogene (einschließlich Aromatase-Inhibitoren wie *Formestan), *Gestagene u. *Antiandrogene.
Alle erwähnten Verb. sind stark tox., u. darüber hinaus wirken viele C. ihrerseits als Carcinogene u./od. *Mutagene. Dennoch hat sich die *Chemotherapie inzwischen neben Operation u. *Bestrahlung zu einer gleichwertigen Behandlungsmeth. maligner Tumoren entwickelt. Obwohl sehr viele Verb. weltweit auf C.-Eignung getestet werden [z. B. vom Cancer Chemotherapy National Service Center (CCNSC) seit 1955, sowie vom National Cancer Inst.], ist die Ausbeute therapeut. einsetzbarer Verb. sehr gering; „Wundermittel" erweisen sich im allg. als unwirksam. *Interferone aktivieren das Immunsystem. Die in sie gesetzten Hoffnungen haben sich nicht erfüllt, da sie keine selektive Hemmung proliferierender Tumorzellen bewirken. Der Einsatz Toxin-verknüpfter *monoklonaler Antikörper, die spezif. an tumorassoziierte Oberflächen-Antigene binden, hat bisher ebensowenig zum Durchbruch geführt wie andere Versuche, C. auf irgendeine

Cytotactin

Weise selektiv zu Tumorzellen zu lenken. Da Selektivität das Hauptproblem einer Therapie mit C. ist, sucht man weiterhin intensiv nach geeigneten Vektoren. Auf ausgefeilte Behandlungsprotokolle wie z. B. Entnahme u. Reimplantation von Knochenmark kann hier nicht eingegangen werden. Über den wegen ihrer Giftigkeit nicht unproblemat. Umgang mit C. s. *Lit.*^{2}. – *E* antitumor drugs, anticancer drugs, antineoplastic drugs – *F* cytostatiques – *I* citostatici – *S* citostáticos
Lit.: ^{1} Pharm. Unserer Zeit **16**, 47–52 (1987). ^{2} Pharmaz. Ztg. **140**, 3911–3916 (1995).
allg.: ADKA-Ausschuß für Pharmazie (Hrsg.), Antineoplastische Chemotherapie, Stuttgart: Dtsch. Apoth.-Verl. 1994 ▪ Donislawski et al., Zytostatika, Hamburg: H. Biller 1991/1994 ▪ Huhn u. Herrmann (Hrsg.), Medikamentöse Therapie maligner Erkrankungen, Stuttgart: Fischer 1995 ▪ Mutschler (7.), S. 739–762 ▪ Pharm. Unserer Zeit **21**, 257 ff. (1990); **23**, 21 ff. (1992) ▪ Pharm. Ztg. Prisma **3**, 141–152 (1996) ▪ Ullmann (5.) A **5**, 1–28.

Cytotactin s. Tenascin.

Cytotec®. Tabl. mit dem Ulkustherapeutikum (Prostaglandin-Derivat) *Misoprostol. *B.:* Heumann.

Cytotoxine. Unspezif. Bez. für Zellgifte, die *Cytolyse auslösen od. wichtige Zellfunktionen zum Erliegen bringen. – *E* cytotoxins – *F* cytotoxines – *I* citotossine – *S* citotoxinas

Cytotoxische T-Lymphocyten s. Immunsystem.

Cytotoxizität. Bez. für die Eigenschaft von Substanzen od. auch bestimmten Zellen, andere Zellen zu inaktivieren od. abzutöten. Cytotox. Eigenschaften haben einerseits bestimmte Zellen des *Immunsystems, die unter natürlichen Bedingungen Abwehraufgaben erfüllen (cytotox. T-*Lymphocyten, Killer-Zellen, natürliche Killer-Zellen, aktivierte *Makrophagen), andererseits cytotox. *Antikörper. Die Wirkung der Zellen (s. Cytolyse) beruht auf der Freisetzung cytotox. Substanzen (*Lymphotoxine, *Perforin) bzw. die Wirkung der *Antikörper auf ihrer Fähigkeit, das *Komplement-Syst. zu aktivieren. Cytotox. wirken darüber hinaus zahlreiche chem. Substanzen [Alkylantien (s. Alkylierung), *Antimetabolite, *Alkaloide, Antibiotika u. *Radiomimetika], sowie *ionisierende Strahlung. Einige dieser Substanzen (s. Cytostatika) und die Röntgenstrahlung werden zur Krebsbehandlung eingesetzt. – *E* cytotoxicity – *F* cytotoxicité – *I* citotossicità – *S* citotoxicidad
Lit.: Immunol. Rev. **103**, 87–98, 99–109, 111–125, 127–160 (1988) ▪ Janeway u. Travers, Immunologie, Heidelberg: Spektrum Akadem. Verl. 1995.

Cytotoxizitätstest. *In vitro*-Test, mit dem die cytotox. Eigenschaften von Substanzen getestet werden. Die Schädigung der Zielzellen in der Kultur wird dabei entweder durch Anfärbung mit Vital-Farbstoffen (s. Vitalfärbung u. Histochemie) gemessen, die nur in tote Zellen eindringen können, od. über die Freisetzung bestimmter Substanzen aus den toten Zielzellen. Medikamente werden vor ihrer Zulassung auch auf ihre cytotox. Eigenschaften hin geprüft. – *E* cytotoxicity testing – *F* essai de cytotoxicité – *I* prova citotossica – *S* ensayo de citotoxicidad
Lit.: J. Biol. Standard. **17**, 203–212 (1989).

Cytovillin s. Talin.

Czapek-Dox-Nährmedium. Synthet. Nährboden bzw. -lsg. zur Isolierung u. Züchtung von *Pilzen, *Hefen u. anspruchslosen *Bodenbakterien sowie zur makroskop.-morpholog. Differenzierung von Schimmelpilzen. Das Medium enthält 3% (bzw. 1,5% für *Actinomyceten) Saccharose, 0,3% Natriumnitrat, 0,05% Kaliumchlorid, 0,1% prim. Kaliumphosphat, 0,05% Magnesiumphosphat u. 0,001% Eisen(II)-sulfat. – *E* Czapek Dox medium – *F* milieu nutritif de Czapek-Dox – *I* medio nutritivo di Czapek Dox – *S* medio nutritivo de Czapek-Dox
Lit.: Fassatiová, Moulds and Filamentous Fungi in Technical Microbiology, S. 21 f., Amsterdam: Elsevier 1986.

Czochralski-Verfahren s. Einkristalle.

D

δ (delta). 4. Buchstabe des *griechischen Alphabets. Bez. für das 4. Atom einer an eine charakterist. Gruppe gebundenen C-Kette [*Beisp.:* δ(=5)-Bromvaleriansäure; δ(=4)-Brombutylamin], nur noch für allg. Begriffe u. Naturstoffe üblich; *Beisp.:* δ-*Lactame, δ-*Lactone, $N^δ$ bei *Arginin, δ-*Carbolin. Bei Ringsyst. bedeutet $δ^2$ ein Atom mit 2 kumulierten Doppelbindungen (IUPAC-Regel R-1.1.4); *Beisp.:* 4,5,6,7,8,9-Hexahydro-$2δ^2$-1,3-diazonin (Hexamethylen-*carbodiimid), 3,4-Dihydro-$1λ^4δ^2$-1,2,5-thiadiazol (Ethylenschwefelimid). Symbol für viele mathemat. u. physikal. Größen; *Beisp.:* chem. Verschiebung (s. NMR-Spektroskopie); Partialladung (polare Mol.: $^{δ+}H–Cl^{δ-}$).

Δ (Delta). Großschreibungsform von *δ. In chem. Namen bezeichnet Δ mit hochgestellten Positionsziffern die Lage von Doppelbindungen in teilhydrierten 4- u. 5gliedrigen Heterocyclen (IUPAC-Regel B-1.2; *Beisp.:* $Δ^3$-Pyrrolin = 3-Pyrrolin; neue Regeln R-2.3.3 u. R-9.1.24 dagegen: 2,5-Dihydropyrrol), in nicht-aromat. cycl. konjugierten Heterocyclen (*Beisp.:* $Δ^{1,3,5,7}$- u. $Δ^{2,4,6,8}$-1,2-Diazocin) u. in hydrierten *kondensierten Ringsystemen (*Beisp.:* $Δ^{1(12a)}$-Hexadecahydrochrysen = 1,2,3,4,4a,4b,5,6,8,9,10,10a,10b,11,12,12a-Hexadecahydrochrysen); wurde in der Lit. viel verwendet für *Steroide u. *Indigo-Derivate. In chem. Gleichungen bedeutet Δ am Reaktionspfeil Wärmezufuhr (meist Siedehitze) u. Δ auf der Produktseite, daß Wärme frei wird. Mathemat. Symbol für Differenz; *Beisp.:* Temperaturänderung von $T_1=273$ K nach $T_2=373$ K ist $ΔT=T_2-T_1=100$ K.

d. 1. Symbol für *Dezi... (Zehntel, 10^{-1}) als Vorsatzzeichen vor Kurzz. für physikal. Einheiten. – 2. Vor Namen für chem. Verb. bedeutet d- pos. *optische Aktivität (= dextro-, rechtsdrehend; latein.: dexter = rechts), wird aber in der Lit. oft fälschlich statt *D- als Bez. der absoluten *Konfiguration verwendet u. ist daher besser mit (+)- zu bezeichnen. Gegensatz: l- = (–)-. – 3. In den systemat. Namen von *deuterierten Verbindungen bezeichnet man mit *d* Anzahl u. ggf. Stellung der Deuterium-Atome. – 4. Im *Atombau kennzeichnet d die Nebenquantenzahl 2 der Elektronen u. außerdem eines der *Quarks (Abk. für „down"), s. a. Elementarteilchen. – 5. In der Biochemie steht d für *Desoxy... in Kurzz. für *Nucleoside; *Beisp.:* dAdo = dA, dGMP. – 6. In Bestimmungen der *Härte des Wassers kennzeichnet °d den Deutschen Grad. – 7. Ferner steht d für die relative *Dichte, Durchmesser, die Zeiteinheit Tag (von latein.: dies, engl.: day), als Kurzz. für das *Deuteron u. für *Darcy.

D. 1. Chem. Symbol für das Wasserstoff-Isotop *Deuterium. – 2. Symbol für *Dichte, opt. D., Absorptionsmaß (statt A, vgl. Lambert-Beersches Gesetz), Debye (*Dipolmoment), *Darcy u. *Diffusions-Koeffizient. – 3. In den Namen von biochem. Verb. kennzeichnet D- die abs. *Konfiguration eines asymmetr. C-Atoms mit nach rechts (latein.: dexter) weisendem Heteroatom in der Fischer-Projektion (s. Kohlenhydrate), in der Lit. oft fälschlich mit *d- bezeichnet. Wegen des engen Anwendungsbereichs von D- u. L- werden die allg. gültigen Symbole (*R*)- u. (*S*)- häufiger verwendet (s. Chiralität). – 4. In der Einbuchstaben-Notation der *Aminosäuren bedeutet D *Asparaginsäure. – 5. In der Einbuchstaben-Notation der *Nucleinsäuren steht D für 5,6-Dihydrouridin. – 6. Symbol für ein *Meson, vgl. Elementarteilchen. – 7. Von der IUPAC empfohlenes Symbol für *Decyl... u. *Di... bei Abk. von Namen chem. Verb., insbes. von Weichmachern u. Polymeren (z. B. DIDA = Diisodecyladipat; allerdings gilt: VD = Vinyliden). – 8. In homöopath. Arzneimitteln u. Zubereitungen steht D für die Dezimalpotenz der Verdünnungsfolge 1:10, 1:100, 1:1000 usw. = D 1 od. D_1, D 2, D 3 usw.

2,4-D.

Common name für (2,4-Dichlorphenoxy)essigsäure, $C_8H_6Cl_2O_3$, M_R 221,04, Schmp.: Säure 140,5 °C, Ammonium-Salz 179–180 °C, Dimethylammonium-Salz 85–87 °C, Methylammonium-Salz 157–159 °C, Ethanolamin-Salz 145–147 °C, Triethanolamin-Salz 142–144 °C, LD_{50} (Ratte oral) 375 mg/kg (GefStoffV), MAK 10 mg/m³, von American Chemical Paint Co. in den 40er Jahren entwickeltes selektives system. *Herbizid gegen Unkräuter im Getreide-, Mais- u. Sorghumanbau sowie in Obstanlagen u. auf Grün- u. Nichtkulturland, eingesetzt in Form von Estern, Salzen u. Mischungen mit anderen Herbiziden.
Lit.: Farm ▪ Perkow ▪ Pesticide Manual. – *[HS 2918 90; CAS 94-75-7]*

da. Kurzz. für *Deka... (Zehn, 10^1) als Vorsatz vor Kurzz. für physikal. Einheiten.

Da. Symbol für die Einheit *Dalton.

DAAD. Abk. für *Deutscher Akademischer Austauschdienst* e.V.; 1925 gegr., gemeinnütziger Verein zur Pflege der akadem. Auslandsbeziehungen u. zur Förderung des Austausches von Dozenten, Studenten u. Künstlern mit Sitz in 53175 Bonn, Kennedyallee 50. Der DAAD ist eine Selbstverwaltungsorganisation der deutschen Hochschulen, die sich durch Mittel des Bundes, der Länder, der EU sowie durch Spenden finanziert u. zahlreiche Auslandszweigstellen unterhält.

DAB. Abk. für *Deutsches Arzneibuch.
DAC. Abk. für *Deutscher Arzneimittel-Codex.
Dacarbazin.

$(H_3C)_2N-N=N$ ... H_2N-CO ... (Imidazol-Ring)

Internat. Freiname für das cytostat. wirksame 5-(3,3-Dimethyl-1-triazenyl)-1H-imidazol-4-carboxamid, $C_6H_{10}N_6O$, M_R 182,18. Farbloses od. schwach gelbes Pulver; explosive Zers. bei 250–255 °C, auch Schmp. 205 °C angegeben. λ_{max} (0,1 N HCl) 223, 323 nm ($A_{1cm}^{1\%}$=412, 1067); pK_a 4,4. Es ist von medac (detimedac®) u. Rhône-Poulenc (D.T.I.C.®) im Handel. – $E=F$ dacarbazine – I decarbazina – S dacarbazina
Lit.: ASP ▪ Beilstein E V **25/18**, 324 ▪ Hager (5.) **7**, 1167ff. – *[HS 2933 29; CAS 4342-03-4]*

DACH. Abk. für *Deutsche Akkreditierungsstelle Chemie* GmbH mit Sitz in 60596 Frankfurt a.M., Stresemannallee 15, die 1992 von *VCI, *GDCh u. *DIN gegründet wurde. *Aufgabe:* Akkreditierung u. Überwachung von Prüflaboratorien u. Zertifizierungsstellen auf Grundlage der DIN EN 45000 im chem. u. chemienahen Bereich. Prüfgebiete sind: chem. u. chem.-physikal. Analytik, biolog. Untersuchungen, anwendungstechn. Untersuchungen, sicherheitstechn. Prüfungen u. medizin. Laboratoriumdiagnostik. Die DACH ist Mitglied des Deutschen Akkreditierungsrates (DAR) u. der Trägergemeinschaft für Akkreditierung (TGA).

Dachpappe. Biegsames, ziemlich wetterbeständiges Dachbedeckungsmaterial, das aus einer saugfähigen Trägereinlage (Rohfilz-Pappe, Jutegewebe, Textilglasgewebe, Polyester-Vlies) besteht, getränkt mit Bitumen u. besandet bzw. beschiefert mit mineral. Stoffen wie Quarzsand, Kies, Schiefermehl mit Korngrößen von 1–4 mm in Kugel- od. Schuppenform. Im allg. werden mehrere Lagen D. übereinander gelegt u. mit Klebemasse (Bitumen mit Füllstoffen) verklebt. Die bei der heißen Verarbeitung der bituminösen Massen auftretenden Dämpfe können ggf. krebserzeugende Stoffe enthalten, z.B. *Benzo[a]pyren. – E roofing felt – F carton bitumé – I cartone catramato – S cartón asfaltado, fieltro asfáltico
Lit.: DIN 52130 (11/1995) ▪ Kirk-Othmer (3.) **20**, 320–336 ▪ Ullmann (4.) **8**, 328f. – *[HS 6807 10]*

Dachziegel s. Ziegel.
Dacit s. Vulkanite u. magmatische Gesteine.
Dacrin®. Augentropfen mit *Hydrastinin-Chlorid u. Oxedrin-Tartrat gegen Bindehautentzündungen. *B.:* Chibret Pharmazeutische GmbH, 85540 Haar.
Dacron®. *PETP-Fasern, die als Endlosfäden, Stapelfasern, Kräuselfasern (Fiberfill) u. Spinnkabel im Handel sind u. für Bekleidungsstoffe, Heimtextilien u. industrielle Zwecke Verw. finden. D. *Hollofil, Quallofil* u. *Comforel* sind Hohlfasern, die bes. als Füllung für Steppdecken u. Kissen geeignet sind. *B.:* DuPont.
Dactinomycin. Internat. Freiname für *Actinomycin D. Hellrotes, etwas hygroskop. Pulver, Zers. bei 241,5–243 °C; $[\alpha]_D^{28}$ –315° (c 0,25/CH_3OH); λ_{max} (CH_3OH) 240, 244, 441, 443 nm ($A_{1cm}^{1\%}$ 272, 281, 206, 200); LD_{50} (Maus oral) 13,0 mg/kg. Es wurde 1964 von Bayer patentiert u. ist von MSD (Lyovac®) im Handel. – E dactinomycin – F dactinomycine – $I=S$ dactinomicina
Lit.: ASP ▪ Hager (5.) **7**, 1169ff. – *[HS 2941 90; CAS 50-76-0]*

DADI s. Massenspektrometrie.
DADPS s. Dapson.
Dämmstoffe. Zur Isolierung gegen verschiedene äußere Einwirkungen verwendete, im allg. in Einzelstichwörtern behandelte *Baustoffe wie Schall- u. Wärmedämmstoffe od. *Flammschutzmittel im Brandschutz. – E insulation materials – F matériaux isolant – I sostanze isolanti – S materiales aislantes
Lit.: Ullmann (4.) **2**, 485f.; **8**, 329ff.

Dämpfen. Bez. in der Textilind. für die Behandlung von Stoffen mit gesätt. od. überhitztem Wasserdampf. D. bewirkt z.B. bei Färbungen u. Drucken eine Fixierung der Farbstoffe, bei Garnen die Fixierung der Garndrehung u. hebt bei Zwirnen den Rückdrall auf. In der Textilveredlung ist D. (vgl. Dekatieren) ein Arbeitsgang, bei dem Wollstoffe durch Wasserdampf behandelt werden, um die Stoffe zu lösen, krumpf- u. tropfecht zu machen u. den auf den Stoffen liegenden Flor aufzurichten. – E steaming, damping – F décatir – I vaporizzatura – S deslustrado
Lit.: Peter, Grundlagen der Textilveredlung, 13. Aufl., S. 516, 698, Frankfurt a.M.: Deutscher Fachverlag 1989 ▪ Ullmann (4.) **22**, 703.

Dänischweiß. Veraltete Bez. für eine weiße Malerfarbe aus geschlämmter dän. Kreide. – E Danish white – F blanc du Danemark – I bianco danese – S blanco danés

Daguerre, Luis Jacques Mandé (1787–1851). Erfinder der nach ihm benannten *Daguerreotypie im Jahre 1837. Sechs Jahre zuvor entdeckte er die Lichtempfindlichkeit des Silberiodids. Die Daguerreotypie wurde durch das Negativ-Verf. *Talbots verdrängt, da dieses ermöglichte, von einer Aufnahme beliebig viele Kopien anzufertigen.
Lit.: Neufeldt, S. 30 ▪ Pötsch, S. 105.

Daguerreotypie. Von *Daguerre – durch Weiterentwicklung des von Joseph Nicéphore Niepce (1763–1833) erfundenen Verf. – verbesserte Meth. der *Photographie mit Entwicklungsverf., wobei ein latentes Bild auf einer mit Iod-Dämpfen vorbehandelten silberplattierten Kupfer-Platte durch Einwirken von Hg-Dämpfen erzeugt wurde. Die Fixierung erfolgte in einer Natriumthiosulfat-Lösung. Kopien waren bei diesem Einbild-Verf. noch nicht möglich. – E daguerreotypy – F daguerréotypie – I dagherrotipia – S daguerrotipia
Lit.: Keller, Science and Technology of Photography, S. 1, Weinheim: VCH Verlagsges. 1993 ▪ Kempe, Daguerreotypie in Deutschland, Seebruck am Chiemsee: Heering 1979 ▪ Schoöttle, DuMont's Lexikon der Fotografie, Köln: DuMont 1978.

Dahlia-Violett s. Triarylmethan-Farbstoffe.
Dahlin s. Inulin.
Dahl-Säuren s. Naphthylaminsulfonsäuren.

Daicel. Kurzbez. für die 1919 gegr. japan. Firmengruppe Daicel Chemical Industries Ltd. Osaka Pref 590, Tokyo 100. *Daten* (1995): 3000 Beschäftigte, 235 Mrd. Yen Umsatz, 36 Mrd. Yen Kapital. *Produktion:* Organ. Chemikalien, Cellulose-Derivate, Kunststoffe u. Filme, Antreibsysteme. *Vertretung* in der BRD: Daicel (Europa), 40211 Düsseldorf.

Daidz(e)in s. Isoflavone.

Daily Reference Value (DRV). In USA eingeführter diätet. Referenzwert, der es dem Konsumenten erlaubt, anhand der Lebensmittelverpackung zu erkennen, ob bestimmte Lebensmittelinhaltsstoffe, wie beispielsweise Fett od. Cholesterin, beim Gesamtverzehr einer Portion dem menschlichen Körper in höherer Dosis zugeführt werden, als es von Ernährungsphysiologen vorgeschlagen wird.

Tab.: Diätet. Referenzwerte für verschiedene Lebensmittelinhaltsstoffe.

Fett	65 g
gesätt. Fettsäuren	20 g
Cholesterin	300 mg
gesamte Kohlenhydrate	300 g
Ballaststoffe	25 g
Natrium	2400 mg
Kalium	3500 mg
Protein	50 g

– *E* daily reference value – *S* valor de referencia diario
Lit.: FDA Consumer **1993**, Nr. 5, 28–32.

DAISOLAC®. Chloriertes Polyethylen für Dachabdichtungen u. Folien. *B.:* Krahn.

Dakin-Oxidation. Die Umwandlung eines aromat. Aldehyds od. Ketons in ein Phenol bei der Umsetzung mit alkal. Wasserstoffperoxid-Lsg. bezeichnet man als Dakin-Oxidation.

Die Reaktion, die nur durchführbar ist, wenn in *ortho-* od. *para-*Position des Phenyl-Restes eine zusätzliche Hydroxy- od. Amino-Gruppe vorhanden ist, lehnt sich mechanist. an die *Baeyer-Villiger-Oxidation an. – *E* Dakin oxidation – *F* oxidation de Dakin – *I* ossidazione di Dakin – *S* oxidación de Dakin
Lit.: Hassner-Stumer, S. 84 ▪ Org. React. **9**, 73–106 (1957) ▪ Patai, The Chemistry of the Carbonyl Group, Bd. 1, S. 749–752, London: Wiley-Interscience 1966 ▪ s. a. Baeyer-Villiger-Oxidation.

Dakin-West-Reaktion. Von H. D. Dakin u. R. West gefundene *Acylierung von α-Amino- od. α-Thiosäuren mittels Essigsäureanhydrid u. einer Base (z. B. Pyridin):

Die Reaktion verläuft über *Oxazolone (Azlactone) als Zwischenstufen[1]. Beim Einsatz *N*-substituierter Aminosäuren bilden sich Oxazoliumolate (s. mesoionische Verbindungen)[2]. Die über die D.-W.-R. herstellbaren Acetaminoketone können leicht zu *Oxazolen dehydratisiert werden. – *E* Dakin-West reaction – *F* reaction de Dakin et West – *I* reazione di Dakin e West – *S* reacción Dakin-West
Lit.: [1] J. Org. Chem. **39**, 1730 (1974). [2] Chem. Ber. **103**, 2598 (1970).
allg.: Hassner-Stumer, S. 84.

Daktar®. Mundgel, Tabl., Lsg., Spray, Puder u. Creme mit *Miconazol gegen innere u. äußere Mykosen. *B.:* Janssen.

Dalén, Nils Gustaf (1869–1937), schwed. Physiker. D. erfand 1906 selbsttätige Regulatoren für Gasbehälter von Leuchtfeuern, die in Leuchttürmen u. -bojen verwendet wurden, u. erhielt dafür 1912 den Nobelpreis für Physik.

Dalfopristin.

Internat. Freiname für das (26*R*,27*R*)-26-[2-(Diethylamino)ethylsulfonyl]-Derivat von 26,27-Dihydro-*Virginiamycin M_1 (= Pristinamycin IIB), $C_{34}H_{50}N_4O_9S$, M_R 690,85. Es soll in einer 70:30-Mischung (RP59500) mit Quinupristin, einem anderen Streptogramin-Antibiotikum, von Rhône-Poulenc-Rorer als Synercid® in den Handel kommen. – *E = F* dalfopristin – *I = S* dalfopristina
Lit.: Fr. Demande FR 2 576 022, 18.07.86 [Chem. Abstr. **108**, P75854p (1986)]. – *[CAS 112362-50-2 (D.); 126602-89-9 (RP59500)]*

Dallglas. Von französ. dalle = Fliese abgeleitete Bez. für meist eingefärbtes, zu Platten gegossenes *Glas mit inhomogenem Aussehen, das für künstler. Zwecke, z. B. Kirchenfenster, Verw. findet.

Dalli-Werke. Kurzbez. für die 1845 gegr. Firma Dalli-Werke, Mäurer u. Wirtz GmbH & Co KG, 52224 Stolberg. *Produktion:* Seifen, Wasch-, Reinigungs- u. Körperpflegemittel, kosmet. Erzeugnisse.

Dalmadorm®. Lacktabl. mit *Flurazepam-Hydrochlorid gegen Ein- u. Durchschlafstörungen. *B.:* Hoffmann-La Roche.

Dalton. Von *Pauling vorgeschlagene, nach J. *Dalton benannte Masseneinheit, Masse eines hypothet. Atoms vom Atomgew. 1 in der chem. Atomgewichtsskala. Für die Umrechnung in die Masseneinheit g gilt die Beziehung: 1 Dalton = $1{,}66054 \cdot 10^{-24}$ g. Frühere Bez.: *Avogramm*. Abk.: Da (engl.: AMU, *amu = atomic mass unit; auch: *u). – $E = F = I = S$ dalton

Dalton, John (1766–1844), engl. Naturforscher u. Lehrer. *Arbeitsgebiete:* Wärmeausdehnung von Gasen, Formulierung der *Daltonschen Gesetze, Aufstellung der Atomtheorie (1808, s. Atome), Entdeckung der Farbenblindheit (an sich selbst).
Lit.: Krafft, S. 95 ▪ Neufeldt, S. 2f., 319, 321, 383 ▪ Pötsch, S. 106 ▪ Thackray, John Dalton: Critical Assessments of his Life and Science. Cambridge: Harvard Univ. Press 1972.

Daltonide (daltonide Verb., Proustide). Veraltete Bez. für *chemische Verbindungen mit eindeutiger stöchiometr. Zusammensetzung, z. B. NaCl, CO, FeS, CO_2, H_2SO_4 usw., benannt nach J. *Dalton. Gegensatz: *Berthollide. – $E = F$ daltonides – I daltonidi – S daltónidos

Daltonsche Gesetze. 1. *Gesetz der *Partialdrücke:* Von J. *Dalton 1805 formuliertes, für ideale Gase geltendes Gesetz, nach dem in einem Gemisch chem. nicht miteinander reagierender Gase der Gesamtdruck gleich der Summe der Partialdrücke ist. – 2. *Gesetz der multiplen Proportionen:* Die Massenverhältnisse zweier sich zu verschiedenen chem. Verb. vereinigender Elemente stehen im Verhältnis einfacher ganzer Zahlen zueinander (1808); *Beisp.:* Sauerstoff u. Stickstoff können unter Bildung der Verb. N_2O, NO, N_2O_3, NO_2, N_2O_5 miteinander reagieren. Die mit einer bestimmten Stickstoff-Menge verbundene Sauerstoff-Menge in diesen einzelnen Verb. verhält sich wie 1:2:3:4:5. Dieses Gesetz ist eine Erweiterung des *Richterschen Gesetzes der konstanten Proportionen* (*Proustsches Gesetz, s. a. Stöchiometrie). – 3. *Henry-Daltonsches Gesetz* s. Henrysches Gesetz. – E Dalton's law – F lois de Dalton – I leggi di Dalton – S leyes de Dalton

Dam, Carl Peter Henrik (1895–1976), Prof. für Biochemie, Kopenhagen. *Arbeitsgebiete:* Physiolog. Chemie, Mikrochemie, Steroid-Stoffwechsel, 1929 Entdeckung von Vitamin K (hierfür Nobelpreis für Medizin od. Physiologie 1943, zusammen mit *Doisy).
Lit.: Neufeldt, S. 189, 373 ▪ Pötsch, S. 106.

Damascenone.

Von den möglichen Isomeren hat das β-D. die größte Bedeutung: 1-(2,6,6-Trimethyl-1,3-cyclohexadienyl)-2-buten-1-on, $C_{13}H_{18}O$, M_R 190,29, Öl, Sdp. 116–118 °C (1,7 kP). Es ist ein Bestandteil des Bulgarischen Rosenöls, das aus der *Damaszenerrose* gewonnen wird. Obwohl nur in Spuren in diesem enthalten, ist β-D. wesentlich für das Rosenaroma verantwortlich. Es wird als essentieller Bestandteil von Parfüms verwendet u. verleiht diesen Frische u. Brillianz. – E damascenones – F damascénones – I damasceноni – S damascenonas
Lit.: J. Org. Chem. **44**, 3412 (1979) ▪ Ullmann (5.) **A 11**, 175. – *Synth.:* Can. J. Chem. **70**, 2094 (1992) ▪ Helv. Chim. Acta **71**, 1587–1597 (1988) ▪ J. Am. Chem. Soc. **110**, 6905 (1988) ▪ Tetrahedron **44**, 6047 (1988). – *[CAS 23726-93-4 (β-D.)]*

Damascone [1-(2,6,6-Trimethylcyclohexenyl)-2-buten-1-one].

$C_{13}H_{20}O$, M_R 192,30 sind *Jonon-Isomere. Man unterscheidet α-, β-, γ-, δ-, ε-Formen (Position der Doppelbindung im Ring). Kommerziell von Bedeutung sind die α-, β- u. δ-Isomeren. α- u. β-D. sind im Tee-Aroma enthalten. Es sind ölige Flüssigkeiten von fruchtigem, rosenähnlichem Duft.
Verw.: D. verleihen Parfüms Natürlichkeit u. Körper.
– $E = F$ damascones – I damasconi – S damasconas
Lit.: J. Am. Chem. Soc. **110**, 6909 (1988) (Synth.) ▪ Tetrahedron **49**, 1871 (1993) ▪ Ullmann (5.) **A 11**, 175.

Dammarene.

$R^1, R^2 = H, R^3 =$: 20,24-Dammaradien

$R^1 = OH, R^2 = H, R^3 =$: 24-Dammaren-3β,20-diol

$R^1, R^2 = OH, R^3 =$: 24-Dammaren-3,12,20-triol

Im Pflanzenreich weitverbreitete Gruppe tetracycl. Triterpene. Die wichtigsten Vertreter sind *20,24-Dammaradien* [$C_{30}H_{50}$, M_R 410,73, Vork. in *Lemmaphyllum*-Arten (Farne)][1]; *24-Dammaren-3β,20-diol* [$C_{30}H_{52}O_2$, M_R 444,74] kommt in zwei epimeren Formen vor: a) (20R)-Form, Dammarendiol I, Krist., Schmp. 142–144 °C, $[\alpha]_D$ +27° ($CHCl_3$); b) (20S)-Form, Dammarendiol II, Krist., Schmp. 131–133 °C, $[\alpha]_D$ +33° ($CHCl_3$). Dammarendiol II ist der Grundkörper der Ginsenoide. 24-Dammaren-3,20-diol kommt im *Dammarharz u. in der *Ginseng-Wurzel vor[2]. Die D. liegen im allg. in *Saponinen glykosid. gebunden vor, vgl. a. Triterpene. – E dammarenes – F dammarènes – I dammareni – S damarenos
Lit.: [1]Chem. Pharm. Bull. **31**, 2530 (1983). [2]J. Chem. Soc. **1956**, 2196 (Isolierung); Chem. Pharm. Bull. **22**, 1213 (1974) (Synth.).
allg.: Pharm. Unserer Zeit **16**, 164 (1987) (Biosynth.) ▪ Phytochemistry **21**, 2420 (1982). – *[CAS 87741-88-6 (Dammaradien); 19132-83-3 (Dammarendiol); 14351-28-1 (Dammarendiol I); 14351-29-2 (Dammarendiol II)]*

Dammarharz [Dam(m)ar, Katzenaugenharz]. Hellgelbe, durchsichtige, schwacharomat. riechende, trop-

fenförmige od. unregelmäßig geformte Harzstücke von dem südostasiat. Dammarbaum (*Shorea wiesneri*, *Diptero carpaceae*) u. a. *Shorea*- od. *Hopea*-Arten, bes. aus Sumatra. D. 1,04–1,18, Schmp. ca. 120 °C, SZ 25–35.
Verw.: Als Bindemittel in Lacken, zum Einschließen mikroskop. Präparate. Triterpenoide aus D. (vgl. Dammarene) zeigen antivirale Eigenschaften[1]. – *E* dammar (resin), damar – *F* dammar – *I* resina dammar – *S* resina de damar
Lit.: [1] J. Nat. Prod. **50**, 706 (1987).
allg.: Pharm. Unserer Zeit **16**, 169 (1987) ▪ Ullmann (5.) **A 23**, 77. – [HS 1301 90]

Dampf. Bez. für den gasf. *Aggregatzustand eines Stoffes, in den dieser durch *Sieden bzw. durch *Sublimation gelangt; im allg. befindet sich die Gasphase in Berührung mit der flüssigen bzw. festen *Phase des gleichen Stoffes. Steht dabei die Gasphase im *thermodynam. Gleichgew.* mit dem Bodenkörper, d. h. daß sich bei konstanter Temp. im abgeschlossenen Raum das Mengenverhältnis zwischen Gas u. Bodenkörper nicht mehr ändert, so hat der über der Flüssigkeit od. der festen Phase befindliche Raum die größtmögliche Menge Gas aufgenommen; man nennt diesen Zustand auch heterogenes Gleichgew., s. a. chemische Gleichgewichte. Über dem Bodenkörper steht somit gesätt. D., der sog. Satt- od. Naß-D., der normalerweise am *Taupunkt kondensiert. Wird D. von seinem Bodenkörper getrennt bei konstantem Druck weitererhitzt, so entsteht *überhitzter D.* od. *ungesätt. D.*; dieser bildet den Übergangszustand zu den idealen Gasen, denn er läßt sich mit steigender Temp. immer besser durch die *Gasgesetze erfassen. Wird Satt-D. z. B. durch plötzliche Vol.-Vergrößerung abgekühlt (*Unterkühlung), so kann er in den – metastabilen – Zustand der *Übersättigung übergehen, sofern keine *Keime zugegen sind, die eine *Kondensation zu *Tropfen einleiten können.
Bei der Expansion eines Gases durch eine Düse kommt es aufgrund der *adiabatischen Abkühlung zu einer Absenkung des Dampfdruckes. Da diese Absenkung stärker ist als die Verringerung des lokalen Druckes, entsteht ab einem bestimmten Abstand von der Düse ein übersättigter Dampf. Durch Dreikörperstöße bilden sich in der Gasströmung größere Aggregate (bei einem atomaren Gas zwei- u. mehratomige Mol.) bis hin zu *Cluster-Verbindungen. Der Aufbau *dünner Schichten aus der Dampfphase erfolgt mit *CVD od. *PVD.
Die Wilsonsche Nebelkammer arbeitet mit übersätt. Dampf. Schnelle geladene Partikel, wie z. B. α-*Teilchen, die das Gas durchlaufen, ionisieren dieses u. bilden so eine Spur von Kondensationskeimen (s. Wilson-Kammer).
Die Kenntnis der Lage von Dampf-Flüssigkeits-Gleichgew. ist die Voraussetzung für die Ausführung von *Destillationen u. *Rektifikationen. Die für die *Verdampfung notwendige Wärmemenge pro Masseneinheit nennt man Verdampfungs-*Enthalpie bzw. Sublimationswärme (*Umwandlungswärmen); sie läßt sich mit Hilfe der *Clausius-Clapeyronschen Gleichung bestimmen. In den Gasraum hinaus können aus der kondensierten Phase nur Mol. treten, die eine größere kinet. Energie besitzen, als dem mittleren Energiebetrag entspricht, s. a. Dampfdruck. Bei der Kondensation des D. wird die Energie wieder als Kondensationswärme bzw. -enthalpie abgegeben. Der im gewöhnlichen Sprachgebrauch als „D." bezeichnete *Wasserdampf ist strenggenommen kein D., sondern ein *Nebel, denn er besteht aus feinstverteiltem tropfbar-flüssigem Wasser; der u. a. als *relative Luftfeuchtigkeit bemerkbare, „echte" (der hier gegebenen Definition entsprechende) D. des Wassers ist unsichtbar (Näheres s. bei Gase). Gefärbte D. sind z. B. die D. von Brom u. Iod. Die Überführung von Metallen in die Dampfform (z. B. beim *Aufdampfen, bei *Atomabsorptionsspektroskopie u. *Flammenspektroskopie) erfolgt in Hohlkathodenentladung od. abgeschlossenen geheizten Gefäßen (s. Heat Pipe). Viele D. rechnen zu den gefährlichen Arbeitsstoffen, für die MAK- od. TRK-Werte festgesetzt u. Nachw.-Meth. ausgearbeitet sind; insbes. einige Metall-Dämpfe gelten als carcinogen. Andere sind gefährlich, weil sie mit Luft explosible Gemische bilden u./od. weil sie leicht entzündlich sind – prinzipiell ist die Brennfähigkeit eines Stoffes an seine Dampfform gebunden. Der Bestimmung od. Berechnung sicherheitstechn. Kenndaten (*Flammpunkt, *Zündtemperatur etc.) kommt daher bes. Bedeutung zu. – *E* vapo(u)r – *F* vapeur – *I* vapore – *S* vapor
Lit.: s. Aggregatzustände, Arbeitssicherheit, Destillation, Gase, Wasserdampf.

Dampfbad. Bez. für ein *Heizbad, bei dem das Reaktionsgefäß nicht wie bei den Flüssigkeitsbädern (z. B. *Wasserbad) in der Flüssigkeit steht, sondern nur von Dampf (meistens Wasserdampf) umspült wird. Eine Liste von Flüssigkeiten, die für D. geeignet sind, findet sich in *Lit.*[1]. – *E* vapo(u)r bath – *F* bain à vapeur – *I* bagno a vapore – *S* baño de vapor
Lit.: [1] Chemist-Analyst **67**, Nr. 2, 8 u. Nr. 3, 3 (1978).

Dampfdichte s. Gasdichte.

Dampfdruck. Bez. für denjenigen Druck, den – in einem abgeschlossenen Behälter – ein mit seinem Bodenkörper (flüssige od. feste Phase) im Gleichgew. befindlicher *Dampf auf die ihn umschließenden Wände ausübt; er ist allein von der Temp. abhängig u. steigt mit dieser an. Verkleinert od. vergrößert man den Raum, der dem Dampf zur Verfügung steht, so bleibt (solange noch Bodenkörper vorhanden ist) der D. bei einer bestimmten Temp. unverändert, denn beim Verkleinern des Raumes wird ein Teil des Dampfes einer Flüssigkeit wieder in diese umgewandelt, beim Vergrößern verdampfen dagegen weiter Flüssigkeitsmengen. Leicht vergasende Flüssigkeiten mit niederem *Siedepunkt u. kleiner *Verdampfungswärme (z. B. Ether, Schwefelkohlenstoff usw.) haben einen hohen, schwer vergasende, hochsiedende Flüssigkeiten (Quecksilber, Öle usw.) dagegen einen niederen Dampfdruck. *Beisp.*: für D. bei 20 °C (Angaben in kPa): Ethylether (58,5), Schwefelkohlenstoff (39,6), Aceton (23,3), Chloroform (21,3), Benzol (10), Ethanol (5,9), Wasser (2,3), Essigsäure (1,6), Dimethylformamid (0,5), Dimethylsulfoxid (0,05), Diglykol (0,0013), Quecksilber (0,0002).

Dampfspaltung

Am Sdp. der Flüssigkeit erreicht der D. 101,3 kPa = 760 Torr; d. h. er ist dann so stark, daß aus allen Teilen der Flüssigkeit genügend viele Mol. in den Gasraum übertreten, um den Druck der umgebenden Phase (Luft von 101,3 kPa) zu überwinden. Meßmeth. zur Bestimmung des D., auch für niedrige Drücke, sind in Kohlrausch[1] beschrieben. Bei vielen Flüssigkeiten läßt sich innerhalb eines begrenzten Temperaturintervalls der D. wie folgt schreiben:

$$\lg(p) = -\frac{A}{T} + B$$

T *absolute Temperatur; p Dampfdruck; A u. B stoffabhängige Konstanten.

Tab.: Dampfdruck des Wassers bzw. des Eises.

Temp. [°C]	kPa
−60	0,00107
−40	0,01285
−20	0,10321
0	0,609
20	2,337
40	7,375
60	19,920
80	47,360
100	101,33
200	1554,9

Die – durch die *Clausius-Clapeyronsche Gleichung quant. erfaßte – Temp.-Abhängigkeit des D. geht aus den folgenden Beisp. u. der Tab. hervor (Angaben in kPa): Quecksilber (0 °C: 0,0000246, 30 °C: 0,00037, 100 °C: 0,0363, Sdp. 356,58 °C: 101,3), Diethylether (−20 °C: 8,38, 0 °C: 24,6, Sdp. 34,5 °C: 101,3, 100 °C: 646,2). Den höchsten D. haben die schwer zu verflüssigenden Gase; so beträgt der D. des Heliums bei 1,415 K schon 0,552, bei 3,5 K 47,87 kPa, beim Sdp. 4,2 K 101,3 u. bei 5,2 K bereits 2289 kPa. Die Kenntnis des D. reiner Stoffe ist unerläßlich für alle therm. Stofftransport- u. *Trennverfahren (wichtigstes Beisp.: *Destillation).
Zahlenwerte für D. von Elementen, anorgan. u. organ. Verb. finden sich in *Tabellenwerken wie *Landolt-Börnstein (Bd. 2/2 a), in Lit.[2] findet man eine Aufstellung über Reinststoffe zur D.-Bestimmung. In Gemischen werden die *Partialdruck-Verhältnisse durch die *Daltonschen Gesetze u. die *Duhem-Margulessche Gleichung beschrieben. Der „Dampfdruck" der Metalle ist bei gewöhnlicher Temp. so gering, daß er im Experiment kaum noch nachgewiesen werden kann; er erreicht auch bei höheren Temp. meist nur sehr niedere Werte. So beträgt z. B. der D. von Kupfer (fest) bei 810 °C nur 70,5 nPa, bei 1200 °C (flüssig) 0,6 Pa u. bei 2075 °C etwa 13,7 kPa; erst bei 2595 °C (Siedepunkt des Cu) wird ein D. von 101,3 kPa erreicht. Bei den sublimierenden festen Stoffen (*Sublimation) beobachtet man auch bei gewöhnlicher Temp. einen merklichen, beim Erhitzen ansteigenden Dampfdruck: Beisp.: Iod hat bei 0 °C einen D. von 0,0039, bei 30 °C 0,063, bei 80 °C 2,1, bei 114,5 °C 12,0 u. beim Sdp. 184,35 °C 101,3 kPa. Campher, Naphthalin, p-Dichlorbenzol u. eine Anzahl anderer Stoffe zeigen schon bei 20 °C einen merklichen D. (*Flüchtigkeit); sie haben daher meist einen deutlichen *Geruch u. „verschwinden" (d. h. verdunsten allmählich). Löst man nichtflüchtige Substanzen in reinem Lsm. (z. B. Kochsalz in Wasser), so sinkt nach dem *Raoultschen Gesetz der D. (Dampfdruckerniedrigung). Entsprechend steigt der Sdp. der Lsg., u. diese Siedepunktserhöhung läßt sich – ebenso wie die Meth. der *isopiestischen Lösungen – zur *Molmassen-Bestimmung ausnutzen. – E vapo(u)r pressure – F pression de vapeur – I pressione del vapore – S presión de vapor

Lit.: [1] Kohlrausch, Praktische Physik, Bd. 1, Stuttgart: Teubner 1996. [2] Kohlrausch, Praktische Physik, Bd. 3, Stuttgart: Teubner 1996, Handbook 56, D-159–D-215.
allg.: Atkin, Physikalische Chemie, Weinheim: VCH Verlagsges. 1996 ▪ s. a. Destillation, Flüssigkeiten, Gase, Verdampfen.

Dampfspaltung. Techn. Verf. zur Hydrolyse von Ester-Bindungen mit Hilfe von hocherhitztem Wasserdampf. Die D. von *Fetten u. Ölen zu *Fettsäuren u. Glycerin erfolgt bei 250° u. 20–60 bar in kontinuierlich arbeitenden Kolonnen. Das gebildete Glycerin wird im Gegenstrom ständig mit Wasser ausgewaschen u. auf diese Weise ein Hydrolysegrad von 98% erreicht. Der Einsatz von Katalysatoren ist bei der D. nicht erforderlich. – E steam cracking, vapor splitting – I scissione a vapore – S craqueo con vapor

Dana, James Dwight (1813–1895), Prof. für Natural History and Geology, Yale Univ. (Connecticut). Arbeitsgebiete: Geologie, Zoologie, Mineralogie, Hrsg. von „System of Mineralogy" (1. Aufl. 1837), das noch heute weitergeführt wird (New York: Wiley), Einführung der Standardendung *...it bei Mineraliennamen.

Danaidal.

C_8H_9NO, M_R 135,17, Schmp. 59 °C. Männliches Insektenpheromon einiger Schmetterlingsarten (Arctiidae u. Danaidae). Die Insekten nehmen *Pyrrolizidin-Alkaloide aus Pflanzen auf. Aus dem Necin-Teil werden D. u. weitere analoge Substanzen gebildet. – $E = F = I = S$ danaidal
Lit.: Biol. Unserer Zeit **25**, 8–17 (1995) ▪ J. Chem. Ecol. **16**, 543 (1990) ▪ Justus Liebigs Ann. Chem. **1986**, 1645 (Synth.). – [CAS 27628-46-2]

Danazol.

Von der WHO vorgeschlagener internat. Freiname für das die Gonadotropin-Freisetzung in der *Hypophyse hemmende 17α-Pregna-2,4-dien-20-ino[2,3-d]isoxazol-17-ol, $C_{22}H_{27}NO_2$, M_R 337,46. Weißes od. schwach gelbes krist. Pulver; Schmp. 224,4–226,8 °C, $[\alpha]_D^{25}$ +7,5° (C_2H_5OH), +21,9° ($CHCl_3$); λ_{max} (C_2H_5OH) 287 nm ($A_{1cm}^{1\%}$ = 360). Es wurde 1987 u. 1989 von Pfizer patentiert u. ist von Sanofi Winthrop (Winobanin®) u. ratiopharm im Handel. – $E = F = S$ danazol – I danazolo
Lit.: Beilstein E V **27/9**, 78 ▪ Fertil. Steril. **31**, 237–251 (1979) ▪ Hager (5.) **7**, 1171 f. ▪ Murphy, Symposium on Danol (Danazol), Northampton: Cambridge Med. Publ. 1977 ▪ Res. Steroids **8**, 235–239 (1979). – [HS 2937 10; CAS 17230-88-5]

Danburit. Ca[B$_2$Si$_2$O$_8$], rhomb., fettartig glasglänzendes Mineral, Kristallklasse mmm–D$_{2h}$, zu der Anorthit (*Feldspäte) ähnlichen Struktur s. *Lit.*[1]. Kristallkrusten, prismat. Einzelkrist., seltener derbe Massen od. Körner. Farblos, gelblichweiß, weingelb bis dunkelbraun, H. 7–7,5, D. 2,9–3,0.
Vork.: In *Dolomit von Danbury/Connecticut, USA (Name!); in *Pegmatiten, z. B. auf Madagaskar; ferner in den Alpen, in Charcas u. Baia California/Mexiko, Japan u. Rußland. D. wird lokal, z. B. in Dalnegorsk in Ost-Sibirien, als Bor-Erz abgebaut. – *E* = *F* = *I* danburite – *S* danburita
Lit.: [1] Am. Mineral. **59**, 79–85 (1974); Z. Kristallogr. **173**, 293–304 (1985).
allg.: Lapis **18**, Nr. 3, 8–11 (1993) („Steckbrief") ■ Schröcke-Weiner, S. 896 f. – [CAS 1303-83-9]

Daniell, John Frederic (1790–1845), Prof. für Chemie, Kings College London. *Arbeitsgebiete:* Elektrochemie, Meteorologie, Erfindung des Daniell-Elements, eines Hygrometers, mit dem erstmals eine präzise Bestimmung der Luftfeuchtigkeit möglich war, Erfindung eines genauen, mit Wasser gefüllten Barometers u. des nach ihm benannten *Daniellschen Hahns zur Wasserstoff-Sauerstoff-Dosierung.
Lit.: Pötsch, S. 107.

Daniell-Element s. galvanische Elemente.

Daniellscher Hahn. Ein von *Daniell entwickelter Gas-*Brenner, der eine gefahrlose Verbrennung von Heizgasen (Acetylen, Wasserstoff usw.) mit reinem Sauerstoff ermöglicht.

Abb.: Daniellscher Hahn.

Durch ein koaxial im Brennerrohr angebrachtes Zuleitungsrohr wird der Sauerstoff (bei a) dem Heizgas (b) getrennt zugeführt, so daß die Vermischung u. Verbrennung beider Gase nur an der Brennermündung erfolgt. Je nach Art der *Brenngase können Temp. bis ca 3000 °C erzielt werden. Das Prinzip des D. H. findet z. B. in *Gebläsebrennern u. beim *autogenen Schneiden u. Schweißen prakt. Anwendung. – *E* Daniell tap – *F* brûleur de Daniell – *I* rubinetto Daniell – *S* grifo de Daniell

DANISCO. Kurzbez. für das dän. Chemieunternehmen Danisco Ingredients A/S, Aarhus. *Daten* (1995): ca. 2000 Beschäftigte, 550 Mio. DM Umsatz. *Produktion:* Spezialprodukte für die Nahrungsmittel-, Futtermittel- u. pharmazeut. Industrie. *Vertretung* in Deutschland: Danisco Ingredients Deutschland GmbH, 25444 Quickborn.

Danomycin s. Sideromycine.

D'Ans, Jean (1881–1969), Prof. für Anorgan. Chemie, TU Berlin. *Arbeitsgebiete:* Kalium-Verb., Peroxide, Zellstoffchemie, Anstrichtechnik, Seltene Erden, Untersuchung der Lösungsgleichgew., bes. bei Salzgemischen, u. Entwicklung graph. Meth. zum Erfassen metastabiler Gleichgewichte. Abfassung bzw. Mitarbeit an „Smith-D'Ans, Einführung in die allg. u. anorgan. Chemie", „D'Ans-Lax, Taschenbuch für Chemiker u. Physiker".
Lit.: Pötsch, S. 107 ■ Poggendorff **7 a/1**, 43 ff.

Dansyl... Abk. für den 5-Dimethylamino-1-naphthalinsulfonyl-(DNS-)Rest, vgl. die folgenden Stichwörter. – *E* = *F* dansyl… – *I* = *S* dansil…

Dansyl-Aminosäuren. *N*-Substituierte *Aminosäuren, die den *Dansyl-Rest am Stickstoff-Atom der Amino-Gruppe tragen u. durch Umsetzen von Aminosäuren mit *Dansylchlorid erhalten werden. Die D.-A. sind gegen Säure-Hydrolyse unempfindlich u. zeigen im ultravioletten Licht eine intensive Fluoreszenz. Bei der *Endgruppenbestimmung von Peptiden u. Proteinen reagieren – außer den Lysin- u. Tyrosin-Seitenketten – nur Amino-terminale (direkt am Amino-Ende des Proteins befindliche) Aminosäure-Reste mit *Dansylchlorid, u. zwar durch Sulfonamid-Bildung. Die so gebildeten D.-A. werden nach saurer Hydrolyse des Peptids durch Dünnschicht-Chromatographie aufgetrennt u. durch Vgl. mit authent. Verb. bestimmt. In gleicher Weise ist die Bestimmung einer großen Reihe prim. u. sek. Amine, Phenole, Phenolcarbonsäuren u. einiger Alkohole nach Einführung des Dansyl-Restes möglich. – *E* dansylamino acids – *F* acides aminés dansylés – *I* dansilam(m)inoacidi – *S* aminoácidos dansilados

Dansylchlorid (5-Dimethylaminonaphthalin-1-sulfonylchlorid).

$C_{12}H_{12}ClNO_2S$, M_R 269,75. Rötlich-gelbe Krist., Schmp. ca. 69–71 °C. D. dient zur Einführung des Dansyl-Restes z. B. in Peptide, wobei sich durch Reaktion am Amino-Ende u. an Lysin- u. Tyrosin-Seitenketten *Dansyl-Aminosäuren bilden. – *E* dansyl chloride – *F* chlorure de dansyl – *I* cloruro di dansile – *S* cloruro de dansilo – [HS 2921 49; CAS 605-65-2]

Dantrolen.

Internat. Freiname für 1-[5-(4-Nitrophenyl)-furfurylidenamino]-hydantoin, $C_{14}H_{10}N_4O_5$, M_R 314,26. Orangefarbenes Pulver, Schmp. 279–280 °C; λ_{max} (wäss. Alkali-Lsg.) 314 nm ($A^{1\%}_{1cm}$=487); pK$_a$ 7,5. Verwendet wird das Natrium-Salz. D. wurde als Skelettmuskelrelaxans 1967 u. 1968 von Norwich Pharmacal patentiert u. ist von Procter & Gamble Pharmaceuticals (Dantamacrin®) im Handel. – *E* = *I* dantrolene – *F* dantrolène – *S* dantroleno

Lit.: Hager (5.) **7**, 1172 ff. – [HS 2934 90; CAS 7261-97-4 (D.); 24868-20-0 (Natrium-Salz-Tetrahydrat)]

Dantron. Internat. Freiname für das laxierend wirkende 1,8-Dihydroxyanthrachinon, s. Chrysazin. Orangefarbenes, feines, krist. Pulver, Subl. ab 75 °C; Schmp. bei ca. 195 °C; λ_{max} (1 N KOH) 250, 599 nm ($A_{1cm}^{1\%}$=430, 355–375); pK_{a1} 13,06, pK_{a2} 15,15. – $E=F=I$ dantrone – S dantrona
Lit.: ASP ▪ Beilstein E V **24/5**, 226 ▪ Hager (5.) **7**, 1174f. – *[HS 291469; CAS 117-10-2]*

Daotan®. PU-modifiziertes Kunstharz für Lacke u. Druckfarben. *B.:* Vianova Resins.

DAP. Kurzz. (nach DIN 7728, Tl. 1, 04/1978) für Diallylphthalat (-Harze); s. Phthalsäureester.

DAP®. Edelmetall-Lote, insbes. Fiberglas-Lote für die Elektronik-Industrie. *B.:* Degussa.

Daphnetin (7,8-Dihydroxycumarin, 7,8-Dihydroxy-2H-1-benzopyran-2-on).

$C_9H_6O_4$, M_R 178,14; gelbliche Nadeln, Schmp. 256 °C (Zers.), subl., lösl. in heißem Wasser, heißem Alkohol u. Alkali (mit gelber Farbe), schlecht lösl. in Ether, Chloroform. Das 7-*O*-β-D-Glucopyranosid *Daphnin* kann aus Seidelbast-Arten isoliert werden (*Daphne odora, D. papyracea* u. a.). D. hemmt die Keimung u. das Wachstum von Weizen. D. besitzt cytotox. Eigenschaften[1]. – E daphnetin – F daphnétine, daphnétol – $I=S$ dafnetina
Lit.: [1] Arch. Pharmacol. Res. **9**, 115 (1986).
allg.: Can. J. Chem. **65**, 1356 (1987) ▪ Z. Naturforsch. Teil C **41**, 247–252 (1986) (Biosynth.). – *[HS 293229; CAS 486-35-1 (D.); 486-55-5 (Daphnin)]*

Daphnetoxin.

$C_{27}H_{30}O_8$, M_R 482,53, Krist., Schmp. 194–196 °C, $[\alpha]_D$ +63°, giftiges Diterpenoid aus Seidelbast-Arten (*Daphne* sp.). Es kann beim Menschen allerg. Kontakt-Dermatitis auslösen (Blasen auf Haut u. Schleimhäuten), LD_{50} (Maus p.o.) 0,3 mg/kg. – E daphnetoxin – F daphnétoxine – I dafnetossina – S dafnetoxina
Lit.: Hager (5.), **3**, 388f. ▪ R.D.K. (4.), S. 288, 803 ▪ Sax (8.), DAB 850 ▪ Schmidt in Evans, Naturally Occurring Phorbol Esters, S. 217–243, Boca Raton: CRC Press 1986 ▪ Toxicon **19**, 841–850 (1981) ▪ Zechmeister **44**, 73–100. – *[CAS 28164-88-7]*

Daphnientest. *Biotest zur Ermittlung tox. Wirkungen von Wasser, Abwasser od. chem. Verb. auf den Großen Wasserfloh (*Daphnia magna*); s. Fischtest. Genormt ist eine Vielzahl von Tests auf akute (bis 48 h) u. chron. Toxizität (Reproduktionstest, mind. 14 d); bestimmt werden EC_{50}-Werte für die Schwimmfähigkeit. Die Daphnientoxizität G_D kann zur Wasserbeurteilung herangezogen werden, ebenso Monitoringverf. mit Daphnien. – E daphnia test – F test de Daphnia – I test di daphnia – S ensayo de Daphnia

Lit.: Amtsblatt der EG, L 383, S. 172–178 (28.12.1992) ▪ DIN 38412, Tl. 30 (03/1989) ▪ ISO 6341, Inhibition of Mobility of *Daphnia magna* Straus (Cladocera – Crustacea) (1989) ▪ OECD (Hrsg.), Guideline for Testing of Chemicals 202, Daphnia Acute Immobilization Test and Reproduction Test, Paris: OECD 1984 ▪ Römpp Lexikon Umwelt, S. 174f.

Daphnin s. Daphnetin.

Daphniphyllum-Alkaloide.

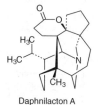

R^1	R^2	R^3	R^4	R^5	X	
O		H	H	OH	CH_2	Daphnimacropin
O		$OCOCH_3$	H	H	O	Daphniphyllin
H	OH			H	O	Daphniphyllidin

Daphnilacton A   Daphnilacton B

Gruppe strukturell sehr komplizierter Triterpen-Alkaloide aus der Rinde u. den Blättern des japan. „Yuzuriha"-Baumes (*Daphniphyllum macropoda*) u. a. D.-Arten. Diese ungewöhnlichen Bäume bilden eine komplette neue Blattgeneration aus, bevor sie die alte Generation verlieren. Die wichtigsten Vertreter sind *Daphniphyllin* ($C_{32}H_{49}NO_5$, M_R 527,74, Hydrochlorid: Nadeln, Schmp. 238–240 °C), *Daphniphyllidin* ($C_{30}H_{47}NO_4$, M_R 485,71, amorph) sowie *Daphnilacton A* ($C_{23}H_{35}NO_2$, M_R 357,54, Nadeln, Schmp. 195 °C) u. *Daphnilacton B* ($C_{22}H_{31}NO_2$, M_R 341,49, Platten, Schmp. 92–94 °C). Die Biosynth. verläuft über Squalen; zur Synth. von D. s. *Lit.*[1]. – E daphniphyllum alkaloids – F alcaloïdes de Daphniphylum – I alcaloidi della daphniphyllum – S alcaloides de Daphiphylum
Lit.: [1] Pure Appl. Chem. **62**, 1911 (1990).
allg.: Angew. Chem. **104**, 675 (1992) (Review) ▪ J. Am. Chem. Soc. **110**, 8734 (1988); **111**, 1530 (1989) ▪ J. Chem. Res. S **1993**, 262 ▪ J. Org. Chem. **57**, 2531–2594 (1992); **60**, 1120 (1995) ▪ Manske **15**, 41; **29**, 265–286 (Review). – *[HS 293990; CAS 15007-67-7 (Daphniphyllin); 50764-62-0 (Daphniphyllidin); 38210-98-9 (Daphnilacton A); 38826-56-1 (Daphnilacton B)]*

Dapiprazol.

Internat. Freiname für 5,6,7,8-Tetrahydro-3-[2-(4-*o*-tolyl-1-piperazinyl)ethyl]-1,2,4-triazolo[4,3-*a*]pyridin, $C_{19}H_{27}N_5$, M_R 325,46, Schmp. 158–160 °C. Verwendet wird das Monohydrochlorid, Schmp. 206–207 °C, LD_{50} (Maus i.p.) 260 mg/kg. Es wurde

als α-*Sympath(ik)olytikum 1979 u. 1981 von Angelini patentiert u. ist als Glaukom-Therapeutikum von Winzer (Remydrial®) im Handel. – *E* dapiprazole – *F* dapiprazol – *I* dapiprazolo – *S* dapiprazola
Lit.: Arzneim.-Forsch. **32**, 674–681 (1982) ▪ Merck-Index (12.), Nr. 2884. – *[HS 293 59; CAS 72822-12-9 (D.); 72822-13-0 (Monohydrochlorid)]*

Dapotum®. Tropfen, Tabl. u. Injektionslösg. mit *Fluphenazin-Dihydrochlorid od. -Decanoat zur Behandlung von Psychosen. *B.*: Sanofi Winthrop.

DAPS. Abk. für engl. Disappearance Potential Spectroscopy (*Elektronenspektroskopie).

Dapson.

H_2N—〇—$S(=O)_2$—〇—NH_2

Internat. Freiname für 4,4'-Diaminodiphenylsulfon (DADPS). $C_{12}H_{12}N_2O_2S$, M_R 248,30, weißes bis gelblich weißes krist. Pulver; Schmp. 175–181 °C; λ_{max} (CH_3OH) 260, 294 nm ($A_{1cm}^{1\%}$=726, 1180). Es wurde 1934 von I. G. Farbenind. patentiert u. ist als *Chemotherapeutikum (gegen Dermatosen u. Lepra) von Fatol (Dapson-Fatol®) im Handel. – *E* = *F* = *I* dapsone – *S* dapsona
Lit.: Beilstein E IV **13**, 1306 ▪ DAB **1996** u. Komm. ▪ Florey **5**, 87–114 ▪ Hager (5.) **7**, 1175 ff. ▪ Merck Index (12.), Nr. 2885 ▪ Ullmann (5.) **A 17**, 428. – *[HS 293 090; CAS 80-08-0]*

Darcy (Kurzz.: d od. D). Amerikan. Maß für die Durchlässigkeit von Gesteinsschichten für Erdöl: 1 D = 9,87 · 10⁻⁹ cm². Das *Darcysche Gesetz* gibt den Zusammenhang wieder zwischen Durchsatz u. Druckabfall einer Flüssigkeit, die durch poröse Schichten bestimmten Querschnitts u. Schichtdicke strömt. – *E* = *F* = *I* = *S* darcy
Lit.: Ullmann (4.), **11**, 27 ▪ Wasser-Kalender **12**, 158 ff. (1978).

Darm (latein.: intestinum, griech.: enteron). Abschnitt des Verdauungstraktes der Wirbeltiere u. des Menschen, der vom *Magen-Ausgang bis zum After reicht. Der D. des Menschen ist in entspanntem Zustand etwa 8 m lang. Über ein bindegewebiges Aufhängeband, in dem die versorgenden Blutgefäße u. Nerven verlaufen (*Mesenterium*), ist der D. an der hinteren Wand der Bauchhöhle befestigt. Die Darmwand besteht aus mehreren Schichten. Die Schleimhautschicht grenzt das Organ von seinem Inhalt ab u. dient der Resorption von Nahrungsbestandteilen. Ihre Oberfläche wird wesentlich vergrößert durch die Bildung von Falten der Schleimhaut (Ringfalten), der Epithelzellschicht (Zotten) u. der lumenwärtigen Zellmembran (Mikrovilli). Unter der Schleimhaut liegt eine gefäß- u. nervenreiche Verschiebeschicht aus *Bindegewebe sowie eine aus Ring- u. Längsmuskeln bestehende Wand aus glatter Muskulatur. Die vom vegetativen Nervensyst. gesteuerte Aktivität der Darmmuskulatur erzeugt die *Peristaltik*, die den Darminhalt in Richtung After weiterbefördert.
Der D. gliedert sich in *Dünndarm* u. *Dickdarm*. An den Magenausgang schließt sich der Dünndarm an, der aus dem Zwölffingerdarm (*Duodenum*), dem Leerdarm (*Jejunum*) u. dem Krummdarm (*Ileum*) besteht. Er dient der Aufschließung u. Resorption von Nahrungsbestandteilen u. produziert in speziellen Drüsen Verdauungsenzyme u. -hormone. In seinem Anfangsteil enden die Ausführungsgänge von *Leber u. *Pankreas, die *Galle bzw. Verdauungsenzyme in den Dünndarm befördern.
Der Dickdarm ist vom Dünndarm durch eine Schleimhautklappe abgegrenzt, die einen Rückfluß des Darminhaltes verhindert. Er gliedert sich in einen blind endenden Anteil (*Blinddarm*) mit einem wurmförmigen Fortsatz (*Appendix*), den Grimmdarm (*Colon*) sowie den Mastdarm (*Rectum*) mit einer als Kotbehälter dienenden Auftreibung. Der Dickdarm, in dem durch Einwirkung von Bakterien (*Darmflora*) Gärungs- u. Fäulnisprozesse unter Bildung von Gasen (vgl. Flatulenz) u. a. unbrauchbaren Endprodukten stattfinden, dient der Resorption von Wasser, Elektrolyten u. Vitaminen u. führt so zur Eindickung unverdaulicher Stoffe zum *Kot.
Die Gestalt u. Länge des D. verschiedener Wirbeltiere hängt mit der Aufschließbarkeit der aufgenommenen Nahrung u. den Unterschieden im *Verdauungs-Vorgang zusammen. So haben fleischfressende Arten einen kürzeren D. als Pflanzenfresser. Der Dickdarm ist bei manchen Tierarten (Wiederkäuern) dünner als der Dünndarm. Die Darmwände verfügen über einen hohen Anteil an elast. Bindegewebe.
Verw.: Nach Reinigung u. Trocknung werden Schlachttierdärme z. B. als Saiten für Musikinstrumente verwendet. In der Chirurgie dient Katgut (engl. *Catgut = Katzendarm) aus Schafdarmsaiten als resorbierbares Nahtmaterial; für Lebensmittelumhüllungen (Wurst) werden Naturdärme noch immer benutzt. – *E* gut, intestine – *F* boyau, intestin – *I* = *S* intestino
Lit.: Goebell, Gastroenterologie, München: Urban u. Schwarzenberg 1992 ▪ Johnson, Physiology of the Gastrointestinal-tract, New York: Raven Press 1994.

Darreichungsformen s. Arzneiformen.

Darren. 1. Trocknen od. leichtes Rösten von pflanzlichen Stoffen, z. B. Hopfen, Malz, Obst, Flachs, Getreide, Torf, Zuckerrüben. – 2. Bei der Kupfer-Gewinnung Bez. für den Prozeß der Abtrennung (s. Seigerung) u. Oxid. von Blei aus Blei-haltigem Kupfer durch Glühen bei Luftzutritt. Die entstehende Darrschlacke enthält auch einen Teil des Kupfers in oxidierter Form u. wird mit diesem entfernt. – *E* 1. kiln-drying, 2. liquating – *F* 1. dessèchement au four, torréfaction, 2. ressuage – *I* 1. seccare, 2. essiccare – *S* 1. secado al horno, torrefacion 2. licuacion

Darzens-Kondakoff-Acylierung s. Darzens-Reaktion.

Darzens-Reaktion. Mit dem Namen von G. A. Darzens sind eine Reihe von bekannten *Namensreaktionen verbunden.
1. *Darzens-Erlenmeyer-Claisen-Kondensation* (Glycidester-Kondensation): Aldehyde od. Ketone kondensieren als Carbonyl-Komponenten mit α-Halogencarbonsäureestern in Ggw. einer Base zu α,β-Epoxycarbonsäureestern (*Glycidestern*). In mechanist. Hinsicht handelt es sich um eine *Knoevenagel-Kondensation, die von einer intramol. nucleophilen Substitution (S_N2-Reaktion) gefolgt wird.
Die Glycidester können zu *Glycidsäuren gespalten werden, die zu Aldehyden decarboxylieren. Die Darzens-Erlenmeyer-Claisen-Kondensation stellt damit

eine gute Synthesemöglichkeit dar, um Aldehyde zu homologisieren.

Abb.: Homologisierung von Aldehyden durch die Darzens-Reaktion.

2. *Darzens-Kondakoff-Acylierung* (Darzens-Nenitzescu-Acylierung): Wenn Cycloalkene mit Säurechloriden od. -anhydriden in Ggw. von Lewis-Säuren bei 20 °C umgesetzt werden, entstehen konjugierte Acylcycloalkene.

3. *Darzens-Alkylchlorid-Synthese:* Umsetzung von prim. od. sek. Alkoholen mit Thionylchlorid in Ggw. von Pyridin führt zu Alkylchloriden; s. a. nucleophile Substitution.

– *E* Darzens reaction – *F* reaction de Darzens – *I* reazione di Darzens – *S* reacción de Darzens

Lit. (zu 1): Chem. Rev. **55**, 283–300 (1955) ▪ Hassner-Stumer, S. 88 ▪ Houben-Weyl **6/3**, 406 f. (1965); **7/1**, 326 f. (1954); **8**, 513 f. (1952); **E3**, 533 (1983) ▪ Laue-Plagens, S. 86 ▪ March (4.), S. 954 f. ▪ Org. React. **5**, 413–440 (1949) ▪ Top. Stereochem. **7**, 210–218 (1973). – *(zu 2):* Chem. Soc. Rev. **1**, 73–98 (1972) ▪ Houben-Weyl **5/1 b**, 861 f.; **7/2 a**, 427 f. ▪ Nenitzescu u. Balaban, in Olah, Friedel-Crafts and Related Reactions, Bd. 3, S. 1034 f., New York: Interscience 1964 ▪ Tetrahedron **26**, 2677–2682 (1979).

DAS. Abk. für Deutsche Auslegeschrift, s. Patente.

Dash 3®. Pulverförmiges Universalwaschmittel von Procter & Gamble.

DAS-LIDAR. *LIDAR-Verf., bei dem die differenzielle *Absorption u. *Streuung eingesetzt wird. Es werden zwei Wellenlängen mit kleinem Abstand verwendet, so daß nur die unterschiedliche Absorption des zu messenden Gases beobachtet wird u. sich der Einfluß der Atmosphäre (z. B. die Lichtstreuung an Aerosolen) heraushebt.

Lit.: Laser + Optoelektronik **19**, 375 (1987).

Datamuls®. Diacetylweinsäureester von Mono- u. Diglyceriden der Speisefettsäuren; Nahrungsmittelemulgatoren zum Einsatz in hefegetriebenen Backwaren (E 472 e). *B.:* Th. Goldschmidt AG.

Datem. Bez. für Mischester der Speisefettsäuren u. Diacetylweinsäure mit Glycerin. Die Herst. erfolgt durch Umsetzung von Diacetylweinsäureanhydrid mit Mono- u. Diglyceriden von Speisefettsäuren od. durch Veresterung der *Mono- bzw. *Diglyceride mit Weinsäure u. Essigsäure in Anwesenheit von Acetanhydrid. D. können in Abhängigkeit des Fettsäure-Restes sowie der eingesetzten Menge an Diacetylweinsäure als farblose Flüssigkeiten od. dunkelgefärbte Pasten bzw. Feststoffe erhalten werden. In warmem Wasser sind D. unter Gelbildung dispergierbar, in der Wärme in Alkoholen, Kohlenwasserstoffen u. Speiseölen löslich. D. sind hydrophiler als die Ausgangsmonoglyceride u. weisen O/W-Emulgatoreigenschaften auf.

Verw.: D. gehen eine starke Wechselwirkung mit Proteinen ein u. werden daher zur Beeinflussung der Konsistenz von Hefeteigen verwendet. Außerdem finden sie Einsatz als hydrophile *Emulgatoren in Margarine, Mayonaise u. Milchmixgetränken. – *E* datem

Lit.: vgl. Emulgatoren.

Datenbanken. Eine D. ist eine Zusammenfassung von Daten aus einem bestimmten Themengebiet in organisierter Form. Die Daten liegen im allg. in computerlesbarer Form vor. Ein einfaches Beisp. ist ein elektron. Karteikasten mit Schlagwortverzeichnissen zur Suche von Dokumenten. Die bes. Form der Datenorganisation besteht darin, daß die Daten in einzelne Kategorien (Felder) aufgeteilt werden. Zu diesen Kategorien werden Suchindexe gebildet, die ein schnelles Auffinden von Informationen ermöglichen. Diese Suchindexe entsprechen den Schlagwortverzeichnissen in Büchern od. Bibliothekskatalogen. Die Vorteile von D. gegenüber anderen Arten der Datenorganisation liegen in der zentralen Speicherung großer Datenmengen, der allg. Verfügbarkeit von Daten, dem hohen Aktualitätsgrad der Informationen sowie den zahlreichen Suchmöglichkeiten, die ein gedrucktes Werk nicht bieten kann.

Die Speicherung von Datenbanken kann auf unterschiedlichen Datenträgern erfolgen; die wichtigsten sind die Magnetplatte u., die CD-ROM (Compact Disk-Read Only Memory). Letztere hat den Vorteil, daß sie große Datenmengen in kompakter Form speichern kann.

Die Verwaltung von D. erfolgt mittels einer speziellen Software (Datenverarbeitung), dem sog. Datenbankmanagementsyst. od. Datenbanksystem. Diese Software erlaubt alle elementaren Zugriffe wie Ändern, Hinzufügen, Lesen, Löschen u. Schreiben von Dokumenten. Anwendungsprogramme, die Informationen mit der Datenbank austauschen, benutzen diese Funktionen des Datenbanksyst. u. können daher unabhängig von der physikal. Datenorganisation u. -speicherung arbeiten. Zur Wiedergewinnung (*E* retrieval) der Daten dient das Information-Retrievalsyst., das den Informationsaustausch (Dialog) zwischen dem Benutzer u. dem Datenbanksyst. übernimmt. Die Suchfragen werden entweder über ein Menü eingegeben od. in einer speziellen Abfragesprache formuliert, der sog. Kommandosprache.

Man kann D. nach ihren Sachgebieten einteilen in wirtschafts- u. sozialwissenschaftliche D., geisteswissenschaftliche D. u. naturwissenschaftlich-techn. D. einschließlich Patentdatenbanken. Eine andere Art der Einteilung basiert auf den unterschiedlichen Datentypen:
– Text-D.: Alle D. mit überwiegend textuellen Informationen wie bibliograph. u. Volltextdatenbanken.
– Numer. D.: Alle D. mit numer. Werten.
– Topolog. D.: Chem. Struktur- u. Reaktionsdatenbanken.
– Bild-D.: D., die Bilder in graph. Form enthalten.
Die meisten D. sind Mischformen u. können daher nicht eindeutig einer der oben genannten Kategorien zugeordnet werden.
Wenn die D. von einem öffentlichen Servicezentrum (*Host) angeboten werden, spricht man von Online-Datenbanken. Diese Servicezentren besitzen genügend Rechner- u. Speicherkapazität, um auch die größten D. anbieten zu können. Der Zugang zu diesen Online-D. erfolgt über die internat. Telekommunikationsnetze. Die größten Online-Hosts für D. mit Bezug zur Chemie sind (in alphabet. Reihenfolge): DIALOG, MAXWELL, STN International u. Télesystèmes-Questel. Inhouse-Datenbanken werden vom Hersteller auf CD-ROM, Disketten od. Magnetbändern direkt vertrieben. Alle Standardwerke u. Hauptinformationsquellen der Chemie sind bereits als elektron. Datenbanken auf dem Markt.
Die wichtigsten, öffentlich angebotenen D. mit Bezug zur Chemie sind: *Chemical Abstracts (CA) mit den bibliograph. Informationen zur chem. Lit. (Produzent: *Chemical Abstracts Service), Registry D. mit chem. Strukturen u. Substanzinformationen (Produzent: Chemical Abstracts Service), World Patents Index mit den techn. Angaben zur Patentlit. (Produzent: Derwent Publ. Ltd.), *Beilstein mit dem vollständigen *Beilstein Handbuch der organischen Chemie u. den Lit.-Exzerpten der laufenden Publikationsperiode (Produzent: *Beilstein Institut für Organ. Chemie), C13NMR/IR Datenbank mit C13-Kernresonanzspektren bzw. Infrarotspektren u. den zugehörigen Substanzdaten (Produzent: BASF Ludwigshafen), die zu einem globalen Verbundsyst. von Spektrendaten ausgebaut worden ist (SPECINFO), L. *Gmelin mit dem vollständigen *Gmelin Handbook of Inorganic and Organometallic Chemistry u. den Lit.-Exzerpten der laufenden Publikationsperiode (Produzent: *Gmelin Institut für Anorgan. Chemie), *Biosis mit fast 10 Mio. Literaturzitaten zur Biowissenschaft, Negwer als Referenz-Katalog internat. Handelsnamen u. Synonyma von organ.-chem. Arzneimitteln, *Cheminform (Referatedienst). Eine interessante Entwicklung stellen die D. mit Markushstrukturen dar. Diese enthalten die allg. Strukturen aus den Patentveröffentlichungen in topolog. Form. Damit ist es möglich, nach sehr allg. chem. Strukturen zu recherchieren. – *E* database, data base, databank – *F* banques de données – *I* banche dati – *S* banco de datos, base de datos
Lit.: Barth, Datenbanken in den Naturwissenschaften, Weinheim: VCH Verlagsges. 1992 ▪ Böhm, Grundbegriffe der Datenverarbeitung, Weinheim: VCH Verlagsges. 1992 ▪ Fachinformationsprogramm der Bundesregierung 1990–1994, Bonn: BMBF 1993 ▪ Handbuch der Datenbanken für Naturwissenschaft, Technik, Patente, Scientific Consulting, Darmstadt: Dr. Schulte-Hillen, Hoppenstedt 1990 ▪ Schulz u. Georgy, von CA bis CAS ONLINE, Datenbanken in der Chemie, Berlin: Springer 1994.

Datenbanken in der Gentechnik. Im Zuge der *Gentechnologie sind internat. Sequenzdatenbanken (s. Sequenzanalyse) wie z. B. die EMBL-, die GenBank- sowie die NBRF-Nucleotide Sequence Data Library, die VecBase Vector Data Library sowie die Proteindatenbanken NBRF Protein Sequence Data Library, die SWISS-PROT Protein Sequence Database u. Brookhaven Protein Database entstanden. Die Daten werden mehrmals jährlich ergänzt. Neben Sequenzdaten bzw. Strukturdaten (Brookhaven Database) werden wichtige zusätzliche Informationen (Veröffentlichungen, Querverweise auf andere Datenbanken) aufgeführt. Umfangreiche Programme zur Nutzung der Informationen stehen zur Verfügung wie z. B. das „Sequence Analysis Software Package" der Genetics Computer Group od. „Genmon Package" der *Gesellschaft für Biotechnologische Forschung (GBF). Informationen über die Datenbanken u. Programme sind erhältlich über: European Molecular Biology Laboratory, Heidelberg, Federal Republic of Germany (Internet-Adresse: http://www.embl-heidelberg.de) bzw. das European Bioinformatics Institute (EBI, Internet-Adresse: http://www.ebi.ac.uk). – *E* data libraries in gene technology – *F* banques de données dans la génie génétique – *I* banche dati nell'ingegneria genetica – *S* bancos de datos en la ingeniería genética
Lit.: Comput. Appl. Biosci. **10**, 79 f.; 413–424 (1994) ▪ Methods Mol. Biol. **24**, 355–366 (1994); **25**, 413–424 (1994).

Datierung s. Altersbestimmung u. Geochronologie.

Dato®. Spezialwaschmittel zum Waschen u. Pflegen aller weißen Gardinen mit einer speziellen Aufhellerkombination u. wirksamen Vergrauungsinhibitoren. *B.:* Henkel.

Datolith, $CaB[OH/SiO_4]$. Glasglänzendes, auf Bruchflächen fettig glänzendes Mineral, kann als Bor-Rohstoff von Interesse sein. Durchsichtig bis durchscheinend farblos, weiß, grünlich, gelblich. Kristallklasse $2/m – C_{2h}$. Aufgewachsene, kurzsäulige od. dicktafelige monokline Krist., derbe körnige bis dichte Aggregate u. feinfaserige Krusten. H. 5–5,5, D. 2,8–3,0. *Vork.:* Auf Klüften vulkan. Gesteine, z. B. Seiser Alm/Südtirol; in *Skarnen; in Erzgängen, z. B. St. Andreasberg/Harz, Japan, Dalnegorsk/Sibirien, Charkas/Mexiko. – *E* = *F* = *I* datolite – *S* datolita
Lit.: Am. Mineral. **58**, 909–914 (1973) (Struktur) ▪ Anthony et al., Handbook of Mineralogy, Bd. II, Tl. 1, S. 179, Tucson/Arizona: Mineral Data Publishing 1995 ▪ Ramdohr-Strunz, S. 685. – [CAS 1318-40-7]

Dattelfeige s. Kaki.

Datteln. Pflaumengroße, längliche, gelbe bis rote Steinfrüchte der im vorderasiat. Raum heim. Dattelpalme (*Phoenix dactylifera*, Arecaceae), die 20–30 m hoch wird u. vom 30. bis zum 100. Jahr reichlich Früchte trägt. Als braune, klebrigsüße Trockenfrüchte gehandelte D. enthalten durchschnittlich pro 100 g eßbarer Substanz (in g): 22,5 Wasser, 2,2 Proteine, 0,5 Fette, 72,9 Kohlenhydrate (vorwiegend als Invert-

zucker u. Saccharose sowie 2,3 Faserstoffe), außerdem *Vitamine der B-Gruppe u. *Mineralstoffe; Nährwert: 1147 kJ (274 kcal). Das Fruchtfleisch enthält Leucoanthocyane, *Gerbstoffe u. *Piperidin-Derivate. Frische Früchte liefern sog. *Dattelhonig (Dattelsirup)*, aus dem Dattelzucker (vgl. Saccharose) gewonnen werden kann. Die Samen enthalten ca. 10% fettes Öl (*Dattelkernöl*). Der beim Anzapfen der Blütenstände austretende Saft läßt sich zu *Palmwein vergären. – *E* dates – *F* dattes – *I* datteri – *S* dátiles
Lit.: Franke, Nutzpflanzenkunde, 5. Aufl., Stuttgart: Thieme 1992. – *[HS 080410]*

Daturin s. Stechapfel.

Daubréelith s. Kobaltnickelkiese.

Dauermagnete. Gegenüber Elektromagneten haben D. den Vorteil des einfachen Aufbaues, der Unabhängigkeit von einer Stromversorgung u. der guten zeitlichen Konstanz des Magnetfeldes. Bei hohen Temp. um ~250 °C od. falls das Magnetfeld möglichst temperaturunabhängig sein muß, haben sich AlNiCo-Leg. bewährt. Ansonsten verwendet man Hartferrite bzw. SECo-Legierungen. Mit AlNiCo 52/6 erreicht man eine magnet. Energiedichte $(B \cdot H)_{max} = 52$ kJ/m^3, bei einer Remanenzflußdichte von 1250 mT. Weitere Eigenschaften der wichtigsten Dauermagnetwerkstoffe s. *Lit.*[1]. Zu Eigenschaften neuer Materialien wie Nd$_2$Fe$_{14}$B u. Sm$_2$Fe$_{17}$N$_3$ s. *Lit.*[2]. – *E* permanent magnets – *F* aimants permanents – *I* magneti permanenti – *S* imanes permanentes
Lit.: [1] Kohlrausch, Praktische Physik, Bd. 3, S. 400, Stuttgart: Teubner 1996. [2] Phys. Bl. **51**, 813 (1995); Trans. Mat. Res. Jpn. **16A**, 63 (1994).
allg.: Bergmann u. Schaefer, Lehrbuch der Experimentalphysik, Bd. 6, Festkörper, S. 773, Berlin: de Gruyter 1992 ▪ Weißmantel u. Hamann, Grundlagen der Festkörperphysik, S. 645 ff., Heidelberg: Barth 1995.

Dauerwellpräparate. Wäss. Lsg., die dem Haar eine dauerhafte, den atmosphär. Einflüssen widerstehende Form geben sollen (*Haardauerverformung*). Die früher üblichen *Heißwell*-Verf. u. -Präp. sind heute weitestgehend ersetzt durch *Kaltwell*-Verf. u. -Präp., erfunden um 1940 in den USA. Zur Wirkungsweise u. Zusammensetzung der Präp. s. Haarbehandlung. – *E* permanent wave preparations – *F* produits pour permanente – *I* preparati per l' ondulazione permanente – *S* productos para la permanente
Lit.: Umbach (Hrsg.), Kosmetik (2. Aufl.), S. 259–276, Stuttgart: Thieme 1995 ▪ s. a. Haar(behandlung).

Daunoblastin®. Trockensubstanz zur Injektion mit *Daunorubicin-Hydrochlorid gegen Leukämie. *B.:* Pharmacia.

Daunomycin s. Daunorubicin.

Daunorubicin.

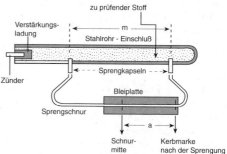

Internat. Freiname für ein früher auch *Rubidomycin* od. *Daunomycin* genanntes *Anthracyclin-Antibiotikum aus *Streptomyces peucetius*, C$_{27}$H$_{29}$NO$_{10}$, M$_R$ 527,53, das bei Leukämie cytostat. wirksam, allerdings stark cardiotox. u. im Tierversuch auch carcinogen ist. Verwendet wird als Hydrochlorid; Zers. bei 188–190 °C, $[\alpha]_D^{20}$ +248°±5° (c 0,05–0,1/CH$_3$OH); λ_{max} (CH$_3$OH) 234, 252, 290, 480, 495 u. 532 nm (A$_{1cm}^{1\%}$ 665, 462, 153, 214, 218 u. 112); LD$_{50}$ (Maus i.v.) 26 mg/kg. Es wurde 1964 u. 1977 von Soc. Pharmaceut. Italia (heute Farmitalia: Daunoblastin®) u. 1974 von Rhône-Poulenc (Daunorubicin®) patentiert. – *E* = *F* daunorubicine – *I* = *S* daunorubicina
Lit.: ASP ▪ Beilstein EV **18/10**, 349 ▪ DAB **1996** u. Komm. ▪ Hager (5.) **7**, 1178 ff. – *[HS 294130; CAS 20830-81-3 (D.); 23541-50-6 (Hydrochlorid)]*

Dausset, Jean (geb. 1916), Prof. für Experimentelle Medizin, Univ. Paris. *Arbeitsgebiete:* Immunologie, Genetik, Antigene, insbes. Histokompatibilitäts-Antigene (HLA-Syst.); 1980 Nobelpreis für Physiologie od. Medizin zusammen mit G. D. *Snell u. Benacerraf.
Lit.: Umschau **80**, 741 f. (1980) ▪ Who's Who in the World, S. 368.

Dautriche-Methode. Meth. zur Ermittlung der *Detonationsgeschw.* (*Explosionsgeschw.*) von *Explosivstoffen. Bei Zündung des in einem Stahlrohr eingeschlossenen zu prüfenden Explosivstoffs markieren die in einer parallel gezündeten Sprengschnur bekannter Detonationsgeschw. aufeinander zulaufenden Detonationswellen ihren Treffpunkt durch Einkerbung einer Bleiplatte (vgl. Abb.).

Abb.: Dautriche-Methode.

Die gesuchte Detonationsgeschw. D$_x$ berechnet sich nach

$$D_x = D \times \frac{m}{2a}$$

(D = Detonationsgeschw. der Sprengschnur, m = Länge der Meßstrecke, a = Abstand der Kerbmarkierung von der Schnurmitte). – *E* Dautrich method – *F* méthode de Dautri – *S* método de Dautrich
Lit.: Meyer, Explosivstoffe (6.), S. 67 f., Weinheim: Verl. Chemie 1985.

Davisson, Clinton Joseph (1881–1958), Prof. für Physik, Univ. Princeton, Pittsburgh u. Virginia. *Arbeitsgebiete:* Quantenphysik, Thermodynamik, Kristallphysik, geometr. Optik, Beugung von Elektronen durch Krist., hierfür Nobelpreis für Physik 1937 (zusammen mit Sir G. P. *Thomson).
Lit.: Neufeldt, S. 160, 358 ▪ Poggendorff **7b/2**, 994.

Davy, Sir Humphry (1778–1829), Prof. für Chemie, London, ab 1812 Privatgelehrter. *Arbeitsgebiete:* Herst. von Kalium, Natrium, Aluminium u. a. Metallen durch Schmelzelektrolyse, Elektrochemie, Ermittlung der Salzsäure-Formel, Konstruktion der *Davyschen Sicherheitslampe, Herst. von ClO_2, PCl_3, PCl_5 u. Phosphorsäure. Er entdeckte die berauschende Wirkung des Lachgases u. wies nach, daß Chlor keine Sauerstoff-Verb., sondern ein Element ist, dem er auch den Namen gab.

Lit.: Krafft, S. 97 f. ▪ Neufeldt, S. 8 ▪ Pötsch, S. 109 ▪ Science **155**, 285–291 (1967).

Davysche Sicherheitslampe. Von Sir H. *Davy erfundene u. von Friemann u. Wolff verbesserte Sicherheitslampe (Gruben-, Wetterlampe) für Steinkohlenbergwerke.

Abb.: Schemat. Darstellung einer Davyschen Sicherheitslampe.

Bei der mit einer Innenzündung ausgestatteten D. S. wird eine leuchtende Benzinflamme von einem Drahtnetz (s. Abb.) umgeben, das für eine rasche Verteilung der Hitze sorgt u. eine durch die Flamme bedingte *Schlagwetter-Explosion verhindert. Enthält die Grubenluft mehr als 1% Methan, so sieht man über dem Benzinflämmchen eine bläuliche Haube. – *E* Davy lamp – *F* lampe de sûreté Davy – *I* lampada Davy – *S* lámpara de seguridad Davy

D/A-Wandler s. digital.

Dazomet.

Common name für 3,5-Dimethyl-1,3,5-thiadiazinan-2-thion, $C_5H_{10}N_2S_2$, M_R 162,27, Schmp. 104–105 °C (Zers.), LD_{50} (Ratte oral) 640 mg/kg (GefStoffV), von Stauffer, Union Carbide u. BASF 1952 eingeführtes Bodenbegasungsmittel gegen Bodenpilze, Nematoden, Samenunkräuter u. Bodeninsekten. D. ist (wie alle Bodenbegasungsmittel) phytotox. u. wird deshalb erst nach dem Abräumen der Kulturen bzw. in ausreichendem zeitlichen Abstand vor der Wiederbepflanzung in den Boden eingearbeitet. Dort hydrolysiert es zu Methylisothiocyanat (aktive Komponente), Methylamin, Formaldehyd u. H_2S; s. a. Bodendesinfektion, Fumigantien. – *E* = *F* = *I* = *S* dazomet

Lit.: Farm ▪ Pesticide Manual. – [HS 2934 90; CAS 533-74-4]

dB. Abk. für Dezibel. Rechenvorschrift zur Bestimmung von Geräuschpegeln (Schalldruckpegeln). Die dB-Skala ist logarithm. aufgebaut u. dient der Beschreibung von Pegeln. In vielen Fällen wird die Angabe in dB um Angaben zur Frequenzbewertung u./od. zur Zeitbewertung ergänzt. Die Rechenvorschrift zur Bestimmung von dB-Werten für Schalleistungen lautet:

$$L_P = 10 \lg \frac{P}{P_0}$$

L_P = Lärmpegel, P = Schalleistung, P_0 = Bezugsschalldruck (10^{-12}W).

2,4-DB.

Cl—⟨⟩—O—CH_2—CH_2—CH_2—COOH Xn ☒

Common name für 4-(2,4-Dichlorphenoxy)buttersäure, $C_{10}H_{10}Cl_2O_3$, M_R 249,09, Schmp. 117–119 °C, LD_{50} (Ratte oral) 700 mg/kg (GefStoffV), von May & Baker 1957 eingeführtes selektives system. Nachauflauf-*Herbizid gegen Unkräuter im Luzerne-, Klee- u. Futterleguminosenanbau, in Untersaaten im Getreideanbau sowie auf Grünland; wird in den Pflanzen zu *2,4-D oxidiert u. zeigt dessen Wirkung.

Lit.: Farm ▪ Perkow ▪ Pesticide Manual. – [HS 2918 90; CAS 94-82-6]

DBH s. 1,3-Dibrom-5,5-dimethylhydantoin.

DBN. Abk. für *1,5-Diazabicyclo[4.3.0]non-5-en.

DBP. 1. Abk. für *Deutsches Bundes-Patent*, s. Patente – 2. Nach DIN 7723 (12/1987) Kurzz. für *Dibutylphthalat* als *Weichmacher. – 3. Abk. für *2,6-Di-*tert*-butyl-4-methylphenol. – 4. Abk. für Vitamin-D-bindendes Protein, s. Calciferole, Vitamine (D_3).

DBS. Nach DIN 7723 (12/1987) Kurzz. für *Dibutylsebacat* als *Weichmacher.

DBU vgl. 1,5-Diazabicyclo[4.3.0]non-5-en.

DBX. In den USA verwendete, gegossene Sprengladung aus *Hexogen, *Ammoniumnitrat, *2,4,6-Trinitrotoluol. Aluminium-Pulver (21:21:40:18).

Lit.: Meyer, Explosivstoffe (6.), S. 67 f., Weinheim: Verl. Chemie 1985.

DC. Abk. für *Dünnschichtchromatographie.

DCC. Abk. für *Dicyclohexylcarbodiimid.

DCCK®. Kapseln, Ampullen u. Tropf-Lsg. mit den Mesilaten von *Dihydroergocristin, -cornin, -cryptin u. -toxin gegen Altershochdruck, Durchblutungsstörungen u. Migräne. *B.:* Rentschler.

DCHP. Nach DIN 7723 (12/1987) Kurzz. für *Dicyclohexylphthalat* als *Weichmacher.

DCI. Abk. für französ.: Dénomination Commune Internationale = *Freiname.

DCP. Nach DIN 7723 (12/1987) Kurzz. für *Dicaprylphthalat (Dihexylphthalat)* als *Weichmacher.

DDA s. DDT.

DDB. Abk. für *Die Deutsche Bibliothek.

DDD s. DDT.

DDD®. Hautmittel (Fl), Hautbalsam (Salbe). Rezeptur nach Dr. David Dennis enthält *Thymol, *Salicylsäure, *Campher, Methylsalicylat, *Chlorobutanol gegen Ekzeme u. a. Dermatosen. *B.:* Delta Pronatura.

DDE s. DDT.

DDK. Abk. für *dynamische Differenz-Kalorimetrie.

DD-Lack®. Marke von Bayer (von Desmodur® u. Desmophen® abgeleitet) für Ein- u. Zweikomponentenlacke auf Polyurethan-Basis. ***B. (für Desmodur- u. Desmophen-Lackrohstoffe):*** Bayer.

DDO s. Dimethyldioxiran.

DDP. Nach DIN 7723 (12/1987) Kurzz. für *Di*decyl*p*hthalat als *Weichmacher.

DDQ s. 4,5-Dichlor-3,6-dioxo-cyclohexa-1,4-dien-1,2-dicarbonitril.

DDSA s. Dodecenylbernsteinsäureanhydrid.

DDT.

Common name für *Dichlordiphenyltrichlorethan* [1,1,1-Trichlor-2,2-bis(4-chlorphenyl)ethan], $C_{14}H_9Cl_5$, M_R 354,49, Schmp. 109°C, breit wirksames nichtsystem. *Insektizid mit langanhaltender Kontakt- u. Fraßgiftwirkung.

Herst.: Durch Kondensation von Chloral mit Chlorbenzol in Ggw. von Schwefelsäure od. Oleum. Bei prakt. quant. Umsatz werden ca. 70% *p,p'*-DDT u. ca. 20% insektizid nur schwach wirksames *o,p'*-DDT erhalten.

Toxikologie: LD_{50} (Ratte oral) 113 mg/kg (GefStoffV), MAK 1 mg/m³, ADI 0,005 mg/kg/d. Beim Menschen treten nach Aufnahme von ca. 300–500 mg erste Symptome auf (Schweißausbrüche, Parästhesien an Lippen u. Zunge, Kopfschmerzen, Übelkeit), jedoch erst nach Dosen von über 1 g kommt es zu Gleichgewichtsstörungen, Verwirrtheit, Tremor, Krämpfen, Rhythmusstörungen. Vergiftungen mit 18 g sind überlebt worden. Chron. Vergiftungen sind nicht bekannt.

Metabolismus: Hauptmetabolit des DDT ist DDE, das keine insektizide Wirkung mehr besitzt. Man vermutet, daß die *Resistenz mancher Insektenarten gegenüber DDT darauf beruht, daß diese Insekten ein Enzym entwickelt haben, das DDT zu DDE abbaut. Ein weiterer Hauptmetabolit ist DDD (TDE), das in Insekten u. Warmblütern nachgewiesen werden konnte. Endstufe der Metabolisierung ist bei Warmblütern DDA, das mit dem Urin ausgeschieden wird.

DDA

DDE   DDD

Geschichte: DDT wurde 1874 von Othmar Zeidler im Laboratorium von A. v. *Baeyer (Univ. Straßburg) erstmals synthetisiert, seine insektizide Wirkung jedoch erst 1939 von Paul Müller (Geigy AG) entdeckt, der dafür 1948 mit dem Nobelpreis für Medizin ausgezeichnet wurde. Die seuchenfördernden Begleitumstände des zweiten Weltkriegs u. der Nachkriegszeit bei gleichzeitiger Unterversorgung mit *Rotenon u. *Pyrethrum sowie die hohe Insekten- u. geringe Warmblütertoxizität verhalfen DDT v. a. in der medizin. Hygiene zu einem schnellen Siegeszug. Die Erkrankungen an *Malaria, Fleckfieber, *Typhus u. *Cholera konnten durch die wirksame Bekämpfung der die Erreger übertragenden Mücken, Läuse u. Fliegen (Vektoren) drast. reduziert werden. Durch das Anti-Malaria-Programm der WHO wurde diese Krankheit in vielen Ländern sogar nahezu ausgerottet. DDT war jahrzehntelang weltweit das wichtigste *Insektizid; 1963 wurden fast 100 000 t produziert u. angewandt. Das Auftreten von *Resistenz bei einigen Insektenarten sowie Berichte, daß DDT bei bestimmten Vogelarten eine Verdünnung der Eierschalen bewirke, bei Mäusen Leberkrebs auslöse u. im Fettgewebe von Warmblütern gespeichert werde, die Angst vor einer Anreicherung von DDT in der Umwelt sowie nicht zuletzt das Buch „Silent Spring" von R. Carson (1962) führten dazu, daß die Produktion u. Anw. von DDT nach u. nach in fast allen Industrieländern verboten wurde. Spätere Untersuchungen haben gezeigt, daß die Eierschalenverdünnung nicht durch DDT sondern durch *polychlorierte Biphenyle hervorgerufen wurde u. daß DDT beim Menschen keinen Krebs erzeugt (s. *Lit.*[1]). Die bei Mäusen (u. nur dort) beobachteten Lebertumoren können sich bei nicht zu langer Expositionszeit zurückbilden; sie greifen nicht auf das Nachbargewebe über u. bilden keine Metastasen. Auf DDT zurückzuführende Erkrankungen von Menschen, die bes. häufig mit dem Wirkstoff in Berührung kommen, z.B. die Arbeiter in den Produktionsstätten, die Personen, die mit der Ausbringung des Wirkstoffs betraut sind, od. die Bewohner der Häuser, deren Wände im Rahmen des Anti-Malaria-Programms der WHO halbjährlich mit DDT besprüht werden, sind bisher nicht bekannt (s. *Lit.*[2,3]). Auch das Argument der hohen *Persistenz des Wirkstoffs wird heute differenzierter gesehen. Untersuchungen haben gezeigt, daß DDT unter dem Einfluß von UV-Licht sogar sehr schnell zu CO_2 u. HCl abgebaut wird (s. *Lit.*[1]). Dies wäre eine Erklärung dafür, daß der Gehalt an DDT in der Umwelt nicht zunimmt, obwohl es in den Ostblockstaaten u. den Entwicklungsländern weiterhin produziert wird. Die Restriktionen, denen sich auch die Entwicklungsländer anschlossen, führten z. B. dazu, daß die Zahl der Malariaerkrankungen wieder drast. zunahm.

Tab.: Malariaerkrankungen in Ceylon (s. *Lit.*[2]).

1946	2 800 000
1961	110
1962	31
1963	17
1964	150
1965	308
1966	499
1967	3 466
1968/69	2 500 000

Die Tab. zeigt dies am Beisp. der Krankheitsfälle in Ceylon, wo die Bekämpfung mit DDT 1963 eingestellt, 1968 jedoch wieder aufgenommen wurde.

Da es z. Z. keine wirksame u. preiswerte Alternative, v. a. zur Bekämpfung der Malaria-übertragenden Anopheles-Mücke gibt, wird DDT in den Entwicklungsländern weiterhin produziert (1989 ca. 12 000 t) u. angewendet (s. *Lit.*[4]).

Gesetzliches: Die Chemikalien-Verbotsverordnung in der Fassung vom 19.07.1996 sagt: „DDT u. Zubereitungen, die unter Zusatz von DDT als Wirkstoff hergestellt wurden, dürfen nicht in den Verkehr gebracht werden. Das Bundesinst. für gesundheitlichen Verbraucherschutz u. Veterinärmedizin kann Ausnahmen von dem Verbot zur Synth. anderer Stoffe zulassen."
Lit.: [1] Regulatory Toxicology Pharmacology **5**, 329–383 (1985). [2] Naturwissenschaften **61**, 6–16, 207–213 (1974). [3] Naturwiss. Rundsch. **28** (7), 258 f. (1975). [4] Weissermel-Arpe (4.), S. 380.
allg.: Beilstein E IV **5**, 1885 ▪ Chem. Unserer Zeit **1972**, 83–86 ▪ Dangerous Prop. Ind. Mater. Rep. **5**, 12–20 (1985) ▪ Farm ▪ GIFAP-Nachdruck „DDT must continue", 1987 ▪ Kirk-Othmer (4.) **14**, 543 f. – [HS 290362; CAS 50-29-3]

DDVP s. Dichlorvos.

de (diastereomer excess). Werden in einer *diastereoselektiven Reaktion zwei Diastereomere A u. B in unterschiedlichen Verhältnissen gebildet, so errechnet sich der de nach

$$\text{de} = \frac{|A-B|}{A+B} \cdot 100.$$

Alternativ dazu kann auch das Diastereoverhältnis A:B definiert werden.
Lit.: s. Diastereo(iso)merie.

De... s. De(s)...

DEA. Kurzbez. der DEA Mineralöl AG, 22204 Hamburg, eine 100%ige Tochter der *RWE-DEA AG. Die Ges. ist verantwortlich für die Bereiche Raffinerien einschließlich ihrer petrochem. Anlagen, Herst. von Schmierstoffen, Versorgung mit Rohöl u. Produkten u. den Verkauf von Mineralölprodukten. 1993/94 wurden in Deutschland 1813 Tankstellen betrieben. *Daten* (1993/94): 3235 Beschäftigte, 17,5 Mrd. DM Umsatz.

Deacon, Henry (1822–1876). Als Werkleiter der Firma Chemical Industries in Widnes stellte D. Natriumcarbonat nach dem *Leblanc-Verf. her. Er bemühte sich um Verbesserung dieses Verf., indem er eine Verw. der anfallenden Salzsäure suchte. Dabei entwickelte er ein Verf. zur Chlor-Gewinnung aus Chlorwasserstoff durch Oxid. mit Luftsauerstoff über geeignete Katalysatoren. Mit diesem Verf. verdrängte er das bis dahin genutzte *Weldon-Verfahren. Der *Deacon-Prozeß blieb bis zur Entwicklung der elektrolyt. Chlor-Produktion das am meisten genutzte Verf. zur Chlor-Herstellung.
Lit.: Pötsch, S. 110.

Deacon-Prozeß. Von dem engl. Chemiker Henry *Deacon entwickeltes Verf. zur Herst. von *Chlor aus *Chlorwasserstoff durch Oxid. mit Luftsauerstoff u. Kupferchlorid als Katalysator, wobei Chlor (mit Luftstickstoff verdünnt) u. Wasserdampf entstehen:

$$CuCl_2 + 1/2\, O_2 \rightleftharpoons CuO + Cl_2$$
$$CuO + 2\,HCl \rightleftharpoons CuCl_2 + H_2O$$
$$\overline{2\,HCl + 1/2\,O_2 \rightleftharpoons H_2O + Cl_2}$$

Überschuß an Luftsauerstoff verschiebt die Lage des chem. Gleichgew. zur rechten Seite. Heute wird der D.-P. – wenn überhaupt – nur noch in abgewandelter Form praktiziert, s. Chlor. – *E* Deacon process – *F* procédé Deacon – *I* processo Deacon – *S* proceso Deacon
Lit.: Ullmann (5.) **A 6**, 461 f. ▪ s. a. Chlor.

Dead-end pathway. Stoffwechselweg von Mikroorganismen, wobei beim *biologischen Abbau bzw. durch *Biotransformation ein Stoff entsteht, der nicht bzw. nur sehr langsam abgebaut wird u. der noch wesentliche Strukturelemente der Ausgangssubstanz aufweist. Der weitere Abbau zu anorgan. Stoffen kann verzögert werden durch das Fehlen eines Katalysators (Enzyms) od. durch die Abwesenheit eines Reaktionspartners (Cosubstrat, *Coenzym). Als „Selbstmord-*Inhibitor" (übliche Bez. suicide inhibitor) bezeichnet man einen Stoff, der ein abbauendes Enzym hemmt u. damit zur Selbstvergiftung durch Akkumulation tox. Metabolite führt (sog. *letale Synthese). Z. B. bilden nicht-adaptierte Pflanzen auf Fluorid-reichen Böden Fluoressigsäure, aus der im *Citronensäure-Cyclus Monofluorcitrat entsteht, welches die Aconitase u. damit den Cyclus hemmt [1]. Biotechn. sind d.-e. p. für die (stereospezif.) Synth. von Ausgangsstoffen für Pharmazeutika, Polymere u. a. interessant. – *E* = *I* dead-end pathway – *S* camino dead-end
Lit.: [1] Schlee (2.), S. 214 ff.
allg.: Römpp Lexikon Umwelt, S. 177.

Dead-end-Polymerisation. D.-e.-P. sind radikal. *Polymerisationen, die unter Einsatz so geringer Initiatorkonz. durchgeführt werden, daß der Initiator verbraucht ist, bevor alle *Monomeren polymerisiert sind. Mit der Kinetik der d.-e.-P. können die Zerfallskonstanten des Initiators bestimmt werden, sofern keine Kettenübertragung u. kein Abbruch durch den Initiator erfolgt. – *E* dead-end polymerization – *I* polimerizzazione da dead-end – *S* polimerización dead-end
Lit.: Elias (5.) **1**, 469 ▪ Odian (3.), S. 239.

Dead-Stop-Titration. Bez. für ein 1926 von Foulk u. Bawden entwickeltes *Amperometrie-Verf. zur Bestimmung des *Endpunktes einer maßanalyt. *Redoxreaktion.* Es besteht in der Anw. von zwei gleichen Platin-Elektroden (s. Abb.), die in die Analysen-Lsg. eintauchen u. an die man eine konstante geringe Spannung (10 bis 100 mV) anlegt. Wenn in dem zu untersuchenden reversiblen *Redoxsystem (*Beisp.:* *Titration von Iod mit Thiosulfat-Lsg.) die eine Komponente (Iod) verbraucht ist, hört der Stromfluß – infolge Bildung einer *Überspannung – abrupt auf, was das Erreichen des *Äquivalenzpunktes anzeigt.

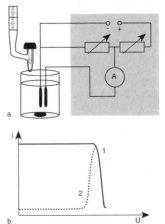

Abb.: Dead-Stop-Methode: (a) Meßanordnung; (b) Titrationskurven: (1) Iod mit Thiosulfat, (2) Thiosulfat mit Iod; i = Stromstärke, U = Spannung.

In anderen Fällen kann am Endpunkt auch ein Redoxpaar neu entstehen, was sich durch plötzliches Einsetzen eines Stromflusses zu erkennen gibt. – *E* dead stop titration – *F* méthode dead stop – *I* titolazione dead-stop – *S* método dead stop

Lit.: Kirk-Othmer **2**, 675 f. ▪ Snell-Hilton **1**, 137–141 ▪ s. a. Amperometrie, Elektro- u. Maßanalyse sowie Titration.

DEAE. Abk. für den in Polyhydroxy-Verb. eingeführten elektropos. *O*-[2-(Diethylamino)ethyl]-Rest in z. B. *Cellulose. Die teils wasserlösl., teils quellbaren u. in Perlform im Handel befindlichen Produkte werden verwendet als *Ionenaustauscher sowie in diversen kosmet. Zubereitungen.

Lit.: Encycl. Polym. Sci. Eng. **3**, 261.

Dealkylierung s. Desalkylierung.

Deanol.

HO—CH₂—CH₂—N(CH₃)₂ • HOOC—CH₂—CH₂—CH—COOH
                                               |
                                               NH—CO—CH₃
Deanol

Von der WHO vorgeschlagener Freiname für das als Psychostimulans u. Cerebraltherapeutikum wirksame 2-(Dimethylamino)-ethanol, $C_4H_{11}NO$, M_R 89,14; d_4^{20} 0,8866; Sdp. 135 °C (98,5 kPa); n_D^{20} 1,43. Verwendet werden das Aceglutamat $C_4H_{11}NO \cdot C_7H_{11}NO_5$, M_R 278,31 (Risatarun® von Ravensberg), das Acetamidobenzoat $C_4H_{11}NO \cdot C_9H_9NO_3$, M_R 268,31, Schmp. 159–161,5 °C; es wurde 1957 von Riker Labs patentiert; das Bitartrat $C_4H_{11}NO \cdot C_4H_6O_6$, M_R 239,23 (Medacaps® von Palmicol) u. das Hemisuccinat $C_4H_{11}NO \cdot C_4H_6O_4$, M_R 207,23. – $E = F = S$ deanol – *I* deanolo

Lit.: ASP ▪ Hager (5.) **7**, 1181 f. – *[HS 2922 19; CAS 108-01-0; 3342-61-8 (Aceglutamat); 3635-74-3 (Acetamidobenzoat); 5988-51-2 (Bitartrat)]*

Death charge-Polymerisation. Bez. für Polymerisationen, die unter Aufgabe der in den zwitterion. Monomeren zunächst vorhandenen Ladungen sowie Ringöffnung erfolgen. Über d. c.-P. werden beispielsweise aromat. Poly(sulfidether) dargestellt.

Die Bedeutung dieser Reaktion liegt darin, daß aus wäss. Monomer-Lsg. wasserbeständige Überzüge erhalten werden können. Techn. genutzt wird das Verf. jedoch nicht, da die Monomeren im allg. zu tox. sind. – *E* death charge polymerization – *I* polimerizzazione da death charge – *S* polimerización Death charge

Lit.: Elias (5.) **2**, 202.

Deaza... s. Carba...

Debierne, André Louis (1874–1949), Prof. für Physik, Univ. Paris. *Arbeitsgebiete:* Radioaktive Elemente, Herst. von metall. Radium (zusammen mit M. *Curie), Entdeckung des Actiniums u. Actinons.

Lit.: Neufeldt, S. 103, 110 ▪ Poggendorff **7b/2**, 999 f.

Debricin s. Ficin.

Debrisoquin.

Internat. Freiname für das antihyperton. wirksame 1,2,3,4-Tetrahydroisochinolin-2-carboxamidin, $C_{10}H_{13}N_3$, M_R 175,23. Farbloses Öl, erstarrt im Exsiccator zu weicher, krist. Masse, Schmp. 60–63 °C. Absorbiert CO_2 aus der Luft. Verwendet wird das Sulfat, ein weißes, krist. Pulver, Schmp. 278–280 °C, 284–285 °C od. 266–268 °C, abhängig vom Wassergehalt; λ_{max} (0,05 M H_2SO_4) 262, 270 nm ($A_{1cm}^{1\%}$ = 13,8, 10,2); LD_{50} (Ratte oral) 1580±163 mg/kg. D. wurde 1963 u. 1964 als *Antihypertonikum von Hoffmann-La Roche patentiert. – *E* debrisoquine – *F* débrisoquine – *I* debrisochina – *S* debrisoquina

Lit.: Beilstein E V **20/6**, 331 f. ▪ Hager (5.) **7**, 1182 f. – *[HS 2933 40; CAS 1131-64-2; 581-88-4 (Sulfat)]*

Debye (D). Nach P. *Debye benannte Einheit des elektr. *Dipolmomentes (1 D = 10^{-18} elektrostat. Einheiten × cm). – *E* Debye unit – *F* unité Debye – *I* unità Debye – *S* unidad Debye

Debye, Petrus Josephus Wilhelmus (1884–1966), holländ. Chemiker u. Physiker, Prof. an der Univ. Zürich, Göttingen u. Leipzig, KWI Berlin-Dahlem, Cornell-Univ., Ithaca (New York). *Arbeitsgebiete:* Elektrolyt. Dissoziation, Röntgeninterferenzen bei Gasen u. Dämpfen, Teilchengröße u. -struktur bei Hochpolymeren, Lichtstreuung, magnet. Kühlung, Ausarbeitung des Debye-Scherrer-Verfahrens. Für die Aufstellung der Dipol-Theorie u. für Arbeiten über die Mol.-Struktur erhielt D. 1936 den Nobelpreis für Chemie.

Lit.: Angew. Chem. **72**, 1 ff. (1960) ▪ Chem. Br. **3**, 494 (1967) ▪ Chem. Eng. News **44**, Nr. 47, 106 (1966) ▪ J. Chem. Educ. **45**, 467–473 (1968) ▪ Krafft, S. 98 f. ▪ Naturwissenschaften **54**, 29 (1967) ▪ Neufeldt, S. 127, 136, 145, 170, 366 ▪ Nobel Lectures, Chemistry 1922–1941, S. 379–403, Amsterdam: Elsevier 1966 ▪ Pötsch, S. 111.

Debye-Clausius-Mosotti-Gleichung. Die D.-C.-M.-G. verknüpft die makroskop. Größe *Dielektrizitätskonstante ε mit den mikroskop. Größen mittlere Polarisierbarkeit α u. permanentes elektr. *Dipolmoment $\vec{\mu}$ gemäß

$$\frac{\varepsilon-1}{\varepsilon+2} \cdot \frac{M}{\rho} = \frac{N_A}{3\varepsilon_0}\left(\bar{\alpha} + \frac{\vec{\mu}^2}{3kT}\right).$$

Diese Gleichung wurde erstmals 1912 von P. *Debye abgeleitet. Hierbei bedeuten ε = Dielektrizitätskonstante, M = Molmasse, ρ = Dichte, N_A = Avogadrosche Zahl, ε_0 = elektr. Feldkonstante, $\bar{\alpha}$ = mittlere Polarisierbarkeit, k = Boltzmann-Konstante u. T = abs. Temperatur. Durch Messung von ε u. ρ in Abhängigkeit von T lassen sich α u. $|\vec{\mu}|$ bestimmen; s. a. Clausius-Mossotti-Gleichung u. Dipolmoment. – *E* Debye Clausius Mosotti equation – *F* équation de Debye Clausius Mosotti – *I* equazione di Debye-Clausius-Mosotti – *S* ecuación de Debye-Clausius-Mosotti

Debye-Falkenhagen-Effekt. Bez. für die Beobachtung, daß die elektr. Leitfähigkeit einer Elektrolyt-Lsg. zunimmt, wenn sie mit sehr hochfrequenter Wechselspannung gemessen wird. Die Ursache hierfür besteht darin, daß die Ionenwolke (s. Debye-Hückel-Onsager-Theorie) durch die schnelle Oszillation des elektr. Feldes ihre asymmetr. Form u. damit ihre bremsende Wirkung verliert. – *E* Debye-Falkenhagen effect – *F* effet de Debye-Falkenhagen – *I* effetto di Debye-Falkenhagen – *S* efecto Debye-Falkenhagen

Debye-Hückel-Onsager-Theorie. Von P. *Debye u. E. *Hückel 1923 aufgestellte u. von *Onsager erweiterte Theorie zur Erklärung der Eigenschaften stark verd. Lsg. starker *Elektrolyte. Der D.-H.-O.-T. liegen folgende vereinfachende Annahmen zugrunde, die in der Praxis nur näherungsweise erfüllt sind: 1) Starke Elektrolyte sind bei allen Konz. vollständig dissoziiert. 2) Die Ladungsträger sind kugelförmige, unpolarisierbare Ladungen mit kugelsymmetr. elektr. Feld. Allein die Wechselwirkung zwischen den Ionen (*Coulomb-Kräfte) bestimmt die Abweichungen vom idealen Verhalten. 3) Das Lsm. wird nur in Form eines Dielektrikums, charakterisiert durch seine (temperaturabhängige) *Dielektrizitätskonstante, in Betracht gezogen. 4) Der mittlere Abstand zwischen 2 Ionen soll so groß sein, daß die therm. Bewegungsenergie groß gegenüber der mittleren Coulombschen Wechselwirkungsenergie ist.

Jedes Ion versucht, sich mit Ionen der entgegengesetzten Ladung zu umgeben; um ein Kation als Zentralion bildet sich z.B. eine „Ionenwolke" aus Anionen aus. Da die gesamte Lsg. elektr. neutral ist, fungiert jedes Ion sowohl als Zentralion als auch als Bestandteil der Ionenwolke eines entgegengesetzt geladenen Ions. Mit den genannten Annahmen u. unter Verw. der *Poissonschen Gleichung aus der Elektrostatik u. der Boltzmann-Statistik kann man das elektr. Potential in Abhängigkeit vom Abstand r zum Mittelpunkt eines beliebig herausgegriffenen Zentralions berechnen. Es ergibt sich zu

$$\varphi(r) = \frac{z_i e}{4\pi \varepsilon_r \varepsilon_0} \cdot \frac{e^{\alpha/\beta}}{1+\alpha/\beta} \cdot \frac{\exp(-r/\beta)}{r} \quad (1)$$

Hierbei sind z_i die Ladungszahl des Zentralions, e die *Elementarladung, ε_0 die elektrische Feldkonstante, ε_r die Dielektrizitätszahl des Lsm. u. α der Radius des Zentralions. Für die Größe β, die sich als Radius der Ionenwolke interpretieren läßt, ergibt sich

$$\beta = 6{,}288 \cdot 10^{-11} \left[\frac{\text{mol}}{\text{K m}}\right]^{\frac{1}{2}} \left[\frac{\varepsilon_r T}{I}\right]^{\frac{1}{2}} \quad (2),$$

wobei T die abs. Temp. u. I die von *Lewis u. Randall eingeführte *Ionenstärke sind:

$$I = \frac{1}{2}\sum_i c_i z_i^2 \quad (c_i: \text{Konz. der Ionensorte i}).$$

Aus (1), der zentralen Gleichung der D.-H.-O.-T., lassen sich experimentell bestimmbare Größen berechnen, z.B. mittlere Aktivitätskoeffizienten (s. Aktivität u. Debye-Hückelsches Grenzgesetz) od. Leitfähigkeitskoeffizienten u. die Konzentrationsabhängigkeit der molaren Leitfähigkeit verd. Lsg. starker *Elektrolyte. Vgl. mit dem Experiment zeigen, daß die D.-H.-O.-T. bei hohen Verdünnungen, d. h. bis zu Konz. von höchstens 10^{-2} mol L^{-1}, gute Übereinstimmung mit Meßwerten liefert. – *E* Debye Hückel Onsager theory – *F* théorie de Debye-Hückel-Onsager – *I* teoria di Debye-Hückel-Onsager – *S* teoría de Debye-Hückel(-Onsager)

Lit.: Atkins, Physikalische Chemie, 2. Aufl., Weinheim: VCH Verlagsges. 1996 ▪ Koryta u. Dvorak, Principles of Electrochemistry, Chichester: Wiley 1987 ▪ Wedler, Lehrbuch der Physikalischen Chemie, Weinheim: VCH Verlagsges. 1987.

Debye-Hückelsches Grenzgesetz. Es beschreibt die Abhängigkeit des Aktivitätskoeff. γ (vgl. Aktivität) von der *Ionenstärke I über $\lg \gamma = -0{,}509 \cdot Z^2 \cdot \sqrt{I}$ (für Lsg. starker Elektrolyte in Wasser bei 25 °C), wobei Z die Ladung eines Ions ist. Das D.-H.G. gilt nur für Konz. bis 0,01 mol L^{-1}. Bei höheren Konz. muß man den Koeff. experimentell bestimmen. – *E* Debye Hückel's law – *F* loi limite de Debye-Hückel – *I* legge limite di Debye-Hückel – *S* ley de Debye-Hückel

Lit.: s. Debye-Hückel-Onsager-Theorie.

Debye-Hückel-Theorie s. Debye-Hückel-Onsager-Theorie.

Debye-Kräfte s. zwischenmolekulare Kräfte.

Debye-Scherrer-Verfahren s. Kristallstrukturanalyse.

Debye-Waller-Faktor. Temperaturabhängiger Faktor im Ausdruck für die Intensität der reflektierten Strahlung bei der Streuung an Kristallgittern (Röntgen-, Neutronen-, Elektronen- od. *Gammastrahlen). Mit zunehmender Temp. nimmt die Intensität u. damit der D.-W.-F. als Folge verstärkter therm. Gitterbewegung ab. Bei gegebener Temp. verringert sich der D.-W.-F. einer Beugungslinie mit zunehmendem reziproken Gittervektor des Reflexes (s. a. reziprokes Gitter). – *E* Debye-Waller factor – *F* facteur de Debye-Waller – *I* fattore di Debye-Waller – *S* factor de Debye-Waller

Lit.: Kittel, Einführung in die Festkörperphysik, 10. Aufl., München: Oldenbourg 1993.

Dec(a)... Von griech.: deka = zehn entlehnter Zahlenvorsatz in systemat. Namen. – *E* = *I* = *S* deca – *F* déca

Decaboran(14).

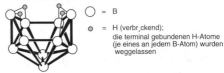

○ = B
● = H (verbr. ckend);
die terminal gebundenen H-Atome (je eines an jedem B-Atom) wurden weggelassen

Eines der vier möglichen Decaborane (s. Borane), $B_{10}H_{14}$, M_R 122,21. Farblose Krist., D. 0,94, Schmp. 99 °C, Sdp. 213 °C; bei 300 °C langsame Zers. in Bor u. Wasserstoff. D. ist leichtentzündlich u. sehr giftig, MAK 0,3 mg/m^3. D. ist in kaltem Wasser wenig, in Benzol, Alkohol, Schwefelkohlenstoff od. Essigsäureanhydrid besser lösl. u. reagiert z.B. schon bei 20 °C mit Amiden, Acetonitril u. Aceton. Lsg. von D. in Tetrachlormethan können durch Stoß explodieren!

Verw.: In Raketentreibstoffen, als Katalysator bei Polymerisationen von Olefinen. – *E* decaborane (14) – *F* décaborane – *I* = *S* decaborano

Lit.: Brauer (3.) **2**, 792f. ▪ Braun-Dönhardt (3.) S. 78 ▪ Hollemann-Wiberg (101.), S. 671–675 ▪ Houben-Weyl **13/3c**, 111–118 ▪ Hommel, Nr. 253 ▪ s.a. Borane. – [*HS 285000; CAS 17702-41-9; G 6.1*]

2,4-Decadienal.

H₃C~~~~~CHO
(*E,E*)-2,4-D.

H₃C~~~~~CHO
(*E,Z*)-2,4-D.

$C_{10}H_{16}O$, M_R 152,24. (*E,E*)-2,4-D.: Fettig-aldehyd. riechende Flüssigkeit, Sdp. 110°C (9 hPa), D. 0,871. Vork. [meist gemeinsam mit (*E,Z*)-2,4-D.] in fetthaltigen Lebensmitteln wie Fisch, Fleisch u. Molkereiprodukten, sowie in *Citrusölen, in denen 2,4-D. wegen des niedrigen Geruchsschwellenwertes von 0,07 ppb [1] wesentlich zum Geruchseindruck beiträgt. Beide 2,4-D. entstehen bei der Autoxid. von Linolsäure [2]. (*E,E*)-2,4-D. hat einen Markt von einigen 100 kg u. wird nach der Hoaglin-Synth.[3] aus 2-Octenal u. Vinylether hergestellt. Verw. in Fleisch- u. Citrusaromen. Das strukturverwandte (*Z,Z*)-4,7-D. ist eine wichtige Spurenkomponente im *Kalmusöl. – *E* = *S* 2,4-decadienal – *F* 2,4-décadiénal – *I* 2,4-decadienale

Lit.: [1] Perfum. Flavor. **16**(1), 14 (1991). [2] Belitz-Grosch (4.), S. 188. [3] J. Am. Chem. Soc. **80**, 3069 (1958).
allg.: Beilstein E IV **1**, 3566 ▪ Maarse u. Visscher (Hrsg.), Volatile Compounds in Food – Qualitative and Quantitative Data, 6. Aufl., Suppl. 5, S. 340, Zeist: TNO 1989. – [HS 2912 19; CAS 25152-84-5 (*E,E*); 25152-83-4 (*E,Z*)]

Decafluorbutan (R 610) s. Fluorkohlenwasserstoffe.

Decahydronaphthalin s. Decalin.

γ-Decalacton (4-Hydroxydecansäurelacton, 4-Decanolid).

H₃C—(CH₂)₄—CH₂—[lactone ring with =O]

$C_{10}H_{18}O_2$, M_R 170,25, Sdp. 281°C. Aus *Ricinolsäure von Hefen u. Pilzen (*Candida*[1], *Monilia*, *Sporobolomyces* u. a.) durch oxidativen Abbau gebildetes Stoffwechselprodukt. γ-D. wird wegen seines Aromas, das an Pfirsiche erinnert, in der Riech- u. Geschmacksstoff-Ind. eingesetzt. – *E* γ-decalactone – *F* γ-décalactone – *I* γ-decalattone – *S* γ-decalactona

Lit.: [1] J. Biochem. **54**, 536 (1963).
allg.: Präve et al. (4.), S. 737 ff. ▪ Synth. Commun. **23**, 2731 (1993). – [HS 2932 29; CAS 107797-26-2 (*R-Form*); 107797-27-3 (*S-Form*); 2825-92-5 ((±)-*Form*)]

Decalin (Decahydronaphthalin, Perhydronaphthalin, als Marke von Henkel: Dekalin®).

trans-D.   cis-D.
a)   b)

$C_{10}H_{18}$, M_R 138,25. Von D. existieren eine *cis*- u. eine *trans*-Form, s. Abb.; in beiden Stereoisomeren (*Stereoisomerie) liegen die Cyclohexan-Ringe in der *Sesselform* vor. Bei (*a*) sind die beiden H-Atome an den Brückenkopf-Atomen axial zu den Ringen angeordnet, bei (*b*) dagegen steht je ein H-Atom zu einem Cyclohexan-Ring äquatorial, zum anderen axial.
trans-D.: Farblose Flüssigkeit, D. 0,8700, Schmp. –30°C, Sdp. 187°C; *cis*-D.: Farblose Flüssigkeit, D. 0,8963, Schmp. –43°C, Sdp. 196°C. Die Handelsware ist meist ein Gemisch aus *trans*- u. *cis*-D. u. riecht Menthol/Naphthalin-artig; in Wasser nicht, in Methanol od. Ether gut löslich. D. reizt Haut u. Schleimhäute u. kann Schwindel, Kopfschmerzen u. Übelkeit hervorrufen; LD_{50} (Ratte oral) 4170 mg/kg; wassergefährdender Stoff, WGK 2 (Selbsteinst.). Es bildet bei höheren Temp. mit Luft ein explosionsfähiges Gemisch. D. wird aus *Naphthalin durch Hydrierung hergestellt u. findet Verw. zur Herst. von Schuhpflegemitteln, Bohnermassen u. als Lsm. für Fette, Harze, Wachse u. Lacke. D. dient auch als Ausgangsmaterial für die Herst. von Cyclodecanon. – *E* decalin – *F* décaline – *I* = *S* decalina

Lit.: Beilstein E IV **5**, 310 ff. ▪ Hommel, Nr. 511 ▪ Kirk-Othmer (4.) **16**, 968 ▪ Merck-Index (12.), Nr. 2903 ▪ Ullmann (5.) **A 13**, 238. – [HS 2902 19; CAS 91-17-8; G 3]

Decamethoniumbromid.

$[(H_3C)_3\overset{+}{N}—(CH_2)_{10}—\overset{+}{N}(CH_3)_3]$ 2 Br⁻

Internat. Freiname für das als *Muskelrelaxans wirksame Dibromid des 1,10-Bis(trimethylammonio)-decan, $C_{16}H_{38}Br_2N_2$, M_R 418,30; weißes, krist. Pulver, Zers. bei 268–270°C; λ_{max} (wäss. Säure-Lsg.) 227 nm ($A_{1cm}^{1\%}$ = 584). – *E* decamethonium bromide – *F* bromure de décaméthonium – *I* bromuro di decametonio – *S* bromuro de decametonio

Lit.: Beilstein E IV **4**, 1369 ▪ Hager (5.) **7**, 1182 f. – [HS 2923 90; CAS 541-22-0]

Decanal (veraltet: Caprinaldehyd).

H₃C~~~~~~~CHO

$C_{10}H_{20}O$, M_R 156,27, Sdp. 209°C, $D.^{20}$ 0,83, Schmp. ca. –5°C. Angenehm riechende, farblose Flüssigkeit, in Iriswurzelöl, Lemongrasöl, Mandarinenöl, Neroliöl usw. verbreitet, wird in der Parfüm- u. Aromen-Ind. zur Herst. von künstlichem Veilchenöl, Irisöl, Neroliöl, Rosenöl u. Pomeranzenöl verwendet. – *E* = *S* decanal – *F* décanal – *I* decanale

Lit.: Beilstein E IV **1**, 3366 f. ▪ Tetrahedron **42**, 5515 (1986) ▪ TNO-Liste (6.), Suppl. 1, S. 320 ▪ s.a. etherische Öle. – [HS 2912 19; CAS 112-31-2]

Decandioyl... Bez. für die Atomgruppierung –CO–(CH₂)₈–CO– in den systemat. Namen von *Sebacinsäure-Derivaten. – *E* decanedioyl... – *F* décanedioyl... – *I* decandioil... – *S* decanodioil...

Decandisäure s. Sebacinsäure.

1-Decanol (Decylalkohol, Caprinalkohol).

$H_3C–(CH_2)_9–OH$, $C_{10}H_{22}O$, M_R 158,28. Farblose, ölige, lokal reizende Flüssigkeit, D. 0,8297, Schmp. 7°C, Sdp. 229°C, unlösl. in Wasser, lösl. in Alkohol u. Ether; LD_{50} (Ratte oral) 4720 mg/kg, WGK 1. Verw. zur Herst. von rosen- u. neroliartigen Parfüms, Detergentien, als Weichmacher u. dgl. – *E* = *S* 1-decanol – *F* 1-décanol – *I* 1-decanolo

Lit.: Beilstein E IV **1**, 1815 ff. ▪ Hommel, Nr. 407 ▪ Kirk-Othmer (4.) **1**, 868; **12**, 819 ▪ Merck-Index (12.), Nr. 2911 ▪ Ullmann (5.) **A 1**, 292. – [HS 2905 19; CAS 112-30-1; G 3]

Decanoyl... Bez. für die Atomgruppierung –CO–(CH₂)₈–CH₃ in systemat. Namen; ältere Bez. Caprinoyl... – *E* decanoyl... – *F* décanoyl... – *I* = *S* decanoil...

Decansäure (Caprinsäure). H$_3$C–(CH$_2$)$_8$–COOH, C$_{10}$H$_{20}$O$_2$, M$_R$ 172,27. Farblose, ranzig (vgl. capr...) riechende Masse, D. 0,878 (50 °C), Schmp. 31 °C, Sdp. 270 °C, LD$_{50}$ (Ratte oral) 129 mg/kg. Im Wasser nicht, in organ. Lsm. u. verd. Salpetersäure löslich. D. ist als Glycerinester in Kuh- u. Ziegenbutter, Kokosnußöl u. anderen Fetten verbreitet, findet Verw. in der Parfüm-Ind., als Zwischenprodukt in organ. Synthesen. – *E* decanoic acid – *F* acide décanoïque – *I* acido decanoico – *S* ácido decanoico
Lit.: Beilstein EIV **2**, 1041–1044 ▪ Merck-Index (12.), Nr. 1802. – *[HS 2915 90; CAS 334-48-5]*

Decaprednil®. Tabl. u. Ampullen mit *Prednisolon gegen Arthritis, Asthma u. a. allerg. Erscheinungen. **B.:** Nycomed/Ismaning.

Decarbonylierung (vgl. Carbonylierung). Bez. für die Abspaltung von Kohlenmonoxid aus Carbonyl-Verb. (Aldehyden od. Ketonen), Carbonsäure-Derivaten (z. B. Carbonsäureestern od. Carbonsäurechloriden) u. *Carbonyl-Komplexen, wobei die D. von Aldehyden gelegentlich auch als *Deformylierung* bezeichnet wird. So unterschiedlich wie die zu decarbonylierenden Verb. sind auch die zugrunde liegenden Mechanismen. Die D. von Carbonsäuren od. Carbonsäureestern ist keine allg. Reaktion u. nur für wenige Vertreter von präparativer Bedeutung; u. a. lassen sich Ameisensäure u. Oxalsäure ebenso wie α-Ketocarbonsäureester durch Erhitzen relativ leicht decarbonylieren. Die D. von aromat. Aldehyden mit konz. Schwefelsäure verläuft nach dem elektrophilen Substitutionsmechanismus u. stellt die Umkehrung der elektrophilen Formylierung dar[1].

Während die elektrophile D. von Aldehyden nur in Ausnahmefällen gelingt, sind D. mit *Übergangsmetall-Komplexen allg. anwendbar. Als Katalysator hat sich bes. Chlor-tris(triphenylphosphin)rhodium (*Wilkinson-Katalysator*)[2] bewährt, der auch zur D. von aromat. Säurehalogeniden (Bildung von Halogenaromaten) eingesetzt werden kann. Weitere Decarbonylierungsmittel sind Peroxide, Trialkylsilane u. a.

– *E = F* decarbonylation – *I* decarbonilazione – *S* descarbonilación
Lit.: [1] Taylor, Bamford u. Tipper, Comprehensive Chemical Kinetics, Bd. 13, S. 316–323, New York: American Elsevier 1972. [2] Prog. Inorg. Chem. **28**, 63–202 (1981).
allg.: Collmann et al., Principles and Applications of Organotransition Metal Chemistry, Mill Valey, CA: University Science Books 1987 ▪ Hegedus, Organische Synthese mit Übergangsmetallen, S. 130, Weinheim: VCH Verlagsges. 1995 ▪ Houben-Weyl **E18**, 1052 f. ▪ Patai, The Chemistry of the Carbonyl Group, S. 695–760, London: Interscience 1966 ▪ Patai, The Chemistry of Functional Groups, Supplement B, Tl. 2, S. 825–857, London: Interscience 1979 ▪ Wender u. Pino, Organic Synthesis via Metal Carbonyl, Bd. 2, S. 595–654, New York: Wiley 1977.

Decarboxylasen. Zu den *Lyasen gehörende Enzyme, die aus der Carboxy-Gruppe von organ. Säuren Kohlendioxid abspalten (*Decarboxylierung) u. z. B. aus L-*Aminosäuren *biogene Amine entstehen lassen; *Beisp.:* L-Glutaminsäure → 4-Aminobuttersäure, L-Asparaginsäure → L-Alanin, L-Lysin → Cadaverin, L-Ornithin → 1,4-Diaminobutan, L-Histidin → Histamin, L-Serin → Ethanolamin; 2-Oxocarbonsäuren → Aldehyde; Pyruvat → Acetaldehyd. In vielen Fällen agieren die D. auch als *Carboxylasen; als *Coenzyme benötigen sie *Thiamindiphosphat, *Biotin od. *Pyridoxal-5'-phosphat. *Benserazid hat sich als D.-Hemmer erwiesen. – *E* decarboxylases – *F* décarboxylases – *I* decarbossilasi – *S* descarboxilasas

Decarboxylierung. Unter D. versteht man die Abspaltung von Kohlendioxid aus freien Carbonsäuren bzw. ihren Salzen. Während einfache aliphat. Carbonsäuren nur schwer decarboxyliert werden können, sind in α- od. β-Position funktionalisierte Carbonsäure-Derivate teilw. unter sehr milden Bedingungen zu decarboxylieren. In einigen dieser Fälle ist das Durchlaufen eines cycl., sechsgliedrigen Übergangszustandes für die Leichtigkeit der D. verantwortlich, wie z. B. für β-Keto-carbonsäure gezeigt werden kann; vgl. Eliminierung.

Tab.: Decarboxylierung von funktionalisierten Carbonsäuren (Auswahl).

Carbonsäure	Formel	Produkt	Formel
Malonsäure-Derivate	(COOH)$_2$CH–	Essigsäure-Derivate	–CH$_2$–COOH
α-Keto-carbonsäuren	–C(=O)–COOH	Aldehyde	–CH=O
β-Keto-carbonsäuren	–C(=O)–C–COOH	Ketone	–C(=O)–C–H
α,α,α-Trihalogen-carbonsäure	X$_3$C–COOH	Haloforme	X$_3$CH
Glycerid-säuren	(structure with COOH)	Aldehyde	–CH–CH=O
β,γ-ungesättigte Carbonsäuren	C=C–C–COOH	Alkene	C=C–C–H
β-Hydroxy-carbonsäuren	Ar–C(OH)–C–COOH	Alkene	Ar–C=C
β-Lactone	(cyclic structure)	Alkene	C=C

Die D. aromat. Carbonsäuren kann durch Erhitzen der Säure in Chinolin in Ggw. von Kupfer erfolgen. Diese präparativ wichtige Reaktion verläuft wahrscheinlich über die intermediäre Bildung von Kupfer-Salzen der Carbonsäure.

Aromat. Carbonsäuren mit elektronenliefernden Substituenten in *ortho*- od. *para*-Position decarboxylieren beim Erhitzen in Schwefelsäure. Die Reaktion verläuft nach dem elektrophilen Substitutionsmechanismus unter Beteiligung von Arenium-Ionen[1]. Die Pyrolyse von Carbonsäure-Salzen liefert Ketone, so z. B. Aceton aus Calcium- od. Bariumacetat. Von präparativer Bedeutung ist diese D. auch, wenn die Carbonsäuren über Thoriumdioxid pyrolysiert werden. Aus Dicarbonsäuren bilden sich so Cycloalkanone, s. Ruzicka-Cyclisierung.

Über Radikale verlaufen die elektrolyt. D. (*Kolbe-Synthese) u. die D. von Silbercarboxylaten mit Brom (*Hunsdiecker-Borodin-Reaktion). Die oxidative D. von Carbonsäuren mit Bleitetraacetat[2,3] führt zu einer Reihe von Produkten, u. a. Estern, Alkanen u. Alkenen, die bei geeigneter Wahl der Reaktionsbedingungen in guten Ausbeuten zugänglich sind. Außer in Spezialfällen hat die D. kaum noch techn. Bedeutung; sie spielt allerdings eine große Rolle bei Stoffwechselvorgängen, so bei der enzymat. D. von Aminosäuren zu *biogenen Aminen (vgl. Decarboxylasen), von Ketocarbonsäuren (vgl. Citronensäure-Cyclus u. Ethanol). Mikrobiolog. D. haben Eingang in die präparative Chemie gefunden. – *E* = *F* decarboxylation – *I* decarbossilazione – *S* descarboxilación

Lit.:[1] Taylor, Bamford u. Tipper, Comprehensive Chemical Kinetics, Bd. 13, S. 303–316, Amsterdam: Elsevier 1972.[2] Russ. Chem. Rev. **49**, 1119–1134 (1980).[3] Org. React. **19**, 279–421 (1972).
allg.: Houben-Weyl **8**, 359–501; **E 18**, 1045f. ▪ March (4.), S. 627–630, 730 ff., 1185 ff. ▪ Organikum, S. 255 ▪ Patai, The Chemistry of Carboxylic Acids and Esters, S. 589–622, London: Interscience 1969.

Decarestrictine. Bez. für eine Gruppe von Sekundärmetaboliten aus verschiedenen *Penicillium*-Stämmen. Als typ. Strukturelement weisen fast alle Vertreter der D.-Familie ein zehngliedriges Lacton-Grundgerüst mit einer exocycl. Methyl-Gruppe an C-9 auf. Die D. unterscheiden sich in ihrem Oxygenierungsmuster an C-3 bis C-8 sowie im Vorhandensein von (*E*)-Doppelbindungen an C-4, C-5 u. C-6. Mit Ausnahme der D. G u. K wirken alle D. als spezif. *Inhibitoren der *Cholesterin-Biosynth. u. sind Lipidregulatoren.

Abb.: Decarestrictin D.

Hauptkomponenten sind *D. B* {$C_{10}H_{14}O_5$, M_R 214,22, Öl, $[\alpha]_D$ –49° (CH_3OH)} u. *D. D* {$C_{10}H_{16}O_5$, M_R 216,23, krist., Schmp. 116 °C, $[\alpha]_D$ –62° ($CHCl_3$)}, das auch in Sklerotien von *Polyporus tuberaster* enthalten ist. – *E* decarestrictins – *F* décarestrictine – *I* decarestrittine – *S* decarestrictinas

Lit.: Biosci. Biotechnol. Biochem. **59**, 1657 (1995) ▪ J. Antibiot. **45**, 56, 66, 1176 (1992); **46**, 1372 (1993) ▪ J. Chem. Soc., Perkin Trans. 1 **1993**, 495 (Biosynth.) ▪ Nat. Prod. Rep. **13**, 365–375 (1996) (Review). – [*CAS 127393-91-3 (D. B); 127393-89-9 (D. D)*]

2-Decenal.

$C_{10}H_{18}O$, M_R 154,25, Sdp. 112 °C (2,3 kPa). Bestandteil des Korianderöls u. Abwehrsekret des Käfers *Caleotechus sordidus*. – *E* = *S* 2-decenal – *F* 2-décénal – *I* 2-decenale

Lit.: Chem. Ber. **115**, 161 (1982) ▪ J. Food Sci. **42**, 645 (1977) ▪ J. Insect. Physiol. **21**, 659 (1975). – [*HS 2912 19; CAS 3913-71-1*]

Decentan®. Tropfen, Ampullen u. Tabl. mit *Perphenazin gegen Unruhe-, Angst- u. man. Zustände. *B.*: Merck.

DECHEMA. Abk. für die 1926 von Max *Buchner gegr. *D*eutsche Gesellschaft für *Chem*isches *A*pparatewesen, Chemische Technik u. Biotechnologie e. V. mit Sitz in 60486 Frankfurt a. M., Theodor-Heuss-Allee 25, die 170 Mitarbeiter beschäftigt u. über 3600 Mitglieder hat. Ziel der D. ist die Förderung des techn. Fortschritts auf den Gebieten Chem. Apparatewesen, Chem. Technik, Umweltschutz u. Biotechnologie.
Aufgaben: Förderung des Informations- u. Erfahrungsaustausches durch die Ausstellungstagungen *ACHEMA, AchemAsia u. INNOMATA sowie durch Kongresse, Symposien, Kolloquien, Kurse u. Seminare; Förderung der Aus- u. Weiterbildung; Forschungsförderung; Veröffentlichung wissenschaftlicher Arbeitsergebnisse, Bereitstellung von Fachinformationen, Entwicklung u. Bereitstellung der Datenbanken DETHERM, CHEMSAFE, CORIS, CEABA. Mit WOICE of ACHEMA (World Catalogue of Internat. Chemical Equipment) (INTERNET-Adresse: http://www.woice.de) bietet die D. den weltweit ersten Multimedia-Katalog für Ausrüstungsgüter der chem. Technik, des Umweltschutzes u. der Biotechnologie an, der das ACHEMA-Jahrbuch ersetzt u. auf CD-ROM erscheint (jährliche Aktualisierung). Die D. unterhält ein eigenes Forschungsinst. (Karl-Winnacker-Inst.) mit den 8 Arbeitsgruppen: Reaktionstechnik, Bioverfahrenstechnik, Elektrochemie, Meß- u. Regelungstechnik, Hochtemperaturwerkstoffverhalten, Korrosion, Korrosionsprüfung u. Abgasmeßlabor. Fachausschüsse u. Arbeitsausschüsse dienen der Anregung u. Förderung neuer wichtiger Forschungsthemen. Die D. zeichnet herausragende Leistungen aus (DECHEMA-Medaille, DECHEMA-Preis der Max Buchner-Forschungsstiftung, Hellmuth Fischer-Medaille, Alwin Mittasch-Medaille) u. gehört der Europäischen Föderation Korrosion, *Europäischen Föderation Biotechnologie u. der *Europäischen Föderation für Chemie-Ingenieur-Wesen an. *Publikationsorgane:* Chemie-Ingenieur-Technik, Werkstoffe u. Korrosion, *DECHEMA-Werkstoff-Tabelle, ACHEMA-Jahrbuch usw. – INTERNET-Adresse: http://www.dechema.de
Lit.: ACHEMA-Jahrb. **1994**, Bd. 1, A43 – A48, A68 – A72, 307–310.

DECHEMA-Werkstoff-Tabelle. Von der *DECHEMA erarbeitetes u. herausgegebenes Sammelwerk, in dem die chem. Beständigkeit der gebräuchlichsten, zum Bau von Apparaturen bzw. Geräten für die chem. Technik u. für chem. Laboratorien verwendeten Werkstoffe gegenüber mehr als 1000 angreifenden Mitteln behandelt wird. Die Blätter der D.-W.-T. sind in die Gruppen „Chemische Beständigkeit der Werkstoffe" u. „Physikalische Eigenschaften der Werkstoffe" gegliedert. Seit 1987 wird die D.-W.-T. auch in engl. Sprache als „DECHEMA-Corrosion Handbook" herausgegeben.

Deci... s. Dezi...

Decker, Karl (geb. 1925), Prof. für Biochemie, Direktor des Biochem. Inst. der Medizin. Fakultät, Univ. Freiburg. *Arbeitsgebiete:* Galactosamin-Hepatitis, Entzündungsmediatoren, Stoffwechsel von Leberzellen, Nicotin-Stoffwechsel, Flavoproteine, Energiestoffwechsel anaerober Bakterien.
Lit.: Kürschner (16.), S. 553 ▪ Wer ist wer, S. 221.

Deckfarben. Bez. für *Anstrichstoffe von großem *Deckvermögen. *Beisp.:* Deckende Pigmentfarben (z. B. Zinnober) im Gegensatz zu transparenten Farben (z. B. Krapplack). Auch Bez. für Wasserfarbensyst. von deckender Wirkung (z. B. *Gouachefarben) im Gegensatz zu den lasierenden *Aquarellfarben. – *E* hiding paints – *F* couleurs couvrantes – *I* colori impregnanti – *S* pinturas cubrientes

Deckgrün s. Chrom-Pigmente.

Deckschicht. Unter D. versteht man nach DIN 50 900 Tl. 1 (04/1982) eine bei *Metallen „durch *Korrosion gebildete Schicht aus festen Reaktionsprodukten, die die Oberfläche mehr od. weniger gleichmäßig bedeckt. Hierdurch kann die Korrosion verlangsamt werden. Bei ungleichmäßiger D.-Ausbildung können Korrosionselemente gebildet werden." Unter bestimmten Voraussetzungen kann die D. als *Schutzschicht wirken. Ein Spezialfall äußerst dünner D. sind *Anlaufschichten,* vgl. Anlaufen. – *E* top layer, surface layer – *F* couche de couverture – *I* copertura – *S* capa de recubrimiento

Deckvermögen. Das D. eines *Anstrichstoffes od. eines *Anstriches ist nach DIN 55 945 (12/1988) sein Vermögen, die Farbe od. die Farbunterschiede des Untergrundes zu verdecken. – *E* hiding power – *F* pouvoir couvrant – *I* proprietà di copertura – *S* poder cubriente

Decoctum (Dekokt, Abkochung, Absud). Wäss. Extrakt von Pflanzenteilen, die pharmakolog. wirksame Stoffe enthalten. Zur Herst. übergießt man die zerkleinerten Pflanzenteile mit der zehnfachen Gewichtsmenge an kaltem Wasser, erhitzt 30 min auf dem Wasserbad u. preßt warm aus; die Flüssigkeit enthält dann gelöste Arzneibestandteile. Es gibt z. B. ein D. Chinae, Condurango, Gentianae, Primulae, Saponariae usw. – *E* decoction – *F* décoction – *I* decotto – *S* decocción
Lit.: DAB 8 (Wäss. Drogenauszüge).

Decoderm®. Creme, Salbe, Paste u. Tinktur mit *Flupredniden-21-acetat, auch D. comp. mit zusätzlichem *Gentamicin-Sulfat od. D. tri mit zusätzlichem Gentamycin-Sulfat u. *Cloxiquin gegen Verbrennungen, Verätzungen, Ekzeme, Infektionen, Hautpilze. *B.:* Hermal.

Decortin®. Tabl. mit *Prednison bzw. (D. H) Tabl. mit *Prednisolon gegen Addisonsche Krankheit, rheumat. Erkrankungen, Allergien usw. *B.:* Merck.

Decosilk®, Decosoft®. Marken für gefärbte Mikrogranulate auf Polyurethan- u. Polyacryl-Basis als Lackzusatz. Erzeugen eine seidige Oberfläche. *B.:* Uetikon.

Decrolin®. Red.- u. Ätzmittel auf der Basis von Zinkhydroxymethansulfinat für den *Ätzdruck in der Textil-Industrie. *B.:* BASF.

Decumbin s. Brefeldine.

Decyclisierung s. Ringreaktionen.

Decyl... Bez. für die Atomgruppierung $-CH_2-(CH_2)_8-CH_3$ in systemat. Namen. – *E* decyl... – *F* décyl... – *I* = *S* decil...

Decylaldehyd s. Decanal.

Decylalkohol s. 1-Decanol.

Decylbromid s. 1-Bromdecan.

Dedevap®. Insektizid u. Akarizid auf der Basis von *Dichlorvos. *B.:* Bayer.

Dediazonierung s. Diazonium-Verbindungen.

DeDIOX®. Verf. zur Zerstörung von *Dioxinen u. Furanen in Rauch- u. Prozeßgasen. *B.:* Degussa.

Dedux®. Gasreinigungskatalysator aus Pd/Al_2O_3 zur Entfernung von O_2 aus Wasserstoff u. anderen Gasen. *B.:* Doduco.

van Deemter-Gleichung. In der theoret. Behandlung der *Chromatographie definiert man in Analogie zur *Destillation mit Kolonnen Böden, welche die *stationäre Phase im chromatograph. Trennstrecke in einzelne Trennabschnitte unterteilen, die mit dem Begriff *theoret. Trennstufen* bezeichnet werden. Die theoret. Trennstufenhöhe wird dadurch bestimmt, daß sich in diesem Abschnitt das Gleichgew. zwischen den Phasen vollständig einstellt. Findet der Stoffaustausch reversibel statt, so stellt sich das Verteilungsgleichgew. „unendlich" schnell ein: *Ideale Chromatographie.* Ideale Verhältnisse zur Erlangung niedriger Trennstufenhöhen sind experimentell nicht in allen Teilen zu erreichen. Die chromatograph. Banden erfahren daher mit der Länge der Trennstrecke eine Verbreiterung, die v. a. auf Diffusionseffekte u. Nichtgleichgew. beruhen. Die v. D.-G. beschreibt den Zusammenhang zwischen der Höhe einer theoret. Trennstufe u. diesen dynam. Effekten. Sie lautet in der einfachsten Form:

$$H = A + B/u + C \cdot u$$

Sie stellt die Abhängigkeit der theoret. Trennstufenhöhe H von der linearen Strömungsgeschw. u (cm · s^{-1}) der mobilen Phase her. Die einzelnen Therme A, B u. C sind für ein gegebenes Syst. konstante Größen u. berücksichtigen im einzelnen Diffusionseffekte (A u. B) u. Nichtgleichgew. (C). Eine geringe Trennstufenhöhe u. damit eine hohe Trennstufenzahl für eine bestimmte Trennstrecke erzielt man mit möglichst kleinen Faktoren. Die Funktion H = f(u) stellt eine Hyperbel dar (s. Abb.).

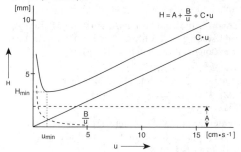

Abb.: Abhängigkeit der theoret. Trennstufenhöhe von der linearen Strömungsgeschwindigkeit (van-Deemter-Gleichung).

Das Minimum dieser Kurve gibt die optimale Strömungsgeschw. an. Hier ist H am kleinsten, das bedeutet, daß unter diesen Bedingungen die Bandenverbreiterung am zweiten Schacht nicht belüftete Lsg. abist u. damit die Trennleistung des Syst. am höchsten ist. Diese fundamentale Beziehung hat für die Anw. auf die Fälle in der Chromatographie Korrekturen u. Erweiterungen erfahren. Näheres ist in den Lehrbüchern der Chromatographie. – *E* van Deemter equation

Deep Shaft-Schlaufenreaktor. Bez. eines Airlift-Fermenters (s. Bioreaktor) zur aeroben *Fermentation. Die Gasverteilung erfolgt durch den Vordruck des Gases. Durch Installation eines Verdrängerkörpers ist der Bioreaktor in mehrere Schächte unterteilt u. wird als Schlaufenreaktor gefahren. In einem Schacht wird durch die Belüftung eine Aufwärtsströmung erzeugt, während im zweiten Schacht nicht belüftete Lsg. abwärts strömt! D. S.-S.-Syst. dienen heute hauptsächlich zur Abwasserreinigung mit bis zu 120 m in die Erde eingelassenen Bioreaktoren (z. B. bei ICI) od. in den als Turmreaktoren aufgestellten Fermentern (z. B. bei Hoechst u. Bayer). – *E* deep shaft loop reactor – *I* reattore a fiocco con pozzi profondi – *S* columna de burbujas con circulación

Lit.: Chem. Eng. (London) **10**, 12 (1987) ▪ J. Biotechnol. **13**, 251–256 (1990).

Def®. Entlaubungsmittel für Baumwolle auf der Basis von *S,S,S*-Tributylphosphortrithioat. *B.:* Bayer.

Defektelektron. Als D. od. Loch bezeichnet man einen unbesetzten Zustand in einem ansonsten weitgehend besetzten Valenzband in einem *Halbleiter od. *Isolator. Dieser Zustand verhält sich ähnlich wie ein Kristallelektron im Leitungsband u. wird daher als Quasiteilchen betrachtet. Spin, Ladung u. Wellenvektor des D. sind entgegengesetzt zu denen des Elektrons, das aus dem Valenzband entfernt wurde. Die D. tragen daher wie die Kristallelektronen im Leitungsband zur *elektrischen Leitfähigkeit von Halbleitern u. Isolatoren bei. – *E* defect electron, hole – *F* trou – *I* buca, cavità – *S* electrón en defecto, hueco

Lit.: s. Halbleiter.

Defektmutanten (Mangelmutanten). Bez. für Mikroorganismen, die die Fähigkeit zur Synth. eines od. mehrerer essentieller Stoffwechselprodukte (z. B. Aminosäuren, Vitamine, Purine, Pyrimidine) verloren haben. Prakt. Anw. finden D. in der *Genetik als Marker (s. Genmarker) z. B. bei der Genkartierung (vgl. Genkarte), s. a. auxotrophe Organismen. – *E* defect mutants – *F* mutants défectueux – *I* mutanti difettosi – *S* mutantes defectuosos

Defensine. Gruppe weit verbreiteter antimikrobieller u. in höheren Konz. cytotox. Peptide (M_R 3000–4000; 29–35 Aminosäure-Reste), die kation. vorliegen u. 3 *Disulfid-Brücken besitzen. Strukturell zerfallen sie in 3 Familien: klass. D., β-D. u. Insekten-Defensine. Vork. in Phagocyten, Darm, Luftröhre u. Lunge von Säugern sowie in Hämolymphe von Insekten.

Biosynth.: Ähnlich wie Peptid-*Hormone od. -*Neurotransmitter werden D. als größere Vorläufer (*Präprodefensine*, 94–100 Aminosäure-Reste) synthetisiert, proteolyt. aktiviert, in Granula gespeichert u. durch *Exocytose ausgeschüttet.

Funktion: D. dienen der Abwehr von Bakterien, Hefen u. behüllten Viren. Sie werden u. a. in die phagocyt. Vakuolen von Granulocyten (s. Leukocyten) u. *Makrophagen abgegeben u. töten die darin vorhandenen Mikroben durch Permeabilisierung der Membran. Daneben haben manche der klass. D. Hormon-ähnliche Wirkungen, z. B. auf Entzündung u. Corticosteroid-Produktion (s. Corticostatine). – *E* defensins – *F* défensines – *I* defensine – *S* defensinas

Lit.: Curr. Opin. Immunol. **6**, 584–589 (1994) ▪ Toxicology **87**, 131–149 (1994).

Deferoxamin.

$$H_2N-[(CH_2)_5-N(OH)-C(=O)-(CH_2)_2-C(=O)-NH-]_2(CH_2)_5-N(OH)-CO-CH_3$$

Von der WHO vorgeschlagene freie internat. Kurzbez. für 30-Amino-3,14,25-trihydroxy-3,9,14,20,25-pentaazatriacontan-2,10,13,21,24-pentaon (Desferrioxamin), $C_{25}H_{48}N_6O_8$, M_R 560,69, Schmp. 138–140 °C (Monohydrat). Verwendet werden auch das Hydrochlorid, Schmp. 172–175 °C, das Mesilat, ein weißes Pulver, Schmp. 148–149 °C u. das *N*-Acetyl-Derivat, Schmp. 180–182 °C. D. wird als Eisen komplex bindendes Antidot bei Eisen-Vergiftungen sowie gegen Eisen-Speicherkrankheiten eingesetzt. Es wurde 1962 u. 1969 von Ciba [Desferal® (Mesilat)] patentiert. – *E* deferoxamine – *F* déferoxamine – *I* = *S* deferoxamina

Lit.: DAB 1996 u. Komm. ▪ Hager (5.) **7**, 1185ff. – *[HS 292800; CAS 70-51-9 (D.); 1950-39-6 (Hydrochlorid); 138-14-7 (Mesilat)]*

Defibrotid. Natrium-Salz eines Polydesoxyribonucleotid-Extraktes aus Säugetier- (meist Rinder-)-Lungen, der die Fibrinolyse stimuliert; M_R 45000–50000. Es wurde von Crinos 1972 u. 1975 in Patenten entwickelt u. befindet sich in klin. Prüfung als Antithrombotikum. – *E* = *I* defibrotide – *F* défibrotide – *S* defibrotida

Lit.: Drugs **45**, 259–294 (1993) ▪ Merck-Index (12.), Nr. 2915. – *[CAS 83712-60-1]*

Definition (latein.: Abgrenzung, Vorschrift). Festlegung konkreter Sachverhalte u. abstrakter Begriffe durch Zeichen, Formelsprachen od. verbal, häufig unter Einordnung des definierten Begriffs in hierarch.

Syst. (mit Ober-, Unterbegriffen u. Synonyma, s. a. Thesaurus); *Beisp.:* *Nomenklatur-Regeln, Normen, *Terminologien, Lexika. Zahlreiche D. physikal.-chem. *Einheiten finden sich in *Lit.*[1]. – *E* definition – *F* définition – *I* definizione – *S* definición

Lit.:[1] Handbook 70, F73–F133; IUPAC, Größen, Einheiten u. Symbole in der Physikal. Chemie, Weinheim: VCH Verlagsges. 1996.
allg.: DIN 2330 (11/1974) ▪ Nachr. Dok. **29**, 51–60 (1978).

Defitherm®Verfahren. Färbeverf. der BASF für PAN-Fasern mit Basacryl® u. anderen kation. Farbstoffen, bei dem die Säure u. der bas. Farbstoff bei einer vorberechneten Temp. in die das Textilgut enthaltende Flotte gegeben werden. Die Anfärbegeschw. wird über die Temp. u./od. einen Retarder geregelt.

Deflagration (von latein.: deflagrare=niederbrennen). Bedeutet allg. gewöhnliche *Verbrennung, speziell das – bei Vermeidung einer Detonationsauslösung verhältnismäßig langsam verlaufende – Abbrennen von *Explosivstoffen wie Nitroglycerin, Pikrinsäure, Schießbaumwolle, Schwarzpulver, Trinitrotuluol an offener Luft. In der *Sprengstoff-Technik bezeichnet man mit D. eine Verbrennung, die sich mit ungleichförmiger Geschw. unterhalb der Schallgeschw. ausbreitet, während bei der *Detonation die Geschw. der gleichförmigen Fortpflanzung oberhalb der Schallgeschw. liegt. – *E* deflagration – *F* déflagration – *I* deflagrazione – *S* deflagración

Lit.: Meyer, Explosivstoffe (6. Aufl.), S. 48 f., Weinheim: Verl. Chemie 1985 ▪ Ullmann (4.) **21**, 641 f.; (5.) **A 10**, 146 ▪ Winnacker-Küchler (4.) **7**, 348 f.

Deflavit® ZA. Reduzierendes Abziehmittel auf der Basis von Zinkformaldehydsulfoxylat für Woll-, Halbwoll-, Polyamid- u. Acetat-Färbungen. *B.:* BASF.

Deflazacort.

Internat. Freiname für 21-Acetoxy-11β-hydroxy-2'-methyl-5'βH-pregna-1,4-dieno[17,16-d]oxazol-3,20-dion, $C_{25}H_{31}NO_6$, M_R 441,52, Schmp. 255–256 °C; $[\alpha]_{20}^{D}$ +62,3° (c 0,5/$CHCl_3$); LD_{50} (Maus oral) 5200 mg/kg. Es wurde als system. *Corticosteroid 1966 von Lepetit patentiert u. ist von HMR/Albert Roussel (Calcort®) im Handel. – *E* = *I* = *S* deflazacort – *F* déflazacort

Lit.: Drugs **50**, 317–333 (1995) ▪ Merck-Index (12.), Nr. 2916 ▪ Pharm. Ztg. **139**, 1430–1434 (1994). – [HS 293490; CAS 14484-47-0]

Defluina®N. Tabl. u. Tropfen mit *Dihydroergocristin-, -ergotamin-, -ergocornin u. -toxin-Mesilat gegen arterielle Durchblutungsstörungen u. Angioneuropathien; D. peri-Tabl. u. -Injektionslösung enthalten statt dessen *Buflomedil-hydrochlorid. *B.:* Rhône Poulenc Rorer.

Defolianten, Defoliatoren s. Entlaubungsmittel.

Deformation. Bezeichnet die reversible (elast.) od. irreversible (plast.) Formänderung, die durch Einwirkung äußerer Kräfte od. durch Eigenspannungen hervorgerufen wird, z. B. bei Kunststoffen, Fasern, Blechen usw. Allg. spricht man von D. bei Gestalts- od. Volumenänderungen von Festkörpern, die bei mechan. Belastung auftreten, z. B beim Verformen (*Umformen) von Werkstoffen u. beim *Zerkleinern von Mineralien, Metallen u. a. Materialien, wobei deren *Festigkeit u. *Bruchverhalten eine Rolle spielen. – *E* deformation – *F* déformation – *I* deformazione – *S* deformación

Deformylierung s. Decarbonylierung.

DEGACLEAN®. Produkte u. Verf. zur Desinfektion von Wässern. *B.:* Degussa.

DEGACOAT®. Zusatzstoffe für galvan. Bäder zur Oberflächenbehandlung. *B.:* Degussa.

DEGADUR®. Methacrylat-Beschichtungsharze für Industrieböden u. Ingenieurbau. *B.:* Degussa.

Degalan®. Umfangreiches Sortiment von thermoplast. Polymethacrylaten, in Form von Lsg., Pulvern, Granulat etc. als Lack- u. Klebstoffbindemittel, für Heißsiegellacke, zum Spritzgießen u. Extrudieren. *B.:* Degussa.

DEGAMENT®. Reaktive Methacrylat-Harze als Bindemittel für mineral. Füllstoffe zur Herst. von Elementen u. Fertigteilen. *B.:* Degussa.

DEGAMIN IPDA®. Cycloaliphat. Härter für Epoxidharze. *B.:* Degussa.

DEGAPLAST®. Gießharze auf Acrylat- u. Polyurethan-Basis für den Orthopädiesektor. *B.:* Degussa.

Degaroute®. Reaktionsharze zur Herst. von Fahrbahnmarkierungen. *B.:* Degussa.

Degenerierte Isomerisierung. Ältere Bez. für *Topomerisierung.

de Gennes, Pierre-Gilles (geb. 1932), Prof. für Physik am Collège de France u. Direktor an der Ecole de Physique et Chimie in Paris. *Arbeitsgebiete:* Untersuchungen des Magnetismus u. ferromagnet. Materialien, elektr. Ströme in Supraleitern, thermotrope Flüssigkeiten u. deren Phasenumwandlungen, dynam. Eigenschaften flexibler Polymere. 1991 erhielt er den Nobelpreis für Physik.

Lit.: Nachr. Chem. Tech. Lab. **39**, Nr. 11, 1249 (1991).

Deglas®. Extrudierte Kompakt- u. Doppelstegplatten aus *Acrylglas. *B.:* Degussa.

DEGOMMA® VO-D. Enzyme für die Entschleimung von Speiseölen. *B.:* Röhm, Darmstadt.

Degradation. D. ist eine Kollektivbez. für unterschiedliche Prozesse, die das Aussehen u. die Eigenschaften von *Kunststoffen im allg. neg. verändern. D. kann z. B. durch chem., therm., oxidative, mechan. od. biolog. Einflüsse od. auch durch Strahleneinwirkung – (UV-)Licht – verursacht werden. Folge sind z. B. Oxid., Kettenspaltungen, *Depolymerisation, Vernetzung bzw. Abspaltung von Seitengruppen der Polymeren. Die Stabilität von Polymeren gegenüber einer D. kann durch Additive, z. B. durch Zusatz von Stabi-

Degradative Plasmide

lisatoren wie *Antioxidantien od. *Photostabilisatoren erhöht werden. In einigen Fällen kann die D. aber auch techn. genutzt werden, z. B. zur Gewinnung von hochreinen *Monomeren (s. 2-Cyanoacrylsäureester) durch *Depolymerisation od. bei der Beseitigung bzw. Verwertung von Kunststoffabfällen. – *E* degradation – *F* dégradation – *I* degradazione – *S* degradación
Lit.: Compr. Polym. Sci. **1**, 607–617 ▪ Encycl. Polym. Sci. Eng. **4**, 630–696 ▪ Hawkins, Polymer Degradation and Stabilization, Berlin: Springer 1984 ▪ Jagur-Grodzinski, Heterogeneous Modification of Polymers, New York: Wiley 1997 ▪ Jellinek, Degradation and Stabilization of Polymers, Vol. 1 u. 2, Amsterdam: Elsevier 1983.

Degradative Plasmide. Bez. für *Plasmide – meist aus *Pseudomonas* –, die *Gene zum Abbau biolog. schwer abbaubarer Verb. (*Xenobiotika), häufig aromat. Kohlenwasserstoffe tragen (z. B. *Toluol u. *Xylol). – *E* degradative plasmids – *F* plasmides dégradants – *I* plasmidi degradanti – *S* plásmidos degradantes
Lit.: Annu. Rev. Microbiol. **41**, 1–23 (1987).

Degras (Gerberfett, Moellon). Von französ.: degras = Unfett abgeleitete Bez. für den überschüssigen Tran, der bei der *Sämischleder-* *Gerberei mit autoxidablen *Tranen nicht mehr vom Leder aufgenommen wird u. der daher durch Auswaschen mit Alkali (z. B. Soda-Lsg.) als teilw. oxidiertes Abfallfett gewonnen u. aus der Emulsion mit Schwefelsäure abgeschieden werden kann. Das leicht mit Wasser emulgierbare D. dient in sog. *Fettlickern* (s. Licker) zum Einfetten von Leder. – *E* degras, sod oil – *F* dégras – *I* degras – *S* degras, grasa moellón
Lit.: s. Fette und Öle, Gerberei. – *[HS 1522 00]*

de Gruyter. Walter de Gruyter mit Hauptsitz in 10785 Berlin, Genthiner Str. 13, u. einer Niederlassung in New York, ist ein internat. publizierender Verl., der 220 Mitarbeiter beschäftigt. de Gruyter verlegt in den Fachgebieten Geistes-, Natur-, Wirtschafts-, Sozial- u. Rechtswissenschaften jährlich ca. 350 neue Bücher u. ca. 60 Zeitschriften in dtsch. u. engl. Sprache. – INTERNET-Adresse: http://www.degruyter.de

Degudent®. Au-Pt-Leg. für die Metallkeramik in der Zahntechnik. *B.:* Degussa.

DEGUFILL®. Composit-Material aus Kunststoff u. Glas zur Füllung von Zähnen. DEGUFILL® ultra: Verfärbungsresistentes u. hochbelastbares Microhybrid-Komposit. DEGUFILL® contact plus: Elast. Schmelz- u. Dentin-Bonding-System. *B.:* Degussa.

DEGUFIX®. Klebstoffe auf Basis von u. a. Cyanacrylat für die Zahntechnik. *B.:* Degussa.

DEGUFORM®. Additionsvernetzendes Dublier-Silicon für zahntechn. Anwendungen. *B.:* Degussa.

DEGULOR®. Hochgold-haltige Dental-Leg. für nicht keram. verblendeten Zahnersatz. *B.:* Degussa.

DEGULUX®. Lampe für die Strahlenhärtung von Dentalpolymeren. *B.:* Degussa.

DEGULYT®. Galvan. Edelmetall-Bäder, -Salze u. Chemikalien für galvan. Zwecke. *B.:* Degussa.

Degummierung s. Seide.

DEGUNORM®. Hochgold-haltige Edelmetall-Leg. u. -Lote für Dentalzwecke, verblendbar mit niedrigschmelzender Keramik. *B.:* Degussa.

DEGUPAL®. Dental-Leg. auf Basis von Palladium für Zahnersatz. *B.:* Degussa.

DEGUPRINT®. Cremige u. feinzeichnende Abdruckmasse auf Alginat-Basis für zahnärztliche Zwecke (staubfrei). *B.:* Degussa.

Degussa. Kurzbez. für die (1873 als Aktienges. unter dem Namen Dtsch. Gold- u. Silber-Scheideanstalt vormals Roessler gegr.) Degussa AG, 60287 Frankfurt. Zu den zahlreichen *Tochterunternehmen* gehören u. a.: *Inland:* Allg. Gold- u. Silberscheideanstalt AG (87,62%), Asta Medica AG (100%), Cerdec AG Keramische Farben (70%), Degussa Bank GmbH (100%), Demetron GmbH (100%); *Ausland:* Degussa Antwerpen, Belgien (100%), Degussa Austria, Österreich (100%), Degussa Corporation, USA (100%), Degussa Japan Co. Ltd. (100%), Deguassa Ltd., Großbritannien (100%), Degussa Private Ltd., Singapur (100%), Degussa s. a., Brasilien (100%), Rexim S.A. Frankreich (100%). *Daten* (1994/95), in Klammern Daten des Konzerns: 9648 (27 129) Beschäftigte, 429 Mio. DM gezeichnetes Kapital, 6,2 Mrd. DM (13,8 Mrd. DM) Umsatz.
Geschäftsbereiche: Ind. u. Feinchemikalien: Aktivsauerstoffprodukte, Futtermitteladditive, organ. Chemikalien, Monomere u. Polymere. *Anorgan. Chemieprodukte:* Kautschukchemikalien u. Pigmente, Kieselsäuren u. Silicate, Katalysatoren. *Edelmetalle:* An- u. Verkauf von Edelmetallen u. deren Erzeugnisse für techn. u. dekorative Anw., Produkte u. Verf. zur galvan. Oberflächenveredelung, Lote u. Flußmittel, Aufarbeitung von edelmetallhaltigen Rohstoffen. *Dental:* Produkte u. Verarbeitungssyst. für Zahnmedizin u. Zahntechnik. Geräte für zahntechn. Labors u. zahnärztliche Praxen. *Asta Medical Konzern:* Entwicklung u. Vertrieb von pharmazeut. Produkten (z. B. Präparate zur Therapie von Krebserkrankungen, Schmerzen u. Entzündungen). *Cerdec Konzern:* Keram. Farben, Glasuren u. Farbkörper für die Bau-, Geschirr- u. Kunstkeramik, Produkte zum Einfärben von Kunststoffen, organ. Glasfarben, Silber-Präparate zur Herst. beheizbarer Autoheckscheiben.
Einige bekannte Marken sind: Aerosil, Agomet, Degalan, Deglas, Durferrit, Granuform, Luxalloy, Multivac, Paraglas, Printex, Ultrasil, Wessalith.
Lit.: Aller Anfang ist schwer, Frankfurt: Degussa 1973 ▪ Edelmetall u. Chemie, Frankfurt: Degussa 1974 ▪ Stets geforscht, Bd. 1 u. 2, Frankfurt: Degussa 1988 ▪ Von Frankfurt in die Welt, Frankfurt: Degussa 1988 ▪ Im Zeichen von Sonne u. Mond, Frankfurt: Degussa 1993.

DEGUSSA FORMAC®. Flüssiges, nicht brennbares Wasserbehandlungsmittel (industrielle Wässer, Kreislaufwässer, Kühlstrecken von Kabel- u. Kunststoff-Formteilanlagen, in Bohrflüssigkeiten bei der Rohölgewinnung, in Kraftwerken u. Raffinerien). *B.:* Degussa.

DEGUSTAR®. Edelmetall-Leg. auf Basis Palladium für Dentalzwecke. *B.:* Degussa.

DEGUTAN®. Hochgold-haltige Edelmetall-Leg. für keram. verblendeten Zahnersatz. *B.:* Degussa.

DEGUTRAY®. Weichhärtender Kunststoff zur Fertigung von individuellen Abformlöffeln im Dentalbereich. *B.:* Degussa.

DEGUTRON®. Schmelz- u. Gießgeräte zur Herst. zahntechn. Gußobjekte. *B.:* Degussa.

Dehalogenierung. Bez. für die Entfernung von Halogenen aus organ. Verb., meist unter Ersatz durch Wasserstoff od. unter Bildung einer Doppelbindung (s. a. Dehydrohalogenierung). Bei radikal. verlaufenden D. kommt es häufig zur Dimerisation der Reste, z. B. bei der Ullmann-Reaktion u. der *Wurtz-Synthese. – *E* dehalogenation – *F* déshalogénation – *I* dealogenazione – *S* deshalogenación

DEHESIVE®. Silicon-Beschichtungsmittel, insbes. zur Herst. von Silicon-Trennpapieren u. Silicon-Trennfolien. *B.*: Wacker-Chemie GmbH.

Dehmelt, Hans Georg (geb. 1922), Prof. für Physik, Univ. of Washington, Seattle. *Arbeitsgebiete:* Kern-Quadrupol-Resonanz, Spektroskopie gespeicherter Ionen, opt. Bestimmung der Orientierung freier Atome, Spin-Austausch-Resonanz, Bestimmung der magnet. Momente freier Elektronen u. Positronen mit Hilfe der sog. Ionenfalle. Für die Entwicklung der Ionenkäfigtechnik (gleichzeitig mit Wolfgang Paul) erhielt er 1989 den Nobelpreis für Physik (zusammen mit Wolfgang *Paul u. Norman F. *Ramsey).
Lit.: Who's Who in America, S. 899.

Dehnicke, Kurt (geb. 1931), Prof. für Anorgan. Chemie, Univ. Marburg. *Arbeitsgebiete:* Übergangsmetall-Stickstoff-Mehrfachbindung, Acetylen-Komplexe von Übergangsmetallen in hohen Oxidationsstufen, Chemie der Halogenazide, Anw. der Schwingungsspektroskopie.
Lit.: Kürschner (16.), S. 558 ▪ Wer ist wer, S. 223.

Dehydat®. Antistatika für die Kunststoffverarbeitung. *B.*: Henkel.

Dehydol®. Fettalkoholpolyglykolether als nichtion. Tenside für Wasch- u. Reinigungsmittel, als Emulgatoren für die Emulsionspolymerisation, als Emulgatoren u. Solubilisatoren für Ölbäder sowie als Viskositätsfaktor für Tensid-Präparate. *B.*: Henkel.

Dehydracetsäure [3-Acetyl-6-methyl-2*H*-pyran-2,4-(3*H*)-dion bzw. 3-Acetyl-4-hydroxy-6-methyl-2*H*-pyran-2-on].

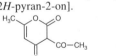

$C_8H_8O_4$, M_R 168,15, farblose Krist., Schmp. 110–111 °C (Subl.), Sdp. 270 °C, unlösl. in Wasser (bildet wasserlösl. Na-Salz), wenig lösl. in Alkohol, lösl. in Aceton; LD_{50} (Ratte oral) 500 mg/kg, wassergefährdender Stoff, WGK 2 (Selbsteinst.). Die aus Acetessigsäureethylester od. aus Diketen zugängliche D. (u. ihre Salze) finden Verw. in der organ. Synth., als Weichmacher, als Fungizid u. Bakterizid in kosmet. Produkten (z. B. Zahnpasten u. Hautcremes). – *E* dehydracetic acid – *F* acide déhydracétique – *I* acido deidroacetico – *S* ácido deshidroacético
Lit.: Beilstein E V **18**/3, 7 ▪ Hager (5.) **7**, 1187 f. – [HS 293229; CAS 520-45-6]

Dehydran®. Palette von Entschäumern für Dispersionsfarben u. -lacke, Reinigungsmittel, Metallbearbeitungsöle usw. auf der Basis von Gemischen von Fettsäureestern, aliphat. Kohlenwasserstoffen, Polyalkylenglykolen, Siliconölen. *B.*: Henkel.

Dehydratasen. Als *Hydro-lyasen* zu den *Lyasen gehörende Enzyme, die zur *Dehydratisierung, d. h. zur Abspaltung von Wasser aus geeigneten Substraten befähigt sind (meist in reversibler Reaktion); *Beisp.*: *Carboanhydrase, *Enolase, *Fumarase; *Aconitase bewirkt im *Citronensäure-Cyclus beim Übergang Citronensäure → *cis*-Aconitsäure → Isocitronensäure sowohl die Wasserabspaltung als auch die darauffolgende Wasseranlagerung (*Hydratase*-Wirkung). – *E* dehydratases – *F* déshydratases – *I* deidratasi – *S* deshidratasas – [HS 350790]

Dehydratisierung. Die D. ist die auch Dehydration genannte u. nicht mit Dehydrierung zu verwechselnde Bez. für die Entfernung von Wasser aus den unterschiedlichsten Stoffen; sie kann sowohl *chem.* als auch *physikal.* erfolgen. Die chem. D. aus organ. Verb. geschieht in der Regel als Eliminierung von Wasser (Näheres s. dort); durch *Dehydratasen können auch Biomol. dehydratisiert werden. Eine reine physikal. D. ist die von Kristallwasser aus Kristallwasser-haltigen Verb. (*Hydraten) durch Erhitzen od. durch ein Dehydratisierungsmittel. Im weitesten Sinne kann man auch die *Trocknung u. *Gefriertrocknung von Lebensmitteln als D. ansehen. – *E* dehydration – *F* déshydratation – *I* deidratazione – *S* deshidratación

Dehydrierung (Dehydrogenierung, nicht zu verwechseln mit *Dehydratisierung!). Bez. für die Abspaltung von Wasserstoff aus organ. Verbindungen. Beispielsweise führt die D. von Alkanen zu Alkenen, von Cycloalkanen ggf. zu Aromaten u. von Alkoholen zu Aldehyden u. Ketonen. Spontane *Eliminierungen* von H_2 treten allenfalls bei sehr hohen Temp. auf; unter dem Einfluß von Katalysatoren (Oxide von Cr, V, Mo, Zn, meist auf Al_2O_3 od. SiO_2 aufgezogen) läßt sich jedoch die techn. D. von Paraffinen zu Olefinen bzw. von Olefinen zu Diolefinen bereits bei 500–700 °C betreiben, z. B. in der Herst. von *1,3-Butadien od. Styrol aus Ethylbenzol (BASF-Verf.). Im Laboratorium benutzt man als Katalysatoren für die D. oft Metalle wie Palladium od. Platin, die auch umgekehrt die *Hydrierung ungesätt. Verb. katalysieren.
Während bei den vorstehenden D.-Verf., bei denen H_2 mol. abgespalten wird, viel Energie aufgewendet werden muß, kommen Meth., die sich der Einwirkung von *Wasserstoff-Akzeptoren* bedienen, mit einfacheren Reaktionsbedingungen aus. So lassen sich D. häufig schon in niedrigsiedenden Lsm. durchführen, wenn man als dehydrierende Agens Chinone wie *Chloranil od. *4,5-Dichlor-3,6-dioxo-cyclohexa-1,4-dien-1,2-dicarbonitril benutzt, die durch H_2-Aufnahme in die Hydrochinone übergehen. Andere Dehydrierungsmittel sind *N*-*Bromsuccinimid, Schwefel od. Selen (gibt H_2S bzw. H_2Se). Auch photochem., radiationschem. od. therm. erzeugte *Radikale, v. a. solche an Sauerstoff-Atomen wie Hydroxy-, Hydroperoxy- od. Alkoxy-Radikale, besitzen dehydrierende Eigenschaften; s. a. Dehydrocyclisierung u. Dehydrodimerisation. Mechanist. Einzelheiten zur D. s. a. unter Hydrierung u. Oxidation. Im Organismus gehören D. zu den wichtigsten Reaktionen des Energiestoffwechsels; als Katalysatoren fungieren dabei die *Dehydrogenasen u. als Wasserstoff-Akzeptoren die *Coenzyme vom Typ

des NAD; *Beisp.* s. im Citronensäure-Cyclus. – *E* dehydrogenation – *F* déshydrogénation – *I* deidrogenazione – *S* deshidrogenación
Lit.: Houben-Weyl **4/1a** u. **4/1b** ▪ March (4.), S. 1162–1173 ▪ Organikum, S. 378f. ▪ Russ. Chem. Rev. **63**, 551–557 (1994) ▪ Ullmann (4.) **13**, 135ff.; (5.) **A 13**, 242, 494 ▪ Winnacker-Küchler (4.) **5**, 202f. ▪ s.a. Hydrierung, Katalyse, Oxidation.

Dehydril®. Additiv zur Verhinderung der Hautbildung bei Lacken u. Farben auf Aldoxim- od. Ketoxim-Basis. Mischprodukte als Additive für wasserbasierte Bohrspülungen. *B.:* Henkel.

Dehydro... Präfix in Namen für organ. Verb., das die Entfernung von Wasserstoff aus der Stammverb. anzeigt, wo dies mit der Endung *...en nicht möglich ist; früher: –1, –2 u. –3H$_2$ = Dehydro..., Bis- u. Trisdehydro...; jetzt: –2, –4 u. –6H = Di-, Tetra- u. Hexadehydro... etc. (IUPAC-Regeln C-41.2, R-3.1.3); *Beisp.:* *Dehydrobenzol=1,2-Didehydrobenzol. Zur Entfernung von Wasser s. dagegen Anhydro... – *E* dehydro... – *F* déhydro... – *I* deidro... – *S* dehidro...

Dehydroaromaten. Sammelbez. für *Arine, *Dehydrobenzol u. *Hetarine.

Dehydroascorbinsäure s. Ascorbinsäure.

Dehydrobenzol (Benz-in, Benzyn, 1,2-Didehydrobenzol, Cyclohexa-1,3-dien-5-in).

Einfachster Verteter der *Dehydroaromaten* od. **Arine.* D. ist eine sehr reaktionsfähige, kurzlebige, in einer Argon-Matrix nachweisbare Zwischenstufe vieler Umsetzungen von Benzol-Derivaten, von G. *Wittig erstmals beobachtet u. systemat. untersucht [1]. Nach Berechnungen von Haselbach [2] besitzt D. mehr Kumulen-Charakter, vgl. rechte Formel.
Herst.: Durch Erhitzen von aromat. Triazenen, Diazonium-Salzen od. Azoxy-Verb. aus *o*-Halogenarylmetall-Verb. od. photochem. aus aromat. Iod-Verb., weitere Meth. s. bei Arinen. Das Auftreten des D. bei diesen Umsetzungen läßt sich durch Abfangreaktionen nachweisen; als Additionspartner werden häufig Benzol, Anthracen (gibt *Triptycen), Cyclopentadienon-Derivate u. Furan eingesetzt, wobei D. meist in 2 + 2- u. 4 + 2-*Cycloadditionen reagiert; durch Bildung von Metallkomplexen kann D. stabilisiert werden. Ähnlich wie D. verhalten sich heterocycl. Analoga, die man als Hetarine zusammenfaßt; *Beisp.:* Dehydropyridin [3]. – *E* dehydrobenzene – *F* déhydrobenzène – *I* deidrobenzene – *S* deshidrobenceno
Lit.: [1] Angew. Chem. **69**, 245–251 (1957); **77**, 752–759 (1965). [2] Helv. Chim. Acta **54**, 1981–1988 (1971). [3] Angew. Chem. **83**, 21–34 (1971).
allg.: Acc. Chem. Res. **6**, 25–31 (1973); **11**, 283–288 (1978) ▪ Angew. Chem. **101**, 1349–1371 (1989) ▪ Chem. Unserer Zeit **11**, 190–196 (1977) ▪ s.a. Arine. – *[CAS 26655-73-2]*

Dehydrobenzperidol®. Injektionslösung mit *Droperidol als Neuroleptikum in der Anästhesie. *B.:* Janssen.

Dehydrobilirubin s. Biliverdin.

Dehydrobromierung, Dehydrochlorierung s. Dehydrohalogenierung u. Eliminierung.

7-Dehydrocholesterin (Provitamin D$_3$, Cholesta-5,7-dien-3β-ol).

$C_{27}H_{44}O$, M_R 384,65. Farblose Krist., Schmp. 151 °C, in Wasser nicht, in vielen organ. Lsm. löslich. D. gibt bei Belichtung mit ultraviolettem Licht *Vitamin D$_3$ (*Cholecalciferol*, s. Calciferole); es kommt im Körper höherer Tiere u. des Menschen vor. – *E* 7-dehydrocholesterol – *F* 7-déshydrocholestérol – *I* 7-deidrocolesterina – *S* 7-deshidrocolesterol
Lit.: Beilstein E IV **6**, 4153. – *[HS 2936 10; CAS 434-16-2]*

Dehydrocholsäure.

Internat. Freiname für die (5β)-3,7,12-Trioxo-24-cholansäure, $C_{24}H_{34}O_5$, M_R 402,53. Farblose, bitter schmeckende Krist., Schmp. 239–241 °C, schwer lösl. in Wasser, Alkohol, Benzol, Ether, gut lösl. in Chloroform, Dioxan u. Alkalilaugen. Durch Oxid. von *Cholsäure mit CrO_3 in Eisessig herstellbar.
Verw.: Als *Choleretikum, zur Leberfunktionsprüfung, zur Bestimmung der Kreislaufzeit u. für *Steroid-Synthesen. – *E* dehydrocholic acid – *F* acide déhydrocholique – *I* acido deidrocolico – *S* ácido de(s)hidrocólico
Lit.: ASP ▪ Beilstein E IV **10**, 3478. – *[HS 2918 30; CAS 81-23-2]*

11-Dehydrocorticosteron s. Corticosteroide.

1-Dehydrocortison s. Prednison.

Dehydrocyclisierung (Dehydrocyclisation). Eine unter *gleichzeitiger* *Cyclisierung ablaufende *Dehydrierung wird als D. bezeichnet. *Beisp.:* Die photochem. D. von Stilben zu Phenanthren mit Sauerstoff als Oxidationsmittel.

D. spielen eine wichtige Rolle bei den katalyt. Reforming-Verfahren (*Reformieren), wobei *Paraffine aus Erdölraffinaten zu *Aromaten dehydrocyclisiert werden. Ziel dieser Verf. ist die Gewinnung von hochoctanigen *Benzinen u. der *BTX-Aromaten für die Petrolchemie. – *E* dehydrocyclisation – *F* dehydrocyclosation – *I* deidrociclizzazione – *S* deshidrociclización
Lit.: s. Textstichwörter.

Dehydrodimerisation. Bez. für die *Dimerisation von organ. Verb. (RH), deren erster Schritt die *univalente* *Dehydrierung* dieser Verb. durch einen Wasserstoff-Akzeptor A ist:

$$R-H + \cdot A \longrightarrow R\cdot + AH$$
$$2\,R\cdot \longrightarrow R-R$$

A = Wasserstoff-Akzeptorradikal; z. B. •O—O—R' od. •O—R' (*Peroxy-* od. *Alkoxy-Radikale*)

– *E* dehydrodimerization – *F* déhydrodimérisation – *I* deidrodimerizzazione – *S* deshidrodimerización
Lit.: s. Dehydrierung.

Dehydrogenasen (veraltet: Dehydrasen). Gruppenbez. für zu den *Oxidoreduktasen gehörende *Enzyme der biolog. Oxid. im *Stoffwechsel, die die *Dehydrierung bzw. Übertragung von Wasserstoff katalysieren. Der von den Substraten abgelöste Wasserstoff wird von den D. stereospezif. u. stereoselektiv meist auf eines der *Coenzyme *Nicotinamid-Adenin-Dinucleotid-(Phosphat) [NAD(P), oxidierte Form: NAD(P)$^+$, reduzierte Form NAD(P)H], *Flavin-Adenin-Dinucleotid (FAD, reduzierte Form: FADH$_2$) od. seltener *Flavin-Mononucleotid (FMN, reduzierte Form: FMNH$_2$) gemäß den folgenden Reaktionsgleichungen übertragen:

$$\text{Substrat-H}_2 + \text{NAD(P)}^+ \xrightleftharpoons{\text{Dehydrogenase}} \text{Substrat} + \text{NAD(P)H} + \text{H}^+$$

$$\text{Substrat-H}_2 + \text{FAD} \xrightleftharpoons{\text{Dehydrogenase}} \text{Substrat} + \text{FADH}_2$$

$$\text{Substrat-H}_2 + \text{FMN} \xrightleftharpoons{\text{Dehydrogenase}} \text{Substrat} + \text{FMNH}_2$$

Als weitere Coenzyme kommen jedoch auch Chinone wie *Ubichinone u. *Pyrrolochinolinchinon in Frage. FAD u. NMN liegen meist als *prosthetische Gruppen kovalent an das Enzym gebunden vor. Von den reduzierten übertragen die reversibel wirkenden D. den Wasserstoff wiederum auf solche Substrate, die reduziert werden sollen. Im Spezialfall der Wasserstoff-Übertragung von einem Coenzym auf ein anderes spricht man von *Transhydrogenasen*, während die Bez. *Oxidasen heute den mit Sauerstoff reagierenden Enzymen vorbehalten ist. Beisp. für NAD(P)-abhängige D. sind die *Alkohol-Dehydrogenasen, *Lactat-Dehydrogenase, *Glucose-Dehydrogenase u. viele andere. Sie zeigen z. T. Strukturähnlichkeit untereinander u. sind entwicklungsgeschichtlich miteinander verwandt. Zur Verw. von D. in der Synth. chiraler organ. Verb. s. *Lit.*[1]. – *E* dehydrogenases – *F* déshydrogénases – *I* deidrogenasi – *S* deshidrogenasas
Lit.: [1] Eur. J. Biochem. **184**, 1–13 (1989).
allg.: Biochemistry (USA) **34**, 6003–6013 (1995).

Dehydrogenierung s. Dehydrierung.

Dehydrohalogenierung. Unter D. versteht man in der organ. Chemie die Abspaltung von einem Wasserstoff- u. einem Halogen-Atom aus derselben Verb., wobei die *Eliminierung* zu *Carbenen (bei 1,1-Stellung, α-Eliminierung), *Alkenen (bei 1,2-Stellung, β-Eliminierung) bzw. zu Cyclopropan-Derivaten (bei 1,3-Stellung, γ-Eliminierung) führen kann. Für die Ausführung der *Dehydrochlorierungen, -bromierungen* etc. benutzt man Basen wie Alkalilaugen, Amine, Alkylamide, Stickstoff-*Basen u. dgl.

$X = Cl, Br$
E$_2$-Eliminierung mit einer Stickstoff-Base (B I)

– *E* dehydrohalogenation – *F* déshydrohalogénation – *I* deidroalogenazione – *S* deshidrohalogenación
Lit.: s. Eliminierung.

Dehydropyridin s. Hetarine.

Dehydroretinal, Dehydroretinol s. 3,4-Didehydroretinal.

dehydro sanol/tri mite. Dragees mit *Bemetizid, u. *Triamteren gegen Ödeme bei Venenerkrankungen. *B.:* Sanol.

Dehygant®. Topf- u. Lagerkonservierungsmittel für Dispersionsfarben u. ähnliche Systeme. *B.:* Henkel.

Dehymuls®. Fettsäureester als Grundlage für wasserreiche, wärmebeständige Cremes u. Salben vom Typ W/O; Emulgatoren mit hohem Wasserbindevermögen u. guter Temperaturbeständigkeit für W/O-Emulsionen. *B.:* Henkel.
Lit.: Seife, Öle, Fette, Wachse J. **117**, Nr. 14, 518–521 (1991).

Dehypon®. Schaumarme, biolog. abbaufähige Niotenside (z. B. alkoxylierte Fettalkohole) für maschinelle Geschirrspülmittel, Flaschen- u. Industriereiniger; in Mischungen als Netzmittel, Emulgatoren, Dispergatoren für Paraffine, hochiodzahlige Öle u. Mineralöle. *B.:* Henkel.

Dehyquart®. Gruppe quartärer Ammonium- (Cetrimonium-, Benzalkonium-Salze) u. Pyridinium-Verb. mit germiziden Eigenschaften. Die D. dienen zur kation. Polymerisation u. zur antistat. Ausrüstung von Kunststoffen, als Bakterizide für die Produktion u. Raffinierung von Erdöl, Erdgas u. den Pipelinetransport sowie als Avivagemittel für Haarpflegepräparate. *B.:* Henkel.

Dehysan®. Entschäumersortiment für den Einsatz in Prozeßwässern der Nahrungsmittel-Ind. wie z. B. Zucker, Stärke, Kartoffelprodukte sowie für biotechnolog. Prozesse zur Herst. von organ. Säuren, Antibiotika, Hefe, Enzymen u. Alkohol. *B.:* Henkel.

Dehysol®. Carbonsäureamid bzw. Pflanzenöl-Derivat als Thixotropie- u. Antiablaufmittel für nichtwäss. Lacksysteme. *B.:* Henkel.

Dehyton®. Amphotenside mit Betain-Struktur, z. B. auf Kokosöl-Basis, die in der kosmet. Ind. zur Herst. von flüssigen bis gelförmigen Shampoos Verw. finden. *B.:* Henkel.

De-icer s. Anti-icing-Mittel.

De-inking (von engl.: ink = Tinte, Druckfarbe). Bez. für die Entfernung von Druckfarbe aus bedrucktem Altpapier, z. B. nach dem Flotationsverf., wobei Bindemittel abgebaut u. Pigmente suspendiert werden. – *E* de-inking – *F* décoloration – *I* decolare – *S* desentitado

Deionisation (Demineralisation) s. Wasserenthärtung.

Deisenhofer, Johann (geb. 1943), Prof. für Biochemie, Univ. of Texas, Southwestern Medical Center, Dallas; Investigator, Howard Hughes Medical Institute, Dallas (Texas). *Arbeitsgebiete:* Röntgenstrukturanalyse biolog. Makromol., z. B. Pankreat. Trypsin-Inhibitor, Immunglobuline; photosynthet. Reaktionszentrum (hierfür Chemie-Nobelpreis 1988 zusammen mit R. *Huber u. *Michel).
Lit.: Who's Who in America, S. 900.

Deitermann. Kurzbez. für die 1899 gegr. Firma Deitermann KG, Chemiewerke GmbH + Co. KG, 45711 Datteln. D. stellt Produktsyst. u. deren einzelne Komponenten für die Beton- u. Mörteltechnologie, Fassaden-Wärmedämmung, erdberührte Bauwerksabdichtung u. Produkte für Fliesenleger her. *Daten* (1996): 340 Beschäftigte.

Deka... aus dem Griech. abgeleitete Vorsilbe für das Zehnfache einer Einheit; Kurzz. da.

Dekadisches System s. Dezimalsystem.

DEKALIN. Kurzbez. für die Firma Deutsche Klebstoffwerke GmbH, 63403 Hanau mit Auslieferungslagern im In- u. Ausland. *Daten:* 50 Beschäftigte. *Produktion:* Klebstoffe, Dichtungsmassen, plast. Dichtungsbänder (DEKAPLAST), Antidröhnmassen, Unterbodenschutz.

Dekameter. Gerät zur Messung der *Dielektrizitätskonstanten fester, pastöser od. flüssiger Körper. – *E* decameter – *F* décamètre – *I* decametro – *S* decámetro
Lit.: Ullmann 2/1, 460 ff.

Dekanter. D. sind Maschinen zur Trennung von Feststoffen u. Flüssigkeiten durch Schwerkraft. Meist werden Zentrifugen mit horizontaler Drehachse u. kontinuierlichem Durchgang, bei dem Feststoffe über Förderschnecken ausgetragen werden, eingesetzt. Vornehmlich verwendet zur Entwässerung von konditioniertem *Überschußschlamm (s. Klärschlammaufbereitung) bei der *Abwasserbehandlung. – *E* decanter – *F* appareil à décanter, décanteur – *I* decantatore – *S* decantador
Lit.: Ullmann (5.) B 2, 11.

Dekantieren. Bez. für ein *Trennverfahren zur Trennung flüssiger von festen Bestandteilen (Bodenkörper) durch Abgießen, z. B. der überstehenden Flüssigkeiten von Niederschlägen beim *Auswaschen. Im Laboratorium verwendet man bes. *Dekantiergefäße,* z. B. solche, die in verschiedener Höhe seitliche Öffnungen haben, durch die man die Flüssigkeit abfließen lassen kann, ohne den Bodenkörper aufzuwirbeln, od. den sog. *Kantkolben* (Kolben mit gekantetem Boden). Auch in großtechn. Prozessen spielt das D. als Meth. der *Phasentrennung* eine wichtige Rolle, z. B. mittels Dekantier-Zentrifugen, s. Dekanter. – *E* decanting – *F* décantage, décantation – *I* decantare – *S* decantación

Dekapieren. Nach DIN 50 902 (07/1975) Bez. für kurzzeitiges *Beizen von Metallen zum Aktivieren der Oberfläche. – *E* pickling – *F* décapage – *I* decapaggio, decapare – *S* decapado
Lit.: Ullmann (5.) **A 16**, 408.

Dekatieren. *Dämpfen von Tuch auf dampfbeheizten Zylindern. Hierdurch wird der vorherige, übermäßige Preßglanz vermindert, ein schwächerer, aber beständiger Glanz erzielt u. das Eingehen der Ware beim Naßwerden gemindert. – *E* decatizing – *F* décatir – *I* decatizzare – *S* decatizado
Lit.: Peter, Grundlagen der Textilveredlung, 13. Aufl., S. 698, Frankfurt a. M.: Deutscher Fachverl. 1989.

Dekokt s. Decoctum.

Dekol®. Sortiment polymerer organ. Verb. als anion. Dispergiermittel mit Schutzkolloiden u. komplexbildenden Eigenschaften für Färbeprozesse. *B.:* BASF.

Dekomponenten s. Destruenten.

Dekontamination (von latein.: contaminare = verunreinigen). Unter D. versteht man die Entfernung od. Verringerung einer radioaktiven u./od. biolog. u./od. chem. *Verunreinigung (*Kontamination) von od. auf Personen, Organismen u. Sachen. In DIN 25 415, Tl. 1 (08/1988) ist die Ermittlung der Dekontaminierbarkeit von Oberflächen beschrieben, die durch *radioaktive Stoffe verunreinigt werden können. Kontaminierte Kleidung darf nicht in öffentlichen Reinigungsbetrieben zum Waschen übergeben werden. Bei zu starker Kontamination empfiehlt DIN 25425, Tl. 2 (Entwurf 02/1996), im Rahmen eines Aufwand-Nutzen-Vergleiches, zu prüfen, ob gegenüber einer D. die Klassifizierung von Arbeitsgeräten u. Hilfsmittel als *radioaktiver Abfall vorzuziehen ist. Mit D. dürfen nur Personen betraut werden, die dafür die erforderlichen Kenntnisse besitzen. Im allg. ist feuchte D., d. h. Abspülen mit Wasser u. evtl. enthaltenen Reinigungs- u. Spülmittel (bei Personen nur milde u. hautschonende Mittel verwenden), einem trockenen Verf. vorzuziehen, da es Staubbildung vermeidet. Stäube u. Abwasser müssen gesammelt u. wie radioaktiver Abfall behandelt werden. Schwer entfernbare Kontaminationen können vorübergehend durch Auftragen eines Anstriches od. durch Abdecken mit einer Klebefolie bis zur D. fixiert werden; weitere Details s. u. a. *Lit.*[1]. Der Quotient aus Menge an Verunreinigungen vor u. nach der D. wird *Dekontaminationsfaktor* genannt. Von bes. Bedeutung ist die D. im *Strahlenschutz beim Betrieb von Kernkraftwerken, bei der Aufarbeitung von *Brennelementen, bei der Einsatzfähigkeit von militär. Gerät u. Personal nach Verseuchung durch radioaktive Stoffe. Bei der Entfernung von Schadstoffen aus dem Organismus spricht man von *Dekorporierung u. bei der Beseitigung od. Verwahrung bes. von radioaktiven Abfällen von Entsorgung. – *E* decontamination – *F* décontamination – *I* decontaminazione – *S* descontaminación
Lit.: [1] Petzold u. Krieger, Strahlenphysik, Dosimetrie u. Strahlenschutz, Bd. 1, S. 266 ff., Stuttgart: Teubner 1988.
allg.: Kirk-Othmer (4.) **5**, 787, 813 ▪ Sauter, Grundlagen des Strahlenschutzes, München: Thiening AG 1983.

Dekorfarbe s. keramische Pigmente.

Dekorfilme. Mit Kunstharz (meist Aminoplasten) imprägnierte u. vorkondensierte Spezialpapiere zur Herst. von Schichtstoffplatten u. zur Beschichtung von Holzwerkstoffen. – *E* decorative films – *F* films pour placage décor – *I* film decorativi – *S* láminas de decoración

Dekorporierung. Bez. für die Entfernung in den Organismus aufgenommener schädlicher Metalle od. Radionuklide wie ^{90}Sr, ^{137}Cs, ^{239}Pu etc. mit Hilfe von Chelatbildnern u. Ionenaustauschern, vgl. Dekontamination u. Entgiftung. – *E* decorporation – *F* décorporation – *I* decorporazione – *S* descorporación
Lit.: Kirk-Othmer (4.) **5**, 787 ▪ s. a. Strahlenschutz.

Dekrepitieren (von französ.: décrépiter = knistern). Mit knisternden Geräuschen verbundenes Zerplatzen von Krist. beim Erhitzen, bes. deutlich bei *Natriumchlorid, s. a. Knistersalz. Es wird dadurch hervorgerufen, daß sich aus den bei der Krist. aus wäss. Lsg. eingeschlossenen Wassertröpfchen beim Erhitzen Wasserdampf bildet, der die Krist. sprengt. Nach *Lit.*[1] kann D. auch umgekehrt durch Wasser*aufnahme* getrockneter Krist. verursacht werden. – *E* decrepitating – *F* décrépiter – *I* decrepitare – *S* decrepitar
Lit.: [1] Bull. Chem. Soc. Jpn. **40**, 2569 (1967).

Dela®. Dextrin-Klebstoffe für die Briefumschlag-Ind., zur Gummierung von Zigarettenpapieren, zur Etikettierung von Flaschen u. Gläsern, zum Verschließen von Beuteln u. Kartonagen. Spezialklebstoffe zum *Kaschieren u. Verkleben von Papieren mit Karton, Plakatkaschierungen u. die Herst. von Fein- u. Luxuskartonagen, bes. geeignet für die Verklebung lackierter u. beschichteter Materialien. *B.:* Henkel.

Delavirdin.

Internat. Freiname für N-{2-[4-(3-Isopropylamino-2-pyridyl)piperazin-1-ylcarbonyl]indol-5-yl}methansulfonamid, $C_{22}H_{28}N_6O_3S$, M_R 456,56. Verwendet wird das Mesilat, Schmp. 166–170 °C. Es wurde als Inhibitor *reverser Transcriptasen 1991 von Upjohn patentiert u. ist als Virustatikum in den USA im Handel.
– *E* delavirdine – *F* délavirdine – *I* = *S* delavirdina
Lit.: J. Med. Chem. **36**, 505 ff. (1993) ▪ Merck-Index (12.), Nr. 2929. – [CAS 136817-59-9 (D.); 147221-93-0 (Mesilat)]

Delbrück, Max (1906–1981), Prof. für Biologie, Caltech, Pasadena (California). *Arbeitsgebiete:* Molukularbiologie, Genetik, Virusforschung, Bakteriophagen, Phototaxis. Nobelpreis 1969 für Physiologie od. Medizin zusammen mit *Hershey u. *Luria „für die Entdeckung auf dem Gebiet des Mechanismus der Vererbung u. der genet. Struktur des Viren".
Lit.: Chemist-Analyst **68**, Nr. 2, 1 ff. (1979) ▪ Nachmansohn, Die große Ära der Wissenschaft in Deutschland 1900–1933, S. 90, 125, 280, 337, Stuttgart: Wiss. Verlagsges. 1988 ▪ Nobel Prize Lectures, Physiology or Medicine 1963–1970, Amsterdam: Elsevier 1972.

Deletion. Bez. für einen Mutationstyp, der durch den Verlust eines od. mehrerer Nucleotide, bis hin zum Fehlen ganzer *Chromosomen-Abschnitte charakterisiert ist (Chromosomen-*Mutation). Diese Stückluste können terminal od. interkalar auftreten u. werden auch als *Defizienzen* bezeichnet, die bei entsprechender Größe (ab 50 000 Basenpaaren) mikroskop. nachweisbar sind. D. können spontan auftreten; D.-auslösend wirken v. a. interkalierende Agenzien (s. Interkalation) wie *Acridine, in geringerem Umfang UV od. salpetrige Säure. D. manifestieren sich v. a. durch Fehlpaarungen während DNA-*Replikation u. Rekombination. D. können außerdem mit gentechnolog. Meth. ins Genom eingeführt werden: Cirkuläre DNA-Mol. werden durch Schneiden mit einer *Restriktionsendonuclease linearisiert, die Enden werden mit Exonuclease verkürzt u. recirkularisiert (s. in vitro-Mutagenese).
Nachw. von Lage u. Ausdehnung der D. erfolgt mit Hilfe von *Rekombinationsanalysen* (nach Kreuzung von D.-Mutanten mit einer großen Zahl bereits kartierter Punktmutanten werden unter den Nachkommen die Genbereiche ohne Wildtyp-Rekombinanten lokalisiert) od. *Heteroduplexanalysen* (nach gemeinsamer Denaturierung von Wildtyp- u. D.-Mutanten – DNA bleibt die längere Wildtyp-DNA im D.-Bereich nach Renaturierung ohne komplementäre Sequenz, was im elektronenmikroskop. Bild als Einzelstrangschleife sichtbar wird). Im Gegensatz zu Stämmen mit Punktmutationen lassen sich bei D.-Mutanten keine Rückmutationen (Reversionen) zum Wildtyp induzieren. – *E* deletion – *F* délétion – *I* delezione – *S* deleción
Lit.: Winnacker, Gene u. Klone, Weinheim: VCH Verlagsges. 1990.

DELFIN®. Biolog. Insektizid auf der Basis *Bacillus thuringiensis* zur Bekämpfung von Raupen an Weinreben, Gemüse, Obstkulturen etc. *B.:* Sandoz Agro.

Delifol®. Dachbeläge, auch auf Trägerbahnen, aus chloriertem *PE u. Copolymeren. *B.:* DLW AG.

Delios®. Mittelkettige Triglyceride, zur Verw. als Spezialöl u. als Diätetikum in der Lebensmittel-Industrie. *B.:* Grünau.

Delix®. Tabl. mit dem *ACE-Hemmer *Ramipril. D. plus enthält zusätzlich das *Diuretikum *Hydrochlorothiazid. *B.:* Hoechst.

Dellatol®BBS. n-Butylbenzolsulfonamid als Weichmacher für Polyamid. *B.:* Bayer.

Delokalisierung (Delokalisation). Wie bei *chemische Bindung besprochen ist die Beschreibung der *Elektronenstruktur von Mol. sowohl mit Hilfe von delokalisierten als auch mit weitgehend lokalisierten *Molekülorbitalen möglich, da es sich um gleichwertige Darstellungen desselben physikal. Sachverhaltes handelt. Lokalisierte Molekülorbitale sind hierbei mol. Einelektronen-*Wellenfunktionen, die sich im wesentlichen nur auf eine Bindung (zwischen 2 Kernen) od. ein Atom beziehen. Delokalisierte Molekülorbitale erstrecken sich hingegen über einen größeren Bereich des Moleküls. Lokalisierung von Molekülorbitalen ist nicht immer möglich; so z. B. bei nur mit einem Elektron besetzten Molekülorbitalen. D. von Molekülorbitalen liegt auch bei Elektronenmangelverb. (s. Dreizentrenbindung u. chemische Bindung) u. bei konjugierten Kohlenwasserstoffen vor. Als *Delokalisierungsenergie* bezeichnet man im allg. die Differenz zwischen der π-Elektronenenergie des betrachteten Mol. u. der entsprechenden Größe für ein hypothet. Mol. mit lokalisierten Bindungen. Sie ist neg.; durch D. wird also die

Energie abgesenkt. – *E* delocalization – *F* délocalisation – *I* delocalizzazione – *S* deslocalización

DELOXAN®. Mesoporöse organofunktionelle *Polysiloxane mit einstellbarer hoher innerer Oberfläche zum Einsatz als Suspensions- od. Festbettkatalysator in den Bereichen Säure- u. Basen-Katalyse, als Träger für Enzyme (Biokatalyse), als Edelmetall-Trägerkatalysator u. als Selektivharz zur Entfernung von (Edel-)Metallspuren. *B.:* Degussa.

Delphinin.

$C_{33}H_{45}NO_9$, M_R 599,72; Schmp. 198–200 °C, $[\alpha]_D^{25}$ +25° (C_2H_5OH), in Wasser nicht, in Ethanol od. Ether löslich. Giftiges *Diterpen-Alkaloid aus den Samen von *Delphinium staphisagria* (Stephanskraut, Läusesamen, Hahnenfußgewächse), kommt auch im Rittersporn (*D. elatum*) vor. D. besitzt ähnliche Wirkung wie *Aconitin. Es reizt die Haut bis zu starker Entzündung, beim Verschlucken erzeugt es schlaffe Lähmung der Herzmuskulatur u. führt zu Atemnot bis zum Tod durch Lungenversagen. – *E* = *F* delphinine – *I* = *S* delfinina
Lit.: Beilstein E V **21/6**, 302 ▪ Heterocycles **26**, 2895 (1987) (Synth.) ▪ R.D.K. (4.), S. 804 ▪ Sax (8.), Nr. LBF000 ▪ Tetrahedron **45**, 1887–1892 (1989) ▪ Ullmann (5.) **A 1**, 397 ff. – [HS 2939 90; CAS 561-07-9]

Delphinsäure s. 3-Methylbuttersäure.

Delrin®. Polyacetal-Kunststoff (*Polyoxymethylen, POM), erhalten durch Polymerisation von H_2O-freiem Formaldehyd. Wegen seiner guten mechan., therm. u. chem. Beständigkeit ist D. vielseitig, z. B. als Lagerwerkstoff, für Geräte- u. Instrumententeile, Haushaltsgeräte verwendbar. *B.:* DuPont.

Delta. Vierter Buchstabe des griech. Alphabets, s. δ, Δ (vor d u. D).

Delta-Elektronen s. Delta-Strahlen.

Deltamethrin.

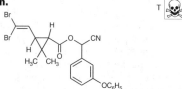

Common name für [(S)-α-Cyano-3-phenoxybenzyl]- (1R,3R)-3-(2,2-dibromvinyl)-2,2-dimethylcyclopropancarboxylat, $C_{22}H_{19}Br_2NO_3$, M_R 505,21, Schmp. 98–101 °C, LD_{50} (Ratte oral) ca. 135 mg/kg (WHO), von Roussel Uclaf entwickeltes nicht-system. synthet. *Pyrethroid mit schneller u. langanhaltender Wirkung gegen eine große Anzahl von Insekten. – *E* deltamethrin – *F* deltamethrine – *I* deltametrina – *S* deltametrín
Lit.: Farm ▪ Perkow ▪ Pesticide Manual. – [CAS 52918-63-5]

Delta Pronatura. Kurzbez. für die Delta Pronatura Dr. Krauß u. Dr. Beckmann GmbH u. Co., 63263 Neu-Isenburg. *Produktion:* Dermatika (*DDD®), Kosmetik-Spezialitäten, Fleckenentferner für Haushalt u. Gewerbe (Dr. Beckmann Fleckensalz, Dr. Beckmann Fleckenteufel), Naturheilmittel. *Daten* (1994): 75 Beschäftigte, 61 Mio. DM Umsatz.

Delta-Strahlen. Bez. für *Elektronen (δ-Elektronen od. Delta-Elektronen genannt), die durch direkt *ionisierende Strahlung aus Atomen herausgestoßen wurden u. dabei soviel Energie erhielten, daß sie weitere *Ionisation hervorrufen können. – *E* delta rays – *F* rayons delta – *I* raggi delta – *S* rayos delta

Demantoid s. Granate.

Demarçay s. Samarium.

Demecariumbromid.

Internat. Freiname für 3,3′-{1,10-Decandiylbis[(methylimino)carbonyloxy]}bis[*N,N,N*-trimethylanilinium]-dibromid, $C_{32}H_{52}Br_2N_4O_4$, M_R 716,60, Zers. bei 162–167 °C. D. wurde als *Cholinesterase-Inhibitor 1957 von den Österreichischen Stickstoffwerken patentiert. – *E* demecarium bromide – *F* bromure de démécarium – *I* demecario bromuro – *S* bromuro de demecario – [HS 2924 29; CAS 56-94-0]

Demeclocyclin.

Internat. Freiname für das antibiot. wirksame 7-Chlor-6-desmethyltetracyclin, $C_{21}H_{21}ClN_2O_8$, M_R 464,86. Gelbkrist. Pulver, Schmp. 174–178 °C (Sesquihydrat), 203–209 °C (Zers.); $[\alpha]_D^{25}$ −258° (c 0,5/0,1 *N* H_2SO_4); pK_{a1} 3,3, pK_{a2} 7,2, pK_{a3} 9,2. Verwendet wird das Hydrochlorid, λ_{max} (natronalkal. Lsg.) 385 nm ($A_{1cm}^{1\%}$ = 340–370); LD_{50} (Ratte oral) 2372 mg/kg. D. wurde erstmals 1959 von American Cyanamid (Ledermycin®, außer Handel) patentiert. – *E* demeclocycline – *F* déméclocycline – *I* = *S* demeclociclina
Lit.: Beilstein E IV **14**, 2625 ▪ DAB **1996** u. Komm. ▪ Hager (5.) **7**, 1195 f. – [HS 2941 30; CAS 127-33-3 (D.); 64-73-3 (Hydrochlorid)]

Demecolcin.

Internat. Freiname für das *Mitosegift u. *Cytostatikum *N*-Desacetyl-*N*-methylcolchicin, $C_{21}H_{25}NO_5$, M_R 371,43, das neben *Colchicin in der Herbstzeitlose vorkommt. Blaßgelbe Krist., Schmp. 186 °C; $[\alpha]_D^{20}$ −129° (c 1/$CHCl_3$); λ_{max} (C_2H_5OH) 245, 355 nm ($A_{1cm}^{1\%}$ = 955, 468). D. wurde 1955 von Ciba patentiert. – *E* demecolcine – *F* démécolcine – *I* = *S* demecolcina

Lit.: Beilstein EIV **14**, 940 ▪ Hager (5.) **7**, 1196f. – *[HS 2939 90; CAS 477-30-5]*

DEMELLOY®. Edelmetall-haltige Leg. (Gold, Silber, Platin u. Palladium) für die Elektronik u. Elektrotechnik. *B.:* Degussa.

Demethylierung. Bez. für die Abspaltung einer Methyl-Gruppe aus einem organ. Molekül. – *E* demethylation – *F* déméthylation – *I* demetilazione – *S* demetilación

Demeton-S-methyl.　T ☠

$H_3CO-\overset{\overset{O}{\|}}{\underset{OCH_3}{P}}-S-CH_2-CH_2-SC_2H_5$

Common name für *S*-(2-Ethylthioethyl)-*O,O*-dimethylthiophosphat, $C_6H_{15}O_3PS_2$, M_R 230,28, Sdp. 89 °C (15 Pa), LD_{50} (Ratte oral) ca. 30 mg/kg (Bayer), MAK 5 mg/m³ bzw. 0,5 ppm, von Bayer 1957 eingeführtes system. *Insektizid u. *Akarizid mit Kontaktwirkung gegen saugende Insekten u. Spinnmilben im Obst-, Gemüse-, Kartoffel-, Getreide-, Rüben-, Hopfen- u. Zierpflanzenanbau sowie im Forst. – *E = F* demeton-S-methyl – *I* demeton-S-metile – *S* demetón-*S*-metilo
Lit.: Farm ▪ Perkow ▪ Pesticide Manual. – *[HS 2930 90; CAS 919-86-8]*

Demetrin®. Tabl. mit *Prazepam gegen Angst- u. Erregungszustände. *B.:* Parke-Davis.

Demineralisation. 1. Im allg. Sinne Bez. für die (übermäßige) Ausscheidung von Mineralstoffen (Salzen) aus dem Körper, im engeren Sinne Bez. für eine durch *Parathyrin bewirkte erhöhte Mobilisierung von Calcium- u. Phosphat-Ionen aus der *Knochen-Substanz, die mit *Hypercalcämie einhergeht u. langfristig zum Abbau der Knochenmatrix (*Osteolyse*) führen kann. Durch die gleichzeitig gestörte Rückresorption des Phosphats in den Nieren ist auch dessen Ausscheidung im Harn erhöht. Das *Calcitonin als Gegenspieler des Parathyrins führt dagegen zu erhöhter *Mineralisation. 2. In der Wassertechnik Bez. für die Vollentsalzung (*Deionisation*, s. Härte des Wassers u. Aqua). – *E* demineralization – *F* 1. deminéralisation, 2. déionisation – *I* demineralizzazione – *S* 1. desmineralización, 2. desionización

DEMINEX. Kurzbez. für DEMINEX-Dtsch. Erdölversorgungsges. mbH, 45009 Essen, an der die VEBA-Konzern (63%), Wintershall u. RWE-DEA AG (je 18,5%) beteiligt sind. D. betreibt den Aufschluß u. die Produktion von Erdöl- u. Erdgasvork. sowie den Transport, Einkauf u. Verkauf von Erdöl u. Erdgas. *Daten* (1994): 580 Beschäftigte, 2169 Mio. DM Umsatz.

Demissidin (Solanin D; Dihydrosolanidin T).

$C_{27}H_{45}NO$, M_R 399,66; Nadeln, Schmp. 218–220 °C, $[\alpha]_D +28°$ (CH_3OH), Aglykon von *Demissin* {3-*O*-β-Lycotetraosyldemissidin, $C_{50}H_{83}NO_{20}$, M_R 1018,20, Schmp. 305–308 °C (Zers.), $[\alpha]_D -20°$ (Pyridin)}, lösl. in Ethanol, schwer lösl. in Ether. Demissin kommt in den Blättern der Wildkartoffel (*S. demissum*) u.a. *Solanum*-Arten vor. Es schützt die Pflanze als Fraßgift vor Kartoffelkäferbefall u. wirkt als Cholinesterase-Inhibitor. D. wird durch Hydrolyse von Solanaceen-Extrakten gewonnen. – *E* demissidine – *F* démissidine – *I* demissidina – *S* demisidina
Lit.: Beilstein E V **21/3**, 215 ▪ Biochem. Syst. Ecol. **14**, 651 (1986). – *[CAS 474-08-8 (D.); 6077-69-6 (Demissin)]*

Demissin s. Demissidin.

Demister (von engl.: mist = Nebel). Vorrichtung zur zwangsweisen Abscheidung feinster Flüssigkeitströpfchen aus Gasen, Dämpfen od. Nebeln, die z.B. in *Kolonnen auftreten od. in die Atmosphäre ausströmen. Die D. bestehen aus Drahtgestrick-Packungen mit sehr großer innerer Oberfläche. Je nach Aufgabenstellung u. Aggressivität der abzuscheidenden Flüssigkeiten werden als Werkstoffe Chromnickelstähle, Aluminium, Kupfer, Nickel, Polypropylen, Polytetrafluorethylen u. dgl. benutzt. – *E* demister, mist eliminator – *F* débrouilleur, dispositif antibuée – *I* snebbiatore – *S* desnebulizador

Demokrit (aus Abdera) (460–371 v. Chr.). Philosoph. Er gilt mit seinem Lehrer Leukippos als Hauptvertreter der antiken Atomistik u. prägte mit ihm den Begriff „atomos" (*Atom). Er war der Auffassung, daß die Welt aus unendlich vielen unteilbaren Urkörpern bestehe, die ständig in Bewegung sind.
Lit.: Pötsch, S. 114.

Demoxytocin.

$CH_2-CH_2-\overset{\overset{O}{\|}}{C}-Tyr-Ile-Gln-Asn-Cys-Pro-Leu-Gly-NH_2$
$||$
S

Internat. Freiname für das wehenauslösend wirkende Desaminooxytocin, $C_{43}H_{65}N_{11}O_{12}S_2$, M_R 992,18. L-Isomeres: weiße Plättchen, Schmp. 179 °C, auch 182–183 °C angegeben, $[\alpha]_D^{20}$ –88,3°, $[\alpha]_D^{21}$ –107°, $[\alpha]_D^{25}$ –95,1° (c 0,5/0,1 N Essigsäure); D-Isomeres: weißes Pulver, $[\alpha]_D^{20}$ +104° (c 0,5/0,1 N Essigsäure). – *E* demoxytocin – *F* démoxytocine – *I = S* demoxitocina
Lit.: Adv. Exp. Med. Biol. **2**, 53–104 (1968). – *[HS 2934 90; CAS 113-78-0]*

Demulgatoren (Dismulgatoren, Emulsionsspalter). Bez. für Substanzen, die die Entmischung einer *Emulsion bewirken. Als D. wirken z.B. Salze von Fettsäuren u. Sulfonsäuren sowie die Säuren selbst. – *E* demulsifiers – *F* désmulsifiants – *I* demulsificatori – *S* desemulsionantes
Lit.: vgl. Emulsionen.

Demuth, Reinhard (geb. 1946), Prof. für Chemie u. ihre Didaktik, Univ. Kiel. Prorektor der Universität seit 1996. *Arbeitsgebiete:* Lehr-Lernforschung, insbes. im Bereich des Chemieunterrichts der Sekundarstufe I u. II; Vermittlung chem. Sachverhalte durch moderne Medien. Schriftleiter u. Hrsg. der Zeitschrift „Praxis der Naturwissenschaften – Chemie".
Lit.: Wer ist wer, S. 225 ▪ Kürschner (16.), S. 564.

den. Abk. für *Denier.

Denan®. Filmtabl. mit dem Lipidsenker *Simvastatin. *B.:* Thomae.

Denaturieren. 1. (*Vergällen*). Staatlich durchgeführte Maßnahmen, um bestimmte Waren mittels *Vergällungsmitteln für den Menschen ungenießbar zu machen. – 2. In der Biochemie versteht man unter D. die meist bei *Proteinen durch chem. od. physikal. Einwirkung hervorgerufene Strukturänderung (z. B. Gerinnung), die zum Verlust der biolog. Aktivität führt. – *E* denaturing – *F* dénaturation – *I* denaturazione – *S* desnaturalización

Denaverin.

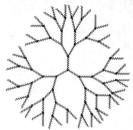

Internat. Freiname für (2-Ethylbutoxy)diphenylessigsäure-2-(dimethylamino)ethylester, $C_{24}H_{33}NO_3$, M_R 383,53. Verwendet wird das Monohydrochlorid. Es wurde 1974 u. 1984 von VEB Arzneimittelwerk Dresden patentiert u. ist als *Spasmolytikum von Apogepha (Spasmalgan®) im Handel. – *E* denaverine – *F* dénavérine – *I* = *S* denaverina

Lit.: Arzneibuch DDR 1985 ▪ Chem. Abstr. **82**, P155841s (1974); **102**, P45638e (1984). – *[HS 2922 50; CAS 3579-62-2 (D.); 3321-06-0 (Hydrochlorid)]*

Denax DPG®. Diphenylguanidin; Beschleuniger für Natur- u. Synthesekautschuk. *B.:* Krahn.

Dendrimere s. dendritische Polymere.

Dendriten (von griech.: dendron = Baum). Bäumchen- bis moosförmige Kristallgebilde. D. u. ähnliche *Kristallskelette* wie z. B. *Hohlformen* entstehen bes. bei rascher Krist. u. enthalten sowohl krist. wie auch amorphe Bereiche. Die Substanzen werden dabei bevorzugt an den elektrostat. am wenigsten abgesätt. Stellen, den Ecken u. Kanten, abgelagert. Im Gegensatz zu den radialsymmetr. aufgebauten *Sphärolithen entstehen D. somit bei unterschiedlicher Brutto-Kristallisationsgeschw. in den verschiedenen Raumrichtungen. Dendrit. Krist. findet man bei erstarrenden Metall- u. Polymerschmelzen [z. B. Poly(ethylen)], bei der Krist. von Polymeren aus Lösungen, an gefrorenen Fenstern (Eisblumen), bei eingetrockneten Salz-Lsg., aber auch bei Abscheidungen von schwarzen Manganoxiden od. braunen *Eisenhydroxiden (Brauneisen) auf Schicht- u. Kluftflächen von Gesteinen (z. B. Kalksteine, Sandsteine, Granite).
Von D. spricht man auch in der *Neurochemie bei den Verästelungen des Neurons sowie bei den für die *Hautbräunung verantwortlichen *Melanocyten. – *E* = *F* dendrites – *I* dendriti – *S* dendritas

Lit.: Elias (5.) **1**, 758, 824 ff. ▪ Kleber, Einführung in die Kristallographie, S. 214, Berlin: Verl. Technik 1990 ▪ Kosmos **64**, 102 f. (1968) ▪ Matthes, Mineralogie, 2. Aufl., S. 66, Berlin: Springer 1987 ▪ Saratkovin, Dendrite Crystallization, London: Chapman & Hall 1959.

Dendritische Polymere (Dendrimere, Kaskadenpolymere, „starburst"-Polymere). Synthet. Makromol., die man schrittweise durch Verknüpfung von jeweils 2 od. mehr Monomeren mit jedem bereits gebundenen Monomeren aufbaut, so daß mit jedem Schritt die Zahl der Monomer-Endgruppen exponentiell anwächst u. am Ende eine kugelförmige Baumstruktur (griech.: dendron = Baum) entsteht.

Beisp.: Aus Ammoniak entsteht in 6 Doppelschritten (Michael-Addition von Acrylsäuremethylester mit allen Amin-NH-Gruppen u. Amidierung aller Methylester-Gruppen mit Ethylendiamin) ein Riesenmol. mit einem N-Atom im Zentrum, 193 radialen Verzweigungen

$$-CH_2-CH_2-CO-NH-CH_2-CH_2-N\big\langle$$

u. 96 NH_2-Endgruppen. Wasserlösl. d. P. mit Alkohol-Endgruppen heißen auch *Arborole.

Nomenklatur: Für d. P. gibt es nur extrem verschachtelte, überlange systemat. Namen. Es werden bes. Benennungsregeln diskutiert; *Beisp.:* 96-*cascade*-Nitrilo[3]:(4-oxo-3-aza-6,1-hexandiylnitrilo[2])^5:(→3)-*N*-(2-aminoethyl)propionamid (oben erwähnte Verb.); Verzweigungsgrad der Zentraleinheit u. der Verzweigungseinheiten (eckige Klammern) u. Kaskadenstufenzahl (Exponent) ergeben die Zahl der am Schluß genannten Endgruppen im *cascade*-Präfix ($3 \cdot 2^5 = 96$). Doppelpunkte symbolisieren den bes. Verknüpfungstyp der Verzweigungseinheiten. – *E* dendritic polymers – *F* polymères dendritiques – *I* polimeri in cascata – *S* polímeros dendríticos

Lit.: Angew. Chem. **102**, 119 (1990) ▪ Elias (5.) **1**, 41, 591, 628 ▪ Fuhrhop u. Penzlin, Organic Synthesis, S. 353–356, Weinheim: VCH Verlagsges. 1994 ▪ Newkome et al., Dendritic Molecules, Weinheim: VCH Verlagsges. 1996 ▪ Odian (3.), S. 177.

Dendrobates-Alkaloide. Im Hautdrüsensekret südamerikan. Farbfrösche der Familie Dendrobatidae sind z. T. hochgiftige Alkaloide sehr variabler Struktur enthalten. Bisher wurden mehr als 20 verschiedene Klassen aufgefunden. Die Sekrete werden von den Naonama-, Cuna- u. Choco-Indianern in Kolumbien als Pfeilgifte verwendet. Bes. gut untersucht wurden die Gifte von 4 Spezies: *Phyllobates aurotaenia*; *Dendrobates histrionicus*, *D. pumilio* u. *D. auratus*. Die Hauptgifte sind *Batrachotoxin, *Gephyrotoxin, *Histrionicotoxine, *Pumiliotoxine. Einige hundert Nebenalkaloide wurden beschrieben. – *E* dendrobates alkaloids – *F* alcaloïdes de Dendrobates – *I* alcaloidi dei dendrobati – *S* alcaloides de Dendrobates

Lit.: J. Nat. Prod. **49**, 265 (1986) ▪ J. Toxicol., Toxin Rev. **1**, 33–86 (1982) ▪ Manske **43**, 185–288 ▪ Tetrahedron **42**, 3453 (1986); **43**, 643 (1987) ▪ Zechmeister **41**, 205–340 (1982).

Dendrochronologie (von griech.: dendron = Baum u. chronologia = Zeitrechnung). Bez. für die Meth. der *Altersbestimmung von Holz aus lebenden, toten u. subfossilen Bäumen aufgrund der Zahl u. der Abstände der Jahresringe. Deren Aufeinanderfolge spiegelt auch Klimaeinflüsse wider. Die D. erlaubt Altersbestimmung bis ca. 9000 Jahre durch stufenweisen Vgl. ein-

zelner Fundstücke. – *E* dendrochronology – *F* dendrochronologie – *I* dendrocronologia – *S* dendrocronología
Lit.: Strasburger, Lehrbuch der Botanik, 33. Aufl., S. 202f., 899 ff., Stuttgart: Fischer 1991.

Dendrolasin [3-(4,8-Dimethylnona-3,7-dienyl)-furan].

$C_{15}H_{22}O$, M_R 218,34, Sdp. 148–150 °C (2,1 kPa). Aus Ameisen der Art *Lasius (Dendrolasius) fuliginosus* isolierter *Alarmstoff, kommt auch in Pflanzen u. Meeresorganismen vor. – *E* dendrolasin – *F* dendrolasine – *I* = *S* dendrolasina
Lit.: Beilstein EV 17/1, 660. – *Biosynth.:* Helv. Chim. Acta **52**, 15 (1969). – *Isolierung:* J. Chem. Soc., Chem. Commun. **1995**, 2135 ▪ J. Nat. Prod. **50**, 482 (1987). – *Review:* J. Nat. Prod. **46**, 481 (1983). – *Synth.:* Bull Chem. Soc. Jpn. **61**, 4029–4035 (1988) ▪ J. Org. Chem. **48**, 5183, 5356 (1983). – [CAS 23262-34-2]

Denier. Veralteter Maßstab für die Feinheit natürlicher od. synthet. Fasern in der Textilindustrie. Ein Faden hat den „Titer" (Feinheitsgrad) von einem D. (Kurzz.: den), wenn das Gewicht eines 9000 m langen Fadens 1 g beträgt. Das Maß D. ist heute durch *Tex (1 tex = 1 g/1000 m = 9 den) ersetzt.

Denim. Aus der französ. Bez. *Serge de Nîmes* entstandener Name für ein ursprünglich in der Provence hergestelltes grobes Baumwollgewebe, das für strapazierfähige Arbeitskleidung, heute bes. zur Herst. von Blue Jeans Verw. findet. *Stone wash* u. *Snow wash* sind modifizierte D.-Verf., wobei fertig konfektionierte Textilien durch Waschen mit Steinen u. Behandlung mit Bleichmitteln eine interessante Kolorierung erhalten (*Lit.*[1]). – *E* = *I* = *S* denim – *F* croisé de coton
Lit.: [1] Textilveredlung **24**, 17–23 (1989).
allg.: Textilveredlung **10**, 112–117 (1975).

Denitrifikation (Nitrat-Atmung). Bei der D. von Bakterien wird unter *anaeroben Bedingungen* Nitrat über Nitrit u. Distickstoffoxid (N_2O) zu Stickstoff (N_2) reduziert. Zu diesem Stoffwechsel sind eine Vielzahl aerober u. fakultativ anaerober Bakterien befähigt. Obligat anaerobe Organismen können keine D. durchführen. Die denitrifizierenden Bakterien verwenden in Abwesenheit von Sauerstoff Nitrat als Wasserstoff-Akzeptor für den *Katabolismus:

$$NO_3^- \xrightarrow{2e^-} NO_2^- \xrightarrow{e^-} NO \xrightarrow{e^-} N_2O \xrightarrow{e^-} N_2$$

Die beiden ersten Enzyme dieser Reaktion, *Nitrat-Reduktase u. *Nitrit-Reduktase, sind membrangebunden u. werden entweder durch anaerobe Bedingungen od. zusätzlich durch Nitrat induziert. Nicht nur Nitrat, sondern auch Nitrit u. Distickstoffoxid können von vielen Denitrifikanten als Wasserstoff-Akzeptor verwendet werden. Nitrat-Reduktase u. Nitrit-Reduktase sind mit der *Atmungskette u. somit mit der Energiegewinnung gekoppelt.
Die D. ist der einzige Stoffwechselweg, bei dem gebundener Stickstoff in die mol. Form überführt werden kann, u. hat große Bedeutung für den Stickstoff-Kreislauf in der Natur. Der Stickstoff-Verlust von organ. u. Nitrat-Dünger bei nassen anaeroben Ackerböden od. überfluteten Feldern (Reisanbau) wird durch die D. verursacht, dabei kann sich Nitrit anreichern, das ins Grundwasser u. damit ins Trinkwasser gelangt. Bei gut belüfteten Böden sind die Verluste wesentlich geringer (s. Düngung). Bei der anaeroben *Abwasserbehandlung (Faultürme) wird durch denitrifizierende Bakterien der Nitratanteil im Abwasser verringert. – *E* denitrification – *F* dénitrification – *I* denitrificazione – *S* desnitrificación
Lit.: Scheffer u. Schachtschnabel, Lehrbuch der Bodenkunde, 13. Aufl., S. 265f., Stuttgart: Enke 1992 ▪ Schlegel (7.), S. 330ff.

DEnox. Verf. zur selektiven, katalyt. Red. (SCR) von NO u. NO_2 zu Stickstoff u. Wasserdampf mittels Eisenoxid/Chromoxid-Katalysator der Didier-Werke AG.

Densimeter s. Aräometer.

Densitometer. Geräte zur Durchlaufmessung („Scanning") der opt. *Dichten od. Opazitäten von Materialien (*Densitometrie*). D. arbeiten so, daß sie ähnlich den *Photometern* die durch eine opt. Schicht durchfallende Lichtintensität mit der des eingestrahlten Lichtes vergleichen. D. finden Verw. z. B. in der *Chromatographie u. in der Farbfilm-Industrie. – *E* densitometers – *F* densitomètres – *I* densitometro – *S* densitómetros
Lit.: Appl. Spectrosc. **41** (8), 1422 (1987) ▪ Berezkin u. Buchkov, Quantitative Instrumental Methods in TLC, Heidelberg: Hüthig 1989 ▪ Frey u. Zieloff, Qualitative u. quantitative Dünnschichtchromatographie, Weinheim: VCH Verlagsges. 1993 ▪ J. Chromatogr. **437** (1), 97–107 (1988).

DENSO-Binde. Spezialerzeugnis für Korrosionsschutz u. Abdichtung. Petrolatum-Binde der Denso-Chemie GmbH.

Denso-Chemie. Kurzbez. für die Denso-Chemie GmbH, 51344 Leverkusen. *Produktion:* Korrosionsschutzmittel, Dichtungsstoffe u. Fugenkitte. *Daten* (1995): 400 Beschäftigte, ca. 90 Mio. DM Umsatz.

Dentacolor®. Lichthärtendes Einkomponenten-Verblendcomposite für die Kronen- u. Brückentechnik (Zahnersatz). Das Syst. umfaßt Opaker, Pasten, Malfarben, Verarbeitungshilfen usw. *B.:* Heraeus Kulzer GmbH.

Dentalmaterialien. Sammelbez. für zahnärztlichen Zwecken dienende Präp. u. Materialien wie Ätzflüssigkeiten, -pasten u. -stifte, *Zahnpflegemittel, zahnsteinlösende Mittel, keram. Stoffe (*Zahnzemente, Porzellan, Gips), Dental-Kunststoffe (Polymethylmethacrylate für Prothesen, Füllungen usw.), Dental-Leg. (z. B. auf der Basis von Quecksilber, Silber, Gold, Platin), Dentallote, Stahl, Chrom-Leg., Harze, Abdruckmassen (aus Siliconen, Zahnwachsen, Polysulfiden, Agar u. Alginaten, Zinkoxid-Eugenol-Gemischen), Dentalöle usw. – *E* dental materials – *F* matériaux dentaires – *I* materiali dentali – *S* materiales dentales
Lit.: Encycl. Polym. Sci. Eng. **4**, 698–719 ▪ Kirk-Othmer (3.) **7**, 461–521; (4.) **7**, 946–1022 ▪ Ullmann (4.) **10**, 1–27; (5.) A**8**, 251–299 ▪ s. a. Zähne.

Dentalon® plus. Selbsthärtender Kunststoff zur Herst. von provisor. Dentalkronen u. -brücken im direkten Verfahren. *B.:* Heraeus Kulzer GmbH.

Denthesive® II. Lichtempfindlicher Dentin-Haftvermittler zur Haftverbesserung von Composite-Füllungsmaterialien. *B.:* Heraeus Kulzer GmbH.

Dentin. Bez. für eine dem Knochen verwandte Hartsubstanz (H. 5–6), die den Kern der *Zähne bei Säugetieren u. dem Menschen bildet. Das D. ist im Bereich der Zahnkrone vom Zahnschmelz, an der Wurzel vom Zahnzement bedeckt. Im Inneren umschließt es die Pulpahöhle, in der sich Nerven u. Blutgefäße befinden. Die Begrenzung der Pulpa durch das D. ist von einer Lage Zellen ausgekleidet, die mit langen Fortsätzen in die D.-Substanz hineinreichen. Diese Zellen (Odontoblasten) scheiden zeitlebens langsam D. ab, was zur zunehmenden Einengung der Pulpahöhle führt. D. besteht zu ca. 30% aus einer zellfreien organ. Grundsubstanz (Glykoproteine), in die Kollagen-Fasern eingelagert sind. Die anorgan. Bestandteile sind in erster Linie Hydroxylapatit (s. a. Apatit), Fluorapatit u. geringe Mengen von Carbonaten, Magnesium u. Spurenelementen. – *E* dentin – *F* dentine – *I = S* dentina

Lit.: Junqueira et al., Histologie, Heidelberg: Springer 1991 ▪ Linde, Dentin and Dentinogenesis, Florida: CRC Press 1984 ▪ Schröder, Orale Strukturbiologie, Stuttgart: Thieme 1992.

Dentinox®. Lsg. u. Gel gegen Beschwerden bei der ersten Zahnung mit *Lidocain-Hydrochlorid, Kamillentinktur sowie *Polidocanol. *B.:* Dentinox Ges. Pharm. Präp. Lenk & Schuppan.

Deodorantien s. Desodorantien.

Deoxy... s. Desoxy...

Deoxycarbazomycin s. Carbazol-Alkaloide.

Deoxynivalenol (Vomitoxin).

$C_{15}H_{20}O_6$, M_R 296,32, Nadeln, Schmp. 151–153°C, $[\alpha]_D$ +6,4° (C_2H_5OH), *Mykotoxin [LD_{50} (Maus i. p.) 70 mg/kg] aus *Fusarium*-Arten, es gehört zur Gruppe der biolog. aktiven *Trichothecene. D. kommt weltweit auf mit Fusarien infiziertem Getreide (bes. Mais u. Weizen) vor. D. wird von Darmbakterien detoxifiziert. – *E* deoxynivalenol – *F* déoxynivalenol – *I* deossinivalenolo – *S* deoxinivalenol

Lit.: Appl. Environ. Microbiol. **57**, 672–677 (1991) (Vork.); **58**, 3857–3863 (1992) ▪ Beilstein E V **19/6**, 510 ▪ Chelkowski (Hrsg.), Fusarium-Mycotoxins, Taxonomy and Pathogenicity, S. 441–472, Amsterdam: Elsevier 1989 (Vork.) ▪ Cole u. Cox, Handbook of Toxic Fungal Metabolites, S. 202, New York: Academic Press 1981. – [*CAS 51481-10-8*]

dep. Abk. für latein.: depuratum = gereinigt, s. chemische Reinheit.

DEP. Nach DIN 7723 (12/1987) Kurzz. für D*ie*thyl*p*hthalat als *Weichmacher.

DEPALOR®. Aufbrennfähige Palladium-Basis-Leg. für zahntechn. Zwecke. *B.:* Degussa.

Depanol®. *Terpen-haltige Lsm. (z.B. mit Dipenten) für Lacke u. Farben auf der Basis von Ölen u. Alkydharzen. *B.:* Hoechst.

Dephlegmator s. Destillation.

Dephosphin s. Dynamin.

Depigmentierung (von latein. de- = ent, pigmentum = Farbstoff). Bez. für den gewollten od. ungewollten, lokal begrenzten Verlust der *Pigmentierung der *Haut; vollständige Pigmentfreiheit nennt man *Albinismus. D. kann auftreten im Gefolge von Erkrankungen (*Vitiligo) od. von Chemikalien-Einwirkung, z. B. von *tert*-Butylphenol. Umgekehrt kann D. auch bezweckt sein, z. B. in *Sommersprossen-Mitteln u. zur Behandlung sog. Melanosen. Das Phänomen der stufenweisen Reduktion von Körperpigmentierung bei warmblütigen Tieren u. bei Menschen mit dem Kühlerwerden des Klimas beschreibt die *Glogersche Regel*. D. erfolgt auch bei Tieren, die keinem Licht mehr ausgesetzt sind: Boden- u. Höhlentiere, Endoparasiten u. Grundwasserbewohner (Beisp. für regressive *Evolution). – *E* depigmentation – *F* dépigmentation – *I* depigmentazione – *S* despigmentación

Depilation (von latein.: pilus = Haar). Haarentfernung, meist aus ästhet. Gründen u. vorwiegend von Damen praktiziert. Zu den einzelnen Meth. s. Haarbehandlung, zu chem. Meth. s. Depilatorien. – *E* depilation – *F* épilation – *I* depilazione – *S* depilación

Depilatorien (Depiliermittel). Bez. für chem. Enthaarungspräp., die eine reduktive od. hydrolyt. Spaltung der Peptid-Bindungen des Haar-*Keratins bewirken. Zur reduktiven Spaltung werden bevorzugt *Sulfide od. Mercapto-Verb., zur hydrolyt. Spaltung stark alkal. Lsg. od. in Kombination beider Möglichkeiten verwendet. Die größte prakt. Bedeutung haben Präp. auf der Basis von Salzen der *Thioglykolsäure (Mercaptoessigsäure) u. *Thiomilchsäure* (*Mercaptopropionsäure) erlangt, da mit diesen die Forderung nach ausreichender Zerstörung des Haar-Keratins bei weitestgehender Schonung des Haut-Keratins am ehesten erfüllt wird. Der optimale pH-Bereich liegt bei 11–12,5. Anwendungsformen sind Flüssigkeiten, Cremes, Gele u. Aerosolschäume. Neben Hilfsstoffen wie Verdickungs- u. Treibmitteln können die Rezepturen hautpflegende u. parfümierende Komponenten enthalten. – *E* depilatories – *F* épilatoires – *I* depilatori – *S* depilatorios

Lit.: Janistyn **3**, 666–679 ▪ Kirk-Othmer (3.) **7**, 165 f.; (4.) **7**, 613 f. ▪ Ullmann (4.) **12**, 449 f.; (5.) **A 12**, 591 f. ▪ Umbach (Hrsg.), Kosmetik (2. Aufl.), S. 180 ff., Stuttgart: Thieme 1995. – [*HS 3307 90*]

Deplastol®. Viskositätsregler für PVC-Plastisole u. Organisole; wasserfreie, klare, gelbliche Flüssigkeit auf der Basis von Fettsäurepolyglykolestern. *B.:* Henkel.

Depolarisatoren. Substanzen, die bei elektrochem. Vorgängen die *Polarisation einschränken, die z.B. in *galvanischen Elementen u. *Taschenbatterien ein rasches Abklingen der Stromlieferung bewirken würde. *Beisp.:* In den Taschenbatterien bildet der Zinkbecher den neg., der Kohlestab den pos. Pol der Batterie. Dazwischen befindet sich eine Masse, die u.a. Braunstein, Graphit, Ammoniumchlorid u. Stärke enthält. Der am Pluspol auftretende Wasserstoff wirkt infolge der Ausbildung einer Gegenspannung stromschwächend (polarisierend), wenn man ihn nicht fortlaufend mit Hilfe eines Oxidationsmittels (Braunstein als D.) zu Wasser oxidiert. Über organ. D. für elektrochem. Zellen s. *Lit.* – *E* depolarizers – *F* dépolarisants – *I* depolarizzatori – *S* despolarizadores

Lit.: Naturwissenschaften **58**, 121–130 (1971).

Depolymerisation. Zerlegung von *Polymeren in Verb. mit niedrigeren Molmassen, im Extremfalle in die ihnen zugrunde liegenden Monomere, unter Einfluß von z. B. Wärme, Strahlung, Chemikalien od. Enzymen. *Beisp.:* Verzuckerung von *Polysacchariden (Stärke, Cellulose); Gewinnung von monomeren *2-Cyanoacrylsäureestern durch Erhitzen von Poly-2-cyanoacrylaten. – *E* depolymerization, depropagation – *F* dépolymérisation – *I* depolimerizzazione – *S* despolimerización

Lit.: Compr. Polym. Sci. **6**, 451–500 ■ Elias (5.) **1**, 581 ff. ■ Encycl. Polym. Sci. Eng. **4**, 719–745 ■ Jagur-Grodzinski, Heterogeneous Modification of Polymers, New York: Wiley 1997 ■ Odian (3.), S. 68, 283, 505 ff.

Deponie. Lagerstätte für die dauerhafte Ablagerung von *Abfällen oberhalb od. unterhalb der Erdoberfläche. Nach der Art der deponierten Abfälle unterscheidet man u. a. *Hausmüll- bzw. *Siedlungsabfall-D., Bauschutt-D., *Sonderabfall-D. sowie Mono-D. (Ablagerung von Abfällen, die nach Art, *Schadstoff-Gehalt u. Reaktionsverhalten vergleichbar sind). Oberird. D. lassen sich weiterhin nach Form u. Lage in Halden-, Gruben- od. Hang-D. unterscheiden.

D. sind Bauwerke, die so errichtet u. betrieben werden müssen, daß die von der D. ausgehenden *Emissionen tolerierbar sind u. die D. nach Verfüllung u. einer gewissen Nachsorge sich selbst überlassen werden können. Die D. der letzten Jahrzehnte werden als Reaktor-D. bezeichnet, da die Ablagerung unbehandelter Abfälle, insbes. von Siedlungsabfällen, zu chem., physikal. u. mikrobiolog. Umwandlungsprozessen im D.-Körper (d. h. in den abgelagerten Abfällen) u. damit zur Schadstoff-Freisetzung auf dem Wasser-, Boden- od. Luftpfad sowie zu Setzungserscheinungen in der D. führen. Beim vorwiegend *anaeroben Abbau der organ. Müllbestandteile entsteht *Deponiegas*, das hauptsächlich aus *Methan u. *Kohlendioxid besteht u. Spurenstoffe (z. B. *Schwefelwasserstoff, *Thiole, *Halogenkohlenwasserstoffe u. *Chlorkohlenwasserstoffe) enthalten kann. Durch in die D. eindringendes Niederschlagswasser, Restfeuchte der Abfälle sowie Reaktionswasser können wasserlösl. anorgan. u. organ. Substanzen aus den Abfällen herausgelöst werden u. als *Sickerwasser* Boden u. Grundwasser verunreinigen. Um Umweltbeeinträchtigungen durch D.-Gas u. Sickerwasser zu vermeiden, müssen D. eine Basis- u. Oberflächenabdichtung sowie Vorrichtungen zur Sickerwassererfassung, Entgasung sowie ggf. Gasverwertung aufweisen (s. Abb.).

Mit Oberflächenabdichtungen soll der Eintrag von Niederschlagswasser in den D.-Körper u. das diffuse Entweichen von D.-Gas verhindert werden, während Basisabdichtungen den Austritt von Sickerwasser in Boden u. Grundwasser vermeiden. Die Sickerwassererfassung erfolgt über Drainage-Syst.; das gesammelte Sickerwasser muß vor der Ableitung in ein Gewässer

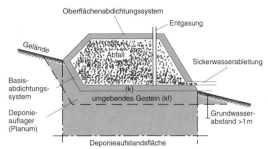

Abb: Schema einer Deponie.

mittels chem., physikal. od. biolog. Verf. (s. a. chemisch-physikalische Behandlung) gereinigt werden. D.-Gas kann im Regelfall abgesaugt u. in speziellen Fackeln verbrannt od. zur Energieerzeugung genutzt werden.

Die bisher in der BRD betriebenen D. haben als Abdichtungssyst. in der Regel einfache mineral. Dichtungen (z. B. *Ton) od. eine Kunststoffdichtungsbahn (KDB). Die Sickerwasserbehandlung erfolgt überwiegend gemeinsam mit häuslichen *Abwässern in kommunalen *Kläranlagen; D.-eigene Sickerwasserreinigungsanlagen sind die Ausnahme. Zum Teil sind keine Entgasungseinrichtungen vorhanden u. das D.-Gas wird nur in wenigen Fällen genutzt. Mit Inkrafttreten der *TA Abfall u. *TA Siedlungsabfall wurden die Anforderungen an D. erheblich verschärft. Die Vermeidung von Umweltbeeinträchtigungen unter Langzeitbedingungen soll durch ein *Multibarrierenkonzept* erreicht werden, das die Minimierung der von D. ausgehenden Emissionen durch weitgehend unabhängig voneinander wirksame Barrieren vorsieht. Die wirkungsvollste Barriere sollen die Abfälle selbst sein (stoffliche Barriere). Sie müssen vor der Ablagerung durch eine geeignete *Abfallbehandlung (z. B. Verbrennung) weitgehend inertisiert werden, so daß sich prakt. kein D.-Gas entwickelt, die Sickerwasserbildung gering ist u. nur geringfügige Setzungen auftreten. Die 2. Barriere ist der D.-Standort (geolog. Barriere). D. dürfen u. a. nicht in Karst-, Trinkwasserschutz- od. Überschwemmungsgebieten errichtet werden; darüber hinaus muß der Standort bestimmte geolog. u. hydrogeolog. Mindestanforderungen (u. a. in bezug auf Durchlässigkeit u. Sorptionsvermögen des Untergrundes) erfüllen, um Austrag u. Ausbreitung von *Schadstoffen zu minimieren u. ausgetretene Schadstoffe zu fixieren. Die 3. Barriere stellen techn. Dichtungs- u. Kontrollsyst. dar (techn. Barriere), wobei für Oberflächen- u. Basisabdichtungen als Regelfall Kombinationsdichtungen (z. B. Preßverbund aus Kunststoffdichtungsbahnen u. einer tonmineral. Schicht) gefordert werden. – *E* landfill site – *F* décharge – *I* discarica publica – *S* vertederos de residuos

Lit.: Entsorga-Magazin **15**, Nr. 3, 140–147 (1996) ■ Entsorgungspraxis **8**, Nr. 10, 567–571 (1990) ■ Tiltmann, Recycling betrieblicher Abfälle, Loseblatt-Ausgabe, Tl. 8/5, Augsburg: WEKA.

Deponierung (Abfallablagerung). Vorgang der geordneten dauerhaften Ablagerung von *Abfällen. Die D. ist die letzte Stufe der *Abfallentsorgung u. wird im allg. als Endstufe nach Verwertungs- od. Behandlungsvorgängen benötigt. Die D. erfolgt auf oberird. *Deponien od. in *Untertagedeponien u. ist das derzeit noch am häufigsten eingesetzte Verf. der *Abfallbeseitigung.

Die bisherige D. von unbehandelten Abfällen führt zu Prozessen in der Deponie, wodurch Schadstoffe freigesetzt werden können (s. Deponie). Künftig ist die D. auf oberird. Deponien nur noch für solche Abfälle zulässig, bei denen die Reaktivität u. Mobilität der Abfallinhaltsstoffe auf ein auch unter Langzeitbedingungen tolerierbares Minimum reduziert worden ist. Dies kann im Regelfall nur durch eine *Abfallbehandlung (z. B. *Abfallverbrennung, *chemisch-physikalische Behandlung) erreicht werden, so daß künftig in der Regel nur noch vorbehandelte Abfälle deponiert werden können. – *E* land disposal – *F* entreposage – *I* deposizione – *S* depósitos de basuras

deponit®. Pflaster mit *Glycerintrinitrat zur Anfallsprophylaxe der Angina pectoris, zur Dauerbehandlung koronarer Herzkrankheit. *B.*: Schwarz.

Deposition. Bez. für die *Ablagerung von Stoffen auf Oberflächen. Bei der D. von Atmosphären-Bestandteilen (Luftinhaltsstoffe) unterscheidet man zwischen trockener D. (z. B. Ablagerung von Metalloxiden als *Stäube) u. nasser D. (z. B. säurehaltige Niederschläge, s. a. saurer Regen). In Gewässern wird die D. von Feststoffen als Sedimentation, das Deponat (abgelagerter Stoff) als Sediment bezeichnet. Von Bedeutung ist das sog. Auskämmen von gas- u. staubförmigen Inhaltsstoffen aus der Luft durch Wälder mit ihrer großen Blattoberfläche. – *E* deposition – *F* dépôt – *I* deposizione – *S* deposición
Lit.: Science **255**, 581 ff. (1992).

Depotdünger. Bez. für Düngemittel mit Langzeitwirkung, deren Nährstoffabgabe gewollt verzögert erfolgt; Näheres s. Düngemittel. – *E* controlled (bzw.) sustained fertilizers – *F* engrais longue durée – *I* concime di deposito – *S* fertilizantes de depósitos

Depotfett s. Fette und Öle.

Depot-Präparate. Zur länger anhaltenden Wirkung von *Arzneimitteln entwickelte *Arzneiformen, deren Wirkungsweise auf verschiedenen Prinzipien beruhen kann: auf einer reversiblen adsorptiven Bindung der Wirksubstanzen an Ionenaustauscher, auf *Mikroverkapselung od. auf Fixierung in Schichten, die nacheinander im Magen od. teilw. in diesem, teilw. erst im Darm aufgelöst werden, wobei die Pharmaka sukzessive freigesetzt werden (*Retard-Präparate*), auf der Injektion von Krist.-Suspensionen od. von schwerlösl. Wirkstoff-Salzen, wobei die Wirkstoffe über längere Zeiträume hinweg aufgelöst u. resorbiert werden, u. auf der Verw. von Implantaten. Auf verwandten Wegen können auch D.-P. mit pestiziden, kosmet. od. anderen Wirkstoffen hergestellt werden. – *E* controlled (bzw.) sustained release drugs – *F* préparations à action retardée – *I* preparati con azione ritardata – *S* medicamentos de acción retardada
Lit.: Hager (5.) **2**, 832–856 ▪ s. a. Arzneiformen u. Arzneimittel.

Depressan®. Tabl. mit dem Antihypertonikum *Dihydralazin-Sulfat. *B.*: OPW.

Deprilept®. Filmtabl. mit dem Antidepressivum *Maprotilin Hydrochlorid. *B.*: Promonta Lundbeck.

Depside.

Kondensationsprodukte aromat. Hydroxycarbonsäuren, wobei die Carboxy-Gruppe des einen Säure-Mol. mit der phenol. Hydroxy-Gruppe des 2. Säure-Mol. verestert ist. Man unterscheidet je nach Anzahl von Hydroxycarbonsäuren im Mol. Di-, Tri- usw. -depside. In der Natur kommen D. als *Flechten- u. *Gerbstoff-Bestandteile vor, z. B. im *Kaffee, *Bohnenkraut, *Eichenmoos.

Biosynth.: durch enzymat. Veresterung aromat. Hydroxycarbonsäuren. Bekannte Vertreter der D. sind Digallussäure, vgl. die Abb. bei Tannine u. Lecanorsäure. D. zeigen molluskizide Wirkung gegen Süßwasserschnecken u. bei Konz. von 10^{-3} Mol/l Wachstumshemmung bei Pflanzen. – *E* = *F* depsides – *I* depsidi – *S* depsidas
Lit.: Fitoterapia **57**, 203 (1986) ▪ Rev. Latinoam. Quim. **19**, 3–7 (1988) ▪ Zechmeister **41**, 1–46 (1982); **45**, 103–234 (1984) ▪ s. a. Gerbstoffe.

Depsidone.

Depsidon　　　　　　　Diploicin

Gruppe von Flechteninhaltsstoffen, deren Grundgerüst aus einem Phenol-Ring, der mit Salicylsäure kondensiert ist, besteht. Stammverb. dieser Naturstoffklasse aromat. 7-Ring-Lactone ist *Depsidon* $C_{13}H_8O_3$, M_R 212,20, rhomb. Krist., Schmp. 66 °C). Naturstoff-Beisp. sind *Diploicin* ($C_{16}H_{10}Cl_4O_5$, M_R 424,06 Schmp. 232 °C) u. *Pannarin* ($C_{18}H_{15}ClO_6$, M_R 362,77 Schmp. 216–217 °C). Die Biosynth. der D. verläuft wahrscheinlich über die strukturell entsprechenden *Depside. – *E* = *F* depsidones – *I* depsidoni – *S* depsidonas
Lit.: Beilstein E V **19/4**, 486 ▪ J. Chem. Soc. Perkin Trans. 1 **1989**, 441 (Synth.) ▪ Karrer, Nr. 1066, 1068 ▪ Zechmeister **45**, 103–234 ▪ s. a. Depside. – [CAS 3580-77-6 (Depsidon); 527-93-5 (Diploicin); 55609-84-2 (Pannarin)]

Depsipeptide s. Peptolide.

depuratum (latein. = gereinigt) s. chemische Reinheit.

Dequaliniumchlorid.

Internat. Freiname für das antimykot. u. bakteriostat. wirksame 1,10-Decamethylenbis(4-amino-2-methylchinolinium)-dichlorid, $C_{30}H_{40}Cl_2N_4$, M_R 527,58.

Weißes, bis gelblichweißes Pulver, Schmp. 326 °C (Zers.); λ_{max} (Wasser) 240, 326, 335 nm ($A_{1cm}^{1\%}$ = 815, 470, 405). D. wurde 1956 von Allen & Hanburys patentiert u. ist generikafähig. – *E* dequalinium chloride – *F* chlorure de déqualinium – *I* dequalinio cloruro – *S* cloruro de decalinio

Lit.: DAB **1996** u. Komm. ■ Hager (5.) **7**, 1200 f. – *[HS 293 40; CAS 522-51-0]*

Dequonal®. Lsg. u. Spray mit *Benzalkonium- u. *Dequaliniumchlorid gegen Mund- u. Racheninfektionen. *B.*: Kreussler.

D. E. R.®. Epoxidharze der Dow Chemical Company.

Derakane®. Vinylesterharze der Dow Chemical Company.

Derb. Bez. für Mineralien, die nicht von Krist.-Flächen (s. Kristalle), sondern nur von Bruch- od. Spaltflächen (s. Spaltbarkeit) begrenzt sind. – *E* massive – *I* grezzo – *S* macizo

Derbyrot s. Chrom-Pigmente.

Der General-Reiniger®. Sortiment schwachalkal., in verd. Lsg. neutral reagierender Haushaltsreiniger aus einer Kombination von Tensiden u. Buildern. *B.*: Henkel.

Derivate (von latein.: derivare = ableiten). Bez. für Abkömmlinge einer chem. Verb., die aus dieser häufig in nur einem Reaktionsschritt gebildet werden (*Derivatisierung) u. die zu ihr in einem engen chem. Verwandtschaftsgrad stehen. So sind z. B. Hydrazone u. Oxime D. der Adehyde u. Ketone od. Ester u. Amide D. der Carbonsäuren u. können zu deren Charakterisierung herangezogen werden.

– *E* derivatives – *F* dérivés – *I* derivati – *S* derivados

Derivatisierung. Sammelbez. für die Umwandlung chem. Verb. in bestimmte *Derivate, die sie für spezielle Zwecke (z. B. *Gaschromatographie) geeigneter machen; *Beisp.*: *Silylierung od. *Überführung in schwerlösl. Verb. mit definiertem Schmelzpunkt. – *E* derivatization – *F* dérivatisation – *I* derivatizzazione – *S* derivatización

Derjaguin, Boris V. (geb. 1902), Direktor der Abteilung für Oberflächenkräfte des Inst. für Physikal. Chemie, Akademie der Wissenschaften der UdSSR. *Arbeitsgebiete:* Grenzflächen- u. Kapillarerscheinungen, Kolloidchemie, Zeta-Potential, Dispersionskräfte, DLVO-Theorie, Beschreibung des sog. Polywassers, Scherelastizität von Flüssigkeiten.

Lit.: Pötsch, S. 114.

Derma®. Anionaktive Farbstoffe für das Färben von Leder aller Arten. *B.*: Sandoz.

Dermacor®. Kombinierbare, einheitliche anionaktive Spezial-Lederfarbstoffe in Pulver- u. Flüssigform für das Färben von Leder aller Arten. *B.*: Sandoz.

Dermafinish®LB. Marke für nichtionoges, emulgatorhaltiges Mineralöl. *B.*: Sandoz.

Dermafix®. Anionaktive Farbstoffe für das Färben von Pelzvelours sowie auch Färbereihilfsmittel für die Leder- u. Pelzfärbung. *B.*: Sandoz.

Dermagen®. Retardier- u. Egalisiermittel für die Lederfärbung u. -fettung. *B.*: Sandoz.

Dermalicht®-Farbstoffe. Wasserlösl., lichtechte 1:2-Metallkomplex-Farbstoffe für die Färbung von Leder. *B.*: Sandoz.

Dermalix®. Synthet. Fettlicker für alle Lederarten. *B.*: Sandoz.

Derma® Pelz-Farbstoffe. Anionaktive Farbstoffe zum Färben von Wollfellen. *B.*: Sandoz.

Dermasil®. Stark alkal., enzymhaltiges Alleinwaschmittel für Großwäschereien. *B.*: Henkel-Ecolab.

Dermatansulfat s. Chondroitinsulfate.

Dermatika. Von griech.: derma = Haut abgeleitete Bez. für Medikamente zur Therapie von Erkrankungen der *Haut (*Dermatosen*). Bestandteile von D. sind *Antimykotika, *Antiseptika, *Antibiotika, *Sulfonamide, *Desinfektionsmittel, Corticoide sowie Schieferöl- u. Teersulfonate, *Adstringentien u. *Antihidrotika. Hierher gehören auch Mittel gegen *Akne, *Psoriasis, *Seborrhoe u. Juckreiz, ferner Keratolytika u. in weiterem Sinne auch Hautpflegemittel. – *E* dermatics – *F* préparations dermatologiques – *I* dermatici – *S* preparados dermatológicos

Lit.: Niedner u. Ziegenmeyer, Dermatika, Stuttgart: Wissenschaftliche Verlagsges. 1992 ■ Steigleder, Therapie der Hautkrankheiten, Stuttgart: Thieme 1993 ■ s. a. Haut.

Dermatop®. Creme, Fettsalbe, Salbe, Lsg. mit dem nichthalogenierten Glucocorticoid *Prednicarbat gegen Ekzeme, Neurodermitis u. Psoriasis. *B.*: Hoechst.

Dermocyben-Farbstoffe.

Dermorubin

Gruppe von farbigen Octaketiden (s. Polyketide) aus Pilzen der Gattung *Dermocybe* (Hautköpfe). Bes. häufig sind die Anthrachinone *Dermorubin* [$C_{17}H_{12}O_8$, M_R 344,28, rote Krist., Schmp. >300 °C (Zers.)]; *Dermolutein* [$C_{17}H_{12}O_7$, M_R 328,28, orange Krist., Schmp. 270 °C (Zers.)]; *Dermocybin* ($C_{16}H_{12}O_7$, M_R 316,27, violette Krist., Schmp. 227 °C) u. *Dermoglaucin* ($C_{16}H_{12}O_6$, M_R 300,27, ziegelrote Krist., Schmp. 236 °C). Sie liegen zumeist in glykosid. Form in den Fruchtkörpern vor. Die D. gehören zu den ersten genauer beschriebenen Farbstoffen Höherer Pilze.

Verw.: In Skandinavien zum Färben von Wolle. – *E* dermocybe pigments – *F* pigments de Dermocybe –

I pigmenti di Dermocybe – *S* pigmentos de Dermocybe
Lit.: Nat. Prod. Rep. **11**, 74 ff. (1994) ▪ Zechmeister **51**, 125–143. – *[CAS 7229-69-8 (Dermocybin); 7213-59-4 (Dermoglaucin); 26071-13-6 (Dermolutein); 26071-14-7 (Dermorubin)]*

Dermoxin®/Dermoxinale®. Creme u. Salbe/Lsg. mit dem Glucocorticoid *Clobetasol-17-propionat gegen Ekzeme, Psoriasis u. steroidsensible Dermatosen. *B.:* Glaxo Wellcome.

Derosal®. System. *Fungizid auf der Basis von *Carbendazim gegen Pilzerkrankungen in Getreide-, Kernobst- u. a. trop. u. subtrop. Kulturen. *B.:* Hoechst.

Derris-Präparate. Unter Derris versteht man die getrockneten u. zermahlenen Wurzeln einiger trop., in Ostasien beheimateter Schmetterlingsblütler (*Derris elliptica, Deguelia uliginosa* u. *Tephrosia toxicaria*), die seit ca. 1920 in den USA u. a. Ländern auf Grund ihres Gehaltes an *Rotenon u. *Rotenoiden (z. B. Sumatrol, Deguelin, *Tephrosin) in der Schädlingsbekämpfung gegen Blattläuse, Motten, Dasselfliegen, Milben u. Rindermaden eingesetzt wurden. Die frisch geerntete Derriswurzel schmeckt metall.-säuerlich u. verursacht auf der Zunge nach einer halben Stunde eine stundenlange Betäubung, da das Rotenon die Nervenendungen an den Muskeln außer Tätigkeit setzt u. dadurch lähmend wirkt. D.-P. sind daher auch für höhere Tiere schädlich. – *E* derris root preparations – *F* préparation de racines de Derris – *I* preparati Derris – *S* preparados de Derris
Lit.: Hager (4.) **4**, 490; **6c**, 34–37 ▪ Kempski, Insektizide Pflanzen, Pyrethrum, Derrus usw., Hamburg: Thaden 1949 ▪ Perkow.

Derussol®. Flüssige Rußdispersionen, die neben Wasser noch Netz- u. Frostschutzmittel enthalten u. zur Papiereinfärbung, zur Spinnfärbung, für Dispersionsfarben u. in Baustoffen Verw. finden. *B.:* Degussa.

Deryagin s. Derjaguin.

Des- (von latein.: de u. französ.: dé… bzw. dés… = ent…, von … weg). Nach IUPAC-Regel F-4.10 Vorsilbe vor den Namen von Naturstoffen, die die Entfernung eines anellierten Ringes bezeichnet; *Beisp.:* Des-A-cholan ist eine Verb., der der Ring A des Cholans mit den Atomen C-1 bis C-4 fehlt. – *E* = *I* = *S* des- – *F* dés-

De(s)… (zur Herkunft vgl. Des-). In Namen für chem. Verb. anlautender Teil von Präfixen, welche die Entfernung eines Atoms od. einer Atomgruppierung aus der Stammverb. kennzeichnen; *Beisp.:* Desoxy…, Demethylchlortetracyclin, Dehydro… Entsprechend sind auch Wortbildungen wie Decarboxylierung, Dehydratisierung, Depilation, Desaminierung, Desodorantien etc. zu verstehen. Obwohl sich bei einigen der Begriffe in jüngerer Zeit gelegentlich die engl. Ausdrucksweise (Deaminierung, Deodorantien, Deoxyribonucleinsäure) in den Vordergrund drängt, wird hier an der auch vom „Duden" bevorzugten Form mit Fugen-s vor Vokalen festgehalten. – *E* de… – *F* dé(s)… – *I* = *S* de(s)…

Desaga. Kurzbez. der 1840 gegründeten DESAGA GmbH, 69009 Heidelberg, die 1988 von Sarstadt übernommen wurde. *Produktion:* Geräte zur Dünnschichtchromatographie, Densiometrie u. Auftragetechnik; Geräte für die Elektrophorese, Labor- u. Medizintechnik u. für den Umweltschutz.

Desaktivierung (Entaktivierung). In der *Photochemie allg. Bez. für die Überführung von Mol. aus dem *Anregungs- in den *Grundzustand, wobei man strahlende u. strahlungslose D. unterscheidet; die D.-Prozesse werden gelegentlich auch *Relaxation genannt. In der *Katalyse u. allg. bei *Aktivstoffen (z. B. *Adsorbentien) versteht man unter D. den Verlust an spezif. Wirkung, der durch *Alterung od. *Vergiftung der Katalysatoren od. durch Ablagerung von Reaktionsprodukten zustandekommen kann; manchmal spricht man hier auch von *negativer Katalyse*. – *E* deactivation – *F* désactivation – *I* disattivazione – *S* desactivación
Lit.: Klose, Zur Desaktivierung des katalytischen Einzelkorn- u. Festbettreaktors, Weinheim: Verl. Chemie 1977 ▪ s. a. Katalyse u. Photochemie.

Desalkylierung (auch aus dem engl. übernommen Dealkylierung). Bez. für die Umkehrung der *Alkylierung, d. h. für die Abspaltung von Alkyl-Gruppen aus organ. Mol.; *Beisp.:* *Demethylierung von *BTX zu Benzol. Techn. ist die D. – insbes. die *Hydrodesalkylierung – ein wichtiger Verfahrensschritt beim *Reformieren u. a. Verf. der Petrochemie. Biochem. D. finden im Organismus im *endoplasmatischen Retikulum statt sowie in manchen Biogenese-Schritten, die scheinbar nicht der *Isopren-Regel gehorchen. – *E* dealkylation – *F* désalkylation – *I* dealchilazione – *S* desalquilación
Lit.: Kirk-Othmer (3.) **3**, 753 f. ▪ Ullmann (5.) **A 1**, 192; **A 2**, 4; **A 3**, 487 f. ▪ Weissermel-Arpe (4.), S. 353, 357 ff. ▪ Winnacker-Küchler (4.) **5**, 212 ff.

Desamidierung s. Desaminierung.

Desaminierung. Bez. für die Abspaltung der Amino-Gruppe aus Aminen, Aminosäuren od. Säureamiden (dann meist *Desamidierung* genannt) unter Ersatz der Stickstoff-Funktion durch Wasserstoff, in erweitertem Sinne auch durch Sauerstoff (*oxidative D.*). Eine bekannte D.-Reaktion, jedoch nur bei aromat. Aminen, ist die Überführung in *Diazonium-Verbindungen mit anschließender Red.:

$$R-NH_2 \longrightarrow [R-N_2^+] \, Cl^- \xrightarrow[-\text{HCl}]{+C_2H_5OH \atop -N_2} R-H + H_3C-CHO$$

Einfachere Verf. bedienen sich des Pentylnitrits zur Abspaltung od. verlaufen über Isocyanide. Die biolog. wichtigste D. findet beim Abbau von *Proteinen z. B. in der *Leber statt; hier werden die *Aminosäuren unter dem Einfluß von *Enzymen (durch Transaminierung u. oxidative D.) in Stickstoff-freie od. -ärmere Verb. u. Ammoniak zerlegt. Aus dem Ammoniak u. Kohlendioxid (genauer: Ammonium- u. Hydrogencarbonat-Ionen) bildet die Leber *Harnstoff, wodurch eine Entgiftung des Ammoniaks erfolgt. In der Niere wird überschüssiger Stickstoff auch nach D. von L-*Glutamin ausgeschieden. – *E* deamination – *F* désamination – *I* deamminazione – *S* desaminación

Desaromatisierung. Überführung einer Verb. aus dem aromat. (*benzoiden*) Zustand in einen energiereicheren Zustand, für den die Kriterien der *Aromatizität nicht gelten; *Beisp.:* Dehydrierung von Xylolen zu *Chinodimethanen. – *E* dearomatization – *F* désaromatisation – *I* disaromatizzazione – *S* desaromatización

Desavin®. Weichmacher aus Bis(phenoxyethyl)-formal, hauptsächlich für Chlorkautschuk, Cyclokautschuk u. a. unverseifbare Bindemittel. *B.:* Bayer.

Descartes, René (1596–1650). Mathematiker u. Philosoph. Seine philosoph., streng rationalist. Methodenlehre, mittels der er das „cogito ergo sum" als erste unumstößliche Wahrheit ermittelte, versuchte er in seinem „Discours de la méthode..." auch auf die Mathematik u. Physik zu erweitern. Durch diese streng method. Vorgehensweise, die sich keiner anderen Autoritäten als nur der Denk- u. Naturgesetze verpflichtete, gilt er als Begründer der modernen Naturwissenschaften. D. war Anhänger der Korpuskulartheorie u. gehörte zu den bedeutenden Vertretern der Atomistik. Die Atome sind nach seiner Lehre nicht unteilbar, da unteilbare Materie nicht denkbar ist.
Lit.: Pötsch, S. 114.

Descloizit. $Pb(Zn,Cu)[OH/VO_4]$, mit theoret. 22,53% V_2O_5. Sehr variable Zusammensetzung; Cu u. Zn beliebig austauschbar bis hin zu *Mottramit*, $Pb(Cu,Zn)[OH/VO_4]$[1]. V kann bis zu einem Viertel durch As ersetzt werden. D. ist rhomb., Kristallklasse mmm-D_{2h}, zur Struktur s. *Lit.*[2]. Krist. prismat., tafelig, dipyramidal od. dendrit., Flächen oft gekrümmt; auch körnig, warzig, stalaktitisch. *Farbe:* D. braun, braunrot, schwarz, Mottramit gras-, oliv- od. schwärzlichgrün; Strich hellbraun bis hellgrün. Harzglanz, Diamantglanz, keine *Spaltbarkeit. H. 3,5, D. 5,5–6,2. Dekrepitiert beim Erhitzen unter Wasserabgabe, lösl. in verdünnten Säuren.
Vork.: Hochobir/Kärnten; Broken Hill/Sambia; Berg Aukas, Abenab u. Tsumeb/Namibia.
Verw.: Als Vanadiumerz lokal von Bedeutung. – *E* = *F* = *I* descloizite – *S* descloizita
Lit.: [1]Can. Mineral. **33**, 119–124 (1995). [2]Acta Crystallogr. Sect. B **35**, 717–720 (1979); Neues Jahrb. Mineral., Monatsh. **1991**, 465–472.
allg.: Lapis **8**, Nr. 5, 5f. (1983) ▪ Ramdohr-Strunz, S. 632f. ▪ Schröcke-Weiner, S. 622f. – *[HS 261590; CAS 19004-61-6]*

Desensibilisation. 1. In der *Photographie Bez. für das Herabsetzen der Lichtempfindlichkeit von photograph. Negativschichten (nach der Belichtung) mit einem sog. *Desensibilisator* (z. B. Pina-Weiß, Pinakryptolgrün u. dgl.) Dadurch können die Negative bei hellerer Dunkelkammerbeleuchtung entwickelt werden.
2. In der Medizin spricht man von D. (auch Hyposensibilisierung genannt), wenn ein Organismus gegen spezif. Allergene unempfindlich gemacht wird. Dabei werden die Allergene in steigender Dosierung oral od. subcutan zugeführt. Man geht davon aus, daß dabei *Antikörper gebildet werden, die die allerg. Reaktion (s. Allergie) blockieren.
3. Bei Explosivstoffen spricht man statt von D. meist von *Phlegmatisierung. – *E* desensitization – *F* désensibilisation – *I* desensibilizzazione – *S* desensibilización

Deserpidin.

Internat. Freiname für das *Rauwolfia-Alkaloid 11-Demethoxyreserpin (Canescin, Recanescin, vgl. a. Reserpin), $C_{32}H_{38}N_2O_8$, M_R 578,66, farblose Krist., Schmp. 228–230 °C, $[\alpha]_D^{20}$ –163° (c 0,5/Pyridin); λ_{max} (C_2H_5OH) 218, 272, 290 nm ($A_{1cm}^{1\%}$ = 104,1, 31,4, 20,3); pK_a 6,68 (40% CH_3OH). D. wirkt blutdrucksenkend u. neuroleptisch. Es wurde 1959 u. 1961 von Ciba patentiert. – *E* deserpidine – *F* déserpidine – *I* = *S* deserpidina
Lit.: Beilstein E V **25/7**, 42 ▪ Hager (5.) **7**, 1202f. ▪ Merck Index (12.), Nr. 2964. – *[HS 293990; CAS 131-01-1]*

Desferal®. Trockensubstanz zur Injektion bei akuten Eisen-Vergiftungen u. zur Eisen-Ausscheidung bei krankhaften Eisen-Ablagerungen im Körper; enthält *Deferoxamin-Mesilat. *B.:* Ciba Cancer Care.

Desferrioxamin s. Deferoxamin.

Desfluran.

Internat. Freiname für 2-(Difluormethoxy)-1,1,1,2-tetrafluorethan, $C_3H_2F_6O$, M_R 168,04, Sdp. 23,5 °C, $D_{1,4768}^{15}$ g/ml. Es wurde 1975 von Airco u. 1988 von BOC patentiert u. ist als *Inhalationsnarkotikum von Pharmacia (Suprane®) im Handel. – *E* = *F* desflurane – *I* = *S* desflurano
Lit.: Drugs **50**, 742–767 (1995) ▪ J. Org. Chem. **60**, 1319–1325 (1995) ▪ Merck-Index (12.), Nr. 2965. – *[CAS 57041-67-5]*

Desinfektion [von *De(s)... u. latein.: inficere = vergiften, anstecken]. Bez. für die *Entseuchung* d. h. die Abtötung pathogener Erreger an Organismen u. Gegenständen durch chem. Mittel (s. Desinfektionsmittel) od. physikal. Verf., z. B. *ionisierende Strahlung, *Ultraschall u. *Ultraviolettstrahlung. Bei Flüssigkeiten, insbes. Wasser, spricht man statt von D. meist von *Entkeimung. Begrifflich überschneidet sich D. mit *Sterilisation u. *Konservierung. Die D. findet seit Beginn des 19. Jh. Anw. u. ist ursprünglich mit den Namen von Semmelweis, *Virchow, *Pasteur u. R. *Koch verbunden. – *E* disinfection – *F* désinfection – *I* disinfezione – *S* desinfección
Lit.: s. Desinfektionsmittel.

Desinfektionsmittel. Bez. für Stoffe, die zur *Desinfektion, d. h. zur Bekämpfung pathogener Mikroorganismen (z. B. *Bakterien, *Viren, *Sporen, Klein- u. *Schimmelpilze) geeignet sind u. zwar im allg. durch Anw. an der Oberfläche von Haut, Kleidung, Geräten, Räumen, aber auch von Trinkwasser, Nahrungsmitteln, Saatgut (*Beizen) u. als *Bodendesinfektionsmittel. Bes. lokal anzuwendende D., z. B. zur Wund-Desinfektion, werden auch als *Antiseptika bezeichnet.
D. werden definiert als Stoffe od. Stoffgemische, die bei der Anw. auf Gegenständen od. Oberflächen diese

Desinsektion

in einen Zustand versetzen, daß sie keine *Infektion mehr verursachen können (*Sterilisation mit chem. Mitteln). Ihre Wirkung muß *bakterizid, fungizid, viruzid* u. *sporizid* (allg. *mikrobizid*) sein. Ein Effekt im Sinne der *Bakteriostase* (Wachstumshemmung, s. Bakteriostatika) ist für D. unzureichend. Sie sind daher im allg. *pantox.*, d. h. sie entfalten ihre Wirkung gegen alle lebenden *Zellen.

Je nach Verwendungszweck teilt man die D. ein in solche zur Wäsche-, Flächen-, Instrumenten-, Haut- u. Hände- sowie zur Stuhl- u. Sputumdesinfektion. Unter *Desinfektionsreiniger* versteht man solche D., die auch als Reinigungs- u. ggf. Pflegemittel fungieren. Zum Aufbau u. zur Wirkungsweise von D. s. *Lit.*[1], u. zum Wirksamkeitsnachw. s. *Lit.*[2].

Unter Berücksichtigung der vielfältigen Forderungen, die an D. gestellt werden, wie z. B. breites Wirkungsspektrum, kurze Einwirkungszeiten, Hautverträglichkeit, geringe Toxizität, Materialverträglichkeit usw. kommen nur einige Wirkstoff-Typen für den Einsatz in Betracht:

1. Die wichtigste Wirkstoff-Gruppe sind die *Aldehyde (*Formaldehyd, *Glyoxal, *Glutaraldehyd). Sie besitzen ein breites Wirkungsspektrum einschließlich Virus-Wirksamkeit u. sporizider Wirkung bei Formaldehyd u. Glutaraldehyd.

2. *Phenol-Derivate besitzen eine gute bakterizide Wirkung, sind aber nicht sporizid. Gegenüber fast allen anderen D.-Wirkstoffen haben sie den Vorzug, durch Schmutz verhältnismäßig wenig beeinflußt zu werden. Sie eignen sich daher bes. zur Stuhldesinfektion. Typ. Vertreter sind 2-*Biphenylol u. *p-Chlor-m-kresol* (4-Chlor-3-methylphenol).

3. Bei den Alkoholen ist die schnelle Wirksamkeit hervorzuheben, allerdings erst bei relativ hohen Konz. von 40 – 80%.

4. Die quart. Ammonium-Verb., Kationentenside (*Invertseifen) u. *Amphotenside gehören zur Klasse der *Tenside. Die gute Haut- u. Materialverträglichkeit sowie Geruchsneutralität sind bei diesen Wirkstoffen pos. hervorzuheben. Ihr Wirkungsspektrum ist dagegen nur begrenzt. Hierher gehören z. B. *Benzalkoniumchlorid, Cetrimoniumbromid, Cetylpyridiniumchlorid (Hexadecylpyridiniumchlorid) u. a.

5. Von den Halogenen sind *Chlor u. *Iod zu nennen. Chlor ist von der Wasseraufbereitung u. Schwimmbad-Desinfizierung her bekannt u. damit seine unangenehmen Eigenschaften wie Geruch u. Korrosivität. Trotz der ausgezeichneten Wirkung gegen Bakterien, Pilze, Sporen u. Viren haben Chlor-haltige D. im Humanbereich aus den o. g. Gründen u. wegen der starken Chlor-Zehrung durch organ. Substanzen keine starke Verbreitung gefunden. Dagegen werden *Hypochlorite, *Chlorkalk- u. *Chlorisocyanursäuren als techn. D. noch viel benutzt. *Iod(tinktur)* wird im medizin. Bereich als *Antiseptikum verwendet.

6. D. auf Basis von aktivem Sauerstoff (z. B. *Wasserstoffperoxid, *Peroxyessigsäure) haben in letzter Zeit wieder etwas an Bedeutung gewonnen.

Außer den genannten *Mikrobizid*-Wirkstoffen sind noch eine Anzahl von *mikrobistat*. Substanzen u. *Konservierungsmitteln (*Diphenylether, Carbanilide, *Acetanilide aromat. Säuren u. deren Salze) für spezif. Verw. auf dem Markt, die im erweiterten Sinne den D. zugerechnet werden.

Eine einheitliche *Wirkungsweise* der D. ist nicht zu erkennen. Während manche Präp. auf die Cytoplasmamembran der Bakterien zerstörend wirken sollen, wird von anderen eine irreversible Blockierung von wichtigen Sulfid-Bindungen bei Enzymen od. von Spurenelementen (durch Chelatisierung) angenommen. Nach Weinberg, *Lit.*[3], kommen für die Wirkung von D. auf Bakterien folgende Mechanismen in Frage: 1. Denaturierung von Proteinen; – 2. Öffnung der Lipoproteid-Membran; – 3. Blockierung der Protein-Synth.; – 4. Blockierung der Zellwand-Mucopeptid-Synth.; – 5. Störung des Stoffwechsels durch falsche Reaktionspartner.

Prüfrichtlinien u. Bewertungen für D. wurden von der Dtsch. Ges. für Hygiene u. Mikrobiologie herausgegeben (sog. DGHM-Test), s.*Lit.*[4]. – *E* desinfectants, disinfectants – *F* désinfectants – *I* disinfettante – *S* desinfectantes

Lit.: [1] Arch. Badewes. **29**, Nr. 3, 102 ff. (1976). [2] Brauwelt **119**, 732 – 746 (1979). [3] J. Soc. Cosmet. Chem. **13**, 89 – 96 (1962). [4] Krankenhaus-Hyg. Infektions-Verh. II **1989**, 175 – 184.
allg.: Beck u. Schmidt, Hygiene in Krankenhaus u. Praxis, Berlin: Springer 1986 ▪ Kirk-Othmer (3.) **7**, 793 – 832 ▪ Ullmann (4.) **10**, 41 – 58; (5.) **A 8**, 551 – 563 ▪ Wallhäußer, Praxis der Sterilisation, Desinfektion, Konservierung (5.), Stuttgart: Thieme 1995 ▪ s. a. Bakterizide, Konservierungsmittel, Sterilisation.

Desinsektion. Bez. für die Ungezieferbekämpfung, bes. die Insektenbekämpfung.

Desipramin. Internat. Freiname für das *Thymoleptikum 10,11-Dihydro-5-(3-methylaminopropyl)-5*H*-dibenz[*b,f*]azepin, $C_{18}H_{22}N_2$, M_R 266,39. Formel s. bei Dibenzazepine. Sdp. 172 – 174 °C (2,4 Pa); λ_{max} 213, 252 nm. Verwendet wird das Hydrochlorid, ein weißes, krist. Pulver; Schmp. 215 – 216 °C, λ_{max} (CH_3OH) 250 nm ($A_{1cm}^{1\%}$ =296); pK_a 9,4; LD_{50} (Maus oral) 500, (Maus i.p.) 94, (Maus s.c.) 420 mg/kg. Es wurde als *Antidepressivum 1962 erstmals von Geigy (Pertofran®) patentiert u. ist auch von AMW Dresden (Petylyl®) im Handel. – *E* desipramine – *F* désipramine – *I* = *S* desipramina
Lit.: ASP ▪ DAB **1996** u. Komm. ▪ Hager (5.) **7**, 1204 ff. – *[HS 2933 90; CAS 50-47-5 (D.); 58-28-6 (Hydrochlorid)]*

Desitin®. Salbe u. Salbenspray sowie Puder mit *Lebertran u. *Zinkoxid gegen Sonnenbrand, Verbrennungen u. Wundsein. *B.*: Desitin.

Deslanosid. Internat. Freiname für das herzwirksame Desacetyllanatosid C, $C_{47}H_{74}O_{19}$, M_R 943,09 (Formel s. Digitalis-Glykoside). Hygrosk., weißes, krist. Pulver, Zers. bei 265 – 268 °C; $[\alpha]_D^{20}$ +12° (c 1,084/75% C_2H_5OH). – *E* = *F* = *I* deslanoside – *S* deslanósido
Lit.: ASP (s. Lanatosid) ▪ DAB **1996** u. Komm. ▪ Hager (5.) **7**, 1207 f. – *[CAS 17598-65-1]*

Desmalkyd®. Ölmodifizierte *Polyurethane auf der Basis von Soja-, Ricinen- u. Leinöl zur Verw. in Korrosionsschutz-Grundbeschichtungen, Holz-Klarlacken u. Druckfarben. *B.*: Bayer.

Desmaresten s. Algenpheromone.

Desmedipham.

Common name für [3-(Ethoxycarbonylamino)-phenyl]-phenylcarbamat, $C_{16}H_{16}N_2O_4$, M_R 300,31, Schmp. 120 °C, LD_{50} (Ratte oral) >9600 mg/kg (WHO), von Schering 1970 eingeführtes selektives system. Nachauflauf-*Herbizid gegen Unkräuter (speziell *Amaranthus retroflexus*) im Rübenanbau, oft in Kombination mit *Phenmedipham. – *E* desmedipham – *F* desmediphame – *I* = *S* desmedifam

Lit.: Farm ▪ Perkow ▪ Pesticide Manual. – *[HS 292429; CAS 13684-56-5]*

Desmin. 1. Polymeres, faseriges, *Keratin-ähnliches *Protein (M_R 52000 pro Untereinheit), als Komponente der *intermediären Filamente in Muskel-Zellen vorkommend. – 2. s. Stilbit. – *E* desmin – *F* desmine – *I* = *S* desmina

Desmo... Von griech.: desmos = Band abgeleitete Vorsilbe, vgl. die folgenden Stichwörter.

Desmocap®. Vernetzungsfähige, blockierte Isocyanat-Gruppen enthaltende verzweigte u. lineare Polymere als Elastifizierungsmittel für Dichtstoffe u. Beschichtungen auf *Epoxidharz- u. *PUR-Basis. *B.:* Bayer.

Desmocoll®. Gruppe von Hydroxy-Gruppen enthaltenden Polyesterpolyurethanen zur Herst. von – auch auf PVC haftenden – Klebstoffen für die Schuh-, Möbel-, Textil-, Bau- u. Fahrzeug-Industrie. *B.:* Bayer.

Desmocollin s. Cadherine.

Desmoderm®-Finish. In organ. Lsm. lösl., ggf. vernetzbare *Polyurethane zur Oberflächenbehandlung von Leder od. Kunstleder. *B.:* Bayer.

Desmodur®. Marke von Bayer für Di- u. Polyisocyanate (vgl. Isocyanate), die nach dem Polyisocyanat-Polyadditionsverf. mit Polyolen (*Desmophen®) zu *Polyurethanen umgesetzt werden können. Häufig eingesetzte Diisocyanat-Typen sind Toluylendiisocyanat (TDI), 4,4′-Methylendi(phenylisocyanat) (MDI), 1,6-Hexylendiisocyanat (HDI), Isophorondiisocyanat (IPDI) u. 4,4′-Methylendi(cyclohexylisocyanat) (H_{12}MDI). Für stark vernetzte Polyurethane kommen v. a. Tri- od. Polyisocyanate in Betracht. D.-Typen sind in dest., polymerer u. chem. modifizierter Form im Handel. Letztere erhält man durch Vorreaktion einer od. mehrerer NCO-Gruppen mit H-aktiven Verb. od. durch spezif. katalysierte Reaktion der NCO-Gruppen mit sich selbst. Durch geeignete Auswahl der D.- u. Desmophen-Typen lassen sich die Eigenschaften der PUR-Endprodukte gezielt beeinflussen. D.-Typen werden als Rohstoffe für Schaumstoffe, Elastomere, Lacke, Klebstoffe, Fasern usw. verwendet.

Desmoflex®. Marke von Bayer für kalthärtende *PUR-Elastomere sowie für die zu ihrer Herst. verwendeten Polyole. Die D.-Elastomeren dienen als Formenwerkstoffe für Gießmassen, als Schalmatten für Sichtbeton, Bindemittel für elast. Schleifkörper usw.

Desmoglein s. Cadherine.

Desmolac®. Nichtreaktive lineare aromat. bzw. aliphat. *Polyurethane zur Herst. von Lacken für flexible Substrate wie Schuhsohlen, Kunstleder. *B.:* Bayer.

Desmolith. Bez. für ein Polyol, das mit einem flüssigen Polyisocyanat (MDI) vernetzt wird, zur Herst. von hochchemikalienbeständigen Beschichtungen, auch beständig gegen Chlorkohlenwasserstoffe u. organ. bzw. anorgan. Säuren. *B.:* Bayer.

Desmolyse s. Fette und Öle, Ranzigkeit.

Desmopan®. Thermoplast. verarbeitbare *Polyurethan-Elastomere zur Verw. im Möbelbau, auf dem Schuhsektor, in der Fahrzeug-Ind. u. in der Feinwerktechnik. *B.:* Bayer.

Desmophen®. Marke von Bayer für *Polyole, die nach dem Polyadditionsverf. mit *Polyisocyanaten zu *Polyurethanen umgesetzt werden. Die sich von *Polyestern od. *Polyethern ableitenden D.-Typen können je nach Art der Herst. linear od. verzweigt, d. h. nieder- od. höherfunktionell in bezug auf die Zahl der OH-Gruppen pro Mol. sein. Je nach eingesetztem D.-Typ werden den verschiedenen PUR-Endprodukten wie Schaumstoffen, Elastomeren, Klebstoffen, Lacken, Fasern usw. unterschiedliche Eigenschaften verliehen.

Desmopressin.

S—CH$_2$—CH$_2$—CO—Tyr-Phe-Gln-Asn-Cys-Pro-D-Arg-Gly-NH$_2$

Internat. Freiname für das dem *Vasopressin analoge 1-Desamino-8-D-argininvasopressin DDAVP, $C_{46}H_{64}N_{14}O_{12}S_2$, M_R 1069,22. Weißes Pulver, $[\alpha]_D^{25}$ +85,5 ± 2°. Verwendet werden das Mono- u. das Diacetat. D. wurde als *Antidiuretikum von Sandoz (1969), Cescoslovenska Akad. (1968 u. 1970) sowie von Ferring (1978, Minirin®) patentiert. – *E* desmopressin – *F* desmopressine – *I* desmopressina – *S* desmopresina

Lit.: ASP ▪ DAB **1996** u. Komm. ▪ Hager (5.) **7**, 1208 f. ▪ Sutor, Vasopressin Analogues and Haemostasis. DDAVP (Minirin). TGLVP (Glycylpressin), Stuttgart: Schattauer 1981. – *[HS 293490; CAS 16679-58-6 (D.); 62288-83-9 (Monoacetat); 16789-98-3 (Diacetat)]*

Desmorapid®. Katalysatoren zur Herst. von *Polyurethanen u. *Epoxidharzen, die je nach Verw.-Zweck aus tert. Aminen, Metall-, insbes. Zinn-organ. Verb. u. Salzen organ. Säuren bestehen. *B.:* Bayer.

Desmosin.

Die Abb. zeigt D. im Peptid-Verband. Zusammen mit *Isodesmosin* (bei diesem Kette in 2- statt in 4-Position) als Abbauprodukt des *Elastins isolierte Aminosäure. Die Biosynth. von D. geht von L-*Lysin-Resten, die in Elastin enthalten sind, aus. D. u. Isodesmosin wirken als Vernetzer zwischen den Polypeptid-Ketten des Elastins u. bewirken damit seine Elastizität sowie seine Unlöslichkeit u. Beständigkeit gegen *Proteasen. – *E* = *F* desmosine – *I* = *S* desmosina

Desmosomen (Haftplatten, Maculae adhaerentes). Von *Desmo... u. griech.: soma = Körper abgeleitete Bez. für kleine punktförmige Bereiche, an denen die Plasmamembranen (s. Cytoplasma) zweier benachbarter Zellen – meist Epithelzellen (Abschlußzellen, die Gewebe-Oberflächen bekleiden) – aneinanderhaften bzw. an denen die Oberfläche von Epithelzellen mit der *Basalmembran verbunden ist (*Hemi-D.*). An den D. hängen die Zell-Außenseiten durch die *Cadherine *Desmocollin* u. *Desmoglein* aneinander, die die Plasmamembran durchdringen u. intrazellulär mit einer Plaque aus Anheftungs-Proteinen (darunter *Plakoglobin* u. *Desmoplakine*) verbunden sind. An diese wiederum heften sich die *intermediären Filamente des *Cytoskeletts. Die D. sind Nieten vergleichbar, die das Epithel zusammenhalten u. an der Unterlage befestigen. – *E* = *F* desmosomes – *I* desmosomi – *S* desmosomas

Lit.: Alberts et al., Molekularbiologie der Zelle, 3. Aufl., S. 1129 ff., Weinheim: VCH Verlagsges. 1995 ▪ FASEB J. **10**, 871–881 (1996).

Desmotherm. Selbstvernetzende Einbrennurethan-Harze für hochelast. ofentrocknende Grundierungen für den Ind.- u. Kfz-Sektor. *B.:* Bayer.

Desmotropie s. Tautomerie.

Desodorantien (Deodorantien, Desodori(si)erungsmittel). Von latein.: odorare = riechend machen u. *De(s)... abgeleitete Bez. für Mittel, die Gerüche überdecken (s. Geruchsverbesserungsmittel), entfernen od. zerstören. In der Technik, z.B. in Industriezweigen, die Luftverunreinigungen mit störenden Gerüchen verursachen (Fischfabriken, Papierwerken, *Gerbereien, Talgschmelzen usw.) werden zur Bindung u. Entfernung der lästigen Geruchsstoffe *Adsorptionsverf.* (mittels Aktivkohle, Aluminiumoxiden, Kaolin, Kieselgel u. dgl.), *Oxidationsverf.* (mittels Chlorkalk, Peroxiden, Hypochloriten, Ozon u. a. Oxidationsmitteln), *Abluftverbrennungsverf.* u. neuerdings auch *biotechnol. Verf.* eingesetzt.

Bei der Desodorierung von Räumen (z.B. Toiletten) wie auch für die Geruchsverbesserung von Produkten der Haushaltswaren-, Kunststoff-, Kautschuk-, Lack- u. Farben-, Wäsche- u. Waschmittel-Ind. werden *Geruchsverbesserungsmittel eingesetzt, welche die störenden Eigengerüche lediglich überdecken. Die bekannteste Anw. von D. ist die in der Körperpflegemittel-Branche zur Beseitigung störender Körpergerüche. Diese entstehen bei bakterieller Zers. des an sich geruchlosen Schweisses, insbes. in den feuchtwarmen Achselhöhlen od. unter ähnlichen, den Mikroorganismen gute Lebensmöglichkeiten bietenden Bedingungen (z.B. an den Füßen beim Tragen enger Schuhe). Die wichtigsten Inhaltsstoffe der D. sind folglich keimhemmende Substanzen. Grundsätzlich geeignet sind alle Konservierungsstoffe mit spezif. bakteriostat. Wirkung gegen *Gram-pos. Bakterien* (soweit sie gemäß Kosmetik-VO v. 16.12.1977 einschließlich ihrer bis 1995 insgesamt 22 Änderungs-VO in Körperpflegemitteln zugelassen sind). Ferner haben zahlreiche *Riechstoffe sowie eine große Anzahl von *etherischen Ölen antimikrobielle Eigenschaften. Die verwendeten Riechstoff-Kombinationen wirken zusätzlich als Geruchsüberdecker u. verleihen dem D. seine jeweilige Duftnote. Weitere Rezepturbestandteile sind die anbietungsformspezif. Rezepturgrundlagen u. Hilfsstoffe. Körpergerüche können auch bekämpft werden durch Präp., welche die Schweißabsonderung selbst hemmen, sog. *Antihidrotika, Antiperspirantien od. Antitransspirantien. D. werden angeboten als *Aerosole, Pumpsprays, Roller u. Stifte. *Cremes u. Puder haben als D. nur untergeordnete Bedeutung, Deo-Seifen zählen nicht zu den eigentlichen Desodorantien.

1994 wurden in der BRD D. für die Körperpflege im Wert von 434 Mio. DM hergestellt (Statist. Bundesamt). – *E* deodorants – *F* désodorisants – *I* deodoranti – *S* desodorantes

Lit.: Janistyn **1**, 230 ff.; **3**, 680-707 ▪ Kirk-Othmer (3.) **7**, 150 ff.; (4.) **7**, 601 f. ▪ Ullmann (4.) **10**, 29 f.; (5.) **A 24**, 228 ff. ▪ Umbach (Hrsg.), Kosmetik (2. Aufl.), S. 360–371, Stuttgart: Thieme 1995. – [*HS 330720, 330749*]

Desodorierung s. Geruchsmaskierung.

Desogestrel.

Internat. Freiname für das Progestagen 13-Ethyl-11-methylen-18,19-dinor-17α-pregn-4-en-20-in-17-ol, $C_{22}H_{30}O$, M_R 310,48, Schmp. 109–110 °C, $[\alpha]_D^{20}$ +55° ($CHCl_3$). D. wird in Kombination mit *Ethinylestradiol als Antikonzeptivum eingesetzt. Es wurde 1974 von Organon (Marvelon®, Lovelle®) patentiert u. ist auch von Nourypharma (Cyclosa®, Oviol®) im Handel. – *E* = *I* = *S* desogestrel – *F* désogestrel

Lit.: Arzneim.-Forsch. **33**, 231 (1983) ▪ Hager (5.) **7**, 1209 f. – [*HS 290619; CAS 54024-22-5*]

Desonid.

Internat. Freiname für 11β,16α,17α,21-Tetrahydroxy-1,4-pregnadien-3,20-dion-16,17-acetonid, $C_{24}H_{32}O_6$, M_R 416,51, Schmp. 274–275 °C, auch 263–266 °C angegeben; $[\alpha]_D^{20}$ +123° (c 0,5/DMF); λ_{max} 242 nm ($A_{1cm}^{1\%}$ = 356); LD_{50} (Ratte s.c.) 93 mg/kg. Das nichthalogenierte entzündungshemmende Glucocorticoid wurde 1961 von Am. Cyanamid, 1970 von Squibb patentiert u. ist von Galderma (Sterax®) im Handel. – *E* = *I* desonide – *F* désonide – *S* desonida

Lit.: Beilstein E V **19/6**, 568 ▪ Hager (5.) **7**, 1211 f. – [*HS 293729; CAS 638-94-8*]

DESONIT®. Geruchstilger zur Behandlung von Abfällen auf der Basis einer Kombination spezieller natürlicher Tone. *B.:* Süd-Chemie.

Desorption. Unter D. versteht man [vgl. a. DIN 28400, Tl. 1 (01/1989)] die Freigabe adsorbierter od. absorbierter Gase. Sie besteht also in der Trennung eines *Adsorbats* von einem *Adsorbens* (*Adsorption), bei der die wirksamen Molekularkräfte (*van der Waals-

Kräfte) durch Erwärmen od. Druckverminderung überwunden werden. Auch das Austreiben absorbierter Gase aus Lsg., z. B. von Chlorwasserstoff aus Wasser durch Einleiten von Luft, kann man als D. bezeichnen. Adsorptions-/Desorptions-Prozesse spielen bei vielen techn. Verf. eine Rolle, z. B. bei *Destillation u. a. *Trennverfahren, *Katalyse, *Gasreinigung. Zur sog. therm. D.-Spektroskopie s. Lit.[1], zur Laser-D. von Metallatomen s. Lit.[2]. – *E* desorption – *F* désorption – *I* dissorbimento – *S* desorción

Lit.: [1] Haller, Catalysis, Encycl. of Appl. Physics, Bd. 3, S. 67–84, Weinheim: VCH Verlagsges. 1992. [2] Phys. Bl. **49**, 795–799 (1993).
allg.: s. Adsorption.

Desosamin [3,4,6-Tridesoxy-3-(dimethylamino)-D-xylo-hexose, Picrocin].

$C_8H_{17}NO_3$, M_R 175,23, Schmp. 83–83,5 °C; seltener *Aminozucker, der als Bestandteil in verschiedenen *Makrolid-Antibiotika, z. B. *Erythromycin u. *Picromycin enthalten ist. – *E* desosamine – *F* désosamine – *I* desosammina – *S* desosamina – *[CAS 5779-39-5]*

DESOWAG. Kurzbez. der 1967 gegr. DESOWAG Materialschutz GmbH, 40476 Düsseldorf. *Produktion:* Holzschutzmittel, Holzschutzfarben, Feuerschutzmittel für Holz u. Stahl.

Desoxidation. Wichtiges Verf. der *Stahl-Nachbehandlung. Durch das *Frischen wird die *Roheisen-Schmelze zwar entkohlt, gleichzeitig wird jedoch Sauerstoff eingebracht. Da dieser in Form von *Eisenoxid beim Warmwalzen zur sog. Rotbrüchigkeit u. beim Erstarren der Schmelze zum Kochen (s. beruhigter Stahl) führt, wird der Sauerstoff durch Zugabe von *Desoxidationsmitteln (s. a. Ferro-Legierungen) aus der Schmelze entfernt u. in Form stabiler fester oxid. Phasen abgebunden; letztere schwimmen zum großen Teil als Schlacke auf. – *E* deoxidation – *F* désoxydation – *I* deossidazione, disossidazione – *S* desoxidación

Lit.: Oeters, Metallurgie der Stahlherstellung, S. 156, Berlin/Düsseldorf: Springer/Stahleisen 1989.

Desoxidationsmittel. In der *Stahl-Metallurgie Elemente, die in der Stahl-Schmelze den gelösten Sauerstoff weitgehend in fester oxid. Form stabil abbinden u. damit den Stahl beruhigt erstarren lassen (s. beruhigter Stahl). Die starke Affinität der Elemente Si u. Al zu Sauerstoff wird in diesem Sinne zur *Desoxidation von Stahl ausgenutzt (s. a. Ferro-Legierungen). Mn wirkt gleichfalls als D., neigt allerdings ebenso wie Cr zur Bildung von *Mischphasen, die im Gegensatz zu Si- u. Al-Oxiden nicht unbedingt in die Schlacke aufschwimmen. Allerdings bleibt auch ein Anteil der letztgenannten Oxide in der Schmelze u. kann sich auf die mechan. Eigenschaften des Stahls auswirken. – *E* deoxidizer, deoxidant – *F* désoxydant, agent réducteur – *I* deossidante – *S* desoxidante

Lit.: Winnacker-Küchler (4.) **4**, 107, 154 ▪ s. a. Desoxidation.

Desoximetason.

Internat. Freinamen für 9α-Fluor-11β,21-dihydroxy-16α-methyl-1,4-pregnadien-3,20-dion, $C_{22}H_{29}FO_4$, M_R 376,47; weißes, krist. Pulver; Schmp. 217 °C; $[\alpha]_D$ +109° ($CHCl_3$); λ_{max} (CH_3OH) 238 nm ($A_{1cm}^{1\%}$=429). Das halogenierte, entzündungshemmende Glucocorticoid wurde 1962 u. 1963 von Roussel-UCLAF, 1962 u. 1966 von Schering patentiert u. ist von Hoechst (Topisolon®) im Handel. – *E* desoximetasone – *F* désoximétasone – *I* desossimetasone – *S* desoximetasona

Lit.: Hager (5.) **7**, 1213 ff. – *[HS 2914 70; CAS 382-67-2]*

Desoxy... In Namen für organ. Verb. (bes. bei Naturstoffen) verwendetes Präfix, das die Entfernung eines O-Atoms anzeigt (*Desoxygenierung), meist aus einer OH-Gruppe, seltener aus natürlichen Aminoxiden, Sulfoxiden etc.; *Beisp.:* s. die folgenden Stichwörter. In Kurzz. für *Desoxynucleoside kann Desoxy... durch d abgekürzt sein. Der Ersatz einer Oxo- od. Epoxy-Gruppe durch 2 H-Atome wird dagegen besser mit Desoxo... od. Desepoxy... bezeichnet. – *E* deoxy... – *F* désoxy... – *I* deossi..., disossi... – *S* desoxi...

2'-Desoxyadenosin s. Desoxynucleoside.

5'-Desoxyadenosylcobalamin s. Coenzym B_{12}.

Desoxycholsäure (3α,12α-Dihydroxy-5β-cholansäure). $C_{24}H_{40}O_4$, M_R 392,58, Krist., Schmp. 178 °C, $[\alpha]_D$ +53° ($CHCl_3$), in Wasser schwer, in Alkohol mäßig löslich. Neben Cholsäure (Formel s. dort, keine OH-Gruppe an C-7) kommt D. in der Galle von Säugetieren vor (s. Gallensäuren), sie emulgieren bei der Verdauung Neutralfette u. bilden mit Lipiden die wasserlösl. *Choleinsäuren, s. a. Einschlußverbindungen. D. wird nicht wie die prim. Gallensäuren in der Leber produziert, sondern erst im Darm von dort vorhandenen Bakterien aus Cholsäure gebildet. D. ist beim Verschlucken mäßig giftig [LD_{50} (Ratte p. o.) 1 g/kg] u. im Experiment carcinogen. – *E* deoxycholic acid – *F* acide désoxycholique – *I* acido deossicolico – *S* ácido desoxicólico

Lit.: Beilstein E IV **10**, 1608 ▪ s. a. Gallensäuren. – *[HS 2918 19; CAS 83-44-3]*

11-Desoxycorticosteron s. Cortexon.

Desoxycorton s. Cortexon.

2'-Desoxycytidin s. Desoxynucleoside.

Desoxygenierung. Die Entfernung von Sauerstoff aus organ. Verb. bezeichnet man als Desoxygenierung. Die D. stellt damit eine bes. Form der *Reduktion dar u. kann bes. bei Heteroelement-Verb. durchgeführt werden. Typ. Beisp. sind die D. von Aminoxiden zu Aminen[1], von Azoxy-Verb. zu Azo-Verb., von Nitro-Verb. zu Oximen od. Nitrilen u. von Sulfoxiden od. Sulfonen zu Sulfiden. – *E* deoxygenation – *F* désoxygénation – *I* deossigenazione, disossigenazione – *S* desoxigenación

Lit.: [1] Patai, The Chemistry of the Hydrazo, Azo and Azoxy Groups, S. 602 f., 614–624, London: Interscience 1975.

2'-Desoxyguanosin s. Desoxynucleoside.

1-Desoxynojirimycin (1,5-Didesoxy-1,5-imino-D-glucitol, Moranolin).

$C_6H_{13}NO_4$, M_R 163,17, Krist., Schmp. 192–195 °C, $[\alpha]_D^{20}$ +47,5° (H_2O). D. ist ein Iminodesoxyzucker aus der Maulbeerbaumrinde (*Morus*). Es kann auch fermentativ aus *Streptomyces*-Arten gewonnen werden. Wegen ihrer Fähigkeit, intestinale α-Glucosidasen zu hemmen, werden D.-Derivate als orale Antidiabetika entwickelt (z. B. Miglitol®, Emiglitate®). D.-Derivate zeigen auch antivirale Wirkung gegen *HIV (Hemmung der Glykosylierung viraler Proteine). Zur Biosynth. von D. s. *Lit.*[1]. – *E* deoxynojirimycin – *F* 1-désoxynojirimycine – *I* desossinojirimicina – *S* 1-desoxinojirrimicina

Lit.: [1] Tetrahedron **48**, 6285 (1992); **49**, 6707 (1993). *allg.:* Angew. Chem. **106**, 2416 ff. (1994) (Synth.) ▪ Beilstein E V **21/6**, 8 ▪ J. Am. Chem. Soc. **111**, 3924–3927 (1989) ▪ Justus Liebigs Ann. Chem. **1989**, 423–428 (Synth.) ▪ Merck-Index (12.), Nr. 2952. – [CAS 19130-96-2]

Desoxynucleoside.

Abb.: Die vier wichtigsten Desoxynucleoside entstehen formal durch β-*N*-glykosidische Verknüpfung von 2-Desoxyribofuranose (2-Desoxy-*erythro*-pentofuranose) mit Nucleobasen.

Sammelbez. für *Nucleoside, die als Zuckerkomponenten einen *Desoxyzucker enthalten. Handelt es sich bei diesem um Desoxyribose, so spricht man von *Desoxyribonucleosiden* od. *Desoxyribosiden*. Um auszudrücken, daß sich die Desoxyribose in der 5-Ring-Form befindet, wird der Worteinschub „furano" verwendet. 2'-Desoxy-β-D-ribofuranoside entstehen im Stoffwechsel aus ihren 5'-Phosphaten durch Einwirkung von 5'-Nucleotidasen od. Phosphatasen. Als Bausteine der *Desoxyribonucleinsäuren (s. a. dort) sind vier D. wichtig: *2'-Desoxyadenosin, 2'-Desoxyguanosin, 2'-Desoxycytidin* u. *Thymidin. Der Abbau erfolgt phosphorolyt. durch *Nucleosidasen (Nucleosidphosphorylasen) unter Bildung der entsprechenden Nucleobase u. von 2-Desoxy-D-ribose-1-phosphat. Als Bestandteil von *Coenzym B_{12} ist 5'-Desoxyadenosin an radikal. Katalyse-Mechanismen beteiligt. – *E* deoxynucleosides – *F* désoxynucléosides – *I* desossinucleosidi – *S* desoxinucleósidos

Desoxynucleotide. D. entstehen aus *Desoxynucleosiden durch Veresterung von freien Hydroxy-Gruppen an der Zucker-Einheit mit Phosphorsäure, Diphosphorsäure, Triphosphorsäure usw., z. B. die mit Hilfe von Desoxy-D-ribose als Zucker-Komponente gebildeten *Desoxyribonucleotide* (*Desoxyribotide*). Die in der Natur wichtigen 2'-Desoxy-β-D-ribofuranosid-5'-triphosphate polymerisieren *in vivo* unter Abspaltung von Diphosphat u. Ausbildung von Phophodiester-Brücken zu *Desoxyribonucleinsäuren (DNA). Die Biosynth. der 2'-Desoxyribonucleotide, die der Zelle in ausgewogenen Verhältnissen zur Verfügung stehen müssen, erfolgt durch Red. von Ribonucleosid-5'-di-u. -triphosphaten, katalysiert durch Ribonucleotidreduktasen (EC 1.17.4.1 u. 1.17.4.2). Diese Reaktion hat radikal. Mechanismus u. ist in vielen Organismen Coenzym-B_{12}-abhängig. Die Meth. der DNA-Sequenzierung nach *Sanger verwendet 2',3'-Didesoxynucleotide. – *E* deoxynucleotides – *F* désoxynucléotides – *I* desossinucleotidi – *S* desoxinucleótidos

Desoxyribonucleasen (DNasen, Dornasen). Zu den *Hydrolasen gehörende *Enzyme aus *Pankreas od. Mikroorganismen, die *Desoxyribonucleinsäuren (DNA) zu spalten (depolymerisieren) vermögen, wobei Mono- u. Oligonucleotide entstehen, deren Phosphat-Reste entweder in 3'- od. in 5'-Stellung des Desoxy-D-ribose-Restes fixiert sind.

DNase I (EC 3.1.21.1, M_R 30 400) ist ein sekretor. Protein, das als Vorstufe (Zymogen) in Vesikeln im Pankreas gespeichert wird. Es spaltet vornehmlich Doppelstrang-DNA zu Di- u. Oligo-(desoxynucleotiden), die am 5'-Ende phosphoryliert sind. DNase I bindet mit hoher *Affinität an monomeres *Actin. Die biolog. Bedeutung dieses Umstands ist noch unbekannt.

DNase II aus Pankreas (EC 3.1.22.1, M_R 31 000, eine Polypeptid-Kette) benötigt Calcium-Ionen als *Cofaktor u. produziert 3'-phosphorylierte Bruchstücke. – *E* deoxyribonucleases – *F* désoxyribonucléases – *I* desossiribonucleasi – *S* desoxiribonucleasas

Desoxyribonucleinsäuren (als Sammelbegriff auch in der Einzahl verwendet; Abk. engl.: DNA, dtsch.: DNS; die engl. Abk. hat sich auch im dtsch. Sprachraum eingebürgert). Langkettige *Polynucleotide, die die hauptsächliche genet. Information (das *Genom*, s. Gene) der Lebewesen u. vieler *Viren in sich gespeichert enthalten u. an Abkömmlinge der betreffenden Zelle bzw. an neu produzierte Viren weitergeben. Die Hauptmenge der DNA ist bei *Eukaryonten im Zellkern enthalten, u. zwar in den *Chromosomen bzw. im *Chromatin. Bei Bakterien befindet sie sich nicht in einer separaten Zellorganelle u. besteht meist aus einem einzelnen, ringförmig geschlossenen Molekül. Bakterien enthalten oft neben der genom. DNA kleinere, ebenfalls ringförmige DNA-Mol., die leicht übertragbaren *Plasmide* od. *Episomen*. Im Einklang mit der Hypothese, daß die *Mitochondrien u. *Plastiden der Eukaryonten im Laufe der Entwicklungsgeschichte eingewanderte u. degenerierte Bakterien (*Endosymbionten*) sind, enthalten auch sie DNA. Zwischen ihnen u. dem Zellkern kann es auch zum Austausch von DNA kommen (*promiskuöse DNA*).

Struktur*[1] *u. Nomenklatur: DNA gehören wie die ebenfalls in Zellen vorkommenden *Ribonucleinsäuren (RNA) zu den *Nucleinsäuren. Bausteine der DNA sind 2'-Desoxy-β-D-ribonucleoside, die aus jeweils äquivalenten Mengen einer *Nucleobase u. der Pentose 2-Desoxy-D-ribofuranose (bei RNA: D-Ribofuranose) bestehen; vgl. dazu die Abb. bei Desoxynucleoside. Als Nucleobasen kommen bei DNA die Purin-Derivate Adenin (Ade) u. Guanin (Gua) sowie die Pyrimidine Cytosin (Cyt) u. Thymin (Thy; bei RNA: Uracil) vor. Sie sind N-glykosid. (Aminal-artig) mit Kohlenstoff-Atom 1 der 2-Desoxy-D-ribofuranose verbunden; dadurch entstehen im Einzelnen: 2'-Desoxyadenosin (dAdo), 2'-Desoxy-guanosin (dGuo), 2'-Desoxy-cytidin (dCyd) u. *Thymidin (dThd). (Im letzten Fall unterbleibt in der Langbez. der Vorsatz „2'-Desoxy". Die mit Apostroph bezeichneten Zahlen geben die Stellung am Zucker an; Positionszahlen an der Nucleobase bleiben dagegen ohne diese Kennzeichnung). In DNA verknüpft eine Phosphat-Gruppe die 5'-Hydroxy-Gruppe der 2'-Desoxynucleoside mit der 3'-OH-Gruppe der jeweils folgenden durch eine Phosphodiester-Brücke unter Ausbildung von *Einzelstrang-DNA*. Die sich wiederholende Abfolge von Phosphat u. 2-Desoxy-D-ribofuranose wird Rückgrat (engl.: *backbone*) der DNA genannt; in der Sequenz der vier verschiedenen Nucleobasen, zu deren Aufklärung verschiedene Meth. der *Sequenzanalyse entwickelt u. automatisiert wurden, ist die genet. Information verschlüsselt. DNA-Sequenzen werden mit Hilfe der vier Buchstaben A, G, C u. T. mit vorgesetztem „d" angegeben, die für die 2'-Desoxynucleoside stehen, mit Hilfe von „p" für meist terminale Phosphat-Reste u. mit „-" od. „→" für Phosphodiester-Brücken, die links mit der 3'- u. rechts mit der 5'-Hydroxy-Gruppe eines Zuckers verestert sind; äquivalente Schreibweise für Phosphodiester-Brücken: „3'p5". Eine weitere Möglichkeit, Nucleotid-Sequenzen darzustellen, ist die Phosphodiester-Brücke als schrägen Strich mit „P" im Kreis u. die 2-Desoxy-D-ribose als senkrechten Strich zu zeichnen, die Buchstaben A, C, G u. T vertreten diesmal aber nur die Nucleobasen; Beisp. s. Abb. 1.

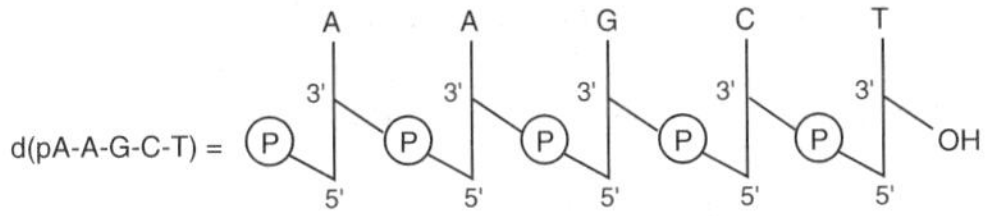

Abb. 1: Zwei Notationen für ein Pentanucleotid.

DNA (wie auch RNA) besitzen Richtungssinn: d(pA–A–G–C–T) u. d(T–C–G–A–Ap) sind zwei verschiedene Verbindungen. Wie aus dem obigen Formelbild ersichtlich, gibt es ein 5'-Ende (das in Abb. 1 phosphoryliert ist) u. ein 3'-Ende (hier: freies OH); Einzelstrang-Nucleinsäure-Sequenzen werden, wenn nichts anderes angegeben ist, beim 5'-Ende beginnend aufgeschrieben.
Aufgrund der Biosynth. u. der Funktion der DNA kommen in der Natur meist Doppelstrang-DNA vor. Diese bilden sich aus jeweils 2 Einzelsträngen, deren Sequenzen speziell aufeinander abgestimmt (komplementär) sind, durch Zusammenlagerung derart, daß sich immer Guanin- u. Cytosin-Reste bzw. Adenin- u. Thymin-Reste gegenüberstehen u. *Wasserstoff-Brückenbindungen zueinander eingehen (*Basenpaarung*; gepunktete Linien in Abb. 2).
Folglich enthalten DNA gleich viel Guanin wie Cytosin u. ebensoviel Adenin wie Thymin, doch ist der

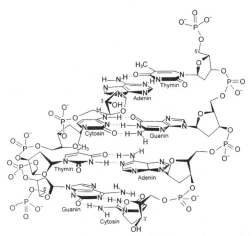

Abb. 2: Strukturformel eines kurzen Stücks Doppelstrang-DNA.

Quotient ([G]+[C])/([A]+[T]) im allg. ungleich 1; er ist spezif. für die Organismenspezies, aus der die DNA isoliert wurden. Für die korrekte Basenpaarung (nach ihren Entdeckern *Watson-Crick-Basenpaarung* genannt), die in der Kurznotation durch einen Punkt angegeben wird, z. B. für das in Abb. 2 dargestellte Mol.:

(3'-5')d(pG–T–C–A)
(5'-3')d(C–A–G–Tp)

ist es entscheidend, daß die Nucleobasen in der jeweils richtigen (stabilsten) tautomeren Form (s. Tautomerie) vorliegen, damit die Wasserstoff-Atome für die Wasserstoff-Brückenbindungen an der richtigen Stelle zur Verfügung stehen. Doppelstrang-DNA sind in den allermeisten Fällen schraubenartig gewunden (Entdeckung 1953 durch *Watson u. *Crick). Man kennt 3 Arten der DNA-*Doppelhelix* (DNA-Doppelspirale): A-DNA, B-DNA u. Z-DNA.
B-DNA ist die in der lebenden Zelle vorherrschende Form. Es handelt sich dabei um eine Schraube vom Durchmesser 2 nm mit Rechtsgewinde u. mit einer größeren u. einer kleineren Rille (engl.: *major groove* bzw. *minor groove*).
Eine vollständige Windung der Helix enthält 10 Basenpaare, die etwa wie die Stufen einer frei schwebenden Wendeltreppe zwischen dem Zucker-Phosphat-Rückgrat, das einem imaginären Besteiger dieser Treppe als Handlauf dienen mag, angeordnet sind. Die Stufenhöhe beträgt 0,34 nm. Das einzige, ringförmige Chromosom des Darmbakteriums *Escherichia coli* (E. coli) enthält ca. 4 Mio. Basenpaare u. hat, aufgeschnitten u. ausgestreckt, eine Länge von immerhin 1,4 mm. Reiht man die DNA des Genoms einer Säugetier-Zelle aneinander, erhält man Dimensionen von 0,5 m.
A-DNA, wie B-DNA eine rechtsgängige Doppelhelix, bei der jedoch die „Stufen der Wendeltreppe" beim „Aufwärts-Steigen" nach rechts geneigt sind, ist v. a. an kurzen synthet. GC-reichen Mol. untersucht worden, scheint aber nach neueren Erkenntnissen auch *in vivo* von Bedeutung zu sein u. wird dort v. a. mit regulator. DNA-Protein-Wechselwirkungen in Verbindung gebracht.
Z-DNA ist eine linksgängige „Wendeltreppe" mit zickzack-förmigem „Handlauf" (daher Z von engl.: zig-

Desoxyribonucleinsäuren

zag) u. nur einer Furche. In der Zelle sind DNA-Doppelhelices nochmals auf eine Spirale höherer Ordnung (*Superhelix*) gewunden, was zu gewissen Spannungen u. Verzerrungen in der Doppelhelix-Struktur führen kann. Solche *superhelikalen Spannungen* werden durch die Ausbildung der Z-DNA-Struktur z. T. kompensiert u. begünstigen diese daher. Die Spiralisierung u. Entspiralisierung (z. B. bei Replikation u. Transkription) wird mit Hilfe von DNA-*Helicasen bzw. DNA-*Topoisomerasen (bei zirkulären DNA) gesteuert. Typ II Topoisomerasen (*DNA-Gyrasen*) spalten dazu beide Stränge u. fügen sie nach Änderung des Spiralisierungsgrades wieder zusammen. Typ I Topoisomerasen begnügen sich mit der Aufspaltung eines Stranges. Einzelstrang-DNA können *in vivo* durch *Einzelstrang-DNA-bindende Proteine* stabilisiert werden.

Eigenschaften: Wegen des großen Verhältnisses von Länge zu Durchmesser neigen DNA-Mol. schon bei mechan. Beanspruchung zu Strangbruch, z. B. während der Extraktion aus Gewebe. Deshalb sind die wahren Molmassen schwierig zu bestimmen; der höchste gemessene Wert beträgt 10^9. Die Trennung sehr langer DNA-Mol. gelingt mit der *Pulsfeld-Gel-Elektrophorese. Chem. Hydrolyse der DNA od. Einwirkung von *Desoxyribonucleasen bewirkt Depolymerisation der DNA zu Oligo- u. Mononucleotiden, deren Phosphat-Reste in 3'- od. 5'-Stellung fixiert sind.

Die DNA-Doppelhelix ist flexibel, u. ihre Eigenschaften hängen in beträchtlichem Maß auch von der jeweiligen Basensequenz ab. Unter *Hybridisierung* versteht man die Bildung eines Doppelstrangs aus zwei Einzelsträngen meist verschiedener Herkunft, oft auch speziell eines gemischten Doppelstrangs aus DNA- u. RNA-Einzelsträngen. Schmelzen od. *Denaturierung* einer DNA-Doppelhelix ist das Aufbrechen in Einzelstränge, meist durch Wärmeeinwirkung.

Palindrome bestehen aus zwei aufeinanderfolgenden komplementären Basen-Sequenzen auf einem DNA-Strang. Dabei treten jedoch die jeweils zueinander passenden Basen in spiegelbildlich umgekehrter Reihenfolge auf, sodaß der Strang sich zurückfalten u. mit sich selbst paaren kann u. sich haarnadelförmige Schleifen ausbilden können. Dies ist v. a. an den Enden der Chromosomen (*Telomeren) der Fall.

Synth.: Die chem. Synth. von DNA[2] erfordert die Verw. von Schutzgruppen (z. B. 4,4'-Dimethoxytrityl) für die 5'-Hydroxy-Gruppe. Zur Aktivierung der 3'-Position wird die Phosphotriester- od. Phosphoramidit-Meth. (Phosphodiester-Meth.) – oft an fester Phase wie z. B. an *Cellulose od. *Kieselgel – durchgeführt. Seit einigen Jahren gibt es DNA-Synthesegeräte. Die enzymat. Vervielfältigung (engl.: amplification) spezif. DNA im Reagenzglas gelingt mit Hilfe der *Polymerase-Kettenreaktion* (PCR; s. polymerase chain reaction).

Biosynth.: DNA sind bemerkenswerterweise in der Lage, bei der *Replikation die Nucleotid-Sequenzen von neu zu synthetisierenden DNA nach ihrem eigenen Abbild zu bestimmen. Die DNA der meisten Organismen enthalten auch methylierte Basen, z. B. N^6-Methyladenin u. 5-Methylcytosin. Diese Methyl-Gruppen werden jedoch nicht während der Replikation, sondern zu einem späteren Zeitpunkt, wahrscheinlich noch nach einer eventuellen Reparatur (s. unten), durch *Methyltransferasen eingeführt. Bei der Replikation der DNA vererbt sich möglicherweise nicht nur die Basensequenz, sondern auch das spezif. Muster der Methylierungen auf die Tochterzellen, was Konsequenzen für die Bindung von regulator. Proteinen haben kann.

Jedoch ist die Replikation nicht der einzige Vorgang in der Natur, bei dem DNA gebildet werden. Bei der Infektion durch Viren, die RNA als Erbsubstanz besitzen (Retroviren), besorgt eine RNA-abhängige DNA-Polymerase (*reverse Transcriptase) die Synth. von DNA an einer RNA-Matrix. Diese enzymat. Reaktion wird auch in der *Gentechnologie zur Herst. von *komplementärer DNA* (*cDNA), d. h. reversen Transkripten von Messenger-RNA, ausgenützt.

Reparatur[3]: Die angesichts der großen Anzahl Nucleotide, die pro Zellteilung kopiert werden müssen, notwendige hohe Zuverlässigkeit bei der DNA-Replikation wird einerseits durch die Spezifität der DNA-*Polymerasen, die an der Replikation beteiligt sind (*Replicasen*), andererseits durch deren zusätzlich vorhandene Exonuclease-Aktivität (s. Nucleasen) garantiert: Sie katalysieren das Herausschneiden unpassender Nucleotide u. deren Ersatz durch die richtigen „Schrift-Typen" (sog. „Korrektur-Lesen") sofort nach der Neusynth. – bei der Herausgabe dieses Lexikons wird ein Ähnliches versucht... Den durch chem. Einwirkung entstehenden Schäden (durch *Mutagene, von denen einige sich zwischen zwei übereinanderliegende Basenpaare der Doppelhelix einschieben können, s. Interkalation) sowie den von Strahlungseinwirkung herrührenden Veränderungen (wobei z. B. zwei übereinanderliegende Thymin-Reste dimerisieren können) helfen *Reparatur-Enzyme* (darunter: Endonucleasen, Polymerasen, *Ligasen) ab, die unpassende Nucleotide wieder aus den DNA herausschneiden u. ersetzen. Einige dieser *Reparatursysteme sind induzierbar, d. h. sie werden erst bei Bedarf synthetisiert. Die Frage, welcher Strang die Original-Information enthält u. welcher falsch synthetisiert wurde, wird vom Reparaturenzym wohl anhand des Methylierungszustands (s. oben) entschieden. Zu falschen Basenpaarungen kann es auch aufgrund seltener tautomerer Formen der Nucleobasen kommen.

Abbau: Zur Spaltung der DNA, die normalerweise nicht in der Zelle, sondern z. B. im Verdauungsapparat stattfindet, sind Desoxyribonucleasen (DNasen) befähigt, z. B. DNase I (eine Endonuclease – s. Nucleasen) od. *Restriktionsendonucleasen. Erstere spaltet recht unspezif., wenngleich bevorzugt an sog. Nuclease-hypersensitiven Stellen, u. wird z. B. in der Footprint-Analyse (s. unten) verwendet, während letztere, mikrobiellen Ursprungs, jeweils ganz bestimmte kurze DNA-Sequenzen als Spaltstellen erkennen u. in der Gentechnologie sowie bei der *Sequenzanalyse wertvolle Dienste leisten. Exonucleasen verdauen DNA von den Enden her.

Biolog. Funktion: Die Information auf den DNA ist in *Gene eingeteilt. Diese werden während der Replikation zur Weitergabe an Tochterorganismen vervielfältigt. Übertragung von DNA findet nicht nur bei *Mitose u. Meiose von Mutter- auf Tochterzellen statt, sondern auch bei der Vereinigung von Geschlechtszellen u. bei der Konjugation von Bakterien auf Fremdorganismen. Es kommt dann in der Folge zu einer gewissen Neu-Vermischung (*Rekombination*) des genet. Materials. Ebenso kann DNA durch Viren u. gewisse Bakterien auf Fremdorganismen übertragen werden. Einige dieser Übertragungsmechanismen macht man sich in der Gentechnologie zunutze.

Die andere wichtige Aufgabe der DNA steht im Zusammenhang mit der Biosynth. der RNA, der *Transkription. Der normale Weg, wie das genet. Programm umgesetzt wird, ist durch Zwischenspeicherung der Information in Messenger-RNA u. ihre Übersetzung (*Translation) mittels des *genetischen Codes in Aminosäure-Sequenzen bei der Protein-Biosynth. am *Ribosom, wobei dann jeweils drei aufeinanderfolgende Basen eine Aminosäure bestimmen. Allerdings werden nicht ständig alle Gene einer Zelle abgelesen u. in Proteine umgesetzt (*exprimiert*), sondern es existiert eine komplexe zellspezif. Regulation der *Genexpression auf der Ebene der Transkription wie auch bei der Weiterverarbeitung der RNA u. bei der Translation. So gibt es *regulator. Sequenzen* auf den DNA, durch die bei Bindung spezieller Proteine Gene „angeschaltet" od. „abgeschaltet" werden können, sowie andere, durch die die Transkriptionsaktivität verstärkt od. abgeschwächt werden kann. *Regulator. Gene* sind solche, deren Produkte Regulatorproteine (Aktivatoren od. Repressoren) sind, im Gegensatz zu *Strukturgenen*, die für andere Proteine kodieren. Andere DNA-Abschnitte werden nicht in Proteine, sondern nur in RNA, z. B. Transfer-RNA od. ribosomale RNA, übersetzt, in wieder anderen kann – zumindest bis jetzt – überhaupt kein Informationsgehalt festgestellt werden (repetitive Sequenzen, wegen ihrer Eigenschaft, in der Dichtegradient-Ultrazentrifugation scharfe Banden zu ergeben, auch *Satelliten-DNA* genannt). Zu den möglichen Funktionen dieser sog. *junk DNA*, die 97% des menschlichen Genoms ausmacht, s. *Lit.*[4].

DNA-Protein-Wechselwirkungen[5]: Im Zusammenhang mit der Regulation der Transkription gewinnen Komplexe zwischen Proteinen (z. B. Histonen, Aktivator- od. Repressor-Proteinen, Hormon-Rezeptoren des Zellkerns sowie anderen *Transkriptionsfaktoren) u. DNA immer größeres Interesse. Röntgenstrukturanalysen von Cokristallisaten von Proteinen u. kurzen DNA-Stücken liegen vor. Bekannte Strukturmotive von DNA-bindenden Proteinen sind die *Zink-Finger, das *Helix-turn-helix*-Motiv (zwei α-Helices in bestimmter Orientierung zueinander u. durch eine kurze Polypeptid-Schleife verbunden, s. Homöo-Domäne) u. der *Leucin-Reißverschluß. DNA-Protein Komplexe können durch Gel-Elektrophorese nachgewiesen werden. Die Lokalisierung der Protein-Kontaktstellen auf der DNA kann durch *Footprint-Analyse*[6] (Name vom engl. Wort für Fußabdruck) erfolgen. Diese beruht auf der Fähigkeit des gebundenen Proteins, die DNA an der Bindungsstelle gegen physikal., chem. od. enzymat. Spaltung bzw. Modifizierung zu schützen. Als Modifizierungs- bzw. Spaltungsmeth. werden z. B. angewendet: Bestrahlung, Spaltung durch Nucleasen, Hydroxy-Radikale od. andere speziellere Reagenzien, Methylierung mit Dimethylsulfat u. anschließende enzymat. Spaltung an den Methylierungsstellen sowie auch Ethylierung der Phosphat-Gruppen mit Ethylnitrosoharnstoff u. alkal. Spaltung der entstandenen Phosphotriester. Die Spaltung einer ungeschützten, an einem Ende markierten DNA ergibt ein statist. Gemisch aller möglichen Mol.-Längen. Da jedoch nur die Spaltstücke detektiert werden, die am markierten Ende beginnen, ergibt sich nach ihrer Auftrennung nach Größe (durch Gel-Elektrophorese) ein leiter-artiges Banden-Muster, wobei aufeinanderfolgende „Leitersprossen" DNA-Stücken entsprechen, die sich in der Länge um ein Basenpaar unterscheiden. Wird jedoch ein Teil des DNA-Mol. durch das gebundene Protein gegen den chem. od. enzymat. Angriff abgeschirmt, so fehlen diejenigen DNA-Spaltstücke im Gemisch, die durch Spaltung an der geschützten Stelle wären; im Leiter-Muster klafft eine Lücke [der „Fußabdruck", den paradoxerweise auch Zink-Finger hinterlassen].

Anw.: Erfolgreich ist immobilisierte DNA zur *Affinitätschromatographie von DNA-bindenden Proteinen eingesetzt worden. Mit der *DNA-Diagnostik* durch Hybridisierung[7] ist ein Hilfsmittel zur Untersuchung von genet. u. Infektionserkrankungen geschaffen worden. Der *DNA-Fingerabdruck*[8] (*genet. Fingerabdruck*) besteht in der spezif. Spaltung von durch die PCR vervielfältigter genom. DNA mit Hilfe von Restriktionsendonucleasen unter standardisierten Bedingungen sowie deren elektrophoret. Auftrennung (nach Größe). Ein Teil dieser getrennten Spaltstücke wird durch Hybridisierung mit markierter komplementärer Einzelstrang-DNA sichtbar gemacht (Southern-*Blotting). Da bei jedem Individuum bestimmte Spaltstücke charakterist. Größe besitzen (*restriction fragment length polymorphism*, RFLP), läßt die Meth. im Prinzip die Erkennung genet. Krankheiten sowie die – auch gerichtlich verwertbare – Identifizierung eines Menschen anhand der in einer einzigen Zelle enthaltenen DNA zu. Vervielfältigung durch PCR von „antiken" DNA (z. B. aus Mumien, Museumsexemplaren ausgestorbener Tierarten, gefrorenem Mammutmuskel, in Bernstein eingeschlossenen Insekten u. dgl. mehr) eröffnen neue Perspektiven in der mol. Archäologie u. Evolutionsforschung. Zur potentiellen Verw. von DNA als Impfstoffe s. *Lit.*[9]. DNA sind auch als mol. Computer zur Lsg. bestimmter Rechenprobleme vorgeschlagen worden[10]. Auf die Methodik u. weitere Anw. *rekombinierter DNA* kann hier nicht eingegangen werden – s. dazu Gentechnologie. Zur Verw. von Antisense-DNA s. Antisense-Nucleinsäuren.

Geschichte: Zur Entdeckung der DNA-Doppelhelix durch Watson u. Crick im Jahr 1953 s. *Lit.*[11]. – *E* deoxyribonucleic acids – *F* acides désoxyribonucléiques – *I* acido desossiribonucleico – *S* ácidos desoxiribonucleicos

Lit.: [1] Saluz, DNA and Nucleoprotein Structure in vivo, Berlin: Springer 1995. [2] Acc. Chem. Res. **24**, 278–284 (1991). [3] Curr. Biol. **6**, 497ff. (1996).; Friedberg et al., DNA Repair and Mutagenesis, Washington: ASM Press 1995; Vos, DNA Repair Mechanisms. Impact on Human Diseases and Cancer, Berlin: Springer 1995; Trends Biochem. Sci. **20**, 381, 384–439 (1995). [4] Science **263**, 608ff. (1994). [5] Lilley, DNA-Protein. Structural Interactions, Oxford: IRL Press 1995. [6] Rezvin, Footprinting of Nucleic Acid-Protein Complexes, San Diego: Academic Press 1993. [7] Kricka, Nonisotopic DNA Probe Tech-

niques, San Diego: Academic Press 1992. [8]Krawczak u. Schmidtke, DNA Fingerprinting, Heidelberg: Spektrum Akadem. Verl. 1994. [9]Curr. Opin. Immunol. **8**, 531–536 (1996); World Wide Web: http://www.genweb.com/Dnavax/dnavax.html. [10]Curr. Biol. **6**, 254ff. (1996); Spektrum Wiss. **1995**, Nr. 8, 16ff. [11]Olby, The Path to the Double Helix. The Discovery of DNA, New York: Dover 1994.
allg.: Calladine u. Drew, Understanding DNA: The Molecule and How it Works, San Diego: Academic Press 1992 ▪ Frank-Kamenetskii, Unraveling DNA, Weinheim: VCH Verlagsges. 1993 ▪ Harwood, Basic DNA and RNA Protocols, Totowa: Humana 1996 ▪ Lilley u. Dahlberg, DNA Structures, 2 Bd., San Diego: Academic Press 1992 ▪ Sinden, DNA Structure and Function, San Diego: Academic Press 1994. – [HS 293359; CAS 100403-24-5]

Desoxyribonucleoside s. Desoxynucleoside, Nucleoside.

Desoxyribonucleotide s. Desoxynucleotide, Nucleotide.

2-Desoxy-D-ribose (Thyminose; systemat. Bez.: 2-Desoxy-D-*erythro*-pentose).

$C_5H_{10}O_4$, M_R 134,13. Im Formelbild als 2-Desoxy-D-ribofuranose. Farblose Krist., Schmp. 91 °C, lösl. in Wasser u. Pyridin, wenig lösl. in Alkohol. 2-D. ist in allen tier. u. pflanzlichen Zellkernen als Kohlenhydrat-Baustein der *Desoxyribonucleinsäuren (DNA) bzw. der *Zellkern-Nucleoside* (*Desoxynucleoside) weit verbreitet. Als typ. *Desoxyzucker ist 2-D. um eine Hydroxy-Gruppe ärmer als der entsprechende voll hydroxylierte Zucker, die D-Ribose. 2-D. färbt – im Gegensatz zu den übrigen Zuckern – Fuchsin/schweflige Säure u. ermöglicht dadurch den Nachw. von DNA (*Feulgen-Färbung). – *E* 2-deoxy-D-ribose – *F* 2-désoxy-D-ribose – *I* 2-desossi-D-ribosio – *S* 2-desoxi-D-ribosa
Lit.: Beilstein EIV **1**, 4181 ff. – [HS 294000; CAS 533-67-5]

Desoxyriboside s. Desoxynucleoside.

Desoxyribotide s. Desoxynucleotide.

Desoxythymidin s. Thymidin.

Desoxyzucker. Sammelbez. für Monosaccharide, in denen eine od. mehrere Hydroxy-Gruppen durch Wasserstoff ersetzt sind. Wichtige Beisp. sind *2-Desoxy-D-ribose, ein Baustein der *Desoxyribonucleinsäuren, *Fucose u. *Rhamnose, die häufige Zuckerbausteine von Polysacchariden, Glykoproteinen u. Pflanzenglykosiden sind. – *E* deoxy sugars – *F* désoxy sucres – *I* deossizuccheri – *S* desoxiazúcares
Lit.: Carbohydrates, S. 691–696, London: Chapman & Hall 1987 ▪ Carbohydr. Chem. **16**, 122 (1985); **17**, 120 (1985) ▪ Collins, Ferrier, Monosaccharides, S. 206–217, Chichester: Wiley 1995 ▪ Deoxy Sugars (Adv. Chem. Series **74**), Washington: ACS 1968 ▪ Pure Appl. Chem. **60**, 1655 (1988).

Desprepon®. Tenside für die Textilherstellung. *B.:* Dr. Th. Böhme KG.

Dess-Martin-Oxidation s. 1,1,1-Triacetoxy-1,1-dihydro-1,2-benziodoxol-3(1*H*)-on.

DESTAMAT®. Destilliergeräte zur Reinstwasserherstellung. *B.:* Heraeus Quarzglas GmbH.

Destillation. Unter D. (von latein.: destillare = herabträufeln) versteht man die *Verdampfung einer aus einer beliebigen Komponentenzahl bestehenden Flüssigkeit u. die anschließende *Kondensation des dabei gebildeten *Dampfes com Destillat, das zusammen (einfache D.) od. auch nacheinander mit steigendem *Siedepunkt (fraktionierte D.) aufgefangen werden kann; zur Terminologie der D. s. a. die VDI-Richtlinie 2761 (12/1975). Von der einfachen D. zu unterscheiden ist die Kolonnen-D. od. *Rektifikation*. Hier befindet sich zwischen Verdampfer u. Kondensator die D.-*Kolonne od. Rektifiziersäule, in der ein Teil des im Kondensator od. Dephlegmator gebildeten Kondensats sich flüssig als *Rücklauf* (*Rückfluß) im Gegenstrom zu den aus der Verdampfungseinrichtung aufsteigenden Dämpfen abwärts bewegt. Dabei findet in der Kolonne ein Stoffaustausch zwischen beiden *Phasen statt; die leichter flüchtigen Anteile reichern sich in Richtung des Kondensators im Dampf u. die schwerer flüchtigen Komponenten zum Kolonnensumpf hin im Rücklauf an. Die Kolonnen-D. kann man als eine Vielzahl hintereinander ausgeführter einfacher D. mit Rückfluß des Destillates auffassen. Bei der *kontinuierlichen* Rektifikation werden Ausgangsgemisch u. Erzeugnisse der Zerlegung stetig zugeführt u. entnommen. Bei der *diskontinuierlichen* Rektifikation wird in einem Betriebsabschnitt jeweils eine begrenzte Menge des Ausgangsgemisches eingesetzt u. zerlegt. Maßgeblich für die Trennbarkeit der Gemische ist das *Dampf-Flüssigkeits-Gleichgewichtsverhalten* unter den in der Apparatur herrschenden Betriebsbedingungen. Dieses kann für sich ideal verhaltende Gemische mit Hilfe der *Clausius-Clapeyron'schen Gleichung (Dampfdruck reiner Stoffe in Abhängigkeit von der Temp.), des *Daltonschen Gesetzes (Additivität der Partialdrücke), des *Raoultschen Gesetzes (Abhängigkeit des Partialdruckes vom Stoffmengengehalt der flüssigen Phase) sowie der *Duhem-Margulesschen Gleichung (Abhängigkeit der Partialdrücke vom Stoffmengengehalt der flüssigen Phase bei binären Gemischen) berechnet werden. Die für Zweistoffgemische möglichen Formen der Dampf-Flüssigkeits-Phasengleichgew. sind in Abb. 1 zusammengestellt. Für *ideale Gemische* der Rubrik 3c läßt sich der Zusammenhang zwischen zusammengehörigen Konzentrationswerten von Flüssigkeiten (x) u. Dampf (y) nach einer von *Duhem-Margules* abgeleiteten Beziehung aus den Dampfdrücken der reinen Komponenten berechnen. In der Praxis treten jedoch fast immer mehr od. weniger große Abweichungen vom idealen Verhalten auf. In diesem Falle ist die experimentelle Vermessung des in Betracht kommenden Phasengleichgew. zu empfehlen, z. B. mit einer Prallglockenbodenkolonne.
Bei der Ausführung der D. findet die Verdampfung der flüssigen Phase in einem Gefäß statt, das je nach seiner Ausbildung als Blase, Verdampfungskolben od. Sumpfverdampfer bezeichnet wird. Die Kondensation kann (total) in einem od. (partiell) in mehreren hintereinandergeschalteten Kondensatoren (*Kühler) durch geeignete, der jeweiligen Siedelage angepaßte *Kühlmittel (Wasser, Luft, Kühlsole, durch ein Zweikühlmittel gekühlte Umlaufflüssigkeit beliebiger Art, durch verdampfende Flüssigkeit in einem Verdamp-

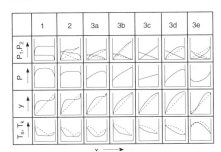

Abb. 1: Die verschiedenen Möglichkeiten für die Dampf-Flüssigkeits-Phasengleichgew. von Zweistoffgemischen, schemat. dargestellt mit dem Stoffmengengehalt x der leichter siedenden Komponente in der Flüssigkeit als Abszisse u. den Partialdrücken P_1, P_2, dem Gesamtdruck P, dem zugehörigen Stoffmengengehalt y der leichter siedenden Komponente im Dampf sowie den dabei herrschenden Siede- bzw. Kondensationstemp. T_s u. T_k als Ordinate. 1: Gemische mit prakt. ineinander unlösl. Komponenten (Benzol-Wasser). 2: Gemische mit Mischungslücke (Phenol-Wasser). 3: Gemische mit vollständiger gegenseitiger Mischbarkeit der Komponenten; (a) Minimum-Siedepunkt (azeotroper Punkt; *Azeotrop: Ethanol-Wasser), (b) asymptot. Näherung der y-Werte an die Diagonale nach hohen x-Werten hin (Methanol-Wasser), (c) ideale Gemische (Benzol-Toluol), (d) asymptot. Näherung der y-Werte nach niedrigen x-Werten hin (Acetaldehyd-Furfurol), (e) Maximum-Siedepunkt (azeotroper Punkt; Azeotrop: Salpetersäure-Wasser).

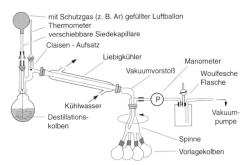

Abb. 2: Apparatur für einfache Dest. im Laboratorium, hier für Vak.-Dest. eingerichtet. Bei Dest. unter Atmosphärendruck wird die Siedekapillare durch Siedesteinen ersetzt u. die Verbindung zur Vakuumpumpe unterbrochen.

fungskondensator) od. auch durch Wärmepumpen vorgenommen werden. Bei der partiellen bzw. *fraktionierten Kondensation* od. *Dephlegmation* fallen nacheinander mit abnehmender Kondensationstemp. mehrere Destillate an. Die in der Verdampfeinrichtung gebildeten Dämpfe werden im Falle der sog. *einfachen D.* (Geradeaus-, Gleichstrom-, absteigende D.) direkt zum Kondensator oder Dephlegmator geführt. Die Dämpfeleitung muß so dimensioniert sein, daß sich in ihr infolge der Strömungsgeschw. der Dämpfe nur ein ganz geringer Druckverlust ausbildet, der sich je nach dem Druck, unter dem die D. vorgenommen wird, in der Größenordnung einiger hundert Pa bewegt (bei Normaldruck u. Überdruck-D.). Die Apparaturen zur Geradeaus-D. eignen sich für die Zerlegung von Gemischen, deren Komponenten große Siedetemp.-Differenzen (z. B. 100 °C u. mehr) bei dem angewandten Destillationsdruck aufweisen. Weiter werden sie eingesetzt, wenn es sich um Verf. zum *Eindampfen od., wie bei der Gewinnung *destillierten Wassers z. B. bei der *Meerwasser-Entsalzung, um die Abtrennung einer Flüssigkeit von prakt. undestillierbaren Rückständen handelt. Abb. 2 zeigt den Aufbau einer Geradeaus-D.-Apparatur, wie sie im Laboratorium zum Abdestillieren bei Normaldruck (mit Siedesteinchen im Rundkolben zur Vermeidung des *Siedeverzuges) od. bei Unterdruck (mit *Siedekapillare, ggf. auch unter *Schutzgas mit Argon od. Stickstoff in dem Ballon) verwendet wird. Die *Erwärmung* des Kolbeninhalts kann man entweder direkt od. mit Heizbädern (Beisp. s. dort) vornehmen; bei Flüssigkeiten, die nicht höher als ca. 80 °C sieden, ist ein *Wasserbad zweckmäßig. Die höchste, erreichbare Temp. des offenen Heizbades soll 10–20 °C über dem Siedepunkt der zu destillierenden Flüssigkeit liegen. Leicht brennbare Flüssigkeiten, wie z. B. Ether, sollten auf dem Wasserbad erhitzt werden. Zur Erwärmung eignen sich auch *Infrarotstrahler wie Spiegelbrenner u. innenverspiegelte Glühbirnen, *Heizbänder u. die Pilz®-Heizhauben, die bes. für die Erwärmung von Rundkolben geeignet sind. Spezialfälle der Geradeaus-D. sind die *Dünnschichtverdampfung, die D. mit einem *Rotationsverdampfer, einer *Kugelrohr-D.-Apparatur od. einem *Säbelkolben bei Flüssigkeiten u. Festkörpern; *Retorten haben als D.-Gefäße nur noch histor. Interesse. Die zuerst in einem Vorlagekölbchen eintreffenden, leichtsiedenden Bestandteile der destillierten Flüssigkeit nennt man den *Vorlauf* (1. Fraktion); das danach überdestillierende Hauptprodukt ist der *Hauptlauf* (2. Fraktion). Gegen Schluß der D. wird in einer weiteren Vorlage der vorwiegend aus schwersiedenden Bestandteilen zusammengesetzte *Nachlauf* od. *Ablauf* (3. Fraktion) aufgefangen. Die einzelnen Fraktionen werden durch Drehen der Spinne (s. Abb. 2) in den Vorlagekolben gesammelt. Zur weitergehenden *Fraktionierung können ggf. auch *Fraktionssammler eingesetzt werden. Zur Charakterisierung von Flüssigkeiten bzw. Flüssigkeitsgemischen bestimmt man in der Analytik häufig den sog. *Siedeverlauf, d. h. das Verhältnis zwischen Destillat-Menge u. Siedetemperatur.

Die destillative Trennung von Stoffgemischen läßt sich im gesamten Druckbereich vom Vak. bis zum Überdruck durchführen. Maßgebend für die Wahl des anzuwendenden Destillationsdruckes sind die mit den zur Verfügung stehenden Kühlmedien zu realisierenden Kondensationstemp., die Abhängigkeit der sich aus den *Dampfdrücken der zu trennenden Komponenten ableitenden Trennfaktoren von Temp. bzw. Druck sowie ihr therm. Verhalten.

Ein Beisp. für den Aufbau einer Laborkolonne zur Rektifikation ist in Abb. 3 (S. 916) gegeben.

Man bezeichnet denjenigen Teil der Trennsäule, der sich zwischen dem Zulaufsort u. dem Kondensator befindet, als *Verstärkungssäule* sowie den zwischen Verdampfer u. Zulauf als *Abtriebssäule* (Abtreibkolonne). Will man in einem Durchgang bei kontinuierlichem Betrieb neben dem Kopfdestillat noch weitere Destillatfraktionen gewinnen, wie dies z. B. in der Rohöl-D. üblich ist, so werden oberhalb des Zulaufortes flüssige Seitenabzüge entnommen u. meist einer sog. *Strippersäule* geringer Bodenzahl am Kopf zugeführt, um die noch enthaltenen leichteren Anteile dampfförmig einige Böden höher in die Hautpkolonne abzutreiben.

Destillation

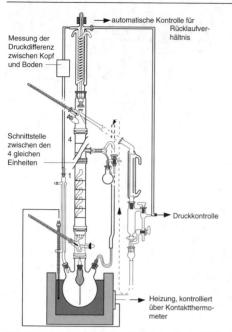

Abb. 3: Schemat. Aufbau einer im Vak. kontinuierlich betriebenen Kolonnenapparatur.

Die Trennleistung einer Rektifikationskolonne wird durch die Zahl der theoret. Trennstufen erfaßt. Eine theoret. Trennstufe bewirkt die Einstellung des Dampf-Flüssigkeits-Gleichgew. zwischen der nach oben strömenden Dampfphase u. der nach unten strömenden Flüssigkeitsphase bei den jeweils vorliegenden Zusammensetzungen der Phasen. Aus den Dampf-Flüssigkeits-Phasengleichgew. u. den Stoffbilanzen für die Kolonne läßt sich die für eine bestimmte Trennung erforderliche theoret. Bodenzahl nach einem Stufenverf. bestimmen. Am bekanntesten sind für Zweistoffgemische die graph. Meth. nach McCabe u. Thiele (s. Lit.[1]) u. das rechner. Verf. nach Smoker. Inzwischen wurden zahlreiche Meth. zur Bodenzahl-Berechnung von Mehr- u. Vielstoffgemischen entwickelt, bei denen bis zu einem gewissen Grade nicht-ideales Verhalten der Gemische Berücksichtigung finden kann. Zwischen dem Rücklaufverhältnis u. der erforderlichen theoret. Bodenzahl besteht ein hyperbol. Zusammenhang, anhand dessen eine hinsichtlich der Kosten für die Rektifikation optimale Einstellung gefunden werden kann.

Sowohl im Laboratorium u. Versuchsbetrieb als auch in Industriebetrieben werden Kolonnen (vgl. Abb. dort) eingesetzt, deren Trennwirksamkeit weit mehr als 100 derartigen Trennstufen od. theoret. Böden (angegeben durch die Bodenzahl) entspricht.

Bei den oben betrachteten Beisp. von D.-Anlagen werden die Dämpfe in der Blase od. im Sumpfverdampfer unter dem dort herrschenden Druck entwickelt u. direkt od. über die Kolonne dem Kondensator zugeführt. Diesen Vorgang bezeichnet man als offene Destillation. Erfolgt dagegen die teilw. Verdampfung eines Gemisches unter Druck im Gleichgew. mit der zu verdampfenden Flüssigkeit, so spricht man von der geschlossenen Destillation. Beisp. sind die Röhrenöfen von Erdöl-D.-Anlagen zur Zulauf-Aufheizung u. Verdampfung als sog. Entspannungs- od. Flash-D., da ein verhältnismäßig großer Teil des Zulaufs (etwa 30–60% bei Rohöl od. Teer) als undestillierbarer Rückstand in flüssiger Form anfällt.

Für die Chemie u. die chem. Ind. zählen heute destillative *Trennverfahren zu den wichtigsten Arbeitsgängen zur Isolierung u. Reinigung chem. Verbindungen. Die Ergebnisse dieser Trennungen werden beeinflußt:
1. von den Eigenschaften der zu trennenden Gemische (erforderliche Trennstufenzahl u. Wahl des günstigsten D.-Verf.); – 2. von den Kenngrößen für den Stoff- u. Wärmeaustausch (Dampfdrücke, Dichten, Viskositäten, Oberflächenspannungen, Flüchtigkeiten, Verdampfungs- u. spezif. Wärmen u. Wärmeleitfähigkeiten unter den herrschenden Betriebsbedingungen); – 3. von den Betriebsbedingungen wie z.B. Rücklaufverhältnis, D.-Temp. u. Druck (im Hinblick auf den zur Trennung erforderlichen Energieaufwand); – 4. von der Anlagenschaltung (im Hinblick auf Durchlaufzeit u. das therm. Verhalten der zu trennenden Gemische); – 5. von der Wirksamkeit der verschiedenen Kolonnentypen (im Hinblick auf das Grenzflächenverhalten der zu trennenden Mischungen); – 6. von der apparativen Ausgestaltung der Trennapparaturen (im Hinblick auf Wirksamkeit, Durchsatz u. Belastungsbereich).

Bei industriellen Anlagen müssen diese Einflußgrößen so eingestellt werden, daß für den Gesamtprozeß ein wirtschaftliches Optimum resultiert. Angesichts der Mannigfaltigkeit der zu berücksichtigenden Gesichtspunkte zur Auswahl der günstigsten D.-Apparatur ist eine große Zahl von Apparaten für die D. u. Rektifikation im Labor, Technikum u. Betrieb auf dem Markt, die sich auf drei Grundtypen zurückführen lassen, nämlich: Bodenkolonnen, Sprühkolonnen u. Benetzungssäulen od. Oberflächenrektifikatoren.

Auf den Böden von Bodenkolonnen mit Glocken, Siebplatten, Gitterrosten, Ventilen od. ä. Einrichtungen für den Dampfdurchgang (s. Abb. 4 u. Kolonnen) wird die durch den Überlauf in ihrer Höhe begrenzte zusammenhängende Flüssigkeitsphase von der unzusammenhängenden Gasphase als *Blasen durchdrungen, die sich anschließend mit der darüber befindlichen geschlossenen Gasphase wieder vereinigen. Der in die Bodenflüssigkeit eintretende, vom nächsttieferen Boden aufsteigende Dampf bewirkt dabei eine starke Durchmischung der Bodenflüssigkeit, die zu gutem Stoff- u. Wärmeaustausch zwischen den Phasen führt. Bodenkolonnen werden heute mit Durchmessern von wenigen Zentimetern im Laboratorium bis zu 12 m in der Ind. mit prakt. Bodenzahlen bis über 200 eingesetzt. Zur Theorie der Bodenkolonnen s. Lit.[2].

Bei Sprühkolonnen wird im Gegensatz zu den Bodenkolonnen die geschlossene Gasphase von einer zerteilten Flüssigkeitsphase durchsetzt. Zu dieser Gruppe zählen sowohl die verschiedenen Kolonnen mit rotierenden Einbauten (z.B. Drehbandkolonnen) als auch Kolonnen, bei denen die zur Flüssigkeitszerteilung erforderliche kinet. Energie von außen z.B. über Pumpen zugeführt od. den aufsteigenden Dämpfen entzogen wird (z.B. die Spraypak-Kolonne).

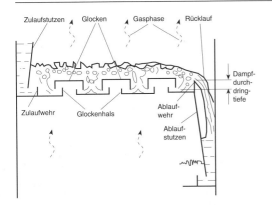
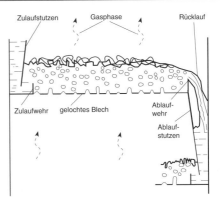

Abb. 4: Schema u. Photographie eines Glockenbodens (links) u. Siebbodens (rechts) einer Rektifikationskolonne.

Zu den *Oberflächenrektifikatoren* od. *Benetzungssäulen* zählen sowohl die *Füllkörpersäulen* mit Schüttfüllungen od. systemat. geordneten *Kolonneneinbauten als auch die sog. *Rieselsäulen*. Bei den Benetzungssäulen existieren im Unterschied zu den Bodenkolonnen zwei geschlossene Phasen, die sich gegeneinander bewegen, ohne sich gegenseitig vollständig zu durchdringen. Dabei findet Stoffaustausch zwischen den beiden gegenläufigen Phasen durch *Diffusion an der Grenzschicht Dampf-Flüssigkeit statt. Bei den Rieselsäulen bewegt sich ein durch sog. *Flüssigkeitsverteiler aufgegebener, sowohl über den Kolonnenquerschnitt als auch über die Kolonnenlänge gleichmäßig dicker Flüssigkeitsfilm an einem ebenso gleichmäßig ausgebildeten, aufsteigenden ein- od. mehrteiligen Dampfstrom vorbei abwärts, ohne daß sich die beiden Phasen an irgendeiner Stelle gegenseitig durchdringen. Rieselkolonnen weisen geringen Druckverlust auf u. werden meist unter Bedingungen eingesetzt, bei denen Dampfdrücke über 1 kPa aus therm. Gründen nicht vertretbar sind. In Füllkörpersäulen mit Schüttfüllungen ist der sich über die *Füllkörper ausbreitende Flüssigkeitsfilm über Querschnitt u. Länge sowie zeitlich ungleichmäßig. Die Trennwirkung von Füllkörper- u. Rieseleinbauten hängt sehr stark von ihrer Form, Abmessung sowie den Betriebsbedingungen ab. Für unterschiedliche Formen s. die Abb. bei Füllkörper.

Gemische mit idealem od. nahezu idealem Gleichgew.-Verhalten lassen sich meist ohne große Schwierigkeiten durch einen einfachen Rektifikationsvorgang trennen, sofern sie nicht, wie es bei Isotopen u. häufig auch bei Isomeren der Fall ist, allzu eng beieinander sieden.

Nähert sich die Gleichgewichtskurve asymptot. der Diagonalen (Abb. 1, 3 b u. 3 d, S. 915), so erfordert die Trennung eines solchen Gemisches auch bei relativ großer Siedespanne ungewöhnlich große theoret. Bodenzahlen. Liegen bei den zu trennenden Gemischen azeotrope Punkte vor, so läßt sich durch einfache D. od. Rektifikation jeweils nur *eine* Komponente rein gewinnen, während die zweite zusammen mit der ersten als konstant siedendes Gemisch od. Azeotrop anfällt (Abb. 1, 3 a u. 3 e, S. 915). Da die Lage des azeotropen Punktes ebenso wie des Dampf-Flüssigkeits-Phasengleichgew. druckabhängig ist, lassen sich bei Gemischen mit azeotropem Punkt beide Komponenten auch dadurch gewinnen, daß man sie bei verschiedenen Drücken destilliert. Hierauf beruht z. B. ein Verf. zur Entwässerung von Ethanol (s. Azeotrope). Die Veränderung des Phasengleichgew. u. die Verschiebung des azeotropen Punktes unter dem Einfluß des Druckes ist darin begründet, daß mit einer Druckänderung gleichzeitig auch die Anziehungskräfte zwischen den gleich- u. verschiedenartigen Mol. unterschiedlich beeinflußt werden.

Für viele Gemische ist aus Stabilitätsgründen od. aus wirtschaftlichen Erwägungen der oben aufgezeigte Weg der Druckänderung nicht gangbar. Bei solchen

Gemischen muß man die *zwischenmolekularen Kräfte durch Zusätze beeinflussen, die auf die zu trennenden Komponenten verschieden stark, also selektiv, einwirken. Hierauf basieren die Verf. der extraktiven D. bei flüssigen sowie der Lösungs-D. bei festen Zusatzstoffen.

Bei der *extraktiven D.* soll durch die Zugabe eines selektiv wirkenden Stoffes das Verhältnis der Dampfdrücke der Komponenten des zu trennenden Gemisches vergrößert werden. Dabei sind an den Zusatzstoff folgende Anforderungen zu stellen: Der Zusatzstoff soll mit den Komponenten keine azeotropen Gemische bilden, er muß sich von dem Gemisch bzw. von dem Partner des Gemisches leicht abtrennen lassen, er soll möglichst spezif. auf eine Komponente wirken. Als Zusatzstoffe werden meist nur Flüssigkeiten mit einem wesentlich höheren Siedepunkt als dem der abzutrennenden Komponente verwendet. Die extraktive D. wird bevorzugt bei der Abtrennung von Aromaten aus petrochem. Produkten praktiziert. Ebenso wie bei der D. azeotroper Gemische sind auch für die extraktive D. eines Zweistoffgemisches zwei Trennvorgänge mit zwei getrennten Apparaturen erforderlich. Das Verhältnis der Dampfdrücke kann auch dadurch verändert werden, daß man in dem zu trennenden Gemisch ein Salz löst (*Aussalzen*), wobei der gelöste Stoff bevorzugt auf die eine Komponente wirkt. Hierauf beruht ein früher techn. genutztes Verf. zur Alkohol-Entwässerung. Nicht zu den Verf. der extraktiven D. gehört das der sog. *Destraktion.

Spezielle D.-Verf. sind die Trägerdampf- u. die Reaktionsdestillation. Der *Trägerdampf-D.* bedient man sich hauptsächlich in Form der *Wasserdampfdestillation, um entweder mit dem Dampf flüchtige Verb. insgesamt von den nicht flüchtigen z. T. festen Stoffen abzutrennen od. um die bei der Wasserdampf-D. herrschenden niedrigen Siedetemp. auszunutzen. Bei der *Reaktions-D.* wird die Trennung dadurch erleichtert, daß man in od. vor der Apparatur eine Reaktion mit einem Gemischpartner ablaufen läßt. Die Reaktions-D. eignet sich aber nicht nur zur Entfernung einer Komponente durch eine Reaktion. V. a. kommt sie auch für den Ablauf von Gleichgewichtsreaktionen in Betracht wie Veresterungen, Dehydratisierungen, katalyt. Reaktionen usw., bei denen durch die laufende destillative Entfernung eines od. mehrerer Reaktionspartner (sog. *Auskreisen*) die Lage des *chemischen Gleichgewichts nach einer Seite hin verschoben wird. Damit liegen die günstigsten Bedingungen für einen vollständigen Reaktionsumsatz vor; Beisp.: *Meerwein-Ponndorf-Verley-Reduktion u. *Oppenauer-Oxidation.

Als bes. destillatives Trennverf. sei noch die sog. *Kurzweg-D.* erwähnt (Abb. 5), die fälschlicherweise oft auch als *Molekular-D.* bezeichnet wird. Es handelt sich hier um ein Verf. der Geradeaus-D. mit außerordentlich kurzen u. möglichst geradlinig verlaufenden Wegen in der Größenordnung weniger cm zwischen Verdampfer- u. Kondensatorflächen, wobei die Verdampfung aus der Oberfläche eines möglichst dünnen Flüssigkeitsfilmes heraus erfolgt. Dieses Verf. wird hauptsächlich für die destillative Zerlegung hochmol. u. therm. empfindlicher Flüssigkeitsgemische wie z. B.

Vitaminkonzentraten eingesetzt. Es wurde 1916/17 von *Langmuir theoret. begründet u. erlangte bes. durch die Arbeiten von Hickman große techn. Bedeutung.

Abb. 5: Kurzweg-Destillationsapparatur.

Bei der *Zersetzungs-D.*, zu der die sog. *trockene D.* z. B. des Holzes u. der Kohle, d. h. die *Schwelung, ebenso gehört wie das therm. *Kracken des Erdöls, handelt es sich im Sinne der anfangs gegebenen Definition nicht um einen D.-Vorgang, sondern um eine *Pyrolyse. Das meist hochmol. Ausgangsprodukt wird nämlich durch die Wärmezuführung nicht verdampft, sondern teilw. in niedermol. Verb. therm. zersetzt, die anschließend teils kondensiert flüssig od. auch als Gase techn. Verw. finden. Als Rückstände verbleiben Holzkohle, Koks, Ruß od. Peche.

Geschichte: Man kann davon ausgehen, daß die Kunst des Destillierens bereits vor 5000 Jahren bekannt war. Eine Blütezeit erlebte sie im Mittelalter; das seinerzeitige Standardwerk war das „Große Destillierbuch" des Hieronymus Brunschwig von 1507 (Nachdruck 1973 bei Karger, Basel). Näheres zur Geschichte der D. s. Lit.[3]. Abb. von mittelalterlichen Destillierapparaturen finden sich in Lit.[4]. – $E = F$ distillation – *I* distillazione – *S* destilación

Lit.: [1] Winnacker-Küchler (4.) **1**, 182 ff. [2] Chem. Tech. (Leipzig) **30**, 80–84 (1978); Chem. Tech. **7**, 519–522 (1978). [3] Chem. Ing. Tech. **31**, 365–378 (1959); GIT Fachz. Lab. **11**, (1967); Schelenz, Zur Geschichte der pharmazeutisch-chemischen Destilliergeräte, Hildesheim: Olms 1964. [4] Pharm. Unserer Zeit **1**, 26–30 (1972).

allg.: Billet, Industrielle Destillation, Weinheim: Verl. Chemie 1973 ■ Brauer (3.) **1**, 110 ff. ■ Fortschr. Verfahrenstech. **15**, 175–195 (1977) ■ Kirk-Othmer (3.) **3**, 352–377; **7**, 849–891 ■ Sattler, Thermische Trennverfahren, Weinheim: VCH Verlagsges. 1995 ■ Ullmann (5.) **B 3**, 4-1 ff. ■ Vauck u. Müller, Grundoperationen chemischer Verfahrenstechnik, Weinheim: Verl. Chemie 1982 ■ Weiß et al., Thermische Verfahrenstechnik, Bd. 1, Leipzig: Grundstoffind. 1978 ■ Winnacker-Küchler (4.) **1**, 180 ff. ■ s. a. chemische Technologie, Rektifikation, Trennverfahren, Trenntechnik.

Destilliertes Wasser (latein.: aqua destillata). Bei der *Destillation des Wassers entweichen die in ihm gelösten Gase, u. gelöste Substanzen verbleiben als fester Rückstand im Destilliergefäß. Das in der Vorlage enthaltene Wasser besitzt einen Reinheitsgrad, der für die meisten Zwecke im Laboratorium od. Betrieb ausreichend ist. Durch nochmalige Dest. erhält man das sog. *bidestillierte* Wasser (aqua bidest.). Durch Kombination von Ionenaustausch u. wiederholter Dest. unter Verw. von Geräten aus Quarz u. Edelmetallen läßt sich sehr reines Wasser herstellen, unter Hinzuziehung weiterer Meth. auch sog. Pyrogen-freies Wasser u. „Leitfähigkeitswasser". Zur Reinheitsprüfung s. *Lit.*[1]. Die Einverleibung größerer Mengen an d. W. ist gefährlich, da aufgrund osmot. Effekte Zellschädigungen eintreten können. – *E* distilled water – *F* eau distillée – *I* acqua distillata – *S* agua destilada

Lit.: [1] DAB 10.
allg.: Ullmann (4.) **13**, 332–336; (5.) **A 14**, 418–422 ▪ Winnacker-Küchler (4.) **3**, 543–552. – *[HS 285100]*

Destimulatoren s. Inhibitoren.

Destraktion. Bez. für *Extraktion mit überkrit. Gasen. Die D. beruht darauf, daß verdichtete Gase ($T > T_{kr}$) od. kompressible Flüssigkeiten ($T < T_{kr}$) oft hohes Lösungsvermögen für bestimmte Stoffe aufweisen. Als D.-Mittel eignen sich z. B. CO_2, Ethylen, Propan, Ammoniak, Distickstoffdioxid u. andere Gase sowie niedrig siedende Flüssigkeiten, die sich in einen überkrit. Zustand überführen lassen. Die D. läßt sich einsetzen zur Extraktion von Naturstoffen (z. B. zur Entcoffeinierung von Kaffee), von Kohlenwasserstoffen (z. B. des Erdöls[1]), in der *Gaschromatographie u. bei vielen anderen Stofftrennungen. – *E* supercritical fluid extraction – *F* destraction – *I* distrazione – *S* destracción

Lit.: [1] Angew. Chem. **90**, 747–802 (1978).
allg.: Dtsch. Bunsenges. (Hrsg.) Brunner, Gas Extraction, Topics in Physical Chemistry, Phys. Chem., Darmstadt: Steinkopff; New York: Springer 1994 ▪ s. a. Trennverfahren.

Destruenten (Zersetzer, Reduzenten, Dekomponenten). Organismen, die sich von toten Lebewesen, Abfällen (Laub, Exkremente etc.) u. unter Umständen den begleitenden Mikroorganismen (saprotroph) ernähren, dabei Biomasse aufschließen u. als Mineralisierer organ. Substanz in anorgan. überführen. Als Saprophagen werden Tiere (seltener Pflanzen, dafür gebräuchlich: Saprophyten) bezeichnet, die als D. leben; oft werden auch die *Koprophagen u. die *Nekrophagen von den eigentlichen Saprophagen abgetrennt. Im Unterschied zu D. leben Herbivoren (Pflanzenfresser) von (lebender) Phytomasse. Pflanzenfresser u. D. schließen die gesamte Nettoproduktion der Pflanzen auf, ca. 60 Mrd. t organ. gebundener Kohlenstoff pro Jahr. Je nach Ökosyst. gehen 40% bis über 90% der Nettoprimärproduktion in den *Detritus. Im Meer unterscheidet man D., die schwebenden Detritus aufnehmen (Sestonophagen), von denen, die abgelagerte Sedimente verzehren (Geophagen). Im Süßwasser sind v. a. Bakterien, im Boden in gemäßigten Breiten auch Regenwürmer, in den Tropen Termiten als D. bedeutsam. Die Abbaugeschw. von Biomasse hängt nicht nur von ihrer chem. Zusammensetzung ab, sondern wird u. a. durch die Lebensbedingungen der D., wie Temp., Feuchtigkeit, Nährstoffverfügbarkeit, Biotopstruktur u. Ökomone (s. Pheromone) bestimmt. – *E* destruents, decomposers, reducers – *F* réducteurs – *I* distruenti – *S* destruyentes

Lit.: Römpp Lexikon Umwelt, S. 185.

Destruxine. Cycl. Depsipeptide (s. Peptolide) aus *Metarrhizium anisopliae* u. *Oospora destruktor* (Hyphomycetes) mit insektizider Wirkung. D. unterstützen die Parasitierung von Insekten durch *Metarrhizium anisopliae.* – *E* destruxins – *F* destruxines – *I* destruxine – *S* destruxinas

Lit.: Biochim. Biophys. Acta **1126**, 41–48 (1992) ▪ Insect Biochem. Mol. Biol. **23**, 43–46 (1993) ▪ Toxicon **28**, 1249–1254 (1990).

Desulfurierung s. Entschwefelung.

DESY. Abk. für die 1959 gegr. *Großforschungseinrichtung *D*eutsches *E*lektronen-*Sy*nchrotron für physikal. Grundlagenforschung in 22607 Hamburg, Notkestraße 85, das 1450 Mitarbeiter beschäftigt, u. Mitglied der HGF (s. AGF) ist; Etat: 287 Mio. DM (1996). Seit dem 1.1.1992 ist das Inst. für Hochenergiephysik in Zeuthen ein Teilinst. von DESY. Der Auftrag von D. ist die naturwissenschaftliche Grundlagenforschung mit den beiden Schwerpunkten: Untersuchung der fundamentalen Eigenschaften der Materie in der Teilchenphysik sowie die Nutzung der Synchrotronenstrahlung in Oberflächenphysik, Materialwissenschaften, Chemie, Molekularbiologie, Geophysik u. Medizin. – INTERNET-Adresse: http://info.desy.de

Desyl... Gelegentlich verwendete Bez. für die Atomgruppierung $-CH(C_6H_5)-CO-C_6H_5$, leitet sich ab vom Desoxybenzoin, s. Benzoin. Systemat. Bez.: 2-Oxo-1,2-diphenylethyl... – *E* desyl... – *F* désyl(e)... – *I* = *S* desil...

Detachiermittel s. Fleckentfernung.

Detachur (von französ.: tache = Fleck). Unter D. versteht man einen Arbeitsgang beim *Chemisch-Reinigen, der die sachgerechte Behandlung entfernbarer Flecken vor od. nach der Grundreinigung betrifft. – *E* stain removal – *F* détachage – *I* distaccamento di sfarinato – *S* quitado de manchas

Lit.: s. Chemisch-Reinigen.

Detal-Verfahren. Festbett-Technologie zur katalyt. Alkylierung von Benzol mit *n*-Olefinen, vorzugsweise der Kettenlänge C_{10} bis C_{14}, zur Herst. von linearem Alkylbenzol (LAB). Das D.-V. kommt ohne *Flußsäure od. *Aluminiumchlorid aus, die Korrosionen verursachen, u. liefert bes. reines LAB für die *Sulfonierung zu linearem *Alkylbenzolsulfonat. – *E* Detal process

Lit.: Proc. 4th World Surfactants Congr., Barcelona, 3.–6. Juni 1996, Bd. 1, S. 177.

Detektoren. Von latein.: detegere = aufdecken, entdecken abgeleitete Bez. für 1. Kristall-Gleichrichter in der Hochfrequenztechnik; – 2. Nachweisgeräte für *ionisierende Strahlung (Strahlungsmeßgeräte) u./od. geladene Teilchen. – 3. In der *Chromatographie Bez. für Geräte, die den Austritt einer abgetrennten Fraktion aus der Säule bei der *Gas- od. *Flüssigkeitschromatographie anzeigen. *Gaschromatograph. Detektoren*[1] sind: Flammenionisationsdetektor (FID), Wärmeleitfähigkeitsdetektor (WLD), Photoionisationsdetektor (PID), Elektronen-Einfang-D. (ECD), Thermoion. D. (TID), Flammenphotometr. D. (FPD), Hall-D. (HECD) u. Thermal Energy Analyser (TEA). Als *Flüssigkeitschromatographie-Detektoren*[2] werden überwiegend Ultraviolett-(UV)-D., Brechungsindexdifferenz-D. (Refractive Index = RI-D.), Fluoreszenz- sowie Leitfähigkeitsdetektoren eingesetzt. Werden z. B. FT-IR-Spektrometer od. Massenspektrometer u. a. als D. herangezogen, so spricht man von Kopplungstechniken. Hierbei werden im allg. eigenständige Trennmeth. mit eigenständigen Nachweismeth. ge-

Detergentien

koppelt, wobei sich die Eigenschaften der jeweiligen Meth. verbessern. – *E* detectors – *F* détecteurs – *I* detettori – *S* detectores

Lit.: [1] Dressler, Selective Gas Chromatographic Detectors, Amsterdam: Elsevier 1986; Pure Appl. Chem. **61**, 1147 (1989). [2] Young (Hrsg.), Detectors for Liquid Chromatography, New York: Wiley 1986.
allg.: Birks (Hrsg.), Chemiluminescence and Photochemical Reaction Detection in Chromatography, Weinheim: VCH Verlagsges. 1989 ▪ McMinn u. Hill, Detectors for Capillary Chromatography, Chemical Analysis Series 121, New York: Wiley 1992 ▪ Schwedt, Analytische Chemie, S. 336 ff., 357 ff., Stuttgart: Thieme 1996.

Detergentien. Sammelbez. für *Wasch- u. *Reinigungsmittel, in neuerer Zeit im dtsch. Sprachraum häufiger nur für – techn. – Reinigungsmittel od. grenzflächenaktive Additive z. B. in Motorölen im Gebrauch, daneben oft auch als – falsches – Synonym für *Tenside, die ihrerseits nur Bestandteil von D. sind. – *E* detergents – *F* détergents – *I* detergenti – *S* detergentes

Determann, Helmut (geb. 1932), Mitglied der Geschäftsführung der Boehringer Mannheim GmbH. Honorarprof., Univ. Frankfurt. *Arbeitsgebiete:* Polymerchemie, Peptidchemie, Enzymchemie, Trennmethoden.
Lit.: Kürschner (16.), S. 571 ▪ Wer ist wer, S. 229.

Determinanten s. Antigene.

Deterrentien. Von latein.: detereo = abschrecken, abbringen, abhalten, hergeleitete Bez. für *Repellentien. – *E* deterrents – *I* deterrenti – *S* deterrentes
Lit.: Schlee (2.), S. 273–285.

Detia®. Marke für Schädlingsbekämpfungsmittel gegen Schädlinge im Haus (Fliegen, Motten, Ameisen, Mäuse, Ratten usw.) u. für Präp. zur Blumenpflege (Blumendünger u. Pflanzenspray) u. zur Gartenpflege (Mittel gegen Schadinsekten, Pilzkrankheiten, Schnecken, Unkräuter u. Moos). *B.:* Detia Freyberg.

DETIA. Kurzbez. für die DETIA-DEGESCH GmbH. Vertrieb von Schädlingsbekämpfungsmitteln. *Daten* (1994): 320 Beschäftigte, 4 Mio. DM Stammkapital.

Detia Freyberg. Kurzbez. für die 1979 gegr. Detia Freyberg GmbH, 69514 Laudenbach. Vertrieb von Vorratsschutz-, Schädlingsbekämpfungs- u. Pflanzenschutzmitteln sowie Tierpflegeprodukten. Zur Unternehmensgruppe gehören: *DETIA-DEGESCH GmbH, DEGESCH GmbH, Deutsche Gesellschaft für Schädlingsbekämpfung mbH. *Daten* (1994 für die Unternehmensgruppe); ca. 450 Beschäftigte, ca. 100 Mio. DM Umsatz.

Detimedac®. Trockensubstanz zur Infusion mit dem *Cytostatikum *Dacarbazin-Citrat gegen maligne Melanome, Sarkome, Lymphome u. a. Tumoren. *B.:* medac.

Detmol®. Mittel zur Schädlingsbekämpfung in Räumen (Emulsions- u. Suspensionskonzentrate zur Wasserverdünnung, Lacke, gebrauchsfertige Lsg. u. Aerosole) auf der Basis von Pyrethroiden, Organophosphaten, Carbamaten, Chlorkohlenwasserstoffen usw. *B.:* Frowein GmbH & Co.

Detmolin®. Gebrauchsfertige Kaltnebelpräp. (ULV) zur Bekämpfung von Schadinsekten speziell in Großräumen, auf der Basis von natürlichem *Pyrethrum, Organophosphaten usw. *B.:* Frowein GmbH & Co.

DET MS®. Kapseln, Lsg., Tabl. u. Ampullen mit *Dihydroergotamin-Mesilat gegen Hypotonie u. Migräne. *B.:* Rentschler.

Detonation (von latein.: detonare = losdonnern). Bez. für eine *Explosion, die sich mit einer *Stoßwelle ausbreitet. In D. werden Geschw. zwischen 1 u. 10 km/s, Temp. von 2500 °C bis 6000 °C u. Drücke bis zu $3 \cdot 10^{10}$ Pa in der *Stoßwelle erreicht. Bei explosiven Gasgemischen erreicht die Verbrennungsgeschw. anfangs oft nur einige m/s. Da sich die Gase in der Verbrennungszone erhitzen u. ausdehnen, bildet sich eine Druckwelle aus, die sich in das unverbrannte Gas bewegt. In ihr erfolgt die Zündung der unverbrannten Gase nicht mehr durch Wärmeleitung u. Diffusion von Radikalen, sondern durch stoßartige Druckübertragung mit sehr hoher, konstanter Grenzgeschw. (Stoßwellen): es findet eine D. statt. Bei genügend großen Anlaufstrecken können viele explosive Gasgemische beim Abbrennen (vgl. Deflagration) in D. übergehen. Weil die D. infolge ihrer gewaltigen Ausbreitungsgeschw. viel heftiger wirkt als die gewöhnliche Gasverbrennung, sind z. B. die Zerstörungen bei *Schlagwettern nicht an der Zündstelle, sondern in größerer Entfernung am stärksten. Detonierende Stoffe wirken nicht mehr „langsam" schiebend, sondern zerschmetternd auf ihre Umgebung u. eignen sich daher bes. als *Sprengstoffe. Unter den festen *Explosivstoffen kann man die sog. *Initialsprengstoffe (Bleiazid, Knallquecksilber) durch Stoß od. Erwärmung leicht zur D. bringen, während z. B. Ammonsalpeter-Sprengstoffe, Pikrinsäure, Trinitrotuluol u. andere Explosivstoffe erst unter Einwirkung von Initialsprengstoffen detonieren. – *E* detonation – *F* détonation – *I* detonazione – *S* detonación

Lit.: Meyer, Explosivstoffe (6. Aufl.), S. 70–80, Weinheim: Verl. Chemie 1985 ▪ Ullmann (4.) **21**, 641 f.; (5.) **A 10**, 146 ▪ Williams, Combustion Theory, S. 182–228, Menlo Park: The Benjamin/Cummings Publishing Company 1985 ▪ Winnacker-Küchler (4.) **7**, 348 f. ▪ s. a. Explosivstoffe, Sprengstoffe u. Stoßwellen.

Detonationsfähigkeit s. Explosivstoffe.

Detonationsgeschwindigkeit (Explosionsgeschw.) s. Explosivstoffe.

Detonationsspritzen s. Flammspritzen.

Detoxifikation s. Entgiftung.

Detritus (von latein.: detritus = abgerieben, abgeschliffen). Bez. für – meist im Wasser als *Schwebstoffe suspendiert – feinste Teilchen aus dem natürlichen Zerfall anorgan. u. organ. Materie; in der Geologie für Gesteinsschutt. In der Abwasseranalytik wird mit D. der überwiegend aus Organismenresten bestehende Anteil der Schweb- u. Sinkstoffe bezeichnet, in der Ökologie zerkleinerte tote organ. Substanz. – *E* detritus – *F* détritus – *I* = *S* detrito
Lit.: Römpp Lexikon Umwelt, S. 185.

Deuterierte Verbindungen. Sammelbez. für *markierte Verbindungen, in denen ein, mehrere od. alle Wasserstoff-Atome durch *Deuterium ersetzt sind; *Beisp.*: D_2SO_4 (Deuteroschwefelsäure), $CDCl_3$ (Deuterochloroform, Chloroform-d), C_6H_5D (Deuterobenzol, Benzol-d), C_6D_6 (Hexadeuterobenzol, Benzol-d$_6$), $CH_2D-CHDOH$ (Ethanol-1,2-d$_2$)[1]. Die Benennung der d. V. kann in der gezeigten Weise mit dem Präfix *Deutero...* od. durch Anfügen von *d, ggf. mit Stellungsbez. u. Indexziffer erfolgen (sog. *Boughton-System von Chemical Abstracts). Nach den IUPAC-Regeln der Sektion H sind die Verb. jedoch als C^2HCl_3 ([^2H]Chloroform), $C_6{}^2H_6$ ([$^2H_6$]Benzol) bzw. $CH_2{}^2H-CH^2H-OH$ ([1,2-$^2H_2$]Ethanol) zu bezeichnen.

Zur Herst. der d. V. bedient man sich meist sog., auf *Isotopie-Effekten beruhender *Austauschreaktionen, im Fall des H/D-Austausches oft auch *Scrambling* (durcheinanderrühren) genannt, wobei gasf. D_2 in Ggw. von Katalysatoren bei erhöhter Temp. auf die organ. Verb. einwirkt. Diese Meth. entspricht der *Wilzbach-Technik* bei der Tritiierung. Weitere *Deuterierungs-*Verf. machen Gebrauch von Umsetzungen mit *Deuteriumoxid, Red. mit Deuterium-haltigen Reduktionsmitteln usw. od. der Photolyse von organ. Halogen-Verb. in CD_3OD[2]. Die d. V. haben meist niedrigere Schmelzpunkte (Ausnahme D_2O) sowie andere Dampfdrücke, Schmelz- u. Verdampfungswärmen als die entsprechenden ^1H-Verbindungen.

Verw.: Zur Aufklärung von Reaktionsabläufen u. -Mechanismen, wobei die Analyse der d. V. massenspektrometr., NMR-spektroskop., ggf. auch infrarotspektroskop. vorgenommen werden kann. In der Biochemie dienen d. V. als *Tracer. Als Ausgangsmaterialien für die Herst. der d. V. kommen neben D_2 die anorgan. *Deuterium-Verb.* wie Deuteriumoxid (D_2O), Deuteriumbromid (DBr), Ammoniak-d$_3$ (ND_3, Trideuteroammoniak) u.a. in Frage (zur Herst. s. Brauer, *Lit.*), die daneben ebenso wie viele perdeuterierte organ. Verb. als Lsm. bes. in der NMR-Spektroskopie Verw. finden, da D infolge seines – im Vgl. zum Proton – wesentlich kleineren magnet. Moments im Protonenresonanzspektrum kein Signal erzeugt. Näheres zu allg. physikal. u. physiolog. Eigenschaften on d. V. s. bei Deuterium u. Deuteriumoxid. – *E* deuterated compounds – *F* composés deutérés – *I* composti deuterati – *S* compuestos deuterados

Lit.: [1] Pure Appl. Chem. **51**, 353 (1979); [2] ZfI-Mitt. (Leipzig) **150**, 297–309 (1989).
allg.: Brauer (3), **1**, 137–155 ▪ J. Labelled Compd. Radiopharm. **36**, 281–288 (1995); **33**, 431–438 (1993) ▪ s. a. markierte Verbindungen, Wasserstoff.

Deuterierung s. deuterierte Verbindungen.

Deuterio... (im Deutschen auch *Deutero...*). Bez. für *Deuterium als Substituent in chem. Verb.; die IUPAC-Regeln H-2.1 u. R-8.2.2 bevorzugen (^2H)... (s. markierte Verbindungen); Chem. Abstr. benutzt kursives ...-*d* (*Boughton-System) ohne Unterschied für Substitution u. Markierung; *Beisp.*: 1-Deuterioethanol = (1-$^2H_1$)Ethanol = Ethan-1-d_1-ol = CH_3–CHD–OH.

Deuteriochloroform. $CDCl_3$, M_R 120,38, Schmp. –64 °C, Sdp. 60 °C. Vielfach verwendetes Lsm. für die NMR-Spektroskopie; s. a. Chloroform bei den Chlor-

methanen. – *E* deuterio-chloroform – *F* deutéro-chloroforme – *I* deuteriocloroformio – *S* deuterocloroformo – [CAS 865-49-6; G 6.1]

Deuterium (von griech.: deuteros = der Zweite), chem. Symbol D od. (systemat.) ^2H. Stabiles, natürliches Isotop des *Wasserstoffs, M_R 2,02. Gewöhnlicher Wasserstoff ist ein Gemenge aus 99,985 Mol-% H u. 0,015 Mol-% D, u. das gleiche Verhältnis gilt auch für alle natürlichen Verb. des Wasserstoffs; neben H_2 u. D_2 gibt es auch HD-Molekeln. Der im Wasserdampf der Venusatmosphäre gebundene Wasserstoff enthält 1,6% D[1]. Während sich die *Isotope der meisten Elemente höchstens um 10 Gew.-% voneinander unterscheiden, ist D aufgrund seines Mehrgehalts von 1 Neutron etwa doppelt so schwer wie H. Daher treten hier ziemlich deutliche physikal. u. physikal.-chem. Unterschiede (*Isotopie-Effekte) zutage, die auch zu seiner Entdeckung führten: Der amerikan. Nobelpreisträger *Urey entdeckte 1931 im Wasserstoff-Spektrum zwei sehr schwache Linien, deren Lage mathemat. erfaßt werden konnte, wenn man in die Formel für die ungewöhnlichen sog. Balmer-Linien den doppelten Massenwert für H einsetzte. Seither wird D auch als *schwerer Wasserstoff* bezeichnet. D. ist ebenso wie Wasserstoff u. *Tritium ein farbloses Gas mit (in Klammern Daten für $^1H_2$ zum Vgl.) D. (flüssig) 0,162 (0,07097), Schmp. 18,72 K (13,947 K), Sdp. 23,57 K (20,384 K). Ebenso wie $^1H_2$ zeigt auch $^2H_2$ *Ortho-Para-Isomerie; bei 20 °C ist das *o/p*-Verhältnis 2:1 (bei $^1H_2$ ist es 3:1). Das magnet. Moment des D. ist wesentlich kleiner als das des Wasserstoffs. D. zeigt grundsätzlich die gleichen chem. Reaktionen wie Wasserstoff, doch sind die Reaktionsgeschw. u. die Einstellung der Gleichgew. oft deutlich verschieden. So reagiert z.B. ein Knallgas aus D_2 u. O_2 bei 180 °C (Nickel als Katalysator) in der 2,5fachen Zeit wie gewöhnliches Knallgas aus $^1H_2$ u. O_2. Die *Diffusion verläuft bei D_2 infolge des höheren Gew. etwas langsamer als bei $^1H_2$. Geringere, wenn auch noch meßbare Unterschiede lassen sich bei den *deuterierten Verbindungen feststellen. Eine der wichtigsten D.-Verb. ist das sog. *schwere Wasser* od. *Deuteriumoxid von der Formel D_2O. Baut man D als *Leitisotop* (vgl. markierte Verbindungen) in eine organ. Verb. ein, so läßt sich der Weg dieses Stoffes in Organismen genau verfolgen; auf diese Weise kann man biol. u. physiolog.-chem. Probleme (z. B. Reaktionsabläufe bei Stoffwechsel- u. Gärungsprozessen) aufklären können.

Herst.: Gasf. D_2 erhält man, wenn reines D_2O mit Natrium ($2Na + 2D_2O \rightarrow 2NaOD + D_2$) od. glühendem Eisen ($Fe + D_2O \rightarrow FeO + D_2$) od. durch *Elektrolyse zersetzt wird. Zum Nachw. u. zur Bestimmung des D eignen sich v. a. *Massenspektrometrie u. *NMR-Spektroskopie.

Verw.: Außer zur Markierung hat D Bedeutung als Füllgas für UV-Quellen in der *Spektroskopie (D.-Lampen), als Geschoß bei *Kernreaktionen (in Form von *Deuteronen) sowie als Ausgangsprodukt für die Gewinnung von thermonuclearer Energie durch Kernfusion (s. thermonukleare Reaktionen). – *E* deuterium – *F* deutérium – *I* = *S* deuterio

Lit.: [1] Lang u. Whitney, Planeten-Wanderer im All, S. 105, Berlin: Springer 1993.

Deuteriumoxid

allg.: Hommel, Nr. 963 ▪ Kirk-Othmer (4.) **8**, 1–30 ▪ Ullmann (5.) **A 13**, 309f.; **A 15**, 1–61 ▪ Young, Hydrogen and Deuterium, Oxford: Pergamon 1981 ▪ s. a. Wasserstoff. – *[HS 2845 90; CAS 7782-39-0; G 2]*

Deuteriumoxid. D_2O od. (systemat.) ^2H_2O, M_R 20,03. Farb- u. geruchlose, wasserähnliche Flüssigkeit, D. (bei 20 °C) 1,1073 (*schweres Wasser*), Schmp. 3,82 °C, Sdp. 101,42 °C; die höchste D. liegt bei 11,2 °C u. nicht bei 4 °C wie beim gewöhnlichen Wasser. Bei 25 °C lösen sich in 100 g H_2O 35,9 g Kochsalz, in 100 g D_2O dagegen nur 30,5 g. D_2O leitet sich von H_2O durch Ersatz der H-Atome durch *Deuterium ab; daneben existiert auch noch die Verb. HDO. Bringt man Verb. mit ionisierbarem Wasserstoff (z. B. Säuren) in D_2O, so wird das H bereits bei 20 °C sehr rasch durch D ersetzt, z. B.

$$HCl + D_2O \rightarrow DCl + HOD$$

Ähnlich werden auch alle 3 H im Ammoniak ausgetauscht, ferner die H von HF, HBr, HI, Wasserstoffperoxid u. von organ. gebundenen OH-Gruppen in Alkoholen, Phenolen u. organ. Säuren. Diese *Austauschreaktion, mit der man viele *deuterierte Verbindungen herstellen kann, wird oft *scrambling* genannt.
Physiologie: Wasser mit 50% D_2O wirkt auf viele Organismen bereits stark wachstumshemmend; in 100%igem D_2O gehen Kaulquappen, kleine Fische u. manche andere Lebewesen rasch zugrunde, weil die normalen Reaktionsgleichgew. im Organismus gestört werden[1]. Mäuse, die Wasser mit 30% D_2O erhalten, werden steril; übrigens vermögen sie zwischen H_2O u. D_2O als Flüssigkeit zu unterscheiden[2]. Die Alge *Scenedesmus obliquus* gedeiht sogar in 99,6%igem D_2O; man konnte aus diesen Algen u. a. Glucose, Chlorophyll u. Carotinoide isolieren, in denen alle H durch D ersetzt waren. Auch Bakterien (*Escherichia coli*) u. Hefe-Arten (*Torula*) lassen sich in 99,6%igem D_2O züchten, wohingegen *Aspergillus niger* in 99% D_2O die Fähigkeit zur Sporenbildung verliert. Natürlich sind die geringen D_2O-Mengen im Leitungs- u. Quellwasser völlig unschädlich; sie betragen im Durchschnitt 0,015 Mol-%, s. Deuterium. Allerdings kann der D_2O-Gehalt mancher Gewässer erniedrigt sein, z. B. im Columbia River (0,0139 Mol-%). Dies findet seine Erklärung wohl darin, daß durch wiederholtes Verdunsten u. erneute Kondensation wenigstens ein Teil des Wassers an D_2O bzw. DHO verarmt, ehe es den Flußlauf erreicht. Dagegen kann der Gehalt an D_2O im Kristallwasser bei *Mineralien od. im Gletschereis höher sein. Derartige Differenzen lassen sich zu Herkunftsbestimmungen von Körperflüssigkeiten, Obstsäften etc. ausnutzen[3]. Auf isolierte Zellen kann D. eine therm. Schutzfunktion ausüben[4].
Herst.: 1933 konnte *Urey durch *Elektrolyse von gewöhnlichem Wasser einige Milliliter reines D_2O herstellen. Schickt man durch dest. Wasser (mit NaOH alkal. u. leitend gemacht) Gleichstrom, so wird das gewöhnliche H_2O an Nickel-Elektroden rasch u. leicht in (gasf.) Wasserstoff u. Sauerstoff zerlegt. Das im gewöhnlichen Wasser befindliche D_2O wird unter obigen Bedingungen dagegen etwas angegriffen, so daß es sich langsamer anreichert. Auf diese Weise kann man z. B. aus 20 L Leitungswasser schließlich 12 mL 99,9%iges D_2O gewinnen. Um Stromkosten zu sparen, elektrolysiert man das etwas D-reichere Wasser aus sehr tiefen Quellen (z. B. in Neuseeland) od. man verwendet Wasser aus techn. *Elektrolyt-Laugen, in denen D. nach längerem Gebrauch bis auf fünffache Konz. angereichert ist. Trotzdem verbraucht man zur Gewinnung von 1 g D_2O etwa 100 kWh. Weitere Verf. zur D_2O-Herst.: Dest. von Wasser bei vermindertem Druck (z. B. 50 °C, 13 kPa), Kombination von Elektrolyse u. Dest., katalyt. Austausch zwischen Wasserstoff u. Wasserdampf od. H_2S u. H_2O, Tieftemperaturdest. von Wasserstoff u. dgl.
Verw.: Schwerwasser-moderierte *Reaktoren benötigen (ggf. 100–200 t) reines D_2O als Kühlmittel u. Neutronen-Bremsmittel. Über Verw. von D_2O s. a. deuterierte Verbindungen. – *E* deuterium oxide, heavy water – *F* oxyde de deutérium, eau lourde – *I* ossido di deuterio, acqua pesante – *S* óxido de deuterio, agua pesada
Lit.: [1]Naturwissenschaften **59**, 123 (1972). [2]Naturwiss. Rundsch. **21**, 343 f. (1968). [3]Belitz-Grosch (4.), S. 772 ff. [4]Naturwissenschaften **64**, 441 f. (1977).
allg.: Gmelin, Syst. Nr. 3, 0, 1964, S. 1820–2024 ▪ Kirk-Othmer (4.) **8**, 3 ff. ▪ Ullmann (5.) **A 15**, 38 ff. ▪ Winnacker-Küchler (4.) **3**, 646 f. ▪ s. a. markierte Verbindungen. – *[HS 2845 10; CAS 7789-20-0]*

Deutero... (von griech.: deuteros = der Zweite). 1. Nichtsystemat. Vorsilbe in den Namen von *deuterierten Verbindungen; systemat. Präfix s. Deuterio... – 2. Vorsilbe für Naturstoff-Namen, die ein später erzeugtes od. entdecktes Derivat dieses Naturstoffs kennzeichnet; *Beisp.:* Deuteroporphyrin. – *E* = *I* = *S* deutero – *F* deutéro

Deuterolyse. In Analogie zu *Hydrolyse geprägte Bez. für eine Reaktion mit *Deuteriumoxid, die ggf. zu *deuterierten Verbindungen führt; z. B.:

$$R-CH_2-Mg-Br \xrightarrow[-MgBr(OD)]{D_2O} R-CH_2-D$$

Deuterolyse einer *Grignard-Verbindung

– *E* deuterolysis – *F* deutérolyse – *I* deuterolisi – *S* deuterólisis

Deuteromyceten s. Fungi imperfecti.

Deuteronen (Deutonen). Einfach pos. geladene Atomkerne des *Deuteriums, die aus einem Proton u. einem Neutron bestehen. D. besitzen den *Spin 1; sie sind somit *Bosonen u. folgen der *Bose-Einstein-Statistik. Die Bindungsenergie von D. beträgt 2,23 MeV. Auf hohe Energien beschleunigt, werden D. zur Auflösung von Kernreaktionen u. zur Erzeugung energiereicher Neutronen eingesetzt. – *E* deuterons – *F* deutérons – *I* deuteroni – *S* deuterones

Deutonen s. Deuteronen.

Deutsche Akademie der Naturforscher Leopoldina (Leopoldina). Die Leopoldina, mit Sitz in 06108 Halle (Saale), August-Bebel-Straße 50a, wurde 1652 in Schweinfurt gegr. u. ist die älteste Akademie Deutschlands mit 1000 Mitgliedern aus 33 Ländern. Sie wird durch Bund u. Länder gemeinsam gefördert; Etat: 2,5 Mio. DM (1995). Hauptaufgabe ist die Förderung der naturwissenschaftlichen, medizin. u. wissenschaftshistor. Forschungen sowie die Vertiefung u. Verbreitung naturwissenschaftlicher Erkenntnisse.

Publikationsorgane: Nova Acta Leopoldina, Acta Historica Leopoldina, Jahrbuch usw.
Lit.: Parthier, Die Leopoldina. Bestand u. Wandel der ältesten deutschen Akademie, Halle (Saale): druckzuck 1994.

Deutsche Akkreditierungsstelle Chemie GmbH s. DACH.

Deutsche-Amphibolin-Werke s. Caparol.

Deutsche Auslegeschrift (DAS) s. Patente.

Deutsche Bunsen-Gesellschaft für Physikalische Chemie. 1894 als Deutsche Elektrochemische Gesellschaft gegr. u. 1902 umbenannte Ges. mit Sitz im *Carl-Bosch-Haus in 60486 Frankfurt/Main, Varrentrappstr. 40–42, die zum Ziel die Pflege u. Förderung der Physikal. Chemie in wissenschaftlicher, techn. u. wirtschaftlicher Hinsicht hat. Die Ges. hatte 1996 ca. 1700 Mitglieder. *Publikationen:* Berichte der Bunsen-Gesellschaft für Physikalische Chemie (Weinheim: VCH Verlagsges., seit 1894), Topics in Physical Chemistry.
Lit.: ACHEMA-Jahrb. **1994**, Bd. 1, A58–A59 ▪ Jaenicke, 100 Jahre Bunsen-Gesellschaft, Darmstadt: Steinkopff 1994.

Deutsche Chefaro. Kurzbez. für die 1972 gegründete Deutsche Chefaro Pharma GmbH. Gesellschafter ist die Akzo Nobel Pharma GmbH. *Daten:* 41 Beschäftigte, 35 Mio. DM Umsatz. *Vertrieb:* Apothekenpflichtige Arzneimittel.

Deutsche EXXON CHEMICAL GmbH, 50451 Köln, eine 100%ige Tochterges. der *ESSO u. Vertretung der *EXXON CHEMICAL. *Daten* (1995): ca. 330 Mitarbeiter, 10 Mio. DM Kapital, ca. 1,1 Mrd. DM Umsatz. *Produktion:* Copolymere (z.B. Ethyl-Vinyl-Acetat, Polyisobutylen, Fumarate); Plastik-Modifikatoren.

Deutsche Forschungsanstalt für Lebensmittelchemie, Stiftung des öffentlichen Rechts, München. 1918 gegr., zu je 50% vom Bund u. dem Land Bayern getragenes Forschungsinst. mit ca. 50 Mitarbeitern, Sitz in 85748 Garching, Lichtenbergstr. 4. Aufgabe der Stiftung ist die Erforschung der chem. Zusammensetzung von Lebensmitteln u. ihre Bewertung. *Publikationen:* Jahresbericht.

Deutsche Forschungsanstalt für Luft- u. Raumfahrt e. V. (DLR). Die Dtsch. Forschungs- u. Versuchsanstalt für Luft- u. Raumfahrt e. V. (DFVLR) wurde 1988 in DLR umbenannt, Sitz in 51147 Köln, Linder Höhe. – INTERNET-Adresse: http://www.dlr.de

Deutsche Forschungsgemeinschaft (DFG). Die aus der erstmals 1920 u. erneut 1949 gegr. „Notgemeinschaft der Deutschen Wissenschaft" hervorgegangene Förderungsorganisation mit Sitz in 53175 Bonn, Kennedyallee 40, Präsident: Prof. W. Frühwald, dient der Wissenschaft in allen ihren Zweigen durch finanzielle Unterstützung von Forschungsvorhaben. Als Selbstverwaltungskörperschaft der dtsch. Wissenschaft, die die wissenschaftlichen Mitglieder ihrer Organe frei wählt, ist die DFG ein eingetragener Verein des bürgerlichen Rechts. Die DFG fördert den wissenschaftlichen Nachwuchs u. die Zusammenarbeit unter den Forschern, berät Parlamente u. Behörden in wissenschaftlichen Fragen u. pflegt die Verbindungen der Forschung zur Wirtschaft u. zur ausländ. Wissenschaft. Außerdem ist sie behilflich bei der Beschaffung von Geräten u. von Lit. für wissenschaftliche Bibliotheken. Die DFG hat 87 Mitglieder, u. a. 64 wissenschaftliche dtsch. Hochschulen, 7 Akademien der Wissenschaften, wissenschaftliche Verbände u. Forschungseinrichtungen wie *Max-Planck-Gesellschaft u. *Fraunhofer-Gesellschaft zur Förderung der angewandten Forschung e. V. Die DFG erhält ihre Mittel – 1995 waren es 1872,3 Mio. DM – überwiegend von Bund u. Ländern. *Publikationen:* Jahresberichte Forschung – Mitteilungen der DFG (vierteljährlich), Kommissionsberichte, Denkschriften, Forschungsberichte, Sonderschriften.

Deutsche Gelatine-Fabriken. Kurzbez. der Dtsch. Gelatine-Fabriken Stoess AG, 69402 Eberbach. Beteiligungen der 1875 gegr. Firma: *Inland:* ATRO Protein-Diät GmbH, Ges. für Tierernährung mbH, Hydrokolloid GmbH, ROHAGE Rohwaren-Handelsges. mbH, Internat. Ges. Gelatine mbH, R. P. Scherer GmbH, Scheidemandel AG, DGF Versicherungsvermittlung u. Werbeagentur GmbH. *Ausland:* AB, Schweden, Gelatine Products Ltd., Großbritannien, Lapuan Proteiini, Finnland, Kind+Know Gelatine, USA, Dynagel Inc., USA, Sargel Ltda., Brasilien. *Produktion:* Foto-, Pharma-, Speisegelatine, sowie weitere Proteinspezialitäten. *Daten* (1994, in Klammern Daten des Konzerns): 815 (1520) Beschäftigte, 233 Mio. DM (449 Mio. DM) Umsatz.

Deutsche Gesellschaft für Chemisches Apparatewesen s. DECHEMA.

Deutsche Gesellschaft für Ernährung e.V. (DGE). 1953 gegr. Ges. mit Sitz in 60488 Frankfurt/Main, Vogelsang 40, ca. 2900 Mitglieder. Die DGE verwertet ernährungswissenschaftliche Forschungsergebnisse u. gibt Anleitungen zur gesunden Ernährung. Sie erstellt im Auftrag der Bundesregierung Ernährungsberichte.

Deutsche Gesellschaft für Fettwissenschaft e.V. (DGF). Die 1935 gegr. Ges. mit Sitz in Münster u. einer Geschäftsstelle in 60486 Frankfurt/Main, Varrentrappstr. 40–42, ist die Vereinigung von Fachleuten auf dem Fettgebiet aus Wissenschaft, Ind. u. Technik. Die DGF fördert Forschungsarbeiten, die fachliche Aus- u. Weiterbildung, die Entwicklung von Normungs- u. Prüfmeth. u. das Publikationswesen auf dem Gesamtgebiet der Fette: Allg. u. Physikal. Chemie der Fette, Analyse u. Einheitsmeth., Biotechnologie u. Biochemie, Ölsaaten, Fette u. Ölsaaten als Futtermittel, Futtermitteltechnik, Nahrungsfette u. Fette in der Ernährung, Anstrichmittel u. Wachse, Verfahrens- u. Umwelttechnik. Die DGF organisiert regelmäßig Tagungen u. Symposien u. vertritt die dtsch. Fettwissenschaft international. Mitgliederstand (1996): ca. 100 Firmen u. 250 persönliche Mitglieder. *Publikationen:* „Deutsche Einheitsmethoden zur Untersuchung von Fetten, Fettprodukten, Tensiden u. verwandten Stoffen (DGF-Einheitsmethoden)", (Stuttgart: Wissenschaftliche Verlagsges.), Fett/Lipid (Weinheim: VCH Verlagsges.). Auszeichnungen: Normann-Medaille, H. P. Kaufmann-Preis für junge Wissenschaftler.

Deutsche Gesellschaft für Galvano- u. Oberflächentechnik e.V. (DGO). 1961 gegr., techn.-wissenschaftlicher Verein mit Sitz in 40213 Düsseldorf,

Horionplatz 6. Der DGO gehören ca. 1750 Mitglieder an, davon ca. 250 Firmen; ihre Aufgabe liegt in der Erweiterung u. Verbreitung der Kenntnisse über die Oberflächentechnik, insbes. moderner Beschichtungsverfahren.

Deutsche Gesellschaft für wissenschaftliche u. angewandte Kosmetik e.V. (DGK). Die 1957 als GKC (Gesellschaft Deutscher Kosmetik Chemiker e.V.) gegr. Ges. mit Sitz in 97769 Bad Brückenau, Konrad-Zirkel-Str. 22, hatte 1996 ca. 750 Mitglieder. Zweck der Ges. ist die Förderung der wissenschaftlichen Forschung u. Lehre sowie der techn. Entwicklung auf dem Gebiet der Kosmetik.

Deutsche Hydrierwerke. Kurzbez. für Dtsch. Hydrierwerke GmbH Rodleben, 06862 Rodleben. *Produktion:* Chem. u. chem.-techn. Spezialerzeugnisse wie Fettsäuren, Fettalkohole, Tenside aus natürlichen Rohstoffen, Emulgatoren, Glyceride, Sorbite. *Daten (1994):* 25 Mio. DM Umsatz.

Deutsche Kautschuk-Gesellschaft e.V. (DKG). Der 1926 gegr. DKG mit Sitz in 60487 Frankfurt/Main, Zeppelinallee 69, gehören ca. 1300 persönliche Mitglieder u. 108 Firmen an. Aufgabe ist die Förderung wissenschaftlicher Erkenntnisse über die Herst. u. das chem., physikal. u. technolog. Verhalten von Kautschuk u. gummielast. Stoffen.

Deutsche Keramische Gesellschaft e.V. (DKG). Die 1919 gegr. Ges. mit Sitz in 51147 Köln, Frankfurter Str. 196, hat die Förderung der Keramik in techn., wissenschaftlicher u. künstler. Hinsicht zum Ziel, z. B. durch Unterstützung von Forschungsvorhaben. *Publikationen:* cfi-ceramic forum international, Berichte der DKG, Fortschrittsberichte der DKG. – INTERNET-Adresse: http://www.dkg.de/

Deutsche Lanolin-Gesellschaft s. Parmentier.

Deutsche Linoleum-Werke s. DLW.

Deutsche Offenlegungsschrift (DOS) s. Patente.

Deutsche Pharmazeutische Gesellschaft e.V. Ges. zur Pflege u. Förderung der pharmazeut. Wissenschaften mit Sitz in Berlin-Charlottenburg. Die Vereinigung unterstützt wissenschaftliche Arbeiten, führt Vortragsveranstaltungen durch u. zeichnet Personen aus, die sich um die pharmazeut. Wissenschaften bes. verdient gemacht haben. *Publikationen:* Archiv der Pharmazie, Pharmazie in unserer Zeit.

Deutscher Akademischer Austauschdienst e.V. s. DAAD.

Deutscher Arzneimittel-Codex (DAC). Von der Bundesvereinigung Deutscher Apothekerverbände (ABDA) herausgegebenes Ergänzungsbuch zum amtlichen Arzneibuch (*DAB). Darin werden Erkenntnisse über (neue) Arzneimittel beschrieben, die bisher im Arzneibuch nicht aufgeführt sind. Ferner sind Monographien über Arzneistoffe enthalten, die im Arzneibuch nicht berücksichtigt wurden, aber für die pharmazeut. Praxis von Bedeutung sind.

Deutscher Naturschutzring, Bundesverband für Umweltschutz e.V. (DNR). Der 1950 gegr. DNR mit Sitz in 53177 Bonn, Am Michaelshof 8–10, ist der Dachverband von derzeit 105 selbständigen Umwelt- u. Naturschutzverbänden in der BRD mit ca. 2,8 Mio. Einzelmitgliedern. Der DNR u. seine Mitgliedsorganisationen setzen sich aktiv für die Erhaltung u. Verbesserung der natürlichen Umwelt, insbes. für den Naturschutz als Gesamtheit der Maßnahmen zur Erhaltung u. Förderung von Pflanzen u. Tieren, ihrer Lebensgemeinschaften u. Lebensräume sowie zur Sicherung der Landschaften unter weitgehend natürlichen Bedingungen ein. Der DNR setzt sich für eine umfassende Zusammenarbeit mit anderen gesellschaftlichen Gruppierungen ein u. koordiniert die teilw. unterschiedlichen Richtungen seiner Mitgliedsverbände mit dem Ziel gemeinsamen Handelns. Neben den Aufgaben als nat. Verbindungsstelle für Naturschutz beim Europarat (Centre Naturopa), dtsch. Kontaktstelle des Climate Action Network (CAN), Mitglied des *Europäischen Umweltschutzbüros (EEB), ist der DNR Mitorganisator des Naturschutztages u. wirkt aktiv an internat. Tagungen von Umweltorganisationen mit u. trägt damit zu internat. Lösungen der Umweltprobleme bei. *Publikationen:* Deutschlandrundbrief, EU-Rundbrief, DNR-Kurier.

Deutscher Normenausschuß s. DIN.

Deutscher Zentralausschuß für Chemie. Die 1952 gegr. Arbeitsgemeinschaft ist der Dachverband für Verbände auf dem Gebiet der Chemie in der BRD. Mitgliedsverbände: *ADUC, *GDCh, *DECHEMA, *Deutsche Bunsen-Gesellschaft für Physikalische Chemie, *DGF, DGMK, *Deutsche Kautschuk-Gesellschaft e.V., Kolloid-Ges., *Verband der Chemischen Industrie. Die Geschäftsführung liegt bei der GDCh in 60486 Frankfurt/Main, *Carl-Bosch-Haus, Varrentrappstr. 40–42. Die Arbeitsgemeinschaft hat u. a. die Aufgabe, internat. für eine angemessene Vertretung der dtsch. Chemie zu sorgen, indem sie die dtsch. Delegierten – z. B. bei IUPAC-Gremien – benennt.

Deutsches Arzneibuch (DAB). Das DAB ist Teil des Arzneibuches, das aufgrund von § 55 AMG vom Bundesministerium für Gesundheit bekanntgemacht wird u. in jeder Apotheke als wissenschaftliches Hilfsmittel vorliegen muß. Es ist eine Sammlung anerkannter pharmazeut. Regeln über die Qualität, Prüfung, Lagerung, Abgabe u. Bez. sowie Zubereitung u. Dosierung von Arzneimitteln u. wird von einer Arzneibuch-Kommission ausgearbeitet, die vom Bundesminister für Gesundheit berufen wird. Das DAB ist eine Übersetzung des *Europäischen Arzneibuchs (Ph. Eur.); zusätzlich sind nat. Vorschriften u. Monographien aufgenommen. 1991 trat die 10. Aufl. des DAB als Loseblattsammlung in Kraft, die kontinuierlich ergänzt u. verändert wird. Eine größere Revision erfolgte 1996, seitdem trägt das DAB die Bez. „DAB 1996". Die nächste umfangreichere Veränderung ist nach dem Inkrafttreten der 3. Aufl. der Ph. Eur. 1997 zu erwarten. Zum Arzneibuch der BRD gehört auch noch das Homöopathische Arzneibuch, 1. Ausgabe (HAB 1). Der *Deutsche Arzneimittel-Codex (DAC) ist kein offizieller Bestandteil des Arzneibuches.

Mit dem DAB 9 u. 10 wurde in der BRD das 1964 getroffene „Übereinkommen über die Ausarbeitung eines Europäischen Arzneibuches" realisiert, indem der nat. u. der europ. Teil der vorherigen Fassung bzw. Nachträge – jeweils in Meth.-, Reagenzien- u. Monographiekapitel nach ihrer Herkunft gekennzeichnet – in einem gemeinsamen Alphabet unter dtsch. Haupttiteln zusammengeführt wurden. Seit 1965 haben sich 17 Staaten verpflichtet, die europ. Normen in nat. Recht zu übernehmen.

Geschichte: Das erste amtliche Arzneibuch in Deutschland, das „Dispensatorium Valerii Cordi", wurde 1546 von Cordus in Nürnberg eingeführt. Die erste Reichspharmakopöe („Pharmacopoea Germaniae", DAB 1) erschien 1872 in latein. Sprache; die Fassung von 1890 (DAB 3) erstmals in dtsch.; das DAB 6 von 1926 war bis 1968 gültig. – B. (für DAB 1996 u. HAB 1 sowie für Kommentare): Dtsch. Apotheker-Verl., Stuttgart.

Lit.: Dtsch. Apoth. Ztg. **135**, 1825 ff. (1995). – *Zeitschrift:* Pharmeuropa, Strasbourg: Council of Europe (seit 1989).

Deutsches Atomforum e.V. (DAtF). Die 1959 gegr. Organisation mit Sitz in 53113 Bonn, Heussallee 10, ist eine private, gemeinnützige Vereinigung, in der Wissenschaft, Wirtschaft, Politik u. Verwaltung in dem Bestreben zusammenwirken, die Kernenergie zum Wohle der Allgemeinheit nutzbar zu machen. Die Schwerpunkte der Tätigkeit liegen in der Förderung des Austausches von Kenntnissen u. Erfahrungen, in der Veranstaltung von Tagungen, Seminaren u. Vorträgen, in der Erarbeitung, Herausgabe u. Verbreitung von Informationen u. in der Zusammenarbeit mit Organisationen, Gruppen u. Personen, die im In- u. Ausland ähnliche Zwecke verfolgen. Das DAtF ist Mitglied des *Foratom.

Deutsches Elektronen-Synchrotron s. DESY.

Deutsches Forschungsnetz (DFN). Das DFN ist das Kommunikationssyst. für die dtsch. Wissenschaft, das vom Verein zur Förderung des Deutschen Forschungsnetzes (DFN-Verein) mit Sitz in 10707 Berlin, Pariser Str. 44, betreut u. weiterentwickelt wird. Das DFN, dessen Auf- u. Ausbau durch das *BMBF gefördert wird, verbindet lokale, hochschulinterne u. regionale Rechnernetze miteinander u. ermöglicht seinen Nutzern durch das Wissenschaftsnetz WIN uneingeschränkte Kommunikation mit der Forschungswelt. – INTERNET-Adresse: http://www.dfn.de

Deutsches Institut für Kautschuktechnologie e.V. (DIK). Das 1981 gegr. Forschungsinst. mit Sitz in 30519 Hannover, Eupener Str. 33, ist ein wirtschaftsnahes Forschungsinst., das satzungsgemäß Forschung u. Entwicklung auf dem Gebiet der Kautschuktechnologie sowie Aus- u. Weiterbildung für die Beschäftigten der Gummi-Ind. u. ihrer Zulieferer betreibt.

Deutsches Institut für Normung e.V. s. DIN.

Deutsches Krebsforschungszentrum (DKFZ). Die 1964 gegr. Stiftung des öffentlichen Rechts mit Sitz in 69120 Heidelberg, Im Neuenheimer Feld 280, ist eine der 16 *Großforschungseinrichtungen des Bundes u. Mitglied der HGF (s. AGF). Das DKFZ betreibt in 45 Abteilungen sowie Projekt- u. Arbeitsgruppen Krebsforschung mit den Schwerpunkten: Krebsentstehung u. Differenzierung, Tumorzellregulation, Krebsrisikofaktoren u. Krebsprävention, Diagnostik u. experimentelle Therapie, radiolog. Diagnostik u. Therapie, angewandte Tumorvirologie, Tumorimmunologie, Genomforschung u. Bioinformatik. Die Forschungsschwerpunktstruktur hat 1994 die Inst.-Struktur abgelöst. Unterstützt wird die Arbeit der Abteilungen u. Projekte durch die Zentralen Einrichtungen u. Dienste. *Publikationen:* einblick (vierteljährlich), wissenschaftlicher Ergebnisbericht. – INTERNET-Adresse: http://www.dkfz-heidelberg.de

Deutsches Kunststoff-Institut (DKI). Von der 1953 gegr. Forschungsgemeinschaft Kunststoffe (FGK) getragenes Inst. in 64289 Darmstadt, Schloßgartenstraße 6. *Aufgaben:* Forschung auf den Gebieten der Chemie, Physik u. Technologie der Hochpolymeren, wissenschaftliche Nachwuchsausbildung, Durchführung von Forschungs-, Entwicklungs- u. Prüfaufträgen für Behörden, Ind., Verbände u. Privatpersonen, Dokumentation u. Auswertung von Lit. über Chemie, Physik u. Technologie der Hochpolymeren. In den 5 Abteilungen des DKI Chemie, Physik, Technologie, Anwendungstechnik u. Dokumentation sind z.Z. (1995) 75 Mitarbeiter beschäftigt. Das DKI ist Hersteller der Datenbank KKF (Kunststoffe, Kautschuk, Fasern). KKF umfaßt die dtsch. u. internat. Fachlit. über die Chemie, Physik u. Technologie der Hochpolymeren u. Kunststoffe seit 1973. *Publikationen:* Mitteilungen aus dem DKI. – INTERNET-Adresse: http://www.dki.th-darmstadt.de

Lit.: ACHEMA-Jahrb. **1994**, Bd. 1, 200–204.

Deutsches Museum. Kurzform für das 1903 gegr. Deutsche Museum von Meisterwerken der Naturwissenschaft u. Technik, eine Anstalt des öffentlichen Rechts mit Sitz in 80538 München, Museumsinsel 1. Das Museum eine außerordentlich umfangreiche Sammlung von histor. Objekten u. Modellen aus Naturwissenschaft u. Technik, darunter auch zahlreiche Apparate, Demonstrationsversuche u. Anschauungsmaterial aus dem Bereich der Chemie. Am 3.11.95 wurde in Bonn eine Zweigstelle des D. M. eröffnet. Das D. M. Bonn ist ganz auf die Gegenwart, also Forschung u. Technik in Deutschland seit 1945 konzentriert.

Lit.: Naturwissenschaften **82**, 576 ff. (1995).

Deutsches Patentamt (DPA). Eine 1949 gegr., dem Bundesministerium der Justiz nachgeordnete obere Bundesbehörde mit Sitz in 80331 München, Zweibrückenstr. 12; Vorgänger war das 1877 gegr. Kaiserliche Patentamt, das 1918 in Reichspatentamt umbenannt wurde. Die vielfältigen Aufgaben des DPA (1995 ca. 2550 Mitarbeiter) bestehen hauptsächlich in der Erteilung von *Patenten, der Eintragung von *Warenzeichen u. Dienstleistungsmarken, *Gebrauchsmustern u. seit 1988 auch Geschmacksmustern, Halbleitertopographien sowie in der Patentinformation. Im Bereich des Urheberrechts hat das DPA die Aufsicht über die Verwertungsges. (z.B. die GEMA). Beim DPA sind auch die Schiedsstellen in Urheberstreitsachen u. die Schiedsstelle für Streitigkeiten bezüglich Arbeitnehmererfindungen angesiedelt. Das DPA ist Hersteller der Datenbanken PATDPA (Deutsche Patentdatenbank) u. PATDD. PATDPA enthält die vom DPA im Patentblatt veröffentlichte Bibliographie dtsch. Offenlegungs-, Auslege-, Patent- u. Gebrauchsmusterschriften von 1968 bis heute sowie Veröffentlichungen des Europ. Patentamtes u. der Weltorganisation für geistiges Eigentum (WiPo). PATDD enthält die vom ehem. Patentamt der DDR seit 1981 erteilten Patente. *Publikationen:* Jahresberichte.

Deutsches Wollforschungsinstitut an der Technischen Hochschule Aachen e.V. (DWI). Das DWI mit Sitz in 52062 Aachen, Veltmanplatz 8, wurde 1952 gegr. mit dem Zweck, die Erzeugung, Verarbeitung u. Verw. von Wolle, Haaren u. anderen Fasern sowie die Protein- u. Polymer-Wissenschaft durch Forschungsarbeit zu fördern. Die ca. 80 Mitarbeiter bearbeiten Themen auf dem Gebiet der Chemie, Physik u. Verarbeitung von Wolle, der Synth. von biolog. aktiven Peptiden zur Aufklärung von Struktur-Funktions-Beziehungen sowie Themen der Chemie, Physik u. Analytik der Hochpolymeren mit dem Ziel der Gewinnung neuer Struktur- u. Funktionspolymerer. Das DWI führt gemeinsam mit den anderen Organisationen des Lehr- u. Forschungszentrums Textil Aachen die Aachener Textiltagung/Aachen Textile Conference durch. INTERNET-Adresse: http://www.tw+&-aachen.de/dwi

DEVA®. Gold-reduzierte Edelmetall-Leg. für keram. verblendeten Zahnersatz. *B.:* Degussa.

Devardasche Legierung. Leg. aus 50% Cu, 45% Al u. 5% Zn, wird im Laboratorium als Reduktionsmittel verwendet. Mit ihr kann man z. B. alkal. Nitrat-Lsg. bis zum Ammoniak od. alkal. Chlorat-Lsg. zu Chloriden reduzieren, weil wäss. Alkalien mit dem Al u. Zn der Leg. *naszierenden Wasserstoff* entwickeln, der reduzierend wirkt. – *E* Devarda's alloy – *F* alliage de Devarda – *I* lega di Devarda – *S* aleación de Devarda
Lit.: Kirk-Othmer (3.) **15**, 867; (4.) **17**, 102.

Deville, Henri Sainte-Claire (1818–1881), Prof. für Chemie, Paris. *Arbeitsgebiete:* Bor, Silicium, Platin, Aluminium-Herst., Dissoziation von Gasen u. Dämpfen, Entdeckung von Distickstoffpentoxid (1849), techn. Herst. von Aluminium, Natrium u. Magnesium usw.

Deviscol®. Viskositätsstabilisator auf der Basis eines substituierten Phenols für oxidativ trocknende Lacke u. zur Verhinderung des Eindickens von Anstrichstoffen. *B.:* Henkel.

Devitrifikation s. Glaszustand.

Devon s. Erdzeitalter.

Dewar, James (1842–1923), schott. Chemiker u. Physiker, Prof. für Chemie, Univ. Cambridge u. Royal Inst. London. *Arbeitsgebiete:* Spektroskopie, Strukturvorschlag für Benzol (s. Benzol-Ring), Sprengstoffchemie, Erfindung des Cordits (zusammen mit Abel, s. Abel-Test), Tieftemperaturchemie, insbes. Gasverflüssigung (s. Dewar-Gefäße). 1898 gelang es ihm, die tiefste bis dahin erreichte Temp. von $-258\,°C$ zu erreichen.
Lit.: Neufeldt, S. 58, 101 ▪ Pötsch, S. 115.

Dewar, Michael James Stuart (geb. 1918), Prof. für Organ. Chemie, Dept. Chem., Univ. Texas, Austin. *Arbeitsgebiete:* Theoret. organ. Chemie, insbes. MO-Theorie, Mol.-Struktur, Reaktionsmechanismus.
Lit.: Neufeldt, S. 217 ▪ Who's Who in America, S. 932.

Dewar-Benzol (Bicyclo[2.2.0]hexa-2,5-dien). Neben *Benzvalen u. *Prisman ein weiteres *Valenzisomeres* des Benzols (s. a. Benzol-Ring), das 1963 erstmalig von *van Tamelen*[1] synthetisiert wurde. D.-B. hat bei $20\,°C$ eine HWZ von 37 h, während Derivate, insbes. mit ster. aufwendigen Resten, wesentlich stabiler sind[2,3]; s. a. Valenzisomerisierungen.
Der Name D.-B. geht auf die von J. *Dewar vorgeschlagene Formel für den Benzol-Ring zurück; im Gegensatz zu dieser sind die isolierbaren Verb. jedoch nicht eben, sondern dachförmig gebaut.

– *E* Dewar benzene – *F* benzène de Dewar – *I* benzene di Dewar – *S* benceno de Dewar
Lit.: [1] J. Am. Chem. Soc. **85**, 3297 (1963). [2] Angew. Chem. **92**, 1056 (1980), engl.: **19**, 1022. [3] Halton, Advances in Strain in Organic Chemistry, Vol. 5, S. 161 ff., Greenwich, Conn.: JAI Press 1996.
allg.: Acc. Chem. Res. **5**, 186 f. (1972) ▪ Angew. Chem. **77**, 759–767 (1965); **79**, 566–573 (1967) ▪ Chem. Unserer Zeit **11**, 118–128 (1977) ▪ Nickon u. Silversmith, The Name Game, S. 296, New York: Pergamon Press 1987.

Dewar-Gefäße (Weinhold-Gefäße). Von Weinhold erfundene u. von J. *Dewar mit Innenverspiegelung (Silber bzw. Kupfer) versehene doppelwandige Glasgefäße mit evakuiertem Zwischenraum ($<10^{-6}$ kPa; Vak. leitet keine Wärme), die zur Aufbewahrung von flüssigen Gasen od. von Flüssigkeiten dienen, die gegen Wärmeaufnahme bzw. -abgabe (Thermosflasche) geschützt werden sollen. Die verspiegelten D.-G. sind auch mit seitlichem Sichtschlitz lieferbar, an dem der Flüssigkeitsstand beobachtet werden kann. Heute sind auch D.-G. aus hochpolierten Edelstählen im Handel, die teilw. noch bes. Spezialausstattung aufweisen. – *E* Dewar flasks, Dewar vessels – *F* vases Dewar – *I* recipienti Dewar – *S* vasos Dewar

Dexamethason.

Internat. Freiname für 9-Fluor-11β,17,21-trihydroxy-16α-methyl-pregna-1,4-dien-3,20-dion, $C_{22}H_{29}FO_5$, M_R 392,47. Farblose Krist., Schmp. 262–264 °C (auch 268–271 °C angegeben), in Wasser kaum, in Ethanol u. Chloroform löslich. D. weist glucocorticoide Wirkung auf (vgl. Corticosteroide) u. es ist zur innerlichen u. äußerlichen Anw. als *Antiphlogistikum, *Antiarthritikum u. *Antiallergikum generikafähig im Handel. Es gibt zahlreiche Derivate:
21-Acetat: $C_{24}H_{31}FO_6$, M_R 434,50, Schmp. 225 °C (Zers.); $[\alpha]^{25}$ +73° (CHCl$_3$); λ_{max} 239 nm (ε 14900). *21-(3,3-Dimethylbutyrat):* $C_{28}H_{39}FO_6$, M_R 490,61. *21-Dihydrogenphosphat-Dinatriumsalz:* $C_{22}H_{28}FNa_2O_8P$, M_R 516,41. Dies ist die injizierbare Form des D.: Schmp. 233–235 °C; $[\alpha]_D$ +57° (H$_2$O); λ_{max} 238–239 nm (ε 14000). *21-Diethylaminoacetat:* $C_{28}H_{41}FNO_6$, M_R 506,64. *21-Isonicotinat:* $C_{28}H_{32}FNO_6$,

M_R 497,56, Schmp. 250–252 °C; $[\alpha]^{20}$ +127° bis +129° (Dioxan); λ_{max} (CH$_3$OH) 238 nm ($A^{1\%}_{1\,cm}$ = 337); *17,21-Dipropionat*: $C_{28}H_{37}FO_7$, M_R 504,60. *21-Palmitat*: $C_{38}H_{59}FO_6$, M_R 630,88. – *E* dexamethasone – *F* dexaméthasone – *I* = *S* dexametasona

Lit.: ASP ▪ DAB **1996** u. Komm. ▪ Florey **2**, 163–197 ▪ Hager (5.) **7**, 1221–1226. – *[HS 2937 22; CAS 50-02-2 (D.); 1177-87-3 (21-Acetat); 2392-39-4 (21-Dihydrogenphosphat-Dinatriumsalz); 2265-64-7 (21-Isonicotinat); 39026-39-6 (Linolat); 1926-94-9]*

Dexchlorpheniramin.

Internat. Freiname für das als *Antihistaminikum antiallerg. wirksame (+)-(S)-3-(4-Chlorphenyl)-N,N'-dimethyl-3-(2-pyridyl)-propylamin, $C_{16}H_{19}ClN_2$, M_R 274,79, das rechtsdrehende Isomere von *Chlorphenamin. Es ist eine ölige Flüssigkeit, $[\alpha]^{25}_D$ +49,8° (c 1/DMF); pK_b 5,0. Verwendet wird das Maleat, ein weißes, krist. Pulver, Schmp. 113–115 °C; $[\alpha]^{25}_D$ +44,3° (c 1/DMF). Es ist von Essex Pharma (Polaronil®) im Handel. – *E* dexchlorpheniramine – *F* dexchlorphéniramine – *S* dexclorfeniramina

Lit.: Beilstein E V **22/10**, 488 ▪ Hager (5.) **7**, 1230 f. – *[HS 2933 39; CAS 25523-97-1]*

Dexfenfluramin.

Internat. Freiname für (+)-(S)-N-Ethyl-α-methyl-m-(trifluormethyl)phenethylamin, $C_{12}H_{16}F_3N$, M_R 231,26, LD$_{50}$ (Maus i.p.) 144 mg/kg. Verwendet wird das Monohydrochlorid, Schmp. 160–161 °C. Es wurde 1963/65 von Sci. Union et Cie Soc. Franc. patentiert u. ist als *Appetitzügler von Itherapia (Isomeride®) im Handel. Ebenfalls im Handel ist das Racemat (RS)-*Fenfluramin (Ponderax®, Itherapia). *E* = *F* dexfenfluramine – *I* = *S* dexfenfluramina

Lit.: Drugs **43**, 713–733 (1992); **44**, 8 (1993) ▪ Merck-Index (12.), Nr. 4015 ▪ Pharm. Ztg. **141**, 898–902 (1996). – *[CAS 3239-44-9 (D.); 3239-45-0 (Hydrochlorid)]*

Dexium 250/500®.
Kapseln mit *Calciumdobesilat gegen Gefäßschäden, Hämorrhoiden, diabet. Retinopathie. **B.**: Synthelabo.

Dexpanthenol.

Internat. Freiname für das wundheilend wirkende D-(+)-2,4-Dihydroxy-N-(3-hydroxypropyl)-3,3-dimethyl-butyramid (*Panthenol), $C_9H_{19}NO_4$, M_R 205,25. Viskose, etwas hygroskop. Flüssigkeit, d^{20}_{20} ~1,2; Sdp. 118–120 °C; $[\alpha]^{20}_D$ +29,5°; n^{20}_D 1,497. Es wurde 1946 von Hoffmann-La Roche (Bepanthen®) patentiert u. ist generikafähig. – *E* dexpanthenol – *F* dexphanthénol – *I* dexpantenolo – *S* dexpantenol

Lit.: DAB **1996** u. Komm. ▪ Hager (5.) **7**, 1231–1234. – *[HS 3913 90; CAS 81-13-0]*

Dextran.
Ein schleimartiges, hochmol. (M_R 1,5 · 10^4–5 · 10^7), neutrales Biopolysaccharid $(C_6H_{10}O_5)_x$, das von *Bakterien der Gattung *Leuconostoc* (*L. mesenteroides* u. *L. dextranicum*) extracellulär innerhalb 24 h bei 25 °C aus Saccharose enzymat. nach der folgenden Gleichung gebildet wird:

$(1,6\alpha\text{-D-Glucosyl})_n$ + Saccharose $\xrightarrow{\text{Dextran-Saccharase}}$ $(1,6\alpha\text{-D-Glucosyl})_{n+1}$ + Fructose

Neben der 1,6- tritt auch die 1,3-Verknüpfung auf. Das meist hochmol. native D., das ausschließlich aus α-D-Glucose aufgebaut ist (*Glucan), wird mit Methanol od. Aceton gefällt u. gereinigt. Durch Säurehydrolyse von Roh-D. bei 100 °C u. anschließender Fällungsfraktionierung erhält man Fraktionen mit M_R 40000–60000 für die klin. Verwendung. Enzymat. können die gleichen Fraktionen durch direkte Biosynth. mit gereinigter D.-Saccharase aus niedermol. D. u. Saccharose bei pH 5 u. 25 °C hergestellt werden.

Verw.: D. werden als Blutplasmaersatzmittel eingesetzt, eine 6%ige D.-Lsg. hat die gleiche Viskosität u. den gleichen kolloidosmot. Druck wie Blutserum. Daneben wird D. auch in Klebstoffen, Leimen, Filmen, Anstrichmitteln, Detergentien, Bodenverbesserungsmitteln, Papier- u. Textilfinishes, Kosmetika usw. eingesetzt sowie als stabilisierender Zusatz beim Gefriertrocknen. D. u. bes. die mit *Halohydrinen [z. B. mit Chlorhydrinen od. mit 2-Brom-3-hydroxypropyl-(BHP)-Gruppen] vernetzten D. werden als *Carrier für Pharmaka, *Ionenaustauscher u. *Molekularsiebe, Träger in der *Affinitätschromatographie u. *Gelchromatographie sowie zur Immobilisierung von Enzymen verwendet. Mit Glycerin aus Epichlorhydrin Ether-artig vernetztes D. besitzt eine hohe kapillare Saugkraft u. wird deshalb als *Dextranomer zur Reinigung infizierter, nässender Wunden eingesetzt. Unerwünschte D.-Bildung kann z. B. in der Zuckerind. zu Behinderung u. Minderausbeuten während der Produktion führen. – *E* = *F* dextran – *I* destrano – *S* dextrán

Lit.: Prog. Ind. Microbiol. **18**, 1 (1983). – *[HS 3913 90; CAS 9004-54-0]*

Dextranomer.
Internat. Freiname für das mit *Epichlorhydrin dreidimensional vernetzte *Dextran, das als Wundreinigungsmittel Verw. findet. Es ist von Pharmacia (Debrisorb®) im Handel. – *E* dextranomer – *F* dextranomère – *I* destranomero – *S* dextranómero

Lit.: Hager (5.) **7**, 1234 f. – *[CAS 56087-11-7]*

Dextransulfate.
D. sind Schwefelsäure-Halbester des *Dextrans, die z. B. durch Einwirkung von Chlorsulfonsäure auf dieses *Polysaccharid in Pyridin hergestellt werden. D. enthalten 1–2 Sulfat-Gruppen pro Anhydroglucose-Baustein u. sind nur in der Salzform ausreichend beständig. Die Natrium-Salze der D. sind wasserlöslich.

Verw.: In ionogenen Zweiphasen-Trennsyst. zur Trennung, Fraktionierung, Anreicherung od. Reinigung von Proteinen, Nucleinsäuren, Viren u. Bakterien; als Gerinnungshemmer (Ersatz für *Heparin) für Blut. Für die letztgenannte Verw. sind nur D. mit einer Molmasse <20 000 g/mol geeignet, da D. mit höheren Molmassen stark tox. wirken können. – *E* dextran sulfate – *F* sulfates de dextran – *I* solfati di destrano – *S* sulfatos de dextrano

Lit.: Encycl. Polym. Sci. Eng. **4**, 763 f. – *[HS 3913 90]*

Dextrine. Bez. für Abbauprodukte der *Stärke mit der allg. Formel $(C_6H_{10}O_5)_n \cdot xH_2O$, die bei unvollständiger Hydrolyse mit verd. Säuren (*Säuredextrine*) od. durch Hitzeeinwirkung entstehen (z.B. beim Backen von *Brot; Röstdextrine*) u. aus Glucose-Ketten bestehen. Beim enzymat. Abbau mit *Amylasen entstehen die sog. *Grenzdextrine*, in denen die dem Angriff der β-Amylase nicht zugänglichen 1,6-glykosid. Bindungen des *Amylopektins angereichert sind, während bei der Einwirkung von *Bacillus macerans* auf Stärke-Lsg. *Cyclodextrine entstehen.

D. bildet ein farbloses od. gelbes, amorphes Pulver, das in Wasser sehr leicht, in Alkohol fast gar nicht lösl. ist. In den USA wird D. aus Mais, in der BRD vorwiegend aus Kartoffeln hergestellt. Die Mais-D. sind geruchfrei, das aus Kartoffelstärke gewonnene D. riecht gurkenartig. Die höchstmol. D. geben (wie Stärke) noch eine Blaufärbung mit Iod-Lsg., die nächste Abbaustufe färbt sich mit Iod rot od. braun u. die niedermol. D. geben keine Iod-Färbung mehr. Je nach Herst.-Verf. liegen die Molmassen der D. zwischen 2000 u. 30 000. Die D. reduzieren *Fehlingsche Lösung nicht u. bilden mit wenig Wasser stark klebende Sirupe, weshalb D. auch *Stärkegummi* genannt wurden. Diese D.-Syst. eignen sich als Ersatz für *Gummi arabicum u. *Tragant bei der Herst. von Klebstoffen; zur *Thixotropie von *Dextrinleimen* s. *Lit.*[1]. Ferner benutzt man D. zum Verdicken von Druckfarben, als *Appretur-Mittel, zum Tapetendruck, in der Pyrotechnik usw. D. wurde 1833 von Biot u. Persoz erstmals hergestellt; der Name stammt von latein. dexter = rechts, weil die wäss. Lsg. stark rechtsdrehend ist. – *E* dextrin, starch gum – *F* dextrines – *I* destrine – *S* dextrinas

Lit.: [1] Stärke **16**, 324 (1964).
allg.: Friedman (Hrsg.), Biotechnology of Amylodextrin, Washington: ACS 1991 ▪ Satterthwaite u. Iwinski, in Whistler (Hrsg.), Industrial Gums, S. 577–599, New York: Academic Press 1973. – [HS 3505 10; CAS 9004-53-9 (Dextrin)]

Dextro... (von latein.: dexter = rechts). Wird als Vorsilbe in Begriffen u. Trivialnamen für „rechtsdrehend" = dextrogyr verwendet; *Beisp.:* Dextrorotation, s.a. die folgenden Stichwörter. Wird häufig durch *d-* od. besser (+)- abgekürzt; nicht zu verwechseln mit *D-*! *Beisp.:* L-(+)-Valin, D-(+)-Glucose. – *E* = *F* = *S* dextro... – *I* destro...

Dextromethorphan.

Von der WHO vorgeschlagener Freiname für das antitussiv wirkende *ent*-3-Methoxy-17-methyl-morphinan, $C_{18}H_{25}NO$, M_R 271,40; weißes, krist. Pulver, Schmp. 109,5–112,5 °C; $[\alpha]_D^{20}$ +65,5° (c 1/CHCl$_3$); λ_{max} (H$_2$O) 278 nm ($A_{1cm}^{1\%}$ = 54); pK_b 5,7. Verwendet wird das Hydrobromid Monohydrat, ein weißes, krist. Pulver, Schmp. 122–124 °C; $[\alpha]_D^{20}$ +27,6° (c 1,5/H$_2$O); λ_{max} (CH$_3$OH) 280, 287 nm ($A_{1cm}^{1\%}$ = 60, 55), pK_a 8,3. D. wurde 1954 von Roche patentiert u. wird vielfach in Kombination mit *Antipyretika in Husten- u. Grippemitteln eingesetzt. – *E* dextromethorphan – *F* dextrométhorphane – *I* = *S* dextrometorfano

Lit.: ASP ▪ Beilstein E V **21/3**, 451 f. ▪ DAB **1996** u. Komm. ▪ Hager (5.) **7**, 1236–1240. – [HS 2933 90; CAS 125-69-9; 125-71-3 (D.); 125-69-9 (Hydrobromid); 6700-34-1 (Hydrobromid-Monohydrat)]

Dextromoramid.

Von der WHO vorgeschlagener internat. Freiname für (+)-(*S*)-1-(3-Methyl-4-morpholino-2,2-diphenylbutyryl)-pyrrolidin, $C_{25}H_{32}N_2O_2$, M_R 392,54, ein Analgetikum u. Narkotikum. Schmp. 180–184 °C; $[\alpha]_D^{20}$ +25,5° (c 1/Benzol); λ_{max} (0,01 N isopropanol. HCl) 254, 260, 264 nm. Verwendet wird auch das Hydrogentartrat, weißes, amorphes od. krist. Pulver, Zers. bei 189–192 °C; $[\alpha]_D^{20}$ +21 bis +25° (c 5/0,1 N HCl); λ_{max} (Wasser) 254, 259, 264 nm ($A_{1cm}^{1\%}$ = 6,7, 7,7, 6,5). D. ist in Anlage II der BtmVVO gelistet. D. zählt zu den bei sportlichen Wettkämpfen unerlaubten *Doping-Mitteln. – *E* = *F* dextromoramide – *I* destromoramide – *S* dextromoramida

Lit.: ASP ▪ Beilstein E V **27/3**, 59 ▪ DAB **1996** u. Komm. ▪ Hager (5.) **7**, 1240 ff. – [HS 2934 90; CAS 357-56-2 (D.); 2922-44-3 (Hydrogentartrat)]

Dextronsäure s. D-Gluconsäure.

Dextro® O.G.-T. Saft mit *Glucose als oraler Glucose-Toleranztest auf *Diabetes. *B.:* Boehringer-Mannheim/Hestia.

Dextropropoxyphen.

Von der WHO vorgeschlagener Freiname für (+)-(1-Benzyl-3-dimethylamino-2-methyl-1-phenylpropyl)-propionat, $C_{22}H_{29}NO_2$, M_R 339,48. Weiße Krist., Schmp. 75–76 °C; $[\alpha]_D^{25}$ +67,3° (c 0,6/CHCl$_3$). Verwendet wird das Hydrochlorid, ein weißes, krist. Pulver, Schmp. 163–168,5 °C, $[\alpha]_D^{20}$ +36° bis 40°, $[\alpha]_D^{25}$ 52° bis 57°. LD$_{50}$ (Maus i.v.) 28, (Maus i.p.) 111, (Maus s.c.) 211, (Maus oral) 282 mg/kg. D. wurde 1955 als starkes *Analgetikum von Lilly patentiert u. ist von Gödecke (Develin® retard) im Handel. D. ist in Anlage II der BtmVVO gelistet. – *E* dextropropoxyphene – *F* dextropropoxyphène – *I* = *S* dextropropoxifeno

Lit.: ASP ▪ Beilstein E IV **13**, 2221 ▪ DAB **1996** u. Komm. ▪ Hager (5.) **7**, 1242–1246. – [HS 2922 19; CAS 469-62-5 (D.); 1639-60-7 (Hydrochlorid)]

Dextrose s. D-Glucose.

Dextrothyroxin s. L-Thyroxin.

Dezi... (von latein.: decimus = der Zehnte). Vorsatz zur Bez. des zehnten Teils einer physikal. Einheit (Symbol: d), z.B. Deziliter = dL = 1/10 L = 100 ml. – *E* = *I* = *S* deci... – *F* déci...

Dezimalklassifikation (DK, auch Universal-D., UDK). Universales, d.h. alle Wissensgebiete umfassendes Ordnungs- u. Klassifikationssystem. Die DK ist jenseits aller Sprachbarrieren ein allg. verständliches Ordnungsmittel der *Dokumentation, da jedem Gegenstand od. Begriff eine internat. festgelegte Zahlennotation (s. Notation) zugeordnet ist, die auf dem Dezi-

malsyst. beruht. Die DK ist also eine streng *hierarch.* aufgebaute *Klassifikation* mit *Thesaurus-Charakter; Beisp.:*
5 Mathematik, Naturwissenschaften
54 Chemie
547 Organ. Chemie
547.2 Acycl. Verb.
547.28 Carbonyl-Verb. u. Analoge
547.284 Ketone
547.284.3 Aceton
6 Angew. Wiss., Medizin, Technik
62 Ingenieurwesen, Technik u. Ind. im allg.
621 Allg. Maschinenbau, Elektrotechnik
621.3 Elektrotechnik
621.315 Übertragung der elektr. Energie
621.315.6 Isolierstoffe, Isolatoren
Beziehungen zweier Begriffe werden durch Doppelpunktverb. ausgedrückt; *Beisp.:* 621.315.6:54 bedeutet Chemie der Isolierstoffe. In der numer. Einteilung der Wissensbegriffe erhalten z. B. diejenigen mit allg. Bedeutung 0 als Anfangsziffer; Mathematik, Naturwissenschaften 5; Angewandte Wissenschaften, Medizin, Technik 6; Geographie, Biographien, Geschichte 9. Jede Hauptabteilung wird durch Zufügen einer 2. Ziffer in 10 Abteilungen 2. Ordnung zerlegt, diese ihrerseits in jeweils 10 Abteilungen 3. Ordnung, usw. Die Haupttafel mit der systemat. Einteilung wird durch Hilfstafeln mit allg. „Anhängezahlen" ergänzt, die der Untergliederung nach Ort, Zeit, Form, Sprache usw. dienen. Z. B. bedeutet (43) Deutschland, also 547 (43) Organ. Chemie in Deutschland. Die DK wurde 1870 von dem amerikan. Bibliothekar Dewey erfunden. Sie wird von der *FID laufend überprüft u. ergänzt; die dtsch. Bearbeitung obliegt dem *DIN. Die dtsch. Ausgaben der DK (Kurzausgabe, sog. Mittlere od. Handausgabe, Gesamtausgabe) erscheinen bei Beuth, Köln u. Berlin. Die Gesamtausgabe der Gruppe 6 ist z. T. stark veraltet, u. ganz allg. scheint die Blütezeit der DK überschritten. Mehrsprachige DK-Ausgaben können vorteilhaft als Fach-*Wörterbücher benutzt werden. – *E* Universal Decimal Classification (UDC) – *F* Classification Décimale Universelle (CDU) – *I* classificazione decimale universale – *S* Clasificación Decimal Universal
Lit.: Fill, Einführung in das Wesen der Dezimalklassifikation, Berlin: Beuth 1969 ▪ s. a. Dokumentation.

Dezimalsystem (dekad. System). Einteilungsart von *Einheiten, bei der jede höhere (niedrigere) Einheit das Zehnfache (ein Zehntel) der nächst niederen (höheren) ist. Bezogen auf eine Grundeinheit bedeuten die – in den Einzelstichwörtern etymolog. erläuterten – Vorsilben (in Klammern die Abk. u. Zahlenvervielfacher): Yotta (10^{24}, Y), Zetta (10^{21}, Z) Exa (E, 10^{18}), Peta (P, 10^{15}), Tera (T, 10^{12}), Giga (G, 10^{9}), Mega (M, 10^{6}), Kilo (k, 10^{3}), Hekto (h, 10^{2}), Deka (da, 10), Dezi (d, 10^{-1}), Zenti (c, 10^{-2}), Milli (m, 10^{-3}), Mikro (µ, 10^{-6}), Nano (n, 10^{-9}), Piko (p, 10^{-12}), Femto (f, 10^{-15}), Atto (a, 10^{-18}), zepto (10^{-21}, z), yocto (10^{-24}, y). – *E* decimal system – *F* système décimal – *I* sistema decimale – *S* sistema decimal
Lit.: DIN 1301 Tl. 1 (10/1978) ▪ IUPAC, Quantities, Units and Symbols in Physical Chemistry, S. 74, Oxford: Blackwell 1993.

DFD-Fleisch s. Fleisch.

DFG. Abk. für *Deutsche Forschungsgemeinschaft.

D-Fluoretten®. Tabl. mit Cholecalciferol u. Natriumfluorid zur Rachitis- u. Kariesprophylaxe bei Säuglingen u. Kleinkindern. *B.:* Albert-Roussel Pharma.

DFMO. Abk. für 2-(Difluormethyl)-DL-ornithin (s. Eflornithin).

DFN. Abk. für *Deutsches Forschungsnetz.

DFP s. Diisopropylfluorophosphat.

DFVLR s. *Deutsche Forschungsanstalt für Luft- u. Raumfahrt e.V..

DGE. Abk. für *Deutsche Gesellschaft für Ernährung e.V.

DGF. Abk. für *Deutsche Gesellschaft für Fettwissenschaft e.V.

DGK. Abk. für *Deutsche Gesellschaft für wissenschaftliche u. angewandte Kosmetik e.V.

DGO. Abk. für *Deutsche Gesellschaft für Galvano- u. Oberflächentechnik e.V.

°dH. Veraltete Abk. für deutsche Härte, die als Maßzahl für die *Härte des Wassers verwendet wurde.

DHC Mundipharm®. Retardtabl. mit *Dihydrocodein-Hydrogentartrat gegen mittelstarke bis starke Schmerzen. *B.:* Mundipharma.

DHD-Verfahren. Ein Verf. der *Kohlehydrierung, das mit dem Mittelöl der Sumpfphase als Druck-H_2-Dehydrierung bei ca. 500 °C u. $6-7 \cdot 10^3$ kPa Gesamtdruck durchgeführt wird; als Katalysator dient 10% Molybdänsäure auf aktivem Al_2O_3. Das erhaltene Benzin ist relativ Aromaten-reich. – *E* DHD process – *F* procédé DHD – *I* processo DHD – *S* método DHD
Lit.: Chem. Prod. **8**, Nr. 10, 38–43 (1979).

DHE-Puren®/-ratiopharm®/-Tablinen®. Retardkapseln u. Tropfen mit *Dihydroergotamin-Mesilat gegen Hypotonie u. zur Migränetherapie. *B.:* Isis Puren/ratiopharm/Sanorania.

DHP. Nach DIN 7723 (12/1987) Kurzz. für *Di*heptylphthalat als *Weichmacher.

Dhurrin s. cyanogene Glykoside.

DHW. Abk. für die *Deutsche Hydrierwerke GmbH Rodleben.

DHXP. Nach DIN 7723 (12/1987) Kurzz. für *Di*hexylphthalat als *Weichmacher.

Di... Dem Griech. (dyo = zwei) entlehnte Vorsilbe in Namen von chem. Verb., bedeutet Verdopplung des darauffolgenden Namensbestandteils; *Beisp.:* Diethylamin, Dicarbonsäuren, Ethylendiamin, Diaza...; bei Uneindeutigkeit, bes. bei zusammengesetzten Bez., wird mit *Bis... verdoppelt. Wird noch gelegentlich mit *Bi... verwechselt. – *E* = *F* = *I* = *S* di...

Diabas. Meist grün aussehendes Gestein, schwach metamorphes *Äquivalent* des Tholeiit-*Basaltes mit starker sek. Umwandlung (Neubildung von *Chlorit u. *Serpentin), in der alten *Lit.* in Mitteleuropa auch als *Grünstein* bezeichnet. Andere Verw. der Bez. D. im übrigen Europa u. in den USA, nach LeMaitre (*Lit.*) heute Synonym mit *Dolerit u. Mikro-*Gabbro. D. ist

Diabenyl-Rhinex®

meist fein- bis mittelkörnig, zeigt aber auch *ophit.* (mit sperrig gestellten tafeligen Plagioklas-*Feldspäten u. *Pyroxen in den Zwischenräumen) grobkörniges *Gefüge.
Verw.: Wegen seiner hohen Druckfestigkeit als Schotter, Splitt; auch als Architekturstein für Fassaden u. Innengestaltung.
Vork.: Weltweit verbreitet; in der BRD im Sauerland, Harz, Frankenwald, Thüringen. – $E = F = I = S$ diabase

Lit.: LeMaitre (Hrsg.), A Classification of Igneous Rocks and Glossary of Terms, S. 60, Oxford: Blackwell 1989 ▪ Matthes, Mineralogie (4.), S. 183 f., Berlin: Springer 1993 ▪ Wimmenauer, Petrographie der magmatischen und metamorphen Gesteine, S. 106–114, Stuttgart: Enke 1985. – *[HS 2516 90]*

Diabenyl-Rhinex®. Nasentropfen mit *Diphenhydramin- u. *Naphazolin-Hydrochlorid gegen allerg. Rhinitis. *B.:* Pharma Wernigerode.

Diabetes (griech.: dia = durch, baino = gehe). – 1. D. mellitus (latein.: melitus = honigsüß), Zuckerkrankheit. Ausscheidung von Glucose mit dem Harn bei krankhafter Erhöhung des Blutzuckerspiegels (*Hyperglykämie) aufgrund einer chron. Stoffwechselstörung, die auf Mangel an *Insulin od. herabgesetzter Insulin-Wirkung beruht. Fehlende Insulin-Wirkung führt zu einer mangelhaften Verwertung der ins Blut aufgenommenen Glucose durch die Körperzellen. Dadurch sowie durch Neubildung von Glucose aus Proteinen (*Gluconeogenese) kommt es zum Anstieg des Blutzuckerspiegels. Die Ausscheidung von Glucose mit dem Harn (*Glucosurie*) führt zu vermehrter Harnbildung (*Polyurie*) u. dadurch zu Wasser- u. Elektrolyt-Verlusten u. Durst. Im Fettgewebe kommt es unter der Einwirkung Insulin-antagonist. Hormone zur gesteigerten Lipolyse mit Erhöhung der freien *Fettsäuren im Blut. Dies führt zur gesteigerten Bildung von *Keton-Körpern (Acetessigsäure, β-Hydroxybuttersäure, Aceton) u. deren Erscheinen im Urin (*Ketonurie*). Unter akuten Bedingungen kann das Ausmaß der biochem. Fehlregulation lebensbedrohlich werden. Es kommt durch Anreicherung von Keton-Körpern zur *Azidose, durch die Wasser- u. Eektrolyt-Verluste zur Abnahme des zirkulierenden Blutvol. u. damit zum Koma u. Kreislaufversagen (*Coma diabeticum*).
Man unterscheidet verschiedene Formen des D. mellitus. Der *Typ-I-D.* (juveniler D., Insulin-abhängiger D.) manifestiert sich meist im jugendlichen Alter u. ist gekennzeichnet durch einen Mangel an Insulin. Als Ursachen des Insulin-Mangels werden Autoimmunprozesse (s. a. Autoimmunität) u. Virusinfektionen des Pankreas auf dem Hintergrund einer genet. Disposition diskutiert. Dagegen tritt der Typ-II-D. (Alters-D., Insulin-unabhängiger D.) in der Regel bei älteren, meist übergewichtigen Menschen auf. Dabei wird eine herabgesetzte Ansprechbarkeit der Erfolgsorgane auf das Insulin bei normalem od. erhöhtem Blutinsulinspiegel angenommen. Diese Form des D. ist erblich. Auch bestimmte Medikamente wie z. B. Glucocorticosteroide u. *Diuretika können zu einer Störung des Glucose-Stoffwechsels führen. Folgeerscheinungen der Erkrankung sind ein erhöhtes Risiko der *Arteriosklerose sowie Schäden der Netzhaut des Auges, der Nieren u. des peripheren Nervensystems. Die Behandlung erfolgt je nach Art u. Verlauf des D. durch *Diät, Medikamente (*Antidiabetika) od. Ersatz des fehlenden Insulins.
2. D. insipidus (latein.: in u. sapere = nicht schmeckend). Ausscheidung erhöhter Mengen von verd. Urin durch Mangel an Antidiuretischem Hormon (ADH, Arginin-*Vasopressin) od. Verminderung seiner Wirkung. Durch Läsion des *Hypophysen-Hinterlappens wird die Freisetzung des Hormons verhindert u. es kommt aufgrund der fehlenden Hemmung der Wasserausscheidung über die Niere zur vermehrten Harnausscheidung (*Polyurie*) mit z. T. exzessivem Durst u. Aufnahme großer Trinkmengen (*Polydipsie*). Die Behandlung besteht aus dem Ersatz des fehlenden Hormons. Eine weitere Form des D. insipidus entsteht bei intakter Hypophyse durch eine erbliche fehlende Ansprechbarkeit der Nieren auf ADH (*renaler D. insipidus*). – $E = S$ diabetes – F diabète – I diabete

Lit. (zu 1.): Mehnert u. Schöffling, Diabetologie in Klinik u. Praxis, Stuttgart: Thieme 1994. – (*zu 2.*): Siegenthaler, Klinische Pathophysiologie, S. 254 ff., Stuttgart: Thieme 1994.

Diabol®. Marke für Drahtzieh-Schmierstoffe auf der Basis von Ca- u. Na-Seifen mit Magerungsmitteln wie Calciumhydroxid, -carbonat, Borax u. Borsäure sowie für synthet. Kühlschmierstoffe u. Metallbearbeitungsöle. *B.:* Budenheim.

Diacard®. Lsg. mit *Campher sowie Tinkturen aus *Weißdorn-Früchten u. *Baldrian-Wurzel zur ergänzenden Therapie funktioneller Herzbeschwerden. *B.:* Madaus.

Diacetin s. Glycerinacetate.

Diaceton s. Diacetonalkohol.

Diacetonalkohol (4-Hydroxy-4-methyl-2-pentanon, Diaceton).

$$H_3C-\underset{\underset{OH}{|}}{\overset{\overset{CH_3}{|}}{C}}-CH_2-\overset{\overset{O}{\|}}{C}-CH_3$$

$C_6H_{12}O_2$, M_R 116,16. Farblose, nahezu geruchfreie Flüssigkeit, D. 0,928–0,94, Schmp. –54 °C, Sdp. 168 °C, FP. 58 °C c. c., mit Wasser u. den gebräuchlichen organ. Lsm. beliebig mischbar. Dämpfe in hohen Konz. reizen die Augen sowie die Atemwege u. wirken betäubend. Nieren- u. Leberschäden sowie Anämie mit Verzögerung möglich, MAK 50 ppm (MAK-Werte-Liste 1996), WGK 1. Herst. aus Aceton; Aceton dimerisiert unter dem Einfluß bas. Reagenzien Aldolartig zu Diacetonalkohol.
Verw.: Zwischenstufe für Mesityloxid, Methylisobutylketon u. Hexylenglykol, gutes Lsm. für Collodiumwolle, Acetylcellulose, Celluloseether, Chlor-Kautschuk, Kolophonium u. viele Natur- u. Kunstharze, wird in Collodium-, Acetylcellulose- u. Streichlacken verwendet, ferner als Ausgangsprodukt zur Synth. von Riechstoffen. – E diacetone alcohol – F alcool diacétique – I alcool diacetonico – S diaceton-alcohol

Lit.: Beilstein E IV **1**, 4023 ▪ Hommel, Nr. 71 ▪ Kirk-Othmer (4.) **14**, 980 f. ▪ Ullmann (4.) **7**, 36 ff.; **16**, 306, 309; (5.) **A 1**, 92 f. – *[HS 2914 40; CAS 123-42-2; G 3]*

Diacetostearin s. Glycerinacetate.

Diacetyl s. 2,3-Butandion.

Diacetyldioxim s. Dimethylglyoxim.

Diacetylmorphin s. Heroin.

Diacetylsplenopentin.

Ac-Arg-Lys(Ac)-Glu-Val-Tyr-OH

Bez. für das an Arginin u. Lysin acetylierte Derivat der Sequenz 32–36 von *Thymopentin III; $C_{35}H_{55}N_9O_{11}$, M_R 777,88. Es wurde 1989 patentiert. Sein Hydrochlorid ist als Immunstimulans bei *HIV-Infektionen von Berlin Chemie (Berlopentin®) im Handel. – *E* diacetylsplenopentine – *F* splénopentine diacétylique – *I* = *S* diacetilsplenopentina

Lit.: J. Liq. Chromatogr. **14**, 2251–2259 (1991) ▪ Merck-Index (12.), Nr. 8919 (Splenin), 9544 (Thymopentin) ▪ s. a. Thymopentin u. Thymopoietin. – *[CAS 91418-71-2; 122402-38-4 (Hydrochlorid)]*

Diacetylweinsäureester. Mit Wein- u. Essigsäure weiterveresterte Monoglyceride natürlicher Fettsäuren, die als Emulgatoren bei der Herst. hefegetriebener Backwaren verwendet werden. – *E* diacetyltartrates – *I* dacetiltartrati – *S* diacetiltartratos

Diacos NAC®. *N*-Acetylcystein, keratolyt., antioxidative Wirksubstanz kosmet. Zubereitungen für Dauerwellen, Haar u. Hautpflege. *B.:* Diamalt.

Diacylglycerine (1,2-Diacyl-*sn*-glycerine).

$$R^2-\overset{O}{\underset{\|}{C}}-O-\overset{\text{CH}_2-O-\overset{O}{\underset{\|}{C}}-R^1}{\underset{\text{CH}_2-OH}{\text{CH}}}$$

R^1, R^2: typischerweise unverzweigte aliphatische Reste mit 15 od. 17 Kohlenstoff-Atomen u. bis zu 3 *cis*-Doppelbindungen.

In der Biochemie bekannt als Bestandteile von Glycerolipiden (z.B. als Vorstufe der *Triglyceride), die bei der intrazellulären Übertragung der Signale von diversen Agonisten (z.B. *Wachstumsfaktoren, *Hormonen, *Neurotransmittern) bei deren Bindung an *Rezeptoren als *second messenger freigesetzt werden. Sie entstehen bei der Spaltung des *Phosphoinositids Phosphatidylinosit-4,5-bisphosphat durch eine von einem *G-Protein stimulierte *Phosphoinositidase* (*Phospholipase C) unter gleichzeitiger Bildung von Inosit-1,4,5-trisphosphat (Ins-1,4,5-P_3; ebenfalls ein second messenger; s. Inositphosphate). D. sind neben Calcium-Ionen notwendige Cofaktoren für *Protein-Kinase C (s. a. Signaltransduktion). Da nun Ins-1,4,5-P_3 gerade die Erhöhung des intrazellulären Calcium-Spiegels bewirkt, kommt es zu einem Zusammenwirken (*Synergismus*) der beiden Pfade der Signalübertragung. D. werden als Signalmol. inaktiviert durch enzymat. Phosphorylierung zu Phosphatidsäuren unter Einwirkung des Enzyms D.-Kinase (EC 2.7.1.107)[1]. – *E* diacyl glycerols – *F* diacylglycérols – *I* diacilglicerine – *S* diacilgliceroles

Lit.: [1] Trends Biochem. Sci. **15**, 47 ff. (1990). *allg.:* Comp. Biochem. Physiol. C-Comp. Pharmacol. Toxicol. **105**, 337–345 (1993).

Diacylperoxide. Sammelbez. für *Peroxide der allg. Formel R-CO-O-O-CO-R, die sich formal von den entsprechenden *Persäuren als *Säureanhydride ableiten. Man stellt sie aus den Säurechloriden u. H_2O_2 in Ggw. von Alkalilauge u. Wasser her. Handelsübliche D. sind: Lauryl-, Decanoyl-, Isononanoyl-, Benzoyl-, 2-Methylbenzoylperoxid, die systemat. als Dilauryl-, Dibenzoylperoxid usw. zu bezeichnen sind. Auch die *Peroxycarbonate gehören zur D.-Gruppe. D. werden als Radikalstarter u. Polymerisationskatalysatoren verwendet (s. a. Initiatoren). – *E* diacyl peroxides – *F* peroxydes de diacyle – *I* perossidi di diacile – *S* peróxidos de diacilo

Lit.: Ullmann (4.) **17**, 671 ff.; (5.) **A 19**, 210 ff. – *[G 5.2]*

Diadavin®. Reinigungs- u. Detachiermittel für die Textil-Ind. zur Entfernung fettiger u. öliger Verunreinigungen. *B.:* Bayer.

Diadochie s. Isomorphie.

Diät (griech.: diaitia = Lebensweise). Bestimmte Ernährungsweise (s. Ernährung), die von der normalen Kostform mehr od. weniger stark abweicht. Eine D. wird oft vom Arzt angeordnet, um vorbeugend od. behandelnd bestimmte körperliche Zustände wie Krankheiten, Rekonvaleszenz, Übergewicht u. a. zu beeinflussen (vgl. a. diätetische Lebensmittel). – *E* diet – *F* diète – *I* = *S* dieta

Diätetische Lebensmittel. Nach der VO über d. L. vom 25.8.1988 (BGBl I S. 1713) in der Fassung vom 14.12.1993 (BGBl. I, S. 2092) werden d. L. definiert als „Lebensmittel, die bestimmt sind, einem bestimmten Ernährungszweck dadurch zu dienen, daß sie die Zufuhr bestimmter Nährstoffe od. a. ernährungsphysiolog. wirkender Stoffe in einem bestimmten Mengenverhältnis od. in bestimmter Beschaffenheit bewirken. D.L. müssen sich von Lebensmitteln vergleichbarer Art durch ihre Zusammensetzung oder Eigenschaften maßgeblich unterscheiden". Lebensmittel dienen einem bes. Ernährungszweck, wenn sie dazu beitragen, bes. Ernährungsanforderungen wie sie z.B. auf Grund von Krankheit, Funktionsanomalien od. allerg. Reaktionen gegen einzelne Lebensmittel bzw. -inhaltsstoffe vorliegen, zu entsprechen. Besondere Ernährungserfordernisse liegen auch während Schwangerschaft u. Stillzeit sowie beim Säugling od. Kleinkind vor.

Eine wichtige Gruppe von d. L. stellen z.B. Diabetiker-Lebensmittel dar, die v. a. für die Ernährung an *Diabetes mellitus erkrankter Personen bestimmt sind. In ihnen ist ein Teil des Zuckers durch *Zucker-Austauschstoffe wie z.B. Fructose od. Sorbit ersetzt. Solche Verb. werden vom Körper resorbiert u. verwertet, erhöhen jedoch den Blutzuckerspiegel nicht (d. h. werden insulinunabhängig metabolisiert). An d. L. für Säuglinge u. Kleinkinder werden hinsichtlich der Gehalte an Pflanzenschutzmitteln u. Nitrat sowie an die bakteriolog. Beschaffenheit bes. Anforderungen gestellt.

Zu den d. L. zählen auch Fertigmenüs für Übergewichtige. Sie unterliegen bestimmten Brennwertbegrenzungen u. müssen darüber hinaus Mindestforderungen bezüglich bestimmter Nähr- u. Inhaltsstoffe aufweisen. Zu den d. L. zählen auch Lebensmittel für die Ernährung von Personen, die an *Zöliakie erkrankt sind. Ein umfangreiches Verzeichnis diätet. u. diätgeeigneter Lebensmittel enthält die vom Diätverband herausgegebene *Grüne Liste*. – *E* dietetic foods – *F* aliments diététiques – *I* alimentari dietetici – *S* alimentos dietéticos

Lit.: Dtsch. Lebensm.-Rdsch. **83**, 250–253 (1987) ▪ Dwiveli, Calorie and Dietetics Foods, Cleavland: CRC 1978 ▪ Grüne Liste 1989, Aulendorf: Editio Cantor ▪ Food Rev. Intern. **2**, 171–212 (1986). ▪ Lebensm.-Wiss. Technol. **19**, 147–151 (1986). – *Organisationen:* Diätverband, Bundesverband der Hersteller von Lebensmitteln für besondere Ernährungszwecke, 61350 Bad Homburg v. d. H.

Diafenthiuron. Common name für 1-*tert* Butyl-3-(2,6-diisopropyl-4-phenoxyphenyl)thioharnstoff.

$C_{23}H_{32}N_2OS$, M_R 384,58, Schmp. 144,6–147,7 °C, LD_{50} (Ratte oral) 2068 mg/kg, von Ciba Geigy (jetzt Novartis) Ende der 80er Jahre eingeführtes *Insektizid u. *Akarizid mit Kontakt- u. Fraßwirkung gegen Blattläuse, Milben u. a. Insekten im Getreide-, Obst-, Gemüse-, Blumen- u. Baumwollanbau. – *E* = *F* diafenthiuron – *I* diafentiurone – *S* diafentiurón

Lit.: Perkow ▪ Pesticide Manual. – *[CAS 80060-09-9]*

Diafiltration. Bez. für eine Entsalzungsmeth. durch *Ultrafiltration während der Enzymreinigung: Bei der D. wird das Permeat kontinuierlich od. taktweise durch Wasser od. Pufferlsg. ersetzt. Da das Vol. des Ansatzes konstant bleibt, ändert sich die Enzymkonz. bei der D. nicht. – *E* = *F* diafiltration – *I* diafiltrazione – *S* diafiltración

Lit.: Anal. Biochem. **174**, 121–127 (1988) ▪ Cheryan, Ultrafiltration Handbook, Lancaster: Technicon Publ. 1986.

Diagenese s. Sedimentgesteine.

Diagnose (griech.: diagnosis = Erkenntnis, Beurteilung). In der Medizin Einordnung von subjektiven Beschwerden u. objektiven Befunden von Kranken zur Entscheidung über das weitere Vorgehen. – *E* diagnosis – *F* diagnostic – *I* diagnosi – *S* diagnóstico

Diagnostika. Sammelbez. für die in der *klinischen Chemie u. in medizin. Laboratorien für die *biochemische Analyse eingesetzten *Reagenzien, die eine medizin. *Diagnose unterstützen. Man kann bei den D. chem., biochem. u. immunolog. unterscheiden. Die chem. machen im allg. Gebrauch von Farbreaktionen, die häufig durch Kolorimetrie ausgewertet werden, während die biochem. D. Enzym-Reaktionen ausnutzen (s. enzymatische Analyse). *Immunelektrophorese, *Radioimmunoassay u. a. Meth. der *Immunchemie sind die Verf. der immunolog. Diagnostik, s. a. Serodiagnostik. Für Schnell-Tests stehen zahlreiche *Testpapiere, -seren u. -stäbchen zur Verfügung. – *E* diagnostics – *F* préparations diagnostiques – *I* diagnostici – *S* productos para diagnóstico

Lit.: Greiling u. Gressner, Lehrbuch der Klinischen Chemie u. Pathobiochemie, Stuttgart: Schattauer 1995 ▪ Thomas, Labor u. Diagnose, Marburg: Medizin. Verlagsges. 1995.

Diagonalreifen s. Reifen.

Diagum®. Sortiment von Verdickungsmitteln auf der Basis natürlicher wasserlösl. Polymere, vorwiegend Galactomannan-Derivate (Guar, Cassia), zur Verw. in verschiedenen Ind. wie Textildruck, Papier-Ind. usw. *B.:* Diamalt.

Dialdehydstärke s. Stärkederivate.

Dialgin®. Sortiment von Verdickungsmitteln aus Natriumalginat für den Textildruck. *B.:* Diamalt.

***N,N*-Dialkylamide.** Bez. für Dialkyl-substituierte *Amide der allg. Formel

Beisp. sind die als Lsm. verwendeten Verb. Dimethylformamid, -acetamid u. a., die ggf. in Einzelstichwörtern behandelt sind. – *E* = *F* *N,N*-dialkylamides – *I* *N,N*-dialchilammidi – *S* *N,N*-dialquilamidas

Dialkylamine. Bez. für *Amine der allg. Formel R^1R^2NH mit R = Alkyl, die gelegentlich auch als *sek. *Alkylamine* bezeichnet werden; *Beisp.:* Dimethyl-, Diethylamin u. a., die ggf. in Einzelstichwörtern behandelt sind – *E* = *F* dialkylamines – *I* dialchilammine – *S* dialquilamina

Dialkylperoxide. Gruppenbez. für Peroxide der allg. Formel R^1–O–O–R^2 mit R = Alkyl od. Aralkyl. Die handelsüblichen D., die durchweg tert. Reste enthalten (*Beisp.:* Di-*tert*-butylperoxid, Dicumylperoxid), werden als Radikalstarter, Polymerisationsinitiatoren u. zum Vernetzen von Polyethylen, Kautschuk u. a. Polymeren eingesetzt (s. a. Initiatoren). – *E* dialkyl peroxides – *F* peroxides de dialkyl – *I* perossidi di dialchile – *S* dialquilperóxidos – *[G 5.2]*

Diallag s. Pyroxene.

Diallat.

Common name für *S*-(2,3-Dichlorallyl)-diisopropyl(thiocarbamat), $C_{10}H_{17}Cl_2NOS$, M_R 270,22, Schmp. 25–30 °C, Sdp. 97 °C (20 Pa), LD_{50} (Ratte oral) 395 mg/kg (GefStoffV), von Monsanto 1961 eingeführtes selektives Vorauflauf-*Herbizid. – *E* di-allate – *F* diallate – *I* diallato – *S* dialato

Lit.: Farm. – *[HS 2930 90; CAS 2303-16-4]*

5,5-Diallylbarbitursäure s. Allobarbital.

Diallylphthalat s. Phthalsäureester.

Dialuramid s. Uramil.

Dialursäure (2,4,5,6-Pyrimidintetraol, 5-Hydroxybarbitursäure).

$C_4H_4N_2O_4$, M_R 144,09, farblos, mit 1 Mol. Wasser kristallisierend. Zers. oberhalb 203 °C, wasserfrei Schmp. 224 °C, in heißem Wasser, Alkohol, Aceton lösl., in Benzol nicht löslich. An Luft Zers. zu *Alloxantin, gibt die *Murexid-Reaktion. – *E* dialuric acid – *F* acide dialurique – *I* acido dialurico – *S* ácido dialúrico

Dialyse. Physikal. Verf. zur Abtrennung niedermol. Teilchen von Kolloiden od. Makromol. mittels *Diffusion aus der Dispersion in das laufend erneuerte reine Lsm. (meist Wasser) durch semipermeable *Membranen, die die großen Teilchen zurückhalten. Wird v. a. zur Reinigung von *Biopolymeren von anhaftenden Salzen angewendet, auch zum Entgiften des Blutes (*Hämodialyse, künstliche *Niere*). Die Geschw. der D. läßt sich durch Temp.-Erhöhung od. Anlegen einer elektr. Spannung vergrößern (s. Elektrodialyse). Zu den Zusammenhängen zwischen D., *Osmose u. *umgekehrter Osmose, *Membran- u. *Ultrafiltration vgl. Kolloidchemie. Ein Sonderfall der D. bzw. der Osmose ist das – von Brintzinger als *Diasolyse* bezeichnete – „Hindurchlösen" eines Stoffes aus einer Lsg. durch die Membran in die Außenflüssigkeit; hierbei wirkt das Membranmaterial als Lsm. für den diasolysierenden Stoff. – *E* dialysis – *F* dialyse – *I* dialisi – *S* diálisis

Lit.: Hunter, Foundations of Colloid Science, Vol. I, Oxford: Clarendon Press 1986 ▪ Kirk-Othmer (3.) **7**, 564–579; **8**, 726–738 ▪ Scott, Membrane and Ultrafiltration Technology, Park Ridge: Noyes 1980 ▪ Ullmann **1**, 609–615; **2/1**, 180–183 ▪ s. a. Kolloidchemie, Membranen u. Nieren.

Dialysereaktor. In der *Biotechnologie ein speziell gestalteter Membranbioreaktor, um Fermentationsprozesse mit pflanzlichen od. tier. Zellen, die bestimmten Randbedingungen unterliegen, durchzuführen. Die Abb. zeigt das Prinzip eines D., wie er z. B. für die Fermentation mit tier. Zellen angewendet wird. Mit einer semipermeablen Membran wird das Reaktionsgefäß in zwei Bereiche unterteilt. In dem einen Halbraum werden hochmol. Stoffwechselprodukte, z. B. *monoklonale Antikörper erzeugt, durch den anderen Halbraum fließt das Medium mit den erforderlichen Nährstoffen, wobei evtl. entstandene niedermol. Produkte abgeführt werden. Die gelösten niedermol. Stoffe diffundieren aufgrund des Konzentrationsgefälle durch die Membran, während die Zellen u. die hochmol. Komponenten im aktiven Fermentationsvol. verbleiben (s. Dialyse).

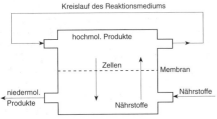

Abb.: Prinzip eines Dialysereaktors.

Weitere Einsatzmöglichkeiten für D. sind Fermentationen zur Bildung niedermol. tox. Produkte, sowie zur Kultivierung von syntrophen Konsortien von Mikroorganismen, die durch die Membran getrennt sind, aber durch diese niedermol. Stoffe austauschen können. – *E* dialysis reactor – *F* réacteur à dialyse – *I* reattore dialitico – *S* reactor de diálisis

Lit.: Appl. Microbiol. Biotechnol. **43**, 772–780 (1995) ▪ Enzyme Microb. Technol. **16**, 688–695 (1994) ▪ J. Ferm. Bioeng. **69**, 244–249 (1990).

Diamagnetismus s. Magnetochemie.

Diamalt. Kurzbez. für die 1902 gegr. Firma, heute Freedom Chemical Diamalt GmbH, 80999 München, ein Unternehmen der Freedom Chemical Diamalt-Gruppe/USA. *Produktion:* Spezialitätenwirkstoffe u. Zwischenprodukte für die Pharma-, Textil-, Nahrungsmittel-, Leder-, Papier- u. Düngemittel-Ind., hergestellt aus nachwachsenden Rohstoffen. *Daten:* 200 Beschäftigte, 2 Mio. DM Kapital, 100 Mio. DM Umsatz.

Diamantan s. Congressan.

Diamanten (von griech.: adamas = unbezwingbar). Eine der krist. Modif. des *Kohlenstoffs, bei Oberflächenbedingungen gegenüber *Graphit eigentlich thermodyn. metastabil, s. Matthes (*Lit.*). D. 3,52, H. 10 (härtestes ird. Material), jedoch auf den einzelnen Kristallflächen verschieden. D. krist. kub.-hexakisoktaedr., Kristallklasse m3m-O_h. Häufige *Krist.-Formen* zeigt die Abbildung.

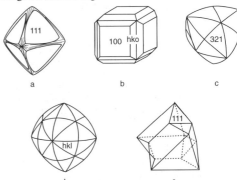

Abb.: Häufigere Wachstumsformen von Diamant; Bedeutung der Flächensymbole s. Kristallgitter; nach Matthes (*Lit.*), S. 22.

Häufigste Wachstumsform ist das *Oktaeder* (Abb. a); nach seinen Flächen sind die D. vollkommen spaltbar. D. bildet durchsichtige bis durch Einschlüsse undurchsichtige, meist kleine Einkrist., oft mit gerundeten Flächen u. Kanten u. Ätzgruben, ferner Krist.-Bruchstücke u. Rollstücke. Bes. große Roh-D. waren: *Cullinan* (Südafrika, 1906; 3106 *Karat = 621,2 g Gew.), *Excelsior* (995 Karat), *Star of Sierra Leone* (969 Karat) u. *Centenary* (599 Karat, geschliffen 273 Karat). 1996 wurde dem König von Thailand der geschliffen 545,67 Karat schwere „*Golden Jubilee*" anläßlich des 50. Kronjubiläums geschenkt. *Carbonados* (von Bahia/Brasilien u. Ubangi/Zentralafrika) u. *Ballas* (*Bort*; bes. in Brasilien) sind meist dunkle bis schwarze Aggregate winziger D.-Partikel mit Graphit-Einschlüssen u. anderen Verunreinigungen. Die *Krist.-Struktur* der D. ist aus einem regelmäßigen dreidimensionalen Tetraeder-Gerüst aufgebaut, in dem jedes C-Atom in fester kovalenter Bindung von vier Nachbarn im gleichen Abstand von 1,54 Å umgeben ist, vgl. Matthes (*Lit.*).

Chem. Eigenschaften, Klassifikation: D. haben gewöhnlich einen muscheligen Bruch u. können im Stahlmörser zu Pulver zerstampft werden. Sie fühlen sich kalt an (extrem gute Wärmeleiter u.) werden beim Reiben wie Glas pos. elektrisch. Feines Pulver kann man schon vor dem Lötrohr auf Platinblech zu CO_2 verbrennen; größere Stücke brennen erst im über 800 °C heißen Sauerstoff-Gebläse. Gewöhnliche Säuren u. Laugen greifen D. nicht an, wohl aber ein (oxidierendes) Gemisch aus Kaliumdichromat u. Schwefelsäure od. schmelzender Salpeter bzw. Fluor bei über 700 °C. D. ist im elektr. Flammenofen unschmelzbar, doch wandelt er sich bei diesen Hitzegraden (unter Luftausschluß bei etwa 1600 °C) in *Graphit um. Bei der Herst. kleiner Bohrlöcher in D. (für Draht-Ziehsteine) haben sich Laser bewährt. D. können bis 0,28% Stickstoff u. ferner Aluminium, Sauerstoff, Magnesium, Eisen u. Calcium enthalten. Nach den Stickstoff-Gehalten werden sie unterteilt in die Typen *Ia* u. *Ib* (N-haltig) u. *IIa* u. *IIb* (keine bis sehr geringe N-Gehalte, bei Typ IIb zusätzlich bis zu 0,25 ppm Bor). D. vom Typ IIa sind elektr. Nichtleiter, D. des Typs IIb sind *Halbleiter. Ein Tl. der in D. enthaltenen Fremdelemente sind an Einschlüsse von *Mineralien gebunden, z.B. *Olivin, Pyrop-reiche, Cr-haltige *Granate, Al-Mg-*Spinelle u. Sulfide; solche Einschlüsse können wichtige Hinweise auf die Bildungsbedingungen von D. geben[1].

Opt. Eigenschaften, Farbe: D. haben eine ungewöhnlich hohe Lichtbrechung (*Refraktion, n_D 2,4; Ursache für den *D.-Glanz*), mit sehr hoher *Dispersion; diese ist die Ursache für das „Feuer" geschliffener Diamanten. D. sind durchlässig für Licht aller Wellenlängen von Infrarot bis Ultraviolett. Die wertvollsten D. sind völlig farblos („*rein weiß*"), andere sehr häufig schwach getönt gelblich, grau od. grünlich. Reine intensive Farben sind selten; Beisp. sind der blaue „Hope" (44,5 Karat) u. rosafarbige D. aus der Argyle-Mine/Australien. Farbursachen sind u. a. geringe Gehalte an Stickstoff (gelb, grün) u. Bor (blau). Viele D. fluoreszieren – in verschiedenen Farben – im UV-Licht. Zu künstlichen Eigenschaftsveränderungen s. *Lit.*[2]

Bildungsbedingungen, Vork.: Die meisten D. entstehen im Erdmantel (*Erde) in Tiefen von 150–300 km bei Mindest-Drücken von 4,5 GPa u. Temp. von 900–1300 °C in *Peridotiten u. *Eklogiten. An die Erdoberfläche gelangen sie innerhalb von wenigen Stunden in tiefreichenden Vulkanschloten (*Diatreme*, „*Pipes*"). Dort finden sich die prim. D. in ihren Transportgesteinen (nicht: Muttergesteinen!), überwiegend *Kimberlite, seltener auch *Lamproite (z.B. Australien); sek. sind die Vork. von D. in *Seifen. Neben den *Mantel-D.* kennt man seit kurzem *Erdkrusten-D.* aus alten *metamorphen Gesteinen (z.B. in Kasachstan); hierher gehören möglicherweise auch die Carbonados[3]. Die diesen ähnlichen sibir. *Yakutite* (mit der hexagonalen Kohlenstoff-Modif. *Lonsdaleit*) sind bei *Meteoriten-Einschlägen aus Graphit entstanden[4]; sie gehören zur Gruppe der *Impact- u. Kondensations-D. aus Meteoriten*[5]. Im Impact-Krater des Nördlinger Rieses/Bayern wurden neben Lonsdaleit auch winzige Mengen mit Siliciumcarbid verwachsener D. gefunden[6]. Erfolgreich auf D. prospektiert wird derzeit v. a. in Rußland[7] (z.B. Yakutien/Sibirien), Kanada (ein D.-Hauptförderland im 21. Jh.), China, u. in den USA. 85% der Weltförderung an Roh-D. im Jahre 1995 von 115,5 Mio. Karat (=rund 23 t!) kommen aus 9 Ländern[8] (in Klammern Fördermenge in Mio. Karat): Australien (38,5), Rußland (21,9), Zaire (19,0), Botswana (15,6), Südafrika (11,0), Angola (4,4), Brasilien (2,3), Elfenbeinküste (1,5) u. Namibia (1,3); einige weitere Förderländer sind Angola, Ghana, Lesotho, Simbabwe u. Indien. Die zahlreichen D.-Neufunde der jüngsten Zeit, bes. in Rußland, haben zu Unsicherheiten auf dem D.-Markt geführt[8]; zu Vork. u. Produktion von D. in Gegenwart u. Zukunft s. auch *Lit.*[9].

Herst.: Die (Hochdruck-)Synth. von D. gelang erstmals 1953/55; die heutigen *Hochdruck-Verf.* basieren auf der Umwandlung von Graphit in D. bei 1400 °C u. 5 GPa Druck unter Mitwirkung geschmolzener Metalle (als Katalysatoren, meist Ni u. Fe). 1990 wurde ein synthet. D.-Krist. von 14,2 Karat Gew. hergestellt. Industriell übliche Synth. erfolgen mit dem Kohlenstoff-Isotop ^{12}C; zu ihrer Unterscheidung von Natur-D. s. *Lit.*[2]. Seit 1991 können farblose, lupenreine (mit 10-facher Vergrößerung keine Einschlüsse erkennbar) D. mit 3 Karat Gew. aus 99% ^{13}C hergestellt werden. Mit dem Verf. der *CVD-Synth.* (*E chemical vapour deposition*) lassen sich D. auch bei Atmosphärendruck aus heißen Gasen abscheiden[10]. Mit einer laserbeheizten transparenten D.-Stempelzelle ist es heute möglich, die Druck-Temp.-Bedingungen im Erdkern zu simulieren[11].

Verw.: Man unterscheidet heute zwischen *Industrie-D.* u. *schleifbaren D.* (in Schmuckqualität, 1990 knapp 55% der Weltförderung an D.). Die (mit D.-Pulver) geschliffenen D. bezeichnet man als *Brillanten*; ihre Oberfäche ist so gestaltet, daß die Farbenstreuung möglichst hohe Werte erreicht. Für die wertmäßige *Graduierung* der D. nach den „*4 C*" – Color = Farbe, Clarity = Reinheit, Carat = Gewicht u. Cut = Schliffqualität (entfällt bei Roh-D.) – gelten die Richtlinien des *GIA* (Gemmological Institute of America), des *IDC* (International Diamond Council), der *CIBJO* (Confédération Internationale de la Bijoutérie, Joaillerie, Orfèvrerie des Diamantes, Perles et Pierres) u. der dtsch. *RAL 560 A5E* von 1970. D. ist einer der wichtigsten *Werkstoffe*; Beisp. sind D.-Werkzeuge als Schleif-, Bohr- u. Schneidemittel, D.-Skalpelle in der Augenchirurgie, D.-Scheiben als Wärmesenken für therm. hoch belastete elektron. Bauelemente. Nach dem CVD-Verf. hergestellte D. u. a. für Beschichtungen von Materialien, für D.-Fenster als Sensoren in Raumfahrtsonden, sowie zur Herst. von Verbundpulvern; Stickstoff- u. Bor-dotierte CVD-D. in der Elektronik[12], z.B. als „kalte" Kathoden in Vak.-Bildröhren.

Als *D.-Imitationen*[2] bzw. D.-„Ersatz" dienen synthet. *Rutil (TiO_2), „*Fabulit*" ($SrTiO_3$), „*YAG*"(Yttrium-Aluminium-Granat, $Y_3Al_5O_{12}$), „*Galliant*" („*GGG*", Gadolinium-Gallium-Granat, $Gd_3Ga_5O_{12}$) u. „*Zirkonia*" („*KSZ*", kub. stabilisiertes Zirkoniumoxid), s. a. Edelsteine. – *E* diamonds – *F* diamants – *I* diamanti – *S* diamantes

Lit.: [1] Nature (London) **375** (6530), 395 ff. (1995). [2] Gemmologie (Z. Dtsch. Gemmol. Ges.) **44**, Nr. 4, 11–20 (1995). [3] Mineral. Mag. **57**, 607–611 (1993). [4] Meteoritics **27**, 21–27 (1992). [5] Nature (London) **378** (6552), 17 f. (1995). [6] Nature (London) **378** (6552), 41–44 (1995). [7] Lapis **19**, Nr. 11, 16–20 (1994) („Steckbrief"). [8] TIME Newsmag. **147**, Nr. 10, 38–44 (1996). [9] Gems & Gemology **28**, 234–254 (1992); dtsch.: Mineralien-Welt **5**, Nr. 6, 17–38 (1994). [10] Spektrum Wiss. **1992**,

Nr. 9, 30–41 (1992). [11] Spektrum Wiss. **1993**, Nr. 7, 48–55. [12] Nature (London) **370** (6491), 601 (1994); Nature (London) **381** (6578), 116, 140 f. (1996).
allg.: Eppler, Praktische Gemmologie (5.), S. 1–71, Stuttgart: Rühle-Diebener 1994 ■ GEO **1986**, Nr. 3, 10–36 ■ Lapis **19**, Nr. 11, 9–15 (1994) ■ Lenzen, Diamantkunde mit kritischer Darstellung der Diamantengraduierung, Kirschweiler: E. Lenzen 1986 ■ Matthes, Mineralogie (4.), S. 22 ff., Berlin: Springer 1993 ■ Schumann, Edelsteine u. Schmucksteine (10.), S. 70–81, München: BLV 1995 ■ Wilks u. Wilks, Properties and Applications of Diamonds, Oxford: Butterworth-Heinemann 1991 ■ s.a. Edelsteine. – *Organisationen:* Bundesverband der Edelstein- u. Diamantindustrie, 55743 Idar-Oberstein ■ Diamond Research Laboratory, Johannesburg ■ Industrial Diamond Information Bureau, 2 Charterhouse Street, London EC 1. – [HS 7102 10 – 7102 39; CAS 7782-40-3]

Diamant-, Diamantchrom®-Farbstoffe. Saure Chrom-Entwicklungs- u. Nachchromierfarbstoffe für das Färben von Wolle. *B.:* Bayer.

Diamantgrün s. Malachitgrün.

Diamantmetalle. Veraltete Bez. für Werkstoffe, bei denen natürliches od. synthet. *Diamant-Korn (Bort) in eine metall. Grundmasse eingesintert ist, wobei als Grundmassen *Bronzen, Fe-Ni-Cr-Leg. sowie Mo- od. W-Leg. verwendet werden. Bevorzugt werden dabei Carbid-Bildner, da diese das Diamantkorn gut benetzen. Im allg. wird bei der Herst. der D. von Pulvermischungen ausgegangen, die durch heißisostat. Pressen bei max. 900 °C gesintert werden. D. werden als Beläge von Hochleistungsschleif- u. Trennscheiben verwendet. – *E* diamond metals, abrasive grain – *F* grain abrasif – *I* metalli a diamante – *S* metales diamantes
Lit.: Ullmann (4.) **19**, 575.

Diamanttinte s. Glastinten.

Diametan®. *Fungizid auf der Basis von *Propineb, *Triadimefon u. *Cymoxanil für den Weinbau. *B.:* Bayer.

Diamid s. Hydrazin.

Diamine. Aliphat. od. aromat. Verb., die 2 NH$_2$-Gruppen (Amino-Gruppen) enthalten, s.a. Amine; *Beisp.:* Ethylen-, Pentan-, Phenylendiamin. Die meisten aliphat. D. sind in Wasser leicht lösl. (alkal. Reaktion) u. bilden mit Säuren Salze; einige D. rauchen an der Luft u. riechen ähnlich wie die höheren, einwertigen Amine. Körpereigene D. werden durch die *Diaminoxidase desaminiert. Manche der aromat. D. sind Carcinogene [1].
Verw.: D. werden als Zusätze zu Epoxidharzen, zu alkal. Katalysatoren, als Stabilisatoren von Melaminharzen, zur Synth. von Farbstoffen, Arzneimitteln, heterocycl. Stickstoff-Verb. usw. verwendet. Ein techn. bedeutendes D. ist *1,6-Hexandiamin als Ausgangsmaterial für Nylon. – *E* = *S* diaminas – *F* diamines – *I* diammine
Lit.: [1] Toxicol. Environ. Chem. Rev. **3**, 145 – 168 (1980).
allg.: s. Amine.

Diamingrün B.

$C_{34}H_{22}N_8Na_2O_{10}S_2$, M_R 812,70. Grünschwarzes Pulver in Wasser mit grüner Farbe sehr leicht, in Alkohol mäßig löslich.

Verw.: In der *Komplexometrie zur Herst. eines Mischindikators mit Phthaleinpurpur zur Bestimmung der Erdalkalien. – *E* diamine green – *F* vert diamine – *I* verde diamminico – *S* verde diamina
Lit.: Beilstein E II **16**, 258; E IV **16**, 624.

2,4-Diaminoazobenzol (Chrysoidin, 4-Phenylazo-*m*-phenylendiamin).

$C_{12}H_{12}N_4$, M_R 212,25. Gelbe Nadeln, schwerlösl. in Wasser, lösl. in Alkohol u. Ether, Schmp. 117,5 °C. D. entsteht durch Kuppeln von diazotiertem Anilin mit *m*-Phenylendiamin u. ist der erste synthet. gewonnene Monoazofarbstoff (Caro, 1875; Witt, 1876); gilt als krebsverdächtiger Stoff [1].
Verw.: Zum Färben von tannierter Baumwolle sowie von Leder u. Papier, in der Bakteriologie zur Färbung von Diphtherie-Erregern. – *E* 2,4-diaminoazobenzene – *F* 2,4-diaminoazobenzène – *I* 2,4-diamminoazobenzene – *S* 2,4-diaminoazobenceno
Lit.: [1] Roth, Krebserzeugende Stoffe, S. 37, Stuttgart: Wissenschaftliche Verlagsges. 1988.
allg.: Beilstein E IV **16**, 561 ■ Merck-Index (12.), Nr. 2317 ■ Ullmann (5.) **A 3**, 292. – [*CAS 495-54-5*]

3,3'-Diaminobenzidin s. 3,3',4,4'-Tetraaminobiphenyl.

Diaminobenzole s. Phenylendiamine.

4,4'-Diaminobiphenyl s. Benzidin.

1,4-Diaminobutan s. 1,4-Butandiamin.

4,4'-Diamino-3,3'-dimethyl-1,1'-binaphthalin s. 3,3'-Dimethylnaphthidin.

4,4'-Diamino-3,3'-dimethylbiphenyl s. 3,3'-Dimethylbenzidin.

4,4'-Diaminodiphenylmethan (4,4'-Methylendianilin).

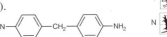

$C_{13}H_{14}N_2$, M_R 198,27. Blöcke od. Pulver, Schmp. 92 °C, Sdp. 398 – 399 °C, geruchlos, im Vak. unzersetzt destillierbar, wenig lösl. in Wasser, gut lösl. in Alkohol, Aceton, Ethern, Estern. D. wirkt v. a. hepatotox.; es verändert den Blutfarbstoff u. zerstört die roten Blutkörperchen, kann auch über die Haut aufgenommen werden. D. gilt als Stoff, der sich im Tierversuch eindeutig als krebserzeugend erwiesen hat (Gruppe III A 2 MAK-Werte-Liste 1996), TRK 0,1 mg/m^3, LD$_{50}$ (Ratte oral) 662 mg/kg, wassergefährdender Stoff, WGK 3. Die Herst. erfolgt durch Kondensation von Anilin mit Formaldehyd. D. ist ein Vor- u. Zwischenprodukt bei der Herst. von Kunstharzen, Klebstoffen, Farbstoffen, Vulkanisationsbeschleunigern. – *E* 4,4'-diaminodiphenylmethane – *F* 4,4'-diaminodiphénylméthane – *I* 4,4'-diamminodifenilmetano – *S* 4,4'-diaminodifenilmetano
Lit.: Beilstein E IV **13**, 390 ■ Gesundheitsschädliche Arbeitsstoffe: toxikologisch-arbeitsmedizinische Begründung von MAK-Werten, Weinheim: VCH Verlagsges. 1972 – 1996 ■ Hommel, Nr. 854 ■ Ullmann (4.) **7**, 401; **23**, 298; (5.) **A 21**, 255. – [*HS 2921 59; CAS 101-77-9; G 6.1*]

4,4'-Diaminodiphenylsulfon

4,4'-Diaminodiphenylsulfon s. Dapson.   Xn

1,2-Diaminoethan s. Ethylendiamin.

1,6-Diaminohexan s. 1,6-Hexandiamin.

2,6-Diaminohexansäure s. Lysin.

2,4-Diamino-6-methyl-1,3,5-triazin (Acetoguanamin, 6-Methyl-1,3,5-triazin-2,4-diamin).

$C_4H_7N_5$, M_R 125,13. Farbloses Pulver, Schmp. 277 °C, in Wasser, Ethylglykol, Benzylalkohol gut lösl., weniger in niederen Alkoholen, Ketonen, schlecht in Benzol, Benzin, Tetrachlormethan. Herst. durch Erhitzen von Dicyandiamid mit Acetonitril in Ggw. bas. Katalysatoren. D. wird zur Herst. von *Acetoguanamin-Formaldehyd-Harzen*, die zur Modifizierung von Melaminharzen, zur Beschichtung von Holz u. für Preßmassen Verw. finden, eingesetzt. – *E* 2,4-diamino-6-methyl-1,3,5-triazine – *F* 2,4-diamino-6-méthyl-1,3,5-triazine – *I* 2,4-diammino-6-metil-1,3,5-triazina – *S* 2,4-diamino-6-metil-1,3,5-triazina

Lit.: Beilstein E V **26/9**, 3 f. ▪ Ullmann (5.) **A 16**, 181. – [HS 293 69; CAS 542-02-9]

1,5-Diaminopentan s. 1,5-Pentandiamin.

2,5-Diaminopentansäure s. Ornithin.

2,4-Diaminophenol.

$C_6H_8N_2O$, M_R 124,14. Krist. Substanz, die sich bei 78–80 °C zersetzt, wenig lösl. in Ether, Chloroform, Petrolether. D. kann durch Red. von 2,4-Dinitrophenol hergestellt werden. *D.-Dihydrochlorid* (Amidol): $C_6H_{10}Cl_2N_2O$, M_R 197,06. Farbloses bis graues Pulver, Schmp. 205 °C. Wäss. Lsg. eignen sich als Reduktionsmittel (Entwickler) beim Fotografieren, weitere Verw. findet es in der Haar- u. Pelzfärberei. – *E* 2,4-diaminophenol – *F* 2,4-diaminophénol – *I* 2,4-diamminofenolo – *S* 2,4-diaminofenol

Lit.: Beilstein E IV **13**, 1425 ▪ Merck-Index (12.), Nr. 3026. – [HS 2922 29; CAS 95-86-3 (2,4-D.); 137-09-7 (Amidol)]

2,4-Diamino-6-phenyl-1,3,5-triazin s. Benzoguanamin.

Diaminopimelinsäure (2,6-Diaminopimelinsäure, 2,6-Diaminoheptandisäure, Dpm).

(2S,6R)-meso-Form

$C_7H_{14}N_2O_4$, M_R 190,20. Schmp. 264–265 °C (meso-Form). (2S,6S)-L-Form: Schmp. 310–312 °C, $[\alpha]_D^{16}$ +30,4° (6 m HCl), biosynthet. Vorläufer von *Lysin in Pflanzen u. Bakterien. Die *meso*-Form wird mit D-Epimerase gebildet. D. (bes. *meso*-D.) ist ein wichtiger Bestandteil der Bakterienzellwände. – *E* diaminopimelic acid – *F* acide diaminopimelique – *I* acido diamminopimelico – *S* ácido diaminopimélico

Lit.: Beilstein E IV **4**, 3081 ▪ J. Org. Chem. **57**, 6519 (1992) ▪ Synthesis **1984**, 127. – [CAS 922-54-3 (meso); 14289-34-0 (L-Form)]

Diaminopropane s. Propandiamine.

2,6-Diaminopyridin (2,6-Pyridindiamin).

$C_5H_7N_3$, M_R 109,13. Farblose Krist., Schmp. 120 °C, Sdp. 170 °C (4,0 kPa), leicht lösl. in Ethanol u. Ether, schwer lösl. in Benzol u. Wasser. Herst. aus Pyridin u. Natriumamid.

Verw.: Ausgangsmaterial zur Herst. des Chemotherapeutikums Pyridium, Zwischenprodukt für organ. Synth., zur Herst. von bakteriziden Farbstoffen u. Azofarbstoffen. – *E = F = S* 2,6-diaminopyridine – *I* 2,6-diamminopiridina

Lit.: Beilstein E V **22/11**, 255 f. ▪ Ullmann (4.) **19**, 602; (5.) A **22**, 417, 418. – [HS 2933 39; CAS 141-86-6]

4,4'-Diamino-2,2'-stilbendisulfonsäure.

$C_{14}H_{14}N_2O_6S_2$, M_R 370,39. Gelbliche, mikroskop. kleine Nadeln, lösl. in Alkohol u. Ether, wenig in Wasser, Schmp. >300 °C. Zwischenprodukt für Farbstoffsynth., wichtig zur Herst. von *optischen Aufhellern. – *E* 4,4'-diamino-2,2'-stilbenedisulfonic acid – *F* acide 4,4'-diamino-2,2'-stilbènedisulfonique – *I* acido 4,4'-diammino-2,2-stilbendisolfonico – *S* ácido 4,4'-diamino-2,2'-estilbendisulfónico

Lit.: Beilstein E IV **14**, 2813 ▪ Ullmann (4.) **8**, 277; (5.) A **18**, 158. – [HS 2921 59; CAS 81-11-8]

Diaminotoluole s. Methylphenylendiamine.

Diamin-Oxidase [Amin-Oxidase (Kupfer-haltig), EC 1.4.3.6]. Gelegentlich auch *Histaminase* genanntes, im Blut, den Schleimhäuten des Magens, Darms usw., aber auch in Pflanzen [1] vorkommendes Kupfer-haltiges Chino-Enzym mit Topachinon (s. Tyrosin) als *prosthetischer Gruppe, das die oxidative *Desaminierung von Diaminen (Histamin, Cadaverin, Putrescin usw.) bewirkt, wobei Aminoaldehyde, Ammoniak u. Wasserstoffperoxid entstehen. – *E* diamine oxidase – *F* diamine oxydase – *I* diam(m)inossidasi – *S* diamina oxidasa

Lit.: [1] Phytochemistry **39**, 1–9 (1995).
allg.: J. Ferment. Bioeng. **80**, 625–632 (1995). – [HS 3507 90; CAS 9001-53-0]

Diammindichlorplatin s. Platin-Verbindungen.

Diamorphin s. Heroin.

Diamox®. Tabl. u. Retardkapseln zur Therapie von Glaukom u. Ödemen mit dem *Carboanhydrase-Hemmer *Acetazolamid, die Trockensubstanz zur Injektion od. Infusion enthält das Natrium-Salz. *B.:* Lederle.

Diamthazol s. Dimazol.

Dian. In der Ind. gebräuchliche Abk. für *Bisphenol A.

Diane® 35. Dragees mit *Cyproteron-Acetat u. *Ethinylestradiol gegen Androgenisierungserscheinungen, Hirsutismus. *B.:* Schering.

o-Dianisidin (3,3'-Dimethoxybenzidin, 3,3'-Dimethoxy-4,4'-biphenyldiamin).

$C_{14}H_{16}N_2O_2$, M_R 244,29. Farblose Krist., Schmp. 137 °C, lösl. in Alkohol, Ether u. Benzol. D. gilt als Stoff, der sich im Tierversuch eindeutig als krebserzeugend erwiesen hat (Gruppe III A 2 MAK-Werte-Liste 1996), TRK 0,03 mg/m³. *Verw.:* Ähnlich wie *Benzidin zur Herst. von Azofarbstoffen (D.-Farbstoffe), in der anorgan. Analytik zur spektrophotometr. Bestimmung von Gold, Nitrit u. Cer(IV)-Salzen u. zum Nachw. von Co, Cu, SCN⁻ u. V. Das diazotierte o-D. ist Echtblausalz B. – *E = F* o-dianisidine – *I = S* o-dianisidina

Lit.: Beilstein E IV **13**, 2834 ▪ Ullmann (4.) **8**, 360, (5.) **A 3**, 548 ff. – *[HS 2922 22; CAS 119-90-4; G 6.1]*

1,1'-Dianthrimid (1,1'-Iminodianthrachinon).

$C_{28}H_{15}NO_4$, M_R 429,43. Rotes Pulver, Schmp. >300 °C, lösl. (unter Grüngelbfärbung) in konz. Schwefelsäure. Diese Lsg. ist als hochempfindliches Bor-Reagenz verwendbar, gibt bei Ggw. von 0,1 – 10 µg Bor Blaufärbung. D. ist auch zur indirekten Bestimmung von K, Rb, Cs u. Se geeignet. – *E = F* 1,1'-dianthrimide – *I* 1,1'-diantrimmide – *S* 1,1'-diantrimida

Lit.: Beilstein E III **14**, 411; E IV **14**, 432 ▪ Fries-Getrost, S. 82 ff., 94, 176, 305, 317 ▪ Kirk-Othmer **2**, 746 ff. ▪ Mikrochim. Acta **1972**, 92. – *[HS 2922 30; CAS 82-22-4]*

Diaphal®. Tabl. mit *Furosemid u. *Amilorid-Hydrochlorid-Dihydrat gegen Ödeme, Bluthochdruck. *B.:* Pierre Fabre Pharma.

Diaphoretika s. Hidrotika.

Diaphragma. Von griech. dia = durch u. phragma = Umzäunung, Abgrenzung abgeleitete Bez. für eine poröse Scheidewand, die z. B. bei der *Elektrolyse Anoden- u. Kathodenraum trennt, die *Diffusion u. den Elektrolyt-Austausch an der Berührungsgrenze der Elektrolytlsg. erschwert, den Stromdurchgang jedoch gestattet; *Beisp.:* *Chloralkali-Elektrolyse, potentiometr. pH-Bestimmung. Auch bei der *Dialyse u. *Osmose werden die Scheidewände, die die verschiedenen Gase od. Flüssigkeiten trennen, gelegentlich D. – meist jedoch *Membranen – genannt. – *E* diaphragm – *F* diaphragme – *I* diaframma – *S* diafragma

Lit.: Dörfler, Grenzflächen- u. Kolloidchemie, Weinheim: VCH Verlagsges. 1994 ▪ Kortüm, Elektrochemie, Weinheim: Verl. Chemie 1978 ▪ Koryta u. Dvorak, Principles of Electrochemistry, Chichester: Wiley 1987.

Diapir s. Evaporite.

Diapo... Bez. für beidseitige Verkürzung von *Carotinoiden; vgl. Apo...

Diapositive s. Photographie.

Diaprint®. Sortiment von wasserlösl. Verdickungsmitteln auf der Basis von Polysacchariden u. Pflanzengummen zur Verw. im Textildruck. *B.:* Diamalt.

Diarrhoe (griech.: diarrhoia = Durchfluß) Durchfall. Vermehrtes Absetzen von reichlichem flüssigem Stuhl, häufiger als 3mal pro Tag mit Stuhlmengen über 200 g täglich. Eine D. entsteht u. a. durch Ansammlung schlecht resorbierbarer Substanzen mit hohem osmot. Druck im Darmlumen (z. B. bei Störungen der Resorption von Nahrungsbestandteilen), erhöhter Wasserabscheidung aus der Darmwand (z. B. bei Infektionserkrankungen wie der *Cholera) od. durch Störungen der normalen Darmbewegungen (vgl. Darm). Als Folge von schwerer D. treten Verluste von Wasser u. Elektrolyten auf, die zur Verminderung des zirkulierenden Blutvol., Kalium-Mangel u. Störungen des Säure-Basen-Haushaltes führen. – *E* diarrhea – *F* diarrhée – *I = S* diarrea

Lit.: Sleisenger u. Fordtran, Gastrointestinal Disease, Philadelphia: Saunders 1989.

Diarrhoesan®. Flüssigkeit mit Apfel-*Pektin u. Kamillenextrakt gegen Durchfälle. *B.:* Loges.

diars. Gelegentlich verwendete Abk. für 1,2-Bis-(dimethylarsino)-benzol, $C_6H_4[As(CH_3)_2]_2$, als Ligand in Koordinationsverbindungen.

Diasolyse s. Dialyse.

Diaspor s. Aluminiumhydroxide.

Diastasen s. Amylasen.

diastereofacial s. diastereoselektive Reaktionen.

Diastereo(iso)merie. Von griech. dia = auseinander abgeleitete Bez. für eine Form der *Stereoisomerie. Nach IUPAC-Regel E-4.6 bezeichnet man als *diastereomer* solche Mol. (*Stereoisomere*), die sich nicht wie Bild u. Spiegelbild zueinander verhalten. Nach dieser Definition ist auch die *cis-trans-Isomerie an Doppelbindungen (E/Z-Isomerie) u. an Ringsyst. als Form der D. anzusehen. Diastereomere lassen sich durch keine Symmetrieoperation ineinander überführen u. können sowohl chiral als auch achiral sein, wobei chirale Diastereomere *Enantiomerie* zeigen, die achiralen Diastereomeren fehlt. Während ein Satz von Enantiomeren lediglich zwei Mitglieder aufweist, existiert diese Beschränkung für Diastereomere nicht.

Da jedes stereogene Zentrum in einer od. der anderen von zwei möglichen Konfigurationen auftreten kann, gibt es 2^n Stereoisomere für n nichtäquivalente Zentren. Da jedes Stereoisomer ein Enantiomer besitzt, treten 2^n Stereoisomere in Form von 2^{n-1} Paaren von Enantiomeren auf, wobei jedes Enantiomerenpaar diastereomer mit jedem anderen Paar ist. Am Beisp. der Aldosen kann dieser Zusammenhang leicht erkannt werden (s. Abb. S. 938).

Der in der Fischer-Projektion dargestellte Aldose-Stammbaum beginnt bei *Glycerinaldehyd (n = 1), der als Enantiomerenpaar vorliegt. Für die Tetrosen (n = 2) existieren 2, für die Pentosen (n = 3) 4 u. die Hexosen (n = 4) 8 Enantiomerenpaare. Die diastereomeren Enantiomerenpaare werden mit verschiedenen Namen gekennzeichnet, z. B. Erythrose u. Threose für die bei-

Diastereomere

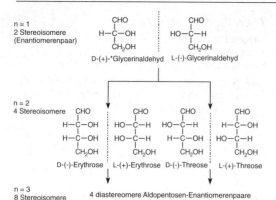

n = 1
2 Stereoisomere (Enantiomerenpaar)

D-(+)-*Glycerinaldehyd   L-(-)-Glycerinaldehyd

n = 2
4 Stereoisomere

D-(-)-Erythrose   L-(+)-Erythrose   D-(-)-Threose   L-(+)-Threose

n = 3
8 Stereoisomere   4 diastereomere Aldopentosen-Enantiomerenpaare

den diastereomeren Tetrose-Paare. Über die Zuordnung zur D- od. L-Reihe s. die Ausführungen bei Aldohexosen u. Aldopentosen, wo diese diastereomeren Zucker aufgelistet sind. Im übrigen bezeichnet man Diastereomere wie Erythrose u. Threose, die sich lediglich an einem von zwei od. mehreren Stereozentren unterscheiden, als Epimere (vgl. Epimerisierung). Die Anzahl der Stereoisomere kann weniger als 2^n betragen, wenn durch intrins. Symmetrieelemente z. B. ein Stereoisomer achiral ist od. ein Zentrum seine Stereogenität verliert. Ein typ. Fall liegt bei der Weinsäure vor, bei der ein Diastereomer als Enantiomerenpaar auftritt, während das andere zwei zueinander spiegelbildliche Stereozentren besitzt u. damit achiral ist (*meso*-Form). Es resultieren anstelle von vier nur drei Stereoisomere.

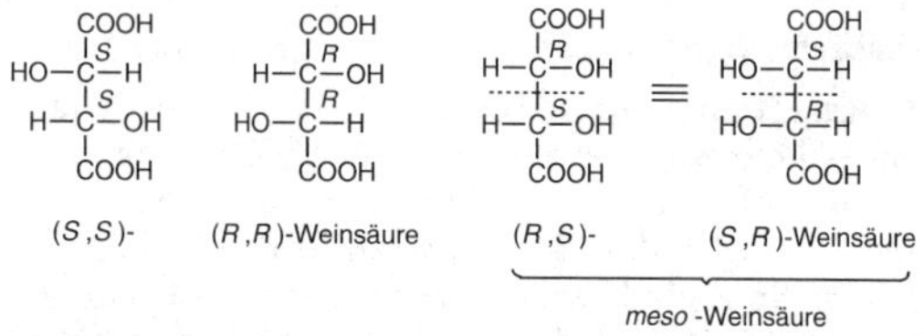

(S,S)-   (R,R)-Weinsäure   (R,S)-   (S,R)-Weinsäure
                            meso-Weinsäure

Die Kennzeichnung der Stereozentren mit *R* bzw. *S* erfolgt in diesem Falle nach den Cahn-Ingold-Prelog-Regeln (s. CIP-Regeln). Im Gegensatz zu Enantiomeren unterscheiden sich Diastereomere in ihren gewöhnlichen physikal. u. chem. Eigenschaften u. lassen sich daher relativ leicht trennen, was zur *Racemattrennung mit chiralen Hilfsreagenzien ausgenutzt wird. Die gezielte Herst. von Diastereomeren im Rahmen der stereoselektiven Synth. wird unter *diastereoselektive Reaktionen (Synthesen) abgehandelt. – *E* diastereo(iso)merism – *F* diastéréo(iso)mérisme – *I* diastereo(iso)meria – *S* diastereo(iso)merismo

Lit.: Eliel u. Wilen, Stereochemistry of Organic Compounds, S. 62 ff., New York: Wiley 1994 ▪ Hauptmann u. Mann, Stereochemie, S. 72 ff., Heidelberg: Spektrum Akadem. Verl. 1996 ▪ Houben-Weyl **E 21 a – e**.

Diastereomere s. Diastereo(iso)merie.

Diastereomer excess s. de.

Diastereoselektive Reaktionen (Synthesen). Bez. für eine Untergruppe der *stereoselektiven Reaktionen, bei denen ein neues stereogenes Element (stereogenes Zentrum, Achse od. Ebene) aufgebaut wird, in der Art, daß Diastereomere in unterschiedlichen An-

teilen gebildet werden. Es lassen sich drei unterschiedliche d. R. unterscheiden, nämlich: (1) die stereochem. kontrollierte Synth. einer *achiralen* diastereomeren Verb., z. B. (*E*)- u. (*Z*)-Alkene, (2) der Aufbau eines neuen stereogenen Zentrums in einer *chiralen* Verb. u. (3) die Reaktion von zwei Verb. mit ihren *prostereogenen* Zentren unter Bildung von zwei neuen Stereozentren.

(*Z*)-Alkene entstehen diastereoselektiv durch katalyt. Red. von Alkinen mit Hilfe des Lindlar-Katalysators (s. Hydrierung) od. durch Addition von Dialkylboranen an Alkine mit nachfolgender Hydrolyse.

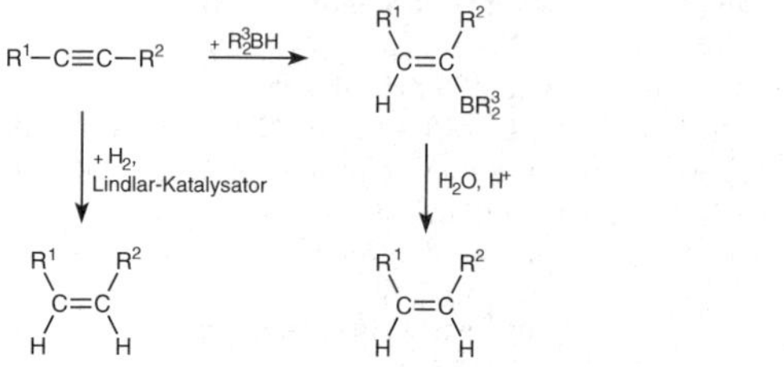

Abb. 1: Synthese von (*Z*)-Alkenen.

Durch Ausbildung eines starren Fünfringes, dessen beide Seiten unterschiedliche ster. Ansprüche stellen, läßt sich Threonin mit einer Diastereoselektivität von 94% methylieren.

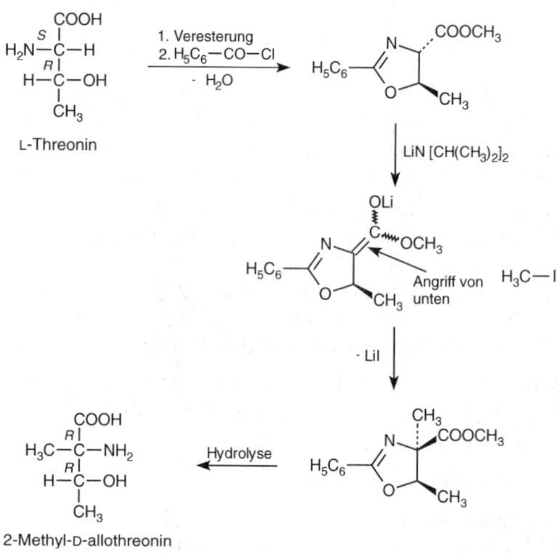

2-Methyl-D-allothreonin
Abb. 2: Diastereoselektive Methylierung von Threonin.

Die *nucleophile Addition an die diastereotope Doppelbindung von chiralen Aldehyden od. Ketonen gehört zu den am besten untersuchten d. R., für die verschiedene Modelle entwickelt wurden. Das Felkin-Modell (s. Abb. 3) harmoniert am besten mit den theoret. Ansätzen u. wird am häufigsten angewandt: Die Substituenten H, CH_3 u. C_2H_5 sind unterschiedlich große Reste am asymmetr. Kohlenstoff. Stehen die Carbonyl-Funktion u. der größte Rest (hier die Ethyl-Gruppe) antiperiplanar zueinander, dann nähert sich nach den *Cramschen Regeln* das angreifende Nucleophil bevorzugt von der Seite, auf der sich der kleinste Ligand (hier Wasserstoff) befindet. Man spricht in diesem Zusammenhang auch von einer *diastereofacialen* Selektivität, da diese Carbonyl-Gruppe zwei unterscheidbare Flächen besitzt, die als *diastereotope*

Flächen mit den aus den CIP-Regeln abgeleiteten Deskriptoren *Re* (von latein.: rectus = rechts) u. *Si* (von latein.: sinster = links) bezeichnet werden (s. Abb.). Zur Beschreibung der Addition wurden die Begriffe *lk* (like) u. *ul* (unlike) eingeführt, d. h. wird das *S*-Enantiomer bevorzugt von der *Si*-Seite u. das *R*-Isomer von der *Re*-Seite angegriffen, so spricht man von einer *lk*-Addition. Im entgegengesetzten Fall handelt es sich dann um eine *ul*-Addition.

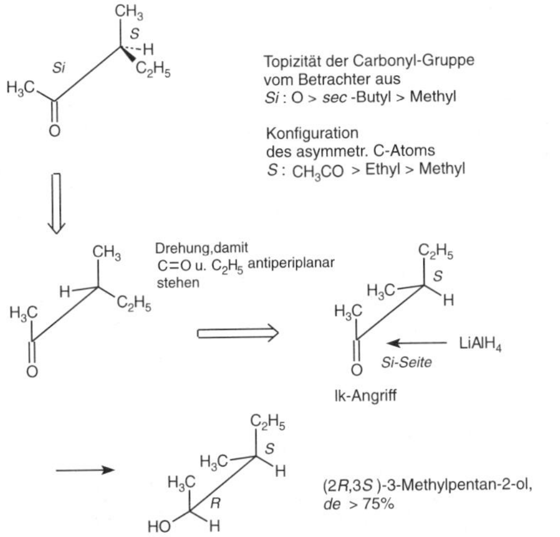

Abb. 3: *Felkin*-Modell für die nucleophile Addition an ein chirales Keton.

Zu d. R. durch Kombination prostereogener Zentren s. Lit. – *E* diastereoselective reactions (syntheses) – *F* réactions (synthèses) diastéréosélectives – *I* reazioni (sintesi) diastereoselettive – *S* reacciones (síntesis) diastereoselectivas

Lit.: Eliel u. Wilen, Stereochemistry of Organic Compounds, S. 845 ff., New York: Wiley 1994 ▪ Hauptmann u. Mann, Stereochemie, S. 216 ff., Heidelberg: Spektrum Akadem. Verl. 1996 ▪ Houben-Weyl, E 21 a – e ▪ Nógrády, Stereoselective Synthesis, Weinheim: VCH Verlagsges. 1995.

Diastereoselektivität s. diastereoselektive Reaktionen (Synthesen).

diastereospezifisch s. stereospezifische Reaktionen.

diastereotop s. diastereoselektive Reaktionen.

Diastole s. Blutdruck.

diatherman s. Infrarotstrahlung.

Diatomeen s. Algen u. Kieselgur (*Diatomeenerde*).

Diatomeenerde s. Kieselgur.

Diatomit s. Kieselgur.

Diatrem s. Kimberlit.

Diatrizoesäure. Kurzbez. für die *Amidotriozesäure.

Diauxie. Bez. für das zweiphasige Wachstum von Mikroorganismen in einer Nährlsg. mit einem Gemisch aus zwei Substraten, von denen das eine bevorzugt metabolisiert wird. Die Enzyme zum Abbau des besser verwertbaren Substrates sind entweder vorhanden (konstitutiv) od. werden induziert, gleichzeitig ist die Synth. des Enzyms zum Abbau des zweiten Substrats reprimiert (*Katabolit-Repression). Nach Unterschreiten einer bestimmten Konzentrationsgrenze beginnt die Adaptation an das zweite Substrat, gekoppelt mit einer deutlichen Verlangsamung des Wachstums (*lag-Phase*). Nach Induktion der Enzyme für das zweite Substrat geht die Kultur in eine neue exponentielle Wachstumsphase über (s. Regulation, Wachstum). Ein typ. Beisp. für D. ist die Metabolisierung von zunächst Glucose u. danach Sorbit durch *Escherichia coli*. – *E = F* diauxie – *I = S* diauxia

Lit.: Antonie van Leeuwenhoek; J. Microbiol. Serol. **63**, 289–298 (1993) ▪ Biotechnol. Prog. **11**, 626–631 (1995) ▪ Präve et al. (4.), S. 318, 322 ▪ Schlegel (7.), S. 212.

Diaza... Präfix (aus *Di... u. *Aza...) in den Namen von organ. Verb., die 2 Stickstoff-Atome in Ringen od. Ketten enthalten (s. die folgenden Stichwörter); nicht zu verwechseln mit *Diazo...! – *E = F = I = S* diaza...

1,5-Diazabicyclo[4.3.0]non-5-en (DBN). Nicht nach den IUPAC-Regeln gebildete Bez. für 2,3,4,6,7,8-Hexahydropyrrolo[1,2-*a*]pyrimidin.

$C_7H_{12}N_2$, M_R 124,19. Farblose Flüssigkeit, Sdp. 97–99 °C (14 hPa), starke Base, die bei *Dehydrohalogenierungen (z. B. in der Vitamin-A-Synth., bei Wittig-Reaktionen) u. bei anderen *Eliminierungen Verw. findet. Das *1,8-Diazabicyclo[5.4.0]undec-7-en* {DBU; nach den IUPAC-Regeln zu bezeichnen als 2,3,4,6,7,8,9,10-Octahydropyrimido[1,2-*a*]azepin, $C_9H_{16}N_2$, M_R 152,24, Sdp. 80–83 °C (1 hPa)} wird in gleicher Weise eingesetzt; eine Übersicht über die vielfältige Verw. von DBN u. DBU findet man in *Lit.*[1]. – *E* 1,5-diazabicyclo[4.3.0]non-5-ene – *F* 1,5-diazabicyclo[4.3.0]non-5-ène – *I* 1,5-diazabiciclo[4.3.0]non-5-ene – *S* 1,5-diazabiciclo[4.3.0]non-5-eno

Lit.: [1] Paquette **2**, 1491.
allg.: Beilstein EV **23/5**, 239 f. (DBN), 271 (DBU) ▪ Synthesis **1972**, 591–598 ▪ Synthetica **2**, 118 f., 124. – [HS 2933 90; CAS 3001-72-7 (DBN); 6674-22-2 (DBU)]

1,4-Diazabicyclo[2.2.2]octan (Triethylendiamin, TEDA).

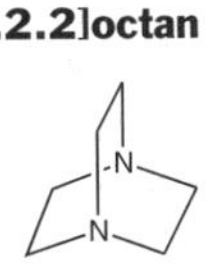

$C_6H_{12}N_2$, M_R 112,17. Farblose, stark hygroskop. Krist., die schon bei 20 °C vollständig sublimieren, Schmp. 158 °C, Sdp. 174 °C, lösl. in Wasser, Ethanol, Benzol, 2-Butanon, Aceton; LD_{50} (Ratte oral) 1700 mg/kg, wassergefährdender Stoff, WGK 2 (Selbsteinst.). D. erhält man z. B. durch Erhitzen von *N*-Hydroxyethyl-piperazin. Es dient als Katalysator bei der Polyurethan-Verschäumung, Reagenz zur leichten Spaltung von Estern, Decarboxylierung von geminalen Diestern, zur Herst. von Azirinen aus Vinylaziden u. zahlreichen weiteren organ. Synthesen. – *E = F* 1,4-diazabicyclo[2.2.2]octane – *I* 1,4-diazabiciclo[2.2.2]ottano – *S* 1,4-diazabiciclo[2.2.2]octano

Lit.: Beilstein E V **23/3**, 487 ff. ▪ Paquette **2**, 1494 ▪ Synthetica **2**, 120–123. – [HS 2933 59; CAS 280-57-9; G 8]

1,8-Diazabicyclo[5.4.0]undec-7-en s. 1,5-Diazabicyclo[4.3.0]non-5-en.

DIAZALD©

DIAZALD®. Marke von Aldrich für *N*-Methyl-*N*-nitroso-*p*-toluolsulfonamid bzw. *N*-[(*N*-Nitrosomethylamino)-methyl]-benzamid zur Darst. von Diazomethan.

Diazan s. Hydrazin.

Diazendicarbonsäurediamid (Diazendicarboxamid, veraltet: Azo-dicarbonamid). $H_2N-CO-N=N-CO-NH_2$, $C_2H_4N_4O_2$, M_R 116,08; WGK 1. In heißem Wasser lösl., hellgelbes Pulver, das sich bei 190 °C zu Stickstoff, Kohlenmonoxid, Kohlendioxid u. kleinen Mengen Ammoniak zersetzt; der feste Rückstand ist farb- u. geruchlos. D. wird als Treibmittel zum Verschäumen von Thermoplasten u. Elastomeren verwendet. – *E* azodicarbonamide – *F* diamide-diacide carbonique-diacène – *I* azodicarbonammide – *S* azodicarbonamida
Lit.: Angew. Chem. **78**, 376 ff. (1966) ▪ Beilstein E IV **3**, 246 ▪ Ullmann (4.) **13**, 661; (5.) **A 13**, 185. – *[HS 2927 00; CAS 123-77-3; G 4.1]*

Diazendicarbonsäure-diethylester (Azodicarbonsäurediethylester).

$H_5C_2O-\overset{O}{\overset{\|}{C}}-N=N-\overset{O}{\overset{\|}{C}}-OC_2H_5$

$C_6H_{10}N_2O_4$, M_R 174,16. Orangefarbene Flüssigkeit, Sdp. 211–213 °C, in unverdünnter Form explosive Zers. möglich. D. kann aus Chlorameisensäureethylester u. Hydrazin u. anschließender Oxid. hergestellt werden. D. findet vielfältige Verw. als Enophil, Dienophil, zur Alkylierung von Aminen, zur Oxid. funktioneller Gruppen sowie in der *Mitsunobu Reaktion. – *E* diethyldiazenedicarboxylate
Lit.: Paquette **3**, 1790. – *[CAS 1972-28-7]*

Diazendicarbonsäure-dimethylester (Azodicarbonsäuredimethylester).

$H_3CO-\overset{O}{\overset{\|}{C}}-N=N-\overset{O}{\overset{\|}{C}}-OCH_3$

$C_4H_6N_2O_4$, M_R 146,10. Orangegelbes, stechend riechendes, leicht bewegliches Öl, Sdp. 96 °C (3,3 kPa), explodiert bei schnellem Erhitzen. Herst. aus Hydrazin-*N,N'*-dicarbonsäuredimethylester durch Einwirken von rauchender Salpetersäure. Verw. in der organ. Synth. als Dienophil; s. a. Azo-Verbindungen. – *E* dimethyl diazenedicarboxylate – *F* diazènedicarboxylate de diméthyle – *I* diazendicarbonato di dimetile – *S* diazendicarboxilato de dimetilo
Lit.: Beilstein E IV **3**, 243 ▪ Hamer, 1,4-Cycloaddition Reactions, S. 143 ff., New York: Interscience 1967. – *[CAS 2446-84-6]*

Diazendicarboxamid s. Mehlbehandlung.

Diazendiol s. hyposalpetrige Säure.

Diazene. Wenig gebräuchliche Bez. für organ. Verb. mit dem Strukturinkrement –N=N–, die sich formal von *Diimin durch Ersatz der Wasserstoff-Atome durch Alkyl- od. Aryl-Reste ableiten. D. mit R = Aryl-Rest werden üblicherweise als *Azo-Verbindungen bezeichnet.

$\underset{E\text{-Form}}{\overset{R}{\underset{R}{N=N}}}$ $\underset{Z\text{-Form}}{\overset{R}{\underset{}{N=N}}\overset{}{\underset{R}{}}}$

D. können in der (*E*)- od. (*Z*)-Form vorliegen, wobei aus ster. Gründen die (*E*)-Form energet. günstiger ist.

1,1-D. (*Aminonitrene*) s. Nitrene – *E* diazenes – *F* diazènes – *I* diazeni – *S* diazenos
Lit.: Acc. Chem. Res. **4**, 193–198 (1971) ▪ Patai, The Chemistry of the Hydrazo, Azo and Azoxy Groups, Chichester: Wiley 1975.

Diazenolate s. Diazotate.

Diazepam.

Internat. Freiname für 7-Chlor-1,3-dihydro-1-methyl-5-phenyl-2*H*-1,4-benzodiazepin-2-on, $C_{16}H_{13}ClN_2O$, M_R 284,75. Schwach gelbliche, krist. Substanz, Schmp. 131–135 °C; λ_{max} (C_2H_5OH) 230 nm ($A_{1cm}^{1\%}$ = 1140), ($CHCl_3$) 285 nm ($A_{1cm}^{1\%}$ = 298); pK_a 3,4; LD_{50} (Ratte oral) 710 mg/kg. D. wurde erstmals 1963 als *Tranquilizer von Hoffmann-La Roche (Valium®) patentiert (weitere Patente bei Hoffmann-La Roche, Delmar Chemikals, Sumitomo, Takeda). D. ist in Anlage IIIC der BtmVVO gelistet u. generikafähig. Zum Einfluß des D. auf den Schwangerschaftsverlauf u. zum – bei Tieren vermuteten – Krebsrisiko s. Lit.[1]. – *E* = *I* = *S* diazepam – *F* diazépam
Lit.: [1] IARC Monogr. **13** (1977).
allg.: ASP ▪ Beilstein E V **24/4**, 300 ff. ▪ DAB **1996** u. Komm. ▪ Florey **1**, 79–99 ▪ Hager (5.) **7**, 1252–1255 ▪ Pharm. Unserer Zeit **9**, 75–80 (1980) ▪ s. a. 1,4-Benzodiazepine, Psychopharmaka u. Tranquilizer. – *[HS 2933 90; CAS 439-14-5]*

Diazepam Desitin® Rectal Tube/-Injektionslösung. Lsg. mit dem Tranquilizer *Diazepam zur Therapie von Status epilepticus, Tetanien u. akuten Angstzuständen. *B.*: Desitin.

Diazepine.

1*H*-1,2-D.   1*H*-1,3-D.   1*H*-1,4-D.

Systemat. Bez. für dreifach ungesätt. 7gliedrige Ringverb., die 2 Stickstoff-Atome im Ring enthalten; vgl. 1,4-Benzodiazepine. – *E* diazepines – *F* diazépines – *I* diazepine – *S* diazepinas
Lit.: Eicher u. Hauptmann, Chemie der Heterocyclen, S. 469 ff., Stuttgart: Thieme 1994 ▪ Gilchrist, Heterocyclenchemie, S. 385 f., Weinheim: VCH Verlagsges. 1995 ▪ Katritzky-Rees **7**, 595–620 ▪ Weissberger **50**.

Diazet®. Schichtmittel-Reihe auf Galactomannan-Basis. *B.*: Diamalt.

1,3-Diazin s. Pyrimidin.

Diazine s. Azine.

Diazingrün s. Janusgrün B.

Diazinon.

Xn ✗

Common name für *O,O*-Diethyl-*O*-(2-isopropyl-6-methylpyrimidin-4-yl)thiophosphat, $C_{12}H_{21}N_2O_3PS$,

M_R 304,34, Sdp. 83–84 °C (0,03 Pa), LD_{50} (Ratte oral) 300 mg/kg (GefStoffV), MAK 1 mg/m³, von Geigy 1952 eingeführtes – nicht system. *Insektizid gegen beißende u. saugende Insekten in zahlreichen Kulturen. – *E* = *F* diazinon – *I* diazinone – *S* diazinón
Lit.: Beilstein E V **23/11**, 187 ▪ Farm ▪ Perkow ▪ Pesticide Manual. – [*HS 293359; CAS 333-41-5*]

Diaziridine. Als D. werden nach IUPAC-Regel B-1.1 ges. dreigliedrige Ringverb. mit zwei Stickstoff-Atomen bezeichnet. Ihre Herst. geschieht durch Umsetzung von Aldehyden, Ketonen od. *Iminen mit *Chloramin.

D. lassen sich leicht zu *Diazirinen, den cycl. Isomeren der Diazoalkane, dehydrieren. – *E* = *F* diaziridines – *I* diaziridine – *S* diaziridinas
Lit.: Adv. Heterocycl. Chem. **2**, 83 f. (1963) ▪ Angew. Chem. **76**, 197 (1964) ▪ Eicher u. Hauptmann, Chemie der Heterocyclen, S. 35, Stuttgart: Thieme 1994 ▪ Gilchrist, Heterocyclenchemie, S. 366 f., Weinheim: VCH Verlagsges. 1995 ▪ Katritzky-Rees **7**, 547–628 ▪ Weissberger **42/2**, 547–628.

Diazirine. Von den beiden isomeren D. sind nur die 1-D. (3*H*-D.) bekannt. Die 2-D. (1*H*-D.) sind als cycl. konjugierte Verb. mit 4 π-Elektronen antiaromat. (s. Antiaromatizität) u. bisher unbekannt.

1-D. (3*H*-D.)   2-D. (1*H*-D.)   Diazomethan   cycl. "Diazomethan"

Die 1-D. sind die cycl. Isomeren der Diazoalkane (s. Diazo-Verbindungen), aus denen sie bei geeigneter Substitution photolyt. erzeugt werden können. Dem *Diazomethan wurde früher die cycl. 1-D.-Struktur zugeschrieben, was erst mit Hilfe spektroskop. Meth. als falsch erkannt wurde. 1-D. werden durch Dehydrierung von *Diaziridinen hergestellt. Sie sind thermolabile, zu Explosionen neigende Verb., deren Hauptverwendungszweck in der Erzeugung von *Carbenen besteht[1,2]. – *E* = *F* diazirines – *I* diazirine – *S* diazirinas
Lit.: [1] Houben-Weyl **E 19 b**. [2] Chem. Soc. Rev. **11**, 127 (1982). *allg.:* Angew. Chem. **96**, 197–206 (1964) ▪ Eicher u. Hauptmann, Chemie der Heterocyclen, S. 34, Stuttgart: Thieme 1994 ▪ Houben-Weyl **E 14 a** ▪ Katritzky-Rees **7**, S. 547–628 ▪ Liu, Chemistry of Diazirines, Bd. 1 u. 2, Boca Raton: CRC Press 1987 ▪ Weissberger **42/2**, S. 547–628.

Diazo... Bez. für die zweiwertige, lineare Atomgruppierung (=N_2) in den Namen von organ. *Diazo-Verbindungen (IUPAC-Regeln C-931.4 u. R-5.3.3.5); *Beisp.:* s. folgende Stichwörter. Nicht mit der einwertigen Gruppe –[N_2]⁺ der *Diazonium-Verbindungen od. der zweiwertigen Gruppe –N=N– der *Azo-Verbindungen zu verwechseln! Zur Struktur der *Diazo-Gruppe* s. bei Diazomethan. Die Bez. Diazo... ist sorgfältig zu unterscheiden von *Diaza... u. Bisazo... (bedeutet zwei Azo-Gruppen im Mol.). – *E* = *F* = *I* = *S* diazo...

Diazoalkane s. Diazo-Verbindungen.

Diazoaminobenzol s. 1,3-Diphenyltriazen.

Diazoate s. Diazotate.

Diazocarbonyl-Verbindungen. Bez. für Diazo-Verb., die am Diazokohlenstoff-Atom einen Acyl- od. Säure-Rest besitzen, der mit der *Diazo-Gruppe in mesomere Wechselwirkung (s. Mesomerie) tritt.

R^1—C—C—R^2 $R^1 = R^2 = C_6H_5$: Azibenzil
  ‖   ‖ $R^1 = OC_2H_5, R^2 = H$: Diazoessigsäure-
  O N_2 ethylester

Mesomerie (*Resonanz*) der Diazocarbonyl-Gruppe

Zu den D.-V. gehören damit Diazoketone wie *Azibenzil* [2-Diazo-1,2-diphenylethanon, $C_{14}H_{10}N_2O$, M_R 222,25, Schmp. 79 °C (Zers.)], Diazocarbonsäure-Derivate wie *Diazoessigsäure-ethylester* (s. Diazoessigester) u. die *Chinondiazide. Die herausragende Eigenschaft der D.-V. ist, unter therm., photolyt. od. katalyt. Stickstoff-Abspaltung in Acylcarbene[1,2,3] überzugehen, die leicht der *Wolff-Umlagerung unterliegen bzw. im Falle der Chinondiazide die *Süs-Reaktion eingehen. Weitere Details s. bei Diazo-Verbindungen – *E* diazocarbonyl compounds – *F* composés de diazocarbonyle – *I* composti diazocarbonilici – *S* compuestos de diazacarbonilo
Lit.: [1] Angew. Chem. **87**, 52 (1975). [2] Houben-Weyl **E 19 b**, S. 1232 f. [3] Angew. Chem. **106**, 1881–1899 (1994). *allg.:* Houben-Weyl **E 14 b**, S. 1051 ff. ▪ s. Diazo-Verbindungen. – [*CAS 3469-17-8 (Azibenzil)*]

Diazoechtsalze. Sortiment diazotierter, stabilisierter Arylamine (*Echtbasen), die zusammen mit Kupplungskomponenten (Naphthanilide) *Entwicklungsfarbstoffe bilden. – *E* fast colour salt – *F* sel de teinture solide – *I* sale diazoico genuino – *S* sal sólida de tintura
Lit.: Chem. Rundsch. **26**, Nr. 12, 7 ff. (1973) ▪ Ullmann (4.) **8**, 287.

Diazoessigester.

R = C_2H_5

Von der Diazoessigsäure abgeleitete Alkylester, aus den entsprechenden Glycinestern mit Nitrit herstellbar. Im allg. versteht man unter D. den Ethylester, $C_4H_6N_2O_2$, M_R 114,10; leicht flüchtige, gelbliche Flüssigkeit mit stechendem Geruch, D. 1,085, Schmp. –22 °C, Sdp. 46 °C (17 hPa), in Wasser wenig, in organ. Lsm. gut löslich. Wegen der Explosionsneigung des D. dürfen Dest. nur hinter einem Schutzschild vorgenommen werden. Unter dem Einfluß von Katalysatoren od. Belichtung verlieren D. ihren Stickstoff, u. die entstandenen *Carbene gehen Additionsreaktionen ein. D. findet Verw. in organ. Synth., z.B. zur Herst. von Cyclopropan-Derivaten, zur Homologisierung von Ketonen usw. – *E* diazoacetic acid esters; ethyldiazoacetate – *F* esters de l'acide diazo-acétique; diazo-acétate d'éthyle – *I* esteri dell'acido diazoacetico, diazoacetato di etile – *S* ésteres del ácido diazo-acético; diazoacetato de etilo

Diazoharze

Lit.: Acc. Chem. Res. **13**, 27 (1980) ▪ Beilstein E IV **3**, 1495 ff. ▪ Giftliste ▪ Org. React. **18**, 217–402 (1970) ▪ Paquette **4**, 2419 ▪ Roth, Krebserzeugende Stoffe, S. 37, Stuttgart: Wissenschaftliche Verlagsges. 1988. – *[HS 2927 00; CAS 623-73-4]*

Diazoharze. Lichtempfindliche Harze, die Naphthochinondiazidsulfonyl-Gruppen enthalten u. in der photochem. Technik Verw. finden. – *E* diazo resin – *F* diazorésines – *I* diazoresine – *S* diazoresinas

Diazoketone s. Diazocarbonyl-Verbindungen.

Diazokopien (Diazotypien). Bez. für reprograph. Kopien, deren Helligkeitswerte der Vorlage entsprechen u. die mit trockener od. feuchter Entwicklung auf der Basis von *Diazo-Verbindungen u. Kupplungskomponenten erhalten werden. D. sind Durchleuchtungskopien (d. h. es wurde durch die Vorlage hindurch belichtet) u. werden daher meist *Lichtpausen genannt, doch umfaßt dieser Begriff z. B. auch die sog. Blaupausen (s. Eisensalz-Verfahren). – *E* diazo prints, diazotypes – *F* diazotypies – *I* diazocopie – *S* diazotipias
Lit.: Ullmann (4.) **20**, 179 f.; (5.) **A 13**, 599 ff. ▪ s. a. Lichtpausen.

Diazole.

1H-Pyrazol   1H-Imidazol   1,3,4-Thiadiazol

Gattungsname (IUPAC-Regel B-1.1) für ungesätt. fünfgliedrige Heterocyclen (*Azole) mit zwei N-Atomen, s. Imidazol u. Pyrazol; wenn die D. weitere Heteroelemente enthalten, gelangt man zu Namensbildungen wie *Oxadiazole, *Thiadiazole usw. – *E*=*F*=*S* diazoles – *I* diazoli

Diazol-, Diazollicht-Farbstoffe. Direktfarbstoffe für Cellulosefasern hergest. von PUK (*Polyurethan-Kautschuke).
Lit.: Ullmann (5.) **A 3**, 279, 305.

Diazomethan. CH_2N_2, M_R 42,04. Als Strukturen dieser einfachsten *Diazo-Verbindung werden

$H_2\overset{-}{C}-\overset{+}{N}\equiv N|$ u. $H_2C=\overset{+}{N}=\overset{-}{N}|$

diskutiert, während die sog. cycl. Form als *Diazirin völlig andere Eigenschaften besitzt. Das sog. Isodiazomethan (H_2NNC) ist in komplexstabilisierter Form bekannt [1]. D. ist ein bei gewöhnlicher Temp. gelbes, dumpf nach feuchtem Laub riechendes Gas, sehr *explosiv* (Schutzschild, Schutzbrille!) in flüssigem Zustand od. konz. Lsg., bes. in Kontakt mit Metallen od. rauhen Glasflächen (z. B. Schliffapparaturen u. -flaschen). D. greift Haut, Lungen u. Augen an u. gilt als Stoff, der sich im Tierversuch eindeutig als krebserzeugend erwiesen hat (Gruppe III A 2 MAK-Werte-Liste 1996).
D. erstarrt beim Abkühlen zu einer leichtbeweglichen, dunkelgelben, bei –23 °C siedenden u. bei –145 °C erstarrenden Flüssigkeit. Unter dem Einfluß von Bor-Verb. als Katalysatoren zerfällt D. in *Polymethylen (entsteht aus Carben) u. Stickstoff. Die Abspaltung von N_2 u. die Bildung von *Methylen/Carben ist die präparativ wichtigste Reaktion des Diazomethans.
Herst.: Man geht von – im allg. carcinogenen u./od. mutagenen – Verb. aus, die bereits eine N–N-Bindung enthalten, z. B. Nitrosomethylharnstoff bzw. -urethan:

$R-CO-N(NO)(CH_3) + KOH \xrightarrow{-H_2O} R-COOK + CH_2N_2$

Als Ausgangsmaterial werden auch 1-Methyl-1-nitroso-3-nitroguanidin (a) u. *N*-Methyl-*N*-nitroso-*p*-toluolsulfonamid (b) sowie *N*-[(*N*-Nitrosomethylamino)-methyl]-benzamid (c) (vgl. Diazald®) herangezogen.

a) $H_3C-N(NO)-C(NH)-NH-NO_2$ b) $H_3C-C_6H_4-SO_2-N(NO)(CH_3)$

c) $H_5C_6-CO-NH-CH_2-N(NO)(CH_3)$

Verw.: Im Laboratorium benutzt man D. in (weniger gefährlicher) ether. Lsg. zur *Methylierung* von Säuren (gibt Methyl*ester*), Phenolen u. Enolen (gibt Methyl*ether*):

$R-OH + CH_2N_2 \rightarrow R-O-CH_3 + N_2$

In Ggw. von BF_3 lassen sich auch alkohol. Hydroxy-Gruppen in Methoxy-Gruppen umwandeln. An Doppelbindungen addiert sich D. unter Bildung von Pyrazolin-Ringen; eine andere präparativ nützliche Synth. mit D. ist die *Arndt-Eistert-Reaktion. – *E* diazomethane – *F* diazométhane – *I* = *S* diazometano
Lit.: [1] Angew. Chem. **89**, 752 (1977).
allg.: Beilstein E IV **1**, 3056–3059 ▪ Moeschlin, Klinik u. Therapie der Vergiftungen, S. 365 f., Stuttgart: Thieme 1986 ▪ Paquette **2**, 1512–1518 ▪ Regitz, Diazoalkane, Stuttgart: Thieme 1977. – *[HS 2927 00; CAS 334-88-3; G 6.1]*

4-Diazoniobenzolsulfonat (diazotierte Sulfanilsäure, fälschlich als *p*-Diazobenzolsulfonsäure bezeichnet).

$N\overset{+}{\equiv}N-C_6H_4-SO_3^-$

$C_6H_4N_2O_3S$, M_R 184,17. Üblicherweise als mit Wasser angeteigte Masse im Handel, denn im trockenen Zustand explodiert D. durch Wärme, Reiben od. Schlag. Farblose bis schwach rötliche Krist., in Alkohol wenig, in warmem Wasser, Alkalien löslich. Verw. zur Herst. von Azo-Verb., auch als Reagenz auf Amine u. Phenole. – *E* 4-diazoniobenzenesulfonate – *F* 4-diazonio-sulfonate de benzène – *I* 4-diazoniobenzensolfonato – *S* sulfonato de 4-diazoniobenceno
Lit.: Beilstein E IV **16**, 842 ▪ Merck-Index (12.), Nr. 3047 ▪ Sichere Chemiearbeit **30**, 77 (1978). – *[HS 2927 00; CAS 305-80-6]*

Diazoniumsalze s. Diazonium-Verbindungen.

Diazonium-Verbindungen. Bez. für organ. Verb., bei denen die pos. geladene Diazonium-Gruppe als organ. Kation salzartig vorkommt (*Diazoniumsalze*):

$[R-\overset{+}{N}\equiv N| \longleftrightarrow R-\overset{+}{N}=\overset{-}{N}|] X^-$

Nur D.-V. mit R = *Aryl... sind leidlich stabil, während sich aliphat. D.-V. selbst bei tiefen Temp. zersetzen.
Beisp.: $[H_5C_6-\overset{+}{N}\equiv N]Cl^-$, Benzoldiazoniumchlorid, $C_6H_5ClN_2$, M_R 140,57. Aromat. D.-V. sind in Lsg. problemlos zu handhaben. Sie lösen sich gut in Wasser u.

leiten gut den elektr. Strom (infolge starker Dissoziation). Feste D.-V. sind farblose, krist. Salze, die sich bei Schlag od. in der Wärme explosionsartig zersetzen. Anorgan. od. organ. Zusätze können, wie auch Tetrafluorborat als Anion, eine gewisse Stabilisierung fester D.-V. bewirken.

Herst.: Die zur Bildung von D.-V. führende Umsetzung von prim. aromat. Aminen mit dem Nitrosylkation wird *Diazotierung* genannt:

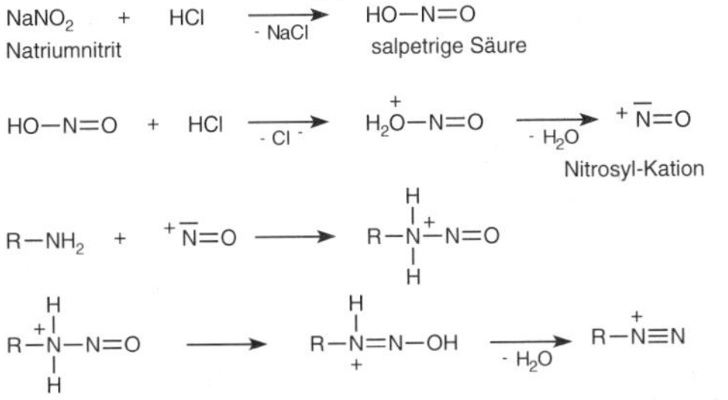

$$NaNO_2 + HCl \xrightarrow{-NaCl} HO-N=O$$
Natriumnitrit, salpetrige Säure

$$HO-N=O + HCl \xrightarrow{-Cl^-} H_2O-N=O \xrightarrow{-H_2O} {}^+N=O$$
Nitrosyl-Kation

$$R-NH_2 + {}^+N=O \longrightarrow R-\overset{H}{\underset{H}{N}}-N=O$$

$$R-\overset{H}{\underset{H}{\overset{+}{N}}}-N=O \longrightarrow R-N=N-OH \xrightarrow{-H_2O} R-N\equiv N$$

Mechanismus der Diazotierung von prim. Aminen; Bildung von Diazonium-Verbindungen

Verw.: Die von P. *Grieß 1861 entdeckten aromat. D.-V. sind Ausgangsstoffe für die Herst. von Arylhydrazonen (*Japp-Klingemann-Reaktion), insbes. aber von *Azo-Verbindungen, vgl. dort das *Beisp.* der Kupplung bei der Synth. eines *Azofarbstoffs; in mehrfachen Reaktionsschritten erhält man Bisazo- u. Trisazo-Farbstoffe. Derartige Reaktionen spielen sich auch beim *Lichtpausen ab (*Diazokopie). Die D.-V. sind ferner Zwischenprodukte bei der Umwandlung von aromat. Aminen in Phenole: beim Erhitzen mit sauren wäss. Lsg. der D.-V. (*Verkochen*) wird Stickstoff frei (*Dediazonierung*, s. Lit.[1]) u. die Diazonium-Gruppe wird durch OH ersetzt. Auch die *Desaminierung aromat. Amine, die *Sandmeyer-Reaktion u. *Schiemann-Reaktion verlaufen über D.-V.; zur *Arylierung mit D.-V. s. Meerwein-Reaktion. – *E* diazonium compounds – *F* composés de diazonium – *I* composti di diazonio – *S* compuestos de diazonio

Lit.: [1] Angew. Chem. **90**, 151–160, 402 (1978); Acc. Chem. Res. **6**, 335–341 (1973); vgl. Helv. Chim. Acta **64**, 488–546 (1981).
allg.: Chem. Rev. **75**, 241–257 (1975) ▪ Chem. Soc. Rev. **4**, 443–470 (1975) ▪ Houben-Weyl **10/3**, 1–212 ▪ Kirk-Othmer (4.) **3**, 821 ff. ▪ Org. React. **24**, 225–259 (1976) ▪ Patai, The Chemistry of Diazonium and Diazo Groups, 2 Bd., New York: Wiley 1978 ▪ Ullmann (4.) **8**, 246 ff.; **10**, 109 ff.; (5.) **A 8**, 506 ff. ▪ Winnacker-Küchler (4.) **7**, 6 f., 566 ff. ▪ Zollinger, Diazo Chemistry I, Weinheim: VCH Verlagsges. 1994. – *[CAS 100-34-5 (Benzoldiazoniumchlorid)]*

Diazopapier s. Lichtpausen.

Diazotate (Diazoate, Diazenolate). Diazoniumsalze reagieren mit Hydroxid-Ionen zu Diazohydroxiden, die weiter zu D. deprotoniert werden.

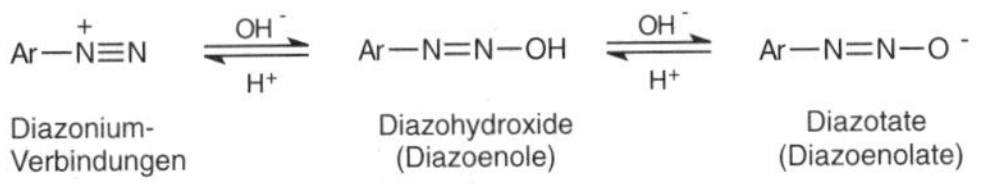

$$Ar-\overset{+}{N}\equiv N \underset{H^+}{\overset{OH^-}{\rightleftarrows}} Ar-N=N-OH \underset{H^+}{\overset{OH^-}{\rightleftarrows}} Ar-N=N-O^-$$

Diazonium-Verbindungen — Diazohydroxide (Diazoenole) — Diazotate (Diazoenolate)

Die Natrium- u. Kalium-D. sind hellgelbe krist. Salze, die beim Erhitzen zersetzt werden. Sie gehen in alkal. Lsg. keine Azokupplung ein, wohl aber beim Ansäuern, wobei sich das Diazoniumsalz zurückbildet, das die übliche Kupplungsreaktion eingeht. Darauf beruht ihre Verw. im *Textildruck. – *E* diazoates, diazenolates – *F* diazotates – *I* diazotati – *S* diazotatos
Lit.: s. Azo- u. Diazonium- u. Diazo-Verbindungen. – *[HS 2927 00]*

Diazotierung s. Diazonium-Verbindungen.

Diazotypie s. Diazokopien.

Diazo-Verbindungen. Bez. für organ. Verb., die die *Diazo-Gruppe besitzen. Zu den D.-V. zählen u. a. *Diazomethan, *Diazoessigester, *Diazocarbonyl-Verbindungen, *Chinondiazide, nicht aber *Diazonium-Verbindungen. Durch verbesserte Synthesemeth. sind in neuerer Zeit auch D.-V. mit Heteroelementen am Diazokohlenstoff bekannt geworden.
Herst.: Für die Herst. der D.-V. stehen eine Reihe von Meth. zur Verfügung.

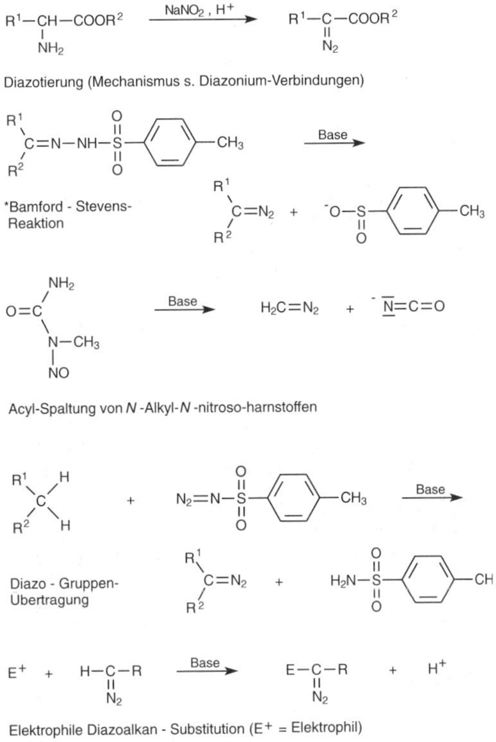

$$R^1-\underset{NH_2}{\overset{|}{CH}}-COOR^2 \xrightarrow{NaNO_2, H^+} R^1-\underset{N_2}{\overset{|}{C}}-COOR^2$$

Diazotierung (Mechanismus s. Diazonium-Verbindungen)

$$\underset{R^2}{\overset{R^1}{C}}=N-NH-S\underset{O}{\overset{O}{\|}}\text{—}\text{—}CH_3 \xrightarrow{Base} \underset{R^2}{\overset{R^1}{C}}=N_2 + {}^-O-S\underset{O}{\overset{O}{\|}}\text{—}\text{—}CH_3$$

*Bamford - Stevens-Reaktion

$$O=\underset{\underset{NO}{N-CH_3}}{\overset{NH_2}{C}} \xrightarrow{Base} H_2C=N_2 + {}^-\underline{N}=C=O$$

Acyl-Spaltung von *N*-Alkyl-*N*-nitroso-harnstoffen

$$\underset{R^2}{\overset{R^1}{\underset{H}{\overset{H}{C}}}} + N_2=N-S\underset{O}{\overset{O}{\|}}\text{—}\text{—}CH_3 \xrightarrow{Base} \underset{R^2}{\overset{R^1}{C}}=N_2 + H_2N-S\underset{O}{\overset{O}{\|}}\text{—}\text{—}CH$$

Diazo-Gruppen-Übertragung

$$E^+ + H-\underset{N_2}{\overset{|}{C}}-R \xrightarrow{Base} E-\underset{N_2}{\overset{|}{C}}-R + H^+$$

Elektrophile Diazoalkan-Substitution (E^+ = Elektrophil)

Abb. 1: Herst. von Diazo-Verbindungen.

So sind die Diazotierung (s. Diazonium-Verbindungen) von α-Aminocarbonsäureestern, die Dehydrierung von Hydrazonen, die alkal. Spaltung von (4-Methylphenyl)-sulfonyl-hydrazonen („Tosylhydrazonen", *Bamford-Stevens-Reaktion) od. *N*-Alkyl-*N*-nitrosoharnstoff-Derivaten u. die Übertragung der Diazo-Gruppe mit elektronenarmen Aziden auf CH-acide *Methylen-Verbindungen (Diazo-Gruppenübertragung[1]) als wichtige Synthesemeth. zu nennen. Die schon lange bekannte Acylierung von Diazomethan mit Carbonsäurechloriden unter Bildung von Diazoketonen (*Arndt-Eistert-Reaktion) kann als Prototyp der sog. elektrophilen Diazoalkan-Substitution gelten, die in jüngster Zeit zunehmend an Bedeutung gewinnt[2].
Verw.: D.-V. werden in vielfältiger Weise in der organ. Synth. eingesetzt. Als 1,3-Dipole können sie bei der

Diazoxid

*1,3-dipolaren Cycloaddition zur Synth. von Fünfring-Heterocyclen eingesetzt werden[3]. Die Protonierung der D.-V. führt zu *Diazonium-Verbindungen u. weiter zu *Carbenium-Ionen. Die wichtigste Reaktion der D.-V. ist jedoch zweifelsohne die therm., photolyt. od. katalyt. Stickstoff-Abspaltung unter Bildung von *Carbenen[4,5] (vgl. a. Diazocarbonyl-Verbindungen).

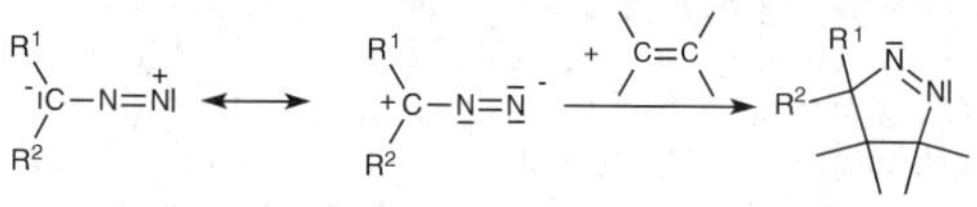

1,3 - dipolare Cycloaddition

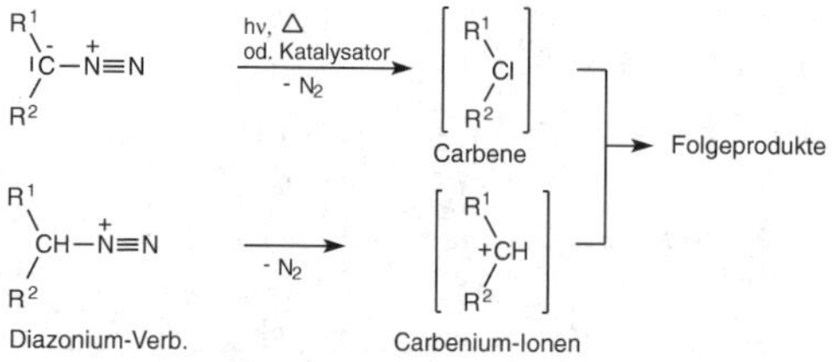

Abb. 2: Umwandlung von Diazo-Verbindungen.

Auf der Freisetzung von Stickstoff aus D.-V. basieren auch die Verf. der Photographie mit *Vesikularfilmen u. die *Diazokopie. Viele D.-V. u. ihre Vorstufen gehören wegen ihren alkylierenden Eigenschaften zu den Carcinogenen (Näheres s. dort), sie sind aber auch aus diesem Grunde als *Cytostatika interessant. – *E* diazo compounds – *F* composés diazoïques – *I* composti diazoici – *S* compuestos diazoicos

Lit.: [1] Angew. Chem. **79**, 786–801 (1967); Synlett **1996**, 407–413. [2] Synthesis **1985**, 569 f. [3] Padwa, 1,3-Dipolar Cycloaddition Chemistry, S. 393–558, New York: Wiley 1984. [4] Houben-Weyl **E 19 b**. [5] Tetrahedron **51**, 10811–10844 (1995).
allg.: Coordin. Chem. Rev. **139**, 281–311 (1995) ■ Houben-Weyl **10/2**, 473 f.; **E 14 b**, 961 ff. ■ Katritzky et al. **5**, 865–874 ■ Regitz, Diazoalkane, Stuttgart: Thieme 1977 ■ Regitz u. Maas, Aliphatic Diazo Compounds – Properties and Synthesis, Orlando: Academic Press 1986 ■ Zollinger, Diazo Chemistry II, Weinheim: VCH Verlagsges. 1995 ■ s. a. Diazonium-Verbindungen, Carbene, 1,3-dipolare Cycloaddition.

Diazoxid.

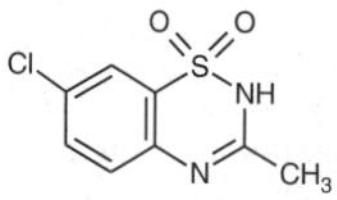

Internat. Freiname für 7-Chlor-3-methyl-2 *H*-1,2,4-benzothiadiazin-1,1-dioxid, $C_8H_7ClN_2O_2S$, M_R 230,67. Farbloses, krist. Pulver, Schmp. 330–331 °C; λ_{max} (CH$_3$OH) 268 nm ($A_{1cm}^{1\%}$ = 490). D. wurde als *Antihypertonikum 1961 u. 1967 von Schering patentiert u. ist von Essex Pharma (Hypertonalum®, Proglicem®) im Handel. – *E* = *F* diazoxide – *I* diazossido – *S* diazóxido

Lit.: ASP ■ Beilstein E V **27/28**, 6 f. ■ DAB **1996** u. Komm. ■ Hager (5.) **7**, 1255–1258. – *[HS 2934 90; CAS 364-98-7]*

Diazym®.
Enzym-Präp. auf Cellulose-Basis für die Veredlung von cellulos. Substraten. *B.:* Diamalt.

Dibekacin.
Internat. Freiname für das partial-synthet. *Aminoglykosid-Antibiotikum 3′,4′-Didesoxykanamycin B (Formel s. Kanamycine), $C_{18}H_{37}N_5O_8$, M_R 451,52, weißes, krist. Pulver, $[\alpha]_D^{20}$ +132°; LD$_{50}$ (Maus i.v.) 2864,5, (Maus i.m.) 376 mg/kg. Verwendet wurde das Sulfat. – *E* dibekacine – *F* dibécacine – *I* dibecacina – *S* dibecacina

Lit.: Drugs **27**, 548–578 (1984) ■ Hager (5.) **7**, 1258 f. – *[HS 2941 90; CAS 34493-98-6 (D.); 60594-69-6 (Sulfat)]*

Dibenzazepine.
Gruppenbez. für eine Reihe von *Azepinen, deren Grundkörper das 5 *H*-Dibenz-[*b,f*]azepin ($C_{14}H_{11}N$, M_R 193,25) ist (vgl. Abb.). Bei bestimmten Resten R sind sie als *Antidepressiva wirksam.

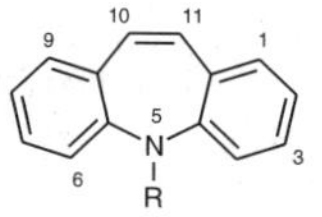

R = H :	5 *H*-Dibenz[*b,f*]azepin (1)
R = CO—NH$_2$:	Carbamazepin (2)
R = (CH$_2$)$_3$—N⟨⟩N—(CH$_2$)$_2$—OH :	Opipramol (3)
R = (CH$_2$)$_3$—NHCH$_3$, 10,11-Dihydro :	Desipramin (4)
R = (CH$_2$)$_3$—N(CH$_3$)$_2$, 10,11-Dihydro :	Imipramin (5)
R = CH$_2$—CH(CH$_3$)—CH$_2$—N(CH$_3$)$_2$, 10 *H*, 11 *H* :	Trimipramin (6)
R = (CH$_2$)$_3$—N(CH$_3$)$_2$, 10,11-Dihydro, 3-Cl :	Clomipramin (7)

Die internat. Freinamen der 10,11-Dihydro-D.-Derivate enden auf …*pramin.* – *E* dibenzazepines – *F* dibenzépines – *I* dibenzazepine – *S* dibenzacepinas

Lit.: Beilstein E V **20/8**, 96 (4, 5), 100 (6), 103 (7), 245 (1), 247 (2); **23/1**, 475 f. (3) ■ Chem. Rev. **74**, 101–123 (1974). – *[HS 2933 90, 2933 59]*

Dibenzepin.

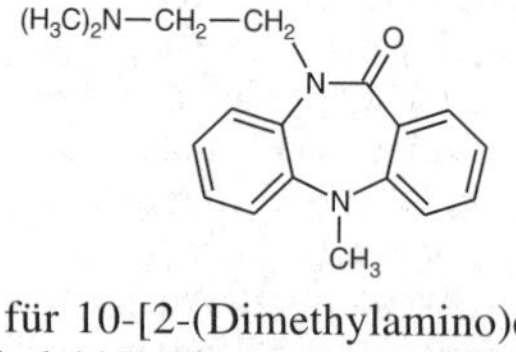

Internat. Freiname für 10-[2-(Dimethylamino)ethyl]-5,10-dihydro-5-methyl-11*H*-dibenzo[*b,e*][1,4]diazepin-11-on, $C_{18}H_{21}N_3O$, M_R 295,38; Schmp. 116–117 °C; Sdp. 185 °C (1,3 Pa). Verwendet wird das Hydrochlorid, Schmp. 238 °C; λ_{max} (0,1 *N* HCl) 204, 220 nm (log ε 4,530, 4,458); pK$_a$ 8,25, LD$_{50}$ (Maus oral) 215 mg/kg. D. wurde als *Antidepressivum 1964, 1967 u. 1968 von Wander (Noveril®) patentiert. – *E* dibenzepin – *F* dibenzépine – *I* dibenzepina – *S* dibencepina

Lit.: ASP ■ Beilstein E V **24/4**, 112 ■ Florey **9**, 181–206. – *[HS 2933 90; CAS 4498-32-2 (C.); 315-80-0 (Hydrochlorid)]*

Dibenzo[1,4]dioxin
(Dibenzo-*p*-dioxin, Oxanthren). $C_{12}H_8O_2$, M_R 184,19. Grundsubstanz der halogenierten Dioxine (Formelbild s. dort). Biogene D.-Derivate sind in der Natur weit verbreitet, z. B. in Höheren Pflanzen als Bisbenzylisochinoline[1] (vgl. Bisbenzylisochinolin-Alkaloide, z. B. in der einheim. Kleinen Wiesenraute, *Thalictrum minus*) u. in Braunalgen als Phloroglucin-Derivate[2]. Zum *biologischen Abbau von D. s. *Lit.*[3]. – *E* dibenzo[1,4]dioxin(e) – *F* dibenzo[1,4]-dioxine – *I* dibenzo[1,4]diossina – *S* dibenzodioxín

Lit.: [1] Mothes (Hrsg.), Biochemistry of Alkaloids, S. 204–207, Weinheim: Verl. Chemie 1985. [2] Phytochemistry **24**, 543–551 (1985). [3] Naturwissenschaften **76**, 222 f. (1989); GWF Wasser Abwasser **132**, 239 ff. (1991); Appl. Environ. Microbiol. **58**, 1005–1010 (1992); **59**, 285–289 (1993). – *[HS 2932 99; CAS 262-12-4]*

Dibenzofuran (veraltet: Diphenylenoxid).

$C_{12}H_8O$, M_R 168,19. Farblose, blau fluoreszierende Krist., D. 1,089, Schmp. 86–87 °C, Sdp. 287 °C, in Wasser kaum, in Alkohol u. Ether löslich. Das aus Steinkohlenteer gewonnene D. wird als Bestandteil von Wärmebadmischungen u. Kerzenmassen sowie zur Herst. von Biphenolen verwendet. Ein natürlich vorkommendes D.-Derivat ist die *Usninsäure; in Spuren bei der techn. Herst. von Polychlorphenolen entstehendes Tetrachlor-D. ist äußerst giftig u. ähnelt in seiner Wirkung dem TCDD. Zu Vork. u. Toxizität von polychlorierten D. s. Dioxine, zum Abbau von D. u. Derivaten s. *Lit.*[1]. – *E* = *F* dibenzofurane – *I* = *S* dibenzofurano

Lit.: [1] Appl. Environ. Microbiol. **61**, 2499ff. (1995).
allg.: Angew. Chem. **86**, 478f. (1974) ■ Beilstein E V **17/2**, 234 ■ J. Org. Chem. **41**, 2428, 2435 (1976) ■ Synthesis **1975**, 532f. ■ Ullmann (4.) **10**, 133ff.; (5.) A **12**, 130ff. – [HS 2932 99; CAS 132-64-9]

Dibenzolchrom s. Chrom-organische Verbindungen.

Dibenzosuberon (10,11-Dihydro-5*H*-dibenzo[*a,d*]cyclohepten-5-on).

$C_{15}H_{12}O$, M_R 208,26. Farblose Krist., Schmp. 31 °C, wird als Zwischenprodukt für Pharmazeutika verwendet. – *E* = *I* dibenzosuberone – *F* dibenzosubérone – *S* dibenzosuberona

Lit.: Beilstein E IV **7**, 1737 ■ Hager (5.) **7**, 204. – [HS 2914 31; CAS 1210-35-1]

Dibenzothiophen (Dibenzo[*b,d*]thiophen, Diphenylensulfid).

$C_{12}H_8S$, M_R 184,26. Farblose, nadelförmige Krist., Schmp. 99–100 °C, Sdp. 332–333 °C, gut lösl. in Wasser, Alkoholen u. Benzol. D. ist das S-Analogon von *Dibenzofuran. D. ist instabiler als Dibenzofuran, weil die S–C-Bindung schwächer ist als die O–C-Bindung. D. findet sich in hohen Anteilen in Kohle u. Erdöl u. gelangt mit diesen in die Umwelt. Der *biologische Abbau von D. kann als Oxid. am Schwefel od. am aromat. Ring beginnen[1]. Unter extremen Bedingungen lassen sich polychlorierte D. (PCDT od. PCDBT) als Analoga zu polychlorierten Dibenzofuranen (PCDF, s. Dioxine) synthetisieren, z. B. aus elementarem Schwefel u. *PCB[2]. PCDT entstehen bei Verbrennungsvorgängen[3], in der Metallurgie[4] u. bei der Zellstoff-Herst. nach dem Sulfat-Verf. (s. Cellulose u. Papier)[5]. 2,4,6,8-Tetrachlordibenzothiophen (TCDT) u. verwandte Verb. (*E* congeners) wurden in belasteten Gewässern u. dort gefangenen Krebstieren u. Fischen nachgewiesen[2]. Die Toxizität der D. scheint um mehrere Größenordnungen geringer zu sein als die ihrer analogen Dibenzofurane[2]. – *E* dibenzothiophene, diphenylene sulfide – *F* sulfure de diphénylène – *I* dibenzotiofene – *S* dibenzotiofeno

Lit.: [1] Appl. Environ. Microbiol. **58**, 911–915 (1992). [2] Chemosphere **29**, 257–272 (1994). [3] Environ. Sci. Technol. **25**, 1637–1643 (1991). [4] Chemosphere **28**, 1279–1288 (1994). [5] Chemosphere **24**, 1755–1763 (1992). – [HS 2934 90; CAS 132-65-0]

Dibenzoylperoxid s. Benzoylperoxid.

Dibenzyl s. 1,2-Diphenylethan.

Dibenzyldisulfid. $H_5C_6-CH_2-S-S-CH_2-C_6H_5$, $C_{14}H_{14}S_2$, M_R 246,39. Farblose Krist., Schmp. 71–72 °C od. (abhängig von der Modif.) 69–70 °C, in Wasser nicht, in Benzol, Ether u. heißem Ethanol lösl.; wird als Antioxidans u. Antischlammittel für Petroleumöle u. Erdwachse, als Hochdruckzusatz zu Schneidölen u. als Zusatz zu Siliconölen verwendet, Kühlschmierstoffkomponente. – *E* dibenzyl disulfide – *F* disulfure de dibenzyle – *I* disolfuro di dibenzile – *S* disulfuro de dibencilo

Lit.: Beilstein E IV **6**, 2760 ■ Merck-Index (12.), Nr. 3060. – [HS 2930 90; CAS 150-60-7]

Dibenzylether (Benzylether). $H_5C_6-CH_2-O-CH_2-C_6H_5$, $C_{14}H_{14}O$, M_R 198,26. Farblose Flüssigkeit, D. 1,043, Schmp. 3,6 °C, Sdp. 296 °C (Zers.). D. entsteht beim Erhitzen von Benzylalkohol mit Schwefelsäure od. deren Salzen, zersetzt sich bereits bei 20 °C langsam. D. ist unlösl. in Wasser, lösl. in Alkohol, wird als Weichmacher in der Lack-Ind., sowie zur Verbesserung der Eigenschaften von Kautschukmischungen u. Emulsionen verwendet, als Lsm. für Moschus u. andere Riechstoffe. – *E* dibenzyl ether – *F* éther dibenzylique – *I* etere dibenzilico – *S* éter dibencílico

Lit.: Beilstein E IV **6**, 2240f. ■ Ullmann (4.) **8**, 438; **13**, 657; (5.) A **4**, 6ff. – [HS 2909 30; CAS 103-50-4]

N,N'-Dibenzylethylendiamindiacetat.

$H_2C-NH-CH_2-C_6H_5$
$H_2C-NH-CH_2-C_6H_5$ · 2 $H_3C-COOH$

$C_{20}H_{28}N_2O_4$, M_R 360,45. Kleine, farblose, verfilzte Nadeln od. Pulver, Schmp. 118 °C, lösl. in Wasser, Ethanol, Chloroform. D. wird zur Herst. von Depotpenicillin verwendet. – *E* N,N'-dibenzylethylenediamine diacetate – *F* diacétate de N,N'-dibenzyléthylènediamine – *I* diacetato di N,N'-dibenziletilendiammina – *S* diacetato de N,N'-dibenciletilendiamina

Lit.: Beilstein E IV **12**, 2322 ■ Hager (5.) **7**, 449 ■ Merck-Index (12.), Nr. 1092. – [HS 2921 59; CAS 122-75-8]

Dibenzyran®. Tabl. u. Kapseln mit *Phenoxybenzamin-Hydrochlorid bei Miktionsstörungen, Nebennierenmark-Tumoren (Phäochromozytom). **B.:** P & G Pharmaceuticals.

Diblocin®. Tabl. mit dem peripheren α_1-Rezeptoren-Blocker *Doxazosin-Mesilat gegen Hypertonie. **B.:** Astra.

Diboran(6). B_2H_6, M_R 27,67. Unangenehm süßlich riechendes Gas, D. 0,210, Schmp. –165 °C, Sdp. –93 °C, in Wasser unter H_2-Entwicklung zu Borsäure löslich. Das giftige (MAK 0,1 mg/m³ bzw. 0,1 ppm) D. ist leicht entflammbar (in reiner Form bei 40–50 °C, in Ggw. höherer *Borane bei 20 °C); aus diesem Grund u. wegen der Neigung zu Explosionen wird D. nur in niedrigen Konz. mit Ar od. H_2 gemischt in Stahlflaschen gehandelt. Näheres zu Struktur, Herst. u. Reaktionen s. *Lit.*[1,2] u. bei Borane.

Verw.: Als *Reduktionsmittel, in *Hydroborierungen, als Polymerisationskatalysator, zur *Dotierung von Halbleitern, insbes. Ge u. Si. Durch gemeinsame Pyrolyse von D. u. Kohlenwasserstoffen od. Ammoniak lassen sich dauerhafte u. harte Borcarbid- bzw. Bornitrid-Schichten auf metall. Substraten erzeugen. – *E = F* diborane – *I = S* diborano

Lit.: [1] Prog. Inorg. Chem. **15**, 1–99 (1972). [2] Adv. Inorg. Chem. Radiochem. **16**, 201–296 (1974).
allg.: Brauer (3.) **2**, 790 ff. ■ Encycl. Gaz., S. 133–138 ■ Hommel, Nr. 255 ■ Kirk-Othmer (4.) **4**, 454 ■ Ullmann (5.) **A 4**, 316 ff. ■ s.a. Borane, Hydroborierung. – *[HS 2850 00; CAS 19287-45-7; G 2]*

DIBP. Nach DIN 7723 (12/1987) Kurzz. für D*iso*butyl*p*hthalat als *Weichmacher.

5,7-Dibrom-8-chinolinol s. Broxychinolin.

3,3'-Dibrom-5,5'-dichlorphenolsulfonphthalein s. Bromchlorphenolblau.

1,2-Dibrom-1,1-difluorethan s. Halone.

Dibromdifluormethan s. Halone.

1,3-Dibrom-5,5-dimethylhydantoin (1,3-Dibrom-5,5-dimethyl-2,4-imidazolidindion, DBH).

$C_5H_6Br_2N_2O_2$, M_R 285,92. Farblose Krist., Schmp. ca. 190 °C (Zers.). D. spaltet aktives Brom (ca. 55%) ab u. ist daher vorzüglich für die substituierende *Bromierung geeignet. Analog kann man die entsprechenden Dichlor-Verb. als Chlor-Lieferanten in Bleich- u. Desinfektionsmitteln einsetzen. – *E* dibromdimethylhydantoin – *F* 1,3-dibromo-5,5-diméthylhydantoine – *I* 1,3-dibromo-5,5-dimetilidantoina

Lit.: Beilstein EIV **24/5**, 374 ■ Paquette **3**, 1556 ■ Ullmann (4.) **8**, 692. – *[HS 2933 21; CAS 77-48-5]*

1,2-Dibromethan (Ethylenbromid). T
Br–CH$_2$–CH$_2$–Br, $C_2H_4Br_2$, M_R 187,86. Farblose od. höchstens schwach gelbliche chloroformähnlich riechende Flüssigkeit, D. 2,2, Schmp. 10 °C, Sdp. 132 °C; in Wasser schwer, in Alkohol u. Ether löslich. D. wirkt stark haut- u. schleimhautreizend, wird durch die Haut resorbiert u. verursacht Kopfschmerzen, Erbrechen, Harnvergiftung, Leber- u. Nierenschäden. D. gilt als Stoff, der sich im Tierversuch eindeutig als krebserzeugend erwiesen hat (Gruppe III A 2 MAK-Werte-Liste 1996), TRK 0,8 mg/m^3, LD$_{50}$ (Ratte oral) 108 mg/kg, wassergefährdendet Stoff, WGK 3.
Herst.: Aus Ethylen u. Brom od. Acetylen u. Bromwasserstoff.
Verw.: In organ. Synth; nach der Pflanzenschutz-Anw.-VO besteht für D. vollständiges Anwendungsverbot. – *E* 1,2-dibromoethane – *F* 1,2-dibromoéthane – *I = S* 1,2-dibromoetano

Lit.: Beilstein EIV **1**, 158f. ■ Gesundheitsschädliche Arbeitsstoffe: toxikologisch-arbeitsmedizinische Begründung von MAK-Werten, Weinheim: VCH Verlagsges. 1972–1996 ■ Hommel, Nr. 356 ■ Kirk-Othmer (4.) **4**, 570 ■ Paquette **3**, 1558 ■ Ullmann (4.) **8**, 688f., 700; **17**, 235; (5.) **A 4**, 409f. – *[HS 2903 30; CAS 106-93-4; G 6.1]*

Dibromhexamidin. Synonym für 4,4'-(1,6-Hexandiyloxy)-bis-(3-brombenzamidin), $C_{20}H_{24}Br_2N_4O_2$, M_R 512,24.

In Konz. bis 0,1% verwendbar als *Konservierungsmittel in *Kosmetika, Code-Nr. P 667 der *Blauen Liste. – *F* hexamidine dibromique – *S* dibromohexamidina

Lit.: Blaue Liste, S. 51 ■ Wallhäußer, Praxis der Sterilisation, Desinfektion, Konservierung (5. Aufl.), S. 569f., Stuttgart: Thieme 1995. – *[CAS 93856-82-7]*

Dibromindigo s. Indigo.

5,5'-Dibrom-*o*-kresolsulfonphthalein s. Bromkresolpurpur.

Dibrommethan s. Methylenbromid.

5,5'-Dibromphenolsulfonphthalein s. Bromphenolrot.

Dibrompropamidin. Synonym für 4,4'-(1,3-Propandiyloxy)-bis-(3-brombenzamidin), $C_{17}H_{18}Br_2N_4O_2$, M_R 470,16.

In Konz. bis 0,1% verwendbar als *Konservierungsmittel in *Kosmetika, Code-Nr. P 665 der *Blauen Liste. – *F* propamidine dibromique – *S* dibromopropamidina

Lit.: Blaue Liste, S. 50 ■ Wallhäußer, Praxis der Sterilisation, Desinfektion, Konservierung (5. Aufl.), S 568f., Stuttgart: Thieme 1995. – *[HS 2925 20; CAS 496-00-4]*

1,3-Dibrompropan (Trimethylenbromid).
Br–CH$_2$–CH$_2$–CH$_2$–Br, $C_3H_6Br_2$, M_R 201,89. Farblose, süßlich riechende Flüssigkeit, D. 1,98, Schmp. –34 °C, Sdp. 167 °C, leicht lösl. in Alkohol, Ether, Chloroform u.a. organ. Lsm., schwer lösl. in Wasser; WGK 3 (Selbsteinst.).
Verw.: Zur Synth. von Cyclopropan, 1,3-disubstituierten Propan-Derivaten u. dgl. – *E = F* 1,3-dibromopropane – *I = S* 1,3-dibromopropano

Lit.: Beilstein EIV **1**, 216f. ■ Merck-Index (12.), Nr. 9844 ■ Ullmann (4.) **8**, 688; (5.) **A 4**, 406. – *[HS 2903 30; CAS 109-64-8; G 3]*

1,2-Dibromtetrafluorethan s. Halone.

3,3'-Dibromthymolsulfonphthalein s. Bromthymolblau.

Dibutylamin. $(H_9C_4)_2NH$, $C_8H_{19}N$, M_R 129,25. Farblose, Amin-artig riechende Flüssigkeit; D. 0,76, Schmp. –60 °C, Sdp. 160 °C, lösl. in Wasser, Alkohol, Benzin, Benzol. D. ist haut- u. schleimhautreizend (Lungenödem möglich), kann auch über die Haut aufgenommen werden, LD$_{50}$ (Ratte oral) 189 mg/kg, wassergefährdender Stoff, WGK 1, MAK-Wert 5 ppm (Giftliste).
D. ist ein Zwischenprodukt bei der Herst. von Farbstoffen, Emulgatoren, Spezialseifen, Flotationsmitteln, Petroleumdemulgatoren, Insektiziden, Korrosionsschutzmitteln u. wird als Zusatz zu Vulkanisa-

tionsbeschleunigern verwendet. Ähnliche Verw. findet auch das Di-*sek*-butylamin. – *E* = *F* dibutylamine – *I* dibutilammina – *S* dibutilamina

Lit.: Beilstein E IV **4**, 550 ff., 620 ▪ Hommel, Nr. 424 ▪ Paquette **3**, 1585. – *[HS 2921 19; CAS 111-92-2; G 8]*

Dibutylether (Butylether). H_9C_4–O–C_4H_9, $C_8H_{18}O$, M_R 130,23. Farblose Flüssigkeit mit charakterist. fruchtartigem Geruch, D. 0,7694, Schmp. –98 °C, Sdp. 142 °C, Lsm. für natürliche u. synthet. Harze, Öle, Alkaloide usw., wenig lösl. in Wasser, mit Alkohol u. Ether mischbar. Dämpfe u. Flüssigkeit reizen Augen, Atemwege u. Haut, LD_{50} (Ratte oral) 7400 mg/kg, wassergefährdender Stoff, WGK 2. D. bildet leicht explosive Peroxide. – *E* dibutyl ether – *F* éther dibutylique – *I* etere dibutilico – *S* éter dibutílico

Lit.: Beilstein E IV **1**, 1520 ff. ▪ Hommel, Nr. 516 ▪ Ullmann (4.) **8**, 152, 155; **9**, 27; **16**, 302, 307; (5.) **A 10**, 29 ff. – *[HS 2909 19; CAS 142-96-1; G 3]*

2,6-Di-*tert*-butyl-*p*-kresol s. 2,6-Di-*tert*-butyl-4-methylphenol.

2,6-Di-*tert*-butyl-4-methylphenol (DBP, 2,6-Di-*tert*-butyl-*p*-kresol).

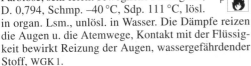

$C_{15}H_{24}O$, M_R 220,35. Farblose Krist., Schmp. 70 °C, Sdp. 265 °C, unlösl. in Wasser, lösl. in Fetten, Ölen, Alkoholen u. Kohlenwasserstoffen, LD_{50} (Ratte oral) 890 mg/kg, wassergefährdender Stoff, WGK 1. Vor Licht geschützt kühl aufbewahren. Das auch als *b*utylated *h*ydroxy*t*oluene (BHT, E 321) bekannte D. wird – wie auch andere *Alkylphenole – als Antioxidans in der Lebensmittel-, Kautschuk-, Petroleum- u. Wachspapier-Ind. verwendet; die Wirkung ist dabei der *Radikalfänger*-Eigenschaft des D. zuzuschreiben. Zur antiviralen Wirkung des D. s. *Lit.*[1]. D. dient auch zur Unterscheidung von Triterpenen u. Sterinen. – *E* 2,6-di-*tert*-butyl-4-methylphenol – *F* 2,6-di-*tert*-butyl-4-méthylphénol – *I* 2,6-di-*tert*-butil-4-metilfenolo – *S* 2,6-di-*terc*-butil-4-metilfenol

Lit.: [1] Science **188**, 64 (1975).
allg.: Beilstein E IV **6**, 3492 f. ▪ Hager (5.) **7**, 585 f. ▪ Ullmann (4.) **15**, 257; **18**, 189; **20**, 543; (5.) **A 19**, 329 ff. ▪ s. a. Antioxidantien. – *[HS 2907 19; CAS 128-37-0]*

Di-*tert*-butylperoxid (Abk. DTBP). $(H_3C)_3C$–O–O–$C(CH_3)_3$, $C_8H_{18}O_2$, M_R 146,23. Farblose, sehr leicht bewegliche Flüssigkeit, D. 0,794, Schmp. –40 °C, Sdp. 111 °C, lösl. in organ. Lsm., unlösl. in Wasser. Die Dämpfe reizen die Augen u. die Atemwege, Kontakt mit der Flüssigkeit bewirkt Reizung der Augen, wassergefährdender Stoff, WGK 1.

Verw.: Als Katalysator für die Polymerisation von Olefinen, für die Styrolisierung von trockenen Ölen u. Epoxidharzen sowie als Vernetzungsmittel für Silikonkautschuk u. a. synthet. Elastomere, Reagenz in zahlreichen organ. Synthesen. – *E* di-*tert*-butyl peroxide – *F* peroxyde de di-*tert*-butyle – *I* di-*tert*-butil-perossido – *S* peróxido de di-*terc*-butilo

Lit.: Beilstein E IV **1**, 1619 ff. ▪ Hommel, Nr. 256 ▪ Paquette **3**, 1616 ▪ Ullmann (4.) **17**, 666 f., 685, 686; (5.) **A 19**, 204 f., 225 ▪ s. a. Peroxide. – *[HS 2909 60; CAS 110-05-4; G 5.2]*

Dibutylphthalat s. Phthalsäureester.

Dibutylsebacat s. Sebacinsäureester.

1,3-Dibutylthioharnstoff.

$C_9H_{20}N_2S$, M_R 188,33. Farblose bis gelbliche Krist., Schmp. 64–66 °C, in Wasser wenig lösl., besser in Methanol, Ether, Aceton, 20%iger HCl (zu 1,8%), wird Sparbeizen, sauren Kesselstein-Lsm. u. dgl. zugesetzt, um den Säure-Angriff auf das Metall zu verhindern. Dient auch als Vulkanisationsbeschleuniger u. für organ. Synthesen. – *E* dibutylthiourea – *F* dibutylthiourée – *I* = *S* dibutiltiourea

Lit.: Beilstein E IV **4**, 585 ▪ Ullmann (4.) **8**, 39. – *[HS 2930 90; CAS 109-46-6]*

Dibutylzinn... s. Zinn-organische Verbindungen.

Dicaffeoylchinasäure s. Cynarin.

Di-Cafos®. Dicalciumphosphate in pharmazeut. Qualität zur Granulation u. Direkttablettierung. *B.*: Budenheim.

Dicalciumphosphat s. Calciumphosphate.

Dicamba.

Common name für 3,6-Dichlor-2-methoxybenzoesäure, $C_8H_6Cl_2O_3$, M_R 221,04, Schmp. 114–116 °C, LD_{50} (Ratte oral) 1580 mg/kg, von Velsicol Chem. Corp. 1965 eingeführtes selektives system. *Herbizid gegen Unkräuter im Mais-, Getreide- u. Sorghumanbau sowie im Rasen u. auf Nichtkulturland. – *E* = *F* = *I* = *S* dicamba

Lit.: Farm ▪ Perkow ▪ Pesticide Manual. – *[HS 2918 90; CAS 1918-00-9]*

Dicarbaborane s. Carborane.

Dicarbollide s. Carborane.

Dicarbollyl-Komplex s. Carborane.

Dicarbonsäuren. Organ. zweibasige Säuren der allg. Formel HOOC–C_nH_m–COOH. Die D. werden entweder mit Trivialnamen belegt (s. folgende Beisp.), od. man benennt sie (nach IUPAC-Regel C-401) durch Anhängen des Suffixes „disäure" an den Namen des Stammkohlenwasserstoffes bzw. durch Anhängen von „dicarbonsäure" an den Namen des um 2 Kohlenstoff-Atome ärmeren Grundkörpers, *Beisp.*: HOOC–$(CH_2)_8$–COOH (Sebacinsäure, *Decandisäure*, Octandicarbonsäure).

In der Natur sind substituierte u. unsubstituierte D. in freier od. veresterter Form anzutreffen; von bes. Bedeutung sind die zweibasigen *Aminosäuren.

Herst.: Zur Herst. der techn. wichtigeren D. sind spezielle Verf. entwickelt worden (s. Einzelverb.); allg. lassen sich aliphat. D. durch oxidative Spaltung von Alicyclen mit gleicher C-Zahl herstellen (vgl. Adipinsäure).

Spezif. Reaktionen von D. sind *Decarboxylierung (bei Oxal- u. Malonsäure), *Anhydrid-Bildung, *Cyclisierungen zu cycl. Ketonen (s. a. Blanc-Regel).

Dicarbonyl-Verbindungen

Tab.: Aliphat. u. aromat. Dicarbonsäuren.

Trivial-name	IUPAC-name	Formel	Gefahr-symbol	Gefahr-klasse	WGK
*Oxalsäure	Ethandisäure	HOOC—COOH	Xn ☒		WGK 1
*Malonsäure	Propandisäure	HOOC—CH$_2$—COOH	Xn ☒		–
*Bernsteinsäure	Butandisäure	HOOC—(CH$_2$)$_2$—COOH	Xi ☒		WGK 0
*Glutarsäure	Pentandisäure	HOOC—(CH$_2$)$_3$—COOH	–		–
*Adipinsäure	Hexandisäure	HOOC—(CH$_2$)$_4$—COOH	Xi ☒		WGK 0
*Pimelinsäure	Heptandisäure	HOOC—(CH$_2$)$_5$—COOH	–		–
*Azelainsäure	Nonandisäure	HOOC—(CH$_2$)$_7$—COOH	–		–
*Sebacinsäure	Decandisäure	HOOC—(CH$_2$)$_8$—COOH	–		–
*Maleinsäure	Z-Butendisäure	(cis HOOC-CH=CH-COOH)	Xi ☒	G 8	WGK 1
*Fumarsäure	E-Butendisäure	(trans HOOC-CH=CH-COOH)	Xi ☒		–
*Muconsäure	2,4-Hexadiendisäure	HOOC-CH=CH-CH=CH-COOH	–		–
*Phthalsäure	Benzol-1,2-dicarbonsäure	(Benzol-1,2-(COOH)$_2$)	Xi ☒		WGK 0
*Terephthalsäure	Benzol-1,4-dicarbonsäure	HOOC—C$_6$H$_4$—COOH	–		–

Verw.: Die einfachsten Vertreter in organ. Synth. aller Art, die höheren zur Herst. von Polyamiden, die aromat. in der Farbstoffsynth. u. zur Gewinnung von Polyestern. Oxalsäure u. Malonsäure sind giftig, während Bernstein- u. Adipinsäure als *Säurungsmittel in Lebensmitteln Verw. finden; s. a. Carbonsäuren. – *E* dicarboxylic acids – *F* acides dicarboxyliques – *I* acidi dicarbonici – *S* ácidos dicarboxílicos

Lit.: Beyer u. Walter, Lehrbuch der Organischen Chemie, S. 324–351, 558–561, Stuttgart: Hirzel 1988 ▪ Kirk-Othmer (3.) **7**, 614–628; (4.) **8**, 118ff. ▪ Ullmann (4.) **9**, 159f.; **10**, 135f.; (5.) **A8**, 523ff. ▪ s. a. Carbonsäuren. – *[HS 291711–291739]*

Dicarbonyl-Verbindungen. Gattungsbez. für organ. Verb., die zwei *Carbonyl-Gruppen enthalten. Bei D.-V. im engeren Sinne sind die Carbonyl-Funktionen räumlich eng benachbart (1,2- od. 1,3-D.-V.); Näheres s. bei Diketone u. Chinone. – *E* dicarbonyl compounds – *F* composés dicarbonyle – *I* composti dicarbonilici – *S* compuestos dicarbonílicos

Lit.: s. Chinone u. Diketone.

Dichinolyl s. 2,2′-Bichinolin.

Dichlobenil.

Common name für 2,6-Dichlorbenzonitril, C$_7$H$_3$Cl$_2$N, M$_R$ 172,01, Schmp. 145–146 °C, LD$_{50}$ (Ratte oral) 3160 mg/kg (WHO), von N.V. Philips Duphar 1960 eingeführtes selektives system. *Herbizid gegen Unkräuter im Obst- u. Weinbau sowie unter Ziersträuchern u. -bäumen u. als Totalherbizid auf Nichtkulturland. – *E* = *F* dichlobenil – *I* diclobenile – *S* diclobenil

Lit.: Farm ▪ Perkow ▪ Pesticide Manual. – *[HS 292690; CAS 1194-65-6]*

Dichlofluanid.

Common name für *N*-Dichlorfluormethylthio-*N'*,*N'*-dimethyl-*N*-phenylsulfamid, C$_9$H$_{11}$Cl$_2$FN$_2$O$_2$S$_2$, M$_R$ 333,22, Schmp. 105 °C, LD$_{50}$ (Ratte oral) >5000 mg/kg (Bayer), von Bayer 1964 eingeführtes Blatt-*Fungizid mit protektiver u. kurativer Wirkung gegen Schorf an Äpfeln u. Birnen, *Botrytis* spp., *Alternaria* spp., *Clasterosporium* spp., Echten u. Falschen Mehltau u. a. pilzliche Krankheitserreger im Wein-, Kartoffel-, Obst-, Hopfen-, Gemüse- u. Zierpflanzenanbau. – *E* dichlofluanid – *F* dichlofluanide – *I* diclofluanide – *S* diclofluanid

Lit.: Farm ▪ Perkow ▪ Pesticide Manual. – [*HS 2930 90*; *CAS 1085-98-9*]

Dichlon s. 2,3-Dichlor-1,4-naphthochinon.

1,3-Dichloraceton s. 1,3-Dichlor-2-propanon.

Dichloraniline.

$C_6H_5Cl_2N$, M_R 162,02. Alle 6 Isomeren des D. sind Festkörper, die als Zwischenprodukt bei der Herst. von Arzneimitteln, Farbstoffen, Schädlingsbekämpfungs- u. Pflanzenschutzmitteln eine Rolle spielen.
2,3-D.: Schmp. 23–26 °C, Sdp. 252 °C; – 2,4-D.: Schmp. 59–62 °C, Sdp. 242 °C; – 2,5-D.: Schmp. 46–49 °C, Sdp. 251 °C; – 2,6-D.: Schmp. 35–38 °C, Sdp. 97 °C (7 hPa); – 3,4-D.: Schmp. 70–73 °C, Sdp. 272 °C; – 3,5-D.: Schmp. 51 °C, Sdp. 260 °C. 2,4-D. läßt sich zur Bestimmung von Bilirubin heranziehen [1]. Die D. sind aufgrund des manchmal ungünstig dirigierenden Einflußes schon vorhandener Substituenten oft nur auf Umwegen herstellbar. Die D. führen zu Vergiftungen bei Aufnahme der Dämpfe od. von Staub durch Einatmen; sie werden auch über die Haut aufgenommen. Der Blutfarbstoff wird verändert, so daß er für den Sauerstoff-Transport ausfällt u. die roten Blutkörperchen werden zerstört; Leber- u. Nierenschädigung; WGK 3. – *E* = *F* dichloroanilines – *I* dicloroaniline – *S* dicloroanilinas

Lit.: [1] Chem. Rundsch. **29**, Nr. 12, 1–4 (1976).
allg.: Beilstein E IV **12**, 1241–1274 ▪ Giftliste ▪ Hommel, Nr. 346, 346 a ▪ Ullmann (4.) **7**, 571; (5.) A **2**, 308. – [*HS 2921 42*; *CAS 608-27-5 (2,3-D); 554-00-7 (2,4-D); 95-82-9 (2,5-D); 608-31-1 (2,6-D); 95-76-1 (3,4-D); 626-43-7 (3,5-D); G 6.1*]

2,6-Dichlor-1,4-benzochinon-4-chlorimin s. *N*,2,6-Trichlor-1,4-benzochinon-4-imin.

Dichlorbenzoesäuren.

$C_7H_4Cl_2O_2$, M_R 191,01. Gruppe von dichlorierten Benzolcarbonsäuren: 2,3-D.: Schmp. 168–170 °C; – 2,4-D.: Schmp. 157–160 °C; – 2,5-D.: Schmp. 154–157 °C; – 2,6-D.: Schmp. 143–145 °C; – 3,4-D.: Schmp. 207–209 °C; – 3,5-D.: Schmp. 185–187 °C, alle D. sind hautreizend. Von den sechs möglichen Isomeren sind hauptsächlich 2,4-D. u. 3,4-D., beide in siedendem Wasser u. organ. Lsm. lösl., als Zwischenprodukt bei der Synth. von Pharmazeutika, Fungiziden, Farbstoffen u. dgl. von techn. Bedeutung. – *E* dichlorobenzoic acids – *F* acides dichlorobenzoïques – *I* acidi diclorobenzoici – *S* ácidos diclorobenzoicos

Lit.: Beilstein E IV **9**, 998–1008 ▪ Ullmann (4.) **8**, 379. – [*HS 2916 39*]

Dichlorbenzole.

$C_6H_4Cl_2$, M_R 147,00. Gruppe von *Chloraromaten, bei denen zwei Wasserstoff-Atome des Benzols durch Chlor-Atome ersetzt sind.
(a) *1,2-D.* (*o-*D.), farblose Flüssigkeit, D. 1,306, Schmp. –17 °C, Sdp. 180,5 °C, MAK 50 ppm (MAK-Werte-Liste 1996), Emissionsklasse I (TA Luft 3.1.7), WGK 2; – (b) *1,3-D.* (*m-*D.), farblose Flüssigkeit, D. 1,288, Schmp. –25 °C, Sdp. 173 °C, WGK 2; – (c) *1,4-D.* (*p-*D.), farblose, stark riechende, flüchtige Masse, D. 1,248, Schmp. 53 °C, Sdp. 174 °C, MAK 50 ppm (MAK-Werte-Liste 1996), Emissionsklasse II (TA Luft 3.1.7), WGK 2. Die Dämpfe wirken betäubend u. reizen stark Augen, Atemwege u. Haut; Kontakt mit der Flüssigkeit bewirkt Reizung der Augen u. der Haut. Bei Verschlucken, bes. von 1,2-D., Leber- u. Nierenschäden möglich. Alle D. sind in Wasser unlösl., in Alkohol, Ether u. Benzol leicht löslich. Die D. sind Zwischenprodukte zur Herst. von Farbstoffen, Schädlingsbekämpfungsmitteln, Lsm. für Lacke, Gummi, Wachse, Harze u. Desinfektionsmittel; 1,4-D. findet ferner Verw. in Mottenbekämpfungs- u. Luftverbesserungsmitteln (Becksteine). – *E* dichlorobenzenes – *F* dichlorobenzènes – *I* diclorobenzeni – *S* diclorobencenos

Lit.: Beilstein E IV **5**, 654–662 ▪ Gesundheitsschädliche Arbeitsstoffe: toxikologisch-arbeitsmedizinische Begründung von MAK-Werten, Weinheim: VCH Verlagsges. 1972–1996 ▪ Hager (5.) **3**, 432 ▪ Hommel, Nr. 257, 257 a ▪ Rippen ▪ Ullmann (4.) **9**, 500 ff.; (5.) A **6**, 328 ff. – [*HS 2903 61*; *CAS 95-50-1 (1,2-D.); 541-73-1 (1,3-D.); 106-46-7 (1,4-D.); G 6.1*]

1,4-Dichlorbutan (Tetramethylenchlorid).
Cl–CH$_2$–(CH$_2$)$_2$–CH$_2$–Cl, $C_4H_8Cl_2$, M_R 127,01, farblose, leichtbewegliche, angenehm riechende Flüssigkeit, D. 1,141, Sdp. 155 °C, FP. 52 °C c. c., unlösl. in Wasser, lösl. in den meisten organ. Lsm., Zwischenprodukt für organ. Synthesen. – *E* = *F* 1,4-dichlorobutane – *I* = *S* 1,4-diclorobutano

Lit.: Beilstein E IV **9**, 250 f. ▪ Hommel, Nr. 258 ▪ Ullmann (4.) **9**, 471; (5.) A **6**, 313. – [*HS 2903 16*; *CAS 110-56-5*; *G 3*]

5,7-Dichlor-8-chinolinol s. Halquinol.

2,3-Dichlor-5,6-dicyano-1,4-benzochinon s. 4,5-Dichlor-3,6-dioxo-cyclohexa-1,4-dien-1,2-dicarbonitril.

2,2′-Dichlordiethylether s. Bis(2-chlorethyl)ether.

2,2′-Dichlordiethylsulfid s. Bis(2-chlorethyl)sulfid.

1,1-Dichlor-2,2-difluorethen (1,1-Dichlordifluorethylen, R 1112a) s. FCKW.

Dichlordifluormethan (R 12) s. FCKW.

Dichlordimethylether s. Bis(chlormethyl)-ether.

Dichlordimethylsilan s. Methylchlorsilane.

4,5-Dichlor-3,6-dioxo-cyclohexa-1,4-dien-1,2-dicarbonitril (2,3-Dichlor-5,6-dicyano-1,4-benzochinon, DDQ=*D*ichlor*d*icyano*q*uinon).

Dichlordiphenyldi(tri)chlorethan

$C_8Cl_2N_2O_2$, M_R 227,01, gelbe bis orange Krist., Schmp. 216 °C, in Ethanol u. Benzol leicht, in Ether u. Chloroform schwer lösl., wird durch Wasser zersetzt. Findet in der organ. Synth. zur Einführung von Doppelbindungen durch *Dehydrierung, zur Oxid. von Hydroxy-Gruppen, zur Aromatisierung sowie bei *Cyclisierungen Verwendung. – *E* 4,5-dichloro-3,6-dioxo-1,4-cyclohexadiene-1,2-dicarbonitrile – *F* 4,5-dichloro-3,6-dioxo-cyclohexa-1,4-diène-1,2-dicarbonitrile – *I* 4,5-dicloro-3,6-diossi-cicloesa-1,4-dien-1,2-dicarbonitrile – *S* 4,5-dicloro-3,6-dioxo-ciclohexa-1,4-dien-1,2-dicarbonitrilo

Lit.: Beilstein **10**, 902 ▪ Chem. Rev. **67**, 153–195 (1967); **78**, 317 (1978) ▪ Paquette **3**, 1699 ▪ Synthesis **1970**, 74–81 ▪ Synthetica **1**, 131 ff. – *[HS 292690; CAS 84-58-2]*

Dichlordiphenyldi(tri)chlorethan s. DDT.

Dichloressigsäure. $Cl_2CH-COOH$,

$C_2H_2Cl_2O_2$, M_R 128,94, farblose, stechend riechende Flüssigkeit, D. 1,5, Schmp. 10 °C, Sdp. 194 °C. Dämpfe u. Flüssigkeit verätzen Augen, Atemwege (Lungenödem möglich) u. Haut; LD_{50} (Ratte oral) 2820 mg/kg, wassergefährdender Stoff, WGK 1. Zwischenprodukt für organ. Synth., medizin. Ätzmittel. Substituierte 2,2-Dichloracetamide sind Bestandteile von *Amöbiziden. – *E* dichloroacetic acid – *F* acide dichloracétique – *I* acido dicloroacetico – *S* ácido dicloracético

Lit.: Beilstein E IV **2**, 498 ff. ▪ Hommel, Nr. 589 ▪ Kirk-Othmer (4.) **1**, 169 f. ▪ Ullmann (4.) **9**, 398 f.; (5.) A **6**, 543. – *[HS 291540; CAS 79-43-6; G 8]*

Dichlorethane.

$H_3C-CHCl_2$ $Cl-CH_2-CH_2-Cl$
a)   b)

$C_2H_4Cl_2$, M_R 98,96.

(a) 1,1-D. [Ethyliden(di)chlorid], ölige, farblose Flüssigkeit, D. 1,175, Schmp. –97 °C, Sdp. 57 °C, wenig lösl. in Wasser, lösl. in Alkohol u. Ether, MAK 100 ppm (MAK-Werte-Liste 1996), wassergefährdender Stoff, WGK 3 (KBwS), Emissionsklasse II (TA Luft 3.1.7); 1,1-D. kann aus HCl u. Vinylchlorid hergestellt werden; es ist ein Zwischenprodukt bei der Herst. von 1,1,1-Trichlorethan.

(b) 1,2-D. [Ethylen(di)chlorid], ölige, farblose, Chloroform-artig riechende Flüssigkeit, D. 1,26, Schmp. –36 °C, Sdp. 83 °C, FP. 13 °C c. c., in Wasser unlösl., in Alkohol u. Ether leicht löslich. 1,2-D. wirkt hautreizend, narkot., leber- u. nierenschädigend u. gilt als Stoff, der sich im Tierversuch als krebserzeugend erwiesen hat (Gruppe III A 2, MAK-Werte-Liste 1996), TRK 5 ppm, LD_{50} (Ratte oral) 670 mg/kg, wassergefährdender Stoff, WGK 3, Emissionsklasse I (TA Luft 3.1.7). Zu Verw.- u. Exportbeschränkung s. EWG-VO 2455/92; nach der Pflanzenschutz-Anwendungsverordnung besteht für 1,2-D. ein vollständiges Anwendungsverbot.
Wegen der Bildung des „öligen" 1,2-D. aus *Ethylen u. Chlor gab man dem Ethylen die Bez. „gaz oléfiant" (ölbildendes Gas); von diesem französ. Ausdruck leitet sich die Sammelbez. *Olefine her. D. wurde schon 1795 von holländ. Chemikern hergestellt u. deshalb lange Zeit als das „Öl der holländischen Chemiker" bezeichnet.

Herst.: Durch Addition von HCl an Acetylen od. von Cl_2 an Ethylen (ggf. auch mit Ethylen-haltigen Krackgasen durchführbar), in zunehmendem Maße durch Oxychlorierung von Ethylen (HCl+O_2) in Ggw. von $CuCl_2$ od. $FeCl_3$.

Verw.: Als Extraktionsmittel für Fette u. Öle, Lsm. für Harze, Asphalte, Bitumina u. Kautschuk, Abbeizmittel, in Kombination mit 1,2-Dibromethan dient es, bei Verw. von Bleitetraethyl bzw. Bleitetramethyl, als Antiklopfmittel zur Umwandlung schwerflüchtiger in leichtflüchtige Blei-Verb. (wegen der allg. Verminderung des Blei-Gehaltes im Fahrbenzin stark rückläufig). Die Hauptmenge des 1,2-D. wird für die Gewinnung von Vinylchlorid benötigt, weiterhin wird es zur Herst. von Ethylendiamin eingesetzt. 1,1-D. u. 1,2-D. dürfen beim Herstellen od. Behandeln von kosmet. Mitteln nicht verwendet werden (Kosmetik-VO Anlage 1, Nr. 125). – *E* dichloroethanes – *F* dichloroéthanes – *I* dicloroetani – *S* dicloretanos

Lit.: Beilstein E IV **1**, 130–134 ▪ Gesundheitsschädliche Arbeitsstoffe: toxikologisch-arbeitsmedizinische Begründung von MAK-Werten, Weinheim: VCH Verlagsges. 1972–1996 ▪ Hommel, Nr. 14 ▪ Kirk-Othmer (4.) **6**, 11 ff. ▪ Luftanalysen: Analytische Methoden zur Prüfung gesundheitsschädlicher Arbeitsstoffe, Bd. 1, Weinheim: VCH Verlagsges. 1976–1996 ▪ Rippen ▪ Ullmann (4.) **9**, 424 ff.; (5.) A **6**, 262 ff. ▪ Weissermel-Arpe (4.), S. 235 f. ▪ s. a. Chlorkohlenwasserstoffe. – *[HS 290315, 290319; CAS 75-34-3 (1,1-D.); 107-06-2 (1,2-D.); G 3]*

Dichlorethylene.

$H_2C=CCl_2$ (cis)   (trans)
a)   b)

$C_2H_2Cl_2$, M_R 96,94.

(a) 1,1-D. (Vinylidenchlorid, VDC), farblose, Chloroform-artig riechende Flüssigkeit, D. 1,213, Schmp. –122,5 °C, Sdp. 32 °C, in Wasser nicht, in organ. Lsm. löslich. Die Dämpfe von 1,1-D. wirken narkot., haut- u. augenreizend; kann sich oxidativ in HCl u. Phosgen zersetzen. 1,1-D. gilt als Stoff mit begründetem Verdacht auf krebserzeugendes Potential (Gruppe III B, MAK-Werte-Liste 1996); MAK 2 ppm, LD_{50} (Ratte oral) 200 mg/kg, wassergefährdender Stoff, WGK 3 (KBwS). 1,1-D. wird durch Dehydrochlorierung von 1,1,2-Trichlorethan hergestellt. Es wird zur Herst. von *Polyvinylidenchlorid sowie Copolymerisaten verwendet. 1,1-D. darf ebenso wie 1,2-D. beim Herstellen od. Behandeln von kosmet. Mitteln nicht verwendet werden.

(b) 1,2-D. (Acetylendichlorid), tritt in *cis*- u. *trans*-Form auf. *cis-1,2-D.:* farblose Flüssigkeit, D. 1,284, Schmp. –81 °C, Sdp. 60 °C; *trans-1,2-D.:* farblose Flüssigkeit, D. 1,257, Schmp. –50 °C, Sdp. 47 °C; auch Gemische beider Isomeren sind im Handel, MAK 200 ppm (MAK-Werte-Liste 1996), LD_{50} (Ratte oral) 770 mg/kg, wassergefährdender Stoff, WGK 2 (KBwS); die Dämpfe wirken narkot., haut- u. augenreizend. 1,2-D. kann durch Chlorierung von Acetylen hergestellt werden; es entsteht oft als Nebenprodukt bei der Herst. chlorierter Kohlenwasserstoffe. Verw. als Lsm. für Fette, Wachse, Harze usw.; Zwischenprodukt bei der Synth. anderer chlorierter Lsm. u. bei der Herst. von Pharmaka. – *E*

dichloroethylenes – *F* dichloréthylène – *I* dicloroetileni – *S* dicloroetilenos
Lit.: Angew. Chem. **78**, 932–936 (1966) ■ Beilstein E IV **1**, 706–711 ■ Paquette **3**, 1710 ■ Hager (5.) **3**, 434 ■ Hommel, Nr. 78, 338 ■ Kirk-Othmer (4.) **6**, 36 ff. ■ Rippen ■ Ullmann (4.) **9**, 452 ff.; (5.) **A 6**, 294 ff. ■ s. a. Chlorkohlenwasserstoffe. – *[HS 2903 29; CAS 75-35-4 (1,1-D.); 156-59-2 (cis-1,2-D.); 156-60-5 (trans-1,2-D.); G 3]*

Dichlorethylether s. Bis(2-chlorethyl)ether.

Dichlorfluormethan (R 21) s. FCKW.

α-Dichlorhydrin s. 1,3-Dichlor-2-propanol.

Dichlorhydroxychinolin s. Halquinol.

Dichlorketen. $Cl_2C=C=O$, C_2Cl_2O, M_R 126,93. D. wird in situ durch Dehalogenierung von Trichloracetylhalogeniden od. durch Dehydrohalogenierung von Dichloracetylhalogeniden hergestellt; es ist lösl. in Ether, Pentan, Hexan. Durch seine Fähigkeit Cycloadditionen mit zahlreichen π-Syst. einzugehen, ist D. ein wichtiger Synthesebaustein in der organ. Chemie. – *E* dichloroketene
Lit.: Paquette **3**, 1715. – *[CAS 4591-28-0]*

Dichlormethan s. Chlormethane.

Dichlormethylen-ammonium-Salze s. Phosgen-Iminium-Salze.

Dichlormethylether s. Bis(chlormethyl)ether.

(Dichlormethyl)-methylether. $Cl_2CH-O-CH_3$, $C_2H_4Cl_2O$, M_R 114,96, farblose, tränenreizende Flüssigkeit, D. 1,271, Sdp. 85 °C, FP. 11 °C. D. kann aus Ameisensäuremethylester u. Phosphorpentachlorid hergestellt werden u. ist ein sehr nützliches Reagenz, z. B. zur Chlorierung, Formylierung u. a. Synthesen. – *E* dichloromethylmethylether – *F* éther (dichlorométhyl)méthylique – *I* etere dicloromethilico-metilico – *S* éter (diclorometil)metílico
Lit.: Beilstein E IV **2**, 43 ■ Paquette **3**, 1725. – *[CAS 4885-02-3]*

2,3-Dichlor-1,4-naphthochinon (Common name: Dichlon). Xn

$C_{10}H_4Cl_2O_2$, M_R 227,05, goldgelbe Nadeln, Schmp. 193–195 °C, beständig gegen verd. Säuren, unbeständig gegen Alkalien, sehr schwer lösl. in Wasser, mäßig lösl. in Aceton u. Benzol, LD_{50} (Ratte oral) 1300 mg/kg. D. kann durch Chlorierung von 1,4-Naphthochinon hergestellt werden. Verw. als Zwischenprodukt bei der Synth. von Farbstoffen, als Blatt-Fungizid u. zur Algenbekämpfung. – *E* 2,3-dichloro-1,4-naphtoquinone – *F* 2,3-dichloro-1,4-naphtochinone – *I* 2,3-dicloro-1,4-naftochinone – *S* 2,3-dicloro-1,4-naftoquinona
Lit.: Beilstein E IV **7**, 2426 ■ Chem. Rev. **63**, 279–296 (1963) ■ Ullmann (4.) **17**, 121; (5.) **A 17**, 69. – *[HS 2914 70; CAS 117-80-6]*

Dichlornitrobenzole.

$C_6H_3Cl_2NO_2$, M_R 192,00. Von den 6 Isomeren sind hauptsächlich 1,2-Dichlor-3-nitrobenzol, Schmp. 60 °C, WGK 3 (KBwS), 1,2-Dichlor-4-nitrobenzol, Schmp. 43 °C, WGK 3 (KBwS), u. bes. 1,4-Dichlor-2-nitrobenzol, Schmp. 56 °C, WGK 3 (KBwS) von techn. Bedeutung. Die D. sind hautreizende, gelbliche Massen, unlösl. in Wasser, lösl. in heißem Alkohol, Ether, Chloroform, Benzol. Verw. als Zusatz zu Hochdruckschmiermitteln, zur Herst. von Vulkanisationsbeschleunigern, Desinfektionsmitteln, Pflanzenschutzmitteln u. Farbstoffen. – *E* dichloronitrobenzenes – *F* dichloronitrobenzènes – *I* dicloronitrobenzeni – *S* diclornitrobencenos
Lit.: Beilstein E IV **5**, 725 ff. ■ Ullmann (4.) **17**, 393 ff.; (5.) **A 17**, 428 ff. ■ s. a. Chlornitrobenzole. – *[HS 2904 90; CAS 3209-22-1 (1,2-Dichlor-3-nitrobenzol); 99-54-7 (1,2-Dichlor-4-nitrobenzol); 89-61-2 (1,4-Dichlor-2-nitrobenzol)]*

Dichloroxid s. Chloroxide.

Dichlorphenole. Xn

2,4-D.

$C_6H_4Cl_2O$, M_R 163,00. Gruppe antisept. u. desinfizierend wirkender *Chlorphenole von unterschiedlicher techn. Bedeutung. Der wichtigste Vertreter ist das *2,4-D.*: farblose, unangenehm riechende Nadeln, Schmp. 45 °C, Sdp. 209–210 °C, schwer lösl. in Wasser, leicht lösl. in Alkohol. 2,4-D. führt bei Aufnahme zur Schädigung von Leber, Niere u. Zentralnervensystem; LD_{50} (Ratte oral) 580 mg/kg, Emissionsklasse I (TA Luft 3.1.7), wassergefährdender Stoff, WGK 3. Verw. als Zwischenprodukt für organ. Synth., zur Herst. von (2,4-Dichlorphenoxy)-essigsäure u. von Mottenschutzmitteln. – *E* dichlorophenols – *F* dichlorophénols – *I* diclorofenoli – *S* diclorofenoles
Lit.: Beilstein E IV **6**, 883, 885, 942, 949, 952, 957 ■ Hager (5.) **3**, 438 ■ Hommel, Nr. 650 ■ Rippen ■ Ullmann (4.) **9**, 575; (5.) **A 7**, 2 ff. – *[HS 2908 10; CAS 120-83-2; G 6.1]*

2,6-Dichlorphenol-indophenol-natrium [2,6-Dichlor-*N*-(4-hydroxyphenyl)-1,4-benzochinonimin, Natriumsalz, Tillmans Reagenz].

$C_{12}H_6Cl_2NNaO_2$, M_R 290,08. Dunkelgrünes Pulver, lösl. in Wasser u. Ethanol, die wäss. Lsg. ist tiefblau u. schlägt bei Säure-Zusatz nach Rot um. Iodid wird in saurer Lsg. zu Iod oxidiert, wobei D. selbst in die farblose Leuko-Verb. übergeht. Auf dieser Wirkung als Oxidationsmittel beruht auch die Bestimmung der *Ascorbinsäure [1] u. der *Cholin-Esterase, außerdem Verw. als Redoxindikator. – *E* 2,6-dichlorophenol-indophenol-sodium – *F* 2,6-dichlorophénol-indophénol-sodium – *I* 2,6-diclorofenol-indofenol-sodio – *S* 2,6-diclorofenol-indofenol sódico
Lit.: [1] J. Assoc. Off. Anal. Chem. **1970**, 777 ■ Anal. Biochem. **101**, 421 (1980).
allg.: Beilstein E III **13**, 1188 ■ Merck-Index (12.), Nr. 3118. – *[HS 2925 20; CAS 620-45-1]*

Dichlorphenolsulfonphthalein s. Chlorphenolrot.

4-(2,4-Dichlorphenoxy)-buttersäure s. 2,4-DB.

(2,4-Dichlorphenoxy)-essigsäure s. 2,4-D.

Dichlorpropane.

Cl–CH$_2$–CH(Cl)–CH$_3$ Cl–CH$_2$–CH$_2$–CH$_2$–Cl   F Xn
a)   b)

$C_3H_6Cl_2$, M_R 112,99. Von den vier Isomeren besitzen nur zwei techn. Bedeutung: (a) *1,2-D.* [Propylen(di)chlorid]: farblose, leichtbewegliche, Aceton-ähnlich riechende, brennbare Flüssigkeit, D. 1,156, Schmp. –100°C, Sdp. 96°C, FP. 15°C c.c.; in Wasser kaum lösl., in den meisten organ. Lsm. löslich. 1,2-D. gilt als Stoff mit begründetem Verdacht auf krebserzeugendes Potential (Gruppe III B, MAK-Werte-Liste 1996), LD_{50} (Ratte oral) 1947 mg/kg, wassergefährdender Stoff, WGK 3. Die Dämpfe in hohen Konz. wirken narkot.; sie reizen Augen u. Atemwege, nachfolgend Leber-, Nieren- u. Herzstörungen möglich. 1,2-D. fällt in großen Mengen bei der Propylenoxid-Erzeugung als Nebenprodukt an, in hoher Ausbeute kann es durch Chlor-Addition an Propen erhalten werden. Feuchtes 1,2-D. korrodiert Metalle, Mg u. Al ggf. auch in trockenem Zustand. Verw. als Lsm. für öllösl. Kunstharze, Polymerisate, Bitumina, Teere, als Extraktions-, Entfettungs- u. Fleckenentfernungsmittel, als Zwischenprodukt bei organ. Synth.; wirkt als Nematizid u. Insektizid. Nach der Pflanzenschutz-Anwendungsverordnung besteht für 1,2-D. eingeschränktes Anwendungsverbot.

(b) *1,3-D.* (Trimethylenchlorid): Farblose Flüssigkeit, D. 1,188, Schmp. –100°C, Sdp. 120°C, FP. 30°C, haut- u. tränenreizend; wassergefährdender Stoff, WGK 1 (Selbsteinst.). Verw. als Zwischenprodukt in organ. Synthesen. – *E* = *F* dichloropropanes – *I* dicloropropani – *S* dicloropropanos

Lit.: Beilstein E IV **1**, 195 f. ▪ Hommel, Nr. 170 ▪ Rippen ▪ Ullmann (4.) **9**, 465 ff.; **16**, 298, 305; (5.) **A 6**, 310 ▪ s. a. Chlorkohlenwasserstoffe. – [HS 2903 16, 2903 19; CAS 78-87-5 (1,2-D.); 142-28-9 (1,3-D.); G 3]

1,3-Dichlor-2-propanol (α-Dichlorhydrin). T

Cl–CH$_2$–CH(OH)–CH$_2$–Cl

$C_3H_6Cl_2O$, M_R 128,99, farblose, Ether-ähnlich riechende Flüssigkeit, D. 1,365, Schmp. –4°C, Sdp. 175°C, in Wasser mäßig lösl., mit organ. Lsm. außer Petrolether mischbar. Stark augen-, haut- u. schleimhautreizend, Lungenödem möglich, Schädigung des Zentralnervensystems, des Herzens sowie der Leber u. der Niere sind möglich. 1,3-D. gilt als Stoff, der sich im Tierversuch eindeutig als krebserzeugend erwiesen hat (Gruppe III A 2, MAK-Werte-Liste 1996), LD_{50} (Ratte oral) 110 mg/kg, wassergefährdender Stoff, WGK 3 (Selbsteinst.). Wie die anderen *Chlorhydrine des Glycerins wird 1,3-D. als Lsm., zur krumpffesten u. flammwidrigen Textilausrüstung u. zur Herst. von *Epoxidharzen verwendet. – *E* = *F* 1,3-dichloro-2-propanol – *I* 1,3-dicloro-2-propanolo – *S* 1,3-dicloro-2-propanol

Lit.: Beilstein E IV **1**, 1491 ▪ Hommel, Nr. 1137 ▪ Kirk-Othmer (4.) **6**, 142 ff. ▪ McKetta **8**, 184 f. ▪ Ullmann (5.) **A 6**, 566 ff. – [HS 2905 50; CAS 96-23-1; G 6.1]

1,3-Dichlor-2-propanon (1,3-Dichloraceton).
Cl–CH$_2$–CO–CH$_2$–Cl, $C_3H_4Cl_2O$, M_R 126,97. Farblose Krist., Schmp. 45°C, Sdp. 173,4°C, in organ. Lsm. löslich. Staub u. Dämpfe können zu sehr starker Reizung bis hin zur Verätzung der Augen u. der Haut führen, Lungenödem möglich, wird auch über die Haut aufgenommen. D. findet Verw. als Ausgangsmaterial zur Herst. von Cyclopropanolen u. Cyclopropenonen. – *E* 1,3-dichloroacetone

Lit.: Hommel, Nr. 1138 ▪ Merck-Index (12.), Nr. 3102 ▪ Paquette **3**, 1653. – [CAS 534-07-6]

1,3-Dichlorpropen. Cl–CH$_2$–CH=CH–Cl, T
$C_3H_4Cl_2$, M_R 110,98, farblose, Chloroformartig riechende Flüssigkeit; *trans-1,3-D.*: D. 1,217, Sdp. 112°C; *cis-1,3-D.*: D. 1,224, Sdp. 104°C. Die Dämpfe reizen Augen, Atemwege sowie Lunge bis hin zum Lungenödem, Kontakt mit der Flüssigkeit führt zu starker Reizung der Augen u. der Haut. 1,3-D. hat sich im Tierversuch als eindeutig krebserzeugend erwiesen, u. zwar unter Bedingungen, aus denen eine Vergleichbarkeit zur möglichen Exponierung des Menschen abgeleitet werden kann (Gruppe III A 2 MAK-Werte-Liste 1996), LD_{50} (Ratte oral) 150 mg/kg, wassergefährdender Stoff, WGK 3.

Verw.: D. wird zusammen mit 1,2-*Dichlorpropan als sog. DD-Mischung gegen wurzelschädigende Nematoden angewendet. D. ist (wie alle Bodenbegasungsmittel) phytotox. u. wird deshalb erst nach dem Abräumen der Kulturen bzw. in ausreichendem zeitlichen Abstand vor der Wiederbepflanzung in den Boden eingearbeitet. Auch als Zwischenprodukt in organ. Synth., in Öl- u. Fettlösemitteln. – *E* 1,3-dichloropropene – *F* 1,3-dichloropropène – *I* 1,3-dicloropropene – *S* 1,3-dicloropropeno

Lit.: Beilstein E IV **1**, 743 f. ▪ Gesundheitsschädliche Arbeitsstoffe: toxikologisch-arbeitsmedizinische Begründung von MAK-Werten, Weinheim: VCH Verlagsges. 1972–1996 ▪ Hager (5.) **3**, 445 ▪ Hommel, Nr. 81 ▪ Paquette **3**, 1727 ▪ Perkow ▪ Pesticide Manual ▪ Rippen ▪ Ullmann (4.) **17**, 235; (5.) **A 17**, 129 f. – [HS 2903 29; CAS 542-75-6 (cis/trans-Gemisch); 10061-01-5 (cis); 10061-02-6 (trans); G 3]

Dichlorprop-P. Common name für (R)-2- Xn
(2,4-Dichlorphenoxy)propionsäure.

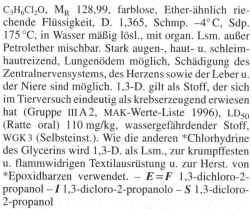

$C_9H_8Cl_2O_3$, M_R 235,07, Schmp. 117–118°C, LD_{50} (Ratte oral) 800 mg/kg, von BASF entwickeltes selektives *Herbizid gegen Unkräuter im Getreide. – *E* = *F* dichlorprop-P – *I* = *S* dicloroprop-P

Lit.: Farm ▪ Perkow ▪ Pesticide Manual. – [HS 2918 90; CAS 15165-67-0]

Dichlorsilan s. Silane.

1,2-Dichlortetrafluorethan (Cryofluoran, R 114) s. FCKW.

α,α-Dichlortoluol s. Benzylidendichlorid.

Dichlorvos. T

H$_3$CO–P(=O)(OCH$_3$)–O–CH=CCl$_2$

Common name für (2,2-Dichlorvinyl)dimethylphosphat, $C_4H_7Cl_2O_4P$, M_R 220,98, Sdp. 35 °C (7 Pa), LD_{50} (Ratte oral) 56 mg/kg (GefStoffV), MAK 1 mg/m³ bzw. 0,1 ml/m³, von Ciba 1951 erstmals (mit falscher Struktur) beschriebenes *Insektizid gegen Schädlinge im Hygienebereich u. in der Landwirtschaft, wirkt infolge des hohen Dampfdruckes vorwiegend über die Gasphase, aber auch als Kontakt- u. Fraßgift. – *E* dichlorvos, DDVP – *F* dichlorvos – *I* diclorovos – *S* diclorvos
Lit.: Beilstein E IV 1, 2063 ▪ Farm ▪ Perkow ▪ Pesticide Manual.
– [HS 2919 00; CAS 62-73-7]

Dichrographen. Geräte zur Bestimmung u. automat. Aufzeichnung des *Circulardichroismus gelöster Molekeln. – *E* dichrographs – *F* dichrographes – *I* dicrografi – *S* dicrógrafos

Dichroin B s. Febrifugin.

Dichroismus s. Pleochroismus u. Circulardichroismus.

Dichroit s. Cordierit.

Dichromate. Meist orange bis dunkelrot gefärbte, giftige Salze der *Dichromsäure* ($H_2Cr_2O_7$) der allg. Formel $M_2^I Cr_2O_7$ bzw. $M^{II}Cr_2O_7$. Die D. von K, Na, Ca, Sr, Ba sind in Wasser leicht mit saurer Reaktion löslich. Bei Abwesenheit von Reduktionsmitteln sind die D. bei 20 °C u. gelinder Hitze beständig; dagegen gehen sie in ihrer Ggw. unter Farbumschlag nach Grün u. Sauerstoff-Abgabe in Cr(III)-Verb. über.
Die D. dienen als Oxidationsmittel in vielen techn. Prozessen, als Bestandteil von Holzschutzmitteln (*CF-Salze) u. finden in Form von *Ammoniumdichromat in der Pyrotechnik Verwendung. Als wirtschaftlich wichtigste Chrom-Verb. ist das *Natriumdichromat Ausgangsmaterial für eine Vielzahl von Chrom-haltigen *Pigmenten u. a. Chrom-Verbindungen. Die in Wasser lösl. D. haben sich in Form von Stäuben/Aerosolen im Tierversuch als krebserzeugend erwiesen (Liste A 2 der krebserzeugenden Arbeitsstoffe). – *E = F* dichromates – *I* dicromati – *S* dicromatos
Lit.: s. Chrom. – [HS 2841 20 – 2841 50]

Dichte. 1. *Massendichte* (spezif. Masse): Die D. (Kurzz.: ϱ od. D.) eines einheitlichen Stoffes ist definiert als die Masse der Vol.-Einheit, also die in 1 cm³ (bzw. 1 l) enthaltene Masse in g (bzw. kg) ausgedrückt. Mithin hat die D. die Dimension Masse/Volumen. Demgegenüber definierte man früher die *relative Dichte* (Kurzz.: d) od. das *spezifische Gewicht* eines Stoffes durch Vgl. mit einem Standard, wodurch die D. eine dimensionslose Zahl wurde. Zum Vgl. diente Wasser von 4 °C, dessen Dichte gleich 1 gesetzt wurde. Wenn also z. B. für Quecksilber die D. 13,6 angegeben wird, bedeutet dies, daß Quecksilber 13,6mal so schwer ist wie Wasser von 4 °C. Bei Gasen wird gelegentlich die Luftdichte gleich 1 gesetzt. Außerdem mußte bis zum Inkrafttreten des „Gesetzes über Einheiten im Meßwesen" (1970) zwischen der D. (spezif. Masse) u. der *Wichte* (spezif. Gew.) eines Stoffes unterschieden werden; da das Gew. als „Masse mal Beschleunigung" definiert war, mußte sich das spezif. Gew. (angegeben in Pond/cm³) in Abhängigkeit von der jeweiligen Ortslage (d. h. von der Erdanziehung) ändern, während D. überall in der Welt denselben Wert

hat. Da nunmehr Gew. u. Masse gleichgesetzt sind, entfällt der (ohnehin höchstens 0,3% betragende) Unterschied in den Zahlenwerten von D. u. spezif. Gew., u. beide Begriffe können als Synonyma verwendet werden.

Tab.: Dichte von Festkörpern u. Flüssigkeiten (20 °C) bzw. Litergew. von Gasen (0 °C).

Schaumstoffe	<0,05	Ether	0,714
Holz	0,4–0,8	Ethanol	0,791
Eis (0 °C)	0,917	Wasser	0,998
Natrium	0,971	Brom	3,119
Steinkohle	1,2–1,4	Methyleniodid	3,325
Magnesium	1,74	Quecksilber	13,546
Kochsalz	2,165	Wasserstoff	0,089
Aluminium	2,702	Helium	0,178
Silberchlorid	5,56	Stickstoff	1,250
Eisen	7,87	Kohlenoxid	1,250
Kupfer	8,94	Luft	1,293
Blei	11,288	Sauerstoff	1,429
Gold	19,32	Kohlendioxid	1,977
Platin	21,45	Chlor	3,214
Iridium	22,65	Xenon	5,897

Die Tab. enthält links die D. fester Stoffe (20 °C), rechts diejenige von Flüssigkeiten (20 °C, 101,3 kPa) u. die sog. *Normdichte* (0 °C, 101,3 kPa, in g/l) einiger Gase.
Masse bzw. Gew. der Stoffe ermittelt man durch Wägen, die D. von Flüssigkeiten mit Hilfe von *Pyknometern, mit der Auftriebsmeth. mit Hilfe der hydrostat. od. *Mohrschen Waage od. auch direkt mit *Aräometern, die D. von Gasen mit der *Gasdichte-Waage. Beim Erwärmen sinken die D. der Stoffe in der Regel infolge Wärmeausdehnung, deshalb muß man die Temp., bei der die D. bestimmt wurde, angeben. Als Normaltemp. werden heute allg. 20 °C angegeben. Relative D. von Flüssigkeiten notiert man z. B. als d_{25}^{25} od. d_4^{20}, wobei sich der untere Wert auf die Temp. der Vergleichsflüssigkeit bezieht. Daneben gibt es bei Flüssigkeiten D.-Angaben, die sich auf die spezif. Graduierung der *Aräometer beziehen, vgl. dort die Umrechnungsgleichungen der Baumé-, Twaddell- u. a. Grade. Zur D.-Bestimmung bei *Mineralien kann man sich der sog. *Schwerflüssigkeiten bedienen. Beim *Zentrifugieren bildet sich bei den sedimentierenden Teilchen ein sog. *Dichtegradient* aus, den man ggf. mit farbigen Perlchen (Percoll) markieren kann, s. Ultrazentrifugen.
2. In der Technik spielen andere D.-Typen eine Rolle: *Fülldichte* ist die Masse der Vol.-Einheit von lose eingefülltem Pulver. *Klopfdichte* ist die Masse der Vol.-Einheit eines durch Klopfen möglichst dicht gelagerten Pulvers. *Preßdichte* ist die Masse der Vol.-Einheit eines Pulvers nach Anw. von Preßdruck. *Reindichte* ist die auf das Vol. des Festkörpers allein bezogene D. eines porösen, faserigen od. körnigen Stoffes, die *Rohdichte* dagegen wird auf das Vol. der ganzen Stoffmenge einschließlich der Zwischenräume (z. B. Poren) bezogen. Die *Schüttdichte* von pulverförmigen u. kurzfaserigen Preßmassen ist die Masse eines bestimmten Vol. der in bestimmter Weise geschütteten Preßmasse. *Sinterdichte* ist die Masse der Vol.-Einheit eines gesinterten Stoffes. Die *Stopfdichte* von langfaserigen u. schnitzelförmigen Preßmassen ist die Masse eines be-

stimmten Vol. der in bestimmter Weise verdichteten Preßmasse. *Teilchendichte* ist die Rohdichte eines einzelnen Teilchens; diese entspricht bei porenfreien Teilchen der Reindichte des entsprechenden kompakten Feststoffes.
3. Von D. spricht man ferner in der *Photographie zur Bez. der z. B. mit *Densitometern bestimmbaren opt. D. (*Opazität*, vgl. Lambert-Beersches Gesetz), in der *Elektrochemie (*Ladungsdichte*), in der Refraktometrie (*opt. D. eines Mediums, s. Refraktion*), in der Kerntechnik (Energiefluß- u. Teilchenfluß-D.) usw. – *E* density – *F* densité – *I* densità – *S* densidad

Lit.: Hengstenberg (Hrsg.), Messen, Steuern u. Regeln in der chemischen Technik, Berlin: Springer 1980 ▪ Houben-Weyl 3/1, 163–217 ▪ Kirk-Othmer 6, 755–777 ▪ Kohlrausch, Praktische Physik 3, Stuttgart: Teubner 1996 ▪ Profos u. Pfeifer, Handbuch der industriellen Meßtechnik, München: Oldenbourg 1992 ▪ Strohrmann, Meßtechnik im Chemiebetrieb, München: Oldenbourg 1991 ▪ Ullmann (5.) **A 12**, 297 – *(zu 3.)*: Ullmann (5.) **A 20**, 98. – Zahlenwerte der Dichten sind verzeichnet in Tabellenwerken, z. B. im Landolt-Börnstein.

Dichtefunktionaltheorie. Wichtiges Verf. der *Quantenchemie, welches häufig zu den *ab initio-Meth. gezählt wird, aber in den z. Z. erfolgreichsten Varianten einige semiemp. Elemente beinhaltet. Die D.-Meth. zeichnet sich durch ein sehr gutes Kosten-/Nutzen-Verhältnis aus u. findet v. a. auf größere Mol. u. Mol. mit schwereren Kernen vorteilhafte Anwendung. – *E* density functional theory – *F* théorie du fonctionnel de densité – *I* teoria funzionale di densità – *S* teoría de los funcionales de la densidad

Lit.: Chem. Rev. **91**, 651 (1991) ▪ Ellis, Density Functional Theory of Molecules, Clusters and Solids, Dordrecht: Kluwer 1994 ▪ Parr u. Yang, Density Functional Theory of Atoms and Molecules, New York: Oxford University Press 1989 ▪ Seminario u. Politzer, Density Functional Theory, A Tool for Chemistry, Amsterdam: Elsevier 1994.

Dichtegradientenverfahren. Verf. zur Trennung von Feststoffen unterschiedlicher Dichte aus Dispersionen od. kolloidalen Lsg. durch Sedimentation. Die zu trennenden Stoffe, z. B. Makromol., konzentrieren sich unter dem Einfluß der Schwerkraft entsprechend ihrer Dichte in Bereichen gleicher Dichte des Lösemittels. – *E* density gradient technique – *F* procédé par gradient de densité – *I* processo del gradiente di densità – *S* proceso del gradiente de densidad

Lit.: Ullmann (5.) **B 2**, 2–23 ▪ s. a. Ultrazentrifuge u. Zentrifugieren.

Dichtigkeitsprüfmittel s. Lecksuche.

Dichtstoffe s. Dichtungsmassen.

Dichtungen. Bez. für Vorrichtungen zum gas- od. flüssigkeitsdichten Abteilen verschiedener Räume gegeneinander. Übliche Materialien für *Weich-D.* sind: *Kork, *Gummi, Silicongummi, *Kunststoffe, auch verstärkt mit Fasern (früher Asbest), *Graphit sowie Kombinationen dieser Stoffe, für *Hart-D.*: *Blei, *Aluminium, *Kupfer. – *E* seals, jointings – *F* joints – *I* guarnizioni – *S* juntas

Lit.: Ullmann (4.) **3**, 177–182; (5.) **B 4**, 618 ff. ▪ s. a. Dichtungsmassen.

Dichtungsmassen (Dichtstoffe). Bez. für – im allg. elast., in flüssiger bis zähflüssiger Form od. als biegsame Profile od. Bahnen aufgebrachte – Stoffe zum Abdichten von Gebäuden od. Einrichtungen gegen Wasser, atmosphär. Einfluß od. aggressive Medien; *Beisp.:* Bitumina (Asphalt), Kunstharze, Schaumstoffe, Kitte etc. sowie (bes. für *Fugendichtungsmassen*) *Silicone, Acrylate u. Polysulfide. Im allg. lassen sich derartige D. zu den *Baustoffen stellen, während *Dichtungsmittel* wie *Fluate etc. zu den *Bautenschutzmitteln zählen. – *E* sealants, sealing materials – *F* matériaux d'étanchérité – *I* mastici, masse di guarnizione – *S* pastas para juntas, pastas aburantes

Lit.: Kirk-Othmer (3.) **20**, 549–558 ▪ Ullmann (4.) **14**, 260–268; (5.) **A 23**, 499–513 ▪ s. a. Baustoffe u. Bautenschutzmittel.

Dichtungsmittel s. Dichtungsmassen.

Dickit s. Kaoline.

Dicköle. Bei Anstrichstoffen versteht man unter D. alle Öle von künstlich erhöhter Viskosität, also sowohl *Standöle (*Leinöl) als auch *geblasene Öle u. die nach anderen Verf. eingedickten Öle. In der *Oxo-Synthese bezeichnet man als D. die Rückstände aus der Fettalkohol-Dest., die gute Entschäumereigenschaften aufweisen. – *E* thick oils – *F* huiles épaisses – *I* oli a viscosità aumentata – *S* aceites espesados

Dicksaft s. Saccharose.

Dickungsmittel s. Verdickungsmittel.

Diclobutrazol.

Common name für (2*RS*,3*RS*)-1-(2,4-Dichlorphenyl)-4,4-dimethyl-2-(1*H*-1,2,4-triazol-1-yl)pentan-3-ol, $C_{15}H_{19}Cl_2N_3O$, M_R 328,24, Schmp. 147–149 °C, LD_{50} (Ratte oral) >4000 mg/kg (WHO), von ICI entwickeltes, breit wirksames system. *Fungizid, vorwiegend gegen Echten Mehltau u. Rostkrankheiten im Getreide-, Kaffee- u. Obstanbau. – *E* = *F* = *S* diclobutrazol – *I* diclobutrazolo

Lit.: Farm ▪ Perkow. – *[CAS 75736-33-3]*

Diclofenac.

Internat. Freiname für die antiphlogist. u. antirheumat. wirksame [2-(2,6-Dichloranilino)-phenyl]essigsäure, $C_{14}H_{11}Cl_2NO_2$, M_R 296,15. Gelb-beiges, schwach hygroskop. Pulver, Schmp. 156–158 °C. Verwendet wird das Natrium-Salz, Schmp. 283–285 °C; λ_{max} (CH$_3$OH): 282 nm ($A_{1cm}^{1\%}$ = 425), (0,1 N HCl) 274 nm ($A_{1cm}^{1\%}$ = 288); pK_a 4; LD$_{50}$ (Maus oral) 390 mg/kg. D. wurde 1966 u. 1971 von Geigy (Voltaren®) patentiert u. ist generikafähig. – *E* = *I* diclofenac – *F* diclofénac – *S* diclofenaco

Lit.: ASP ▪ DAB **1996** u. Komm. ▪ Florey **19**, 123–144 ▪ Hager (5.) **7**, 1263–1266. – *[HS 2922 49; CAS 15307-86-5 (D.); 15307-79-6 (Natrium-Salz)]*

Diclofenamid.

Internat. Freiname für 4,5-Dichlorbenzol-1,3-disulfonamid (Dichlorphenamid), $C_6H_6Cl_2N_2O_4S_2$, M_R 305,15. Farblose Nadeln od. weißes, krist. Pulver, Schmp. 239–241 °C; λ_{max} (0,1 N NaOH): 285, 294 nm ($A_{1cm}^{1\%}$ = 43, 36); pK_{a1} 7,4; pK_{a2} 8,6. D. wurde 1958 als *Carboanhydrase-Hemmer von Merck patentiert u. ist als Glaukom-Mittel von Mann im Handel. – $E = I$ diclofenamide – F diclofénamide – S diclofenamida
Lit.: Beilstein EIV **11**, 555 ▪ Hager (5.) **7**, 1266f. – [HS 2935 00; CAS 120-97-8]

Diclofop-methyl. Common name für (RS)-2-[4-(2,4-Dichlorphenoxy)phenoxy]propionsäuremethylester.

$C_{16}H_{14}Cl_2O_4$, M_R 341,19, Schmp. 39–41 °C, LD_{50} (Ratte oral) 557 mg/kg, von Hoechst (jetzt AgrEvo) entwickeltes selektives *Herbizid gegen Ungräser im Getreide-, Rüben-, Zwiebel- u. Bohnenanbau. – E diclofop-methyl – F diclofop-méthyle – I diclofop-metile – S diclofop-metil
Lit.: Farm ▪ Perkow ▪ Pesticide Manual. – [HS 2918 90; CAS 51338-27-3]

Diclomezin. Common name für 6-(3,5-Dichlor-4-methylphenyl)-3(2H)pyridazinon.

$C_{11}H_8Cl_2N_2O$, M_R 255,10, Schmp. 250,5–253,5 °C, LD_{50} (Ratte oral) >12 000 mg/kg, von Sankyo 1988 eingeführtes *Fungizid mit kurativer u. protektiver Wirkung gegen Pilzerkrankungen in Reis, Rasen u. andere. – $E = F$ diclomezine – $I = S$ diclomezina
Lit.: Farm ▪ Pesticide Manual. – [CAS 62865-36-5]

Dicloxacillin.

Internat. Freiname für [3-(2,6-Dichlorphenyl)-5-methyl-4-isoxazolyl]penicillin, $C_{19}H_{17}Cl_2N_3O_5S$, M_R 470,33; vgl. a. Penicilline. Verwendet wird das Natrium-Salz, ein weißes, hygroskop. krist. Pulver, Schmp. 222–225 °C, $[\alpha]_D^{20}$ +127,2° (H_2O), λ_{max} (CH_3OH): 275, 282 nm ($A_{1cm}^{1\%}$ = 12,3, 11,7); (H_2O): 275, 282 nm ($A_{1cm}^{1\%}$ = 13,3, 13,3); (0,1 N NaOH): 274, 281 nm ($A_{1cm}^{1\%}$ = 14,0, 13,3). LD_{50} (Maus i.v.) 900, (Maus oral) >5000 mg/kg. Es wurde 1965 u. 1969 von Beecham patentiert u. ist von Bayer (Dichlor-Stapenor®) im Handel. – E dicloxacillin – F dicloxacilline – I dicloxacillina – S dicloxacilina

Lit.: ASP ▪ Beilstein E V **27/21**, 512 ▪ DAB **1996** u. Komm. ▪ Hager (5.) **7**, 1267–1270. – [HS 2941 10; CAS 3116-76-5 (D.); 13412-64-1 (Natriumsalz-Monohydrat)]

Dicodid®. Tabl. u. Ampullen mit *Hydrocodon-Hydrogentartrat bzw. -Hydrochlorid zur Hustenunterdrückung; unterliegt der *BMVVO. *B.*: Knoll.

Dicofix®. Kolloidale Kieselsäure-Dispersionen als Schiebefestmittel von Sandoz.

Dicofol.

Common name für 2,2,2-Trichlor-1,1-bis-(4-chlorphenyl)ethanol, $C_{14}H_9Cl_5O$, M_R 370,49, Schmp. 79 °C, LD_{50} (Ratte oral) 590 mg/kg (GefStoffV), von Rohm & Haas 1955 eingeführtes breit wirksames nicht system. *Akarizid gegen Spinnmilben im Obst-, Gemüse-, Wein- u. Blumenanbau. – $E = F = I = S$ dicofol
Lit.: Farm ▪ Perkow ▪ Pesticide Manual. – [HS 2906 29; CAS 115-32-2]

Dicrotophos.

Common name für ((E)-2-Dimethylcarbamoyl-1-methylvinyl)dimethylphosphat, $C_8H_{16}NO_5P$, M_R 237,19, Sdp. 130 °C (0,01 kPa), LD_{50} (Ratte oral) 22 mg/kg (GefStoffV), von Ciba 1963 eingeführtes system. *Insektizid u. *Akarizid mit Kontakt- u. Fraßgiftwirkung gegen beißende, saugende u. bohrende Insekten im Baumwoll- u. Kaffeeanbau – $E = F$ dicrotophos – $I = S$ dicrotofos
Lit.: Farm ▪ Perkow ▪ Pesticide Manual. – [HS 2924 10; CAS 141-66-2]

Dicrylan®. Beschichtungsmittel für Textilien auf der Basis von Polyacrylaten, Polyurethanen u. modifizierten Polysiloxanen. *B.*: Chemische Fabrik Pfersee GmbH.

Dictyosom s. Golgi-Apparat.

Dicumarol [3,3'-Methylenbis(4-hydroxycumarin), Melitoxin].

$C_{19}H_{12}O_6$, M_R 336,30, leicht bitter schmeckende Krist. von angenehmem Geruch, Schmp. 287–293 °C, in Benzol, Chloroform sowie wäss. u. organ. Basen löslich. D. wurde 1938 aus durch Gärung verdorbenem *Süßklee* (Alfalfa, *Melilotus alba*) isoliert, in dem es aus *Cumarin entstanden war. Es kommt auch in *Anthoxanthum* (Ruchgras) vor. Heute wird es synthet. aus Formaldehyd u. 4-Hydroxycumarin gewonnen. D. ist ein *Antikoagulans u. kann klin. gegen *Thrombosen eingesetzt werden. Als *Rodentizid bewirkt es Gewebe- u. Hautblutungen bei Nagetieren. D. ist auch Ursache einer durch Blutungsneigung gekennzeichneten Viehkrankheit in Nordamerika. Einen Überblick über Bicumarine allg. gibt *Lit.*[1]. – $E = F = S$ dicumarol – I dicumarolo

Dicumylperoxid

Lit.: [1] Phytochemistry **27**, 1933 (1988).
allg.: Beilstein E V **19/6**, 682 ▪ Hager (5.) **7**, 1270 ff. ▪ J. Chem. Educ. **61**, 87 (1984) (Synth.) ▪ J. Nutr. **117**, 1325 (1987) (Review). – *[HS 2932 29; CAS 66-76-2]*

Dicumylperoxid. [Fachjargon für Bis(1-methyl-1-phenylethyl)peroxid].

$H_3C-\underset{\underset{C_6H_5}{|}}{\overset{\overset{CH_3}{|}}{C}}-O-O-\underset{\underset{C_6H_5}{|}}{\overset{\overset{CH_3}{|}}{C}}-CH_3$

$C_{18}H_{22}O_2$, M_R 270,37, farbloses bis gelbliches Pulver, Schmp. 39 °C, LD_{50} (Ratte oral) 4100 mg/kg, wassergefährdender Stoff, WGK 2. Therm. Zers. ab 70 °C, dient als Vernetzungsmittel für Polyolefine u. Elastomere sowie Härter von ungesätt. Polyesterharzen. – *E* dicumyl peroxide – *F* peroxyde de dicumyle – *I* perossido di dicumile – *S* peróxido de dicumilo
Lit.: Beilstein E IV **6**, 3225 ▪ Ullmann (4.) **17**, 498, 666 f., 685; **13**, 643; (5.) **A 19**, 204, 205. – *[HS 2909 60; CAS 80-43-3; G 5.2]*

Di-cup®. Sortiment von *Dicumylperoxid-Präp., z. T. auf Calciumcarbonat aufgezogen, als Vulkanisations- u. Vernetzungsmittel. *B.:* Hercules.

Dicyan (Cyan, Cyanogen, Oxalsäure(di)nitril). N≡C–C≡N, C_2N_2, M_R 52,04. Farbloses, stechend u. nach Bittermandel riechendes Gas, das mit rosa-bläulicher Flamme brennt, D. 2,335, flüssig: 0,958 (–21 °C), Schmp. –28 °C, Sdp. –21 °C, in Wasser (unter Bildung von Oxalsäure u. Ammoniak), Alkohol u. Ether löslich. D. ist ein sehr starkes Gift (Bild der Blausäure-Vergiftung), das Einatmen hoher Konz. wirkt unmittelbar tödlich, MAK 10 ppm (MAK-Werte-Liste 1996). D. kommt in verflüssigter Form in Stahlflaschen in den Handel. Herst. durch Einwirkung von Cu(II)-Verb. auf HCN bzw. Cyanide, Oxid. von HCN mit H_2O_2 od. durch Umsetzung von HCN mit NO_2 in Ggw. von wäss. $CuSO_4$-Lösung. Verw. in organ. Synth., z. B. zur Herst. von Oxamid. – *E* cyanogen – *F* dicyan – *I* dicianogeno – *S* cianógeno, dicianógeno

Lit.: Beilstein E IV **2**, 1863 ff. ▪ Chem. Rev. **59**, 841–883 (1959) ▪ Encycl. Gaz. S. 551–556 ▪ Gmelin, Syst.-Nr. 14, C, Tl. D 1, 1971, S. 44–91 ▪ Hager (5.) **3**, 901 ▪ Hommel, Nr. 252 ▪ Ullmann (4.) **9**, 655 ff.; (5.) **A 8**, 182 ff. – *[CAS 460-19-5; G 2]*

Dicyandiamid s. Cyanoguanidin.

Dicyanoacetylen. NC–C≡C–CN, C_4N_2, M_R 76,06. Klare, farblose Flüssigkeit, Sdp. 76,5 °C, Schmp. 20,5 °C, D. 0,9703, lösl. in allen organ. Lösemitteln. Die Herst. erfolgt ausgehend von Acetylendicarbonsäuredimethylester über das entsprechende Amid, welches mit P_2O_5 in D. überführt wird. D. findet Verw. in nukleophilen Additionen, [4+2]-*Cycloadditionen u. Metall-Komplex-Insertionsreaktionen. – *E* dicyanoacetylene
Lit.: Paquette **3**, 1739. – *[CAS 1071-98-3]*

Dicyclohexylamin.

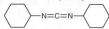

$C_{12}H_{23}N$, M_R 181,32, klare, farblose Flüssigkeit, D. 0,91, Schmp. –0,1 °C, Sdp. 256 °C, wenig lösl. in Wasser, mit organ. Lsm. mischbar. D. ist stark haut- u. schleimhautreizend (Kehlkopfödem möglich); LD_{50} (Ratte oral) 373 mg/kg, wassergefährdender Stoff, WGK 2. Verw. als Zwischenprodukt bei der Synth. von Öladditiven, Insektiziden, Emulgatoren, Korrosionsverhinderern, Weichmachern, Vulkanisationsbeschleunigern, Farbstoffen. – *E* = *F* dicyclohexylamine – *I* dicicloesilammina – *S* diciclohexilamina
Lit.: Beilstein E IV **12**, 22 ▪ Gesundheitsschädliche Arbeitsstoffe: toxikologisch-arbeitsmedizinische Begründung von MAK-Werten, Weinheim: VCH Verlagsges. 1972–1996 ▪ Hommel, Nr. 781 ▪ McKetta **3**, 166 f. ▪ Ullmann (4.) **7**, 379, 388; (5.) **A 2**, 12, 42. – *[HS 2921 30; CAS 101-83-7; G 8]*

Dicyclohexylammoniumnitrit s. VPI.

Dicyclohexylcarbodiimid (DCC).

$C_{13}H_{22}N_2$, M_R 206,33, farblose Krist., Schmp. 35–36 °C, Sdp. 122–124 °C, in Alkoholen, Ether, Benzol gut löslich.
Verw.: Als Kondensationsmittel (Brönstedt-Base) bei der *Peptid-Synthese; als gutes Dehydratationsmittel zur Synth. von Amiden, Estern, Anhydriden; mit DMSO zur milden Oxid. von Alkoholen zu Ketonen usw.; zur Herst. von Polymeren. – *E* = *F* dicyclohexylcarbodiimide – *I* dicicloesilcarbodiimmide – *S* diciclohexilcarbodiimida
Lit.: Beilstein E IV **12**, 72 ▪ Chem. Rev. **67**, 107 (1967) ▪ Paquette **3**, 1751 ▪ Peptid Chem. **22**, 265 (1985) ▪ Synthetica **1**, 134–137 ▪ s. a. Carbodiimide. – *[HS 2925 19; CAS 538-75-0]*

Dicyclomin s. Dicycloverin.

Dicyclopentadien.

endo   exo

Trivialname, der die Konstitution des Dimers des *Cyclopentadiens andeuten soll; systemat. Namen: 3a,4,7,7a-Tetrahydro-4,7-methanoinden, nicht nach den IUPAC-Regeln auch: *Tricyclo*[5.2.1.0^{2,6}]deca-3,8-dien (TCD), $C_{10}H_{12}$, M_R 132,21. Die Abb. zeigt die *endo-* u. *exo-*Form. Bei der spontanen *Dimerisierung* des Cyclopentadiens durch Dien-Synth. bildet sich bei 20 °C das *endo-*D., D. 0,977, Schmp. 32 °C, Sdp. 64–65 °C (54 hPa); wird die Dimerisierung bei ca. 100 °C vorgenommen, bildet sich auch das *exo-*D., Schmp. 19 °C; MAK 0,5 ppm (MAK-Werte-Liste 1996); LD_{50} (Ratte oral) 353 mg/kg, wassergefährdender Stoff, WGK 2 (Selbsteinst.). Das Campher-ähnlich riechende, haut- u. augenreizende D. ist in organ. Lsm. gut lösl.; es dient sozusagen als Vorratsform des sehr reaktiven *Cyclopentadiens*, das durch Dest. bei Atmosphärendruck (Sdp. 170 °C) leicht gewonnen werden kann (Depolymerisation). Das Perhydro-D. lagert sich beim Erhitzen in Ggw. von $AlCl_3$ in *Adamantan um. D. dient als Ligand in der Organometall-Chemie, D.-Derivate (TCD-Derivate) finden Anw. als Ester- u. Copolymerisationskomponenten für Weichmacher, Lsm., lineare Polyester u. Schmiermittel, die abgeleiteten Alkohole, Ketone u. Säuren auch als Geruchskomponenten in Riechstoffen. – *E* dicyclopentadiene – *F* dicyclopentadiène – *I* diciclopentadiene – *S* diciclopentadieno

Lit.: Beilstein E IV **5**, 1399 ▪ Hommel, Nr. 611 ▪ J. Org. Chem. **51**, 551, 1457 (1986) ▪ Kirk-Othmer (3.) **7**, 417–429; (4.) **7**, 859 ff. ▪ Rippen ▪ Synthesis **1975**, 105 f. ▪ Ullmann (4.) **9**, 699; **13**, 620; (5.) **A 8**, 227 ff. ▪ Weissermel-Arpe (4.), S. 134 ▪ s. a. Cyclopentadien. – [HS 2902 19; CAS 77-73-6; G 3]

Dicyclopentadienyl... s. Bis(η^5-cyclopentadienyl)...

Dicycloverin.

Internat. Freiname für den 2-(Diethylamino)-ethylester der 1,1′-Bicyclohexyl-1-carbonsäure (Dicyclomin), $C_{19}H_{35}NO_2$, M_R 309,49. Verwendet wird auch das Hydrochlorid, ein weißes, krist. Pulver, Schmp. 169–174 °C. D. wurde als *Spasmolytikum u. *Anticholinergikum 1949 von Merrell patentiert. – *E* dicycloverine – *F* dicyclovérine – *I* = *S* dicicloverina
Lit.: Beilstein IV **9**, 209 ▪ Hager (5.) **7**, 1273–1276. – [HS 2922 19; CAS 77-19-0 (D.); 67-92-5 (Hydrochlorid)]

DIDA. Nach DIN 7723 (12/1987) Kurzz. für *Di*isodecyladipat als *Weichmacher.

Didaktik der Chemie. Die Chemiedidaktik ist in Forschung u. Lehre mit allen Fragen schul. u. außerschul. chemiebezogenen Lehrens u. Lernens befaßt. Zentrale Aufgabe dieses Wissenschaftsgebietes ist die Untersuchung u. Weiterentwicklung des *Chemieunterrichts an allgemeinbildenden Schulen sowie einer berufsfeldbezogenen Lehre von Chemie im Rahmen der Hochschuldidaktik. In der Chemiedidaktik besteht eine enge Verknüpfung von Grundlagenwissenschaft u. ihrer Anwendungspraxis in Unterricht u. Lehre. Unterrichtsforschung erstreckt sich auf Fragen nach Zielen, Inhalten u. Wegen des Unterrichtsprozesses, ebenso auf alle Faktoren, die die Entwicklung eines Verständnisses chem. Sachverhalte u. Zusammenhänge bei Lernenden beeinflussen. Chemiedidaktik ist nicht auf die Vermittlungsproblematik begrenzt, sondern umfaßt auch die Zielsetzungen des Chemieunterrichts; lernpsycholog. u. entwicklungspsycholog. Voraussetzungen, allgemeindidakt. u. fachinhaltliche Ansätze für eine Gestaltung von Chemieunterricht; Lernziele u. Lernerfolgskontrollen; Kriterien für Auswahl, Anordnung, didakt. Transformation u. Umsetzung von Inhalten in den Chemieunterricht sowie Kriterien für eine Beurteilung von Richtlinien, Lehrplänen, Curricula, Lehrformen, Organisationsformen u. Unterrichtsmeth.; Begriffssyst., Fachsprache u. Symbole in ihrer Bedeutung zum Verstehen chem. Zusammenhänge; Auswahl, Einsatz, Beurteilung u. Entwicklung von Medien für den Chemieunterricht; Modelle zur Verständnisentwicklung über Stoffe u. Stoffumbildungen; das Experiment mit seiner zentralen Stellung im Chemieunterricht sowie die Entwicklung neuer Unterrichtsexperimente.
Zur Steuerung von Lernprozessen sind verschiedene Unterrichtskonzeptionen geeignet, z.B.: histor.-problemorientiert (Jansen), forschend-entwickelnd (Schmidkunz, Lindemann), lernpsycholog. begründet (Gräber u. Stork, Sumfleth) strukturorientiert (Barke, Bauer, Grosser). Beim fachaufweitenden Chemieunterricht werden Chemie, Technik u. Lebenswelt miteinander verbunden (Kölner Modell) od. Bezüge zu den Nachbarwissenschaften der Chemie u. den gesellschaftlichen Bezugsfeldern hergestellt. *Organisationen:* Fachgruppe „Chemieunterricht" in der *GDCh, Frankfurt [Die Fachgruppe hatte 1996 ca. 1560 Mitglieder u. ist Hrsg. der Zeitschrift CHEMKON (Chemie Konkret-Forum für Unterricht u. Didaktik)].
Lit.: Becker et al., Fachdidaktik Chemie, Köln: Aulis 1992 ▪ Just, Geschichte u. Wissenschaftsstruktur der Chemiedidaktik, Essen: Westarp 1989 ▪ Just u. Schmidt, Grundlagen deutscher Chemiedidaktik, Essen: Westarp 1992.

Didanosin.

Internat. Freiname für 2′,3′-Didesoxyinosin (ddI), $C_{10}H_{12}N_4O_3$, M_R 236,23, Schmp. 160–163 °C. D. ist ein *Hypoxanthin-Nucleosid, das virale *reverse Transcriptasen hemmt. Seine Synth. wurde 1986 von der Wellcome Foundation patentiert, u. es ist von Bristol-Myers-Squibb (Videx®) als *Virostatikum im Handel. – *E* = *F* didanosine – *I* = *S* didanosina
Lit.: Ann. Pharmacother. **26**, 660–670 (1992) ▪ Drugs **44**, 94–116 (1992) ▪ Merck Index (12.), Nr. 3148. – [HS 2934 90; CAS 69655-05-6]

Didecylphthalat s. Phthalsäureester.

Didehydrobenzol s. Dehydrobenzol.

3,4-Didehydroretinal [3,7-Dimethyl-9t-(2,6,6-trimethyl-cyclohexa-1,3-dienyl)-nona-2t,4t,6t,8-tetraenal, Dehydroretinal; die Numerierung im Formelbild ist die der *Carotinoide u. *Retinoide].

$C_{20}H_{26}O$, M_R 282,43. Carotinoid, das neben *Retinal als Sehpigment der Fische eine Rolle beim *Sehprozeß spielt, indem es mit *Opsin zum *Porphyropsin u. *Cyanopsin zusammentritt. *3,4-Didehydroretinol (Dehydroretinol)*, das Derivat mit Alkohol-Funktion an Kohlenstoff-Atom 15, kommt in *Fischölen (*Lebertran) vor u. ist als *Vitamin A$_2$ wirksam, während die durch Oxid. in Position 15 erhältliche *3,4-Didehydroretinsäure* als *Morphogen beim Hühnerembryo die Ausbildung des Flügels steuert[1]. – *E* 3,4-didehydroretinal – *F* 3,4-didéshydrorétinal – *I* 3,4-dideidroretinale – *S* 3,4-dideshidroretinal
Lit.: [1] Nature (London) **345**, 766 ff., 815–819 (1990). *allg.:* Beilstein E IV **7**, 1338.

3,4-Didehydroretinol, 3,4-Didehydroretinsäure s. 3,4-Didehydroretinal.

Didemnine. Die D. sind Cyclodepsipeptide aus *Trididemnum*-Arten (marinen Tunikaten, Didemnidae) mit antiviralen u. Antitumor-Eigenschaften. Bes. vielversprechend erscheint ihre Wirkung gegen DNA- u. RNA-Viren. D. bringen das Zellwachstum durch Hemmung der Protein-Biosynth. zum Stillstand. Sie sind mit den *Roseotoxinen verwandt. Beisp. für diese Substanzklasse sind *D. A* ($C_{49}H_{78}N_6O_{12}$, M_R 943,19), *D. B*

R = N-Me-L-Leu : Didemnin A
R = Lac-Pro-N-Me-L-Leu : Didemnin B
R = Lac-N-Me-L-Leu : Didemnin C

($C_{57}H_{89}N_7O_{15}$, M_R 1112,37) u. *D. C* ($C_{52}H_{82}N_6O_{14}$, M_R 1015,25). – *E* didemnins – *F* didemnines – *I* didemnine – *S* didemninas

Lit.: Chem. Rev. **93**, 1771 (1993) ▪ J. Am. Chem. Soc. **117**, 8885 (1995) (neue D.) ▪ J. Med. Chem. **39**, 2819–2834 (1996) ▪ Nachr. Chem. Tech. Lab. **37**, 1040 (1989) ▪ Scheuer II **1**, 101 ff., 120 f., 150 (Review) ▪ Stud. Nat. Prod. Chem. **10**, 201–302 (1992) ▪ Tetrahedron **45**, 181–190 (1989) ▪ Zechmeister **49**, 151 f. – *Pharmakologie*: J. Biol. Chem. **269**, 15411 (1994) (D. B-Rezeptor) – *Synth.*: J. Am. Chem. Soc. **109**, 6846 (1987); **111**, 669 (1989); **112**, 7659 (1990) ▪ J. Nat. Prod. **51**, 1–21 (1988) ▪ Tetrahedron **44**, 3489–3500 (1988) ▪ Tetrahedron Lett. **29**, 4407 (1988); **30**, 3053–3056 (1989); Synthesis **1988**, 475. – *[CAS 77327-04-9 (D. A); 77327-05-0 (D. B); 77327-06-1 (D. C)]*

Didi s. Diethylenglykoldinitrat.

Didier. Kurzbez. für die 1834 gegr. Didier-Werke AG, 65173 Wiesbaden, an der VIAG mit 25,5% beteiligt ist. *Daten* (1994): ca. 1966 Beschäftigte, ca. 122 Mio. DM Kapital, ca. 526 Mio. DM Umsatz. *Produktion:* Feuerfeste Erzeugnisse, techn. Keramik, Anlagentechnik (Hochtemp.-, Umweltschutz-, Korrosionsschutztechnik).

DIDP. Nach DIN 7723 (12/1987) Kurzz. für *Di*isodecyl*p*hthalat als *Weichmacher.

Didrovaltrat s. Valtrat.

Didym. Um 1839 konnte Mosander aus der 1803 von Klaproth u. Berzelius entdeckten *Ceriterde einen Stoff abscheiden, der als D. bezeichnet wurde. Später (1885) zerlegte Auer von Welsbach dieses D. in die beiden Elemente *Neodym u. *Praseodym, die zu den *Seltenerdmetallen gehören. Nd-Pr-Leg. (D.-Metall, *Didymium*) werden in Mg-Leg., Salze auch zur Färbung von Gläsern eingesetzt. – *E* = *F* didymium – *I* = *S* didimio

Die Away-Test. Testverf. zur Bestimmung des Endabbaus (der Mineralisierung) organ. Substanzen nach OECD-Richtlinie 301. Hierbei wird ein definiertes Vol. eines mit Bakterien beimpften mineral. Mediums, das eine definierte Konz. der Testsubstanz zwischen 10 u. 40 mg L^{-1} enthält, im Dunkeln od. in diffusem Licht bei 22±2 °C belüftet. Der Abbaugrad wird durch *DOC-Analyse über 28 d verfolgt. Eine Substanz gilt als leicht abbaubar („readily biodegradable"), wenn innerhalb von 28 d in einem Zeitfenster von 10 d, das ab einer DOC-Abnahme von 10% gerechnet wird, wenigstens 70% abgebaut sind (s. a. biologische Abbaubarkeit.) – *E* die away test

Lit.: OECD Guidelines for Testing Chemicals, Vol. 1, Paris: OECD 1993 ▪ SÖFW J. **121**, 1063–1075 (1995).

tom Dieck, Heindirk (geb. 1939). Prof. für Anorgan. Chemie. Geschäftsführer der GDCh seit 1991.

Lit.: Nachr. Chem. Tech. Lab. **39**, 582 (1992) ▪ Wer ist wer, S. 232.

Dieckmann-Kondensation.

Der *Claisen-Kondensation verwandte, 1894 von Dieckmann (1869–1925) aufgefundene intramol. ablaufende *Cyclisierung von Estern; Voraussetzung ist die Anwesenheit von aktivierten CH$_2$-Gruppen in genügender Entfernung von der reagierenden Ester-Gruppe, Reaktionsprodukte sind cycl. β-Oxocarbonsäureester; durch Verseifung u. Decarboxylierung sind die Ketone zugänglich (vgl. Acetessigester). – *E* Dieckmann condensation – *F* condensation de Dieckmann – *I* condensazione di Dieckmann – *S* condensación de Dieckmann

Lit.: Org. React. **15**, 1–203 (1967).

Diederwinkel (Torsionswinkel) s. Konformation.

Die Deutsche Bibliothek (DDB). Die DDB wurde 1990 mit der Wiedervereinigung Deutschlands gegründet aus den Vorgängereinrichtungen Deutsche Bücherei Leipzig, mit Sitz in Deutscher Platz 1, 04103 Leipzig, u. Deutsche Bibliothek Frankfurt a. M., mit Sitz in Zeppelinallee 4–8, 60325 Frankfurt a. Main. Die DDB ist die zentrale Archivbibliothek u. das nationalbibliograph. Zentrum der BRD u. erfüllt die Funktion einer Nationalbibliothek. Sie ist für das Sammeln, Erschließen u. bibliograph. Verzeichnen der deutschsprachigen Lit. ab 1913 zuständig.
Als Online-Version der dtsch. Nationalbibliographie steht die Datenbank BIBLIODATA u. die zugehörige Lerndatenbank LBIBLIO zur Verfügung. Internet-Adr.: http://www.ddb.de.

Dieldrin.   T+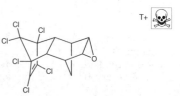

Common name für 1,2,3,4,10,10-Hexachlor-6β,7β-epoxy-1,4,4aα,5,6,7,8,8aα-octahydro-1α,4α:5β,8β-dimethanonaphthalin (Abk. HEOD), $C_{12}H_8Cl_6O$, M_R 380,91, Schmp. 175–177 °C, LD_{50} 38 mg/kg (GefStoffV), MAK 0,25 mg/m³, von J. Hyman & Company 1948 eingeführtes nicht system. *Insektizid mit Kontakt- u. Fraßgiftwirkung gegen Hygieneschädlinge, Termiten, Heuschrecken u. Überträger trop. Krankheiten u. zur Saatgutbeize. D. wurde durch Epoxidation von *Aldrin erhalten u. erfüllte den Wunsch nach einem Wirkstoff geringerer Flüchtigkeit u. längerer Wirkungsdauer. Es wird leicht durch die Haut resorbiert u. reichert sich im Fettgewebe u. in der Muttermilch an. D. ist in vielen Ländern (z. B. BRD, USA) als *Pflanzenschutzmittel nicht mehr zugelassen. – *E* dieldrin, HEOD – *F* dieldrine – *I* dieldrina – *S* dieldrín

Lit.: Beilstein E V **17/2**, 87 ▪ Farm ▪ Perkow. – *[HS 2910 90; CAS 60-57-1]*

Dielektrika (Isolatoren, Nichtleiter). Sammelbez. für feste, flüssige od. gasf. Stoffe, die den elektr. Strom nicht od. kaum leiten – also einen hohen spezif. Widerstand (>10^{10} Ω cm) besitzen – u. als Elektroisolierstoffe in Transformatoren, Kondensatoren etc. Verw. finden. Wird ein D. in ein äußeres elektr. Feld gebracht, so wird durch Influenz ein Gegenfeld aufgebaut, das das äußere Feld aber nicht kompensiert; d. h. im Inneren eines D. existiert ein elektr. Feld. Durch Ausrichtung der elektr. Dipole werden die Ladungsschwerpunkte getrennt u. dabei eine Polarisation $\vec{P} = \varepsilon_0 \cdot \chi \cdot \vec{E}$ erzeugt, mit ε_0 = allg. *Dielektrizitätskonstante. Die dielektr. Suszeptibilität χ hängt mit der stoffabhängigen relativen Dielektrizitätskonstanten ε_r über $\chi = \varepsilon_r - 1$ zusammen. Während im leeren Raum die elektr. Flußdichte als $D = \varepsilon_0 \cdot E$ gegeben ist, gilt im D.: $\vec{D} = \varepsilon_0 \cdot \vec{E} + \vec{P} = \varepsilon \cdot \vec{E}$. Die Permittivität ε [Einheit A · s/(V · cm)] ist hierbei stets größer als ε_0. Es gilt $\varepsilon_r = \varepsilon/\varepsilon_0$. Wird ein D. in einen Kondensator gebracht, so erhöht sich dessen Kapazität um den Faktor ε_r. Beisp.: *Bernstein, *Quarz, *Glimmer, *Seide, *Hartgummi, viele *Kunststoffe, Siliconöle, *Chlorkohlenwasserstoffe (insbes. die *Chlorbiphenyle od. *Ascarele), nicht ionisierte Gase, die ganz reinen Flüssigkeiten (mit Ausnahme der geschmolzenen Metalle). Ein abs. Nichtleiter ist das Vakuum. D. sind bekannt für ihre *elektrostatische Aufladung (vgl. Triboelektrizität), u. a. (*Elektrete) können permanente elektr. *Polarisation annehmen. – *E* dielectrics – *F* diélectriques – *I* dielettrici – *S* dieléctricos

Lit.: Akhadov, Dielectric Properties of Binary Solutions, Oxford: Pergamon 1980 ▪ Bergmann u. Schaefer, Lehrbuch der Experimentalphysik, Berlin: de Gruyter 1992 ▪ Chelkowski, Dielectric Physics, Amsterdam: Elsevier 1980 ▪ Chem. Rev. **80**, 313–328 (1980) ▪ Christophorou, Gaseous Dielectrics 2, Oxford: Pergamon 1980 ▪ Christophorou, Dale, Dielectric Gases, Encycl. of Phys. Science and Techn., Bd. 5, S. 155–172, San Diego: Academic Press 1992 ▪ DIN 53483 Tl. 1–3 (07/1969, 03/1970, 07/1969) ▪ Goodman, Physics of Dielectric Solids, Bristol: Inst. Physics 1981 ▪ Hippel (Hrsg.), Dielectric Materials and Applications, London: Artech 1995 ▪ Kohlrausch, Praktische Physik 2, Stuttgart: Teubner 1996 ▪ *Landolt-Börnstein 2/6, Neue Serie 3/2 u. 3/11. – *Zeitschriften u. Serien:* Dielectric and Related Molecular Processes, London: Chem. Soc. 1973–1977 ▪ Digest of Literature on Dielectrics, Washington: Nat. Acad. Sci. (seit 1936) ▪ Progress in Dielectrics, London: Academic Press (seit 1959).

Dielektrischer Verlustfaktor. Kenngröße, mit der die Erwärmung eines *Dielektrikums im elektr. Wechselfeld beschrieben wird. Nach DIN 53483 (07/1969) ist der d. V. definiert als $|\varepsilon| \cdot \tan\delta$, wobei die *Dielektrizitätskonstante als komplexe Größe geschrieben wird: $\varepsilon = \varepsilon' + i\,\varepsilon''$ (mit $i^2 = -1$). $\tan\delta = \varepsilon'/\varepsilon''$ wird als *Verlustwinkel* bezeichnet. Stoffe mit großem $\tan\delta$ (z. B. *PVC) lassen sich mit Hochfrequenzgeräten leicht erwärmen, solche mit kleinem $\tan\delta$ (z. B. *PE, *PTFE, *PS) nicht. Das Auftreten der Erwärmung ist durch dielektr. *Polarisation (Orientierungs- u. Verschiebungspolarisation) gegeben. Die elektr. *Dipolmomente der Mol. folgen hierbei nicht unmittelbar der sich ändernden Feldstärke des elektr. Wechselfeldes, sondern mit einer Phasenverschiebung bzw. einer Relaxationszeit τ. Erreicht die Kreisfrequenz ω des Wechselfeldes die Größenordnung $1/\tau$, so können die mol. Dipolmomente nicht mehr schnell genug dem äußeren Feld folgen. Bei dieser Resonanz sinkt der Realteil der Dielektrizitätskonstanten ε', während der Imaginärteil ε'' (proportional zur *Absorption) ansteigt; folglich steigt auch $\tan\delta$. Mit größer werdender Kreisfrequenz $\omega > \tau^{-1}$ sinkt ε'' wieder; ε' verbleibt bei dem niedrigen Wert. Zu Messungen des d. V. s. *Lit.*, vgl. a. Dielektrizitätskonstante. – *E* dissipation factor, dielectric loss factor – *F* facteur de perte diélectrique – *I* fattore dielettrico di perdita – *S* factor de pérdida dieléctrico

Lit.: Kohlrausch, Praktische Physik, Bd. 2, Stuttgart: Teubner 1996.

Dielektrizitätskonstante (DK, auch als Influenzkonstante od. Verschiebungskonstante bezeichnet). 1. *absolute DK* (DK des Vak., Kurzz. ε_0), Proportionalitätsfaktor zwischen der elektr. Verschiebung D u. der elektr. Feldstärke E im Vak.: $D = \varepsilon_0 \cdot E$. ε_0 ist eine der *Fundamentalkonstanten u. ergibt sich aus der Lichtgeschw. c u. der magnet. Permeabilität μ (beide im Vak.) über $\varepsilon_0 = 1/(\mu c^2)$. Da $\mu = 4 \cdot \pi \cdot 10^{-7}$ definiert ist u. seit 1983 die Lichtgeschw. mit c = 299 792 458 m/s festgelegt ist, ergibt sich für ε_0 der exakte Wert von $\varepsilon_0 = 8,854187817 \frac{A \cdot s}{V \cdot m}$ (s. *Lit.*[1]).

2. *relative DK*, dimensionslose Zahl ε_r, die angibt, auf das Wievielfache sich die Kapazität C eines (theoret.) im Vak. befindlichen *Kondensators erhöht, wenn man zwischen die Platten Stoffe mit dielektr. Eigenschaften (*Dielektrika) bringt: ε_r = C (+Dielektrikum)/C (Vak.); außer bei Gasen ist auch die Bezugnahme auf einen luftgefüllten Kondensator zulässig. Die DK ist ein Indikator für das Verhalten der Mol. beim Einbringen in ein elektr. Feld. Die hierbei eintretende Verschiebung der Ladungsschwerpunkte (*Polarisation) wird bei unpolaren Mol. u. einzelnen Atomen durch eine *Elektronenpolarisation* (Verschiebung der Elektronenhülle gegen den Kern), bei polaren Mol. (*Dipole) durch *Atompolarisation* (Änderung des Atomabstandes) u. Orientierungspolarisation verursacht. Die DK, die mit dem *Dipolmoment durch die *Debye-Clausius-Mosotti-Gleichung verknüpft ist, spielt u. a. eine Rolle im *Coulombschen Gesetz, *Zeta-Potential, in der *Optoelektronik, bei *PLZT-Keramiken u. v. a. Bereichen. Lsm. höherer DK fördern die *elek-

trolytische Dissoziation von Elektrolyten (*Nernst-Thomson-Regel). Bei Krist. ist die DK richtungsabhängig, u. zwar ist sie in den Richtungen am größten, in denen die Bausteine am dichtesten gepackt sind.

Tab.: Werte für die relative Dielektrizitätskonstante.

Luft (0 °C, 101 kPa)	1,000576
H_2 (0 °C, 101 kPa)	1,000264
SO_2 (0 °C, 101 kPa)	1,0099
N_2 (0 °C, 101 kPa)	1,000606
CCl_4 (0 °C, 101 kPa)	2,2
Benzol	2,3
Bienenwachs	2,9
Nylon	3,5
Quarzglas	3,8
Chlorbenzol	5,7
Porzellan	~7,0
Methanol	33,6
Nitrobenzol	35,7
Formamid	109
Bariumtitanat u.a. Ferroelektrika	bis 12 000

Werte für die D. sind in der Tab. wiedergegeben, s. a. *Lit.*[2]. Um das Verhalten eines Dielektrikums im elektr. Wechselfeld angeben zu können, muß die DK komplex geschrieben werden, $\varepsilon_r = \varepsilon'_r + i\varepsilon''_r$; der Imaginärteil ε''_r ist hierbei ein Maß für die *Absorption (s. dielektrischer Verlustfaktor). Werte für Referenzsubstanzen u. die Abhängigkeit von ε_r bei Wasser von der Temp. u. der Frequenz des Wechselfeldes s. *Lit.*[3]. Die DK ist eine stoffspezif. Konstante, die mehr als andere Meßgrößen vom Molekülbau abhängig ist; sie eignet sich daher z. B. zur Erkennung von Isomerieunterschieden u. dgl. *Beisp.:* DK von Wasser (H_2O) 80,18 u. von Deuteriumoxid (D_2O) 79,76, von den drei Isomeren des Dichlorbenzols: *ortho-* 9,9, *meta-* 5,0, *para-* 2,4. Wegen erheblicher Abhängigkeit der DK von der Temp. ist die Meßtemp. stets anzugeben. Zur Messung verwendet man *Dekameter. – *E* permittivity, dielectric constant – *F* constante diélectrique – *I* costante dielettrica – *S* constante dieléctrica

Lit.: [1] IUPAC, Größen, Einheiten u. Symbole in der Physikalischen Chemie, Weinheim: VCH Verlagsges. 1996. [2] Kohlrausch, Praktische Physik 3, S. 263, 265, Stuttgart: Teubner 1986. [3] Kohlrausch, Praktische Physik 3, S. 173 ff., Stuttgart: Teubner 1986.
allg.: s. Dielektrika.

Dielektrizitätszahl s. Dielektrizitätskonstante.

Dielektrophorese s. Elektrophorese.

Diels, Otto Paul Hermann (1876–1954), Direktor des Chem. Inst. der Univ. Kiel. *Arbeitsgebiete:* Konstitution der Steroide, Dehydrierung mit Selen, α-Diketone, Urethane, Kohlensuboxid, Entdeckung der *Dien-Synth.* (1928) gemeinsam mit *Alder, mit dem zusammen er 1950 den Chemie-Nobelpreis erhielt.
Lit.: Neufeldt, S. 163, 367 ▪ Pötsch, S. 117 ▪ Poggendorff **7 a/1**, 405 f.

Diels-Alder-Polymerisationen. Die D.-A.-P. bilden eine Untergruppe der *Polyadditionen. Über repetitive *Diels-Alder-Reaktion von entweder Bis-Dienen mit Bis-Dienophilen od. von *Monomeren, die sowohl eine Dien- als auch eine Dienophil-Struktureinheit tragen, können zumeist bandartige Polymere entstehen. Aufgrund der Reversibilität der [4+2]-Cycloadditionen werden jedoch meist nur Oligomere gebildet.

– *E* Diels-Alder polymerization – *F* polymérisation de Diels-Alder – *I* polimerizzazione di Diels-Alder – *S* polimerización de Diels-Alder
Lit.: Elias (5.) **1**, 221; **2**, 146 ▪ Odian (3.), S. 176.

Diels-Alder-Reaktion. Bez. zu Ehren von O. *Diels u. K. *Alder (Nobelpreis 1950) für die *Cycloaddition (*[4+2]-Cycloaddition*) eines 1,3-*Diens mit einem *Alken (*Dienophil*) unter Bildung von Cyclohexen-Derivaten. Die erst 1928 entdeckte Reaktion hat große synthet. Bedeutung erlangt, da sie einfach durchzuführen ist, eine große Variation bezüglich der einzelnen Komponenten zuläßt u. eine Vielzahl cycl. Ringsysteme zugänglich macht. Ethylen u. andere einfache Alkene sind schlechte Dienophile; gute Dienophile dagegen sind Alkene mit Elektronenakzeptor-Substituenten X, wie an einigen Beisp. in der Abb. verdeutlicht ist. Bes. oft werden *Maleinsäureanhydrid[1] u. *Chinone[2] eingesetzt. An die Stelle der Alkene können auch Alkine[3] als Dienophile treten, wobei auch hier wiederum Elektronenakzeptoren die Reaktion begünstigen. Ein bes. reaktionsfreudiges Dienophil ist *Dehydrobenzol, das allerdings nur als reaktive Zwischenstufe intermediär erzeugt u. direkt mit geeigneten Dienen abgefangen werden kann. Neben den Dienophilen mit Kohlenstoff-Kohlenstoff-Mehrfachbindungen sind auch Verb. mit Heteroelement-Mehrfachbindungen als Dienophile geeignet. Bes. ist hier die Stickstoff-Stickstoff-Doppelbindung zu nennen, wobei *Diazendicarbonsäuredimethylester u. 4-Phenyl-1,2,4-triazolin-3,5-dion repräsentative Beisp. darstellen. Der letztgenannte Heterocyclus gehört zu den reaktionsfreudigsten Dienophilen überhaupt. Auch Sauerstoff im Singulett-Zustand kann als Dienophil fungieren, wobei hier die D.-A.-R. letztlich die *Photooxygenierung* von Dienen unter Bildung von cycl. *Peroxiden* darstellt (s. Abb. S. 961).
Diene können offenkettig u. cycl. sein, wobei elektronenliefernde Substituenten beschleunigend, elektronenziehende verlangsamend auf die D.-A.-R. wirken. Wichtig ist auf jeden Fall, daß *acycl.* Diene eine *cisoide* Konformation einnehmen können. Aufgrund der vorgegebenen *cis*-Konfiguration sind cycl. Diene daher in der Regel die besseren Diene. *trans*-fixierte 1,3-Diene sind nicht in der Lage D.-A.-R. einzugehen. Aromat. Verb. können ebenfalls als Diene eingesetzt werden[4]. Benzol selbst ist jedoch prakt. unreaktiv gegenüber Dienophilen. Heterocycl. Aromaten, wie z. B. Furan, stellen wiederum gute Diene dar. Eine bes. Rolle spielen die *Elektronenmangel-Aromaten* mit Stickstoff-Atomen im Ring, die, wie die 1,2,4,5-Te-

D.-A.-R. benötigen keine große Aktivierungsenergie, d. h. Wärme, Licht u. Katalysatoren haben keinen großen Einfluß auf die Reaktionsgeschw.; in einigen Fällen, an denen Dienophile mit C=O- od. C=N-Gruppen beteiligt sind, katalysieren Lewis-Säuren die Reaktion. Der Mechanismus der D.-A.-R. ist eingehend untersucht worden[5,6,7] u. es scheint so zu sein, daß ein *konzertierter*, einstufiger Cycloadditionsprozeß, der den Regeln der *pericyclischen* Reaktionen gehorcht, die Mehrzahl der D.-A.-R. am besten beschreibt (s. a. Cycloaddition). Für bestimmte Fälle, so z. B. bei Halogen-Substituenten od. stark unterschiedlich polaren Gruppen im Dien- u. Dienophil-Teil, kann ein biradikal. od. zwitterion. Mechanismus nicht ausgeschlossen werden. Zur Beschreibung der D.-A.-R. als konzertierte Cycloaddition im Rahmen der pericycl. Reaktionen, lassen sich mehrere Meth. heranziehen, so die Korrelationsdiagramm-Meth. (*Woodward-Hoffmann-Regeln*)[8,9], die Meth. des aromat. od. antiaromat. Übergangszustandes (*Hückel-Möbius-Methode, Dewar-Zimmermann-Meth.*)[10] u. die Grenzorbital-Meth. (*HOMO-LUMO-Modell*)[11], die hier näher betrachtet werden soll. Wie bei *Cycloadditionen ausgeführt, wird die D.-A.-R. als $[\pi 2_s + \pi 4_s]$-Cycloaddition klassifiziert; diese Annäherungsgeometrie ergibt für die Umsetzung von Butadien mit Ethylen als Modellreaktion eine bindende Überlappung an den Enden beider Grenzorbitalpaare. Um den Einfluß der Substituenten auf die Reaktionsgeschw. der D.-A.-R. verstehen zu können, ist es wichtig zu wissen, welches Grenzorbitalpaar den wichtigeren Einfluß auf die Reaktion hat.

trazine, leicht mit Dienophilen reagieren, aber im Gegensatz zu der „normalen" D.-A.-R. nicht mit elektronenarmen, sondern mit elektronenreichen Vertretern. Da das heterocycl. Dien selbst als elektronenarm angesehen werden muß, spricht man in diesen Fällen von einer D.-A.-R. mit *inversem Elektronenbedarf*. Das prim. Cycloaddukt ist im Falle der Tetrazine nicht stabil, sondern verliert spontan Stickstoff. Solche Retro-Diels-Alder-Reaktionen (*[4+2]-Cycloreversionen*) sind infolge der Reversibilität der D.-A.-R. häufig anzutreffen.

Die *Stereochemie* der D.-A.-R. ist gut untersucht. Die Reaktion verläuft sowohl im Hinblick auf das Dien u. das Dienophil *syn*-stereospezif., das bedeutet, daß sich die *cis*-Konfiguration eines Alken-Dienophils im Cyclohexen-Ring wiederfindet. Bei cycl. Dienen besteht die Möglichkeit der *exo*- und *endo*-Addition, wobei die *endo*-Addition in den meisten Fällen überwiegt.

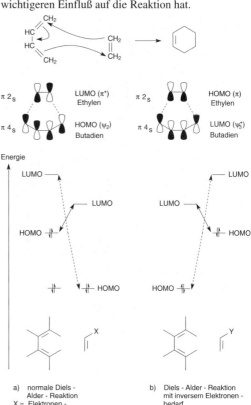

a) normale Diels-Alder-Reaktion
X = Elektronen-abgebende Substituenten

b) Diels-Alder-Reaktion mit inversem Elektronenbedarf
Y = Elektronen-abziehende Substituenten

Wie in der Abb. verdeutlicht, unterscheidet man zwei Grenzfälle: Im ersten Falle ist die HOMO$_{\text{Dien}}$-LUMO$_{\text{Dienophil}}$-Wechselwirkung, im zweiten Falle die HOMO$_{\text{Dienophil}}$-LUMO$_{\text{Dien}}$-Wechselwirkung reaktionsbestimmend, da nach der Theorie der pericycl. Reaktionen eine Wechselwirkung um so stärker ins Gewicht fällt, je kleiner die Energiedifferenz zwischen den beteiligten Grenzorbitalen ist. Der erste Fall beschreibt recht gut die normale D.-A.-R., da die HOMO$_{\text{Dien}}$-LUMO$_{\text{Dienophil}}$-Wechselwirkung durch Substituenten im Dien, die die HOMO-Energie anheben (elektronenliefernde Gruppen) u. Substituenten im Dienophil, die die LUMO-Energie senken (elektronenziehende Gruppen) verstärkt wird. Die Umkehrung der Substituenteneinflüsse ergibt sich für den zweiten Fall, der damit die D.-A.-R. mit inversem Elektronenbedarf wiedergibt. Berücksichtigt man zu der relativen Lage der Grenzorbitale zueinander auch noch die Größe der überlappenden Orbitalkoeffizienten, so läßt sich auch die Regioselektivität der D.-A.-R. vorhersagen.

Neuere Entwicklungen konzentrieren sich darauf, die D.-A.-R. in der stereoselektiven Synth.[12–15], in der Synth. von Naturstoffen[16] u. als Teilschritt von *Tandemreaktionen[17] einzusetzen. – *E* Diels-Alder reaction – *F* Diels-Alder réaction – *I* reazione di Diels-Alder – *S* reacción de Diels-Alder

Lit.: [1] Org. React. **4**, 1–59 (1948). [2] Patai, The Chemistry of the Quinoid Compounds, S. 986–1018, S. 537–717, New York: Wiley 1974 u. 1988. [3] Patai, The Chemistry of the Carbon-Carbon Triple Bond, S. 447–522, New York: Wiley 1978. [4] Synthesis **1980**, 165–214. [5] Angew. Chem. **92**, 773–801 (1980). [6] Top. Curr. Chem. **79**, 1–40 (1979). [7] J. Am. Chem. Soc. **106**, 203 u. 209 (1984). [8] Angew. Chem. **81**, 797–869 (1969). [9] Anh, Die Woodward-Hoffmann-Regeln und ihre Anwendung, S. 115 ff., Weinheim: Verl. Chemie 1972. [10] Marchand u. Lehr, Pericyclic Reactions, Vol. 2, S. 53–107, New York: Academic Press 1977. [11] Marchand u. Lehr, Pericyclic Reactions, Vol. 2, S. 181–271, New York: Academic Press 1977. [12] Pure Appl. Chem. **68**, 113–122 (1996). [13] Sulfur Rep. **15**, 41–65 (1993). [14] Synthesis **1994**, 535–551. [15] Liebigs Ann. Chem. **1996**, 1023–1035. [16] Synlett **1995**, 873–879. [17] Chem. Rev. **96**, 167–176 (1996).

allg.: Angew. Chem. **78**, 233–253 (1966); **79**, 76–94 (1967); **89**, 10–24 (1977); **92**, 773 ff. (1980) ▪ Bamford u. Tipper, Comprehensive Chemical Kinetics, Vol. 9, S. 94–117, New York: American Elsevier 1973 ▪ Boger, Weinreb, Hetero Diels-Alder Methodology in Organic Synthesis, New York: Academic Press 1987 ▪ Can. J. Chem. **62**, 183–234 (1984) ▪ Chem. Rev. **80**, 63–97 (1980) ▪ Fleming, Grenzorbitale und Reaktionen organischer Verbindungen, 1. korr. Nachdruck, S. 128–166, Weinheim: VCH Verlagsges. 1988 ▪ Hassner-Stumer, S. 95 ▪ Houben-Weyl **5/1b**, 433 f.; **5/1c**, 782 f., 981 f. ▪ Laue-Plagens, S. 92 ff. ▪ March (4.), S. 839–852 ▪ Patai, The Chemistry of Alkenes, S. 878–929, New York: Wiley 1964 ▪ Taber, Intramolecular Diels-Alder and Ene Reactions, New York: Springer 1984 ▪ s. a. Cycloaddition, Diene, pericyclische Reaktionen.

...dien s. Diene.

Diene (Diolefine). Ungesätt. aliphat. u. cycloaliphat. Kohlenwasserstoffe, die im Mol. 2 *Doppelbindungen (Name von *Di... u. *...en) enthalten; man spricht z. B. auch von Alkadienen u. Cyclodienen. Je nach der Lage der Doppelbindungen unterscheidet man (vgl. die Beisp.): a) Verb. mit *isolierten* Doppelbindungen, bei denen mind. eine Methylen-Gruppe zwischen den Doppelbindungen liegt; b) Verb. mit *konjugierten* Doppelbindungen (auch generell als 1,3-D. bezeichnet), bei denen die Doppelbindungen durch eine Einfachbindung miteinander verknüpft sind; c) Verb. mit *kumulierten* Doppelbindungen (auch als 1,2-D. od. *Allene bezeichnet). Die Benennung der D. nimmt man in der gezeigten Weise vor, vgl. IUPAC-Regeln A-3.1 u. A-11.3. Die jeweils einfachsten Vertreter sind: 1,4-Pentadien, 1,3-Butadien u. 1,2-Propadien (*Allen*). Alle 1,3-D. können in *cisoiden* od. *transoiden* (vgl. die Abb. bei *cis-*) Konfigurationen vorliegen. Wichtigste 1,3-Diene sind in der Abb. wiedergegeben.

a) $\overset{5}{H_2C}=\overset{4}{CH}-\overset{3}{CH_2}-\overset{2}{CH}=\overset{1}{CH_2}$ $H_2C=CH-CH=CH_2$
    1,4-Pentadien   1,3-Butadien

b) $\overset{5}{H_3C}-\overset{4}{CH}=\overset{3}{CH}-\overset{2}{CH}=\overset{1}{CH_2}$ $H_2C=\underset{CH_3}{\overset{|}{C}}-CH=CH_2$
    1,3-Pentadien   2-Methyl-1,3-butadien (Isopren)

c) $\overset{5}{H_3C}-\overset{4}{CH}=\overset{3}{C}=\overset{2}{CH}-\overset{1}{CH_3}$
    2,3-Pentadien $H_2C=\underset{H_3C}{\overset{|}{C}}-\underset{CH_3}{\overset{|}{C}}=CH_2$
    2,3-Dimethyl-1,3-butadien

Substituierte 1,2-D. sind u. U. chirale Verb. u. opt. aktiv (s. Atropisomerie u. Chiralität). Einige typ. Reaktionsweisen sind: bei 1,5-D. die *Cope-Umlagerung, bei 1,3-D. die *Diels-Alder-Reaktion u. a. *Cycloadditionen sowie die *Polymerisation zu Elastomeren. Großtechn. Bedeutung haben vor allem Butadien u. Isopren erlangt. – *E* dienes – *F* diènes – *I* dieni – *S* dienos

Lit.: Fringuelli u. Taticchi, Dienes in the Diels-Alder Reaction, New York: Wiley 1990 ▪ Houben-Weyl **5/1c**, 1–975 ▪ Patai, The Chemistry of Alkenes, S. 955–1162, New York: Wiley 1964 ▪ Russ. Chem. Rev. **64**, 25–46 (1995) ▪ Snell-Ettre **11**, 500–515 ▪ Ullmann (5.) **A 13**, 251 f. ▪ Weissermel-Arpe (4.), S. 115 ff. ▪ Winnacker-Küchler (3.) **5**, 153–192; (4.) **5**, 204–207 ▪ s. a. Alkene, Cycloalkene, Diels-Alder-Reaktion u. Olefine.

Dienestrol (Dienoestrol).

Internat. Freiname für 3,4-Bis(4-hydroxyphenyl)-2,4-hexadien, 4,4'-(1,2-Diethyliden-ethylen)-diphenol, $C_{18}H_{18}O_2$, M_R 266,34. Farblose Krist., Schmp. 230–235 °C, in Alkohol u. anderen organ. Lsm., nicht aber in Wasser löslich. Das mit *Diethylstilbestrol verwandte D. wurde als synthet. *Estrogen 1949 von Hoffmann-La Roche patentiert, wird aber wegen seiner Carcinogenität nur noch bei Prostatakarzinom eingesetzt. – *E* = *S* dienestrol – *F* diénestrol – *I* dienestrolo

Lit.: Beilstein E IV **6**, 6916 ▪ DAB **1996** u. Komm. ▪ Ehrhart-Ruschig, S. 937–942 ▪ Hager (5.) **7**, 1276 ff. – *[HS 290729; CAS 84-17-3]*

Dien-Kautschuk. Als D.-K. bezeichnet man alle *Kautschuke, die durch *Polymerisation od. *Copolymerisation von Dienen u. Cycloalkenen entstehen. Alle D.-K. weisen somit entweder in der Hauptkette od. in den Seitengruppen C=C-Doppelbindungen auf. Sie können daher mit Schwefel vulkanisiert werden. Die Wiederholungseinheiten selbst besitzen jedoch keine Dien-Struktur. Beisp. sind die *Allzweck-

Kautschuke wie *Natur- u. *Synthesekautschuk, *Poly(butadien), *Poly(isopren), *Styrol-Butadien-Kautschuk u. *Nitril-Kautschuk. Auf diese entfallen etwa 98% des Weltkautschukverbrauchs. – *E* dien rubber – *F* caoutchouc diène – *I* caucciù di diene – *S* caucho diénico

Lit.: Compr. Polym. Sci. **6**, 115–133 ▪ Elias (5.) **2**, 481, 486 ff.

Dienone (von *Di…, *…en, …on). Gruppenname für organ. Verb., die zwei Doppelbindungen u. eine Keto-Gruppe enthalten, u. zwar meist in *Konjugation. Dabei unterscheidet man zwischen *linear konjugierten* D. [*Beisp.:* 3,5-Heptadien-2-on *(a)*, 2,4-Cyclohexadienon *(b)*] u. *gekreuzt konjugierten (kreuzkonjugierten) D. [*Beisp.:* 1,4-Heptadien-3-on *(c)*, 2,5-Cyclohexadienon *(d)*]:

a) $H_3C-\overset{7}{C}H=\overset{6}{C}H-\overset{5}{C}H=\overset{4}{C}H-\overset{3}{\underset{O}{C}}-\overset{1}{C}H_3$

c) $H_3C-\overset{7}{C}H_2-\overset{6}{C}H=\overset{5}{C}H-\overset{4}{C}H-\overset{3}{\underset{O}{C}}-\overset{2}{C}H=\overset{1}{C}H_2$

b), d) [cyclohexadienone structures]

Die beiden cycl. D. kann man auch als Keto-Formen des Phenols auffassen (s. Keto-Enol-Tautomerie), dementsprechend geht (b) auch leicht die sog. *Dienon-Phenol-Umlagerung* ein. – *E* dienones – *F* diénones – *I* dienoni – *S* dienonas

Lit.: Acc. Chem. Res. **8**, 245–256, 428 (1975); **11**, 65–73 (1978) ▪ Angew. Chem. **84**, 1157–1173 (1972) ▪ s. a. Cyclohexadienone.

Dienophil s. Diels-Alder-Reaktion.

Dien-Synthese s. Diels-Alder-Reaktion.

Diergole s. Raketentreibstoffe.

Dieselkraftstoffe (nach Rudolf Diesel, 1858–1913, der 1893–1897 den nach ihm benannten Motor entwickelte, Abk. DK). Bez. für schwer entflammbare Gemische von flüssigen Kohlenwasserstoffen, die als Kraftstoffe für Gleichdruck- od. Brennermotoren (Dieselmotoren) verwendet werden u. überwiegend aus *Paraffinen mit Beimengungen von *Olefinen, *Naphthenen u. aromat. Kohlenwasserstoffen bestehen. Ihre Zusammensetzung ist uneinheitlich u. hängt bes. von der Herst.-Meth. ab: übliche Produkte haben D. 0,83–0,88, Sdp. 170–360°C, FP. 70–100°C. D. erhält man bei der Dest. von *Erdöl aus dem *Gasöl*, beim *Kracken, aus den Teeren, die bei der *Schwelung (od. Hydrierung) von Braun- od. Steinkohlen gewonnen werden, u. durch Hydrierung des Kohleextrakts (s. a. Benzin).

D. für stationäre Anlagen u. für Schiffsmotoren haben eine ähnliche Zusammensetzung wie schweres *Heizöl, die für PKW, Autobusse u. Lastkraftwagen entsprechen dem Heizöl EL; damit letzteres nicht als D. mißbraucht wird, erhält es eine dauerhafte Kennzeichnung durch Zusatz von *Furfural u. einem roten Farbstoff. Bei der Verbrennung im Dieselmotor wird Luft in den Zylinder gesogen, durch starke Verdichtung (Verdichtungsgrad 14:1 bis 25:1) auf 550–900°C erhitzt, wodurch sich ein Strahl von eingespritztem D. von selbst entzündet u. bei einer Verbrennungstemp. von 1500–2200°C einen Verbrennungsdruck von 50–80 bar erreicht, durch den der Kolben bewegt u. Arbeit geleistet wird. Man verbraucht zur Verbrennung von 1 l D. im Dieselmotor 13 m³ Luft; die freiwerdende Verbrennungsenergie beträgt etwa 42000 kJ/kg. Ein wesentlicher Faktor für die Verwendbarkeit von D. ist ihre *Zündwilligkeit*, für deren quant. Angabe die *Cetan-Zahl (CZ) eingeführt wurde. Als Zündwilligkeit wird die Eigenschaft eines *Motorkraftstoffs bezeichnet, in einem nach dem Dieselprinzip arbeitenden Motor leichter od. schwerer zu zünden. Hierzu ist bei jedem Kraftstoff außer Zerstäubung, Druck u. Temp. eine Aufbereitungszeitspanne (*Zündverzug*) bis zur feststellbaren *Verbrennung erforderlich. Gute Zündwilligkeit eines Kraftstoffs bedeutet günstiges Startverhalten u. ruhigen Lauf des Dieselmotors infolge kurzer Aufbereitungszeitspanne bzw. kleinen Zündverzugs; bei großem Zündverzug tritt das bekannte „Nageln" ohrenfällig in Erscheinung. Die Anforderungen an D. sind bei langsamlaufenden Motoren CZ 20–40, bei kleinen u. schnellaufenden CZ >45. Zu den Qualitätsmerkmalen von D. gehört auch das Kälteverhalten, das durch den *Cloudpoint od. – heute bevorzugt – durch den Grenzwert der Filtrierbarkeit (*E* cold filter plugging point, CFPP), diejenige Temp., bei der durchgesaugter D. ein Filter blockiert, beschrieben werden kann. Erwünscht sind ferner ein niedriger *Stockpunkt, geringer Gehalt an nicht verbrennbaren u. rußenden Substanzen u. ein niedriger Schwefel-Gehalt. In DIN-EN 590 (05/1993) sind die Anforderungen u. Prüfverf. für D. europaeinheitlich spezifiziert. Dem D. werden Cetan-Zahlverbesserer (Salpeter- od. Salpetrigsäureester), Korrosionsinhibitoren, Fließverbesserer, Tenside (halten die Einspritzdüsen sauber), Entschäumer, manchmal auch Qualmverminderer als Additive zugesetzt. Autoabgase aus D. enthalten mehr Stickoxide u. 30 bis 100mal mehr Teilchen („Ruß") als diejenigen aus Otto-Kraftstoffen nach der katalyt. Reinigung. Die Emissionen von Dieselmotoren sind gemäß *MAK-Liste Gruppe III A 2 als krebserzeugend eingestuft[1]. Seit mehreren Jahren wird Rapsölmethylester (RME, *Biodiesel*) als D.-Ersatz aus nachwachsenden Rohstoffen in steigenden Mengen hergestellt u. verwendet. Da preislich gegenüber D. aus Erdöl derzeit nicht wettbewerbsfähig, wird RME steuerlich begünstigt u. aus verschiedenen staatlichen u. EU-Quellen gefördert. In Europa wurden 1994 ca. 30000 t „Biodiesel" produziert. Eine ausführliche Darstellung „Biodiesel in Europa 1994" gibt *Lit.*[2]. Im April 1996 wurde in Leer/Ostfriesland eine 80000-jato-Anlage zur Herst. von RME in Betrieb genommen[3]. Die Absatzmenge von D. (aus Erdöl) in der BRD betrug 1995 ca. 26 Mio. t[4]. – *E* diesel fuels – *F* huiles de Diesel, diesel-oil – *I* carburanti per motore diesel – *S* combustibles Diesel, gasoil

Lit.: [1] Römpp Lexikon Umwelt, S. 190. [2] Fat Sci. Technol. **96**, 536–548 (1994). [3] Erdöl Erdgas Kohle **112**, 235 (1996). [4] Erdöl Erdgas Kohle **112**, 144 (1996).
allg.: Hommel Nr. 83 ▪ Kirk-Othmer (3.) **11**, 682–689; (4.) **12**, 373–382 ▪ McKetta **2**, 65–77 ▪ Ullmann (4.) **12**, 573–579; (5.) **A 16**, 720, 722, 724 f.; 727 ff.; 736–742 ▪ Winnacker-Küchler (4.) **5**, 144 ff. – [HS 271000]

Diesin®. Desinfektionsreiniger für alle abwaschbaren Flächen gegen Bakterien u. Pilze; enthält Aldehyde bzw. quartäre Ammonium-Verbindungen. *B.:* Henkel.

Diessel®-Zellkultur-Reaktor. Ein *Bioreaktor zur blasenfreien, schaum- u. flotationsfreien Begasung (s. Flotation) von *Zellkulturen in hoher Zelldichte mit hohen Austauschraten für Sauerstoff u. Kohlendioxid durch ein Membranrührwerk aus hydrophoben, porösen Hohlfasermembranen. – *E* Diessel cell culture reactor – *F* réacteur de culture cellulaire Diessel – *I* reattore di cultura cellulare Diessel – *S* reactor de cultivo celular Diessel

Lit.: BTF – Biotech.-Forum **2**, 3 (1985).

Dieterici-Gleichung. Von Dieterici (1899) vorgeschlagene Zustandsgleichung für reale Gase. Die D. lautet:

$$p = \{RT/(V_m - b)\} \exp(-a/RTV_m)$$

Hierbei sind p der Druck, R die *Gaskonstante, T die abs. Temp. u. V_m das Molvolumen. Die Größen a u. b sind Parameter, die an experimentelle Daten angepaßt werden. – *E* Dieterici equation – *F* équation de Dieterici – *I* equazione di Dieterici – *S* ecuación de Dieterici

Diethanolamin. In der Ind. gebräuchliche Bez. für die hier unter *2,2'-Iminodiethanol behandelte Verbindung.

Diethofencarb.

Common name für Isopropyl-(3,4-diethoxyphenyl)-carbamat, $C_{14}H_{21}NO_4$, M_R 267,3, LD_{50} (Ratte oral) >5000 mg/kg, s. *Lit.* (Farm), von Sumitomo entwickeltes *Fungizid mit protektiver u. kurativer Wirkung gegen Benzimidazol-resistente *Botrytis-cinerea*-Stämme im Gemüse- u. Weinbau. – *E* diethofencarb – *F* diéthofencarb – *I* = *S* dietofencarb

Lit.: Farm ▪ Perkow ▪ Pesticide Manual. – *[CAS 87130-20-9]*

Diethylaluminiumchlorid s. Aluminium-organische Verbindungen.

Diethylamin. $(H_5C_2)_2NH$, $C_4H_{11}N$, M_R 73,14, farblose, leicht flüchtige, stark nach Ammoniak riechende brennbare Flüssigkeit, D. 0,711, Schmp. –50 °C, Sdp. 55,5 °C, FP. –23 °C c. c., zündfähiges Gemisch, Vol.-% 1,7–10,1, gut wasserlösl., stark alkal. (pK_a = 11). Die Dämpfe verursachen starke Reizung der Augen u. der Atmungsorgane sowie Lungenschäden, Kontakt mit der Flüssigkeit bewirkt schwere Verätzung der Augen und der Haut, MAK 5 ppm (MAK-Werte-Liste 1996), Reaktion mit nitrosierenden Agentien kann zur Bildung des krebserzeugenden *N-Nitrosodiethylamins* führen, LD_{50} (Ratte oral) 540 mg/kg, wassergefährdender Stoff, WGK 1, Emissionsklasse I (TA Luft 3.1.7). D. kann aus Ethanol u. NH_3 hergestellt werden. *Verw.:* Zur Herst. von Kautschuk-, Textil-, Flotationschemikalien, Kunstharzen, Farbstoffen, Polymerisationsverzögerern, Insektiziden, galvan. Bädern, Arzneimitteln. Das Sulfamin-Salz des D. wirkt bei Papier u. a. Cellulose-Produkten flammwidrig. – *E* diethylamine – *F* diéthylamine – *I* dietilammina – *S* dietilamina

Lit.: Beilstein E IV **4**, 313–321 ▪ Gesundheitsschädliche Arbeitsstoffe: toxikologisch-arbeitsmedizinische Begründung von MAK-Werten, Weinheim: VCH Verlagsges. 1972–1996 ▪ Hommel, Nr. 260 ▪ Kirk-Othmer (4.) **2**, 370 f. ▪ Ullmann (4.) **7**, 375, 387; (5.) **A 2**, 6, 8, 29 ▪ s. a. Amine. – *[HS 2921 12; CAS 109-89-7; G 3]*

2-(Diethylamino)-ethanol (*N,N*-Diethylethanolamin). $(H_5C_2)_2N-CH_2-CH_2-OH$, $C_6H_{15}NO$, M_R 117,19, farblose, hygroskop. Flüssigkeit, D. 0,88, Sdp. 163 °C, FP. 52,5 °C, lösl. in Wasser, Alkohol, Ether, Benzol. 2-D. reizt Augen, Atemwege (Lungenödem möglich) u. Haut, kann auch über die Haut aufgenommen werden, Nierenschäden möglich, MAK 10 ppm (MAK-Werte-Liste 1996); LD_{50} (Ratte oral) 1300 mg/kg, wassergefährdender Stoff, WGK 1 (Selbsteinst.); D. unterliegt der freiwilligen Selbstkontrolle für chem. Kampfstoffe. Herst. aus Diethylamin u. Ethylenoxid. Verw. zur Herst. von Pharmazeutika, Emulgatoren, Cellulose- u. a. -DEAE-Ionenaustauschern, Schmieröladditiven, Antioxidantien, Schädlingsbekämpfungs- u. Textilhilfsmitteln. – *E* (diethylamino)-ethanol – *F* 2-(diéthylamino)-éthanol – *I* 2-(dietilammino)-etanolo – *S* 2-(dietilamino)-etanol

Lit.: Beilstein E IV **4**, 1471 f. ▪ Hager (5.) **3**, 457 ▪ Hommel, Nr. 422 ▪ Kirk-Othmer (4.) **2**, 3, 381 ▪ Ullmann (5.) **A 10**, 7 ff. – *[HS 2922 19; CAS 100-37-8; G 3]*

2-(Diethylamino)-ethylamin s. *N,N*-Diethylethylendiamin.

Diethylaminsalicylat. Bez. für das Diethylammonium-Salz der *Salicylsäure, das in Salben u. Cremes mit 5–10% D. gegen rheumat. Beschwerden u. Muskelschmerzen eingesetzt wird; $C_{11}H_{17}NO_3$, M_R 211,26, Schmp. 100–102 °C. – *E* diethylamine salicylate – *F* salicylate de diéthylamine – *I* dietilamina salicilato

Lit.: British Pharmacopoeia 1993 ▪ s. a. Salicylsäure. – *[HS 2921 12; CAS 4419-92-5]*

***N,N*-Diethylanilin.** $H_5C_6-N(C_2H_5)_2$, $C_{10}H_{15}N$, M_R 149,24, farbloses Öl, D. 0,935, Schmp. –38 °C, Sdp. 216 °C, wenig lösl. in Wasser, lösl. in Alkohol, Chloroform usw. Dämpfe u. Flüssigkeit werden über Haut u. Schleimhäute aufgenommen. D. ist ein starkes Blutgift, es verändert den Blutfarbstoff u. zerstört die roten Blutkörperchen; Nieren- u. Leberschädigungen; wassergefährdender Stoff, WGK 2. D. wird z. B. zum Zink-Nachw. u. zur Synth. von Farbstoffen verwendet. – *E N,N*-diethylaniline – *F N,N*-diéthylaniline – *I* = *S N,N*-dietilanilina

Lit.: Beilstein E IV **12**, 252 ▪ Fries-Getrost, S. 405 ▪ Hager (5.) **3**, 459 ▪ Hommel, Nr. 348 ▪ Kirk-Othmer (4.) **2**, 428, 438 ▪ Ullmann (4.) **7**, 572; (5.) **A 2**, 309 f. – *[HS 2921 42; CAS 91-66-7; G 6.1]*

5,5-Diethylbarbitursäure s. Barbital.

Diethylcarbamazin.

Internat. Freiname für *N,N*-Diethyl-4-methyl-1-piperazincarboxamid, $C_{10}H_{21}N_3O$, M_R 199,30. Farblose Krist., Schmp. 47–49 °C, Sdp. 108,5–111 °C (0,39 kPa). Verwendet wird das Dihydrogencitrat, ein weißes, krist. schwach hygroskop. Pulver, Schmp. ca. 138 °C; pK_a 7,7, LD_{50} (Ratte oral) 1380 mg/kg. Es wurde als *Anthelmintikum, bes. gegen *Filariasis 1949 von Am. Cyanamid patentiert. – *E* diethylcarbamazine – *F* diéthylcarbamazine – *I* = *S* dietilcarbamazina

Lit.: Beilstein E III/IV **23**, 225 ▪ DAB **1996** u. Komm. ▪ Hager (5.) **7**, 1282f. – *[HS 293359; CAS 90-89-1 (D.); 1642-54-2 (Hydrogencitrat)]*

Diethylcarbonat (Kohlensäurediethylester).

$$O=C\begin{matrix}O-C_2H_5\\O-C_2H_5\end{matrix}$$

$C_5H_{10}O_3$, M_R 118,13, farblose, angenehm ether. riechende Flüssigkeit, D. 0,975, Schmp. –43°C, Sdp. 126°C, in Wasser nicht, in Alkohol u. Ether löslich. Dämpfe u. Flüssigkeit reizen Augen, Atemwege u. Haut; wassergefährdender Stoff, WGK 1 (Selbsteinst.). Das aus Ethanol u. Phosgen erhältliche D. dient als Lsm. für Cellulosenitrat u. -ether, Kunst- u. Naturharze u. für organ. Synth., z. B. zur Carboethoxylierung, zur Synth. von Heterocyclen usw. – *E* diethyl carbonate – *F* carbonate de diéthyle – *I* carbonato di dietile – *S* carbonato de dietilo

Lit.: Beilstein E IV **3**, 5 ▪ Hommel, Nr. 513 ▪ J. Org. Chem. **44**, 2461 (1979) ▪ Kirk-Othmer (3.) **4**, 766–770; (4.) **5**, 88f. ▪ Paquette **3**, 1798 ▪ Synthetica **2**, 110f. ▪ Ullmann (4.) **14**, 591; (5.) A **5**, 197ff. – *[HS 292090; CAS 105-58-8; G 3]*

Diethyldicarbonat s. Dimethyldicarbonat.

Diethyldithiocarbamate. Gruppe von Salzen der im freien Zustand instabilen *Diethyldithiocarbamidsäure* $(H_5C_2)_2N-CS-SH$ (vgl. Dithiocarbamidsäure u. -carbamate). Im Handel sind die Na-, Pb-, Ag-, Zn- u. Diethylammonium-Salze, die zum Teil wasserlösl. sind. Einzelne D. finden Verw. als Reagenzien auf Metalle u. als Chelatbildner. Wegen dieser Eigenschaften werden sie zur Extraktion von Metall-Ionen in der Spurenanalytik verwandt [1]. Das Silber-Salz dient als Reagenz für As [2]. Weiterhin dienen sie als *Fungizide, Vulkanisationsbeschleuniger, u. infolge Hemmung von Cu-haltigen Oxidasen beeinträchtigt D. auch das Pflanzenwachstum. – *E* diethyldithiocarbamate – *F* diéthyldithiocarbamates – *I* dietilditiocarbamati – *S* dietilditiocarbamatos

Lit.: [1] Anal. Chem. **54**, 2536 (1982); **56**, 1689 (1984). [2] Anal. Chem. **31**, 1589 (1959); Microchim. Acta **1972**, 526. *allg.*: Beilstein E IV **4**, 389–395 ▪ s. a. Dithiocarbamate. – *[HS 293020]*

Diethylendiamin s. Piperazin.

Diethylenglykol (2,2'-Oxydiethanol, Digol). $HO-(CH_2)_2-O-(CH_2)_2-OH$, $C_4H_{10}O_3$, M_R 106,12, farblose, viskose, hygroskop., süßlich schmeckende Flüssigkeit, D. 1,12, Schmp. –6°C, Sdp. 245°C, 133°C (19 hPa). D. ist bei Aufnahme durch den Mund sehr giftig, die Dämpfe u. die Flüssigkeit reizen die Augen, bei anhaltender Einwirkung auch die Haut; MAK 10 ppm (MAK-Werte-Liste 1996); LD_{50} (Ratte oral) 12 565 mg/kg, wassergefährdender Stoff, WGK 1. Mit Wasser, Alkoholen, Glykolethern, Ketonen, Estern, Chloroform in jedem Verhältnis mischbar, nicht jedoch mit Kohlenwasserstoffen u. Ölen. Das in der Praxis meist kurz *Diglykol* genannte D. wird aus *Ethylenoxid u. *Ethylenglykol hergestellt (*Ethoxylierung) u. ist damit prakt. das Anfangsglied der *Polyethylenglykole (*Polyether). Ein Oxidationsprodukt des D. ist die *Diglykolsäure.

Verw.: Trocknungsmittel für inerte Gase, Lsm. für die Textilfärbung u. -bedruckung, für Harze, Cellulosenitrat u. ether. Öle, Bestandteil in Gefrierschutzmitteln, Heizflüssigkeit u. Hydraulikölen; Zwischenprodukt in der Herst. von Textilhilfsmitteln u. Polyesterharzen; zur Synth. von Dioxan. In krimineller Weise wurde D. in der BRD u. Österreich verschiedenen Weinen beigemischt, um ein besseres (süßlicheres) Bouquet vorzutäuschen. Dieser „Weinskandal" wurde Mitte der 80iger Jahre aufgedeckt; der Schaden ging in die Millionen. Der Zusatz von D. läßt sich NMR-spektroskop. nachweisen [1]. Die Verw. von D. als Feuchthaltemittel bei der Herst. von Zellglas ist nicht mehr zulässig [2], die Zulassung als Feuchthaltemittel bei Tabakerzeugnissen wurde aufgehoben. Außer dem Diglykol selbst sind noch eine ganze Reihe von Veretherungs- u. Veresterungsprodukten von techn. Bedeutung, wie Mono-, Diether- u. Ether-Ester, von denen einige in der Tab. zusammengefaßt sind. Die Benennung dieser vielfältig verwendeten Verb. wird meist so vorgenommen, daß dem Namen *Diglykol* die Bez. der Alkyl-Gruppen vorangestellt u. die der Ester-Gruppen angehängt werden. Analog werden auch die – im allg. durch Wz. geschützten – in Einzelstichwörtern behandelten – Handelsnamen für D. u. seine Derivate abgewandelt. Von techn. Interesse sind auch D.-Ester mit Stearin- od. Laurinsäure, insbes. als Emulgatoren in der Kosmetika-, Putz- u. Reinigungs-

Tab.: Physikal.-chem. Daten von Diethylenglykol(-Produkten).

$R^1-O-(CH_2)_2-O-(CH_2)_2-O-R^2$

R^1	R^2	Trivialnamen (Et=Ethyl, Bu=Butyl, Me=Methyl, Ac=Acetat)	D.	Schmp. [°C]	Sdp. [°C]	WGK	CAS
H	H	Diglykol	1,12	–6	245	1	111-46-6
CH_3	H	Me-Diglykol, Me-Carbitol, Dowanol DM	1,02	–65	194		111-77-3
CH_3	CH_3	Di-Me-Diglykol, Diglyme	0,943	–68	162		111-96-6
C_2H_5	H	Et-Diglykol, Carbitol, Dowanol DE	0,988	–80	202	1	111-90-0
C_2H_5	C_2H_5	Di-Et-Diglykol, Di-Et-Carbitol	0,907	–44	189		112-36-7
C_2H_5	$COCH_3$	Et-Diglykol-Ac, Carbitol-Ac	1,01	–25	218		112-15-2
C_4H_9	H	Bu-Diglykol, Bu-Carbitol, Dowanol DB	0,95	–68	231	1	112-34-5
C_4H_9	C_4H_9	Di-Bu-Diglykol, Di-Bu-Carbitol	0,88	–60	252		112-73-2
C_4H_9	$COCH_3$	Bu-Diglykol-Ac, Bu-Carbitol-Ac	0,985	–32	245		124-17-4

mittel- u. a. Industrien, ferner das *Diethylenglykoldinitrat als Explosivstoff. – *E* diethylene glycol – *F* diéthylène glycol – *I* dietilenglicole – *S* dietilenglicol
Lit.: [1] Dtsch. Lebensm.-Rundsch. **83**, 375 (1987). [2] Bedarfsgegenstände-VO vom 10. 4. 1992 (BGBl. I, S. 866).
allg.: Beilstein E IV **1**, 2390–2395; **2**, 214 f. ▪ Hommel, Nr. 76, 373, 469 ▪ Kirk-Othmer (4.) **12**, 695 ff. ▪ Rippen ▪ Synthetica **2**, 113–116 ▪ Ullmann (4.) **8**, 200 ff.; (5.) **A 10**, 102 ff. – *[HS 2909 41; CAS 111-46-6]*

Diethylenglykoldinitrat (Diglykoldinitrat, Didi). $O_2N-O-(CH_2)_2-O-(CH_2)_2-O-NO_2$, $C_4H_8N_2O_7$, M_R 196,12, farblose Flüssigkeit, D. 1,385, Schmp. 2 °C (stabile Modif.), in organ. Lsm. lösl.; Methämoglobin-Bildner; Explosionswärme (H_2O flüssig) 4666 kJ/kg, Detonationsgeschw. 6600 m/s, Verpuffungspunkt 190 °C, Schlagempfindlichkeit 0,2 Nm. D. wird zur Herst. raucharmer Explosivstoffe eingesetzt, im 2. Weltkrieg zusammen mit Cellulosenitrat, Centralit u. Kaliumsulfat in dtsch. Geschützpulvern. – *E* diethylene glycol dinitrate – *F* dinitrate de diéthylène glycol – *I* dinitrato di dietilenglicole – *S* dinitrato de dietilenglicol
Lit.: Beilstein E IV **1**, 2412 ▪ Gesundheitsschädliche Arbeitsstoffe: toxikologisch-arbeitsmedizinische Begründung von MAK-Werten, Weinheim: VCH Verlagsges. 1972–1996 ▪ Kirk-Othmer (3.) **9**, 576; (4.) **10**, 25, 69 ▪ Köhler, Explosivstoffe, S. 91, Weinheim: VCH Verlagsges. 1995 ▪ Winnacker-Küchler (3.) **5**, 476. – *[HS 2920 90; CAS 693-21-0]*

Diethylenglykolether s. Diethylenglykol.

Diethylentriamin [Bis(2-aminoethyl)-amin]. $H_2N-(CH_2)_2-NH-(CH_2)_2-NH_2$, $C_4H_{13}N_3$, M_R 103,17, farblose bis gelbliche, hygroskop., ätzende Flüssigkeit, D. 0,959, Schmp. –39 °C, Sdp. 207 °C, mit Wasser u. Alkohol, nicht aber mit Ether mischbar; LD_{50} (Ratte oral) 1080 mg/kg, wassergefährdender Stoff, WGK 2.
Verw.: Als Lsm. für Farbstoffe, Ausgangsmaterial zur Herst. von Ionenaustauschern, Schädlingsbekämpfungsmitteln, Antioxidantien, Korrosionsschutzmitteln, Textilhilfsmitteln, als Absorptionsmittel für (saure) Gase. – *E* diethylenetriamine – *F* diéthylènetriamine – *I* dietilentriammina – *S* dietilentriamina
Lit.: Beilstein E IV **4**, 1238 ff. ▪ Hommel, Nr. 77 ▪ Ullmann (4.) **7**, 380 f.; (5.) **A 2**, 27 ff. – *[HS 2921 29; CAS 111-40-0; G 8]*

Diethylentriaminpentaessigsäure (DTPA).

```
HOOC-CH₂           CH₂-COOH      CH₂-COOH
        N-CH₂-CH₂-N-CH₂-CH₂-N
HOOC-CH₂                         CH₂-COOH
```

$C_{14}H_{23}N_3O_{10}$, M_R 393,35, farblose Substanz, Schmp. 220–222 °C (Zers.), bes. in Form des Natrium-Salzes leicht wasserlöslich. D. u. ihre (Salz-)Lsg. eignen sich aufgrund ihrer Chelat-bildenden Eigenschaften zur *Komplexierung* von Eisen, Erdalkalimetallen etc., zur *Dekorporierung*[1,2], zur Wasserenthärtung, als Zusatz zu Wasch- u. Reinigungsmitteln, in der Holz- u. Papier-Ind. u. in der analyt. Chemie (*Komplexometrie). – *E* diethylenetriaminepentaacetic acid – *F* acide diéthylènetriaminopentaacétique – *I* acido dietilentriamminopentaacetico – *S* ácido dietilentriaminopentaacético
Lit.: [1] Hager (5.) **2**, 342; **7**, 642. [2] Naturwiss. Rundsch. **30**, 23 f. (1977).
allg.: Beilstein E IV **4**, 2454 ▪ Ullmann (4.) **7**, 381; **8**, 588 f.; (5.) **A 10**, 95 ff. – *[HS 2922 49; CAS 67-43-6]*

***N,N*-Diethylethanolamin** s. 2-Diethylaminoethanol.

Diethylether (Ether, Ethylether). $H_5C_2-O-C_2H_5$, $C_4H_{10}O$, M_R 74,12. Der bekannteste Vertreter aus der *Ether-Gruppe; klare, wasserhelle, leichtbewegliche, süßlich riechende Flüssigkeit, D. 0,715, Erstarrungspunkt –116 °C, Sdp. 34,5 °C, FP. –40 °C c. c.! Infolge des niedrigen Sdp. verdunstet D. bei 20 °C rasch, er bildet mit Luft schon in einer Konz. von 1,8 Vol.-% explosible Gemische, Selbstentzündung bei 180–190 °C. Lädt sich beim Schütteln leicht elektr. auf, daher dürfen größere Mengen an D. nur unter elektr. Erdung umgefüllt werden. In Wasser ist D. zu 6,5% lösl. (20 °C), in konz. wäss. HCl, Methanol, Ethanol u. a. aliphat. Alkoholen, Chloroform, Petrolether, Ölen u. den meisten Lsm. für Fette ist D. gut löslich. D. selbst ist ein Lsm. z. B. für Alkaloide, Eisen(III)-chlorid, Fette, Harze, Iod, Öle, Phosphor, Schwefel usw. Mit vielen Substanzen bildet D. mehr od. weniger stabile Additionsverb., vgl. Ether u. Oxonium-Salze. Durch Organometall-Verb. wie Alkyllithium-Verb. wird D. zersetzt[1]. Im Laboratorium wird D. häufig zum *Ausethern* verwendet (s. Ausschütteln u. Extraktion), jedoch ist er bei großtechn. Verf. durch andere, weniger gefährliche Lsm. verdrängt worden. Bei längerem Aufenthalt an Luft u. Licht autoxidiert D. allmählich zu schwerflüchtigen Peroxiden, die sich zu Acetaldehyd, Essigsäure, Estern usw. zersetzen; daher muß er in braunen Flaschen luftdicht verschlossen aufbewahrt werden. Bes. die Peroxid-Bildung ist gefährlich, da bei der Dest. von D. heftige Explosionen durch die therm. labilen Peroxide ausgelöst werden können. Daher u. wegen der leichten Entzündbarkeit darf D. nur auf dem Wasserbad erwärmt u. auch nur unter bes. Schutzvorkehrung (Abzug, Schutzschild, Panzerglasscheibe, Schutzbrille) destilliert werden. Vor der Dest. ist D. unbedingt auf Peroxide zu prüfen, z. B. mit Hilfe einer KI-Lsg. (untere Erfassungsgrenze: 0,001% Peroxid). Im Falle einer pos. Reaktion werden die Peroxide durch Zugabe von Eisen(II)-, Mangan(II)-Salzen od. *Triphenylphosphin zerstört.
Physiologie: D. ist seit 1846 als Inhalationsnarkotikum bekannt. Wenn die Atemluft ca. 4–5 Vol.-% D. enthält u. insgesamt beim Erwachsenen etwa 15 g D. unter ärztlicher Kontrolle eingeatmet werden, tritt schließlich tiefe Narkose ein. Trotz zahlreicher Nachteile – Zersetzlichkeit, Explosionsgefahr, langsames Abfluten, postnarkot. Erbrechen – wurde D. früher viel als Narkosemittel verwendet, da er eine relativ große Narkosebreite u. eine gute muskelrelaxierende Wirkung besitzt u. sich D.-Narkosen ohne großen apparativen Aufwand durchführen lassen (Auftropfen von D. auf eine mit Mull bespannte Maske). Seit einigen Jahren wird D. – zumindest in den Industrienationen – prakt. nicht mehr als Narkosemittel verwendet. MAK 400 ppm (MAK-Werte-Liste 1996); LD_{50} (Ratte oral) 1215 mg/kg, wassergefährdender Stoff, WGK 1, Emissionsklasse III (TA Luft 3.1.7).
Herst.: D. wird heute in Ländern mit synthet. Ethanol-Herst. in solchen Mengen als Nebenprodukt erzeugt, daß sich die Synth. erübrigt. D. kann durch Erhitzen von Ethanol mit konz. Schwefelsäure hergestellt werden; da die Schwefelsäure wiedergewonnen wird, kann

das Verf. kontinuierlich betrieben werden. D. heißt fälschlicherweise auch *Schwefelether*, weil bei seiner Herst. Schwefelsäure benötigt wird u. der rohe D. meist mit etwas Schwefeldioxid verunreinigt ist, das man früher für den eigentlichen Ether-Bestandteil hielt. Die Dehydratisierung von Ethanol zu D. kann auch am Aluminiumoxid-Kontakt bei etwa 300 °C durchgeführt werden. Letzteres Verf. ist zwar technol. einfacher, liefert aber eine geringere Ausbeute als das Schwefelsäure-Verfahren. Wasserspuren (zur Herst. von abs. D.) kann man durch Dest. über Natrium-Draht entfernen; Na bindet das Wasser unter Bildung von NaOH. D. ist wasserhaltig, wenn beim Umschütteln mit der gleichen Menge Schwefelkohlenstoff eine Trübung (Emulsion von Wasser in Schwefelkohlenstoff) entsteht.
Verw.: Früher als „Ether für Narkose"[2], als Hausmittel gegen Ohnmachten, Mattigkeit usw. in Form von *Hoffmannstropfen* (Spiritus aethereus, eine Mischung aus 3 Tl. Alkohol u. 1 Tl. D.), von denen 20–40 Tropfen auf einmal getrunken werden. Da D. ein gutes Lsm. für viele Öle, Fette, Harze, Alkaloide, Riechstoffe u. Farben ist, findet er ausgedehnte Verw. zum Lösen u. Extrahieren. Im Gemisch mit Ethanol dient er zum Gelatinieren von Nitrocellulose u. zum Lösen von Collodiumwolle. Wegen der chem. Beständigkeit des D., wegen seines niedrigen Sdp. u. wegen der Löslichkeit von metallorgan. Verb. (Grignard-Reagenzien) findet er im Labor u. Betrieb Verw. als Reaktionsmedium; D. ist zugelassen als Extraktionslösemittel gemäß Extraktionslösungsmittelverordnung (ElV).
Geschichte: Die Entdeckung des D. wird (vgl. *Lit.*[3]) fälschlicherweise Valerus Cordus (1540) zugeschrieben; tatsächlich wurde D. erstmals 1730 von Froben in den „Philosophical Transactions" (London) beschrieben. 1821 analysierte Avogadro den D., Alkohol u. verwandte Stoffe, 1842 stellte Gerhardt die richtige Formel auf. – *E* diethyl ether – *F* éther diétyleque, diéthyléther – *I* etere dietilico – *S* éter dietílico, dietiléter

Lit.: [1] Angew. Chem. **85**, 90–92 (1973). [2] Mutschler, Arzneimittelwirkungen, S. 208, 742, Stuttgart: Wiss. Verlagsges. 1991. [3] Dtsch. Apoth.-Ztg. **1954**, 921.
allg.: Beilstein E IV **1**, 1314–1322 ▪ Brauer, Gefahrstoff-Sensorik, Landsberg: Ecomed Verlagsges. 1988 ▪ Hommel, Nr. 9 ▪ Kirk-Othmer (4.) **9**, 861, 869 f. ▪ Moeschlin, Klinik u. Therapie der Vergiftungen, S. 337, Stuttgart: Thieme 1986 ▪ Rippen ▪ Ullmann (4.) **8**, 148 f.; **6**, 716; **16**, 302; (5.) **A 10**, 25 ff. ▪ s. a. Ether. – *[HS 2909 11; CAS 60-29-7; G 3]*

N,N-Diethylethylendiamin [2-(Diethylamino)-ethylamin]. $(H_5C_2)_2N-CH_2-CH_2-NH_2$, $C_6H_{16}N_2$, M_R 116,21, farblose, unangenehm riechende Flüssigkeit, D. 0,816, Sdp. 145–147 °C, mit Wasser, Alkohol u. Ether mischbar. Verw. in der Herst. von Textilhilfsmitteln u. Pharmazeutika. – *E* N,N-diethylethylendiamine – *F* N,N-diéthyléthylendiamine – *I* N,N-dietiletilendiammina – *S* 2-N,N dietiletildiamina

Lit.: Beilstein E IV **4**, 1175 ▪ Hager (5.) **7**, 154; **9**, 353. – *[HS 2921 29; CAS 100-36-7; G 8]*

Diethylketon s. 3-Pentanone.

Diethylmalonat s. Malonsäurediethylester.

Diethylnicotinamid s. Nicethamid u. Nicotinsäurediethylamid.

N,N-Diethyl-p-phenylendiamin (4-Amino-N,N-diethylanilin). T

$C_{10}H_{16}N_2$, M_R 164,25, farblose Krist., Schmp. 25–27 °C, Sdp. 268 °C, lösl. in Wasser u. Alkohol, an Luft u. Licht zersetzlich; Nervengift; wassergefährdender Stoff, WGK 2. Die Salze werden in der Farbphotographie u. bei der Herst. von Azofarbstoffen verwendet. – *E* N,N-diethyl-p-phenylenediamine – *F* N,N-diéthyl-p-phénylènediamine – *I* N,N-dietil-p-fenilendiammina – *S* N,N-dietil-p-fenilendiamina

Lit.: Beilstein E IV **13**, 109 ▪ Kirk-Othmer (4.) **2**, 474 ff. – *[HS 2921 51; CAS 93-05-0; G 6.1]*

Diethylphosphit (Diethylphosphonat).

$C_4H_{11}O_3P$, M_R 138,10, farblose Flüssigkeit, D. 1,074, Sdp. 188 °C, in Wasser hydrolysierend, in organ. Lsm. lösl.; wassergefährdender Stoff, WGK 1; D. ist ausfuhrgenehmigungspflichtig gemäß Außenwirtschaftsordnung (Ausfuhrliste Position 2002). Verw. als Lsm. für Farben, als Schmierstoffzusatz, Antioxidans, Reduktionsmittel, Phosphorylierungsmittel. – *E* diethyl phosphite – *F* phosphite de diéthyle – *I* fosfito di dietile – *S* fosfito de dietilo

Lit.: Beilstein E IV **1**, 1329–1332 ▪ Kontakte (Merck) **1972**, Nr. 1, 8 ▪ Synthetica **2**, 362 ▪ Ullmann (4.) **8**, 39; **18**, 394. – *[HS 2920 90; CAS 762-04-9]*

Diethylphthalat s. Phthalsäureester.

Diethylpropion. Kurzbez. für *Amfepramon.

Diethylsebacat s. Sebacinsäureester.

Diethylstilbestrol (Diethylstilböstrol).

Internat. Freiname für das synthet. *Estrogen α,α′-Diethyl-4,4′-dihydroxystilben [Stilböstrol, 3,4-Bis-(4-hydroxyphenyl)-3-hexen, 4,4′-(1,2-Diethylethenylen)-diphenol], $C_{18}H_{20}O_2$, M_R 268,36, Schmp. 169–172 °C; λ_{max} (0,1 N NaOH): 259 nm ($A^{1\%}_{1cm}$ = 764). D. wird in Form seiner Dipalmitat-, Dipropionat- od. Disulfat-Ester verwendet. Es wurde 1939 von Schering, 1946 von Lilly u. 1947 von Hoffmann-La Roche patentiert. Wegen seiner Carcinogenität wird D. (s. Fosfestrol [Diphosphat]) nur noch gegen Prostatakarzinom eingesetzt. – *E* diethylstilbestrol – *F* diéthylstilbestrol – *I* dietilstilbestrolo – *S* dietilestilbestrol

Lit.: ASP ▪ Beilstein E IV **6**, 6856 ▪ DAB **1996** u. Komm. ▪ Florey **19**, 145–192 ▪ Hager (5.) **7**, 1284–1288. – *[HS 2907 29; CAS 56-53-1]*

Diethylsulfat (Schwefelsäurediethylester). T
$(H_5C_2O)_2SO_2$, $C_4H_{10}O_4S$, M_R 154,18, ölige, farblose Flüssigkeit, D. 1,18, Schmp. –25 °C, Sdp. 208 °C (Zers.), mischbar mit Alkohol, Ether u. den meisten polaren organ. Lösemitteln. Die Dämpfe reizen die Augen, die Atemwege u. die Lunge bis hin zum

Lungenödem, Kontakt mit der Flüssigkeit führt zu Reizung der Augen u. der Haut; kann auch über die Haut aufgenommen werden. Das zur Ethylierung verwandte D. gilt als Stoff, der sich im Tierversuch eindeutig als krebserzeugend erwiesen hat (Gruppe III A 2, MAK-Werte-Liste 1996); TRK 0,03 ppm; LD_{50} (Ratte oral) 880 mg/kg. – *E* diethyl sulfat – *F* sulfate de diéthyle – *I* solfato di dietile – *S* sulfato de etilo, sulfato de dietilo

Lit.: Beilstein E IV **1**, 1326 ▪ Gesundheitsschädliche Arbeitsstoffe: toxikologisch-arbeitsmedizinische Begründung von MAK-Werten, Weinheim: VCH Verlagsges. 1972–1996 ▪ Hommel, Nr. 349 ▪ Synthetica **1**, 129 ▪ Synthesis *1979*, 428 ▪ Ullmann (5.) **A 8**, 494 f. – *[HS 292090; CAS 64-67-5; G 6.1]*

1,3-Diethylthioharnstoff.

$C_5H_{12}N_2S$, M_R 132,22, farblose bis schwach gelbliche Krist., Schmp. 76–78 °C, in Wasser, Alkohol u. Ether löslich.
Verw.: Als Korrosionsinhibitor in *Sparbeizen, Rost- u. Kesselsteinentfernern (verhindert den Angriff von insbes. Mineralsäuren auf Metalle u. vermindert den Angriff von Salzlaugen auf Al-Leg.), als Vulkanisationsbeschleuniger, Zwischenprodukt bei der Synth. von Germiziden. – *E* 1,3-diethylthiourea – *F* 1,3-diéthylthiourée – *I* = *S* 1,3-dietiltiourea

Lit.: Beilstein E IV **4**, 375 ▪ Keith u. Walters, Compendium of Safety Data Sheets for Research and Industrial Chemicals, Part II, S. 626 f., Deerfield Beach, Florida: VCH Publishers, Inc. 1985 ▪ Ullmann (4.) **8**, 39; **23**, 170 f. – *[HS 2930 90; CAS 105-55-5]*

N,N-Diethyl-*m*-toluamid (*N,N*-Diethyl-3-methylbenzamid, DEET).

$C_{12}H_{17}NO$, M_R 191,27, farblose Flüssigkeit, D. 0,997, Sdp. 167–169 °C (23 hPa), LD_{50} (Ratte oral) ca. 2000 mg/kg (WHO), in Wasser nicht lösl., mit Alkoholen, Ether u. Chloroform mischbar, reizt Augen u. Schleimhäute, aber nicht die Haut. Das in der Natur in weiblichen Baumwollspinnern *Pectinophora gossypiella* vorkommende D. ist die wirksame Komponente von Fliegen- u. Mückenabwehrmitteln, z. B. Autan. – *E* diethyltoluamide – *F* diéthyltoluamide – *I* dietiltoluammide – *S* dietiltoluamida

Lit.: Beilstein E IV **9**, 1716 ▪ Hager (5.) **1**, 218; **7**, 1281 ▪ Kirk-Othmer (4.) **2**, 381; **14**, 591 ▪ Merck-Index (12.), Nr. 2912 ▪ Ullmann (4.) **8**, 377; (5.) **A 14**, 307. – *[HS 2924 29; CAS 134-62-3]*

Diethylzink s. Zink-organische Verbindungen.

Dietzel, Adolf (1902–1994),

Prof., Dr. Dr. E. h., ehem. Direktor am MPI für Silikat-Forschung, Würzburg, Privatgelehrter, Ostheim/Rhön. *Arbeitsgebiete:* Glasstruktur, Keramik, Email, Beizen von Stahlblech.
Lit.: Ber. Dtsch. Keram. Ges. **44**, Nr. 2, 79 (1967) ▪ Glastech. Ber. **40** (1967) ▪ Kürschner (16.), S. 594 ▪ Nachr. Chem. Tech. Lab. **40**, Nr. 1, 64 (1992); **42**, Nr. 1, 79 (1994) ▪ Poggendorff **7 a/1**, 415 f.

DIFCO.

Kurzbez. der DIFCO Laboratories GmbH, Tochter der amerikan. Firma Difco Laboratories, 920 Henry Street, Detroit, Mich. 48201. Vertrieb von mikrobiolog. Nährmedien u. Reagenzien. *Vertretung* in Deutschland: Difco Laboratories GmbH, 86156 Augsburg.

Difenacoum.

Common name für 3-(3-Biphenyl-4-yl-1,2,3,4-tetrahydro-1-naphthyl)-4-hydroxycumarin, $C_{31}H_{24}O_3$, M_R 444,53, Schmp. 215–217 °C, von Sorex Ltd. 1974 eingeführtes *Rodentizid gegen Ratten u. Mäuse, auch solche, die gegen andere Blutgerinnungshemmer resistent sind. – *E* = *F* = *I* = *S* difenacum

Lit.: Beilstein E V **18/2**, 455 ▪ Farm ▪ Perkow ▪ Pesticide Manual. – *[HS 2932 29; CAS 56073-07-5]*

Difenoconazol.

Common name für 1-{2-[2-Chlor-4-(4-chlorphenoxy)phenyl]-4-methyl-1,3-dioxolan-2-ylmethyl}-1*H*-1,2,4-triazol.

$C_{19}H_{17}Cl_2N_3O_3$, M_R 406,27, Schmp. 78,6 °C, LD_{50} (Ratte oral) 1453 mg/kg, von Ciba Geigy (jetzt Novartis) 1989 eingeführtes system. *Fungizid mit präventiver u. kurativer Wirkung gegen ein breites Spektrum von Pilzerkrankungen im Getreide-, Wein-, Obst- u. Gemüseanbau. – *E* = *F* difenoconazole – *I* difenoconazolo – *S* difenoconazol

Lit.: Farm ▪ Perkow ▪ Pesticide Manual. – *[CAS 119446-68-3]*

Difenoxin.

Internat. Freiname für 1-(3-Cyan-3,3-diphenylpropyl)-4-phenyl-4-piperidincarbonsäure, $C_{28}H_{28}N_2O_2$, M_R 424,54. Verwendet wird das Hydrochlorid, ein weißes, amorphes Pulver, Schmp. 290 °C; LD_{50} (Ratte oral) 149 mg/kg. D. wurde als *Antidiarrhoikum 1970 u. 1972 von Janssen patentiert u. ist in Anlage II der BtmVVO gelistet. – *E* difenoxin – *F* difénoxine – *I* = *S* difenoxina

Lit.: ASP ▪ Beilstein E V **22/2**, 487 ▪ Hager (5.) **7**, 1289 f. – *[HS 2933 39; CAS 28782-42-5; 35607-36-4 (Hydrochlorid)]*

Difenzoquat-methylsulfat.

Common name für 1,2-Dimethyl-3,5-diphenylpyrazolium-methylsulfat, $C_{18}H_{20}N_2O_4S$, M_R 360,43, Schmp. 150–160 °C (techn. 96%), LD_{50} (Ratte oral)

470 mg/kg (WHO), von American Cyanamid entwickeltes selektives Nachauflauf-*Herbizid gegen Flughafer im Gersten- u. Weizenanbau. – *E = F* difenzoquat methyl sulphate – *I* difenzoquato-metilsolfato – *S* difenzocuato-metilsulfato
Lit.: Farm ▪ Perkow ▪ Pesticide Manual. – *[HS 2933 19; CAS 43222-48-6]*

Difethialon. Common name für 3-[3-(4'-Brombiphenyl-4-yl)-1,2,3,4-tetrahydro-1-naphthyl]-4-hydroxy-1-benzothiopyran-2-on.

$C_{31}H_{23}BrO_2S$, M_R 539,49, weißes Pulver, LD_{50} (Ratte oral) 0,56, (Hund oral) 4 mg/kg, von Lipha 1989 eingeführtes *Rodentizid, wirkt als Antikoagulant gegen Ratten u. Mäuse. – *E = F* difethialone – *I* difetialone – *S* difetialona
Lit.: Pesticide Manual. – *[CAS 104653-34-1]*

Differentialthermoanalyse (DTA). Eine Meth. der *Thermoanalyse, bei der physikal. od. chem. Eigenschaften einer Substanz, eines Substanzgemisches u./od. von Reaktionsgemischen als Funktion der Temp. od. der Zeit gemessen werden, wobei die Probe einem kontrollierten Temperaturprogramm unterworfen wird. Die DTA-Apparatur enthält einen Meßkopf mit zwei Probehaltern (Tiegel). Sie enthalten Probe u. Referenz, die in einem gemeinsamen Ofen dem Temperaturprogramm unterworfen werden. Die Referenzprobe zeigt im untersuchten Bereich keine therm. Reaktion. Ein *Thermoelementen-Paar mißt während der Untersuchung die Temperaturdifferenz ΔT, die Null ist, wenn

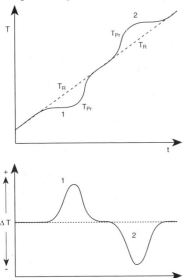

Abb.: Zustandekommen einer DTA-Kurve bei Aufheizung. Oben: Verlauf der Temp. von Probe (T_{Pr}) u. Referenzprobe (T_R); unten: Differenz als Meßsignal ($ΔT=T_R-T_{Pr}$). 1: Verlauf bei endothermem Vorgang; 2: Verlauf bei exothermem Vorgang.

keine Effekte in der zu untersuchenden Probe auftreten. Die Signalformen bei exothermen bzw. endothermen Vorgängen gehen aus der Abb. hervor.
Anw.: Für alle Vorgänge, die mit kalor. Effekten in der zu untersuchenden Probe in endlicher Zeit erfolgen. So z. B. die Ermittlung von Phasendiagrammen von Ton- u. Salzmineralen sowie Metall-Leg., Untersuchung von Zündtemp. u. Zündvorgängen bei Sprengstoffen, für Reinheitsprüfungen anorgan. u. organ. Substanzen, zur Charakterisierung von Polymeren, Naturstoffen u. biolog. Materialien. – *E* differential thermal analysis – *F* thermoanalyse différentielle – *I* termoanalisi differenziale – *S* análisis térmico diferencial
Lit.: Chem. Lab. Biotech. **45**, 310–314, 363 ff. (1994) ▪ Schwedt, Analytische Chemie, S. 167–172, Stuttgart: Thieme 1995.

Differenzierung. In der Biologie Bez. für die Tatsache, daß sich bei vielzelligen Lebewesen bei der Entwicklung von der Eizelle zum ausgewachsenen Organismus die Zellen in unterschiedlicher Weise nach Aussehen u. Funktion verändern u. damit den unterschiedlichen Aufgaben der Organe u. Gewebe, die sich aus ihnen zusammensetzen, gerecht werden. Dabei ändert sich im allg. nicht der Genbestand der Zellen, sondern es kommt zu einer differentiellen Regulierung der Genaktivität (Transkriptionsaktivität, *Genexpression), so daß auf dem Weg über *Transkription u. *Protein-Biosynth. für verschiedene Zellen jeweils verschiedene Protein-Bestände realisiert werden. Die d. wird u. a. von der *extrazellulären Matrix beeinflußt [1]. – *E* differentiation – *F* différentiation – *I* differenziazione – *S* diferenciación
Lit.: [1] FASEB J. **7**, 737–743 (1993).

Differenzierungsinhibierende Aktivität s. Leukämie-inhibierender Faktor.

Diffraktion s. Kristallstrukturanalyse u. Streuung.

Diffusion (von latein.: diffundere = ausbreiten, sich zerstreuen). Unter D. versteht man die Durchmischung von verschiedenen miteinander in Berührung befindlichen gasf., flüssigen od. festen Stoffen, wobei die Vermischung durch die Relativbewegung der Ionen, Atome, Mol. od. Kolloid-Teilchen zustande kommt u. durch Konzentrationsunterschiede (gewöhnliche od. Konzentrationsdiffusion), Temperaturunterschiede (Thermo-D.), Druckunterschiede (Druck-D.) od. äußere Feldkräfte hervorgerufen werden. Die gewöhnliche D. führt zu einem Abbau eines Konzentrationsgefälles, während die anderen Effekte eine Konzentrationsdifferenz aufbauen. Bes. verbreitet ist die gewöhnliche D. bei Gasen. D. wird durch die kinet. Gastheorie beschrieben. Der *Diffusionskoeffizient* D eines binären Syst. ist durch das *Ficksche Gesetz definiert. Bei konstantem Druck u. konstanter Temp. ist die Teilchenstromdichte

$$j = \frac{1}{A} \cdot \frac{\Delta N}{\Delta t} = \frac{N}{V} \cdot v$$

(mit A = durchströmte Fläche, N = Anzahl der Teilchen, v = deren Geschw., V = Vol. u. t = Zeit) proportional zum Gradienten der lokalen Stoffmengen-Konz. (Molarität) $c = \frac{\Delta N}{\Delta V}$ einer Stoffkomponente

$\vec{j}_i = -D \cdot \text{grad } c_i$. Der Diffusionskoeffizient D hat bei Gasen einen Wert in der Größenordnung 10^{-4} bis 10^{-5} m$^2 \cdot$ s^{-1}, bei Flüssigkeiten 10^{-9} m$^2 \cdot$ s^{-1} u. bei Festkörpern 10^{-14} m$^2 \cdot$ s^{-1}; obwohl es auch Festkörper gibt, bei denen der D-Wert so groß wie bei Flüssigkeiten ist. Die Messung von D ist in *Lit.*[1] beschrieben. Zeitlich veränderliche Konzentrationsfelder c_i werden durch das zweite Ficksche Gesetz beschrieben:

$$\frac{\delta c_i}{\delta t} = D \cdot \left(\frac{\delta^2 c_i}{\delta x^2} + \frac{\delta^2 c_i}{\delta y^2} + \frac{\delta^2 c_i}{\delta z^2} \right)$$

Bei idealen Gasen ist $D = v \cdot (\lambda/3)$ mit v = therm. Geschw. u. λ = mittlere freie Weglänge. Über die Einsteinsche Relation $D = B \cdot k \cdot T$ ist der Diffusionskoeffizient mit der Beweglichkeit B verknüpft (k = Boltzmann-Konstante, T = *absolute Temperatur). Die Beweglichkeit B, definiert über die Reibungskraft R: R = v/B, berücksichtigt die geometr. Gestalt [für eine Kugel mit dem Radius a gilt $B = (6 \cdot \pi \cdot \eta \cdot a)^{-1}$, η s. Viskosität], die mol. Konfiguration (z. B. ob es sich um ein massives Teilchen od. ein fadenförmiges Mol. handelt) sowie den Einfluß von Dispersions- u. Lösemitteln. Die Temperaturabhängigkeit von D wird durch eine Gleichung vom *Arrhenius-Typ gegeben (Näheres s. *Lit.*[2]):

$$D = D_\infty \cdot \exp(-\Delta E_d / k \cdot T)$$

Die mittlere Geschw. (u. damit auch die Diffusionsgeschw.) der Gas-Mol. erreicht um so höhere Werte, je kleiner das M_R u. je höher die Temp. sind; so hat z. B. Wasserstoff bei 0 °C eine mittlere Geschw. von nahezu 1700, Helium dagegen 1204, Sauerstoff 425, Kohlenoxid 454, Kohlendioxid 362, Chlorgas 286, Wasserdampf 567 u. Quecksilber 170 m/s. Diese großen Strecken könnten von den betreffenden Mol. jedoch nur im sonst abs. leeren Raum zurückgelegt werden. In der Luft od. in Ggw. anderer Gase stoßen die freibeweglichen Mol. in der Sekunde 1–10 Mrd. mal mit anderen Mol. zusammen, so daß ihre *mittlere freie Weglänge* (die Durchschnittsstrecke zwischen 2 Zusammenstößen) u. damit auch die tatsächliche Diffusionsgeschw. sehr viel kleinere Werte erreicht. Wenn in einem 40 cm hohen Zylinder die untere Hälfte mit dem schwereren, die obere mit dem leichteren Gas gefüllt ist, brauchen bei 0 °C z. B. Wasserstoff u. Sauerstoff 44, Wasserstoff u. Kohlendioxid 63, Benzol-Dampf u. Sauerstoff 190 s, bis jeweils ein Drittel des einen Gases in die andere Hälfte des Zylinders hineindiffundiert ist. Bei höherer Temp. wächst auch die Diffusionsgeschw., weil sich hierbei die Mol. immer schneller bewegen. In abgeschlossenen Räumen kommt der makroskop. feststellbare Diffusionsvorgang erst zum „Stillstand" (d. h. zu einem dynam. Gleichgew.), wenn ein überall einheitliches Gemisch entstanden ist. Ein Sonderfall der D. von Gasen ineinander liegt vor, wenn diese durch eine poröse Wand erfolgt, z. B. wenn ein luftgefüllter Tonzylinder in eine Wasserstoff-Atmosphäre gebracht wird. Hier dringen die leichteren u. kleineren Wasserstoff-Mol. rascher in den Tonzylinder ein, als die Sauerstoff- u. Stickstoff-Mol. der Luft daraus austreten können; infolgedessen entsteht im Tongefäß ein vorübergehender Überdruck. Genaue Versuche haben gezeigt, daß die Geschw., mit denen Gase durch eine poröse Wand od. aus feinen Öffnungen (s. unten) diffundieren, den Quadratwurzeln aus ihren M_R umgekehrt proportional sind (*Grahamsches Gesetz*, vgl. *Lit.*[3]). Bezeichnet man die Diffusionsgeschw. zweier Gase mit v_1 u. v_2, die M_R als m_1 u. m_2 so gilt $v_1 : v_2 = \sqrt{m_2} : \sqrt{m_1}$. Vergleicht man z. B. die Diffusionsgeschw. von Wasserstoff u. Sauerstoff, so ergibt sich $v_{H_2} : v_{O_2} = \sqrt{32} : \sqrt{2} = \sqrt{16} = 4$; d. h. Wasserstoff diffundiert viermal so schnell durch poröse Wände wie Sauerstoff. Die gleiche Gesetzmäßigkeit gilt für das Ausströmen von Gasen aus einer sehr feinen Öffnung in einer dünnen Wand, die auch als *Effusion* bezeichnet wird (*Ausströmungsgesetz* von Bunsen u. Graham). Ihre techn. Anw. findet die D. von Gasen (sog. *Atmolyse) z. B. bei der *Isotopentrennung u. in *Diffusionspumpen. Die Temp.-Abhängigkeit der Diffusionsgeschw. nutzt man im *Clusiusschen Trennrohr (*Thermodiffusion).

Die *Diffusion von Ionen u. Mol. in* *Flüssigkeiten zeigt große Ähnlichkeit mit der Gasdiffusion. Legt man einen Kupfersulfat- od. einen Kaliumdichromat-Krist. in Wasser, so färbt sich zunächst die Umgebung des Krist., u. nach 1–2 Wochen hat die ganze Flüssigkeit eine gleichmäßig blaue bzw. orange Farbe angenommen. Die Ionen müssen sich also selbständig im ruhenden Wasser ausgebreitet haben. Die D. der gelösten Stoffe verläuft wegen der größeren Dichte der Flüssigkeit viel langsamer als bei den Gasen. Natürlich können auch Gase in Flüssigkeit hineindiffundieren, z. B. Luft in die Ozeane, das Kohlendioxid in die Chlorophyll-haltigen Blattzellen, der eingeatmete Luftsauerstoff in die Blutflüssigkeit usw. Auch bei der *Destillation mit Benetzungssäulen treten Diffusionsvorgänge zwischen Dampf u. Flüssigkeit auf. Kolloidteilchen diffundieren in Flüssigkeiten u. Gasen auf Grund ihres verhältnismäßig hohen Gew. ziemlich langsam, auch wird die D. von Ionen in halbfesten, gelatineartigen Medien erheblich verzögert, s. Liesegangsche Ringe. Die D. durch semipermeable *Membranen (s. dort) wird als *Osmose bezeichnet; sie findet z. B. Anw. bei der *Dialyse. Auf solchen Diffusionsmechanismen beruht auch der Stoff-Transport innerhalb biolog. Systeme. Bei der *Elektrolyse läßt sich eine unerwünschte D. durch *Diaphragmen erschweren.

Auch *Diffusionserscheinungen in Feststoffen* sind bekannt[4]; auch hier können Atome, Ionen u. Mol. langsam ihre Plätze wechseln u. kürzere od. längere Wanderungen antreten. So werden z. B. Stäbe aus reinem Blei, die an dem einen Ende eine Leg. aus Gold u. Blei tragen, allmählich auch an den benachbarten, ursprünglich goldfreien Stellen goldhaltig, weil die Gold-Atome von selbst in das Blei einwandern. Diese D. verläuft bei höheren Temp. schneller, doch braucht dabei durchaus nicht der Schmp. erreicht zu werden. Die elektron. u. Kristallstruktur der Stoffe spielt eine große Rolle: Au diffundiert in Pb bei 320 °C mit $6,5 \cdot 10^{-5}$ cm/s, in Ag bei 490 °C dagegen nur mit $5 \cdot 10^{-17}$ cm/s. Ein dünner, Palladium-plattierter Silberdraht wird beim Erhitzen innen hohl, weil das Silber schneller in das Palladium als das Palladium in das Silber hineindiffundiert. Platzwechsel von Atomen bzw. Ionen innerhalb „stabiler" *Kristallgitter ist auch bei den chem. Reaktionen in festen Stoffen anzunehmen. Erhitzt man z. B. feinpulveriges Bariumoxid u. wasserfreies Kupfersulfat (beides gut gemischt) miteinander, so findet schon bei Temp. weit unter der Schmelztemp. eine Bildung von Bariumsulfat u. Kupferoxid statt. In ähnlicher Weise hat man allg. *Platzwechselreaktionen* in festen Gemischen von Salzen, Metallen u. Salzen, Oxiden u. Carbonaten, Oxiden u. Sulfiden, sauren u. bas. Oxiden usw. feststellen können. Man nimmt hier an, daß die Atome od. Ionen in den Krist. beim Erwärmen immer stärkere *Schwingungen um ihre Ruhelage ausführen, so daß sie schließlich ihre Plätze in dem noch festen, nicht geschmolzenen Kristallgitter mit benachbarten Ionen bzw. Atomen vertauschen können. Durch sog. *Selbstdiffusion*, d. h. Wanderung von Atomen od. Ionen innerhalb eines Krist., können Neuordnungen ohne Änderung der chem. Zusammensetzung eintreten. D. in festen Stoffen beobachtet man auch beim *Sintern, *Sherardisieren, *Alitieren, Inchromieren, bei der *Zementation (Aufkohlung) von Stahl, bei der *Kaltpreßschweißen u. beim Plattieren, bei der *Migration von Farbstoffen etc. in Fasern, Kunststoffen, Anstrichstoffen etc., beim *Mischen u. a. Verfahren. – $E = F$ diffusion – I diffusione – S difusión

Lit.: [1] Kohlrausch, Praktische Physik, Bd. 1, Stuttgart: Teubner 1996. [2] Phys. Chemie, Fachlexikon abc Physik, Frankfurt: Harri Deutsch 1982. [3] Atkins, Physikalische Chemie, S. 773, Weinheim: VCH Verlagsges. 1996. [4] Holzäpfel, Solid-State Electrochemistry, Encycl. of Physical Science and Technology, Bd. 14, S. 471–488, San Diego: Academic Press 1992; Phys. Bl. **50**, 925 ff. (1994).

allg.: Atkins, Physikalische Chemie, Weinheim: VCH Verlagsges. 1996 ▪ Bergmann u. Schaefer, Lehrbuch der Experimentalphysik, Bd. 5, Berlin: de Gruyter 1992 ▪ Schnelle, Atmospheric Diffusion Modeling, Encycl. of Physical Science and Technology, Bd. 2, S. 273–296, San Diego: Academic Press 1992 ▪ s. physikalische Chemie, Membranen, Osmose. – *Serie:* Diffusion and Defect Data, Rockport: Trans Tech Publ. (seit 1967).

Diffusionsfaktor s. Hyaluronidasen.

Diffusionsfarben. Zur Glasdekoration u. -beschriftung eingesetzte Farben, bei denen eine transparente Gelb-Braunfärbung des Glases durch Eindiffundieren von Ag- u. Cu-Ionen in die Oberflächenschicht u. Bildung kolloidaler Metallpartikel beim Einbrennen entsteht. – F couleurs à dispersion – S colorantes de difusión

Diffusionskoeffizient s. Diffusion.

Diffusionspotential (Flüssigkeitspotential). Begriff aus der *Elektrochemie. Ein D. ist eine elektr. Potentialdifferenz, die sich an der Phasengrenzfläche zwischen zwei verschiedenen Elektrolyt-Lsg., aber auch zwischen zwei Lsg. desselben Elektrolyten von unterschiedlicher Konz. ausbildet. Aufgrund der unterschiedlichen Wanderungsgeschw. verschiedener *Ionen kommt es zur Ausbildung einer elektr. Doppelschicht, die sich makroskop. als Beitrag zur EMK (s. elektromotorische Kraft) äußert. Das D. stellt häufig einen Störfaktor bei genauen Messungen dar; nur für einfache Fälle läßt es sich leicht berechnen (s. Hendersonsche Gleichung). Bei Verw. einer *Salzbrücke, auch Stromschlüssel genannt, läßt sich das D. größ-

tenteils ausschalten. Da das Auftreten des D. mit der *Überführung von Ionen verbunden ist, bezeichnet man galvan. Zellen mit D. auch als *Zellen mit Überführung*. – E diffusion potential – F potentiel de diffusion – I potenziale di diffusione – S potencial de difusión

Diffusionspumpe. Treibmittelpumpe, die zur Erzeugung von Hochvak. im Bereich von $10^{-4}-10^{-10}$ kPa eingesetzt wird. Das Prinzip der D. wurde 1915 von Garde theoret. u. prakt. erarbeitet.

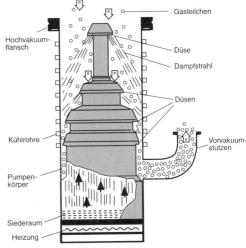

Abb.: Aufbau der Diffusionspumpe.

Das Treibgas strömt mit Überschallgeschw. aus einer Düse u. reißt das abzusaugende Gas G mit, indem dieses Gas in den Treibmittelstrahl diffundiert. Durch Kühlung wird das Treibmittel kondensiert. Das freiwerdende Gas G sammelt sich mit höherem Druck an ($\approx 10^{-2}$ kPa) u. wird durch eine mechan. Pumpe abgesaugt. Je nach Treibmittel unterscheidet man Quecksilber- od. Öl-Diffusionspumpen. Auch wenn als Gesamtdruck im Rezipienten 10^{-10} kPa erreicht werden, besitzen Öl-D. den Nachteil, daß Pumpenöl in den Rezipienten gelangt, was sich bei der *Massenspektrometrie durch Krackprodukte neg. bemerkbar macht u. durch Benetzen der Oberflächen bes. bei Elektronen- u. Ionenoptiken (s. Elektronenmikroskop) sehr nachteilig ist. Deshalb werden in jüngerer Zeit verstärkt *Turbomolekularpumpen eingesetzt, mit denen der gleiche Gesamtdruck erreicht wird, die aber ein ölfreies Vak. erzeugen. – E diffusion pumps – F pompe à diffusion – I pompe a diffusione – S bomba de difusión

Lit.: Wutz et al., Theory and Practice of Vacuum Technology, Braunschweig: Vieweg 1989.

Diffusionsüberspannung s. Überspannung.

Diffusionsverfahren. 1. Im *Metallschutz Sammelbez. für Verf. wie *Sherardisieren, *Inchromverfahren, *Alitieren etc. – 2. Silbersalz-D. s. Photographie. – 3. Isotopentrennung durch D. s. Isotope. – E diffusion process – F processus de diffusion – I processo di diffusione – S procesos de difusión

Diffusit®. Flüssiges Borsalz-Präp. zum vorbeugenden Schutz von Holz unter Dach. *B.:* Wolman.

Diflorason.

Internat. Freiname für 6α,9-Difluor-11β,17,21-trihydroxy-16β-methyl-1,4-pregnadien-3,20-dion, $C_{22}H_{28}F_2O_5$, M_R 410,46. Verwendet wird das 17,21-Diacetat, ein weißes bis cremefarbiges, krist. Pulver, Schmp. 220–226 °C (Zers.); λ_{max} (C_2H_5OH): 237, 308 nm ($A_{1cm}^{1\%}$ 344, 348); $[\alpha]_D$ +61° ($CHCl_3$). Es wurde 1973 u. 1976 von Upjohn patentiert u. ist als topisches, halogeniertes Glucocorticoid gegen ekzematöse Dermatiden von Basotherm (Florone®) im Handel. – $E=F=I$ diflorasone – S diflorasona

Lit.: Hager (5.) **7**, 1290 ff. – [HS 2937 22; CAS 2557-49-5]

Diflubenzuron.

Common name für 1-(4-Chlorphenyl)-3-(2,6-difluorbenzoyl)harnstoff, $C_{14}H_9ClF_2N_2O_2$, M_R 310,69, Schmp. 230–232 °C, LD_{50} (Ratte oral) >4640 mg/kg (WHO), von Philips-Duphar (jetzt Solvay-Duphar) entwickeltes nicht system. *Insektizid mit Kontakt- u. Fraßgiftwirkung gegen eine Vielzahl von Insekten im Obst-, Baumwoll- u. Gemüseanbau sowie im Forst (eingesetzt wird z. B. Dimilin). D. wirkt als Inhibitor der *Chitin-Synth. u. verhindert die zur Adultentwicklung notwendige Häutung u. wird bes. gegen Massenvermehrung von Schmetterlingsraupen (z. B. Schwammspinner im Forstbau) u. von Stechmücken (z. B. den „Rhein-Schnaken" am Oberrhein) eingesetzt. – $E=F$ diflubenzuron – I diflubenzurone – S diflubenzurón

Lit.: Farm ▪ Perkow ▪ Pesticide Manual. – [HS 2924 29; CAS 35367-38-5]

Diflucan®.
Kapseln, Saft u. Infusionslösung mit dem Antimykotikum *Fluconazol zur system. Anw. bei verschiedenen Candidosen. *B.*: Pfizer.

Diflucortolon.

Internat. Freiname für das antiphlogist. u. antiallerg. wirksame Glucocorticoid 6α,9-Difluor-11β,21-dihydroxy-16α-methyl-1,4-pregnadien-3,20-dion, $C_{22}H_{28}F_2O_4$, M_R 394,46. Schmp. 248–249 °C; $[\alpha]_D^{22}$ +111° (CH_3OH); λ_{max} 237 nm (ε 16600). Verwendet wird das 21-Valerat, Schmp. 200–205 °C, $[\alpha]_D^{22}$ +100,8° (Dioxan); LD_{50} (Maus oral) >4000, (Maus s.c.) 180, (Maus i.p.) 450 mg/kg. D. wurde 1964 u. 1969 von Schering (Nerisona®) patentiert. – $E=F=I$ diflucortolone – S diflucortolona

Lit.: Hager (5.) **7**, 1292 ff. – [HS 2937 22; CAS 2607-06-9 (D.); 59198-70-8 (21-Valerat)]

Diflufenican.

Common name für 2′,4′-Difluor-2-(3-trifluormethylphenoxy)nicotinanilid, $C_{19}H_{11}F_5N_2O_2$, M_R 394,30, Schmp. 161–162 °C, LD_{50} (Ratte oral) >2000 mg/kg (WHO), von May & Baker (jetzt Rhône-Poulenc) entwickeltes selektives Kontakt-*Herbizid gegen Unkräuter u. einige Ungräser im Getreideanbau, wird oft mit *Isoproturon kombiniert. – $E=I$ diflufenican – F diflufenicanil – S diflufenicán

Lit.: Farm ▪ Perkow ▪ Pesticide Manual. – [CAS 83164-33-4]

Diflunisal.

Internat. Freiname für die antiphlogist., antipyret. u. analget. wirksame 2′,4′-Difluor-4-hydroxy-3-biphenylcarbonsäure, $C_{13}H_8F_2O_3$, M_R 250,20. Farblose Krist., Schmp. 210–211 °C; λ_{max} (0,1 N HCl in CH_3OH) 227, 251, 315 nm ($A_{1cm}^{1\%}$ = 1050, 560, 130); LD_{50} (Maus oral) 439 mg/kg. D. wurde 1968 von Merck & Co patentiert u. ist von MSD (Fluniget®) im Handel. – $E=F=I=S$ diflunisal

Lit.: ASP ▪ DAB 1996 u. Komm. ▪ Florey **14**, 491–526 ▪ Hager (5.) **7**, 1294–1297. – [HS 2918 29; CAS 22494-42-4]

Difluor(di)chlor [richtig (Di)Chlordifluor...] s. FCKW.

Difluor(di)oxid s. Sauerstoff-Fluoride.

1,1-Difluorethan (R 152a) s. Fluorkohlenwasserstoffe.

1,1-Difluorethen (Vinylidenfluorid, R 1132a) s. Fluorkohlenwasserstoffe.

Difluormethan (R 32) s. Fluorkohlenwasserstoffe.

Digallussäure s. Gallussäure u. Tannine.

Digenit, Cu_9S_5. Früher als „α-Kupferglanz", „blauer isotroper Kupferglanz" bezeichnetes Erzmineral, tritt in verschiedenen, z. T. nur metastabilen Modif. auf [1,2], u. a. *Tief-D.*, kub., bei 20 °C stabil; *Hoch-D.* (Neodigenit bei Ramdohr, s. *Lit.*), kub., Kristallklasse m3m-O_h, oberhalb von 75 °C gebildet. D. bildet derbe, gelegentlich spätige, spröde Massen mit z. T. deutlicher Spaltbarkeit. Blauschwarz bis tiefblau; die Farbtiefe nimmt mit wachsendem Cu-Defizit zu. Auf frischen Bruchflächen starker Metallglanz. H. 2,5–3, D. 5,5–5,7, lösl. in Salpetersäure.
Zu Verwachsungen u. Umwandlungen zwischen D., Chalkosin u. Djurleit $Cu_{1,93-1,96}S$ s. *Lit.*[3].
Vork.: In verschiedener geolog. Umgebung, u. a. in Kupfer-Lagerstätten, z. B. Butte/Montana, Arizona u. Kennecott/Alaska/USA, Tsumeb/Namibia.
Verw.: Wegen des hohen Gehaltes von 78,85% Cu als Kupfererz. – E digenite – F digénite – I digenite – S digenita

Lit.: [1] Am. Mineral. **48**, 110–123 (1963). [2] Am. Mineral. **62**, 107–114 (1977). [3] Am. Mineral. **79**, 308–315 (1994).
allg.: Anthony et al., Handbook of Mineralogy, S. 134, Tucson/Arizona: Mineral Data Publishing 1990 ▪ Ramdohr, Die Erzmineralien u. ihre Verwachsungen, S. 480–491, Berlin: Akademie-Verl. 1975 ▪ Schröcke u. Weiner, S. 118–125. – [HS 2603 00; CAS 12175-21-2]

Digensäure s. Kainsäure.

Digerieren (von latein.: digerere = zerteilen). Inniges Vermischen (Anteigen) einer festen Substanz mit einer Flüssigkeit, wobei meist teilw. Auflösung bzw. *Extraktion erfolgt. – *E* digesting – *F* digestion – *I* digerire – *S* digestión

Digestor s. Abzug.

Digital (von latein.: digitus = Finger). Bez. für eine Arbeitsweise von Geräten, die die Quantität der techn. Vorgänge ziffernmäßig u. nicht mengenmäßig (dies tun *analog* arbeitende Geräte) erfassen; *Beisp.:* Zählwerke in *Szintillationszählern, Abfüllstationen von Tabl., Tropfen etc. Mit Digitalmeßgeräten bezeichnet man im Laboratorium u. in der Technik sowohl Geräte, die d. Daten empfangen u. verarbeiten, als auch solche, die analog empfangene Daten d. verarbeiten u. ausgeben; von letzteren spricht man oft als von Analog-Digital-Umwandlern (*A/D-Wandler*); entsprechend gibt es *D/A-Wandler*. Beide Typen sind wichtig in der Datenverarbeitung. – *E* = *F* = *S* digital – *I* digitale
Lit.: s. Instrumente, Messen, Regelung.

Digitalin s. Digitalis-Glykoside.

Digitalis-Antidot BM®. Trockensubstanz zur Injektion mit Digitalis-Antitoxin vom Schaf gegen lebensbedrohliche Digitalis-Vergiftungen. *B.:* Boehringer-Mannheim.

Digitalis-Glykoside. Gruppe von stark giftigen Glykosiden aus Fingerhut-Arten wie dem kalkmeidenden Roten Fingerhut (*Digitalis purpurea* L., Scrophulariaceen, Rachenblütler), der in unseren Wäldern sehr verbreitet ist, dem Wolligen Fingerhut (*D. lanata* L.), dem Großblütigen Fingerhut (*D. ambigua* Murr.) u. dem kalkliebenden Gelben Fingerhut (*D. lutea* L.). Bisher ist eine große Zahl verschiedener Verb. isoliert worden. Zu diesen gehören die in der Abb. dargestellten, aus *Glucose u. *Digitoxose aufgebauten, am Kohlenhydrat-Teil acetylierten genuinen Tetraoside (Primärglykoside) der 3-hydroxylierten *Cardenolide Digitoxigenin, Gitoxigenin u. Digoxigenin, die durch enzymat. od. säurekatalyt. Abspaltung der endständigen Glucose in die therapeut. wichtigen Trioside (Sekundärglykoside) überführt werden können.

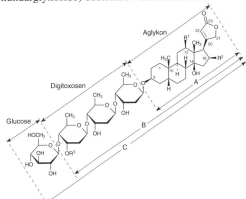

Bestandteil	Bildteil	C-Zahl	Name	R¹	R²	R³
Aglykone	A	C_{23}	Digitoxigenin	H	H	-
			Gitoxigenin	H	OH	-
			Digoxigenin	OH	H	-
Sekundär-glykoside	B	C_{41}	Digitoxin	H	H	H
			Gitoxin	H	OH	H
			Digoxin	OH	H	H
Primär-glykoside	C	C_{47}	Purpureaglykosid A	H	H	H
			Purpureaglykosid B	H	OH	H
			Desacetyllanatosid C	OH	H	H
		C_{49}	Lanatosid A	H	H	$CO-CH_3$
			Lanatosid B	H	OH	$CO-CH_3$
			Lanatosid C	OH	H	$CO-CH_3$

Neben den in der Abb. aufgeführten u. weiteren herzwirksamen Glykosiden {wie *Digitalin*, ein 3-*O*-[β-D-Glucopyranosyl(1→4)-D-digitalosid] des Gitoxigenins} sind aus *Digitalis*-Arten auch andere, jedoch nicht herzaktive Steroidglykoside isoliert worden. Zu erwähnen sind hier die Digitanolglykoside wie *Digipurpurin*, ein in den Purpureaglykosiden entsprechenden 3-*O*-Glykosid des 3β,12α,14-Trihydroxy-14β-pregn-5-en-20-ons (Digipurpurogenin), ein Zwischenprodukt der Cardenolidglykosid-Biosynth., sowie eine Reihe von Steroidsaponinen, wie das *Digitonin.

Verw.: In der modernen Herztherapie werden zur Dauerbehandlung von chron. Herzmuskelschwäche, Herzrhythmusstörungen u. -klappenfehlern anstelle von *Digitalis*-Blattpulvern od. -extrakten bzw. Glykosid-Gemischen heute nahezu ausschließlich die besser do-

Tab.: Daten von Digitalis-Glykosiden u. Aglyka.

Glykosid	Summenformel	M_R	Schmp. [°C]	$[\alpha]_D$	CAS
Digitoxigenin	$C_{23}H_{34}O_4$	374,52	253	+19,1° (CH_3OH)	143-62-4
Gitoxigenin	$C_{23}H_{34}O_5$	390,52	220–225	+32,6° (CH_3OH)	545-26-6
Digoxigenin	$C_{23}H_{34}O_5$	390,52	220	+23° (CH_3OH)	1672-46-4
Digitalin	$C_{36}H_{56}O_{14}$	712,83	240–243	–1,1° (c 0,9/CH_3OH)	752-61-4
Digitoxin	$C_{41}H_{64}O_{13}$	764,95	256–257	+4,8° (Dioxan)	71-63-6
Gitoxin	$C_{41}H_{64}O_{14}$	780,95	282–285 (Zers.)	+5° (Pyridin)	4562-36-1
Digoxin	$C_{41}H_{64}O_{14}$	780,95	265 (Zers.)	+13,3° (Pyridin)	20830-75-5
Purpurcaglykosid A	$C_{47}H_{74}O_{18}$	927,09	270–280 (Zers.)	+12° (C_2H_5OH)	19855-40-4
Purpurcaglykosid B	$C_{47}H_{74}O_{19}$	943,09	240	+15,5° (C_2H_5OH)	19855-39-1
Lanatosid A	$C_{49}H_{76}O_{19}$	969,13	245–248 (Zers.)	+2,5° (Pyridin)	17575-20-1
Lanatosid B	$C_{49}H_{76}O_{20}$	985,13	245–248 (Zers.)	+11° (Pyridin)	17575-21-2
Lanatosid C	$C_{49}H_{76}O_{20}$	985,13	245–248 (Zers.)	+16° (Pyridin)	17575-22-3

sierbaren reinen krist. Sekundärglykoside, meist Digitoxin od. partialsynthet. gewonnene Derivate (z.B. teilacetylierte Verb.), angewendet. Wegen der hohen Toxizität der D.-G. ist eine exakte Dosierung der Mittel sowie Einstellung u. Kontrolle der Patienten erforderlich. Hohe Digitoxin-Dosen verursachen Herzlähmung u. Tod. Viele Tiere reagieren deutlich unempfindlicher als der Mensch: Grenzdosierungen: LD_0 (Mensch i.v.) 12 µg/kg, (Mensch p.o.) 175 µg/kg, (Ratte i.v.) 50 µg/kg, (Katze i.v.) 62 µg/kg, (Maus i.v.) 200 µg/kg, (Taube i.v.) 670 µg/kg. D. haben Kumulationswirkung: Die HWZ der Plasmakonz. nach i. v.-Verabreichung von D. schwanken zwischen 32–34 h (α-Acetyldigoxin) u. 144–192 h (Digitoxin). Manche Käfer verwenden D. als Abwehrsekrete[1].

Geschichte: Im späten 18. Jh. wurde in England die Herzwirkung der D. beschrieben. Die moderne Herztherapie mit D. beginnt erst im 20. Jh. u. erreicht nach Ende des 2. Weltkrieges mit der Herst. der reinen Glykoside ihren Höhepunkt. Um die Isolierung, Strukturaufklärung u. Synth. haben sich bes. Kiliani, Windaus, Jacobs, Tschesche, Tamm u. Stoll verdient gemacht. – *E* digitalis glycosides, purple foxglove glycosides, digitalis – *F* glucosides de digitale – *I* glicosidi digitali – *S* glucósidos digitales

Lit.: [1] Science **197**, 70 (1977); Bull. Soc. Chim. Belg. **97**, 297–311 (1988).
allg.: Adv. Drug. Res. **19**, 313–562 (1990) ▪ Beilstein EV **18/3**, 348, 354; E **18/4**, 388; **19/3**, 338–342, 608 ▪ Bodem u. Dengler, Cardiac Glycosides, Berlin: Springer 1978 ▪ Braun-Frohne (6.), S. 222 ▪ Erdmann, Greeff u. Scon (Hrsg.), Card. Glycosides 1785–1985, S. 357–365, 437–445, Darmstadt: Steinkopff 1986 ▪ Hager (5.) **3**, 468 ff., 725–745; **4**, 1063 ff., 1168–1190; **7**, 1297 ff. ▪ Haustein, Klinische Pharmakologie u. Digitalisglykoside, Stuttgart: Fischer 1981 ▪ Merck-Index (12.), Nr. 3196–3210 ▪ Pharm. Unserer Zeit **16**, 81 (1987) ▪ PTA heute **9**, 14 (1995) ▪ Sax (8.), Nr. DKL 200 – DKL 875; GEU 000 – GEW 000; LAT 000 – LAU 400. – *[HS 2938 90]*

Digitalis-Präparate. Gegen Herzinsuffizienz therapeut. verwendete Präp., die entweder die Gesamtglykoside aus *Digitalis purpurea* bzw. *lanata* od. aber einzelne *Digitalis-Glykoside enthalten; Hauptbestandteile sind Digitoxin (z.B. Digimerck®, Digitoxin AWD 0,07®, Digitoxin „Didier"®), Digoxin (z.B. Digacin®, Digoxin-ratiopharm®, Dilanacin®, Lanicor®) u. die *Lanatoside sowie die halbsynthet. Derivate *Acetyldigoxin (z.B. Digostada®, Digotab®, β-Acetyldigoxin-ratiopharm®, Novodigal®) u. *Metildigoxin (Lanitop®). – *E* digitalis preparations – *F* préparations de digitale – *I* preparati digitali – *S* preparados de digital
Lit.: s. Digitalis-Glykoside.

Digitogenin s. Digitonin.

Digitonin (Digitin).

$C_{56}H_{92}O_{29}$, M_R 1229,33, Krist., Schmp. 234–240 °C, $[\alpha]_D$ –54,3° (CH_3OH), lösl. in Alkohol, bildet in Was-

ser eine seifige Emulsion. D. ist ein Saponin u. kommt in den Samen des Roten Fingerhutes (*Digitalis purpurea*) vor. Es ist ein Glykosid aus fünf Zucker-Resten u. dem Aglykon *Digitogenin* (s. Strukturformel). Wie auch andere Saponine wirkt D. giftig durch Zerstörung der Erythrocyten (Hämolyse).

Verw.: D. bildet mit Cholesterin u. anderen 3β-Steroidalkoholen 1:1-Komplexe, die noch in einer Verd. von 1:10000 wahrnehmbar sind u. zur Analytik dieser Steroidalkohole genutzt werden. Durch Auflösen des Niederschlages in Pyridin u. Ausfällen mit Ether ist D. zurückzugewinnen. – *E* digitonin – *F* digitonine – *I = S* digitonina

Lit.: Beilstein EV **19/3**, 603 ▪ R.D.K. (4.), S. 808 ▪ Sax (8.), DKL 400. – *[HS 2938 90; CAS 11024-24-1]*

Digitoxigenin, Digitoxin s. Digitalis-Glykoside.

Digitoxose (2,6-Didesoxy-D-*ribo*-hexose).

$C_6H_{12}O_4$, M_R 148,16, Krist., Schmp. 112 °C, $[\alpha]_D$ +46,4° (H_2O), leicht lösl. in Wasser, lösl. in Aceton, Ethanol, unlösl. in Ether. D. ist ein *Desoxyzucker, der bei milder Hydrolyse der *Digitalis-Glykoside freigesetzt wird. – *E = F* digitoxose – *I* digitossosi – *S* digitoxosa

Lit.: Beilstein EIV **1**, 4191 ▪ Karrer, Nr. 602 ▪ Merck-Index (12.), Nr. 3207 ▪ Synlett **1991**, 750 ff. – *[HS 2940 00; CAS 527-52-6]*

Diglyceride. Bez. für Glycerinester mit zwei Fettsäure-Resten, wobei nach deren Stellung 1,2-D. u. 1,3-D. unterschieden werden. Zur Analytik von D. in Palmöl s. *Lit.*[1]. D. finden zusammen mit *Monoglyceriden Anw. in der Kaltemulgierung[2]. – *E* diglycerides – *F* diglycérides – *I* digliceridi – *S* diglicéridos
Lit.: [1] J. Am. Oil. Chem. Soc. **62**, 730 (1985). [2] Parfüm. Kosmet. **58**, 353 (1977).
allg.: vgl. Fette und Öle.

Diglykol s. Diethylenglykol.

Diglykolsäure (2,2′-Oxydiessigsäure).
$HOOC–CH_2–O–CH_2–COOH$, $C_4H_6O_5$, M_R 134,09, farblose, flockige, geruchlose Masse, die mit 1 Mol Wasser kristallisiert. D. ist eine schwächere Säure als Oxalsäure, aber stärker als Essigsäure, Schmp. 148 °C, lösl. in Wasser u. Alkohol.
Verw.: Trennmittel, Koagulierungsmittel für Kautschuk u. Kunststoffe, Emulsionsbrecher für Erdöl, zur organ. Synth., ihre Ester finden als Weichmacher Verwendung. – *E* diglycolic acid – *F* acide diglycolique – *I* acido diglicolico – *S* ácido diglicólico
Lit.: Beilstein EIV **3**, 577. – *[HS 2918 90; CAS 110-99-6]*

Diglyme. Abk. für *Di*ethylen*gl*ykol-Di*me*thylether.

Dignokonstant®. Lsg. u. Tabl. mit *Nifedipin gegen Angina pectoris u. Hypertonie. *B.:* Luitpold.

Digol. Abk. für *Diethylenglykol.

DIGOR®. Gerät zur Echtheitsprüfung u. Identifizierung von Edelmetallen. *B.:* Degussa.

Digoxigenin, Digoxin s. Digitalis-Glykoside.

Dihexyverin.

Internat. Freiname für das parasympatholyt. Spasmolytikum (2-Piperidinoethyl)-1,1'-bicyclohexyl-1-carboxylat, $C_{20}H_{35}NO_2$, M_R 321,50. Verwendet wird das Hydrochlorid, Schmp. 175 °C (Schmelzblock), 200 °C (Kapillare); LD_{50} (Maus i.p.) 215 mg/kg. Es wurde bei Spasmen des Magen-Darm-Traktes eingesetzt. – *E* dihexyverine – *F* dihexyvérine – *I* diesiverina – *S* dihexiverina

Lit.: Beilstein E III/IV **20**, 409 ▪ Hager (5.) **7**, 1305. – [HS 2933 39; CAS 561-77-3; 5588-25-0 (Hydrochlorid)]

Dihomo... s. Homo...

DIHP. Nach DIN 7723 (12/1987) Kurzz. für *Di*isoheptylphthalat als *Weichmacher.

DIHT. Abk. für *D*eutscher *I*ndustrie- u. *H*andels*t*ag, Spitzenorganisation der 83 dtsch. Ind.- u. Handelskammern mit Sitz in 53113 Bonn, Adenauerallee 148. Der DIHT vertritt die Gesamtinteressen der gewerblichen Wirtschaft gegenüber allen Bundesinstanzen. – INTERNET-Adresse: http://www.ihk.de/

DIHXP. Nach DIN 7723 (12/1987) Kurzz. für *Di*isohexylphthalat als *Weichmacher.

Dihydergot®. Tabl., Tropfen u. Ampullen mit *Dihydroergotamin-Mesilat gegen Kreislaufstörungen u. Migräne, D. plus (Tabl., Lsg.) zusätzlich mit (±)-*Etilefrin-Hydrochlorid. *B.*: Sandoz.

Dihydralazin.

Internat. Freiname für 1,4-Dihydrazinophthalazin, $C_8H_{10}N_6$, M_R 190,21. Orangefarbene Nadeln, Zers. bei ca. 180 °C. Verwendet werden das Mesilat, ein blaßgelbes Pulver, Schmp. 225 °C u. das Sulfat, gelbes, feinkristallines, hygroskop. Pulver, Schmp. 240–246 °C (Zers.), auch 233 °C angegeben; λ_{max} (0,1 N HCl): 240, 274, 306 nm ($A^{1\%}_{1cm}$ 377, 204, 213), pK_{a1} 4,06, pK_{a2} 8,06. D. wurde als *Antihypertonikum 1949 von Ciba (Nepresol®), 1957 von Cassella patentiert u. ist generikafähig. – *E* = *F* dihydralazine – *I* diidralazina – *S* dihidralazina

Lit.: Beilstein E V **25/17**, 465 ▪ DAB **1996** u. Komm. ▪ Hager (5.) **7**, 1306–1309. – [HS 2933 90; CAS 484-23-1; 7327-87-9 (Sulfat)]

1,2-Dihydroacenaphthylen s. Acenaphthen.

Dihydrochalkone. Sammelbegriff für Derivate des 1,3-Diphenyl-1-propanon, die aus den entsprechenden *Chalkonen durch Hydrierung gewonnen werden. Einige D. eignen sich aufgrund ihres intensiven Süßgeschmacks für den Einsatz als *Süßstoffe. Hierbei sind besonders die Umwandlungsprodukte von *Naringin u. *Neohesperidin zu erwähnen. Neohesperidin-D. kann durch alkal. Hydrierung aus Neohesperidin, einem Bitterstoff der Bitterorange, hergestellt werden. Die Süßkraft dieses D. kann im Vgl. zu einer verdünnten Saccharose-Lsg. mit etwa 1000 angesetzt werden. Neben der Süße besitzt dieses D. jedoch einen starken, *Menthol-ähnlichen Geschmack. Gegen einen breiten Einsatz spricht auch seine nur begrenzte Hydrolysestabilität. Neohesperidin ist im Rahmen der EU-Süßungsmittelrichtlinie für eine ganze Reihe von Produkten zugelassen u. zeigt in Kombination mit anderen Süßstoffen z. T. einen ausgeprägten geschmacklichen Synergismus. *E* = *F* dihydrochalcones – *I* diidrocalconi – *S* dihidrocalconas

Lit.: Belitz-Grosch (4.), S. 395 f., 749 ▪ Food Rev. Intern. **3**, 193–268 (1987) ▪ Ullmann (4.) **22**, 363.

Dihydrocodein.

Internat. Freiname für das *Narkotikum u. Hustensedativum 3-Methoxy-17-methyl-4,5α-epoxymorphinan-6-ol, $C_{18}H_{23}NO_3$, M_R 301,39. Weiße Krist., Schmp. 112–113 °C, 88–89 °C (Monohydrat), Sdp. 248 °C; $[\alpha]_D^{25}$ –72° bis –75° (c 1/H_2O); λ_{max} (CH_3OH) 285 nm ($A^{1\%}_{1cm}$ = 53), (0,1 N HCl) 282 nm ($A^{1\%}_{1cm}$ = 50); pK_b 5,32; LD_{50} (Ratte oral) 710 mg/kg; s. a. Morphin. Verwendet wird auch das Hydrogentartrat, ein farbloses, krist. Pulver, Schmp. 192–193 °C (wasserfrei). D. unterliegt der *BMVVO u. ist generikafähig im Handel. – *E* dihydrocodeine – *F* dihydrocodéine – *I* diidrocodeina – *S* dihidrocodeína

Lit.: ASP ▪ Beilstein E V **27/9**, 282 ▪ DAB **1996** u. Komm. ▪ Hager (5.) **7**, 1309–1312. – [HS 2939 10; CAS 125-28-0 (D.); 5965-13-9 (Hydrogentartrat)]

Dihydrocodeinon s. Hydrocodon.

Dihydrodimerisation (Dihydrodimerisierung). Bez. für eine *Dimerisation, bei der das Dimere zwei H-Atome mehr als zwei monomere Mol. enthält; *Beisp.*: Bildung von *Pinakolen aus Ketonen u. von *Adipinsäuredinitril aus Acrylnitril. – *E* dihydrodimerization – *F* dihydrodimérisation – *I* diidrodimerizzazione – *S* dihidrodimerización

Lit.: Angew. Chem. **84**, 798–812 (1972).

Dihydroergocornin. Kurzbez. für das vasodilatator. wirksame 9,10-Dihydro-Derivat des Ergocornins, $C_{31}H_{41}N_5O_5$, M_R 563,70; massive, meist sechseckige Platten; Schmp. 187 °C, $[\alpha]_D^{20}$ –48°; pK_b 7,1, s. Ergot-Alkaloide. – *E* dihydroergocornine – *F* dihydroergocornine – *I* diidroergocornina

Lit.: Hager (5.) **7**, 1312 f. – [HS 2936 9; CAS 25447-65-8]

Dihydroergocristin. Kurzbez. für das sympathikolyt. wirkende 9,10-Dihydro-Derivat des Ergocristins, $C_{35}H_{41}N_5O_5$, M_R 611,74; weißes krist. Pulver, Schmp. 204 °C, auch 180 °C angegeben, $[\alpha]_D^{20}$ –55° (c 1/Pyridin); pK_a 7,1 (24 °C). Verwendet wird auch das Mesilat, ein weißes, krist. Pulver, Schmp. 230 °C; auch 198–200 °C angegeben; $[\alpha]_D^{20}$ +7,5° (c 1/H_2O); λ_{max} (CH_3OH) 280, 291 nm ($A^{1\%}_{1cm}$ = 94, 83), (0,1 N HCl) 220, 279 nm ($A^{1\%}_{1cm}$ = 517, 90), s. Ergot-Alkaloide. – *E* = *F* dihydroergocristine – *I* diidroergocristina – *S* dihidroergoconina

Lit.: Hager (5.) **7**, 1313 ff. – *[HS 293969; CAS 17479-19-5; 24730-10-7 (Mesilat)]*

Dihydroergocryptin. Kurzbez. für das vasodilatator. wirksame 9,10-Dihydro-Derivat des Ergocryptins, $C_{32}H_{43}N_5O_5$, M_R 577,72. Weiße Krist., α-Form: Schmp. 235 °C (Zers.) $[\alpha]_D^{20}$ –41° (c 0,5/Pyridin); β-Form: Schmp. 194–195 °C, $[\alpha]_D^{20}$ –31° (c 1,5/Pyridin); s. Ergot-Alkaloide. – *E = F* dihydroergocryptine – *I* diidroergocriptina – *S* dihidroergocriptina

Lit.: Beilstein E III/IV **25**, 909 ▪ Hager (5.) **7**, 1315 f. – *[HS 293969; CAS 25447-66-9 (α-Form); 19467-62-0 (β-Form)]*

Dihydroergotamin. Internat. Freiname für das 9,10-Dihydro-Derivat des Ergotamins, $C_{33}H_{37}N_5O_5$, M_R 583,69, weißes Pulver, Schmp. 239 °C; pK_a 6,8 (24 °C). Verwendet wird das Mesilat, ein weißes, krist. Pulver, Schmp. 230–235 °C; $[\alpha]_D^{20}$ –42 bis –47° (Pyridin); λ_{max} (CH$_3$OH) 281 nm ($A_{1cm}^{1\%}$=100), 0,1 N HCl) 279 nm ($A_{1cm}^{1\%}$=94); (0,1 N NaOH) 280 nm ($A_{1cm}^{1\%}$=91). Ebenfalls verwendet wird das Tartrat, Schmp. 210–215 °C (Zers.); $[\alpha]_D^{20}$ –52 bis –57° (c 1/Pyridin); λ_{max} (CH$_3$OH) 281 nm ($A_{1cm}^{1\%}$=95–115). D. ist generikafähig, s. Ergot-Alkaloide; Migränetherapeutikum u. *Sympathikolytikum. – *E = F* dihydroergotamine – *I* diidroergotamina – *S* dihidroergotamina

Lit.: ASP ▪ DAB 1996 u. Komm. ▪ Hager (5.) **7**, 1316–1322. – *[HS 293969; CAS 511-12-6; 6190-39-2 (Mesilat)]*

Dihydroergotoxin. Kurzbez. für das sympathikolyt. wirkende 1:1:1-Gemisch der Dihydro-Derivate von Ergocornin, -cristin u. -cryptin, s. Ergot-Alkaloide. – *E* dihydroergotoxin – *F* dihydroergotoxine – *I* diidroergotossina – *S* dihidroergotoxina

Lit.: ASP ▪ Hager (5.) **7**, 1322–1327. – *[HS 293969; CAS 11032-41-0; 8067-24-1 (Mesilat)]*

Dihydrofolat-Reduktase s. Folsäure, Tetrahydrofolsäure.

Dihydrofolsäure s. Folsäure, Tetrahydrofolsäure.

Dihydrohydroxycodeinon s. Oxycodon.

Dihydro-γ-jonon s. Ambra.

Dihydroliponamid, Dihydroliponsäure s. Liponsäure.

Dihydromorphinon s. Hydromorphon.

3,4-Dihydro-2H-pyran.

C_5H_8O, M_R 84,12, farblose, brennbare, ether. riechende Flüssigkeit, D. 0,932, Sdp. 86–87 °C, in Wasser unlösl., in organ. Lsm. lösl., bildet an Luft Peroxide. Dämpfe u. Flüssigkeit reizen die Augen, die Atemwege sowie die Haut. Mit Alkoholen, Thiolen, Aminen, Säuren, Amiden reagiert D. unter Bildung von Ethern, Thioethern etc., wobei sich die Substituenten in α-Stellung des Pyran-Rings addieren; findet vielfältige Verw. in organ. Synthesen. Da der Tetrahydropyranyl-Rest leicht entfernt werden kann, eignet sich D. als *Schutzgruppe für Verb. mit beweglichen Wasserstoff-Atomen. – *E = F* dihydropyran – *F* dihydro pyranne – *I* 3,4-diidro-2H-pirano – *S* dihidropirano

Lit.: Beilstein E V **17/1**, 181 ▪ Hommel, Nr. 736 ▪ Houben-Weyl **6/4**, 70–89, 300–304, 335–409, 430–439 ▪ J. Org.

Chem. **42**, 3772 (1977); **44**, 1438 (1979); **58**, 1290 (1992) ▪ Synthesis **1979**, 618–620 ▪ Synthetica **1**, 138–140. – *[HS 293299; CAS 110-87-2; G3]*

Dihydropyridin-Rezeptor. Spannungsabhängiger, L-Typ-*Calcium-Kanal in der Plasmamembran von Muskel- u. Drüsenzellen, der durch Dihydropyridin-Derivate (z. B. *Nifedipin) gehemmt wird. Weitere klin. wichtige Hemmstoffe sind *Verapamil u. *Diltiazem.

Funktion: Der bei Ankunft eines Nervenimpulses durch die Depolarisierung der Membran aktivierbare D.-R. ist in Muskelzellen in den Einstülpungen der Plasmamembran lokalisiert, die *transversale Tubuli* genannt werden u. die mit dem *sarkoplasmatischen Retikulum (SR) in engen Kontakt kommen. In der Membran des SR befinden sich *Ryanodin-Rezeptoren, die bei Aktivierung durch direkte Wechselwirkung mit dem D.-R. (Skelettmuskel)[1] bzw. durch einströmende Calcium-Ionen (Herzmuskel) weiteres Calcium aus dem SR freisetzen, was schließlich zu Muskelkontraktion führt (*Erregungs-Kontraktions-Kopplung*). In Drüsenzellen steht der D.-R. im Dienst der Calcium-induzierten *Exocytose von *Hormonen (*Erregungs-Sekretions-Kopplung*)[2]. – *E* dihydropyridine receptor – *F* récepteur à dihydropyridines – *I* recettore delle diidropiridine – *S* receptor de dihidropiridinas

Lit.: [1] Biosci. Rep. **15**, 399–408 (1995); J. Muscle Res. Cell Motil. **13**, 394–405. [2] Nature (London) **348**, 239 ff. (1990).

Dihydroqinghaosu s. Qinghaosu.

Dihydrostreptomycin. Internat. Freiname für N-Methyl-L-glucosamido-dihydrostreptosidostreptidin, ein von Streptomycin (Formel s. dort) abgeleitetes Antibiotikum, $C_{21}H_{41}N_7O_{12}$, M_R 583,60. Substanz wird schwarz bei 240 °C, schmilzt nicht unter 300 °C; $[\alpha]_D^{25}$ –95° (c 1/H$_2$O). D. wurde 1950 erstmals von Merck & Co patentiert, viele weitere Patente. Verwendet wurden auch das Trihydrochlorid u. das Sesquisulfat. D. ist in der BRD nicht mehr im Handel. – *E* dihydrostreptomycin – *F* dihydrostreptomycine – *I* diidrostreptomicina – *S* dihidroestreptomicina

Lit.: DAB **1996** u. Komm. ▪ Hager (5.) **7**, 1328 ff. – *[HS 294120; CAS 128-46-1; 5490-27-7 (Sulfat); 6533-54-6 (Trihydrochlorid)]*

Dihydrotachysterol.

Internat. Freiname für 9,10-Secoergosta-5,7,22-trien-3β-ol, $C_{28}H_{46}O$, M_R 398,67; farblose Krist., Schmp. 110–115 °C, auch 125–127 °C angegeben; $[\alpha]_D^{20}$ +97,5° (CHCl$_3$); λ_{max} (H$_2$O) 243, 251, 261 nm ($A_{1cm}^{1\%}$=870, 1010, 650); D. ist ein synthet. *Vitamin D$_2$-Derivat. Es wird bei Nebenschilddrüsen-Unterfunktion eingesetzt. D. wurde 1941 von Winthrop patentiert. – *E* dihydrotachysterol – *F* dihydrotachystérol – *I* diidrotachisterolo – *S* dihidrotaquisterol

Lit.: ASP ▪ Beilstein E IV **6**, 4161 ▪ Hager (5.) **7**, 1329 ff. – *[HS 290619; CAS 67-96-9]*

Dihydrotoxiferin s. Curare.

Dihydroxyaceton (1,3-Dihydroxypropan-2-on).

$$HO-CH_2-\overset{\overset{O}{\|}}{C}-CH_2-OH$$

$C_3H_6O_3$, M_R 90,08, farblose, charakterist. riechende, hygroskop., süß schmeckende Krist., Schmp. 75–80 °C, in Wasser u. Ethanol löslich. In frisch bereiteten wäss. Lsg. liegt D. als Dimeres vor, welches durch Erwärmen in D. zerfällt. D. wird biochem. hergestellt durch Dehydrierung von Glycerin mit verschiedenen Bakterien. D. reagiert als reduzierender Zucker mit den Aminosäuren der Haut bzw. den freien Amino- u. Imino-Gruppen des Keratins über eine Reihe von Zwischenstufen im Sinne einer *Maillard-Reaktion zu braungefärbten Stoffen, sog. Melanoiden; es findet daher Verw. in Präp., welche die Haut ohne Besonnung bräunen; die mit D. gebräunte Haut ist allerdings nicht gegen Sonnenbrand geschützt. D. dient ferner als Zwischenprodukt zur Herst. von Gerbmitteln, Emulgatoren, Weichmachern, Kunststoffen (Alkydharz-Typ), Fungiziden, Redox-Katalysatoren. – *E* dihydroxyacetone – *F* dihydroxyacétone – *I* diidrossiacetone – *S* dihidroxiacetona

Lit.: Beilstein E IV **1**, 4119f. ▪ Hager (5.) **1**, 207; **7**, 1331 ▪ Merck-Index (12.), Nr. 3225 ▪ Ullmann (4.) **12**, 564; **14**, 211. – [HS 291449; CAS 96-26-4]

Dihydroxyanthrachinone s. die bei Anthrachinon erwähnten Verbindungen.

3,4-Dihydroxybenzaldehyd s. Protocatechualdehyd.

2,2′-Dihydroxybenzil s. Salicil.

Dihydroxybenzoesäuren.

$C_7H_6O_4$, M_R 154,12. Die isomeren D. sind von unterschiedlicher Bedeutung; alle sind farblose, in heißem Wasser mäßig, in Alkoholen u. Ether leicht lösl. Krist., die z. T. reduzierend wirken. *2,3-D.* (Brenz- od. Pyrocatechinsäure), Schmp. 206 °C; – *2,4-D.* (β-Resorcylsäure), Schmp. 226 °C, dient zur Herst. von Farbstoffen, Arzneimitteln u. Kosmetika; – *2,5-D.* (Gentisinsäure, Abk. 2,5-DHBA)[1], Schmp. 205 °C, wird von *Pencillium* spp. produziert u. kommt in Form von Ethern u. Estern in vielen Höheren Pflanzen vor (Enzian). G. wird als Antirheumaticum verwendet; LD_{50} (Ratte oral) 800 mg/kg; – *2,6-D.* (γ-Resorcylsäure), Schmp. ca. 166 °C (Zers.); – *3,4-D.* (Protocatechusäure), Schmp. 199 °C, in Früchten verethert od. verestert enthalten; – *3,5-D.* (α-Resorcylsäure), Schmp. 235–238 °C. – *E* dihydroxybenzoic acids – *F* acides dihydroxybenzoïques – *I* acidi diidrossibenzoici – *S* ácidos dihidroxibenzoicos

Lit.: [1] Med. Chem. **31**, 1039–1043 (1988); Nat. Prod. Rep. **1**, 281–297 (1984); Sax (8.), Nr. GCU000.
allg.: Beilstein E IV **10**, 1414–1501 ▪ Hager (5.) **8**, 340 ▪ Ullmann (4.) **13**, 166; (5.) **A 4**, 133; **A 13**, 501, 523. – [HS 291829; CAS 303-38-8 (2,3-D.); 89-86-1 (2,4-D.); 490-79-9 (2,5-D.); 490-79-9 (2,6-D.); 99-50-3 (3,4-D.); 99-10-5 (3,5-D.)]

Dihydroxybenzole s. Brenzcatechin, Resorcin u. Hydrochinon.

2,4-Dihydroxybenzophenon.

$C_{13}H_{10}O_3$, M_R 214,22, farblose bis gelbliche Krist., Schmp. 146 °C, in Alkohol, Ether u. Aceton löslich. D. eignet sich zur fluorimetr. Bor-Bestimmung u. als UV-Absorber für Kunststoffe etc; zur Synth. von Oxybenzon s. Lit. (Hager). – *E* 2,4-dihydroxybenzophenone – *F* 2,4-dihydroxybenzophénone – *I* 2,4-diidrossibenzoferone – *S* 2,4-dihidroxibenzofenona

Lit.: Beilstein E IV **8**, 2442 ▪ Hager (5.) **8**, 1270 ▪ Kirk-Othmer (3.) **13**, 44; (4.) **6**, 116 ▪ Merck-Index (12.), Nr. 1138. – [HS 291450; CAS 131-56-6]

Dihydroxybernsteinsäure s. Weinsäure.

Dihydroxybiphenyl s. Biphenyl-2,2′-diol.

Dihydroxycholecalciferol s. Calciferole.

Dihydroxycyclobutendion s. Quadratsäure.

Dihydroxycyclopropenon s. Dreiecksäure.

5,7-Dihydroxyflavon s. Chrysin.

Dihydroxynaphthalin (Naphthalindiol) s. Naphthole.

3-(3,4-Dihydroxyphenyl)-alanin s. Dopa.

2-(3,4-Dihydroxyphenyl)-ethylamin s. Dopamin.

2,6-Dihydroxy-4-pyridincarbonsäure s. Citrazinsäure.

3,4-Dihydroxyzimtsäure s. Kaffeesäure.

Diimid s. Diimin.

Diimin (Diazen, Diimid). HN=NH, M_R 30,04. Instabiler Grundkörper der *Azo-Verbindungen, der bei der Oxid. des Hydrazins intermediär auftritt u. von Wiberg et al.[1] durch Thermolyse von Alkalimetalltosylhydraziden im Hochvak. bei sehr tiefen Temp. als leuchtend gelbe, sehr zersetzliche Substanz gewonnen werden konnte. Das in *cis*- u. *trans*-Form auftretende D. zerfällt u. a. durch *Disproportionierung: 2 HN=NH → N≡N + H₂N–NH₂, während das gleichfalls entstehende, um 54 kJ/mol energiereichere konstitutionsisomere *Isodiimin* (Isodiazen, $H_2N=N$) in N_2, H_2 u. NH_3 zerfällt [2]. D. kann als Ligand in Übergangsmetall-Komplexen stabilisiert werden u. ist in dieser Form an der Red. des mol. Stickstoffs bei der *Stickstoff-Fixierung beteiligt. – *E* = *F* diimine – *I* diimmina – *S* diimina

Lit.: [1] Angew. Chem. **84**, 889f. (1972). [2] Angew. Chem. **88**, 386f. (1976); **89**, 828f. (1977).
allg.: Hollemann-Wiberg, S. 671–675 ▪ Ullmann (4.) **20**, 142; (5.) **13**, 179.

5,7-Diiod-8-chinolinol s. 8-Chinolinol.

3,5-Diiod-4-hydroxybenzolsulfonsäure s. Soziodolsäure.

Diiodmethan s. Methyleniodid.

3,5-Diiodthyronin {3-[4-(4-Hydroxyphenoxy)-3,5-diiodphenyl]-alanin}.

3,5-Diiod-L-thyronin

$C_{15}H_{13}I_2NO_4$, M_R 525,08. 3,5-Diiod-DL-thyronin bildet farblose Krist., Schmp. 256–257 °C (Zers.). Die L-Form ist ein Schilddrüsenhormon (*Thyroid-Hormon) mit L-*Thyroxin-ähnlicher Wirkung. – *E* = *F* 3,5-diiodothyronine – *I* 3,5-diiodotironina – *S* 3,5-diyodotironina
Lit.: Beilstein E IV **14**, 2372. – *[HS 2922 50; CAS 534-51-0]*

3,5-Diiodtyrosin [3-(4-Hydroxy-3,5-diiodphenyl)-alanin, Iodgorgosäure].

3,5-Diiod-L-tyrosin

$C_9H_9I_2NO_3$, M_R 432,98. 3,5-Diiod-DL-tyrosin bildet farblose Krist., Schmp. ca. 200 °C (Zers.), schwerlösl. in Wasser. 3,5-Diiod-L-tyrosin Schmp. 213 °C (Zers.), im Skelett von Schwämmen, Korallen u. dgl. nachweisbar, senkt bei Schilddrüsen-Überfunktion den gesteigerten *Grundumsatz, die Herztätigkeit wird geregelt u. das Körpergew. steigt. Es entsteht aus 3-Iod-L-tyrosin u. ist Vorstufe bei der Biosynth. der *Thyroid-Hormone L-*Thyroxin u. *3,3′,5-Triiod-L-thyronin in der Schilddrüse. – *E* = *F* 3,5-diiodotyrosine – *I* 3,5-diiodotirosina – *S* 3,5-diyodotirosina
Lit.: Beilstein E IV **14**, 2370. – *[HS 2922 50; CAS 66-02-4]*

Diisobutylaluminiumhydrid s. Aluminium-organische Verbindungen.

Diisobutylen s. 2,4,4-Trimethyl-1-penten.

Diisobutylketon s. 2,6-Dimethyl-4-heptanon.

Diisobutylphthalat s. Phthalsäureester.

Diisocyanate. Gruppenbez. für Ester der Isocyansäure (vgl. Cyansäure) mit der allg. Struktur O=C=N–☐–N=C=O, wobei –☐– aliphat., alicycl. od. aromat. Reste bedeutet. Das techn. wichtigste D. war bisher das *Toluoldiisocyanat (TDI). In den letzten Jahren hat jedoch das *4,4′-Methylendi(phenylisocyanat) (MDI) größere Bedeutung erlangt. Ein weiteres techn. wichtiges D. ist das Hexamethylen-1,6-diisocyanat (HDI früher HMDI). Die D. werden nach verschiedenen Verf. hergestellt, z. B. durch Umsetzen entsprechender Amine mit *Phosgen, von *Cyanaten mit entsprechenden Chloriden bzw. Sulfaten (Wurtz) u. durch Abbau von Säureaziden (Curtius).
Organ. Isocyanate sind eine seit langem bekannte Substanzklasse, die aber erst ein techn. Interesse gefunden hat, weil die Umsetzung von Di- u. Polyisocyanaten mit Di- u. Polyolen zu vielseitig einsetzbaren *Polyurethanen führt. Die bevorzugte Verw. der Polyurethane in der Auto-Ind., im Bauwesen u. in der Kühltechnik hat zu einem beträchtlichen Anstieg der Produktionskapazitäten für D. geführt. – *E* = *F* diisocyanates – *I* diisocianati – *S* diisocianatos
Lit.: Kirk-Othmer (3.) **13**, 267; (4.) **14**, 902 ff. ▪ Ullmann (4.) **11**, 314; **13**, 347 f.; **19**, 303; (5.) **A 14**, 611 ff. ▪ Weissermel-Arpe (4.), S. 408–413 ▪ s. a. Isocyanate u. Polyurethane. – *[HS 2838 00]*

Diisodecyladipat (Adipinsäurediisodecylester, DIDA).

$C_{26}H_{50}O_4$, M_R 426,68, klare, ölige Flüssigkeit, D. 0,916, Sdp. 268–282 °C (27 hPa), in den gebräuchlichen organ. Lsm. lösl., in Wasser unlöslich. Weichmacher für Vinylprodukte. – *E* diisodecyl adipate – *F* adipate de diisodécyle – *I* diisocianati – *S* adipato de diisodecilo
Lit.: Ullmann (4.) **24**, 360; (5.) **A 1**, 293; **A 20**, 440; **A 21**, 734 ▪ s. a. Weichmacher. – *[HS 2917 12; CAS 27178-16-1]*

Diisodecylphthalat, Diisononylphthalat, Diisooctylphthalat s. Phthalsäureester.

Diisopropanolamin s. 1,1′-Iminodi-2-propanol.

Diisopropylamin s. Dipropylamin.

Diisopropylamin-dichloracetat.

Synonym für Diisopropylammonium-dichloracetat, $C_8H_{17}Cl_2NO_2$, M_R 230,13, Schmp. 119–121 °C, LD_{50} (Maus oral) 1700 mg/kg. Es wurde 1961 von Italseber patentiert u. ist als *Vasodilatator in mehreren Einzel- u. Kombinationspräp. im Handel. Die Substanz ist manchmal Bestandteil umstrittener Produkte, die als *Pangamsäure* od. „Vitamin B$_{15}$" (s. Vitamine) bezeichnet u. gegen Herz- u. Altersbeschwerden u. Erschöpfungszustände angeboten werden. – *E* diisopropylamine dichloroacetate – *F* dichloracétate de diisopropylamine – *I* diisopropilamina dicloroacetato – *S* dicloroacetato de diisopropilamina
Lit.: Arzneim.-Forsch. **13**, 109 ff. (1963) ▪ Merck-Index (12.), Nr. 3241. – *[CAS 660-27-5]*

Diisopropylbenzol.

$C_{12}H_{18}$, M_R 162,27. Techn. liegt meist ein Gemisch von 1,3-D. (D. 0,856, Schmp. –63 °C, Sdp. 203 °C) u. 1,4-D. (D. 0,857, Schmp. –17 °C, Sdp. 210 °C) vor, das in Wasser unlösl., mit organ. Lsm. mischbar ist, leicht hautreizend u. in höheren Konz. narkot. wirkt. Verw. als Zwischenprodukt u. a. bei der Herst. des Hydroperoxids (vgl. folgendes Stichwort), zur Synth. von Resorcin u. Hydrochinon u. in zahlreichen anderen organ. Synthesen. – *E* diisopropylbenzene – *F* diisopropylbenzène – *I* diisopropilbenzene – *S* diisopropilbenceno
Lit.: Beilstein E IV **5**, 1125 f. ▪ Hommel, Nr. 211 ▪ Ullmann (5.) **A 13**, 258. – *[HS 2902 90; CAS 99-62-7 (1,3-D.); 100-18-5 (1,4-D.)]*

Diisopropylbenzolhydroperoxid [1-(Isopropylphenyl)-1-methylethylhydroperoxid].

$C_{12}H_{18}O_2$, M_R 194,27, farblose Flüssigkeit, D. 0,92–0,94, bei 20 °C relativ beständig, bei Temp. über 80 °C beginnt Zersetzung. Die Dämpfe reizen sehr stark Augen, Haut sowie Atemwege u. Lunge bis hin zu Kehlkopf- u. Lungenödem. Kontakt mit der Flüssigkeit ruft sehr starke Reizung sowie Zerstörung der Gewebe der Augen u. der Haut hervor.

Verw.: Als Katalysator für die Polymerisation u. Härtung von Vinyl-Verb., zur Redox-Polymerisation von Styrol-Butadien u. anderen Vinyl-Verb., zur Herst. von Spezillatices u. die Dihydroperoxide – analog zur Phenol-Herst. durch *Hocksche Spaltung – zur Herst. von Hydrochinon bzw. Resorcin u. Aceton. – *E* diisopropylbenzene hydroperoxide – *F* hydroperoxyde de diisopropylbenzène – *I* idroperossido di diisopropilbenzene – *S* hidroperóxido de diisopropilbenceno

Lit.: Beilstein E IV **6**, 3439 ■ Hommel, Nr. 640 ■ Ullmann (5.) **A 19**, 227. – *[HS 290960; CAS 26762-93-6; G 5.2]*

Diisopropylether s. Dipropylether.

Diisopropylfluorophosphat (DFP, Fluostigmin, Isofluorphat).

$$F-\underset{OC_3H_7}{\overset{O}{\underset{\|}{P}}}-OC_3H_7$$

$C_6H_{14}FO_3P$, M_R 184,15. Hochgiftige, farblose Flüssigkeit, D. 1,055, Schmp. −82 °C, Sdp. 62 °C (1,2 kPa), mit Wasser unter HF-Bildung zersetzlich, in pflanzlichen Ölen löslich. Das über Haut u. Atemwege resorbierte D. wirkt als *Cholinesterase-Hemmer (Kampfstoff) u. wurde als parasympathikomimet. wirkendes *Miotikum in der Glaukomtherapie genutzt; LD_{50} (Maus s.c.) 3,71, (Maus oral) 36,8 mg/kg. – *E* diisopropyl fluorophosphate – *F* fluorophosphate de diisopropyle – *I* diisopropilfluorofosfato – *S* fluorofosfato de diisopropilo

Lit.: Beilstein E IV **1**, 1480 ■ Ehrhart-Ruschig, S. 30, 35. – *[HS 292090; CAS 55-91-4]*

Diisopropylketon s. 2,4-Dimethyl-3-pentanon.

Diisotaktische Polymere s. isotaktische Polymere u. Taktizität.

DIK. Abk. für *Deutsches Institut für Kautschuktechnologie e.V.

Dikaliumclorazepat.

Internat. Freiname für das als *Sedativum u. *Tranquilizer wirkende Dikaliumsalz-Hydrat der 7-Chlor-2,3-dihydro-2-oxo-5-phenyl-1*H*-1,4-benzodiazepin-3-carbonsäure, $C_{16}H_{11}ClK_2N_2O_4$, M_R 408,92, freie Säure $C_{16}H_{11}ClN_2O_3$, M_R 314,73; weißes Pulver, Schmp. 209–211 °C; λ_{max} (CH_3OH) 225, 316 nm ($A^{1\%}_{1cm}$=834, 53), (0,1 N HCl) 237, 283, 360 nm ($A^{1\%}_{1cm}$=747, 335, 107); pK_{a1} 3,5, pK_{a2} 12,5; LD_{50} (Maus oral) 700, (Maus i.p.) 290 mg/kg. Clorazepat wurde 1965, 1970 u. 1975 von Clin-Byla patentiert, ist in der Anlage IIIC der *BMVVO gelistet u. von Sanofi Winthrop (Tranxilium®) im Handel. – *E* dipotassium clorazepate – *F* clorazépate dipotassique – *I* clorazepato dipotassico – *S* clorazepato dipotásico

Lit.: ASP ■ Beilstein E V **25/8**, 122 f. ■ DAB 1996 u. Komm. ■ Florey **4**, 91–112 ■ Hager (5.) **7**, 1038 ff. – *[HS 293390; CAS 20432-69-3; 57109-90-7 (Dikaliumsalz)]*

Dikaliumphosphat s. Kaliumphosphate.

Dikegulac-Natrium. Common name für Natrium-2,3:4,6-di-*O*-isopropyliden-α-L-*xylo*-2-hexulofuranosat.

$C_{12}H_{17}NaO_7$, M_R 296,25, Schmp. >300 °C, LD_{50} (Ratte oral) >31 000 mg/kg (WHO), Pflanzen-*Wachstumsregulator zur Förderung von Seitenaustrieben u. Blütenbildung bei Azaleen u. Fuchsien u. zur Hemmung des Längenwachstums bei Zierpflanzen, Ziergehölzen u. Hecken. – *E* = *F* dikegulac-sodium – *I* = *S* dikegulacsodio

Lit.: Farm ■ Pesticide Manual. – *[HS 293299; CAS 52508-35-7]*

Diketen (4-Methylen-2-oxetanon).

$C_4H_4O_2$, M_R 84,07, farblose Flüssigkeit, D. 1,09, Schmp. −7 °C, Sdp. 127 °C, FP. 33 °C c.c.; Dämpfe u. Flüssigkeit reizen sehr stark (bis hin zu Verätzung) Augen, Atmungsorgane u. Haut. Die Flüssigkeit kann auch über die Haut aufgenommen werden. Das durch spontane Cyclodimerisation von *Keten gebildete D. ist als β-*Lacton sehr reaktionsfähig; mit Alkoholen u. Aminen entstehen Derivate der Acetessigsäure, durch basenkatalysierte Dimerisation *Dehydracetsäure u. durch Hydrierung β-Butyrolacton. Die Pyrolyse liefert Keten zurück; allerdings kann D. ggf. explosionsartig – z. B. bei Katalyse durch alkal. Gläser – polymerisieren. Die Reaktion mit Aceton liefert das Diketon-Aceton-Addukt 2,2,6-Trimethyl-4*H*-1,3-dioxin-4-one, welches oft als D.-Ersatz verwendet wird, da es leichter zu handhaben u. sicherer zu transportieren ist. D. ist ein wichtiges Ausgangsprodukt für die Herst. von Acetessigsäure-Derivaten, die wichtige Zwischenprodukte für Pharmazeutika, Farbstoffe u. Insektizide sind. D.-Derivate sind wichtige Leimungsmittel für Papiere. – *E* diketene – *F* dicétène – *I* dichetene – *S* dicetena

Lit.: Beilstein E V **17/9**, 115 ■ Hommel, Nr. 350 ■ Kirk-Othmer (4.) **14**, 963 ff. ■ Paquette **3**, 1938 ■ Synthesis **1973**, 536 f. ■ Synthetica **2**, 152–158 ■ Ullmann (4.) **14**, 183 f.; (5.) **A 15**, 67 ff. ■ Weissermel-Arpe (4.), S. 197–200 ■ s.a. Ketene. – *[HS 293229; CAS 674-82-8; G 3]*

Diketone. Gruppenbez. für organ. Verb., die zwei Keto-Gruppen im Mol. enthalten. Je nach der Stellung dieser beiden Carbonyl-Gruppen zueinander unterscheidet man 1,2-D., 1,3-D. usw. Das einfachste 1,2-D. ist das *2,3-Butandion (Biacetyl); die *Dioxime* dieses u. anderer 1,2-D. (z.B. *Benzildioxime) sind gute Chelat-Bildner. Die aliphat. 1,2-D. sind im allg. gelb, während aromat. u. cycl. oft farblos sind. Das einfachste 1,3-D. ist *Acetylaceton (2,4-Pentandion), das als tautomeres *Keto-Enol* mit verschiedenen Leicht- u.

Schwermetallen *Metallacetylacetonate bildet, die Quasiaromatizität besitzen.

R¹–C–C–R²   R¹–C–C–C–R²   R¹–C–C–C–C–R²
   ‖ ‖   ‖   ‖   ‖   ‖
   O O   O   O   O   O
   1,2-   1,3-   1,4-Diketon

H₃C–C–C–CH₃   H₅C₆–C–C–C₆H₅   H₃C–C–CH₂–C–CH₃
   ‖ ‖   ‖ ‖   ‖   ‖
   O O   O O   O   O
2,3-Butandion   Diphenylethandion   2,4-Pentandion
(Biacetyl)   (Benzil)   (Acetylaceton)

Zur Herst. der D. gibt es zahlreiche Meth., z. B. die *Acyloin- u. *Benzoin-Kondensation (für 1,2-D.), Oxid. von Glykolen, die *Claisen-Kondensation (für 1,3-D.), die *Stetter-Reaktion (für 1,4-D.) etc. Die Namen der D. werden aus den Bez. der Stammkohlenwasserstoffe durch Anhängen des Suffixes ...*dion* bzw. durch Voranstellen des Präfixes *Dioxo... gebildet, u. die Stellung der Carbonyl-Gruppen wird durch vorangestellte Ziffern bezeichnet. – *E* diketones – *F* dicétones – *I* dichetoni – *S* dicetonas
Lit.: s. Ketone.

2,5-Diketopiperazine s. 2,5-Piperazindion.

Dikotyle(done)n. Von griech.: kotyledon = Hülse, Fassung abgeleitete Bez. für zweikeimblättrige *Pflanzen. – *E* dicot(yledon)s – *F* dicotylédones – *I* dicotiledoni – *S* dicotiledóneas

Dilactid s. Lactid.

Dilasoft®. Weichfüllmittel für Textilien auf der Basis eines mit Polyolefinen modifizierten Fettsäurekondensationsprodukts (kationaktiv), bzw. eines Carbonsäureestersulfonats (anionaktiv) von Sandoz.

Dilatanz (von latein. dilatare = ausbreiten, aufschieben). Bez. für isotrope Volumenänderung unter Schubspannung (bei Flüssigkeiten auch Zunahme der *Viskosität). Je nachdem ob Volumenvergrößerung od. -verkleinerung auftritt, spricht man von *positiver* bzw. *negativer* Dilatanz. Pos. D. tritt z. B. bei kugelförmigen Teilchen auf, die im Ruhezustand ihre höchste Packungsdichte einnehmen. Durch äußere Krafteinwirkung geht das Syst. in eine weniger dichte Packung über, was zu einer Volumenvergrößerung führt. Tritt man z. B. auf nassen Sand, werden durch Änderung der Packungsdichte Hohlräume geschaffen, in die die Flüssigkeit gesaugt wird. In der Nähe des Fußes erscheint der Sand trockener. Ein Beisp. für neg. D. ist Lehm, dessen einzelne Partikel kleine Scheiben sind u. somit eine relativ lockere Packung bilden. Durch äußeren Druck wird die Packungsdichte erhöht u. dabei das Vol. verringert. D. zeigen auch Stärke in Wasser u. der Bodensatz von Ölfarben. Die D. wird oft mit *Rheopexie gleichgesetzt (s. jedoch dort) u. der *Thixotropie gegenübergestellt; strenggenommen ist sie aber der Gegensatz zur *Strukturviskosität. – *E* dilata(ta)ncy – *F* dilatance – *I* dilatanza – *S* dilatancia
Lit.: Rikitake, Earthquake Prediction, Encycl. of Physical Science and Technology, Bd. 5, S. 379–392, San Diego: Academic Press 1992 ▪ s. a. Newtonsche Flüssigkeiten u. Rheologie.

Dilatation. Bez. für die mit Temperaturerhöhung verbundene Volumenvergrößerung, deren Umkehrung die *Kontraktion bzw. *Kompression* darstellt. Sie wird mit dem *Dilatometer* gemessen. *Dilatometrie* als Verf. der *Thermoanalyse wird z. B. zur Messung der therm. Ausdehnung von Werkstoffen, Glasgeräten, Baustoffen etc. eingesetzt. In der Medizin spricht man von D. in bezug auf Blutgefäße, um diese nach Verengung od. Verstopfung durch *Plaque-Material wieder für den Blutfluß zu weiten; vgl. Vasodila(ta)toren. – *E* = *F* dilatation – *I* dilatazione – *S* dilatación
Lit.: Kohlrausch, Praktische Physik, Bd. 1, Stuttgart: Teubner 1996 ▪ s. a. Thermoanalyse.

Dilatin®. Marke für anionaktive u. nichtionogene Färbebeschleuniger (Carrier) für Polyesterfasern von Sandoz.

Dilatometrie s. Dilatation.

Dilatrend®. Tabl. mit dem β-Rezeptoren-Blocker *Carvedilol zur Behandlung der essentiellen Hypertonie. *B.*: Boehringer Mannheim.

Dilaudid®. Suppositorien u. Ampullen mit *Hydromorphon-Hydrochlorid, D. Atropin zusätzlich mit *Atropin, gegen schwere Schmerzzustände, unterliegt der BMVVO. *B.*: Knoll.

Dilazep.

Internat. Freiname für 1,4-Bis[3-(3,4,5-trimethoxybenzoyloxy)propyl]-1,4-diazepam, $C_{31}H_{44}N_2O_{10}$, M_R 604,70; Schmp. 55–57 °C; λ_{max} (CH_3OH) 263 nm ($A^{1\%}_{1cm}$=712); verwendet wird das Dihydrochlorid, Schmp. 195–198 °C, λ_{max} (CH_3OH) 266 nm ($A^{1\%}_{1cm}$=297), (0,1 N HCl) 265 nm ($A^{1\%}_{1cm}$=296); pK_{a1} 5,19, pK_{a2} 8,88; LD_{50} (Maus i.v.) 26,6, (Maus i.p.) 161, (Maus oral) >3000 mg/kg. D. wurde 1968 u. 1970 als Coronardilatator von Asta-Werke patentiert. – *E* = *F* = *I* = *S* dilazep
Lit.: Beilstein E V **23/3**, 254 ▪ Hager (5.) **7**, 1337–1340. – [HS 2933 90; CAS 35898-87-4 (D.); 20153-98-4 (Dihydrochlorid-Monohydrat)]

Diligan®. Tabl. gegen Schwindelzustände mit *Hydroxyzin- u. *Meclozin-Dihydrochlorid. *B.*: UCB.

Dill. Zu den Doldenblütlern gehörende, aus Südwestasien stammende, seit altersher kultivierte Pflanze *Anethum graveolens* (Apiaceae) mit characterist. Aroma, deren Samen ein ether. Öl, das *Dillöl liefern. Die frischen gefiederten D.-Blätter sind ein beliebtes Küchengewürz u. das Kraut mit den noch unreifen Samen dient v. a. als Gewürz für Gurken- u. a. Sauerkonserven u. in der Likörherstellung. – *E* dill – *F* aneth, fenouil bâtard – *I* aneto – *S* eneldo, aneldo, aneto
Lit.: s. Dillöl.

Dillether. Den Aromacharakter des *Dillöls bestimmen im wesentlichen (+)-α-*Phellandren (10–20%) u. (+)-D. ($C_{10}H_{16}O$, M_R 152,24).

(+)-Dillether

– *E* dillether

Lit.: Food Chem. **43**, 337 (1992) ▪ Perfum. Flavor. **19**, 90 (1994). – *[CAS 74410-10-9]*

Dillöl (Oleum Anethi). Farbloses bis gelbliches, kümmelartig riechendes ether. Öl, das durch Wasserdampfdest. der zerquetschten Früchte des *Dills in Europa, Indien, Südafrika usw. in einer Ausbeute von 2,5–4% gewonnen wird; D. 0,895–0,925, lösl. in 80%igem Alkohol, enthält 40–60% (+)-*Carvon, ferner Dihydrocarvon, *Limonen, *Phellandren, *Dillether usw. Das in den USA aus Dillkraut dest. D. enthält vorwiegend α-*Phellandren. D. dient als Carminativum u. *Diuretikum, zu Einreibungen u. als Likörgewürz. – *E* dill oil – *F* essence d'aneth – *I* olio di aneto – *S* esencia de eneldo

Lit.: Bundesanzeiger 193 a/15. 10. 87 u. 50/13. 03. 90 ▪ Hager (4.) **3**, 85–88. ▪ Melchior u. Kastner, Gewürze, S. 100 ff., 229 f., Berlin: Parey 1974 ▪ Nachr. Chem. Tech. Lab. **26**, 206–209 (1978). – *[HS 3301 30]*

Diloxanid.

Internat. Freiname für das *Amöbizid 2,2-Dichlor-4'-hydroxy-N-methylacetanilid, $C_9H_9Cl_2NO_2$, M_R 234,08; Schmp. 175 °C, λ_{max} (C_2H_5OH) 278 nm ($A_{1cm}^{1\%}=104$). Verwendet wird der Furoat-Ester, Schmp. 114–116 °C, λ_{max} (C_2H_5OH) 258 nm ($A_{1cm}^{1\%}=700$). D. wurde 1959 von Boots Pure Drug patentiert. – *E* = *F* = *I* diloxanide – *S* diloxanida

Lit.: Arzneimittelchemie III, 164f. ▪ Hager (5.) **7**, 1341 ff. – *[HS 2924 29; CAS 579-38-4 (D.); 3736-81-0 (Furoat-Ester)]*

Diltahexal®. Tabl. u. Retardkapseln mit dem *Calciumantagonisten *Diltiazem-Hydrochlorid zur Behandlung von Angina pectoris u. Hypertonie. *B.:* Hexal.

Diltiazem.

Internat. Freiname für cis-(+)-(2S)-5-(2-Dimethylaminoethyl)-2,3,4,5-tetrahydro-2-(4-methoxyphenyl)-4-oxo-1,5-benzothiazepin-3-ylacetat, $C_{22}H_{26}N_2O_4S$, M_R 414,52, verwendet wird das Hydrochlorid, weißes Pulver od. kleine Krist., Schmp. 207,5–212 °C (Zers.); $[\alpha]_D^{25}$ +110 bis +116° (c 1/H_2O); λ_{max} (CH_3OH) 239 nm ($A_{1cm}^{1\%}=537$); (0,1 N HCl) 236 nm ($A_{1cm}^{1\%}=522$); LD_{50} (Maus i.v.) 60, (Maus i.p.) 270, (Maus oral) 690 mg/kg. D. wurde als Calcium-Antagonist u. *Vasodilatator 1969, 1971 u. 1984 von Tanabe Seiyaku, 1984 u. 1985 von Shionogi patentiert u. ist generikafähig. – *E* = *F* = *I* = *S* diltiazem

Lit.: Beilstein E V **27/14**, 373 ▪ DAB **1996** u. Komm. ▪ Florey **23**, 53–99 ▪ Hager (5.) **7**, 1342 ff. ▪ Ullmann (5.) **A 2**, 449; **A 5**, 252, 526. – *[HS 2934 90; CAS 42399-41-7 (D.); 33286-22-5 (Hydrochlorid)]*

Diltiuc®. Retardkapseln mit dem *Calciumantagonisten *Diltiazem-Hydrochlorid zur Behandlung von Angina pectoris u. Hypertonie. *B.:* durachemie.

Dilzem®. Tabl., Retardkapseln u. Trockensubstanz zur Injektion mit *Diltiazem-Hydrochlorid gegen Angina pectoris u. Hypertonie, Koronarinsuffizienz. *B.:* Gödecke.

Dimaval®. Kapseln mit 2,3-Dimercapto-1-propansulfonsäure-Natriumsalz als Antidot bei Quecksilber-Vergiftungen. *B.:* Heyl.

Dimazol.

Vorgeschlagener internat. Freiname für das antimykot. wirkende 6-(2-Diethylaminoethoxy)-2-dimethylaminobenzothiazol (Diamthazol), $C_{15}H_{23}N_3OS$, M_R 293,43, Schmp. 240–243 °C; Zers. bei 269 °C. – *E* dimazole – *F* = *S* dimazol – *I* dimazolo – *[HS 2934 20; CAS 95-27-2]*

DIMDI. Abk. für *D*eutsches *I*nstitut für *M*edizinische *D*okumentation u. *I*nformation, 50939 Köln, Weißhausstr. 27, das im Auftrag des Bundesministeriums für Gesundheit, Lit. u. sonstige Informationen auf dem Gesamtgebiet der Medizin u. ihrer Randgebiete unter Einsatz der elektron. Datenverarbeitung erfaßt, auswertet, speichert u. der Öffentlichkeit bekanntmacht. DIMDI bietet 108 Datenbanken (1996) mit ca. 64 Mio. Dokumenteneinheiten an. Inzwischen ist DIMDI in wichtige Gesetze wie das Gesundheitsstruktur-, Medizinprodukte-, Krebsregister- u. Arzneimittelgesetz einbezogen u. das Spektrum der Aufgaben wesentlich erweitert worden. – INTERNET-Adresse: http://www.dimdi.de/

Dimedon (Methon, 5,5-Dimethyl-1,3-cyclohexandion).

$C_8H_{12}O_2$, M_R 140,18, farblose Krist., Schmp. 148–150 °C (Zers.), in Wasser mit saurer Reaktion wenig, in Alkohol u. Chloroform leicht lösl., wird zur Trennung u. Identifizierung von Aldehyden, hauptsächlich Formaldehyd, verwendet. – *E* = *I* dimedone – *F* dimédone – *S* dimedona

Lit.: Beilstein E IV **7**, 1999 ▪ Merck-Index (12.), Nr. 3291 ▪ Townshend, Encyclopedia of Analytical Science, S. 1693, London: Academic Press 1995. – *[HS 2914 29; CAS 126-81-8]*

Dimefuron.

Common name für 3-[4-(5-tert-Butyl-2,3-dihydro-2-oxo-1,3,4-oxadiazol-3-yl)-3-chlorphenyl]-1,1-dimethylharnstoff, $C_{15}H_{19}ClN_4O_3$, M_R 338,79, Schmp. 193 °C, LD_{50} (Ratte oral) >2000 mg/kg (WHO), von Rhône-Poulenc entwickeltes selektives *Herbizid gegen Unkräuter im Raps-, Luzerne- u. Weizenanbau, normalerweise in Kombination mit *Carbetamid. – *E* = *F* dimefuron – *I* dimefurone – *S* dimefurón

Lit.: Farm ▪ Perkow ▪ Pesticide Manual. – *[CAS 34205-21-5]*

Dimenhydrinat.

$$[(H_5C_6)_2CH-O-(CH_2)_2-\overset{+}{N}H(CH_3)_2]$$

[Structure: 8-chlortheophyllin anion with H_3C, N, Cl, O, CH_3 groups]

Internat. Freiname für das 8-Chlortheophyllin-Salz des *Diphenhydramins, $C_{24}H_{28}ClN_5O_3$, M_R 469,97, weißes Pulver, Schmp. 102–106 °C; λ_{max} (CH_3OH) 27 nm ($A_{1cm}^{1\%} = 265$), (0,1 N HCl) 277 nm ($A_{1cm}^{1\%} = 261$). D. wurde als *Antiemetikum u. gegen Reisekrankheiten eingesetztes *Antihistaminikum 1950 von Searle patentiert u. ist generikafähig. – $E = F$ dimenhydrinate – I dimenidrinato – S dimenhidrinato

Lit.: Beilstein E V **26/13**, 545 ▪ DAB **1996** u. Komm. ▪ Hager (5.) **7**, 1346 f. – *[HS 2939 50; CAS 523-87-5]*

Dimensionsstabilität. Allg. Bez. für das Maß der Fähigkeit eines Werkstücks, auch bei Beanspruchung seine geometr. Form zu wahren. Bei mechan. Beanspruchung ist die D. zu berechnen über die „Steifigkeit" aufgrund elementarer Beziehungen der Festigkeitslehre, wobei als wichtigste Größen das Widerstandsmoment des Werkstücks u. der Elastizitätsmodul des Werkstoffs eingehen. Bei *Wärmebehandlungen ist D. eine Funktion des Werkstoffs, der Temp. u. der (inneren) Spannungen. Insbes. aufgrund einer Entlastung der letzteren kann es zu Verzug u. damit zu Dimensionsveränderungen kommen. – E dimensional stability – F stabilité dimensionnelle – I stabilità dimensionale – S estabilidad dimensional

Dimepranol-acedoben.

[Structure of dimepranol-acedoben]

Internat. Freiname für das 4-Acetamidobenzoat von 1-(Dimethylamino)-2-propanol, $C_{14}H_{22}N_2O_4$, M_R 282,34. Die Substanz wird als 3:1-Gemisch mit *Inosin als Immunstimulans angewandt (Synonym *Inosin-Pranobex*); $C_{52}H_{78}N_{10}O_{17}$, M_R 1115,25, LD$_{50}$ (Maus oral u. i.p.) >4000 mg/kg. Sie wurde 1971/72 von Newport Pharm. patentiert u. ist von Fisons (Isoprinosine®) u. Synthelabo (delimmun®) zur Abwehrstärkung bes. bei Virusinfektionen im Handel. – E dimepranol acedoben – F 4-acétamidobenzoate de dimépranol

Lit.: Merck-Index (12.), Nr. 5006. – *[CAS 61990-51-0; 36703-88-5 (Gemisch mit Inosin)]*

Dimercaprol.

$$HS-CH_2-\underset{SH}{\overset{}{CH}}-CH_2-OH$$

Internat. Freiname für 2,3-Dimercapto-1-propanol, $C_3H_8OS_2$, M_R 124,22. Farblose, ölige, unangenehm riechende Flüssigkeit, D. 1,246, Sdp. 120 °C (2,6 kPa), in Alkohol, Ether u. Ölen löslich, mit Wasser Zers.; im Handel meist in Erdnußöl mit Benzylbenzoat als Stabilisator. Das ursprünglich zur Entgiftung des Kampfstoffs Dichlor-(2-chlorvinyl)-arsin (*Lewisit, daher der Name *British Anti-Lewisite* = BAL) synthetisierte D. wirkt als Thiol-Gruppenlieferant als Konkurrenz zu den SH-Gruppen der lebenswichtigen *Enzyme u. durch seine chelatisierenden Eigenschaften bei As-, Hg-, Au-, Sb-, Co-Vergiftungen entgiftend. D. wird auch in der *Komplexometrie eingesetzt. – $E = F = S$ dimercaprol – I dimercaprolo

Lit.: Beilstein E IV **1**, 2770 ▪ DAB **1996** u. Komm. – *[HS 2930 90; CAS 59-52-9]*

1,4-Dimercapto-2,3-butandiole.

[Three structures: 1,4-Dithioerythrit; 1,4-Dithio-D-threit; 1,4-Dithio-L-threit]

$C_4H_{10}O_2S_2$, M_R 154,24. Farblose Krist., Schmp. 82–83 °C (*erythro*-Form, 1,4-Dithioerythrit), Schmp. 42–43 °C (DL-*threo*-Form, 1,4-Dithio-DL-threit, Clelands Reagenz). Die D. reduzieren Disulfid-Verb. zu Thiol-Verb. u. werden daher zur Mucolyse (Schleimlösung) u. in der Proteinchemie zum Schutz oxidationsempfindlicher Proteine verwandt. – $E = F$ 1,4-dimercapto-2,3-butanediols – I 1,4-dimercapto-2,3-butandioli – S 1,4-dimercapto-2,3-butanodioles –

[CAS 6892-68-8 (1,4-Dithioerythrit); 27565-41-9 (1,4-Dithio-D,L-threit)]

2,3-Dimercapto-1-propanol s. Dimercaprol.

2,5-Dimercapto-1,3,4-thiadiazol (Bismuthiol I).

[Structure: HS-thiadiazole-SH]

$C_2H_2N_2S_3$, M_R 150,23. Gelbes Pulver, Schmp. 168 °C (Zers.), in Alkalien löslich. Wird zum Nachw. von Bismut, Kupfer, Blei, Antimon, Palladium verwendet. – E 2,5-dimercapto-1,3,4-thiadiazole – F 2,5-dimercapto-1,3,4-tiadiazole – I 2,5-dimercapto-1,3,4-tiadiazolo – S 2,5-dimercapto-1,3,4-tiadiazol

Lit.: Beilstein E III/IV **27**, 7725 ▪ Fries-Getrost, S. 389. – *[HS 2934 90; CAS 6892-68-8]*

Dimere s. Dimerisation u. Dimersäuren.

Dimerisation (von *Di... u. *Mer). Im allg. versteht man unter D. die Vereinigung von zwei ident. Mol. zu einer neuen Molekel (dem *Dimeren*) durch *Additions-Reaktion; *Beisp.:* Bildung von *Aldol aus Acetaldehyd, von Olefinen aus Carbenen, von linearen Dimeren aus Olefinen, von *Cyclodimeren* aus Butadien (*Cyclodimerisation), von *Dicyclopentadien etc.

[Reaction schemes: aldol formation; carbene to olefin; cyclopentadiene dimerization]

Auch die *Assoziation (z. B. von Säuren) u. die Bildung von *Excimeren werden gelegentlich als D. bezeichnet, obwohl hierbei nur Nebenvalenzverb. beteiligt sind. Von der obigen allg. Definition der D., mit der die Dimeren die einfachsten Vertreter der *Oligomeren darstellen, leiten sich Bez. wie *Dehydrodimerisierung u. *Dihydrodimerisierung mit einem Minder- bzw. Mehrgehalt der Dimeren an Wasserstoff ab. In übertragenem Sinn wird manchmal auch die D. unter gleichartigen Mol. als Homodimerisation der *Codimerisation* (Addition verschiedener Monomere) gegenübergestellt. – *E* dimerization – *F* dimérisation – *I* dimerizzazione – *S* dimerización

Dimersäuren (Dimerfettsäuren). Durch Tonerde katalysierte Dimerisierung ungesättigter Fettsäuren (z. B. *Tallöl-Fettsäure) gewonnenes Gemisch aus acycl. u. cycl. Dicarbonsäuren mit durchschnittlich 36 C-Atomen. Nebenprodukte der Dimerisierung sind verzweigte C_{18}-Fettsäuren u. Trimerfettsäuren, die destillativ abgetrennt werden.
Verw.: Zur Herst. von Polyamiden (Klebstoffe, Farben, Beschichtungen), Alkydharzen, Polyestern, Korrosionsinhibitoren, Schmierstoffen u.ä. – *E* dimer(ic) acids – *I* acidi dimerici (dimeri) – *S* ácidos deméricos
Lit.: J. Am. Oil. Chem. Soc. **56**, 782 A (1979); **64**, 1144 (1987); **65**, 616 (1988) ▪ Rev. Fr. Corps Gras. **33**, 433, 483 (1986).

Dimersol-Verfahren. Vom IFP (Institut Français du Pétrole) entwickeltes Verf. zur Dimerisation von *Propen u./od. *Buten. – *E* dimersol process – *F* procédé Dimersol – *I* processo dimersol – *S* proceso dimersol
Lit.: Chem. Eng. **84**, Nr. 11, 114 ff. (1977) ▪ Chem. Labor Betr. **32**, 21 (1981) ▪ Ullmann (5.) **A 13**, 247 f.

Dimetacrin.

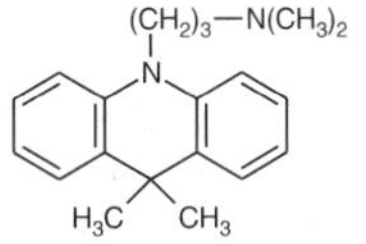

Internat. Freiname für 10-[3-(Dimethylamino)-propyl]-9,9-dimethyl-9,10-dihydro-acridin, $C_{20}H_{26}N_2$, M_R 294,44, Schmp. 200 °C; verwendet wird vorwiegend das Hydrogentartrat, Schmp. 154–158 °C. Das tricycl. *Antidepressivum wurde 1963 von Kefalas, 1966 von Siegfried patentiert. – *E* dimethacrine – *F* dimétacrine – *I* = *S* dimetacrina
Lit.: Beilstein E V **20/8**, 134 ▪ Hager (5.) **7**, 1350 f. – [HS 293390; CAS 4757-55-5]

Di-π-methan-Umlagerung. 1,4-*Diene mit Alkyl- od. Arylsubstituenten an C-3 gehen photochem. die sog. D.-U. ein, wobei Vinylcyclopropane entstehen. Die Reaktion verläuft über diradikal. Zwischenstufen bzw. Übergangszustände. β,γ-ungesätt. Ketone lagern unter den gleichen Bedingungen in Acylcyclopropane um (Oxa-di-π-methan-Umlagerung). *Cyclohexadienone gehen eine vergleichbare Umlagerung ein.

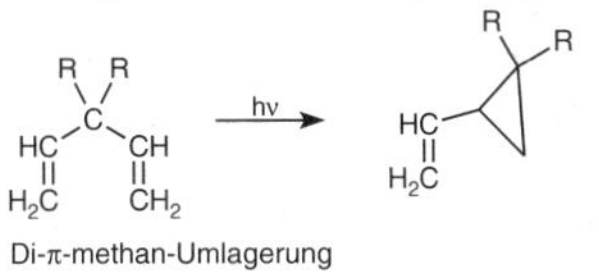

Di-π-methan-Umlagerung

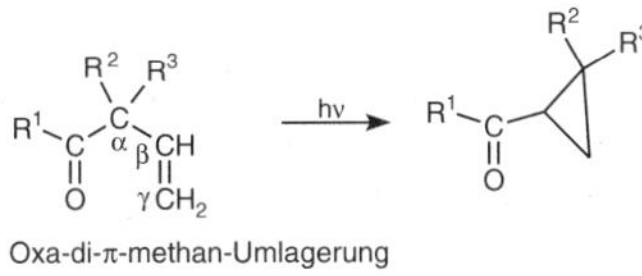

Oxa-di-π-methan-Umlagerung

Die Vinylcyclopropane selbst isomerisieren therm. zu Cyclopentenen (*Vinylcyclopropan-Umlagerung*). Eine interessante D.-U. stellt die Umwandlung von *Barrelen in *Semibullvalen dar.

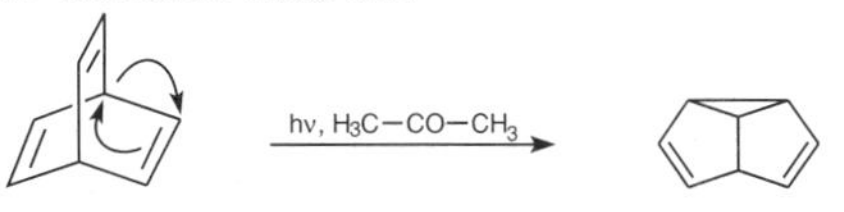

Barrelen   Semibullvalen

– *E* di-π-methane rearrangement – *F* réarrangement di-π-méthane – *I* trasposizione di-π-metanica – *S* reagrupamiento di-π-metano
Lit.: Angew. Chem. **81**, 45–55 (1969) ▪ Chem. Rev. **73**, 531–551 (1973) ▪ Houben-Weyl **4/5 a**, 413–432 ▪ Laue-Plagens, S. 101 f. ▪ March (4.), S. 1150 ff. ▪ Org. Photochem. **11**, 1–36 (1991) ▪ s. a. Umlagerungen.

Dimethenamid. Common name für 2-Chlor-*N*-(2,4-dimethyl-3-thienyl)-*N*-(2-methoxy-1-methylethyl)-acetamid.

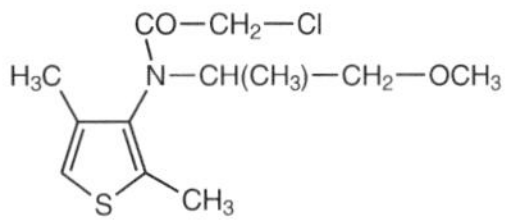

$C_{12}H_{18}ClNO_2S$, M_R 275,79, Sdp. 127 °C (26,7 Pa), LD_{50} (Ratte oral) 1570 mg/kg, von Sandoz (jetzt Novartis) entwickeltes *Herbizid gegen Ungräser u. breitblättrige Unkräuter in Soja, Mais u. a. Kulturen. – *E* dimethenamid – *F* diméthenamide – *I* dimetanamide – *S* dimetenamida
Lit.: Farm ▪ Perkow ▪ Pesticide Manual. – *[CAS 87674-68-8]*

Dimethipin.

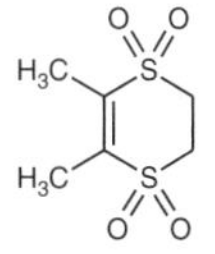

Common name für 2,3-Dihydro-5,6-dimethyl-1,4-dithiin-1,1,4,4-tetraoxid, $C_6H_{10}O_4S_2$, M_R 210,26, Schmp. 162–167 °C, LD_{50} (Ratte oral) 500 mg/kg, von Uniroyal entwickelter *Wachstumsregulator zur Entblätterung von Baumwollpflanzen, Gummibäumen u. Weinreben. – *E* = *F* dimethipin – *I* dimetipin – *S* dimetipín
Lit.: Pesticide Manual. – *[CAS 55290-64-7]*

Dimethisteron.

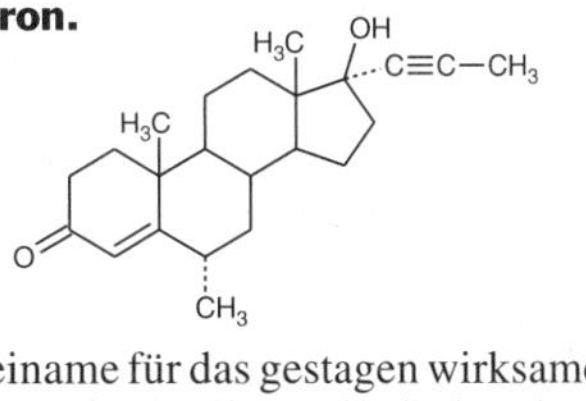

Internat. Freiname für das gestagen wirksame 17β-Hydroxy-6α-methyl-17α-(1-propinyl)-4-androsten-3-on, $C_{23}H_{32}O_2$, M_R 340,51; Schmp. 102 °C; $[\alpha]_D^{20}$ +10° (c 1/CHCl$_3$); λ_{max} (Isopropanol) 240 nm ($A_{1cm}^{1\%}$ = 450). D. wurde 1960 von Brit. Drug Houses patentiert. – *E* methisterone – *F* diméthistérone – *I* dimetisterone – *S* dimetisterona
Lit.: Beilstein E IV **8**, 1231. – *[HS 293792; CAS 79-64-1]*

Dimethoat.

Common name für *O,O*-Dimethyl-*S*-methylcarbamoylmethyldithiophosphat, $C_5H_{12}NO_3PS_2$, M_R 229,25, Schmp. 51–52 °C, LD_{50} (Ratte oral) 425 mg/kg (GefStoffV), von American Cyanamid 1956 eingeführtes breit wirksames system. *Insektizid u. *Akarizid mit Kontakt- u. Fraßgiftwirkung gegen beißende u. saugende Insekten in zahlreichen Kulturen. – *E* = *F* dimethoate – *I* = *S* dimetoato

Lit.: Beilstein E IV **4**, 252 ▪ Farm ▪ Perkow ▪ Pesticide Manual. – *[HS 2930 90; CAS 60-51-5]*

Dimethomorph. Common name für (*E/Z*)-4-[3-(4-Chlorphenyl)-3-(3,4-dimethoxyphenyl)-acryloyl]morpholin.

$C_{21}H_{22}ClNO_4$, M_R 387,86, Schmp. 169,2–170,2 °C (*Z*), 135,7–137,5 °C (*E*), LD_{50} (Ratte oral) 3900 mg/kg, von Shell (jetzt American Home Products) 1993 eingeführtes system. *Fungizid mit protektiver u. kurativer Wirkung gegen Mehltau u. a. Pilzerkrankungen im Wein-, Hopfen-, Tabak- u. Obstanbau. – *E* dimethomorph – *F* diméthomorphe – *I* dimetomorf – *S* dimetomorfa

Lit.: Farm ▪ Perkow ▪ Pesticide Manual. – *[CAS 110488-70-5]*

3,4-Dimethoxybenzaldehyde s. Protocatechualdehyd u. Veratrumaldehyd.

3,3′-Dimethoxybenzidin s. *o*-Dianisidin.

Dimethoxybenzole.

$C_8H_{10}O_2$, M_R 138,17, farblose Krist. bzw. Flüssigkeit, in Wasser nicht, in organ. Lsm. gut löslich. *1,2-D.* (Brenzcatechindimethylether, *Veratrol*, D. 1,084, Schmp. 22 °C, Sdp. 207 °C; LD_{50} (Ratte oral) 890 mg/kg, wassergefährdender Stoff, WGK 2 (Selbsteinst.); Zwischenprodukt bei Naturstoffsynthesen. – *1,3-D.* (Resorcindimethylether), D. 1,06, Schmp. –38 °C, Sdp. 217 °C; Zwischenprodukt bei Farbstoff-Synth.; zugelassen als Lebensmittelzusatzstoff (Aromenverordnung, Anlage 5). – *1,4-D.* (Hydrochinondimethylether), D. 1,05, Schmp. 58–60 °C, Sdp. 213 °C; Verw. als Fixateur in der Parfümerie, für Farbstoff-Synth. u. als Sonnenschutzmittel. – *E* dimethoxybenzenes – *F* diméthoxybenzènes – *I* dimetossibenzeni – *S* dimetoxibencenos

Lit.: Beilstein E IV **6**, 4205 ff., 4305 ff., 4385 ff. ▪ Merck-Index (12.), Nr. 10089 ▪ Ullmann (4.) **8**, 41; (5.) **A 19**, 344, 356. – *[HS 2909 30; CAS 91-16-7 (1,2-D.); 151-10-0 (1,3-D.); 150-78-7 (1,4-D.)]*

3,3′-Dimethoxy-4,4′-biphenyldiamin s. *o*-Dianisidin.

2,2-Dimethoxyethylamin s. Aminoacetaldehyd-dimethylacetal.

Dimethoxymethan s. Methylal.

2,5-Dimethoxy-4-methylamphetamin.

$C_{12}H_{19}NO_2$, M_R 209,29. Die 1967 von Dow synthetisierte Verb. hat sich als starkes *Halluzinogen erwiesen (Abk.: DOM od. STP von engl.: *S*erenity, *T*ranquility, *P*eace od. von latein.: *stup*or = Staunen, Gefühllosigkeit). Es ist als nicht verkehrsfähiger Stoff in Anlage I der *BMVVO gelistet. – *E* 2,5-dimethoxy-4-methylamphetamine – *F* 2,5-dimethoxy-4-methylamphétamine – *I* 2,5-dimetossi-4-metilanfetamina – *S* 2,5-dimetoxi-4-metilanfetamina

Lit.: Chem. Unserer Zeit **13**, 147–156 (1979) ▪ Pharm. Ztg. **140**, 1843–1849 (1995) ▪ Science **158**, 669 (1967) ▪ s. a. Amphetamine. – *[CAS 15588-95-1; 26011-50-7 (Rac.); 43061-13-8 (R); 43061-14-9 (S)]*

Dimethulen s. Chamazulen.

***N,N*-Dimethylacetamid** (DMAC). H_3C–CO–N(CH_3)$_2$, C_4H_9NO, M_R 87,12, farblose, stark schleimhautreizende, leicht durch die Haut resorbierbare Flüssigkeit, D. 0,943, Schmp. –20 °C, Sdp. 166 °C, mit Wasser u. organ. Lsm. mischbar; MAK 10 ppm (MAK-Werte-Liste 1996), LD_{50} (Ratte oral) 4930 mg/kg, wassergefährdender Stoff, WGK 1. D. kann aus Essigsäure u. Dimethylamin hergestellt werden.

Verw.: Als polares Lsm. für Polyacrylnitril u. a. Polymere u. für Gase; als Abbeizmittel, Extraktionsmittel, Katalysator, Kristallisationshilfsmittel; in hochgereinigtem Zustand dient D. auch als Lsm. in der Spektroskopie. – *E N,N*-dimethylacetamide – *F N,N*-diméthylacétamide – *I N,N*-dimetilacetammide – *S N,N*-dimetilacetamida

Lit.: Beilstein E IV **4**, 180 ▪ Hager (5.) **7**, 1353 ▪ Hommel, Nr. 809 ▪ Kirk-Othmer (4.) **1**, 160 f. ▪ Ullmann (4.) **11**, 73; (5.) **A 24**, 477. – *[HS 2924 10; CAS 127-19-5; G 3]*

Dimethylamin. ($H_3C)_2$NH, C_2H_7N, M_R 45,08, bei 20 °C farbloses, unangenehm riechendes Gas, D. 0,687 (–6 °C), Schmp. –93 °C, Sdp. 7 °C, in Wasser, Alkohol u. a. organ. Lsm. leicht lösl.; wirkt auf Haut u. Schleimhäute ätzend, MAK 2 ppm (MAK-Werte-Liste 1996), LD_{50} (Ratte oral) 698 mg/kg, wassergefährdender Stoff, WGK 2, Emissionsklasse I (TA Luft 3.1.7). D. kommt in Guanoarten u. in Zersetzungsprodukten von Eiweißstoffen natürlich vor, wird durch Al_2O_3-katalysierte Umsetzung von Ammoniak u. Methanol gewonnen.

Verw.: Im Laboratorium zur Einführung der Dimethylamino-Gruppe, techn. als Stabilisator für Latices, Lsm., Enthaarungsmittel bei der Lederfabrikation, Gasabsorptionsmittel, zur Herst. von Vulkanisationsbeschleunigern, Fungiziden, Herbiziden, Flotationschemikalien, Antioxidantien, Raketentreibstoffen, Dimethylformamid, Dimethylglycin, quartären Ammonium-Salzen, Detergentien u. Pharmazeutika. D. ist das meistverwendete Methylamin; es kommt in Stahlflaschen, in wäss. Lsg. od. als Hydrochlorid (hygroskop. Krist., Schmp. 171 °C, in Wasser, Alkohol, Chloroform leicht lösl.) in den Handel. Reaktion mit nitrosierenden Agentien kann zur Bildung des krebserzeugenden *N*-Nitrosodimethylamins führen; D. darf beim Herstellen od. Behandeln von kosmet. Mitteln nicht verwendet werden (Kosmetik-VO Anlage 1, Nr. 142). D. ist ausfuhrgenehmigungspflichtig gemäß Außenwirtschaftsordnung (Ausfuhrliste Position 2002). – *E* dimethylamine – *F* diméthylamine – *I* dimetilammina – *S* dimetilamina

Lit.: Beilstein E IV **4**, 128–134 ▪ Encycl. Gaz, S. 539–544 ▪ Hommel, Nr. 85, 86 ▪ Merck-Index (12.), Nr. 3278 ▪ Ullmann (4.) **7**, 387; (5.) **A 16**, 535 f. ▪ Weissermel-Arpe (4.), S. 53 f. – [HS 2921 11; CAS 124-40-3; G 2]

Dimethylamino... Bez. für die Atomgruppierung –N(CH₃)₂ in systemat. Namen (IUPAC-Regel C-811.4). – *E* dimethylamino... – *F* diméthylamino... – *I* dimetilammino... – *S* dimetilamino...

4-(Dimethylamino)azobenzol [*N,N*-Dimethyl-4-(phenylazo)anilin, Buttergelb, Dimethylgelb, C.I. 11020, C.I. Solvent Yellow 2].

$C_{14}H_{15}N_3$, M_R 225,29, gelbe Kristallblättchen, Schmp. 117 °C, unlösl. in Wasser, lösl. in Alkohol u. a. organ. Lsm.; wassergefährdender Stoff, WGK 2 (Selbsteinst.), Verdacht auf erbgutverändernde Wirkung, blutbildschädigend; in der Schweiz ist D. als Stoff der Giftklasse 1 mit krebserzeugendem Potential eingeordnet. Zur Herst. vgl. Azo-Verbindungen. D. kann als Indikator für die chem. Analyse verwendet werden, Farbumschlag pH 2,9–4,0 (rot/gelb), z. B. bei der Titration von *Aniontensiden; altes Reagenz (Töpfers-Reagenz) zur Bestimmung freier Salzsäure im Magensaft. *Buttergelb* wurde früher zur Gelbfärbung für Butter verwendet; diese Verwendungsweise ist in Deutschland seit 1938 u. in der Schweiz seit 1943 verboten. – *E* 4-(dimethylamino)azobenzene – *F* 4-(diméthylamino)-azobènzene – *I* 4-(dimetilammino)-azobenzene – *S* 4-(dimetilamino)-azobenceno

Lit.: Beilstein E IV **16**, 448 ▪ Hager (5.) **1**, 558 ▪ Hunnius, Pharmazeutisches Wörterbuch, S. 187, Berlin: de Gruyter 1986 ▪ Merck-Index (12.), Nr. 3279 ▪ Moeschlin, Klinik u. Therapie der Vergiftungen, S. 418, Stuttgart: Thieme 1986 ▪ Roth, Krebserzeugende Stoffe, S. 43, Stuttgart: Wissenschaftliche Verlagsges. 1988 ▪ Ullmann (4.) **8**, 243; **9**, 173; **13**, 185; (5.) **A 14**, 129. – [HS 2927 00; CAS 60-11-7; G 6.1]

4-Dimethylaminobenzaldehyd.

$C_9H_{11}NO$, M_R 149,19. Farblose bis gelbliche, sich leicht verfärbende Krist., Körner od. Blättchen, Schmp. 75 °C. Sdp. 176–177 °C (23 hPa), wenig lösl. in Wasser, lösl. in Alkohol, Ether, Essigsäure.
Verw.: Zur Synth. von Azofarbstoffen, zum Nachw. von Urobilinogen (*Ehrlichs Reagenz) u. a. Stickstoffhaltigen Verb., analyt. Reagenz zur Bestimmung von Aminosäuren u. Peptiden, Aminen, Indolen, Hydrazinen. – *E* 4-(dimethylamino)-benzaldehyde – *F* 4-diméthylaminobenzaldehyde – *I* 4-dimetilamminobenzaldeide – *S* 4-dimetilaminobenzaldehido

Lit.: Beilstein E IV **14**, 51 ▪ Hager (5.) **1**, 537; **2**, 141 ▪ Merck-Index (12.), Nr. 3280. – [HS 2922 30; CAS 100-10-7]

4-Dimethylamino-benzalrhodanin s. 5-(4-Dimethylaminobenzyliden)-rhodanin.

5-(4-Dimethylaminobenzyliden)-rhodanin [5-(4-Dimethylaminobenzyliden)-2-thioxothiazolidin-4-on, 4-Dimethylamino-benzalrhodanin].

$C_{12}H_{12}N_2OS_2$, M_R 264,36. Bläulichrotes Pulver, in Wasser unlösl., in Alkohol u. Aceton schwer, in Eisessig etwas leichter löslich.
Verw.: Zur Bestimmung von Ag, Au[1] u. Hg, zum Nachw. von Alkaloiden, Antipyrin, Eiweiß, Indian, Sulfonamiden, Urobilinogen sowie Pd u. Pt. – *E* (4-dimethylaminobenzylidene)-rhodanine – *F* (4-diméthylaminobenzylidène)-rhodanine – *I* 5-(4-dimetilamminobenziliden)-rodanina – *S* (4-dimetilaminobenzilideno)-rodanina

Lit.: [1] Anal. Chem. **47**, 465 (1975).
allg.: Beilstein E II **27**, 433 ▪ Fries-Getrost, 122 f., 160 f., 285, 296 f. ▪ Merck-Index (12.) Nr. 3281. – [HS 2934 10; CAS 536-17-4]

2-(Dimethylamino)ethanol (Dimethylethanolamin). (H₃C)₂N–CH₂–CH₂–OH, $C_4H_{11}NO$, M_R 89,14, farblose, Amin-artig, fischig riechende Flüssigkeit, D. 0,88, Schmp. unter –40 °C, Sdp. 132–135 °C, mischbar mit Wasser, Aceton, Ether, Alkohol, Benzol. Die Dämpfe reizen sehr stark Augen u. Atemwege, Kontakt mit der Flüssigkeit führt zu Verätzung der Augen u. der Haut, die Flüssigkeit kann über die Haut aufgenommen werden; LD_{50} (Ratte oral) 2000 mg/kg, wassergefährdender Stoff, WGK 2.
Verw. als Zwischenprodukt bei Synth. von Farbstoffen, Textilhilfsmitteln, Ionenaustauschern, Korrosionsschutzmitteln, Emulgatoren, Pharmazeutika. – *E* 2-(dimethylamino)ethanol – *F* 2-(diméthylamino)-éthanol – *I* 2-(dimetilammino)-etanolo – *S* 2-(dimetilamino)-etanol

Lit.: Beilstein E IV **4**, 1424 ▪ Hommel, Nr. 84 ▪ Ullmann (5.) **A 10**, 7 ff. – [HS 2922 19; CAS 108-01-0; G 3]

5-Dimethylamino-1-naphthalinsulfonyl... s. Dansyl...

Dimethylaminophenazon s. Aminophenazon.

(Dimethylamino)propanole.

a b

$C_5H_{13}NO$, M_R 103,16, farblose, Amin-artig riechende Flüssigkeit, mit Wasser u. den üblichen organ. Lsm. mischbar. (a) *1-(Dimethylamino)-2-propanol* (Dimethylisopropanolamin): D. 0,852, Sdp. 123–127 °C, FP. 26 °C. Die Dämpfe haben eine sehr starke Reizwirkung, bis hin zur Verätzung, auf Atemwege, Haut u. Augen (Hornhauttrübung, Lungenödem); Nierenschäden sind möglich; es kann auch über die Haut

aufgenommen werden; LD$_{50}$ (Ratte oral) 1890 mg/kg; wassergefährdender Stoff, WGK 1 (Selbsteinst.). (b) *3-(Dimethylamino)-1-propanol*: D. 0,883, Sdp. 168 °C. – Verw. der D. zur Synth. von Farbstoffen, Arzneimitteln, Tensiden etc. – *E* (dimethylamino)-propanols – *F* (diméthylamino)-propanols – *I* (dimetilammino)-propanoli – *S* (dimetilamino)-propanoles
Lit.: Beilstein E IV **4**, 1628, 1666 ▪ Hommel, Nr. 429 ▪ Ullmann (4.) **19**, 436, 439; (5.) A **10**, 16 f. – *[HS 2922 19; CAS 108-16-7 (a); 3179-63-3 (b); G 8, 3]*

α-(Dimethylamino)propiophenon-hydrochlorid s. Metamfepramon.

Dimethylanilin s. Xylidine.

N,N-Dimethylanilin. T

$C_8H_{11}N$, M_R 121,18, gelbliches, giftiges, scharf riechendes Öl, D. 0,956, Schmp. 2–3 °C, Sdp. 194 °C, in Wasser kaum, in organ. Lsm. löslich. D. wird leicht durch die Haut resorbiert, bewirkt Kopfschmerzen, Cyanose, Methämoglobin-Bildung, Krämpfe. D. gilt als Stoff mit begründetem Verdacht auf krebserzeugendes Potential (Gruppe III B, MAK-Werte-Liste 1996), MAK 5 ppm, LD$_{50}$ (Ratte oral) 1410 mg/kg, wassergefährdender Stoff, WGK 2. Verw. zur Synth. von Farbstoffen, Vanillin, Benzothiazol. – *E* N,N-dimethylaniline – *F* N,N-diméthylaniline – *I* = *S* N,N-dimetilanilina
Lit.: Beilstein E IV **12**, 243 ▪ Hommel, Nr. 693 ▪ Merck-Index (12.), Nr. 3284 ▪ Synthetica **1**, 142 f. ▪ Ullmann (4.) **7**, 572; (5.) A **2**, 309 f. – *[HS 2921 42; CAS 121-69-7; G 6.1]*

Dimethylarsino... (Dimethylarsanyl...). Bez. für die Atomgruppierung – As(CH$_3$)$_2$ in systemat. Namen (IUPAC-Regeln D-3.43, D-5.11); vgl. Dimethylarsinsäure u. Arsine. Alte Bez.: Kakodyl... (Cacodyl...); s. Kakodyloxid. – *E* dimethylarsino... – *F* diméthylarsino... – *I* = *S* dimetilarsino...

Dimethylarsinsäure (Kakodylsäure).

$C_2H_7AsO_2$, M_R 138,00, farblose, giftige, hygroskop. Krist., Schmp. 195–196 °C, prakt. unlösl. in Ether, lösl. in Wasser u. Eisessig, gut lösl. in Alkohol. D. u. das Natrium-Salz wirken als Herbizid u. Entlaubungsmittel; im Vietnamkrieg wurde D. unter der Bez. *Agent Blue* zur Vernichtung von Reiskulturen eingesetzt. – *E* dimethylarsinic acid – *F* acide diméthylarsinique – *I* acido dimetilarsinico – *S* ácido dimetilarsínico
Lit.: Beilstein E IV **4**, 3681 ▪ Merck-Index (12.), Nr. 1640 ▪ Ullmann (4.) **8**, 59; **12**, 599; **18**, 23; (5.) A **3**, 132. – *[HS 2931 00; CAS 75-60-5]*

7,12-Dimethylbenz[a]anthracen (veraltet: 9,10-Dimethyl-1,2-benzanthracen).

$C_{20}H_{16}$, M_R 256,35, grüngelbliche Krist., Schmp. 122–123 °C, in Benzol, Toluol, Aceton gut, in Alkohol wenig u. in Wasser nicht lösl., doch können Purin-Derivate, auch Nucleoside, lösungsvermittelnd wirken. D. hat wie auch andere polyaromat. Kohlenwasserstoffe krebserzeugende Wirkung; es findet in der Medizin u. Pharmazie Verw. zur experimentellen Krebserforschung. – *E* 7,12-dimethylbenz[a]anthracene – *F* 7,12-diméthylbenz[*a*]anthracène – *I* 7,12-dimetilbenz[*a*]antracene – *S* 7,12-dimetilbenz[*a*]antraceno
Lit.: Beilstein E IV **5**, 2587 ▪ Hager (5.) **3**, 480 ▪ Marquardt u. Schäfer, Lehrbuch der Toxikologie, S. 128, 138, 384 f., Mannheim: BI 1994 ▪ Ullmann (4.) **9**, 172; **22**, 444. – *[HS 2902 90; CAS 57-97-6]*

3,3'-Dimethylbenzidin (*o*-Tolidin, 4,4'-Diamino-3,3'-dimethylbiphenyl). T

$C_{14}H_{16}N_2$, M_R 212,29, farblose bis rötliche Krist., Schmp. 129–131 °C, wenig lösl. in Wasser, lösl. in Alkohol, Ether, verd. Säuren. D. gilt als Stoff, der sich im Tierversuch eindeutig als krebserzeugend erwiesen hat (Gruppe III A 2, MAK-Werte-Liste 1996); TRK 0,003 ppm, wassergefährdender Stoff, WGK 3 (Selbsteinst.). Herst. durch alkal. Red. von *o*-Nitrotoluol mit Zink u. anschließende Umlagerung des entstandenen *o*-Hydrazotoluols mit siedender HCl. Verw. zur Herst. von Farbstoffen, zum Nachw. u. zur Bestimmung von Gold, Cer, Chlor, Iod u. zum Nachw. von Blut in Harn u. Stuhl. – *E* 3,3'-dimethylbenzidine – *F* 3,3'-diméthylbenzidine – *I* 3,3'-dimetilbenzidina – *S* 3,3'-dimetilbencidina
Lit.: Beilstein E IV **13**, 419 ▪ Fries-Getrost, S. 106, 108 f., 164, 171 f. ▪ Gesundheitsschädliche Arbeitsstoffe: toxikologisch-arbeitsmedizinische Begründung von MAK-Werten, Weinheim: VCH Verlagsges. 1972–1996 ▪ Ullmann (5.) A **3**, 546 f., 552. – *[HS 2921 59; CAS 119-93-7; G 6.1]*

Dimethylbenzole s. Xylole.

N,N-Dimethylbenzylamin (Benzyldimethylamin). C

$C_9H_{13}N$, M_R 135,21, farblose Flüssigkeit, D. 0,898, Sdp. 180–182 °C, in kaltem Wasser kaum lösl., mit Alkohol u. Ether mischbar. Dämpfe u. Flüssigkeit reizen stark Augen, Atemwege u. Haut, LD$_{50}$ (Ratte oral) 265 mg/kg, wassergefährdender Stoff, WGK 2 (Selbsteinst.). Verw. als Zwischenprodukt in organ. Synthesen. – *E* N,N-dimethylbenzylamine – *F* N,N-diméthylbenzylamine – *I* N,N-dimetilbenzilammina – *S* N,N-dimetilbencilamina
Lit.: Beilstein E IV **12**, 2161 ▪ Hommel, Nr. 1196. – *[HS 2921 49; CAS 103-83-3; G 8]*

Dimethylbiguanid s. Metformin.

3,3'-Dimethyl-1,1'-binaphthalin-4,4'-diamin s. 3,3'-Dimethylnaphthidin.

2,2-Dimethylbutan (Neohexan).

C_6H_{14}, M_R 86,18, farblose, flüchtige, leicht entflammbare Flüssigkeit, D. 0,649, Schmp. –100 °C, Sdp. 50 °C, in Wasser nicht lösl., mit organ. Lsm. meist mischbar; MAK 200 ppm (TRGS 900). Das bei der Reaktion zwischen Ethylen u. Isobutan (beide z. B. aus Petroleum-Krackgasen) gewonnene D. ist Bestandteil von Auto- u. Flugzeugkraftstoffen (erhöht Octan-Zahl) u. Lsm. für Laboratorien. – *E* 2,2-dimethylbutane – *F* 2,2-diméthylbutane – *I* = *S* 2,2-dimetilbutano

Lit.: Beilstein E IV **1**, 367 ff. ▪ Ullmann (4.) **14**, 655 f.; (5.) A **13**, 230, 231. – *[HS 2901 10; CAS 75-83-2; G 3]*

2,3-Dimethyl-2,3-butandiol s. Pinakol.

3,3-Dimethyl-2-butanon s. Pinakolon.

Dimethylcarbonat (Kohlensäuredimethylester).

$C_3H_6O_3$, M_R 90,08, farblose, angenehm riechende Flüssigkeit, D. 1,07, Schmp. 4 °C, Sdp. 90 °C, FP. 14 °C c. c., in Wasser nicht, in organ. Lsm. leicht lösl.; haut- u. schleimhautreizend, LD_{50} (Ratte oral) 13 g/kg, wassergefährdender Stoff, WGK 2 (Selbsteinst.). Verw. als Lsm., zur Synth. von Kohlensäure- u. Barbitursäure-Derivaten. – *E* dimethyl carbonate – *F* carbonate de diméthyle – *I* carbonato di dimetile – *S* carbonato de dimetilo

Lit.: Beilstein E IV **3**, 3 ▪ Hommel, Nr. 606 ▪ Ullmann (4.) **14**, 591; (5.) A **5**, 197–201. – *[HS 2920 90; CAS 616-38-6; G 3]*

5,5-Dimethyl-1,3-cyclohexandion s. Dimedon.

Dimethyldicarbonat (DMDC, Dimethylpyrocarbonat, Velcorin®). $(H_3CO-CO)_2O$, $C_4H_6O_5$, M_R 134,09. In der Natur nicht vorkommende, farblose, klare Flüssigkeit von fruchtig-esterartigem Geruch, D. 1,26, Schmp. 17 °C, Sdp. 172 °C. In Wasser unter rascher Hydrolyse (Halbwertszeit: 15 min bei 20 °C) lösl. (37,8 g/L), lösl. in vielen organ. Lsm. u. in Alkohol. Mit Ethanol erfolgt Alkoholyse zu Ethylmethylcarbonat. In Ggw. von Ammonium-Ionen kann sich Methylcarbamat in Spuren (ppb-Bereich) bilden. Reaktionen mit Aminen, *Aminosäuren u. *Polyphenolen sind bekannt. Durch Decarboxylierung, z. B. bei der destillativen Reinigung von D., entsteht Dimethylcarbonat. Inhaltsstoffe von Erfrischungsgetränken, in denen D. verwendet werden kann, reagieren nur mit etwa 1–2,5% des zugesetzten Dimethyldicarbonats.

Verw.: D. wird seit 1979 in der Erfrischungsgetränke-Ind. als Kaltentkeimungsmittel während der Abfüllung in Konz. von ca. 80–250 mg/L eingesetzt. Seine Wirkung richtet sich v. a. gegen Gär- u. Kahmhefen sowie gegen solche *Bakterien, die eine *Gärung verursachen können. In höheren Konz. werden auch andere Bakterien u. verschiedene Schimmelpilze abgetötet. Im Gegensatz zu anderen *Konservierungsmittel ist D. nach der Zugabe in kurzer Zeit vollständig zerfallen. Auch *Wein kann mit D. behandelt werden.

Recht: In der BRD dürfen nach Zusatzstoff-Zulassungs-VO *Fruchtsaft-haltigen Erfrischungsgetränken, *Limonaden u. *Brausen, die trüb sind, sowie entalkoholisiertem Wein bis zu 250 mg D./L zugesetzt werden. Bei der Abgabe an den Verbraucher darf D. nicht mehr nachweisbar sein. Die EG hat D. als Konservierungsstoff (E 242) für nichtalkohol. aromatisierte Getränke, alkoholfreien Wein u. Flüssigtee-Konzentrate in einer Konz. bis 250 mg/kg zugelassen. Rückstände dürfen auch hier nicht nachweisbar sein. Momentan wird der Richtlinien-Text in den Mitgliedstaaten im nat. Recht umgesetzt (Stand 10/96). In den USA ist D. für Wein u. für teehaltige Erfrischungsgetränke bis 200 ppm bzw. 250 ppm zugelassen. Eine Zulassung für Sportgetränke (fruit or juice sparklers) ist beantragt.

Toxikologie: Von toxikolog. Interesse sind in erster Linie die Umwandlungsprodukte von Dimethyldicarbonat. Analog zum früher verwendeten Diethyldicarbonat (s. Urethan) kann D. in Anw. von Ammonium-Ionen zu Methylcarbamat, das sich im Gegensatz zu Ethylcarbamat in zahlreichen Studien[1,2] als gesundheitlich unbedenklich erwiesen hat, reagieren. Cancerogene, mutagene od. teratogene Effekte werden vom Methylcarbamat ebensowenig verursacht wie von D. selbst od. anderen Zerfalls- u. Reaktionsprodukten von D. in Getränken[3]. Der beim Einsatz der zulässigen Höchstmenge an D. mögliche *Methanol-Gehalt von 119 mg/L ist auch im Vgl. zu natürlichen Methanol-Gehalten in unbehandelten Fruchtsäften (bis 200 mg/L) unkritisch. Ein *ADI-Wert für D. liegt nicht vor, da in Verbraucherprodukten kein D. nachweisbar sein darf. Die WHO (1990) hat den Einsatz von 250 mg/L Getränk als akzeptabel eingestuft. Das Scientific Committee for Food of the European Communities (SCF) (1990) hat gegen die Verw. von D. in Konz. zwischen 125 u. 250 mg/L in alkoholfreien Getränken nichts einzuwenden.

Analytik: Der Nachw. eines D.-Zusatzes gelingt durch die Bestimmung des Reaktionsproduktes von D. mit Wasser. Das sich in Spuren bildende Methanol kann gut gaschromatograph. erfaßt werden. Die Verw. von D. in alkoholhaltigen Getränken kann durch die Bildung von geringen Mengen Ethylmethylcarbonat nachgewiesen werden[4]. Inzwischen ist dieser Nachw. auch in fruchtsafthaltigen Getränken mit einem sehr niedrigen Alkohol-Gehalt bis zu 0,01 Vol.-% möglich, wenn mit GC-MS gearbeitet wird[5]. Zu Synergien zw. D. u. anderen Konservierungsstoffen, z. B. Kaliumsorbat s. *Lit.*[6]. – *E* dimethyl dicarbonate – *F* dicarbonate de dimethyle – *I* dicarbonato di dimetile – *S* dicarbonato de dimetilo

Lit.: [1] IARC Monogr. **12**, 151–159 (1976). [2] Classen et al., S. 120 ff. [3] Erfrischungsgetränk **32**, 262–269 (1979). [4] Mitt. Klosterneuburg **29**, 195 ff. [5] Mitt. Klosterneuburg **40**, 169–174 (1990). [6] Food Mark. Tech. **10**, (4.), 27 f. (1996).

allg.: Beilstein E IV **3**, 17–20 ▪ Davidson u. Branen (Hrsg.), Antimicrobials in Food (2.), S. 343–368, New York: Dekker 1993 ▪ DFG, Rückstände u. Verunreinigungen in alkoholfreien Getränken, Mitteilung XI der Kommission zur Prüfung von Rückständen in Lebensmitteln, S. 46, Weinheim: VCH Verlagsges. 1988 ▪ Fülgraff, Lebensmittel-Toxikologie, S. 71, Stuttgart: Ulmer 1989 ▪ Lebensm.-Wiss. Technol. **24**, 501 ff. (1991) ▪ Lück u. Jager, Chemische Lebensmittelkonservierung (3.), S. 175–180, Berlin: Springer 1995.

Dimethyldioxiran

Dimethyldioxiran (DDO).

$C_3H_6O_2$, M_R 74,09, selektives, reaktives Oxidierungsreagenz zur Epoxidierung von Alkenen u. Arenen, zur Oxidierung von Alkoholen, Ethern, Aminen, Iminen u. Sulfiden. D. ist nur in verdünnter Lsg. bekannt, die aus Aceton u. Kaliumperoxomonosulfat hergestellt werden kann. – *E* dimethyldioxirane

Lit.: Paquette **3**, 2061 ▪ Pure Appl. Chem. **67** (5), 811–822 (1995). – *[CAS 74087-85-7]*

Dimethylethanolamin s. 2-(Dimethylamino)-ethanol.

Dimethylether (Methylether). $H_3C-O-CH_3$, C_2H_6O, M_R 46,07, farbloses, schwach narkot. wirkendes, feuergefährliches, schwach ether. riechendes Gas, D. 1,62 (Luft=1), Schmp. –138 °C, Sdp. –23 °C, FP. –42,2 °C c. c.; MAK 1000 ppm (MAK-Werte-Liste 1996), wassergefährdender Stoff, WGK 1, Emissionsklasse III (TA Luft 3.1.7). D. ist in den meisten organ. Flüssigkeiten lösl., löst sich nicht in Polyalkoholen, Wasser löst bei 18 °C u. Normaldruck das 37fache seines Volumens. Lange Zeit fiel genügend D. als Nebenprodukt bei der Herst. von Methanol mit Hochdruckprozessen an; heute gibt es spezielle Anlagen, die D. aus Methanol herstellen. Verw. zur Synth. von Essigsäure, Dimethylsulfat u. zu Methylierungen, auch als Treibgas für Aerosole. – *E* dimethyl ether – *F* éther diméthylique – *I* etere dimetilico – *S* éter dimetílico

Lit.: Beilstein E IV **1**, 1245–1248 ▪ Encycl. Gaz, S. 529–534 ▪ Gesundheitsschädliche Arbeitsstoffe: toxikologisch-arbeitsmedizinische Begründung von MAK-Werten, Weinheim: VCH Verlagsges. 1972–1996 ▪ Hager (5.) **7**, 1355 ▪ Hommel, Nr. 391 ▪ Rippen ▪ Ullmann (4.) **8**, 148; (5.) **A 8**, 541. – *[HS 2909 19; CAS 115-10-6; G 2]*

Dimethylformamid (DMF).

C_3H_7NO, M_R 73,09, farblose, polare, leicht bewegliche Flüssigkeit, D. 0,9445, Schmp. –61°C, Sdp. 153°C, FP. 58°C c. c. d. ist mit Wasser u. den meisten organ. Lsm. mit Ausnahme der Alkane mischbar. DMF wird leicht durch die Haut resorbiert, wirkt stark haut- u. schleimhautreizend, Leber- u. Nierenschäden möglich. MAK 10 ppm (MAK-Werte-Liste 1996), LD$_{50}$ (Ratte oral) 2800 mg/kg, BAT-Wert 15 mg/l (Untersuchungsmaterial Harn), Emissionsklasse II (TA Luft 3.1.7). Nach dem vorliegenden Informationsmaterial muß ein Risiko der Fruchtschädigung als wahrscheinlich unterstellt werden. Bei Exposition Schwangerer kann eine solche Schädigung auch bei Einhaltung des MAK-Wertes u. des BAT-Wertes nicht ausgeschlossen werden [1]. Wäss. DMF-Lsg. sind Hydrolyse-beständig; durch Säure- od. Basenzusätze wird der Zerfall in Ameisensäure u. Dimethylamin katalysiert; mit halogenierten Verb. kann ggf. sehr heftige Reaktion eintreten.

Herst.: Aus Ameisensäuremethylester u. Dimethylamin od. durch Carbonylierung von Dimethylamin in methanol. Lsg. in Ggw. von Alkoholaten; auch aus Dimethylamin u. Blausäure. Da D. viele anorgan. Salze löst u. mit vielen anderen Verb. (SO_3, HCl, BF_3, $POCl_3$ etc.) Komplexe bildet, eignet es sich als universelles, *aprotisches Lösemittel für Festkörper, Flüssigkeiten u. Gase, insbes. für Anstrichmittel u. Pigmente, Polyacrylnitril, PVC, Polyamide u. -urethane, Epoxidharze, Naturharze u. Cellulose-Derivate, sowie in der Petrochemie als Extraktionsmittel zur Abtrennung von Acetylen, Butadien od. Aromaten. Als Reaktionsmedium bietet sich D. für Additions-, Halogenierungs-, Dehydrohalogenierungs- u. Cyclisierungsreaktionen an, u. als Reaktionspartner ermöglicht es die Formylierung u. die Synth. von Acetalen, Estern, Formamidinen u. Heterocyclen (s. a. Vilsmeier-Reagenz). D.-Acetale sind nützliche Veresterungs- (z. B. zum Schutz von Aminosäuren) u. Cyclisierungsreagenzien. D. darf beim Herstellen u. Behandeln von kosmet. Mitteln nicht verwendet werden (Kosmetik-VO Anlage 1, Nr. 355). – *E* dimethylformamide – *F* diméthylformamide – *I* dimetilformammide – *S* dimetilformamida

Lit.: [1] Maximale Arbeitsplatzkonzentrationen und Biologische Arbeitsstofftoleranzwerte 1996, S. 16, 51, Weinheim: VCH Verlagsges. 1996.

allg.: Beilstein E IV **4**, 171–174 ▪ Gesundheitsschädliche Arbeitsstoffe: toxikologisch-arbeitsmedizinische Begründung von MAK-Werten, Weinheim: VCH Verlagsges. 1972–1996 ▪ Hommel, Nr. 377 ▪ Kirk-Othmer (4.) **11**, 967 ff. ▪ Luftanalysen: Analytische Methoden zur Prüfung gesundheitsschädlicher Arbeitsstoffe, Bd. 1, Weinheim: VCH Verlagsges. 1976–1996 ▪ Paquette **3**, 2072 ▪ Synthesis **1974**, 120 ff. ▪ Synthetica **1**, 144–162; **2**, 165–173 ▪ Ullmann (4.) **11**, 705 ff.; (5.) **A 12**, 1 ff. ▪ Weissermel-Arpe (4.), S. 48, 103, 118, 126, 346. – *[HS 2924 10; CAS 68-12-2; G 3]*

Dimethylgelb s. 4-(Dimethylamino)azobenzol.

Dimethylglyoxim (Diacetyldioxim, 2,3-Butandiondioxim).

$C_4H_8N_2O_2$, M_R 116,12. Farbloses Pulver, Schmp. 245–246 °C, in Wasser unlösl., in Alkohol, Ether, Aceton u. Pyridin löslich. D. (in alkohol. Lsg. als Tschugaeffs Reagens) liefert mit Ni-, Fe-, Co-, Cu- u. Pt-Salzen charakterist. Komplexe, von denen bes. das rote Nickeldimethylglyoxim (Formel s. bei Chelate) zum sehr empfindlichen (noch in einer Verdünnung von $1:10^6$ erkennbaren) qual. u. quant. Nachw. von Ni dient. Auf Grund dieser Fähigkeit zur Komplexbildung kann es zur photometr. Bestimmung [1] von Co^{II}, Fe^{II}, Ni^{II}, Pd^{II} u. Re^{VII} verwendet werden. – *E* dimethylglyoxime – *F* diméthylglyoximes – *I* dimetilgliossima – *S* dimetilglioxima

Lit.: [1] Talanta **26**, 425 (1979).

allg.: Beilstein E IV **1**, 3547 ▪ Fries-Getrost, S. 123, 135, 252, 285, 333, 390 ▪ Gmelin, Syst.-Nr. 57, Ni, Tl, C, 1969, S. 1121–1128, 1128 f. ▪ Merck-Index (12.), Nr. 3295 ▪ s. a. Chelate. – *[HS 2928 00; CAS 95-45-4]*

1,3-Dimethylharnstoff.

$C_3H_8N_2O$, M_R 88,11, farblose Prismen, D. 1,142, Schmp. 106 °C, Sdp. 270 °C, lösl. in Wasser u. Alkohol, unlösl. in Ether, Zwischenprodukt bei Arzneimittelsynth. (z. B. *Theophyllin, *Coffein). – *E* 1,3-dimethylurea – *F* 1,3-diméthylurée – *I* = *S* 1,3-dimetilurea

Lit.: Beilstein E IV **4**, 207 ▪ Hager (5.) **8**, 147; **9**, 853 ▪ Keith u. Walters, Compendium of Safety Data Sheets for Research and Industrial Chemicals, Part II, S. 712 f., Deerfield Beach, Florida: VCH Publishers, Inc. 1985 ▪ Ullmann (4.) **12**, 508. – *[HS 2924 10; CAS 96-31-1]*

2,6-Dimethyl-2,5-heptadien-4-on s. Phoron.

2,6-Dimethyl-4-heptanon (Diisobutylketon).

$C_9H_{18}O$, M_R 142,24, D. 0,805, Sdp. 168 °C, farblose Flüssigkeit mit süßlichem Geruch, in Wasser nicht, in den meisten organ. Lsm. lösl.; stark haut- u. tränenreizend, in hohen Konz. narkot., MAK 50 ppm (MAK-Werte-Liste 1996), LD_{50} (Ratte oral) 5750 mg/kg, wassergefährdender Stoff, WGK 1, Emissionsklasse II (TA Luft 3.1.7).

Verw.: Als Lsm. für Nitro-Emulsions-Lederdeckfarben, Chlorkautschuk-Lacke, als Verdünner für PVC-Organosole, zur Extraktion etc.; als Zwischenprodukt für die Herst. von Farbstoffen, Korrosionsschutzmitteln etc. – *E* 2,6-dimethyl-4-heptanone – *F* 2,6-diméthyl-4-heptanone – *I* 2,6-dimetil-4-eptanone – *S* 2,6-dimetil-4-heptanona

Lit.: Beilstein E IV **1**, 3360 ▪ Hommel, Nr. 476 ▪ Kirk-Othmer (4.) **14**, 980 f. ▪ Ullmann (4.) **14**, 206, 217; **16**, 300, 306, 309; (5.) **A 15**; 84 ff.; **A 24**, 490. – *[HS 2914 19; CAS 108-83-8; G 3]*

5,5-Dimethylhydantoin (5,5-Dimethyl-2,4-imidazolidindion).

$C_5H_8N_2O_2$, M_R 128,13, farb- u. geruchlose Krist., Schmp. 183 °C, in Wasser mit schwach saurer Reaktion, in Alkohol u. Ether löslich. Das durch Kondensation von Acetoncyanhydrin mit Ammoniumcarbonat herstellbare D. ist Ausgangsprodukt für die Herst. der Dibrom- bzw. Dichlor-D. sowie vieler anderer organ. Produkte. D.-Formaldehydharze (DMHF) finden in kosmet. Mitteln zur Haarverfestigung Verwendung. – *E* 5,5-dimethylhydantoin – *F* 5,5-diméthylhydantïone – *I* 5,5-dimetilidantoina – *S* 5,5-dimetilhidantoina

Lit.: Beilstein E IV **24**, 1097 ▪ Hager (5.) **1**, 184 ▪ Kirk-Othmer **11**, 155; (3.) **12**, 693 f. ▪ Ullmann (4.) **7**, 35. – *[HS 2924 29; CAS 77-71-4]*

1,1-Dimethylhydrazin. $H_2N-N(CH_3)_2$, $C_2H_8N_2$, M_R 60,10, farblose, an Luft rauchende, brennbare Flüssigkeit, D. 0,791, Sdp. 63 °C, FP. 1 °C c. c., in Wasser, Alkohol u. Ether löslich. D. riecht stark nach Ammoniak u. ruft Reizung u. Verätzung der Augen, Haut u. Atemwege hervor (Lungenödem möglich), wird leicht über die Haut aufgenommen. D. hat sich im Tierversuch eindeutig als krebserzeugend erwiesen, u. zwar unter Bedingungen, aus denen eine Vergleichbarkeit zur möglichen Exponierung des Menschen abgeleitet werden kann (Gruppe III A 2, MAK-Werte-Liste 1996); LD_{50} (Ratte oral) 122 mg/kg, wassergefährdender Stoff, WGK 3 (Selbsteinst.). Herst. aus Dimethylamin mit Ammoniak (über Katalysatoren) od. Chloramin; wird in der BRD nicht mehr hergestellt.

Verw.: Nützliches Reagenz zur Herst. von *N,N*-Dimethylhydrazonen, als Gasabsorptionsmittel für CO_2 u. SO_2, für Photochemikalien, Lötmittel, Agrikulturchemikalien, Farbstoffe, Chemiefasern, Arzneimittel u. dgl. sowie als Raketentreibstoff. – *E* 1,1-dimethylhydrazine – *F* 1,1-diméthylhydrazine – *I* 1,1-dimetilidrazina – *S* 1,1-dimetilhidracina

Lit.: Beilstein E IV **4**, 3322 ▪ Brauer, Gefahrstoff-Sensorik, Landsberg: Ecomed Verlagsges. 1988 ▪ Hommel, Nr. 335 ▪ Paquette **3**, 2081 ▪ Synthetica **2**, 174 ff. ▪ Ullmann (4.) **13**, 100 f.; **20**, 100; (5.) **A 5**, 265; **A 13**, 188. – *[HS 2928 00; CAS 57-14-7; G 6.1]*

***N,N*-Dimethylisopropanolamin** s. (Dimethylamino)-propanole.

Dimethyl-methyleniminiumsalze s. Mannich-Reaktion.

3,3'-Dimethylnaphthidin (4,4'-Diamino-3,3'-dimethyl-1,1'-binaphthalin, 3,3'-Dimethyl-1,1'-binaphthalin-4,4'-diamin).

$C_{22}H_{20}N_2$, M_R 312,41, glänzende Prismen, Schmp. 213–215 °C, leicht lösl. in Benzol, wenig lösl. in Alkohol; die Lsg. in Eisessig wird durch $FeCl_3$-Lsg. od. HNO_2 weinrot gefärbt. Verw. zur Bestimmung von Vanadium u. Zink sowie als Redoxindikator für die Komplexometrie. – *E* 3,3'-dimethylnaphthidine – *F* 3,3'-diméthylnaphtidine – *I* 3,3'-dimetilnaftidina – *S* 3,3'-dimetilnaftidina

Lit.: Analyst **104**, 865 (1979) ▪ Beilstein E III **13**, 542 ▪ Fries-Getrost, S. 382 f., 405.

***N,N*-Dimethyl-4-nitrosoanilin.**

$C_8H_{10}N_2O$, M_R 150,18, grüne Kristallplättchen, Schmp. 84–86 °C, unlösl. in Wasser, lösl. in Alkohol u. Ether; Methämoglobin-Bildner, Nervengift, wassergefährdender Stoff, WGK 2 (Selbsteinst.). Verw. zur Herst. von Methylenblau u. verwandten Thiazin-Farbstoffen, Kautschuk-Vulkanisationsbeschleunigern, zum Stoffdruck usw. – *E* *N,N*-dimethyl-4-nitrosoaniline – *F* *N,N*-diméthyl-4-nitrosoaniline – *I* *N,N*-dimetil-4-introsoanilina – *S* cicloalquinos

Lit.: Beilstein E IV **12**, 1558 ▪ Merk-Index (12.), Nr. 6736. – *[HS 2921 42; CAS 138-89-6]*

3,7-Dimethyl-2,6-octadienal bzw. **-2,6-octadien-1-ol** s. Citral bzw. Geraniol u. Nerol.

Dimethylol... Veraltete Bez. für Bis(hydroxymethyl)-...

2,4-Dimethyl-3-pentanon

2,4-Dimethyl-3-pentanon (Diisopropylketon).

$H_3C-CH(CH_3)-CO-CH(CH_3)-CH_3$

$C_7H_{14}O$, M_R 114,19, farblose Flüssigkeit, D. 0,811, Sdp. 124–125 °C, in Wasser nicht, in Alkohol, Ether u. Benzol leicht lösl.; wassergefährdender Stoff, WGK 1 (Selbsteinst.). Verw. als Extraktionsmittel bei der präparativen od. analyt. Trennung von Metallsalzen, als Lsm. in der Textilappretur u. für Nitrolacke. – *E* 2,4-dimethyl-3-pentanone – *F* 2,4-diméthyl-3-pentanone – *I* 2,4-dimetil-3-pentanone – *S* 2,4-dimetil-3-pentanona

Lit.: Beilstein E IV **1**, 3334 ▪ Ullmann (4.) **14**, 206; (5.) **A 15**, 83. – *[HS 291419; CAS 565-80-0; G 3]*

2,9-Dimethyl-1,10-phenanthrolin (Neocuproin).

$C_{14}H_{12}N_2$, M_R 208,26. Mit $\frac{1}{2}$ Mol. Wasser krist., Schmp. 159–160 °C, in kaltem Wasser wenig, in heißem Wasser, Alkohol, Chloroform u. Benzol lösl.; WGK 1 (Selbsteinst.). Reagenz auf Kupfer u. Blutzucker. – *E* 2,9-dimethyl-1,10-phenanthroline – *F* 2,9-diméthyl-1,10-phénanthroline – *I* = *S* 2,9-dimetil-1,10-fenantrolina

Lit.: Anal. Chem. **46**, 693, 1131 (1974) ▪ Beilstein E V **23/8**, 527 ▪ Fries-Getrost, S. 201 ▪ Merck-Index (12.), Nr. 6537. – *[HS 293390; CAS 484-11-7]*

Dimethylphenole (Xylenole). T

$C_8H_{10}O$, M_R 122,17. Die D. bilden folgende 6 Stellungsisomere: (a) *2,3-D.*: Schmp. 75 °C, Sdp. 218 °C; – (b) *2,4-D.*: D. 1,036, Schmp. 26 °C, Sdp. 211 °C; LD_{50} (Ratte oral) 3200 mg/kg, WGK 2 (Selbsteinst.); – (c) *2,5-D.*: D. 1,169, Schmp. 75 °C, Sdp. 213 °C; LD_{50} (Ratte oral) 444 mg/kg, WGK 2 (Selbsteinst.); – (d) *2,6-D.*: Schmp. 49 °C, Sdp. 203 °C; LD_{50} (Ratte oral) 296 mg/kg, WGK 2 (Selbsteinst.); – (e) *3,4-D.*: D. 1,023, Schmp. 62 °C, Sdp. 225 °C; LD_{50} (Ratte oral) 727 mg/kg, WGK 2 (Selbsteinst.); – (f) *3,5-D.*: Schmp. 64 °C, Sdp. 220 °C; LD_{50} (Ratte oral) 608 mg/kg, WGK 2 (KBwS).
Alle D. kommen im Steinkohlenteer vor; sie lassen sich durch Methylierung von Phenol herstellen. Sie krist. farblos, lösen sich in Alkohol, ihre Wasserlöslichkeit ist sehr gering. Das Einatmen der Dämpfe reizt Augen u. Atemwege; die Flüssigkeit od. der feste Stoff verursachen Hautschädigungen.
Verw.: Zur Desinfektion, zur Herst. antisept. Seifen u. antiparasitärer Waschmittel, zur Herst. von Insektiziden, von Kunststoffen, Lack-Kunstharzen, Phenoplasten usw.; 2,6-D. ist das Ausgangsprodukt für Polyphenylenoxid, einem thermoplast. Kunststoff mit hoher Temp.- u. Chemikalien-Beständigkeit. – *E* dimethylphenols – *F* diméthylphénols – *I* dimetilfenoli – *S* dimetilfenoles

Lit.: Beilstein E IV **6**, 3096–3099, 3112, 3126, 3141, 3164 ▪ Hommel, Nr. 986–988 ▪ Merck-Index (12.), Nr. 10215 ▪ Ullmann (4.) **15**, 61 ff.; (5.) **A 8**, 47 ff. ▪ Weissermel-Arpe (4.), S. 389 f. – *[HS 270760, 290714; CAS 526-75-0 (a); 105-67-9 (b); 95-87-4 (c); 576-26-1 (d); 95-65-8 (e); 108-68-9 (f); G 6.1]*

N,N-Dimethyl-p-phenylendiamin (p-Amino-N,N-dimethylanilin, 4-Dimethylaminoanilin). T

$H_2N-C_6H_4-N(CH_3)_2$

$C_8H_{12}N_2$, M_R 136,20, rötliche bis violette Krist., D. 1,036, Schmp. 41 °C, Sdp. 262 °C, in Wasser, Alkohol, Ether, Benzol lösl.; gut verschlossen u. lichtgeschützt aufzubewahren; LD_{50} (Ratte oral) 50 mg/kg, wassergefährdender Stoff, WGK 2 (Selbsteinst.). D. u. seine Salze (Hydrochloride, Sulfat, Oxalate) sind Reagenzien auf Sulfid- u. Thiol-Verb., oxidierende Stoffe (gibt Wursters Rot, s. Wurster Salze), aromat. Aldehyde, Aceton, Harnsäure usw.; auch zur Herst. von Pelz- u. Haarfarben. – *E* N,N-dimethyl-p-phenylene diamine – *S* N,N-dimetil-p-fenilendiamina

Lit.: Beilstein E IV **13**, 106 ▪ Kirk-Othmer (4.) **2**, 473 ff. ▪ Merck-Index (12.), Nr. 3303 ▪ Pure Appl. Chem. **51**, 1803–1814 (1979). – *[CAS 99-98-9; G 6.1]*

Dimethylphenylpyrazolon s. Phenazon.

Dimethylphosphit (Dimethylphosphonat).

$O=P(OCH_3)_2H$

$C_2H_7O_3P$, M_R 110,05, farblose Flüssigkeit, D. 1,200, Sdp. 170–171 °C, in Alkohol u. Pyridin lösl., in Wasser hydrolysierend; LD_{50} (Ratte oral) 3050 mg/kg, wassergefährdender Stoff, WGK 1. D. gilt als Stoff mit begründetem Verdacht auf krebserzeugendes Potential (Gruppe III B, MAK-Werte-Liste 1996).
Verw.: Als Phosphorylierungsmittel u. Zwischenprodukt bei der Herst. von Insektiziden, Fungiziden, Pharmazeutika u. PVC-Stabilisatoren; Additiv von Kühlschmierstoffen. D. ist ausfuhrgenehmigungspflichtig gemäß Außenwirtschaftsordnung (Ausfuhrliste Position 1710). – *E* dimethyl phosphite – *F* phosphite de diméthyle – *I* fosfito di dimetile – *S* fosfito de dimetilo

Lit.: Beilstein E IV **1**, 1255 ▪ Ullmann (4.) **18**, 393 f. – *[HS 292090; CAS 868-85-9]*

Dimethylphthalat s. Phthalsäureester.

Dimethylpolysiloxan s. Dimeticon.

Dimethyl-POPOP [2,2′-p-Phenylenbis(4-methyl-5-phenyloxazol].

$C_{26}H_{20}N_2O_2$, M_R 392,46, Krist., Schmp. 231–234 °C, wird als fluoreszierendes Agens, ggf. zusammen mit *2,5-Diphenyloxazol (PPO), in Szintillationsmessungen u. in Lasern verwendet; s. a. Szintillatoren. – *E* diméthyl-POPOP – *F* diméthyl-POPOP – *I* = *S* dimetil-POPOP – *[HS 293490; CAS 3073-87-8]*

2,2-Dimethylpropan (Neopentan, Tetramethylmethan). F+

$$H_3C-\underset{\underset{CH_3}{|}}{\overset{\overset{CH_3}{|}}{C}}-CH_3$$

C_5H_{12}, M_R 72,15, bei 20 °C farbloses Gas, D. 0,614 (gasf.), Schmp. −17 °C, Sdp. 9,5 °C, in Wasser nicht, in Alkohol u. Ether löslich. D. kommt in sehr geringen Mengen im Erdöl vor; es ist in der NMR-Spektroskopie als Standard von Interesse. – *E* 2,2-dimethylpropane – *F* 2,2-diméthylpropane – *I* = *S* 2,2-dimetilpropano
Lit.: Beilstein E IV **1**, 333 f. ▪ Encycl. Gaz, S. 731–736 ▪ Merck-Index (12.), Nr. 6545 ▪ Ullmann (4.) **14**, 655 ff.; (5.) A **13**, 229, 231. – *[HS 2901 10; CAS 463-82-1; G 3]*

2,2-Dimethyl-1,3-propandiol (Neopentylglykol).

$$HO-CH_2-\underset{\underset{CH_3}{|}}{\overset{\overset{CH_3}{|}}{C}}-CH_2-OH$$

$C_5H_{12}O_2$, M_R 104,15, farblose, hautreizende Kristallschuppen, Schmp. 127–130 °C, Sdp. 206–208 °C, in Wasser, Alkohol, Ether lösl.; LD_{50} (Ratte oral) 3200 mg/kg, wassergefährdender Stoff, WGK 1 (Selbsteinst.). D. ist durch gekreuzte *Cannizzaro-Reaktion von Isobutyraldehyd u. Formaldehyd großtechn. zugänglich.
Verw.: Zur Herst. von ungesätt. Polyesterharzen, Alkydharzen, Synthesefasern, Polyurethanen, Weichmachern (Dibenzoat), stationären Phasen für die Gaschromatographie (Polyester mit Bernstein- u. Sebacinsäure), Schmierstoffen u. Additiven. – *E* 2,2-dimethyl-1,3-propanediol – *F* 2,2-diméthyl-1,3-propanediol – *I* 2,2-dimetil-1,3-propandiolo – *S* 2,2-dimetil-1,3-propanodiol
Lit.: Beilstein E IV **1**, 2551 ▪ Kirk-Othmer (4.) **12**, 726 ▪ Ullmann (4.) **7**, 228, 234; (5.) A **1**, 307 ff. ▪ Weissermel-Arpe (4.), S. 230 ff. – *[HS 2905 39; CAS 126-30-7]*

2,2-Dimethylpropionsäure (Pivalinsäure, Neopentansäure, veraltet: Trimethylessigsäure).

$$H_3C-\underset{\underset{CH_3}{|}}{\overset{\overset{CH_3}{|}}{C}}-COOH$$

$C_5H_{10}O_2$, M_R 102,13, farblose Nadeln, D. 0,905, Schmp. 35 °C, Sdp. 164 °C, leicht lösl. in Alkohol u. Ether, wenig in Wasser, riecht ähnlich widerwärtig wie Buttersäure. Die Dämpfe reizen Augen u. Atemwege, Kontakt mit der Flüssigkeit od. dem festen Stoff bewirkt starke Reizung bis hin zur Verätzung von Augen u. Haut, wird auch über die Haut aufgenommen; LD_{50} (Ratte oral) 900 mg/kg, wassergefährdender Stoff, WGK 1 (Selbsteinst.). Herst. von D. durch Oxid. von Pinakolin bzw. großtechn. durch Kochsche Synth. aus Isobuten, CO u. H_2O.
Verw.: Zur Herst. von Vinylpivalat u. Perpivalaten, Pivalolacton u. von Estern, die im Organismus nur langsam gespalten u. resorbiert werden sollen, wie z. B. Testosteronpivalat. Der Name Pivalinsäure ist aus Pinakolin u. Valeriansäure gebildet; letztere ist mit P. isomer. – *E* 2,2-dimethylpropionic acid – *F* acide 2,2-diméthylpropionique – *I* acido 2,2-dimetilpropionico – *S* ácido 2,2-dimetilpropiónico

Lit.: Beilstein E IV **2**, 908 f. ▪ Hommel, Nr. 461 ▪ Kirk-Othmer (4.) **5**, 192 ff. ▪ Merck-Index (12.), Nr. 7667 ▪ Ullmann (5.) A **5**, 244 f. – *[HS 2915 90; CAS 75-98-9; G 8]*

2,2-Dimethylpropionylchlorid (Pivaloylchlorid).

$$H_3C-\underset{\underset{CH_3}{|}}{\overset{\overset{CH_3}{|}}{C}}-\overset{O}{\underset{Cl}{C}}$$

C_5H_9ClO, M_R 120,58, farblose Flüssigkeit, D. 1,003, Sdp. 107 °C, in Ether lösl., mit Wasser u. Alkohol zersetzlich. D. reizt stark Augen, Atemwege u. Haut, Lungenödem möglich.
Verw.: Zur Synth. von *tert*-Butylperpivalat u. Pharmazeutika; Schutzgruppenreagenz für Alkohole u. Phenole; Reagenz für *N*-Formylierungen; zur Herst. von Dibenzothiophenen mit verzweigten C_3-C_5-Alkyl-Seitenketten durch Friedel-Crafts-Acylierung von Schwefel-Bestandteilen des Erdöls. – *E* 2,2-dimethylpropionylchlorid – *F* chlorure de 2,2-diméthylpropionyle – *I* cloruro di 2,2-dimetilpropionile – *S* cloruro de 2,2-dimetilpropionilo
Lit.: Beilstein E IV **2**, 912 ▪ Hommel, Nr. 685 ▪ J. Org. Chem. **44**, 1317 (1979). – *[HS 2915 90; CAS 3282-30-2; G 8]*

Dimethylpyridine s. Lutidine.

Dimethylpyrocarbonat s. Dimethyldicarbonat.

Dimethylquecksilber s. Quecksilber-organische Verbindungen.

Dimethylsebacat s. Sebacinsäureester.

Dimethylsulfat (Schwefelsäuredimethylester). $(H_3CO)_2SO_2$, $C_2H_6O_4S$, M_R 126,13, farbloses Öl, D. 1,33, Schmp. −32 °C, Sdp. 188 °C, 76 °C (20 hPa), in Wasser unter Hydrolyse, in Alkohol, Ether, Aceton u. aromat. Kohlenwasserstoffen löslich. D. ist ein äußerst tück. Gift, da es weder einen spezif. Geruch besitzt noch während der eigentlichen Einwirkungszeit auffällige Reizungen bewirkt. Dennoch ruft es eingeatmet schwerste Verätzungen der Atmungsorgane hervor (Lungenödem) u. kann auch durch die Haut eindringen; D. gilt als Stoff, der sich im Tierversuch eindeutig als krebserzeugend erwiesen hat (Gruppe III A 2, MAK-Werte-Liste 1996), TRK 0,02 ppm (Herst.) bzw. 0,04 ppm (Verw.), wassergefährdender Stoff, WGK 2 (Selbsteinst.), Emissionsklasse II (TA Luft 3.1.7). Herst. in exothermer Reaktion aus Dimethylether u. SO_3.
Verw.: D. ist eines der techn. wichtigsten *Alkylsulfate; es wird in großtechn. Maßstab zur *Methylierung von Carbonsäuren, Phenolen, Thiophenolen u. Aminen benutzt, wobei in alkal. Medien zunächst nur eine Methyl-Gruppe ausgenutzt, bei Temp. oberhalb 100 °C jedoch auch die zweite Methyl-Gruppe zur Methylierung herangezogen wird. Alkohole lassen sich durch Phasentransferkatalyse methylieren[1], u. in Ggw. von Aluminium(III)-chlorid werden auch aromat. Kohlenwasserstoffe in Methyl-Homologe übergeführt. – *E* dimethyl sulfate – *F* sulfate de diméthyle – *I* dimetilsolfato – *S* sulfato de dimetilo
Lit.: [1] Angew. Chem. **85**, 868 f. (1973).
allg.: Beilstein E IV **1**, 1251 ▪ Gesundheitsschädliche Arbeitsstoffe: toxikologisch-arbeitsmedizinische Begründung von MAK-Werten, Weinheim: VCH Verlagsges. 1972–1996 ▪ Hager (5.) **3**, 481 ▪ Hommel, Nr. 87 ▪ Paquette **3**, 2133 ▪ Synthetica **1**, 163 ff. ▪ Ullmann (4.) **10**, 98; (5.) A **8**, 494 ff. – *[HS 2920 90; CAS 77-78-1; G 6.1]*

Dimethylsulfid. $(H_3C)_2S$, C_2H_6S, M_R 62,13, farblose, brennbare, giftige, unangenehm riechende Flüssigkeit, D. 0,848, Schmp. −98 °C, Sdp. 37 °C, FP. −37 °C c.c., unlösl. in Wasser, lösl. in Alkohol u. Ether. Die Dämpfe haben narkot. Wirkung, die in hohen Konz. zu Bewußtlosigkeit u. auch zum Tod führen können; LD_{50} (Ratte oral) 3300 mg/kg, wassergefährdender Stoff, WGK 2 (Selbsteinst.). D. wird wegen seines starken Geruchs als Kennstoff für nichtriechende Gase verwendet, außerdem zur Synth. von Methionin, Dimethylsulfoxid u. Tensiden sowie zur Desaktivierung von Entschwefelungskatalysatoren. – *E* dimethyl sulfide – *F* sulfure de diméthyle – *I* dimetilsolfuro – *S* sulfuro de dimetilo

Lit.: Beilstein E IV **1**, 1275 ▪ Gesundheitsschädliche Arbeitsstoffe: toxikologisch-arbeitsmedizinische Begründung von MAK-Werten, Weinheim: VCH Verlagsges. 1972–1996 ▪ Hommel, Nr. 265 ▪ Paquette **3**, 2135 ▪ Ullmann (4.) **5**, 334; **23**, 207. – *[HS 293090; CAS 75-18-3; G 3]*

Dimethylsulfon. $(H_3C)_2SO_2$, $C_2H_6O_2S$, M_R 94,13, wasserlösl., farb- u. geruchlose Krist., D. 1,170, Schmp. 110 °C, Sdp. 238 °C. Herst. durch Oxid. von Dimethylsulfid.
Verw.: Lsm. für anorgan. u. organ. Verb. (auch für Polymere), als Weichmacher, Zündbeschleuniger bei Treibstoffen, Dispersionsmittel, zur Trennung von aliphat. u. aromat. Verbindungen. – *E* dimethyl sulfone – *F* diméthylsulfone – *I* dimetilsolfone – *S* dimetilsulfona

Lit.: Beilstein E IV **1**, 1279 ▪ Merck-Index (12.), Nr. 3307 ▪ Ullmann (4.) **5**, 334; **22**, 326. – *[HS 293090; CAS 67-71-0]*

Dimethylsulfoxid (DMSO). $H_3C-SO-CH_3$, C_2H_6OS, M_R 78,13, farb- u. geruchlose hygroskop. Flüssigkeit, D. 1,104, Schmp. 18,55 °C, Sdp. 189 °C, 80 °C (21 hPa), in Wasser u. organ. Lsm. außer Paraffinen lösl.; LD_{50} (Ratte oral) 14,5 g/kg, wassergefährdender Stoff, WGK 1 (Selbsteinst.). Herst. durch Oxid. von *Dimethylsulfid mit N_2O_4 od. O_2/N_2O_4-Gemischen; D. ist auch ein Nebenprodukt der Zellstoffherstellung.
Verw.: Aufgrund seiner ausgezeichneten Lsm.-Eigenschaften, seiner hohen Dielektrizitätskonstanten (46,7) u. seines Dipolmoments (4,3) ist D. als *aprotisches Lösemittel das Reaktionsmedium der Wahl für viele chem. Umsetzungen u. Extraktionen in Laboratorium u. Technik, z.B. in der Petrochemie u. Textilindustrie. Außerdem läßt sich D. vorteilhaft als Oxidationsmittel, zur Dehydratisierung von Alkoholen[2] u. als Basenkomponente – in Form des sog. *Dimsyl*-Anions $[H_3C-SO-CH_2^-]$ in mannigfaltigen Synth. einsetzen. Allerdings muß berücksichtigt werden, daß D. heftig, ggf. unter Explosion, mit Halogen-Verb., Periodsäure, Fluorierungsmitteln u. Natriumhydrid reagieren kann. Das antiphlogist. wirkende D. wird sehr leicht über die Haut resorbiert u. wirkt so als Carrier sowohl für tox. Stoffe als auch für Heilmittel. D. darf beim Herstellen u. Behandeln von kosmet. Mitteln nicht verwendet werden (Kosmetik-VO Anlage 1, Nr. 338); eine ausführliche Beschreibung des D. gibt *Lit.*[1], zur Pharmakologie u. Toxikologie s. *Lit.*[2]. – *E* dimethyl sulfoxide – *F* diméthylsulfoxyde – *I* dimetilsolfossido – *S* dimetilsulfóxido

Lit.: [1] Martin u. Hauthal, Dimethyl Sulfoxide, New York: Halsted 1975. [2] Gesundheitsschädliche Arbeitsstoffe: toxikologisch-arbeitsmedizinische Begründung von MAK-Werten, Weinheim: VCH Verlagsges. 1972–1996.
allg.: Beilstein E IV **1**, 1277 ▪ Merck-Index (12.), Nr. 3308 ▪ Paquette **3**, 2141 ▪ Synthesis **1972**, 101–133; **1981**, 165–185 ▪ Synthetica **1**, 166–178 ▪ Ullmann (4.) **8**, 399; **22**, 333 f.; (5.) A **25**, 497 f. – *[HS 293090; CAS 67-68-5]*

Dimethylterephthalat (Terephthalsäuredimethylester, DMT).

$C_{10}H_{10}O_4$, M_R 194,19, farblose Nadeln, Schmp. 141 °C, Sdp. 288 °C, in heißem Wasser u. Alkoholen etwas, in Chloroform leicht löslich. D. reizt in geringem Maße Augen u. Haut; LD_{50} (Ratte oral) >3200 mg/kg.
Herst.: Nach dem *Katzschmann*-(Imhausen-, Witten-)*Verf.* durch Oxid. eines Gemisches von *p*-Xylol u. *p*-Toluylsäuremethylester mit Luft in flüssiger Phase (140–160 °C, Co/Mn-Katalyse) u. Veresterung mit Methanol. Neben diesem Prozeß gibt es eine Vielzahl von Verf. unterschiedlicher Bedeutung.
Verw.: D. (ebenso wie Terephthalsäure) ist Ausgangsprodukt zur Herst. von Polyestern mit der hauptsächlichen Verw. auf dem Fasersektor. Ein kleinerer Teil dient als Polyesterharz zur Herst. von Folien, Lacken u. Klebern. In neuerer Zeit haben verschiedene Firmen auch die Entwicklung von Flaschen auf Polyesterbasis (Polyethylenterephthalat) für den Getränkesektor aufgenommen. Zu einem kleineren Teil dient D. auch als Ausgangsprodukt zur Herst. von 1,4-Dimethylolcyclohexan. – *E* dimethyl terephthalate – *F* téréphtalate de diméthyle – *I* tereftalato di dimetile – *S* tereftalato de dimetilo

Lit.: Beilstein E IV **9**, 3303 ▪ Hommel, Nr. 411 ▪ Ullmann (4.) **22**, 529 ff.; (5.) A **9**, 567 f. ▪ Weissermel-Arpe (4.), S. 428 f. – *[HS 291737; CAS 120-61-6]*

2,2-Dimethylthietan s. Thietane.

N,N-Dimethyltryptamin [2-(3-Indolyl)-*N,N*-dimethylethylamin].

$C_{12}H_{16}N_2$, M_R 188,27, Schmp. 45–47 °C. D. wurde aus verschiedenen südamerikan. Pflanzen-Arten isoliert. Es ist wegen seiner *Rauschgift-Eigenschaft (halluzinogen[1]) als nicht verkehrsfähiger Stoff in der Anlage I zum Betäubungsmittelgesetz aufgeführt. – *E* N,N-dimethyltryptamine – *F* tryptamine de diméthyle – *I* dimetiltriptammina – *S* dimetiltriptamina

Lit.: [1] Arch. Gen. Psychiatry **51**, 85–108 (1994).
allg.: Chem. Unserer Zeit **13**, 147–156 (1979) ▪ J. Med. Chem. **22**, 428–432 (1979) ▪ Merck-Index (12.), Nr. 3311. – *[CAS 61-50-7]*

Dimethylxanthin s. Theobromin u. Theophyllin.

Dimeticon.

Internat. Freiname für häufig auch *Dimethylpolysiloxan* genannte Poly-(dimethylsiloxane) (*Silicone). D.

wird als Carminativum u. Hautschutzmittel eingesetzt u. ist generikafähig. – *E* dimeticon – *F* diméticone – *I* dimeticone – *S* dimeticona

Lit.: DAB **1996** u. Komm. ▪ Hager (5.) **7**, 1357 f. – *[HS 391000; CAS 9006-65-9]*

Dimetinden.

Internat. Freiname für das *Antihistaminikum *N,N*-Dimethyl-3-[1-(2-pyridyl)-ethyl]-1*H*-inden-2-ethanamin, $C_{20}H_{24}N_2$, M_R 292,42; ölige Flüssigkeit, Sdp. 165–175 °C (67 Pa); λ_{max} (0,1 N HCl) 225, 290 nm. Verwendet wird das Maleat, weißes krist. Pulver, Schmp. 159–161 °C; λ_{max} (CH_3OH) 258 nm ($A_{1cm}^{1\%}$=370), λ_{max} (0,1 N HCl) 260 nm ($A_{1cm}^{1\%}$=438); LD_{50} (Ratte i.v.) 26,8, (Ratte oral) 618,2 mg/kg. D. wurde 1961 von Ciba patentiert u. ist von Zyma (Fenistil®) im Handel. – *E = I* dimetindene – *F* dimétindène – *S* dimetindeno

Lit.: ASP ▪ Beilstein E V **22/11**, 123 f. ▪ Hager (5.) **7**, 1359–1362. – *[HS 293339; CAS 5636-83-9]*

Dimetotiazin.

Internat. Freiname für 10-[2-(Dimethylamino)-propyl]-*N,N*-dimethyl-2-phenothiazinsulfonamid, $C_{19}H_{25}N_3O_2S_2$, M_R 391,55. Verwendet wird das Mesilat. D. wurde 1959 als *Antihistaminikum u. Migränemittel von Rhône-Poulenc patentiert. – *E* dimetotiazine, fonazine – *F* dimétotiazine – *I = S* dimetotiazina

Lit.: Beilstein E V **27/17**, 153 ▪ Merck-Index (12.), Nr. 4260. – *[HS 293500; CAS 7456-24-8 (D.); 7455-39-2 (Mesilat)]*

Dimidiumbromid.

Kurzbez. für 3,8-Diamino-5-methyl-6-phenylphenanthridinium-bromid, $C_{20}H_{18}BrN_3$, M_R 380,29. Rötlichbraunes, mäßig wasserlösl. Pulver vom Schmp. 246–248 °C, wird bei der *Epton-Titration von Aniontensiden als Indikator, auch kombiniert mit *Disulfinblau VN 150, verwendet; dient weiterhin zum *Fluoreszenz-Nachw. von Nucleinsäuren. – *E* dimidium bromide – *F* bromure de dimidium – *I* bromuro di dimidio – *S* bromuro de dimidio

Lit.: Beilstein E III/IV **22**, 5514 ▪ Int. J. Biochem. **14**, 493 (1982) ▪ Tenside **4**, 292 (1967). – *[HS 293390; CAS 37889-60-4]*

Dimilin s. Diflubenzuron.

Dimorphie s. Polymorphie.

Dimroth, Karl (geb. 1910), Prof. für Organ. Chemie, Univ. Marburg. *Arbeitsgebiete:* Physiolog. Chemie, Steroide, Solvatochromie, Radikale, Pyrylium-Salze, Verb. mit P=C-Bindungen, Nucleinsäuren, Hefe, Reform des Chemieunterrichts.

Lit.: Kürschner (16.), S. 597 f. ▪ Nachr. Chem. Tech. **23**, 362 (1975) ▪ Nachr. Chem. Tech. Lab. **44**, 1 (1996).

Dimroth, Otto (1872–1940), Prof. für Chemie, München, Greifswald, Würzburg. *Arbeitsgebiete:* Desmotrope Verb., intramol. Umlagerungen, Karminsäure, Anthrachinon-Derivate, Bleitetraacetat als Oxidationsmittel, Fluorierung, Mercurierung, Redoxsysteme.

Lit.: Pötsch, S. 118 ▪ Strube et al., S. 136.

Dimroth-Kühler s. Kühler.

Dimsyl... s. Dimethylsulfoxid.

DIN. Kurzbez. für *Deutsches Institut für Normung e.V.* mit Sitz in 10787 Berlin, Burggrafenstr. 6. Das 1917 gegr. DIN, das bis 1975 als Deutscher Normenausschuß (DNA) firmierte, führt als anerkannte Zentralstelle planmäßige, von allen jeweils interessierten Kreisen gemeinschaftlich angestrebte Vereinheitlichungsarbeiten durch. Es erstrebt auf gemeinnütziger Grundlage rationelle Ordnung (*Normung) in Wissenschaft, Technik, Wirtschaft u. Verwaltung. Die Normungsarbeiten werden in 100 Normenausschüssen (früher: Fachnormenausschüssen, FNA), 4100 Arbeitsausschüssen u. mit etwa 36000 (1995) ehrenamtlichen Mitarbeitern durchgeführt. Die Arbeitsergebnisse werden unter dem Zeichen $\overline{\text{DIN}}$ als Deutsche Normen (DIN-Normen) herausgegeben (z. Z. ca. 22600). Das DIN arbeitet mit anderen nat. Normungsorganisationen (z. B. AFNOR, *ASTM, BSI) zusammen u. ist korporatives Mitglied der *ISO sowie der europ. Normungsinstitution *CEN/CENELEC. Die Publikationen des DIN werden vom Beuth-Verlag, Berlin u. Köln, ausgeliefert. Die Arbeit des DIN hat sich in den letzten Jahren zugunsten der europ. Normung verschoben. Der Anteil der rein nat. Normung beträgt noch 20%. – INTERNET-Adresse: http://www.din.de

Lit.: DIN-Katalog für technische Regeln, Berlin: Beuth 1996 ▪ Grundlagen der Normungsarbeit des DIN, Berlin: Beuth 1995.

DINA. Nach DIN 7723 (12/1987) Kurzz. für *Diiso*nonyl*adipat als *Weichmacher.

Dinactin s. Nonactin.

Dinas-Steine s. Silika-Steine.

Dinatrium... s. a. Natrium...

Dinatriumcromoglicinat s. Cromoglicinsäure.

Dinatriumtetraborat s. Borax.

Dinatriumtetracarbonylferrat(II) s. Collmans Reagenz.

Diniconazol.

Common name für (*E*)-(*RS*)-1-(2,4-Dichlorphenyl)-4,4-dimethyl-2-(1*H*-1,2,4-triazol-1-yl)pent-1-en-3-ol, $C_{15}H_{17}Cl_2N_3O$, M_R 326,23, Schmp. 134–156 °C, LD_{50} (Ratte oral) 474–639 mg/kg, von Sumitomo u. Chevron entwickeltes system. *Fungizid mit protektiver u. kurativer Wirkung gegen verschiedene pilzliche Krankheitserreger im Getreide-, Obst-, Gemüse-, Wein-, Erdnuß-, Bananen-, Kaffee- u. Zierpflanzenanbau, sowie als *Saatgut-Behandlungsmittel im Getreidebau. – $E = F$ diniconazole – I diniconazolo – S diniconazol

Lit.: Farm ▪ Perkow ▪ Pesticide Manual. – *[CAS 76714-88-0]*

Dinitramin.

Common name für N^3,N^3-Diethyl-2,4-dinitro-6-trifluormethyl-*m*-phenylendiamin, $C_{11}H_{13}F_3N_4O_4$, M_R 322,24, Schmp. 98–99°C, LD_{50} (Ratte oral) 3000 mg/kg (WHO), von Borax Consolidated Ltd. 1971 eingeführtes selektives Vorauflauf-*Herbizid gegen Ungräser u. Unkräuter im Baumwoll- u. Gemüseanbau, wird vor der Aussaat in den Boden eingearbeitet. – $E = F$ dinitramine – $I = S$ dinitramina

Lit.: Farm ▪ Perkow ▪ Pesticide Manual. – *[HS 2921 51; CAS 29091-05-2]*

2,4-Dinitroanilin

$C_6H_5N_3O_4$, M_R 183,12, gelbe Kristallnadeln, D. 1,615, Schmp. 188°C (auch 180°C angegeben), in heißem Wasser u. Alkohol wenig löslich. D. ist ein starkes Blutgift. Es verändert den Blutfarbstoff u. zerstört die roten Blutkörperchen (Hämolyse), nachfolgend Nieren u. Leberschädigungen. Dämpfe u. Flüssigkeit werden auch über die Haut aufgenommen; LD_{50} (Ratte oral) 285 mg/kg, wassergefährdender Stoff, WGK 2. Verw. als Zwischenprodukt bei der Herst. von Azo- u. Schwefel-Farbstoffen. – $E = F$ 2,4-dinitroaniline – $I = S$ 2,4-dinitroanilina

Lit.: Beilstein E IV **12**, 1689 ▪ Hommel, Nr. 351 ▪ Merck-Index (12.), Nr. 3322 ▪ Ullmann (4.) **17**, 398 f.; (5.) **A 2**, 309 f.; **A 17**, 436. – *[HS 2921 42; CAS 97-02-9; G 6.1]*

2,4-Dinitroanisol (1-Methoxy-2,4-dinitrobenzol).

$C_7H_6N_2O_5$, M_R 198,14, farblose Krist., D. 1,546, Schmp. 83°C, Sdp. 207°C (16 hPa), in heißem Wasser etwas, in organ. Lsm. löslich. Zwischenprodukt bei Farbstoff-Synthesen. – E 2,4-dinitroanisole – $F = S$ 2,4-dinitroanisol – I 2,4-dinitroanisolo

Lit.: Beilstein E IV **6**, 1372 ▪ Ullmann (5.) **A 17**, 448. – *[HS 2909 30; CAS 119-27-7]*

3,5-Dinitrobenzoesäure.

$C_7H_4N_2O_6$, M_R 212,12, gelbe Krist., Schmp. 207°C, in heißem Wasser u. Alkohol lösl., in Ether wenig u. in Benzol nicht. D. dient zur Synth. von Dinitrobenzoylchlorid, von Röntgenkontrastmitteln u. zur Kreatin-Bestimmung. – E 3,5-dinitrobenzoic acid – F acide 3,5-dinitrobenzoïque – I acido 3,5-dinitrobenzoico – S ácido 3,5-dinitrobenzoico

Lit.: Beilstein E IV **9**, 1242 ▪ Merck-Index (12.), Nr. 3328 ▪ Ullmann (5.) **A 3**, 567. – *[HS 2916 39; CAS 99-34-3]*

Dinitrobenzole.

$C_6H_4N_2O_4$, M_R 168,11. Man unterscheidet drei Isomere, *ortho*-(1,2-), *meta*-(1,3-) u. *para*-(1,4-)D.: a) *1,2-D.:* farblose Krist., D. 1,565, Schmp. 118°C, Sdp. 319°C; – b) *1,3-D.:* schwach gelbe Krist., D. 1,571, Schmp. 90°C, Sdp. 297°C; – c) *1,4-D.:* farblose Krist., D. 1,625, Schmp. 174°C, Sdp. 299°C. Die D. sind in Wasser selbst in der Hitze sehr wenig, in Alkoholen besser, in Benzol gut lösl., sie sind mit Wasserdampf flüchtig.

Alle D. sind sehr toxisch. Die Aufnahme geschieht durch Einatmen u. über die Haut. Im Vordergrund steht die Veränderung des Blutfarbstoffes, der die Fähigkeit, Sauerstoff zu transportieren, verliert. Weiterhin kommt es zu Schäden der Leber, seltener der Nieren; bei allen drei Isomeren besteht begründeter Verdacht auf krebserzeugendes Potential (Gruppe III B, MAK-Werte-Liste 1996); wassergefährdende Stoffe, WGK 3. 1,3-D. wird in der Ind. am häufigsten verwendet, z.B. für die Herst. von 1,3-Phenylendiamin u. 1,3-Nitroanilin. Von Interesse ist 1,3-D. weiterhin in *Meisenheimer-Komplexen[1], zur kolorimetr. Bestimmung von Ketonen wie 17-Ketosteroiden (Zimmermann-Farbreaktion) u. früher als Ersatz für *TNT in Explosivstoffen. – E dinitrobenzenes – F dinitrobenzènes – I dinitrobenzeni – S dinitrobencenos

Lit.: [1] Pharm. Unserer Zeit **1**, 16–20 (1972).
allg.: Beilstein E IV **5**, 738–742 ▪ Gesundheitsschädliche Arbeitsstoffe: toxikologisch-arbeitsmedizinische Begründung von MAK-Werten, Weinheim: VCH Verlagsges. 1972–1996 ▪ Hager (5.) **3**, 483 ▪ Hommel, Nr. 266, 266 a ▪ Ullmann (4.) **17**, 387 f.; (5.) **A 17**, 418 f. – *[HS 2904 20; CAS 25154-54-5 (Gemisch); 528-29-0 (1,2-D.); 99-65-0 (1,3-D.); 100-25-4 (1,4-D.); G 6.1]*

3,5-Dinitrobenzoylchlorid.

$C_7H_3ClN_2O_5$, M_R 230,56, gelbe tränenreizende Kristallnadeln, Schmp. 69°C (auch 74°C angegeben), Sdp. 196°C (15 hPa), in Ether u. Benzol lösl., mit Wasser Zersetzung. D. dient zur Herst. von *3,5-Dinitrobenzoaten*, die als meist schwerlösl., gut krist. u. mit scharfem Schmp. schmelzende Derivate zur Charakterisierung von Alkoholen, Aminen, Aminosäuren etc. herangezogen werden (*Schotten-Baumann-Reaktion); Zwischenprodukt in organ. Synthesen. – E 3,5-dinitrobenzoyl chloride – F chlorure de 3,5-dinitrobenzoyle – I cloruro di 3,5-dinitrobenzoile – S cloruro de 3,5-dinitrobenzoilo

Lit.: Beilstein E IV **9**, 1350 ▪ Merck-Index (12.), Nr. 3329 ▪ Paquette **3**, 2186. – *[HS 2916 39; CAS 99-33-2]*

2,4-Dinitrochlorbenzol s. 1-Chlor-2,4-dinitrobenzol.

N,N'-Dinitroethylendiamin s. Ethylendinitramin.

Dinitroglykol s. Ethylenglykoldinitrat.

Dinitrokresol s. DNOC.

Dinitrophenole.

$C_6H_4N_2O_5$, M_R 184,11. Von den 6 Isomeren werden 2,4-, 2,6- u. 2,5-D. auch als α-, β- u. γ-D. bezeichnet; techn. Bedeutung besitzt hauptsächlich *2,4-D.*, hellgelbe Nadeln, D. 1,683, Schmp. 114 °C, in Wasser wenig lösl., aber mit Wasserdampf flüchtig, lösl. in Aceton, Ether, Benzol u. Pyridin, in trockenem Zustand explosiv (aus Sicherheitsgründen werden die D. mit Wasser angefeuchtet gehandelt). D. führt zu starker Reizung der Augen, der Atemwege, der Lunge (Lungenödem) sowie der Haut. D. wird über Haut u. Schleimhäute aufgenommen u. löst Störungen des Stoffwechsels u. der Gehirnfunktion sowie des Blutes aus; Leber- u. Nierenschäden; LD_{50} (Ratte oral) 30 mg/kg, wassergefährdender Stoff, WGK 2 (Selbsteinst.).

Verw.: In gesätt. wäss. Lsg. als Indikator im pH-Bereich 2,6–4,4 (farblos/gelb), zur Herst. von Schwefel-Farbstoffen, Azofarbstoffen, Schädlingsbekämpfungsmitteln, Holzschutzmitteln u. Explosivstoffen; D. dürfen beim Herstellen od. Behandeln von kosmet. Mitteln nicht verwendet werden (Kosmetik-VO Anlage 1, Nr. 151). – *E* dinitrophenols – *F* dinitrophénols – *I* dinitrofenoli – *S* dinitrofenoles

Lit.: Beilstein E IV **6**, 1369, 1383 ff. ▪ Hager (5.) **3**, 488 ▪ Hommel, Nr. 847 a ▪ Merck-Index (12.), Nr. 3333 ▪ Rippen ▪ Ullmann (4.) **13**, 213; **18**, 33; (5.) A **17**, 448. – *[HS 2908 90; CAS 25550-58-7 (Gemisch); 51-28-5 (2,4-D.); G 4.1]*

2,4-Dinitrophenylhydrazin (DNP).

$C_6H_6N_4O_4$, M_R 198,14, rote Krist. od. orangerotes Pulver, Schmp. 199–200 °C, in Wasser u. Alkohol kaum, in Diglyme, Eisessig u. verd. Mineralsäuren lösl.; Methämoglobin-Bildner, wassergefährdender Stoff, WGK 2 (Selbsteinst.).

Verw.: D. bildet mit vielen Aldehyden u. Ketonen schwerlösl., gelbgefärbte u. meist durch scharfe Schmelzpunkte ausgezeichnete Derivate (*Hydrazone*), die zur Charakterisierung der Carbonyl-Verb. geeignet sind. In der Dünnschichtchromatographie dient D. (als Sprühreagenz) aufgrund dieser Reaktion zur Lokalisierung von Ketonen auf entwickelten Platten; zur Synth. von Pyrazolen s. *Lit.*[1]. Über Vorsichtsmaßregeln beim Umgang mit D. s. *Lit.*[2]; das Reagenz wird meist mit Wasser angefeuchtet geliefert. – *E* (2,4-dinitrophenyl)hydrazine – *F* 2,4-dinitrophénylhydrazine – *I* 2,4-dinitrofenilidrazina – *S* 2,4-dinitrofenilhidracina

Lit.: [1] J. Heterocycl. Chem. **21**, 1575 (1984). [2] Nachr. Chem. Tech. **15**, 78 (1967).

allg.: Beilstein E IV **15**, 380 ▪ Merck-Index (12.), Nr. 3336 ▪ Synthetica **1**, 179 ▪ Ullmann (4.) **13**, 102; (5.) A **13**, 133. – *[HS 2928 00; CAS 119-26-6]*

2,4-Dinitrotoluol.

$C_7H_6N_2O_4$, M_R 182,14, gelbe Nadeln, D. 1,52, Schmp. 70–71 °C, Sdp. ca. 300 °C (Zers.), in Wasser unlösl., in Alkohol u. Ether etwas löslich. 2,4-D. ist stark giftig: Der Blutfarbstoff wird verändert u. fällt für den Sauerstoff-Transport aus, es werden Blutbildungsstörungen sowie Leber- u. Nierenschäden beobachtet (Aufnahme auch über die Haut). D. hat sich im Tierversuch eindeutig als krebserzeugend erwiesen, u. zwar unter Bedingungen, aus denen eine Vergleichbarkeit zur möglichen Exponierung des Menschen abgeleitet werden kann (Gruppe III A 2, MAK-Werte-Liste 1996); LD_{50} (Ratte oral) 268 mg/kg, wassergefährdender Stoff, WGK 3.

D. tritt bei der Herst. von Trinitrotoluol als Zwischenprodukt auf; es wird in beschränktem Umfang in Schießpulvern eingesetzt; Zwischenprodukt zur Herst. von 2,4-Diaminotoluol (Toluylendiamin) u. weiter zu Toluylendiisocyanat u. Polyurethanen; Zwischenprodukt bei der Herst. von Farbstoffen. – *E = I* 2,4-dinitrotoluene – *F* 2,4-dinitrotoluène – *S* 2,4-dinitrotolueno

Lit.: Beilstein E IV **5**, 865 ▪ Gesundheitsschädliche Arbeitsstoffe: toxikologisch-arbeitsmedizinische Begründung von MAK-Werten, Weinheim: VCH Verlagsges. 1972–1996 ▪ Hager (5.) **3**, 489 ▪ Hommel, Nr. 268 ▪ Kirk-Othmer (4.) **2**, 445 f. ▪ Rippen ▪ Ullmann (4.) **17**, 392, 412; (5.) A **17**, 422 f. – *[HS 2904 20; CAS 121-14-2; G 6.1]*

Dinocap.

$R^1 = NO_2$; $R^2 = CH(CH_3)-C_6H_{13}$
$R^1 = CH(CH_3)-C_6H_{13}$; $R^2 = NO_2$

Common name für Crotonsäure[2(od.4)-(1-methylheptyl)-4,6(od. 2,6)-dinitrophenylester], Strukturisomerengemisch, $C_{18}H_{24}N_2O_6$, M_R 364,40, Sdp. 138–140 °C (5 Pa), LD_{50} (Ratte oral) 980 mg/kg (GefStoffV), von Rohm & Haas 1946 eingeführtes Kontakt-*Fungizid mit protektiver u. eradikativer Wirkung gegen Echten Mehltau im Kartoffel-, Wein-, Obst-, Gemüse-, Tabak- u. Hopfenanbau, sowie akarizider Wirkung im Obst- u. Weinanbau. – *E = F = I = S* dinocap

Lit.: Farm ▪ Perkow ▪ Pesticide Manual. – *[HS 2916 19; CAS 39300-45-3]*

Dinoprost.

R^1 = OH, R^2 = H : Dinoprost
$R^1 = R^2$ = O : Dinoproston

Internat. Freiname für das *Prostaglandin $F_{2α}$ [(5Z,9α,11α,13E,15S)-9,11,15-Trihydroxy-5,13-prostadiensäure], $C_{20}H_{34}O_5$, M_R 354,49. Viskoses, farbloses Öl, farblose Krist., Schmp. 25–35 °C; $[α]_D^{25}$ +23,5°

(c 1/THF); LD$_{50}$ (Kaninchen i.m.) 2,5, (Kaninchen i.v.) 5,0 mg/kg. Verwendet wird das Tromethamin-Salz, ein weißes, krist. Pulver, Schmp. 100–101 °C, [α]$_D^{20}$ +19 bis +26° (c 2/C$_2$H$_5$OH). D. wurde 1971, 1972 u. 1976 von Upjohn (Minprostin F$_2$®) patentiert. D. wird wegen seiner stark uteruskontrahierenden u. vasokonstriktor. Eigenschaften in der Humanmedizin gegen aton. Nachblutungen des Uterus verschiedener Genese eingesetzt; s.a. Prostaglandine. – *E* = *F* = *I* = *S* dinoprost

Lit.: Hager (5.) **7**, 1368–1372 ▪ Naturwiss. Rundsch. **29**, 206 f. (1976). – *[HS 2918 90; CAS 551-11-1 (D.); 38562-01-5 (Tromethamin-Salz)]*

Dinoproston. Internat. Freinamen für das Wehen einleitende *Prostaglandin E$_2$ [(5*Z*,11α,13*E*,15*S*)-11,15-Dihydroxy-9-oxo-5,13-prostadiensäure], Struktur s. bei Dinoprost. C$_{20}$H$_{32}$O$_5$, M$_R$ 352,47. Farblose Krist., Schmp. 66–68 °C; [α]$_D^{26}$ –61° (c 1/THF); pK$_a$ 4,94. D. ist von Upjohn (Minprost E$_2$®, Prepidil®) u. von Nourypharma (Cerviprost®) im Handel; s.a. Prostaglandine. – *E* = *F* = *I* dinoprostone – *S* dinoprostona

Lit.: Hager (5.) **7**, 1368–1372. – *[HS 2918 90; CAS 363-24-6]*

Dinor... Präfix, das in Naturstoff-Namen die Entfernung von 2 C-Atomen kennzeichnet (IUPAC-Regel F-4.4); *Beisp.:* 7,24-Dinorcholan; vgl. Nor... – *E* = *F* = *I* = *S* dinor...

Dinoseb.

Common name für 2-*sec*-Butyl-4,6-dinitrophenol, C$_{10}$H$_{12}$N$_2$O$_5$, M$_R$ 240,22, Schmp. 38–42 °C, LD$_{50}$ (Ratte oral) 58 mg/kg (GefStoffV), von Dow Chemicals 1945 eingeführtes selektives nicht-system. Kontakt-*Herbizid gegen Unkräuter im Getreide-, Mais- u. Leguminosenanbau, wird auch als Acetat eingesetzt. – *E* = *I* = *S* dinoseb – *F* dinosèbe

Lit.: Farm ▪ Perkow. – *[HS 2908 90; CAS 88-85-7]*

Dinoterb.

Common name für 2-*tert*-Butyl-4,6-dinitrophenol, C$_{10}$H$_{12}$N$_2$O$_5$, M$_R$ 240,22, Schmp. 125,5–126,5 °C, LD$_{50}$ (Maus oral) 25 mg/kg (GefStoffV), von Pepro (jetzt Rhône Poulenc) 1967 eingeführtes selektives Kontakt-*Herbizid gegen Unkräuter im Getreide- u. Maisanbau. – *E* = *I* = *S* dinoterb – *F* dinoterbe

Lit.: Farm ▪ Perkow ▪ Pesticide Manual. – *[HS 2908 90; CAS 530-17-6]*

DINP. Nach DIN 7723 (12/1987) Kurzz. für *Di*iso*n*o*n*yl*phthalat als *Weichmacher.

DIOA. Nach DIN 7723 (12/1987) Kurzz. für *Di*iso*o*c*tyladipat als *Weichmacher.

Dioctyl... Bez. für zwei Octyl- od. in Freinamen oft zwei 2-Ethylhexyl-Reste; s. Octyl.... – *E* = *F* dioctyl... – *I* diottil... – *S* dioctil...

Dioctyladipat [Bis-(2-ethylhexyl)-adipat].

C$_{22}$H$_{42}$O$_4$, M$_R$ 370,57, farblose Flüssigkeit, D. 0,925, Sdp. 247–253 °C, 26 hPa. Weichmacher (Kurzz. DOA) für PVC, bes. für kälteelast. Weich-PVC, Kautschuk u. kälte- u. lichtbeständige Nitrolacke. – *E* dioctyl adipate – *F* adipate de dioctyle – *I* adipato di diottile – *S* adipato de dioctilo

Lit.: Beilstein E IV **2**, 1964 ▪ Ullmann (5.) **A 20**, 440 ▪ s.a. Weichmacher. – *[HS 2917 12; CAS 103-23-1]*

Dioctylnatriumsulfosuccinat s. Docusat-Natrium.

Dioctylphthalat s. Phthalsäureester.

Dioctylsebacat s. Sebacinsäureester.

Dioctylzinn... s. Zinn-organische Verbindungen.

Diode. Halbleiterbauelement, das überwiegend zur Gleichrichtung von Wechselspannung bzw. Strom eingesetzt wird. Es entsteht durch den Kontakt zwischen einem n- u. einem p-leitenden *Halbleiter. Der Innenwiderstand hängt stark von der Richtung u. vom Betrag der angelegten Spannung ab, d.h. das Ohmsche Gesetz gilt hier nicht. Eine in Durchlaßrichtung betriebene D. (Anode bzw. p-dotierter Bereich pos. gegen Kathode bzw. n-dotierten Bereich) zeigt mit zunehmender Spannung zunächst einen exponentiellen Anstieg des Stromes, der für sehr hohe Ströme in ein lineares Verhalten übergeht. Hierbei wird der elektr. Ladungstransport durch freie Elektronen u. Löcher durchgeführt, die im Übergangsgebiet zwischen n- u. p-leitendem Bereich rekombinieren. Die dabei freiwerdende Energie kann als Wärme od. als elektromagnet. Strahlung emittiert werden (*LED Light emitting diode). Die Wellenlänge liegt je nach Bandabstand im infraroten bis sichtbaren Spektralbereich. Bei weiterer Steigerung des Durchlaßstromes kann es zu stimulierter Lichtemission kommen (*Dioden-Laser). Bei einer in Sperrichtung (Anode neg. gegen Kathode) betriebenen D. fließt ein geringer Sperrstrom, solange die Spannung kleiner als eine materialabhängige Sperrspannung ist. Übersteigt die äußere Spannung diese Sperrspannung, so steigt der Strom steil an (Zener- bzw. Lawinendurchbruch, Anw. als Zener-Diode zur Spannungsstabilisierung). Wird in eine in Sperrichtung gepolte D. Licht mit einer Quantenenergie über der Bandlücke eingestrahlt, so fließt ein zur Einstrahlung proportionaler Photostrom (*Photodiode). Ohne von außen angelegte Spannung kann eine D. als *Solarzelle od. *Photoelement betrieben werden.
Neben den Halbleiter-D. gibt es Vakuum-D. Hier befinden sich Anode u. Kathode in einem evakuierten Glasgefäß. Wird die Kathode geheizt, so daß aus ihr Elektronen abdampfen, können diese nur zu einer pos. gepolten Anode abfließen. Daraus ergibt sich ein Gleichrichtungseffekt. Werden aus einer kalten Kathode Elektronen durch Lichteinstrahlung ausgelöst (äußerer *Photoeffekt) u. von einer pos. Anode abgesaugt, so handelt es sich um eine Vakuum-Photodiode. – *E* = *F* diode – *I* = *S* diodo

Lit.: s. Halbleiter.

Diodenarray. Bez. für eine Reihenanordnung von *Photodioden auf einem Silicium-Kristall. D. haben eine komplexe Struktur u. werden ähnlich gefertigt wie hochintegrierte Schaltungen. Sie werden verwendet z. B. in UV-Spektrometern (s. UV-Spektroskopie), wobei zunächst das gesamte Licht die Probe durchdringt u. danach auf den Eintrittsspalt des Polychromators fokussiert wird. An Stelle eines Austrittsspaltes wie bei einem *Monochromator wird ein D. so in das spektral zerlegte Licht positioniert, daß der gesamte spektrale Bereich abgedeckt ist u. jeder Photodiode ein schmaler Bereich des Spektrums zugeordnet wird. Dadurch wird eine simultane Aufnahme des gesamten Spektrums möglich, wodurch die Meßgeschw. drast. erhöht wird (s. Abb.).

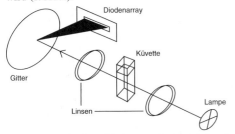

Abb.: Lichtweg in einem Diodenarray-Spektralphotometer.

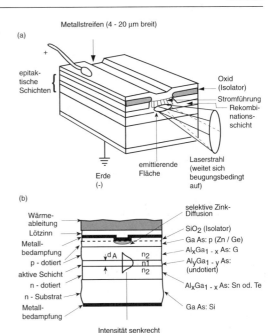

Abb.: a) Typischer Aufbau b) Querschnitt eines Dioden-Lasers.

Durch die starre Anordnung von Eintrittsspalt, Dispersionselement u. D. erreichen derartige Geräte eine gute Wellenlängengenauigkeit. Speziell optimierte Geräte dieser Bauart werden als *Detektoren in der *HPLC eingesetzt. – *E* diode-array – *F* matrice de diodes – *S* conjunto de diodos

Lit.: Otto, Analytische Chemie, S. 267 f., Weinheim, VCH Verlagsges. 1995 ▪ Owen, Diodenarray-Technologie in der UV/VIS-Spektroskopie, Waldbronn: Hewlett-Packard 1988.

Dioden-Laser. Wird durch eine p-n-Halbleiterdiode in Transmissionsrichtung ein Strom geschickt, rekombinieren Elektronen u. Löcher im Bereich des p-n-Übergangs. Die freiwerdende Energie kann in Form von elektromagnet. Strahlung ausgesandt werden. Oberhalb einer, durch den Aufbau u. das Material der Diode festgelegten Schwelle ist das Strahlungsfeld des Lichtes so groß, daß die induzierte Emission größer als die spontane wird, d. h. es wird kohärente Strahlung in einen kleinen Raumwinkel emittiert. Die Endflächen der Diode wirken hierbei meist als Resonatorspiegel. Die Abb. zeigt den prinzipiellen Aufbau eines D.-L.; typ. Abmessungen sind eine Breite von 0,1 mm, eine Länge von 0,4 mm u. eine Dicke der aktiven Zone von $d_A = 2 - 5$ μm. Diese kleinen Dimensionen haben den Vorteil, daß D.-L. auf Grund des geringen Raumbedarfs quasi überall eingesetzt werden können; sie haben aber den Nachteil, daß bei den typ. Entladungsströmen von ~ 100 mA in der aktiven Zone eine sehr große Stromdichte erreicht wird, die ohne Kühlung zu einer therm. Zerstörung führen würde. Die Effizienz der Kühlung dieser Zone begrenzt den Entladungsstrom u. damit die Lichtleistung des D.-Laser. Weiterer Nachteil der kleinen Abmessungen: Das Laserlicht wird aus einer kleinen Stirnfläche von ~ 0,1 · 0,005 mm emittiert u. besitzt auf Grund der Beugung einen großen Divergenzwinkel. Es sind daher Linsen (z. T. Zylinderlinsen) notwendig, um einen weitgehend parallelen Strahl zu erzeugen. Beide Nachteile werden durch parallel angeordnete u. z. T. opt. gekoppelte Rekombinationszonen vermieden (engl. laser array). Ferner werden die p- u. n-leitenden Zonen mehrschichtig ausgeführt (Hetero-Struktur), so daß die Lichtwelle in der Rekombinationszone durch die unterschiedlichen Brechungsindizes geführt wird wie in einem *Lichtleiter (*Faseroptik). D.-L. werden zunehmend eingesetzt, um *Festkörperlaser, z. B. Nd: *YAG-Laser zu pumpen.

D.-L. haben keine festvorgegebene Wellenlänge; sie kann in einen Bereich, der durch das verwendete Halbleitermaterial gegeben ist (s. *Lit.*[1]) durchgestimmt werden, was durch Veränderung der Temp. u. des Entladungsstromes erfolgt.

Anw.: CD-Plattenspieler, Datenübertragung (Faseroptik), Positionieren u. Entfernungsmessen u. *Molekülspektroskopie. – *E* diode lasers, semiconductor lasers – *F* lasers à diode, lasers à semiconducteur – *I* laser a diodo – *S* láseres de diodo, láseres de semiconductor

Lit.: [1] Demtröder, Laser Spectroscopy, Berlin: Springer 1981. allg.: Cheo (Hrsg.), Handbook of Solid-State Lasers, S. 227–448, New York: Marcel Dekker 1989 ▪ Delfyett u. Lee, Lasers, Semiconductor Injection, Encycl. of Physical Science and Technology, Bd. 8, S. 583–600, San Diego: Academic Press 1992 ▪ Tsang (Hrsg.), Semiconductors and Semimetals, Bd. 22, Teile A–E, New York: Academic Press 1985.

Diodon.

Internat. Freinamen für 3,5-Diiod-4-oxo-1(4H)-pyridinessigsäure, $C_{11}H_{16}I_2N_2O_5$, M_R 510,07, Schmp. 155–157 °C (Zers.), nach Trocknung bei 100 °C, Schmp. 245–249 °C. Es wurde als Röntgenkontrast-

mittel 1931 von I.G. Farben u. 1935 von Winthrop patentiert. – $E=F=I$ diodone – S diodona
Lit.: Beilstein EV **21/7**, 164 ▪ Hager (5.) **7**, 1376. – *[HS 2933 39; CAS 101-29-1]*

Diofan®. Umfangreiche Gruppe von Vinylidenchlorid-Mischpolymerisaten in Form von wäss. weichmacherfreien, 45–65%igen Dispersionen (pH 2–6).
Verw.: Für wärme- u. hochfrequenzschweißbare Beschichtungen auf Papier, Karton, Metall- u. Kunststoff-Folien zur Herst. von Verpackungsmaterialien mit hoher Wasserdampf-, Gas- u. Aromadichtigkeit, für Glanz- u. schwerentflammbare Beschichtungen. *B.:* BASF.

Diofenolan. Common name für 2-Ethyl-4-(4-phenoxyphenoxymethyl)-1,3-dioxolan.

$C_{18}H_{20}O_4$, M_R 300,35, farblose Flüssigkeit, LD_{50} (Ratte oral) >5000 mg/kg, von Ciba Geigy (jetzt Novartis) entwickeltes *Insektizid zum Einsatz in Obst-, Nuß-, Oliven-, Tee- u. Blumenkulturen, Insektenwachstumsregulator mit Juvenilhormon-Aktivität. Wird auch als *cis/trans*-Gemisch eingesetzt. – E diofenolan – $F=I$ diofenolane – S diofenolán
Lit.: Pesticide Manual. – *[CAS 63837-33-2]*

...diol s. Diole.

Diole (Dialkohole). Gruppenbez. für aliphat. u. alicycl. Verb., die zwei Hydroxy-Gruppen (vgl. Di... u. ...ol) im Mol. enthalten; *Beisp.:* *Ethylenglykol, *Butandiole, *2,2-Dimethyl-1,3-propandiol, 1,10-Decandiol, 1,4-Cyclohexandimethanol; aromat. Dihydroxy-Verb. vom Typ des Brenzcatechins bezeichnet man als Hydrochinone u. die durch *Hydroxylierung herstellbaren D. mit *vicinalen* (benachbarten) OH-Gruppen (1,2-D.) als *Glykole bzw. *Pinakole. Techn. sind die D. als Komponenten der Polyurethane u. Polyester u. als Zwischenprodukte für Pharma- u. Pestizid-Wirkstoffe, Lackrohstoffe etc. von erheblicher Bedeutung. – $E=F$ diols – I dioli – S dioles
Lit.: s. Alkohole, Phenole.

Diolefine s. Diene.

Diolen®. Hochfeste Polyester-Filamentgarne für techn. Anwendungen. *B.:* AKZO Nobel Faser AG.

...dion s. Diketone.

Dione s. Diketone.

DIOP. Nach DIN 7723 (12/1987) Kurzz. für *Di*isooctyl*p*hthalat als *Weichmacher.

Diopsid s. Pyroxene.

Dioptas, $Cu_6[Si_6O_{18}] \cdot 6H_2O$. Smaragdgrünes, glasglänzendes, durchsichtiges bis durchscheinendes, zu den Ring-*Silicaten gehörendes Mineral, H. 5, D. 3,3, krist. trigonal, Kristallklasse $\bar{3}$-C_{3i}; zur Struktur s. *Lit.*[1] u. *Lit.*[2] (natürlicher u. synthet., blauer u. schwarzer D.). Krist. häufig kurzprismat.-rhomboedr., einzeln, als Gruppen sowie als Krusten. Lösl. in Salzsäure u. Ammoniak unter Abscheidung von Kieselgallerte.
Vork.: In *Oxidationszonen von Kupfer-Lagerstätten, z.B. Renéville/Zaire, Tsumeb u. Kaokoveld/Namibia, Altyn Tyube/Kasachstan. Verw. als Schmuckstein. – $E=F$ dioptase – I dioptasio – S dioptasa
Lit.: [1] Am. Mineral. **62**, 807–811 (1977); Phys. Chem. Miner. **22**, 137–144 (1995). [2] Z. Kristallogr. **184**, 1–11 (1988); **187**, 15–23 (1989).
allg.: Lapis **19**, Nr. 5, 8 ff. (1994) („Steckbrief") ▪ Ramdohr-Strunz, S. 712 f. – *[HS 2603 00; CAS 15606-25-4]*

Diorez®. Lineare u. verzweigte Polyesterole für die Herst. von *PU-Systemen. *B.:* Krahn.

Diorite. Zu den Plutoniten gehörende intermediäre *magmatische Gesteine der Kalkalkali-Reihe, SiO_2-Gehalt 52–65%, D. 2,85–3.05. Hauptgemengteile sind Plagioklas-*Feldspäte sowie meistens *Hornblende; ferner Biotit (*Glimmer), Augit (*Pyroxene) u. *Quarz (5–20% bei *Quarz-D.*). Der dem D. verwandte *Tonalit* enthält als Hauptminerale Plagioklas, Quarz (>20% der hellen Gemengteile), Hornblende u./od. Biotit, letztere oft als Einsprenglinge in einer hellen Grundmasse. Die meisten D. u. Quarzd. bieten einen mittelgrauen bis grünlichgrauen, gleichmäßig mittel- bis grobkörnigen Gesamteindruck.
Vork.: Z.B. im Bayer. Wald, Thüringer Wald, Odenwald, Schwarzwald. Als Bestandteile der riesigen Batholithe im Westen Nordamerikas u. ähnlich in Peru. In Finnland u. auf Korsika finden sich sog. Kugel-D.; ihre Entstehung ist noch nicht geklärt. Verw. als Schotter u. Pflasterstein, auch als Dekorstein. – $E=F=I$ diorite – S diorita
Lit.: Dietrich u. Skinner, Die Gesteine u. ihre Mineralien, S. 157–161, Thun: Ott-Verl. 1984 ▪ Wimmenauer, Petrographie der magmatischen u. metamorphen Gesteine, S. 92–97, Stuttgart: Enke 1985 ▪ s. magmatische Gesteine, Petrographie. – *[HS 2516 90]*

Dioscin s. Diosgenin.

Dioscorides (auch Dioskurides). Griech. Arzt u. Pharmakologe aus dem 1. Jh. n. Chr., dessen fünfbändiges Hauptwerk „De Materia medica", das die Medizin etwa 1500 Jahre lang stark beeinflußte, etwa 500 Heilmittel, z.B. Wurmfarn, Enzian, Kalkwasser, Bleiacetat, Realgar, Schwefelantimon, Zinkoxid, Wollfett usw. beschreibt.
Lit.: Krafft, S. 102 f. ▪ Krafft u. Meyer-Abich, Große Naturwissenschaftler, S. 98, Frankfurt: Fischer 1970 ▪ Pötsch, S. 118.

Dioscorin.

$C_{13}H_{19}NO_2$, M_R 221,30, grün-gelbe Prismen, Schmp. 43,5°C, $[\alpha]_D^{18}$ –35° ($CHCl_3$), lösl. in Wasser, Alkohol, Aceton, Chloroform, unzersetzt destillierbar. Tropan-Alkaloid aus *Dioscorea*-Arten (s. Yam), deren Wurzelknollen in Südostasien zur Gewinnung von Pfeilgiften verwendet werden. D. ist ein Krampfgift u. neben *Saponinen für die Giftigkeit der Pflanzen verantwortlich. – $E=F$ dioscorine – $I=S$ dioscorina
Lit.: J. Am. Chem. Soc. **109**, 6179 (1989) (Biosynth.) ▪ Lewin, Die Pfeilgifte, S. 114 f., Hildesheim: Gerstenberg 1984 ▪ Phytochemistry **28**, 3325 (1989). – *[CAS 3329-91-7]*

Diosgenin {(25R)-Spirost-5-en-3β-ol, Nitogenin}.

$C_{27}H_{42}O_3$, M_R 414,63, Krist., Schmp. 204–207 °C (vgl. Digitonin), $[\alpha]_D$ –129° (CHCl$_3$), lösl. in organ. Lösemitteln. D. kommt in *Dioscorea*- u. *Solanum*-Arten sowie *Trillium erectum* vor. Das (25S)-Diastereomere heißt *Yamogenin* {Schmp. 201 °C, $[\alpha]_D$ –123° (CHCl$_3$)}. D. wird in techn. Maßstab aus den kartoffelähnlichen Knollen von mexikan. *Dioscorea*-Arten als Ausgangsprodukt für die Synth. von Steroidhormonen gewonnen. Es liegt in der Pflanze als brechreizerzeugendes Glykosid mit zwei Mol Rhamnose u. 1 Mol Glucose vor (*Dioscin*); vgl. auch Saponine. – *E* diosgenin – *F* diosgénine – *I* = *S* diosgenina
Lit.: J. Chem. Soc., Chem. Commun. **1981**, 895 ▪ Karrer, Nr. 2095, 2098 ▪ Tetrahedron **38**, 513 (1982) ▪ Ullmann (5.) A **13**, 112. – [HS 2932 99; CAS 512-04-9 (D.); 512-06-1 (Yamogenin)]

Diosmin.

Von der WHO vorgeschlagener, internat. Freiname für 3′,5,7-Trihydroxy-4′-methoxyflavon-7-rhamnoglucosid, $C_{28}H_{32}O_{15}$, M_R 608,55, feine gelbe Nadeln, Schmp. 275–277 °C; λ_{max} (0,1 N HCl) 251, 266, 345 nm ($A_{1cm}^{1\%}$ = 292, 292, 336). D. ist als Venentonikum von Kali-Chemie (Tovene®) im Handel. – *E* = *F* diosmine – *I* = *S* diosmina
Lit.: Beilstein EV **18/5**, 304 ▪ Hager (5.) **7**, 1376 ff. – [HS 2938 10; CAS 520-27-4]

Diosphenole.

Diosphenol ψ-Diosphenol (+)-*trans*-8-Mercapto-*p*-menthan-3-on

$C_{10}H_{16}O_2$, M_R 168,24, Sammelbez. für enolisierbare cycl. 1,2-*Diketone aus dem Buccoblätteröl (*Barosma* spp.). Das abgebildetete D. u. ψ-D. sind hierin zusammen zu ca. 20% enthalten. (+)-*trans*-8-*Mercapto-p-menthan-3-on* ($C_{10}H_{18}OS$, M_R 186,31) verursacht den typ. Cassis-Duft des Bucco-Öls.
Verw.: Zur Aromatisierung von Lebensmitteln. – *E* diosphenols – *F* diosphénols – *I* diosfenoli – *S* diosfenoles
Lit.: Gildemeister **5**, 438 ▪ Merck-Index (12.), Nr. 3351. – [CAS 490-03-9 (D.); 54783-36-7 (ψ-D.); 35117-85-2 ((+)-*trans*-8-Mercapto-p-menthan-3-on)]

Dioxa... Präfix (aus *Di... u. *Oxa...), das den Austausch von zwei C-Atomen gegen O-Atome kennzeichnet; nicht zu verwechseln mit *Dioxo...! – *E* = *F* = *S* dioxa... – *I* diossa...

1,4-Dioxacyclohexadecan-5,16-dion s. Moschus.

1,4-Dioxan (Tetrahydro-1,4-dioxin, Diethylendioxid).

$C_4H_8O_2$, M_R 88,11, farblose, brennbare, etwas ölige, angenehm riechende Flüssigkeit, D. 1,034, Schmp. 11,8 °C, Sdp. 101 °C, FP. 11 °C c.c., bei Einwirkung von Luft können sich explosive Peroxide bilden. Die Dämpfe wirken in hohen Konz. narkot. u. führen zu schweren Leber- u. Nierenschäden; sie reizen Augen, Atemwege u. die Lunge. Die Flüssigkeit wird über die Haut aufgenommen. D. gilt als Stoff mit begründetem Verdacht auf krebserzeugendes Potential (Gruppe III B, MAK-Werte-Liste 1996), MAK 200 ppm, wassergefährdender Stoff, WGK 2. Von den drei isomeren Dioxanen ist das 1,4-D., das techn. durch Erhitzen von Diethylenglykol mit dehydratisierenden Mitteln (z. B. konz. H_2SO_4) leicht hergestellt werden kann, als universelles Lsm. für Naturstoffe, Harze, Wachse, Celluloseester u. -ether, Fette, Farbstoffe in der chem. Technik u. im Laboratorium von Bedeutung. Wegen seiner guten Lösungseigenschaften u. seiner großen kryoskop. Konstante (4,83) ist D. auch zur *Molmassen-Bestimmung geeignet. Als cycl. Ether bildet D. *Oxonium-Salze; die Komplexe des D. mit Brom bzw. Schwefeltrioxid sind schonende Bromierungs- bzw. Sulfonierungsmittel; D. darf beim Herstellen od. Behandeln von kosmet. Mitteln nicht verwendet werden (Kosmetik-VO Anlage 1, Nr. 343). – *E* 1,4-dioxan(e) – *F* 1,4-dioxane – *I* 1,4-diossano – *S* 1,4-dioxano
Lit.: Beilstein EV **19/1**, 16–31 ▪ Gesundheitsschädliche Arbeitsstoffe: toxikologisch-arbeitsmedizinische Begründung von MAK-Werten, Weinheim: VCH Verlagsges. 1972–1996 ▪ Hager (5.) **3**, 495; **7**, 1378 ▪ Hommel, Nr. 88 ▪ Houben-Weyl **6/4**, 253–274, 323–326 ▪ Merck-Index (12.), Nr. 3353 ▪ Synthesis **1979**, 699 f. ▪ Synthetica **1**, 180 f. ▪ Ullmann (4.) **10**, 151 ff.; (5.) A **8**, 545 ▪ Weissermel-Arpe (4.), S. 171. – [HS 2932 99; CAS 123-91-1; G 3]

Dioxepine.

1   2

Systemat. Bez. für ungesätt. 7-gliedrige Ringsysteme mit 2 Sauerstoff-Atomen im Ring, z. B. die 1,3-Dioxepine 1 u. 2. Eine Übersicht über die verschiedenen Dioxepine findet man in *Lit.*[1]. – *E* dioxepins – *F* dioxépines – *I* diossepine – *S* dioxepinas
Lit.: [1] Katritzky-Rees **7**, 620 f.

Dioxetane. Systemat. Bez. für gesätt. viergliedrige Ringsyst. mit 2 Sauerstoff-Atomen im Ring – die ungesätt. heißen *Dioxete*. Von bes. Interesse sind die durch Cycloaddition von *Singulett-Sauerstoff an Alkene (*Dioxygenierung*) entstehenden 1,2-D., deren Thermolyse unter Lichtemission (*Chemilumineszenz*) verläuft. Die abgeleiteten Ketone können als α-*Peroxylactone aufgefaßt werden; ihr Zerfall wird für *Biolumineszenz-Erscheinungen verantwortlich gemacht (z. B. bei Leuchtkäfern, *Luciferin-Reaktion*). Techn. ausgenutzt wird die Lichtemission zerfallender *Dioxetandione* in Cyalume-Leuchtstäben.

$^1O_2$: Singulettsauerstoff
$^3O_2$: Triplettsauerstoff

– *E* dioxetanes – *F* dioxétanes – *I* diossetani – *S* dioxetanos

Lit.: Adam u. Cilento, Chemical and Biological Generation of Electronically Excited States, New York: Academic Press 1982 ▪ Angew. Chem. **95**, 525–538 (1983) ▪ Chem. Unserer Zeit **7**, 182–191 (1973); **14**, 44–55 (1980) ▪ Wassermann u. Murray, Singlet Oxygen, S. 173–242, New York: Academic Press 1979 ▪ s. a. Peroxide u. Textstichwörter.

Dioxete s. Dioxetane.

Dioxethedrin.

Internat. Freiname für das *Sympathikomimetikum 4-[2-(Ethylamino)-1-hydroxypropyl]-brenzcatechin, $C_{11}H_{17}NO_3$, M_R 211,26. Verwendet wird das Hydrochlorid, Schmp. 212–214°C. D. wird als Broncholytikum eingesetzt, aber auch als *Doping-Mittel im Sport mißbraucht. – *E* dioxethedrin – *F* dioxéthédrine – *I* = *S* dioxetedrina

Lit.: Hager (5.) **7**, 1379 f. – *[HS 2922 50; CAS 497-75-6]*

Dioxide. Bez. für Mol., in denen zwei Atome Sauerstoff an ein Atom gebunden sind, z. B. Kohlendioxid (**1**), Schwefeldioxid (**2**), Tetrahydrothiophen-1,1-dioxid (*Sulfolan, **3**) od. Festkörper, in denen zwei O^{2-}-Ionen pro M^{4+}-Kation in ion. Bindung mit mehr od. weniger großem Kovalenz-Anteil vorliegen, z. B. Siliciumdioxid, Bleidioxid, Titandioxid od. Zirconiumdioxid.

Abb.: Dioxide.

D. müssen von den *Peroxiden u. *Hyperoxiden der Zusammensetzung MO_2 unterschieden werden, in denen das Kation nicht die Oxidationsstufe +4, sondern +2 bzw. +1 aufweist. Diese enthalten das Peroxid-Anion O_2^{2-} (z. B. BaO_2) bzw. das Hyperoxid-Anion O_2^- (z. B.

Kaliumhyperoxid, KO_2). – *E* dioxides – *F* dioxydes – *I* diossidi – *S* dióxidos

Dioxime s. Oxime, Diketone u. Dimethylglyoxim.

Dioxine. 1. Systemat. Bez. für Verb. mit einem ungesätt., sechsgliedrigen Ring mit 2 Sauerstoff-Atomen, meist mit 1,4-Dioxin-Ring (s. Abb., **1**), selten mit 2*H*,4*H*-1,3-Dioxin- od. 1,2-Dioxin-Ring. – 2. Übliche Bez. für die Gruppe der polychlorierten *Dibenzo[1,4]dioxine (s. Abb., **2**; Abk.: PCDD), zu denen meist auch die polychlorierten *Dibenzofurane (PCDF, ohne Dioxin-Ring!) gerechnet werden (s. Abb., **3**). Die „polychlorierten" D. schließen auch mono- (MCDD, MCDF), di- (DCDD, DCDF) u. trichlorierte D. (TrCDD, TrCDF) ein (weitere Abk. s. Tab., S. 1001). Die Gruppe der PCDD umfaßt 75, die der PCDF 135 denkbare Verb. (*E* congeners = verwandte). An die Stelle von Chlor können auch andere *Halogene treten; von den Brom-Derivaten (PBDD, PBDF) gibt es theoret. ebenfalls 210, von den gemischt chlorierten u. bromierten D. (PXDD, PXDF) nochmals 5020 „congeners" [1].

1 1,4-Dioxin **2** Dibenzo[1,4]dioxin **3** Dibenzofuran

Entstehung: D. entstehen bei Verbrennungsvorgängen aus Kohlenstoff-Verb. u. organ. od. anorgan. Chlor- od. Brom-Verb.[2]; fluorierte D. (PFDD, PFDF) werden unter Praxisbedingungen nicht gebildet[3]. Die PCDD- u. PCDF-Bildung verläuft am schnellsten bei ca. 300°C u. nimmt bis 600°C stark ab, bei noch höheren Temp. zerfallen D. (ab ca. 850°C quant.). Sowohl O_2-Mangel als auch -Überschuß fördern die D.-Bildung. Kupfer- u. andere Metall-Ionen z. B. in Flugasche beschleunigen die Gleichgewichtseinstellung. Das Halogenierungsmuster[4] von PCDD/PCDF aus Biomassefeuerungen, Abfallverbrennungsanlagen, Autoabgasen, Stahlwerksabluft u. a. sowie Untersuchungen mit verschiedenen Brennsubstraten u. Chlor-Quellen zeigen, daß bei Verbrennungsprozessen D. unabhängig von der Art der Kohlenstoff- u. Chlor-Quelle entstehen [5,6]. D. bilden sich v. a. an heißen Oberflächen, insbes. von Rauchgasasche. Dafür werden mehrere Mechanismen postuliert, z. B. über (u. U. ihrerseits im Verbrennungsprozeß neu gebildete) halogenierte Benzole u. Phenole (über Dioxaspiro-Verb.[7]) od. über polycycl. Bruchstücke von Ruß[1]. Als Chlor-Quelle wurde die Deacon-Reaktion (s. Deacon-Prozeß) vermutet, vgl. aber *Lit.*[8]. In heißen Rauchgasen reduziert Schwefeldioxid elementares Chlor in Ggw. von Wasserdampf, was die D.-Bildung unterdrückt.

D. entstehen auch beim Bleichen von Zellstoff-Rohstoffen (z. B. Papierherst.) mit Chlor u. Natronlauge (u. vermutlich auch mit anderen starken Oxidationsmitteln in Ggw. von Chloriden). D. können sich beim Erhitzen von bestimmten halogenierten Benzolen, Phenolen, Biphenylen od. Diphenylethern bilden[9]. Selbst in der Abluft aus Gießereien[10] u. metallurg. Prozessen wie Eisen-, Stahl-, Magnesium-, Aluminium-[11] u. Nickel-Herst., Kupfer-*Recycling u. Gekrätzveraschung der Edelmetall-Ind.[12] finden sich Dioxine. Im

Labor entstehen D. auch bei der Beilsteinprobe [13]. Eine weitere D.-Quelle ist die Kompostierung [14].
Vork.: D. entstehen in der Umwelt [15] (Waldbrände, Brandrodung, Gewitter usw.) od. gelangen mit Rauchgasen, Produktions- u. Verbrennungsrückständen dorthin [16]. In der Umwelt kommen D. ubiquitär vor, so werden sie in Luft, Staub, Böden, Kompost, Klärschlamm [17] u. Gewässern [18] sowie in verschiedenen Organismen, z. B. Pflanzen [19], Krebstieren, Insekten, Fischen, Reptilien, Vögeln u. Säugetieren einschließlich dem Menschen gefunden. Chlorierte D. waren in Nahrung u. Muttermilch nachweisbar, nicht hingegen bromierte od. gemischt halogenierte Dioxine [20]. Die PCDD/PCDF-Konz. in Blut, Fettgewebe u. Muttermilch haben sich in der BRD zwischen 1986 u. 1994 halbiert [1].
Abbau: Die thermodynam. Stabilität steigt mit dem Chlorierungsgrad; Chlor-Verb. sind stabiler als Brom-Verbindungen [21]. Im (lichtlosen) Boden beträgt die HWZ von 2,3,7,8-TCDD 2–9 a. Im oberflächennahen Boden, Wasser [22] u. in der Atmosphäre [23] werden D. photochem. abgebaut. Die Lebensdauer von 2,3,7,8-TCDD im Wasser wird für den 40. Breitengrad mit 21–118 h angegeben. In der Atmosphäre erfolgt der Abbau von D. durch Hydroxyl-Radikale mit einer HWZ für 2,3,7,8-TCDD von ca. 1 Woche. Den *biologischen Abbau von D. bewerkstelligen Mikroorganismen aus Böden, Klärschlamm [24] u. Gewässern [25]. Der aerobe Abbau [24] ist bei niedrig halogenierten D. relativ schnell, der *anaerobe Abbau [25] bei hochgradig halogenierten. Der Pilz *Phanerochaete chrysosporium* zerstört D. über den Lignin-abbauenden Stoffwechselweg oxidativ, wobei wahrscheinlich aus Wasserstoffperoxid reaktive Zwischenstufen freigesetzt werden. Verschiedene Säugetiere metabolisieren bes. die niedrig chlorierten PCDD u. PCDF. Der Abbau von 2,3,7,8-TCDD kann in der Leber von Säugetieren über folgende Reaktionen laufen: Wanderung eines Chlor-Atoms durch NIH-Shift, Epoxid-Bildung u. Hydroxylierung, reduktive *Dehalogenierung u. Bildung von konjugier- u. ausscheidbaren Aromaten (s. biologischer Abbau).
Wirkungen: Das bekannteste D., das „*Seveso-Gift" 2,3,7,8-Tetrachlordibenzo[1,4]dioxin (2,3,7,8-TCDD), ist wesentlich tox. als alle anderen PCDD, wird aber in seiner Toxizität von einigen biogenen Giften übertroffen [26]. Die Toxizitäten der einzelnen D. werden üblicherweise als Bruchteil der Toxizität von 2,3,7,8-TCDD, als sog. Toxizitätsäquivalenzfaktor (*TEF), angegeben (s. Tab.).
Durch Multiplikation der Masse der Einzelsubstanz mit ihrem TEF u. Summation dieser Produkte lassen sich 2,3,7,8-TCDD-Äquivalente (= Äquivalentmassen, *TE od. TEQ) berechnen, die ein Maß für die Wirksamkeit von D.-Gemischen im Vgl. zur Einzelsubstanz 2,3,7,8-TCDD sind [27]. D.-Isomere mit Halogen-Atomen in den Positionen 2,3,7,8 (s. Abb.) wirken wahrscheinlich über den Signalstoffwechsel [28]. Für 2,3,7,8-TCDD wurde in der empfindlichsten untersuchten Tiergruppe, männlichen Meerschweinchen, eine tödliche Dosis LD_{50} von 0,6 µg/kg bestimmt. Aus lebenslangen Versuchen mit Ratten ergibt sich eine noch schwache Lebertoxizität, aber keine Cancerogen-

Tab.: Dioxin-Äquivalenzfaktoren nach 17. BImSchV.

Kurzbez.	Verb.-Typ	Äquivalenzfaktor
	Dibenzo[1,4]dioxin:	
2,3,7,8-TCDD	Tetrachlor-	1
1,2,3,7,8-PeCDD	Pentachlor-	0,5
1,2,3,4,7,8-HxCDD	Hexachlor-	0,1
1,2,3,7,8,9-HxCDD	Hexachlor-	0,1
1,2,3,6,7,8-HxCDD	Hexachlor-	0,1
1,2,3,4,6,7,8-HpCDD	Heptachlor-	0,01
OCDD	Octachlor-	0,001
	Dibenzofuran:	
2,3,7,8-TCDF	Tetrachlor-	0,1
2,3,4,7,8-PeCDF	Pentachlor-	0,5
1,2,3,7,8-PeCDF	Pentachlor-	0,05
1,2,3,4,7,8-HxCDF	Hexachlor-	0,1
1,2,3,7,8,9-HxCDF	Hexachlor-	0,1
1,2,3,6,7,8-HxCDF	Hexachlor-	0,1
2,3,4,6,7,8-HxCDF	Hexachlor-	0,1
1,2,3,4,6,7,8-HpCDF	Heptachlor-	0,01
1,2,3,4,7,8,9-HpCDF	Heptachlor-	0,01
OCDF	Octachlor-	0,001

nität bei 1 ng TE/kg/d. 2,3,7,8-TCDD löst beim Menschen Chlorakne, Verdauungs-, Nerven- u. Enzymfunktionsstörungen, Muskel- u. Gelenkschmerzen u. a. Erkrankungen aus, ein immunsuppressiver Effekt wird unterstellt [29]. Beim Menschen wurden bisher keine Todesfälle durch akute D.-Toxizität beobachtet. Im Tierversuch ist 2,3,7,8-TCDD cancerogen [30], wobei eine Dosis von weniger als 1 ng TE/kg/d wirkungslos war (NOAEL, s. a. ADI); vermutlich wirken 2,3,7,8-D. als nicht genotox. Cancerogene. 2,3,7,8-TCDD u. weitere 7 PCDD u. PCDF sind als krebserzeugende *Gefahrstoffe eingestuft.
Epidemiol. Untersuchungen am Menschen konnten das Auftreten teratogener, cancerogener od. gentox. Wirkungen von D. nicht endgültig klären. Eine BASF-Studie hat für die an Chlorakne erkrankten, durch einen Unfall stark exponierten Chemiearbeiter eine erhöhte Krebssterblichkeitsrate ergeben. Die *NIOSH-Studie (sog. Fingerhut-Studie) zeigte nur für die Gruppe der hoch exponierten Chemiearbeiter eine erhöhte Krebssterblichkeit. Die NIOSH-Studie ergibt auch Anzeichen für eine Dosisabhängigkeit der Cancerogenität. Die meisten Studien liefern wegen der kleinen Fallzahl einzelner Todesursachen u. der Gefahr der Mißklassifikation seltener Krebsarten nur sehr schwierig zu interpretierende Daten. Aus Sicht der Arbeitsmedizin ist es zum gegenwärtigen Zeitpunkt nicht möglich, erhöhte Tumorinzidenzen auf D. zurückzuführen [31].
Aufnahme/Ausscheidung: D. werden v. a. über den Verdauungstrakt (ca. 1,3 pg TE/kg/d), weniger über die Atemluft (ca. 0,03 pg TE/kg/d), aufgenommen. Eine lebenslängliche tägliche Aufnahme von max. 1 pg TE/kg wird aus Vorsorgegründen angestrebt [31] (vgl. Lit.[26]). Bei einer Expositionskonz. in Höhe der techn. Richtkonz. (*TRK = 50 pg/m^3) würde ein Beschäftigter pro Arbeitstag 0,5 ng TE aufnehmen, was zusätzlich etwa dem Doppelten der oben genannten Belastung der Normalbevölkerung entspricht. Diese Aufnahme läge noch immer 140mal tiefer als die bei le-

benslanger Exposition an der Ratte noch schwach lebertox., aber nicht cancerogene Tagesdosis [31].
D. weisen eine hohe *Bioakkumulation auf, sie sammeln sich in Leber, Fettgewebe, Haut u. Muskeln an. 2,3,7,8-TCDD hat eine HWZ von ca. 1 Monat in der Ratte u. wird hauptsächlich mit dem Faezes ausgeschieden. Beim Menschen liegt die HWZ bei 8 a, was zu D.-Gehalten im Fett von ca. 30 ppt TEQ führt. Obwohl 2,3,7,8-TFDD vergleichbar giftig wie 2,3,7,8-TCDD zu sein scheint, wird es von der Ratte schnell eliminiert [3].

Grenzwerte: In Deutschland gilt gemäß 17. BImSchV seit 1990 ein Emissionsgrenzwert von 0,1 ng TE/m^3 Rauchgas aus Abfallverbrennungs-Neuanlagen, ab 1.12.1996 auch für Altanlagen (s. Tab. u. Bundes-Immissionsschutzgesetz). Am Arbeitsplatz gilt der TRK-Wert 50 pg TE/m^3 im Gesamtstaub mit der Spitzenbegrenzung nach Kategorie VI, d. h. max. 5× Luftgrenzwert bis 15 min Dauer 5× pro Schicht. Für den Umgang mit D. ist die *Gefahrstoffverordnung, § 41, Anhang V, relevant. Die *Chemikalienverbotsverordnung verbietet (mit bestimmten Ausnahmen) das Inverkehrbringen von Stoffen, Zubereitungen u. Erzeugnissen, die festgelegte Anteile (1,5 bzw. 100 µg TE/kg einzeln bzw. in Summe bestimmter Kombinationen) dort genannter D. überschreiten; s. a. Klärschlammverordnung u. technische Regeln für Gefahrstoffe TRGS 557 u. 518 (Elektroisolierflüssigkeiten). Zudem wurden Vorsorge- u. Richtwerte für Böden usw. empfohlen [31,32] (vgl. *Lit.*[26]).

Vermeidung: Abfallverbrennungsanlagen sind die am besten auf D.-Bildung untersuchten *Emissionsquellen. Moderne Verbrennungsanlagen sind effektive D.-Senken. Eine Vielzahl von Untersuchungen zeigt, daß D. weitgehend unabhängig vom Chlorid- od. PVC-Anteil der Abfälle gebildet werden [33]. Ein Aussortieren PVC-haltigen Mülls vor der Verbrennung wird von Fachleuten nicht empfohlen. Durch eine günstige Reaktionsführung (>800 °C, mäßiger Sauerstoff-Überschuß, weitgehende Oxid. der Kohlenstoff-Verb.) ist die D.-Bildung bei Verbrennungsprozessen weitestgehend zu unterdrücken. Mit dem Staub sind D. in der Rauchgas-*Entstaubung abscheidbar. An Aktivkohle adsorbierte D. werden bei der therm. Regeneration der Kohle zerstört. Weitere Maßnahmen s. *Lit.*[32,34].

Analytik: Die Bestimmung der D. wirft Probleme auf, die mit ihrer strukturellen Vielfalt im Zusammenhang stehen [35]. Zur Messung von D. in der Luft von Arbeitsbereichen sind mehrere Verf. zugelassen [36]. – *E* dioxin(e)s – *F* dioxines – *I* diossine – *S* dioxinas
Lit.: [1] Chem. Unserer Zeit **30**, 182–191 (1996). [2] Chemosphere **27**, 317–324 (1993). [3] Chemosphere **30**, 629–639 (1995). [4] Environ. Sci. Technol. **26**, 1649–1655 (1992). [5] Environ. Sci. Technol. **29**, 1425–1435 (1995); **30**, 998–1008, 1009–1013 (1996); Chemosphere **28**, 1895–1904 (1994); VDI-Fortschrittsber. **15**, 155 (1996). [6] Staub-Reinhalt. Luft **54**, 283–288 (1994). [7] Chemosphere **32**, 1349–1356 (1996). [8] Environ. Sci. Technol. **29**, 2055–2058 (1995). [9] Umweltwiss. Schadstoff-Forsch. – Z. Umweltchem. Ökotox. **8**, 34ff. (1996). [10] Umwelt (UBA) **1996**, 196ff.; Umweltwiss. Schadstoff-Forsch. **7**, 3–13, 193f. (1995). [11] Umwelt (UBA) **1996**, 149f. [12] Gefahrstoffe-Reinhalt. Luft **56**, 191–194 (1996). [13] Chem. Lab. Biotechn. **47**, 362–365 (1996). [14] Chemosphere **27**, 325–334 (1993); **28**, 155–158 (1994). [15] Chemosphere **21**, 825–835 (1990). [16] Environ. Sci. Technol. **30**, 82A–91A (1996). [17] Korrespondenz Abwasser **41**, 108–116 (1994). [18] Acta Hydrochim. Hydrobiol. **23**, 280–288 (1995); Chemosphere **26**, 1041–1069 (1993). [19] Chemosphere **32**, 2285–2304 (1996). [20] Chemosphere **24**, 1431–1439 (1992). [21] Chemosphere **29**, 547–557 (1994). [22] Environ. Sci. Technol. **30**, 2504–2510 (1996). [23] Sci. Total Environ. **104**, 17–33 (1991). [24] Korrespondenz Abwasser **43**, 1073–1076 (1996). [25] Chemosphere **29**, 2253–2259 (1994). [26] Dtsch. Med. Wochenschr. **116**, 786–793 (1991). [27] NATO/CCMS Report 176, International Toxicity Equivalent Factor (I-TEF) Method of Risk Assessment for Complex Mixtures of Dioxins and Related Compounds, S. 7 (1988). [28] Current Biol. **2**, 841–845 (1995). [29] Sci. Total Environ. **104**, 129–158 (1991). [30] Sci. Total Environ. **104**, 159–166 (1991). [31] Sachverständigenrat für Umweltfragen (Hrsg.), Umweltgutachten 1996, S. 201–204, Stuttgart: Metzler-Poeschel 1996; TRGS 102, Anhang Begründung TRK-Wert für chlorierte Dibenzodioxine und -furane, s. MAK. [32] Bericht der Bund/Länder-Arbeitsgruppe Dioxine, Bonn: BMU 1992. [33] Environ. Sci. Technol. **30**, 112A f., 1637–1644 (1996). [34] Sep. Sci. Technol. **30**, 1269–1287 (1995); Umweltwiss. Schadstoff-Forsch. **8**, 197–206 (1996). [35] VCI (Hrsg.), VCI-Prüfprogramm Dioxine (2.), Frankfurt: VCI 1991. [36] Gefahrstoffe-Reinhalt. Luft **56**, 239–245 (1996); TRGS 402; ZH1/120.47; BIA-Arbeitsmappe 6880.
allg.: Korte (3.), S. 318–340.

Dioxo... Präfix (aus *Di... u. *Oxo...) in den systemat. Namen von *Diketonen; nicht zu verwechseln mit *Dioxa...! – *E* = *F* = *S* dioxo... – *I* diosso...

1,3-Dioxolan (Dihydro-1,3-dioxol).

$C_3H_6O_2$, M_R 74,08, farblose Flüssigkeit, D. 1,067, Schmp. –95 °C, Sdp. 78 °C, mit Wasser mischbar, in organ. Lsm. lösl.; LD_{50} (Ratte oral) 3000 mg/kg, wassergefährdender Stoff, WGK 1 (Selbsteinst.). Herst. durch Protonen-katalysierte Umsetzung von Glykol mit wäss. Formaldehyd-Lösung.
Verw.: Lsm., Ausgangsmaterial für modifizierte Polymethylenoxide. Substituierte 1,3-D. entstehen u. a. bei der Acetalisierung von Glykolen, z. B. bei der Reaktion von Ethylenglykol mit Ketonen (*Lit.*[1]) u. von Aceton mit Glycerin. 1,3-D.-Gruppierungen sind z. B. in Arzneimittelwirkstoffen anzutreffen u. in techn. Lsm., s. a. 1,3-Dioxolan-2-on. – *E* = *F* 1,3-dioxolane – *I* 1,3-diossolano – *S* 1,3-dioxolano
Lit.: [1] Synthesis **1979**, 724 f.
allg.: Beilstein E V **19/1**, 6 ▪ Ullmann (4.) **7**, 137, 139; (5.) **A 1**, 344 f. ▪ Weissermel-Arpe (4.), S. 170. – [*HS 2932 99; CAS 646-06-0; G 3*]

1,3-Dioxolan-2-on (Ethylencarbonat).

$C_3H_4O_3$, M_R 88,06, farblose Krist., Schmp. 39 °C, Sdp. 238 °C, in Wasser, Alkoholen u. a. organ. Lsm. leicht löslich. Das als cycl. *Carbonat des Ethylenglykols aufzufassende, aus Ethylenoxid u. flüssigem CO_2 herstellbare D. dient als hochsiedendes Lsm. für die Verspinnung von Polyacrylnitril-Fasern, als Ausgangsmaterial zur Synth. von Oxazolidonen, Imidazolidonen, Pyrimidinen u. Purinen. – *E* = *F* 1,3-dioxolan-2-one – *I* 1,3-diossolan-2-one – *S* 1,3-dioxolán-2-ona
Lit.: Angew. Chem. **92**, 303 (1980) ▪ Beilstein E V **19/4**, 6 ▪ J. Heterocycl. Chem. **20**, 295 (1983) ▪ Synthetica **1**, 19. – [*HS 2920 90; CAS 96-49-1*]

Dioxole. Fünfgliedrige heterocycl. Verb. mit 2 Sauerstoff-Atomen im Ring; man unterscheidet 1,2-D. u. 1,3-Dioxole.

An aromat. Syst. kondensierte 1,3-D. werden auch als *Methylendioxy*-Verb. bezeichnet (IUPAC-Regeln B-1.1 u. C-331-2). Die Reduktionsprodukte der D. heißen Dioxolane (vgl. 1,3-Dioxolan). – *E* = *F* = *S* dioxoles – *I* diossoli

1,3-Dioxol-2-one.

R = H, Cl, Br

Systemat. Bez. für präparativ nützliche cycl. Ketone, die sich von 1,3-*Dioxolen durch Oxid. an C-2 ableiten u. die auch als *Vinylencarbonate* bezeichnet wurden. – *E* = *F* 1,3-dioxol-2-ones – *I* 1,3-diossol-2-oni – *S* 1,3-dioxol-2-onas

Lit.: Angew. Chem. **86**, 567–580 (1974) ▪ Beilstein E **5**, 19/4, 72f. ▪ Katritzky-Rees **6**, 750–782 ▪ Synthesis **1976**, 256–259.

DIOXON® 104. Wäss. H_2O_2-Lsg. mit Biozid-Zusatz zur Desinfektion von Kreislaufwässern. *B.:* Peroxid-Chemie GmbH.

Dioxy... 1. Bez. für die Atomgruppierung –O–O– in systemat. Namen für organ. Peroxide nach IUPAC-Regel C-218.2 (neuere IUPAC-Regel R-5.5.5: Peroxy...); *Beisp.:*

$(H_3C)_3C$–O–O–⟨⟩–NH_2

(4-*tert*-Butyldioxy-anilin). Ist die Peroxid-Gruppierung Brückenbestandteil eines Ringsystems, nennt man sie *Epidioxy...*, *Beisp.:* 5,8α-Epidioxy-5α-ergosta-6,22-dien-3β-ol = Ergosterinperoxid (vgl. Peroxide, Epidioxide). Die Gruppe –O–OH heißt dagegen *Hydroperoxy...* – 2. Nicht mehr zulässige Bez. für *Dihydroxy...* – *E* = *F* dioxy... – *I* diossi... – *S* dioxi...

Dioxybenzon. Internat. Freiname für den *UV-Absorber 2,2'-Dihydroxy-4-methoxybenzophenon.
Lit.: Beilstein E IV **8**, 3163. – [HS 291450; CAS 131-53-3]

Dioxygenasen s. Oxygenasen.

Dioxygenierung s. Oxygenierung.

DIP-BROMID®. Marke von Aldrich für Bromdiisopinocamphenylboran.

Dipenten s. Limonen.

Dipeptidasen s. Peptidasen.

Dipeptide s. Peptide.

Diphacinon.

Common name für 2-(Diphenylacetyl)indan-1,3-dion, $C_{23}H_{16}O_3$, M_R 340,4, Schmp. 145–147 °C, in den 50er Jahren eingeführtes *Rodentizid zur Bekämpfung von Ratten u. Mäusen. – *E* = *F* diphacinone – *I* difacinone – *S* difacinona

Lit.: Farm ▪ Perkow ▪ Pesticide Manual. – [HS 291439; CAS 82-66-6]

Diphenhydramin.

$(H_5C_6)_2CH$–O–CH_2–CH_2–$N(CH_3)_2$

Internat. Freiname für 2-Benzhydryloxy-*N,N*-dimethyl-ethylamin, $C_{17}H_{21}NO$, M_R 255,36. Flüssigkeit, Sdp. 150–165 °C, d_D^{20} 1,020, n_D^{20} 1,5485; verwendet wird das Hydrochlorid, Schmp. 168–172 °C; λ_{max} (C_2H_5OH) 253, 258, 264 nm ($A_{1cm}^{1\%}$ = 12, 15, 12). D. wird als *Antihistaminikum mit sedierendem Effekt u. gegen Reiseübelkeit eingesetzt. D. wurde 1947 von Parke, Davis patentiert u. ist generikafähig. – *E* diphenhydramine – *F* diphénhydramine – *I* difenidramina – *S* difenhidramina

Lit.: ASP ▪ Beilstein E IV **6**, 4659 ▪ DAB **1996** u. Komm. ▪ Florey **3**, 173–232 ▪ Hager (5.) **7**, 1382–1385. – [HS 2922 19; CAS 58-73-1; 147-24-0 (Hydrochlorid)]

Diphenole. Mißverständliche Bez. für Dihydroxybenzol-Derivate u. Biphenyldiole.

Diphenoxylat.

Internat. Freiname für 1-(3-Cyano-3,3-diphenyl-propyl)-4-phenyl-4-piperidincarbonsäureethylester, $C_{30}H_{32}N_2O_2$, M_R 452,60, weißes krist. Pulver, λ_{max} (CH_3OH) 258 nm ($A_{1cm}^{1\%}$ = 14). Verwendet wird das Hydrochlorid, weißes, krist. Pulver, Schmp. 220,5–222 °C; λ_{max} (CH_3OH) 252, 258, 264 nm. D. wurde 1959 als *Antidiarrhoikum von Jansse (Reasec®, Kombination mit Atropinsulfat) patentiert. Die Substanz ist in Anlage II der *BMVVO gelistet. – *E* diphenoxylate – *F* diphénoxylate – *I* = *S* difenoxilato

Lit.: ASP ▪ Beilstein E V **22/2**, 487 ▪ DAB **1996** u. Komm. ▪ Florey **7**, 149–169 ▪ Hager (5.) **7**, 1385ff. – [HS 2933 39; CAS 915-30-0 (D.); 3810-80-8 (Hydrochlorid)]

Diphensäure (2,2'-Biphenyldicarbonsäure).

$C_{14}H_{10}O_4$, M_R 242,23. Farblose, monokline Prismen od. Plättchen, Nadeln, Schmp. 228–229 °C, in Wasser schwer lösl., lösl. in organ. Lösungsmitteln. Das durch Flüssigphasen-Oxid. von Phenanthren hergestellte D. ist – wie auch das 4,4'-Umlagerungsprodukt – Ausgangsprodukt für Polyester. – *E* diphenic acid – *F* acide diphénique – *I* acido difenico – *S* ácido difénico

Lit.: Beilstein E IV **9**, 3552 ▪ Merck-Index (12.), Nr. 3368. – [HS 291739; CAS 482-05-3]

Diphenyl. Nach IUPAC-Regeln unzulässige Bez. für *Biphenyl, wohl aber Bez. für 2 Phenyl-Reste als Substituenten. – *E* diphenyl – *F* diphényle – *I* difenile – *S* difenilo

Diphenylamin. $(H_5C_6)_2NH$, $C_{12}H_{11}N$, M_R 169,23. Farblose, blättrige, schwach blumenartig riechende Krist., D. 1,158, Schmp. 54–55 °C, Sdp. 302 °C, wenig lösl. in Wasser, leicht lösl. in Alkohol u. Säuren. D. ist haut- u. schleimhautreizend, Vergiftungssymptome ähnlich denen des

*Anilins, jedoch ist D. weniger tox.; wassergefährdender Stoff, WGK 3. D. kann aus Anilin sowohl in der Dampfphase als auch in der Flüssigphase hergestellt werden; es reagiert sehr schwach bas. u. bildet mit starken Säuren Salze, die aber beim Auflösen in Wasser sofort hydrolyt. gespalten werden.
Verw.: Reagenz auf Salpetersäure u. Nitrate, in der Dünnschichtchromatographie Sprühreagenz zum Anfärben von Cerebrosiden u. Gangliosiden, Stabilisator für Nitroglycerin u. Cellulosenitrat. – *E* diphenylamine – *F* diphénylamine – *I* difenilammina – *S* difenilamina
Lit.: Beilstein E IV **12**, 271 ▪ Merck-Index (12.), Nr. 3375 ▪ Ullmann (4.) **7**, 573, 575; (5.) **A 2**, 50 ▪ Z. Anal. Chem. **296**, 45 (1979). – *[HS 2921 44; CAS 122-39-4; G 6.1]*

Diphenylaminorange s. Tropäolin.

4-Diphenylaminsulfonsäure (*N*-Phenylsulfanilsäure, 4-Anilinobenzolsulfonsäure).

$C_{12}H_{11}NO_3S$, M_R 249,28. Farblose Krist., lösl. in Wasser u. Ethanol, unlösl. in Ether, bei Erhitzen über 200 °C Zersetzung. D. wird in 0,05%iger wäss. Lsg. meist in Form des Barium- od. Natrium-Salzes als Redoxindikator verwendet; zur colorimetr. Bestimmung von Nitraten. – *E* 4-diphenylaminesulfonic acid – *F* acide 4-diphénylaminesulfonique – *I* acido 4-difenilamminsolfonico – *S* ácido 4-difenilaminosulfónico
Lit.: Beilstein E IV **12**, 2691 ▪ Hommel, Nr. 816 ▪ Merck-Index (12.), Nr. 7466 ▪ Ullmann (5.) **A 14**, 139. – *[CAS 101-57-5]*

Diphenylarsinchlorid (Chlordiphenylarsan).

$(H_5C_6)_2As–Cl$, $C_{12}H_{10}AsCl$, M_R 264,59. Farblose Krist., D. 1,422, Schmp. 39–42 °C, Sdp. 333 °C, unlösl. in Wasser, Alkohol u. Ether. Verursacht eingeatmet starken Brechreiz u. wurde daher im 1. Weltkrieg als *Clark I* od. „*Blaukreuz*"-*Kampfstoff verwendet, ruft Chromosomen-Schädigungen hervor. – *E* diphenylarsine chloride – *F* chlorure de diphénylarsine – *I* cloruro difenilarsinico – *S* cloruro de difenilarsina
Lit.: Beilstein E III **16**, 944 ▪ Brauer, Gefahrstoff-Sensorik, Landsberg: Ecomed 1988 ▪ Hager (3.) **3**, 325 ▪ Moeschlin, Klinik u. Therapie der Vergiftungen, S. 512, Stuttgart: Thieme 1986. – *[CAS 712-48-1]*

Diphenylarsincyanid (Diphenylarsancarbonitril).

$(H_5C_6)_2As–CN$, $C_{13}H_{10}AsN$, M_R 255,14. Farblose, nach Knoblauch od. bitteren Mandeln riechende, schwerlösl., schwer flüchtige Krist., Schmp. 30–35 °C, Sdp. 290–350 °C unter Zersetzung. D. verursacht Kopfschmerzen, Übelkeit, Erbrechen, greift Augen, Haut u. Atemtrakt an (Lungenödem) u. wurde im 1. Weltkrieg als *Clark II* od. „*Blaukreuz*"-*Kampfstoff verwendet. – *E* diphenylarsine cyanide – *F* cyanure de diphénylarsine – *I* cianuro difenilarsinico – *S* cianuro de difenilarsina
Lit.: Beilstein E III **16**, 992 ▪ Brauer, Gefahrstoff-Sensorik, Landsberg: Ecomed 1988 ▪ Hager (3.) **3**, 326 ▪ Moeschlin, Klinik u. Therapie der Vergiftungen, S. 512, Stuttgart: Thieme 1986. – *[CAS 23525-22-6]*

Diphenylbenzole s. Terphenyle.

Diphenylcarbazid s. 1,5-Diphenylcarbonohydrazid.

1,5-Diphenylcarbazon.

$H_5C_6–N=N–CO–NH–NH–C_6H_5$, $C_{13}H_{12}N_4O$, M_R 240,26. Orangegelbes, lockeres, krist. Pulver, Schmp. 157 °C (Zers.), lösl. in Alkohol, Chloroform u. Benzol. Reagenz auf Chlor-Ionen, Hg, Pb, Zn u. a. – *E* diphenylcarbazone – *F* 1,5-diphénylcarbazone – *I* 1,5-difenilcarbazone – *S* 1,5-difenilcarbazona
Lit.: Beilstein E IV **16**, 17 ▪ Hager (5.) **1**, 535 ▪ Merck-Index (12.), Nr. 3380. – *[HS 2928 00; CAS 538-62-5]*

Diphenylcarbonat (Phenylcarbonat, Kohlensäurediphenylester).

$C_{13}H_{10}O_3$, M_R 214,22. Glänzende Nadeln, Schmp. 80–81 °C, Sdp. 302–306 °C, unlösl. in Wasser, lösl. in heißem Alkohol, Benzol, Ether, Eisessig; wassergefährdender Stoff, WGK 1 (Selbsteinst.).
Verw.: Zur Herst. von Polycarbonaten durch *Umesterung; in geschmolzenem Zustand als Lsm. für Nitrocellulose. – *E* phenylcarbonate – *F* carbonate de diphényle – *I* difenilcarbonato – *S* carbonato de difenilo
Lit.: Beilstein E IV **6**, 629 ▪ Merck-Index (12.), Nr. 7433 ▪ Ullmann (4.) **14**, 591 f.; (5.) **5**, 197 ▪ s. a. Kohlensäureester. – *[HS 2920 90; CAS 102-09-0]*

1,5-Diphenylcarbonohydrazid (Diphenylcarbazid).

$H_5C_6–NH–NH–CO–NH–NH–C_6H_5$, $C_{13}H_{14}N_4O$, M_R 242,28. Farblose, an der Luft sich rosa verfärbende Krist., Schmp. 171–173 °C, schwer lösl. in Wasser, unlösl. in Ether, leicht lösl. in Alkohol, verschlossen u. vor Licht geschützt aufbewahren.
Verw.: In der analyt. Chemie z. B. für Nachw. u. Bestimmung von As, Cr, Fe, Pb, Hg, Mo, Cd, Cu, P, V, Mg, Os, Re, Mo, Chloriden, Sulfaten, Chloraten, H_2O_2. – *E* 1,5-diphenylcarbonohydrazide – *F* 1,5-diphénylcarbonohydracide – *I* 1,5-diphenilcarbonoidrazide – *S* 1,5-difenilcarbonohidracina
Lit.: Beilstein E IV **15**, 182 ▪ Fries-Getrost, S. 92, 115–118, 230, 277, 297, 301 ▪ Merck-Index (12.), Nr. 3379 ▪ Townshend, Encyclopedia of Analytical Science, S. 1964, 2134, 2759, London: Academic Press 1995 ▪ Ullmann (5.) **A 14**, 141. – *[HS 2928 00; CAS 140-22-7]*

Diphenyldiselenid.

$H_5C_6–Se–Se–C_6H_5$, $C_{12}H_{10}Se_2$, M_R 312,13. Gelbe Krist., Schmp. 63 °C, wassergefährdender Stoff, WGK 2 (Selbsteinst.); krebsverdächtig. D. dient als vielseitiges Phenylselenylierungs-Reagenz; Verw. zur Überführung von Epoxiden in Allylalkohole; mit Phosphinen neues Reagenz zur Peptid-Bindungsknüpfung. – *E* diphenyl diselenide – *F* diséléniure de diphényle – *I* diselenuro difenilico – *S* diseleniuro de difenilo
Lit.: Acc. Chem. Res. **17**, 28 (1984) ▪ Beilstein E IV **6**, 1781 f. ▪ Paquette, **4**, 2211 ▪ Tetrahedron Lett. **32**, 255 (1991); **33**, 805 (1992). – *[CAS 1666-13-3]*

Diphenylenoxid s. Dibenzofuran.

Diphenylensulfid s. Dibenzothiophen.

Diphenylessigsäure.

$C_{14}H_{12}O_2$, M_R 212,25. Farbloses Pulver, Schmp. 146–148 °C, sublimiert, lösl. in Alkohol, Ether, heißem Wasser.

Verw.: Für organ. Synth., zur Synth. von Pharmazeutika. – *E* diphenylacetic acid – *F* acide diphénylacétique – *I* acido difenilacetico – *S* ácido difenilacético
Lit.: Beilstein E IV **9**, 2492 ▪ Merck-Index (12.), Nr. 3374 ▪ Negwer (6.), S. 1690. – [HS 291639; CAS 117-34-0]

1,2-Diphenylethan (Bibenzyl; fälschlich Dibenzyl). $H_5C_6-CH_2-CH_2-C_6H_5$, $C_{14}H_{14}$, M_R 182,27. 1,2-D. bildet farblose Prismen vom Schmp. 53 °C, Sdp. 284 °C, in Wasser nahezu unlöslich. 1,2-D. wird nach der Wurtz-Fittig-Synth. aus Benzylchlorid u. Natrium hergestellt; findet Verw. in organ. Synthesen. – *E* 1,2-diphenylethane – *F* 1,2-diphényléthane – *I* 1,2-difeniletano – *S* 1,2-difeniletano
Lit.: Beilstein E IV **5**, 1868 ▪ Merck-Index (12.), Nr. 1245. – [HS 290290; CAS 103-29-7]

Diphenylethandion s. Benzil.

Diphenylether (Phenylether, veraltet: Diphenyloxid). $H_5C_6-O-C_6H_5$, $C_{12}H_{10}O$, M_R 170,21. Farblose, geranienartig riechende, monokline Krist. (Platten), D. 1,075, Schmp. 28 °C, Sdp. 258 °C, unlösl. in Wasser, leicht lösl. in Alkohol, Ether, Benzol, Mineralöl; MAK (Dampf) 1 ppm (MAK-Werte-Liste 1996); LD_{50} (Ratte oral) 3370 mg/kg; wassergefährdender Stoff, WGK 2. D. wird als Nebenprodukt der Phenol-Herst. bei der alkal. Druckhydrolyse des Chlorbenzols gewonnen.
Verw.: D. wird als Rosenparfüm für Seifen u. Detergentien sowie als Wärmeübertragungsmittel verwendet. – *E* diphenyl ether – *F* éther diphénylique – *I* etere difenilico – *S* difeniléter
Lit.: Beilstein E IV **6**, 568 ▪ Brauer, Gefahrstoff-Sensorik, Landsberg: Ecomed 1988 ▪ Hager (5.) **3**, 498 ▪ Ullmann (4.) **18**, 225; **20**, 240; (5.) A **19**, 355. – [HS 290930; CAS 101-84-8]

1,2-Diphenylethylen s. Stilben.

Diphenylglykolsäure s. Benzilsäure.

Diphenylglyoxime s. Benzildioxime.

1,3-Diphenylguanidin.

$$H_5C_6-NH-\underset{\underset{NH}{\parallel}}{C}-NH-C_6H_5$$

$C_{13}H_{13}N_3$, M_R 211,27. Farblose Krist., D. 1,13, Schmp. 150 °C, zersetzt sich bei ca. 170 °C, schwer lösl. in kaltem Wasser, lösl. in Alkohol, Benzol u. Chloroform. D. wird als Kautschukvulkanisationsbeschleuniger u. Urtitersubstanz verwendet. – *E* 1,3-diphenylguanidine – *F* 1,3-diphénylguanidine – *I* = *S* 1,3-difenilguanidina
Lit.: Beilstein E IV **12**, 769 ▪ Merck-Index (12.), Nr. 3383 ▪ Ullmann (4.) **12**, 416; **13**, 642. – [HS 292520; CAS 102-06-7]

1,3-Diphenylharnstoff (Carbanilid).

$$O=C\underset{NH-C_6H_5}{\overset{NH-C_6H_5}{<}}$$

$C_{13}H_{12}N_2O$, M_R 212,25. Farblose Krist., D. 1,239, Schmp. 238 °C, Sdp. 262 °C (Zers.), wenig lösl. in Wasser u. Alkohol, lösl. in Ether u. Eisessig; ist in der Kokosnußmilch enthalten. 1,3-D. wird aus Anilin-Hydrochlorid u. Harnstoff in wäss. Lsg. bei 100 °C hergestellt. – *E* diphenylurea – *F* diphénylurée – *I* 1,3-difenilurea – *S* difenilurea
Lit.: Beilstein E V **12**, 741 ▪ Merck-Index (12.), Nr. 1829 ▪ Ullmann (4.) **12**, 509. – [HS 292421; CAS 102-07-8]

5,5-Diphenylhydantoin s. Phenytoin.

1,1-Diphenylhydrazin.

$$H_2N-\underset{\underset{C_6H_5}{|}}{\overset{\overset{C_6H_5}{|}}{N}}$$

$C_{12}H_{12}N_2$, M_R 184,24. Farblose Krist., D. 1,190, Schmp. 49–52 °C (ebenfalls angegeben 34,5 °C bzw. 44 °C), wenig lösl. in Wasser, lösl. in Alkohol. Das Hydrochlorid [$C_{12}H_{13}ClN_2$, M_R 220,70, Schmp. 162–165 °C (Zers.)] findet Verw. als Reagenz für Arabinose u. Lactose. – *E* 1,1-diphenylhydrazine – *F* 1,1-diphénylhydrazine – *I* 1,1-difenilidrazina – *S* 1,1-difenilhidracina
Lit.: Beilstein E IV **15**, 56 ▪ Merck-Index (12.), Nr. 3384. – [HS 292800; CAS 122-66-7 (D.); 530-47-2 (Hydrochlorid)]

Diphenylketon s. Benzophenon.

Diphenylmethan. $H_5C_6-CH_2-C_6H_5$, $C_{13}H_{12}$, M_R 168,23. Farblose prismat. Nadeln von herb-krautigem Geruch nach Geraniumblättern, D. 1,001, Schmp. 26 °C, Sdp. 264 °C; wassergefährdender Stoff, WGK 2.
Herst.: Durch Friedel-Crafts-Reaktion von Benzylchlorid mit Benzol in Ggw. von Aluminiumchlorid, unlösl. in Wasser, lösl. in Alkohol u. Ether.
Verw.: In der Geruchstoff-Ind. als Fixateur u. zur Seifenparfümierung; beim Färben von Polyestern wird D. als Weichmacher zur Verbesserung der Färbeeigenschaften, als Lsm. für die Farbstoffe u. als Farbträger beim Bedrucken mit Dispersionsfarbstoffen empfohlen. Als Zusatz von Düsentreibstoffen dient D. zur Erhöhung von Stabilität, Reinheit u. Schmierfähigkeit. – *E* diphenylmethane – *F* diphénylméthane – *I* = *S* difenilmetano
Lit.: Beilstein E IV **5**, 1841–1846 ▪ Merck-Index (12.), Nr. 3387 ▪ Ullmann (4.) **14**, 681 ff., **20**, 232; (5.) A **13**, 261. – [HS 290290; CAS 101-81-5]

Diphenylmethandiisocyanat s. 4,4′-Methylendi(phenylisocyanat).

Diphenylmethanol s. Benzhydrol.

Diphenylmethyl… vgl. Benzhydryl…

2,5-Diphenyloxazol (PPO).

$C_{15}H_{11}NO$, M_R 221,26. Krist., Schmp. 72–73 °C, lösl. in vielen organ. Lsm.; wird in Dioxan- od. Toluol-Lsg. als Fluoreszenzemitter in Szintillationsmessungen verwendet; s. a. Szintillatoren. – *E* 2,5-diphenyloxazole – *F* 2,5-diphényloxazol(e) – *I* 2,5-difenilossazolo – *S* 2,5-difeniloxazol
Lit.: Beilstein E III/IV **27**, 1435. – [HS 293490; CAS 92-71-7]

Diphenyloxid s. Diphenylether.

4,7-Diphenyl-1,10-phenanthrolin s. Bathophenanthrolin.

2,2-Diphenyl-1-pikrylhydrazyl (DPPH).

$C_{18}H_{12}N_5O_6$, M_R 394,32. Tiefblau-violette Krist., Schmp. 127–129 °C (auch 137–139 °C angegeben). Stabiles *freies *Radikal* mit einem *einsamen Elektron, das durch Aufnahme eines H-Atoms in das schwach gelbe Hydrazin-Derivat übergeht; der Reaktionsverlauf wird photometr. verfolgt.
Verw.: Als *Radikal-Fänger, zum Nachw. von Antioxidantien, Terpenen, Aminen u. in der EPR-Spektroskopie; Reagenz zur quant. Bestimmung aliphat. Thiole. – *E* 2,2-diphenyl-1-picryl-hydrazyl – *F* 2,2-diphényl-1-picrylhydrazyle – *I* 2,2-difenil-1-picrilidrazile – *S* 2,2-difenil-1-picrilhidracilo
Lit.: Acta Chem. Scand. **18**, 560 (1964) ▪ Anal. Chem. **37**, 899 (1965) ▪ Beilstein E IV **15**, 1210 ▪ Merck-Index (12.), Nr. 3389 ▪ Synthetica **2**, 184 f. ▪ Talanta **30**, 475 (1983). – *[CAS 1898-66-4]*

Diphenylpyralin.

$(H_5C_6)_2CH-O-\langle N-CH_3$

Internat. Freiname für das *Antihistaminikum 4-Benzhydryloxy-1-methylpiperidin, $C_{19}H_{23}NO$, M_R 281,40. Verwendet wird das Hydrochlorid, weißes Pulver, Schmp. 206 °C. D. wurde 1949 von Nopko patentiert u. ist von Bayer (Arbid®) im Handel. – *E* diphenylpyraline – *F* diphénylpyraline – *I* = *S* difenilpiralina
Lit.: Beilstein E V **21/1**, 53 ▪ Hager (5.) **7**, 1387 ff. – *[HS 2933 39; CAS 147-20-6 (D.); 132-18-3 (Hydrochlorid)]*

Diphenylthiocarbazon s. Dithizon.

1,3-Diphenylthioharnstoff (Thiocarbanilid).

$S=C\begin{smallmatrix}NH-C_6H_5\\NH-C_6H_5\end{smallmatrix}$

$C_{13}H_{12}N_2S$, M_R 228,31. Farblose Krist., D. 1,32, Schmp. 155–158 °C, wenig lösl. in Wasser, lösl. in Alkohol. 1,3-D. wird als Vulkanisationsbeschleuniger, Flotationsmittel, Stabilisator für PVC, Korrosionsinhibitor u. zur Synth. von Tuberkulostatika verwendet. – *E* 1,3-diphenylthiourea – *F* 1,3-diphénylthiourée – *I* = *S* 1,3-difeniltiourea
Lit.: Beilstein E IV **12**, 810 ▪ Merck-Index (12.), Nr. 3593 ▪ Ullmann (4.) **23**, 170, 173; (5.) **A 23**, 370. – *[HS 2930 90; CAS 102-08-9]*

1,3-Diphenyltriazen (veraltet: Diazoaminobenzol).
$H_5C_6-NH-N=N-C_6H_5$, $C_{12}H_{11}N_3$, M_R 197,24. Goldgelbe Krist., Schmp. 98 °C, in Wasser unlösl., in heißem Alkohol, Ether u. Benzol gut löslich. Unter dem Einfluß von Säuren lagert sich D. zu *4-Aminoazobenzol um. Bei Erwärmen über den Schmelzpunkt sowie bei Belichtung[1] wird Stickstoff abgespalten. – *E* 1,3-diphenyltriazene – *F* 1,3-diphényltriazène – *I* 1,3-difeniltriazene – *S* 1,3-difeniltriazeno
Lit.: [1] Helv. Chim. Acta **63**, 456–472 (1980).
allg.: Beilstein E IV **16**, 904 ▪ Helv. Chim. Acta **64**, 171–175 (1981) ▪ Merck-Index (12.), Nr. 3046 ▪ Ullmann (5.) **A 8**, 513, 521. – *[HS 2927 00; CAS 136-35-6]*

Diphesatin.

Kurzbez. für 3,3-Bis(4-acetoxyphenyl)-1,3-dihydroindol-2-on, $C_{24}H_{19}NO_5$, M_R 401,42, Schmp. 242 °C, das wegen leberschädigender Wirkung nicht mehr in Laxantien eingesetzte Acetat des *Oxyphenisatins. – *E* diphesatin – *F* diphésatine – *I* = *S* difesatina
Lit.: Beilstein E III/IV **21**, 6613 ▪ Henning, Die Leberschädigung durch Phenolisatine, Stuttgart: Thieme 1978. – *[CAS 115-33-3]*

Diphos®.
Tabl. mit *Etidronsäure-Dinatriumsalz gegen deformierende Knochenentzündung (Morbus Paget) infolge Nebenschilddrüsen-Überfunktion. **B.:** Procter & Gamble Pharmaceuticals.

Diphosgen (Chlorameisensäuretrichlormethylester).
Cl–CO–O–CCl$_3$, $C_2Cl_4O_2$, M_R 197,83. Farblose, giftige Flüssigkeit, D. 1,65, Sdp. 127,5 °C, lösl. in Benzol, Toluol, Tetrachlormethan usw.; WGK 3 (Selbsteinst.). Im 1. Weltkrieg wurde D. als Grünkreuz-Kampfstoff (Perstoff, Surpalite) verwendet. In der organ. Synth. Ersatz für Phosgen, wird zur Herst. von Carbonaten, Isocyanaten, Isocyaniden usw. verwendet. – *E* diphosgene – *F* diphosgène – *I* difosgene – *S* difosgeno
Lit.: Angew. Chem. **89**, 267 (1977) ▪ Beilstein E IV **3**, 33 ▪ J. Org. Chem. **45**, 4059 (1980); **54**, 3231 (1989) ▪ Merck-Index (12.), Nr. 3395 ▪ Paquette, **7**, 5073 ▪ Ullmann (5.) **A 19**, 412. – *[HS 2915 90; CAS 503-38-8; G 6.1]*

Diphosphate(V)
(Pyrophosphate). Bez. für Salze der *Diphosphorsäure(V). Man unterscheidet bei den im allg. zusammen mit den einfachen Phosphaten behandelten D. saure D. ($M_2^IH_2P_2O_7$), in Wasser zumeist lösl. (Reaktion schwach sauer) u. neutrale D. ($M_4^IP_2O_7$), von denen nur die Alkalisalze lösl. sind (Reaktionen schwach alkal. infolge Hydrolyse). Über den Transport von Ionen durch biolog. Membranen mit Hilfe von Diphosphat-Bindungen s. *Lit.*[1], u. über D. als Energiequelle bei enzymat. Reaktionen s. *Lit.*[2].
Herst.: Die D. werden durch Erhitzen von prim. od. sek. Phosphaten bzw. der entsprechenden Ammonium-Salze gebildet. So geht z. B. MgNH$_4$PO$_4$ in Mg$_2$P$_2$O$_7$ unter NH$_3$-Abspaltung über, wovon man bes. in der analyt. Chemie bei der gravimetr. Bestimmung von Mg usw. Gebrauch macht. Daneben kennt man auch *Hypodiphosphate* genannte D.(IV) als Salze der Diphosphorsäure(IV) mit dem Anion $P_2O_5^{4-}$. – *E* = *F* diphosphates – *I* difosfati – *S* difosfatos
Lit.: [1] Proc. Natl. Acad. Sci. U.S.A. **67**, 59 (1970). [2] Alberts et al., Molekularbiologie der Zelle (3.), S. 86 ff., Weinheim: VCH Verlagsges. 1995.
allg.: Kirk-Othmer (3.) **17**, 454 ff. ▪ Ullmann (5.) **A 19**, 487 ▪ Winnacker-Küchler (4.) **2**, 243–249. – *[HS 2835 22, 2835 39; CAS 7758-16-9 (Na$_2$H$_2$P$_2$O$_7$); 7722-88-5 (Na$_4$P$_2$O$_7$)]*

Diphospho-Pyridinium-Nucleotid s. Nicotinamid-Adenin-Dinucleotid.

Diphosphorsäure(V) (Pyrophosphorsäure).
(HO)$_2$P(O)–O–(O)P(OH)$_2$, M_R 177,98. Farblose Nadeln, Schmp. 61 °C, od. sirupartige, sehr hygroskop. Flüssigkeit, leicht lösl. in Wasser, lösl. in Alkohol u. Ether, gibt mit Silbernitrat-Lsg. einen farblosen Niederschlag (bei *Phosphorsäure entsteht dagegen ein gelber Niederschlag); die wäss. Lsg. geht in der Kälte langsam, beim Kochen schneller in Phosphorsäure über. Die D. ist eine wesentlich stärkere Säure als die Phosphorsäure; die Salze sind die *Diphosphate(V).

Herst.: Man erhitzt Phosphorsäure längere Zeit auf 200–300 °C, wobei unter Wasserabspaltung D. entsteht: $2 H_3PO_4 \rightarrow H_4P_2O_7 + H_2O$. Im Gegensatz zur D.(V) hat die *D.(IV)* [Hypodiphosphorsäure, Unterdiphosphorsäure, $(HO)_2P(O)-P(O)(OH)_2$, M_R 161,99] keine techn. Bedeutung. Sie bildet farblose, ätzend wirkende, als Dihydrat zerfließliche Krist.-Tafeln, D. 1,583, Schmp. 62 °C, Sdp. 100 °C (Zers.). – *E* diphosphoric acid – *F* acide diphosphorique – *I* acido difosforico – *S* ácido difosfórico

Lit.: Brauer (3.) **1**, 531f., 541ff. ▪ Gmelin, Syst.-Nr. 16, P. Tl. C. 1965, S. 143–151, 224ff. ▪ Kirk-Othmer (3.) **17**, 451 ▪ Ullmann (5.) **A 19**, 478. – *[HS 2809 20; CAS 2466-09-3]*

Diphtherie-Toxin. Giftiges Polypeptid, das aus zwei Untereinheiten A ($M_R \approx 21 000$) u. B ($M_R \approx 38 000$), die über Disulfid-Brücken verbunden sind, besteht u. von Diphtheriebakterium (*Corynebacterium diphtheriae*) als Exotoxin (s. a. Toxine) gebildet wird. Die Schädigung der Wirtszelle erfolgt, indem sich D.-T. mit dem instabileren Fragment B an ein bestimmtes *Gangliosid der Zelloberfläche anheftet, das stabilere A-Fragment kann dann in die Zelle eindringen u. die Protein-Biosynth. an den 80 S-Ribosomen blockieren[1]. Wahrscheinlich genügt ein einziges A-Fragment, um eine Wirtszelle innerhalb von 24 h zu töten. Die Einschwemmung des Toxins in die Blutbahn kann einen Kollaps od. eine tödlich verlaufende Herzmuskel- u. Lebernekrose zur Folge haben. D.-T. wurde 1888 von Roux u. Yersin entdeckt, LD_{50} (Maus i. p.) 300 ng/kg, (Hamster i. p.) 6500 ng/kg. Die letale Dosis beim Kaninchen, Meerschweinchen u. a. beim Menschen beträgt nur 0,1 μg/kg. D.-T. wirkt ähnlich wie das *Choleratoxin. D.-T. wird als Konjugat mit monoklonalen Antikörpern auf seine mögliche Eignung als Tumortherapeutikum hin untersucht[2]. – *E* diphtherotoxin – *F* diphtérotoxine – *I* tossina difterica – *S* toxina diftérica, difterotoxina

Lit.: [1] Dtsch. Apoth. Ztg. **6**, Nr. 12, 1, 8 (1990); Trends Biochem. Sci. **12**, 28 (1987). [2] Semin. Cancer Biol. **6**, 307–317 (1995).
allg.: Harvey Lect. **76**, 45–73 (1982) ▪ Sax (7.), DWP 300 (1989) ▪ Scrip **1988**, 1328 ▪ Trends Biochem. Sci. (Pers. Ed.) **12**, 28 (1987).

Diphyl®. Wärmeträgerflüssigkeiten für den Hochtemperaturbereich, z. B. in der chem., petrochem., Kunststoff-, Kunstfaser-Industrie. Anwendungsbereich: +13 °C bis +400 °C. *B.:* Bayer.

Diphyl® DT. Kostengünstige Wärmeträgerflüssigkeit auf Basis isomerer Ditolylether. Anwendungsbereich: –30 °C bis +330 °C. *B.:* Bayer.

Diphyl® THT. Wärmeträgerflüssigkeit auf Basis teilhydrierter Terphenyle. Anwendungsbereich: bis +380 °C (drucklos). *B.:* Bayer.

Dipicolinsäure (2,6-Pyridindicarbonsäure).

$C_7H_5NO_4$, M_R 167,12, Nadeln, Schmp. (wasserfrei) 252 °C (Zers.), lösl. in Alkalien. D. wird in bakteriellen Endosporen gebildet u. ist wahrscheinlich für die Ausbildung der Thermoresistenz bestimmter Bakterien erforderlich. – *E* dipicolinic acid – *F* acide dipicolinique – *I* acido dipicolinico – *S* ácido dipicolínico

Lit.: Beilstein E V **22/4**, 128. – *[HS 2933 39; CAS 499-83-2]*

Dipidolor®. Ampullen zur Schmerzbehandlung mit *Piritramid-Hydrogentartrat; unterliegt der BtmVV. *B.:* Janssen.

Dipikrylamin [Bis(2,4,6-trinitrophenyl)-amin].

$C_{12}H_5N_7O_{12}$, M_R 439,21. Gelbe, explosionsfähige Prismen, Schmp. ca. 245 °C (Zers.), unlösl. in Wasser, Aceton, Alkohol, Ether, lösl. in Alkalien, Eisessig; WGK 3. D. gelangt mit Wasser angefeuchtet in den Handel, es ist ein Reagenz für Be, Cs, Hg, Pb, Rb, Tl u. Zr, quant. auch für Kalium. Außerdem ist D. ein Fällungsreagenz für *Alkaloide u. dient zu deren Anfärbung in der Dünnschichtchromatographie. – *E = F* dipicrylamine – *I* dipicrilammina – *S* dipicrilamina

Lit.: Beilstein E IV **12**, 1737 ▪ Fries-Getrost, S. 176 ▪ Merck-Index (12.), Nr. 3396 ▪ Ullmann (4.) **21**, 666. – *[HS 2921 44; CAS 131-73-7; G 1.1]*

Dipiperon®. Tabl. u. Saft mit *Pipamperon-Dihydrochlorid gegen Verstimmungszustände u. chron. Schizophrenien. *B.:* Janssen.

Dipivaloylmethan s. Eu(DPM)₃ u. 2,2,6,6-Tetramethyl-3,5-heptandion.

Dipivefrin.

Internat. Freiname für das gegen Weitwinkel-Glaukome eingesetzte 3′,4′-Dipivalat des *Adrenalins, 4-[1-Hydroxy-2-(methylamino)-ethyl]-o-phenylen-dipivalat, $C_{19}H_{29}NO_5$, M_R 351,44, weißes, krist. Pulver, Schmp. 146–147 °C. Verwendet wird das Hydrochlorid, Schmp. 158–159 °C; λ_{max} (H_2O) 263 nm ($A_{1cm}^{1\%}$ = 11,8); pK_a 9,1. D. wurde 1973 u. 1978 von Klinge, 1974 von Interx patentiert u. ist von Alcon Pharma (Glaucothil®) u. Pharm-Allergan (d Epifrin®) im Handel. – *E* dipivefrin – *F* dipivéfrine – *I = S* dipivefrina

Lit.: Hager (5.) **7**, 1390ff. – *[HS 2922 50; CAS 52365-63-6 (D.); 64019-93-8 (Hydrochlorid)]*

Dipl.-Chem. Abk. für Diplom-Chemiker; Näheres s. bei Chemie-Studium, Chemiker u. Diplom.

Dipl.-Ing. Abk. für Diplomingenieur, vgl. Chemie-Berufe, Ingenieur u. Diplom.

Diploicin s. Depsidone.

Diploidie s. Chromosomen.

Diplom. Abschlußgrad eines Hochschul- u. inzwischen auch Fachhochschul-Studienganges. Die Verleihung dieses Titels setzt das Bestehen der D.-Prüfung voraus, die in der Regel aus schriftlichen u. mündlichen Prüfungen sowie Anfertigung einer größeren, freien wissenschaftlichen Arbeit (D.-Arbeit) besteht. Der Absolvent einer derartigen Prüfung trägt in dem

Diplomchemiker

ihm verliehenen Titel den D.-Grad als Bestandteil seiner Berufsbezeichnung, z. B. Dipl.-Chemiker, Dipl.-Ingenieur usw. Bei den Fachhochschulabschlüssen ist teilw. der in Klammern gesetzte Zusatz FH erforderlich. In den meisten Prüfungsordnungen der D.-Studiengänge ist nach den ersten vier Semestern (Grundstudium) eine D.-Vorprüfung vorgesehen. – *I* diploma universitario (laurea) – *S* licenciatura

Diplomchemiker s. Chemie-Studium, Chemiker u. Diplom.

Diplomingenieur s. Chemie-Berufe, Ingenieur u. Diplom.

Dipol. Je nachdem, ob man zwei entgegengesetzte elektr. od. magnet. Pole vorliegen hat, die in ihrer räumlichen Lage nicht zusammenfallen, spricht man von einem elektr. od. magnet. Dipol. In der Chemie besitzen elektr. D. eine herausragende Bedeutung. Ein Maß für die Größe des D. ist das *Dipolmoment. Näheres über die Größe u. das Zustandekommen von elektr. D. in Mol. s. Dipolmoment. Der Begriff D. wird oft in dem Sinne gebraucht, daß ein Mol. ein permanentes Dipolmoment besitzt. – *E* = *F* dipole – *I* = *S* dipolo

1,3-Dipolare Cycloaddition. Seit ihrer Einführung durch *Huisgen im Jahre 1960 hat die 1,3-d.C.[1] ([3+2]-Cycloaddition) als Syntheseprinzip für fünfgliedrige Heterocyclen eine bemerkenswerte Bedeutung erfahren. Ein 1,3-Dipol ist definiert als eine Spezies, die durch zwitterion. *Oktettstrukturen dargestellt wird u. 1,3-d.-C. mit Mehrfachbindungssyst. (den Dipolarophilen) eingeht. Bei dieser Cycloaddition verschwinden die formalen Ladungen. Alle 1,3-Dipole besitzen das π-System eines Allyl-Anions, sie sind aber im Gegensatz zu diesem in der Lage 2 π-Elektronen am mittleren Heteroelement zu lokalisieren, wobei die dort vorhandene pos. Ladung aufgelöst wird. Durch diese formale Operation werden Elektronensextette an den Atomen a od. b erzeugt, so daß die Enden des 1,3-Dipols entweder nucleophil od. elektrophil sein können (1,3-dipolare Grenzformel). Diese Ambivalenz der 1,3-Dipole – durch die Sextettstrukturen verdeutlicht – bietet den Schlüssel, um die Reaktivität zu verstehen.

Der 1,3-Dipol kann noch eine zusätzliche π-Bindung senkrecht zu dem Allyl-Anion-Syst. besitzen. Diese Dipole des sog. Propargyl-Allenyl-Typs sind in der Regel linear, während die des Allyl-Typs gewinkelt sind. Die Rolle des Zentralatoms b kann bei den Dipolen des Propargyl-Allenyl-Typs nur von einem Element der 5. Hauptgruppe (in der Regel N) wahrgenommen werden, während die Dipole des Allyl-Typs Elemente der 5. u. 6. Hauptgruppe (N, O, S) besitzen können. Führt man Permutationen von Elementkombinationen durch, so erhält man z. B. folgende Dipole des Propargyl-Allenyl-Typs u. des Allyl-Typs, die in ihren Oktettstrukturen aufgelistet sind.

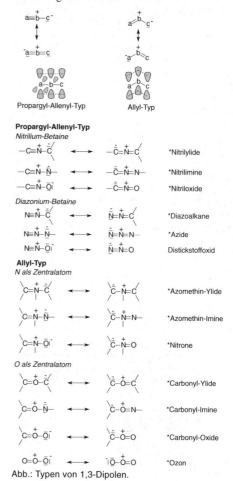

Abb.: Typen von 1,3-Dipolen.

Ein Beisp. für eine 1,3-d.-C. ist die Reaktion von Diazomethan an Acrylsäuremethylester. Sie verdeutlicht den Wert der Meth. im Hinblick auf die Heterocyclen-Synth., da die Stelle des Acrylsäureesters auch von anderen elektronenarmen Alkenen, Alkinen u. Syst. mit Heteroatom-Mehrfachbindungen eingenommen werden kann.

Betrachtet man die [3+2]-Cycloaddition hinsichtlich der beteiligten Elektronen, so sieht man schnell, daß sie in der [π4s + π2s]-Annäherungsgeometrie ablaufen muß (s. Cycloaddition u. Diels-Alder-Reaktion). Die Ähnlichkeiten mit der Diels-Alder-Reaktion sind unverkennbar. Auch hier wird eine konzertierte (od.

synchrone), stereospezif. Cycloaddition, die den pericycl. Regeln gehorcht, als Mechanismus für die meisten 1,3-d.-C. angenommen. Abhängigkeiten der Reaktionsgeschw. vom 1,3-Dipoltyp, von Substituentenmuster sowohl im 1,3-Dipol als auch im Dipolarophil u. Regioselektivität der Cycloaddition lassen sich mit dem bei der *Diels-Alder-Reaktion vorgestellten Grenzorbitalmodell (*HOMO-LUMO-Modell) behandeln. Allerdings sind die Verhältnisse aufgrund der Vielzahl der 1,3-Dipole u. der Notwendigkeit zahlreicher zusätzlicher Annahmen komplizierter, so daß hier nicht näher darauf eingegangen werden kann. Es sei nur angemerkt, daß auch für die 1,3-d.-C. dominante Wechselwirkungen der Grenzorbitale existieren, die eine Einteilung in verschiedene Klassen ermöglichen. So ist die $HOMO_{1,3\text{-Dipol}}\text{-}LUMO_{Dipolarophil}$-Wechselwirkung reaktionsbestimmend für die in der Abb. formulierte 1,3-d.-C. von elektronenreichen Diazoalkanen mit elektronenarmen Dipolarophilen. Neben der hier vorgestellten 1,3-d.-C. gibt es noch Spezialfälle wie beispielsweise die intramol. Variante [2,3], die sog. polaren Cycloadditionen, bei denen der 1,3-Dipol eine pos. od. neg. Gesamtladung trägt [4,5], die sog. Crisscross-Addition [6] u. a. Die Umkehrung der 1,3-d.-C. bezeichnet man als 1,3-dipolare Cycloreversion [7], die bes. nützlich sein kann, wenn sie zu einer neuen Kombination von 1,3-Dipol u. Dipolarophil führt. – *E* 1,3-dipolar cycloaddition – *F* cycloaddition 1,3-dipolaire – *I* cicloaddizione 1,3-dipolare – *S* cicloadición 1,3-dipolar

Lit.: [1] Angew. Chem. **75**, 604–637 (1963). [2] Angew. Chem. **89**, 10–24 (1977). [3] Angew. Chem. **88**, 131–144 (1976). [4] Angew. Chem. **85**, 235–247 (1973). [5] Angew. Chem. **86**, 715–727 (1974). [6] Synthesis **1976**, 349. [7] Angew. Chem. **91**, 781–798 (1979).
allg.: Heterocycles **40**, 1–18 (1995) ■ Laue-Plagens, S. 79–83 ■ March (4.), S. 836–839 ■ Org. React. **36**, 1–173 (1988) ■ Padwa, 1,3-Dipolar Cycloaddition Chemistry, Vol. 1, 2, New York: Wiley 1984 ■ Patai, The Chemistry of Alkenes, S. 806–878, New York: Wiley 1964 ■ Patai, The Chemistry of the Double-Bonded Functional Groups, S. 369–532, New York: Wiley 1977 ■ s. a. Cycloaddition, Diels-Alder-Reaktionen u. pericyclische Reaktionen.

1,3-Dipolare Grenzformel s. 1,3-dipolare Cycloaddition.

Dipol-Dipol-Wechselwirkung s. zwischenmolekulare Kräfte.

DIPOLIT®. Sortiment von Fluorcarbon-Harzen zur wasser-, öl- u. fleckabweisenden Ausrüstung von Geweben, Gewirken u. Vliesstoffen; geeignet für alle Faserarten u. Applikationsmethoden. *B.:* Rotta.

Dipolmoment. Man unterscheidet elektr. D. u. magnet. D.; wenn man in der Chemie nur von dem D. redet, ist das erstere gemeint.
1. Als *elektr. D.* $\vec{\mu}$ bezeichnet man das erste Moment einer Verteilung elektr. Ladungen mit der Ladungsdichte $\rho(\vec{r})$: $\vec{\mu} = \int \vec{r} \rho(\vec{r}) d\tau$, $\vec{r}$ ist hierbei der Ortsvektor u. $d\tau$ das Volumenelement. Das elektr. D. eines Mol. setzt sich additiv aus dem Beitrag der pos. geladenen Atomkerne (s. Atombau) u. dem Beitrag der neg. geladenen *Elektronen zusammen: $\vec{\mu} = \vec{\mu}_+ + \vec{\mu}_-$. Die Atomkerne kann man in sehr guter Näherung als Punktladungen betrachten (s. a. Born-Oppenheimer-Näherung); $\vec{\mu}_+$ ergibt sich dann zu $\vec{\mu}_+ = \sum_{\lambda=1}^{N} Z_\lambda e \vec{R}_\lambda$, wobei Z_λ die Ladungszahl des Kerns λ, e die *Elementarladung u. $\vec{R}_\lambda$ der vom Ursprung des gewählten Koordinatensyst. zum Ort des betrachteten Kerns gerichtete Ortsvektor ist. Der von den Elektronen stammende Beitrag $\vec{\mu}_-$ ist quantenmechan. zu berechnen; die Ladungsdichte der Elektronen ist über die elektron. *Wellenfunktion erhältlich. Bei neutralen Mol. ist das elektr. D. unabhängig vom gewählten Koordinatensyst., bei *Ionen ist es hiervon abhängig. In letzteren Fall wird es üblicherweise relativ zum Massenschwerpunkt des Mol. angeben. Da das D. eine vektorielle Größe ist, muß man zu seiner vollständigen Beschreibung Betrag u. Richtung des D.-Vektors angegeben. Nach üblicher Konvention weist der elektr. D.-Vektor vom Schwerpunkt der neg. Ladungsverteilung zu dem der positiven. Wenn diese in einem Mol. nicht zusammenfallen, besitzt das Mol. ein *permanentes* elektr. Dipolmoment. Die Existenz eines permanenten elektr. D. hängt eng mit den Symmetrieeigenschaften eines Mol. zusammen (s. a. Gruppentheorie). So besitzen Mol. mit einem Inversionszentrum kein permanentes elektr. D.; hierzu gehören z. B. CO_2, HCCH od. SF_6. Die Bestimmung elektr. D. kann hilfreich bei der Aufklärung von Mol.-Strukturen sein. Z.B. kann man über das elektr. D. ermitteln, ob 1,2-*Dichlorethylen in der *trans*-Struktur ($\vec{\mu}_{el} = 0$) od. in der *cis*-Struktur (endliches elektr. D.) vorliegt.

Das elektr. D. besitzt in *SI-Einheiten die Einheit $C \cdot m$. Da in mol. Dimensionen die Grundeinheit eine sehr kleine Zahl ist, hat man zu Ehren des Erforschers der Dipolerscheinungen, *Debye, die Einheit 1 D (sprich: 1 Debye) = $3,33564 \cdot 10^{-30}$ $C \cdot m$ definiert. Die Beträge der D. von Mol. liegen üblicherweise im Bereich zwischen 0 u. 10 D; z. B. hat das Wasser-Mol. im Schwingungsgrundzustand ein D. von 1,85 D. Weitere Werte für die elektr. D. einiger ausgewählter Verb. findet man in Tab. 1. Ferner findet man bei vielen Verb., die als Einzelstichwörter aufgenommen sind, die Angabe ihrer Dipolmomente.

Tab. 1: Dipolmomente (in D) einiger ausgewählter Verbindungen.

LiF	6,33	LiCl	7,13
NaF	8,16	NaCl	9,00
KF	8,60	KCl	10,27
CsF	7,88	CsCl	10,42
HF	1,82	NH_3	1,47
HCl	1,08	PH_3	0,58
HBr	0,82	AsH_3	0,20
HI	0,44	SbH_3	0,12
ClF	0,88	ICl	0,54
CO	0,11	NO	0,15
H_2O	1,85	COS	0,71
CH_3Cl	1,87	CH_3OH	1,70
CH_2Cl_2	1,60	C_2H_5OH	1,69
$CHCl_3$	1,01	$n\text{-}C_3H_7OH$	1,68
$C_2H_2Cl_2$	1,34	$i\text{-}C_3H_7OH$	1,66
C_6H_5Cl	1,69	$C_6H_5CH_3$	0,36
C_2H_5Cl	2,05	$C_6H_5NO_2$	4,22
$n\text{-}C_3H_7Cl$	2,05	C_6H_5OH	1,45
$i\text{-}C_3H_7Cl$	2,17	$C_6H_5CH_2OH$	1,71
CH_3NH_2	1,31	$C_6H_5NH_2$	1,53

Wie man aus Tab. 1 erkennt, besitzen z. B. die aufgeführten aliphat. Alkohole alle ein etwa gleich großes Dipolmoment. Deshalb läßt sich häufig in brauchbarer Näherung das D. eines Mol. als die Summe sog. *Bindungsmomente* berechnen, wobei zu beachten ist, daß man Vektoren addiert. Das Bindungsmoment (vergleichbar mit den *Bindungsinkrementen der Molrefraktion u. damit auch eng zusammenhängend) ist dabei ein konstanter Beitrag, der von einem Atom od. einer funktionellen Gruppe innerhalb des Mol. zum Gesamt-D. geliefert wird. In Tab. 2 sind einige Bindungsmomente (*Lit.*[1]) zusammengestellt.

Tab. 2: Bindungsmomente (in D) einiger ausgesuchter Bindungen u. funktioneller Gruppen*.

Bindung + –		Bindung + –	
H–C_{al}	0,3	C=O	2,5
H–O	1,5	C=S	2,95
H–S	0,65	C≡N	3,6
H–N	1,3	C_{al}–O	0,74
C_{ar}–F	1,47	C_{al}–F	1,4
C_{ar}–Cl	1,60	C_{al}–Cl	1,7
C_{ar}–Br	1,57	C_{al}–Br	1,7
C_{ar}–I	1,3	C_{al}–I	1,57
C_{ar}–NO_2	4,0	C_{al}–NO_2	3,0
C_{ar}–CN	4,0	C_{al}–CN	3,6

* C_{al}: aliphat. C-Atom; C_{ar}: aromat. C-Atom.

Damit berechnet sich z. B. das D. von *p*-Chlornitrobenzol zu 2,40 D gemäß $|\vec{\mu}|$ =4,0 D (Wert für C_{ar}–NO_2 u. gleichzeitig für C_6H_4–NO_2, da sich die 4 CH-Bindungsmomente gegenseitig kompensieren) – 1,6 D (Wert für C_{ar}–Cl; Bindungsmoment ist entgegengesetzt gerichtet)=2,4 D. Der experimentelle Wert beträgt 2,83 D.
Experimentell lassen sich die D. mit Hilfe verschiedener Verf. bestimmen. Durch Messung der *Dielektrizitätskonstante u. der *Dichte bei verschiedenen Temp. kann man mit Hilfe der *Debye-Clausius-Mosotti-Gleichung das D. ermitteln. Der *Starkeffekt erlaubt die Bestimmung des D. aus *Mikrowellenspektren, ebenso sog. *MBER-Experimente. Ferner lassen sich D. *ab initio berechnen; bei kleinen Mol. liegt die derzeit erreichbare Genauigkeit bei ca. 0,05 D.
Bringt man ein Atom od. Mol. in ein elektr. Feld, so wird in ihm (zusätzlich zum permanenten elektr. D., falls vorhanden) ein *induziertes D.* erzeugt, dessen Größe von dem *Polarisierbarkeitstensor $\underline{\underline{\alpha}}$ des Atoms od. Mol. u. der elektr. Feldstärke $\underline{E}$ abhängt: $\underline{\mu}_{induziert} = \underline{\underline{\alpha}}\,\underline{E}$. Permanente u. induzierte elektr. D. spielen in vielen Bereichen der Chemie eine wichtige Rolle, so bei *zwischenmolekularen Kräften, die z. B. für die *Hydratation od. *Solvatation wichtig sind, zum Verständnis von Reaktionsmechanismen (s. a. induktiver Effekt, Orthoeffekt, Push-Pull-Mechanismus od. Regeln der Substitution) u. zur Erklärung der Konformationen von Polymeren einschließlich Biopolymeren.
2. *Magnetisches D.*; SI-Einheit Am^2 od. JT^{-1}. Atomare od. mol. magnet. D. werden auch häufig in Einhciten des *Bohrschen Magnetons (B.M.) angegeben; 1 B.M. $\triangleq$ 9,2740154 (31) · 10^{-24} JT^{-1}. Magnet. D. in Atomen od. Mol. resultieren aus den Drehimpulsen von Elektronen u. Atomkernen; Ladungen mit nichtverschwindendem Drehimpuls ist allg. ein magnet. D. zugeordnet. So besitzt ein Wasserstoff-Atom im elektron. Grundzustand ein magnet. D., das durch den Eigendrehimpuls od. *Spin des Elektrons verursacht wird. Auch der Atomkern, in diesem Falle ein *Proton, besitzt ein magnet. Moment, das aber 3 Größenordnungen kleiner ist. Daneben gibt es magnet. D., die durch den *Bahndrehimpuls der Elektronen verursacht werden. Dieser Erscheinung begegnet man z. B. bei Atomen in P-Zuständen (*Beisp.:* F-Atom) od. linearen Mol. in Π-Zuständen (*Beisp.:* NO). Die Existenz magnet. D. nutzt man in der *EPR-Spektroskopie, die z. B. zur Untersuchung *freier Radikale u. zur Untersuchung von Struktur-Wirkungsbeziehungen in der Biochemie herangezogen wird. – *E* dipole moment – *F* moment dipolaire – *I* momento dipolare – *S* momento dipolar

Lit.: [1] Exner, Dipole Moments in Organic Chemistry, Stuttgart: Thieme 1978.
allg.: Böttcher u. Bordwijk, Theory of Electric Polarization, Amsterdam: Elsevier 1978. ▪ Handbook 73, 9 – 42 ff. ▪ Landolt-Börnstein, Neue Serie, Gruppe II, Atom- u. Molekularphysik, Bd. 6, 2 – 260 ff. Berlin: Springer 1974 ▪ McClellan, Tables of Experimental Dipole Moments, San Francisco: Freeman 1963.

Diponiumbromid.

$$\left[\begin{array}{c}\text{(cyclopentyl)}\\ \text{(cyclopentyl)}\end{array}\text{CH-CO-O-}CH_2\text{-}CH_2\text{-}\overset{+}{N}(C_2H_5)_3\right] Br^-$$

Internat. Freiname für das *Spasmolytikum [2-(2,2-Dicyclopentylacetoxy)-ethyl]-triethyl-ammoniumbromid, $C_{20}H_{38}BrNO_2$, M_R 404,43, Schmp. 185 – 186 °C; LD_{50} (Maus i.v.) 6,2, (Maus i.p.) 88, (Maus oral) 570 mg/kg. D. wurde 1960 von Siegfried patentiert. – *E* diponium bromide – *F* bromure de diponium – *I* diponio bromuro – *S* bromuro de diponio
Lit.: Hager (5.) **7**, 1392. – [HS 2923 90; CAS 2001-81-2]

DIPP. Nach DIN 7723 (12/1987) Kurzz. für *Di*isopentyl*p*hthalat als *Weichmacher.

Diprogenta®. Salbe u. Creme mit *Betamethason-17,21-dipropionat u. *Gentamicin-Sulfat gegen infizierte Ekzeme, Dermatosen, Verbrennungen usw. *B.:* Essex-Pharma GmbH.

Diprophyllin.

Internat. Freiname für das broncho- u. coronardilatator. wirkende 7-(2,3-Dihydroxypropyl)-theophyllin, $C_{10}H_{14}N_4O_4$, M_R 254,25; s.a. Theophyllin. Farblose Krist., Schmp. 160 – 165 °C; λ_{max} (0,1 N HCl) 272 nm ($A^{1\%}_{1cm}$=365); λ_{max} (CH_3OH) 273 nm ($A^{1\%}_{1cm}$=344); (*R*)-Form: Schmp. 159 – 160 °C, $[\alpha]^{20}_D$ +88,2° (c 0,5/H_2O); λ_{max} (pH 2,7) 274 nm ($A^{1\%}_{1cm}$=393); LD_{50} (Maus oral) 3400, (Maus s.c.) 1430 mg/kg. D. wurde 1951 von State University Iowa patentiert u. wird in Kombination mit anderen Xanthinen gegen Asthma bronchiale u. Bronchitis eingesetzt. – *E* diprophyllin – *F* diprophylline – *I* diprofillina – *S* diprofilina

Lit.: Beilstein E V **26/14**, 70 ▪ DAB 1996 u. Komm. ▪ Hager (5.) **7**, 1393–1396. – *[HS 293950; CAS 68350-70-9 (±-D.); 72376-77-3 (5-D.); 72376-78-4 (R)]*

Dipropylamine.

H₇C₃—NH—C₃H₇ (a)   (H₃C)₂CH—NH—CH(CH₃)₂ (b)

$C_6H_{15}N$, M_R 101,19. (a) *Di-n-propylamin:* Farblose Flüssigkeit, D. 0,74, Schmp. –63 °C, Sdp. 110 °C, lösl. in Wasser, Alkohol u. Ether, reizt Augen, Haut u. Atemwege; LD_{50} (Ratte oral) 460 mg/kg; wassergefährdender Stoff, WGK 2 (Selbsteinst.); MAK 10 ppm, US-Wert. Zwischenprodukt bei organ. Synthesen.
(b) *Diisopropylamin:* Ammoniak-ähnlich riechende, wasserklare, stark alkal., stark haut- u. schleimhautreizende bis ätzende Flüssigkeit (Hautresorption! MAK 5 ppm, US Wert), D. 0,718, Schmp. –96 °C, Sdp. 84 °C, lösl. in Wasser u. Alkohol, wassergefährdender Stoff, WGK 2. D. findet Verw. als Katalysator u. Zwischenprodukt für Korrosionsinhibitoren; zur Synth. von ster. gehinderten tertiären Aminen u. Guanidinen. D. unterliegt der freiwilligen Selbstkontrolle für chem. Kampfstoffe. – *E* = *F* dipropylamines – *I* dipropilammine – *S* dipropilamines

Lit.: Beilstein E IV **1**, 2473 ▪ Brauer, Gefahrstoff-Sensorik, Landsberg: Ecomed 1988 ▪ Hommel, Nr. 263, 428 ▪ Ullmann (4.) **7**, 387; (5.) **A 2**, 9. – *[HS 2921 19; CAS 142-84-7 (a); 108-18-9 (b); G 3]*

Dipropylenglykol [1,1′-Oxydi-(2-propanol)].

H₃C—CH(OH)—CH₂—O—CH₂—CH(OH)—CH₃

$C_6H_{14}O_3$, M_R 134,18. Farblose, hygroskop., viskose Flüssigkeit, D. 1,025, Sdp. 232 °C, wenig flüchtig, geruchfrei, mit Wasser mischbar, im Handel meist als Isomerengemisch.
Verw.: Lsm. für Celluloseacetat u. -nitrat, Schellack, Bestandteil von hydraul. Flüssigkeiten, Textilschlichten, Druckfarben, kosmet. Präp., Feuchthaltemittel für Leder, Weichhaltemittel von Pelzfellen. – *E* dipropylene glycol – *F* dipropylèneglycol – *I* glicole dipropilenico – *S* dipropilenglicol

Lit.: Beilstein E IV **1**, 2473 ▪ Hommel, Nr. 478 ▪ Kirk-Othmer (4.) **12**, 715 f. ▪ Ullmann (4.) **19**, 428; (5.) **A 22**, 163. – *[HS 2909 49; CAS 106-62-7]*

Dipropylentriamin [Fachjargon, aber falsche Bez. für 3,3′-Iminodi-(1-propylamin)].

HN(CH₂—CH₂—CH₂—NH₂)₂

$C_6H_{17}N_3$, M_R 131,22. Viskose, farblose bis schwach gelbliche, ammoniakal. riechende, ätzende Flüssigkeit, D. 0,93, Schmp. –14 °C, Siedebereich 232–245 °C, mit Wasser, Alkoholen, Estern, Ketonen, Benzol- u. Chlorkohlenwasserstoffen mischbar; WGK 2 (Selbsteinst.). Bei Erhitzung entstehende Dämpfe reizen stark die Augen, die Atemwege u. die Lunge bis hin zum Lungenödem sowie die Haut. Die Flüssigkeit wird auch über die Haut aufgenommen; Leberschäden möglich. D. findet Verw. zur Herst. von Vulkanisationsbeschleunigern, Emulgatoren, Korrosionsschutzmitteln, Schädlingsbekämpfungsmitteln, Textilhilfsmitteln usw. – *E* dipropylenetriamine – *F* dipropylènetriamine – *I* dipropilentriammina – *S* dipropilentriamina

Lit.: Beilstein E IV **4**, 1278 ▪ Hommel, Nr. 682 ▪ Ullmann (4.) **7**, 382; (5.) **A 2**, 28. – *[HS 2921 29; CAS 56-18-8; G 8]*

Dipropylessigsäure (2-Propylpentansäure) s. Valproinsäure.

Dipropylether.

H₇C₃—O—C₃H₇ (a)   (H₃C)₂CH—O—CH(CH₃)₂ (b)

$C_6H_{14}O$, M_R 102,18. Farblose Flüssigkeiten, die in Wasser kaum, in Alkohol u. Ether lösl. sind u. leicht explosible Peroxide bilden. (a) *Di-n-propylether* (Propylether), D. 0,736, Schmp. –122 °C, Sdp. 89–91 °C, FP. –28 °C. Wird als Lsm., zur Stabilisierung von Trichlorethylen u. a. Chlor-haltigen Lsm., zur Abtrennung binärer Azeotrope verwendet. Die Dämpfe wirken narkot., Kontakt mit der Flüssigkeit reizt leicht die Augen u. die Haut.
(b) *Diisopropylether* (Isopropylether), D. 0,724, Schmp. –86 °C, Sdp. 68 °C, FP. <–20 °C, reizt Atemwege u. Augen, wirkt narkot., MAK 500 ppm (MAK-Werte-Liste 1996), wassergefährdender Stoff, WGK 1. D. löst pflanzliche u. tier. Fette u. Öle, Harze u. Wachse, Celluloseacetat, in Mischung mit Alkohol auch Nitrocellulose. Dient zur Herst. von rauchlosen Pulvern, Celluloid-Artikeln, zu Extraktionen, zum Entglänzen von Acetatseide usw.; zur Herst. von klopffesten Motorkraftstoffen. Die bes. leicht gebildeten Peroxide des D. können bereits beim Schütteln explodieren! Zur Gefährlichkeit im Umgang mit D. s. *Lit.*[1]. – *E* dipropyl ether – *F* éther dipropylique – *I* etere dipropilico – *S* éter dipropílico

Lit.: [1] J. Chem. Educ. **40**, 469 (1963); **45** A 313f. (1968).
allg.: Beilstein E IV **1**, 1422, 1471 ▪ Giftliste ▪ Hommel, Nr. 274, 700 ▪ Ullmann (4.) **8**, 151f.; (5.) **A 10**, 29ff.; **A 22**, 175. – *[HS 2909 19; CAS 111-43-3 (a); 108-20-3 (b); G 3]*

Diprosalic®.
Salbe u. Lsg. mit *Betamethason-17,21-dipropionat u. *Salicylsäure gegen Psoriasis, chron. Ekzeme u. trockene Dermatosen. *B.:* Essex Pharma GmbH.

Diprosis®.
Salbe u. Gel mit *Betamethason-17,21-dipropionat gegen Dermatosen. *B.:* Essex Pharma GmbH.

Diprosone®.
Lsg., Creme u. Salbe mit *Betamethason-17,21-dipropionat gegen juckende Ekzeme, Dermatitiden, Psoriasis u. Allergien, zur system. Anw. auch als injizierbare Kristallsuspension mit zusätzlichem Betamethason-21-dihydrogenphosphat-Dinatriumsalz. *B.:* Essex Pharma GmbH.

Dipterex®.
Insektizid auf der Basis von *Trichlorfon. *B.:* Bayer.

Dipyridamol.

Internat. Freiname für 2,6-Bis-[bis-(2-hydroxyethyl)amino]-4,8-dipiperidinopyrimido[5,4-d]pyrimidin, $C_{24}H_{40}N_8O_4$, M_R 504,63, kräftig gelbes Pulver, Schmp. 163°C; λ_{max} (0,1 N HCl) 283, 398 nm ($A_{1cm}^{1\%}$ = 519, 127); λ_{max} (CH_3OH) 285,5, 409 nm ($A_{1cm}^{1\%}$ = 591, 148); pH_a 6,4. D. wurde 1959 u. 1962 als Thrombozytenaggregationshemmer u. Coronar-Vasodilatans von Thomae (Persantin®) patentiert u. ist generikafähig. – *E* = *F* dipyridamole – *I* dipridamolo – *S* dipiridamol

Lit.: ASP ▪ Beilstein E V **26/17**, 456 ▪ Hager (5.) **7**, 1396–1399. – *[HS 2933 59; CAS 58-32-2]*

2,2'-Dipyridyl s. 2,2'-Bipyridin.

Dipyron. Früherer Freiname für Noramidopyrinmethansulfonat-Natrium (s. Metamizol).

Diquat-dibromid.

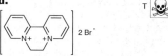

Common name für 6,7-Dihydro-dipyrido[1,2-*a*; 2',1'-*c*]pyrazindiium-dibromid, $C_{12}H_{12}Br_2N_2$, M_R 344,05, Zers. oberhalb von 300°C, LD_{50} (Ratte oral) 231 mg/kg (WHO), von ICI (jetzt Zeneca) 1957 eingeführtes Kontakt-*Herbizid, vorwiegend gegen Unkräuter, eignet sich besonders zur Abtötung von Kartoffelkraut vor der Ernte. – *E* = *F* diquat dibromide – *I* diquat-dibromuro – *S* dicuat-dibromuro

Lit.: Farm. – *[HS 2933 59; CAS 85-00-7]*

Dirac, Paul Adrien Maurice (1902–1984), Prof. für Mathematik, Univ. Cambridge (England). *Arbeitsgebiete:* Quantentheorie, magnet. Moment u. Spin von Elektronen, Postulat des Positrons (1930), Nobelpreis für Physik 1933 (zusammen mit *Schrödinger).

Lit.: Krafft, S. 103 ▪ Nachmansohn, Die große Ära der Wissenschaft in Deutschland 1900–1933, S. 58 f., 68, 81, 90, 121, 124, Stuttgart: Wissenschaftliche Verlagsges. 1988 ▪ Neufeldt, S. 154, 159, 358 ▪ Poggendorff **7b/2**, 1068 f.

Dirac-Gleichung. Der speziellen Relativitätstheorie genügende, 1928 von P.A.M. *Dirac aufgestellte Wellengleichung für Teilchen mit *Spin 1/2, z.B. *Elektronen. – *E* Dirac equation – *I* equazione di Dirac – *S* ecuación de Dirac

Dirac-Schreibweise. Von *Dirac eingeführte Symbolik in der *Quantentheorie, die auch in der *Theoretischen Chemie breite Anw. findet.

Diradikale s. Biradikale.

Direktdruck. Ist die häufigste Form des textilen Druckes u. stellt das Gegenstück zum *Ätzdruck u. *Reservedruck dar. Im D. werden rohweiße od. vorgefärbte Textilien mit Hilfe von Flachschablonen (Filmdruck), Rundschablonen (Rotationsfilmdruck) od. Walzen (Rouleauxdruck) direkt mit den nötigen Chemikalien u. Hilfsmitteln bedruckt, wodurch nach der Fixierung direkt das Gesamtbild des Druckes entsteht. – *E* direct printing – *F* impression directe – *I* pressione diretta – *S* estampación

Direktfällung. Bez. für ein Fällungsverf. als Vorstufe der *Abwasserbehandlung, bei dem eine Fällung (s. Fällungsmittel, Grünsalz) nach der mechan. – anstelle der *biologischen Abwasserbehandlung angewandt wird. Die D. wird oft im Zusammenhang mit der Neutralisation od. Phosphat-Ausfällung von entsprechend belasteten Abwasserströmen angewandt. – *E* direct precipitation – *F* précipitation directe – *I* precipitazione diretta – *S* precipitación directa

Direktfarbstoffe. Gelegentlich benutzte Bez. für *direktziehende* *Farbstoffe, d.h. solche, die aufgrund ihrer *Substantivität in Substanz aufziehen u. daher besser als *substantive Farbstoffe zu bezeichnen sind, s. dort. – *E* direct dyes – *F* colorants directs – *I* coloranti diretti – *S* colorantes directos – *[HS 3204 14]*

Direkthydrierung. Ein bei Henkel entwickeltes Verf. zur Herst. von Fettalkoholen aus Triglyceriden in einem einstufigen Prozeß. Die Fette werden mit Wasserstoff an einem Cu/Cr-Katalysator umgesetzt, wobei als Reaktionsprodukte Fettalkohol, 1,2-Propandiol u. Wasser entstehen. Der Prozeß wird vorzugsweise in einem Rohrreaktor mit stückigem Katalysator durchgeführt. Vorteile der D. sind u.a. die Einsparung eines Verfahrensschrittes u. die günstigere Wirtschaftlichkeit gegenüber dem herkömmlichen Verf., bei dem Fettalkohol aus Triglyceriden über einen Umesterungsschritt mit anschließender Hydrierung des Fettsäureesters hergestellt wird. – *E* direct hydrogenation – *F* hydrogénation directe – *I* idrogenazione diretta – *S* hidrogenación directa

Lit.: Ullmann (5.) **A 1**, 283.

Direktor s. flüssige Kristalle.

Direktreduktion s. Eisen.

Diresul®. Flüssige, vorreduzierte, stabilisierte Schwefel-Farbstoffe zum Färben von Cellulose-Fasern rein od. in Mischungen mit Synthesefasern. *B.*: Sandoz.

Dirithromycin.

Internat. Freiname für das *Makrolid-Antibiotikum u. halbsynthet. *Erythromycin-Derivat N^9,O^{11}-[(*R*)-2-(2-Methoxyethoxy)ethyliden]erythromycylamin, $C_{42}H_{78}N_2O_{14}$, M_R 835,09, Schmp. 186–189°C (Zers.); LD_{50} (Maus oral u. s.c.) >1000 mg/kg. Es wurde 1976/77 von Thomae/Boehringer Ingelheim patentiert u. ist von Lilly (Nortron®) in Spanien im Handel. – *E* dirithromycin – *F* dirithromycine – *I* = *S* diritromicina

Lit.: Drugs **48**, 599–616 (1994) ▪ Merck-Index (12.), Nr. 3418. – *[HS 2941 90; CAS 62013-04-1]*

Disaccharide. Bez. für *Kohlenhydrate, die meist die Bruttoformel $C_{12}H_{22}O_{11}$ haben u. aus zwei einfachen, durch glykosid. Bindung verknüpften *Monosaccharid-Mol. (D-*Glucose, D-*Fructose u.a.) aufgebaut sind. Liegt die glykosid. Bindung zwischen den acetal. Kohlenstoff-Atomen (1 bei Aldosen bzw. 2 bei Ketosen) beider Monosaccharide, so wird damit bei beiden die Ringform fixiert; die Zucker zeigen keine *Mutarotation, reagieren nicht mit Keton-Reagenzien u. wirken nicht mehr reduzierend (Fehling-neg.: *Trehalose-* od. *Saccharose-Typ*). Verbindet dagegen die glykosid. Bindung das acetal. Kohlenstoff-Atom eines Monosaccharids mit irgendeinem des zweiten, so kann dieses noch die offenkettige Form annehmen, u. der Zucker wirkt noch reduzierend (Fehling-pos.: *Maltose-Typ*). Die wichtigsten D. sind *Cellobiose, *Maltose (Malzzucker), *Lactose (Milchzucker) u. *Saccharose (Rohrzucker). Weitere D. sind *Gentiobiose, Melibiose, *Trehalose, *Turanose u. andere. Die D. treten entweder frei auf (Saccharose), als Bestandteile von Oligo- u. Polysacchariden (Cellobiose) od. an Pflanzen-Farb- u. a. -Inhaltsstoffe (an *Aglykone wie die *Anthocyanidine) glykosid. gebunden. D. lassen sich durch Säuren od. Enzyme [*Disaccharidasen* wie *Galactosidasen, *Glucosidasen, β-Fructofuranosidase (s. Invertase)] in Monosaccharide aufspalten; sie bilden farblose Krist. od. Pulver, die in unterschiedlicher Weise süß schmecken u. von Wasser leicht, von Alkohol schwer u. von Ether nicht gelöst werden. – *E* disaccharides – *F* disaccharides – *I* disaccaridi – *S* disacáridos

Disalpin®. Tabl. mit dem Saluretikum *Hydrochlorothiazid u. *Reserpin zur Langzeittherapie von Hypertonie. *B.:* AMW Dresden.

Disazo-Farbstoffe s. Azo-Farbstoffe.

Disc-Elektrophorese s. Elektrophorese.

Dischwefel... s. Schwefel...

Dischwefeldichlorid s. Schwefelchloride.

Dischwefelsäure [Pyroschwefelsäure, Dischwefelsäure(VI)]. HO–(O)S(O)–O–(O)S(O)–OH od. $H_2S_2O_7$, M_R 178,13. Farblose sehr stark ätzende, hygroskop. Krist., D. 1,9, Schmp. 36 °C, in Wasser mit zischendem Geräusch u. exothermer Reaktion lösl., mit Schwefelsäure u. Schwefeltrioxid mischbar. D. gehört zu den stärksten bekannten Säuren u. übertrifft in ihrer *Acidität selbst 100%ige Schwefelsäure. Zu ihrer Verw. als hochacides Lsm. s. *Lit.*[1].
Herst.: Aus rauchender Schwefelsäure mit einem SO_3-Gehalt zwischen 18 u. 62% durch Ausfrieren. Die Salze der D. heißen *Disulfate. – *E* disulfuric acid – *F* acide disulfurique – *I* acido disolforico – *S* ácido disulfúrico
Lit.: [1] J. Indian Chem. Soc. **44**, 321–336 (1977).
allg.: Gmelin, Syst.-Nr. 9, S, Tl. B, 1960, S. 624ff. ▪ Hommel, Nr. 174. – *[HS 2811 19; CAS 7783-05-3]*

Dischweflige Säure [Pyroschweflige Säure, Dischwefelsäure(IV)]. HO–(O)S(O)–S(O)–OH od. $H_2S_2O_5$ nur in Form ihrer Salze, der *Disulfite, bekannte Säure. – *E* disulfurous acid – *F* acide disulfureux – *I* acido disolforoso – *S* ácido disulfuroso

Discodermolid. Polyhydroxylacton aus dem Schwamm *Discodermia dissoluta.* $C_{33}H_{55}NO_8$, M_R 593,80, Schmp. 115–116 °C, $[\alpha]_D$ +7,2°. D. hemmt *in vitro* die Proliferation muriner Leukämie-Zellen u. wirkt immunsuppressiv. – *E* discodermolide
Lit.: Ann. N.Y. Acad. Sci. **696**, 94 (1993) ▪ J. Am. Chem. Soc. **115**, 12621 (1993); **117**, 12011f. (1995) (*Synth.*) ▪ J. Org. Chem. **55**, 4912 (1990). – *[CAS 127943-53-7]*

Disflamoll®. Sortiment von Phosphorsäureestern, die als Weichmacher für Kunststoffe u. Kautschukmischungen den Produkten ein günstiges Brandschutzverhalten verleihen. Einzelne Typen sind: DKP: Diphenylkresylphosphat, DPO: Diphenyloctylphosphat, TP: Triphenylphosphat, TKP: Trikresylphosphat, TOF: Trioctylphosphat. *B.:* Bayer.

Disilan s. Silane.

Disiloxan s. Siloxane.

Disintegrine. *Polypeptide (ca. 70 Aminosäure-Reste) aus *Schlangengiften, die die durch *Adenosin-5′-diphosphat, *Thrombin, Plättchen-aktivierenden Faktor od. *Collagene ausgelöste u. für die *Blutgerinnung notwendige Aggregation der *Thrombocyten hemmen sowie deren Wechselwirkung mit Fibrinogen (s. Fibrin) verhindern, indem sie an ein zu den *Integrinen gehörendes *Glykoprotein auf der Thrombocyten-Oberfläche binden. Den D. sind die Integrin-bindende Aminosäure-Sequenz RGD (Arg-Gly-Asp) sowie eine charakterist. Anordnung von *Disulfid-Brücken gemeinsam. Manche Proteine besitzen zusätzlich zu einer D.-Domäne die katalyt. aktive Domäne von *Metall-Proteasen[1]. – *E* disintegrins – *F* disintégrines – *I* disintegrine – *S* disintegrinas
Lit.: [1] Science **273**, 1227–1231 (1996).
allg.: Biochim. Biophys. Acta **1039**, 81–89 (1990) ▪ Curr. Opin. Cell. Biol. **4**, 760–765 (1993) ▪ Proc. Natl. Acad. Sci. USA **87**, 2471–2475 (1990) ▪ Semin. Hematol. **31**, 289–300 (1994).

Diskotische Flüssigkristalle s. flüssige Kristalle.

Dismulgatoren s. Demulgatoren.

Dismutation. Eine Reaktion, bei der durch intermol. Ligandenaustausch aus einer chem. Verb. mehrere Verb. gebildet werden. Im Unterschied zur Disproportionierung ändert sich die *Oxidationszahl dabei nicht. *Beisp.:*

$$2\,SiH_2Cl_2 \rightleftharpoons SiH_4 + SiCl_4$$

(D. von Halogensilanen). – *E = F* dismutation – *I* dismutazione – *S* dismutación

Disopivan®. Ampullen mit 2,6-Diisopropylphenol (Internat. Freiname *Propofol) zur Narkose-Einleitung u. -Aufrechterhaltung. *B.:* Zeneca.

Disopyramid.

[(H₃C)₂CH]₂N–CH₂–CH₂–C(C₆H₅)(2-Pyridyl)–CO–NH₂

Internat. Freiname für 4-Diisopropylamino-2-phenyl-2-(2-pyridyl)-butyramid, $C_{21}H_{29}N_3O$, M_R 339,48; weißes Pulver, Schmp. 94,5–95 °C; λ_{max} (H_2O) 269 nm (A^1_{1cm} = 199); pK_{b1} 3,55, pK_{b2} 3,8; LD_{50} (Maus i.p.) 517 μmol/kg. Verwendet wird das Hydrogen-

phosphat, weißes Pulver, Schmp. 205 °C (Zers.); λ_{max} (0,1 N HCl) 262, 267 nm (A$_{1cm}^{1\%}$ = 300, 299); pK$_a$ 8,34. D. wurde 1962 u. 1965 als *Antiarrhythmikum von Searle patentiert u. ist generikafähig. – $E = F$ disopyramide – I disopiramide – S disopiramida
Lit.: ASP ▪ Beilstein E V **22/14**, 172 ▪ DAB **1996** u. Komm. ▪ Florey **13**, 183–210 ▪ Hager (5.) **7**, 1399 ff. – *[HS 2933 39; CAS 3737-09-5; 22059-60-5 (Hydrogenphosphat)]*

Disotat®. Injektionslsg. u. Tabl. mit dem Vasodilatator Diisopropylamin-Hydrochlorid zur Therapie der Hypertonie. **B.:** Isis Pharma.

Disparlur.

Freiname für *cis*-7,8-Epoxy-2-methyloctadecan, $C_{19}H_{38}O$, M_R 282,51, synthet. Sexuallockstoff (*Pheromon) zum Anlocken von Schwammspinnermännchen. – E disparlure – $I = S$ disparluro
Lit.: Beilstein E V **17/1**, 170 ▪ Farm. – *[CAS 29804-22-6]*

Dispase. Bez. für eine neutrale *Protease (M$_R$ 35 900; EC 3.4.24.4) aus *Bacillus polymyxa*, die in der Zellkulturtechnik zur schonenden Auflösung von tier. Geweben, zur Gewinnung von Einzelzellen für Primärkulturen u. zur Subkultivierung von Zellinien eingesetzt wird (s. Zellkultur). – $E = F$ dispase – I dispasi – S dispasa
Lit.: J. Invest. Dermatol. **102**, 111–117 (1994) ▪ Jpn. J. Exp. Med. **56**, 297 (1986).

Dispatenol®. Augentropfen mit *Dexpanthenol u. Polyvinylalkohol gegen Austrocknungserscheinungen der Horn- u. Bindehaut durch Tränensekretionsstörungen. **B.:** Ciba Vision.

Dispatim®. Augentropfen mit dem β-Rezeptorenblocker *Timolol-Hydrogenmaleat zur Glaukomtherapie. **B.:** Ciba Vision.

Dispenser. Dosiergeräte, die mittels einer Digitaleinstellung, auswechselbaren Volumenadaptern od. einer Graduierung auf einem Glaszylinder eine reproduzierbare Dosierung von Flüssigkeiten erlauben. D. sind mit Normgewinden u. verschiedenen Adaptern ausgerüstet, was eine direkte Dosierung aus der handelsüblichen Vorratsflasche ermöglicht. – E dispenser – F dispensateur – I dispositivo di dosaggio – S dispensor

Dispensieren (von latein.: dispensare = verteilen). Eine Arznei zubereiten u. abgeben. – E dispensing – F dispensation – I dispensare – S dispensación

Disperal®. Dispergierfähige, hochreine Aluminiumhydroxide für Sol/Gel-Prozesse, als keram. Binder, Katalysatoren u. in der Textilausrüstung. **B.:** Condea.

Disperfin®. Transparente Eisenoxid-Pasten für Autolacke u. Holzschutzlasuren. **B.:** Brockhues.

Dispergator s. Dispergiermittel.

Dispergator. Handelsname der Kettlitz-Chemie für Trennmittel zur Behandlung von unvulkanisierten Gummimischungen.

Dispergens s. Dispersion.

Dispergieren (von latein.: dispergere = verteilen). Bez. für die möglichst feine Verteilung mehrerer gegeneinander weitgehend unlösl. Phasen ineinander. Die fertige Mischung heißt *Dispersion. Die zum D. geeigneten Geräte arbeiten häufig auf *Ultraschall-Prinzip, häufig verwendet man zusätzlich *Dispergiermittel. – E dispersing – F dispersion – I disperdere – S dispersar
Lit.: Ullmann (5.) **A 8**, 577 ff.

Dispergiermittel (Dispergatoren). Bez. für Substanzen, die das *Dispergieren von Teilchen in einem *Dispersionsmittel* erleichtern, indem sie die *Grenzflächenspannung zwischen den beiden Komponenten erniedrigen, also *Benetzung herbeiführen. Infolgedessen sind eine Vielzahl von synonymen Bez. für D. in Gebrauch, z. B. Additive, Absetzverhinderungsmittel, Netzmittel, Detergentien, Suspendierhilfen, Emulgatoren usw., s. a. Dispersion, Emulsion, Suspension. Häufig wird die Bez. „D." auch als Synonym für Dispersionsmittel (s. Dispersion) verwendet. – E dispersing agents, dispersants – F agents dispersants – I disperdente – S (agentes) dispersantes
Lit.: s. Dispersion.

Disperse Systeme s. Dispersion, Emulsion, Suspensionen u. Kolloidchemie.

Dispersion (von latein.: dispersio = Zerteilung). 1. Nach DIN 53 900 (07/1972) Bez. für ein Syst. (*disperses Syst.*) aus mehreren *Phasen, von denen eine kontinuierlich (*Dispersionsmittel*) u. mind. eine weitere fein verteilt ist (*dispergierte Phase*, Dispergens). *Beisp.* für D.: *Emulsionen (flüssige ineinander unlösl. Phasen), *Aerosole, *Suspensionen, vgl. Kolloidchemie. Eine *mol.* D. ist die mol.-disperse Verteilung eines Stoffes in einem anderen, d. h. hier liegt eine echte Lsg. vor. Die Energie zur Herst. einer D. kann z. B. chem., elektrochem., elektr. od. mechan. (durch Mahlen, mittels Ultraschall etc.) zugeführt werden. In vielen Fällen benutzt man *grenzflächenaktive Stoffe als *Dispergiermittel zur Herst. od. Stabilisierung der Dispersionen.
2. Bez. für die Erscheinung, daß Lichtwellen unterschiedlicher Frequenz beim Durchgang durch ein Medium unterschiedlich stark gebrochen werden.
3. Langreichweitige Wechselwirkung zwischen neutralen Atomen od. Mol. ohne permanente elektr. Momente (*Dipol-, *Quadrupol- od. Oktupolmomente). Anschaulich läßt sich die D. näherungsweise als Wechselwirkung zweier induzierter *Dipole erklären. Die D.-Wechselwirkung ist anziehender Natur; ihr führender Term geht mit r^{-6}, wobei r der intermol. Abstand ist.
4. In der Ökologie Bez. für die Verteilung von Organismen einer *Art im Raum (Biotop). Zufallsmäßige D. tritt häufig bei der Neubesiedlung von Lebensräumen auf (*Sukzession). Äquale D., ungefähr gleicher Abstand, kann als Folge von Territorialverhalten, z. B. in gleichmäßig strukturierten Lebensräumen od. in Brutkolonien, auftreten. Inäquale, geklumpte bzw. insulare D. ist typ. für heterogene Biotope u. wird in der Regel sowohl durch biot. wie abiot. Faktoren bestimmt. Die D. sollte nicht mit der Migration (Aus-

breitung) verwechselt werden. – *E* = *F* dispersion – *I* dispersione – *S* dispersión

Lit. (zu 1.): Ullmann (5.) **A 8**, 577–601. – (zu 4.): Odum, Grundlagen der Ökologie, S. 326–331, Stuttgart: Thieme 1983 ▪ Schubert, Lehrbuch der Ökologie (2.), S. 221–225, Jena: Fischer 1986. – *Zeitschrift:* Journal of Dispersion Science and Technology, New York: Dekker (seit 1979) ▪ s. a. Emulsionen, Aerosole, Kolloidchemie u. Zerkleinern.

Dispersionsfarben (Kunststoffdispersionsfarben). Sammelbez. für *Anstrichstoffe auf der Basis von *Polymerdispersionen (Kunststoff-, Kunstharz-Dispersionen) u. Pigmenten. Die D. werden oft auch als *Latexfarben* od. summar. als *Binderfarben* bezeichnet; sie müssen begrifflich von *Dispersionsfarbstoffen unterschieden werden. – *E* disperse colorants, emulsion paints – *F* peinture au latex – *I* coloranti a dispersione – *S* pinturas de dispersión

Lit.: DIN 53778, Tl. 1–4 (08/1983) ▪ Ullmann (4.) **15**, 664–668; (5.) **A 18**, 444 ff. – *[HS 320411]*

Dispersionsfarbstoffe. Gruppe von in Wasser schwerlösl. synthet. Farbstoffen (in den meisten Fällen *Azo-Farbstoffe od. Anthrachinon-Derivate, auch Naphtol-AS-Farbstoffe), die zusammen mit *Dispergiermitteln sehr fein zermahlen zum Färben u. Drucken von Acetat-, Polyester-, Polyamid-, Polyacrylnitril-, PVC- u. Polyurethan-Fasern verwendet werden. Beim Färben dringen die im Färbebad mol. gelösten Farbstoffanteile durch Diffusion in die Faser ein, bilden dort eine feste Lsg. (vgl. Lösungen) u. geben dadurch echte Färbungen. Eine moderne Variante ist der sog. *Transferdruck*, bei dem D. von Papier therm. auf Stoffe übertragen werden. – *E* disperse dyes – *F* colorants à dispersion – *I* coloranti a dispersione – *S* colorantes de dispersión

Lit.: Bayer Farben Rev. Sonderheft **13**, 70–73 (1971) ▪ Kirk-Othmer (4.) **8**, 628–639, 707 f., 713 ▪ Melliand **61**, 160–164 (1980) ▪ Ullmann (4.) **10**, 155–166; (5.) **A 8**, 565–575 ▪ Venkataraman, The Chemistry of Synthetic Dyes, Bd. 3, New York: Academic Press 1970 ▪ Winnacker-Küchler (4.) **7**, 18. – *[HS 320411]*

Dispersionsklebstoffe. Bez. für meistens wäss. *Dispersionen von organ. *Polymeren, z. B. *Poly(meth)acrylate, *Polyurethane od. *Polyvinylacetate, die geeignet sind zum Verkleben von z. B. Holz, Papier, Pappe, Tapeten, Leder, Filz, Kork, Textilien, Kunststoffen od. Metallen. D. enthalten ggf. noch Zusatzstoffe wie Weichmacher, Lsm., Harze od. Füllstoffe. Sie binden durch Verdunsten des Dispersionsmittels (Wasser) unter Bildung eines Klebstoff-Films ab. – *E* disperse adhesives, adhesives dispersions – *F* colles à dispersion – *I* collanti a dispersione – *S* adhesivos en dispersión

Lit.: Batzer **3**, 264, 267 ▪ Encycl. Polym. Sci. Eng. **1**, 550 ▪ Skeist, S. 679–691 ▪ Ullmann (5.) **A 8**, 596 f.

Dispersionskräfte s. London-Kräfte u. zwischenmolekulare Kräfte.

Dispersionsmittel. Bez. für die kontinuierliche Phase einer *Dispersion, nicht zu verwechseln mit *Dispergiermittel. – *E* dispersion medium – *F* milieu de dispersion – *I* dispersivi – *S* medio de dispersión

Dispersionspolymerisation. D. sind sog. „umgekehrte" *Emulsionspolymerisationen, bei denen eine wäss. Phase in einer organ. dispergiert ist, d. h. sie bilden den speziellen Fall einer polymerisierenden Wasser-in-organ.-Medium – Emulsion. Als D. wird weiterhin vielfach der Spezialfall einer *Fällungspolymerisation in nicht-wäss. Syst. bezeichnet, bei der die stabile *Dispersionen mit den erzeugten festen *Polymeren als diskontinuierliche u. einem organ. Lsm. als kontinuierliche Phase als Endprodukte vorliegen. Letztere erfordert den Einsatz spezieller polymerer *Stabilisatoren od. *Dispergiermitteln, für die ein segmentierter Aufbau mit Segmenten unterschiedlicher Affinität gegenüber den zu stabilisierenden Polymeren u. den als Polymerisationsmedium verwendeten Lsm. charakterist. ist. Die Stabilisatoren werden mit dem Polymeraffinen Teil an der Oberfläche der Feststoffpartikel adsorbiert, u. ragen mit dem Lsm.-affinen Teil in die kontinuierliche Phase. Die Stabilisierung der Dispersion erfolgt somit über rein ster. Effekte. Als Stabilisatoren für die D. eignen sich u. a. *Pfropfcopolymere aus Methylmethacrylat u. Ethylenglykol, Hydroxystearinsäure od. Naturkautschuk bzw. aus Isobutylen u. Isopren.

Nach dem D.-Verf. unter Verw. von Alkanen, Toluol, Chloroform od. Alkoholen (Methanol, Ethanol) als Lsm. sind u. a. Polystyrole, Polyvinylacetate, Polyvinylchloride, Polyvinylidenchlorid, Polyacrylsäure, Polyacrylnitril, Polymethacrylate u. Polyvinylpyrrolidon hergestellt worden. Eine breitere techn. Anw. hat die D. in nicht-wäss. Syst. bisher nicht gefunden. – *E* polymerization in (non-aqueous) dispersion – *F* polymérisation en dispersion (non-aquese) – *I* polimerizzazione a dispersione – *S* polimerización en dispersión (no acuosa)

Lit.: Compr. Polym. Sci. **4**, 243–260 ▪ Elias (5.) **2**, 91 ▪ Goodwin, Polymer Dispersions, London: R. Soc. Chem. 1982.

Disponil®. Sortiment von nichtion. bzw. anion. Emulgatoren für Harzemulsionen, Pigmentpasten, Pinselreiniger u. Polymerdispersionen. **B.:** Henkel.

Disproportionierung. Eine Reaktion, bei der (meist unter dem Einfluß von Katalysatoren, selten spontan) Mol. einer Verb. mittlerer *Oxidationszahl in solche jeweils höherer u. niedrigerer Oxidationszahl übergehen; *Beisp.:*

$$Cl_2 + 2\,NaOH \rightarrow NaClO + NaCl$$
$$4\,KClO_3 \rightarrow 3\,KClO_4 + KCl$$

D. sind auch der Übergang von Cyclohexadien in Benzol u. Cyclohexen, von Aldehyden in Carbonsäuren u. Alkohole (*Cannizzaro-Reaktion) sowie die Bildung von Stickstoff u. Hydrazin aus Diimin:

$$2\,HN{=}NH \rightarrow N{\equiv}N + H_2N{-}NH_2.$$

Das Gegenteil der D. nennt man *Kom*- od. *Synproportionierung*. Bei Radikalen konkurriert die D. (*Beisp.:* Ethyl-Radikale zerfallen in Ethylen u. Ethan:

$$2\,H_3C\text{-}\dot{C}H_2 \rightarrow H_2C{=}CH_2 + H_3C\text{-}CH_3$$

mit der *Rekombination, vgl. das Schema bei Radikale u. *Lit.*[1,2]. – *E* = *F* disproportionation – *I* disproporzionamento – *S* desproporción

Lit.: [1] Helv. Chim. Acta **61**, 2463–2481 (1978). [2] Chem. Rev. **73**, 441–464 (1973).

allg.: Catal. Rev. **3**, 37–60 (1970) ▪ Fortschr. Chem. Forsch. **25**, 39–69 (1972).

Disrotatorisch. Während die elektrocycl. Cyclobuten-1,3-Butadien-Ringöffnung (*elektrocyclische Reaktion) nach den *Woodward-Hoffmann-Regeln konrotator. verläuft, ergeben sich für die 1,3-Cyclohexadien-1,3,5-Hexatrien-Reaktion andere stereochem. Konsequenzen, wenn sie nach der Theorie der *pericyclischen Reaktionen abgehandelt wird. Wie eine Grenzorbitalbetrachtung (*HOMO-LUMO-Modell) zeigt, müssen sich die Substituenten A voneinander wegbewegen, wodurch eine *disrotator.* Bewegung zustandekommt. Diese theoret. Vorhersagen werden durch das Experiment bestätigt.

– *E* disrotatory – *F* disrotatoire – *I* = *S* disrotatorio
Lit.: Angew. Chem. **81**, 797 (1969) ▪ Fleming, Grenzorbitale u. Reaktionen organischer Verbindungen, 1. korr. Nachdruck 1979, S. 120, Weinheim: VCH Verlagsges. 1988.

Dissertation. Wissenschaftliche Arbeit (von latein.: dissertare = gründlich auseinandersetzen), die im allg. die Ergebnisse der Doktorarbeit (*Promotion) schriftlich fixiert. Die Erlangung des Doktorgrades ist ein über den berufsqualifizierenden Abschluß an einer wissenschaftlichen Hochschule (*Diplom) hinausgehender Abschluß. Diese Form der wissenschaftlichen Weiterqualifikation ist mit wenigen Ausnahmen Voraussetzung für eine wissenschaftliche Laufbahn. Die D. soll eine eigenständige wissenschaftliche Leistung mit wesentlichen neuen Ergebnissen sein. D. werden in der Chemie meist als Experimentalarbeiten durchgeführt u. erfordern in der Regel eine mind. zwei- bis dreijährige Bearbeitungsdauer. Das Thema der D.-Arbeit wird im allg. vom „Doktorvater", dem betreuenden Professor, vergeben. Nach Annahme der D. findet eine mündliche Prüfung statt. Die D. muß meist in 100 bis 200 Pflichtexemplaren in gedruckter Form an die Fakultät/Fachbereich abgegeben werden. Sie kann in nat. od. fachlich orientierten *Bibliographien od. in eigenen *Referateorganen angezeigt u. vom Tag der Zugänglichkeit in öffentlichen *Bibliotheken als veröffentlicht betrachtet werden (wichtig für Prioritätsfragen). – *E* dissertation, thesis – *F* thèse – *I* dissertazione – *S* tesis
Lit.: Ebel u. Bliefert, Diplom- u. Doktorarbeit, Weinheim: VCH Verlagsges. 1994 ▪ s.a. chemische Literatur u. Chemie-Studium.

Dissimilation. Bez. für die formale Umkehrung der *Assimilation, s. Katabolismus u. Pflanzen(physiologie). – *E* = *F* dissimilation – *I* dissimilazione – *S* disimilación

Dissipation. Von latein.: dissipatio = Zerstreuung, Verschwendung abgeleitete Bez. für die ungerichtete Umwandlung von Energieformen ineinander, z. B. von Strahlungsenergie in Wärme od. Ionisationsenergie, s. Strahlenchemie u. Photochemie. – *E* = *F* dissipation – *I* dissipazione – *S* disipación

Dissipative Strukturen. S. a. Dissipation; von *Prigogine geprägte Bez. für solche Syst., die zwar mit ihrer Umgebung im Stoff- u. Energieaustausch stehen (d. h. „offen" sind), aber dennoch definierte Strukturen zeigen; *Beisp.:* *oszillierende Reaktionen u. *Belousov-Zhabotinskii-Reaktion. – *E* dissipative structures – *F* structures dissipatives – *I* strutture dissipative – *S* estructuras disipativas
Lit.: Jensen, Chaos, Encycl. of Physical Science and Technology, Bd. 3, S. 83–112, San Diego: Academic Press 1992 ▪ s. a. oszillierende Reaktionen u. Struktur.

Dissolvan®. Sortiment von grenzflächenaktiven Verb., die als Emulsionsspalter zur Entsalzung u. Entwässerung von Rohöl dienen. *B.:* Hoechst.

Dissousgas s. Acetylen.

Dissoziation (von latein.: dissociato = Trennung). Bez. für die Spaltung von Mol. in elektroneutrale Mol., Atome od. Radikale (*Homolyse) od. in Ionen (*Heterolyse). Bei der *thermischen D.* erfolgt die Spaltung durch Wärmezufuhr, *Beisp.:* ein Mol. Distickstofftetroxid (farblos) zerfällt reversibel (im *chemischen Gleichgewicht) in 2 Mol. Stickstoffdioxid (rotbraun): $N_2O_4 \rightleftharpoons 2 NO_2$.
Bei der *photochemischen D.* wird Energie in Form von Lichtquanten zugeführt; um die D. von Iod-Mol. zu bewirken, genügen Quanten aus dem sichtbaren Spektralbereich, während Chlor-Mol. erst von UV-Quanten zur D. gebracht werden.
Bei der *elektrolytischen Dissoziation* zerfallen Säuren, Basen u. Salze (*Elektrolyte) in Wasser o. a. geeigneten Lsm. od. Schmelzen ganz od. teilw. in pos. Kationen u. neg. Anionen, allg.: $AB \rightleftharpoons A^+ + B^-$. Infolge Wechselwirkung der gebildeten Ionen mit dem Lsm. (Solvation) erfolgt die elektrolyt. D. bereits bei 20 °C; dagegen läuft die therm. D. in der Regel erst bei höheren Temp. merklich ab.
Für den Temperaturverlauf der reversiblen D. von Iod ($I_2 \rightleftharpoons 2 I$) ergibt sich folgendes Bild (in Klammern Prozentsatz der zerfallenen Mol.): 400 °C (0,06), 600 °C (4,71), 800 °C (10,5), 1000 °C (38,1), 1200 °C (74); für das wesentlich schwerer spaltbare H_2 lauten die Werte: 2200 °C (3), 2700 °C (9), 3700 °C (63), 4700 °C (95). Mit wachsendem Druck sinkt der *Dissoziationsgrad. Die zur D. benötigte *Dissoziationsenergie, deren Kenntnis z. B. für techn. Pyrolysen u. *Krack-Prozesse wichtig ist, ist eine für jedes Mol. spezif. Größe, die ident. ist mit der *Bindungsenergie* (vgl. chemische Bindung). – *E* = *F* dissociation – *I* dissociazione – *S* dissociación
Lit.: s. Dissoziationsenergie, Thermochemie.

Dissoziationsenergie (Bindungsenergie, Dissoziationswärme). Bez. für denjenigen Energiebetrag, der notwendig ist, um ein Mol. zur *Dissoziation in zwei elektroneutrale Bruchstücke zu bringen (durch Bindungshomolyse, s. Homolyse; die *Heterolyse ist dagegen die *Ionisation). Die D. ist abhängig von der Art der *chemischen Bindung, von den Atomabständen u. von der Temperatur. Sie wird meist aus spektroskop. Daten ermittelt. Wenn die Dissoziation zu den Atomen führt, spricht man statt von D. auch von *Atomisierungswärme.* In der Tab. sind Werte für die D. einiger weniger Mol. in kJ/mol (bei 100 kPa u. 298 K) angegeben.

Tab.: Dissoziationsenergien (Bindungsstärken) einiger Moleküle [in kJ/mol].

Zweiatomige Mol.		Mehratomige Mol.	
H–H	435	HC≡CH	963
N–N	950	$H_2C=CH_2$	720
O–O	498	H_3C-CH_3	368
F–F	155	$H-C_2H_5$	410
Cl–Cl	243	$H-CH_3$	435
Br–Br	193	$H-CCl_3$	402
I–I	151	$H-C_6H_5$	460
H–F	569	$H-CH_2OH$	402
H–Cl	431	$H-OCH_3$	440
H–Br	364	H–OH	498
H–I	297	$H-N(CH_3)_2$	398
C–O	1076	O_2N-NO_2	54

Weitere Daten s. Lit.[1]. – *E* dissociation energy – *F* énergie de dissociation – *I* energia di dissociazione – *S* energía de disociación

Lit.: [1] Huber u. Herzberg, Molecular Spectra and Molecular Structure IV. Constants of Diatomic Molecules, New York: Van Nostrand 1979.
allg.: Dunin, Molecular Optical Spectroscopy, Encycl. of Physical Science and Technology, Bd. 10, S. 435–456, San Diego: Academic Press 1992 ▪ Hollas, High Resolution Spectroscopy, London: Butterworths 1982 ▪ s. a. chemische Bindung.

Dissoziationsgrad. Zahlenwert, der angibt, welcher Anteil der ursprünglich vorhandenen Mol. therm. od. elektrolyt. dissoziiert ist, vgl. auch elektrolytische Dissoziation. – *E* degree of dissociation – *F* degré de dissociation – *I* grado di dissociazione – *S* grado de disociación

Dissoziationskonstante s. elektrolytische Dissoziation u. pK-Wert.

Dissoziationswärme s. Dissoziationsenergie.

Dissymmetrie. Begriff aus der Stereochemie, der solche Mol. bezeichnet, die weder Symmetrieebenen noch -zentren od. Drehspiegelachsen besitzen, wohl aber Symmetrieachsen. *Beisp.:* Derivate des Biphenyls, des Binaphthyls u. a. (vgl. Asymmetrie, Chiralität u. Atropisomerie). – *E* dissymmetry – *F* dissymétrie – *I* dissimmetria – *S* disimetría
Lit.: s. Chiralität u. optische Aktivität.

Distamycin s. Stallimycin.

Distapex-Verfahren. Verf. zur Extraktion u. Dest. von Reinbenzol, Toluol od. Xylol aus Pyrolysebenzin u. Reformat mittels *N*-Methylpyrrolidon. Die extraktive Destillationstechnik ermöglicht eine wirtschaftliche Gewinnung von hochreinen individuellen Aromaten. *B.:* Lurgi.

Disthen s. Kyanit.

Distickstoffoxide s. Stickstoffoxide.

Distigminbromid.

Internat. Freinäme für das parasympathikomimet. u. spasmolyt. wirkende *N,N'*-Hexamethylenbis(*N*-methylcarbamat) des 3-Hydroxy-1-methylpyridiniumbromids, $C_{22}H_{32}Br_2N_4O_4$, M_R 576,33, Schmp. 149 °C (Zers.); λ_{max} (0,1 *N* HCl) 271 nm ($A_{1cm}^{1\%}$=160); λ_{max} (CH_3OH) 272,5 nm ($A_{1cm}^{1\%}$=165). D. ist ein indirektes *Parasympath(ik)omimetikum, ein *Cholinesterase-Hemmer. Es wurde 1957 von den Österreich. Stickstoffwerken patentiert u. ist von Nycomed (Ubretid®) im Handel. – *E* distigmine bromide – *F* bromure de distigmine – *I* distigmina bromuro – *S* bromuro de distigmina
Lit.: ASP ▪ Beilstein E V 21/2, 79 ▪ Hager (5.) 7, 1404f. – [HS 2933 39; CAS 15876-67-2]

Distraneurin®. Tabl., Kapseln, Injektionsflüssigkeit u. Lsg. mit *Clomethiazol-Edisilat gegen Erregungs- u. Krampfzustände u. Alkohol-Entzugserscheinungen. *B.:* Astra.

Disulfan s. Sulfane.

Disulfate [Pyrosulfate, Disulfate(VI)]. Salze der *Dischwefelsäure der allg. Formel $M_2^IS_2O_7$ bzw. $M^{II}S_2O_7$, wobei M für ein Metall steht. Das Disulfat-Ion besteht aus zwei eckenverknüpften SO_4-Tetraedern, der Winkel SOS beträgt 124°. Zur Herst. der D. erhitzt man die Hydrogensulfate über ihren Schmp., wobei sich Wasser abspaltet:

$$2 NaHSO_4 \rightarrow Na_2S_2O_7 + H_2O.$$

Eine andere Herst.-Meth. ist die Einwirkung von *Schwefeltrioxid auf Sulfate, wobei auch *Tri*- u. *Tetrasulfate* entstehen können. Bei stärkerem Erhitzen zerfallen die D. in Schwefeltrioxid u. Sulfate(VI). Disulfate(IV) s. bei Disulfite. – *E* = *F* disulfates – *I* disolfati – *S* disulfatos

Disulfid-Brücken (Cystin-Brücken). Disulfid-Bindungen (–S–S–), die den Zusammenhalt zwischen den einzelnen Polypeptid-Ketten der *Proteine (z. B. der A- u. B-Kette des *Insulins) mit bewirken, aber auch innerhalb einer Polypeptid-Kette vorkommen u. deren Konformation stabilisieren (so z. B. in *Immunglobulinen). D.-B. bilden sich zwischen den Schwefel-Atomen der Aminosäure *Cystein aus; zwei Cystein-Reste gehen dabei in einen *Cystin-Rest über.
Das *Keratin der Wolle u. des Haars enthält über 10% Cystin, man muß deshalb auch viele D.-B. annehmen. Durch Alkalien, z. B. Natronlauge, werden die D.-B. abgebaut, wodurch die Reißfestigkeit der Wollfaser stark abnimmt. D.-B. werden auch durch Belichtung, Erwärmung, Säuren, Halogene (*Zincke-Reaktion) od. stärkere Oxidationsmittel angegriffen. Durch Reduktionsmittel (z. B. *1,4-Dimercapto-2,3-butandiole) werden die Disulfide in Thiole überführt, u. Reoxid. läßt wieder D.-B. entstehen – hierauf beruhen die Verf. der *Haarbehandlung mit *Dauerwellpräparaten. Die nativen D.-B. sekretor. Proteine werden im *endoplasmatischen Retikulum durch Katalyse mit Protein-Disulfid-Isomerase (EC 5.3.4.1) geknüpft[1] bzw. umarrangiert[2]. In *Escherichia coli* katalysiert das DsbA-Protein die Bildung von Disulfid-Brücken[3]. – *E* disulfide bridges – *F* ponts disulfure – *I* ponti disolfuro – *S* puentes disulfuro
Lit.: [1] J. Biol. Chem. **267**, 3553ff. (1992). [2] Nature (London) **365**, 185ff. (1993). [3] Nature (London) **365**, 464–468 (1993).

Disulfide. Bez. für die Salze des *Disulfans* (s. Sulfane) der allg. Formel $M^I_2S_2$, wobei M^I ein einwertiges Metall darstellt, z. B. Na_2S_2 (Natriumdisulfid). Als D. bezeichnet man auch die organ. Abkömmlinge des H_2S_2, in denen die beiden H-Atome durch aliphat. od. aromat. Reste ersetzt sind; *Beisp.:* Dimethyldisulfid, Diphenyldisulfid, *Cystin. Niedermol. aliphat. D. sind durch ihren unangenehmen Geruch ausgezeichnet u. besitzen teilw. *Pheromon-Charakter, z. B. bei *Stinktier, Iltis u. Nerz[1], od. kommen spurenweise in Lebensmittelaromen vor[2]. D.-Gruppierungen sind in biolog. aktiven Mol. nicht selten, z. B. in *Holomycin u. *Liponsäure (die beide als cycl. D., d. h. *Dithiol bzw. *Dithiolan aufzufassen sind), *Cystamin u. a., u. bei vielen *Proteinen ist deren Wirksamkeit an das Vorhandensein von *Disulfid-Brücken zwischen den Peptid-Ketten gebunden. Cycl. D. nennt man summar. *Epidisulfide. – *E* disulfides – *F* disulfures – *I* disolfuri – *S* disulfuros

Lit.: [1] Angew. Chem. **88**, 228 (1976). [2] Zechmeister **36**, 231–283.
allg.: Ashworth, Analytical Methods for Sulphides and Disulphides, London: Academic Press 1977 ▪ Field, in Oae, Organic Chemistry of Sulfur, S. 303–382, New York: Plenum 1977 ▪ Houben-Weyl **9**, 59–82 ▪ Torchinski, Sulfur in Proteins, Oxford: Pergamon 1980 ▪ Ullmann (5.) **A25**, 448 ▪ s. a. Schwefel, Sulfide, Thiole. – *[HS 283090]*

Disulfinblau VN 150 {Sulfanblau, [4-(4'-Diethylamino-2,4-disulfobenzhydryliden)-cyclohexa-2,5-dienyliden]-diethylammonium-Betain-Natriumsalz}.

$C_{27}H_{31}N_2NaO_6S_2$, M_R 566,66. Ein *Patentblau-Farbstoff, der medizin. zur Vitalfärbung u. analyt. zur Titration von Kationtensiden u. (zusammen mit Dimidiumbromid u. Hyamine) von Aniontensiden gebraucht wird. – *E* disulphine blue – *F* bleu de disulfine – *I* blu di disolfina – *S* azul de disulfina – *[CAS 129-17-9]*

Disulfiram s. Tetraethylthiuramdisulfid.

Disulfite [Pyrosulfite, Disulfate(IV)]. Salze der hypothet. *Dischwefligen Säure* mit der allg. Formel $M^I_2S_2O_5$ (M^I = einwertiges Metall, meist K od. Na). D. entstehen, wenn man z. B. Alkalihydrogensulfiten Wasser entzieht od. SO_2 zufügt. Sie finden die gleiche techn. Verw. wie die *Sulfite. – *E=F* disulfites – *I* disolfiti – *S* disulfitos
Lit.: Ullmann (5.) **A25**, 478. – *[HS 283210, 283220; CAS 7681-57-4 ($Na_2S_2O_5$); 16731-55-8 ($K_2S_2O_5$)]*

Disulfoton.

Common name für *O,O*-Diethyl-*S*-[2-(ethylthio)-ethyl]dithiophosphat, $C_8H_{19}O_2PS_3$, M_R 274,39, Sdp. 62 °C (1 Pa), LD_{50} (Ratte oral) ca. 4 mg/kg (Bayer), von Bayer 1956 eingeführtes, breit wirksames system.

*Insektizid u. *Akarizid, vorwiegend zur Saatgutbehandlung u. Einarbeitung in den Boden. – *E=F* disulfoton – *I* disolfotone – *S* disulfotón
Lit.: Farm ▪ Perkow ▪ Pesticide Manual. – *[HS 293090; CAS 298-04-4]*

Disyndiotaktische Polymere s. isotaktische Polymere u. Taktizität.

Disyston®. System. wirkendes Präp. auf *Disulfoton-Basis gegen Blattläuse u. Spinnmilben im Gemüse-, Kaffee- u. Baumwollbau. *B.:* Bayer.

DITDP. Nach DIN 7723 (12/1987) Kurzz. für *Di*isotridecylphthalat als *Weichmacher.

Ditec®. Dosier-Aerosol mit *Fenoterol-Hydrobromid u. *Cromoglicinsäure-Dinatriumsalz gegen Asthma. *B.:* Thomae.

Diterpen-Alkaloide. Sammelbez. für *Terpen-Alkaloide, deren N-haltiges Skelett aus einem Diterpen (C_{20}) als Vorläufer gebildet wurde. D. sind hauptsächlich in Pflanzen der Gattungen *Aconitum* (Eisenhut, vgl. Aconin, Aconitin) u. *Delphinium* (Rittersporn) enthalten, aber auch in *Garrya*-, *Inula*-, *Erythrophleum*- (vgl. Cassain), *Anopteris*-, *Spiraea*- (Spierstrauch), *Daphniphyllum*- (vgl. Daphniphyllum-Alkaloide) u. *Incacina*-Arten anzutreffen. – *E* diterpene alkaloids – *F* alcaloïdes diterpéniques – *I* alcaloidi del diterpene – *S* alcaloides diterpénicos

Diterpene s. Diterpenoide.

Diterpenoide (Diterpene). Aus 4 Isopren-Einheiten aufgebaute Naturstoffe (vgl. Isopren-Regel) mit 20 Kohlenstoff-Atomen aus der Gruppe der Terpene. Die Bez. bezieht sich nicht nur auf die Kohlenwasserstoffe, sondern auch auf ihre Derivate, die sehr zahlreich in der Natur vorkommen. Sie werden zumeist bei den Einzelstichwörtern behandelt. Ihre Strukturen sind sehr vielfältig, vgl. Cembranoide, Clerodane, Daphnetoxin, Jatrophon, Kaurane, Labdane. Um die Untersuchungen dieser Naturstoffklasse hat sich bes. Ruzicka verdient gemacht. D. sind u. a. in den höher siedenden Anteilen der *etherischen Öle u. Harze enthalten. Zu den offenkettigen Verb. gehören z. B. *Geranylgeraniol, *Crocetin u. *Phytol, das ein Bestandteil der *Vitamine E u. K ist. Die Mehrzahl der D. ist jedoch bi- u. tricycl., wobei die Perhydronaphthalin- bzw. -phenanthren-Derivate überwiegen, zu diesen gehört z. B. die Harzsäure *Abietinsäure. Das tetracycl. (je ein 3-, 5-, 6- u. 7-Ring) *4β-Phorbol findet sich im Samen des *Croton tiglium*. Phorbolester waren wegen ihrer cocarcinogenen sowie entzündungsfördernden Wirkung Gegenstand zahlreicher Untersuchungen. Das ebenfalls tetracycl. *Taxol ist als Krebs-Therapeutikum (Paclitaxel®) im Handel. *Coleone u. *Forskolin sind tricycl., *Cafestol* od. die *Quassinoide pentacycl., *Ginkgolide hexacycl. Diterpenoide. Auch sind zahlreiche monocycl. D. bekannt, wie etwa *Vitamin A* od. die *Cembrene. Wichtige Diterpensäuren sind die *Gibberelline, die in Höheren Pflanzen als Wachstumshormone wirken. Auch viele Pflanzenfarbstoffe sind Diterpene. Zahlreiche *Diterpen-Alkaloide* leiten sich von D. ab. – *E* diterpenes – *F* diterpènes – *I* diterpeni – *S* diterpenos
Lit.: s. Einzelstichwörter.

Ditetrahydrofurane s. Annonine.

Dithane®. *Fungizid für den Einsatz in der Landwirtschaft, speziell im Wein- u. Obstbau. Hervorragend geeignet als Partner für Triazole. *B.*: Rohm and Haas.

Dithiane.

1,2-   1,3-   1,4-Dithian

Gruppenbez. für gesätt. sechsgliedrige *Schwefel-Heterocyclen mit zwei Schwefel-Atomen im Ring, von denen die Derivate des 1,3-Dithians (*Dithioacetale*) Bedeutung als *Syntheseäquivalente für das *Acylanion-Synthon haben, bei dem die normale Acyl-Reaktivität umgepolt ist (s. Umpolung).

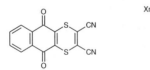

1,3-Dithiane als Synthese‰quivalent f‚rAcylanionen

– *E* = *F* dithianes – *I* ditiani – *S* ditianos

Lit.: Angew. Chem. **77**, 1134 (1965); **81**, 690–700 (1969) ▪ Beilstein EV, **19/1**, 10f. ▪ Katritzky-Rees **3**, 943–994 ▪ Synthesis **1969**, 17–36 ▪ Weissberger **21**, 952–1271 ▪ s. a. Acylierung u. Umpolung.

Dithianon.   Xn

Common name für 5,10-Dihydro-5,10-dioxo-naphtho-[2,3-*b*]-1,4-dithiin-2,3-dicarbonitril, $C_{14}H_4N_2O_2S_2$, M_R 296,32, Schmp. 225 °C, LD_{50} (Ratte oral) 640 mg/kg (GefStoffV), von Merck 1962 eingeführtes Blatt-*Fungizid mit protektiver u. teilw. kurativer Wirkung gegen viele Krankheiten (außer Echtem Mehltau) im Steinobst-, Wein-, Zierpflanzen-, Kaffee-, Gemüse- u. Zitrusanbau. – *E* = *F* dithianon – *I* ditianone – *S* ditianón

Lit.: Beilstein EV **19/8**, 189 ▪ Farm ▪ Perkow ▪ Pesticide Manual. – [HS 2934 90; CAS 3347-22-6]

Dithiazaniniodid.

Internat. Freiname für 3-Ethyl-2-{5-[3-ethyl-2(3*H*)-benzothiazolyliden]-1,3-pentadienyl}-benzothiazoliumiodid, $C_{23}H_{23}IN_2S_2$, M_R 518,47; Zers. bei 248 °C. *Verw.*: Als *Anthelmintikum u. wegen seiner Eigenschaft als *Cyanin-Farbstoff auch als Sensibilisator für photograph. Emulsionen. – *E* dithiazanine iodide – *F* iodure de dithiazanine – *I* ditiazanina ioduro – *S* yoduro de ditiazanina

Lit.: Beilstein EIII/IV **27**, 8550 ▪ Kirk-Othmer **14**, 535. – [HS 2934 90; CAS 514-73-8]

Dithiocarbamate. Salze u. Ester der *Dithiocarbamidsäure u. ihrer Derivate. Die Natrium- u. Schwermetallsalze (Fe, Ni, Cu, Cd, Pb, Bi, Se, Te) der Dialkyldithiocarbamate werden als *Vulkanisationsbeschleuniger* eingesetzt. Sie können aus den Dialkylaminen, wäss. Laugen, CS_2 u. Metallchlorid-Lsg. hergestellt werden. Im *Pflanzenschutz sind folgende Verb. als *Fungizide* von Bedeutung:

$x \geq 1$ R = H M = Mn	Maneb
$x \geq 1$ R = H M = Zn	Zineb
$x = 1$ R = H M = 2 Na	Nabam
$x \geq 1$ R = CH_3 M = Zn	Propineb

Mischformen: Cufraneb (Cu, Mn, Fe, Zn)
Mancozeb (Mn, Zn)

Metiram

$R^1 = R^2 = CH_3$ n = 3 M = Fe	Ferbam
$R^1 = R^2 = CH_3$ n = 2 M = Zn	Ziram
$R^1 = R^2 = CH_3$ n = 1 M = Na	Na-DMDT
$R^1 = R^2 = CH_3$ n = 1 M = Na	Metam-Natrium

– *E* = *F* dithiocarbamates – *I* ditiocarbamati – *S* ditiocarbamatos

Lit.: Kirk-Othmer (3.) **20**, 337–364 ▪ Ullmann (4.) **10**, 167–180; **12**, 5; **13**, 642; **18**, 30f.; (5.) A **9**, 1–27. – [HS 2930 20]

Dithiocarbamidsäure.

CH_3NS_2, M_R 93,16. Farblose Krist., D. 1,479, Schmp. 35,7 °C, therm. labil, zersetzt sich in wäss. Lösung. Die erstmals von Gattow u. Hahnkamm [1] hergestellte Säure ist der Grundkörper der *Dithiocarbamate u. der *Thiurame wie Disulfiram u. TMTD. – *E* dithiocarbamic acid – *F* acide dithiocarbamique – *I* acido ditiocarbammico – *S* ácido ditiocarbámico

Lit.: [1] Angew. Chem. **78**, 334 (1966).
allg.: Beilstein EIV **3**, 419 ▪ Ullmann (4.) **10**, 167ff.; (5.) A **9**, 1 ff. – [CAS 594-07-0]

Dithiocarbonsäuren s. Thiocarbonsäuren.

Dithioerythrit s. 1,4-Dimercapto-2,3-butandiole.

Dithioglykol s. 1,2-Ethandithiol.

Dithiolane.

1,2-Dithiolan   1,3-Dithiolan   1,3-Dithiolan-2-thion

Nach IUPAC-Regel B-1.1 systemat. Bez. für gesätt. fünfgliedrige *Schwefel-Heterocyclen mit 2 S-Atomen im Ring. Die 1,2-D., z.B. *Liponsäure (*1,2-Dithiolan-3-pentansäure*), können als cycl. *Disulfide, die 1,3-D. als cycl. Dithioacetale u. Derivate des *1,3-*

Dithiolate

Dithiolan-2-thions als cycl. Ester der *Trithiokohlensäure aufgefaßt werden. Die ungesätt. Analoga der D. heißen *Dithiole. – $E = F$ dithiolanes – I ditiolani – S ditiolanos
Lit.: s. Dithiole.

Dithiolate. Bez. für *Chelate von Metallen an organ. Verb. mit 2 *Thiol-Gruppen, vgl. Thiolate. – $E = F$ dithiolates – I ditiolati – S ditiolatos
Lit.: Cotton u. Wilkinson, Advanced Inorganic Chemistry (5.), S. 536 ff., New York: Wiley & Sons 1988.

Dithiole.

1,2-Dithiol   1,3-Dithiol   Tetrathiafulvalen

1. Nach IUPAC-Regel B-1.1 systemat. Bez. für ungesätt. fünfgliedrige *Schwefel-Heterocyclen mit 2 S-Atomen im Ring. Die 1,2-D. (*Beisp.:* *Holomycin, *Trithione) kann man als cycl. *Disulfide auffassen. Ein interessantes Derivat des 1,3-D. ist das sog. *Tetrathiafulvalen.
2. Bez. für organ. Verb. mit 2 *Thiol-Gruppen; von diesen leiten sich z. B. die *Dithiolate ab.
3. Trivialname für *Toluol-3,4-dithiol. – $E = F$ 1. dithioles, 2. dithiols – I ditioli – S ditioles
Lit.: Eicher u. Hauptmann, Chemie der Heterocyclen, S. 119 f., Stuttgart: Thieme 1994 ▪ Katritzky-Rees **6**, 783–850 ▪ Synthesis **1995**, 215–235 ▪ Weissberger **21**, 313–610; **30**, 271–315.

Dithionate (Hypodisulfate). Bez. für Salze der *Dithionsäure mit der allg. Formel $M_2^I(O_3S-SO_3)$, wobei M^I ein einwertiges Metall bedeutet. Ihre Herst. kann durch (z. B. anod.) Oxid. von *Sulfiten erfolgen. Beim Erhitzen disproportionieren sie in SO_2 u. Sulfat:

$$Na_2S_2O_6 \rightarrow Na_2SO_4 + SO_2$$

Die D. sind in Wasser leicht lösl. u. kristallisieren gut. – $E = F$ dithionates – I dithionati – S ditionatos

Dithionige Säure s. Dithionite.

Dithionite [veraltet: Hypodisulfite, Hydrosulfite; Disulfate(III)]. Salze der in freiem Zustand nicht bekannten *Dithionigen Säure* ($H_2S_2O_4$), die früher irrtümlicherweise auch als Unterschweflige Säure bezeichnet wurde. Die D. haben die Formel $M_2^I(O_2S-SO_2)$, mit M^I = einwertiges Metall. Sie werden durch Red. von schwefliger Säure od. Hydrogensulfit mittels Zinkstaub, Natriumamalgam, Natriumformiat od. Natriumtetrahydroborat hergestellt. D. sind aufgrund ihrer reduzierenden Eigenschaft wichtige Hilfsmittel in der Textil- u. Papier-Ind., s. a. Natriumdithionit, welches aus Umweltschutzgründen Zinkdithionit nahezu vollständig verdrängt hat. – $E = F$ dithionites – I ditioniti – S ditionitos
Lit.: Büchner et al. (3.), S. 127 ff. ▪ Kirk-Othmer (4.) **3**, 946; **22**, 153 ff. ▪ Ullmann (5.) **A 25**, 482–486. – *[HS 2831 10, 2831 90; CAS 7775-14-6 ($Na_2S_2O_4$)]*

Dithionsäure [Unterdischwefelsäure, Disulfate(V)]. HO-(O)S(O)-(O)S(O)-OH. Farblose Säure, die nur in wäss. Lsg. beständig ist. Man erhält D., wenn man das gut krist. Bariumdithionat ($BaS_2O_6 \cdot 2 H_2O$) mit der berechneten Menge Schwefelsäure behandelt. Stark konz. D. disproportioniert in Schwefelsäure u. Schwefeldioxid. Die Salze der D. heißen *Dithionate. – E dithionic acid – F acide dithionique – I acido ditionico – S ácido ditiónico
Lit.: Gmelin, Syst.-Nr. 9, S, Tl. B, 1964, S. 957–969, 1030, 1033 ff. – *[HS 2811 19; CAS 14970-71-9]*

Dithiooxamid (Rubeanwasserstoff).

$C_2H_4N_2S_2$, M_R 120,19. Rote Krist. od. orangefarbenes Kristallpulver, Schmp. 200 °C (Zers.), wenig lösl. in Wasser, lösl. in Alkohol, unlösl. in Ether. D. entsteht bei der Anlagerung von Schwefelwasserstoff an Dicyan.
Verw.: Als Vulkanisationsbeschleuniger u. Reagenz zur Bestimmung von Cu, Os u. zum Nachw. von Pt, Co, Ru, Ni, Fe u. Bi, bes. in *Tüpfelanalyse u. *Chromatographie. – $E = F$ dithiooxamide – I ditioossammide – S ditiooxamida
Lit.: Beilstein E IV **2**, 1871 f. ▪ Fries-Getrost, S. 217, 260, 291, 308 ▪ Reagenzien-ABC, Seelze: Riedel. – *[HS 2930 90; CAS 79-40-3]*

Dithiopyr. Common name für S,S'-Dimethyl-2-difluormethyl-4-isobutyl-6-trifluormethyl-3,5-pyridindicarbothioat.

$C_{15}H_{16}F_5NO_2S_2$, M_R 401,41, Schmp. 65 °C, LD_{50} (Ratte oral) >5000 mg/kg, von Monsanto entwickeltes selektives *Herbizid gegen Ungräser u. breitblättrige Unkräuter in Rasen u. Ziergehölzen. – $E = F$ dithiopyr – $I = S$ ditiopir
Lit.: Farm ▪ Perkow ▪ Pesticide Manual. – *[CAS 97886-45-8]*

Dithiothreit s. 1,4-Dimercapto-2,3-butandiole.

Dithizon (1,5-Diphenylthiocarbazon).

$C_{13}H_{12}N_4S$, M_R 256,33. Schwarzes od. schwarzbraunes Pulver, Schmp. 165–169 °C (Zers.), in Wasser unlösl., in Alkohol, Chloroform u. Tetrachlormethan mit grüner Farbe löslich. D. bildet mit Metallen (Ag, Pb, Cu, Zn, Hg usw.) stabile, wasserunlösl. innere Komplexe (Dithizonate), welche sich in Tetrachlormethan od. Chloroform mit charakterist., meist sehr intensiven Färbungen von tiefem Violett über Rot bis Gelborange lösen, was zur kolorimetr. Bestimmung der Metalle auch in der Spurenanalyse dienen kann. D. wurde 1878 von Emil Fischer synthetisiert u. 1925 von Hellmuth Fischer als Schwermetallionen-Reagenz eingeführt. – $E = F$ dithizone – I ditizone – S ditizona
Lit.: Anal. Chim. Acta **88**, 89 (1977); **110**, 21 (1979) ▪ Beilstein E IV **16**, 18 ▪ Fries-Getrost, S. 57, 88, 112, 166, 190, 215, 286, 289, 294, 374, 398 ▪ Iwantscheff, Das Dithizon u. seine Anwendung in der Mikro- u. Spurenanalyse, Weinheim: Verl. Chemie 1972 ▪ Ullmann (4.) **13**, 193; (5.) **A 14**, 140 f. ▪ Z. Anal. Chem. **280**, 97 (1976). – *[HS 2930 90; CAS 60-10-6]*

Dithranol.

Internat. Freiname für 1,8,9-Anthracentriol, $C_{14}H_{10}O_3$, M_R 226,23, gelbes, krist. Pulver, Schmp. 176–181 °C; λ_{max} (0,001%ige Lsg. in CH_2Cl_2) 354 nm ($A_{1\ cm}^{1\%}$=465). D. ist ein Antiseptikum, wirkt aber auf Haut u. Schleimhaut reizend. Es wurde 1915 von Bayer (Handelsname der Substanz: Cignolin®) patentiert u. ist gegen Psoriasis von Hermal (Psoradexan®) im Handel. – *E* = *F* dithranol – *I* ditranolo – *S* ditranol

Lit.: Beilstein E IV **6**, 7602 ▪ DAB **1996** u. Komm. ▪ Hager (5.) **7**, 1408 ff. – *[HS 2907 29; CAS 480-22-8]*

diucomb®. Dragees u. Filmtabl. mit *Bemetizid u. *Triamteren gegen hohen Blutdruck. *B.:* Synthelabo.

Diureticum Verla®. Tabl. mit der Saluretikum-Antihypertonikum-Kombination von *Hydrochlorothiazid u. *Triamteren zur Behandlung von Hypertonie u. Ödemen. *B.:* Verla.

Diuretika. Von griech.: dia = durch u. ouron = Harn abgeleitete Bez. für Mittel, die die *Harn-Ausscheidung (*Diurese*) fördern. Man unterscheidet zwischen den eigentlichen D., die nur die Wasserausscheidung verstärken (*Entwässerung*), u. den sog. *Sal(idi)uretika, die die Salzausscheidung (*Salurese*) u. dadurch vermehrte Wasserausscheidung fördern. Angewendet werden D. bei *Ödemen, *Hypertonie (s. Antihypertonika) u. *Herzinsuffizienz sowie bei Entgiftungen u. *Diabetes insipidus.
Die folgenden Stoffe u. Stoffgruppen kommen zum Einsatz: 1. *Thiazide u. a. *Sulfonamide wirken als Saluretika, z. B. *Hydrochlorothiazid, *Chlortalidon; – 2. Schleifen-D. (Henle-Schleife s. Niere), z. B. *Furosemid u. Analoga, *Etacrynsäure; – 3. Kaliumsparende D.: hierher gehören zum einen *Aldosteron-Antagonisten (z. B. *Spironolacton, *Kaliumcanrenoat), zum anderen die Aminopyrazin-Derivate *Amilorid u. *Triamteren; – 4. *Carboanhydrase-Hemmer werden kaum noch als D., aber am Auge gegen Glaukom eingesetzt (z. B. *Acetazolamid); – 5. Osmo-D. wie *Mannit u. *Sorbit werden bei drohendem Nierenversagen verwendet, aber nicht als Standard-D.; – 6. *Xanthin-Derivate wie *Coffein u. *Theophyllin erhöhen die Nierendurchblutung u. dadurch die Harnmenge, ihre Wirkung läßt aber rasch nach, so daß sie für eine Dauertherapie nicht geeignet sind; – 7. schwach diuret. wirken u. in entsprechenden Präp. angewandt werden Auszüge der folgenden Pflanzen: *Birkenblätter, *Brennesseln, *Goldrute, *Orthosiphon-Blätter, Petersilie, *Schachtelhalm, *Spargel, Wacholderbeeren. Letztere sind toxikolog. nicht unbedenklich; die Wirkung einiger anderer ist umstritten, wird teilw. auch auf die Flüssigkeitszufuhr zurückgeführt. Die dem Bier zugeschriebene harntreibende Wirkung ist nur eine Funktion von dessen Alkoholgehalt. – *E* diuretics – *F* diurétiques – *I* diuretici – *S* diuréticos

Lit.: Greger, Knauf u. Mutschler (Hrsg.), Diuretics, Berlin: Springer 1995 ▪ Kuschinsky, Lüllmann u. Mohr, Kurzes Lehrbuch der Pharmakologie u. Toxikologie, Stuttgart: Thieme 1993 ▪ Mutschler (7.), S. 582–592 ▪ Pharm. Ztg. **138**, 177–188 (1993) ▪ Reyes (Hrsg.), Diuretics – Clinical Pharmacology and Uses, Stuttgart: Fischer 1992 ▪ Ullmann (5.) **A 4**, 235 ff.; **A 9**, 29–36 ▪ s. a. Hypertonie, Niere.

Diurnaler Säurerhythmus (CAM, Crassulaceen Acid Metabolism). In Crassulaceen u. einigen anderen Pflanzen im Tag-Nacht-Wechsel auftretende Änderung des pH-Wertes des Zellsaftes, verursacht durch nächtliche CO_2-Aufnahme bzw. durch die Bildung organ. Säure, der tagsüber ein Säureabbau folgt. Der Zellsaft (Preßsaft) von *CAM-Pflanzen kann am frühen Morgen einen pH-Wert von <4, am Abend von >6 aufweisen. Nachts wird durch Abbau von *Stärke bzw. Zuckerphosphaten (*Zucker-Ester) Phosphoenolpyruvat (s. Ethanol) gebildet, welches mit Kohlendioxid zu Oxosuccinat (*Oxobernsteinsäure, Oxalacetat) carboxyliert wird. Oxosuccinat wird seinerseits durch eine NAD-spezif. Malat-Dehydrogenase zu *Malat u. sek. in andere organ. Säuren umgesetzt; diese werden in der Zellvakuole gespeichert, wodurch eine Ansäuerung des Zellsaftes erfolgt. Tagsüber werden die gespeicherten Säuren ins Cytoplasma bzw. in die Chloroplasten transportiert u. oxidativ durch *Malat-Dehydrogenase (Malat-Enzym) od. über andere Stoffwechselwege oxidativ decarboxyliert, wobei das entstehende Kohlendioxid als Substrat für die *Photosynthese dient. Die entstandene C_3-Carbonsäure wird ihrerseits vermutlich über die *Gluconeogenese, eine Umkehrung der *Glykolyse, in Zuckerphosphate bzw. Stärke umgesetzt.
Da der d. S. es den CAM-Pflanzen ermöglicht, nachts (wenn die relative Luftfeuchtigkeit durch das Abkühlen hoch ist) bei geringen Wasserverlusten Kohlendioxid aufzunehmen u. tagsüber bei geschlossenen Spaltöffnungen Photosynth. zu betreiben, erspart er den CAM-Pflanzen Wasser u. ist damit eine vorzügliche Anpassung an aride (trockene) Standorte. – *E* diurnal acid rhythm – *F* rythme diurne de l'acidité – *I* ritmo diurnale di acidità – *S* ritmo diurno de los ácidos

Lit.: Buschmann u. Grumbach, Physiologie der Photosynthese, Berlin: Springer 1985 ▪ Kluge u. Ting, Crassulaceen Acid Metabolism, Berlin: Springer 1978 ▪ Lange et al., Physiological Plant Ecology 2, Berlin: Springer 1982 ▪ Plant Physiol. **77**, 183–189 (1985); **81**, 356–360 (1986); **84**, 182–187 (1987); **90**, 91–100 (1989) ▪ Ting u. Gibbs, CAM, Rockville: Am. Soc. Plant Physiol. 1982.

Diuron.

Common name für 3-(3,4-Dichlorphenyl)-1,1-dimethylharnstoff, $C_9H_{10}Cl_2N_2O$, M_R 233,10, Schmp. 158–159 °C, LD_{50} (Ratte oral) 3400 mg/kg (WHO), von DuPont 1954 eingeführtes *Herbizid mit selektiver Wirkung im Zuckerrohr-, Getreide- u. Baumwollbau, wird (in höherer Dosierung) in Kombination mit anderen Herbiziden auch als Total- u. Semitotalherbizid eingesetzt. – *E* = *F* diuron – *I* diurone – *S* diurón

Lit.: Farm ▪ Perkow ▪ Pesticide Manual. – *[HS 2924 21; CAS 330-54-1]*

Diursan®. Tabl. mit *Hydrochlorothiazid u. *Amilorid-Hydrochlorid gegen Hypertonie u. Ödeme. *B.:* TAD Pharmazeut. Werk GmbH.

Diutensat®. Tabl. mit *Triamteren u. *Hydrochlorothiazid gegen Ödeme u. Hypertonie, D. comp. zusätzlich mit *Propranolol-Hydrochlorid. *B.:* Azupharma, Dr. Müller GmbH & Co.

DIU Venostasin®. Tabl. mit *Triamteren u. *Hydrochlorothiazid plus Kapseln mit Roßkastanien-Extrakt gegen Bein-Ödeme bei Venenleiden. *B.:* Klinge Pharma.

Divalol W®. Tropfen mit Trockenextrakt aus *Curcuma-Wurzel u. *Pfefferminzöl zur Anw. als *Carminativum. *B.:* Pharma Wernigerode.

Divergan®. Marke der BASF für vernetztes, unlösl. *Polyvinylpyrrolidon, das aufgrund seiner hochselektiven Adsorptionsfähigkeit für Polyphenole zur kolloidalen Stabilisierung bzw. Farbstabilisierung von Bier, Wein u. Fruchtsäften verwendet wird. *B.:* BASF.

Divinylbenzol (veraltet: Vinylstyrol).

$C_{10}H_{10}$, M_R 130,19. Techn. D. ist ein Gemisch aus den *meta-* u. *para*-Isomeren (Gew.-Verhältnis: ca. 2:1–3:1) mit hauptsächlich *m*- u. *p*-Ethylvinylbenzol als Verunreinigung u. 4-*tert*-Butylbrenzkatechin als Stabilisator. D. wird techn. durch Dehydrierung eines Gemisches der isomeren Diethylbenzole gewonnen. Das *o*-Diethylbenzol wird zu *Naphthalin kondensiert u. abgetrennt. Aus dem Gemisch der D.-Isomeren läßt sich das *m*-Derivat durch Komplex-Bildung mit CuCl (*Lit.*[1]) abtrennen. Schmp. −45 °C, Sdp. 195 °C, D. 0,9162 (Daten des 3:1-Isomerengemisches). D. ist eine wasserklare, schleimhautreizende, leicht polymerisierbare Flüssigkeit. D. können wegen des Reaktivitätsunterschiedes der C=C-Doppelbindungen vor u. nach der Polymerisation der ersten Vinyl-Gruppe bei nicht zu hohen Umsätzen zu lösl., jedoch sehr harten u. spröden *Homopolymeren umgesetzt werden. Die weitaus größte Menge wird als Vernetzungsmittel bei der Herst. von Copolymeren mit Styrol für den Einsatz als *Ionenaustauscher verbraucht. – *E* divinylbenzene – *F* divinylbenzène – *I* divinilbenzene – *S* divinilbenceno

Lit.: [1] Chem. Tech. (Leipzig) **30**, 144 ff., 363 f. (1978).
allg.: Beilstein E IV **5**, 1540 f. ▪ Elias (5.) **2**, 156. – *[HS 2902 90, 3824 90; CAS 1321-74-0]*

Dixigold. Veraltete Bez. für eine goldfarbene *Legierung aus ca. 90% Cu u. max. 10% Al, u. damit im weitesten Sinne für eine *Aluminiumbronze (s.a. Bronzen). D. ist eine homogene, einphasige Leg., da in Cu bis 9,4% Al lösl. sind. Verw. als billiger Schmuck. – *E* gold bronze, fake gold – *I* lega di rame ed alluminio – *S* oro tipo dixi

Lit.: DIN 17 665 (12/1983).

Dixit®. Enzym-haltiges Spezialwaschmittel für bunte u. weiße Wäsche für die professionelle Textilhygiene. *B.:* Henkel-Ecolab.

Dixyrazin.

Kurzbez. für 10-(3-{4-[2-(2-Hydroxyethoxy)-ethyl]-1-piperazinyl}-2-methylpropyl)-phenothiazin, $C_{24}H_{33}N_3O_2S$, M_R 427,60, weißes Pulver, Schmp. 67–71 °C; λ_{max} (CH_3OH) 206, 255, 308 nm ($A^{1\%}_{1cm}$ = 644, 723, 107); pK_b 6,2. D. ist ein *Neuroleptikum vom Phenothiazin-Typ mit sedierenden u. antiemet. Eigenschaften. – *E* dixyrazin – *F* dixyrazine – *I* = *S* dixirazina

Lit.: Beilstein E V **27/6**, 307 ▪ Hager (5.) **7**, 1412 f. – *[CAS 2470-73-7]*

Djenkolsäure (*S,S′*-Methylenbiscystein).

$$HOOC-\underset{NH_2}{CH}-CH_2-S-CH_2-S-CH_2-\underset{NH_2}{CH}-COOH$$

$C_7H_{14}N_2O_4S_2$, M_R 254,32, Schmp. 300–350 °C, $[\alpha]_D$ −65° (1 mol/L HCl) wenig lösl. in Wasser. Nicht proteinogene Aminosäure aus der Djenkolbohne (*Pithecellobium lobatum*) u.a. Leguminosen. Oral aufgenommene D. kann in der Niere auskristallisieren u. starke Schmerzen verursachen. Zur Wirkung auf das Nervensystem s. *Lit.*[1]. – *E* djenkolic acid – *F* acide djencolique – *I* acido djencolico – *S* ácido djencólico
Lit.: [1] J. Neurosci. **14**, 3881 (1994).
allg.: Acta Crystallogr., Sect. B **38**, 498 (1982) ▪ Beilstein E III **4**, 1591 ▪ Karrer, Nr. 2423. – *[HS 2930 90; CAS 498-59-9]*

Djerassi, Carl (geb. 1923), Prof. für Organ. Chemie, Univ. Stanford, Direktor bei Cetus Corp., Vitaphore Corp., Affymax Corp., Monoclonal Antibodies, Inc. *Arbeitsgebiete:* Naturstoffe, insbes. Steroide, Triterpene, Alkaloide, Oxidationsreaktionen, präparative organ. Chemie, Anw. von Massenspektrometrie u. Rotationsdispersion zur Strukturaufklärung.
Lit.: Pötsch, S. 119 ▪ Who's Who in America, S. 955.

DK. Abk. für 1. *Dezimalklassifikation, 2. *Dielektrizitätskonstante u. 3. *Dieselkraftstoff.

DKFZ. Abk. für *Deutsches Krebsforschungszentrum.

DKG. Abk. für 1. *Deutsche Kautschuk-Gesellschaft e.V. u. 2. *Deutsche Keramische Gesellschaft e.V.

DKI. Abk. für *Deutsches Kunststoff-Institut.

dl-, DL-. Kennbuchstaben zur Bez. der racem. Form einer in opt. Antipoden aufspaltbaren Verb.; s. optische Aktivität u. d, D.

DL$_{50}$ s. Dosis.

DLR. Abk. für *Deutsche Forschungsanstalt für Luft- und Raumfahrt e.V.

DLVO-Theorie. Von *Derjaguin, *Landau, Verwey u. Overbeck entwickelte Theorie der elektrostat. Abstoßung gleichsinnig aufgeladener Tröpfchen in *Emulsionen. – *E* DLVO theory – *F* théorie DLVO – *I* teoria DLVO – *S* teoría DLVO

DLW. Kurzbez. für die DLW Aktienges. (früher Dtsch. Linoleum-Werke), 74319 Bietigheim-Bissingen. *Daten* (1994): 1583 Beschäftigte, 502 Mio. DM Umsatz. *Produktion:* Teppichböden, Kunststoffbeläge, Linoleum, Folien, Pappen, Wand- u. Dachelemente, Formteile u. Kunststoffteile für die Automobil-Ind., Polstermöbel, Büromöbel, Einrichtungen für Geldinstitute u. Verwaltungen.

DM. 1. Ein US-Codewort für *Adamsit als Kampfstoff. – 2. Kurzz. für *Betondichtungsmittel.

DMAC. Abk. für *N,N*-*Dimethylacetamid.

4-DMAP. Ampullen mit 4-Dimethylaminophenol-Hydrochlorid als Antidot bei Blausäure-, Cyanid-, Nitril- u. Schwefelwasserstoff- Vergiftungen. *B.:* Dr. F. Köhler Chemie GmbH.

DMDC. Abk. für *Dimethyldicarbonat.

DMF. Abk. für *Dimethylformamid.

DMP. 1. Nach DIN 7723 (12/1987) Kurzz. für *Dimethylphthalat* als *Weichmacher. – 2. s. 1,1,1-Triacetoxy-1,1-dihydro-1,2-benziodoxol-3(1*H*)-on.

DMSO. Abk. für *Dimethylsulfoxid.

DMT. Abk. für *Dimethylterephthalat.

DNA. Abk. für: 1. Deutscher Normenausschuß (s. DIN); – 2. Dinonyladipat; – 3. s. Desoxyribonucleinsäuren.

DNA-Amplifikation. 1. Selektive *in vitro*-Vermehrung definierter DNA-Abschnitte durch *polymerase-chain reaction (PCR). – 2. Vervielfachung der Kopienzahl bestimmter bakterieller *Plasmide durch Zugabe von *Chloramphenicol, welches die Protein-Synth. u. damit die *Replikation der chromosomalen DNA des Bakteriums hemmt, während die Plasmide weiter vermehrt werden. Anw. in der Biotechnologie zur Erhöhung der Ausbeute von Plasmid-codierten Proteinen. – *E* DNA amplification – *F* amplification de l'ADN – *I* amplificazione del DNA – *S* amplificacíon del ADN
Lit.: Chromosoma **103**, 73–81 (1994) ▪ Vet. Res. Commun. **19**, 375–407 (1995).

DNA-bindende Proteine. Allg. Bez. für Proteine, die aufgrund ihrer Struktur u. spezif. Wechselwirkungen mit den Basen u./od. dem Zuckerphosphat-Rückgrat an die *Desoxyribonucleinsäuren binden können. Für DNA-b. P., die die Regulation der *Transkription eukaryont. *Gene steuern, werden mehrere Strukturmotive diskutiert. – *E* DNA-binding proteins – *F* protéines de fixation de l'ADN – *I* proteine DNA-leganti – *S* proteínas de fijación del ADN
Lit.: Biochem. J. **278** (1), 1–23 (1991) ▪ Nature (London) **353**, 715 ff. (1991).

DNA-Fingerabdruck, DNA-Fingerprinting. Diese Meth. basiert auf dem Vork. kurzer, tandemartig angeordneter *repetitiver DNA-Sequenzen, die über das gesamte Genom eines Organismus verteilt sind. Diese sog. Minisatelliten liegen für jedes Individuum in einer eindeutigen Verteilung bezüglich Art u. Häufigkeit vor. Diese Verteilung kann mit geeigneten Sonden u. anschließender Southern-Analyse (s. Blotting u. Desoxyribonucleinsäuren) ermittelt werden. So kann für jedes Individuum ein charakterist. mol. bzw. genet. Fingerabdruck, repräsentiert durch das individuelle Bandenmuster der Minisatelliten, erhalten werden. Mit Hilfe des DNA-F. können z. B. Verwandtschaftsbeziehungen od. die Herkunft von Gewebe- u. Blutproben nachgewiesen werden. Die sich hierbei für die Gerichtsmedizin ergebenden Möglichkeiten sind jedoch noch stark umstritten. – *E* DNA-fingerprinting – *F* empreinte génétique – *I* DNA-fingerprinting
Lit.: Am. J. Hum. Genet. **54**, 941–958 (1994); **56**, 358 (1995) ▪ Australas. Biotechnol. **4**, 88 ff. (1994) ▪ Genet. Res. **63**, 1–9 (1994) ▪ Krawczak u. Schmidke, DNA Fingerprinting, Heidelberg: Spektrum Akadem. Verl. 1994 ▪ Nature (London) **314**, 67–73 (1985); **318**, 577 ff. (1985).

DNA-Fragmente (DNA-Restriktionsfragmente). Durch Schneiden mit *Restriktionsenzymen erzeugte *DNA-Bruchstücke. – *E* DNA fragments – *F* fragments d'ADN – *I* frammenti di DNA – *S* fragmentos de ADN
Lit.: J. Comput. Biol. **2**, 87–115 (1995).

DNA-Gyrasen s. Topoisomerasen.

DNA-Helicasen s. Helicasen.

DNA-Ligasen. DNA-L. sind Enzyme, die in Doppelstrang-*Desoxyribonucleinsäuren die *ATP- od. *Nicotinamid-Adenin-Dinucleotid (NAD)-abhängige Verknüpfung zwischen dem 5′-Phosphat-Ende eines DNA-Fragmentes u. dem 3′-Hydroxy-Ende eines anderen Fragmentes katalysieren. Die DNA-L. spielen in der Zelle eine wichtige Rolle bei der DNA-Reparatur u. der *Replikation. *In vitro* kann man mit DNA-L. DNA-Fragmente zur Herst. rekombinanter DNA verbinden. Dabei können Restriktionsfragmente mit homologen, *kohäsiven Enden od. Fragmente mit nicht-überlappenden stumpfen Enden verknüpft werden. – *E* DNA ligases – *F* ADN ligases – *I* DNA ligasi – *S* ADN ligasas
Lit.: Knippers (6.).

DNA-Polymerasen. DNA-P. katalysieren die Synth. von DNA aus Desoxyribonucleosidtriphosphaten (s. Nucleotide) an einer vorgegebenen *Desoxyribonucleinsäure (DNA)- od. *Ribonucleinsäure-Matrize.
RNA-abhängige DNA-P. wurden zunächst in *Retroviren gefunden, sind aber in vielen, wenn nicht sogar in allen Spezies vorhanden (s. reverse Transcriptase). DNA-abhängige DNA-P. haben eine wichtige Aufgabe bei der *Replikation der genet. Information. Die meisten DNA-P. besitzen zusätzlich *Nuclease-Aktivität, bes. 3′→5′-Exonuclease-Aktivität, durch die fehlerhaft eingebaute Nucleotide wieder entfernt werden können (proofreading-Funktion). Bestimmte DNA-P. haben auch 5′→3′-Exonuclease-Aktivität, so daß sie RNA-*Primer eines neu synthetisierten DNA-Stranges entfernen können u. eine Rolle bei der DNA-Reparatur spielen (s. Reparatursysteme). – *E* DNA polymerase – *F* ADN polymérases – *I* DNA polymerasi – *S* ADN polymerasas
Lit.: Knippers (6.), S. 164–172.

DNA-Reparatur s. Desoxyribonucleinsäuren u. Reparatursysteme.

DNA-Replikation s. Replikation.

DNA-RNA-Hybride. DNA-RNA-H. sind Nucleinsäure-Doppelstränge aus einem *Desoxyribonucleinsäure- u. einem *Ribonucleinsäure-Strang (s. Hybridisierung). Sie kommen in der Natur vor, z. B. in Form der *Primer bei der DNA-*Replikation, bei *Retroviren u. Retro-*Transposons. In vitro werden sie z. B. bei der Synth. komplementärer DNA, bei der S1-Genkartierung u. beim *Blotting (Northern Blot) hergestellt. Die Stabilität der DNA-RNA-H. ist etwas höher als die von doppelsträngiger DNA. – *E* DNA-RNA hybrids – *F* hybrides ADN-ARN – *I* DNA-RNA ibridi – *S* híbridos ADN-ARN

Lit.: Pathologe **1994**, 76–84 ▪ Lewin, Gene, Weinheim: VCH Verlagsges. 1991.

DNasen s. Desoxyribonucleasen.

DNA-Sonden s. Gensonden.

DNA-Synthese (Gen-Synth.). Bei der DNA-S. wird zur Aktivierung der 3'-Position meistens die Phosphotriester- od. Phosphoramidit-Meth. (Phosphodiester-Meth.) angewandt, dabei muß die 5'-Hydroxy-Gruppe geschützt werden (z. B. 4,4'-Dimethoxytrityl). Die Synth. wird oft mit Syntheserobotern als Festphasensynth. (z. B. an Cellulose od. Polyethylenglykol-Harzen) durchgeführt. Daneben gibt es die PCR-Meth. (*polymerase chain reaction), bei der die DNA enzymat. vervielfältigt wird, s. a. Desoxyribonucleinsäuren. – *E* DNA synthesis – *F* synthèse d'ADN – *I* DNA sintesi – *S* síntesis del ADN

DNA-Topoisomerasen s. Topoisomerasen.

DNA-Tumorviren s. Viren.

DNCG Stada. Augentropfen, Nasenspray, Inhalationslösung u. Dosieraerosol mit dem Antiallergikum *Cromoglicinsäure Dinatriumsalz. *B.:* Stada.

DNOC.

Common name für 2-Methyl-4,6-dinitrophenol (4,6-Dinitro-*o*-kresol), $C_7H_6N_2O_5$, M_R 198,14, Schmp. 86 °C, LD_{50} (Ratte oral) 25 mg/kg (GefStoffV), MAK 0,2 mg/m³, von Bayer 1892 als *Insektizid, von G. Truffaut et Cie. 1932 als *Herbizid eingeführter nichtsystem. Wirkstoff gegen beißende u. saugende Schädlinge, speziell zur Bekämpfung der Nonne (*Lymantria monacha*) im Forst, als Winterspritzmittel („Gelböl") gegen Überwinterungsstadien tier. Schädlinge im Obst- u. Weinbau, gegen einjährige Unkräuter im Getreide u. zur Krautabtötung im Kartoffelbau. DNOC war das erste organ. synthet. *Pflanzenschutzmittel. – *E* = *F* = *I* = *S* DNOC

Lit.: Beilstein E IV **6**, 2014 ▪ Farm ▪ Perkow ▪ Pesticide Manual. – *[HS 2908 90; CAS 534-52-1]*

DNOP. Nach DIN 7723 (12/1987) Kurzz. für *Di-n-oc*tyl*phthalat als *Weichmacher.

Dnp. In der Peptidchemie geläufige Abk. für den 2,4-Dinitrophenyl-Rest.

DNP. 1. Abk. für *2,4-Dinitrophenylhydrazin. – 2. Nach DIN 7723 (12/1987) Kurzz. für *Di*nonyl*phthalat als *Weichmacher.

DNR. Abk. für *Deutscher Naturschutzring.

DNS s. Desoxyribonucleinsäuren.

DOA. Nach DIN 7723 (12/1987) Kurzz. für *D*ioctyl*a*dipat [Bis-(2-ethylhexyl)-adipat] als *Weichmacher.

Dobeckan®. Gieß- u. Tränkharze auf der Basis ungesätt. *Polyester u. *Polyurethane. *B.:* BASF Lacke & Farben.

Dobendan®. Lsg., Lutsch-Tabl. u. -Pastillen mit *Cetylpyridiniumchlorid; Dolo-D. zusätzlich mit *Benzocain gegen Entzündungen der Mund- u. Rachenschleimhaut. *B.:* Klosterfrau.

Dobesilat s. Calciumdobesilat.

Dobica®. Kapseln mit dem kapillar abdichtenden Mittel *Calciumdobesilat zur Therapie diabet. Retinopathie u. Mikroangiopathie. *B.:* OPW.

Dobson-Einheit (Kurzz. D. U. von engl. Dobson Unit). Maß für die gesamte *Ozon-Menge in der Lufthülle über einem geograph. Ort pro Flächeneinheit. 1 D. U. = $1 \cdot 10^{-3}$ cm *Ozon-Schicht reduziert auf Normalbedingungen; s. a. antarktisches Ozon-Loch u. Ozon-Loch.

Die Einheit ist benannt nach dem engl. Physiker Gordon Miller Bourne Dobson (25. Feb. 1889– 11. März 1976), der von 1924 bis 1928 ein Quarz-Prisma-Spektrometer entwickelte, mit dem er die UV-Absorption des Sonnenlichtes durch die atmosphär. Ozon-Schicht messen konnte. Er erkannte die jährliche Variation der Ozon-Schicht mit einem Maximum im Frühjahr u. starken Fluktuationen von einem Tag zum anderen. Seit 1926 baute er ein Netz von zunächst sechs Meßstationen auf. U. a. auch in der Schweiz in Arosa, wo von F. W. P. Götz Messungen durchgeführt wurden, die man bis heute ununterbrochen weiterführte u. die somit die beste Langzeitstudie der Ozon-Schicht darstellen.

Die Messungen der Ozon-Schicht erfolgen über verschiedene Verf., näheres hierzu s. unter Ozon-Schicht. – *E* Dobson unit – *F* unité de Dobson – *I* unità di Dobson – *S* unidad Dobson

Lit.: Chem. Unserer Zeit **21**, 141 (1987) ▪ Phys. Bl. **44**, 2 (1988) ▪ Schmidt, Pioneers of Ozon Research, Duderstadt: Mecke Druck 1988 ▪ Schmidt, Von Christian Friedrich Schönbein bis zum Ozonloch, Duderstadt: Mecke Druck 1988.

Dobutamin.

Internat. Freiname für (±)-4-{2-[3-(4-Hydroxyphenyl)-1-methylpropylamino]-ethyl}-brenzcatechin, $C_{18}H_{23}NO_3$, M_R 301,39. Verwendet wird das Hydrochlorid, ein weißes, krist. Pulver, Schmp. 184–186 °C; λ_{max} (CH₃OH) 223, 281 nm ($A_{1cm}^{1\%}$ = 426, 141); pK_a 9,45; LD_{50} (Maus i.v.) 73 mg/kg. D. wurde als Cardiotonikum 1973 u. 1976 von Lilly (Dobutrex®) patentiert u. ist generikafähig. – *E* = *F* dobutamine – *I* = *S* dobutamina

Lit.: ASP ▪ Florey **8**, 139–158 ▪ Hager (5.) **7**, 1413–1416. – *[HS 2922 29; CAS 34368-04-2 (D.); 52663-81-7 (Hydrochlorid)]*

DOC. Abk. für *E* dissolved organic carbon (=gelöster organ. Kohlenstoff), z. B. in Gewässern. Der DOC wird nach Filtration über ein Filter mit 0,45 μm Porenweite wie der gesamte organ. Kohlenstoff (*TOC) bestimmt. Der analyt. bestimmte DOC kann also noch submikroskop. Partikel aus Kohlenstoff od. Kohlenstoff-Verb. (POC von *E* particulate organic carbon) einschließen. – *E* dissolved organic carbon – *F* carbone organique dissous (COD) – *I* carbonio organico dissolto – *S* carbón orgánico disuelto

Docetaxel.

Internat. Freiname für das halbsynthet. *Taxol-Derivat (2R,3S)-N-(tert-Butoxycarbonyl)-2-hydroxy-3-phenyl-β-alanin-(4-acetoxy-2α-benzoyloxy-5β,20-epoxy-1,7β,10β-trihydroxy-9-oxo-11-taxen-13α-yl-ester), $C_{43}H_{53}NO_{14}$, M_R 807,89, Schmp. 232 °C. Die Synth. geht von 10-Desacetylbaccatin III aus, das aus *Eiben gewonnen u. 13-O-aminoacyliert wird [1]. Es wurde als Antimitotikum 1988/89 von Rhône Poulenc patentiert u. ist zur Brustkrebsbehandlung von Rhône Poulenc Rorer (Taxotere® 20/80 mg) im Handel. Nach *Paclitaxel ist D. das zweite antitumorwirksame Taxoid auf dem Markt. – $E = I = S$ docetaxel – F docétaxel

Lit.: [1]Tetrahedron **45**, 4177ff. (1989); J. Org. Chem. **56**, 6939ff. (1991).
allg.: Anticancer Drugs **6**, 339–368 (1995) ▪ J. Clin. Oncol. **14**, 422–428 (1996) ▪ Merck-Index (12.), Nr. 3458 ▪ Pharm. Ztg. **141**, 480ff. (1996) ▪ s. a. Taxol. – [CAS 114977-28-5]

Docht (von althochdtsch.: taht aus indogerman.: tek = drehen, flechten). Bez. für den fadenförmigen, saugfähigen Teil einer Kerze (od. Lampe), der der Flamme durch Kapillarwirkung den brennbaren Stoff zuführt. Der D. besteht meist aus Baumwollgarn, zu lockeren Fäden gesponnen, zusammengedreht, geflochten od. gewirkt u. in Beizflüssigkeiten imprägniert. Durch das *Beizen mit z. B. Borsäure u. Ammoniumphosphat wird das Weiterglimmen des D. nach dem Ausblasen der Kerze verhindert, weil sich dieser beim Erlöschen der Flamme mit einer Schicht von luftabsperrenden Salzen (Ammoniumphosphat als *Flammschutzmittel) überzieht. – E wick – F mèche – I stoppino, lucignolo – S mecha, torcida, pábilo

Dociton®. Tabl., Kapseln u. Ampullen mit *Propranolol-Hydrochlorid gegen Hypertonie u. Herzrhythmusstörungen. B.: Zeneca.

Docos(a)... Dem Griech. entlehnter Zahlenvorsatz in systemat. Namen; bedeutet „zweiundzwanzig". – $E = F = I = S$ docos(a)...

Docosansäure s. Behensäure.

Docosapentaensäure s. Clupanodonsäure.

Docosensäure s. Erucasäure.

Doctorlösung s. Doctortest.

Doctortest. Bez. für einen Test, mit dem Thiole in Benzin u. aromat. Kohlenwasserstoffen nachgewiesen werden, u. zwar durch Reaktion mit Natriumplumbit-Lsg. (*Doctorlösung*) u. Schwefelblume, s. DIN 51765 (01/1957). Die Bez. D. entstand etwa 1910 in den USA, als dort in einer Raffinerie sehr lange an der Prüfung bzw. *Süßung des Benzins „herumgedoktert" wurde.

Docusat-Natrium (bis 1981 Dioctylnatriumsulfosuccinat).

Internat. Freiname für das Natriumsalz des Sulfobernsteinsäure-bis-(2-ethylhexyl)-esters, $C_{20}H_{37}NaO_7S$, M_R 444,56. Farblose, wachsartige Masse, riecht nach 2-Ethylhexanol. Lösl. in Wasser, Alkoholen, Glycerin u. prakt. allen Lsm. u. Ölen.
Verw.: Netzmittel in der kosmet., pharmazeut. u. Lebensmittelindustrie, *Laxans. – E dioctyl sodium sulfosuccinate – F docusate sodique – I docusato sodico – S docusato sódico
Lit.: ASP ▪ Beilstein EIV **4**, 114 ▪ DAB **7**, 166 ▪ Florey **2**, 199ff. ▪ Hager (5.) **7**, 1416f. – [HS 2917 19; CAS 577-11-7]

Dodec(a)... Zahlenvorsatz; von griech.: dodeka = „zwölf". – $E = I = S$ dodec(a)... – F dodéc(a)...

Dodecahedran s. platonische Kohlenwasserstoffe.

Dodecan. $H_3C-(CH_2)_{10}-CH_3$, $C_{12}H_{26}$, M_R 170,34. Farblose, brennbare Flüssigkeit, D. 0,751, Schmp. –12 °C, Sdp. 215 °C, Dämpfe schleimhautreizend, in großen Konz. narkotisch. D. wird als Bezugssubstanz in der Gaschromatographie verwendet, chloriertes D. zur Herst. von Alkylbenzolsulfonaten. – E dodecane – F dodécane – $I = S$ dodecano
Lit.: Beilstein EIV **1**, 498ff. ▪ Hommel, Nr. 518 ▪ Ullmann (4.) **14**, 655ff.; (5.) **A 13**, 231. – [HS 2901 10; CAS 112-40-3; G 3]

Dodecanal (Dodecylaldehyd, Laurinaldehyd). $H_3C-(CH_2)_{10}-CHO$, $C_{12}H_{24}O$, M_R 184,32. Krist. Masse od. glänzende Blättchen, D. 0,83, Schmp. 12–15 °C, Sdp. 238 °C, lösl. in Alkohol, Mineral-, Pflanzenöl. D. findet sich im Pomeranzen-, Rauten- u. Okinawa-Pineöl u. hat einen strengen, an Fichtennadeln erinnernden Geruch. Techn. wird D. durch Dehydrieren des Laurylalkohols an Kupfer- od. Silberkatalysatoren hergestellt. D. wird zur Herst. von Phantasieparfüms verwendet. – $E - S$ dodecanal – F dodécanal – I dodecanale
Lit.: Beilstein EIV **1**, 3380f. ▪ Ullmann (4.) **7**, 119, 130; **20**, 206; (5.) **A 1**, 331; **A 11**, 150. – [HS 2912 19; CAS 112-54-9]

1-Dodecanol (Dodecylalkohol, Laurylalkohol). $H_3C-(CH_2)_{10}-CH_2-OH$, $C_{12}H_{26}O$, M_R 186,34. Angenehm blumenartig riechende, farblose Blättchen, D. 0,831, Schmp. 24 °C, Sdp. 259 °C, unlösl. in Wasser, lösl. in Alkohol, Mineralöl, Pflanzenöl u. Ether, wird zu Creme-, Puder- u. Seifenparfüms verwendet. Das durch *Ziegler-Reaktion od. durch Druckhydrierung erhältliche D. ist Ausgangsmaterial für die Herst. von Fettalkoholsulfat. – E 1-dodecanol – F 1-dodécanol – I 1-dodecanolo – S 1-dodecano
Lit.: Beilstein EIV **1**, 1844f. ▪ Brauer, Gefahrstoff-Sensorik, Landsberg: Ecomed 1988 ▪ Merck-Index (12.), Nr. 3464 ▪ Ullmann (5.) **A 10**, 279. – [HS 2905 17; CAS 112-53-8]

Dodecansäure s. Laurinsäure.

1-Dodecanthiol (Dodecylmercaptan). $H_3C-(CH_2)_{11}-SH$, $C_{12}H_{26}S$, M_R 202,40. Blaßgelbe, unangenehm riechende, haut- u. augenreizende Flüssigkeit, D. 0,845, Schmp. –7 °C, Sdp. 269–273 °C, in Wasser nicht, in organ. Lsm. lösl., wassergefährdender Stoff, WGK 3.

3-Dodecapentaenyloxy-1,2-propandiol

Verw.: Für organ. Synth. sowie – ebenso wie das isomere sog. *tert*-Dodecylmercaptan – als Polymerisationsregler; Reagenz zur Regeneration von Proteinen aus Quecksilberbenzoaten; dient als Korrosionsschutz bei Kupfer. – *E* dodecanthiol – *F* dodécanthiol – *I* dodecantiol – *S* dodecanotiol

Lit.: Beilstein E IV **1**, 1845 ▪ Brauer, Gefahrstoff-Sensorik, Landsberg: Ecomed Verlagsges. 1988 ▪ Hommel, Nr. 240 ▪ J. Am. Chem. Soc. **114**, 9022 (1992) ▪ Ullmann (4.) **23**, 182, 207; (5.) **A 13**, 479. – *[HS 2930 90; CAS 112-55-0 (1-D.); 25103-58-6 (tert.-D.); G 3]*

3-Dodecapentaenyloxy-1,2-propandiol s. Fecapentaene.

(Z)-7-Dodecenyl-acetat.

$C_{14}H_{26}O_2$, M_R 226,36. Öl. Sexualpheromon im Urin weiblicher Elefanten, das Paarungsverhalten bei Elefantenbullen auslöst [1]. D. kommt auch in mehreren Mottenarten als weibliches Sexualhormon vor. – *E* (Z)-7-dodecenyl acetate – *F* acétate de Z-7-dodécényle – *I* acetato di (Z)-7-dodecenile – *S* acetato de (Z)-7-dodecenil

Lit.: [1] Nature (London) **379**, 684 (1996).

Dodecenylbernsteinsäureanhydrid (DDSA).

$C_{16}H_{26}O_3$, M_R 266,38. Das Handelsprodukt (Isomerengemisch) ist eine gelbliche, zähe, klare Flüssigkeit, D. 1,00, Sdp. 200 °C (27 hPa), augen-, haut- u. schleimhautreizend. D. dient als Zusatz zu Epoxid- u. Alkydharzen, Farben, Lacken, Druckfarben, Schmiermitteln, Rostschutzmitteln, Schädlingsbekämpfungsmitteln, Tensiden. – *E* dodecenylsuccinic anhydride – *F* anhydride dodécénylsuccinique – *I* anidride dodecenilsuccinica – *S* anhídrido dodecenilsuccínico

Lit.: Beilstein E V **17/11**, 52 ▪ Keith u. Walters, Compendium of Safety Data Sheets for Research and Industrial Chemicals, Part II, S. 778 f., Deerfield Beach, Florida: VCH Publishers, Inc. 1985 ▪ Kirk-Othmer (4.) **9**, 744. – *[HS 2917 19; CAS 25377-73-5]*

Dodecylaldehyd s. Dodecanal.

Dodecylalkohol s. 1-Dodecanol.

Dodecylamin (Laurylamin). $H_3C–(CH_2)_{11}–NH_2$, $C_{12}H_{27}N$, M_R 185,35. Farblose Masse, Schmp. 27 °C, Sdp. 247–249 °C, wenig lösl. in Wasser, lösl. in Alkohol, LD_{50} (Ratte oral) 1020 mg/kg; wassergefährdender Stoff, WGK 2 (Selbsteinst.). D. dient zur Synth. von Tensiden. – *E* dodecylamine – *I* 1-dodecilammina – *S* dodecilamina

Lit.: Beilstein E IV **4**, 794 ff. ▪ Ullmann (4.) **11**, 448; (5.) **A 2**, 19. – *[HS 2921 19; CAS 124-22-1]*

Dodecylbenzol (1-Phenyldodecan). $H_5C_6–CH_2–(CH_2)_{10}–CH_3$, $C_{18}H_{30}$, M_R 246,44. Wasserhelle, ölige Flüssigkeit, D. 0,861–0,865, Sdp. 280–310 °C. *Alkylbenzol mit durchschnittlich 12 C-Atomen in einer Kette, wobei der Phenyl-Rest an den Atomen 2 bis 6 fixiert sein kann. Ausgangsmaterial für die Herst. von *Dodecylbenzolsulfonaten. – *E* dodecylbenzene – *F* dodécylbène – *I* dodecilbenzene – *S* dodecilbenceno

Lit.: Beilstein E IV **5**, 1200 f. ▪ Hommel, Nr. 410 ▪ Kirk-Othmer (3.) **3**, 749; (4.) **2**, 101 ▪ Ullmann (4.) **14**, 680; (5.) **A 1**, 194 ▪ Winnacker-Küchler (3.) **4**, 473 f. – *[HS 2902 90; CAS 123-01-3]*

Dodecylbenzolsulfonate.

$H_3C–(CH_2)_m–CH–(CH_2)_n–CH_3$, $n+m=9$

Wichtigste Vertreter der Gruppe der *Alkylbenzolsulfonate, die durch Umsetzung von Dodecylbenzol mit geeigneten Sulfonierungsmitteln, in der Regel gasf., trockenem SO_3, sowie anschließender Neutralisation der gebildeten Dodecylbenzolsulfonsäure gewonnen werden. D. sind bezüglich des Alkyl-Rests nicht Kettenlängen-rein, sondern stellen ein Homologengemisch dar. D. zeigen als anionaktive Tenside nach Prüfung entsprechend der Tensid-VO eine biolog. Abbaubarkeit von über 90 %. Natrium-D. kommt als ca. 55 %ige wäss. Paste in den Handel u. wird insbes. für die Herst. von pulverförmigen Wasch- u. Reinigungsmitteln herangezogen. 1995/96 lag der Weltverbrauch bei ca. 2 Mio. t jährlich. – *E* dodecylbenzenesulfonates – *F* dodécylbènesulfonates – *I* dodecilbenzensolfonati – *S* dodecilbencenosulfonatos

Lit.: vgl. Alkylbenzolsulfonate. – *[HS 3402 11]*

Dodecylchlorid (Laurylchlorid, 1-Chlordodecan). $H_3C–(CH_2)_{10}–CH_2–Cl$, $C_{12}H_{25}Cl$, M_R 204,78. Farblose Flüssigkeit, D. 0,869, Schmp. −9 °C, Sdp. 260 °C, 124 °C (13 hPa), lösl. in organ. Lsm., unlösl. in Wasser. D. ist ein Zwischenprodukt bei der Herst. von Estern, Thiolen, Aminen, metallorgan. Verb. u. dgl. – *E* dodecyl chloride – *F* chlorure de dodécyle – *I* cloruro di dodecile – *S* cloruro de dodecilo

Lit.: Beilstein E IV **1**, 501. – *[HS 2903 19; CAS 112-52-7]*

Dodecylgallat s. Gallussäureester.

Dodecylmercaptan s. 1-Dodecanthiol.

Dodecylphenol.

$C_{18}H_{30}O$, MG. 262,44. Farblose Flüssigkeit, Sdp. 317–327 °C, die man z. B. durch Alkylierung von Phenol mit Dodecen nach Friedel-Crafts erhält. *Alkylphenole lassen sich durch Veretherung der Hydroxy-Funktion z. B. mit Ethylenoxid in *nichtionische Tenside, die Alkylphenolethoxylate, überführen. – *E* dodecylphenol – *F* dodécylphénol – *I* dodecilfenolo – *S* dodecilfenol

Lit.: Beilstein E IV **6**, 3534 f. – *[HS 2907 19; CAS 27193-86-8]*

Dodemorph-acetat.

Common name für 4-Cyclododecyl-2,6-dimethylmorpholinacetat, $C_{20}H_{39}NO_3$, M_R 341,53, Schmp. 63–64 °C, LD_{50} (Ratte oral) 1800 mg/kg, von BASF

1967 eingeführtes system. *Fungizid mit protektiver u. eradikativer Wirkung gegen Echten Mehltau an Rosen u. anderen Zierpflanzen. – *E* dodemorph acetate – *F* acetate de dodemorphe – *I* dodemorf-acetato – *S* acetato de dodemorf
Lit.: Farm ▪ Perkow ▪ Pesticide Manual. – [HS 2934 90; CAS 1593-77-7]

Dodigen®. Sortiment quartärer Ammonium-Salze langkettiger (C$_{10}$–C$_{18}$) Fettsäuren, die für Desinfektionsmittel, Fungizide u. Algizide, als Dismulgatoren bei der Herst. von Antibiotika u. als Emulgatoren, Korrosionsinhibitoren usw. Verw. finden. *B.:* Hoechst.

Dodin.

H$_{25}$C$_{12}$—NH—C(=NH)—NH$_2$ • H$_3$C—COOH   Xn

Common name für Dodecylguanidinacetat, C$_{15}$H$_{33}$N$_3$O$_2$, M$_R$ 287,45, Schmp. 136 °C, LD$_{50}$ (Ratte oral) 1000 mg/kg (GefStoffV), von American Cyanamid 1956 eingeführtes Blatt-*Fungizid mit protektiver u. kurativer Wirkung gegen Schorf an Äpfeln, Birnen u. Pekannüssen, gegen Blattfleckenkrankheiten an Kirschen, Oliven, Schwarzen Johannisbeeren, Sellerie, Erdbeeren u. Rosen. – *E* = *F* dodine – *I* dodina – *S* dodín
Lit.: Farm ▪ Perkow ▪ Pesticide Manual. – [HS 2925 20; CAS 2439-10-3]

DODUCO. Kurzbez. für die 1922 gegr. Firma Dr. E. Dürrwächter Doduco GmbH+Co., 75104 Pforzheim. *Produktion:* Katalysatoren auf Edel- u. Unedelmetall-Basis, Leg., Sintermetalle, Edelmetall-Präp., galvan. Bäder, Lote u. Flußmittel. *Daten* (1994): 1550 Beschäftigte, 420 Mio. DM Umsatz.

Döbereiner, Johann-Wolfgang (1780–1849), Prof. für Chemie u. Pharmazie, Univ. Jena. *Arbeitsgebiete:* Katalyt. Eigenschaften des Platins (*Döbereiners Feuerzeug), Begründung der Organ. u. der Physiolog. Chemie, erste Gewinnung von Harnstoff-Synth., katalyt. Gewinnung von Ameisensäure, Acetaldehyd, Essigsäure u. Kohlenwasserstoffen, Entwicklung der Triaden-Hypothese (s. Periodensystem), Organisation des chem. Praktikums an Universitäten.
Lit.: Löw, Pflanzenchemie zwischen Lavoisier u. Liebig, Straubing: Donau-Verl. 1977 ▪ Mittasch u. Döbereiner, Goethe u. die Katalyse, Stuttgart: Hippokrates 1951 ▪ Naturwissenschaften **67**, 1–6 (1980) ▪ Neufeldt, S. 15, 20 ▪ Pötsch, S. 119.

Döbereiners Feuerzeug. Bei diesem 1823 von *Döbereiner erfundenen *Feuerzeug wird aus Zink u. verd. Schwefelsäure Wasserstoff-Gas entwickelt, das sich beim Auftreten auf Platinmohr infolge der bei der Reaktion von aktivem Wasserstoff u. Luftsauerstoff auftretenden Reaktionswärme entzündet.

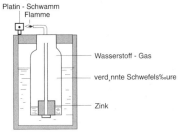

Abb.: Aufbau des Döbereiner Feuerzeuges.

In Ruhestellung wird das Gefäß oben geschlossen, so daß der Wasserstoff nicht mehr entweichen kann u. infolgedessen die Schwefelsäure von dem Zink weggedrückt. – *E* Döbereiner's lighter – *F* briquet de Döbereiner – *I* accendino di Döbereiner – *S* mechero de Döbereiner

Doebners Violett s. Triarylmethan-Farbstoffe.

Doederlein med®. Vaginalkapseln mit *Lactobacillus gasseri* – Kulturlyophilisat zur Wiederherstellung der natürlichen Vaginalflora. *B.:* Zyma.

Doelter, Cornelio August Doelter y Cisterich (1850–1930), Prof. für Mineralogie u. Petrographie. *Arbeitsgebiete:* Vulkan. Gesteine, Silicatschmelzen, Petrogenese, Einwirkung von Strahlung auf Mineralien, organ. u. anorgan. Stoffe, Hrsg. (zusammen mit Leitmeier) des „Handbuch der Mineralchemie".

Doerfler, Walter Hans (geb. 1933), Prof. für Genetik, Univ. Köln. *Arbeitsgebiete:* Molekularbiologie, Virologie, Integration u. Kontrolle der Genexpression viraler Genome, DNA-Methylierung, Virus-Wirt-Interaktionen, Adeno- u. Baculoviren.
Lit.: Kürschner (16.), S. 611 ▪ Wer ist wer, S. 245.

Doering, William von Eggers (geb. 1917), Prof. für Organ. Chemie, Harvard Univ., Cambridge (Massachusetts). *Arbeitsgebiete:* Stereochemie, Totalsynth. des Chinins zusammen mit *Woodward, Pyridin-Derivate, Reaktionsmechanismen, nichtbenzoide aromat. Syst., Carbene, Synth. von Tropolon, Tropon u. des Tropylium-Kations, Cope-Umlagerung, Polyene als Anticarcinogene. D. postulierte das *Bullvalen.
Lit.: Nachr. Chem. Tech. **4**, 234 (1956) ▪ Who's Who in America, S. 961.

Dötz-Reaktion. Bez. für eine Synth. von Hydrochinon-Derivaten aus ungesätt. Fischer-*Carben-Komplexen des Chroms u. Alkinen.

Der prim. gebildete Arenchrom-Komplex kann leicht in das freie Hydrochinon-Derivat überführt werden. Die D.-R. läßt sich erfolgreich in der Naturstoffsynth., z. B. bei der Herst. von Vitamin K$_{1(20)}$ einsetzen [1]. Zum Mechanismus der D.-R. siehe die Ausführungen bei *Metall-organischen Reaktionen. – *E* Dötz reaction – *F* réaction de Dötz – *I* reazione di Dötz – *S* reacción de Dötz
Lit.: [1] Angew. Chem. **96**, 573–594 (1984).
allg.: Dötz et al. (Hrsg.), Transition Metal Carbene Complexes, S. 209 ff. Weinheim: VCH Verlagsges. 1983 ▪ Hegedus, Übergangsmetalle in der Organischen Synthese, S. 150 ff. Weinheim: VCH Verlagsges. 1995 ▪ Mulzer et al. (Hrsg.), Organic Synthesis Highlights, S. 186 ff. Weinheim: VCH Verlagsges. 1991.

Dofamiumchlorid.

$$\left[H_3C-\overset{CH_3}{\underset{CH_2-CO-NH-C_6H_5}{N^+}}-CH_2-CH_2-\overset{CH_3}{\underset{}{N}}-CO-(CH_2)_{10}-CH_3 \right] Cl^-$$

Internat. Freiname für das antisept. wirkende N,N-Dimethyl-N-[2-(N-methyldodecanoylamino)-ethyl]-N-(phenylcarbamoylmethyl)-ammoniumchlorid, $C_{25}H_{44}ClN_3O_2$, M_R 454,10, Schmp. 124°C. – *E* dofamium chloride – *F* chlorure de dofamium – *I* dofamio cloruro – *S* cloruro de dofamio – *[HS 292429; CAS 54063-35-3]*

Dofetilid.

$$H_3C-N \begin{matrix} CH_2-CH_2- \\ CH_2-CH_2-O- \end{matrix} \begin{matrix} \langle \rangle -NH-SO_2-CH_3 \\ \langle \rangle -NH-SO_2-CH_3 \end{matrix}$$

Internat. Freiname für Methyl[4-(methylsulfonylamino)phenethyl]{2-[4-(methylsulfonylamino)phenoxy]ethyl}amin, $C_{19}H_{27}N_3O_5S_2$, M_R 441,56, Schmp. 147–149°C (andere Angabe 161°C). Es wurde als Kaliumkanal-Blocker 1987/90 von Pfizer patentiert u. soll als *Antiarrhythmikum (Klasse III) in den Handel kommen. – *E* dofetilide – *F* dofétilide – *S* dofetilida
Lit.: J. Med. Chem. **33**, 1151 ff. (1990) ▪ Merck-Index (12.), Nr. 3469. – *[CAS 115256-11-6]*

Dogger s. Erdzeitalter.

Dogmatil®. Ampullen, Kapseln, Saft u. Tabl. mit *Sulpirid gegen Schizophrenie u. a. Psychosen. **B.:** Synthelabo.

Doherty, Peter C. (geb. 1940) Immunologe am St. Jude Children's Research Hospital, Memphis, TN/USA. *Arbeitsgebiete:* Viruserkrankungen u. deren Bekämpfung, zelluläre Immunabwehr. 1996 erhielt er zusammen mit *Zinkernagel, Peter den Nobelpreis für Physiologie/Medizin für Arbeiten zur Erkennung virusinfizierter Zellen durch das Immunsystem.
Lit.: Nachr. Chem. Tech. Lab. **44**, Nr. 4 (1995).

DOIP. Nach DIN 7723 (12/1987) Kurzz. für *Di*octyl*iso*phthalat [Bis-(2-ethylhexyl)-isophthalat] als *Weichmacher.

Doisy, Edward Adelbert (1893–1986), Prof. für Biochemie, St. Louis Univ. (Missouri). *Arbeitsgebiete:* Stoffwechsel, Insulin, Blutpufferung, Estrogene, gonadotrope u. thyreotrope Substanzen, Antibiotika, Isolierung von Estron, Estriol, Vitamin K_1 u. K_2. Nobelpreis für Medizin od. Physiologie (1943), zusammen mit *Dam für die Entdeckung der chem. Natur des Vitamin K_2.
Lit.: Annu. Rev. Biochem. **45**, 1–10 (1976) ▪ Neufeldt, S. 168, 189, 373 ▪ Pötsch, S. 120 ▪ Poggendorff **7 b/2**, 1097 ff.

Dokimasie (Dokimastik). Von griech.: dokimasia = Prüfung abgeleitete Bez. für die Analyse von *Edelmetallen in Erzen. – *E = I = S* docimasia – *F* docimasie
Lit.: s. Edelmetalle.

Dokumentation. Unter D. versteht man 1. eine Sammlung von Dokumenten zu einem bestimmten Zweck u. 2. die ständige u. systemat. Beschaffung u. Aufbereitung von aufgezeichneter Information zum Zweck ihrer Speicherung, Wiedergewinnung, Verw. u. Weitergabe.

Die erste, sehr allg. Definition kann auf alle Arten von Datensammlungen angewendet werden. Sie umfaßt u. a. Gebrauchsanweisungen u. Handbücher zum Umgang mit techn. Geräten od. Software, aber auch die Beschreibung eines geschichtlichen Prozesses. Die zweite Definition charakterisiert die Aufgabe der D. für den Bereich Information u. Dokumentation (IuD). Dabei umfaßt sie den Prozeß (das Dokumentieren), das Ergebnis dieses Prozesses (das Dokumentierte) u. das gesamte Syst. (das Dokumentationswesen). Hierbei ist das Ziel dieser Aufgabe die Wiedergewinnung bestimmter Informationen.

Der Prozeß des Dokumentierens gliedert sich in die Auswahl, die Beschaffung, die formale Beschreibung, die inhaltliche Erschließung u. die Eingabe der Informationen. Zu den Objekten der D. zählen u. a. Monographien, Zeitschriften, Reports, Firmenschriften, Konferenzberichte, Patente u. Dissertationen. Als Datenträger kommen gedruckte Werke, elektron. od. opt. Medien, Filme, Microfiche, Tonträger in Frage, aber auch die Objekte selbst (z. B. Kunstgegenstände). Die Objekte der D. werden auf ihre Dokumentationswürdigkeit u. Relevanz überprüft. Anschließend erfolgt die formale Beschreibung u. inhaltliche Erschließung, wobei man sich vorgegebener Ordnungssyst. bedient. Zu diesen gehören Regelwerke, Thesauri u. Klassifikationen; einige dieser Syst. werden bereits maschinell eingesetzt (automat. Indexierung u. Katalogisierung). Die Erfassung der Informationen kann manuell od. maschinell (z. B. durch Datensichtgeräte od. Scanner) erfolgen. Als Ergebnis erhält man eine Datensammlung, die die Grundlage für die Informationsdienste, z. B. Online-Dienste, Versand von Magnetbändern, Auftragsrecherchen od. automat. Informationsdienste (Selective Dissemination of Information, Abk. SDI) bildet.

Die D. als Ergebnis (Datensammlung) läßt sich in zwei wesentliche Bereiche einteilen: Die Lit.-D. u. die Faktendokumentation. Neben diesen beiden Arten von Datensammlungen gewinnt die Speicherung u. damit der Nachw. des gesamten Dokumentes selbst zunehmend an Bedeutung (Volltextdatenbank). Die Lit.-D. weist die Quellen bestimmter Informationen nach, so daß der Benutzer diese leicht beschaffen kann, z. B. über *Bibliotheken. Die Fakten-D. weist im Gegensatz dazu die Information selbst nach, d. h. der Benutzer erhält als Ergebnis seiner Suche keine Lit.-Hinweise, sondern die Daten (Fakten) selbst.

Von bes. Interesse für die Chemie ist die D. von chem. Verb., ihren Eigenschaften u. den zugehörigen Reaktionen (Herst. u. chem. Verhalten). Diese Informationen werden im allg. in Handbüchern (*Beilstein's Handbuch der Organischen Chemie, *Gmelin) zusammengefaßt. Sie werden in gedruckter Form u. zunehmend auch als elektron. *Datenbanken angeboten. – *E = F* documentation – *I* documentazione – *S* documentación
Lit.: Nachr. Chem. Tech. Lab. **44**, 892–895 (1996) ▪ Taylor, European Sources of Scientific and Technical Information, Harlow: Langman 1989 ▪ Zur Definition des Begriffes „Dokumentation" s. ISO-Norm 5127-1-1983, Documentation and Information – Vocabulary – Part 1: Basic Concepts.

Dolantin®. Ampullen, Tropfen u. Suppositorien mit *Pethidin-Hydrochlorid gegen schwere Schmerzzustände. D. unterliegt der *BMVVO. *B.:* Hoechst.

Dolastatine.

D. 3

D. 10

Polypeptide, häufig cycl., aus dem Seehasen *Dolabella auriculata* (Vork. im Indischen Ozean) mit bemerkenswerten Antitumor-Eigenschaften. Die wichtigsten Verb. sind *D. 3* [1] {Cyclo[Pro-Leu-Val-(gln)Thz-(gly)-Thz (Thz = Thiazolyl], $C_{29}H_{40}N_8O_6S_2$, M_R 660,81, Schmp. 133–137 °C}, *D. 10* ($C_{42}H_{68}N_6O_6S$, M_R 785,10)[2] u. *D. 11*, *D. 12*[3] u. *D. 15*[4]. Das offenkettige Pentapeptid *D. 10* ist eine der wirksamsten antineoplast. Substanzen u. wird an Lungenkrebs-Patienten klin. geprüft. – *E* = *F* dolastatines – *I* dolastatine – *S* dolastatinas

Lit.: [1] Synthesis **1987**, 233, 236. [2] J. Chem. Soc., Perkin Trans. 1 **1996**, 853, 859; Tetrahedron **49**, 1913–1924, 9151–9170 (1993) [3] J. Am. Chem. Soc. **113**, 6692 (1991). [4] Biochem. Pharmacol. **45**, 1503 (1993).
allg.: J. Am. Chem. Soc. **118**, 1874 (1996) (D. H.) ▪ J. Org. Chem. **59**, 2935 (1994) ▪ Scheuer I **1**, 118 f. ▪ Scheuer II **6**, 54, 59 ▪ Tetrahedron Lett. **36**, 5057, 5059 (1995) (D. E.). – [CAS 80387-90-2 (D. 3); 110417-88-4 (D. 10)]

Dolerit. Häufig benutzte Bez. für mittel- bis grobkörnige basalt. Gesteine unterschiedlicher Zusammensetzung. Geolog. Auftreten als Lava od. Gang-*Gestein. Häufig mit *ophit. Gefüge:* Leisten von Plagioklas (s. Feldspäte) verschränken sich sperrig u. schließen in ihren Zwickeln Augit (*Pyroxene) ein. Unterschiedlicher Gebrauch in der Lit., in den USA als „*Diabas" bezeichnet. Verw. zu Schotter u. Pflastersteinen. – *E* = *I* dolerite – *F* dolérite – *S* dolerita

Lit.: Wimmenauer, Petrographie der magmatischen u. metamorphen Gesteine, S. 192, Stuttgart: Enke 1985. – [HS 2516 90]

Dolgit®. Dragees, Kapseln u. Creme mit *Ibuprofen; D. diclo mit *Diclofenac gegen rheumat. u. a. Entzündungen, Sportverletzungen usw. *B.:* Dolorgiet.

Dolichole.

R = H : Dolichole
R = PO$_3$H$_2$: Dolichylphosphate

n = 2, m = 10–16

Gruppe von Polyisoprenoid-Alkoholen mit α-gesätt. Isopren-Einheit u. endständiger prim. Hydroxy-Gruppe, z. B. $C_{100}H_{164}O$, M_R 1382,40, Öl, Schmp. −10 °C, mit 20 Isopren-Einheiten, das zunächst aus Nierengewebe isoliert wurde. D. sind auch Bestandteil der Lipid-Membran von Nervenzellen. Ein erhöhter Gehalt von D. ist ein Hinweis auf patholog. Veränderungen, auch im Zusammenhang mit der *Alzheimerschen Krankheit. D. kommen frei u. mit langkettigen Fettsäuren od. Phosphorsäure (Dolichylphosphate) in prakt. allen Membranen eukaryot. Zellen (außer Mitochondrien u. Plastiden) vor u. dienen der Biosynth. von Glykoproteinen u. -lipiden als Transportmol. von Oligosacchariden. – *E* = *F* dolichol – *I* dolicolo – *S* dolicol
Lit.: Biochem. Cell. Biol. **70**, 382 (1992) (Funktion in menschlichem Gewebe) ▪ Chem. Phys. Lipids **51**, 159 (1989) ▪ Dolichols, Polyprenols and Derivatives, Warschau: Techgen 1995 ▪ J. Plant Physiol. **143**, 448 (1994) (pflanzliches Vork.). – [CAS 2067-66-5]

Dolichylphosphat (Dolicholphosphat). Formel s. Dolichole. Sammelbez. für die Phosphat-Ester bestimmter langkettiger Polyisoprenoid-Alkohole od. *Polyprenole* (*Dolichol). D. kommt neben Dolichol, Dolichyldiphosphat u. a. Dolichol-Derivaten in prakt. allen Membranen eukaryont. Zellen vor (außer denen der *Mitochondrien u. *Plastiden) u. dient bei der Biosynth. von *Glykoproteinen u. *Glykolipiden als Überträger u. Transportmol. von Oligosacchariden. Die Zahl der *cis*-Isopren-Einheiten (n in der Abb.) beträgt bei höheren *Eukaryonten 13–17. – *E* dolichyl phosphate – *F* dolichyl-phosphate – *I* dolichil-fosfato – *S* doliquil-fosfato
Lit.: Voet–Voet (2.), S. 571 f.

Dolinac®. Gel mit dem nichtsteroidalen Antirheumatikum *Felbinac-Diisopropanolamin-Salz. *B.:* durachemie.

Doloarenit s. Dolomit.

Dolomikrit s. Dolomit.

Dolomit, $CaMg[CO_3]_2$ bzw. $CaCO_3 \cdot MgCO_3$. Mineral u. gleichnamiges Gestein.
1. Mineral: D. kristallisiert trigonal, Kristallklasse $\bar{3}$-C_{3i}; zur Struktur s. *Lit.*[1], zur Struktur bei hohen Temp. *Lit.*[2] u. bei hohen Temp. u. Drucken *Lit.*[3]. Rhomboedr., oft sattelförmig gekrümmte („*Sattel-D.*") u. aus einer Vielzahl von Einzelkrist. aufgebaute, vollkommen nach dem Rhomboeder spaltbare Krist.; derb spätig, grob- bis feinkörnig, dicht. Weiß, aber meist durch Eisen- od. Mangan-Gehalte od. durch Verunreinigungen rötlich, braun, grünlich, grau od. schwarz gefärbt. Der glas- bis perlmuttartige Glanz wird bei derbem D. leicht schimmernd bis matt. H. 3,5–4, D. 2,87 (höher als *Calcit). Oft Überschuß von Ca über Mg. D. bildet *Mischkristalle mit *Ankerit. Im Unterschied zu D. braust Calcit mit kalter verd. Salzsäure auf u. wird

Dolorudit

durch Alizarinrot S (auch im *Dünnschliff) rot angefärbt.
Vork.: Das Mineral D. weitgehend wie Calcit, v. a. in *Sedimentgesteinen. In *Evaporiten, z. B. in Nordost-England; in *metamorphen Gesteinen, z. B. in D.-*Marmoren (u. a. Binntal/Schweiz) u. in krist. Schiefern (u. a. Pfitsch/Tirol). In *Erz- u. Mineral-Gängen. 2. *Gestein-D.* („*Dolomitstein*", „Dolostone"): kann aus Mischungen von Calcit u. D. bestehen; *calcit. D.* enthält 50–90% D., *dolomit. Kalkstein* 10–50% D.; mit abnehmender Korngröße werden die Bez. *Dolorudit* (Geröll-D.), *Doloarenit*, *Dolosparit* u. *Dolomikrit* verwendet. Gegenüber Kalkstein (s. Kalke) sehen D. oft mehr „zuckerkörnig" aus, sind häufig porig u. zellig u. fühlen sich rauh an. Die Farbe ist oft weiß bis grau. Zum Problem der D.-Entstehung in *Sedimenten (durch Umwandlung von Mg-Calcit, Calcit od. *Aragonit, sog. *Dolomitisierung*) s. *Lit.*[4] u. Füchtbauer (*Lit.*). Derzeit kann die Bildung von D. z. B. in Florida, im Arab. Golf u. in den Coorong-Lagunen in Südaustralien beobachtet werden; D. wurde als Neubildung aber auch im Süßwassermilieu (Neusiedler See, Plattensee) gefunden.
Vork.: D.-Gesteine sind verbreitet, z. B. Schwäb.-Fränk. Jura, Eifel, Sauerland, Spessart, Dolomiten; wirtschaftlich wichtige Vork.[5] ferner in England, Spanien, Belgien, den USA u. Mexiko.
Verw.[5]***:*** In der Bau-Ind. als Schotter, Zuschlagstoff zu Zement, Beton u. Bitumen, als Werkstein, Baustein; als Füllstoff in Asphalt; in der Landwirtschaft zur Bodenverbesserung u. Regulierung des pH-Wertes im Boden; als *Flußmittel für die Eisen-Verhüttung; *gebrannter (calcinierter) D.* u. *totgebrannter D.* (Sinter-D., E doloma) für *Feuerfestmaterialien u. zur Herst. von Mg-Verb. u. Mg-Metall; „*Wiener Kalk*", ein feinstgemahlener, reiner gebrannter D., wird als Putzmittel verwendet. – $E = I$ dolomite – F dolomite, dolomie – S dolomita
Lit.:[1] Z. Kristallogr. **156**, 233–243 (1981). [2] Am. Mineral. **71**, 795–804 (1986). [3] Phys. Chem. Miner. **20**, 1–18 (1993). [4] Earth Sci. Rev. **23**, 175–222 (1986). [5] Ind. Miner. **1988**, Nr. 252, 37–63.
allg.: Deer et al. (2.), S. 641–648 ▪ Füchtbauer (Hrsg.), Sedimente u. Sedimentgesteine (Sediment-Petrologie Tl. II) (4.), S. 402–418, Stuttgart: Schweizerbart 1988 ▪ Purser, Tucker u. Zenger (Hrsg.), Dolomites (Intern. Ass. of Sedimentologists Spec. Publ.), Oxford: Blackwell 1994 ▪ Ramdohr-Strunz, S. 582 f. ▪ Rothe, Gesteine, S. 89 ff., Darmstadt: Wissenschaftliche Buchges. 1994. – *[HS 2518 10–2518 30; CAS 16389-88-1, 17069-72-6]*

Dolorudit s. Dolomit.

Dolosparit s. Dolomit.

Dolviran®. Tabl. mit *Acetylsalicylsäure u. *Codein-Phosphat gegen Infekte u. Erkältungen. ***B.:*** Bayer Pharma Deutschland.

DOM. Abk. für *2,5-Dimethoxy-4-methylamphetamin.

Domänen (von französ.: domaine = Besitztum). 1. In Naturwissenschaft u. Technik Bez. für mehr od. weniger abgegrenzte Bereiche; z. B. Bereiche der Definition bestimmter Größen, Berechnungsgebiet, Bereich für Bilanzen physikal. Größen, bei Festkörpern u. Flüssigkeiten Bereiche, in denen ein bestimmter Ordnungsgrad herrscht (Ferroelektrika, Ferromagnetika, Flüssigkrist., *Micellen, cybotakt. Strukturen).
2. Speziell bei *Proteinen versteht man unter D. relativ eigenständige Bereiche der Polypeptid-Kette, die sich zum einen aufgrund ihrer Faltung (Raumstruktur) u. Beweglichkeit gegeneinander abgrenzen lassen u. zum anderen oft separate Funktionen im Protein ausüben u. genet. Modulen verkörpern, durch deren Kombination unterschiedliche Gene u. somit Proteine zusammengesetzt sind. Eine Datenbank von Protein-D. findet sich im World Wide Web[1]. – E domains – F domaines – I domini – S dominios
Lit.:[1] http://protein.toulouse.inra.fr/prodom/prodom.html.

Domagk, Gerhard Johannes Paul (1895–1964), Prof. für Medizin, Univ. Münster, Farbenfabriken Bayer, Wuppertal-Elberfeld. *Arbeitsgebiete:* Entdeckung der antibakteriellen Wirkung der Sulfonamide (Prontosil rubrum), Chemotherapie von Infektionskrankheiten, bes. der Tuberkulose, Krebsforschung. Nobelpreis für Medizin od. Physiologie 1939 für die Entwicklung der Sulfonamide, den er jedoch unter dem Druck des NS-Regimes zurückgeben mußte. Die Medaille wurde ihm 1947 undotiert überreicht.
Lit.: Chem.-Ztg. **88**, 395 ff. (1964) ▪ Krafft, S. 104 f. ▪ Nachr. Chem. Tech. **8**, 316 (1960) ▪ Neufeldt, S. 189, 220, 233, 373, 381 ▪ Pötsch, S. 120 ▪ Pharm. Ind. **1960**, 471 ▪ Vom Germanin zum Acylureido-Penicillin, Leverkusen: Bayer AG 1980.

DOMESTOS®. Flüssige Sanitärreiniger auf Basis von Wasserstoffperoxid für die hygien. Sauberkeit in Bad u. Küche. ***B.:*** LEVER GmbH.

Dominal®. Dragees, Ampullen, Tabl. u. Tropfen mit *Prothipendyl-Hydrochlorid gegen Angst- u. Spannungszustände. ***B.:*** Asta Medica.

Dominanz. 1. In der *Genetik Bez. für die Eigenschaft eines *Allels, in einer *Zygote die äußere Erscheinungsform (*Phänotyp) zu bestimmen, obwohl gleichzeitig ein anderes (rezessives) Allel vorliegt, das jedoch nicht zur Ausprägung kommt.
2. In der *Ökologie ist eine *Art dominant, wenn sie anzahl- od. biomassenmäßig einen großen Teil des betrachteten Organismenbestandes ausmacht od. eine hohe Deckung der Grundfläche erreicht. Mono-D. herrscht in einem Bestand, wenn nur eine Art wesentlich häufiger vorkommt als die anderen; Gruppen-D. liegt vor, wenn mehrere Arten das Erscheinungsbild einer *Biozönose prägen (z. B. Mischwälder). Eine dominante Art wird als Dominante, eine stark vorherrschende als Eudominante, mehrere gleichermaßen dominante Arten als Kodominante bezeichnet; zurücktretende (unbedeutendere) Arten heißen Rezedenten bzw. Subrezedenten. Zur Ermittlung einer zahlenmäßigen D. ist in der Regel nur ein Vgl. ähnlicher Arten sinnvoll, z. B. zwischen den Bäumen eines Waldes.
3. In der Ethologie (Verhaltenslehre) Bez. für die Überlegenheit eines Individuums gegenüber anderen innerhalb einer Rangfolge. Infolge der D. eines anderen kann das unterlegende Individuum (subdominantes Individuum) *Stress erleiden u. z. B. eine erhöhte Krankheitsanfälligkeit aufweisen. – $E = F$ dominance – I dominanza – S dominancia

Lit. (zu 1.): J. Med. Genet. **31**, 89–98 (1994) ▪ s. Lehrbücher Genetik. – *(zu 2.):* Römpp Lexikon Umwelt, S. 195.

Domino-Reaktion s. Tandem-Reaktion.

Domiphenbromid.

[H₅C₆—O—CH₂—CH₂—N⁺(CH₃)₂(CH₂)₁₁—CH₃] Br⁻

Internat. Freiname für *N*-Dodecyl-*N,N*-dimethyl-*N*-(2-phenoxyethyl)-ammoniumbromid, $C_{22}H_{40}BrNO$, M_R 414,47, Schmp. 112–113 °C. D. wurde 1952 als *Antiseptikum von Ciba patentiert. – *E* domiphen bromide – *F* bromure de domiphène – *I* domifene bromuro – *S* bromuro de domifeno

Lit.: Beilstein E IV **6**, 665. – *[HS 2923 90; CAS 538-71-6]*

Domoinsäure (Domonsäure).

Domoinsäure   Kainsäure

Nach Genuß von Muscheln kam es zu Vergiftungsfällen, deren Krankheitsbild mit ASP (von engl.: Amnesic Shellfish Poisoning) umschrieben wird. Die Ursache sind die Prolin-Derivate D.[1], $C_{15}H_{21}NO_6$, M_R 311,33, $[\alpha]_D$ –109,6°, u. *Kainsäure*[2], $C_{10}H_{15}NO_4$, M_R 213,23, Krist., Schmp. 253–254 °C (Hydrat, Zers.), $[\alpha]_D$ –14,8°, die als excitator. Glutamat-Antagonisten schwere Schäden an den Glutamat-Rezeptoren des Gehirns verursachen. D. wurde zuerst als anthelmint. Prinzip aus der Rotalge *Chondria armata* isoliert, dann auch in den Diatomeen (Kieselalgen) *Nitzschia pungens* u. *Pseudonitzschia australis* gefunden. Muscheln nehmen die Kieselalgen mit der Nahrung auf u. akkumulieren die Toxine.

Kainsäure stammt aus den Rotalgen *Digenea simplex* u. *Centroceras clavulatum*. Der Name der Kainsäure leitet sich von „kaininso", der japan. Bez. für die Algen ab. Das 4-Epimer von Kainsäure, *α-allo-Kainsäure* (Schmp. 238–242 °C), ist ebenfalls in den Algen enthalten. – *E* domoic acid – *I* acido domoico – *S* ácido domoico

Lit.: [1] Pure Appl. Chem. **61**, 513 (1989); Can. J. Chem. **68**, 22 (1990) (D.-Derivate). [2] J. Chem. Soc. Perkin Trans. 1 **1992**, 553; J. Chem. Soc., Chem. Commun. **1993**, 125; Synlett **1996**, 60, 95; Tetrahedron **51**, 4195–4212 (1995). *allg.:* Beilstein E V **22/4**, 371 ▪ Chem. Rev. **93**, 1897 (1993) ▪ Scheuer I **3**, 105; II **6**, 3. – *[CAS 14277-97-5 (D.); 487-79-6 (Kainsäure); 4071-39-0 (α-allo-Kainsäure)]*

Domonsäure s. Domoinsäure.

Domperidon.

Internat. Freiname für 5-Chlor-1-{1-[3-(2-oxo-2,3-dihydro-1-benzimidazolyl)-propyl]-4-piperidyl}-2,3-dihydro-2-benzimidazolon, $C_{22}H_{24}ClN_5O_2$, M_R 425,92, weißes Pulver, Schmp. 242,5 °C; λ_{max} (0,1 N HCl) 228 nm ($A^{1\%}_{1cm}$ = 295); λ_{max} (CH₃OH) 230 nm ($A^{1\%}_{1cm}$ = 294); pK_{a1} 6,1, pK_{a2} 11,1, pK_{a3} 11,8. D. blockiert die *Dopamin D₂-Rezeptoren im Bereich des Gastrointestinaltrakts u. der Area postrema im Hirnstamm (s. Antiemetikum). D. wurde 1977 u. 1978 von Janssen patentiert u. ist von Byk Gulden (Motilium®) im Handel. – *E* domperidone – *F* dompéridone – *I* domperidona – *S* domperidona

Lit.: ASP ▪ Beilstein E V **24/2**, 402 ▪ DAB **1996** u. Komm. ▪ Hager (5.) **7**, 1419 f. – *[HS 2933 39; CAS 57808-66-9]*

Dona® 200-S. Dragees mit *D-Glucosamin-Sulfat gegen degenerative Gelenkprozesse. **B.:** Opfermann.

DONARITE®(1,2,3,4). Handhabungssichere, pulverförmige Ammonsalpeter-Sprengstoffe mit geringem Gehalt an Nitroglykol u. Nitrotoluolen. D. 1,0 finden Verw. in Kali- u. Steinsalzgruben, in der Ind. der Steine u. Erden, im Erzbergbau über Tage u. in der Land- u. Forstwirtschaft. **B.:** Dynamit Nobel.

Don(at)or (von latein.: donator = Geber). 1. Allg. Bez. für ein Atom od. Mol., das Elementarteilchen (Elektronen, Protonen), Atome, Ionen u. Gruppen od. Energie abgeben kann, wenn ein geeigneter *Akzeptor zugegen ist; *Beisp.:* Die Elektronenpaar-D. Tetraamino-ethen bzw. -Alkoxy-ethene (*Lit.*[1]), *Ampholyte, *einsame Elektronenpaare, *Lewis-Basen, *Charge-transfer-Komplexe u. a. *Elektronen-Don(at)or-Akzeptor-Komplexe. Ferner ist hier zu denken an D.-Prozesse in der *Energieübertragung der Photochemie, in *Redoxsystemen u. innerhalb des *Säure-Base-Begriffs. Nach Viehe (*Lit.*[2]) werden Elektronenpaar-D.-Gruppen als *dative* Gruppen bezeichnet. Als Maß für die D.-Stärke wurde die *Donizität* od. *Donorzahl* vorgeschlagen; eine Tab. mit Werten für ionisierende Lsm. zwischen 2,7 (Nitromethan) u. 38,8 (Hexamethylphosphorsäuretriamid) s. *Lit.*[3].

2. Von D. spricht man auch bei der Aggregation von *Zellen[4].

3. In der *Halbleiter-Technik werden als D. solche Kristallgitter-Störstellen bezeichnet, die Elektronen im Leitungsband abzuspalten vermögen. Häufig werden D. gebildet, wenn ein Atom in einem *Halbleiter einen Gitterplatz einnimmt, das ein Valenzelektron mehr hat, z. B. P od. As in Si u. Ge, Si auf Ga Platz in GaAs od. Cl auf Se Platz in ZnSe. Weiter können einwertige Atome auf Zwischengitterplätze als D. dienen[5]. Die Bez. *Donator* u. *Donor* werden in gleichem Sinne gebraucht. – *E* donor – *F* donneur – *I* donatore – *S* donante

Lit.: [1] Angew. Chem. **80**, 809–835 (1968); Di Bartolo (Hrsg.), Energy Transfer Processes in Condensed Matter, NATO ASI Series B, Vol. 114, New York: Plenum Press 1983. [2] Angew. Chem. **91**, 982–997 (1979). [3] Chem. Unserer Zeit **4**, 90–94 (1970); Pure Appl. Chem. **51**, 1697–1712, 2197–2210 (1979); Z. Chem. **19**, 406–412 (1979). [4] Naturwiss. Rundsch. **28**, 115–124 (1975). [5] Ibach u. Lüth, Festkörperphysik, 4. Aufl., Berlin: Springer 1995.
allg. (zu 1): Pure Appl. Chem. **52**, 571–605 (1980) ▪ Struct. Bonding (Berlin) **30**, 65–97 (1976) ▪ s. a. Akzeptor, Elektronen-Donator-Akzeptor-Komplexe u. a. Textstichwörter.

Donau-Chemie. Kurzbez. für die 1938 gegr. Firma Donau-Chemie AG, Am Heumarkt 10, A-1037 Wien, die zu 62% zu Rhône-Poulenc gehört. *Daten* (1992): 574 Beschäftigte, 1440 Mio. ÖS Umsatz. *Produktion:* Chlor, Schwefelsäure, Calciumcarbid, Gips u. Gipsplatten.

Donaxin s. Gramin.

Donizität s. Donator.

Donnan-Gleichgewicht. Bez. für das von Donnan eingehend untersuchte Gleichgew., das sich an semipermeablen *Membranen einstellt. Aus den Gleichgewichtsbedingungen, daß die *chemischen bzw. *elektrochemischen Potentiale aller Teilchen, die die Membran durchqueren können, in den durch die Membran getrennten *Phasen gleich sein sollen, folgt für das *Donnan-Potential*

$$\Delta\varphi = \frac{RT}{F}\ln\left(\frac{a_{i'}}{a_{i''}}\right)^{\frac{1}{z_i}}.$$

Darin bedeuten R die *Gaskonstante, T die abs. Temp., F die Faraday-Konstante, z_i die *Ladungszahl u. a_i die *Aktivität des betreffenden Teilchens; i' u. i'' kennzeichnen die beiden Phasen. Die Wurzel $\left(\frac{a_{i'}}{a_{i''}}\right)^{\frac{1}{z_i}}$ nennt man den *Donnan-Verteilungskoeffizient*. Die Erscheinung des D.-G., des damit verbundenen elektr. Potentials $\Delta\varphi$ u. des ebenfalls resultierenden osmotischen Drucks spielt bei biolog. Vorgängen (z. B. Ionenverteilung zwischen Blutflüssigkeit u. Blutkörperchen od. *Dialyse) u. in techn. Syst. (z. B. Meerwasserentsalzung) eine wichtige Rolle. – *E* Donnan equilibrium – *F* équilibre de Donnan – *I* equilibrio di Donnan – *S* equilibrio Donnan

Donnerkeile s. Belemniten.

Donor s. Don(at)or.

Dontisolon®. Paste u. Zylinderampullen mit *Prednisolon(acetat), gegen Entzündungen im Mundraum. *B.:* Hoechst.

DOP. Nach DIN 7723 (12/1987) Kurzz. für *Di*octyl*p*hthalat [Bis-(2-ethylhexyl)-phthalat] als *Weichmacher.

Dopa [gebräuchliches Kurzwort für 3-(3,4-*D*ihydr*oxyp*henyl)-*a*lanin].

L-Dopa

$C_9H_{11}NO_4$, M_R 197,19. Farblose Krist., Schmp. 278 °C, auch 295 °C (Zers.) angegeben, in heißem Wasser, Säuren u. Laugen gut, in organ. Lsm. wenig löslich. Die aus Dicken Bohnen (*Vicia faba*) in linksdrehender Form [L-(–)-D.] isolierbare *Aminosäure D. ist an Luft leicht oxidierbar, u. zwar entsteht durch Dehydrierung zunächst ein 1,2-Chinon u. aus diesem ein chinoides Indol-Derivat (*Dopachrom*), das schließlich zu *Melanin polymerisiert. Das Fehlen des bei dieser Sequenz, die zur *Pigmentierung (s. a. Hautbräunung) führt, mitwirkenden Enzyms *Tyrosinase* (EC 1.10.3.1 u. 1.14.18.1) bewirkt den *Albinismus. L-D. entsteht auf enzymat. Wege mit Hilfe von L-Tyrosin-3-Hydroxylase (EC 1.14.16.2; Tetrahydrobiopterin als Cofaktor) aus L-*Tyrosin (durch Hydroxylierung in 3-Stellung des Phenyl-Rings). Im Organismus ist L-D. auch Vorläufer des *Catecholamins *Dopamin u. läßt sich daher mit Erfolg bei *Parkinsonismus einsetzen (internat. Freiname: Levodopa). Bei der *Phenylketonurie hemmen hohe L-Phenylalanin-Konz. die L-D.-Biosynthese.

Herst.: In techn. Maßstab durch enzymat. od. chem. Hydroxylierung des leicht zugänglichen L-Tyrosins, enzymat. aus Brenzcatechin od. durch Isolierung aus Dicken Bohnen. – *E* = *F* = *I* = *S* dopa

Lit.: Beilstein EIV **14**, 2492 f. ▪ Movement Disorders **10**, 241–249 (1995). – *[HS 2922 50; CAS 59-92-7]*

Dopachrom s. Dopa.

Dopamin [Kurzbez. für 4-(2-Aminoethyl)-brenzcatechin, Abk. für 2-(3,4-*D*ihydr*oxyp*henyl)-ethyl*amin*].

$C_8H_{11}NO_2$, M_R 153,18. Die freie Base bildet an der Luft rasch verfärbende derbe Prismen, als Hydrochlorid Schmp. 241 °C (Zers.), in Wasser, Methanol u. heißem Ethanol lösl., in Ether, Chloroform, Benzol unlöslich. Als *biogenes Amin entsteht D. im Organismus durch Decarboxylierung von L-*Dopa (katalysiert durch Dopa-Decarboxylase, EC 4.1.1.28) als Produkt des *Tyrosin-Stoffwechsels. Das *Catecholamin ist die Muttersubstanz von L-*Noradrenalin (unter Mitwirkung von *Dopamin-β-Hydroxylase). L-*Adrenalin u. wirkt wie diese als *Neurotransmitter (vgl. dopaminerg, Dopamin-Rezeptoren). D. wird als *Sympathikomimetikum u. zur Steigerung des arteriellen Blutdrucks eingesetzt. *Parkinsonismus ist eine Folge des Mangels an D. bzw. D.-Rezeptoren im Gehirn. Da D. selbst die *Blut-Hirn-Schranke nicht überwinden kann, wohl aber sein Vorläufer L-Dopa, wird mit Erfolg letzteres gegeben, u. zwar meist in Verb. mit Dopa-Decarboxylase-Hemmstoffen, um eine D.-Bildung außerhalb des Gehirns zu verhindern. D. ist weiterhin beteiligt an Bewältigung von Streß[1], an männlichem Sexualverhalten[2] u. an Drogenabhängigkeit[3]. Die Hemmung der Rückaufnahme des in die Synapse ausgeschütteten D. in die Zelle erklärt die Wirkung von Psychostimulantien wie *Cocain u. *Amphetamin[4]. – *E* = *F* dopamine – *I* dopammina – *S* dopamina

Lit.: [1] Gen. Pharmacol. **23**, 1023 ff. (1992). [2] Neurosci. Biobehav. Rev. **19**, 19–38 (1995). [3] Drug Alcohol Depend. **38**, 95–137 (1995); Trends Pharmacol. Sci. **17**, 260–264 (1996). [4] Nachr. Chem. Tech. Lab. **44**, 388 f. (1996).

allg.: Beilstein EIV **13**, 2603. – *[HS 2922 29; CAS 51-61-6]*

Dopaminerg. Von *Dopamin u. griech.: ergon = Werk, Tätigkeit abgeleitetes Adjektiv, das Beziehungen zu Dopamin ausdrücken soll. Als d. bezeichnet man diejenigen Nervenfasern bzw. *Synapsen, in denen Dopamin gebildet bzw. als *Neurotransmitter freigesetzt wird. Es sind dies u. a. Neuronen (Nervenzellen) des Zentralnervensyst., die an der Feinmotorik beteiligt sind. Ein Mangel an diesen ist die Ursache des *Parkinsonismus. – *E* dopaminergic – *F* dopaminergique – *I* dopamminergico – *S* dopaminérgico

Dopamin-β-Hydroxylase (Dopamin-β-Monooxygenase, EC 1.14.17.1). In den Chromaffin-Granula der Nebenniere u. in synapt. Vesikeln des sympath. Nervensyst. enthaltenes, teilw. Membran-gebundenes zu den Mono-Oxygenasen gezähltes Enzym, das die L-β-Hydroxylierung von *Dopamin zu L-*Noradrenalin unter begleitender Oxid. von L-*Ascorbinsäure zu Semidehydroascorbinsäure, einem Radikal, das *in vivo* anschließend wieder zu Ascorbinsäure reduziert wird, unter Sauerstoff-Verbrauch katalysiert. Bei der Verw. von *Tyramin statt Dopamin als Substrat entsteht das bei manchen Tieren als *Neurotransmitter wirkende L-*Octopamin statt L-Noradrenalin. Chem. ein meist tetrameres *Glykoprotein (M_R ca. 290 000) mit Kupfer-Ionen als Cofaktor, ist D.-β-H. wichtig für die *Catecholamin-Biosynthese. – *E* = *F* dopamine β-hydroxylase – *I* dopammin-β-idrossilasi – *S* dopamina-β-hidroxilasa

Dopamin-Rezeptoren. *Rezeptoren, die durch den *Neurotransmitter *Dopamin erregt werden. Im Zentralnervensyst. sind die postsynapt. D_1- bis D_5-Rezeptoren bekannt, wobei D_1 u. D_5 stimulierend u. D_2 bis D_4 hemmend auf *Adenylat-Cyclase wirken. Periphere postsynapt. D.-R. bewirken Gefäßerweiterung in Darm, Leber, Magen u. Niere. Präsynapt. D.-R. steuern durch Rückkopplung die Dopamin-Ausschüttung an der Synapse. Die D.-R. gehören mit dem β_2-*Adrenozeptor, dem muscarin. *Acetylcholin-Rezeptor u. *Bakteriorhodopsin zu einer Superfamilie u. besitzen auch sieben membrandurchspannende α-Helices. D.-R. sind die Angriffspunkte bei der medikamentösen Behandlung von Schizophrenie, *Parkinsonismus u. Veitstanz (Chorea Huntington). – *E* dopamine receptors – *F* récepteurs à dopamine – *I* recettori di dopammina – *S* receptores de dopamina
Lit.: Trends Pharmacol. Sci. **15**, 264–270 (1994).

Dopegyt®. Tabl. mit *Methyldopa zur Therapie der Hypertonie. *B.*: Thiemann

Dopergin®. Tabl. mit *Lisurid-Hydrogenmaleat gegen erhöhten Prolactin-Spiegel beim Abstillen, bei Milchstauung, Akromegalie, zusammen mit *Levodopa gegen Parkinsonismus. *B.*: Schering

Dopexamin.

Internat. Freiname für *N*-[6-(Phenethylamino)hexyl-dopamin, $C_{22}H_{32}N_2O_2$, M_R 356,51. Verwendet wird das Dihydrochlorid. Es wurde als β_2-*Sympath(ik)omimetikum u. *Dopamin-Agonist 1983 von Fisons patentiert u. ist zur akuten Behandlung schwerer Herzinsuffizienzen von Porton u. Krebs (Dopacard® Infusionslösungskonzentrat) im Handel. – *E* = *F* dopexamine – *I* = *S* dopexamina
Lit.: Merck-Index (12.), Nr. 3482. – *[HS 2922 29; CAS 86197-47-9 (D.); 86484-91-5 (Dihydrochlorid)]*

Doping. Aus dem Engl. übernommene Bez. für die verbotene Leistungssteigerung im sportlichen Wettkampf von Menschen u. Tieren durch Verabreichung von bestimmten Pharmaka. Als D.-Mittel werden *Rauschgifte, *Weckamine, *Psychopharmaka, Herzmittel, *Hormone, *Vitamine u. gelegentlich auch *Sedativa verwendet. Stimulierende Substanzen (z.B. Weckamine) führen zu einer Steigerung der Konzentrationsfähigkeit u. des Selbstwertgefühls u. beseitigen Ermüdungserscheinungen. Da bei ihrer Anw. die Ermüdung bis an die Erschöpfungsgrenze hinausgeschoben wird, kann nach der vorangegangenen Überbeanspruchung ein plötzlicher, u. U. tödlicher Leistungsabfall die Folge sein. Hormongaben, z.B. von *Anabolika, sollen den Muskelaufbau verstärken. – *E* = *I* doping – *F* dopage, doping – *S* dopado
Lit.: Eriksson et al., Sport, Krankheit u. Medikament, Köln: Dtsch.-Ärzte-Verl. 1989 ■ Schweiz. Rundsch. Med. Prax. **84**, 970–977 (1995).

Doping-Kontrolle. Untersuchung von Sportlern auf die verbotene Einnahme leistungssteigernder Medikamente (*Doping). Der Nachw. von Dopingmitteln erfolgt durch die chem. Analyse von Urinproben mit den Verf. der *forensischen Chemie wie z. B. Dünnschicht- u. Gaschromatographie. Probengewinnung u. -untersuchung unterliegen dabei genauen Regelungen. Die Auswertung erfolgt zunächst anonym in zwei Hälften, von denen die zweite im pos. Fall zur Kontrolle nachuntersucht werden kann. Die chem. Nachweismeth. richten sich nach den jeweiligen Substanzen, die in sog. Dopinglisten zusammengestellt sind. Die Sportverbände können im Falle einer pos. D.-K. nach ihrer Gesetzgebung entsprechende Sportstrafen aussprechen. – *E* doping control – *F* contrôle antidopage – *I* controllo di doping – *S* control de dopado
Lit.: Pharmacol. Toxicol. **74**, 202–210 (1994).

Doppelbindung. Bez. für die in der *chemischen Zeichensprache durch 2 parallele Valenzstriche symbolisierte Bindung zweier Atome durch zwei Elektronenpaare. Wird die D. von zwei Atomen unterschiedlicher *Elektronegativität ausgebildet, so ist sie polarisiert (*polare Doppelbindung*).

$$\diagdown C=C\diagup \quad , \quad \diagdown C=O \quad \longleftrightarrow \quad \diagdown {}^+C-\bar{\underline{O}}{}^- \quad , \quad \diagdown C=N\diagdown$$

Früher bezeichnete man die dipolare Bindung als semipolare Doppelbindung. Näheres zu den Bindungsverhältnissen in D. findet man unter *chemischer Bindung u. *Molekülorbitale. Die D. verleiht infolge ihres *ungesättigten Charakters vielen organ. Verb. eine typ. Reaktivität. So bestimmt die Kohlenstoff-Kohlenstoff-Doppelbindung bei *Alkenen, *Dienen u. *Cycloalkenen das Reaktionsverhalten (s. dort), während die Kohlenstoff-Sauerstoff-Doppelbindung als Beisp. für die polare D. für die Substanzklassen der *Aldehyde, *Ketone u. *Carbonsäure u. deren Derivate (*Amide, *Ester u. a.) reaktionsbestimmend ist. An D. läßt sich eine bes. Form der *Stereoisomerie – die *cis-trans*-Isomerie – beobachten. Treten in einem Mol. mehrere D. auf, so sind auch hier, wie bei der relativen Lage *einer* D. innerhalb des Molekülgerüstes, Konstitutionsisomere (Doppelbindungsisomere) möglich, wobei die D. isoliert (z.B. in 1,4-Dienen), konjugiert (s. Konjugation, z. B. in 1,3-Dienen, *α,β*-ungesättigten Carbonyl-Verb.) od. kumuliert (s. Kumulene, z. B. in *Allen) vorliegen können (s. a. Diene).

Doppelbindungsregel

\[kumulierte D.\] \[konjugierte D.\] \[isolierte D.\]

Die klass. *Doppelbindungsregel* besagt, daß es den Elementen der zweiten Achterperiode nicht mehr möglich sein sollte, stabile (p-p)π-Bindungen auszubilden. D. sollten den Elementen Bor, Kohlenstoff, Stickstoff u. Sauerstoff vorbehalten sein u. deren Sonderstellung innerhalb des Periodensyst. bedingen. Illustrative Beisp. sind die Strukturen der Elemente Stickstoff u. Sauerstoff u. deren Homologe Phosphor u. Schwefel; in jüngster Zeit sind jedoch auch D. unter Beteiligung der Elemente der zweiten Achterperiode bekannt geworden, so z. B. Phosphaalkene mit einer Kohlenstoff-Phosphor-Doppelbindung, Silaethene mit einer Silicium-Kohlenstoff-Doppelbindung u. a., so daß die Doppelbindungsregel als überholt angesehen werden kann[1-4].

– *E* double bond – *F* double liaison – *I* legame doppio – *S* enlace doble

Lit.: [1] Chem. Unserer Zeit **15**, 149–154 (1981). [2] Chem. Unserer Zeit **17**, 167f. (1983). [3] Adv. Organomet. Chem. **39**, 355–391 (1995). [4] Regitz u. Scherer, Multiple Bonds and Low Coordination in Phosphorus Chemistry, Stuttgart: Thieme 1990.
allg.: s. Textstichwörter.

Doppelbindungsregel s. Doppelbindung.

Doppelblindversuch s. Blindversuch.

Doppelbrechung. Der Durchgang elektromagnet. Strahlung durch nicht absorbierende Materie kann in alle Raumrichtungen gleich erfolgen [opt. Isotropie (s. Anisotropie), im allg. bei *amorphen (z. B. *Glas) bzw. kub. krist. Syst.] od. stoffspezif. von der Ausbreitungsrichtung des Lichtes abhängen [opt. *Anisotropie, z. B. bei Doppelspat (CaCO$_3$)]. Stellt man sich den Lichtstrahl aus zwei senkrecht zueinander stehenden, linear polarisierten Lichtstrahlen zusammengesetzt vor, so ist bei opt. anisotropen Stoffen die Ausbreitungsgeschw. u. damit der Brechungsindex (*Refraktion) für die beiden Strahlen verschieden. Sind die Fortpflanzungsgeschw. der beiden Komponenten richtungsabhängig, so spricht man von einem opt. zweiachsigen, sonst von einem opt. einachsigen System. Aufgrund der unterschiedlichen Brechungsindizes erscheint ein durch z. B. Doppelspat-Krist. betrachtetes Bild doppelt (s. Abb.).

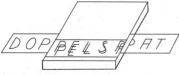

Abb: Doppelbrechung bei Doppelspat.

Die Fähigkeit zur D. kann auch durch äußere Einflüsse verursacht werden (*Kerr-Effekt, *Strömungsdoppelbrechung, mechan. Druck). – *E* double refraction – *F* biréfringence – *I* rifrazione doppia – *S* birrefringencia

Doppelhelix s. Desoxyribonucleinsäuren u. Helix.

Doppelkontaktverfahren s. Schwefelsäure.

Doppelresonanz s. NMR-Spektroskopie.

Doppelsalze. Kristallisieren aus Lsg. od. Schmelzen zwei od. mehr Salze in einem einfachen stöchiometr. Verhältnis unter Bildung eines bes. Kristallgitters – ggf. auch als *Mischkristall – aus, so liegt ein D. vor. D. im engeren Sinne zerfallen bei der Auflösung in Wasser ganz od. vorwiegend in die Ionen der Salze, aus denen sie sich aufbauen; *Beisp.:* *Kainit, *Alaune, *Carnallit, *Ammoniumeisen(II)-sulfat usw. Die D. gehören ähnlich wie *Ammin-Salze, *Hydrate, Komplexsalze u. Säure-Additionsverb. zu den Verb. höherer Ordnung; insbes. zu den *Komplexsalzen* bestehen zahlreiche Übergänge, s. Koordinationslehre. – *E* double salts – *F* sels doubles – *I* sali doppi – *S* sales dobles
Lit.: s. Salze u. Koordinationslehre.

Doppelschicht s. elektrochemische Doppelschicht u. Zeta-Potential.

Doppelspalt® compact. Tabl. gegen Schmerzen mit *Acetylsalicylsäure u. *Coffein. *B.:* Much Pharma.

Doppelspat s. Calcit.

Doppelstrangpolymere s. Leiterpolymere.

Doppelter Betazerfall. Radioaktiver Zerfall. D. B. kommt prinzipiell in allen Kernen (A,Z) vor, bei denen die Energiedifferenz zum Kern mit gleicher Massenzahl aber zwei zusätzlichen Ladungen (A,Z+2) größer ist als zweimal die Ruheenergie des Elektrons ($E_0 = 0,511$ MeV). Da es sich um einen Prozess zweiter Ordnung der schwachen Wechselwirkung handelt, hat man nur dann eine Chance, ihn zu beobachten, wenn der einfache *Beta-Zerfall energet. verboten ist. D. B., bei dem neben zwei *Elektronen auch zwei *Neutrinos emittiert werden, ist experimentiell nachgewiesen u. kann mit dem Standardmodell beschrieben werden; d. h. es wird davon ausgegangen, daß das Neutrino ein Dirac-Teilchen ist, es sich also von seinem *Antiteilchen unterscheidet: $\nu \neq \bar{\nu}$. Viele Modelle der Großen Vereinheitlichung der schwachen Wechselwirkung mit der Kernkraft (*Quantenchromodynamik) fordern das Majorana-Neutrino $\nu = \bar{\nu}$. Es wird also nach Ereignissen des d. B. gesucht, bei denen kein Neutrino emittiert wird. Bisher ist es noch nicht gelungen, die Halbwertszeit od. die Übergangswahrscheinlichkeit des neutrinolosen d. B. zu messen. – *E* double beta decay – *F* désintégration bêta double – *I* doppio decadimento beta – *S* desintegración beta doble
Lit.: Musiol et al., Kern- u. Elementarteilchenphysik Weinheim: VCH Verlagsges. 1988 ▪ Phys. Bl. **45**, 321 (1989); **51**, 418 (1995) ▪ Sci. Am. **261**, 30 (1989) ▪ s. a. Elementarteilchen.

Doppler-Anemometer. Verf. zur Geschwindigkeitsbestimmung von Partikeln in einer Strömung mittels *Doppler-Effekt. Meist werden hierzu *Laser eingesetzt (s. Laser-Doppler-Anemometrie, s. *Lit.*). – *E* Doppler anemometer – *F* anémomètre à effet Doppler – *I* anemometro di Doppler – *S* anemómetro Doppler
Lit.: Buck, Laser-Doppler-Anemometer, Stuttgart: at 1988 ▪ Laser + Optoelektronik **20** (3), 74 (1988) ▪ Phys. Unserer Zeit **24**, 15 (1993).

Doppler-Breite. Auf Grund des *Boltzmannschen Energieverteilungsgesetzes bewegen sich die Partikel in einem Gas isotrop mit einer temperaturabhängigen Geschwindigkeitsverteilung. Die Projektion dieser Geschw. auf eine vorgegebene Richtung (Richtung, in der die *Fluoreszenz beobachtet od. der *Laser-Strahl eingesandt wird) ergibt die Verteilung $n(v_z) = N/(v_p \cdot \sqrt{\pi}) \cdot \exp(-v_z/v_p)$, wobei N die Dichte der Teilchen u. $v_p = \left(\frac{2 \cdot k \cdot T}{m}\right)^{1/2}$ ist, mit m = Masse der Teilchen. Jede Geschw. führt zu einer entsprechenden *Doppler-Verschiebung, so daß die gesamte Geschwindigkeitsverteilung zu einer Verbreiterung der Absorptions- od. Emissionslinie führt. Die volle Halbwertsbreite ist hierbei

$$\Delta f_{Doppler} = \frac{f_0}{c} \cdot \left(8 \cdot k \cdot T \cdot \frac{\ln 2}{m}\right)^{1/2};$$

c = Lichtgeschwindigkeit. Da die Doppler-Verschiebung proportional zur Frequenz f_0 des Übergangs ist, spielt sie bei der *Spektroskopie im sichtbaren u. UV Spektralgebiet die größte Rolle. Zahlenbeisp.: Natrium in einer 200 °C heißen Zelle ergibt für die Na-D-Linie (λ = 589 nm) eine D.-B. von 1,7 GHz $\triangleq \Delta\lambda = 10^{-3}$ nm. Durch Doppler-freie Spektroskopie wird die D.-B. vermieden. – *E* Doppler width – *F* largeur (de) Doppler – *I* larghezza Doppler – *S* amplitud (de) Doppler

Lit.: Demtröder, Laser Spectroscopy, Berlin: Springer 1996 ■ Scoles (Hrsg.), Atomic and Molecular Beam Methods, Oxford: University Press 1988.

Doppler-Effekt. Nach dem österreich. Physiker C. Doppler (1803–1853) benannter Effekt, der bei allen Wellenvorgängen (Schall, Licht usw.) beobachtet wird, wenn sich Strahlungsquelle u. Beobachter relativ zueinander bewegen. Beachtet man z. B. das Motorgeräusch eines Autos, das sich auf den Beobachter zubewegt, so wird jede neue Ausgangswelle bei einer kürzeren Entfernung zum Beobachter emittiert, d. h. die einzelnen Wellen sind zusammengeschoben; die Wellenlänge ist kleiner bzw. die Frequenz höher als beim unbewegten Auto. Entfernt sich das Auto, so sind die Wellen entsprechend auseinandergezogen, d. h. die Wellenlänge ist größer u. die Frequenz niedriger. Im Moment des Vorbeifahrens hört der Beobachter einen Tonsprung.

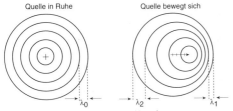

Abb.: Doppler-Effekt (λ = Wellenlänge).

In der *Akustik gilt: Bewegt sich die Schallquelle relativ zum Beobachter mit der Geschw. v, so ist die wahrgenommene Frequenz $f_1 = \frac{f_0}{1 - v/c}$ bei Annäherung bzw. $f_2 = \frac{f_0}{1 + v/c}$ bei Entfernung, wobei f_0 die Frequenz der unbewegten Schallquelle u. c die Schallgeschw. ist. Ruht dagegen die Schallquelle u. der Beobachter bewegt sich, gelten $f_1 = f_0 \cdot (1 + v/c)$ bei Annäherung u. $f_2 = f_0 \cdot (1 - v/c)$ bei Entfernung.

Für die *Lichtausbreitung* gilt: Das Syst. S bewegt sich mit der Geschw. v relativ zum Syst. S_0, wobei α der Winkel zwischen der Geschw. v u. der Ausbreitungsrichtung der Welle ist. Die Frequenz, die im Syst. S_0 mit f_0 gemessen wird, beobachtet jemand im Syst. S mit $f = f_0 \cdot \sqrt{1-v^2/c^2}/(1 - \frac{v}{c} \cdot \cos\alpha)$. Bewegen sich beide Syst. aufeinander zu ($\alpha_1 = 0$ °C) ergibt sich $f_1 = f_0 \cdot \sqrt{(1 + v/c)/(1 - v/c)}$ u. hieraus als Näherung $f_1 = f_0 - f_0 \cdot \frac{v}{c} + f_0 \cdot \frac{1}{2} \cdot (v/c)^2$. Entfernen sich beide Syst. voneinander, so erhält man mit $\alpha_2 = 180$ °C $f_2 = f_0 \cdot \sqrt{(1 - v/c)/(1 + v/c)}$ u. als Näherung $f_2 = f_0 + f_0 \cdot \frac{v}{c} + f_0 \cdot \frac{1}{2} \cdot (v/c)^2$. Der Term $f_0 \cdot v/c$ wird *linearer D.-E.* bzw. *D.-E. erster Ordnung* genannt; er ist abhängig von der Bewegungsrichtung. Der zweite Term $f_0 \cdot 1/2 \cdot (v/c)^2$ dagegen, *quadratischer D.-E.* bzw. *D.-E. zweiter Ordnung* genannt, führt zu einer Frequenzerhöhung unabhängig davon, ob die beiden Syst. sich aufeinanderzubewegen od. sich entfernen. – *E* Doppler effect – *F* effet Doppler – *I* effetto Doppler – *S* efecto Doppler

Doppler-freie Spektroskopie. Spektroskop. Techniken, bei denen der *Doppler-Effekt u. damit die *Doppler-Verschiebung u. die Doppler-Verbreiterung weitgehend vermieden werden. Da der Doppler-Effekt proportional zur Frequenz des Übergangs ist, hat er im Radio- u. Mikrowellengebiet nicht die große Bedeutung wie im sichtbaren u. ultra-violetten Spektralgebiet. Mit Hilfe der *Laserspektroskopie wurden mehrere Techniken entwickelt:

a) *Kollimierter Strahl:* Die Geschwindigkeitsverteilung in einem *Atomstrahl wird senkrecht zu seiner Ausbreitungsrichtung durch eine Blende eingeengt. Laseranregung, hinter der Blende ebenfalls senkrecht zum Atomstrahl, ergibt eine um das Kollimationsverhältnis verringerte *Doppler-Breite.

b) *Doppelresonanz*, bes. Zwei-Photonen-Anregung mit entgegenlaufenden Laserstrahlen: Hierbei wird die Doppler-Verschiebung, die bezüglich Absorption eines Photons aus dem einen Strahl existiert, durch gleichzeitige Absorption eines Photons aus dem anderen Strahl eliminiert.

c) *Sättigungsspektroskopie:* Hier werden bei höheren Lichtintensitäten die Nichtlinearität des Absorptionskoeffizienten ausgenutzt u. Atome der Geschwindigkeitsklasse nachgewiesen, die gleichzeitig mit beiden entgegenlaufenden Laserstrahlen wechselwirken können.

d) *Polarisationsspektroskopie:* Wirkungsweise wie bei Sättigungsspektroskopie; nur wird hier die Änderung des Brechungsindex ausgenutzt, wodurch diese Meth. eine wesentlich höhere Empfindlichkeit hat. – *E* Doppler free spectroscopy – *F* spectroscopie sans effet Doppler – *I* spettroscopia Doppler-libera – *S* espectroscopia sin efecto Doppler

Lit.: Demtröder, Laser Spectroscopy, Berlin: Springer 1996 ▪ Scoles (Hrsg.), Atomic and Molecular Beam Methods, Oxford: University Press 1988.

Dopplerit. Asphaltartige, braunschwarze Masse aus dem Untergrund von *Torf-Mooren, kolloidale Zersetzungsprodukte von Pflanzen, enthält 55–60% C, ca. 5% H, 24–36% O, 1–2% N, 0,7% S. – *E = I* dopplerite – *F* dopplérite – *S* doplerita
Lit.: s. Torf.

Doppler-Spektroskopie. Meth. der *Spektroskopie, die den *Doppler-Effekt ausnutzen, um z.B. über die *Doppler-Verschiebung die Geschw. von Teilchen zu bestimmen (*Doppler-Anemometer, *Laser-Doppler-Anemometrie) od. in einer Gleichstrom-*Gasentladung durch Anlegen einer zusätzlichen Wechselspannung die Geschw. geladener Teilchen (Ionen) zu modulieren, wodurch deren Spektren von denen neutraler Teilchen unterschieden werden können (engl. velocity modulation technique, s. *Lit.*). – *E* Doppler spectroscopy – *F* spectroscopie Doppler – *I* spettroscopia di Doppler – *S* espectroscopia Doppler
Lit.: Demtröder, Laser Spectroscopy, Berlin: Springer 1996 ▪ J. Chem. Phys. **85**, 40, 4463 (1986).

Doppler-Verschiebung. Verschiebung von Emissions- od. Absorptionsfrequenzen auf Grund des *Doppler-Effektes. Bewegt sich z.B. ein Licht emittierendes Atom auf den Beobachter zu, so ist die beobachtete Frequenz um

$$\Delta f = f_0 \cdot \left(v/c + \frac{1}{2} \cdot (v/c)^2 \right)$$

gegenüber der Frequenz f_0 des runden Atoms verschoben; v ist hierbei die Komponente der Geschw. des Atoms in Beobachtungsrichtung. Wird das Atom durch Licht angeregt, ist seine Absorptionsfrequenz in gleicher Weise verschoben. Die D.-V. wird zur Bestimmung der Geschw. gemessen.
a) Bei einzelnen Atomen u. Mol. durch *Laserspektroskopie. Hierbei ist es auch möglich, selektiv Atome od. Mol. nur einer Geschwindigkeitsklasse anzuregen u. so z.B. einen *Atomstrahl abzubremsen (genannt: *Laserkühlen*).
b) Bei makroskop. Objekten. Reflexion einer Welle an einem bewegten Objekt führt ebenfalls zu einer D.-Verschiebung. Anw.: Doppler-Anomätrie u. Radar.
c) Bei *interstellarer Materie. Die Emissionslinien von interstellaren Wolken, wie auch die Linien von Sternen u. ganzen Galaxien zeigen z.T. sehr starke Rotverschiebung. Aus ihr wird bestimmt, mit welcher Geschw. sich diese Objekte von der Erde entfernen.
Um für die Meteorologie möglichst gute primäre Standards (*Fundamentalkonstanten, *Einheiten, *Basiseinheiten) zu erhalten, muß bei Absorptionslinien sowohl die Doppler-Verbreiterung (s. Doppler-freie Spektroskopie) als auch die D.-V. reduziert werden. Die üblichen Techniken der *Doppler-freien Spektroskopie eliminieren nur den linearen Doppler-Effekt, haben aber keinen Einfluß auf den quadrat. Doppler-Effekt. Dieser kann nur durch Reduzierung der Absolutgeschw. der Teilchen reduziert werden, was bedeutet, daß die Probe abgekühlt werden muß. Durch einfaches Kühlen würde die Probe zu einem Festkörper werden, d.h. die Atome sind auf Grund des Kristallverbandes unterschiedlichen Feldern ausgeliefert, was wieder zu einer Linienverbreiterung u. Linienverschiebung führt. Deshalb zielen neue Anstrengungen dahin, Atome durch Laserkühlung ganz zur Ruhe zu bringen u. sie dann in Fallen (*Paul-Falle, Nobelpreis für Physik 1989) zu speichern. – *E* Doppler shift – *F* déplacement Doppler – *I* spostamento Doppler – *S* desplazamiento Doppler
Lit.: Demtröder, Laser Spectroscopy, Berlin: Springer 1996 ▪ Scoles (Hrsg.), Atomic and Molecular Beam Methods, Oxford: University Press 1988.

dor®. Dachmarke für bes. schonend u. umweltverträglich formulierte, Phosphat-freie Reinigungsmittel für den Haushalt. d. flüssig u. Pulver: Neutrale Allzweckreiniger auf der Basis von Tensiden u. Buildern, geeignet für alle abwaschbaren Flächen u. Gegenstände. *B.:* Henkel.

Doregrippin®. Grippe-Tabl. mit *Paracetamol u. *Phenylephrin-Hydrochlorid. *B.:* Rentschler.

Doreperol®. Spray- u. Gurgel-Lsg. mit *Cetylpyridiniumchlorid u. Hexetidin gegen Zahnfleischbluten, Mundgeruch u. Entzündungen im Rachenraum. *B.:* Rentschler.

Dorin®. Fungizid auf Basis von *Triadimenol u. *Tridemorph. *B.:* Bayer.

Dorithricin®. Lutschtabl. mit *Tyrothricin, *Benzalkoniumchlorid u. *Benzocain gegen Mund-, Rachen- u. Mandelentzündungen. *B.:* Rentschler.

Dorlastan®. Hochelast. *Polyurethan-Fasern für die Herst. von elast. Textilien für Miederwaren, Sport- u. Badebekleidung, Strümpfen usw. *B.:* Bayer.

Dormann, Jürgen (geb. 1940), Vorstandsvorsitzender der Hoechst AG seit 1994 u. seit 1997 Präsident der Cefic. Seit 1984 Mitglied des Vorstandes, zuständig für den damaligen Geschäftsbereich Farbstoffe, Pigmente u. Vorprodukte sowie die Region Nordamerika, Vizepräsident des Verbandes der Chemischen Industrie.
Lit.: Nachr. Chem. Tech. Lab. **41**, Nr. 7/8, 899 (1993).

Dormanz. Von französ. u. engl. dormant = schlafend hergeleitete Bez. für längere Ruheperioden von Organismen zur Überdauerung ungünstiger Bedingungen (Überlebensstrategie zur *Stress-Bewältigung) u. bei der normalen Entwicklung, z.B. Winterruhe von Samen, Zwiebeln od. a. Überdauerungsformen von Pflanzen (s. Lebensformen); Knospenruhe (Schlafknospen); Überwinterung von Tieren als Ei, Larve, Puppe od. erwachsenes Tier (Imago) u. U. im Zustand der *Anabiose. Das Pflanzenhormon *Abscisinsäure od. Phenole können auch bei sonst günstigen Lebensbedingungen die Keimung von Samen verhindern u. damit eine D. hervorrufen, die üblicherweise als Samenruhe bezeichnet wird. – *E* dormancy – *F* quiescence – *I* periodo di inattività – *S* quiescencia
Lit.: Schlee (2.), S. 42–54.

Dormicum®. Ampullen u. Lacktabl. mit *Midazolam-Hydrochlorid zur Narkose-Einleitung u. Aufrechterhaltung, bei epilept. Anfällen (*Status epilepticus*). *B.:* Hoffmann-La Roche.

Dormin s. Abscisinsäure.

Dornase alfa. Internat. Freiname für rekombinante humane *Desoxyribonuclease I (rhDNase), ein *Glykoprotein mit 260 Aminosäuren u. einer durchschnittlichen M_R von 37000. Das Enzym wird gentechn. aus einer Ovarialzellinie des chines. Hamsters hergestellt [1] u. entspricht in seiner Aminosäure-Sequenz dem humanen Enzym. Es ist von Hoffmann-LaRoche/Genentech (Pulmozyme®, nur zur Inhalation) im Handel u. wird zur Behandlung der *zystischen Fibrose (Mukoviszidose) eingesetzt. Die Spaltung von DNA im Bronchialsekret verringert dessen Zähigkeit. – *E* dornase alfa – *S* dornasa alfa
Lit.: [1] Proc. Natl. Acad. Sci. USA **87**, 9188 ff. (1990); PCT Int. Pat. Appl. **7**, 572 (1990) (Genentech).
allg.: Drugs **50**, 626–635 (1995) ▪ Merck-Index (12.), Nr. 2953 ▪ Pharm. Ztg. **141**, 1092 ff. (1996). – *[CAS 143831-71-4]*

Dornasen s. Desoxyribonucleasen.

Dorno-Strahlung. Nach dem Physiker C. Dorno (1865–1942) benannte UV-B-Strahlung s. Ultraviolett-Strahlung.

Dornstein s. Gradierwerke.

Dorr-Oliver. Kurzbez. für die 1890 gegr. Firma Dorr-Oliver GmbH, 41488 Grevenbroich. Tochterges. der Dorr-Oliver Inc., 612 Wheeler's Farm Road, P.O. Box 3819, Milford, CT 06460, USA. *Daten* (1995): 90 Beschäftigte, ca. 50 Mio. DM Umsatz. *Produktion:* Apparate u. Anlagen zur mechan. Fest-Flüssig-Trennung u. therm. Wirbelschichtsyst. für die chem. u. metallurg. Ind. sowie zur Abwasserreinigung.

Dorschleberöl (Syn.: Dorschlebertran). D. wird aus frischen Dorschlebern (ca. 60% Öl, 30% Wasser, 5% Eiweiß) gewonnen u. ist reich an *Vitamin A u. D. in einem günstigen, natürlichen Verhältnis. 1 g Öl enthält ca. 1000 I.E. Vitamin A u. ca. 100 I.E. Vitamin D. Als *Lebertran hat D. therapeut. Bedeutung z. B. bei vorbeugenden Maßnahmen gegen *Rachitis, s. Fischöle u. Lebertran. – *E* cod-liver oil – *F* huile de foie de morue – *I* olio di fegato del merluzzo – *S* aceite de hígado de bacalao

Dortmundbrunnen. Bez. für ein trichterförmiges *Absetzbecken mit vertikaler Durchströmung. D. werden u. a. im Verlauf der *Klärschlammaufbereitung als erste Entwässerungsstufe vor der *Schlammkonditionierung eingesetzt. – *E* Dortmund tank – *F* décanteur type Dortmund – *I* pozzo di Dortmund – *S* decantador Dortmund
Lit.: Ullmann (5.) **B 8**, 132 ff.

Doryl®. Tabl. u. Ampullen mit *Carbachol gegen Darmträgheit u. Harnverhaltung. *B.:* Merck.

Dorzolamid.

Internat. Freiname für (4*S*,6*S*)-4-Ethylamino-5,6-dihydro-6-methyl-4*H*-thieno[2,3-*b*]thiopyran-2-sulfonamid-7,7-dioxid, $C_{10}H_{16}N_2O_4S_3$, M_R 324,43. Verwendet wird das Monohydrochlorid, Schmp. 283–285 °C, $[\alpha]_D^{24}$ –8,34 (c 1/CH$_3$OH). Es wurde als Carboanhydrase-Inhibitor 1988/89 von Merck & Co. patentiert (L-671152) u. ist von Chibret (Trusopt® Augentropfen) zur Glaukom-Behandlung im Handel. – *E = F = I* dorzolamid – *S* dorzolamida
Lit.: Merck-Index (12.), Nr. 3484. – *[CAS 120279-96-1 (D.); 130693-82-2 (Hydrochlorid)]*

DOS. 1. Abk. für Deutsche Offenlegungsschrift, s. Patente. – 2. Nach DIN 7723 (12/1987) Kurzz. für *Dioctylsebacat* [Bis-(2-ethylhexyl)-decandioat] als *Weichmacher.

Dosen s. Aerosole u. Sprays (Druckgas-D.), Konservierung (Konserven-D.) u. Dosis (Pluralform).

Dosieren. Von *Dosis abgeleitete Bez. für das quant. genaue Zumessen von Stoffmengen (*Proportionieren*). Feste Stoffe werden im allg. nach Gew. (mit *Dosierwaagen*) od. nach Stückzahl dosiert (s. *Lit.*[1]), flüssige nach Vol. (mit *Durchflußmessern* od. *Dosierpumpen*) u. gasf. mit *Strömungsmessern*. – *E* dosage, dosing, proportioning – *F* dosage – *I* dosare – *S* dosificación
Lit.: [1] Ullmann (5.) **B 2**, 8-1 ff.
allg.: DIN 1319 T1 (06/1985) ▪ Hengstenberg (Hrsg.), Messen, Steuern u. Regeln in der chemischen Technik, Berlin: Springer 1980 ▪ Winnacker-Küchler (4.) **1**, 505 ff.

Dosimeter s. Dosimetrie.

Dosimetrie. Von *Dosis abgeleitete Bez. für die Messung der Energie-, *Ionen- bzw. *Äquivalentdosis von *ionisierender Strahlung. Man bestimmt die Stärke einer Veränderung in einem Syst., das durch Einwirken von α-, β-, γ-Strahlen, Neutronen, Protonen, Röntgenstrahlen usw. beeinflußt wird. D.-Syst. unterscheiden sich hinsichtlich der Genauigkeit u. des Anwendungsbereichs. Bei Sicherheit von ±2% Gesamtfehler spricht man von Referenz- od. Transferdosimetern. Zu nennen sind hier *Fricke-Dosimeter, Ceric Cerous Dosimeter u. heute bes. die in den letzten Jahren weiterentwickelten Alanin-Dosimeter[1]. Bei letzteren wird die gebildete Radikalkonz. mit Hilfe der Elektronenspinresonanz bestimmt. Der Meßbereich reicht von ca. 2 Gy bis 500 kGy. Damit eignet sich dieses Syst. sowohl für die Strahlentherapie als auch für die großtechn. Anwendung. In industriellen Routineverwendungen werden D.-Syst. mit einer Genauigkeit von ca. ±5% verwendet.
Die Verwendbarkeit der einzelnen *Dosimeter* hängt vom Energieinhalt u. auch von der Qualität der Strahlung (Eindringtiefe) ab. Die für Personal an strahlungsgefährdeten Arbeitsplätzen durch die *Strahlenschutz-VO vorgeschriebene Überwachung der Strahlenbelastung geschieht mit tragbaren, eichpflichtigen (s. Prüfung, u. *Lit.*[2]) Dosimetern. Neben den Stabionisationsdosimetern u. den Filmplaketten werden heute hauptsächlich Festkörper-Photolumineszenz-D. eingesetzt. Der reproduzierbare Dosismeßbereich reicht von 10 μSv bis 10 Sv. – *E* dosimetry – *F* dosimétrie – *I* dosimetria – *S* dosimetría
Lit.: [1] ASTM, Annual Book of Standards, E 1607-94, Practice for Use of the Alanine-EPR Dosimetry System, Vol. 12.02, S. 846–851, Philadelphia: ASTM 1995; Kohlrausch, Praktische Physik, Bd. 2, S. 443, 601, Stuttgart: Teubner 1996. [2] Prüfung von Strahlenschutzdosimetern (PTB-Prüfregeln), Braunschweig: PTB 1977.
allg.: Kretschko u. Wellner, Dosimetrie u. Strahlenschutz, S. 139–156, in Bull et al. (Hrsg.), Nuklearmedizin, Stuttgart:

Dosis

Thieme 1996 ▪ Petzold u. Krieger, Strahlenphysik, Dosimetrie u. Strahlenschutz, Bd. 1 u. 2, Stuttgart: Teubner 1988 u. 1989 ▪ Poston, Dosimetry, in Encycl. of Physical Science and Technology, Vol. 5, S. 301–352, San Diego: Academic Press 1992 ▪ Reich (Hrsg.), Dosimetrie ionisierender Strahlung, Stuttgart: Teubner 1990.

Dosis (von griech.: dosis = Gabe; Plural: Dosen). Bez. für die meist auf die Gewichtseinheit bezogene Menge eines Wirkstoffs od. von Energie.
1. Bez. für die therapeut. anzuwendende od. tox. wirkende Menge eines Pharmakons, mit den Sonderfällen: *mittlere Effektivdosis* (ED_{50}, d. h. diejenige D. einer Substanz, die in der *Therapie bei 50% der behandelten Individuen den beabsichtigten therapeut. Effekt hervorruft), *letale Dosis* (Dosis letalis, meist als DL_{50} od. LD_{50} angegeben als derjenigen Substanzmenge, bei der 50% der Individuen sterben), Einzel(maximal)dosis (EMD), Tages(maximal)dosis (TMD), minimale letale Dosis (MLD, s. Gifte), Froschdosis (*FD). In Pharmakologie u. Toxikologie wird die D. meist in mg/kg Körpergew. angegeben. Ein für die Wirksamkeit u. Sicherheit von *Arzneimitteln wichtiger Begriff ist der der *therapeutischen Breite (therapeut. Index)* = LD_{50}/ED_{50}, häufig auch als LD_{25}/ED_{75} od. LD_5/ED_{95} angegeben.
2. Bei Lebensmitteln spricht man im Zusammenhang mit *Zusatzstoffen od. *Rückständen oft vom *ADI, bei Chemikalien in verwandtem Sinne von *MAK u. *TRK.
3. Bei *ionisierender Strahlung ist die D. ein Maß für die einem Syst. zugeführte Strahlungsmenge, die durch *Dosimetrie gemessen werden kann. Man unterscheidet die in Joule/kg od. *Gray (1 Gy = 1 J/kg) – bis 31. 12. 1985 war noch die Einheit *Rad (1 rd = 10^{-2} Gy) gebräuchlich – angegebene *Energiedosis* (die absorbierte Strahlungsenergie pro Mengeneinheit Bestrahlungsgut) u. die in Coulomb/kg angegebene *Ionendosis*, für die früher die Einheit *Röntgen in Gebrauch war (1 R = $2,082 \cdot 10^9$ erzeugte Ionenpaare/cm^3 Luft; eine ebenfalls nicht mehr gebräuchliche Einheit war das *Rep). In *Strahlenschutz u. *Strahlentherapie ist die wichtigste Größe die in *Sievert (bis 31. 12. 1985 in *Rem) angegebene *Äquivalentdosis als Produkt aus Energiedosis u. einem strahlungsartabhängigen Bewertungsfaktor (1 Sv = 1 J/kg = 100 rem) u. die *effektive Äquivalentdosis*, bei der die unterschiedliche Strahlenempfindlichkeit einzelner Organe berücksichtigt wird. Als *Dosisleistung* od. *Dosisrate* bezeichnet man die jeweilige D. in der Zeiteinheit mit den abgeleiteten Einheiten W/kg (Energie- bzw. Äquivalentdosisleistung) u. A/kg (Ionendosisleistung). Vgl. a. Strahlenbiologie.
4. Bez. für die Anzahl von Erregern, die mind. bei einer Infektion übertragen werden müssen (Infektionsdosis), um eine Erkrankung zu verursachen; beispielsweise müssen ungefähr 10^5 Bakterien *Salmonella typhi* bzw. *Salmonella paratyphi* übertragen werden, um Typhus bzw. Paratyphus auszulösen; bei Cholera gelten 10^8 Erreger von *Vibrio cholerae* als minimale Infektionsdosis. – *E* = *F* = *I* dose – *S* dosis

Lit. (*zu 1.*): Forth et al. (7.). – (*zu 3.*): Lissner u. Fink, Radiologie, Stuttgart: Enke 1992.

Dost s. Origanum (Öle).

Dosulepin.

Internat. Freiname für 3-(6*H*-Dibenzo[*b,e*]thiepin-11-yliden)-*N,N*-dimethylpropylamin, $C_{19}H_{21}NS$, M_R 295,44, Schmp. 55–57 °C, Sdp. 171–172 °C (6,5 Pa). Verwendet wird das Hydrochlorid, weißes Pulver, Schmp. 218–221 °C; λ_{max} (0,1 N HCl) 229, 303 nm ($A^{1\%}_{1cm}$ = 180, 108). D. wurde als *Antidepressivum 1962 u. 1970 von SPOFA patentiert u. ist von Kanoldt (Idom®) im Handel. – *E* dothiepin, dosulepin – *F* dosulépine – *I* = *S* dosulepina

Lit.: ASP ▪ Beilstein E V **18/10**, 112 ▪ Hager (5.) **7**, 1424 f. – [HS 2934 90; CAS 113-53-1, 897-15-4]

Dot-Blot. Beim D.-B., einer vereinfachten *Hybridisierungs-Technik, wird eine kleine Menge *DNA od. *RNA auf eine Nitrocellulose- od. Nylonmembran getropft („dot") u. durch Hitzebehandlung fixiert. Der „dot" kann als immobilisierte Hybridisierungsprobe weiter verwendet werden. Mit radioaktiv od. anders markierten Sonden kann durch Hybridisierung festgestellt werden, ob eine gesuchte DNA- (od. RNA-) Sequenz in der immobilisierten Probe vorhanden ist (s. a. Blotting). – *E* = *F* = *I* = *S* dot blot

Lit.: Methods Enzymol. **152**, 582 f. (1987) ▪ Mol. Cell Probes **1995**, 145–156.

Dotierung. Unter D. versteht man den gezielten Einbau von Fremdatomen in *Halbleiter, z. B. in hochreine Si-, Ge-, GaAs- od. ZnSe-Krist. zur Veränderung der *elektrischen Leitfähigkeit. *Donatoren erhöhen die Zahl der Elektronen im Leitungsband, Akzeptoren die der *Defektelektronen im Valenzband, die gleichzeitige Anwesenheit von beiden führt zur im allg. unerwünschten Kompensation. Die Dotierungsatome können entweder in der Wachstumsphase in die Halbleiter-Krist. eingebracht werden od. nachträglich durch *Diffusion. Weitere Möglichkeiten stellen die radioaktive Umwandlung (z. B. von Si in P durch Neutronenbestrahlung, NTD: neutron transmutation doping, NBH: neutronenbestrahlte homogene D.) od. die *Ionenimplantation dar. Weiter werden Isolatoren u. Halbleiter wie ZnS od. Y_2O_3 mit verschiedenen Ionen (z. B. Mn) dotiert um die *Lumineszenz-Ausbeute u. Wellenlänge in *Leuchtstoffen gezielt zu beeinflussen. – *E* doping – *F* dopage – *I* drogaggio – *S* dotación

Lit.: s. Halbleiter.

DOTP. Nach DIN 7723 (12/1987) Kurzz. für *Di*octyl*terephthalat [Bis-(2-ethylhexyl)-terephthalat] als *Weichmacher.

Doublé (Dublee). Aus dekorativen Gründen galvanisierte, durch Aufwalzen od. Preßschweißen – selten durch Lötplattieren – mit *Edelmetallen beschichtete *Kupfer-Werkstoffe (Kupfer, *Messing, Zinn-*Bronze) zur Verw. in der Schmuck-Ind. u. im Kunstgewerbe. Gold-D. besteht aus Messing mit Gold-Auflage, deren Anteil in % der *Halbzeug-Dicke od. im anteiligen Gew. angegeben werden kann. Durch *Galvanisieren beschichteter D.-Schmuck, Brillenteile u. Uhrgehäuse weisen Schichtdicken bis 30 µm auf; s. a. Talmi. – *E* = *F* = *I* doublé – *S* plaqué, dublé

Doubletten s. Edelsteine.

Doussie s. Afzelia.

Doversches Pulver s. Opium.

Dow. Kurzbez. für den 1897 von H. H. Dow gegr. amerikan. Chemiekonzern „The Dow Chemical Company", Midland, Michigan 48674, USA. *Produktion:* Organ. u. anorgan. Chemikalien, Spezialchemikalien; Monomere, Polymere wie Polystyrol, Polyolefine, Polycarbonate wie ABS, sowie andere techn. Kunststoffe: Polyurethane, Spezial-Kunststoffprodukte; Epoxidharze, Latex-Produkte, Dämm- u. Baustoffe; Produkte für Landwirtschaft; Konsumgüter. *Daten* (1995): 40500 Beschäftigte, ca. 20 Mrd. $ Umsatz. *Vertretung* in der BRD: Dow Deutschland Inc., Am Kronberger Hang 4, 65824 Schwalbach/Ts.

Dow Corning. Kurzbez. für den multinat. Konzern, der als Joint Venture der Dow Chemical Company u. der Corning Incorporation gegründete Dow Corning Corporation mit Sitz in Midland, Michigan 48686-0994, USA. *Produktion:* Entwicklung, Herst. u. Vertrieb von Siliconen, verwandten Spezialchemikalien u. polykrist. Silicium für die Anw. im Bau- u. Gesundheitswesen, für elektron. Geräte u. Kommunikationssyst., Körperpflegemittel, Textilien, Papier, Kunststoffe, Lebensmittel, petrochem./erdölverarbeitende Ind., Spezialschmierstoffe u. Dichtmassen, kautschukverarbeitende Industrie. *Daten* (1994, weltweit): 8300 Beschäftigte, 2,205 Mrd. US $. *Vertretung* in der BRD: Dow Corning GmbH, 65201 Wiesbaden.

Dow Corning®. Spezialschmierstoffe auf Silicon-Basis für Kunststoffe u. Metalle für Instandhaltung u. Wartung in allen Ind.-Bereichen. *B.:* Dow Corning.

Dowex®. Ionenaustauscherharze. *B.:* The Dow Chemical Company.

Dowlex®. Polyethylen der The Dow Chemical Company.

down-Mutation. Promotormutation (s. Promotor), die zur Folge hat, daß die im Rahmen der Protein-Biosynth. ablaufende RNA-Synth. (s. Transkription) weniger häufig initiiert wird. – *E* down mutation – *I* mutazione in giù (down) del promotore – *S* mutación down *Lit.:* s. Genetik, Mutation, Transkription.

Downstream Processing. In der *Biotechnologie zusammenfassende Bez. für die *Aufarbeitung* der gewünschten Metabolite; d. h. bearbeitet werden die Verfahrensschritte, die ausgehend von der Fermentationsbrühe od. der umgesetzten Lsg. nach Behandlung mit trägergebundenen Zellen/Enzymen zum Endprodukt führen. Je nach Ausgangsprodukt, Ausgangskonz., Nebenprodukten, Empfindlichkeit des biolog. Materials u. dem geforderten Reinigungsgrad werden die Aufarbeitungsschritte miteinander kombiniert.
Bei der Aufarbeitung müssen die Begriffe *Reinigung* u. *Konzentrierung* unterschieden werden. Eine Aufarbeitungsstufe verändert die Reinheit od. die Konz. eines Metaboliten; im Idealfall werden beide Parameter optimiert.
Während man früher die verfahrenstechn. Grundoperationen wie *Extraktion, Verdampfung, *Dialyse, Krist., Fällung od. Trocknung direkt aus der Chemietechnik übernahm, werden heute spezielle Reinigungsverf. für biochem. Produkte vermehrt bearbeitet u. in die Technik übertragen.
Beim D. P. kann der Mikroorganismus selbst als Biomasse das gewünschte Endprodukt sein, wie z. B. bei einer Anlage zur Herst. von *single cell protein (SCP), in der die Zellen durch Hitze-Behandlung aggregieren u. das Medium nach Abtrennung des SCP wieder dem Fermenter zugeführt wird. Meist befindet sich der gewünschte Metabolit entweder intracellulär (z. B. *Nucleinsäuren, *Vitamine, *Enzyme, einige *Antibiotika) od. extracellulär (Aminosäuren, Citronensäure, Alkohol, Enzyme wie Amylasen u. Proteasen, Antibiotika wie *Penicilline, *Streptomycin). Seltener sind Metabolite gleichzeitig aus Zellen u. Kulturfiltrat zu isolieren (z. B. Flavomycin, *Vitamin B_2).
Der erste Schritt beim D. P. ist deshalb eine Abtrennung von Biomasse u. ungelösten Nährstoffanteilen vom Kulturüberstand. Dazu werden Meth. der *Flockung u. *Flotation, der *Filtration od. dem *Zentrifugieren eingesetzt. Wenn intracelluläre Metabolite isoliert werden sollen, müssen sie zunächst durch *Aufschluß* der Zellen freigesetzt werden.
Fermentationsprodukte liegen in der Kulturlsg. meist in geringen Konz. vor. Zur Kostensenkung muß daher schon bei den ersten Stufen des D. P. eine Konzentrierung auf ein geringeres Vol. durchgeführt werden. Die weiteren Konzentrierungs- u. Reinigungsschritte richten sich nach den Anforderungen des Produkts. In letzter Zeit werden hierfür *Chromatographie-Meth.[1] u. *Extraktionen eingesetzt. Die letzten Stufen des D. P. können *Fällung*, *Kristallisation* u./od. *Trocknung* sein.

Lit.: [1] Adv. Biochem. Eng. Biotechnol. **53**, 17–59 (1996).

Downs-Verfahren s. Natrium.

Doxam®. Tabl. mit dem Antibiotikum *Doxycyclin-Hyclat (= Monohydrochlorid-hemiethanolat-hemihydrat) u. dem Mukolytikum *Ambroxol-Hydrochlorid zur Therapie akuter u. chron. Bronchitiden u. Nebenhöhlenentzündungen. *B.:* TAD.

Doxapram.

Internat. Freiname für 1-Ethyl-4-(2-morpholinoethyl)-3,3-diphenylpyrrolidin-2-on, $C_{24}H_{30}N_2O_2$, M_R 378,51. Verwendet wird das Hydrochlorid-Monohydrat, ein farbloses, krist. Pulver, Schmp. 217–219 °C; λ_{max} (H_2O) 253, 259, 265 nm ($A_{1cm}^{1\%}$ = 8,5, 10, 8,1), LD_{50} (Ratte oral) 261 mg/kg. D. wurde als zentrales Atmungsstimulans 1962 u. 1965 von A. H. Robins patentiert. – *E = F = I = S* doxapram

Lit.: ASP ■ Beilstein E V **27/3**, 481 ■ Hager (5.) **7**, 1425–1428. – [HS 293 90; CAS 309-29-5 (D.); 7081-53-0 (Hydrochlorid Monohydrat)]

Doxazosin.

Doxepin

Internat. Freiname für 1-(4-Amino-6,7-dimethoxy-2-chinazolinyl)-4-(2,3-dihydro-1,4-benzodioxin-2-ylcarbonyl)piperazin, $C_{23}H_{25}N_5O_5$, M_R 451,48. D. ist dem älteren *Prazosin strukturverwandt. Verwendet wird das Mesilat. Es wurde als α_1-*Sympath(ik)olytikum 1979/80 von Pfizer patentiert u. ist als *Antihypertonikum von Pfizer (Cardular®) u. Astra (Diblocin®) im Handel. – *E* doxazosin – *F* doxasozine – *I* doxazosina – *S* doxazosín

Lit.: Merck-Index (12.), Nr. 3489. – *[HS 2934 90; CAS 74191-85-8 (D.); 77883-43-3 (Mesilat)]*

Doxepin.

Internat. Freiname für [3-(6H-Dibenz[b,e]oxepin-11-yliden)-N,N-dimethylpropylamin, $C_{19}H_{21}NO$, M_R 279,38, Sdp. 154–157°C (3,9 Pa), 260–270°C (26 Pa); verwendet wird das Hydrochlorid; Schmp. 185–191°C; 192–193°C trans-Isomer; 209–210°C cis-Isomer; λ_{max} (0,1 N HCl) 292 nm ($A_{1cm}^{1\%}$=92); λ_{max} (CH_3OH) 296 nm ($A_{1cm}^{1\%}$=108). D. wurde als *Antidepressivum 1965 u. 1969 von Boehringer Mannheim (Aponal®) u. 1964 u. 1969 von Pfizer (Sinquan®) patentiert u. ist als Generikum im Handel. – *E* doxepin – *F* doxépine – *I* = *S* doxepina

Lit.: ASP ■ Beilstein EV **18/10**, 111 ■ Hager (5.) **7**, 1428–1431. – *[HS 2932 99; CAS 1668-19-5 (D.); 25316-40-9 (Hydrochlorid)]*

Doximucol®. Kapseln mit *Doxycyclin-Hyclat (= Monohydrochlorid-hemiethanolat-hemihydrat) u. *Ambroxol-Hydrochlorid gegen Atemwegserkrankungen mit Schleimeindickung. **B.:** Sanorania.

Doxorubicin (Adriamycin).

Internat. Freiname für ein partial-synthet. aus *Daunorubicin gewonnenes *Anthracyclin-Antibiotikum, $C_{27}H_{29}NO_{11}$, M_R 543,53. Verwendet wird das Hydrochlorid, ein orange-rotes, krist. hygroskop. Pulver, Schmp. 204–205°C (Zers.); $[\alpha]_D^{20}$ +248° (c 0,1/CH_3OH); $[\alpha]_D^{25}$ +255° (c 0,1/CH_3OH); λ_{max} (CH_3OH) 233, 253, 290, 477, 495, 530 nm ($A_{1cm}^{1\%}$=658, 440, 144, 225, 224, 124); pK_a 8.2. D. wurde als *Cytostatikum erstmals 1968 von Farmitalia (Adriblastin®, heute von Pharmacia) patentiert u. ist als Generikum im Handel. – *E* = *F* doxorubicine – *I* = *S* doxorubicina

Lit.: ASP ■ Beilstein EV **18/10**, 352 ■ DAB **1996** u. Komm. ■ Florey **9**, 245–274 ■ Hager (5.) **7**, 1431–1435. – *[HS 2941 90; CAS 23214-92-8 (D.); 25316-40-9 (Hydrochlorid)]*

Doxycyclin.

Internat. Freiname für das antibiot. wirksame 6-Desoxy-5-hydroxytetracyclin, $C_{22}H_{24}N_2O_8$, M_R 444,44. Verwendet wird das Hyklat (Semiethanolat-Semihydrat) $C_{22}H_{25}ClN_2O_8 \cdot \frac{1}{2}C_2H_6O \cdot \frac{1}{2}H_2O$, M_R 513,0, gelbes, krist. hygroskop. Pulver, Zers. bei 201°C; $[\alpha]_D^{25}$ –110° (c 1/0,1 N HCl/CH_3OH); λ_{max} (0,1 N HCl/CH_3OH) 267, 351 nm ($A_{1cm}^{1\%}$=339, 257); LD_{50} (Ratte i.p.) 262 mg/kg; verwendet wird auch das Hydrochlorid, Schmp. 230–250°C (Zers.); $[\alpha]_D^{20}$ –251° (c 0,05/0,5 M H_2SO_4); λ_{max} (0,05 M H_2SO_4) 267, 340 nm ($A_{1cm}^{1\%}$=390, 313). D. wurde 1965 von Am. Cyanamid u. 1965 von Pfizer (Vibramycin®) patentiert u. ist als Generikum von vielen Firmen im Handel. – *E* = *F* doxycycline – *I* = *S* doxiciclina

Lit.: ASP ■ DAB **1996** u. Komm. ■ Hager (5.) **7**, 1436–1440. – *[HS 2941 30; CAS 564-25-0 (D.); 24390-14-5 (Hyclat); 10592-13-9 (Hydrochlorid)]*

Doxylamin.

Internat. Freiname für N,N-Dimethyl-2-[1-phenyl-1-(2-pyridyl)ethoxy]-ethylamin, $C_{17}H_{22}N_2O$, M_R 270,37; Flüssigkeit, Sdp. 137–141°C (65 Pa). Verwendet wird das Succinat, weißes bis gelblich weißes Pulver, Schmp. 100–104°C; λ_{max} (CH_3OH) 261 nm ($A_{1cm}^{1\%}$=109); LD_{50} (Maus oral) 470, (Maus i.v.) 62, (Maus s.c.) 460 mg/kg. D. ist als *Sedativum u. *Antihistaminikum generikafähig im Handel. – *E* = *F* doxylamine – *I* = *S* doxilamina

Lit.: Beilstein EV **21/3**, 508 ■ Hager (5.) **7**, 1440f. – *[HS 2933 39; CAS 469-21-6 (D.); 562-10-7 (Succinat)]*

DOZ. Nach DIN 7723 (12/1987) Kurzz. für *Di*octyl*a*zelat [Bis-(2-ethylhexyl)-azelat] als *Weichmacher.

DP. Abk. für den durchschnittlichen Polymerisationsgrad von Polymeren, s. Polymerisationsgrad.

DPA. Abk. für *Deutsches Patentamt.

DPCF. Nach DIN 7723 (12/1987) Kurzz. für *Di*phenylkresyl*p*hosphat (Diphenyl-p-tolylphosphat) als *Weichmacher.

DPM. Abk. für Dipivaloylmethan [z.B. in *Eu(DPM)₃], s. 2,2,6,6-Tetramethyl-3,5-heptandion u. Verschiebungsreagentien.

DPOF. Nach DIN 7723 (12/1987) Kurzz. für *Di*phenyloctyl*p*hosphat [(2-Ethylhexyl)-diphenylphosphat] als *Weichmacher.

DPPH. Abk. für *2,2-Diphenyl-1-pikrylhydrazyl.

Drachenblut (Palmendrachenblut, ostind. Drachenblut). Undurchsichtige, ziegelrote bis dunkelrotbraune, geruch- u. geschmacklose Harzmassen (D. 1,2), die von den Früchten der südostasiat. Kletterpalme (*Calamus draco, Daemonorops draco*, Arecaceae, bis 100 m lang) gesammelt werden. D. wurde früher gegen Diarrhöe, zum Färben von Pflastermassen u. von Lacken verwendet u. mit D.-Lsg. durchtränkte Filterpapierstreifen zum Nachw. von Lsm. (in Benzol dunkelrote, in Tetrachlormethan eine gelbrote, in Kienöl eine schwach gelbe Färbung). Neben dem erwähnten D. sind ähnlich aussehende, aber von an-

deren Pflanzen stammende D.-Harze bekannt. – *E* dragon's blood – *F* sang-dragon, sang-de-dragon – *I* sangue di drago – *S* sangre de dragón
Lit.: Hager (4.) **6 b**, 60 ff. – *[HS 1301 90]*

Drachme s. Apothekergewicht.

Dräger. Kurzbez. für die 1889 gegr. Firma Drägerwerk AG, 23503 Lübeck. *Daten* (1994): ca. 5186 Beschäftigte, 63,5 Mio. DM Kapital, 907 Mio. DM Umsatz. *Produktion:* Geräte u. Zubehör für die Atemschutz- u. Filtertechnik (Gas- u. Staubschutzmasken, Preßluftatmer), Gasanalysentechnik (Prüfröhrchen, Gasspürgeräte, Alcoteströhrchen, Warngeräte), Medizintechnik (Narkose-, Wiederbelebungsgeräte u. dgl.), Unterwassertechnologie u. Atemgasversorgung.
Lit.: Drägerhefte.

Dräger-Prüfröhrchen. Umfangreiches Sortiment von – zusammen mit dem Dräger-Gasspürgerät eingesetzten – *Prüfröhrchen zur quant. Schnellanalyse von Gasen, Dämpfen u. Schwebstoffen in Luft im Bereich der max. Arbeitsplatzkonz. (MAK), der unteren Zündgrenze u. für die techn. *Gasanalyse. Die meisten D.-P. sind Skalenröhrchen, bei denen sich die Anzeigeschicht in einer von der Gaskonz. abhängigen Länge verfärbt; es gibt D.-P. mit einer Skale, zwei Skalen, Abgleichröhrchen mit eingebauter Farbvergleichsschicht u. a.
Lit.: Analyt. Taschenb. **1**, 205–216 ▪ Leichnitz, Prüfröhrchen-Taschenbuch, Lübeck: Dräger 1991 ▪ s. a. Prüfröhrchen.

Drag. Abk. von *Dragée(s).

Dragées (von französ. dragées = Zuckererbsen, Abk. Drag.). Bez. für überzogene *Tabletten. Sie werden oral angewandt; der Überzug ist glatt u. lückenlos, oft gefärbt. Er dient dem Schutz der Wirkstoffe, verringert die Verwechslungsgefahr u. erleichtert die Einnahme. Durch die Wahl des (ggf. in mehreren Schichten aufzubringenden) Dragiermaterials läßt sich auch steuern, in welchem Teil des Verdauungstrakts – im *Magen od. einem bestimmten Abschnitt des *Darms – die Wirkstoffe resorbiert werden. Neben Zucker werden als Umhüllungsmaterial für derartige *Filmtabletten* heute auch sog. *Dragierlacke* z. B. auf der Basis von *Polymethacrylaten od. *Methylcellulose eingesetzt. Außer Arzneimitteln werden auch *Zuckerwaren verschiedentlich in Form von D. hergestellt. – *E* coated tablets – *F* dragées – *I* confetti – *S* grageas
Lit.: List, Arzneiformenlehre, Stuttgart: Wissenschaftliche Verlagsges. 1985 ▪ s. a. Arzneiformen u. Zuckerwaren.

Dragendorffs Reagenz. Wenig beständige salpetersaure Lsg. von bas. Bismutnitrat u. Kaliumiodid (gibt $KBiI_4$) als – auch in der *Dünnschichtchromatographie einsetzbares – Farbreagenz auf Alkaloide: der Niederschlag ist bei Atropin rotgelb–kanariengelb, bei Morphin gelbrot, bei Strychnin hellgelb. D. R. dient auch zur Bestimmung nichtionogener Tenside (als *BiAS) nach der *Wickbold-Methode. – *E* Dragendorff's reagent – *F* réactif de Dragendorff – *I* reagente di Dragendorff – *S* reactivo de Dragendorff

Dragil®. Wachsartiger anionaktiver Emulgator auf der Basis von Ethylenglykolmonostearat u. Natriumstearat. *B.:* Dragoco.

Dragoco. Kurzbez. für die 1919 gegr. Firma Dragoco, Gerberding u. Co. Aktienges., 37601 Holzminden. Der Name D. wurde von dem als Markenzeichen gewählten chines. Drachen (latein.: drago, Drago Co.) abgeleitet. *Daten* (1994): 1800 Beschäftigte (internat. Gruppe), Umsatz: 466 Mio. DM (internat. Gruppe), Stammkapital: 31 Mio. DM (dtsch. Ges.). *Produktion:* Einheitliche Riech- u. Geschmackstoffe, ether. Öle, Parfümöle, Aromen u. Essenzen, Gewürzextrakte, kosmet. Grund- u. Wirkstoffe, Farbstoffe.

Dragophos-S®. Anionaktiver Ö/W-Emulgator, bestehend aus neutralisiertem Dihydroxypalmitylphosphat u. Isopropylhydroxypalmitylether. *B.:* Dragoco.

Dragosantol®. Antiphlogist. u. antibakterieller Wirkstoff, der mind. 85% d-1-α-*Bisabolol enthält; einsetzbar in Hautpflege-, Sonnenschutz-, After-Sun- u. Babypflegepräparaten. *B.:* Dragoco.

Dragoxat EH.®. Marke für Fettsäureester u. Ethylhexylethylhexanat. *B.:* Dragoco.

Draht. Ein Fein-*Stahl großer Länge bei geringen Querschnittsabmessungen mit überwiegend kreisförmigem Querschnitt. Zumeist Herst. als Walzdraht durch Warmwalzen u. dann Weiterverarbeitung durch Verf. der Kaltverformung. Wirtschaftlich herstellbar ist Walzdraht nur bis zu ca. 5 mm als kleinstem Durchmesser. Die Herst. erfolgt in kontinuierlichen D.-Straßen mit einadrigen Walzmaschen bei D.-Geschw. bis 30 m/s u. D.-Temp. oberhalb der Rekristallisationstemp. zum Vermeiden von Verfestigungen. Vor dem Kaltwalzen wird der Walzdraht mechan., chem. od. spanend entzundert. Die Kaltverformung findet im allg. durch Ziehen statt, was zu engen Durchmessertoleranzen, guter Rundheit u. Oberfläche sowie signifikanter Festigkeitssteigerung führt. Zum Erreichen bestimmter mechan. Eigenschaften kann D. in Abhängigkeit vom Werkstoff wärmebehandelt werden. Im Anschluß an die Kaltverformung ist noch eine Oberflächenveredelung durch Beschichtung mit Metallen (Schmelztauchen, galvan. od. elektrolyt. Abscheiden) od. mit Polymeren (Strangpressen, Wirbelsintern, elektrostat. Beschichten) möglich. D. kann Fertigprodukt sein od. als *Halbzeug weiterverarbeitet werden (Schrauben, Federn, u. ä.). – *E* wire – *F* fil – *I* filo metallico – *S* alambre, hilo

Drahtexplosion. Durch einen kurzen, aber sehr starken Stromstoß verursachter Effekt, bei dem ein sehr dünner Draht auf hohe, weit über seinem Schmelzpunkt liegende Temp. (z. B. mehrere 100 000 °C) erhitzt wird. Das geschmolzene Metall wird noch kurzfristig durch das auftretende Magnetfeld zusammengehalten, ehe es dann schlagartig unter *Atomisierung verdampft. Techn. Anw. findet die D. z. B. beim *Aufdampfen, labormäßige zur Herst. von Metall-organ. Verb. (s. Atome) u. *Carbiden. – *E* exploding wire – *F* explosion par filament – *I* esplosione del filo – *S* hilo explosivo
Lit.: Nachr. Chem. Tech. **17**, 281 ff. (1969). – *Serie:* Exploding Wires, New York: Plenum (seit 1959).

Drahtglas s. Glas.

Drahtlacke s. Isolierlacke.

Drahtspiralen s. Füllkörper.

Dralon®. Polyacrylnitril-Faser für gestrickte u. gewebte Bekleidung, Strümpfe, Florartikel, Handstrickgarn, Dekostoffe, Teppiche, Filze, Filter auch als techn. Filament. *B.:* Bayer.

Dram. Amerikan. u. engl. Gewichtseinheit: 1 dr avdp = 1,7718 g; 16 dr avdp = 1 ounce avdp.

Drano®. Marke von Johnson & Johnson für Spezialreinigungsmittel zur Beseitigung von Rohrverstopfungen. Typ Rohrfrei in Pulverform mit kindergesichertem Verschluß, da das Pulver stark alkal. ist; Typ Rohrfrei Flüssig ist Tensid-haltig, Chlor-frei u. nicht ätzend. *B.:* Henkel.

Drapersches Gesetz s. Glut.

Drastika. Früher gebräuchliche Bez. für bes. stark wirkende *Abführmittel.

Dravit s. Turmalin.

Drawin®. Marke von Wacker für ein niedrigsiedendes Lack- u. Klebstoff-Lsm. auf der Basis von Essigsäureethyl- mit etwas -methylester bzw. für ein *Insektizid auf der Basis von *Butocarboxim gegen Blattläuse (D. 755).

Drehbandkolonne s. Kolonnen u. Destillation.

Drehimpulsquantenzahl. In der *Quantentheorie, der für Atome u. Mol. gültigen physikal. Theorie, ist der Drehimpuls gequantelt. Er kann also keine kontinuierlichen Werte annehmen, sondern besitzt nur ganz bestimmte, sog. diskrete Werte. Diese lassen sich einfach über die D. ausdrücken, die ganz- od. halbzahlig ist. Ganzzahlige Werte nimmt die bei *Atombau besprochene Bahndrehimpulsquantenzahl an; s. a. Bahndrehimpuls. – *E* angular momentum quantum number – *F* nombre quantique du moment angulaire – *I* numero quantico azimutale – *S* número cuántico del momento angular

Drehkristall-Methode s. Kristallstrukturanalyse.

Drehrohröfen. Bez. für Reaktionsapparate zur therm. Behandlung von Stoffen. D. sind ggf. >200 m lange u. >7 m weite, walzenartige Hohlkörper, deren Innenwände mit *Feuerfestmaterialien ausgekleidet sind. Diese Öfen liegen um ca. 3–7° gegen die Waagerechte geneigt u. werden durch Zahn- od. Schneckenradantrieb sehr langsam um ihre Achse gedreht. Das an der höher gelegenen Ofenseite eingefüllte Reaktionsmaterial wird damit gut durchgemischt u. erhält dauernd neue Oberflächen, so daß hohe Reaktivität des Feststoffs erhalten bleibt. Die Beheizung erfolgt von unteren Ende her mit Öl, Gas od. Kohlenstaub. Man benutzt D. mit Tagesleistung bis 3000 t z. B. zum *Calcinieren, d.h. bei der Zement-Herst., zum Rösten von Pyrit, zum Glühen von Lithopone u. Titanweiß, zum Aufschließen von Chromeisenstein mit Soda, zur Herst. von Schwefeldioxid u. Zementklinkern aus Gips, zur Gewinnung von Kalkstickstoff durch Azotierung von Carbid, zur therm. Müllbehandlung usw. – *E* rotary furnaces, rotary kilns – *F* fours rotatifs – *I* forno rotativo – *S* hornos rotatorios, hornos tubulares giratorios

Lit.: Ullmann (5.) **B 4**, 98, 100, 342 ▪ Winnacker-Küchler (4.) **3**, 237 ff. ▪ s. a. Calcinieren.

Drehung (optische) s. optische Aktivität.

Dreiblockpolymere s. Blockpolymere.

Dreidimensionale Polymere s. Gitterpolymere.

Dreiding, André Samuel (geb. 1919), Prof. für Organ. Chemie, Univ. Zürich. *Arbeitsgebiete:* Theoret. u. präparative organ. Chemie, Reaktionsmechanismen, Pflanzenfarbstoffe u. a. Naturstoffe, kleine Ringe, Stereochemie, mathemat. Chemie, Entwicklung von Mol.-Modellen (s. Dreiding-Stereomodelle).

Lit.: Kürschner (16.), S. 635 ▪ Neufeldt, S. 260.

Dreiding-Stereomodelle. Von *Dreiding[1] entworfene *Molekülmodelle, welche sich für die Veranschaulichung stereochem. Betrachtungen od. reaktionsmechanist. Überlegungen eignen. Die Einheiten bestehen aus Stäbchen u. Röhrchen, welche an einem den Atomkern darstellenden u. die jeweilige Atomart durch Farbmarkierungen kennzeichnenden Zentralpunkt zusammengelötet sind. Die Stäbchen u. Röhrchen einer Einheit entsprechen in Anzahl u. räumlicher Anordnung den σ-Bindungen des darzustellenden Atoms (C, O, N, P, Si, Metalle usw.). Ihre Längen sind proportional (40 pm/cm = 0,4 Å/cm) zum Kernabstand des Wasserstoffs von diesem Atom (vgl. Abb.). Konstruktionsbedingt sind die Modelle gegeneinander frei drehbar. Eine druckknopfartige Arretierung im Röhrchen sorgt dafür, daß das Stäbchen nur so weit eingeschoben werden kann, bis der Abstand der Zentralpunkte dieser zwei Einheiten die gleiche Proportionalität (0,4 Å/cm) zum Atomabstand zeigt (Additivität der kovalenten *Atomradien; *Beisp.* in Abb.: Methan u. Wasser „gibt" Methanol. Wenn zwei od. mehrere Atome durch nicht drehbare Bindungen miteinander verbunden sind, so werden sie im Stereomodell als unzerlegbare Einheit zusammen dargestellt. Von den in der korrekten Distanz zusammengelöteten Atomkernen zweigen Stäbchen u. Röhrchen in der für den jeweiligen Fall typ. Anzahl u. räumlichen Anordnung ab.

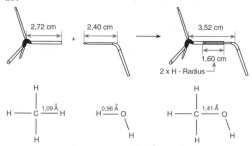

Abb.: Dreiding-Stereomodelle (Methan, H_2O u. Methanol).

Zur Visualisierung werden D.-S. heute nur noch selten eingesetzt, da Computerprogramme diese Aufgabe leicht für Mol. mit mehreren hundert Atomen bewältigen können (s. a. Molecular Modelling). – *E* Dreiding stereomodels – *F* stéréomodèles de Dreiding – *I* stereomodelli di Dreiding – *S* estereomodelos de Dreiding

Lit.: [1] Helv. Chim. Acta **42**, 1339–1344 (1959). *allg.:* Prog. Stereochem. **4**, 335–375 (1968) ▪ s. a. Atommodelle u. Molekülmodelle.

Dreiecksäure.

HO—◁—OH ↔ [⁻O—◁—O⁻] ↔ [⁻O—◁=O] ↔ [O=◁—O⁻]
   | | | |
   O   O   O⁻   O⁻

≡ [O⋯◁⋯O]²⁻
        |
        O

Trivialname für Dihydroxycyclopropenon. Synonyme Bez. sind Deltasäure[1] u. Triangelsäure. Die D. gehört wie die *Quadratsäure zu den Oxokohlenstoffsäuren (s. Oxokohlenstoffe)[2]. Die Resonanzstrukturen für das Dianion der D. legen den Schluß nahe, daß die Verb. aromat. Charakter besitzen sollte. – *E* deltic acid, triangle acid – *F* acide triangulaire – *I* acido triangolare, acido delta – *S* ácido déltico, ácido triángulo
Lit.: [1] J. Am. Chem. Soc. **97**, 207 (1975). [2] J. Am. Chem. Soc. **85**, 2577 (1963).
allg.: Nachr. Chem. Tech. Lab. **28**, 804 (1980) ▪ Patai, The Chemistry of the Carbonyl Group, Bd. 2, S. 241–275, New York: Wiley-Interscience 1970 ▪ West, Oxocarbons, New York: Academic Press 1980.

Dreifachbindung. Bez. für die – in der *chemischen Zeichensprache durch 3 parallele Valenzstriche symbolisierte – Verb. zweier Atome durch drei Elektronenpaare; *Beisp.:* *Alkine, *Nitrile u. *Cyanide; s. a. chemische Bindung.

R—C≡C—R   R—C≡N   R—C≡P

In jüngster Zeit sind D. mit Elementen der zweiten Achterperiode bekannt geworden; insbes. hat die Phosphor-Kohlenstoff-Dreifachbindung in den Phosphaalkinen ein großes synthet. Potential für die Synth. Phosphor-organ. Verb. gezeigt[1,2]. – *E* triple bond – *F* triple liaison – *I* legame triplo – *S* enlace triple
Lit.: [1] Angew. Chem. **100**, 1541–1565 (1988). [2] Nachr. Chem. Lab. Tech. **37**, 896–905 (1989).
allg.: Patai, The Chemistry of the Carbon-Carbon Triple Bond, S. 1–56, New York: Wiley 1978 ▪ Patai, The Chemistry of Triple-bonded Functional Groups, Supplement C 2, Chichester: Wiley 1994 ▪ s. a. Textstichwörter.

Dreifuß. Eisernes, dreifüßiges Laboratoriumsgerät, auf welchem man nach Auflegen eines Drahtnetzes (mit od. ohne feuerfester Einlage) od. einer Keramik-Platte Feststoffe od. Flüssigkeiten in Schalen, Kolben, Bechergläsern usw. erhitzen kann. Tiegel u. Trichter setzt man in ein aufgelegtes Tondreieck. – *E* tripod – *F* tripode – *I* treppiede – *S* trípode

Dreistoffsysteme s. ternäre Systeme.

Dreiturm. Kurzbez. für die 1825 gegr. Dreiturm GmbH, 36396 Steinau. *Produktion:* Feinseifen, Wäsche- u. Haushaltspflegemittel, Kosmetik- u. Toilettenartikel, Fußbodenreinigungs- u. Pflegemittel. *Daten* (1995): ca. 300 Beschäftigte, ca. 400 Mio. DM Umsatz.

Dreiwege-Katalysator. Leicht irreführende Bez. für ein Katalysatorsyst. mit mehreren Funktionen zur Reinigung von Abgasen aus Ottomotoren.
Bei der Verbrennung von Benzin (Kohlenwasserstoffen) mit Luft im Ottomotor entstehen neben den Hauptverbrennungsprodukten Kohlenstoffdioxid u. Wasserdampf auch Nebenprodukte u. Schadstoffe. Dies sind im wesentlichen Kohlenwasserstoffe (HC), Kohlenstoffmonoxid (CO) u. Stickstoffoxide (NO_x). Der Gehalt der Abgase aus Ottomotoren an diesen Schadstoffen hängt vom Luft/Kraftstoffverhältnis ab, das im Motor vorliegt, s. Abb. 1.

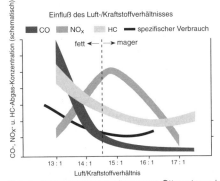

Abb. 1. Abgaszusammensetzung aus Ottomotoren in Abhängigkeit vom Luft/Kraftstoffverhältnis.

Bei Luftunterschuß (kleine Verhältnisse Luft/Kraftstoff) enthält das Abgas relativ viel CO u. HC, während bei Luftüberschuß (große Verhältnisse Luft/Kraftstoff) CO u. HC vollständig oxidiert werden. Der Gehalt an NO_x durchläuft ein Maximum im Bereich leicht magerer Gemischzusammensetzung. In diesem Bereich liegt aber auch ein Optimum des spezif. Verbrauches, s. Abb. 1. Werden Ottomotoren also auf optimal niedrigen Verbrauch eingestellt, liegen hohe NO_x-Konz. neben mäßigen CO- u. HC-Konz. im Abgas vor.

Die Entwicklung der Verkehrsdichte in Ballungsräumen hat dazu geführt, daß die Gesetzgeber zunächst in den USA, später in Europa u. der BRD, die *Emission der Schadstoffe CO, HC u. NO_x limitiert haben. Die derzeit geltenden Grenzen – insbes. für NO_x – sind mit prim. motor. Maßnahmen nicht einzuhalten. Daher werden sek. Maßnahmen – die katalyt. Abgasreinigung – zur Einhaltung dieser Grenzen eingesetzt.
Der heute zur katalyt. Abgasreinigung bei Ottomotoren überwiegend verwendete D.-K. ist ein multifunktioneller Katalysator auf Edelmetall-Basis auf einem keram. Monolith-Träger, s. Abb. 2.

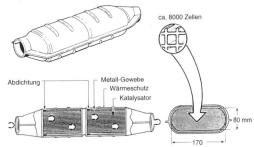

Abb. 2: Aufbau eines Dreiwege-Katalysators.

Die drei Funktionen, die vom Katalysator wahrgenommen werden müssen, sind die Oxid. von CO, die Oxid. von HC sowie die Red. von NO_x s. Abb. 3 (aus diesem Grund die irreführende Bez. *Dreiwege-Katalysator*).

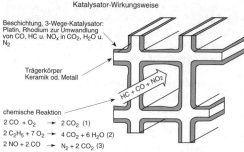

Abb. 3: Wirkungsweise eines Dreiwege-Katalysators.

Wichtig bei der Wirkungsweise des D.-K. ist, daß eine Schadstoffkomponente – nämlich CO – zur Red. einer anderen – nämlich NO_x – verwendet wird.
Katalysator u. Reaktionsbedingungen müssen daher so abgestimmt sein, daß unter allen in Betracht kommenden Betriebszuständen CO- u. Kohlenwasserstoff-Oxid. sowie NO_x-Red. stöchiometr. ablaufen. Hierbei lassen sich zwei Grenzen erkennen. Wird das auf den Katalysator treffende Gemisch immer „magerer", das heißt Sauerstoff-reicher, so wird bevorzugt Kohlenmonoxid oxidiert, Reaktion (1), während für die NO_x-Red., Reaktion (3), nicht mehr genug Kohlenmonoxid übrig bleibt. Andererseits reichen bei starken Abweichungen in den „fetten" Bereich (Treibstoffüberschuß = Sauerstoff-Unterschuß) die Sauerstoff- u. Stickstoffoxid-Konz. nicht mehr aus, um vollständige Kohlenmonoxid- u. Kohlenwasserstoff-Umsetzung zu erreichen. Eine Möglichkeit, um im „fetten" Bereich zusätzliche Kohlenwasserstoff- u. Kohlenmonoxid-Umsätze zu erreichen, besteht darin, den Katalysator so zu optimieren, daß diese Stoffe mit Hilfe des vorhandenen Wasserdampfes oxidiert werden.
Ein multifunktioneller Katalysator kann also nur in einem engen stöchiometr. Bereich der Zusammensetzung des Abgases funktionieren, s. Abb. 4. Als λ-Wert (lambda-Wert) bezeichnet man das Verhältnis der tatsächlich in den Motorraum gelangenden Menge Sauerstoffes zu der für eine vollständige Verbrennung benötigten Menge an Sauerstoff. Der Bereich, in dem hohe Umsetzungen für alle drei oben genannten Abgaskomponenten erreicht werden, wird als „λ-Fenster" (s. Lambda-Fenster) bezeichnet, vgl. Abb. 4.

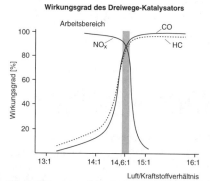

Abb. 4: Wirkungsgrad des Dreiwege-Katalysators in Abhängigkeit vom Luft/Kraftstoffverhältnis.

Das λ-Fenster liegt bei einem Luft/Kraftstoffverhältnis von etwa 14,6 : 1. Zum optimalen Betrieb des Katalysators muß das Luft/Kraftstoffverhältnis möglichst auf den optimalen Bereich geregelt werden. Dies erfolgt mit Hilfe der „λ-Sonde". Die λ-Sonde vor dem Katalysator mißt die Konz. von Sauerstoff im Abgas, so daß die in den Motorraum gelangenden Kraftstoff- u. Verbrennungsluftmengen optimal geregelt werden können.
Im Gegensatz zur Anw. von Katalysatoren in Chemieanlagen od. Kraftwerken, wo die Reaktionsbedingungen möglichst konstant gehalten werden u. meist keine großen mechan. Belastungen auftreten, ergibt sich für Autoabgaskatalysatoren ein drast. erhöhtes Anforderungsprofil. Starke mechan. Belastungen durch Druckschwankungen u. Fahrzeugerschütterungen müssen ebenso verkraftet werden wie rasch variierende Reaktionsbedingungen hinsichtlich der Konz. der verschiedenen Komponenten wie auch Temp. u. Strömungsgeschwindigkeit.
Es sind v. a. zwei Einflüsse, durch die D.-K. im Laufe ihrer Betriebszeit geschädigt werden können: Therm. Überlastung u. Katalysatorvergiftung. Therm. Überlastungen können durch Störungen am Motor, zum Beispiel durch Zündaussetzer, auftreten. Sie führen zu Oberflächenverlusten durch Sintern der Edelmetall-Komponenten od. des γ-Al_2O_3-Trägermaterials, Vorgänge, die naturgemäß zu einer Verminderung der Aktivität des Katalysators führen. Aus Öl- u. Treibstoffzusätzen od. -verunreinigungen sowie durch Motorabrieb treffen, wenn auch in geringer Konz., Fremdstoffe auf den Katalysator, beispielsweise SO_2, Metall-Abrieb, Barium-, Zink-, Blei- u. Phosphor-Verbindungen. V. a. die beiden letzteren bewirken Katalysatorschädigungen; in höheren Konz. durch Abdeckung der aktiven Oberfläche, in geringeren Konz. durch Katalysatorvergiftung im engeren Sinne. Für die Nutzung des Katalysators muß deshalb sichergestellt werden, daß Blei-freies Benzin verfügbar ist. In manchen Treibstoffen dienen Blei-Verb. (meist Tetraethylblei) als Radikal-Fänger, die während der Kompression im Motor eine verfrühte Entzündung des Benzin-Luft-Gemisches (das „Klopfen") verhindern. Durch die Verw. von Blei-freiem Benzin wird die Umwelt auch direkt entlastet, da die Verbrennungsprodukte verbleiten Benzins – Bleibromid, Bleitriethylen-Radikale u. a. – relativ tox. sind. – *E* three-way catalytic converter – *F* catalyseur à trois voies – *I* catalizzatore a tre vie – *S* catalizador de tres vías

Lit.: Chem. Labor Betr. **36**, 181 ff. (1985) ▪ Chem. Unserer Zeit **18**, 37 ff. (1984) ▪ Folienserie Umweltbereich Luft, Frankfurt: Fonds der Chemischen Industrie 1987 ▪ Ullmann (5.), **A 16**, 750 ▪ Umschau **1985**, 163 ff. ▪ VDI-Kommission Reinhaltung der Luft, katalytische u. thermische Verfahren der Abgasreinigung, VDI-Berichte 525, Düsseldorf: VDI 1985.

Dreizentrenbindung. Wenn eine Bindungssituation durch „normale" Zweizentren-Zweielektronenbindungen nicht zufriedenstellend beschrieben werden kann, gelingt häufig eine zutreffende u. anschauliche Beschreibung durch Dreizentrenbindungen. Dabei betrachtet man drei Atome, die jeweils ein Orbital für die Bindungsbildung zur Verfügung stellen. Die drei Atomorbitale bilden drei *Molekülorbitale, von denen eines bindend, das zweite nicht bindend u. das dritte antibindend ist (Molekülorbitaldiagramm dazu s. Edelgas-Verbindungen). Ein einfaches Beisp. ist *Diboran(6), B_2H_6 (1), welches mit nur 12 Valenzelektronen acht B–H-Bindungen ausbildet (Elektronenmangelverbindung):

Abb.: Dreizentrenbindung bei Diboran (6).

Die beiden verbrückenden H-Atome beteiligen sich dabei an einer Zweielektronen-D., wobei nur das bindende der drei Molekülorbitale der BHB-D. mit zwei Elektronen besetzt ist (2). Ein Beisp. für die Vierelektronen-D. findet sich bei *Edelgas-Verbindungen. – *E* three-center bond – *F* liaison à trois cœurs – *I* legame fra tre centri – *S* enlace de tres centros
Lit.: Mortimer, Chemie (6.), S. 462, 464, Stuttgart: Thieme 1996.

Dresinate®. Verschiedene Typen von Harzseifen auf der Basis von Kolophonium u. Tallölharzen zur Verw. als techn. Emulgatoren. *B.:* Hercules/Abieta.

Dresinol®. Harzdispersionen auf der Basis von Kolophonium-Derivaten od. Kohlenwasserstoffen für Dispersionsklebstoffe. *B.:* Hercules.

Dridase®. Tabl. mit 4-Diethylamino-2-butinyl-(α-cyclohexylmandelat) (internat. Freiname *Oxybutynin) gegen Harndrang u. -inkontinenz. *B.:* Pharmacia.

Drimalan®. Reaktivfarbstoffe zum Färben u. Bedrucken von natürlichen u. synthet. Polyamid-Fasern (die F-Marken bes. für Wolle). *B.:* Sandoz.

Drimane.

Drimenol

R = H : Polygodial
R = OH : Warburganal

Tab.: Daten der Drimane.

	Summenformel	M_R	Schmp. [°C]	$[α]_D$	CAS
Drimenol	$C_{15}H_{26}O$	222,37	97,8	–19° (Benzol)	146838-17-7
Polygodial	$C_{15}H_{22}O_2$	234,34	50	–131° ($CHCl_3$)	6754-20-7
Warburganal	$C_{15}H_{22}O_3$	250,34	106 –107	260° ($CDCl_3$)	62994-47-2

Sesquiterpene mit *trans*-Decalin-Gerüst. D. finden sich hauptsächlich in Winteraceen (*Drimys*-Arten), Canellaceae (*Warburgia*-Arten) u. Polygonaceae, aber auch in maritimen Nacktschnecken (*Ophistobranchia*). Beispielverb. sind *Drimenol, Warburganal* u. *Polygodial*. Die Biosynth. der D. erfolgt durch direkte Cyclisierung von Farnesol-Derivaten.
Eigenschaften u. Verw.: Pflanzen, die D. enthalten, finden in der Naturheilkunde Verw. u. wegen ihres scharfen Geschmacks auch in Gewürzen. D. besitzen antibakterielle, fungizide u. cytotox. Eigenschaften. Polygodial schützt den Wasserpfeffer (*Piper hydropiper*) vor Insektenfraß u. ist fischgiftig, außerdem dient es Nacktschnecken zur chem. Verteidigung. Warburganal schützt Canellaceen gegen verschiedene Pilze u. den Schädling *Spodoptera*. – *E* = *F* drimanes – *I* drimani – *S* drimanos
Lit.: J. Chem. Res. (S) **1996**, 108f. ■ J. Org. Chem. **51**, 773 (1986) ■ Merck-Index (12.), Nr. 7732 u. 10173 ■ Nat. Prod. Rep. **8**, 319 (1991) ■ Tetrahedron **45**, 1567 (1989); **50**, 10995 (1994) ■ Tetrahedron Lett. **35**, 3781 (1994).

Drimaren®. Umfangreiches Sortiment von Reaktivfarbstoffen für den Einsatz in Färbung u. Druck von Cellulose-Fasern rein u. in Mischungen mit Synthese-Fasern (CDG-Typen als nichtstäubende, kaltwasserlösl. Granulate erhältlich). *B.:* Sandoz.

Drimenol s. Drimane.

Dripolene. Amerikan. Bez. für Aromaten- u. Schwefel-reiche Benzin-Fraktionen aus Krackprozessen.
Lit.: Kirk-Othmer (3.) **3**, 751, 754; (4.) **4**, 84 ■ McKetta **4**, 257ff.

Drofenin.

Internat. Freiname für Cyclohexyl-phenylessigsäure-[2-(diethylamino)-ethyl]-ester, $C_{20}H_{31}NO_2$, M_R 317,47, hellgelbe, zähflüssige Masse, Sdp. 158°C (19,5 Pa). Verwendet wird das Hydrochlorid, weißes, feinkrist. Pulver, Schmp. 145–147°C; $λ_{max}$ (0,01 N HCl 252, 258, 263 nm ($A^{1\%}_{1cm}$ = 5, 6, 4,5); $λ_{max}$ (CH_3OH) 252, 264 nm ($A^{1\%}_{1cm}$ = 4,65, 4,55); LD_{50} (Maus i.v.) 65,6 mg/kg. D. wurde als *Spasmolytikum u. *Anticholinergikum 1941 von Ciba (Spasmo-Cibalgin®, Kombination mit *Propyphenazon u. *Codein) patentiert. – *E* drofenine – *F* drofénine – *I* = *S* drofenina
Lit.: Beilstein E IV **9**, 2145 ■ Hager (5.) **7**, 1442ff. – [HS 2922 19; CAS 1679-76-1 (D.); 548-66-3 (Hydrochlorid)]

Drogen (von niederländ.: droog = trocken od. aus dem Arab.).
1. Unter D. im eigentlichen Sinne versteht man getrocknete Stoffe v. a. pflanzlichen, aber auch tier. Ursprungs, die entweder als solche od. in Form von *Extrakten, *Decocten (s. a. Mazeration, Infusion, Perkolation) u. dgl. als *Heilmittel* (Phytopharmaka) od. zu techn. Zwecken verwendet werden. Die systemat. Erforschung der D. ist das Arbeitsgebiet der *pharmazeutischen Biologie.
2. In den letzten Jahren wird in der Umgangssprache die Bez. D. vorwiegend auf solche Stoffe angewendet, die *Rauschzustände* u. meist auch *Drogenabhängigkeit* (s. Sucht) erzeugen, wobei auch Verb. synthet. Ursprungs wie Amphetamin u. a. Weckamine, LSD u. a. der *BMVVO unterliegende Stoffe einbezogen werden; gelegentlich spricht man hier auch von „weichen" D. wie Marihuana u. Haschisch im Gegensatz zu „harten" D. wie Opium u. Heroin. Näheres s. unter Betäubungsmittel, Halluzinogene u. Rauschgifte. – *E* drugs – *F* drogues – *I* droghe, stupefacenti – *S* drogas
Lit.: DAB ■ Deutschmann et al., Drogenanalysen, Stuttgart: Fischer 1992 ■ Eschrich, Pulveratlas der Drogen, Stuttgart: Fischer 1983 ■ Franz u. Koehler, Drogen u. Naturstoffe, Berlin:

Springer 1992 ▪ Frohne, Anatomisch-mikrochemische Drogenanalyse, Stuttgart: Thieme 1985 ▪ Hager ▪ Rohdewald, Rücker u. Glombitza, Apothekengerechte Prüfvorschriften, Stuttgart: Dtsch. Apoth. Verl. 1995 ▪ Steinegger u. Hänsel, Pharmakognosie, Berlin: Springer 1992 ▪ Wagner et al., Drogenanalyse, Berlin: Springer 1983 ▪ Wichtl (2.).

Drogenabhängigkeit s. Rauschgifte u. Sucht.

drom. Kurzbez. für die Firma drom fragrances international Dr. O. Martens Nachf. KG Headquarters, 82065 Baierbrunn. *Produktion u. Vertrieb:* Parfümöle für Kosmetika, Seifen-, Wasch- u. Putzmittel.

Dronabinol s. Cannabinoide.

Droperidol.

Internat. Freiname für 1-{1-[4-(4-Fluorphenyl)-4-oxobutyl]-1,2,3,6-tetrahydro-4-pyridyl}-1,3-dihydrobenzimidazol-2-on, $C_{22}H_{22}FN_3O_2$, M_R 379,43, Schmp. 144–148 °C; λ_{max} (0,1 N HCl/CH_3OH 9:1) 245, 280 nm ($A_{1cm}^{1\%}$=411, 198); pK_a 7,64; LD_{50} (Maus s.c.) 125, (Maus i.v.) 43 mg/kg. D. wurde 1964 als *Neuroleptikum u. i. v. Narkosemittel von Janssen (Dehydrobenzperidol®) patentiert. – *E* droperidol – *F* dropéridol – *I* droperidolo – *S* droperidol

Lit.: ASP ▪ Beilstein E V 24/2, 388 ▪ DAB 1996 u. Komm. ▪ Florey 7, 171–192 ▪ Hager (5.) 7, 1444f. – *[HS 2933 39; CAS 548-73-2]*

Dropropizin.

Internat. Freiname für das *Antitussivum 3-(4-Phenyl-1-piperazinyl)-1,2-propandiol, $C_{13}H_{20}N_2O_2$, M_R 236,31, weißes Pulver, Schmp. 105–108 °C; λ_{max} (wäss. Säure) 238 nm ($A_{1cm}^{1\%}$=330). LD_{50} (Ratte i.v.) 200, (Ratte oral) 750 mg/kg. D. wurde 1961 erstmals von UCB patentiert u. ist von Bayer (Larylin® Hustensaft) im Handel. – *E* = *F* dropropizine – *I* = *S* dropropizina

Lit.: ASP ▪ Beilstein E V 23/2, 111f. ▪ Hager (5.) 7, 1446. – *[HS 2933 59; CAS 17692-31-8]*

Drosera s. Sonnentau.

Drosophila melanogaster. Ca. 2 mm große Fruchtfliegenart, die häufig an faulendem u. gärendem Obst zu finden ist u. sich seit 1907 als wichtiges Versuchstier für genet. u. entwicklungsphysiol. Forschungen etabliert hat. D. m. ist leicht züchtbar; eine Generation dauert 10 Tage. Das Erbmaterial besteht aus nur 4 *Chromosomen-Paaren, die in den Speicheldrüsen bes. groß als *Riesenchromosomen* ausgebildet sind. Durch Kreuzungsexperimente konnten *Genkarten der Chromosomen erstellt werden. Viele *Mutationen zeigen sich in Farb- u. Gestaltsänderungen dieser Fliegenart.

Lit.: Gewecke, Physiologie der Insekten, S. 91, Stuttgart: Fischer 1995.

Drosophilin A (2,3,5,6-Tetrachlor-4-methoxyphenol).

$C_7H_4Cl_4O_2$, M_R 261,92, Krist., Schmp. 114 °C, lösl. in Hexan, Chloroform, Ether, wenig lösl. in Wasser. Antibiotikum aus dem Höheren Pilz (Basidiomycet) *Drosophila subatrata*[1]. Verwandte polychlorierte Hydrochinon-Derivate sind der entsprechende *D.-Methylether*[2] (aus *Fomes fastuosus*) u. *1,2,4-Trichlor-3,6-dimethoxy-5-nitrobenzol* ($C_8H_6Cl_3NO_4$, M_R 286,50, Schmp. 115–116 °C). Das Kalium- bzw. Natrium-Salz von 2-Chlor-4-nitrophenol ist für die Orangefärbung des Fruchtfleisches von *Stephanospora caroticolor* verantwortlich. – *E* drosophilin A – *F* drosophiline A – *I* = *S* drosofilina A

Lit.: [1]Beilstein E IV 6, 5775. [2]Tetrahedron 1966, 1229. – *[CAS 484-67-3]*

Drosopterin s. Pteridine.

Drosseleffekt s. Joule-Thomson-Effekt.

Drostanolon.

Internat. Freiname für das androgen wirkende 17β-Hydroxy-2α-methyl-5α-androstan-3-on, $C_{20}H_{32}O_2$, M_R 304,47, Schmp. 149–153 °C; $[\alpha]_D^{20}$ +32° (C_2H_5OH); verwendet wird das Propionat, weißes, krist. Pulver, Schmp. 126–130 °C; $[\alpha]_D^{20}$ +24°. D. wurde 1964 von Syntex patentiert. – *E* = *F* = *I* drostanolone – *S* drostanolona

Lit.: ASP ▪ Beilstein E IV 8, 653 ▪ Hager (5.) 7, 1446ff. – *[HS 2937 99; CAS 58-19-5 (D.); 521-12-0 (Propionat)]*

DRP. Abk. für Deutsches Reichspatent, s. Patente.

Druck (Plural: Drücke). Bez. für den Quotienten aus Normalkraft, die auf eine Fläche drückt, u. Flächeninhalt. Häufig hängt ein Vorgang od. eine Erscheinung nur von dem Unterschied des in einem Raum herrschenden D. gegen einen festen od. veränderlichen *Bezugsdruck* ab; Bezugsdruck ist oft – aber nicht immer – der jeweilige Atmosphären-Druck. *Unterdruck* (s. Vakuum) ist der um den D. verminderte Bezugsdruck; er ist pos., wenn der D. kleiner ist als der Bezugsdruck. *Überdruck* ist der um den Bezugsdruck verminderte D.; er ist pos., wenn der D. größer ist als der Bezugsdruck. Die D.-*Einheit im *CGS-System war das Mikrobar (µbar = 1 dyn/cm^2 = 10^3 dyn/cm^2), im *MKS-System das Newton je Quadratmeter (N/m^2 = kg/m s^2); als *SI-Einheit führt diese den Namen Pascal (Pa), u. das *Bar (Kurzz. bar) ist davon als 1 bar = 100000 Pa abgeleitet. Als Folge der Einführung des „Gesetzes über Einheiten im Meßwesen" vom 2. Juli 1970 gelten seit 1.1.1978 die folgenden Einheiten *nicht mehr als gesetzliche Einheiten*: die techn. Atmosphäre (at), die physikal. Atmosphäre (atm), das Torr u. die Bez. Meter-Wassersäule (1 m WS = 0,1 at = 9806,65 Pa). Mit Fehlern von –1,3% bzw. +1,9%

kann man gleichsetzen: 1 atm ≈ 1 bar ≈ 1 at (s. Atmosphäre zur Umrechnung). Die IUPAC (*Lit.*[1]) rät von der Verw. der Einheiten bar u. mbar ab u. empfiehlt statt dessen MPa u. kPa. Die niedrigsten, techn. erreichten D. sind $<10^{-4}$ Pa; ein *Vakuum von 10 fPa bezeichnet man als Weltraumvakuum. Der höchste Druck, der mechan. realisiert wurde, liegt bei 270 GPa. Er wird erreicht, indem zwei Diamanten, mit einem typ. Gew. zwischen 1/8 u. 1/16 Karat u. einer Druckfläche von ~ 0,45 mm^2, als Druckstempel benutzt werden (s. Abb.). Zur Druckmessung werden kleine Rubin-Krist. in die zu komprimierende Probe gegeben u. die Linienverschiebung bestimmt. Weitere Details s. *Lit.*[2]. Weitere Beschreibungen über die Erzeugung verschiedener D. u. ihre Messung s. *Lit.*[3]. Noch höhere D., im Bereich bis Gbar lassen sich durch *Laser-Strahlen mit Intensitäten von 10^{18} W/cm^2 erzeugen[4].

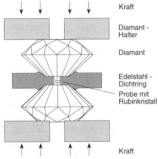

Abb.: Aufbau zur Erzeugung sehr hoher Drücke.

Unter dem Einfluß des D. ändern viele Stoffe ihren *Aggregatzustand u. gehen z. B. vom gasf. in den flüssigen od. gar festen Zustand über; Näheres s. bei Flüssiggase u. Gase. In den *Gasgesetzen u. allg. in der *Thermodynamik wird der D. durch das Symbol p od. P vertreten; bei realen Gasen muß er durch die *Fugazität (Symbol f) ersetzt werden. Der Umgang mit D. (Unter- od. Überdruck) erfordert bes. *Pumpen, Druckbehälter (vgl. Behälter), *Bomben (für Druckgase) sowie Geräte (z. B. *Autoklaven) u. Maßnahmen der *Arbeitssicherheit (s. *Lit.*) zum Schutz vor Implosionen u. *Explosionen, zur *Lecksuche etc. Zur Druckmessung (abs. D. od. Differenz-D.) bedient man sich der *Barometer, *Manometer, spezieller Vakuum-Meßgeräte, u. zur Konstanthaltung eines einmal eingeregelten D. der Manostaten u. der Vakuumregler. Mit modernen Ätztechniken kann man monolith. Mikrosyst. zur D.-Messung aufbauen[5]. Hoher D. im Bereich 0,5 bis 2,0 GPa beeinflußt auch die Geschw. u. Gleichgewichtslage vieler chem. Reaktionen. Reaktionen, wie Additionen od. Heterolyse, die mit einer Volumenabnahme verbunden sind, werden durch hohen D. beschleunigt u. ihr Gleichgew. zugunsten der Produkte verschoben. Reaktionen, wie Homolyse od. Ionenkombination, bei denen Volumenzunahme auftritt, werden durch hohen D. verzögert u. ihr Gleichgew. zugunsten der Ausgangsverb. verschoben. Bei Konkurrenzreaktion kann z. B. durch Variation des D. das Produktverhältnis verschoben u. die Selektivität erhöht werden. Bei Folgereaktionen können reaktive Zwischenprodukte isoliert werden, die sonst nicht isolierbar sind (*Lit.*[6]). – Druck (*Buchdruck*; Plural: Drucke) s. Druckverfahren. – Druck (auf *Gewebe* etc.) s. Textildruck; *Beisp.:* *Ätzdruck. – *E* pressure – *F* pression – *I* pressione – *S* presión

Lit.: [1]Pure Appl. Chem. **51**, 2470 (1979). [2]Rev. Sci. Instrum. **57**, 1013 (1986); Rev. Mod. Phys. **55**, 65 (1983). [3]Kohlrausch, Praktische Physik 1, Stuttgart: Teubner 1985. [4]Phys. Bl. **50**, 849 f. (1994). [5]Spektrum Wiss. **1994**, Nr. 2, 106. [6]Chem. Unserer Zeit **23**, 53 (1989).
allg.: AD-Merkblätter (Arbeitsgemeinschaft Druckbehälter), Köln: Heymanns (jährlich) ▪ Adv. Composites Eng. **1991** (Nov.), 19 f. ▪ Druckbehälter-VO vom 27. 2. 1980 [BGBl. I S. 173, vgl. Chem. Ind. **32**, 601 ff. (1980)] ▪ Kirk-Othmer **16**, 470 – 481; **21**, 127 – 131 ▪ McKetta **10**, 157 – 409 ▪ Skelton u. Webb, Pressure Research, High, Encycl. of Physical Science and Technology, Bd. 13, S. 437 – 457, San Diego: Academic Press 1992 ▪ Ullmann (4.) **3**, 83 – 98 ▪ Winnacker-Küchler (3.) **2**, 459 ff.; **7**, 402 ff., 635 – 639 ▪ s. a. Hochdruckchemie u. Vakuum.

Druckbehälter s. Druck, Behälter u. Bomben.

Druckbelüftung. Bez. für ein *Belüftungsverfahren bei der *biologischen Abwasserbehandlung. Hierbei wird der für den aeroben *Abbau (s. aerobe Biologie) notwendige Sauerstoff durch Rohre, Filterkerzen (Dombelüfter) od. ä., die in Bodennähe der *Belebungsbecken installiert sind, unter Druck in die darüberstehende Abwassersäule eingeblasen. Bei der D. ist zwischen Gaszerteilern (Sinterkörper wie Dombelüfter) u. Zweistoffdüsen (z. B. *Schlitzstrahler, *Radialstromdüse) zu unterscheiden. Letztere werden unter *Volumenbelüftung beschrieben.
Mit Aggregaten der D. lassen sich unter Standardbedingungen Sauerstoff-Einträge zwischen 2,5 u. 3,5 kg O$_2$/kWh erzielen (beim *Oberflächenbelüfter günstigstenfalls ca. 2 kg O$_2$/kWh), wobei mit steigender Abwasserhöhe die Ausnutzung des Sauerstoffs aus der Luft verbessert wird. Der Nachteil von Sinterkörpern ist ihre mögliche Verstopfungsanfälligkeit sowie der Umstand, daß ihre Wirksamkeit mit steigender Gasbelastung infolge der Blasenkoaleszenz schnell abfällt. – *E* compressed air aeration – *F* aération à air comprimé – *I* aerazione a pressione – *S* aireación por aire comprimido

Lit.: Chem.-Ing.-Tech. **54**, 939 ff. (1982) ▪ Korrespondenz Abwasser **27**, 194 ff. (1980).

Drucken s. Druckverfahren u. Textildruck.

Druckfarben. Bez. für flüssige, pastöse od. pulverförmige *Farbmittel-Zubereitungen, die in Druckmaschinen zur Anw. kommen. Das in verschiedenen *Druckverfahren zu bedruckende Material kann saugend od. nicht saugend, flach (z. B. Papier, Karton, Leder, Folien), zylindr. od. kon. (z. B. Dosen od. a. Hohlkörper) sein; zu den bes. Verhältnissen des Bedruckens von Textilien s. Textildruck. Die D. sind feinstverteilte Gemische od. Lsg., die zusammengesetzt sind aus: 1. *Farbmitteln (*Pigmenten einschließlich *Füllstoffen od. *Farbstoffen, bei Leuchtdruckfarben auch fluoreszierend), – 2. *Bindemitteln [meist (Druck-) *Firnisse genannt] u. – 3. *Zusatzstoffen (z. B. Trockenstoffen, Verdünnungsmitteln, Wachsdispersionen, Katalysatoren bzw. Initiatoren für die Strahlungstrocknung). Die Zusammensetzung der ggf. nach dem *Flushing-Verfahren zubereiteten D. ist nicht nur vom Druckverf. abhängig (Hoch-, Flach-, Tief- u. Durchdruck), sondern bes. vom Bedruckstoff

u. von den Anforderungen an das Druckergebnis hinsichtlich Aussehen (*Farbton, Transparenz od. Opazität, *Glanz, *Fluoreszenz) u. physikal. Eigenschaften (Wasser-, Fett-, Lsm.-, Scheuerfestigkeit, Kaschier- u. Überlackierfähigkeit etc.). Ein heute wieder aktueller Gesichtspunkt ist – beim *Recycling – die aufgebrachten D. ggf. wieder entfernen zu können (*De-inking).

Die Bindemittel für pastöse Buch-, Offset- u. Sieb-D. bestehen aus Standölen, Phenol-modifizierten Kolophonium-Harzen, Mineralölen, Leinöl u./od. Alkydharzen (*Kombinationsfirnisse*) od. aus Kohlenwasserstoff- u. Kolophonium-Harzen, Asphalt u. Cyclokautschuk (*Mineralölfirnisse*), u. die modernen UV-vernetzenden Syst. sind aus radikal. polymerisierenden Präpolymeren u. Monomeren in Verb. mit Photoinitiatoren zusammengesetzt.

Die Bindemittel-Syst. für Flexo-, Tief- u. Siebdruckfarben sind vorwiegend Harz-Lsm.-Syst. mit Collodiumwolle, Polyamid-Harzen, Keton-Harzen, Vinylpolymeren, Maleat-, Phenol-, Amin-, Acryl-, Polyesterod. Polyurethan-Harzen als Bindemittel u. vorwiegend Ethanol u. Ethylacetat sowie bei den langsamer trocknenden Tiefdruckfarben höher siedenden Estern, Alkoholen u. Glykolethern als Lösemittel. Für Illustrationstiefdruckfarben werden als Bindemittel vorwiegend Phenol-modifizierte Kolophonium-Harze u. Kohlenwasserstoff-Harze verwendet mit überwiegend Toluol u./od. Benzin als Lösungsmittel. In der BRD wurden 1994 363 000 t D. im Wert von 2,3 Mrd. DM hergestellt (Statist. Bundesamt). – *E* printing inks – *F* encres d'imprimerie – *I* inchiostri tipografici – *S* tintas de imprenta

Lit.: Encycl. Polym. Sci. Technol. **11**, 565–586 ▪ Kirk-Othmer (3.) **13**, 374–398; (4.) **14**, 482–503 ▪ Schulz, Flexodruck, Frankfurt: Polygraph 1982 ▪ Ullmann (4.) **10**, 187–199; (5.) **A 22**, 143–156. – *Organisationen:* Verband der Mineralfarbenindustrie e. V., Karlstr. 19–21, 60329 Frankfurt ▪ Europäische Vereinigung der Verbände der Lack-, Druckfarben- u. Künstlerfarbenfabrikanten, Avenue E. Van Nieuwenhuyse 4-Bte. 10, B-1060 Bruxelles. – [*HS 3215 11, 3215 90*]

Druckfiguren s. Schlagfigur.

Druckgasdosen, Druckgaskartuschen. Druckgasdosen mit einem Rauminhalt von mehr als 50 ml u. Druckgaskartuschen sind Druckgasbehälter im Sinne der VO über Druckbehälter, Druckgasbehälter u. Füllanlagen. Im tech. Regelwerk werden die Druckgasdosen – auch als Spraydosen od. Aerosoldosen bekannt – als Druckgaspackungen bezeichnet. Der Rauminhalt von Druckgasdosen ist begrenzt auf 1000 ml bei Behältern aus Metall u. 220 ml bei Behältern aus geschütztem Glas od. Kunststoff, der nicht splittern kann. Der Rauminhalt der Kartusche darf 1000 ml bei Behältern aus Metall u. 100 ml bei Behältern aus Kunststoff, der nicht splittert, nicht überschreiten. Sicherheitstechn. Anforderungen an Druckgasdosen finden sich insbes. in der TRG 300 (s. *Lit.*). Für Druckgaskartuschen gilt die TRG 301 (s. *Lit.*). Beide Techn. Regeln enthalten neben Anforderungen an Beschaffenheit u. Kennzeichnung, die vom Herst. zu erfüllen sind, insbes. auch Anforderungen an Lager-, Vorrats- u. Verkaufsräume für gefüllte Druckgaspackungen bzw. -kartuschen. – *E* pressure gas box, pressure gas cartridge – *F* cartouches de gaz sous pression – *S* lata de gas a presión

Lit.: Merkblatt „Schutzmaßnahmen beim Umgang mit Druckgasdosen" ZH 1/392 (Ausgabe 8. 1994) ▪ TRG 300 „Bes. Anforderungen an Druckgasbehälter – Druckgaspackungen" (Ausgabe 02. 1992) (BArbBl. 2/1992, S. 89) ▪ TRG 301 „Bes. Anforderungen an Druckgasbehälter, Druckgaskartuschen, Halterungen u. Entnahmeeinrichtungen" (Ausgabe 05. 1985) (BArbBl. 5/1985, S. 49) ▪ VO über Druckbehälter, Druckgasbehälter u. Füllanlagen (Druckbehälter VO – DruckbehV) ZH 1/400 (Ausgabe 1980/95). – *B.* für ZH 1-Schriften: Carl Heymanns Verl. KG, Luxemburger Straße 449, 50939 Köln od. Jedermann-Verl., Postfach 10 31 40, 69021 Heidelberg.

Druckgase. Sammelbez. für komprimierte, ggf. als *Flüssiggase vorliegende Gase. Zur Aufbewahrung u. zum – durch genaue *Transportbestimmungen geregelten – Transport der D. dienen bes. *Behälter, in der Technik z. B. in Form von *Gasflaschen* (s. Bomben), im Haushalt z. B. in Form von *Sprühdosen* (s. Aerosole u. Sprays). – *E* compressed gases – *F* gaz comprimés – *I* gas compressi – *S* gases comprimidos, gases a presión

Lit.: AD-Merkblätter (Arbeitsgemeinschaft Druckbehälter), Köln: Heymanns (jährlich) ▪ Winnacker-Küchler (4.) **1**, 675 ff. ▪ s. a. Druck, Gase.

Druckgasflaschen. Als D. gelten Druckgasbehälter mit nicht mehr als 420 mm Außendurchmesser, höchstens 2000 mm Länge u. bis zu 150 l Fassungsraum. D. enthalten ggf. die Gase in verdichtetem Zustand (z. B. Luft, Stickstoff, Sauerstoff, Wasserstoff) od. auch in verflüssigtem Zustand (z. B. Ammoniak, Chlor, Kohlensäure, Propan, Butan).

Alle D. unterliegen im Hinblick auf Werkstoff, Konstruktion, Lagerung u. Beförderung den Bestimmungen der DruckbehälterVO u. den Technischen Regeln Druckgase (TRG). Flaschen mit Druckgasen sind wie folgt zu kennzeichnen:

gelb – Acetylen
rot – alle weiteren brennbaren Gase
blau – Sauerstoff
grün – Stickstoff
grau – alle weiteren nicht brennbaren Gase, z. B. Luft u. Kohlendioxid

Zur Vermeidung von Verwechslungen sind die Flaschenventile für die verschiedenen Gase unterschiedlich:

– Flaschenventil mit Anschluß für einen Spannbügel für Acetylen
– Flaschenventil mit Seitenstutzen u. Außengewinde links: alle übrigen brennbaren Gase
– Flaschenventil mit Seitenstutzen u. Außengewinde rechts: Sauerstoff u. nicht brennbare Gase.

Auf folgende Punkte ist bei der Verw. von D. bes. zu achten:

– Befüllung geschlossener Behälter nur zu 95%,
– Schutz vor unzulässiger Erwärmung,
– Vorsicht beim Transport von bes. starkem Frost wegen Zerknallgefahr infolge hoher Stoßempfindlichkeit,
– Schutz vor Umstürzen (z. B. durch Ketten u. Bügel),
– Lagerung von nur unbedingt zum Betrieb erforderlichen D. am Arbeitsplatz,
– Prüfung von Armaturen in geregelten Abständen auf Dichtigkeit,
– Durchlüftung von Lagerräumen u. -schränken mit D.,
– Gasentnahme aus einer D. über einen Druckminderer.

– *E* lecture bottle – *F* bouteille de gaz comprimé – *I* bombole di gas compresso – *S* recipientes de gas a presión

Lit.: TRG 100 „Allg. Bestimmungen für Druckgase" Ausgabe 3.85 (BArbBl. 3/1985, S. 81) ▪ TRG 101 „Gase" Ausgabe 3.85 (BArbBl. 3/1985, S. 91) geändert BArbBl. 6/1988, S. 41 ▪ TRG 102 „Gase, Gasgemische" Ausgabe 3.85 (BArbBl. 3/1985, S. 103) ▪ TRG 250 „Allg. Anforderungen an Druckgasbehälter – Ausrüstung" Ausgabe 9.75 (ArbSch. 10/1975, S. 405) ▪ TRG 280 „Allg. Anforderungen an Druckgasbehälter – Betreiben von Druckgasbehältern" Ausgabe 9.89 (BArbBl. 9/1989, S. 51) geändert BArbBl. 5/1990, S. 79 ▪ VO über Acetylenanlagen u. Calciumcarbidlager (AcetV) ZH 1/20.1. Ausgabe 1980/95 ▪ VO über Druckbehälter, Druckgasbehälter u. Füllanlagen (DruckbehVO – DruckbehV) ZH 1/400 Ausgabe 1980/95. – *B.* für ZH 1-Schriften: Carl Heymanns Verl. od. Jedermann-Verlag.

Druckgrün s. Chrom-Pigmente.

Druckguß. Bei diesem Gieß-Verf. wird flüssiges od. breiiges Metall mit hohem Druck in eine Stahlform (*Kokille) gedrückt (s. a. Gießform). Beim *Warmkammer-Verf.* (Spritzguß) wird das Metall direkt aus dem Schmelzraum mit bis ca. 10^7 Pa in die Form gespritzt, beim *Kaltkammer-Verf.* (Preßguß; bevorzugt Al- u. Mg-Leg.) wird die Schmelze erst in eine kalte Zwischenkammer u. von dort mit mehr als 10^8 Pa in die Form gepreßt. Die Gießleistung des Warmkammer-Verf. ist höher, allerdings auch die Abnutzung der Anlage. Die Vorzüge des D. liegen in der guten Werkstoff-*Festigkeit, der sauberen Oberfläche, der hohen Maßgenauigkeit, den geringen erforderlichen Wanddicken, der Möglichkeit komplexer Gußstückgestaltung u. der hohen Arbeitsgeschwindigkeit. Diese Vorteile können durch Unterdruck (Vak.) in der Kokille weiter verbessert werden. – *E* diecasting – *F* coulée sous pression – *I* fusione sotto pressione – *S* modelado bajo presión

Druckhydrierung s. Hydrierung.

Druckluft (Preßluft). Bez. für durch Kompressoren (*Verdichter*) komprimierte Luft, die in Laboratorien, Ind. u. allg. Technik vielfältige Einsatzmöglichkeiten findet. – *E* compressed air – *F* air comprimé – *I* aria compressa – *S* aire comprimido
Lit.: Ullmann (4.) **2**, 357 f. ▪ s. a. Druck(gase) u. Luft.

Druckminderer. Auch als *Druckreduzierventil* zu bezeichnende techn. Einrichtung, die es ermöglicht, einen meist variablen hohen Vordruck [wie er z. B. in Druckgasflaschen (s. Bomben u. Druckgase) vorliegt] auf einen konstanten u. niedrigeren Enddruck zu reduzieren. Die D. sind für verschiedene Gase unterschiedlich gekennzeichnet, für Acetylen mit A, Sauerstoff O, Wasserstoff H, Druckluft D, Erdgas M u. für Edelgase, Stickstoff sowie Kohlendioxid mit N.
– *E* pressure regulator – *F* régulateur de pression – *I* regolatore della pressione – *S* regulador de la presión
Lit.: DIN EN 585 (11/1994).

Druckpapier s. Papier.

Druckreduzierventil s. Druckminderer.

Druckrey, Hermann (1904–1994), Prof. für pharmakolog. Toxikologie, Univ. Berlin (1933–1943), Leiter des Labors der Chirurg. Univ. Klinik, Freiburg (1948–1965), Forschungsgremium Präventive Medizin, Freiburg (1965–1973). *Arbeitsgebiete:* Pharmakolog. Toxikologie, Krebsforschung, Carcinogenese, *N*-Nitrosamine u. -amide, Dialkylhydrazine, Azo- u. Azoxyalkane, Arylalkyltriazene, Alkylhalogenide, Dialkylsulfate, Propansulton, Krebs-Prophylaxe u. Chemotherapie, Hormone.
Lit.: Kürschner (16.), S. 645.

Drucksprung-Methode. *Relaxations-Meth. zur Untersuchung *schneller Reaktionen; Näheres s. dort.

Druckumformen s. Umformen.

Druckverfahren. Bez. für Verf. der mechan. Bild- od. Schriftvervielfältigung durch Übertragen von *Druckfarben. Die Hauptverf. sind: *Hochdruck* = Druck von einer Druckform, deren druckende Teile erhaben sind (Buchdruck, *Flexodruck); *Flachdruck* = Druck von einer Druckform, deren druckende u. nicht druckende Teile prakt. in einer Ebene liegen (*Offsetdruck, Steindruck, Lichtdruck); *Tiefdruck* = Druck von einer Druckform, deren druckende Teile vertieft sind (Rakeltiefdruck, Stahlstichdruck) u. *Durchdruck* = Druck durch eine Druckform, die aus einer Schablone aus einem farbdurchlässigen Material besteht (*Siebdruck, Rahmen-, Film-, Schablonendruck). Druckformen für den Hochdruck werden u. a. durch *Chemigraphie, solche für den Tiefdruck oft mit Laser- od. Elektronenstrahlen gefertigt. Einige der D. finden in spezieller Form auch im *Textildruck Anw., z. B. als sog. *Transferdruck.* Ohne Druckform kommen neuentwickelte D. wie das *Ink-Jet-Verf.* aus, bei denen feinste Farbmitteltröpfchen elektrostat. aufgeladen u. – durch ein elektr. Feld gelenkt – auf Papier od. ä. Material gespritzt werden. – *E* printing – *F* impression – *I* procedimento di stampa – *S* impresión
Lit.: Gerhardt et al., Geschichte der Druckverfahren (4 Bd.), Frankfurt: Polygraph 1974–1980 ▪ Ullmann (5.) **A 22**, 144 ff. ▪ s. a. Druckfarben, Reprographie.

Drude-Gleichungen. Von Drude (1863–1906) aufgestellte Gleichungen, die bei opt. aktiven Verb. die Abhängigkeit der spezif. Drehung (s. optische Aktivität) von der Wellenlänge des Meßlichtes beschreiben. Aus den gemessenen Rotationen bei den Wellenlängen 546 u. 578 nm läßt sich z. B. die Drehung bei 589 nm berechnen. – *E* Drude equation – *F* équations de Drude – *I* equazioni di Drude – *S* ecuación de Drude

Drücker s. Flotation.

Drummond, Thomas (1797–1840), engl. Ingenieur u. Artillerieoffizier, entdeckte 1826 das nach ihm benannte *Drummondsche Kalklicht:* wenn ein Stück ge-

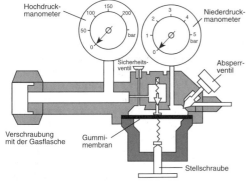

Abb.: Aufbau eines Druckminderers.

brannter Kalk mit einer Knallgasflamme erhitzt wird, sendet es blendend weißes Licht aus.
Lit.: Pötsch, S. 124.

Druse (von althochdtsch.: druos = Drüse, Beule). In der *Mineralogie Bez. für einen Hohlraum, der ganz od. teilw. mit Krist. (z. B. *Amethyst) ausgekleidet ist. – $E = F$ druse – $I = S$ drusa

Drusen. Bez. für den Bodensatz (Geläger) des *Weines.

Drusenöl s. Traubenkernöl.

DRV s. Daily Reference Value.

Dry (engl.=trocken). Bedeutet bei *Schaumweinen „herb" im Gegensatz zu süß; bei *Spirituosen bezeichnet man mit „Dry" Produkte mit rel. hohem Alkoholgehalt, z. B. Dry Gin mit einem Mindestalkoholgehalt von 40% vol. – E dry – F sec – I secco – S seco

Dryol®. Hydrophobierungsmittel auf Wachs-, Silicon-Melamin-Basis. *B.:* PROTEX-EXTROSA.

DRYWEAR®. Sortiment von Formaldehyd-armen Reaktantvernetzern für die Hochveredlung von Cellulose-Fasern. *B.:* Rotta.

DS. Kurzz. für (durchschnittlicher) *Substitutionsgrad.

DSC. Abk. für 1. *Dünnschichtchromatographie, – 2. Differential Scanning Calorimetry (s. dynamische Differenzkalorimetrie).

DSD s. Duales System.

DSM. Abk. für die „Deutsche Sammlung von Mikroorganismen und Zellkulturen GmbH", Mascheroder Weg 1, Braunschweig. Die DSM wurde 1969 in Göttingen als *Stammsammlung gegr. u. ist seit 1987 eine unabhängige GmbH. Neben *Mikroorganismen (Bakterien u. Pilzen) beinhaltet die Sammlung *Plasmide, *Phagen, Pflanzenviren, pflanzliche Zellen sowie menschliche u. tier. Zellinien. Die Kulturen werden für die nat. u. internat. Forschung bereitgestellt. Neben der Haltung gehört die Identifizierung unbekannter Mikroorganismen zu den wichtigsten Aufgaben der DSM. Die DSM ist eine im Sinne des *Budapester Vertrages anerkannte Hinterlegungsstelle u. verfügt über mehr als 8000 Mikroorganismen, über 1000 pflanzliche Zellen u. Viren, mehrere hundert tier. Zellen u. über 1600 Patentstämme.
Lit.: Catalogue of Strains der DSM.

DSMA. Abk. für *Methylarsonsäure-Dinatriumsalz.

dt. Kurzz. für die früher Doppelzentner (dz) genannte Gew.-Einheit Dezitonne (= 100 kg).

DTA. Abk. für 1. *Differentialthermoanalyse; – 2. Deutsche Texaco AG; – 3. die *duldbare tägliche Aufnahme, s. a. ADI.

DTBP. Abk. für *Di-*tert*-butylperoxid.

dTDP s. Thymidinphosphate.

DTDP. Nach DIN 7723 (12/1987) Kurzz. für D*i*iso*tri*-*d*e*cyl*phthalat als *Weichmacher.

dThd s. Thymidin.

DT-Impfstoff Behring®. Suspension zur Injektion mit Diphtherie- u. Tetanus-Adsorbat-Impfstoff. *B.:* Behringwerke.

dTMP s. Thymidinphosphate.

DTPA. Abk. für *Diethylentriaminpentaessigsäure.

dTTP s. Thymidinphosphate.

D. U. Kurzz. für *Dobson-Einheit.

Duales System. Als D. S. bezeichnet man ein zweites neben der öffentlichen *Abfallentsorgung privatwirtschaftlich organisiertes Entsorgungssyst. für gebrauchte stofflich verwertbare Einwegverpackungen nach den Vorgaben der *Verpackungsverordnung. Diese Trennung der Abfallentsorgung in eine von Verpackungsherstellern u. -vertreibern gemeinsam getragene separate Erfassung von gebrauchten Verpackungen u. a. *Wertstoffen sowie in die Entsorgung des *Restmülls durch die entsorgungspflichtigen Körperschaften (duale Abfallwirtschaft) entbindet Verpackungshersteller u. Handel von der Pflicht zur Rücknahme gebrauchter Verkaufsverpackungen (s. Verpackungsabfälle). Trägerorganisation des D. S. ist die von Verpackungsherstellern u. Handelsfirmen gegründete „Duales System Deutschland GmbH" (DSD). Ihre Aufgabe ist die flächendeckende haushaltsnahe Erfassung gebrauchter Verkaufsverpackungen, deren Vorsortierung u. Bereitstellung der sortierten Fraktionen zur Weiterverarbeitung sowie die Entsorgung der nichtverwertbaren Sortierreste. Zur Erfüllung dieser Aufgaben arbeitet sie mit privaten u. kommunalen Entsorgungsunternehmen zusammen. Die DSD finanziert sich über die Vergabe des sog. *Grünen Punktes* (s. Abb.) als Finanzierungs- u. Verwertungssymbol für alle in das D. S. einbezogene u. somit grundsätzlich stofflich verwertbare Verpackungen.

Abb.: Der „Grüne Punkt".

Der Grüne Punkt, der nur gegen eine Lizenzgebühr an die DSD vergeben werden darf, trägt neben den Verwaltungskosten die Kosten für die Wertstofferfassung (z. B. Wertstofftonne, „Gelber Sack"), Transport u. Sortierung. Die eigentlichen Verwertungskosten tragen die einzelnen Ind.-Bereiche für ihre spezif. Materialien selbst. Der Grüne Punkt kann nur von Herstellern u. Vertreibern verwendet werden, die der DSD eine Annahme- u. Verwertungsgarantie für die in Verkehr gebrachten Verpackungen vorlegen. Diese Garantie wird für die Verpackungswerkstoffe Karton/Pappe, *Glas, Weißblech, *Aluminium, *Kunststoff sowie Getränkeverbundkartons durch die jeweiligen Ind.-Bereiche gegeben. Deren Verantwortung erstreckt sich auf Transport u. Aufbereitung der vorsortierten Fraktionen zu *Sekundärrohstoffen sowie Transport u. Wiedereinsatz der Sekundärrohstoffe in Rohstoff-verarbeitenden Betrieben.

Neben dem DSD gibt es weitere privatwirtschaftlich organisierte Rücknahmesyst. mit ähnlicher Aufgabenstellung z. B. für Verkaufsverpackungen, die bei Ge-

werbe u. Ind. anfallen sowie für Transportverpackungen [1] (s. Verpackungsabfälle).
Lit.: [1] Abfallwirtsch. J. **4**, Nr. 6, 512–518 (1992).
allg.: Abfallwirtsch. J. **3**, Nr. 7/8, 417–426 (1991) ▪ Tiltmann, Recycling betrieblicher Abfälle, Loseblatt-Ausgabe, Tl. 11/3, Augsburg: WEKA.

DUALLOR®. Gold-reduzierte, nicht aufbrennfähige Dental-Legierung. *B.:* Degussa.

Duasyn®. Kation., anion. u. substantive Farbstoffe für Tuschen, Tinten, Papier u. Holzbeizen. *B.:* Hoechst.

Dublett (von französ.: doublet = zwei von einer Sorte). In der *Spektroskopie benutzter Begriff, unter dem man zwei eng benachbarte Spektrallinien versteht. – $E = F = I$ doublet – S doblete

Dubnium. Veraltete Bez. für das Element 104 (vgl. Kurtschatovium). – $E = F$ dubnium – $I = S$ dubnio

Duclouxin s. Indaconitin.

Düngekalk. Sammelbez. für *Kalkdünger* (s. Düngemittel) auf der Basis von Calciumcarbonat, -oxid od. -hydroxid. – E lime fertilizer – F engrais calcaire, chaux pour engrais – I concime calcareo – S cal de abono

Düngemittel (Dünger). In der BRD werden als D. im Sinne des D.-Gesetzes vom 15.11.1977 (BGBl. I, S. 2134), zuletzt geändert durch Gesetz vom 18.07.1989 (BGBl. I, S. 1435), alle Stoffe angesehen, die dazu bestimmt sind, mittelbar od. unmittelbar Nutzpflanzen zugeführt zu werden, um ihr Wachstum zu fördern od. ihren Ertrag zu erhöhen od. ihre Qualität zu verbessern. Zur Funktion der D. s. Düngung u. die Boden...-Stichwörter. D. dürfen gewerbsmäßig nur gehandelt werden, wenn sie einem durch Rechtsverordnung zugelassenen Typ entsprechen. Man teilt die – im weiteren Sinne den *Agrochemikalien zuzurechnenden – D. nach ihrer Herkunft ein in Wirtschaftsdünger u. Handelsdünger. Die *Wirtschaftsdünger* werden im Bereich des Bauernhofes gewonnen. Hierher gehören fester *Dung*, d.h. aus menschlichen u. tier. Ausscheidungen (*Kot) u. Abfällen, Stroh, Torf, Laub u. Erde gemischter (Stall-)*Mist, ferner *Jauche od. *Gülle, d.h. die flüssigen Anteile (bes. *Harn) aus Dung sowie der *Kompost aus pflanzlichen Reststoffen. In neuerer Zeit wird Dung jedoch außer zu D.-Zwecken auch zur Erzeugung von *Biogas u. von Wärmeenergie herangezogen.
Zu den *Handelsdüngern* zählt man die mineral., die organ., die organ.-mineral. D. u. die D. mit Spurennährstoffen. Es handelt sich bei diesen D. um Produkte, die in Fabriken od. Bergwerken gewonnen werden u. durch den Groß- od. Kleinhandel bzw. durch landwirtschaftliche Verteilerorganisationen zum Verbraucher gelangen. Die umgangssprachlich als *Kunstdünger* bezeichneten mineral. D. als wichtigste Gruppe teilt man ein in mineral. *Einnährstoffdünger* (Stickstoff-, Phosphat-, Kali-, Kalk- u. Magnesium-Dünger) u. in mineral. *Mehrnährstoffdünger* (NPK-Dünger, NP-Dünger, NK-Dünger u. PK-Dünger), bei denen man früher auch von *Mischdüngern* sprach; die Stickstoff, Phosphat u. Kali enthaltenden Mehrnährstoffdünger nennt man umgangssprachlich meist *Volldünger*. Oft enthalten diese auch Magnesium u. *Spurenelemente.

Bes. Zwecken dienen die – z.T. *Pflanzenschutzmittel enthaltenden – Garten-, Blumen-, Koniferen-, Rhododendron-, Rosen-, Rasen-Dünger, D. für *Hydrokulturen od. D., die zugleich Funktionen von *Halmfestigern [gegen das Umknicken (Lagern) von *Getreide], von *Bodenverbesserungsmitteln od. gar *Bodenstabilisatoren übernehmen sollen. In der Fischzucht sind ggf. *Teichdünger* erforderlich, um den Nährstoffbedarf des Zoo- u. Phytoplanktons – dem Hauptnahrungsmittel der Fische – zu supplementieren.
Zu den *Stickstoffdüngern* zählen z.B. *Ammoniumsulfat, *Kalkammonsalpeter, *Harnstoff, Harnstoff-Aldehyd-Kondensate, Stickstoffmagnesia, Ammonsulfatsalpeter, *Kalksalpeter u. *Calciumcyanamid. Sie enthalten als Nährstoff ausschließlich Stickstoff, der durch Hydrolyse in Form von Ammoniak, Harnstoff od. Nitrat frei wird; im letztgenannten Beisp. (Kalkstickstoff) entsteht als Zwischenprodukt *Cyanamid, das gleichzeitig Unkräuter u. manche Pflanzenschädlinge in Schach hält. Reine *Phosphatdünger* sind z.B. *Superphosphat, Doppel-, Triplesuperphosphat, *Thomasmehl od Thomasphosphat, Dicalciumphosphat, weicherdiges Rohphosphat u. teilaufgeschlossenes Rohphosphat. Die meist aus *Calciumphosphaten (Apatit, Phosphorit) bestehenden Phosphaterze (Rohphosphate) müssen in der Regel aufgeschlossen werden, um für Pflanzen verwertbar zu sein. Aufschlußmeth. sind: mit Schwefelsäure zu Super- u. Doppelsuperphosphaten, mit Phosphorsäure u. Ammoniak zu Ammonphosphaten od. mit Salpetersäure u. anschließender Neutralisation mit Ammoniak (sog. *Ammonisierung*). Der Gehalt an verfügbarem Phosphat wird durch seine Citrat- od. Citronensäure-Löslichkeit bestimmt. Weicherdige Rohphosphate müssen zu >40% in Ameisensäure lösl. sein. Zu den *Kalidüngern* rechnet man reine Kalisalze wie Kaliumchlorid u. Kaliumsulfat sowie Magnesium enthaltende Kalisalze wie Kalimagnesia. Vertreter der *Kalk-* bzw. *Magnesiumdünger* sind z.B. *Calciumcarbonat (Kalkstein, Kreide), *Calciumoxid (Branntkalk), *Kieserit u. *Dolomit. Die mineral. Mehrnährstoffdünger enthalten 2 od. 3 der Hauptnährstoffe, die als Nährstoff-Formel in Gew.-% N, P_2O_5 u. K_2O angegeben werden. Ein NPK-Dünger 13+13+21 enthält demnach 13% N, 13% P_2O_5 u. 21% K_2O in Form pflanzenverfügbarer Verbindungen. Organ. u. organ.-mineral. D. enthalten als organ. Bestandteil tier. od. pflanzliche Stoffe wie z.B. *Guano, *Fischmehl, *Knochenmehl, *Lignin, *Torf. D. mit Spurennährstoffen enthalten Verb. der Spurenelemente B, Cu, Mn, Zn, Fe, Co od. Mo. Leichtlösl. u. daher rasch wirkende D., wie z.B. Kalksalpeter od. Natronsalpeter, werden häufig auf die bereits mit Nutzpflanzen bewachsenen Anbauflächen gestreut. Diese Applikation wird *Kopfdüngung* genannt. Gewöhnlich werden die Handelsdünger jedoch einige Zeit vor der Aussaat in Form fester Granulate auf die Felder gestreut. Die Phosphat- u. Kali-Einzeldünger sowie die PK-Dünger werden auch als *Grunddünger* bezeichnet. Beim Umgang mit Ammoniumnitrat-haltigen D., die bei Bränden nitrose Gase entwickeln u. in Ggw. entzündlicher organ. Materie ggf. explodieren können, u. Cyanamid-D. sind die Arbeitsstoff-VO u.ä. Richtlinien zu beachten. Heute verspritzt man (bes. in

den USA) in steigendem Umfang auch wäss. Düngemittel-Lsg. (z. B. von Ammoniak, Ammoniumphosphat, Harnstoff, Ammoniumnitrat u. Kalisalz). Zur Erhaltung der Rieselfähigkeit der granulierten Dünger u. zur Verbesserung der Lagereigenschaften umgibt man die Körner mit einer dünnen Puder- od. Wachsschicht. Bei D. mit Langzeitwirkung (sog. *Depotdüngern*) erreicht man eine langsame Nährstoffabgabe z. B. durch Umhüllung der üblichen Mineral-D. mit natürlichen od. künstlichen organ. Polymeren od. mit Schwefel. Alternativ verwendet man wenig wasserlösl. Substanzen wie Kondensationsprodukte von Harnstoff mit Form-, Acet- u. a. Aldehyden (sog. Isobutyliden-, Crotonylidendiharnstoff, Urea-Form), od. man fügt den Ammonium-haltigen D. sog. Nitrifikationsinhibitoren bei.

Wirtschaftliches: Den weltweiten Verbrauch 1992 der wichtigsten Handelsdünger in seiner geograph. Verteilung zeigt die Tab. (nach *Lit.*[1]).

Tab.: Verbrauch der wichtigsten Handelsdünger-Nährstoffe 1992 (nach *Lit.*[1])

Mio. t Nährstoff	Stickstoff (N)	Phosphat (P_2O_5)	Kali (K_2O)
Asien	39,5	14,6	5,2
(davon VR China)	(20,4)	(6,8)	(2,0)
Europa	16,1	7,75	8,2
Amerika	15,2	7,0	6,93
(davon USA)	(10,3)	(4,04)	(4,64)
Afrika	2,13	1,13	0,5
Australien/Ozeanien	0,62	1,0	0,28
Welt	73,6	31,5	21,1

Im Wirtschaftsjahr 1993/1994 betrug der Nährstoffverbrauch in der BRD 1,6 Mio.t N; 0,4 Mio.t P_2O_5; 0,65 Mio.t K_2O[2]. Die Produktion der dtsch. D.-Ind. betrug 1994 in Mio. t Nährstoff: 1,2 N; 0,17 P_2O_5; 3,5 K_2O; zusätzlich 0,13 Mio.t Garten- u. Blumendünger (Statist. Bundesamt). – *E* fertilizers, manures – *F* engrais – *I* concime, fertilizzante – *S* abonos, fertilizantes

Lit.: [1] Statist. Jahrbuch 1995 für das Ausland, S. 254f., Stuttgart: Metzler-Poeschel 1995. [2] Statist. Jahrbuch für die BRD, S. 180, Stuttgart: Metzler-Poeschel 1995.
allg.: Kirk-Othmer (3.) **10**, 31–125; (4.) **10**, 433–514 ▪ Ullmann (4.) **10**, 201–256; (5.) **A 10**, 323–431 ▪ Winnacker-Küchler (4.) **2**, 334–378. – *Organisationen:* Bundeslehranstalt Burg Warberg e. V. 38378 Warberg ▪ Bundesverband des Deutschen Düngemittelgroßhandels, 33113 Bonn ▪ Düngekalk-Hauptgemeinschaft, 50969 Köln ▪ Industrieverband Agrar e. V. (iva), 60329 Frankfurt ▪ Vereinigung der Düngemittelhandels-Verbände der EG-Länder, Whitehall Court 3, GB-London SW 1 A 2 E Q ▪ Europaverband für Düngemittelimport, Avenue de Gaulois 9, B-1040 Bruxelles.

Düngung. Unter D. versteht man die dem Wissenschaftsbereich der Pflanzenernährung zugeordnete Maßnahme, durch Zufuhr von Pflanzennährstoffen den Ertrag u. die Qualität von Nutzpflanzen zu verbessern. Im Gegensatz hierzu gibt es auch heute noch auf der Erde viele Gegenden, in denen *Pflanzen ohne Zufuhr von *Düngemitteln gedeihen, so z. B. in Ödländern, Mooren, Seen, Sümpfen, Wäldern, in den trop. Urwäldern, in Steppenlandschaften, in unzugänglichen Hochgebirgsgegenden usw. In all diesen Bereichen verwesen die Pflanzen an Ort u. Stelle, u. dabei werden die dem *Boden entzogenen, für die Pflanzen lebensnotwendigen *Mineralstoffe (die z. B. beim Verbrennen der Pflanze als Asche zurückbleiben) immer wieder dem Boden zurückgegeben, so daß ein gleichmäßiges Wachstum für beinahe unbegrenzte Zeiträume möglich ist, anders als bei intensiv bebauten Äckern, Gärten, Wiesen usw., aus denen mit jeder Ernte die z. B. in den Halmen u. Getreidekörnern enthaltenen Mineralbestandteile weggeführt werden. Da in Kulturländern der Boden schon seit Jahrtausenden bebaut wird, müßte diese intensive Nutzung allmählich zu einer Nährstoffverarmung des Bodens u. damit zu einer Unterernährung der Pflanzen u. zu einem Absinken des Ernteertrages führen, wenn nicht der Nährstoff-Haushalt durch Anw. von Wirtschafts- (Gülle, Jauche, Mist, Kompost) u. Mineraldünger wieder ausgeglichen würde. Nur die Kombination von organ. u. mineral. Düngung führt zu optimalen Erträgen.

Pflanzen entnehmen dem Boden durch die Wurzeln entbehrliche u. unentbehrliche Mineralbestandteile. Zu den unentbehrlichen gehören Kalium, Calcium, Magnesium, Phosphor, Schwefel u. Stickstoff, zu den notwendigen *Spurenelementen auch Eisen, Bor, Zink, Mangan, Kupfer, Molybdän u. Chlor, während Natrium, Silicium u. a. für viele Pflanzen nicht lebensnotwendig zu sein scheinen. Die lebensnotwendigen Stoffe werden zumeist in Ionen-Form (K^+, Ca^{2+}, Mg^{2+}, Fe^{3+}, SO_4^{2-}, PO_4^{3-}, NO_3^-), bei Erdalkalien u. Schwermetallen auch in Chelat-Form mit dem Bodenwasser von den Wurzeln aufgenommen, von dort wandern sie in sämtliche Teile der Pflanze. E. A. *Mitscherlich hat den Mineralstoffen unterschiedliche Wirkungsfaktoren (von 0,122 für N bis 15,0 für S) zugeschrieben (*Mitscherlichs Wirkungsgesetz*). An lebensnotwendigen Stoffen enthält der Boden in der Regel genügend Eisen, Calcium u. Schwefel; dagegen fehlt es in den intensiv bebauten Böden meist an Stickstoff, Kalium u. Phosphat, gelegentlich auch an Magnesium. In niederschlagsreichen Gegenden kann auch eine Verarmung an Kalk auftreten, vgl. Boden. Gelegentlich können Böden auch an Schwefel verarmen; in solchen Fällen wirkt Schwefel-Düngung (Sulfate) od. die Beschichtung von Handelsdüngern mit elementarem Schwefel (s. Düngemittel) günstig. Steinmehl-Düngung (mit Gesteinsmehl) wird heute kaum noch praktiziert.

Fehlt einer der dreizehn essentiellen Pflanzennährstoffe, so kommt es zu typ. Mangelerscheinungen, so z. B. bei Bor-Mangel zu Herz- u. Trockenfäule der Zuckerrüben, Zink-Mangel war verantwortlich für Ernteschäden im Ananas-Anbau auf Hawaii, Molybdän-Mangel für Beeinträchtigung der austral. Weidewirtschaft, Eisen-Mangel für Schäden im pers. Obstbau, u. auf dtsch. u. niederländ. Heidemooren ist häufig an Kupfer. Durch selektive Zufuhr der Mangelkomponente (s. z. B. Bordünger) lassen sich die spezif. Symptome beheben. Da in Kulturländern meist nur N, P, K, Ca u. Mg in Düngemitteln zugeführt werden, müssen die Spurenelemente separat angeboten werden, wobei es auch auf deren gegenseitiges Mengenverhältnis ankommt. Die Bestimmung der Mangelkomponente(n) im Boden kann empir. durch Düngungsversuche od. chem. durch Bodenanalyse, ggf.

mit Hilfe von *Radioisotopen erfolgen, die auch bei der Untersuchung des Verbleibs der Nährstoffe im Boden Verw. finden können. Nährstoffverluste ergeben sich im Boden aus dem Zusammenwirken von Einwaschungs-, Festlegungs- u. mikrobiellen Umwandlungsvorgängen, so daß beispielsweise für die Nährstoffe N, P_2O_5 u. K_2O nur eine langfristige Ausnutzung durch die Pflanze von ca. 60 bzw. 50 u. 70% angenommen werden darf.

Um Düngungsfehler u. einseitige Nährstoffversorgung zu vermeiden, kann man Mehrnährstoffdünger (s. Düngemittel) verwenden. Die Anw. solcher sog. Volldünger lohnt sich nicht nur im Bereich der Landwirtschaft, sondern auch im Kleingarten-, Wein- u. Obstbau. Speziellen Bedürfnissen der Pflanzen an bestimmten Nährstoffen wird man durch Mehrnährstoffdünger von unterschiedlichem Nährstoff-Verhältnis gerecht. Nicht selten werden auch Einnährstoffdünger gemischt, wobei auf die Unverträglichkeit mancher Einzeldünger mit anderen geachtet werden muß. So sind z. B. N- u. NP-Lsg. nur untereinander, nicht aber mit anderen Düngern mischbar, während *Thomasmehl unverträglich mit Ammonium-haltigen Sulfaten, Nitraten u. Phosphaten ist, u. *Kalksalpeter-Mischungen müssen spätestens 3 Tage nach dem Mischen ausgestreut werden.

Der mengenmäßige Entzug der verschiedenen Kulturpflanzen an den einzelnen Mineralstoffen schwankt innerhalb weiter Grenzen, wie Tab. 1 zeigt.

Durch Anbau von Bohnen u. a. *Hülsenfrüchten kann der Boden sogar mit Stickstoff-Verb. angereichert werden, weshalb in der Tab. der Wert eingeklammert ist, s. a. Stickstoff-Fixierung. Um eine *Bodenmüdigkeit durch einseitige Ausnutzung zu vermeiden, hat man früher in der Landwirtschaft die Dreifelderwirtschaft eingeführt; man baute z. B. auf dem gleichen Acker im 1. Jahr Klee, dann Weizen u. im 3. Jahr Kartoffeln an. Heute werden oft komplizierte Fruchtfolgen angewendet; so kann man z. B. auf dem gleichen Feld nacheinander Kartoffeln (mittelfrüh), Winterroggen, Runkelrüben, Hafer-Gerste-Gemenge (Kleeuntersaat), Rotklee u. Winterweizen anbauen. Die Pflanzenwurzel trifft unter den Stoffen des Bodens eine scharfe Auslese. Sie kann Nährstoffe, die im Nährsubstrat nur spurenweise vorkommen, allmählich in sich anreichern u. kann andererseits im Überfluß vorhandene Mineralbestandteile unbeachtet lassen. Deshalb stimmt die quant. Aschenzusammensetzung auch nicht annähernd mit der des Bodens überein. Übrigens hinterlassen je 100 g frische, grüne Pflanzen (z. B. Klee, Salat) bei völliger Verbrennung nur 1–3 g Aschenbestandteile; der tatsächliche Nährstoffbedarf ist also verhältnismäßig niedrig.

Mit der Einführung der Handelsdünger, einer verbesserten *Schädlingsbekämpfung u. der Verw. hochwertigen Saatguts haben sich in der BRD die Hektarerträge z. B. im Weizen- wie im Kartoffelanbau in den letzten hundert Jahren mehr als vervierfacht. Die mit *Handelsdünger* aufgezogenen Nutzpflanzen sind im allg. den „natürlich" (mit *Wirtschaftsdünger*) behandelten qual. mind. gleichwertig, gegen Krankheiten sogar meist widerstandsfähiger; so kann man z. B. den Mehltau-Befall von Reben durch Kalidüngung erheblich reduzieren. Handelsdünger enthalten die gleichen chem. Substanzen, die auch in den „natürlichen" Böden u. in den Wirtschaftsdüngern vorhanden sind, allerdings in höheren Konz. u. genauer dosierbar für die bedarfsgerechte Düngung. Dagegen fördern Wirtschaftsdünger die Humusbildung u. beeinflussen die physikal. Bodenbeschaffenheit oft in günstiger Weise u. regen das Bakterienwachstum an (zur Mikrobiologie des Bodens s. dort). Optimal ist also die bedarfsgerechte D. in sinnvoller Kombination von Handels- u. Wirtschaftsdünger, wobei sowohl der Nährstoffentzug durch Erntemasse u. Auswaschungen der abgelaufenen Vegetationsperiode als auch die zu erwartende Nährstoffaufnahme der neuen Kultur (Ertragserwartung) zu berücksichtigen sind.

Eine Überdüngung insbes. mit Stickstoff-Dünger sowie v. a. die wesentlich der Entsorgung bei Massentierhaltung dienende Ausbringung von *Gülle haben regional zu hoher Nitrat-Belastung des Grundwassers geführt. Einige Bundesländer (Nordrhein-Westfalen 1984, Bremen u. Schleswig-Holstein 1989, Niedersachsen 1990) haben daher *Gülle-VO* mit jahreszeitlichen Einschränkungen u. Mengenbegrenzungen der Gülle-Ausbringung erlassen[1]. Eine *Eutrophierung von Oberflächengewässern wird weniger druch Überdüngung, sondern wesentlich beeinflußt durch *Erosion von Nährstoffen od. nährstoffreichen Böden. Die Sensibilisierung der dtsch. Landwirtschaft für diese Problematik hat infolge bedarfsgerechterer D. u. wohl auch mit zunehmendem Trend zu „biodynam." Anbau" zu einer merklichen Verminderung im Verbrauch der Handelsdünger-Nährstoffe pro Hektar genutzter Fläche geführt, s. Tab. 2 (nach *Lit.*[2]).

In der Sicherstellung des künftigen Nahrungsmittelbedarfs der Erdbevölkerung fällt der D. nicht nur zur Erschließung neuer Anbauflächen bes. in der Dritten Welt (gegenwärtig wird nur etwa ein Zehntel der festen Erdoberfläche landwirtschaftlich genutzt), sondern v. a. zur noch effektiveren Nutzung der schon erschlossenen Gebiete eine wichtige Aufgabe zu. Einige Aspekte der Forschung auf dem D.-Sektor sind die Entwicklungen neuer D.-Techniken, z. B. der *Flüssigdüngung*, der sog. *Blattdüngung* (Versprühen verd. Lsg.

Tab. 1: Mengenmäßiger Entzug an Mineralstoffen.

Fruchtart	Ernteentzug in kg pro Hektar pro	N	P_2O_5	K_2O	CaO	MgO
Weizen	10 dz Körner mit Stroh	23–35	7–14	20–25	4–8	2–5
Roggen	10 dz Körner mit Stroh	20–30	7–15	20–30	6–10	2–5
Zuckerrüben	10 dz Rüben mit Blatt	4–5,5	1,5–2	6–10	1–2	1–2
Kartoffeln	10 dz Knollen mit Kraut	4,5–5,5	1,5–2	7,5–9	1,5–4	0,8–1,5
Ackerbohnen	10 dz Körner mit Stroh	(60–65)	15–20	40–50	30–40	5–10

Tab. 2: Verbrauch in kg Nährstoff je Hektar landwirtschaftlich genutzter Fläche.

Wirtschafts-jahr	Stickstoff (N)	Phosphat (P_2O_5)	Kali (K_2O)
1989/90	125,1	50,0	66,5
1990/91	115,3	42,9	62,3
1991/92	114,1	37,1	53,2
1992/93	108,2	34,0	48,4
1993/94	102,0	26,3	40,8

von lösl. Düngemitteln auf die Blätter von Kulturpflanzen, ggf. in Kombination mit *Pflanzenschutzmitteln) od. der Entwicklung neuartiger *Depotdünger* (s. Düngemittel). – *E* fertilization – *F* fertilisation – *I* concimazione, fertilizzazione – *S* fertilización, abonado

Lit.: [1] Römpp Lexikon Umwelt, S. 320 f. [2] Statist. Jahrbuch für die BRD, S. 180, Stuttgart: Metzler-Poeschel 1995.
allg.: s. Düngemittel, Agrikulturchemie, Boden.

Dünne Schichten. Unspezif. Bez. für zusammenhängende Materieschichten, deren – z. B. durch *Ellipsometrie meßbare – Dicke von Moleküldurchmesser (*monomolekulare Schichten u. *Membranen) bis etwa 10 μm reicht; Schichten größerer Abmessungen nennt man *Filme u. *Folien. D. S. werden in Hochvakuumapparaturen durch *Gasphasenabscheidung (engl. Chemical Vapor Deposition, CVD), durch Aufdampfen od. *Sputtering erzeugt. Hierbei wird oft ein Plasma miteingesetzt, um z. B. durch Kathodenzerstäubung Materialien mit hoher Schmelztemp. aufdampfen zu können od. durch Ionenbeschuß Schichten zu härten u. zu glätten (*Lit.*[1–4]). Die Technologie d. S. wird heute viel angewendet bei der Herst. von elektr. Widerständen, Solarzellen (s. amorphes Silicium), in der Elektrooptik sowie in der Lichtoptik (Herst. hochwertiger Spiegel, Reflex- u. Antireflexbeschichtungen, was auf großen Glasflächen aufgetragen sogar Auswirkungen auf die Architektur moderner Gebäude hat), in der *Tribologie (Verschleiß) u. in der Informationsspeicherung. – *E* thin films – *F* couches minces – *I* strati sottili – *S* capas delgadas

Lit.: [1] Frey (Hrsg.), Vakuumbeschichtung, Bd. 1–5, Düsseldorf: VDI 1995. [2] Haefer, Oberflächen- u. Dünnschicht-Technologie, WFT Werkstoff-Forschung u. -Technik, Heidelberg: Springer 1987. [3] Rother u. Vetter, Plasmabeschichtungsverfahren u. Hartstoffschichten, Leipzig: Dtsch. Verl. Grundstoff-Ind. 1982. [4] Behrisch (Hrsg.), Sputtering by Particle Bombardment, Berlin: Springer 1981.
allg.: J. Vac. Sci. Technol. **A 4**, 2259–2279 (1986); **A 5**, 3287 (1987) ▪ Prog. Solid State Chem. **21**, 1999 (1991) ▪ Solid State Phys. **A 154**, 175 (1996) ▪ Surf. Eng. **3**, 138–146 (1987).

Dünnsäure. Sammelbegriff für saure Produktionsabwässer, die als Hauptbestandteil ca. 20%ige Schwefelsäure enthalten u. bei verschiedenen Fabrikationsprozessen anfallen. Der bedeutendste Anteil D. entsteht bei der *Titandioxid-Produktion. Der dazu meist verwendete Rohstoff, *Ilmenit ($FeTiO_3$), wird mit konz. Schwefelsäure aufgeschlossen. Dabei gehen die im Ilmenit gebundenen Metall-Salze als Sulfate in Lösung. Ein Teil des Eisensulfates wird als *Grünsalz ($FeSO_4 \cdot 7 H_2O$) auskristallisiert. Anschließend wird das gelöste Titanylsulfat mit Wasser zu Titandioxidhydrat u. Schwefelsäure hydrolysiert. Die Schwefelsäure u. die gelösten Metalle werden als D. vom Titandioxidhydrat abgetrennt.

Bei der Produktion verschiedener organ. Zwischenprodukte u. Farbstoffe entsteht D., wenn organ. Verb. mit konz. Schwefelsäure behandelt werden (z. B. bei der Sulfonierung von *Anthrachinon-, Benzol- u. Naphthalin-Derivaten). Neben Schwefelsäure enthält diese D. geringe Mengen organ. Bestandteile. Verf. zur Aufarbeitung u. Aufbereitung dieser Abfallsäuren werden unter *Recycling besprochen. Darüber hinaus wurden sowohl bei der Titandioxid- als auch bei der organ. Zwischenprodukt- u. Farbstoff-Produktion Verf. entwickelt, D. nicht od. in geringeren Mengen anfallen zu lassen. – *E* spent acid – *F* acide dilué – *I* acido rarefatto – *S* ácidos residuales

Lit.: [25]. BImSchV vom 8.11.1996 (BGBl. I, Nr. 59, S. 1722) ▪ Buxbaum (Hrsg.), Industrial Inorganic Pigments, S. 43–71, Weinheim: VCH Verlagsges. 1993 ▪ Römpp Lexikon Umwelt, S. 203 f. ▪ Ullmann (5.) **B 8**, 271–274.

Dünnsaft s. Saccharose.

Dünnschichtchromatographie (dtsch. Abk.: DC, auch DSC, engl.: TLC; auch als *Planar-Chromatographie* bezeichnet). Bei der DC handelt es sich um ein chromatograph. Verf. mit einem mehrstufigen Verteilungsprozeß, an dem ein geeignetes Sorptionsmittel als stationäre Phase, Lsm. od. -gemische – häufig auch *Laufmittel* genannt – als mobile Phase u. die Probemol. beteiligt sind. Die stationäre Phase befindet sich dabei als dünne Schicht auf einem geeigneten Träger aus Glas, Polyester od. Aluminium. An dieser Schicht erfolgt die Trennung durch *Elution mit dem Laufmittel. Die DC-Analyse beginnt nach geeigneter Probenvorbereitung mit dem Auftragen an der Startlinie. Diese erfolgt punkt-, linien- u. für präparative Zwecke auch bandförmig. Dabei ist die punktförmige Auftragung mittels einer Kapillaren die gängigste Methode. Soll das Chromatogramm quant. ausgewertet werden, empfiehlt sich für bessere Reproduzierbarkeit der Einsatz kommerziell erhältlicher Probendosiereinrichtungen. Eine Hilfe bei manueller Auftragung stellt die Konzentrierungszone dar. Hierbei handelt es sich um inaktives Material (*Kieselgur). An der Grenzschicht zum chromatograph. aktiven Sorbens entsteht bei der Elution eine schmale Startzone. Eine andere Möglichkeit der Aufkonzentrierung bietet eine kurze Vorelution von einigen Millimetern mit einem starken Elutionsmittel.

Die Entwicklung des DC erfolgt standardmäßig unter Benutzung eines Lsm. (Linearentwicklung) aufsteigend in der herkömmlichen Trogkammer. Mehrfachentwicklung mit Laufmittelwechsel (Stufenentwicklung) kann zu besseren Trennergebnissen führen. Bei der zweidimensionalen Entwicklung wird die Probe in einer Ecke der Platte aufgetragen u. in der ersten Richtung entwickelt. Nach Zwischentrocknung u. Wechsel des Laufmittels wird die Platte um 90 °C gedreht u. in der anderen Richtung entwickelt. Auf diese Art können komplexe Gemische unter Ausnutzen von zwei verschiedenen Eluenten getrennt werden. Eine Standardmeth. zur Optimierung des Laufmittels beschreiben Keuker et al.[1]. Zur Erlangung reproduzierbarer Laufstrecken ist die Sättigung der Kammeratmosphäre mit Laufmitteldampf oft vorteilhaft (vgl. Abb. 1).

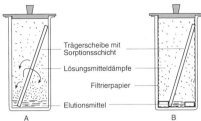

Abb. 1: Trogkammer, A normale Sättigung, B totale Sättigung.

Dieses Problem wird in der Flachkammer, bei der die Kammeratmosphäre durch eine Abdeckplatte ausgeschlossen wird, weitgehend eliminiert. Bei der zirkularen Entwicklung wird das Fließmittel von der Mitte der Platte radial nach außen geführt. Kommerziell erhältliche Geräte verkürzen die Entwicklungszeit u. erlauben das Arbeiten unter Inertatmosphäre. Eine Verkürzung der Trennzeiten wird auch mit „forced flow" Techniken unter Ausnutzung größerer Trennstrecken erreicht.

Bei der *OPTLC* (over pressure thin layer chromatography) wird die Platte od. Folie mit einem Rahmen abgedichtet u. das Laufmittel durch die Schicht gepreßt. Die *CLC* (centrifugal layer chromatography) erlaubt unter Ausnutzung der Zentrifugalkraft das gesamte Spektrum von analyt. bis präparativer Trennung, wobei sogar Substanzgewinnung mit der Durchlauftechnik möglich wird. Die *HPPLC*[2] (Hochdruck-Planar-Flüssig-Chromatographie) erreicht extrem kurze Trennzeiten bei optimalen Fließgeschwindigkeiten. Eine echte Gradientenentwicklung erlaubt die *PMD*-Technik[3] (programmed multiple development). Hierbei ist im Gegensatz zur Mehrfachentwicklung jeder Einzellauf etwas länger als der vorhergehende, wodurch auf einfache Weise eine Substanzzonenverbreiterung kompensiert wird. Normalerweise werden bis zu 25 Entwicklungscyclen mit einem Universalgradienten gefahren. Diese Technik ist automatisiert u. wird daher auch *AMD*[4] (automated multiple development) genannt.

Für alle erwähnten Techniken gibt es kommerzielle Geräte. Der Gewinn an Trennleistung in kürzerer Trennzeit muß allerdings mit einem höheren apparativen Aufwand bezahlt werden. Zur Auswertung genügt bei qual. Analysen die Sichtbarmachung u. Lokalisierung der nachzuweisenden Substanzen. Am einfachsten geschieht dies durch Mitlaufenlassen von Vergleichssubstanzen. Eine dabei häufig verwendete Größe ist der R_f-Wert (retention factor) od. der 100fache hR_f-Wert. Als Definition des R_f-Wertes gilt das Verhältnis Abstand Start–Fleckenschwerpunkt zum Abstand Start–Laufmittelfront (vgl. Abb. 2).

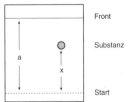

Abb. 2: Ermittlung des R_f-Wertes.

Zur unspezif. Sichtbarmachung wird häufig UV-Licht eingesetzt, da viele Substanzen dieses absorbieren. Enthält die Trennschicht einen *Fluoreszenz-Indikator, erscheinen diese Substanzen als dunkle Flecken. Ein spezif. Nachw. ist durch postchromatograph. Reaktion möglich, wobei die notwendigen Reagenzien entweder aufgesprüht od. im Tauchverf. aufgebracht werden. Auch prächromatograph. Derivatisierung kann für diesen Zweck eingesetzt werden. Zur quant. Auswertung werden entweder die Flächen der Substanzflecken herangezogen od. eine photometr. Auswertung durchgeführt. Hierzu stehen kommerziell erhältliche Scanner zur Verfügung für eine Auswertung in Absorption u. Fluoreszenz. Mehrwellenaufnahmen, Untergrundkorrektur, Berücksichtigung der wählbaren Basislinie bei der Integration, Spektrenaufnahmen sowie Auswertung zirkularer u. anti-zirkularer Chromatogramme erfolgen in manueller Steuerung od. vollautomat. über Computer. Die Genauigkeit ist dabei bei geringem Zeitbedarf hervorragend.

Das wichtigste Sorbens für die DC ist *Kieselgel. Daneben werden *Aluminiumoxid, *Cellulose, *Ionenaustauscher, *Polyamid u. RP-Phasen (s. reverse Phasen) verwendet. Es werden auch Schichten zur Enantiomerentrennung angeboten. Neben dem Sorbens spielt die Schichtdicke eine bedeutende Rolle. Die übliche Schichtdicke liegt bei 0,25 mm bei einer Korngrößenverteilung von 5–17 µm; bei der Hochleistungs-Dünnschichtchromatographie (*HPTLC) beträgt das Kornspektrum 2–10 µm. Für präparative Zwecke werden Schichtdicken von 0,5–2 mm angeboten, wobei im letzten Fall gröberes Material verwendet wird.

Geschichte: Das Prinzip der DC ist seit 100 a bekannt[5]. Es ist ein Verdienst von E. Stahl (1924–1986), der DC als analyt. Meth. sowie ihrer Namensgebung zum Durchbruch verholfen zu haben[6,7]. – *E* thin layer chromatography – *F* chromatographie en couches minces – *I* cromatografia su strato sottile – *S* cromatografía de capa fina

Lit.: [1] Keuker, Proceedings of the International Symposium on Instrumental Thin Layer Chromatography, S. 105–114, Brighton, Sussex: UK 1989. [2] Kaiser, Einführung in die HPPLC, Heidelberg: Hüthig 1987. [3] Fresenius Z. Anal. Chem. **318**, 228 (1984). [4] Pflanzenschutz-Nachrichten Bayer **41**, 173 (1988). [5] Z. Phys. Chem. **3**, 110 (1889). [6] Stahl, Dünnschicht-Chromatographie, 2. Aufl., Berlin: Springer 1967; Thin Layer Chromatography, 2. Aufl., Nachdruck 1988. [7] Angew. Chem. **95**, 515 (1983).

allg.: Frey u. Zieloff, Qualitative u. quantitative Dünnschichtchromatographie, Grundlagen u. Praxis, Weinheim: VCH Verlagsges. 1993 ■ Schwedt, Analytische Chemie, S. 318–330, Stuttgart: Thieme 1995 ■ Touchstone (Hrsg.), Practice of Thin Layer Chromatography, 3. Aufl., Chichester: Wiley 1992.

Dünnschicht-Elektrophorese s. Elektrophorese.

Dünnschichtfilme s. dünne Schichten.

Dünnschichtverdampfung. Die D. wird für die kontinuierliche Dest., zur *Verdampfung temperaturempfindlicher Substanzen von hochsiedenden Rückständen u. für die Konz. von temperaturlabilen Stoffen in Technik u. Laboratorium eingesetzt. Hierbei verteilt man die Flüssigkeit durch Abrieselnlassen (*Fallfilm-Verdampfer*, Rieselkolonnen), Einwirkung von Zentrifugalkraft, bes. konstruierte Wischer (*Filmtruder*) u.

dgl. zu *dünnen Schichten von ca. 0,1 mm Dicke auf den beheizten Flächen. Die Verweilzeit der durchlaufenden Produkte in der beheizten Verdampferzone beträgt ca. 0,1 bis 30 s u. der Druck bis zu ca. 10^2 Pa. Prinzipiell könnte man die *Rotationsverdampfer auch hierher zählen. – *E* film evaporation – *F* évaporation à couche mince – *I* vaporizzazione a strato sottile – *S* evaporación de capa delgada

Lit.: Ullmann (5.) **B 3**, 3–22 ▪ Winnacker-Küchler (4.) **1**, 156, 365 f. ▪ s. a. Destillation, Verdampfung.

Dünnschliffe. Dünne Plättchen von Gesteinen od. Mineralien von 0,02–0,04 mm Dicke, die meist mit Ausnahme der Stellen von Erzeinschlüssen durchsichtig sind; sie dienen zur mikroskop. Untersuchung. – *E* thin polished sections – *F* lames minces polies, coupes minces, lamelles translucides – *I* sezioni sottilissime – *S* láminas micropétreas

Lit.: Humphries, Methoden zur Dünnschliffherstellung, Stuttgart: Enke 1994 ▪ MacKenzie u. Adams, Minerale und Gesteine im Dünnschliff, Stuttgart: Enke 1995 ▪ Müller u. Raith, Methoden der Dünnschliffmikroskopie (4.) (Clausthaler Tekton. Hefte 14), Clausthal-Zellerfeld: E. Pilger 1987 ▪ Pichler u. Schmitt-Riegraf, Gesteinsbildende Minerale im Dünnschliff (2.), Stuttgart: Enke 1993.

Duesberg Chemie. Kurzbez. für W. O. Duesberg GmbH, 46284 Dorsten, gegründet 1883. *Produktion:* Schmierstoffe, Bauten-, Holz-, Rost- u. Frostschutzmittel, Farben, Autopflege- u. Aerosolprodukte.

Düsen. 1. Formgebendes Teil in Vorrichtungen zum *Extrudieren von thermoplast. od. plast. Materialien zu Strängen, Profilen, Schläuchen, Drähten, Fasern usw. Zum Herstellen u. Spinnen von Chemiefasern (Glas-, Textil-, Kunststoffasern) benutzt man z. B. Spinndüsen aus Platin u. a. Edelmetallen.
2. Vorrichtungen zum *Dispergieren von Flüssigkeiten in Gasen u. Vermischen von Fluiden, z. B. bei der Herst. von Aerosolen, Zerstäubung (*Sprays), Zerstäubungstrocknung od. Strahlenmischern. Bei der Zerstäubung von Flüssigkeiten finden unterschiedliche Prinzipien Anwendung. In der Druckzerstäubung wird die Flüssigkeit mit hohem Druck aus der D. gepreßt. Die notwendige Energie zur Zerstäubung wird durch Druckenergie aufgebracht (*Beisp.:* Einspritzdüsen für Dieselmotoren). Bei Mehrstoffdüsen erfolgt die Zerstäubung der Flüssigkeit mit einem Hilfsstoff (*Beisp.:* Druckluftzerstäubung). Mehrstoffdüsen werden auch für spezielle techn. Verf. verwendet, bei denen die Stoffe getrennt geführt werden u. erst am D.-Austritt in Kontakt kommen. Die Abb. zeigt das Prinzip einer Dreistoffdüse, wie sie z. B. bei der *Mikroverkapselung eingesetzt wird.

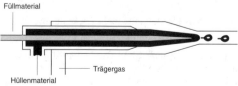

Abb.: Dreistoffdüse.

Strahlmischer beruhen darauf, daß ein aus einer D. gepreßter Strahl eines Fluids durch Impulsaustausch Umgebungsfluid ansaugt. Wird der Zutritt des Umgebungsfluids im Düsenbereich eingeschränkt, saugt der Strahl Fluid aus stromabwärtigen Bereichen an u. es kommt insgesamt zu einem inneren Umlauf des Fluids im Behälter mit intensiver Vermischung (Treibstrahlreaktor).
3. Speziell geformte D., z. B. *Venturi-Düsen, Normblenden, Drosseln, werden zur Messung von Volumenströmen eingesetzt. Dabei wird das zu messende Fluid in der D. beschleunigt u. die Druckdifferenz zwischen der unbeschleunigten Strömung in der D. gemessen. Mit Hilfe der Bernoullischen Gleichung kann aus der Druckdifferenz der Volumenstrom berechnet werden. – *E* nozzles – *I* ugelli – *S* tobera, boquilla

Lit. *(zu 1.):* Ullmann (5.) **B 4**, 94; **A 14**, 358. – *(zu 2.):* Ullmann (5.) **B 2**, 6–7, 25–28; **A 8**, 386. – *(zu 3.):* Hengstenberg (Hrsg.), Messen, Steuern u. Regeln in der chemischen Technik, Berlin: Springer 1980.

Düsenkraftstoffe (Flugturbinenkraftstoffe). Für die zivile Luftfahrt werden weltweit zwei Sorten von D. angeboten: *Flugturbinen-Kerosin* (Jet A 1, D. 0,775–0,830, Schmp. max. –50 °C, Siedebereich ca. 160–250 °C) u. *Flugturbinen-Benzin* (Jet B, D. 0,751–0,802, Schmp. –50 °C, Siedebereich 100–280 °C). Militärflugzeuge benutzen D. mit etwas anderen Spezifikationen. Die durch Erdöl-Dest. u. -Raffination gewonnenen D. dürfen nicht zuviel leichtflüchtige Anteile enthalten, müssen kältestabil sein (Zusatz von *Anti-Icing-Mitteln) u. dürfen bis –50 °C keine festen Bestandteile ausscheiden. Anstelle hoher *Octan-Zahlen (die hier ohne Bedeutung sind) besitzen D. einen hohen *Heizwert* (mind. 42 600 kJ/kg), der Aromaten-Gehalt liegt zwischen 20 u. 25%; Höchstgehalt an Schwefel 0,3%. Die Herst. der für Strahltriebwerke benötigten D. (z. B. *Kerosin) ist einfacher als diejenige von *Flugbenzin. – *E* jet fuels – *F* carburants pour tuyères – *I* carburanti a reazione – *S* combustibles para turbinas de combustión

Lit.: Hommel, Nr. 119 ▪ Kirk-Othmer (3.) **3**, 328–351; (4.) **3**, 788–812 ▪ McKetta **2**, 63 ff. ▪ Ullmann (4.) **12**, 579–591; (5.) **A 3**, 201–212 ▪ Winnacker-Küchler (4.) **5**, 146 f. – [HS 271000]

Düsentrieb, Daniel (erfunden 1944 – von der Walt Disney Production Company). Dipl.-Ing., freischaffender Erfinder u. Mitbegründer des Entenhausener Patentvereins. Inhaber von 2000 Patenten aller Art.

c Disney

Dufix®. Sortiment von Renovierhilfsmitteln zur Vorbehandlung der Wände für das Tapezieren, zum Ablösen von Tapeten, zum Abbeizen von Lacken u. Farben; Gips-basierte Spachtelmassen für den Innenbereich. **B.:** Henkel.

Dufraisse, Charles Robert (1885–1969), Prof. für Organ. Chemie, Collège de France, Paris. *Arbeitsgebiete:*

Peroxide, Autoxid., Einfluß von Peroxiden auf Polymerisationen, Schwefel, Photooxid. von Anthracen u. Rubren.

Duftstoffe. Umgangsprachliche Sammelbez. für diejenigen *Riechstoffe, die beim Menschen ein *angenehmes* Geruchsempfinden (s. Geruch) auslösen u. daher zur Parfümierung von techn. u. Sanitärartikeln, *Seifen, *Kosmetika (Körperpflegemitteln) u. dgl. vielfältige Verw. finden. In erweitertem Sinne lassen sich auch *Essenzen u. *Aromen zu den D. rechnen. – *E* fragrant principles, odorous substances – *F* matières odorantes – *I* sostanze odorose – *S* sustancias alorosas

Duhamel du Monceau, Henry Louis (1700–1781), Prof. der Naturwissenschaften u. Marineinspektor, Paris. *Arbeitsgebiete:* Ernährung der Pflanzen, Holzkonservierung, Unterscheidung von Pottasche u. Soda, Reindarst. von Natriumacetat.
Lit.: Pötsch, S. 126 ▪ Strube et al., S. 55.

Duhem-Margulessche Gleichung. Erstmals 1886 von P. Duhem (1861–1916) abgeleitete u. 1895 von M. Margules ausführlich diskutierte Gleichung, die die Verbindung herstellt zwischen den im Dampf vorliegenden *Partialdrücken (p) der Komponenten A u. B einer flüssig-binären Mischung u. ihren *Molenbrüchen (x):

$$d \ln p_A/d \ln x_A = d \ln p_B/d \ln x_B.$$

Die D.-M.G. ist für die Berechnung von *Destillations-Gleichgew. wichtig. – *E* Duhem-Margules equation – *F* équation de Duhem-Margules – *I* equazione di Duhem e Margules – *S* ecuación de Duhem-Margules

Duisberg, Carl (1861–1935), Chemiker u. Generaldirektor der Farbenfabriken Bayer. *Arbeitsgebiete:* Farbstoffe, Planung des Werkes Leverkusen, Mitbegründer der I.G.-Farben-Ind. AG (1925). Er nahm Einfluß auf die Chemikerausbildung u. auf die staatlich finanzierte Forschung durch Gründung der Baeyer-, Fischer- u. Liebig-Ges. als Fördergesellschaften.
Lit.: Flechtner, Carl Duisberg, Düsseldorf: Econ 1959 ▪ Neufeldt, S. 150 ▪ Pötsch, S. 126 f.

Dukatengold. Gold mit einem *Feingehalt von 986/1000. Der Name entstammt der dtsch. 1-Dukaten-Goldmünze vor 1914, die bei einem Fein(= Gold)gew. von ca. 3,4 g diesen Feingehalt aufwies. – *E* ducat gold – *F* or de ducats – *I* oro di zecchino – *S* oro fino

Duktilität (Zähigkeit, Verformungsvermögen). Allg. wird hierunter die Fähigkeit eines metall. Werkstoffes verstanden, sich unter gegebenen Bedingungen bei hinreichend hohen mechan. Beanspruchungen bleibend zu verformen, bevor Rißbildung eintritt. Diese Fähigkeit ist für viele Bauteile von großer Bedeutung, da örtlich auftretende mechan. Spannungshöchstwerte nur von einem duktilen Werkstoff rißfrei durch bleibende Verformung unter gleichzeitiger Kaltverfestigung abgebaut werden können. So verlangt das Regelwerk für Werkstoffe des Druckbehälterbaus den prüftechn. Nachw. von D.-Mindestwerten. Bei einem gegebenen Werkstoff ist die D. abhängig von der Temp., der Beanspruchungsgeschw., der Mehrachsigkeit des wirkenden mechan. Spannungszustands u. der Umgebung. Kennwerte der D. sind z.B. die Bruchdehnung u. -einschnürung, die Kerbschlagzähigkeit u. die *Bruchzähigkeit. Für den prakt. Einsatz sind D. u. *Festigkeit stets gemeinsam zu betrachten. – *E* ductility, toughness – *F* ductilité – *I* duttilità – *S* ductilidad
Lit.: Gräfen (Hrsg.), Lexikon Werkstofftechnik, S. 1145, Düsseldorf: VDI 1993.

Dulbecco, Renato (geb. 1914), Prof. für Molekularbiologie, Torino, San Diego, London. *Arbeitsgebiete:* Bakteriophagen, Viren, insbes. Tumorviren, Genetik; 1975 Nobelpreis für Physiologie od. Medizin (zusammen mit *Baltimore u. *Temin).
Lit.: Nachr. Chem. Tech. Lab. **23**, 461 f. (1975) ▪ Neufeldt, S. 288, 377 ▪ Who's Who in America, S. 1006.

Dulcit (Galactit, Melampyrit).

$$\begin{array}{c} CH_2-OH \\ | \\ HC-OH \\ | \\ HO-CH \\ | \\ HO-CH \\ | \\ CH-OH \\ | \\ CH_2-OH \end{array}$$

$C_6H_{14}O_6$, M_R 182,17, farblose, süß schmeckende Säulen, Schmp. 188–190 °C, Sdp. 275–280 °C (130 Pa), D. 1,466, gut lösl. in heißem Wasser, unlösl. in Ether. Der *Zuckeralkohol D. erscheint im Harn von an Galactosämie (Typ II) Erkrankten (vgl. Galactose). D. wird aus Madagaskar-Manna (*Melampyrum nemorosum*) gewonnen. – *E* dulcitol – *F* dulcite – *I* dulcina – *S* dulcita
Lit.: von Rymon-Lipinski u. Schiweck (Hrsg.), Handbuch Süßungsmittel, S. 391, Hamburg: Behrs 1991.

Dulcolax®. Laxans (Dragees, Suppositorien) mit *Bisacodyl; D. NP Tropfen mit Natriumpicosulfat. D. spezial Lsg. Additiv zur Röntgendarst. des Dickdarms. *B.:* Thomae.

Duldbare tägliche Aufnahme (DTA-Wert). Von der Arbeitsgruppe Toxikologie der Kommission für Pflanzenschutz-, Pflanzenbehandlungs- u. Vorratsschutzmittel der DFG zur Bewertung von Pflanzenschutzmittelrückständen in Lebensmitteln eingeführter Wert, der vom damaligen Bundesgesundheitsamt (heute: Bundesamt für gesundheitlichen Verbraucherschutz) übernommen wurde. Im Gegensatz hierzu ist der *ADI-Wert auf internat. Ebene von der *WHO festgelegt. – *E* acceptable daily intake – *I* dose giornaliera ammessa – *S* valor diario admisible
Lit.: Bundesgesundheitsblatt **36**, 247 ff. (1993).

Dulong, Pierre Louis (1785–1838), Direktor der Ecole Polytechnique, Paris. *Arbeitsgebiete:* Herst. von Stickstoffoxiden, Stickstofftrichlorid u. Sauerstoff-ärmeren Phosphorsäuren, *Dulong-Petit-Regel, chem. Verwandtschaft von Stickstoff u. Phosphor.
Lit.: Neufeldt, S. 13 ▪ Pötsch, S. 127.

Dulong-Petitsche Regel. Von *Dulong u. Petit 1819 aufgestellte Regel, wonach die *Atomwärme zahlreicher fester Elemente bei 20 °C konstant ist u. den Wert 25 J K^{-1} besitzt. Die D.-P.R. ist bei Metallen gut erfüllt; bei Nichtmetallen, z.B. *Diamant, findet man gewöhnlich Ausnahmen. Nach der Theorie der mol. Wärmekapazität von P. *Debye haben alle *Festkörper ei-

Dulongsche Formel

nen Hochtemperaturwert (im Limes T→∞) von 3 R (R: *Gaskonstante), der dem Wert der D.-P.R. entspricht. – *E* Dulong and Petit's law – *F* loi de Dulong et Petit – *I* regola di Dulong-Petit – *S* ley de Dulong y Petit

Dulongsche Formel s. Heizwert.

Dumas, Jean Baptiste André (1800–1884), Prof. für Chemie, Paris, franzős. Landwirtschaftsminister. *Arbeitsgebiete:* Bestimmung der Dampfdichte (s. Molmassenbestimmung) u. des Stickstoff-Gehalts organ. Verb. (s. Elementaranalyse), Aufstellung der Begriffe Homologie u. Substitution, Synth. von Trichloressigsäure, Nitrilen, organ. Nitraten, Herst. von Methylalkohol aus Holzgeist, Isolierung von Anthracen aus Teer.
Lit.: Krafft, S. 107f. ▪ Neufeldt, S. 17, 22 ff., 379 ▪ Pötsch, S. 127.

Dumonts Blau s. Cobaltblau.

Dung s. Düngemittel.

Dunit s. Peridotite.

Dunkelreaktion s. Photochemie u. Photosynthese.

Duocarmycine (Pyrindamycine).

	Summenformel [CAS]	M_R	Schmp. [°C]	$[\alpha]^{22}$
D. A	$C_{26}H_{25}N_3O_8$ [118292-34-5]	507,50	148	+282° (CH_3OH)
D. C_2	$C_{26}H_{26}ClN_3O_8$ [118292-36-7]	543,96	50	–51° (CH_3OH)

Hochwirksame, gelb gefärbte Antitumor-Antibiotika aus Streptomyceten-Kulturen. – *E* duocarmycins – *F* duocarmycine – *I* duocarmicine – *S* duocarmacina
Lit.: Chem. Pharm. Bull. **43**, 378, 1064, 1530 (1995); **44**, 67 (1996) ▪ Pure Appl. Chem. **66**, 2255 (1994). – [HS 2941 90]

Duofilm. Lsg. mit *Salicyl- u. *Milchsäure gegen Warzen. *B.:* Stiefel Laboratorium GmbH.

Duolip®. Tabl. mit *Etofyllin-Clofibrat gegen prim. Hyperlipidämien, die auf diätet. Maßnahmen etc. nicht ansprechen. *B.:* Merckle.

Duolite®. Stark bis schwach saure od. stark bis schwach bas. Ionenaustauscher auf Kunstharz-Basis, die nach verschiedenen Kriterien wie Vernetzungsgrad, Korngröße, Kapazität u. Feuchtigkeitsgehalt eingeteilt sind. *B.:* Rohm and Haas.

DUOMAT®. Dosier- u. Vibrations-Anmischgeräte für Zahnfüllungswerkstoffe. *B.:* Degussa.

DUP. Nach DIN 7723 (12/1987) Kurzz. für *Di*undecyl-*p*hthalat als *Weichmacher.

Duparol®. Lsm.-haltiges, wasserfreies Anstrichmittel auf Polymerisatharz-Basis für Beton u. Putz. *B.:* Deutsche Amphibolin-Werke von Robert Murjahn GmbH & Co. KG.

Duphaston®. Tabl. mit *Dydrogesteron gegen Menstruationsstörungen. *B.:* Duphar.

Duplex-Stähle s. ferritisch-austenitische Stähle.

Duplosan®. Herbizide aus nachwachsenden Rohstoffen: D.KV auf der Basis des opt. aktiven Mecoprop-P (CMPP-P) gegen breitblättrige Unkräuter in Getreide u. Grünland; D.DP auf der Basis der opt. aktiven Form Dichlorprop-P gegen breitblättrige Unkräuter in Getreide. *B.:* BASF.

DuPont. Kurzbez. für den amerikan. Chemie- u. Energiekonzern E. I. du Pont de Nemours and Co. Inc., 1007 Market Street, Wilmington, Del. Das Unternehmen, 1802 von Eleuthère Irénée du Pont als Schießpulverfabrik gegr., erzeugte bis 1904 nur Schwarzpulver u. Sprengstoffe. Zu den Tochter- u. Beteiligungsges. gehören Conoco-Inc. (100%), Howson Algraphy (100%), Butachimie (50%), DuPont Pharma (50%), Crosfield (50%) u. viele andere. *Daten* (1995): 105 000 Beschäftigte, 42 Mrd. $ Umsatz. *Produktion:* Chemikalien, Fasern (Nylon 6.6, Polyester, Elastan, Aramide u. a.), graf. Syst., techn. Kunststoffe, Druckplatten, Pharmazeutika, Pflanzenschutzmittel, elektron. Materialien, Antihaftbeschichtung, Erdöl u. -Gas. *Vertretung* in der BRD: DuPont de Nemours GmbH, 61343 Bad Homburg.

dura.... Anlautender Wortbestandteil in Handelsnamen für Präp. der Durachemie, bei denen es sich im allg. um Generica enthaltende *Monopräparate* handelt.

Durachemie. Kurzbez. für die Durachemie GmbH & Co. KG, 82515 Wolfratshausen. Gesellschafter ist die American Home Products Corp., Madison, NJ (USA). *Daten* (1995): 160 Beschäftigte, 100 Mio. DM Umsatz. *Produkte:* Generika, Antibiotika, Antidiabetika, Antihypertensiva, Antimykotika, Antiphlogistika, Antirheumatika, Bronchospasmolytika, Mukolytika, Corticoide, Diuretika, durchblutungsfördernde Mittel, Koronarmittel, Mittel gegen Heuschnupfen, allerg., abakterielle Entzündungen, Lebertherapeutika, Magen- u. Darmmittel, Ophthalmika, Tranquilizer, Neuroleptika, Urikostatika, Gichtmittel, Zytostatika (zytostat. wirksame Hormone).

Durafill®. Lichthärtendes Microfüller-Composite für Zahnfüllungen der Klassen III, IV, V. *B.:* Heraeus Kulzer GmbH.

Dural s. Duralumin(ium).

DURALIT®. Modellgips für zahntechn. Zwecke. *B.:* Degussa.

Duralumin(ium) (Dural). Veraltete Handelsbez. für eine kalt aushärtbare Al-*Legierung des Syst. AlCuMg mit max. 5% Cu, max. 2% Mg u. max. 1% Mn. Leg. dieses Syst. werden bei 500°C lösungsgeglüht u. abgeschreckt. Sie sind dann – in Abhängigkeit von der Umgebungstemp. – für begrenzte Zeit noch gut verformbar, härten jedoch mit der Lagerungszeit durch Phasen-Ausscheidung aus. Die *Festigkeit steigt in der Folge stark an, die *Duktilität nimmt vergleichsweise wenig ab. Wegen der geringen spezif. Masse von 2,8 g/cm^3 sind Leg. dieses Typs bes. interessant für die Flugtechnik. – $E = F$ duralumin – I duralluminio – S duraluminio

Lit.: Aluminium-Taschenbuch, 19. Aufl., Düsseldorf: Aluminium-Verl. 1983.

Duran®. Borosilicatglas (zur Zusammensetzung s. dort) mit bes. niedriger Wärmeausdehnung. D. besitzt gute chem. Beständigkeit, mechan. Festigkeit, hohe Temperaturwechselbeständigkeit (<490 °C) u. ein günstiges Zähigkeitsverhalten („langes" Glas), weshalb es sich gut verarbeiten läßt. Verw. für Röntgenröhren, Bildverstärkerröhren u. diverse Laborartikel. *B.:* Schott.

Duraver®. Techn. Schichtpreß-Stoff: Glashartgewebe auf Epoxid-, Silicon- u. Melaminharz-Basis als Tafeln, Rohre u. hieraus spangebend bearbeitete Teile. *B.:* Isola.

Duraver®-**E-Cu.** Gruppe von Marken aus Kupfer-kaschiertem Epoxid-Glashartgewebe zur Verw. als Basismaterial für Leiterplatten. *B.:* Isola.

Durborid®. Borierungsmittel für Eisen-Werkstoffe. *B.:* Degussa.

Durchdringungskomplex s. Koordinationslehre.

Durchdringungsnetzwerke s. interpenetrierende polymere Netzwerke.

Durchdruck. Bez. für ein *Druckverfahren, s. Siebdruck.

Durchflußmesser. Unterschiedlich konstruierte Geräte zur Vol.-Messung strömender Flüssigkeiten u. Gase. – E flow meter – F débitmètre – I misuratore (contatore) del flusso – S caudalómetro, aforador de caudal

Lit.: Winnacker-Küchler (3.) **7**, 396–402.

Durchgangsarzt. D. sind Ärzte für Chirurgie od. Orthopädie mit bes. Erfahrungen bei der Behandlung von Unfallverletzungen. D. werden durch die Landesverbände bestellt. Ein Unfallverletzter muß unverzüglich einem Arzt vorgestellt werden, sofern Art u. Umfang der Verletzung od. des Gesundheitsschadens eine ärztliche Versorgung angezeigt erscheinen lassen. Die Vorstellung muß bei einem D. erfolgen, wenn aufgrund der Verletzung Arbeitsunfähigkeit vorliegt od. die Behandlungsbedürftigkeit voraussichtlich mehr als eine Woche beträgt. Der D. führt die fachärztliche Erstversorgung durch u. entscheidet, ob die allg. berufsgenossenschaftliche Heilbehandlung durch den Hausarzt ausreicht od. ob aufgrund von Art u. Schwere der Verletzung die bes. berufsgenossenschaftliche Heilbehandlung ambulant od. stationär einzuleiten od. durchzuführen ist.

Unter bestimmten Voraussetzungen kann die Vorstellung beim D. entfallen. Dies gilt beim Beratungsfacharztverf., bei isolierten Augen- u. Hals-Nasen-Ohrenverletzungen, im Rahmen des H-Arztverf. u. bei Berufskrankheiten. – E transit physician – F médecin d'ambulance – I medico di transito – S médico de tránsito

Lit.: Richtlinien für die Bestellung von Durchgangsärzten vom 11.7.1983 in der Fassung vom 1.4.86 (Bezug durch die Berufsgenossenschaften) ■ UVV „Erste Hilfe" (§ 13 Abs. 1). – B. für Unfallverhütungsvorschriften: Carl Heymanns Verl. KG, Luxemburger Straße 449, 50939 Köln od. Jedermann-Verl., Postfach 10 31 40, 69021 Heidelberg.

Durchlässigkeit s. Transmission u. Transparenz.

Durchsatz. Bez. für den Stoffstrom, der eine Apparatur pro Zeiteinheit durchläuft, ausgedrückt in mol/h, kg/h od. m^3/h (Mol-, Massen-, Volumendurchsatz). Der D. kann auch auf eine anlagenbezogene Größe, z. B. Fläche od. Vol. bezogen werden. – E throughput – F débit – I materiale introdotto – S caudal

Durchschlagen. Anstrichtechn. Sichtbarwerden von 1. eingewanderten Bestandteilen des Untergrundes, auch eines früheren *Anstriches, im neuen Anstrich; – 2. Bestandteilen des Anstriches auf der Rückseite des Untergrundes (z. B. Papier); vgl. a. Auf- u. Ausschwimmen sowie Ausbluten. – E soaking through – F faire ressortir – I perforare – S perforar, atravesar

Lit.: DIN 55 945 (12/1988) ■ s. a. Anstrichstoffe.

Durchschnittlicher Polymerisationsgrad (DP) s. Polymerisationsgrad.

Durchschnittsmolmasse s. Molmasse.

Durchschnittsprobe s. Probenahme.

Durchschreibepapier (Reaktionsdurchschreibepapier). Bez. aus der Bürochemie für ein beschichtetes Papier, mit dem man Durchschläge ohne *Kohlepapier anfertigen kann. Als für den Farbträger geeignete Beschichtungsform hat sich bes. die *Mikroverkapselung erwiesen. – E carbonless copy paper – F papier autocopiant – I carta copiativa – S papel carbón o copiativo

Durchstimmbarer Laser. *Laser, deren Wellenlänge kontrolliert verändert werden kann. Falls die Bandbreite des Lasers kleiner als sein Verstärkungsbereich ist, kann durch Veränderung der Resonatorlänge u./od. Drehen von dispersiven resonatorinternen Elementen (Gitter, Prismen, *Etalon) die Wellenlänge durchgestimmt werden. Mit durchstimmbaren *Farbstofflasern kann der gesamte sichtbare Spektralbereich lückenlos abgedeckt werden. Durchstimmbare *Diodenlaser liefern Licht im nahen u. fernen Infrarot zwischen 0,8 µm u. 32 µm, durchstimmbare *Farbzentrenlaser ebenfalls im Infraroten von 0,8 µm bis 3,2 µm. *Gaslaser besitzen einen kleineren Verstärkungsbereich u. somit einen kleineren Durchstimmbereich: *Edelgas-Ionen-Laser z. B. ~ 8 GHz u. *Excimer-Laser ~ 1 nm. Zu den durchstimmbaren *Festkörperlasern zählt der *Titan-Saphir-Laser (680–940 nm). Für einen weiten Wellenbereich stehen ferner opt.-parametr. Oszillatoren (OPO) zur Verfügung (s. parametrische Verstärkung). – E tuneable laser – F laser réglable (ajustable) – I laser sintonizzabile – S láser sintonizable

Lit.: Johnston, Lasers, Tuneable Dye, Encycl. of Physical Science and Technology, Bd. 8, S. 621–670, San Diego: Academic Press 1992.

Durchtrittsreaktion. Bez. für den Teil einer *Elektroden-Reaktion, bei dem Ladungsträger (Ionen od. Elektronen) durch die *elektrochemische Doppelschicht einer Elektrode hindurchtreten. Die D. kann sowohl einstufig sein (z. B. Ag $\rightarrow$ Ag$^+$ + e$^-$) als auch aus mehreren hintereinander folgenden Schritten bestehen (z. B. Cu $\rightarrow$ Cu$^+$ + e$^-$, Cu$^+$ $\rightarrow$ Cu^{2+} + e$^-$). – *E* penetration reaction – *F* réaction par traversement – *I* reazione di trasferimento degli elettroni – *S* reacción de paso

Durchtrittsüberspannung s. Überspannung.

Durethan®. Umfangreiches Sortiment von thermoplast. Kunststoffen auf der Basis von Polyamid 66 (D. A) u. PA 6 (D. B) zur Verarbeitung durch Spritzguß od. Extrusion, auch als glasfaserverstärkte u. Sondertypen.
Verw.: Spritzgegossene Teile für Elektrotechnik, Maschinenbau, Feinwerktechnik, Fahrzeugbau, Haushalt, Bau- u. Möbel-Ind., Verpackungsfolien, extrudierte Halbzeuge. *B.:* Bayer.

DUREX®. Flammruß zur Verstärkung von Kautschuk zur Erzielung sehr guter Extrudierbarkeit u. hervorragender Oberflächenglätte von Spritzartikeln, verleiht sehr gutes dynam. Verhalten. *B.:* Degussa.

DURFERRIT®. Härte- u. Lötmittel, Metallbearbeitung u. -härtung, -oberflächenveredlung, Wärmebehandlung von Stählen im Schmelzbad. *B.:* Degussa.

Durogesic®. Membranpflaster mit dem Opiatanalgetikum *Fentanyl gegen Tumorschmerzen. Es unterliegt der BtmVV. *B.:* Janssen.

Durognost®. Grenzwert-Testbestecke zur Bestimmung der Wasserhärte. *B.:* Heyl.

Durol. Trivialname für 1,2,4,5-*Tetramethylbenzol.

Duromere. Veraltetes, heute nicht mehr gebräuchliches Kurzz. für *Duroplaste.

Duroperl®. Abdeckmittel gegen therm. Strahlungsverluste von Hochtemp.-Salzbädern. *B.:* Degussa.

Durophen®. Marke für plastifizierte, härtbare Phenol-Formaldehyd-Harze vom Resol-Typ; Bindemittel zur Herst. von Einbrennlacken u. Schichtpreßstoffen. *B.:* Vianova Resins.

DUROPLAN®. Petrischalen aus Borosilicat-Glas. *B.:* Schott.

Duroplaste (veraltet Duromere). D. sind *Kunststoffe, die durch irreversible u. enge Vernetzung über kovalente Bindungen aus *Oligomeren (techn.: Präpolymeren), seltener aus *Monomeren od. *Polymeren entstehen. Das Wort „D." wird dabei sowohl für die Rohstoffe vor der Vernetzung (s. Reaktionsharze) als auch als Sammelbez. für die ausgehärteten, zumeist vollständig amorphen *Harze verwendet. D. sind bei niedrigen Temp. Stahl-elast., u. auch bei höheren Temp. können sie nicht viskos fließen, sondern verhalten sich bei sehr begrenzter Deformierbarkeit elastisch. Der Schubmodul unterschreitet bei keiner Temp. 10^2 kp/cm^2. Zu den D. gehören u. a. die techn. wichtigen Stoffgruppen (Kurzz. nach DIN 7728, Tl. 1, 01/1988, in Klammern) der Diallylphthalat-Harze (DAP), *Epoxid-Harze (EP), Harnstoff-Formaldehyd-Harze (UF), *Melamin-Formaldehyd-Harze (MF), *Melamin-Phenol-Formaldehyd-Harze (MP), Phenol-Formaldehyd-Harze (PF) u. *ungesättigten Polyesterharze (UP).
Verw.: Als *Pressmassen, Gieß-, Leim- u. Lackharze. – *E* thermosetting plastics, thermosets – *F* thermo-durcissable – *I* duroplasto – *S* plásticos termoestables
Lit.: Elias (5.) **2**, 459 ff. ■ Saechtling, Kunststoff-Taschenbuch, 23. Aufl., S. 2–5, S. 378–443, München: Hanser 1986 ■ Woebcken, Duroplaste, Kunststoff-Handbuch, 2. Aufl., Bd. 10, München: Hanser 1988.

Duropol®. Techn. Schichtpreß-Stoff: Hartmatte aus glasfaserverstärkten Polyesterharzen als Tafeln u. hieraus spangebend bearbeitete Teile. *B.:* Isola.

Duropreg®. Formteile aus duroplast. Formstoffen u. Hochleistungsverbundwerkstoffe mit Glas-, Kohlenstoff- u. Aramidfasern. *B.:* Isola.

Durosil®. Farbloser, aktiver Füllstoff für Kautschuk u. Trägerstoff für Pestizide aus amorpher Kieselsäure; Mittel zum Verdichten von Flüssigkeiten. *B.:* Degussa.

Duroval®. Titrimetr. Testbestecke zur Wasseruntersuchung. *B.:* Heyl.

Duroxyn®. Epoxidharz-Fettsäureester für luft- u. ofentrocknende Korrosionsschutzfarben, Haftgrundierungen, Emballagen-Außenlacke usw. *B.:* Vianova Resins.

Durrer, Robert (1890–1978), Prof. für Metallurgie, TH Berlin u. ETH Zürich. *Arbeitsgebiete:* Eisenhüttenwesen, Metallurgie des Eisens (*Gmelin-Durrer), Entwicklung des Sauerstoff-Frischverfahrens.
Lit.: Kürschner (12.), S. 576.

Duschbäder s. Hautpflegemittel.

Duschgele. Bez. für Körperreinigungsmittel, vorzugsweise für die Haut, aber auch für das Haar, die *Badezusätze u. Shampoos teilw. abgelöst haben. D enthalten wegen der oft täglichen Anw. bes. milde *Tenside, Pflege- u. Leistungszusätze sowie Parfümöle, ggf. Farbstoffe. Im Hinblick auf eine bequeme Anw. sind D. viskos eingestellt. Für trockene, spröde u. schuppige Haut können in D. Abrasiv-Partikel, wie Aprikosenschalen, Polyethylen od. Jojoba-Blättchen, eingearbeitet sein. – *E* shower gels
Lit.: Jahrbuch für den Praktiker 1997, Augsburg: VCI 1997 ■ SÖFW J. **120**, 115 f. (1994) ■ Umbach, Kosmetik, Stuttgart: Thieme 1995.

Dusodril®. Kapseln, Dragees u. Ampullen mit *Naftidrofuryl-Hydrogenoxalat gegen Durchblutungsstörungen. *B.:* Lipha Arzneimittel GmbH.

Duspatal®. Dragees mit *Mebeverin-Hydrochlorid gegen Darmkrämpfe. *B.:* Duphar.

Dutch-Metall (Reingold-Leg., Cymbal-Metall). Einphasige, nicht genormte CuZn-Leg. mit 22% Zn (*Messing) von goldgelber Farbe für Schmuck u. Blasinstrumente, auch als Grundmaterial für *Doublé verwendet; s. a. Tombak. – *E* dutch metal – *F* metal hollandais – *I* metallo olandese – *S* metal holandés
Lit.: DIN 17 660 (12/1983).

Duval, Clément (1902–1977), Prof. für Chemie, Univ. Rouen u. Paris. *Arbeitsgebiete:* Seltene Erden, Komplexverb., Mikroanalyse, Thermogravimetrie, Infrarotabsorption, chem. Arbeitstechniken; Verfasser eines französ. Chemielexikons.

Lit.: J. Chem. Educ. **28**, 36f. (1951) ▪ Poggendorff **7 b/2**, 1170–1174.

de Duve, Christian René (geb. 1917), Prof. für Physiolog. Chemie, Univ. Louvain, Rockefeller-Univ., New York. *Arbeitsgebiete:* Leber, Insulin, Glucagon, Entdeckung der Lysosomen u. der Peroxisomen, Ultrazentrifugierung. Nobelpreis für Medizin od. Physiologie 1974 (zusammen mit A. *Claude u. *Palade).
Lit.: Nachr. Chem. Tech. Lab. **22**, 452 (1974) ▪ Who's Who in America, S. 895.

Du Vigneaud, Vincent (1901–1978), Prof. für Biochemie, Cornell Univ., Ithaca (New York). *Arbeitsgebiete:* Vitamine (insbes. Biotin), Hormone (insbes. Insulin), Strukturaufklärung u. Synth. von Vasopressin, Oxytocin, Penicillin-Synth., Schwefel-Verb. u. deren Stoffwechsel. Nobelpreis für Chemie 1955.
Lit.: Nachr. Chem. Tech. **3**, 174, 204 (1955) ▪ Neufeldt, S. 195, 236, 368.

DWI. Abk. für *Deutsches Wollforschungsinstitut an der Technischen Hochschule Aachen e.V.

Dyaden s. Tautomerie.

Dydrogesteron.

Internat. Freiname für das *Gestagen 9β, 10α-Pregna-4,6-dien-3,20-dion, $C_{21}H_{28}O_2$, M_R 312,45, weißes, krist. Pulver, Schmp. 169–170 °C; $[\alpha]_D^{20}$ –484,5°; λ_{max} (CH_3OH) 286,5 nm ($A_{1cm}^{1\%}$ = 845). D. ist von Duphar (Duphaston®) im Handel. – *E* dydrogesterone – *F* dydrogestérone – *I* didrogesterone – *S* didrogesterona
Lit.: Hager (5.) **7**, 1446ff. – [*HS 293792; CAS 152-62-5*]

Dyhard®. Härter für Epoxid-Harzmassen. *B.:* SKW Trostberg AG.

Dylon®. Sortiment von Textil- u. Lederfarben. *B.:* OMEGIN Dr. Schmidgall GmbH & Co. KG.

Dylox®. Marke von Bayer für Trichlorfon.

Dymel®. Marke für Mischungen aus Dimethylether u. verschiedenen Fluorkohlenwasserstoffen als Aerosol-Treibmittel u. Lösemittel. *B.:* DuPont.

Dymerex®. Dimerisiertes Kolophonium (*Harzsäuren) zur Verw. in Klebstoffen u. Lacken. *B.:* Hercules.

dyn. Einheitensymbol der Kraft im *CGS-System; sie entspricht der Kraft, die der Masse 1 g die Beschleunigung 1 cm/s² erteilt. Seit dem 1.1.1978 gilt ausschließlich die gesetzliche Einheit *Newton (N): 1 N = 10^5 dyn = 1 kg m s⁻². – *E* = *F* dyne – *I* = *S* dina

Dynacil®. Tabl. mit dem *ACE-Hemmer *Fosinopril-Natrium zur Therapie der Hypertonie. *B.:* Schwarz Pharma/Sanol.

Dynactin. Protein-Komplex (M_R 1,2 Mio.), der in lebenden Zellen zusammen mit *Dynein in der Funktion eines Dynein-aktivierenden Komplexes (daher Name) Membran-*Vesikeln od. -Organellen entlang *Mikrotubuli bewegt. Er hat im Elektronenmikroskop die Gestalt eines 37 nm langen, F-*Actin-ähnlichen Filaments mit seitlichem Fortsatz, der in zwei globulären Domänen endet. Der D.-Komplex besteht aus: 2 Mol. p150^{Glued} (3 verschiedene Formen, M_R 135000–160000), 5 Mol. p50 (*Dynamitin*, M_R 50000), 9 Mol. *Centractin (2–3 verschiedene Formen, M_R 45000), 1 Mol. Actin (M_R 45000), 2 Mol. Capping-Protein (α- u. β-Form, M_R 37000 bzw. 32000) sowie je 1 Mol. der bis jetzt uncharakterisierten p24, p27 u. p62 (M_R 24000, 27000 bzw. 62000). – *E* dynactin – *F* dynactine – *I* dinattina – *S* dinactina
Lit.: Curr. Biol. **6**, 630ff. (1996) ▪ Sem. Cell Develop. Biol. **7**, 321–328 (1996).

Dynamin. Guanosin-5'-triphosphat (GTP, s. Guanosinphosphate) u. *Tubulin bindendes Protein (M_R 94000–96000), das bei Säugetieren in 3 genet. definierten Formen vorkommt u. dem *Shibire-Protein* von *Drosophila melanogaster homolog ist.
Funktion: Das in den *Synapsen der Nervenzellen enthaltene D. (Isoform I, *Dephosphin*) wird bei Ankunft einer Membrandepolarisation (= Signal, das einen Calcium-Ionen-Einstrom bewirkt u. dadurch die Phosphatase *Calcineurin aktiviert) dephosphoryliert u. inaktiviert. Sobald Neurotransmitter durch *Exocytose synapt. Vesikeln ausgeschüttet worden ist, kommt es zu einer Repolarisation der Membran u. zu langsamer Wiederphosphorylierung von D. durch *Protein-Kinase C. Das dadurch aktiv gewordene D. bewirkt dann – unter begleitender Hydrolyse von GTP – die Abschnürung *Clathrin-bedeckter Vesikel-Knospen von der Plasmamembran. Die D.-Mol. legen sich dabei wie eine Halskrause um das abzuschnürende Bläschen. Dadurch werden die Vesikeln durch *Endocytose einer Wiederverw. zugeführt. Derselbe Mechanismus kommt wahrscheinlich auch bei Endocytose in Nicht-Nervenzellen vor. – *E* dynamin – *F* dynamine – *I* = *S* dinamina
Lit.: Biospektrum **2**, Nr. 1, 24f. (1996) ▪ Nature (London) **374**, 116f., 186–192 (1995) ▪ Trends Neurosci. **17**, 348–353 (1994).

Dynamische Differenz-Kalorimetrie [DDK; *E* differential scanning calorimetry (DSC)]. In Analogie zu Wärmeleitungskalorimetern (*Differentialthermoanalyse) wurden für die dynam. Versuchsführung Geräte der *dynam. Wärmestrom-Differenzkalorimetrie* (*E* heat flux differential scanning calorimetry) entwickelt. Bei ihnen wird die Differenz der Temp. von Referenz- u. Probeseite über Thermosäulen od. ähnliche Meßfühler bestimmt. Probe u. Referenz befinden sich in einem Metallblock, der als gemeinsamer Ofen dient. Mit den bekannten, auf beiden Seiten gleichen Wärmewiderständen ergibt sich die Differenz der Wärmeflüsse vom Metallblock zur Referenz- bzw. Probenhalterung.
Eine Weiterentwicklung in bezug auf die quant. kalor. Auswertung stellt die *dynam. Leistungs-Differenz-Kalorimetrie* (*E* power compensated differential scanning calorimetry) dar. Bei diesen Geräten werden Probe u. Referenz wie bei der Differentialthermoanalyse nach dem gleichen Programm, aber mit verschiedenen Heizern aufgeheizt. Die Temperaturdifferenz ΔT wird als Steuersignal genützt, wobei durch fortlaufende Verän-

derung der Heizleistung (Scanning-Betrieb) ΔT nahezu Null gehalten wird. Wenn in der Probe eine exotherme (endotherme) Reaktion stattfindet, wird dem entsprechenden Heizer weniger (mehr) elektr. Leistung zugeführt, um die Temperaturdifferenz auf nahezu Null zu halten. Gemessen wird also die Differenz der Leistungen, wobei man ähnliche Kurven wie bei der Differentialthermoanalyse erhält. Als Meßergebnis werden direkt Leistungen ablesbar, so daß keine Umrechnung von ΔT in Leistung notwendig ist. Verw. s. Differentialthermoanalyse. – *E* differential scanning calorimetry – *F* calorimétrie différentielle dynamique – *I* dinamica calorimetria differenziata – *S* calorimetría diferencial dinámica

Lit.: Chem. Lab. Biotech. **45**, 310–314, 363 ff. (1994) ▪ Schwedt, Analytische Chemie, S. 173 ff., Stuttgart: Thieme 1995.

Dynamischer Elastizitätsmodul s. Elastizität u. Viskoelastizität.

Dynamisches Gleichgewicht s. Gleichgewichte.

Dynamische Streuung s. flüssige Kristalle.

Dynamische Viskosität s. Viskosität.

Dynamit. Von griech.: dynamis = Kraft abgeleitete Bez. für eine *Sprengstoff-Klasse (im Gegensatz zum angloamerikan. Sprachgebrauch ist die Bez. D. in der BRD kein Gattungsbegriff, sondern eine Bez. für einen einzigen Sprengstoff-Typ), deren wesentlicher Bestandteil das von *Sobrero in Turin erstmalig hergestellte *Glycerintrinitrat (*Nitroglycerin*) ist. Alfred *Nobel versuchte, dieses in techn. Maßstab herzustellen u. in die Sprengtechnik einzuführen. Die Verw. dieses „Nobelschen *Sprengöles" stieß in der Praxis auf große Schwierigkeiten wegen des flüssigen Aggregatzustandes, der ungenügenden Lagerbeständigkeit der damals erzeugten Produkte u. der hohen Schlag- u. Reibungsempfindlichkeit. Feste Sprengstoffe erhielt man durch Aufsaugen des Glycerintrinitrats in Holzkohle od. 25% Kieselgur (*Gurdynamit*), gelförmige mit *Collodium(wolle) u.a. Zuschlägen (*Gelatinedynamite*, s. Sprenggelatine). D. ist heute durch andere Sprengstoffe auf Basis von Ammoniumnitrat (Ammon-Gelite 1,2,3®, *ANC-Sprengstoffe) ersetzt worden. – *E* = *F* dynamite – *I* dinamite – *S* dinamita

Lit.: Kirk-Othmer (3.) **9**, 598 ff.; (4.) **10**, 46 ▪ Meyer, Explosivstoffe (6.), S. 114, Weinheim: Verl. Chemie 1985 ▪ Ullmann (4.) **21**, 641; (5.) **A 10**, 164 f. ▪ Winnacker-Küchler (4.) **7**, 346 ▪ s.a. Sprengstoffe. – *[HS 3602 00]*

Dynamitin s. Dynactin.

Dynamit Nobel. Kurzbez. für die zu 100% im Besitz der Metallges. AG befindliche Dynamit Nobel AG, 53839 Troisdorf. Die AG fungiert als Managementholding für fünf Tochterges.: Dynamit Nobel GmbH Explosivstoff- u. Systemtechnik (Geschäftsfeld Sprengmittel), Dynamit Nobel Kunststoff GmbH (Kunststoffe), Cerasiv GmbH innovatives Keramik-Engineering (Hochleistungskeramik), Chemetall Ges. für chem.-techn. Verf. mbH (Spezialitätenchemie) u. Sachtleben Chemie GmbH (Pigmentchemie). *Daten:* (1994/95, Konzern weltweit): 13 215 Beschäftigte, 3,5 Mrd. DM Umsatz, 236,6 Mrd. DM Grundkapital.

Dynapress®. SBR-Dispersionen für die einseitige Verfestigung von textilen Flächengebilden. *B.:* Henkel.

Dynastie®. Fungizid auf der Basis von Diclofluanid u. Cymoxanil. *B.:* Bayer.

Dynein (Dynein-ATPase, EC 3.6.1.33). Zu den *Mikrotubulus-assoziierten Proteinen (MAP) gehörendes mechanochem. Protein mit *Adenosintriphosphatase-(ATPase-)Aktivität, das an der Bewegung von *Flagellen* (Geißeln) u. *Zilien* (Wimperhärchen) von *Eukaryonten, nicht von Bakterien, maßgeblich beteiligt ist. Die Flagellen dienen Einzellern (aber z.B. auch den Spermien der höheren Tiere) zur Fortbewegung, mit Hilfe der Zilien werden bei den Ziliaten (mikroellen Wimpertierchen), sowie den Epithelzellen der Bronchien, der Luftröhre u. des Eileiters Flüssigkeitsströme entlang der Zelloberfläche erzeugt. Die D.-Mol. sind in regelmäßigen Abständen als „innere u. äußere Arme" an die als längsfaserige Komponenten in den Zilien u. Flagellen vorhandenen *Mikrotubuli gebunden. Sie verursachen durch rhythm. Aktivität [abwechselnd Bindung an den benachbarten Mikrotubulus, Bewegung (*Konformationsänderung*), Dissoziation u. Rückbewegung] als *molekulare Motoren – die Energie stammt aus der begleitenden ATP-Hydrolyse – ein koordiniertes Aneinander-Vorbeigleiten der einzelnen parallel gelagerten Mikrotubuli u. ermöglichen damit die schlagenden od. kreisenden Bewegungen der Zellfortsätze. Funktionell sind sie damit dem *Myosin der *Muskel-Fasern vergleichbar. Das D.-Mol. der äußeren Arme besteht aus 2–3 globulären Gebilden („Köpfen", genannt α, β u. ggf. γ, mit biegsamen stielartigen Fortsätzen, die, an einen Blumenstrauß erinnernd, an der Basis miteinander verbunden sind, wo auch noch 3 kleinere „intermediäre Ketten" (IC1, IC2 u. IC3) angeheftet sind. Der gesamte Komplex besitzt ein M_R von 1,2 bzw. 1,9 Millionen. In jedem der Köpfe befindet sich eine Bindungsstelle für *Adenosin-5′-triphosphat (ATP).

D. ist jedoch, neben *Kinesin, als Mikrotubulus-assoziiertes Protein lC auch für den *cytoplasmat.* (s. Cytoplasma) *Transport* mit Hilfe von Mikrotubuli zuständig, z.B. im Fall der Bewegung von Vesikeln u. Zellorganellen im Axon (langer Fortsatz der Nervenzelle) od. von Chromatiden (s. Chromosomen) bei der *Mitose. Mit auf Glasplatten immobilisiertem D. konnte ein ATP-abhängiger Transport von Mikrotubuli nachgewiesen werden, *in vivo* wird der *Dynactin-Komplex zur Motor-Aktivität benötigt. – *E* dynein – *F* dynéine – *I* dineina – *S* dineína

Lit.: Proc. Natl. Acad. Sci. USA **90**, 8769 ff. (1993) ▪ Sem. Cell Develop. Biol. **7**, 311–320 (1996).

Dynemicine.

Dynemicin A

Cytostat. wirksame, bei *in-vivo*-Aktivierung die DNS schädigende (Bildung von benzoiden Diradikalen) *Endiin-Antibiotika. D. sind Modellverb. zur Synth. hochwirksamer strukturanaloger Verb., z. B. Golfomycin A [1], vgl. Calicheamicine, Esperamycine, Neocarcinostatine. Stammverb. der D. ist *D. A* [$C_{30}H_{19}NO_9$, M_R 537,48, violettes Pulver, Schmp. 208–210 °C (Zers.)]. – *E* dynemicins – *F* dynémycine – *I* dinemicine – *S* dinemicinas

Lit.: [1] Angew. Chem. **102**, 1066 (1990).
allg.: Angew. Chem., Int. Ed. Engl. **30**, 1387 (1991) (Review); **34**, 1721 (1995) (Synth.). – [HS 2941 90; CAS 124412-57-3]

Dynexan A Gel®. Gel gegen schmerzhafte Entzündungen im Mundraum, enthält *Lidocain-Hydrochlorid u. *Benzalkoniumchlorid. *B.:* Kreussler.

Dynorm®. Filmtabl. mit dem *ACE-Hemmer *Cilazapril-Monohydrat zur Therapie der Hypertonie. *B.:* Merck.

Dynorphine s. Endorphine.

Dypnon. Trivialname für 1,3-Diphenyl-2-buten-on, ein techn. bedeutungsloses, strukturell dem *Mesityloxid entsprechendes Dimeres des *Acetophenons (histor. Name: Hypnon). – *E* = *F* dypnone – *I* dipnone – *S* dipnonas

Lit.: Beilstein IV **7**, 1682. – [CAS 495-45-4]

Dyrene®. Fungizid auf der Basis von *Anilazin zur Verw. bei Tabak, Kartoffeln, Kaffee u. Getreide. *B.:* Bayer.

Dys… Von griech.: dys- = un-, miß-, schwierig- abgeleitete Vorsilbe in Trivialnamen von chem. Verb. u. in medizin. Begriffen; *Beisp.:* Dysprosium, Dysmenorrhoe. Gegensatz: *Eu… – *E* = *F* dys… – *I* = *S* dis…

Dyskrasit (Antimonsilber). Ag_3Sb, silberweiß glänzende, oft grau od. braun angelaufene, pyramidale rhomb. Krist. (Kristallklasse mm2-C_{2v}) od. derbe Körner, Platten, Knollen. Bruch uneben, H. 3,5–4, D. 9,7. Wandelt sich bei 440 °C in eine kub. Hochtemp.-Phase (*Animikit*) um.
Vork.: Auf Silbererzgängen, z. B. Wolfach/Schwarzwald, Markirch/Elsaß, Příbram/Böhmen u. Cobalt/Ontario (Kanada). – *E* = *F* dyscrasite – *I* discrasite – *S* discrasita

Lit.: Anthony et al., Handbook of Mineralogy, Bd. 1, S. 142, Tucson (Arizona): Mineral Data Publishing 1990 ▪ Can. Mineral. **14**, 139–142 (1976) (Struktur) ▪ Lapis **6**, Nr. 6, 12 (1981) ▪ Ramdohr-Strunz, S. 415. – [CAS 12250-09-8]

Dysmenalgit®. Tabl. mit *Naproxen gegen schmerzhafte Regelblutungen, Schmerzen nach Geburt od. Einsetzen von Pessar. *B.:* Krewel Menselbach.

Dysmenorrhoe. Von *Dys…, griech.: men = Monat u. rhein = fließen abgeleitete Bez. für Störungen, insbes. Schmerzen, bei der *Menstruation. – *E* dysmenorrhea – *F* dysménorrhée – *I* = *S* dismenorrea

Dysosmie s. Geruch.

Dysoxysulfon (2,4,5,7,9-Pentathiadecan-2,2,9,9-tetroxid).

$C_5H_{12}O_4S_5$, M_R 296,45, Krist., Schmp. 107–108 °C. Wirksames Prinzip aus Blättern von *Dysoxylum richii* (Meliaceae), deren Teezubereitung auf Fidji in der traditionellen Medizin gegen Schmerzen verwendet wird. – *E* dysoxysulfone – *F* disoxysulfone – *I* disossisulfone – *S* disoxisulfona

Lit.: J. Org. Chem. **30**, 4919 (1994) (Synth.) ▪ Planta Med. **58**, 295 (1992). – [CAS 125292-92-4]

Dysprosium. Metall. Element aus der Gruppe der *Lanthanoide, chem. Symbol Dy, M_R 162,50, Ordnungszahl 66, Wertigkeit +3 u. +4, wobei die Oxidationsstufe +3 den stabilen Zustand darstellt, D. 8,559, Schmp. 1407 °C, Sdp. 2600 °C. Im natürlich auftretenden Dy liegt folgendes Isotopengemisch vor: 156 (0,052%), 158 (0,090%), 160 (2,29%), 161 (18,88%), 162 (25,53%), 163 (24,97%), 164 (28,18%). Die Dy(III)-Salze sind schwach gelb bis grünlich, die Dy(IV)-Salze orangegelb gefärbt. In der Erdkruste (17 km) ist der Anteil des Dy $4,5 \cdot 10^{-4}$% (4,5 g/t). Zusammen mit anderen *Seltenerdmetallen tritt Dy z. B. in *Xenotim, Fergusonit, *Gadolinit, *Euxenit, *Samarskit usw., bes. aber im *Monazit-Sand u. im *Bastnäsit auf, u. wie manche der übrigen Lanthanoiden läßt sich das reine silberglänzende Metall durch Red. des wasserfreien Fluorids od. Chlorids mit Calcium, Natrium, Kalium usw. gewinnen. Es überzieht sich in feuchter Luft mit einem leicht abbröckelnden Oxid-Film; mit Wasser reagiert es langsam, es ist unlösl. in verd. Säuren. Dy eignet sich in Leg. mit Pb für Abschirmmaterialien in der *Kerntechnik u. für *magnetische Werkstoffe. Dy wurde 1886 von Lecoq de *Boisbaudran nach Überwindung vieler Schwierigkeiten (griech.: dyspositos = mühsam erhältlich, Name!) in den Seltenerdmineralien von Ytterby in Schweden nachgewiesen. – *E* = *F* dysprosium – *I* = *S* disprosio

Lit.: Gmelin, Syst.-Nr. 39, Seltene Erden, 1938; Erg. Bd., seit 1974 ▪ Hollemann-Wiberg (101.), 1775 ff. ▪ s. a. Seltenerdmetalle. – [HS 2805 30; CAS 7429-91-6]

DyStar. Kurzbez. für DyStar Textilfarben GmbH & Co. Deutschland KG, 60007 Frankfurt. Das Unternehmen, an dem Bayer u. Hoechst jeweils zu 50% beteiligt sind, nahm 1995 seine Geschäftstätigkeit auf. Produktion sowie Forschung u. Entwicklung erfolgt in Asien, Europa u. Amerika. DyStar ist weltweit mit 20 Tochterges. u. 50 Vertretungen präsent. *Daten:* ca. 2500 Beschäftigte (weltweit). *Produktion:* Textilfarbstoffe – eines der breitesten Sortimente weltweit.

Dystroglykan s. Dystrophin.

Dystrophin. Protein des *Muskels (M_R 427 000), das bei der sog. *Duchenne-Muskel-Dystrophie* defekt ist, einer erblichen, progressiven Form des Muskel-Schwunds. Da das *Gen für D., ein „Mammut-Gen" mit 2,5 Mio. Basenpaaren u. fast 80 Exons, auf dem X-Chromosom lokalisiert ist, von dem Männer im Gegensatz zu Frauen nur eine Kopie besitzen, befällt die Krankheit fast ausschließlich Knaben. D. ist zur normalen Erregung u. Verkürzung der Muskelfaser nötig, ist dort an der Innenseite der Plasmamembran (*Sarcolemma*) u. deren Einstülpungen, den *transversen Tubuli*, zu finden. Aufgrund der *cDNA-Sequenz wird für D. die Struktur eines stabförmigen Mol. aus 4 *Domänen vermutet. Teile der Sequenz besitzen jeweils Ähnlichkeit mit denen der *Actin-bindenden Proteine α-*Actinin bzw. β-*Spectrin. D. bindet Actin an der

Amino-terminalen Domäne u. das Membran-durchspannende *Glykoprotein *β-Dystroglykan* im Carboxy-terminalen Bereich. Letzteres bindet an der Membran-Außenseite an *α-Dystroglykan*, ebenfalls ein Glykoprotein, das seinerseits an das *Laminin (*Merosin*) der *extrazellulären Matrix (EM) bindet. Weitere Membran-durchspannende Glykoproteine sind beteiligt. Aufgrund der spezif. Defekte, die beim Ausfall von D. entstehen, glaubt man, daß D. durch die Verbindung des *Cytoskeletts mit der extrazellulären Matrix die Zellmembran bei der Muskelkontraktion vor Schaden bewahrt u. möglicherweise ihre Calcium-Ionen-Permeabilität reguliert. In Muskel- u. Nicht-Muskelzellen ist das dem D. sehr ähnliche *Utrophin* gefunden worden. Man vermutet, daß D. od. Utrophin mit Hilfe von α-Dystroglykan als Rezeptor für *Agrin, β-Dystroglykan u. weiterer, an der Innenseite der Membran befindlicher Proteine die Ansammlung von *Acetylcholin-Rezeptoren an der Synapse mitbewirkt. – *E* dystrophin – *F* dystrophine – *I* = *S* distrofina

Lit.: Cell **77**, 617 ff. (1994) ▪ Curr. Biol. **5**, 338 ff. (1995).

Dysurgal®. Dragees u. Tropfen mit *Atropin-Sulfat gegen Blasenschwäche u. Harnwegreizungen. *B.:* Galenika Dr. Hetterich GmbH.

Dytex®. Lsm.-Klebstoffe auf der Basis von nachchloriertem PVC für die säurefeste Verbindung von Rohren aus Hart-PVC. *B.:* Henkel.

Dytide® H. *Diuretikum (Tabl.) mit *Triamteren u. *Hydrochlorothiazid gegen Hypertonie u. Ödeme. *B.:* Procter & Gamble Pharmaceuticals.

dz s. dt.

E

ε (epsilon). 5. Buchstabe des *griechischen Alphabets. Bez. für das 5. Atom einer an eine charakterist. Gruppe gebundenen C-Kette; *Beisp.:* ε-Aminocapronsäure = *6-Aminohexansäure; ε(=5)-Brompentylamin; nur noch für allg. Begriffe, Handels- u. Naturstoffnamen üblich; *Beisp.:* ε-*Lactame, ε-*Lactone, ε-*Caprolactam. Bez. für 4,5- statt 5,6-Doppelbindung in Endgruppen von *Carotinen u. *Carotinoiden. Symbol für viele mathemat. u. physikal. Größen; *Beisp.:* molarer Absorptionskoeffizient (s. Lambert-Beersches Gesetz), Orbitalenergie (s. chemische Bindung), *Dielektrizitätskonstante.

η (eta). Siebenter Buchstabe des *griechischen Alphabets. In der Physikal. Chemie ist *η* das Symbol für die *Viskosität u. die *Überspannung, in der *Elementarteilchen-Physik für eines der *Mesonen. In der Anorgan. Chemie kennzeichnet *η* (auch als *hapto* ausgesprochen) einen bes. Bindungszustand von Liganden an Metallatome, s. Koordinationslehre.

e. Symbol für *Elektron (e⁻) u. *Positron (e⁺) sowie für die *Elementarladung. e = $1{,}60217733 \cdot 10^{-19}$ C. Bei der *Härte des Wassers steht °e für den Engl. Grad.

E. 1. Als Vorsatzzeichen vor physikal. Einheiten Symbol für *Exa... (=10^{18}). Symbol für physikal. Größen; *Beisp.:* Energie, elektr. Potentialdifferenz, *Elastizität. – 2. Eingeklammertes kursives (*E*)- in Namen für chem. Verb. bezeichnet Stereoisomere, in denen die nach den *Sequenzregeln ranghöheren Reste an beiden Enden einer Doppelbindung in *e*ntgegengesetzte Richtung zeigen. – 3. In der Ein-Buchstaben-Notation der IUPAC/IUB für Aminosäuren steht E für *Glutaminsäure (Glu). – 4. Kurzz. für *Ethylen. – 5. Kennbuchstabe für verschäumbare od. verschäumte *Polymere.

E_A. Abk. für *Aktivierungsenergie.

EAM. Kurzz. für *Elastomere aus *Ethylen.

Eastman, George (1854–1932), Erfinder u. Industrieller in den USA. *Arbeitsgebiete:* Einführung des Rollfilms (1884), Verbesserung photograph. Meth., Begründer der Firma *EASTMAN.
Lit.: Krafft, S. 110.

EASTMAN. Kurzbez. für das 1880 von G. *Eastman gegr. amerikan. Unternehmen EASTMAN KODAK COMPANY, von dem 1993 die EASTMAN CHEMICAL COMPANY, Kingsport, Tennessee 37662, als eigenständiges Unternehmen abgespalten wurde. *Daten* (1994): weltweit 17500 Beschäftigte, 4,33 Mrd. $ Umsatz. *Produktion:* photograph. Material, Kunststoffe, Klebstoffe, Weichmacher, Lsm., Cellulose-Derivate. *Vertreter* in der BRD: EASTMAN CHEMICAL (Deutschland), 51159 Köln, Krahn (Kleb- u. Kunststoffe), Parmentier (pharmazeut. Produkte).

Easy care s. Pflegeleicht-Ausrüstung u. Textilveredlung.

Eatan® N. Schlaftabl. mit *Nitrazepam. *B.:* Desitin.

Eau de Cologne (EdC). Französ. Bez. für *Kölnisch Wasser, s. a. Eau de Toilette.
Lit.: s. Parfüms.

Eau de Javelle. Wäss. Lsg. von *Kaliumhypochlorit (KOCl, Kalibleichlauge), die erstmals 1792 auf Anregung von *Berthollet in Javel (deshalb richtiger als „Eau de Javel" bezeichnet) bei Paris durch Einleiten von Chlor-Gas in Pottasche-Lsg. in größerem Maßstab hergestellt u. als Desinfektionsmittel u. zum *Bleichen verwendet wurde. Heute ist es meist durch das weniger aggressive Wasserstoffperoxid u. durch *Natriumhypochlorit, das fälschlicherweise statt als *Eau de Labarraque ebenfalls als E. de J. bezeichnet wird, ersetzt. – *E* eau de Javelle, Javelle water – *F* eau de Javel – *I* acqua di Javelle – *S* agua de Javelle
Lit.: Ullmann (4.) **9**, 543; (5.) **A 6**, 585; s. a. Hypochlorite. – [HS 2828 90]

Eau de Labarraque. Oxidierend u. bleichend wirkende, zersetzliche Lsg. von *Natriumhypochlorit in Wasser, die von Labarraque erstmals 1820 durch Einleiten von Chlor in Sodalsg. dargestellt wurde, s. a. Eau de Javelle. – *E* = *F* eau de Labarraque – *I* acqua di Labarraque – *S* agua de Labarraque
Lit.: Ullmann (4.) **9**, 543; (5.) **A 6**, 585; s. a. Natriumhypochlorit. – [HS 2828 90]

Eau de Parfum. In der *Riechstoff-Konz. (7–10%) zwischen *Parfüm u. *Eau de Toilette liegendes Duftwasser. – *E* = *F* eau de parfum – *I* acqua di profumo – *S* agua de perfume
Lit.: s. Parfüms.

Eau de Toilette (EdT). In seiner *Riechstoff-Konz. zwischen *Eau de Parfum u. Eau de Cologne (2–4%, s. Kölnisch Wasser) liegendes flüssiges kosmet. Präp. mit 4–7% *Duftstoff-Anteil. – *E* = *F* Eau de Toilette – *S* agua de toilette
Lit.: s. Parfüms.

EBEMAX®. Hochselektiver hochaktiver Katalysator zur Alkylierung von Aromaten. *B.:* Süd-Chemie.

Eberesche. In Europa heim. 3–9 m hoher Baum, *Sorbus aucuparia* L. var. *edulis* (Rosaceae), dessen orangerote Früchte (Vogelbeeren) Ascorbinsäure, *Carotinoide, *Catechine, *Pektin, Zucker, *Fruchtsäuren u.

Parasorbinsäure enthalten; letztere wirkt abführend u. harntreibend, weshalb E.-Früchte arzneilich Verw. finden. Bei Verarbeitung als Mus wird die Parasorbinsäure durch Kochen zerstört u. die stopfende Wirkung von Pektin u. Catechin-Gerbstoffen tritt in den Vordergrund. – *E* rowan, mountain-ash – *F* sorbier – *I* serbo selvatico – *S* serbal de cazadores
Lit.: Bundesanzeiger 122/06.07.88 ▪ Hager (5.) **6**, 766 ff.

Ebrantil®. Kapseln u. Ampullen mit *Urapidil(-Hydrochlorid) gegen Bluthochdruck. *B.:* Byk Gulden.

Ebullioskopie. Von latein.: ebullire = heraussprudeln abgeleitete Bez. für die *Molmassenbestimmung aus der Siedepunktserhöhung. – *E* ebullioscopy – *F* ébullioscopie – *I* ebullioscopia – *S* ebulloscopia

Eburnamonin (Huntericin).

(+)-Form

$C_{19}H_{22}N_2O$, M_R 294,40, Krist., Schmp. 183°C, $[\alpha]_D + 89°$ (CHCl$_3$). Indol-Alkaloid aus Immergrünarten [*Hunteria eburnea, Vinca minor, Amsonia tabernaemontana* (Apocynaceae)]. Das Enantiomer von E., *Vincamon*, {Schmp. 173–174°C, $[\alpha]_D - 102°$ (CHCl$_3$)} sowie das Racemat *Vincanorin*, (Krist., Schmp. 203–204°C) sind ebenfalls aus *Vinca minor* isoliert worden. – *E* eburnamonine – *F* éburnamonine – *I* = *S* eburnamonina
Lit.: Beilstein E V **24/4**, 192 ▪ Hager (5.) **6**, 1128 ▪ J. Org. Chem. **53**, 1953 (1988); **59**, 7197 (1994) (Synth.) ▪ Manske **8**, 253–259; **11**, 108 ff.; **42**, 1–116. – *[HS 293990; CAS 474-00-0 ((+)-E.); 4880-88-0 ((–)-E.); 2580-88-3 (Racemat)]*

EBV s. Epstein-Barr-Virus.

EC. 1. Kurzz. (nach DIN 7728, Tl. 1, 01/1988) für *Ethylcellulose. – 2. Kurzz. für Epichlorhydrin-Kautschuk, einem Homopolymer des *Epichlorhydrins od. einem Copolymer des Epichlorhydrins mit ca. 40% *Ethylenoxid (*ECO, s. Elastomere). Alle diese Polymere weisen eine ausgezeichnete Beständigkeit gegen Ozon, Öl u. Hitze auf u. zeigen eine nur geringe Gasdurchlässigkeit. Die Vulkanisation dieser Polymeren erfolgt unter Verw. von Diaminen über die Chlor-Atome. – 3. Abk. für die Firma *Erdölchemie.

EC... Abk. für Enzyme Commission der *IUBMB. In Verbindung mit Ziffern stellt die EC-Nr. eine Klassifizierungsnummer für Enzyme dar (Beisp. s. dort).

...ecan. Endsilbe in systemat. Namen von gesätt., zehngliedrigen, *heterocyclischen Verbindungen (IUPAC-Regel R-2.3.3). – *E* ...ecane – *F* ...écane (...écanne) – *I* = *S* ...ecano

ECCC. Abk. für *European Communities Chemistry Committee.* Der 1973 gegr. EG-Ausschuß für Chemie, dem u. a. die *GDCh angehört, hat seinen Sitz bei der Royal Society of Chemistry, Burlington House, Piccadilly, London W1V OBN (UK).

Eccles, Sir John Carew (geb. 1903), Prof. für Biochemie, Sydney, Canberra, Chicago, Buffalo. *Arbeitsgebiete:* Neurophysiologie, Nervenzellen u. -reizleitung, Nobelpreis für Medizin od. Physiologie 1963 (zusammen mit Sir A. L. *Hodgkin u. *Huxley); Autor zahlreicher Bücher psycholog.-philosoph. Inhalts.
Lit.: Annu. Rev. Microbiol. **39**, 1–18 (1977) ▪ Eccles, Facing Reality, Berlin: Springer 1970 ▪ Nobel Prize Lecture, Physiology or Medicine 1963–1970, Amsterdam: Elsevier 1972 ▪ Who's Who in the World, S. 442.

ECD. Abk. für Electron Capture Detector (Elektronen-Einfang-Detektor), s. Detektoren.

Ecdyson [(22*R*)-2β,3β,14,22,25-Pentahydroxy-5β-cholest-7-en-6-on].

R = H   : Ecdyson
R = OH : Ecdysteron

$C_{27}H_{44}O_6$, M_R 464,64. Farblose Krist., Schmp. 242°C. Das zu den Steroiden gehörende E. wurde 1954 von *Butenandt u. *Karlson in einer Menge von 25 mg aus 500 kg Seidenspinnerpuppen isoliert. In den Insekten ist E. in den Prothorax-Drüsen lokalisiert; es löst Häutungsprozesse (vgl. a. Insektenhormone) aus, weshalb es auch als *Verpuppungs-* od. *Häutungshormon* bezeichnet wird (Name von griech.: ekdysis = Herauskriechen). Seine Wirkung entfaltet E. über die Bindung an einen intrazellulären Rezeptor, spezif. Wechselwirkung des Hormon-Rezeptor-Komplexes mit dem Ultraspiracle-Protein[1] u. *Desoxyribonucleinsäuren, u. dadurch Aktivierung der *Transkription u. Synth. von Dopa-Decarboxylase, die die Bildung von *Dopamin (aus welchem *Melanin entsteht) steuert. Seit 1965 sind E. u. das doppelt so stark wirksame 20-Hydroxyecdyson (*Ecdysteron;* s. Abb., Schmp. 238°C) nicht nur in vielen Insekten-Arten, sondern in ca. 1000mal höherer Konz. auch in Pflanzen aufgefunden worden, z. B. in Farn-Arten, Eiben, Eisenkraut u. Fuchsschwanzgewächsen. Welche Funktion E., Ecdysteron u. verwandte *Ecdysteroide* in Pflanzen haben, die dort, als *Phytoecdysteroide* den tier. *Zooecdysteroiden* gegenübergestellt, bis zu gut 1% des Trockengew. ausmachen können, ist noch ungeklärt, da sie nur in wenigen Fällen Immunität gegen Insektenbefall verleihen; eine Verw. als Insektizid ist also wenig aussichtsreich, es sei denn in derartig modifizierter Form, daß die betreffenden insekteneigenen Entgiftungsmechanismen vereitelt werden. Ecdysteron ist ident. mit *Crustecdyson*, dem Häutungshormon der Krebse, u. Ecdysteroide werden von der Asselspinne *Pycnogonum litorale* zur chem. Verteidigung benutzt[2]. Zur Biosynth. der Ecdysteroide s. Lit.[3]. – *E* = *F* ecdysone – *I* ecdisone – *S* ecdisona
Lit.: [1]Nature (London) **366**, 476 ff. (1993). [2]Spektrum Wiss. **1996**, Nr. 1, 31 ff. [3]Insect Biochem. Mol. Biol. **24**, 115–132 (1994). – *[CAS 3604-87-3]*

Ecdysteroide, Ecdysteron s. Ecdyson.

ECETOC. Abk. für das 1978 gegr. European Centre for Ecology and Toxicology of Chemicals, mit Sitz in Avenue E. van Nieuwenhuyse 4, B-1160 Brüssel, das – als

Zusammenschluß von Chemieunternehmen – die Aktivitäten der europ. chem. Ind. auf den Gebieten *Arbeitssicherheit, Existing Chemical Reviews, *Ökologie, *Toxikologie u. *Umweltschutz (s. a. Umweltorganisationen) koordiniert.

Ecgonin [3-Hydroxy-8-methyl-8-azabicyclo[3.2.1]-octan-2-carbonsäure, (1R)-3 exo-Hydroxy-tropan-2 exo-carbonsäure].

$C_9H_{15}NO_3$, M_R 185,22, Krist., Schmp. (als Hydrat) 205 °C (wasserfrei 198 °C), $[\alpha]_D$ –45,4° (H_2O), gut lösl. in Wasser, in Aceton, Benzol u. Ether wenig löslich. E. ist der Grundkörper vieler *Tropan-Alkaloide der Erythroxylaceae. E. ist meist mit aromat. Säuren verestert, frei nur vereinzelt. E. wurde schon 1923 von Willstätter durch Hydrolyse von *Cocain gewonnen. E. ist stark giftig, das Racemat ist synthet. zugänglich. – *E* = *F* ecgonine – *I* = *S* ecgonina

Lit.: Beilstein E V 22/5, 53 ■ Ullmann (5.) A 1, 361. – Biosynth.: Planta Med. **56**, 339–352 (1990) ■ Manske **44**, 142. – [HS 2939 90; CAS 481-37-8]

Echinacea s. Sonnenhut.

Echinacin® Madaus. Liquidum, Ampullen, Capsetten, Instant-Tee u. Salbe mit Purpursonnenhutkraut-Extrakt zur Steigerung der Immunabwehr. **B.:** Madaus.

Echinacosid.

$C_{35}H_{46}O_{20}$, M_R 786,74, Nadeln, Zers. >200 °C, $[\alpha]_D^{20}$ –56,6° (H_2O), sehr leicht lösl. in Wasser u. Methanol. E. zeigt in wäss. u. methanol. Lsg. mit Eisen-Salzen eine dunkelgrüne Färbung. Es ist ein Glykosid des *2-(3,4-Dihydroxyphenyl)ethanols*[1] [$C_8H_{10}O_3$, M_R 154,17, Sdp. (3 Pa) 170–175 °C] mit 2 Mol Glucose u. 1 Mol Rhamnose aus den Wurzeln von *Echinacea angustifolia* (Kegelblume) u. *E. purpurea* (Roter Sonnenhut), das mit *Kaffeesäure* verestert ist. E. besitzt antibiot. u. entzündungshemmende Eigenschaften. E.-Zubereitungen (insbes. Tinkturen u. der Preßsaft) waren schon gegen Ende des 19. Jh. in Gebrauch. Innerlich werden sie als Urologika, Grippemittel, Antiphlogistika u. Umstimmungsmittel, äußerlich zur Wundbehandlung angewendet. Die meisten Anw. sind in der immunstimulierenden Wirkung des E. begründet. – *E* = *I* echinacoside – *F* échinacoside – *S* equinacósido

Lit.: [1] Justus Liebigs Ann. Chem. **1983**, 684 ff.
allg.: Beilstein E III/IV **17**, 3629 ■ Braun-Frohne (6.), S. 233–237 ■ Dtsch. Apoth. Ztg. **134**, 94 (1994) ■ Hager (5.) **6**, 389 ff. ■ Karrer, Nr. 267. – [CAS 82854-37-3 (E.); 10597-60-1 (2-(3,4-Dihydroxyphenyl)ethanol)]

Echinocandin (Echinocandin B).

R^1	R^2	R^3	R^4	
OH	OH	Linoleoyl	OH	E. B
OH	OH	Linoleoyl	H	E. C
H	H	Linoleoyl	OH	E. D
OH	OH	4-Octyloxybenzoyl	OH	Cilofungin

[Linoleoyl = (Z,Z)-9,12-Octadecadienoyl]

$C_{52}H_{81}N_7O_{16}$, M_R 1060,25, amorphes Pulver, Schmp. 160–163 °C, $[\alpha]_D^{20}$ –48° (CH_3OH). Das cycl. Hexapeptid ist ein neutrales Lipopeptid-Antibiotikum aus Kulturen von *Aspergillus rugulosus* mit antifung. Eigenschaften[1]. Neben E. B sind noch *E. C*[2] u. *E. D*[3] beschrieben worden (s. Formel). Ein wichtiges Derivat des E. ist *Cilofungin* [N-(4-Octyloxybenzoyl)-echinocandin], dessen gute antimykot. Wirkung gegen pathogene Hefen auf der Hemmung der (1,3)-β-D-Glucan-Synthase beruht[4]. Halbsynthet. E. werden als system. Antimykotika klin. entwickelt[5]. – *E* echinocandin – *F* echinocandine – *I* echinocandina – *S* equinocandina

Lit.: [1] Diagn. Microbiol. Infect. Dis. **12**, 1–4 (1989); FEBS Lett. **173**, 134–138 (1984). [2] Chem. Abstr. **105**, 173030 (1986). [3] J. Am. Chem. Soc. **108**, 6043 ff. (1986); **109**, 7151–7157 (1987); Chemtracts: Org. Chem. **1**, 148–151 (1988). [4] Antimicrob. Agents Chemother. **32**, 1331, 1901 ff. (1988); J. Antibiot. **42**, 389–397 (1989) (Synth.); J. Antimicrob. Chemother. **22**, 891–897 (1988); Mycoses **31**, 330 (1988). [5] Exp. Opin. Ther. Patents **5**, 771 (1995).
allg.: J. Antibiot. **42**, 389 (1989) ■ Krohn et al., Antibiotics and Antiviral Compounds, S. 153–160, Weinheim: VCH Verlagsges. 1993 ■ Tetrahedron Lett. **49**, 6195–6222 (1993). – [CAS 54651-05-7 (E.B); 71018-12-7 (E.C); 71018-13-8 (E.D); 79404-91-4 (Cilofungin)]

Echinodermata. Von griech.: echinos = Igel u. derma = Haut abgeleitete Sammelbez. für die *Stachelhäuter* mit den 5 Klassen der Seelilien u. Haarsterne, Seesterne, Schlangensterne, Seeigel u. Seegurken od. -walzen. Viele der E. sondern Toxine ab, deren wirksame Prinzipien Steroid- od. Triterpenglykoside, z. B. *Holothurine, darstellen. – *E* echinoderms – *F* échinodermes – *I* echinodermi – *S* equinodermos

Lit.: Wehner u. Gehring, Zoologie, 23. Aufl., Stuttgart: Thieme 1995.

Echtbasen (Echtfarbbasen od. -salze). Sammelbez. für Diazo-Komponenten auf der Basis aromat. Amine, die, nach Diazotierung zu *Diazoechtsalzen, mit Kupplungskomponenten *Entwicklungsfarbstoffe geben. – *E* fast color bases – *F* bases solides – *I* basi genuine – *S* bases sólidas

Echtfärbe, -farbsalze s. Echtbasen.

Echtgelb [Säuregelb, E 105, Food Yellow 2, 2-Amino-5-(4-sulfophenylazo)-benzolsulfonsäure-Dinatriumsalz].

$C_{12}H_9N_3Na_2O_6S_2$, M_R 401,32. Das heute in der EG zur Lebensmittelfärbung nicht mehr, als Kosmetikfarbstoff aber noch zugelassene E. wird auch zur Herst. von Bisazo-Farbstoffen (*Biebricher Scharlach, Echtponceau*) verwendet. – *E* fast yellow – *F* jaune solide – *I* giallo puro – *S* amarillo sólido
Lit.: Beilstein E IV **16**, 595. – *[CAS 2706-28-7]*

Echtheiten s. Textilprüfung.

Echtponceau s. Echtgelb.

Echtrot. Unsystemat. Bez. für rotfärbende *Azo-Farbstoffe, meist mit Naphthalin-Grundgerüsten. *E.E* (Naphtholrot GR) ist 6-Hydroxy-5-(4-sulfo-1-naphthylazo)-2-naphthalinsulfonsäure-Dinatriumsalz, das zur Lebensmittelfärbung nicht zugelassen ist. Das zu E.E isomere, meist als *Azorubin* od. *Carmoisin* bezeichnete E.C [1-Hydroxy-2-(4-sulfo-1-naphthylazo)-naphthalin-1-sulfonsäure-Dinatriumsalz] ist dagegen als Lebensmittelfarbstoff unter Einhaltung von vorgegebenen Reinheitsanforderungen einsetzbar. Unter *Echtrotsalzen GG* versteht man 4-Nitrobenzol-Diazoniumsalze, die man zur Unterscheidung von Isocyanaten verwenden kann. – *E* fast red – *F* rouge solide – *I* rosso puro – *S* rojo sólido
Lit.: Beilstein E III **16**, 305, 313 (E.C), 327 ▪ Blaue Liste, S. 124 ▪ Ullmann (5.) **A 17**, 436. – *[CAS 3567-69-9 (E.C)]*

Echtsäureviolett AAR [9-(2-Carboxyphenyl)-2-(2-methylanilino)-6-(2-methyl-4-sulfoanilino)xanthen-ylium-Betain]

$C_{34}H_{26}N_2O_6S$, M_R 590,65. E. war bis 31.3.89 als Farbstoff in kosmet. Mitteln zugelassen.
Herst.: Durch Verschmelzen von Dichlorfluoranlacton mit *o*-Toluidin bei 220 °C in Ggw. von wasserfreiem Zinkchlorid. Das Umsetzungsprodukt wird bei 20 °C mit Schwefelsäure-monohydrat sulfiert. – *E* acid violet – *I* violetto puro – *S* ácido violetau
Lit.: Blaue Liste, S. 164 ▪ Ullmann (4.) **23**, 413. – *[CAS 6252-76-2]*

Echtschwarz 100. Pigment für die Herst. gefärbter Baustoffe aus Zement, Kalk, Steinholz, für Anstrichfarben auf Basis Kalk, Wasserglas, Leim, Öl, Kunststoffdispersionen, für Lacke aller Art u. für Kunststoffe. Besteht aus Mischkrist. von Kupferoxid, Chromoxid u. Eisenoxid mit Spinellstruktur. – *E* fast black – *F* noir solide – *I* nero puro – *S* negro sólido

ECI. Kurzbez. für die Firma ECI Produktions GmbH, 49462 Ibbenbüren. Gesellschafter ist die Electro-Chemie Ibbenbüren. *Daten* (1994): 101 Beschäftigte, ca. 56 Mio. DM Umsatz, 2 Mio. DM Kapital. *Produktion:* Chlor, Natronlauge, Wasserstoff u. Salzsäure.

...ecin. Endsilbe in systemat. Namen von ungesätt., zehngliedrigen, *heterocyclischen Verbindungen (IUPAC-Regel R-2.3.3). – *E*...ecine – *F*...écine – *I* = *S*...ecina

ECLAIR. Abk. für *E*uropean *C*ollaborative *L*inkage of *A*griculture and *I*ndustry through *R*esearch. Förderprogramm der EG zur agroindustriellen Forschung u. technolog. Entwicklung auf Basis der Biotechnologie, um biolog. Ressourcen zu erschließen u. optimal zu nutzen.
Lit.: Amtsblatt der EG L 334, vom 22.12.1994, S. 73–86.

ECM. Abk. für elektrochemische Metallbearbeitung.

ECO. Kurzz. für *Elastomere aus *Epichlorhydrin u. *Ethylenoxid (s. EC).

ECOIN. Abk. für engl. *E*uropean *Co*re *In*ventory, das von den EG-Behörden erstellte Europ. Grundverzeichnis (für *Altstoffe). Die dort genannten Stoffe wurden ohne weitere Prüfung in das EG-Altstoff-Verzeichnis *EINECS aufgenommen.
Lit.: s. EINECS.

Ecolicin®. Augensalbe u. Augentropfen mit dem *Makrolid-Antibiotikum *Erythromycin-Lactobionat u. dem *Peptid-Antibiotikum *Colistin-Methat-Natrium gegen Infektionen, Hornhautgeschwüre u. Bindehautentzündungen des Auges. *B.:* ankerpharm.

E 605® Combi. Spritzmittel, insbes. gegen Spinnmilben, im Wein- u. Obstbau auf der Basis von *Parathion-ethyl u. *Oxydemetonmethyl. *B.:* Bayer.

Econazol.

Internat. Freiname für das fungizid wirksame 1-[2-(4-Chlorbenzyloxy)-2-(2,4-dichlorphenyl)-ethyl]-imidazol, $C_{18}H_{15}Cl_3N_2O$, M_R 381,69, Schmp. 86,8 °C. Verwendet wird das Nitrat, Schmp. 161–166 °C; λ_{max} (CH$_3$OH) 271, 280 nm ($A_{1cm}^{1\%}$ = 6,5, 10,8); LD$_{50}$ (Maus oral) 462,7 mg/kg. E. wurde 1970 u. 1973 von Janssen patentiert u. ist von Cilag (Epi-Pevaryl®, Gyno-Pevaryl®) im Handel. – *E* = *F* econazole – *I* econazolo – *S* econazol
Lit.: ASP ▪ Beilstein E V **23/4**, 320 ▪ DAB **1996** u. Komm. ▪ Florey **23**, 125–152 ▪ Hager (5.) **8**, 1f. – *[HS 2933 29; CAS 27220-47-9]*

ECOSIL®. Ausgewählter Kohlenstaub für den Einsatz in Bentonit-gebundenem Formstoff für alle Eisen- u. Schwermetall-Legierungen. *B.:* Süd-Chemie.

Ecothiopatiodid.

Internat. Freiname für miot. u. *Cholinesterase-hemmend wirkendes {2-[(Diethoxyphosphoryl)-thio]-ethyl}-trimethyl-ammoniumiodid, $C_9H_{23}INO_3PS$, M_R 383,22, weißes, krist. Pulver, Schmp. 138 °C, auch 124–124,5 °C angegeben; λ_{max} (H$_2$O) 226 nm ($A_{1cm}^{1\%}$ = 1,34 · 10^4). E. wurde 1959 von Campbell Pharmaceutics patentiert. – *E* ecothiopate iodide – *F* iodure d'ecothiopate – *I* ecotiopato ioduro – *S* yoduro de ecotiopato
Lit.: Florey **3**, 233–251 ▪ Hager (5.) **8**, 2ff. – *[HS 2930 90; CAS 513-10-0]*

ECP. Abk. für 1. *Eosinophil Cationic Protein*, s. kationisches Eosinophilen-Protein. – 2. *Effective Core Potential*. Näherungsverf. der *Quantenchemie.

ECS. Abk. für *European Chemical Society.

Ecstasy (XTC).

Szene-Bez. für das *Rauschgift 3,4-Methylendioxy-N-methylamphetamin (MDMA), $C_{11}H_{15}NO_2$, M_R 193,25, Sdp. 155 °C (2,6 kPa), n^{19} 1,5311. E. wurde 1914 erstmals synthetisiert u. später als *Appetitzügler getestet. Seit den sechziger Jahren wird die Substanz mißbräuchlich verwendet, in letzter Zeit verstärkt im Zusammenhang mit überdrehten Tanz- („Rave"-)Parties. Es ist als nicht verkehrsfähiger Stoff in der Anlage I zum Betäubungsmittelgesetz aufgeführt. Wie alle *Amphetamin-Derivate stimuliert E. das dopaminerge u. adrenerge System. Die stark anregende Wirkung erschöpft die Körperreserven u. löst Psychosen bis hin zu Schizophrenie aus.
Unter dem Namen „E." werden – in Tablettenform – alle möglichen Substanzen auf dem Schwarzmarkt angeboten; eigentliches E. wohl meist als verunreinigtes Hydrochlorid, Schmp. 148–150 °C. Ersatz od. Beimischungen sind oft 3,4-Methylendioxyamphetamin u. 3,4-Methylendioxy-N-ethylamphetamin. In der ersten Jahreshälfte 1996 wurden über 200 000 Konsum-Einheiten Amphetamin-Derivate sichergestellt, das ist eine Steigerung von etwa 120% gegenüber 1995. – *E = F = I* ecstasy – *S* éxtasis
Lit.: Beilstein E I **19**, 771 ■ Chem. Unserer Zeit **13**, 147–156 (1979) ■ Merck-Index (12.), Nr. 5806 ■ Pharm. Ztg. **140**, 1843–1849 (1995); **141**, 3635–3645 (1996). – [*CAS 42542-10-9; 69610-10-2 (±); 81262-70-6 (R); 66142-89-0 (S); 92279-84-0 (± Hydrochlorid)*]

ECTEOLA s. Cellulose-Ionenaustauscher.

E/CTFE. Kurzz. für *Copolymere aus *Ethylen u. Chlortrifluorethylen (s. FCKW).

Ectocarpen s. Algenpheromone.

E-Cu s. Kupfer.

ECU. Abk. für *European Currency Unit*, entspricht einem Gegenwert von ca. 1,89 DM (1996).

Ecural®. Fettcreme, Salbe u. Lsg. mit *Mometason-17-(2-furoat) zur Therapie entzündlicher u. juckender Hauterkrankungen. *B.:* Essex Pharma.

ECW-Eilenburg. Kurzbez. für die ECW-Eilenburger Compound Werk GmbH, D-04838 Eilenburg. *Produktion*: PVC-Compounds.

ED s. Dosis.

ED$_{50}$. Abk. für effektive Dosis (Effektdosis): Die aufgenommene Masse eines Stoffes, bei der 50% der Prüforganismen eine erkennbare Wirkung zeigen; s. *Lit.*[1] auch bezüglich Bedeutung im Strahlenschutz. – *E* effect dose, effective dose – *F* dose effective – *I* dose effettiva – *S* dosis efectiva
Lit.: [1] Römpp Lexikon Umwelt, S. 207.

EDA-Komplexe s. Elektronen-Donator-Akzeptor-Komplexe.

Edaphon s. Boden.

EDAX s. energiedispersive Röntgenspektroskopie.

EdC. Abk. für Eau de Cologne, s. Kölnisch Wasser.

EDC s. endokrine Effekte.

Eddo s. Taro.

Edeleanu-Verfahren. Von dem rumän. Erdölchemiker Edeleanu (1861–1941) entwickelte Verf. zur Reinigung von Roherdöl bzw. Erdöldestillaten. Bei einem älteren E.-V. wird Rohöl bei –10 °C mit wasserfreiem, flüssigem Schwefeldioxid behandelt, wobei sich in den entstehenden Schichten oben die Alkane u. Cycloalkane bzw. unten die Aromaten u. Alkene anreichern. In dem neueren E.-V. extrahiert man die Alkane aus Erdöldestillaten mittels wäss. Harnstoff-Lsg.; Harnstoff bildet feste *Einschlußverbindungen (*Clathrate) mit langkettigen Paraffinen, die sich abfiltrieren u. mit Dampf zersetzen lassen, wodurch man die Alkane rein gewinnen kann. – *E* Edeleanu processes – *F* procédés Edeleanu – *I* processo Edeleanu – *S* procedimientos de Edeleanu
Lit.: Kirk-Othmer (3.) **9**, 706 ■ Ullmann (5.) **A 3**, 491; **B 3**, 6–42 ■ Winnacker-Küchler (4.) **5**, 259.

Edelgas-Bindung. Gelegentlich verwendete Bez. für die durch *Van der Waals-Kräfte bewirkten *chemischen Bindungen (s. dort *Nebenvalenzbindungen*). – *E* noble gas bond – *F* liaison des gaz rares – *I* legame di gas nobile – *S* enlace de los gases nobles

Edelgase. Zur E.-Gruppe gehören die sechs gasf., einatomigen, geruchlosen, farblosen Elemente *Helium (He), *Neon (Ne), *Argon (Ar), *Krypton (Kr), *Xenon (Xe) u. *Radon (Rn). Sie stehen in der achten bzw. nullten Hauptgruppe des *Periodensystems. Die Bez. E. ist auf die Tatsache zurückzuführen, daß sich diese Elemente (ähnlich wie die *Edelmetalle) chem. weitgehend inert verhalten. Aufgrund der von G. N. Lewis aufgestellten *Valenzelektronen-Theorie hielt man das Elektronenoktett der gefüllten s- u. p-Niveaus der Valenzschale bzw. das mit zwei Elektronen gefüllte 1s-Niveau beim Helium (s. Atombau) für eine chem. inerte *Elektronenkonfiguration (auch *Achterschale* od. *Edelgas-Schale* genannt). Die Reaktivität der Elemente anderer Gruppen des Periodensystems erklärt sich demnach aus dem Bestreben, durch Aufnahme od. Abgabe von Elektronen eine stabile *Edelgas-Konfiguration* (s. Atombau) zu erlangen. Nach der Elektronentheorie der *Valenz sollte deshalb die Existenz von Verb. der E. nicht möglich sein. In einigen seltenen Fällen hat man jedoch schon früher unter bes. Bedingungen die Bildung von „E.-Verb." (z. B. Verb. aus einem E.-Atom u. 3 Hydrochinon-Mol., E.-Hydrate mit 6 H_2O) feststellen können; hier handelt es sich aber nicht um die Bestätigung normaler Wertigkeiten (s. chemische Bindung), sondern um *Einschlußverbindungen od. um die Betätigung von Dipolkräften u. dgl. Seit 1962 kennt man E.-Fluoride, danach entdeckte man, daß v. a. Xe auch Bindungen an O-, N- u. C-Atome bilden kann. Näheres s. bei Edelgas-Verbindungen. Die E. sind trotz der Existenz von Verb. mit chem. Mitteln kaum zu unterscheiden; wohl aber gibt es deutliche physikal. Unterschiede – v. a. in den Litergew., Schmp., Sdp. (s. Tab.)

Tab.: Physikalische Daten der Edelgase.

Ordnungszahl	Name	Symbol	Atom-Gew.	Litergewicht [g]	Schmelzpunkt [°C]	Siedepunkt [°C]
2	Helium	He	4,0026	0,1785	−271,4 (3000 kPa)	−268,93
10	Neon	Ne	20,179	0,8888 (0°)	−248,60	−246,05
18	Argon	Ar	39,948	1,7837	−189,2	−185,7
36	Krypton	Kr	83,80	3,733 (0°)	−157,02	−153,35
54	Xenon	Xe	131,30	4,907 (50°)	−111,8	−108,1
86	Radon	Rn	222	9,73	−71	−61,8

u. in den Spektren. Zum empfindlichen Nachw. u. zur quant. Bestimmung von E. s. *Lit.*[1]. Die E. sind unter gewöhnlichen Bedingungen u. bei niedrigen Feldstärken zwar sehr gute Nichtleiter, doch läßt sich bei ihnen die *Glimmentladung mit verhältnismäßig niedrigen Spannungen zünden. Bei Helium-Füllung strahlt die Verengung der Plücker-Röhre ein intensiv gelbes, bei Neon scharlachrotes, bei Argon rotes, bei Krypton grünliches (bis lilafarbenes), bei Xenon violettes u. bei Radon hellweißes Licht aus. Der. E.-Nachw. erfolgt meist mit Hilfe der *Spektralanalyse; als modernes analyt. Verf. für die qual. Trennung u. Bestimmung der E. findet die *Gaschromatographie Anwendung.

Vork.: In der obersten 16 km dicken Erdkruste einschließlich Wasser- u. Lufthülle beträgt der Anteil des Ar nur $3,6 \cdot 10^{-4}$, bei Ne $5 \cdot 10^{-7}$, He $4,2 \cdot 10^{-7}$, Kr $1,9 \cdot 10^{-8}$, Xe $2,4 \cdot 10^{-9}$ u. bei Rn gar nur $4 \cdot 10^{-17}\%$. Die *Luft besteht zu rund 1% aus E., u. zwar enthalten 100 L Luft 932 mL Ar, 1,5 mL Ne, 0,5 mL He, 0,11 mL Kr u. 0,008 mL Xe. Entsprechend werden auch die meisten E. techn. durch Luftzerlegung (s. flüssige Luft) gewonnen, Helium jedoch aus *Erdgasen (He-Gehalt über 2%; s. Helium). Im Wasser sind die E. in beträchtlichem Umfang lösl.; so löst 1 L Wasser von 20 °C 8,8 mL He, 10,4 mL Ne u. 33,6 mL Ar. In Seewasser von etwa 3500 m Tiefe konnte massenspektrometr. ein Überschuß von Helium im Verhältnis zu den anderen E. festgestellt werden; dies wird auf die Einwanderung von He aus Sedimenten zurückgeführt, in denen E. durch den natürlichen radioaktiven Zerfall von *Uran etc. erzeugt wird. Das Entweichen von Helium von der Erdoberfläche in die Atmosphäre wird auf $6,4 \cdot 10^{13}$ Atome pro mL u. Jahr geschätzt. In der Venus-Atmosphäre sind Konz. u. Verteilung der E. anders als in der Erdatmosphäre[2]. Zum Verhalten im Organismus s. *Lit.*[3]. Ein bes. Problem bei der Entsorgung radioaktiver E.-Abfälle aus Kernkraftwerken bildet ^{85}Kr.

Verw.: Als *Inertgase (in Stahlflaschen od. flüssig gelagert) in der Lichttechnik zur Füllung von Gasentladungslampen u. Glühbirnen, für *Excimer- u. a. *Laser, als Kühlflüssigkeit für supraleitende Magnete etc.

Geschichte: Die meisten E. wurden von Ramsay in Zusammenarbeit mit Rayleigh u. Travers in den Jahren 1894–1908 entdeckt. – *E* rare gases, inert gases, noble gases – *F* gaz rares – *I* gas nobili – *S* gases nobles

Lit.: [1] Townshend, Encyclopedia of Analytical Science, S. 3353 ff., London: Academic Press 1995. [2] Lang u. Whitney, Planeten-Wanderer im All, S. 103, Berlin: Springer 1993. [3] Adv. Biomed. Eng. **II** (1980).

allg.: Hollemann-Wiberg (101.), 417–431 ■ Selover (Hrsg.), Thermophysical Properties of Neon, Argon, Krypton and Xenon, Berlin: Springer 1988 ■ Ullmann (5.) **A 17**, 485–539 ■ Winnacker-Küchler (4.) **3**, 618–626 ■ s.a. Edelgas-Verbindungen. – [HS 2804 21, 2804 29; G 2]

Edelgas-Ionen-Laser. Sammelbegriff für *Gas-Laser, deren aktives Medium aus Edelgas-Ionen wie Ar$^+$, Kr$^+$ od. Xe$^+$ besteht, die in einer kontinuierlichen Hochstrom-*Gasentladung erzeugt werden. Typ. Aufbau s. Abb. bei Gas-Laser.

1. Ar$^+$-Laser: Emission auf einer Reihe von UV-Linien: 363,8 nm, 351,4 nm, 351,1 nm, 335,8 nm, 334,5 nm u. 333,6 nm, sowie im blau-grünen Spektralbereich: 528,7 nm, 514,5 nm, 501,7 nm, 496,5 nm, 488 nm, 476,5 nm, 472,7 nm, 465,8 nm, 457,9 nm u. 454,5 nm. Die intensivsten Linien sind bei $\lambda = 514,5$ nm u. 488 nm, die mit Intensitäten von 100 Watt erzeugt werden können. Bei den UV-Linien bei $\lambda = 351$ nm u. 364 nm wurden kontinuierliche Leistungen von 20 Watt erreicht.

2. Kr$^+$-Laser: Mehrfach geladene Kr$^+$-Ionen emittieren Linien von 175,6 nm bis 422 nm. Die weit intensiveren Linien des einfach geladenen Kr$^+$-Ions sind bei 799,3 nm, 752,5 nm, 676,4 nm, 647,1 nm, 568,2 nm, 530,9 nm, 520,8 nm, 482,5 nm, 476,2 nm u. 468 nm. Die stärkste Linie ist bei 647,1 nm.

3. Xe$^+$-Laser: Gepulste Syst. (Stromstärken bis 900 A, Pulszeit 1 µs). Die intensivsten Linien sind bei $\lambda =$ 539,5 nm, 535,3 nm, 526 nm, 515,9 nm, 500,8 nm u. 495,4 nm.

Neben den hier aufgelisteten Wellenlängen (Angaben in Luft) kann man die Syst. noch in vielen anderen Linien zum Arbeiten bringen, s. *Lit.*[1].

Anw.: In der Medizin u. a. zur Photokoagulation der Augennetzhaut od. zur Angioplastie (*Dilatation von Arterien). In der *Spektroskopie zur direkten Anregung von atomaren od. mol. Syst., aber in weit größerem Maße zum opt. Pumpen von *Farbstoff-Lasern. – *E* (nobel gas) ion laser – *F* laser à ions de gaz rares – *I* laser ad ioni di gas nobile – *S* láser de iones de gases nobles

Lit.: [1] Beck et al., Table Laser Lines in Gases, Berlin: Springer 1978.

allg.: Duley, Lasers, Gas, Encycl. of Physical Science and Technology, Bd. 8, S. 545–554, San Diego: Academic Press 1992 ■ Schmidt, Erfahrungen im Betrieb mit Edelgaslasern II, Weinheim: VCH Verlagsges. 1987.

Edelgas-Konfiguration s. Atombau, Edelgase, Elektronenkonfiguration.

Edelgas-Verbindungen. Bez. für eine Gruppe von Verb., deren Existenz zwar schon 1933 von *Pauling vorhergesagt, aber erst 1962 durch Synth. (N. *Bartlett, Hoppe, Claassen) bewiesen wurde. Bisher konnten in zahlreichen Untersuchungen (Hawkins, *Lit.*) nur Verb. des *Kryptons, *Xenons u. *Radons synthetisiert werden, wobei die Xenon-Fluoride XeF$_2$, XeF$_4$ u. XeF$_6$ am stabilsten sind. Die Oxide XeO$_3$ u. XeO$_4$ sind hingegen hochexplosiv. Aufgrund quantenchem.

Meth. der Theoretischen Chemie, v. a. *ab initio-Rechnungen, sollten auch Verb. des Heliums, Neons u. Argons experimentell erhältlich sein[1]. Gemäß der Stellung im *Periodensystem kommen als Oxidationsstufen für He 0 u. +2 u. für Ne bis Rn außerdem +4, +6 u. +8 in Betracht. In den bekannten E.-V. besitzt das Zentralatom bis zu 9 Valenzelektronenpaare (*hypervalente Moleküle, z. B. XeF_8^{2-}). Die Struktur solcher Mol. od. Ionen läßt sich in einigen Fällen durch die Annahme von *Dreizentren-Vierelektronen-Bindungen (s. Abb.) gut erklären.

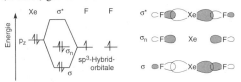

Abb.: Qualitative Beschreibung einer Dreizentren-Vierelektronen-Bindung am Beispiel von Xenondifluorid, XeF_2. Die Abb. verdeutlicht die Überlappung des gefüllten p_z-Orbitals eines Xenon-Atoms mit zwei jeweils mit einem Elektron besetzten sp^3-Hybridorbitalen zweier Fluor-Atome. Aus den drei Atomorbitalen werden drei Molekülorbitale gebildet, von denen eines bindend (σ), das zweite (ohne Beteiligung des $Xe-p_z$-Orbitals) nicht bindend (σ_n), das dritte antibindend ist (σ^*).

Auch eine Beteiligung von d-Orbitalen an den Hybridorbitalen des Zentralatoms (*Hybridisierung) wird zur Erklärung der Bindungsverhältnisse herangezogen. Kryptondifluorid ist möglicherweise das stärkste bekannte Oxidationsmittel; *Beisp.*:

$$8\,KrF_2 + 2\,Au \rightarrow 2\,KrF^+AuF_6^- + 6\,Kr + F_2.$$

Auch Übergangsmetallkomplexe mit Edelgas-Atomen als Ligand sind bekannt, z. B. $[W(CO)_5Xe]$ u. $[W(CO)_5Kr]$[2]. Nicht zu den E.-V. im obigen Sinne zählt man die Edelgas-*Clathrate u. a. *Einschlußverbindungen. – *E* noble gas compounds – *F* composés des gaz rares – *I* composti di gas nobile – *S* compuestos de los gases nobles

Lit.: [1] Nachr. Chem. Tech. Lab. **37**, 243–248 (1989). [2] J. Am. Chem. Soc. **114**, 2783 ff., 10910 ff. (1992).
allg.: Gmelin, Syst.-Nr. 1, Erg. Bd. Edelgasverbindungen ▪ Kirk-Othmer (3.) **12**, 288–297 ▪ Klapötke u. Tornieporth-Oetting, Nichtmetallchemie, S. 439–457, Weinheim: VCH Verlagsges. 1994 ▪ s. a. Edelgase u. Xenon-Verbindungen.

Edelman, Gerald Maurice (geb. 1929), Prof. für Medizin, Rockefeller Univ., New York. *Arbeitsgebiete:* Immunologie, Antigen-Antikörper-Reaktion, Gammaglobuline. Für die Erforschung der Antikörper-Struktur erhielt E. den Nobelpreis für Medizin u. Physiologie 1972 (zusammen mit R. R. *Porter).

Lit.: Neufeldt, S. 289, 376 ▪ Pötsch, S. 129 ▪ Who's Who in America, S. 1040.

Edelmessing. Nicht genormtes *Sondermessing mit ca. 55% Cu, 40% Zn, max. 5% Cr sowie Fe- u. Mn-Anteilen, wegen des Fe-Gehaltes fälschlich auch als *Eisenbronze* bezeichnet. – *E* iron bronze – *I* ottone nobile – *S* latón fino

Lit.: DIN 17660 (12/1983).

Edelmetalle. Zu den E. rechnet man die Elemente *Gold, *Silber, *Quecksilber, *Rhenium u. die gesondert abgehandelten *Platinmetalle (Ruthenium, Rhodium, Palladium, Osmium, Iridium u. Platin). E. werden an der Luft bei 20 °C nicht oxidiert, sie bilden höchstens ganz dünne, durchsichtige Oxid-Schichten. Die E. sind im elementaren Zustand sehr beständig; daher findet man sie häufig gediegen. Allerdings treten z. B. Quecksilber u. Silber meist in Form von Quecksilbersulfid, Silberchlorid u. Silbersulfid auf, u. umgekehrt können auch Metalle gelegentlich gediegen vorkommen, die nicht zu den E. gerechnet werden, so z. B. Antimon, Arsen, Kupfer, Nickel, Bismut. Gelegentlich spricht man hier ebenso wie beim Zinn von *Halbedelmetallen*, u. selbst die Abgrenzung zu den *Unedelmetallen* (vgl. Metalle) ist nicht frei von Willkür.

Alle E. stehen in der *Spannungsreihe rechts vom Wasserstoff, sie haben eine geringe *Elektronenaffinität u. ein pos. *Normalpotential, weshalb sie von verd. Salzsäure nicht gelöst werden. Mit Hilfe von oxidierenden Säuren kann man auch E. in Lsg. bringen, z. B. Ag durch Salpetersäure, Au u. Pt durch Königswasser; in diesem Fall wird das Metall zunächst oberflächlich oxidiert u. das Oxid von der Säure gelöst. Die Oxide der E. zerfallen bei höherer Temp. in Metall u. Sauerstoff u. auch die übrigen Verb. werden beim Erwärmen leicht zersetzt.

Die Analytik der E. bedient sich entweder naß- u./od. trockenchem. Meth. (*Dokimasie*) nach Schmelzaufschluß od. physikal. Meth. wie der *Emissionsspektroskopie u. der Röntgenfluoreszenzanalyse.

Herst.: Da die E. oft nur in geringen Konz. vorliegen, kommt den spezif. Aufbereitungsverf. bes. Bedeutung zu, s. die Einzelmetalle. Viele E. lassen sich als Nebenprodukte bei der *elektrolytischen Raffination anderer Metalle gewinnen; hierbei ist bes. wertvoll der *Anodenschlamm*, der bei der Herst. von Elektrolytkupfer anfällt. Angesichts des wirtschaftlichen Wertes der E. sind bes. Verf. zum *Scheiden u. insbes. zum *Recycling entwickelt worden, z. B. aus *Gekrätz, verbrauchten Photochemikalien, Katalysatoren u. galvan. Bädern, aus E.-Geräten u. Bauteilen aus E.-Leg., die aus der Elektrik u. Elektronik stammen. Einige der E., z. B. Palladium u. Rhodium, dürften als „Abfallprodukte" der Energiegewinnung in Leistungsreaktoren in größeren Mengen anfallen, doch ist ihre Gewinnung problematisch.

Verw.: Als Schmelz- u. Münzmetalle, Katalysatoren u. neuerdings Abgaskatalysatoren[1], sowie als Konstruktionswerkstoffe für therm., mechan. u./od. korrosiv hochbeanspruchte Geräte in der Glas- u. Textilfaser-Ind. u. Meßtechnik. Zum größten industriellen Abnehmer von E. ist infolge ihres raschen Wachstums die Elektronik geworden[2]. Über die elektrolyt. Abscheidung/Galvanisierung von E. für industrielle Anw. s. *Lit.*[3]. Flüssige u. pulverförmige E.-Präp. werden zur Dekoration von Keramik, Glas u. Email gebraucht, s. a. Lüster. – *E* noble metals, precious metals – *F* métaux précieux – *I* metalli nobili – *S* metales nobles, metales preciosos

Lit.: [1] Metall **42**, 711 ff. (1988). [2] Metall **41**, 34–41 (1987). [3] Jahrb. Oberflächentech. **37**, 74–116 (1981); **38**, 71–99 (1982).
allg.: Beck, Edelmetall-Taschenbuch (2.), Heidelberg: Hüthig 1995 ▪ Winnacker-Küchler (4.) **4**, 540–572 ▪ s. a. Platinmetalle. – *Organisationen u. Inst.:* Edelmetallindustrieverband, 73525 Schwäbisch Gmünd ▪ Fachvereinigung Edelmetalle, 40474 Düsseldorf ▪ Forschungsinstitut für Edelmetalle u. Metallchemie, 73525 Schwäbisch Gmünd.

Edelmetallprüfer. E. befassen sich mit der Untersuchung verschiedener Werkstoffe auf ihre Zusammensetzung u. Eigenschaften. Dabei handelt es sich v. a. um Metall-Leg., deren Gehalt an Edelmetallen sie mit bes. Prüfmeth. feststellen. Die Ausbildungsdauer beträgt 3 Jahre. Arbeitsplätze werden insbes. in der Schmuckwaren-Ind. od. auch als vereidigte E. beim Zoll geboten. – *F* contrôleur de métaux précieux – *S* verificador de metal noble

Edelstahl. Abgrenzung einer *Stahl-Gruppe gegen Qualitäts- u. Massenstahl. Die ursprüngliche Definition in einer inzwischen zurückgezogenen Euronorm lautete: „Stähle mit gleichbleibender Eignung zur *Wärmebehandlung u./od. mit bes. physikal. od. physikal.-chem. Eigenschaften". Bei nicht für eine Wärmebehandlung bestimmten Stählen werden die P- u. S-Gehalte für E. auf max. 0,035% begrenzt, d. h. es besteht auch ein Zusammenhang mit dem Herstellungsverfahren. Die eindeutige Unterscheidung zwischen den genannten Stahl-Gruppen ist nicht immer möglich. Sinnvoller scheint daher eine Unterteilung nach Stahl-Kennzeichen (chem. Zusammensetzung, Eigenschaften) od. nach Anwendungsgebieten (Stahlbau, Druckbehälterbau usw.). – *E* high-quality steel – *F* acier fin – *I* acciaio pregiato – *S* acero especial, acero fino

Edelsteine u. Schmucksteine. Unter E. versteht man in der Natur ohne künstliche Beeinflussung entstandene Mineralien u. organ. Substanzen. Sie werden gesondert ausgewiesen wegen ihrer bes. Eigenschaften u. dem Grad ihrer Seltenheit. Von der chem. Zusammensetzung her finden sich unter den E. z. B. Elemente (Diamant), Oxide [*Amethyst, *Opal, *Rubin, *Saphir, *Chrysoberyll (mit Alexandrit), *Spinell], Carbonate (*Malachit, *Rhodochrosit) u. Phosphate (*Türkis); die meisten E. sind *Silicate, so z. B. *Aquamarin, *Smaragd, Peridot (s. Olivin) *Granat, *Zirkon, *Topas u. *Turmalin. Der Begriff „Halbedelstein" soll wegen seiner abwertenden Bedeutung nicht mehr verwendet werden. Man spricht heute nur noch von E. u. Schmucksteinen. Dabei werden meist die durchsichtigen E. u. die durchscheinenden u. undurchsichtigen Schmucksteine genannt. Das Gew. der E. wird in *Karat (1 Karat = 0,2 g) angegeben.

Von den über 3000 bekannten Mineral-Arten sind nur etwa 100 jemals als E. od. Schmucksteine verwendet worden. *Nephrit, *Jade u. *Lapislazuli sind *Gesteine. Dem Reich der Pflanzen u. Tiere entstammen *Bernstein (fossiles Harz), *Gagat (Jet), *Elfenbein, *Perlen u. *Korallen. Eigenschaften, durch die ein Mineral in den Kreis der E. avancieren kann, sind Schönheit der *Farbe, Reinheit* (d. h. frei von Einschlüssen), *Härte, *Glanz, Größe u. Seltenheit*. Als *lupenrein* wird ein E. (bes. Diamant) bezeichnet, in dem man mit einer Lupe mit 10-facher Vergrößerung keine Einschlüsse erkennen kann. Manchmal werden aber auch bestimmte Einschlüsse gefragt, wie z. B. die *Dendriten im *Achat od. solche, die bes. *Lichterscheinungen* hervorrufen, wie etwa die Irisieren beim *Mondstein, der Asterismus beim Sternsaphir od. Sternrubin. Meist bringt erst der sachkundige Schnitt u. Schliff Farbe, Feuer u. Glanz der E. richtig zur Geltung.

Bearbeitung: Man untergliedert in die *Steinschneidekunst* (*Glyptik*) u. die *Steinschleiferei* [mit Amethyst-, Farb(edel)stein- u. Diamant-Schleiferei]. Die Glyptik hatte ihre Blütezeit in Ägypten (z. B. Herst. von Skarabäen) u. im alten Rom. Sie erlebte im 16. Jh. eine Renaissance. Vertieft gearbeitete Bilder bezeichnet man als *Gemmen; davon abgeleitet ist die Bez. *Gem(m)ologie* für die E.-Kunde. Die Steinschleiferei gewann in Europa erst im Mittelalter Bedeutung. Bis ins 14. Jh. wurden die Steine nur *mugelig* geschliffen, d. h. mit gerundeter Oberfläche (*Cabochonschliff*). Der *Facettenschliff* (franz.: facette = Seitenfläche) wurde 1450 in der belg. Stadt Brügge erfunden. Um 1600 gelang in Paris der vollendete Brillantschliff bei Diamanten. Heute sind eine Anzahl von Schliff-Arten u. Schliff-Formen gebräuchlich; eine Auswahl zeigt die Abbildung.

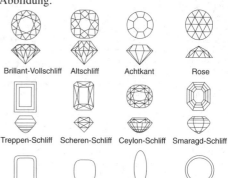

Abb.: Schliff-Arten der Edelsteine (Ober- u. Seitenansicht); (aus Schumann, Steine u. Mineralien, 4. Aufl., S. 67, München: BLV-Verlagsges. 1975).

Schmuckstücke, die einen od. mehrere in Edelmetall gefaßte E. enthalten, sowie gelegentlich auch geschliffene E. ohne Fassung bezeichnet man als Juwelen. Als *Schleifpulver* verwendet man bei den härtesten E. Diamantpulver, in anderen Fällen Pulver von Bor- od. Siliciumcarbid od. Aluminiumoxid (Korund). *Nachahmungen:* Bei den Nachahmungen unterscheidet man Imitationen, künstliche Produkte, zusammengesetzte u. synthet. Steine (Synthesen) u. Preßprodukte. *Imitationen* sind natürlichen E. im Aussehen ähnlich, haben aber andere Zusammensetzungen u. andere physikal. u. chem. Eigenschaften. Sie können vom Menschen hergestellt sein wie z. B. *Glas [1] (H. ca. 5), es können aber auch natürliche Minerale sein, die eine ähnliche Farbe haben wie der zu imitierende Edelstein. Speziell der Nachahmung des Diamanten dienen farblose künstliche Produkte wie Fabulit, Zirkonia u. YAG. Weitere Beisp. für künstliche Produkte sind Kunstharze, die Bernstein imitieren u. gefärbte Plastikmaterialien als Imitationen für Koralle. *Zusammengesetzte Steine* wurden schon von den Römern hergestellt. Am häufigsten sind *Doubletten*; sie bestehen aus zwei zusammengeklebten Teilen, z. B. farbiger Glasbasis u. hartem Mineraloberteil. Bei *Tripletten* wird die Farbe durch eine Kitt-, Klebe- od. Sinterschicht hervorgerufen. Bei den *synthet. Steinen*[2] handelt es sich um von Menschenhand künstlich hergestellte E., von denen in der Natur ein Pendant existiert; ihre chem. Zusammensetzung, Kristallstruktur u./od. physikal. Eigenschaften stimmen weitgehend mit denen ihrer natürlichen Vorbilder überein; zur Unterscheidung zwischen E. u. Synth. s. z. B. *Lit.*[3] od. Eppler (*Lit.*). 1902 gelang die Synth. von Rubin, 1912 von Saphir, 1924 bzw. 1945 von Smaragd u. 1953/55 von Diamant. Von kommerzieller Bedeutung sind heute ferner die Synth. von Amethyst, Citrin, Alexandrit, Opal, Türkis u. Lapislazuli. Die Technologie der E.-Synth. hat wesentliche Impulse aus der Züchtung von *Einkristallen (zur Herst. von *Halbleitern) erhalten. Die wichtigsten Meth. sind die *Hydrothermal-Synthese u. die Flußmittel-, *Verneuil-Verfahren u. Czochralski-Verf. sowie das Zonenschmelz-Verf., für Diamanten hat man spezielle Verf. entwickelt. Preßprodukte aus pulverisierten Substanzen dienen zur Nachahmung undurchsichtiger Schmucksteine, z. B. Türkis.

Untersuchung: Die Untersuchung von E. (vgl. *Lit.*[4]) erfolgt zerstörungsfrei mit Meth. der Gemmologie u. der *Mineralogie, z. B. mit der Elektronenstrahl-Mikrosonde, der *Röntgenfluoreszenzspektroskopie, Spektralphotometrie, IR-*Spektroskopie, *Raman-Spektroskopie u. Kathodo-*Lumineszenz. Bei den physikal. Merkmalen prüft man v. a. die *Härte (mit Härteritzstiften), die *Dichte, die Lichtbrechung u. die *Dispersion der Lichtbrechung, mit Hilfe des Polariskops Einfach- od./u. Doppelbrechung (s. Refraktion u. Optische Aktivität), mit Hilfe des Dichroskops den *Pleochroismus u. mit dem E.-Mikroskop die festen u. *fluiden Einschlüsse. Auch elektr. u. *Wärmeleitfähigkeit können für die E.-Diagnose von Bedeutung sein.

Bedeutung: Die E. haben mit ihrem Leuchten u. Funkeln den Menschen von Anbeginn fasziniert. Sie galten u. gelten als Symbole für Ansehen, Einfluß u. Reichtum. Gefaßt in Gold, Silber od. Platin zieren sie Kronen, Szepter, Monstranzen u. andere Symbole geistlicher u. weltlicher Macht. E. u. Schmucksteine schmücken Armbänder, Ketten, Ringe u. Diademe. Wahrscheinlich sehr viel älter als ihre Verw. als Körperschmuck ist ihre mag. u. therapeut. Bedeutung, ihre Rolle als Sitz übernatürlicher Kräfte. Sie dienten als Talisman zum Schutz gegen allerlei Unbill u. als Arznei. Der Erwerb von E. zu Heilzwecken[5] gewinnt derzeit im Rahmen der Esoterik zunehmend an Bedeutung. Die E. sollten auch Glück bringen. Den Monaten u. Sternzeichen werden bestimmte *Monats- bzw. Tierkreissteine* zugeordnet. Ein bes. großer E., der wohl größte Rubin der Welt, wurde 1996 in Burma gefunden[6]: er wiegt 21450 Karat (gut 4 kg!) u. mißt 12,7 × 17,8 cm. – *E* gems, gemstones – *F* gemmes – *I* pietre preziose, gemme – *S* piedras preciosas y finas

Lit.: [1]*Lapis* **18**, Nr. 7/8, 71–76 (1993). [2]*Lapis* **17**, Nr. 6, 13–23 (1992). [3]*Gemmologie* (Z. Dtsch. Gemmol. Ges.) **44**, Nr. 4 (1995) (E.-kundliches Praktikum). [4]*Bild Wiss.* **23**, Nr. 1, 78–85 (1986). [5]Chocron, Heilen mit Edelsteinen (11.), München: Hugendubel 1994; Gienger, Die Steinheilkunde, Saarbrücken: Verl. Neue Erde 1995. [6]*Lapis* **21**, Nr. 6, 5 (1996). *allg.:* Aufschluß **45**, Nr. 4/5 (1994) ▪ Bank, Aus der Welt der Edelsteine (3.), Innsbruck: Pinguin-Verl. 1981 ▪ Eppler, Praktische Gemmologie (5.), Stuttgart: Rühle-Diebener 1994 ▪ Gübelin u. Koivula, Bildatlas der Einschlüsse in Edelsteinen, Zürich: ABC-Verl. 1986 ▪ Hahn u. Bank, Edelsteinkunde (11.), Koblenz: Ind.- u. Handelskammer 1986 ▪ Lenzen, Günther u. Grün, Edelstein-Bestimmung mit gemmologischen Geräten, Kirschweiler: E. Lenzen 1984 ▪ Schumann, Edelsteine u. Schmucksteine (10.), München: BLV 1995 ▪ Schumann, Edle Steine (2.), München: BLV 1993 ▪ Webster (Revised by P. G. Read), Gems – their Sources, Descriptions and Identification (5.), Oxford: Butterworths-Heinemann 1994. – *Videothek:* Edelsteine und ihr Innenleben (VHS Video, 29 Min.), Heidelberg: Spektrum Verl. 1995. – *Zeitschriften:* Zeitschrift der Deutschen Gemmologischen Gesellschaft (ab 1995: Gemmologie), Idar-Oberstein: Dtsch. Gemmolog. Ges. (seit 1952) ▪ Gems & Gemology, Santa Monica (Californien): The Gemmological Institute of America ▪ Journal of Gemmology, London: The Gemmological Association and Gem Testing Laboratory of Great Britain. – *Organisationen u. Inst.:* Bundesverband der Edelstein- u. Diamantindustrie, 55743 Idar-Oberstein ▪ Deutsche Gemmologische Gesellschaft, 55743 Idar-Oberstein ▪ Institut für Edelsteinforschung der Universität Mainz, 55743 Idar-Oberstein.

Edenit s. Amphibole.

Edenol®. Fettsäureester od. epoxidierte Öle als Spezialweichmacher zur Verbesserung der Trocknungseigenschaften von Nitrokombilacken für Holz u. Papier, zur Verbesserung der Ablösefähigkeit von NC-Kalanderlacken, für NC-Schnellschliffgrundierungen, zur Plastifizierung von Lackbindemitteln für Unterbodenschutzmassen u. keram. Farben. Epoxidweichmacher, epoxidiertes Soja- u. Leinöl zur Verbesserung der Altersbeständigkeit von NC-, PVC-, Chlorkautschuk- u. ähnlichen Lacksyst. u. zur Verbesserung von Alkyd- u. Epoxid-Erzeugnissen; Weichmacher sowie Polymerweichmacher für die Verarbeitung von PVC. *B.:* Henkel.

Edenor®. Sortiment von dest. od. modifizierten Fettsäuren, Fettsäuremethylestern, Fettsäurepartialglyceriden u. Triglyceriden. *B.:* Henkel.

Edersche Lösung (Edersches Photometer). Wäss. Lsg. einer Doppelverb. von Quecksilber(II)-chlorid u. Ammoniumoxalat, die bei Belichtung unlösl. Quecksilber(I)-chlorid ausfallen läßt:

$$2\,HgCl_2 + (NH_4)_2C_2O_4 \rightarrow Hg_2Cl_2 + 2\,NH_4Cl + 2\,CO_2$$

Je mehr Licht einfällt, um so mehr Quecksilber(I)-chlorid wird ausgeschieden; man kann also die E. L. zur *Aktinometrie benutzen. – *E* Eder's solution – *F* solution d'Eder – *I* soluzione di Eder – *S* solución de Eder

Lit.: Eder, Ausführliches Handbuch der Photographie (4 Bd.), Halle: Knapp 1927.

Edestin (von griech.: edestos = eßbar). Hexameres *Globulin, M_R ca. 300 000, jede Untereinheit aus zwei Polypeptid-Ketten (M_R 27 000 bzw. 23 000) bestehend, die durch *Disulfid-Brücken miteinander verbunden sind, in 10%iger Salz-Lsg. u. verd. Mineralsäuren lösl., bildet ein wasserlösl. Hydrochlorid. E. ist durch Extraktion entölter Hanfsamen mit 10%iger wäss. Kochsalz-Lsg. u. anschließende Dialyse krist. erhältlich; auch in Baumwoll- u. Leinsamen aufzufinden. Das *Arachin der Erdnuß u. das *Excelsin* der Paranuß sind dem E. ähnlich. – *E* edestin – *F* édestine – *I* edesina – *S* edestina – *[HS 3504 00; CAS 9007-57-2]*

Edetate. Kurzbez. für Salze der *Ethylendiamintetraessigsäure.

Edetinsäure. Internat. Freiname für *Ethylendiamintetraessigsäure. – *E* edetic acid – *F* acide édétique – *I* acido edetico – *S* ácido edético

Edifenphos.

$$H_5C_2O-\overset{\overset{O}{\|}}{\underset{SC_6H_5}{P}}-SC_6H_5$$

Common name für *O*-Ethyl-*S*,*S*-diphenyldithiophosphat, $C_{14}H_{15}O_2PS_2$, M_R 310,37, Sdp. 154 °C (1 Pa), LD_{50} (Ratte oral) 340 mg/kg (Bayer), von Bayer 1966 eingeführtes Blatt-*Fungizid mit protektiver u. kurativer Wirkung gegen *Pyricularia oryzae*, *Corticium sasakii* u. *Cochliobolus miyabeanus* im Reisbau. – *E* = *F* edifenphos – *I* = *S* edifenfos

Lit.: Farm ▪ Perkow ▪ Pesticide Manual. – *[HS 2930 90; CAS 17109-49-8]*

Ediphenphos s. Edifenphos.

Edisilat. Internat. Freiname für die zweiwertige Gruppe Ethan-1,2-disulfonat [–O–SO₂–(CH₂)₂–SO₂–O–] in *Freinamen von Pharmazeutika. – *E* edisilate – *F* édisilate – *I* = *S* edisilato

Edison, Thomas Alva (1847–1931), amerikan. Ingenieur u. Erfinder. *Arbeitsgebiete:* Kohle-Mikrophon, Phonograph, Kohle-Fadenlampe, Glühemission, Eisen-Nickel-Akkumulator, Generator zur Stromerzeugung, Filmaufnahme- u. Laufbild-Projektionsgeräte, Betongieß-Verfahren.

Lit.: Clark, Edison, London: Macdonald & Jane 1977 ▪ Krafft, S. 109 f. ▪ Schreier u. Schreier, Thomas Alva Edison, Leipzig: Teubner 1978 ▪ Thomas Edison, Professional Inventor, London: HMSO 1976 ▪ Vanderbilt, Thomas Edison, Chemist, Washington: ACS 1971.

Edman-Abbau. Von dem schwed. Chemiker Pehr Edman (1916–1977) entwickeltes Abbau-Prinzip zur *Sequenzanalyse der *Aminosäuren in *Proteinen. Dabei wird für die Peptid-Kette vom Amino-Ende her Schritt für Schritt, d. h. Aminosäure für Aminosäure abgebaut; die jeweiligen „Schlußsteine" (endständigen Aminosäuren) werden nach ihrer Abtrennung identifiziert, worauf sich der Abbau-Cyclus wiederholen kann. Die einzelnen Stufen des von Edman automatisierten Verf. sind (s. Abb.): Umsetzung der freien Amino-Gruppe mit Phenylisothiocyanat zum Thioharnstoff-Derivat u. dessen cyclisierende Spaltung zu der um die endständige Aminosäure verkürzten Peptid-Kette u. zu einem instabilen 2-Anilino-4*H*-thiazol-5-on-Derivat, das sich zum 3-Phenyl-2-thiohydantoin-Derivat (*PTH-Aminosäure*) umlagert.

Dieses Derivat ist dünnschicht- od. gaschromatograph. od. durch *HPLC identifizierbar. Für einen vollständigen, in etwa 90 min ablaufenden Abbau-Cyclus mit dem von Edman konstruierten „Sequenator" werden 30 Reaktions-, Extraktions- u. Trocknungsoperationen benötigt. – *E* Edman degradation – *F* dégradation d'Edman – *I* degradazione di Edman – *S* degradación de Edman

Lit.: Nachr. Chem. Tech. Lab. **40**, 963–971 (1992).

EDNA. Abk. für *Ethylendinitramin.

Ednatol. Amerikan. *Explosivstoff, ein gießbares Gemisch aus *Ethylendinitramin u. *2,4,6-Trinitrotoluol (55:45).

Lit.: Meyer, Explosivstoffe (6.), S. 115, Weinheim: Verl. Chemie 1985 ▪ Winnacker-Küchler (4.) **7**, 382. – *[HS 3602 00]*

Edolan® PAW. Gemisch aromat. Sulfonate als Reservierungsmittel für das Färben von Wolle/PA-Faser-Mischungen mit sauren Farbstoffen. *B.:* Bayer.

Edoxudin.

Internat. Freiname für das Virustatikum 5-Ethyl-2'-desoxyuridin, $C_{11}H_{16}N_2O_5$, M_R 256,26, farblose Nadeln, Schmp. 152–153 °C; λ_{max} (H_2O) 267 nm ($A_{1cm}^{1\%}$ = 380); $[\alpha]_D^{20}$ +18 bis +21 (c 1/H_2O). E. wurde 1968 u. 1971 von Robugen patentiert. – *E* = *F* edoxudine – *I* = *S* edoxudina

Lit.: Beilstein E V **24/7**, 229 ▪ Hager (5.) **8**, 6 ff. – *[HS 2934 90]*

ED(R)S. Abk. für *energiedispersive Röntgen-Spektroskopie.

EdT. Abk. für *Eau de Toilette.

EDTA. Engl. Abk. *Ethylendiamintetraessigsäure bzw. deren Na-Salz.

Edukt. Von latein. educere = herausführen abgeleitetes Synonym für *Ausgangsmaterial.

ee (enantiomeric excess, Enantiomerenüberschuß) s. enantioselektive Synthese.

EE. Abk. für *Exoelektronen-Emission.

E/EA. Kurzz. (nach DIN 7728, Tl. 1, 01/1988) für *Ethylen/Ethylacrylat-Copolymere.

EEB. Abk. für *Europäisches Umweltschutzbüro.

EEG. Abk. für Elektroenzephalogramm, s. Elektroenzephalographie.

EELS. Abk. für Elektron-Energieverlustspektrometrie (*Elektronenspektroskopie).

EEPROM (Abk. für erasible *PROM). Speicherglied in der elektr. Datenverarbeitung, das elektr. gelöscht wer-

Abb.: Edman-Abbau.

den kann. PROM ist ein programmierbares Speicherglied, das einmal anwendungsspezif. eingeschrieben u. beliebig oft ausgelesen werden kann.

EF. Abk. für *Elongationsfaktor.

EFB. Abk. für Europäische Föderation Biotechnologie.

EFCGU. Abk. für *E*uropean *F*ederation of *C*hemical and *G*eneral Workers *U*nions. Die 1988 gegr. Europäische Föderation der Chemiegewerkschaften (EFCG) mit Sitz in B-1050 Bruxelles, Avenue Emile de Béco 109, vertritt 59 Gewerkschaften mit 1,79 Mio. Mitgliedern in 19 Ländern.

Efemolin®. Augentropfen mit *Fluorometholon u. *Tetryzolin-Hydrochlorid gegen allerg. Horn- u. Bindehaut-Entzündungen. *B.:* Ciba Vision.

Eferox®. Tabl. mit Levothyroxin-Natriumsalz gegen Hypothyreose u. Kropf, als Adjuvans bei Thyreostatika-Therapie. *B.:* Wyeth Pharma.

Efeu. In Europa u. Südafrika heim., immergrünes, kletterndes Holzgewächs (*Hedera helix* L., Araliaceae).
Wirkung: Extrakte von Blättern werden bei Bronchialerkrankungen eingesetzt u. wirken: expektorierend v. a. durch das Triterpensaponin *Hederacosid C*; spasmolyt. v. a. durch die Saponine *Hederagenin* u. α-*Hederin, ein enzymat. Spaltprodukt des Hederacosids, sowie durch Phenole wie 3,5-Dicaffeoylchinasäure [1]. Wegen der starken hämolyt. u. schleimhautreizenden Eigenschaften des α-Hederins sind die blauschwarzen Beeren-Früchte des E. gesundheitsschädlich; sie rufen Erbrechen u. Durchfälle hervor. – *E* ivy – *F* lierre – *I* edera – *S* yedra, hiedra
Lit.: [1] Planta Med. **63**, Nr. 1 (1997).
allg.: Bundesanzeiger 122/06.07.88 ■ Hager (5.) **5**, 398–407 ■ Wichtl. (2.), S. 139 ff. – *[HS 1211 90]*

Effektgarne s. Garn.

Effektlacke s. Lacke.

Effektol®-Marken. Fettlöse- u. Detachiermittel zur Entfernung von Stippen, Schmier- u. Ölflecken aus Wolle, Cellulose u. Synthetics; Gemisch aus Lsm. u. Emulgatoren. *B.:* Dr. Th. Böhme KG, Chem. Fabrik GmbH & Co.

Effektomer s. Toxine.

Effekton®. Ampullen, Dragees, Tabl. u. Suppositorien mit *Diclofenac-Natriumsalz gegen starke Schmerzen bei Rheuma u. degenerativen Gelenks- u. Wirbelsäulenerkrankungen. *B.:* Efeka.

Effektoren. Nach Bersin natürliche od. künstliche Stoffe (vgl. Biokatalysatoren), die die Wirkung von Enzymen fördern od. hemmen. Heute wird der Begriff bevorzugt auf molekularbiol. Vorgänge, speziell auf die *Regulation der Enzymaktivität angewandt. Dabei versteht man allg. unter E. solche Substrate od. Metaboliten, die auf regulator. wirkende *Enzyme auf dem Umweg über deren *Repressoren einwirken: Ein E. (z. B. als Endprodukt einer enzymat. Reaktion auftretend) *aktiviert* den spezif. Repressor, der daraufhin die Synth. des entsprechenden Enzyms hemmt (neg. E. od. *Inhibitor); hierbei handelt es sich häufig um *isoster.* E. (vgl. Isosterie), die dem Enzymsubstrat sehr ähnlich sind u. mit diesem in Konkurrenz treten, also eine *kompetitive Hemmung hervorrufen. Die reversible Komplexbildung der E. mit Enzymen wird z. B. zu deren Reinigung mit Hilfe der *Affinitätschromatographie ausgenutzt. Andererseits kann ein E. (z. B. als Ausgangssubstrat einer enzymat. Reaktion) den spezif. Repressor *inaktivieren*, der daraufhin die Enzymsynth. nicht mehr zu blockieren vermag (pos. E. od. *Aktivator, Induktor*). Solche die Enzymsynth. induzierenden E. sind entweder Substrate (Lactose ist pos. E. für das Lactose-spaltende Enzym β-Galactosidase) od. Hormone (Cortison ist pos. E. für Enzyme des Kohlenhydrat-Stoffwechsels). Über den von *Monod untersuchten *alloster.* Effekt bei der Einwirkung von E. (Endprodukthemmung) s. unter Allosterie. In der *Pflanzenphysiologie begegnet man dem Begriff *Phytoeffektoren* als Synonym für *Wachstumsregulatoren (vgl. a. Pflanzenwuchsstoffe), die z. B. in *Herbiziden eingesetzt werden. – *E* effectors – *F* effecteurs – *I* effettori – *S* efectores
Lit.: Schlegel (7.), S. 544 f. ■ Strickberger, Genetics, S. 600–603, New York: Macmillan Publ. Comp. 1985.

Effektor-Zellen s. Immunsystem.

Effenberger, Franz (geb. 1930), Prof. für Organ. Chemie, Univ. Stuttgart. *Arbeitsgebiete:* Präparative u. mechanist. organ. Chemie mit den Schwerpunkten: Chemie der Aromaten u. Heterocyclen; Chemie u. Synth. von α-Aminosäuren; Anw. von Enzymen in der organ. Synth.; Herst. u. Untersuchung von Modell-Verb. für die Molekularelektronik; 1991 Auszeichnung mit dem Alexander von Humboldt Preis der gleichnamigen Stiftung.
Lit.: Kürschner (16.), S. 681 ■ Nachr. Chem. Tech. Lab. **39**, Nr. 2, 232 (1991).

Efferveszenz. Von latein.: effervescere = sieden, aufbrausen abgeleitetes, selten gebrauchtes Synonym für Aufbrausen, Sprudeln, Überschäumen, z. B. von gärenden Flüssigkeiten od. von festen Präp. an feuchter Luft. – *E* = *F* effervescence – *I* effervescenza – *S* efervescencia

Effloreszenz (von latein.: efflorescere = erblühen). Bez. für Ausblühungen, z. B. von Salzen wie Salpeter auf Mauerwerk von Viehstallungen, auch medizin. als sichtbare Hautveränderung (Pusteln). Im engl. Sprachgebrauch auch Bez. für Verwitterungserscheinungen von Krist. aufgrund spontanen Kristallwasser-Verlusts (vgl. Hydrate). – *E* = *F* efflorescence – *I* efflorescenza – *S* eflorescencia

Efflumidex®. Augentropfen mit *Fluorometholon in Polyvinylalkohol-Suspension gegen Augenentzündungen u. -allergien; Efflumycin® enthält zusätzlich *Neomycin-Sulfat. *B.:* Pharm-Allergan.

Effortil®. Tabl., Saft, Tropfen u. Ampullen mit *Etilefrin-Hydrochlorid gegen Kreislaufkollaps u. Hypotonie, E. plus (Kapseln, Lsg.) enthält zusätzlich *Dihydroergotamin-Mesilat. *B.:* Boehringer-Ingelheim.

Effusiometer. Gerät zur Best. der *Gasdichte. – *E* effusiometer – *F* effusiomètre – *I* effusiometro – *S* efusiómetro

Effusion. Bez. für das Ausströmen von Gasen aus engen Röhren, Poren usw., s. Diffusion. $-E=F$ effusion $-I$ effusione $-S$ efusión

Effusivgesteine s. Vulkanite.

EF-Hand (Calmodulin-Faltung). Strukturmotiv der *Calmodulin-Familie *Calcium-bindender Proteine, bestehend aus einer Helix (E), einer verbindenden Polypeptid-Schleife, die das gebundene Calcium-Ion umgibt, u. einer weiteren Helix (F), die etwa wie der ausgestreckte Zeigefinger, der gebeugte Mittelfinger u. der abgespreizte Daumen einer rechten Hand angeordnet sind. Das Motiv ist vierfach in Calmodulin enthalten. Mitglieder der Protein-Familie sind neben Calmodulin u. a. *Troponin C, *Parvalbumin, α-*Actinin, *Calcineurin B, *Calbindin D_{9K}, *Calpain (große Untereinheit) u. das *S-100-Protein. – E EF hand – F main EF – $I=S$ mano EF

Lit.: Annu. Rev. Biophys. Biomol. Struct. **23**, 473–507 (1994) ▪ Trends Biochem. Sci. **21**, 14 ff. (1996).

Eflornithin.

$$H_2N-CH_2-CH_2-CH_2-\underset{\underset{NH_3^+}{|}}{\overset{\overset{CHF_2}{|}}{C}}-COO^-$$

Internat. Freiname für 2-(Difluormethyl)-DL-ornithin (DFMO), $C_6H_{12}F_2N_2O_2$, M_R 182,17; verwendet wird das Hydrochlorid, Schmp. 183°C. E. greift als Ornithin-Decarboxylase-Hemmstoff in den *Polyamin-Stoffwechsel von *Trypanosomen ein. Die beste Wirksamkeit wird bei intaktem Immunsyst. erzielt, da es auf die Trypanosomen vorwiegend cytostat. wirkt. Die Wirkung läßt sich jedoch in Kombination mit *Bleomycin od. Suramin potenzieren. Die im Tierversuch gefundene gute tumorhemmende Wirkung zeigt bei Tumorpatienten auch nur in Kombination mit *Adriamycin od. *Vindesin gute Wirksamkeit. – $E=F$ eflornithine – $I=S$ eflornitina

Lit.: Hager (5.) **8**, 8ff. ▪ Pharm. Unserer Zeit **18**, 97–111 (1989). – *[HS 2922 49; CAS 67037-37-0]*

EFTA. Abk. für *European Free Trade Association* = Europäische Freihandelsassoziation (kleine Freihandelszone), eine am 4.01.1960 gegr. Wirtschaftsgemeinschaft, der z.Z. (1996) Island, Norwegen u. die Schweiz angehören. Die EFTA-Länder genießen innerhalb ihrer Gemeinschaft Zoll- u. Einfuhrprivilegien. Sitz der Administration ist Genf. Dänemark u. Großbritannien haben 1973, Portugal 1986, Finnland, Österreich u. Schweden 1994 die EFTA verlassen u. sich der *EG angeschlossen.

Efweko®. Farbruße mit Bindemitteln auf Nitrocellulose-Basis für Lacke. *B.:* Degussa.

EG. Abk. für *E*uropäische *G*emeinschaft, ein aus der 1957 gegr. Europäischen Wirtschaftsgemeinschaft (EWG) hervorgegangener zwischenstaatlicher Zusammenschluß der Länder BRD, Belgien, Dänemark (seit 1973), Frankreich, Griechenland (seit 1981), Großbritannien u. Nordirland (seit 1973), Irland (seit 1973), Italien, Luxemburg, Niederlande, Portugal u. Spanien (seit 1986), Österreich, Schweden u. Finnland (seit 1994); die Türkei u. zahlreiche afrikan. Länder sind assoziierte Mitglieder. Die EG besitzt gemeinsame Organe: Parlament (in Straßburg), Rat (in Kommission (in Brüssel) u. Gerichtshof (in Luxemburg). Verwaltungssitz ist Brüssel. Ziel der EG ist wirtschaftliche, polit., sozialpolit. Integration, Vereinheitlichung des Zoll- u. Steuerwesens etc. Mit dem Maastrichter Vertrag von 1991 haben die Mitgliedsländer die Einrichtung einer Europäischen Währungsunion (EWU) bis spätestens 1999 vereinbart.

EGA. Abk. für *E* evolved gas analysis, s. Emissionsgasthermoanalyse.

EG-Abfall-Richtlinie s. EG-Richtlinie über Abfälle.

EG-Abfallverbringungs-Verordnung s. Abfallverbringung.

Egalisal®. Protein-Hydrolysat, Faserschutzmittel für die Textil-Industrie. *B.:* Grünau.

Egalisiermittel. Grenzflächenaktive Textilfärbereihilfsmittel, welche die Aufgabe haben, die zu färbende Faser/Fasermischung gut zu netzen, das Durchfärben der Fasern zu fördern u. zu rasches Aufziehen der Farbstoffe, das zur Unegalität (Fleckigkeit) führen kann, beim Färbeprozeß zu verhindern. Als E. kommen u. a. Ölsulfonate, Fettalkoholsulfate, Fettsäure-Kondensationsprodukte, Alkyl- u. Alkylarylpolyglykolether, allg. grenzflächenaktive Stoffe (*Tenside) u. bei kation. Farbstoffen für PAC-Fasern kation. Produkte als Retarder (Verzögerer) in Betracht. – E levelling agents – F agent d'unisson, agent d'harmonisation – I agenti eguaglianti – S agente de igualación, igualador

Lit.: Ullmann (5.) **A 26**, 227–350 ▪ Winnacker-Küchler (4.) **7**, 97.

EG-Altstoffverordnung. Bez. für die VO (EWG) Nr. 793/93 des Rates der EG vom 23.3.1993 zur Bewertung u. Kontrolle der Umweltrisiken chem. Altstoffe. Diese VO regelt die Erfassung, Verbreitung u. Zugänglichkeit von Informationen über *Altstoffe u. die Bewertung ihrer Risiken für Mensch u. Umwelt. Sie gilt für in der EU hergestellte od. für importierte Altstoffe. Sie gilt unmittelbar u. bedarf keiner nat. Umsetzung. – F règlementation européenne sur les résidus – S reglamento de la comunidad europea de residuos

Lit.: Amtsblatt der EG Nr. L 84, S. 1 (5.4.1993) ▪ Schlottmann (Hrsg.), Prüfmethoden für Chemikalien (Loseblattsammlung, 1. Aufl., 1. Ergänzungslieferung), S. 183–323, Stuttgart: Hirzel 1994 ▪ UBA (Hrsg.), Jahresbericht 1993, S. 114f., Berlin: Selbstverl. 1994.

Eganal®. Sortiment von Egalisier- u. Dispergiermitteln für das Färben von Wolle u. Polyamidfasern, Polyester-Cellulosefasern u. deren Mischung. *B.:* Hoechst.

EGF, -Rezeptor s. epidermaler Wachstumsfaktor.

Eggert, John (1891–1973), Prof. für Physikal. Chemie, Agfa AG, Photograph. Inst. ETH Zürich. *Arbeitsgebiete:* Chem. Kinetik, Photochemie, bes. Photographie, Quantenausbeute bei der Entstehung des latenten photograph. Bildes, Standardisierung der photograph. Empfindlichkeit u. Körnigkeit, Röntgenphotographie, Tonphotographie.

Lit.: Pötsch, S. 130.

Eggonit s. Kolbeckit.

EG-Grenzwert. Zum Schutz vor berufsbedingten Erkrankungen hat die EG in Artikel 8.4 der Rahmenrichtlinie 80/1107/EWG, zuletzt geändert durch die Richtlinie 88/642/EWG, die Aufstellung von Grenzwerten gefordert. In Abhängigkeit von den Stoffeigenschaften wird zwischen ILV-Werten (*E Indicative Limit Values*) u. BLV-Werten (*Binding Limit Values*) unterschieden. ILV-Werte müssen bei der Aufstellung von nat. Grenzwerten berücksichtigt werden. BLV-Werte sind verbindliche Grenzwerte u. sind voraussichtlich krebserzeugenden Stoffen vorbehalten. – *E* EU-limit value – *F* valeur limite en communauté européenne – *I* valore limite CE – *S* valor límite de la CE
Lit.: Richtlinie 80/1107/EWG des Rates vom 27.11.1980 zum Schutz der Arbeitnehmer vor der Gefährdung durch chem., physikal. u. biolog. Arbeitsstoffe bei der Arbeit (ABl. EG Nr. L 327/8, S. 179); geändert durch Richtlinie 88/642/EWG vom 16.12.1988 (ABl. EG Nr. L 356/74, S. 185) ▪ Richtlinie 91/322/EWG des Rates vom 29.5.1991 zur Festsetzung von Richtgrenzwerten zur Durchführung der Richtlinie 80/1107/EWG über den Schutz der Arbeitnehmer vor der Gefährdung durch chem., physikal. u. biolog. Arbeitsstoffe bei der Arbeit (ABl. EG Nr. L 177, S. 22).

Eglin s. Thermitase.

Eglinton-Kupplung s. Kupp(e)lung.

EG-Ökoauditverordnung (EG-Umweltauditverordnung). Bez. für die VO (EWG) Nr. 1836/93 des Rates der Europäischen Union vom 29.6.1993 über die freiwillige Beteiligung gewerblicher Unternehmen an einem Gemeinschaftssyst. für das Umweltmanagement u. die Umweltbetriebsprüfung, abgekürzt *EMAS* (von *E Environmental Management and Audit Scheme*, d.h. Umweltmanagement- u. -prüfungssyst.), außerhalb Europas auch CEMAS (C=community, zur Kennzeichnung der Gültigkeit in EG u. *EU). Sie ist seit dem 13.4.1995 in allen EU-Staaten verbindlich. Die EG-Ö. soll einen marktwirtschaftlichen Anreiz für die eigenständige Wahrnehmung der unternehmer. Umweltverantwortung setzen. Die VO fördert die laufende Verbesserung der umweltbezogenen Leistungen, beschränkt sich aber auf Ind. u. Gewerbe. Drei Ziele werden genannt: 1. Schaffung u. Anw. eines Umweltmanagementsyst., das aus Zielvorgaben, Maßnahmen u. Instrumenten besteht. – 2. Systemat., objektive u. period. Bewertung der Erfolge, die aus der Anw. des Umweltmanagementsyst. resultieren. – 3. Unterrichtung der Öffentlichkeit über die umweltbezogenen Leistungen des Unternehmens am Standort.
In der BRD regelt das Umweltauditgesetz vom 15.12.1995 die Umsetzung dieser Verordnung. – *F* disposition européenne d'audit écologique – *S* reglamento del medio ambiente de la comunidad europea
Lit.: Kormann (Hrsg.), Umwelthaftung u. Umweltmanagement, S. 9–36, 85–93, München: Jehle 1994 ▪ Ullmann (5.) **B 7**, 372f. ▪ Z. Umweltpolitik Umweltrecht **18**, 299–339 (1995).

Egoistische Gene. E. G. sind *Gene, die über einen noch unbekannten Mechanismen verfügen, um andere Gene auf recht direkte Weise auszuschalten u. ihren Platz im Erbgut einzunehmen. Ein Beisp. ist das *psr*-Gen (paternal-sex-ratio) einer Wespenart, das nach der Befruchtung bewirkt, daß das männliche Erbgut zusammenklumpt u. damit vermehrungsunfähig ist. Wenn nur das Erbgut eines Elternteils im Ei vorhanden ist, entstehen automat. Männchen, *psr* vererbt also ausschließlich sich selbst weiter.
Beim Menschen gibt es *transponierbare Elemente u. B-Chromosomen, die neben dem normalen Chromosomensatz überzählig sind u. deren Aufgabe man bis heute nicht kennt. – *E* selfish genes – *F* gènes égoïstes – *I* geni egoistici – *S* genes egoístas
Lit.: Bioessays **17**, 579ff. (1995).

Egoutteur s. Papier.

EG-Richtlinie über Abfälle (EG-Abfall-Rahmenrichtlinie). Die EG-R. ü. A.[1] enthält Rahmenvorschriften für eine europaweit angeglichene nat. *Abfallentsorgung. Geregelt werden insbes.: – die Begriffe *Abfall, Beseitigung u. Verwertung, – Maßnahmen zur Förderung von *Abfallvermeidung u. -verwertung, – die Abfallentsorgungsplanung (Ziel: Entsorgungsautarkie), – Genehmigungs- u. Überwachungspflichten von Entsorgungsanlagen, – das Verursacherprinzip sowie – Berichtspflichten. Von Bedeutung für die nat. Entsorgungspraxis sind v.a. die Begriffsbestimmungen sowie das Ziel der Entsorgungsautarkie u. die damit verbundenen Maßnahmen (s.a. Abfallverbringung).
Abfall im Sinne der EG-R. ü. A. sind alle Stoffe u. Gegenstände, deren sich ihr Besitzer entledigt, entledigen will od. muß u. die unter eine der in einem Anhang I der Richtlinie aufgeführten Abfallgruppen fallen. Die Abfalldefinition der EG-R. ü. A. umfaßt auch verwertbare Stoffe (s. Reststoff), wobei man je nach Art des Verf., dem die Abfälle unterworfen werden, zwischen „Abfällen zur Beseitigung" u. „Abfällen zur Verwertung" unterscheidet. Die in der Praxis angewandten Beseitigungs- u. Verwertungsverf. sind in den Anhängen II A u. II B der Richtlinie aufgeführt. Im *Kreislaufwirtschafts- u. Abfallgesetz ist die Abfalldefinition der EG-R. ü. A. einschließlich der Anhänge I, II A u. II B ohne Änderung übernommen worden. – *E* EC-council directive on waste – *F* directive communautaire européenne sur les déchets – *I* direttiva CE sui rifiuti – *S* normas de la CE para los desechos
Lit.: [1]Richtlinie des Rates vom 15.07.1975 über Abfälle (75/442/EWG), ABl. der EG Nr. L 194, S. 47; geändert durch die Richtlinie vom 18.03.1991 (91/156/EWG), ABl. der EG Nr. L 78, S. 32.

EG-Richtlinie über gefährliche Abfälle. Die EG-R. ü. g. A.[1] dient der europaweiten Angleichung der nat. Rechtsvorschriften für den Bereich der gefährlichen *Abfälle. Zwar gelten auch für gefährliche Abfälle grundsätzlich die allg. Regelungen der *EG-Richtlinie über Abfälle; diese werden in der EG-R. ü. g. A. konkretisiert bzw. verschärft. Darüber hinaus werden jedoch zusätzliche Anforderungen an die Entsorgung (z.B. Getrennthaltungs-, Verpackungs- u. Kennzeichnungspflichten) sowie an deren Dokumentation u. Überwachung gestellt.
Gefährliche Abfälle im Sinne der Richtlinie sind Abfälle, die durch bestimmte gefahrenrelevante Eigenschaften (z.B. entzündbar, giftig, ätzend, etc.), eine bestimmte Beschaffenheit od. einen bestimmten Entstehungsvorgang gekennzeichnet sind bzw. bestimmte Bestandteile enthalten. Diese für die Gefährlichkeit ei-

nes Abfalls maßgeblichen Parameter sind in Anhängen der Richtlinie aufgeführt. Basierend auf der EG-R. ü. g. A. wurde ein „Verzeichnis gefährlicher Abfälle" erstellt (s. Abfallkatalog). – *E* EC-council directive on hazardous waste – *F* directive CE des déchets nocifs – *I* direttiva CE sui rifiuti pericolosi – *S* normas de la CE para los desechos nocivos
Lit.: [1] Richtlinie des Rates vom 12.12.1991 über gefährliche Abfälle (91/689/EWG), ABl. der EG Nr. L 377, S. 20, geändert durch die Richtlinie 94/31/EG (ABl. der EG Nr. L 168 vom 02.07.1994, S. 28).

EGTA. Abk. für Ethylenbis(oxyethylennitrilo)-tetraessigsäure als Chelatisierungsreagenz.

EG-Umweltauditverordnung s. EG-Ökoauditverordnung.

EG-Verzeichnis gefährlicher Abfälle s. Abfallkatalog.

EGW. Abk. für *Einwohnergleichwert.

EH. Kurzz. für Einpreßhilfen bei *Betonzusatzmitteln.

EHEC®. Wasserunlösl. Ethylhydroxyethylcellulose für Lacke u. Druckfarben. *B.:* Hercules.

Ehrenberg, Paul (1876–1956), Prof., Freising. *Arbeitsgebiete:* Agrikulturchemie, Bodenkunde, Pflanzen- u. Tierernährung, Düngung.
Lit.: Krafft, S. 110.

Ehrenfestsches Theorem. Von P. Ehrenfest (*Lit.*[1]) formulierter Satz der *Quantentheorie, wonach die quantenmech. *Erwartungswerte den Bewegungsgleichungen der klass. Mechanik gehorchen. – *E* Ehrenfest theorem – *F* théorème de Ehrenfest – *I* teorema di Ehrenfest – *S* teorema de Ehrenfest
Lit.: [1] Z. Phys. **45**, 455 (1927).

Ehrenpreis. Kleinwüchsige krautige Pflanze Europas, Nordamerikas u. Asiens mit kleinen blauen Blüten. Das Kraut der Art *Veronica officinalis* L. (Scrophulariaceae) wird volksmedizin. in Tees als *Expektorantiens eingesetzt. Es enthält 0,5–1% *Iridoid-Glykoside. Ein Wirkungsnachw. fehlt. – *E* male speedwell wort – *F* herbe de véronique – *I* scrofulariacee
Lit.: Bundesanzeiger Nr. 43 vom 02.03.1989 ▪ DAB 6, Ergänzungsbuch ▪ Wichtl (2.), S. 141 f. – *[HS 1211 90]*

Ehrhart, Gustav (1894–1971), Prof. für Pharmazeut. Chemie, Univ. Mainz, Hoechst AG. *Arbeitsgebiete:* Organ. Chemie, Synth. von Arzneimitteln, Antidiabetika, Diuretika, Hormone, pharmazeut. Zwischenprodukte, bes. Steroide.
Lit.: Dtsch. Apoth. Ztg. **1954**, 1231f. ▪ Nachr. Chem. Tech. **2**, 244 (1954); **12**, 489 (1964) ▪ Neufeldt, S. 210 ▪ Pharm. Ind. **1960**, 47.

Ehrlich, Paul (1854–1915), Chemiker, Arzt u. Bakteriologe, Direktor des Inst. für Experimentelle Therapie in Frankfurt. *Arbeitsgebiete:* Begründung der *Chemotherapie, Arsen-Präp., Syphilis-Heilmittel (*Salvarsan®), vitale Färbung, Diphtherie-Antitoxin, Seitenkettentheorie (nach der das Therapeutikum eine Haft- u. eine angreifende Gruppe enthalten muß), Histologie u. Klinik des Blutes, Anämie, Immunität; Nobelpreis für Medizin 1908.
Lit.: Bäumler, Paul Ehrlich, Frankfurt: Societäts-Verl. 1979 ▪ Krafft, S. 110 ▪ Neufeldt, S. 121, 371 ▪ Pötsch, S. 130.

Ehrlichs Reagenzien. Von P. *Ehrlich (1854–1915) entwickelte Reagenzien für die klin. Analyse. – (a) *Ehrlichs Diazo-Reagenz:* Aus einer Lsg. von Natriumnitrit u. einer Lsg. von Sulfanilsäure bestehendes Reagenz. Beim Vereinigen beider Lsg. entsteht Diazobenzolsulfonsäure, die zur *Bilirubin-Bestimmung im Serum verwendet wird. Diazotierte Aminobenzolsulfonsäure bildet dabei mit Bilirubin einen Azofarbstoff [1]. – (b) *Ehrlichs Porphobilinogen-Reagenz:* Lsg. von 2 g *4-Dimethylaminobenzaldehyd in 100 mL 20%iger Salzsäure bildet mit *Porphobilinogen einen kirschroten Farbkomplex. Die Reaktion dient dem Nachw. von Porphobilinogen im Urin (Hoesch-Test) [2]. Das verwandte *Ehrlich-Müller-(EM-)Reagenz* dient zum Nachw. von Azulen-Derivaten in ether. Ölen [3]. – *E* Ehrlich's reagents – *F* réactifs d'Ehrlich – *I* reagenti di Ehrlich – *S* reactivos de Ehrlich
Lit.: [1] Biochem. Z. **297**, 81 (1938). [2] Dtsch. Med. Wochenschr. **108**, 878 (1983). [3] Seife, Öle, Fette, Wachse **100**, 289 (1974). – *[CAS 100-10-7]*

EHT. Abk. für *Extended Hückel Theory*, eine von Roald *Hoffmann (*Lit.*[1]) vorgenommene Erweiterung der Hückelschen *Molekülorbital-Meth. (s. HMO-Theorie), die sämtliche Valenzelektronen berücksichtigt. Wie bei der HMO-Meth. wird der *Hamiltonoperator nahezu vollständig parametrisiert; lediglich *Überlappungsintegrale über *Slater-Funktionen müssen ausgerechnet werden. Damit ist der Rechenaufwand gering u. dieses Verf. kann zur Untersuchung großer Mol. u. *Cluster-Verbindungen herangezogen werden. – *E* extended Hückel theory
Lit.: [1] J. Chem. Phys. **39**, 1397 (1963).
allg.: Reinhold, Quantentheorie der Moleküle, Stuttgart: Teubner 1994.

EIA. Abk. für *Enzymimmunoassay.

Eibe. Geschützter, zweihäusiger Nadelbaum Europas (*Taxus baccata* L., Taxaceae), der in allen Pflanzenteilen außer dem Fruchtfleisch (dem sog. Arillus) der roten Beeren giftiges *Taxin enthält. Weitere Inhaltsstoffe sind Biflavonoide u. *cyanogene Glykoside. Im Altertum wurden E.-Zweige vielfach zu Vergiftungen benutzt; bei Erwachsenen sollen Abkochungen von 50–100 g E.-Nadeln tödlich wirken können. *Taxol, ein neues *Cytostatikum, wurde aus der kaliforn. *T. brevifolia* isoliert; in *T. baccata* ist es nur in Spuren enthalten [1]. – *E* yew tree – *F* if – *I* tasso – *S* tejo
Lit.: [1] Dtsch. Apoth. Ztg. **134**, 3389–3400 (1994).
allg.: Frohne u. Pfänder, Giftpflanzen, Stuttgart: Wissenschaftliche Verlagsges. 1996 ▪ Hager (5.) **6**, 904–910. – *[HS 1211 90]*

Eibischwurzel. Offizinell gebrauchte Wurzeln des auf feuchten, salzhaltigen Böden heim. echten Eibisch (*Althaea officinalis* L., Malvaceae). Die Droge kommt ungeschält (ca. 20 cm lange, 2 cm dicke Stücke) od. geschält, auch als Macerat in den Handel. Sie dient innerlich bei Katarrhen der Atmungswege, äußerlich zu Schleimhautspülungen als Schleimdroge. Bestandteile der E. sind u. a. *Schleimstoffe u. *Polysaccharide. – *E* althea, marshmallow root – *F* racine de guimauve – *I* altea, malvacea – *S* raíz de malvavisco
Lit.: Bundesanzeiger 43/02.03.89 ▪ DAB **1996** u. Komm. ▪ Hager (5.) **4**, 233 ff. ▪ Wichtl (2.) 144 ff. – *[HS 1211 90]*

Eichbosonen s. Elementarteilchen.

Eiche s. Eichenrinde.

Eichen s. Kalibrieren.

Eichengrün, Arthur (1867–1949), Erfinder u. Industrieller. *Arbeitsgebiete:* Acetylcellulosen, Herst. von Cellit, Cellon usw., Spritzdruck-Verf. für Celluloseacetate.
Lit.: Neufeldt, S. 112 ▪ Pötsch, S. 131.

Eichenmoos. Gattungsbez. für *Flechten der Familie Usneaceae (Bartflechten, auf Rinden lebend), die neben charakterist. *Depsiden sog. Flechtensäuren wie die antibakteriell wirkende *Usninsäure enthalten u. als *Mousse de chêne* (eigentliches Eichenmoos von der Bandflechte *Evernia prunastri*, in Italien, Dalmatien, Frankreich u. Marokko auf Eichen), *Mousse d'arbre* (eigentliches Baummoos, von *Evernia furfuracea*, Bandflechtenart, in Frankreich u. Marokko auf verschiedenen Bäumen) u. *Mousse de barbe* (sog. „lichen", Bartmoos von *Usnea barbata* = eigentliche Bartflechte, in der ehem. Tschechoslowakei, Spanien, Ungarn, Frankreich auf „Akazien" = *Robinia pseudoacacia*, Pflaumen, Birnen) im Handel sind. Die Flechten werden präpariert u. mit Lsm. (Benzin, Benzol, Petrolether, Alkohol) extrahiert. Man erhält folgende Extraktionsprodukte: (a) Concrètes (s. Absolues; bestes mit Petrolether od. Thiophen-freiem Benzol), (b) *Absolues (Alkoholextrakt aus dem Concrète), (c) *Resinoide (Alkoholextrakt). Bei der Extraktion mit Alkohol kommen Hydrolyse, Veresterung u. Umesterung vor. Die Ausbeute an Concrète aus dem E. beträgt 4–6%, dies wiederum liefert ca. 40–60% Absolue. In dem neutralen Anteil der E.-Extrakte befinden sich Riechstoffe wie α- u. β-*Thujon, *Campher, *Borneol, *Cineol, *Phenole, *Geraniol, Citronellol, *Vanillin u. andere. Der Duft der E.-Spezialitäten wirkt abrundend, füllend u. fixierend. Sie finden bei der Herst. vieler Parfums, insbes. Chypre u. Fougère, Verwendung. – *E* oak moss – *F* mousse de chêne – *I* musco di quercia – *S* musgo de roble, de encina – *[HS 1211 90]*

Eichenrinde. Getrocknete Rinde junger Stämme u. Zweige der Stiel- od. Sommereiche (*Quercus robur* L.) u. der Stein- od. Wintereiche (*Q. petraea* (Matt.) Liebl; Fagaceae), deren wäss. Dekokte aufgrund ihres *Gerbstoff-Gehalts adstringierend wirken u. daher innerlich gegen Durchfall, äußerlich gegen Fluor, Ausschläge, Ulcus cruris u. Fußschweiß verwendet werden. Aufgrund des Gehalts an *Phloroglucin u. *Brenzcatechin-Gerbstoffen (6–17%) auch Verw. in der Gerberei (sog. *Eichenlohe*). – *E* oak bark – *F* écorce de chêne – *I* scorza di quercia – *S* corteza de roble
Lit.: Hager (5.) **6**, 335–354 ▪ Wichtl (2.) S. 148f. – *[HS 1404 90]*

Eichmetall. *Sondermessing mit 60% Cu, 38% Zn u. 2% Fe. Aus ästhet. sowie Beständigkeits- u. Verarbeitungsgründen histor. verwendet für Eich- u. Meßgeräte. – *E* sterro metal – *I* metallo di taratura – *S* metal de contraste, metal Muntz
Lit.: DIN 17 660 (12/1983).

Eichsubstanzen, Eichung s. Kalibrieren.

Eicos(a)... Von griech.: eikosi = zwanzig abgeleiteter Zahlenvorsatz in systemat. Namen, der in den IUPAC-Regeln A-1.1, R-4.1 u. I-Tab. III zugunsten von *Icos(a)...* aufgegeben, jedoch in der Lit., Beilstein's Handbuch u. Chemical Abstracts beibehalten wird. – *E* = *F* = *S* eicos(a) – *I* eicos(a)...

Eicosanoide. Ungesätt. Fettsäuren mit 20 C-Atomen u. deren Derivate. Sie sind Vorstufen von zahlreichen Regulationsstoffen im menschlichen u. tier. Organismus. Wichtige acycl. Abkömmlinge sind z.B. die *Leukotriene u. *Lipoxine, cycl. Derivate die *Prostaglandine, *Thromboxane u. Endoperoxide. – *E* eicosanoids – *F* eicosanoïdes – *I* eicosanoidi – *S* eicosanoides
Lit.: Adv. Lipid Res. **23**, 169, 199 (1989) ▪ Pharm. Unserer Zeit **16**, 1–11 (1987) ▪ Pharmacol. Ther. **44**, 1–62 (1989). – *Analytik:* Biomed. Biochim. Acta **47**, S. 13–18 (1989). – *Pharmakologie:* Rev. Physiol. Pharmacol. **12**, 1 (1992). – *Zeitschrift:* Eicosanoids, Berlin: Springer, seit 1988 ▪ s. a. Einzelstichworte.

Eicosansäure s. Arachinsäure.

Eicosapen®. Kapseln mit fettem Öl von Hochseefisch, standardisiert auf Eicosapentaen- u. Docosahexaensäuren zur Senkung des Triglyceridspiegels. *B.:* Nycomed.

5,8,11,14,17-Eicosapentaensäure (EPA, 5,8,11,14,17-Icosapentaensäure).

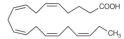

$C_{20}H_{30}O_2$, M_R 302,46, Öl, n_D^{20} 1,4986. Wichtige ungesätt. Fettsäure aus Fischöl (als Glycerid) u. tier. Phospholipiden. E. ist der Vorläufer der Prostaglandin-3- (PG_3) u. Thromboxan-3-Gruppe (TBX_3) u. verfügt über wichtige pharmakolog. Eigenschaften: E. wirkt u.a. gegen kardiovaskuläre Beschwerden, arterielle Thrombosen, Arthritis, Schuppenflechte, Diabetes mellitus. E.-Präparate sind insbes. in Japan von wirtschaftlicher Bedeutung. – *E* eicosapentaenoic acid – *F* acide eicosa pentaenoïque – *I* acido eicosapentaenoico – *S* ácido eicosapentaenoico
Lit.: Am. J. Cardiol. **59**, 155 (1986) ▪ Atheroscler. Rev. **13**, 127–143 (1985) ▪ Beilstein E IV **2**, 1808 ▪ Ernähr.-Umsch. **33**, 218 ff. (1986) ▪ N. Engl. J. Med. **318**, 549–557 (1988) ▪ Nutrition **4**, 337–341 (1988) ▪ Prog. Food Nutr. Sci. **12**, 111–150 (1988) ▪ Prog. Lipid Res. **25**, 273–276 (1986). – *[CAS 1553-41-9]*

5,8,11,14-Eicosatetraensäure s. Arachidonsäure.

EID. Abk. für Elektronen-induzierte *Desorption, eine *Oberflächenanalyse-Methode, bei der durch Elektronenstoß Oberflächenteilchen desorbiert u. massenspektrometr. untersucht werden. – *E* electron induced desorption – *F* désorption par induction électronique – *I* dissorbimento indotto tramite elettroni – *S* desorción por inducción electrónica
Lit.: Brümmer et al. (Hrsg.), Handbuch der Festkörperanalyse mit Elektronen, Ionen u. Röntgenstrahlen, Braunschweig: Vieweg 1980 ▪ Kohlrausch, Praktische Physik, Bd. 2, S. 718, Stuttgart: Teubner 1996 ▪ Nachr. Chem. Tech. Lab. **37**, M1 (1989) ▪ Phys. Bl. **45**, A 828 (1989).

Eiden, Friedrich Karl (geb. 1925), Prof. für Pharmazie u. Lebensmittelchemie, Direktor des Inst. für Phar-

mazie u. Lebensmittelchemie, Univ. München. *Arbeitsgebiete:* Synth. u. Analyse von Arzneistoffen, Untersuchung von Struktur- u. Wirkungsbeziehungen bei Analgetika u. Psychopharmaka.
Lit.: Kürschner (16.), S. 703 ▪ Wer ist wer, S. 280.

Eidotter s. Eier.

Eier. Der Begriff E. bezieht sich ohne Zusätze im allg. auf Hühnereier, die für die menschliche Ernährung die größte Bedeutung haben. Die E. anderer Vogelarten (Gans, Ente, Taube, Wachtel) treten im Vgl. zu Hühner-E. stark zurück u. müssen stets nach der Herkunft bezeichnet werden. Das Durchschnittsgew. eines Hühnereis liegt bei 58 g. Gewichtsmäßig entfallen davon etwa 10% auf die Schale, 33% auf den Eidotter u. 57% auf das Eiklar.

Das *Vollei* entspricht ernährungsphysiol. optimal den Erfordernissen des Menschen, weshalb seine Konz. an *essentiellen *Aminosäuren als Bezugseinheit zur Berechnung der biolog. Wertigkeit anderer Eiweiße verwendet wird. Über die durchschnittliche Zusammensetzung von Hühnereiern orientiert die Tab 1.[1].

Tab. 1: Durchschnittliche Zusammensetzung von Hühnereiern.

Fraktion	Trocken-masse [%]	Proteine [%]	Fette [%]	Kohlen-hydrate [%]	Mineral-stoffe [%]
Schale	98,4	3,3			95,1
Eiklar	12,1	10,6	0,03	0,9	0,6
Eidotter	51,3	16,6	32,6	1,0	1,1

Die *E.-Schale* ist 0,2–0,4 mm dick u. je nach Rasse weiß od. braun gefärbt. Sie setzt sich aus einem Protein-Gerüst (Protein-Mucopolysaccharid-Komplex) zusammen, in das Calciumcarbonat sowie geringe Mengen anderer Ca- u. Mg-Salze eingelagert sind. Die Schale enthält Poren (7000–17000 pro E.), die von Protein-Fasern erfüllt sind. Ist die Kalkabscheidung im Eileiter gestört od. enthält das Futter zu wenig Kalk, so legen die Hühner dünnschalige od. schalenlose E. (Wind- od. Fließ-E.). Eiklar, das aus 2 dünnflüssigen, durch eine dickflüssige Schicht getrennten Schichten besteht, ist eine ca. 10%ige wäss. Lsg. verschiedener globulärer Proteine, wobei *Ovalbumin mit 54%, *Conalbumin mit 12% u. Ovomucoid mit 11% den größten Anteil am Gesamtprotein haben. Die Kohlenhydrate (ca. 1%) sind zu etwa 50% Protein-gebunden (z.B. in Ovalbumin, *Avidin) u. zu 50% frei. Unter den freien Kohlenhydraten dominiert die Glucose, während freie Oligo- u. Polysaccharide ganz fehlen. Eiklar hat einen verschwindend geringen Lipid- u. Mineralstoff-Gehalt. Über das Vork. einiger Vitamine in Vollei, Eiklar u. Eidotter informiert die Tab. 2.

Die technolog. wichtigste Eigenschaft des *Eiklars* ist sein Schaumbildungsvermögen. Der dabei gebildete E.-Schaum wird zur Einarbeitung von Luft u. damit zur Lockerung von Lebensmitteln eingesetzt.

Der *Eidotter* ist eine Fett-Wasser-Emulsion mit einer Trockenmasse von ca. 50%, die zu zwei Dritteln aus Proteinen u. zu einem Drittel aus Lipiden besteht. Er enthält sowohl *Lipoproteine als auch *Phosphoproteine mit einem Phosphor-Gehalt von 10%. Die Lipid-

Tab. 2: Vitamin-Gehalte im Vollei, Eiklar u. Eidotter.

Vitamin (mg/100 g eßbarer Anteil)	Vollei	Eiklar	Eidotter
*Retinol	0,22	0	1,12
*Tocopherol	1,0	0	3,0
*Thiamin	0,11	Spuren	0,29
*Riboflavin	0,3	0,27	0,44
Niacin	0,1	0,1	0,1
Pantothensäure	1,59	0,14	3,72
*Biotin	0,0025	0,007	–

Fraktion des Eidotters besteht zu 66% aus *Triglyceriden, zu 28% aus *Phospholipiden u. zu 6% aus *Cholesterin, Cholesterinestern u. sonstigen Verbindungen. Die Lipoproteine u. Proteine des Eidotters sind für seine emulgierende Wirkung, die z.B. bei der Herst. von *Mayonnaisen u. Eierlikör ausgenutzt wird, verantwortlich. Die Gelbfärbung des Eidotters ist in erster Linie auf *Carotinoide wie z.B. *Zeaxanthin u. *Xanthophyll zurückzuführen. Durch einen erhöhten Carotinoid-Anteil im Futter kann die Intensität der Dotterfarbe beeinflußt werden[1,2].

E. werden in rohem u. erhitztem Zustand etwa gleich gut verwertet. Rohes Eiklar jedoch kann infolge seines Gehaltes an Avidin (bildet nicht bioverfügbare Biotin-Komplexe) bzw. an Ovomucoid (einem Trypsin-Inhibitor) zu Stoffwechselstörungen führen, wenn es in großen Mengen verzehrt wird. Beide Verb. werden beim Kochen u. Backen inaktiviert.

Bei der Lagerung von E. kommt es zu einer Reihe von Veränderungen. Die Diffusion von Kohlendioxid durch die Schale bewirkt einen deutlichen pH-Anstieg v. a. im Eiklar. Da durch die Schale Wasserdampf nach außen tritt, kommt es zusätzlich zu einer Verringerung der Dichte (Ausgangswert 1,086 g/cm^3), sowie zu einer Vergrößerung der Luftkammer u. zu einer Abnahme der Viskosität des Eiklars. Die genannten Veränderungen werden auch zur Bestimmung des Eialters herangezogen. Infolge der porösen Schale können aber auch Mikroorganismen wie z.B. *Salmonellen in das E. eindringen u. zum Verderb führen[3]. Besondere Gefahr für eine Salmonellen-Kontamination besteht bei Enten-E., weshalb diese nur nach ausreichender Erhitzung verzehrt werden dürfen. Charakterist. für den mikrobiellen Verderb v. E. ist die Erhöhung des Gehaltes an *Bernsteinsäure. Eine Erhöhung des 3-Hydroxybuttersäure-Gehaltes hingegen gilt als Indiz für befruchtete u. bebrütete Eier.[4].

E. werden nach den Vermarktungsnormen der EWG-VO 2772/75 in 3 Güteklassen mit bestimmten Qualitätsmerkmalen u. 7 Gewichtsklassen unterteilt. Im Handel werden hauptsächlich E. der Handelsklasse A („frisch") angeboten, während E. der Handelsklasse B („haltbar gemacht") kaum im Handel sind. E. der Klasse C („aussortiert, für die Nahrungsmittel-Ind. bestimmt") dürfen im Einzelhandel nicht angeboten werden. Ein großer Teil der Eiproduktion wird zu Eiprodukten verarbeitet u. zu flüssigen, gefrorenen od. getrockneten Halbfabrikaten weiterverarbeitet. – *E* egg – *F* oeuf – *I* uova – *S* huevos

Lit.: [1] Belitz-Grosch (4.), S. 438–450. [2] Die Nahrung **28**, 335–340 (1984). [3] J. Food Protection **46**, 1092–1098 (1983). [4] Z. Lebensm. Unters. Forsch. **175**, 101–112 (1982).

allg.: Dtsch. Lebensm.-Rundsch. **82**, 182 ff. (1986); **85**, 1–5 (1989) ▪ Großklaus, Rückstände in von Tieren stammenden Lebensmitteln, Berlin: Parey 1988 ▪ Gutcho, Dairy Products and Eggs, Park Ridge: Noyes 1978 ▪ Seeman, Eiqualität ein Begriff im Wandel, in Entwicklungen in der Geflügelproduktion, S. 27–38, Stuttgart: Ulmer 1989 ▪ Stadelman u. Cotterill, Egg Science and Technology, Wesport: Avi 1986.

Eierkonservierung. Frische *Eier sind im Innern in über 95% aller Fälle frei von Bakterien u. Schimmelpilzen. Sie behalten ihre Frischequalität bis ca. 14 d bei. Nach Lagerung in trockener, warmer Luft verdunstet Wasser durch die Poren der Eierschale, u. von außen dringt Luft ein, in der Bakterien, Schimmelpilzsporen u. dgl. enthalten sind. Bei Aufbewahrung in Kühlhäusern bei 0–1,5 °C u. 85–90% relativer Luftfeuchtigkeit läßt sich die Verdunstung verlangsamen u. das Bakterienwachstum unterbinden. Durch Lagerung unter Schutzgas [CO_2/N_2-Gemische unter Druck, Luft mit CO_2 (bis 45%)] läßt sich die Haltbarkeit weiter steigern. Gelegentlich werden Eier vor der Einlagerung auch mit Schutzüberzügen (Öle u. a.) versehen od. pasteurisiert (z. B. durch Bestrahlen). Eine früher häufig angewendete Meth. zur Konservierung der Eier war das Einlegen in porenverstopfende, desinfizierend wirkende Lsg., z. B. in klare Kalkwasser-Lsg. [$Ca(OH)_2$] od. dünne Kalkmilch (*Einkalken*), wobei die Schale durch Bildung von Calciumcarbonat an der Luft abdichtet, od. in *Wasserglas*-Lsg. (käufliches Wasserglas mit der 10fachen Wassermenge verdünnt), wobei die Poren durch Silicat-Bildung verkittet werden. Das heute industriell bedeutsame Flüssigei darf im Hinblick auf die Salmonellen-Gefahr z. B. mit Nisin (USA) od. Kaliumsorbat (EU) konserviert werden. – *E* egg preservation – *F* conservation d'œufs – *I* conservazione di uova – *S* conservación de huevos
Lit.: s. Eier u. Konservierung.

Eierlegepulver s. Futtermittelzusatzstoffe.

Eierlikör s. Spirituosen.

Eieröl. Dunkles Öl, D. 0,95, in vielen organ. Lsm. lösl., in Wasser unlösl., aber dispergierbar. E. wird aus erhitztem u. geronnenem Eigelb durch Auspressen od. durch Extraktion der *Eier mit 1,2-Dichlorethan erhalten. Ungefähre Zusammensetzung: 63% Fette, 33% Phospholipide, 5% Sterine u. dgl.; aus dem E. wurden Palmitin-, Stearin-, Öl-, Linol- u. Clupanodonsäure isoliert. Wirkt als Wasser-in-Öl-Emulgator, erstarrt bei Abkühlung unter 10 °C. E. wird in Hautcremes [freie Fettsäuren durch Tris(2-hydroxyethyl)-amin neutralisierbar] u. Eishampoos verwendet. – *E* egg oil – *F* huile d'œufs – *I* olio di uova – *S* aceite de huevos

Eigen, Manfred (geb. 1927), Prof. Dr. rer. nat. Dr. h.c. (mult.) Direktor am MPI für Biophysikal. Chemie, Göttingen. *Arbeitsgebiete:* Chem. Reaktionskinetik, Schnelle Reaktionen, Enzymreaktionen, Anw. mathemat. u. physikal. Modellvorstellungen in der Biophysik, Selbstorganisation natürlicher Syst., Evolutionstheorie. Nobelpreis für Chemie 1967 (zusammen mit *Norrish u. Baron G. *Porter).
Lit.: Chem. Labor Betr. **19**, 151 ff. (1968) ▪ Kürschner (16.), S. 704 ▪ Nachr. Chem. Tech. **10**, 295 f., 315 (1962); **15**, 431 ff. (1967) ▪ Nachr. Chem. Tech. Lab. **40**, Nr. 4, 498 (1992) ▪ Neufeldt, S. 238, 369, 382 ▪ Pötsch, S. 131 ▪ Science **158**, 746 ff. (1967) ▪ Wer ist wer, S. 280.

Eigenklebrigkeit s. Autohäsion.

Eigenleiter s. Halbleiter.

Eigenüberwachung s. Selbstüberwachung.

Eigenvolumen s. Gasgesetze.

Eigenwerte s. Eigenwertproblem.

Eigenwertproblem. Begriff aus der Mathematik. Hierbei handelt es sich um ein lineares Problem, bei dem die Anw. einer linearen Operationsvorschrift auf ein mathemat. Objekt dieses bis auf einen Zahlenfaktor, den sog. *Eigenwert*, reproduziert. Als Objekte kommen hierbei Vektoren, *Matrizen od. Funktionen einer od. mehrerer Veränderlicher in Betracht. Für die Chemie sind v. a. *algebraische E.* des Typs $\underline{A}\,\underline{C} = \lambda\,\underline{C}$ wichtig. $\underline{A}$ ist hierbei eine vorgegebene Matrix, $\underline{C}$ ist der zum Eigenwert λ gehörende *Eigenvektor*. – *E* eigen value problem – *F* problème aux valeurs propres – *I* problema dei valori propri – *S* problema de los valores propios

Eijkman, Christiaan (1858–1930), Prof. für Medizin. E. führte die Krankheit *Beri-Beri auf einen Mangel an Vitamin B_1 zurück. Dafür 1929 zusammen mit Sir F. G. *Hopkins Nobelpreis für Medizin od. Physiologie. Er lieferte wichtige Beiträge zur Wasserhygiene.
Lit.: Neufeldt, S. 126, 372.

Eiklar s. Eier.

Einatembare Aerosole. Der Anteil des im Atembereich vorhandenen *Aerosols, der eingeatmet werden kann. Entscheidend dafür ist die Luft-Ansauggeschw. u. die Umströmung des Kopfes. Mit zunehmender Teilchengröße nimmt die Einatembarkeit der Aerosole ab. Der eingeatmete Anteil kann im Körper deponiert od. wieder ausgeatmet werden. Ein relativ grobkörniger Anteil kann im Nasen-, Rachen- u. Kehlkopf-Bereich (extrathorakal), ein feinkörnigerer (auch als thoraxgängig bezeichnet) in Luftröhre (Trachea) u. Bronchien u. ein noch feinerer Anteil (s. Feinstaub) in den Lungenbläschen (Alveolen) abgeschieden werden.

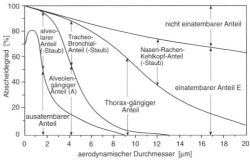

Abb.: Aerosolanteile in Abhängigkeit vom aerodynam. Durchmesser [1].

– *E* inhalable aerosols – *F* aérosols inhalables – *I* aerosoli aspirabili – *S* aerosoles inhalables
Lit.: [1] DFG (Hrsg.), MAK- u. BAT-Werte-Liste 1996, S. 145–152, Weinheim: VCH Verlagsges. 1996.

Einatomig. Die meisten Stoffe sind aus zwei od. mehr gleichartigen (*chemische Elemente) od. verschiedenartigen (*chemische Verbindungen) *Atomen zusammengesetzt. In *Edelgasen u. vielen Metalldämpfen liegen die Elemente jedoch in e. Form vor, d. h., sie bestehen aus einzelnen, unverbundenen Atomen. – *E* monoatomic – *F* monoatomique – *I* monoatomico – *S* monoatómico

Einbalsamierung s. Konservierung (von biolog. Objekten).

Einbasige Säuren. Ursprünglich von *Liebig eingeführte Bez. für solche anorgan. od. organ. Säuren, in denen *ein* dissoziierbares H durch Metalle od. einen einwertigen organ. Rest ersetzbar ist; *Beisp.:* Salzsäure, Salpetersäure, Essigsäure, Acrylsäure, Benzoesäure. Näheres s. bei Säuren u. Basizität. – *E* monobasic acids – *F* acides monobasiques – *I* acidi monobasici – *S* ácidos monobásicos

Einbeere. Die E. (*Paris quadrifolia*) gehört in die Nähe der Liliengewächse (Familie Liliaceae). In feuchten Laub- u. Mischwäldern ist die 10–40 cm hohe E. mit ihren meist 4 quirlig angeordneten Blättern u. der endständigen Blüte als Einzelpflanze od. in Kleingruppen anzutreffen. Namengebend ist die einzelne, blauschwarze u. glänzende, giftige Frucht. Die Giftigkeit, auch der ganzen Pflanze, beruht auf dem Gehalt an Saponinen. Vergiftungssymptome sind Übelkeit, Erbrechen u. Durchfall.
Lit.: Frohne u. Pfänder, Giftpflanzen, 3. Aufl., S. 171 f., Stuttgart: Wissenschaftliche Verlagsges. 1987.

Einbettungsmittel. Bez. für flüssige Präp., die zum Einschließen (Einkapseln) od. Durchtränken fester Körper verwendet werden, u. allmählich erstarren. Als *Einschlußmittel* z. B. für elektr. Isolationen, für Schutzüberzüge zu mechan. od. dekorativen Zwecken finden Thermoplaste, Polyester, Epoxidharze, Silicone, Polyurethane u. Polysulfide Verw., zum Einschließen von biolog. Objekten auch Naturharze wie *Kanadabalsam, *Euparal u. dgl. In der *Histochemie u. *Mikroskopie (Licht- u. Elektronenmikroskopie) sind E. unerläßlich für die Anfertigung von Schnittpräparaten. Dabei wird das Untersuchungsobjekt nach geeigneter Vorbehandlung (*Fixieren, *Dehydratisierung) über verschiedene Zwischenmedien mit einem E. durchtränkt u. zu einer mehr od. weniger harten, schneidbaren Masse erstarren gelassen. Gebräuchlichstes E. in der Lichtmikroskopie ist *Paraffin, daneben *Histomed, *Histosec, *Cedukol (Collodium, Celloidin), Methacrylsäure-hydroxyethylester (EFL-67), Polyesterwachse, Gelatine etc. In der Elektronenmikroskopie finden heute meist Epoxidharze als E. Verwendung. Für mineralog. Präp. wünscht man sich E. mit einem hohen Brechungsindex, z. B. *Hyrax, früher auch *PCB. – *E* embedding media – *F* liquides d'inclusion – *I* agente d'inclusione – *S* medios de inclusión
Lit.: Ullmann (5.) **A 14**, 360 ▪ s. a. Elektronenmikroskop u. Mikroskopie.

Einbrennlacke. Bez. für *Lacke auf der Basis von Acryl-, Epoxid-, Phenol-, Melamin-, Harnstoff-, Silicon-, Polyurethan-Harzen usw., die allein od. in Kombinationen bei höherer Temp. (bis ca. 250 °C) gehärtet werden. Die Härtung erfolgt aufgrund von *Vernetzungs-Reaktionen lediglich durch die Aktivierung der in den Mol. dieser Verb. vorhandenen Doppelbindungen. Nur in Ausnahmefällen setzt man *Trockenstoffe zu. Die E. besitzen große Härte, gute Dehnbarkeit, sind kratzfest, unempfindlich gegenüber chem. Einfluß u. wetterbeständig. Die Einstellung der E. auf die Verarbeitungskonsistenz erfolgt nicht nur mit organ. Lsm., bei Alkydharzen z. B. verwendet man Wasser, dem kleine Mengen 2-Propanol, Butanol od. andere Alkohole beigemischt sind, wodurch sich die Verarbeitung (z. B. im *Coil Coating-Verf.), Herst. u. Lagerung vereinfachen. E. werden z. B. als Schutzlackierungen, in der Automobil-Ind., für dekorative Zwecke usw. verwendet. – *E* stoving lacquers (GB), baking finishes (USA) – *F* vernis au four – *I* lacche a fuoco – *S* barniz al fuego, laca para secar en la estufa
Lit.: Kirk-Othmer (3.) **6**, 427–445 ▪ Ullmann (4.) **15**, 603 ▪ Winnacker-Küchler (4.) **6**, 807 ▪ s. a. Lacke.

Eindampfen (Abdampfen). Erhitzen von Lsg., um das Lsm. vom gelösten Stoff abzutrennen. Beim E. an offener Luft geht das Lsm. verloren (s. Verdampfung), bei der *Destillation wird es in der Vorlage zurückgewonnen. Beim teilw. E. – umgangssprachlich spricht man von *Eindicken, sonst von *Einengen – wird die Lsg. konzentriert; beim „E. bis zur Trockne" wird das Lsm. vollständig entfernt. – *E* evaporating, vaporization – *F* évaporation – *I* evaporare – *S* evaporación
Lit.: Ullmann (5.) **A 24**, 448; **B 3**, 3-1 ff.

Eindicken. Bez. für das Konzentrieren von Schlämmen durch Absitzen u. *Klären od. durch *Zentrifugieren zur Anreicherung von Feststoffen. Dabei erhält man den sog. *Dickschlamm* neben dem Feststoff-armen *Klarlauf*. Zum E. dienen sog. Spitzkästen, Eindicker u. Klassierer. Häufig – bes. umgangssprachlich (Herst. von Mus u. bei der *Konservierung) – wird die Bez. E. auch im Sinne von *Einengen verwendet. – *E* thickening – *F* épaississement – *I* ispessire – *S* espesamiento
Lit.: Ullmann (5.) **A 11**, 570; **B 2**, 9-4.

EINECS. Abk. für engl. *European Inventory of Existing Commercial Chemical Substances*, europ. Verzeichnis der kommerziell erhältlichen chem. Substanzen, das EU-Altstoff-Verzeichnis. EINECS wurde 1990 von der EG-Kommission herausgegeben [1] u. enthält eine Liste der zwischen dem 1. 1. 1971 u. 18. 9. 1981 in den damaligen Ländern der EG nachweislich vermarkteten Stoffe, die ca. 33 000 im Grundverzeichnis *ECOIN (erstellt 1982) aufgelisteten u. weitere ca. 67 000 gemeldeten Stoffe. Alle EINECS-Stoffe haben CAS-Nummern. Von diesen Stoffen sind rund 82 000 „gut definiert", d. h. ihre vollständige Strukturformel, chem. Bez. u. Summenformel sind angegeben. Der Rest umfaßt „schlecht definierte" *UVCB-Stoffe, von denen ca. 5000 kurz beschrieben sind. Nach EU-Richtlinie 79/831/EWG [2] u. *Chemikaliengesetz (zunächst Chemikalien-Altstoffverordnung [3]) sind die in EINECS genannten Stoffe „alte Stoffe" (existing chemicals). Jedem Stoff ist eine 7stellige EINECS-Nummer zugeordnet (wie bei *Neustoffen in *ELINCS), die auch als EWG-Nr. bezeichnet wird. Altstoffe dürfen von jeder geeigneten Person hergestellt u. in Verkehr gebracht werden. Sie sind von den Anmeldepflichten nach Chemikaliengesetz befreit. Für die wichtigsten Altstoffe – nach Prioritätenliste – wurden bzw. werden

im Rahmen eines freiwilligen Programmes von *BUA u. der BG Chemie physikal., chem., toxikolog. u. ökotoxikolog. Daten ermittelt u. Bewertungen erarbeitet; diese Arbeiten sind in die internat. Altstoff-Bewertung integriert (z. B. bei ECETOC, in der *EG-Altstoffverordnung u. OECD).
Vergleichbar mit EINECS ist das *TOSCA-Chemical Substances Inventory, das seit 1979 in den USA geschaffen wurde u. einschließlich Ergänzung rund 68 000 Stoffe nennt. Die japan. „MITI-Liste" [4] enthält hingegen nur 19 000 Einträge, dafür aber ganze Stoffgruppen (deren Einzelstoffe u. U. noch nie hergestellt wurden). Im Gegensatz zu EINECS handelt es sich bei diesen Inventaren um offene Listen, d. h. sie werden laufend ergänzt. Stoffe, die in neu hinzukommenden EG-Ländern im Referenzzeitraum in Verkehr waren, müssen nachgemeldet werden (neue Bundesländer s. Lit.[5]). Stoffe der österreich. Altstoffliste dürfen in Österreich ohne Anmeldung in den Verkehr gebracht werden, sie müssen jedoch vor Abgabe in andere EU-Länder angemeldet werden (soweit nicht in EINECS aufgelistet; Gesetzentwurf 1996). – E european inventory of existing commercial chemical substances
Lit.: [1] Amtsblatt der EG Nr. C 146 A (15. 6. 1990). [2] Richtlinie 79/831/EWG zur 6. Änderung der Richtlinie 67/548/EWG zur Angleichung der Rechts- u. Verwaltungsvorschriften für die Einstufung, Verpackung u. Kennzeichnung gefährlicher Stoffe, Amtsblatt der EG Nr. L 259, S. 10 (15. 10. 1979). [3] ChemAltstoffV vom 22. 11. 1990 (BGBl. I, S. 2544). [4] Ministry of Trade and Industry (Hrsg.), Handbook of Existing Chemical Substances, Tokyo: MTI 1977. [5] Chemikalien-Übergangsverordnung vom 18.2.1992 (BGBl. I, S. 288).
allg.: Gierke, Das Chemikaliengesetz u. seine Rechtsverordnungen – Alte Stoffe, Wiesbaden: Dtsch. Fachschriften-Verl. 1993 ▪ Leitfaden für Zusatzmeldungen für das EINECS-Verzeichnis, Luxemburg: Amt für amtliche Veröffentlichungen der EG 1982.

Einelektronen-Übergang, -Übertragung s. Single-Electron-Transfer.

Einengen (Gradieren, Konzentrieren). Erhöhung der Konz. einer Lsg. durch teilw. *Verdampfung (s. Eindampfen) od. Verdunsten des Lösemittels. E. ist das Gegenteil von *Verdünnen. – E concentrating – F concentrer – I concentrare – S concentración
Lit.: s. Eindampfen.

Einfachbindung. Bez. für eine *chemische Bindung zwischen zwei Atomkernen, die durch ein Elektronenpaar bewerkstelligt wird; in der *chemischen Zeichensprache wird die E. meist durch einen *Valenzstrich* zwischen den Atom-Symbolen dargestellt. Durch E. verknüpfte Gruppen sind gegeneinander nahezu frei drehbar, wenn keine *sterische Hinderung vorliegt u. wenn *Konformations-Bevorzugungen außer Betracht bleiben. – E single bond – F liaison simple – I legame semplice – S enlace sencillo
Lit.: s. chemische Bindung.

Einfang. Bei Kernreaktionen versteht man unter E. einen Vorgang, bei dem vom Atom- od. Kernsyst. ein zusätzliches *Teilchen (Proton, Neutron, Elektron, bes. K-Einfang) eingefangen, d. h. absorbiert, wird. *Beisp.:* Bei Protonenüberschuß eines Atomkerns kann durch E. eines Elektrons aus einer Elektronenschale u. Umwandlung der *Elementarteilchen p + e = n + ν (Proton plus Elektron ergibt Neutron plus elektr. Neutrino) der Protonenüberschuß abgebaut werden. Der dabei entstandene angeregte Kernzustand geht durch Zerfall od. unter Aussendung von γ-Strahlung (s. Gammastrahlen) in einen Endzustand niedrigerer Energie über. Entstammt das eingefangene Elektron einer inneren Schale, so wird das entstandene Loch durch ein Elektron einer höheren Schale aufgefüllt, wobei die freiwerdende Energie ebenfalls als γ-Strahlung emittiert wird. Bei *Radikal-Reaktionen versteht man unter E. das Abfangen reaktiver Spezies, z. B. mit *Radikalfängern. – E = F capture – I cattura – S captura
Lit.: DIN 25401 Tl. 1 (02/1979) ▪ Musiol et al., Kern- u. Elementarteilchenphysik, Weinheim: VCH Verlagsges. 1988 ▪ Petzold u. Krieger, Strahlenphysik, Dosimetrie u. Strahlenschutz I, Stuttgart: Teubner 1988 ▪ s. a. Kernphysik.

Einfangreaktion s. Einfang.

Einfriertemperatur s. Glasübergangstemperatur.

Einführer. Bez. im *Chemikaliengesetz für eine natürliche od. jurist. Person, die einen *Stoff od. eine *Zubereitung in den Geltungbereich dieses Gesetzes verbringt; kein E. ist, wer lediglich einen Transitverkehr unter zollamtlicher Überwachung durchführt, soweit keine Be- od. Verarbeitung erfolgt. Analoge Definitionen finden sich in verschiedenen EU-Verordnungen für den Bereich der EU. – E importer – F importateur – I importatore – S importador
Lit.: Chemikaliengesetz vom 25. 7. 1994 (BGBl. I, S. 1703), zuletzt geändert durch Gesetz vom 27. 9. 1994 (BGBl. I, S. 2705).

Einhausung. Bez. für bauliche Maßnahmen, bei der eine Schallquelle mit einem Gebäude umgeben wird. Mit der E. können sowohl ganze Fertigungsstraßen, wie a. einzelne Aggregate (z. B. Pumpstationen) umschlossen werden. Bei der E. zu beachten sind Probleme der Wartung, Lüftung u. Betriebssicherheit. – E encapsulation – F enrobage insonore – I incapsulamento – S encapsulación
Lit.: Kunstst. Bau **20**, 206 ff. (1985) ▪ Maschinenbautechnik **34**, 502 ff. (1985) ▪ VDI-Ber. (Ver. Dtsch. Ing.) **1986**, Nr. 587, 17 ff.

Einheiten. Bez. für *Größen mit einem ganz bestimmten Wert (Quantität, Betrag), die zur quant. Festlegung anderer Größen gleicher Art dienen durch die Beziehung: Größe = Zahlenwert · Einheit. Die *Grundeinheiten (Basis-E.) sind E. (die Bez. *Maßeinheiten* ist abzulehnen), deren Wert willkürlich festgesetzt werden muß, da sie nicht von anderen E. abgeleitet werden können; sie dienen zur Definition von *abgeleiteten Einheiten*. Als Grund-E. sind nach dem „Gesetz über Einheiten im Meßwesen" vom 2.7.1969 (BGBl. I, S. 709–712) mit der Ausführungs-VO vom 26.6.1970 (BGBl. I, S. 981) anzusehen: *Meter (m), *Kilogramm (kg), *Sekunde (s), *Ampere (A), *Kelvin (K), *Candela (cd), *Mol (mol) (s. Basiseinheiten). Da früher für jede Grundgrößenart mehrere E. als Basiseinheiten verwendbar waren, ergab sich die Möglichkeit zur Bildung verschiedener *Einheitensyst.*, die nach den verwendeten Grundeinheiten benannt waren, z. B. das techn. Maßsyst. (Meter-Kilopond-Sekunde), das *MKS-System (Meter-Kilogramm-Sekunde), *CGS-System (Zentimeter-Gramm-Sekunde). In der

BRD wurden spätestens am 31. 12. 1977 zahlreiche mit den vorerwähnten Syst. definierte abgeleitete E. unwirksam, u. seither sind (mit wenigen Ausnahmen, s. gesetzliche Einheiten) nur noch die E. des *SI (Système International d'Unités) zusammen mit den Vorsatzzeichen des *Dezimalsystems gültig. Abgesehen von diesen *gesetzlichen E.* sind in der Physik, Atomphysik, Thermodynamik, klin. Chemie zahlreiche weitere spezif., z. B. *elektrische Einheiten, in Gebrauch. – *E* units – *F* unités – *I* unità – *S* unidades

Lit.: IUPAC, Größen, Einheiten u. Symbole in der Physikalischen Chemie, Weinheim: VCH Verlagsges. 1996.

Einheitliche Europäische Akte. Sie ist 1986 von den damals 12 Mitgliedsländern der *EG beschlossen u. am 1. Juli 1987 in Kraft gesetzt worden als ein die EG-Verträge erweiternder Artikel. Sie stellt die gesetzlichen Voraussetzungen her für die Schaffung des *Gemeinsamen Marktes*, d. h. Freizügigkeit von Waren, Personen, Dienstleistungen u. Kapital ohne Kontrollen an den nat. Grenzen. Eine bes. Bestimmung stellt den Umweltschutz unter die Zuständigkeit der EG. – *E* Single European Act – *F* Acte Unique Européen – *I* Atto Unico Europeo – *S* Acta Unica Europea

Einhorn-Reaktion (Einhorn-Benzoylierung). Mit der E.-R. läßt sich der Benzoyl-Rest in organ. Verb. wie Alkoholen (Bildung von Benzoesäureester, *Benzoaten*), Aminen (Bildung von Benzoesäureamiden, *Benzamiden*) einführen. Dazu wird Benzoylchlorid in Pyridin mit dem gewünschten Alkohol od. Amin umgesetzt (Variante der *Schotten-Baumann-Reaktion).

Das Pyridin dient dabei nicht nur als schwache Base, um den gebildeten Chlorwasserstoff abzufangen, sondern wirkt auch reaktionsbeschleunigend (*Acylierungskatalysator*, vgl. Acylierung). Benutzt man anstelle des Benzoylchlorides das *3,5-Dinitrobenzoylchlorid*, so läßt sich die E.-R. auch zur *Derivatisierung* von Alkoholen ausnutzen, da die entsprechenden 3,5-Dinitrobenzoate krist. sind. – *E* Einhorn reaction – *F* reaction d'Einhorn – *I* reazione di Einhorn – *S* reacción de Einhorn

Lit.: s. Acylierung, Alkohole, Amide, Ester.

Einkapselung s. Einbettungsmittel, Kapseln u. Mikroverkapselung.

Ein-Kohlenstoff-Körper s. Tetrahydrofolsäure.

Einkomponentenklebstoffe. Bez. für *Klebstoffe, die vom Verbraucher ohne Abmischung mit zusätzlichen Komponenten (z. B. *Härtern) verarbeitet werden. E. werden vermarktet z. B. als Lsg., Dispersionen od. Lsm.-freie Produkte (z. B. *Epoxidharze mit latentem, bei höherer Temp. aktivierbarem Härter, *Schmelzklebstoffe, *Cyanacrylat-Klebstoffe). – *E* one component adhesives – *F* colles à une composante – *I* collanti (adesivi) a un componente – *S* pegamentos de un componente

Lit.: Kirk-Othmer (3.) **1**, 488–510 ▪ Shields, Adhesives Handbook, 3. Aufl., Bd. 2, S. 337, London: Butterworths 1985 ▪ s. a. Klebstoffe.

Einkomponentensysteme s. Phasengesetz.

Einkristalle. In den meisten festen Körpern befinden sich die Atome in einer räumlich-period. Anordnung, dem *Kristallgitter. Einen Festkörper, in dem das Kristallgitter überall dieselbe Orientierung hat, bezeichnet man als Einkristall. Die mathemat. strenge Auslegung der vorgenannten Begriffe „räumlich-period." u. „überall" führt zu einer Abstraktion, die mit dem Namen *Idealkristall* belegt ist. Die in der Wirklichkeit vorkommenden natürlichen u. synthet. E. od. *Realkristalle* sind eine mehr od. weniger gute Annäherung an den Idealkristall. Synthet. E. in techn. Abmessungen werden hergestellt (*Kristallzüchtung*, vgl. Kristallisation), entweder durch Abkühlen einer Schmelze unter ihren Schmp., durch Konzentrationserhöhung einer Lsg. über ihren Sättigungspunkt od. durch Abkühlen eines Dampfes unter seinen Sublimationspunkt; im allg. induziert man die Krist. durch *Impfen*. Die erwähnten Meth. sind unter Bez. wie *Kyropoulos-, Bridgman-Stockbarger-, Czochralski-*, *Verneuil-Verfahren u. als *Hydrothermal-Synthese in Gebrauch; man unterscheidet auch tiegelfreies *Zonenschmelzen u. Tiegelziehen (s. *Lit.*[1]). Welche der Züchtungsmeth. anzuwenden ist, hängt von den physikal.-chem. Werten der zu kristallisierenden Substanzen ab. Mit den erwähnten Verf. ist es möglich, E. in nahezu jeder gewünschten Größe herzustellen (z. B. werden heute Silicium-E. mit einem Durchmesser bis zu 40 cm u. einer Länge von ca. 2 m produziert).
E. werden auch für viele Beugungsmeth. zur *Kristallstrukturanalyse (s. a. Röntgenstrukturanalyse) benötigt. Je nach Verf. sind dazu Krist. mit Kantenlängen von ca. 0,1 bis zu einigen mm erforderlich. Synthet. E. unterscheiden sich von den natürlich gewachsenen durch höhere Reinheit u. ggf. durch beabsichtigte u. bekannte Verunreinigungen (s. Dotierung) od. *Kristallbaufehler (s. a. Zwischengitterplätze) sowie durch die Tatsache, daß die Entstehungsgeschichte bekannt ist. Techn. Anw. finden E. u. a. in der *Halbleiter-Technik (für Transistoren z. B. Si, Ge), in der *Ultraschall-Technik [für Piezoelektrizitätsschwinger (s. Piezoelektrizität) z. B. $Li_2SO_4 \cdot H_2O$], in Magnetblasenspeichern (z. B. Gd-Ga-Granate, s. Gadolinium) in *Szintillationszählern [z. B. NaI(Tl)] für die Kern- od. Röntgentechnik, als Laserstäbe für *Festkörper-Laser, in der Optik für Prismen u. Fenster (im Infrarotbereich z. B. KBr) sowie wegen ihrer *elektrooptischen Effekte in der *Optoelektronik als Modulator-Krist. (z. B. KH_2PO_4) od. Frequenzverdoppler (z. B. $LiIO_3$). – *E* single crystals – *F* cristaux unitaires, monocristaux – *I* monocristalli – *S* monocristales

Lit.: [1]Chem.-Ztg. **97**, 151–155 (1973).
allg.: Angew. Chem. **106**, 151–171 (1994) ▪ Brauer (3.) **1**, 115 ff. ▪ Kontakte (Merck) **1991**, Nr. 2, 17–32 ▪ Ullmann **10**, 815–820; (4.) **15**, 117 ff. ▪ Wilke u. Bohm, Kristallzüchtung, Thun: Deutsch 1988 ▪ s. a. Kristallbaufehler, Kristalle.

Einlagerungsverbindungen (interstitielle Verb.). Bez. für eine bes. Gruppe von *nichtstöchiometrischen Verbindungen, bei denen kleine Atome auf *Zwischengitterplätzen od. in Lücken des *Kristallgitters

(z. B. von Metallen) eingelagert sind, dessen Dimensionen sich dadurch kaum verändern. Diese Verb. wie Fe_3C od. Fe_2N haben weitgehend metall. Eigenschaften. Neben Kohlenstoff u. Stickstoff findet man v. a. Wasserstoff (z. B. Ti_2H) eingelagert, auch Edelgase treten in E. auf. Bes. interessante *Zwischengitterverb.* (z. B. mit Kalium als *Zwischengitteratomen) stellen die *Graphit-Verb. dar. – *E* interstitial compounds, intercalation compounds – *F* composés interstitiels, composés de lacune – *I* composti di deposito – *S* compuestos intersticiales
Lit.: Hollemann-Wiberg (101.), S. 276 ff. ▪ s. a. Graphit, nichtstöchiometrische Verbindungen, Kristalle.

Einleiteerlaubnis s. Wasserhaushaltsgesetz.

Einleiten. Im Sinne des *Abwasserabgabengesetzes ist E. das unmittelbare Verbringen des *Abwassers in ein Gewässer. Das Verbringen in den Untergrund gilt auch als E. in ein Gewässer, ausgenommen hiervon ist das Verbringen im Rahmen landbaulicher Bodenhaltung (s. a. Gülle, Jauche). – *E* discharge, introduction – *F* décharge, introduction, déversement – *I* introduzione – *S* introducción, descarga, vertido
Lit.: Gesetz über Abgaben für das Einleiten von Abwasser in Gewässer (Abwasserabgabengesetz – AbwAG) vom 3. 11. 1994 (BGBl. I, S. 3370).

Einmachen s. Konservierung (von Lebensmitteln).

Ein-Moden-Laser. *Laser, bei dem nur eine longitudinale Mode anschwingt. Laser, deren Resonator als Ring aufgebaut ist, schwingen von sich heraus in einer Mode an, da hier eine elektromagnet. Wanderwelle entsteht – im Gegensatz zu Lasern mit einem Resonator, in dem sich eine stehende elektromagnet. Welle bildet, die aufgrund des ungleichen räumlichen Abbaus (*E* spacial hole burning) der Besetzungsinversion die latente Gefahr besitzen, daß ein anderer Mode anschwingt. Durch wellenlängenabhängige Elemente, wie doppelbrechende Filter, Gitter, Prismen u. *Etalons, werden zusätzliche Resonatorverluste eingebaut, die dafür sorgen, daß nur noch eine Mode anschwingen kann. Die Bandbreite dieser Laser ist sehr klein; durch Ausregeln von mechan. u. anderen Störungen können bei Lasern im sichtbaren Spektralbereich Bandbreiten von wenigen Hertz erreicht werden (Frequenz des sichtbaren Lichtes ist um $5 \cdot 10^{14}$ Hertz). Damit sie gut in der *Spektroskopie eingesetzt werden können, sind E. nach Möglichkeit als *durchstimmbare Laser realisiert. Details s. Laser, Farbstofflaser, Laserresonator. – *E* single mode laser – *F* laser monomode – *I* laser a monomoda – *S* láser monomodo

Einsäurige Basen. Auf *Liebig zurückgehende Bez. für *Basen, in deren Mol. *eine* OH-Gruppe (Hydroxid-Gruppe) durch einen Säure-Rest ersetzbar ist, z. B. KOH, NH_4OH; s. a. Acidität. – *E* monoacidic bases – *F* bases monoacides – *I* basi monoacide – *S* bases monoácidas

Einsalzen. Beeinflussung der Löslichkeit von Elektrolyten od. Nichtelektrolyten durch den Zusatz von Salzen. Das Einsalzen beruht darauf, daß der Aktivitätskoeff. eines gelösten Salzes durch den Zusatz anderer Salze stets erniedrigt wird. Da entsprechend des Löslichkeitsgleichgew. die Aktivität des gelösten Stoffes bei konstanter Temp. eine Konstante ist ($a_i = f_i \, x_i$, a: Aktivität, f: Aktivitätskoeff., x: Stoffmengenanteil), muß demnach die Löslichkeit (z. B. der Stoffmengenanteil) zunehmen. Umgekehrt wird die Löslichkeit von Nichtelektrolyten durch Zusatz von Salzen in der Regel herabgesetzt (*Aussalzen), da hier der Aktivitätskoeff. meist erhöht wird. Vom Aussalzeffekt wird in der organ. präparativen Chemie häufig Gebrauch gemacht, doch kommen bei Nichtelektrolyten auch Löslichkeitserhöhungen bei Salzzusatz vor.
Über E. als Meth. der *Konservierung s. Pökeln. – *E* salting – *F* salage – *I* salare – *S* salificación, salación

Einsame Elektronen. Bez. für *ungepaarte Elektronen*, wie sie z. B. in *freien Radikalen (*Beisp.*: ˙CH_3) auftreten. Mol. mit e. E. sind im allg. paramagnet. u. besitzen ein EPR-Spektrum (s. EPR-Spektroskopie), aus dem sich oft Information über die elektron. u. geometr. Struktur erhalten läßt. – *E* lone electrons, bachelor electrons – *F* électrons célibataires – *I* elettroni solitari – *S* electrones celibatarios

Einsame Elektronenpaare (freie Elektronenpaare). Bez. für *nichtbindende* *Elektronenpaare, die im wesentlichen an einem Atom konzentriert sind. Daneben gibt es *bindende* Elektronenpaare. Im Wasser-Mol. können die 8 *Valenzelektronen zu 2 äquivalenten bindenden u. 2 äquivalenten e. E. gruppiert werden. Allg. erfolgt in der *Quantenchemie die Beschreibung von e. E. mit Hilfe lokalisierter Molekülorbitale, Näheres s. dort. Die e. E. von valenzmäßig abgesätt. Verb. können zur Ausbildung koordinativer Bindungen herangezogen werden. *Beisp.*: Die Bildung von Amin-Boranen (*Bor-Stickstoff-Verbindungen): s. a. chemische Bindung. – *E* lone electron pairs – *F* doublets célibataires (libres, non partagés) – *I* coppie di elettroni solitari – *S* par de electrones libres

Einsatzhärtung s. Aufkohlung, Härtung von Stahl u. Zementation.

Einschiebungsreaktion. Bez. für einen Reaktionstyp der organ. Chemie, bei dem sich formal ein Element, eine Gruppe od. ein Mol. in eine *Bindung* zwischen zwei Atomen einschiebt. Der Reaktionsverlauf kann allerdings verwickelter sein, als die einfache Formulierung andeutet (s. Abb.). Zu den techn. wichtigsten E. gehören die *Carbonylierung bei der Oxo-Synth. u. bes. die sog. Aufbaureaktionen der Zieglerschen Ethylen-Polymerisation, in der sich fortwährend einzelne Ethylen-Mol. zwischen Metall-Atom u. *Polyethylen-Kette einschieben, wodurch die Kette verlängert wird (zum Mechanismus der E. s. *Lit.*[1]).

R–X + Mg	⟶	R–MgX	Grignard-Verbindungen
R–H + CO	Kat. ⟶	R–C–H ‖ O	Carbonylierung (s.a. Hydroformylierung, metallorganische Verbindungen u. Oxo-Synthese)
R–H + ICH₂	⟶	R–CH₂–H	Carben-Einschub (Insertion)

– *E* insertion reaction – *F* réaction d'insertion – *I* reazione di inserzione – *S* reacción de inserción
Lit.: [1] Fortschr. Chem. Forsch. **67**, 107–127 (1976).

Einschlußmittel s. Einbettungsmittel.

Einschlußpolymerisation. Als E. wird die *Polymerisation von *Monomeren bezeichnet, die als sog. „Gäste" in Wirtsmol. (z. B. *Cyclodextrinen) od. Wirtsgittern (von z. B. *Harnstoff, *Thioharnstoff) eingeschlossen sind (vgl. Einschlußverbindungen, Clathrate). Die E. wird therm. od. meist durch energiereiche Strahlung initiiert. Als topochem. verlaufende Polymerisation ermöglicht sie die Herst. von Polymeren, die sich z. B. durch hohe Stereoregularität, Taktizität od. opt. Aktivität auszeichnen. – *E* inclusion polymerization, polymerization in clathrates – *F* polymérisation d'inclusion – *I* polimerizzazione d'inclusione – *S* polimerización de inclusión, polimerización en clatratos

Lit.: Compr. Polym. Sci. **4**, 303–315 ▪ Farina, Inclusion Polymerization, in Atwood, Davies u. MacNicol (Hrsg.), Inclusion Compounds, S. 297–329, London: Academic Press 1984 ▪ Houben-Weyl **E 20**, 397–405 ▪ Miyata, Polymerization in Constrained Media, in Paleos (Hrsg.), Polymerizations in Organized Media, Philadelphia: Gordon and Breach Sci. Publ. 1992.

Einschlußverbindungen. Bez. für eine Gruppe von krist. *Additionsverb.* zweier Mol. (*Molekül-Verbindungen), die vorwiegend durch *Van der Waals-Kräfte miteinander verbunden sind. Ein Partner (*Wirtsmol.*) dient als Strukturträger, d. h. er lagert in den Hohlräumen der *Kristallgitter die andere Komponente (*Gastmol.*) ein. Man spricht von einem *Käfig-Einschlußgitter*, wenn der Hohlraum des Strukturträgers allseitig vom Gitter umschlossen ist (vgl. Clathrate). Ist der Hohlraum nach zwei Dimensionen geschlossen, liegt ein *Kanal-Einschlußgitter* vor. Ein eindimensional geschlossenes Gitter bildet ein *Schicht-Einschlußgitter* (vgl. Abb.).

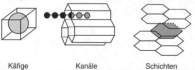

Käfige   Kanäle   Schichten

Die Gestalt u. Größe der Hohlräume können sich nur bedingt den Gastmol. anpassen. Dadurch wird bei der Bildung der krist. Addukte eine Trennung erreicht: Gastmol., die durch Größe u. Gestalt nicht in die entstehenden Hohlräume passen, bleiben in Lsg. zurück. *Beisp.:* Hydrochinon bildet Käfiggitter, in denen Schwefeldioxid, Sauerstoff u. Edelgase Platz finden (s. Clathrate). Gitterstrukturen in Form eines Kanals bilden z. B. *Harnstoff, *Thioharnstoff, *Cyclodextrine, *Amylose u. *Perhydrotriphenylen. Zinkhydroxid, Montmorillonit u. Graphit bilden Schicht-Einschlußgitter, die Nitrophenole, Heterocyclen, Alkaloide bzw. Fluor u. Sauerstoff einlagern können. Die *Kryptate u. *Kronenether-Verb. unterscheiden sich von den – den *nichtstöchiometrischen Verbindungen zugerechneten – E. durch die stöchiometr. Verhältnisse Wirt : Gast, wenn auch eine Reihe von Gemeinsamkeiten vorliegen. Übrigens muß darauf hingewiesen werden, daß im angloamerikan. Sprachgebrauch Clathrate u. E. im allg. gleichgesetzt werden. Die auch techn. wichtigste Wirtsmolekel für E., Harnstoff, kann geradkettige Kohlenwasserstoffe u. schwach verzweigte Aliphaten einschließen: *n*-Octan wird eingebaut, während Isooctan „draußen bleiben" muß. Die Stabilität der E. unverzweigter Alkane nimmt mit der C-Zahl zu. Ein Gemisch aus Alkanen läßt sich mittels Harnstoff fraktionieren. Von linearen *cis-trans*-Isomeren werden Mol. mit *trans*-Struktur bevorzugt eingeschlossen. Da krist. Harnstoff in zwei *enantiomorphen Formen* (*Enantiomerie) vorkommt, kann man racem. Gemische in die Antipoden aufspalten (*Racemattrennung). Empfindliche Verb. werden im Harnstoff-Gitter vor Luftsauerstoff geschützt u. stabilisiert. Im größeren Gitter des Thioharnstoffs können auch verzweigte u. cycl. Aliphate eingelagert werden. Perhydrotriphenylen vermag aufgrund seines dehnbaren Kristallgitters niedermol. u. makromol. Stoffe wie Heptan, Fettsäuren, Polyethylenglykole u. Polyethylen einzulagern. Bei 250 MPa/600 °C gelingt der Einschluß von Helium-Atomen in C_{60}-Mol. unter Bildung von C_{60}, auch von Metall-Atomen in *Fulleren-Käfigen sind bekannt [1]. Hexacyanoplatinate des Typs $M^{II}[Pt(CN)_6]$ (M = Fe, Co, Ni u. a. Metalle) können bei Krist. unter Druck bis zu acht Gasmol. in der Elementarzelle einschließen, das sind bis zu 228 cm^3 Gas pro cm^3 Feststoff, die beim Zermahlen, Erhitzen od. Lösen wieder freigesetzt werden [2].

Verw.: Techn. Anw. finden bes. die E. des Harnstoffs bei der Trennung von Kohlenwasserstoff-Gemischen, bei der Entparaffinierung von *Erdöl, z. B. in einem *Edeleanu- u. einem *Ufa-Verfahren sowie als Katalysatoren, bei der Verfestigung von Gasen u. Flüssigkeiten, bei der Stabilisierung z. B. autoxidabler Substanzen u. bei der Entfernung Quecksilber-organ. Verbindungen. Im Organismus spielen E. bei verschiedenen *Transport-Prozessen eine Rolle, z. B. von Fetten (*Choleinsäuren) od. von Ionen (*Makrolid-Antibiotika); zur pharmazeut. Verw. s. Lit.[3]. – *E* inclusion compounds – *F* composés d'inclusion – *I* composti di inclusione – *S* compuestos de inclusión

Lit.: [1] Nature (London) **367**, 256 (1994). [2] Hollemann-Wiberg (101.), S. 1596. [3] Pharm. Topics in Current Chemistry, Vol. 140, 149, Berlin: Springer 1987, 1988.
allg.: Kirk-Othmer (4.) **14**, 122–154 ▪ Ullmann (5.) **14**, 119–126 ▪ s. a. Clathrate u. die einzelnen Wirtsmoleküle.

Einschmelzlegierungen s. Glas u. Legierungen.

Einschmelzrohre (Bombenrohre, Schießrohre). Einseitig geschlossene, starkwandige Röhren aus widerstandsfähigem Spezialglas, die Drücken von 2000–3000 kPa u. Temp. bis zu 400 °C ausgesetzt werden können. Man verwendet sie zur Durchführung von Reaktionen, die oberhalb des Sdp. der beteiligten Substanzen od. Lsm. ablaufen, z. B. beim *Bombenaufschluß in einem Schießofen u. bei der *Elementaranalyse (Halogene, Schwefel) von organ. Verb. (*Carius-Methode). – *E* sealed tubes – *F* tubes scellés – *I* tubi di chiusura – *S* tubos cerrados

Einstabmeßkette s. Glaselektrode.

Einstein. Gelegentlich verwendete, nicht SI-konforme Bez. für die Einheit der photochem. Energie; 1 E = 1 mol *Quanten (*Photonen), s. Photochemie. – *E* = *F* Einstein – *I* unità Einstein – *S* unidad Einstein

Einstein, Albert (1879–1955), Prof. für Physik, Zürich, Prag, KWI für Physik in Berlin, Princeton, USA. *Arbeitsgebiete:* Begründung der allg. u. speziellen *Relativitätstheorie, Aufstellung der Masse-Energie-

Gleichung, lichtelektr. Grundgesetz, Theorie der Brownschen Bewegung, Quanten-Äquivalenzsatz, Quantentheorie der Atomwärmen, Aufstellung einer neuen Feldtheorie usw. Für seine Relativitätstheorie u. für die Entdeckung der photochem. Gesetzmäßigkeiten erhielt E. 1921 den Nobelpreis für Physik.
Lit.: Aichelburg u. Sexl, Albert Einstein, Braunschweig: Vieweg 1980 ▪ Clark, Albert Einstein, München: Bechtle 1974 ▪ Einstein, Paris: CNRS 1980 ▪ de Finis, Albert Einstein 1879–1979 (2 Bd.), New York: Johnson Reprint Corp. 1979 ▪ Herneck, Albert Einstein, Leipzig: Teubner 1980 ▪ Hoffmann u. Dukas, Albert Einstein, Frankfurt: Fischer 1978 ▪ Kirsten u. Treder, Albert Einstein in Berlin 1913–1933 (2 Bd.), Berlin: Akademie-Verl. 1979 ▪ Krafft, S. 111 f. ▪ Lanczos, The Einstein Decade 1905–1915, New York: Academic Press 1973 ▪ Nachmansohn, Die große Ära der Wissenschaft in Deutschland, 1900–1933, S. 109 f., 124, 156 f., 189, Stuttgart: Wissenschaftliche Verlagsges. 1988 ▪ Naturwiss. Rundsch. **32**, 85–102 (1979) ▪ Neufeldt, S. 114 f., 136, 357, 381 ▪ Phys. Bl. **35**, 93–102 (1979).

Einsteinium (Symbol Es). Künstliches radioaktives *Actinoiden-Element, Ordnungszahl 99 (*Transurane). Isotope 243–256 mit HWZ zwischen 20 s u. 401 d. Das für Untersuchungen der chem. u. physikal. Eigenschaften am besten geeignete Isotop 253 ist ein α-Strahler; wegen seiner kurzen HWZ von 20,47 d tritt jedoch ziemlich schnell Selbstverunreinigung durch radioaktive Zerfallsprodukte ein. Es-Metall kristallisiert kub.-flächenzentriert, Schmp. 860±30 °C. Es ist vorwiegend 3-wertig u. verhält sich analyt. ähnlich dem homologen *Holmium der *Lanthanoiden-Reihe. Neben Es_2O_3 sind die Trihalogenide EsX_3 (X = F, Cl, Br, I) sowie die Dihalogenide EsX_2 bekannt.
Herst.: Es wurde bei sukzessiven Aufbaureaktionen durch Neutronen-Bestrahlung von Plutonium in Kernreaktoren u. Auftrennung der Transcurium-Elemente durch *Ionenaustauschchromatographie bisher in mg-Mengen hergestellt. Es läßt sich auch durch Bestrahlen von *Uran mit Kohlenstoff-Kernen gewinnen.
Geschichte: Ebenso wie Fermium wurde Es nicht gezielt in Kernreaktionen entdeckt, sondern im radioaktiven Staub der ersten Wasserstoff-Bombenexplosion auf dem Bikini-Atoll (1952) von Ghiorso u. a. identifiziert u. zu Ehren von Albert Einstein benannt. – *E = F* einsteinium – *I = S* einsteinio
Lit.: Chem.-Ztg. **104**, 77–104 (1980) ▪ GIT Fachz. Lab. **10**, 944–956, **12**, 1149–1156 (1987) ▪ s. a. Actinoide u. Transurane. – [HS 2844 40; CAS 7429-92-7]

Einsteins Masse-Energie-Gleichung. Nach der von A. *Einstein (1905) aufgestellten speziellen *Relativitätstheorie kommt jeder Energie (E) eine bestimmte Masse (m) zu (*Energie-Masse-Äquivalenz*): $E = m \cdot c^2$, wobei c^2 das Quadrat der Lichtgeschw. bedeutet. E. M.-E.-G. ist durch viele Experimente (Massendefekt bei Kernspaltung u. *Kernfusion, Reaktionen von *Elementarteilchen u. a.) bestätigt worden. – *E* Einstein's mass-energy relationship – *F* l'équation d'Einstein d'équivalence masse-énergie – *I* equazione su massa ed energia di Einstein – *S* ecuación de Einstein de equivalencia masa-energía

Einsteins Ring. Ringförmige Abbildung eines Sternes od. Quasars, indem das Licht durch das Gravitationsfeld eines dazwischen liegenden Sternes od. einer Galaxie abgelenkt wird. Details s. Gravitationslinse. –

E Einstein ring – *F* anneau d'Einstein – *I* anello di Einstein – *S* anillo de Einstein

Einstellung s. Faktoren.

Einthoven, Willem (1860–1927), Prof. für Physiologie, Univ. Leiden (Niederlande). Er führte 1900 zum Nachw. elektr. Ströme, z. B. der Aktionsströme des Herzmuskels, das Saitengalvanometer ein. Damit schuf er u. a., die Grundlagen für die Elektrokardiographie. 1924 erhielt er den Nobelpreis für Medizin od. Physiologie.

Eintopfreaktion. Der Umgangssprache entlehnte Bez. für eine chem. Reaktion, die zwar in mehreren Schritten abläuft, deren Zwischenprodukte aber nicht isoliert zu werden brauchen. In einer E. können entweder alle Reaktionsteilnehmer von Anbeginn an im Reaktionsgefäß zugegen sein, od. sie werden nacheinander zugeführt (s. a. Kaskaden- u. Tandem-Reaktionen). – *E* one-pot reaction – *F* réaction en monoréacteur – *I* reazione in un solo contenitore – *S* reacción en cadena

Einwaage. Abgewogene Probenmenge, mit der z. B. eine Reaktion od. eine quant. Analyse durchgeführt wird; *Gegensatz:* Auswaage. – *E* initial weight – *F* quantité pesée – *I* peso iniziale – *S* cantidad pesada

Einwecken s. Konservierung (von Lebensmitteln).

Einwegverpackung s. Verpackungsabfälle.

Einweichmittel. Früher viel verwendete, heute im Haushalt – angesichts der Universalwaschmittel – meist entbehrliche Präp., z. B. auf Basis Anionenside (<10%), Natriumcarbonat (30–60%), -silicate (0–10%), -sulfat (<10%), Magnesiumsilicate (0–5%), Carboxymethylcellulose (<2%), ggf. Enzyme (<0,5%), Rest Wasser, pH 10–11. – *E* soaking agents – *I* ammorbidente

Einwohnergleichwert (EGW, EG). Schmutzwassermenge u. *Abwasser-Belastung, die durch einen Einwohner verursacht wird. Man benutzt den EGW zum Vgl. verschiedener Abwassersorten u. zusammen mit Einwohnerzahl u. a. zur Bemessung von Kläranlagen. Es wird davon ausgegangen, daß ein durchschnittlicher Einwohner am Tag 200 L Abwasser emittiert, deren Schmutzstoffe 60 g *BSB verursachen (*CSB = 1,6–1,9 × BSB, 6–12 g/d N in Verb., 0,6–4,5 g/d P in Verb.; weitere Daten s. Abwasser, Tab. 1). In der Kläranlage fallen dadurch pro Tag 2 L Klärschlamm mit einer Trockenmasse von 80 g an. – *E* population equivalent, inhabitant equivalent – *F* équivalent-habitant – *I* equivalenza anagrafica – *S* población equivalente
Lit.: DIN 4045 (12/1985) ▪ Mudrack u. Kunst, Biologie der Abwasserreinigung (3.), S. 10–13, Stuttgart: G. Fischer 1991.

Einzeldosis, Einzelmaximaldosis s. Dosis.

Einzelkolonien. E. sind auf festem *Nährmedium gewachsene, mit bloßem Auge sichtbare u. einheitliche Ansammlungen von *Mikroorganismen. Sie entstehen normalerweise durch Vermehrung einzelner Zellen. Die Gewinnung von E. durch Vereinzelung von Zellen ist die Grundlage für die Isolierung von *Reinkulturen. Eigenschaften der E. wie Größe, Durchmesser, Oberflächenbeschaffenheit, Farbe, Form des Kolonie-

randes etc. dienen als Kriterien zur Klassifizierung der Mikroorganismen. – *E* individual colony – *F* colonie isolée (individuelle) – *I* colonia individuale – *S* colonia individual (aislada)
Lit.: Schlegel (7.).

Einzeller. 1. Sammelbez. für Organismen, die nur aus einer *Zelle bestehen, wie die *Prokaryonten (*Bakterien), aber auch *Eukaryonten, wie *Hefen od. einige andere *Pilze u. *Algen. Innerhalb einer E.-Kultur gibt es keine Differenzierung, auch wenn teilw. charakterist. Wuchsformen, wie Diplococcen od. Hefeketten auftreten.
2. Innerhalb der *Zoologie Unterreich der Protozoa (Urtierchen) mit den Klassen Flagellata (Geißeltierchen), Rhizopoda (Wurzelfüßer), Sporozoa (Sporentierchen), Ciliata (Wimpertierchen). Die Protozoa stehen dem Unterreich der Metazoa (vielzellige Tiere) gegenüber u. beinhalten auch pflanzliche Formen (photoautotrophe Phytoflagellaten). Da die Abstammung innerhalb der Protozoa nicht bekannt ist, konnte das Unterreich nicht als phylogenet. Syst. gegliedert werden. – *E* unicellular organisms – *F* organismes unicellulaires – *I* organismo unicellulare – *S* organismos unicelulares
Lit.: Schlegel (7.).

Einzellerprotein s. Single Cell Protein (SCP).

Einzelstrang-DNA-bindende Proteine s. Desoxyribonucleinsäuren.

EIRMA. Abk. für *E*uropean *I*ndustrial *R*esearch *M*anagement *A*ssociation, eine 1966 gegr. Vereinigung von 175 Firmen (1996) in der OECD mit Sitz in F-75008 Paris, 34, rue de Bassano. Etwa 50 dieser Firmen sind der chem. u. pharmazeut. Ind. zuzurechnen, die traditionell einen hohen Forschungsaufwand betreibt. Ziel der EIRMA ist die Stärkung der europ. Forschung u. Entwicklung, in der etwa 1 Mio. Berufstätige beschäftigt sind u. die als Wettbewerbsfaktor von hoher Bedeutung ist. Durch Untersuchungen über Organisation u. Management in der industriellen Forschung u. Entwicklung, über die Umsetzung bzw. Anw. neuer Erkenntnisse in der Produktion u. durch Erfahrungsaustausch der Mitglieder untereinander leistet EIRMA einen wichtigen Beitrag zur Produktivität von Forschung u. Entwicklung in Europa. *Publikationen:* Working Group Reports, Conference Papers, EIRMA Information Newsletter.

Eis. 1. Durch Gefrieren entstehende feste Form des *Wassers, entweder im Block od. als *Schnee* mit oft charakterist. Kristallformen, als *Reif* u. *Hagel*; auch amorphes E. ist bekannt. E. ist in größeren Massen bläulich, getrübt grünlich, in reinem Zustand farblos. Nach der Definition der *Celsius-Temperatur-Skale ist der *Erstarrungspunkt (*Eispunkt, Gefrierpunkt*) des Wassers bei 101,3 kPa gleich 0 °C = 273,15 K; dagegen ist der *Tripelpunkt gleich 273,16 K. Bei der Phasenänderung des Wassers (Übergang vom flüssigen in den festen Aggregatzustand) erfolgt zugleich ein Übergang vom energiereicheren in den energieärmeren Zustand, wobei die Energiedifferenz in Form von *Erstarrungswärme* abgegeben wird. Diese freiwerdende *Umwandlungswärme (5,63 kJ/mol) muß beim Schmelzen dem E. wieder zugeführt werden (*Schmelzwärme*), was z. B. von erheblicher Bedeutung für die Temperaturverhältnisse auf der Erdoberfläche ist u. techn. bei der Verw. von E.-Wasser-Gemischen als *Kältemischungen ausgenutzt wird. Der Übergang des Wassers vom flüssigen in den festen Zustand ist mit einer *Volumenvergrößerung* verbunden: 1 Volumenteil Wasser bildet bei 0 °C 1,0909 Volumenteile E., bzw. E. hat bei 0 °C eine D. von 0,9167 g/cm^3. Diese Erscheinung ist geolog. bei der *Verwitterung von Gesteinen bedeutsam, s. a. Wasser.
Mit 12 unterschiedlichen Kristallgittern u. 2 amorphen Modif. sind von Wasser mehr feste Phasen bekannt als von jeder anderen Substanz. Die wichtigste Modif. des E. (E. I = „normales" Eis) ist auf den Gittertyp des *Tridymits zurückzuführen. In diesem sind die Wassermol. weitmaschig u. von zahlreichen Hohlräumen durchsetzt angeordnet, wobei vier Wasserstoff-Atome jeweils um ein Sauerstoff-Atom tetraedr. gruppiert sind. Zwei dieser Wasserstoff-Atome sind an ein Sauerstoff-Atom kovalent, zwei durch *Wasserstoff-Brückenbindung gebunden. Die Struktur des E. ist durch *Röntgenstrukturanalyse aufgeklärt worden[1]. Nach dem *Clustermodell* des Wassers von Bernal u. Fowler zerfällt beim Schmelzen des E. die E.-Struktur, wodurch zunächst auch die D. ansteigt. Mit N_2 u. O_2 vermag E. *Clathrate der Zusammensetzung $(N_2, O_2) \cdot 5{,}75\,H_2O$ zu bilden, was das Phänomen erklärt, daß in der Antarktis aus 1200 m Tiefe gefördertes E. beim Auftauen Luft freisetzt. Die Leitfähigkeit des E. für Wärme u. Elektrizität ist sehr gering; s. a. Wasser.
2. Eis (Lebensmittel) s. Eiscreme u. Speiseeis. – *E* ice – *F* glace – *I* ghiaccio – *S* hielo
Lit.: [1] Z. Chem. **18**, 1 – 8 (1978).
allg.: Colbeck, Dynamics of Snow and Ice Masses, New York: Academic Press 1980 ▪ Franks, Water Science Reviews (2.), Cambridge: Cambridge Univ. Press 1986 ▪ Tryde, Physics and Mechanics of Ice, Berlin: Springer 1980 ▪ Ullmann (5.) **A 13**, 563 – 570 ▪ s. a. Wasser.

Eiscreme. Eine *Speiseeis-Qualität von cremeartiger Konsistenz, die neben Milchpulver u. Milchfetten zur Geschmacksbestimmung Zucker, *Zuckeraustauschstoffe u./od. *Süßstoffe, Aromastoffe od. Fruchtessenzen enthält. Die Stützfunkion in der E. wird von *Verdickungsmitteln auf Polysaccharid-Basis wie z. B. *Algin od. *Carragen übernommen. Der Gehalt an Milchfett (Einfach-E. = 3%, Frucht-E. = 8%, sonstige E. = 10%) sowie die Art u. Menge der Zusatzstoffe sind durch die Speiseeis-VO von 1933 in der Fassung vom 24. 4. 1995 (BGBl. I S. 543) geregelt. Die Herst. von E. erfolgt auf bes. Art durch Pasteurisieren, Homogenisieren, Reifen bei niedriger Temp., Gefrieren u. Härten bei Temp. von –20 °C u. niedriger. E. ist der wichtigste Vertreter der industriell hergestellten, haltbaren Speiseeissorten, s. Speiseeis. – *E* ice cream – *F* glace – *I* gelato di crema – *S* helado de crema
Lit.: Arbuckle, Ice Cream, Westpoint: Avi 1977 ▪ Timm, Speiseeis, Berlin: Parey 1985. – *[HS 2105 00]*

Eisen (von got.: isarn = festes Metall, im Gegensatz zur weichen Bronze). Chem. Symbol Fe (von latein.: ferrum), Ordnungszahl 26. Metall. Element, M_R 55,847. Natürliche Isotope 56 (91,66%), 54 (5,82%), 57 (2,19%), 58 (0,33%). Daneben kennt man künstli-

che radioaktive Isotope zwischen 52 u. 61 mit HWZ von 6,0 min bis $3 \cdot 10^5$ a, von denen das Isotop 59 als *Radioindikator (β-*Strahler) in der klin. Chemie Bedeutung erlangt hat.
Fe steht in der 8. Nebengruppe u. der 4. Periode des *Periodensystems; es bildet mit den nah verwandten Elementen Cobalt u. Nickel die sog. *Eisen-Gruppe*. Wertigkeit -2, -1, 0, $+1$, $+2$, $+3$, seltener auch $+4$, $+5$ u. $+6$. Die Verb. des Eisen(II) (ältere Bez.: *Ferro*-Verb.) sind Reduktionsmittel, die Eisen(III)-Verb. (früher *Ferri*-Verb. genannt) sind milde Oxidationsmittel[1]. Auf dem Wertigkeitswechsel beruht auch die Rolle des Fe in als Redoxenzyme wirkenden *Eisen-Proteinen.
Metall. Fe ist silberweiß, D. 7,874 (Schwermetall), Schmp. 1539 °C, Sdp. 2880 °C; spezif. Wärme (zwischen 18 u. 100 °C) etwa 0,5 $g^{-1} K^{-1}$, Zugfestigkeit 220–280 N/mm^2. Die Werte gelten für das chem. reine Fe, das erst 1938 im spektralen Reinheitsgrad hergestellt wurde. Fe kommt in mehreren allotropen *Modifikationen vor, nämlich: 1. α-Fe (*Ferrit*), bildet raumzentrierte Würfelgitter, ist magnetisierbar, löst wenig C, kommt in reinem Fe bis 928 °C vor. Bei 770 °C (*Curie-Temperatur) verliert es seine ferromagnet. Eigenschaften u. wird paramagnet.; Fe im Temp.-Bereich 770–928 °C wird auch als β-Fe bezeichnet. – 2. γ-Fe (vgl. Austenit), bildet flächenzentrierte Würfelgitter, ist unmagnet., löst viel Kohlenstoff, ist nur im Temp.-Bereich 928–1398 °C zu beobachten. – 3. δ-Fe, raumzentriert, existiert zwischen 1398 °C u. dem Schmp. 1539 °C. Bei gewöhnlicher Temp. u. einem Druck von mind. 13 000 MPa geht α-Fe in sog. ε-Fe unter Vol.-Verminderung um 0,20 cm^3/mol über, wobei sich die D. von 7,85 bis auf 9,1 (bei 20 000 MPa) erhöht.
Das techn. E. ist im wesentlichen eine Leg. des Fe mit Kohlenstoff. Nach *Gmelin-Durrer unterscheidet man zwischen nicht schmiedbarem *Roheisen* (wegen seines hohen C-Gehalts) u. schmiedbarem *Stahl* (C-Gehalt bis 2,1%). Über die Zusammensetzung u. die Umwandlungstemp. der verschiedenen Legierungsphasen gibt das *Eisen-Kohlenstoff-Zustandsdiagramm* Auskunft, vgl. Stahl u. Eisen-Kohlenstoff-System. Werden E.- u. Stahlstücke mit immer feinerem Schmirgel geschliffen u. poliert, sodann mit Säure angeätzt u. bei 100–2000facher Vergrößerung beobachtet, so sieht man ein Gefüge aus vielen mehr od. weniger kleinen, gleichartigen od. verschiedenartigen Kristalliten, unter denen man je nach Temp.-Bereich u. Zusammensetzung folgende, meist in Einzelstichwörtern behandelte Typen unterscheiden kann: *Ferrit, *Graphit, Cementit (s. Eisencarbid), *Austenit, *Martensit, *Perlit, *Ledeburit u. dgl. Neben Kohlenstoff enthalten die im täglichen Leben verwendeten E.- u. Stahlsorten als weitere Legierungsbestandteile mehr od. weniger Si, Mn, S, P; bei den legierten *Edelstählen werden die techn. Eigenschaften des Fe außerdem noch durch bes. Zusätze von Aluminium, Chrom, Mangan, Molybdän, Nickel, Tantal, Titan, Vanadium, Silicium, Cobalt, Niob, Wolfram usw. verbessert; die Zulegierung dieser Metalle nimmt man oft mit sog. *Ferrolegierungen vor. Es gibt kein zweites Metall, das seine Eigenschaften durch Legierungsmaßnahmen u./od. durch Wärmebehandlung (vgl. Anlassen, Tempern, Vergüten), durch *Härtung (*Aufkohlung, *Nitrierhärtung) in solch außerordentlichem Umfang verändert wie Fe. So kann man z. B. *Stähle mit Zugfestigkeiten von 280–3600 N/mm^2, mit Härten von 80–1200 Brinellgraden, mit elektr. Leitfähigkeiten von 0,7–12,5 Einheiten, mit einer magnet. Sättigung von 0–2,4 Tesla (0–24 000 Gauß) usw. herstellen. Fe-Pulver kann auch zu *Sintermetall verarbeitet werden. Die Zahl der laboratoriumsmäßig u. techn. gewonnenen E.- u. Stahlsorten beträgt ca. 1800[2].
Fe u. die gewöhnlichen techn. E.-Sorten werden an feuchter Luft u. in O_2- u. CO_2-haltigem Wasser verhältnismäßig leicht oxidiert (*Rosten) unter Bildung von Eisenoxidhydrat, vgl. auch Korrosion u. Korrosionsschutz. Beim Erhitzen an trockner Luft (*Anlassen) entsteht eine farbige, sehr dünne Schicht von Fe_3O_4 (Eisenhammerschlag). Feinst verteiltes Fe entzündet sich bei Berührung mit Luftsauerstoff oft von selbst (*pyrophores Fe). Leitet man heißen Wasserdampf über glühendes Fe-Pulver, so wird dieses unter Bildung von Eisenoxid u. Wasserstoff allmählich zersetzt ($3Fe + 4H_2O \rightarrow Fe_3O_4 + 4H_2$). Aus brennender Stahlwolle entstehen in feuchtem Chlor-Gas lebhaft braune Dämpfe von Eisenchlorid. Beim Erhitzen von Gemischen aus Fe- u. Schwefel-Pulver (7:4 Gew.-Tl.) erhält man unreines Eisen(II)sulfid. Da Fe in der *Spannungsreihe vor dem Wasserstoff steht, wird es von Säuren leicht angegriffen; so löst sich Fe in Salzsäure unter Wasserstoff-Entwicklung ($Fe + 2HCl \rightarrow FeCl_2 + H_2$). Das dabei entstehende Eisen(II)-Ion wird durch Luftsauerstoff zu Fe(III) oxidiert u. kann auch zur Red. arom. Nitro-Verb. verwendet werden (s. Béchamp-Reduktion). Mit verd. Schwefelsäure erhält man grünes Eisen(II)-sulfat u. Wasserstoff. Konz. Schwefelsäure greift Fe nicht an, deshalb kann man diese Säure in Stahltanks befördern. Verd. Salpetersäure löst Fe unter Entwicklung brauner, giftiger Dämpfe (Stickstoffdioxid) zu Eisennitrat; dagegen ist beim Eintauchen in rauchende Salpetersäure *Passivität zu beobachten. Auch trockenes Chlor greift Fe bei normaler Temp. nicht an; erst bei hohen Temp. bildet sich wasserfreies $FeCl_3$.

Physiologie (vgl. a. Eisen-Präparate): Fe ist als wichtiges *Spurenelement *essentiell in tier. u. pflanzlichen Organismen. Ein erwachsener Mensch von 70 kg Gew. enthält 4,2 g E. in chem. Bindung; davon entfallen auf 900 g *Hämoglobin 3,06 g Fe (also ca. 73% des Gesamt-Fe), auf 40 g *Myoglobin 0,14 g Fe, auf 0,8 g *Cytochrom c 0,0034 g Fe, auf 5 g *Katalase 0,0045 g Fe, auf 3 g *Ferritin 0,69 g Fe, auf 7,5 g *Transferrin 0,003 g Fe, auf *Myosin, Cytochrom a u. b, *Sideramine wie *Ferrichrome u. *Ferrioxamine usw. 0,3 g Fe. Um den täglichen Bedarf von 1–2,8 mg Fe zu decken, muß die aufgenommene Nahrung mit 5–9 mg für Männer u. 14–28 mg für Frauen im gebärfähigen Alter ein Überangebot an Fe aufweisen, wobei die Resorptionsquote für Fe aus Muskelfleisch ca. 25%, aus Leber od. Fisch ca. 6% u. aus Cerealien, Gemüse u. Milch nur 1–1,5% beträgt. Die Resorptionsquote wird durch Verzehr von Eiern gesenkt, durch Ascorbinsäure erhöht[3]. Der Fe-Gehalt einiger wichtiger Nahrungsmittel beträgt (bezogen auf 100 g) für rohes Obst ca. 0,5–1 mg, Gemüse (roh) 0,5–2 mg, Pilze 1–6 mg, Nüsse 2–5 mg, Brot u. Teigwaren 1–2 mg, Süßwaren

1–1,5 mg, Fette 0,1–0,2 mg, Eier 2,5 mg, Milch u. Milchprodukte 0,1–0,5 mg, Fleisch 2–5 mg, Fisch 1–3 mg. Einige bes. E.-reiche (mg/100 g) Nahrungsmittel sind Schnittlauch (11,0), weiße Bohnen (6,1), Bierhefe (17,3), Kakao (12,5), Weizenkeime (9,4), Schweineleber (19), Rinderleber (6,5), Kaviar (11,8), Miesmuscheln (5,8), wogegen der Gehalt im Spinat (3,1) durchschnittlich ist.

Das E. der Nahrungsmittel wandert, durch die Magensalzsäure herausgelöst (mangelhafte Magensalzsäure-Bildung kann daher zu Bleichsucht führen), allmählich durch die Wände des Zwölffingerdarms u. oberen Dünndarms in die Blutbahn. Das durch die Darmwand ins Blutplasma gelangende E. (Plasmaeisen) ist in 3-wertigem Zustand an β_1-Globulin (Siderophilin, Transferrin) des Plasmas gebunden. Das Plasmaeisen wandert nach Bedarf in die *Leber (Bildung von Ferritin), ins Knochenmark (Bildung von Hämoglobin), in die *Muskeln (Bildung von Myoglobin, Myosin, Cytochrom c) usw. Fe übt als prosthet. Gruppe der erwähnten Eisenproteinen, der Peroxidasen u. a. Enzymsyst. wichtige Funktionen in *Atmungs- u. a. Sauerstofftransport-Vorgängen, auch in Mikroorganismen, aus [4]. Die Wege des E. im Organismus (Ferrokinetik), Lebensdauer der *Erythrocyten u. a. Vorgänge des Eisen-Stoffwechsels u. der Hämatopoese lassen sich mit radioaktivem ^{59}Fe bequem verfolgen.

Für Pflanzen ist Fe ebenfalls ein wichtiger Mikronährstoff, der die Photosynth. sowie die Bildung von Chlorophyll u. Kohlenhydraten beeinflußt. Fe-haltige Proteine (*Ferredoxine, *Nitrogenasen) spielen eine wichtige Rolle bei der *Stickstoff-Fixierung.

Nachw.: Eine qual. Prüfung auf Fe läßt sich mit Kaliumhexacyanoferrat(II) (gelbes *Blutlaugensalz) vornehmen, das mit Fe^{3+} *Berliner Blau gibt, od. durch die Rotfärbung, die Fe^{3+} in Ammoniumthiocyanat-Lsg. hervorruft u. die auf das *Eisen(III)-thiocyanat zurückgeht. Die quant. Best. von Fe wird mit *Oxidimetrie u. Manganometrie, komplexometr. u. gelegentlich auch gravimetr. vorgenommen. Auf der Neigung zur Bildung häufig stark gefärbter Komplexe beruhen eine Anzahl weiterer – meist photometr. – Bestimmungsmeth. für Fe mit Hilfe organ. Reagenzien; außerdem Nachw. durch Atomabsorptions-, Atomemissions- u. Röntgenfluoreszenz-Spektrometrie [5].

Vork.: Fe ist wahrscheinlich das häufigste Element unseres Erdballs u. das Isotop Fe 56 die verbreitetste Atomsorte der Erde. Während die obersten 16 km der festen Erdkruste nachweisbar zu nur etwa 5% aus Fe bestehen, wird der Fe-Anteil beim ganzen Erdball (infolge des Fe-reichen Erdkerns) auf 37% geschätzt (vgl. Geochemie). Daß Fe auch beim Aufbau der übrigen Himmelskörper in starkem Maße beteiligt ist, geht aus den *Meteoriten hervor, von denen etwa die Hälfte vorwiegend aus E. (rund 90% Fe, 8–9% Ni, 0,5% Co, Spuren von Cu, Cr, C, S, P usw.) bestehen. Mit Hilfe der Spektralanalyse hat man Fe-Dämpfe auf der Sonne u. vielen Fixsternen feststellen können, u. aufgrund der Messungen von Marssonden besitzt auch dieser Planet einen (allerdings erstarrten) E.-Kern. Auf der Erde enthält das hauptsächlich aus Granit bestehende Grundgebirge etwa 2,5% Fe in Form von Verb.; dieses wandert bei der Verwitterung in die meist aus Kalk, Sandstein u. Ton bestehenden *Sedimentgesteine. *Sandsteine sind durch E.-Verb. vielfach rot (Buntsandstein), *Tone, *Lehme, Kalke u. Mergel rötlich, bräunlich, bläulich od. gelblich gefärbt. Da Fe zu den unedlen Metallen gehört, kommt es in der Natur fast nie gediegen, sondern überwiegend in Verb. vor, u. zwar handelt es sich dabei (in den zugänglichen Teilen der Erdkruste) meist um wasserhaltige od. -freie Oxide, weniger häufig um Sulfide, Carbonate u. dgl. Während der ganzen Erdgeschichte haben sich immer wieder Fe-Verb. an einzelnen Stellen in höheren Konz. angereichert. Wenn Gesteine etwa 20 u. mehr Prozent Fe enthalten, werden sie als Eisenerze bezeichnet. Die wichtigsten Bestandteile der verschiedenen Eisenerze sind die Eisenminerale *Magnetit, *Hämatit, wasserhaltiger Hämatit in Form von *Goethit u. Limonit, *Siderit (Eisenspat) u. der sehr verbreitete, erst nach Röstung verarbeitbare *Pyrit. Die Weltreserven wurden 1994 auf 800 Mrd. t Erz mit einem E.-Gehalt von 230 Mrd. t geschätzt, davon sind jedoch nur 160 Mrd. t Erz (70 Mrd. t E.) wirtschaftlich gewinnbar. Die nachgewiesenen E.-Vorräte in der BRD belaufen sich auf 3,6 Mrd. t Erz mit einem mittleren Fe-Gehalt von 32%. Bis in die 30er Jahre dieses Jh. war das Siegerland das bedeutendste Eisenerz-Revier in Deutschland; danach verlagerte sich der Gewinnungsschwerpunkt in den Raum Peine-Salzgitter. Die guten Roherze von Salzgitter enthielten 31–35% Fe, 20–24% Kieselsäure, 4–6% Kalk, 0,2% Mn, 0,2% S. Die dtsch. Eisenerz-Förderung erreichte 1961 ihren Höchststand von fast 19 Mio. t Roherz (5,0 Mio. t Fe-Inhalt); sie wurde von etwa 40 Grubenbetrieben erbracht. Infolge der starken Konkurrenz hochwertiger u. billiger Auslandserze wurden 1981 nur noch 1,6 Mio. t heim. Erz von 4 Grubenbetrieben gefördert. 1995 wurden in der einzigen noch fördernden Eisenerzgrube der BRD (Grube Wohlverwahrt-Nammen in Porta Westfalica) 68720 t Eisenerz abgebaut, welche im Straßenbau als hochwertige Splitte, bei der Beton-Herst. als Ersatz für Farbpigmente sowie im Garten- u. Landschaftsbau Verw. fanden. In der ersten Hälfte der 90er Jahre wurden in der BRD nur noch importierte Erze verhüttet. Weltweit betrug 1994 die Förderung an Eisenerzen rund 955 Mio. t, davon entfielen 229 auf die VR China, 167 auf Brasilien, 135 auf die ehem. UdSSR, 129 auf Australien, 58 auf USA, 57 auf Indien, 36 auf Kanada, 32 auf Südafrika u. 20 auf Schweden. In der EU wurden 1994 5,2 Mio. t Eisenerz gefördert [6].

Herst.: Fe wird durch Red. von Eisenoxid mit Wasserstoff bei niedriger Temp. als chem. reines Pulver, durch therm. Zers. von Eisenpentacarbonyl gemäß $Fe(CO)_5 \rightarrow Fe + 5 CO$ bei 150–250 °C als sehr reines Pulver – Carbonyleisen – od. durch Elektrolyse von Eisen(II)-chlorid- od. -sulfat-Lsg. mit unlösl. Graphitod. lösl. Anode aus Eisenblech od. Gußeisen erhalten. Durch Abscheidung aus schwefelsaurer $FeSO_4$-Lsg. an Quecksilber-Kathoden u. anschließende Raffination läßt sich 99,99%iges Fe gewinnen. Großtechn. wird E. durch Verhüttung von Eisenerzen, Eisenschlacken, Kiesabbränden, Gichtstaub u. durch Umschmelzen von *Schrott u. Leg. hergestellt. Im Hochofenprozeß erhält man durch Red. der Erze mit Koks sog. Roheisen, das noch flüssig in den bis 6000 t fassenden

Roheisen-Mischer kommt, damit sich die qual. Differenzen der verschiedenen E.-Abstiche ausgleichen; moderne *Hochöfen liefern täglich mehr als 10 000 t Roheisen. Ein kleiner Teil des Roheisens (enthält noch 2–4% C, ferner Si, P, S, Mn) wird zu *Gußeisen verarbeitet, der weitaus größte (~90%) jedoch zu *Stahl, wobei verschiedene, meist in Einzelstichwörtern beschriebene *Frischverfahren* wie Thomas-, Bessemer- (letztere nur noch selten), Sauerstoff-Aufblas-, Siemens-Martin-, Elektrostahl-Verf. zur Anw. kommen. Eine der ältesten Entkohlungsmeth. war das sog. *Puddel-Verfahren. Die Weiterverarbeitung muß nicht am gleichen Ort wie die Gewinnung des Roheisens stattfinden: Mit speziell entwickelten, 100–200 t fassenden Eisenbahn-Transportbehältern läßt sich 1400 °C heißes E. über längere Strecken transportieren (z. B. Bochum-Rheinhausen, ca. 40 km, ca. 1 h Fahrzeit, Temp.-Abfall ca. 5 °C).

Zunehmende Bedeutung gewinnen die ohne Hochöfen arbeitenden Verf. der *Direktred.* der Eisenerze unterhalb der Schmelztemp. der Rohstoffe (900–1100 °C), bei denen sog. *E.-Schwamm* anfällt, u. der *Schmelzreduktion*[7]. Die wichtigsten dieser Verf., bei denen – in Retorten, Schacht- od. Drehrohröfen od. in der Wirbelschicht – die Red. mit Gasen (Erdgas, Erdöl-Produkte, Wasserstoff/Kohlenoxid) od. minderwertigen Kohlen (auch *Braunkohlen) vorgenommen wird, sind die meist in Einzelstichwörtern behandelten Purofer-, HyL-, SL/RN-, Krupp-Eisenschwamm-, H-Iron-, Nu-Iron-, Midrex-, Fior-Verf. u. a. Bei der *Hydrometallurgie* werden die Erze unter Bildung von E.-Salzen, wie z. B. Eisen(III)-chlorid, ausgelaugt: Die Red. der Salze erfolgt dann entweder mit Gas od. durch Elektrolyse.

1994 betrug die Welterzeugung von Roheisen 510 Mio. t; davon entfielen auf die OECD-Länder 240 Mio. t, auf die VR China 96 Mio. t, auf die EU 89 Mio. t, auf Japan 74 Mio. t, auf Osteuropa 60 Mio. t, auf die GUS-Staaten 59 Mio. t, auf die USA 49 Mio. t, auf Brasilien 25 Mio. t, auf Südkorea 21 Mio. t, auf Indien 10 Mio. t. In der BRD belief sich die Produktion auf 29,9 Mio. t Roheisen, für die Rohstahlerzeugung wurden zusätzlich 14,8 Mio. t Schrott eingeschmolzen.

Verw.: Fe ist bei weitem das wichtigste Gebrauchsmetall. E. u. Stahl sind in der techn. Welt nahezu allgegenwärtig. Die Verwendungsmöglichkeiten sind so vielfältig, daß sie hier nicht aufgezählt zu werden brauchen, s. a. Stichwörter wie Automatenstähle, Edelstahl, nichtrostende Stähle, Schnellarbeitsstahl, Ferro-Legierungen etc. In der Chemie werden Fe u. Fe-Verb. als Katalysatoren[8] für zahlreiche Produktionsprozesse verwendet, *Beisp.*: Haber-Bosch-Verf., Fischer-Tropsch-Synthese. Viele Fe-Verb. haben als Arzneimittel (vgl. Eisen-Präparate), chem. Reagenzien, Pigmente [s. Eisen(oxid)-Pigmente], als Materialien mit interessanten magnet. Eigenschaften (Ferrite) u. dgl. erhebliche Bedeutung.

Geschichte: Man kann für die Entdeckung des Fe kein genaues Datum angeben. Wahrscheinlich wurde zunächst das ziemlich reine, seltene Meteoreisen als Waffe u. Werkzeug verwendet, da dieses keine umständlichen Verhüttungsverf. erforderte. Kleinere Fe-Gegenstände findet man schon in ägypt. Gräbern, die etwa 4000 v. Chr. angelegt wurden, eiserne Werkzeuge um 3500 v. Chr. in Anatolien. Das Erschmelzen von E. aus Eisenerz gelang zuerst den Hethitern ca. 1400 v. Chr. in Kleinasien, die das Verf. bis ca. 1200 v. Chr. geheimhalten konnten. Ab etwa 400 v. Chr. – in Europa datiert man die *Eisenzeit* auf ca. 800 v. Chr. bis zum Jahre 0 – wurde im Siegerland Fe verhüttet, u. die Römer hatten vor 1800–2000 Jahren Fe-Verhüttungsanlagen in Italien, Spanien, England, am Rhein u. in der Steiermark. Die ersten Hochöfen kamen im 14. Jh. auf. Im 18. Jh. brachen die Einführung des Kokses in den Hochofenprozeß, die Erfindungen des Tiegelgußstahls u. des Flammofenfrischens mit Steinkohle (Puddelverf.) dem E. als Werkstoff des Maschinen- u. Industriezeitalters die Bahn; s. a. Stahl. – *E* iron – *F* fer – *I* ferro – *S* hierro

Lit.:[1] Chem. Rev. **96**, 885 (1996). [2] Stahl-Eisen-Liste (9.), Düsseldorf: Stahleisen 1994. [3] Belitz-Grosch (4.), S. 381. [4] Struct. Bonding (Berlin) **40**, 1–72 (1980). [5] Townshend, Encyclopedia of Analytical Science, S. 2369–2388, London: Academic Press 1995. [6] Statistisches Jahrbuch der Stahlindustrie, S. 324, Düsseldorf: Stahleisen 1995. [7] Steel Res. **60**, 95–190 (1989). [8] Appl. Catal. **25**, 313–333 (1986).

allg.: Kirk-Othmer (4.) **14**, 829–872 ▪ Ullmann (5.) **A 10**, 331; **A 14**, 461–590 ▪ Winnacker-Küchler (4.) **4**, 90–197 ▪ zahlreiche weitere Titel findet man beim Verl. Stahleisen (40237 Düsseldorf), in Führer durch die technische Literatur, Hannover: Weidemann (jährlich) u. in Scientific and Technical Books and Serials in Print, New York: Bowker (jährlich) ▪ s. a. Eisen-organische Verbindungen, Eisen-Präparate, Gußeisen, Häm, Stahl u. a. Textstichwörter. – *Organisationen:* Arbeitsgemeinschaft der Eisen- u. Metallverarbeitenden Industrie, 40474 Düsseldorf ▪ Max-Plank-Institut für Eisenforschung GmbH, Max-Planck-Str. 1, 40237 Düsseldorf ▪ Roheisenverband 40213 Düsseldorf ▪ Unternehmensverband Eisenerzbergbau, 53113 Bonn ▪ Verein Deutscher Eisenhüttenleute (VDEh), 40237 Düsseldorf ▪ Wirtschaftsverband Eisen, Blech u. Metall verarbeitende Industrie, 40474 Düsseldorf. – *[CAS 7439-89-6]*

Eisen(III)-acetylacetonat.

$C_{15}H_{21}FeO_6$, M_R 353,18. Rubinrote Krist., D. 1,33, Schmp. 184 °C, in Wasser nahezu unlösl., dagegen in Ethanol, Aceton, Benzol u. Chloroform löslich. Über die Verw. des E. vgl. Metallacetylacetonate. Die Abb. zeigt ein chirales Mol. der Punktgruppe D_3 (*Schönflies-System). – *E* iron(III) acetylacetonate – *F* acétylacétonate de fer(III) – *I* acetilacetonato di ferro(III) – *S* acetilacetonato de hierro(III) – *[HS 291440; CAS 14024-18-1]*

Eisenalaune.
Sammelbez. für *Alaune des Eisens, z. B. mit Kalium [*Kaliumeisen(III)-sulfat*, KFe(SO$_4$)$_2$ · 12 H$_2$O], das ähnliches Aussehen u. Verw. hat wie *Ammoniumeisen(III)-sulfat. – *E* iron alums – *F* aluns de fer – *I* ferro d' allume – *S* alumbres de hierro

Lit.: Gmelin, Syst.-Nr. 59, Fe, Tl. B, 1929–1932, S. 928 ff., 1010–1014 ▪ s. a. Alaune. – *[HS 2833 30]*

Eisenammonium...
s. Ammoniumeisen...

Eisenbahnverkehrsordnung. In der BRD geltende, im Einklang mit internat. Vereinbarungen (RID, s. Transportbestimmungen) stehende amtliche Regelung zur Beförderung von lebenden Tieren u. Gütern (EVO vom 21.7.1976 (BGBl. I, S. 1889).

Eisenbakterien. Die nicht seltenen E. treten kolonienweise in Tümpeln u. Gräben auf, wo sie eine fein irisierende *Kahmhaut bilden, die von ausgeschiedenem *Eisenhydroxid gelb bis braunrot gefärbt ist. Das bekannteste, v. a. im Frühjahr massenhaft in Eisen-haltigen Gewässern auftretende E. ist *Gallionella ferruginea*, ein bohnenförmiger Mikroorganismus, der einen Eisenhydroxid enthaltenden Schleim ausscheidet. Auch die den *Sphaerotilus*-Arten zuzurechnenden *Leptothrix ochracea* (Ockerbakterien, fädige Wuchsform) u. *Cladothrix dichotoma* sind in Fe-haltigen Gewässern wie Gräben, Brunnen, Drainagerohren u. Sümpfen häufig. Obwohl die Kapseln (Scheiden) dieser *Bakterien Eisenhydroxide inkrustiert enthalten, ist es fraglich, ob es sich bei diesen Arten um echte E. handelt, ebenso bei *Crenothrix polyspora*, die sich gelegentlich in Wasserleitungsröhren ansiedelt u. durch Ausfällung der im Wasser gelösten Eisen-Spuren allmählich eine merkliche Verengung der Röhren bewirken kann. In solchen Fällen fließt das Leitungswasser (bes. nach längeren Pausen) oft bräunlich aus dem Hahn; Vergiftungen sind hierbei allerdings kaum zu befürchten. Dagegen gehören die in sauren Gewässern von Eisenerzgruben heim., den *Schwefelbakterien sehr ähnlichen *Thiobacillus ferrooxidans* u. *T. thiooxidans* zu den echten E., für die *Chemolithotrophie typ. ist. Diese E., die einen pH-Wert von 2,5 tolerieren, spielen bei der Erzlaugung (s. Bioleaching u. mikrobielle Laugung) eine wichtige Rolle. Die während der Oxid. von Fe^{2+} zu Fe^{3+} freiwerdende Energie

$$4Fe^{2+} + 4H^+ + O_2 \rightarrow 4Fe^{3+} + 2H_2O$$

wird zur Red. des Kohlendioxids aus der Luft benötigt (s. Autotrophie). Die echten E. können in *Eisensäuerlingen das gelöste Eisenhydrogencarbonat unerwünschterweise in unlösl. Eisenhydroxid umwandeln, u. sie sind sicherlich bei der Entstehung von *Brauneisenerz-Lagern (Sumpferze, Quellenerze u. Raseneisenstein) vielfach beteiligt. – *E* iron bacteria – *F* bactéries ferrugineuses, ferrobactéries – *I* batteri ferruginosi – *S* bacterias del hierro, ferrobacterias
Lit.: Schlegel (7.), S. 129, 385 f.

Eisenbeton s. Stahlbeton.

Eisenblau s. Berliner Blau u. Eisen-Pigmente.

Eisenblaupapier s. Eisensalz-Verfahren.

Eisenbronze s. Edelmessing.

Eisencarbid (Zementit, Cementit). Fe_3C, M_R 179,55. Graue orthorhomb. Krist., D. 7,694, Schmp. 1837 °C, unlösl. in Wasser, hart (H. 6, etwa 270mal härter als reines Fe), spröde, schwer schmelzbar, im weißen *Gußeisen u. *Stahl verbreitet, bedingt deren Härte. E. kommt als wurmförmige, lamellare, seltener kompakte Einlagerung sowohl in terrestr. Eisen als auch in Eisen-*Meteoriten vor u. wird dort auch *Cohenit* genannt. Die feste Lsg. von E. in γ-Eisen heißt *Austenit, u. die beim *Abschrecken* des Austenits entstehende metastabile Phase (Lsg. von E. in α-Fe) heißt *Martensit. Bei langsamem Abkühlen bildet sich ein eutektoid. Gemisch aus E. u. α-Fe, der *Perlit. Anwesenheit von Si in der Roheisenschmelze setzt die Fe_3C-Bildung herab; der Kohlenstoff wird hierbei als Graphit ausgeschieden. Bei der *Aufkohlung gebildetes E. bewirkt (u. a.) die *Härtung von Stahl. Steigt jedoch der Kohlenstoff-Anteil des Stahls über 1,6%, so tritt eine festigkeitsvermindernde Kornvergrößerung ein; s. a. Zementation. – *E* iron carbide – *F* carbure de fer – *I* carburo di ferro – *S* carburo de hierro

Lit.: Brauer (3.) **3**, 1651 f. ▪ Gmelin, Syst.-Nr. 59, Fe, Tl. A, Abt. 2 1934–1939, S. 1178–1224 ▪ *Gmelin-Durrer (4.) Bd. 1, 1964, S. 45a–53a, 6b ▪ Ramdohr-Strunz, S. 397 f. ▪ Winnacker-Küchler (4.) **4**, 91, 172 ff. ▪ s. a. Carbide, Eisen, Stahl. – *[CAS 12011-67-5]*

Eisencarbonat. $FeCO_3$, M_R 115,86. 1. Als Mineral *Siderit od. Eisenspat genannt. – 2. Farbloses, amorphes, in Mineralsäuren lösl., in Wasser unlösl. Pulver, entsteht aus Lsg. von Eisen(II)-sulfat u. Soda:

$$FeSO_4 + Na_2CO_3 \rightarrow FeCO_3 + Na_2SO_4.$$

E. findet Verw. als Futterzusatz für Tiere u. als Flammschutzmittel, an der Luft geht es leicht unter Aufnahme von Wasser u. Sauerstoff (CO_2-Abgabe) in das rotbraune Eisen(III)-oxidhydrat FeO(OH) über. – 3. In Kohlensäure-haltigem Wasser löst sich $FeCO_3$ (ähnlich wie Calciumcarbonat) allmählich unter Bildung von *Eisen(II)-hydrogencarbonat*, $Fe(HCO_3)_2$ auf; dieses ist auch in den metall. schmeckenden *Eisensäuerlingen od. Stahlwässern enthalten. Reines $Fe(HCO_3)_2$ ist nicht herstellbar; beim Eindampfen der Lsg. tritt Zerfall in Eisen(II)-carbonat, Wasser u. Kohlendioxid ein. Beim Erhitzen auf etwa 300 °C zerfällt Eisen(II)-carbonat in Eisenoxid u. Kohlendioxid. – *E* iron carbonate – *F* carbonate de fer – *I* carbonato di ferro – *S* carbonato de hierro

Lit.: Gmelin, Syst.-Nr. 59, Fe, Tl. B, 1929–1932, S. 502–512 ▪ Kirk-Othmer (4.) **14**, 875 ▪ Ullmann (5.) **A 14**, 601. – *[HS 2836 99; CAS 14476-16-5 (a); 563-71-3 (b); 6013-77-0 (c)]*

Eisencarbonyle. Verb. aus Eisen u. Kohlenoxid. Am bekanntesten sind: (a) *Eisenpentacarbonyl*, $Fe(CO)_5$, M_R 195,90. Giftige, strohgelbe Flüssigkeit von muffigem Geruch, D. 1,45, Schmp. –21 °C, Sdp. 103 °C, MAK 0,8 mg/m³ bzw. 0,1 ppm, LD_{50} (Ratte oral) 40 mg/kg, wird auch durch die Haut resorbiert, in Wasser nicht, in organ. Lsm. löslich. E. entsteht, wenn man fein verteiltes Eisen u. Kohlenoxid unter Druck auf 150–200 °C erhitzt, in Spuren auch beim Abbrennen von Wunderkerzen u. ist meist in Spuren in Kohlenmonoxid enthalten. Es zerfällt bei starkem Erhitzen in reines *Eisen (Carbonyleisen) u. Kohlenoxid u. wurde früher als *Antiklopfmittel untersucht, doch wegen ungünstiger Nebenwirkungen verworfen. Zum intramol. Austausch axialer u. äquatorialer CO-Liganden in $Fe(CO)_5$ s. *Lit.*[1].
(b) *Dieisenneacarbonyl*, $Fe_2(CO)_9$, M_R 363,79. Goldgelbe Krist., D. 2,08, wird bei 100 °C zersetzt.
(c) *Trieisendodecacarbonyl*, $Fe_3(CO)_{12}$, M_R 503,67. Tiefgrüne, monokline Prismen zersetzen sich bei 140 °C.
Die E. gehen zahlreiche Substitutions-, Additions-, Oxid.- u. Reduktionsreaktionen ein, vgl. a. Eisen-or-

ganische Verbindungen, Metallcarbonyle u. Carbonylkomplexe. Sie finden z. B. als Katalysatoren u. bei der Herst. von sehr reinem Fe (für Tonbänder, Hochfrequenzkerne, Induktionsspulen) Verwendung. – *E* iron carbonyls – *F* fer-carbonyles – *I* carbonili di ferro – *S* ferrocarbonilos

Lit.: [1] Wilkinson-Stone-Abel (2.) **7**, 3.
allg.: Brauer (3.) **3**, 1827 ff. ■ Encycl. Gaz., S. 721 ff. ■ Gmelin, Syst.-Nr. 59, Fe, Tl. B, 1929–1932, S. 480–502, Erg.-Bd. 36, Tl. B1, S. 23–209 ■ Hommel, Nr. 436; Kirk-Othmer (4.) **14**, 892 f. ■ Ullmann (5.) A **14**, 595–601 ■ s. a. Carbonyl-Komplexe, Metallcarbonyle. – *[HS 2931 00; CAS 13463-40-6 (a); 20982-74-5 (b); 12088-65-2 (c); G 6.1]*

Eisenchloride. (a) *Eisen(II)-chlorid.* Das Tetrahydrat $FeCl_2 \cdot 4H_2O$, M_R 198,82, bildet blaugrüne, monokline, zerfließliche Krist., D. 1,93, lösl. in Wasser u. Ethanol, wird bei der Herst. von Farbstoffen als Reduktionsmittel verwendet.

Herst.: Man löst Eisen-Pulver in verd. Salzsäure u. dampft unter Luftabschluß ein:

$$Fe + 2\,HCl \rightarrow FeCl_2 + H_2.$$

Leitet man über heiße Eisenfeile (Rotglut) trockenes HCl-Gas, so entsteht eine farblose Masse von wasserfreiem Eisen(II)-chlorid, M_R 126,75. Grüne bis gelbe Krist., D. 3,16. Schmp. 670–674 °C. In salzsaurer Lsg. wird $FeCl_2$ durch Einwirkung des Luftsauerstoffs allmählich zu (b) oxidiert.

(b) *Eisen(III)-chlorid.* Als Hexahydrat $FeCl_3 \cdot 6H_2O$. M_R 270,30, schmutziggelbe, zerfließliche krist. Stücke, Schmp. ca. 35 °C, riecht leicht nach HCl, in Wasser, Alkohol, Aceton u. Ether leicht lösl.; die rotbraune bis gelbbraune wäss. Lsg. reagiert infolge Hydrolyse stark sauer. Wasserfreies $FeCl_3$ bildet dunkle, hexagonale, in der Aufsicht grüne, in der Durchsicht rote Blättchen. D. 2,90, die bei ca. 300 °C sublimieren u. schmelzen, Sdp. ca. 316 °C. Bis etwa 400 °C ist Eisen(III)-chlorid dimer $(FeCl_3)_2$; erst oberhalb 750 °C wird es vollständig in $FeCl_3$ aufgespalten. Bei Krist. aus Wasser erhält man je nach Temperaturbedingungen u. Konz. verschiedene Hydrate, z. B. $FeCl_3 \cdot 12H_2O$, $FeCl_3 \cdot 7H_2O$, $FeCl_3 \cdot 5H_2O$, $FeCl_3 \cdot 2H_2O$ usw. An feuchter Luft zerfließt festes $FeCl_3$ zu einer dunkelbraunen Flüssigkeit. Wasserfreies $FeCl_3$ stellt man techn. durch Chlorierung von Eisenschrott bei Rotglut her.

Verw.: Als chem. Reagenz, als Oxidationsmittel u. Farbbeize im Textildruck, zum Entwickeln von Küpenfarbstoffen, zur Indigoätzung, als Flockungs- u. Fällungsmittel in der Wasseraufbereitung, zum Irisieren von Gläsern, zum Graphitieren von Kohle (z. B. bei der Herst. von Graphit-Elektroden), zu Eisen-Blautonungen, im Lichtpausverf., als Abschwächer, als adstringierender Zusatz zu Fußschweißmitteln u. gegen Frostschäden (2%ige Lsg.), zum Ätzen von Metallen, zur Herst. von Farbstoffen, als blutstillender Zusatz bei Verbandwatte, als Oxidationsmittel, Kondensationsmittel u. Chlor-Überträger sowie als Katalysator in *Friedel-Crafts-Reaktionen[1]. – *E* iron chlorides – *F* chlorures de fer – *I* cloruri di ferro – *S* cloruros de hierro

Lit.: [1] Synthetica **1**, 182–189.
allg.: Brauer (3.) **3**, 1641 f. ■ Gmelin, Syst.-Nr. 59, Fe, Tl. B, 1932, S. 184–319 ■ Hommel, Nr. 674 ■ Kirk-Othmer (4.) **14**, 880 f. ■ Ullmann (5.) A **14**, 592–595 ■ Winnacker-Küchler (4.) **2**, 471 f. – *[HS 2827 33]*

Eisen(III)-citrat. E. stellt eine in der Zusammensetzung variierende Eisen-Verb. der Citronensäure dar. E.-Hydrate bilden dünne, durchscheinende, rubinrote Plättchen mit 19–20% Eisen, in heißem Wasser schnell, in kaltem langsamer lösl., in Alkohol unlöslich. Bei Zusatz von Ammoniak fällt aus der wäss. Lsg. kein Eisenhydroxid-Niederschlag aus, da Fe in komplexer Bindung vorliegt. Wird bei Blutarmut als mildes Eisen-Mittel verordnet, vgl. Eisen-Präparate. – *E* iron(III) citrate – *F* citrate de fer(III) – *I* citrato di ferro(III) – *S* citrato de hierro(III)

Lit.: Beilstein E III **3**, 1103 ■ Gmelin, Syst.-Nr. 59, Fe, Tl. B, 1929–1932, S. 541 ■ Kirk-Othmer (4.) **14**, 876 ■ Ullmann (5.) A **14**, 601. – *[HS 2918 15; CAS 2338-05-8]*

Eisencyanide. Vom Eisen sind keine Verb. vom Typ $Fe(CN)_2$ od. $Fe(CN)_3$ bekannt, sondern nur Komplexsalze von der Art der *Blutlaugensalze u. *Berliner Blau. – *E* iron cyanides – *F* cyanures de fer – *I* cianuri di ferro – *S* cianuros de hierro

Eisendisulfid s. Eisensulfide.

Eisenenzyme s. Eisenproteine.

Eisenerze s. Eisen.

Eisenfarben s. Eisenoxid-Pigmente.

Eisen(III)-formiat. $(HCOO)_3Fe$, $C_3H_3FeO_6$, M_R 190,90. E. bildet ein Monohydrat, rotes Kristallpulver, lösl. in Wasser, wenig lösl. in Alkohol, lichtgeschützt aufbewahren; hydrolysiert in Wasser z. T. unter Bildung bas. Formiate. Wird gegen Eisenmangel-bedingte Blutarmut verwendet. – *E* iron(III) formate – *F* formiat de fer(III) – *I* formiato di ferro(III) – *S* formiato de hierro(III)

Lit.: Beilstein E IV **2**, 18 ■ Gmelin, Syst.-Nr. 59, Tl. B, 1929–1932, S. 519 f. ■ Kirk-Othmer (4.) **14**, 880. – *[HS 2915 13; CAS 555-76-0]*

Eisen(II)-fumarat. [OOC–CH=CH–COO]Fe, $C_4H_2FeO_4$, M_R 169,90. Rötlich-orangefarbenes Pulver, sehr wenig lösl. in Wasser, wirkt gegen Eisen-Mangelerscheinungen (Anämien). – *E* iron(II) fumarate – *F* fumarate de fer(II) – *I* fumarato di ferro(II) – *S* fumarato de hierro(II)

Lit.: Beilstein E III **2**, 1899 ■ Kirk-Othmer (4.) **14**, 880 ■ Ullmann (5.) A **14**, 601. – *[HS 2917 19; CAS 141-01-5]*

Eisengallustinte. Die schon seit Jh. bekannte schwarze bis blauschwarze E. besteht im wesentlichen aus einem Eisen-Salz u. *Gallussäure (Gerbsäure) unter Zusatz von *Gummi arabicum, Salzsäure u. Phenol. Da eine so bereitete Tinte an sich ungefärbt ist u. erst im Verlauf einiger Tage unter Sauerstoff-Aufnahme schwarz wird, muß sie noch mit z. B. *Tintenblau gefärbt werden, damit sie sofort eine sichtbare Schrift gibt. Verblaßte E.-Schriften kann man mit einer Lsg. von Kaliumhexacyanoferrat(II) mit überschüssiger Salzsäure wieder sichtbar machen. – *E* iron-gallic ink – *F* encre gallique ferrée – *I* inchiostro ferrogallico – *S* tinta de galata de hierro, tinta de agallas

Lit.: Ullmann (4.) **23**, 259; (5.) A **9**, 41. – *[HS 3215 90]*

Eisengelb s. Eisen-Pigmente.

Eisenglanz s. Hämatit.

Eisenglimmer. In Schlesien u. Kärnten usw. natürlich vorkommendes feinschuppiges, schwarzglänzendes

Fe_2O_3-Pigment, bes. Ausbildungsform des Minerals *Hämatit.
Verw.: Als Pigment für Deckanstriche. E. wird hauptsächlich zum Rostschutz von Eisen-Konstruktionen eingesetzt, während andere, nicht blättchenförmige E. metallurg. genutzt werden. – *E* micaceous iron ore – *F* fer micacé – *I* oligisto micaceo – *S* óxido de hierro micáceo
Lit.: Ullmann **6**, 421; **11**, 387; **13**, 772 ▪ s. Eisenoxide u. Hämatit. – *[HS 253040]*

Eisen(II)-gluconat. [HOCH$_2$–(CHOH)$_4$–COO]$_2$Fe.
$C_{12}H_{22}FeO_{14}$, M_R 446,15. Das Dihydrat bildet ein gelblichgraues od. schwach grünlichgelbes Pulver, lösl. in Wasser, fast unlösl. in Alkohol, im trockenen Zustand stabil. Verw. bei Eisen-Mangelanämien. – *E* iron(II) gluconate – *F* gluconate de fer(II) – *I* gluconato di ferro(II) – *S* gluconato de hierro(II)
Lit.: Beilstein E IV **3**, 1256 ▪ Kirk-Othmer (4.) **14**, 883. – *[HS 291816; CAS 299-29-6]*

Eisen(III)-glycerinphosphat (Eisenglycerophosphat).

$$\begin{bmatrix} H_2C-OH \\ HC-OH \quad O \\ H_2C-O-\overset{\|}{\underset{O^-}{P}}-O^- \end{bmatrix}_3 2\,Fe^{3+}$$

$C_9H_{21}Fe_2O_{18}P_3$, M_R 621,87. Grünlichgelbes Pulver, lösl. in Wasser, unlösl. in Alkohol; Verw. in *Eisen-Präparaten. – *E* iron(III) glycerophosphate – *F* glycérophosphate de fer(III) – *I* glicerinfosfato di ferro(III) – *S* glicerofosfato de hierro(III)
Lit.: Beilstein E III **1**, 2338. – *[HS 291900; CAS 1301-70-8]*

Eisen-Gruppe.
Bez. für die in Gruppe 8–10 der vierten Periode des *Periodensystems stehenden Elemente *Eisen, *Cobalt u. *Nickel, s.a. Atombau. – *E* iron group – *F* groupe du fer – *I* gruppo di ferro – *S* grupo del hierro

Eisenhammerschlag s. Eisenoxide u. Zunder.

Eisenhexacyanoferrate s. Berliner Blau u. Eisen-Pigmente.

Eisenhüttenkunde.
Lehre von der *Metallurgie u. den Herstellungstechniken des *Eisens. Die E. befaßt sich im einzelnen mit der Gewinnung von Eisen aus *Erzen u. *Altstoffen (*Schrott, *Altmetall), der Überführung von *Roheisen u. Eisen-Schwamm in *Stahl u. *Gußeisen wie auch mit der Formgebung von Eisen u. Stahl (s. Gießen). Sie untersucht dabei die chem., mechan., physikal. u. allg. techn. Eigenschaften von Eisen u. Stahl u. deren wechselseitige Zusammenhänge sowie die Auswirkungen von Fertigungsvorgängen (Umformung, *Wärmebehandlung) auf Gefüge u. Eigenschaften. Die Grenzen zu den benachbarten Gebieten Werkstofftechnik, *Metallkunde u. Metallurgie sind fließend. – *E* metallurgy of iron and steel – *F* sidérurgie, métallurgie du fer – *I* = *S* siderurgia

Eisenhut.
In Mittelgebirgen Europas, Asiens u. Nordamerikas heim., blau blühendes Kraut (*Aconitum napellus* L., Ranunculerceae), dessen Wurzelknollen u.a. Pflanzenteile das sehr giftige *Aconitin enthalten. Ähnliche Inhaltsstoffe enthalten auch der Bunte E. (*A. variegatum*) u. der Gelbe E. (*A. vulparia*). Selten wird E. auch für *Eisenkraut als Synonym gebraucht. E.-Zubereitungen, die durch partielle Hydrolyse des Aconitins weniger giftig sind, werden in Ostasien als *Antipyretika verwendet. – *E* wolfsbane, monkshood – *F* aconit – *I* aconito – *S* acónito, anapelo, matalobos
Lit.: Bundesanzeiger 193 a/15.10.87 ▪ Hager **2**, 1066–1082 ▪ Frohne u. Pfänder, Giftpflanzen, Stuttgart: Wissenschaftliche Verlagsges. 1996 ▪ s.a. Aconitin. – *[HS 121190]*

Eisenhydrogencarbonat s. Eisencarbonat u. Eisensäuerlinge.

Eisenhydroxide.
(a) *Eisen(II)-hydroxid*, Fe(OH)$_2$, entsteht als weißer, flockiger Niederschlag, wenn luftfreie Lsg. von FeSO$_4$ u. NaOH unter Luftabschluß zusammengegossen werden:

$$FeSO_4 + 2\,NaOH \rightarrow Fe(OH)_2 + Na_2SO_4$$

u. geht an der Luft über graugrüne, dunkelgrüne u. schwärzliche Zwischenstufen von Mischhydroxiden des zwei- u. dreiwertigen Eisens in rotbraunes, stabiles Eisen(III)-oxidhydrat über. In siedender konz. NaOH löst sich Fe(OH)$_2$ unter Bildung von Natriumhydroxoferrat(II), Na$_2$[Fe(OH)$_4$]. Krist. Eisen(II)-hydroxid, D. 3,4, besitzt *Brucit-Struktur*.
(b) *Eisen(III)-oxidhydrat* FeO(OH) [Eisenhydroxid, Eisen(III)-aquoxid]. Der bei Hydrolyse u. Fällung in wäss. Eisen(III)-Salzlsg. sich bildende rotbraune, gallertartige Niederschlag kann nicht als Eisen(III)-hydroxid bezeichnet werden [1], wie früher in Analogie zu anderen Hydroxid-Bildungen formuliert, z.B.:

$$FeCl_3 + 3\,NaOH \rightarrow Fe(OH)_3 + 3\,NaCl.$$

Nach röntgenolog. Untersuchungen gibt es nur drei wohldefinierte, krist. E., die die Formel $Fe_2O_3 \cdot H_2O$ bzw. FeO(OH) haben, nämlich α-FeO(OH), γ-FeO(OH) u. δ-FeO(OH), das bei der Oxid. von Fe(OH)$_2$ zu α-FeO(OH) im Meeresbodenschlamm als metastabiles Zwischenprodukt durchlaufen wird u. als *Ferroxyhit* hexagonale faserige Bestandteile mariner *Mangan-Knollen bildet. Das sog. β-FeO(OH) wurde 1938 als Zwischenprodukt bei der Hydrolyse von

$$FeCl_3 \rightarrow FeOCl \rightarrow \beta\text{-FeO(OH)} \rightarrow \alpha\text{-FeO(OH)}$$

erhalten u. kommt als Mineral *Akaganeit* in Japan vor. Alle übrigen, früher als definierte Hydroxide des Eisens angesprochenen Mineralien sind teils *Hämatite mit wechselnden Mengen von adsorbiertem Wasser (so der Turgit), teils α- od. γ-FeO(OH), die ebenfalls in sehr verschiedenen Ausprägungsformen (amorph, bohnenartig, derb, knollig, kugelig, nierig, traubig), Farben (braungelb, braun bis nahezu schwarz) u. wechselnden Mengen von adsorbiertem Wasser auftreten können u. die häufig gemeinsam als *Brauneisenerze bezeichnet werden. Hauptbestandteil derselben ist α-FeO(OH) (*Goethit mit den Varietäten *Nadeleisenerz* u. *Samtblende*), während γ-FeO(OH) seltener vorkommt als *Lepidokrokit mit der Varietät *Rubinglimmer*). Beim *Rosten entstehen intermediär E. unterschiedlichen Wassergehalts. – *E* iron hydroxides – *F* hydroxydes de fer – *I* idrossidi di ferro – *S* hidróxidos de hierro
Lit.: [1] Chem. Rev. **84**, 31–41 (1984).
allg.: Brauer (3.) **3**, 1646–1648 ▪ Gmelin, Syst.-Nr. 59, Fe, Tl. B, 1929–1932, S. 114–137 ▪ Kirk-Othmer (4.) **14**, 883 f.
▪ Ramdohr-Strunz, S. 552–555. – *[HS 282110]*

Eisenkies s. Eisensulfide.

Eisenkiesel s. Quarz.

Eisenklinker. Unter Zusatz metall. Flußmittel bis zur Sinterung gebrannte *Ziegel mit hohem Fe-Gehalt, meist dunkel gefärbt mit metall. Schimmer, in der Bauwirtschaft bes. zur Fassadenverblendung verwendet. – *E* iron clinkers – *F* briques vitrifiées – *I* clinker di ferro – *S* ferroclinca

Eisen-Kohlenstoff-System. Darst. der Stabilitätsbereiche von Phasen im Zweistoffschaubild Fe-C in Abhängigkeit von der Temp. als Basis zur Beurteilung des Einflusses von C auf Gefüge u. Eigenschaften von Fe-C-*Legierungen. Von wesentlicher Bedeutung sind die unterschiedlichen Modif. des *Eisens (*Austenit, *Ferrit) u. ihre Umwandlungen. Je nach der Form des im Gefüge ausgeschiedenen Kohlenstoffs werden das *metastabile* (*carbid.*) u. das *stabile* (*graphit.*) E.-K.-S. unterschieden. Im metastabilen Syst. (Grundlage von *Stahl) ist C in carbid. Form an Fe gebunden (Fe$_3$C, *Zementit*, s. Eisencarbid), im stabilen Syst. (Grundlage von *Gußeisen) findet sich freier Kohlenstoff (*Graphit) im Gefüge.
a) *Metastabiles E.-K.-S.:* Prakt. Nutzung bis max. 2% C als Schmiedestahl od. Stahlguß. Bei 20°C liegen in Abhängigkeit vom C-Gehalt folgende Gefüge vor: Bis 0,9% untereutektoider, ferrit.-perlit. Stahl; bei 0,9% eutektoider Stahl mit rein perlit. Gefüge (*Eutektoid* = *Perlit: feinkörniges Ferrit-Zementit-Gemisch); zwischen 0,9 u. 2,0% übereutektoider Stahl mit zementit.-perlit. Gefüge. Oberhalb 2,0% C ist die Fe-C-Leg. wegen des Auftretens von *Ledeburit (s.u.) im Gefüge nicht mehr warmverformbar u. wird daher nicht mehr als Stahl bezeichnet.
b) *Stabiles E.-K.-S.:* Prakt. Nutzung zwischen 2,0 u. 4,3% C als Gußeisen. In Abhängigkeit vom C-Gehalt liegen folgende Gefüge vor: Bis 4,3% untereutekt. Gußeisen mit ferrit.-zementit. Gefüge; mit 4,3% C erstarrt das Gußeisen bei 1147°C eutekt. als *Ledeburit* (Austenit u. Zementit) u. zerfällt bei ca. 720°C in Ferrit u. Zementit. Oberhalb von 4,3% C entsteht unerwünschter voreutekt. Zementit.
Durch Zugabe von Legierungselementen werden die Phasenfelder des E.-K.-S. signifikant verändert (s. Austenit, Ferrit u. Schaeffler-Diagramm). Von entscheidendem Einfluß auf das sich einstellende Gefüge ist dabei neben der Zusammensetzung die Abkühlgeschw. (s. Abschrecken). Deren Auswirkungen auf die Phasengrenzlinien im E.-K.-S. u. auf die entstehenden thermodynam. instabilen Gefügearten (s. Martensit) werden in Zeit-Temp.-Umwandlungsschaubildern mit dem Zusatzparameter Zeit dargestellt. – *E* binary iron carbon system – *F* diagramme d'équilibre fer-carbone – *I* sistema binario ferro-carbone – *S* diagrama de equilibrio hierro carbón

Lit.: Horstmann, Das Zustandsschaubild Eisen-Kohlenstoff u. die Grundlagen der Wärmebehandlung der Eisen-Kohlenstoff-Legierungen, Düsseldorf: Stahleisen 1985.

Eisenkraut. Eine ein- bis mehrjährige, als Unkraut ubiquitäre Pflanze, *Verbena officinalis* L. (Verbenaceae), deren Blätter volksmedizin. genutzt werden. Sie enthalten neben ether. Öl (*Verbenaöl), *Bitter-, *Gerb- u. *Schleimstoffen das parasympathomimet. wirksame Iridoidglykosid *Verbenalin* ($C_{17}H_{24}O_{10}$, M_R 388,37), das für die diuret., antiphlogist. u. emmenagoge Wirkung verantwortlich sein dürfte. – *E* vervain – *F* verveine – *I* = *S* verbena

Lit.: Hager (5.) **4**, 65–81 ▪ Wichtl (2.), S. 150 ff. – [HS 1211 90]

Eisen-Legierungen s. Eisen, Stahl u. Eisen-Kohlenstoff-System.

Eisenmennige. Veraltete, etwas irreführende Bez. für gebranntes, toniges *Eisenoxid-Pigment, braunrot, nachdunkelnd, wetterfest, bedingt säurefest, ohne *Rostschutz-Wirkung. – *E* red iron ochre – *F* minium de fer – *I* minio di ferro – *S* minio de hierro

Lit.: Ullmann (3.) **13**, 804.

Eisenmeteoriten s. Meteoriten.

Eisen-Nickel-Akku. s. Akkumulatoren.

Eisennitrate. (a) *Eisen(II)-nitrat*, Fe(NO$_3$)$_2$, entsteht durch Umsetzung aus Eisen(II)-sulfat u. Bleinitrat:

$$FeSO_4 + Pb(NO_3)_2 \rightarrow Fe(NO_3)_2 + PbSO_4.$$

Es krist. als Fe(NO$_3$)$_2$ · 6H$_2$O, M_R 287,96, in rhomb., hellgrünen Tafeln, Schmp. 61 °C; beim Kochen der wäss. Lsg. bildet sich unter Zers. bas. Eisen(III)-nitrat. (b) *Eisen(III)-nitrat* Fe(NO$_3$)$_3$ entsteht, wenn Eisen in 20–30%iger Salpetersäure gelöst wird; es krist. je nach Bedingungen als fast farbloses Fe(NO$_3$)$_3$ · 6H$_2$O (M_R 349,97, Schmp. 35 °C), Fe(NO$_3$)$_3$ · 9H$_2$O usw. Diese lösen sich in Wasser infolge *Hydrolyse mit brauner Farbe auf. Eisen(III)-nitrat wird infolge seiner Eiweiß-fällenden Wirkung (saure Reaktion) als Adstringens bei Magen- u. Darmblutungen gebraucht, ferner dient es zum Schwarzfärben u. Beschweren von Seide, zum Gerben von Häuten, zur *Berliner Blau-Herst., als Eisenbeize in der Färberei u. Kattundruckerei usw. – *E* iron nitrates – *F* nitrates de fer – *I* nitrati di ferro – *S* nitratos de hierro

Lit.: Gmelin, Syst.-Nr. 59, Fe, Tl. B, 1929–1932, S. 158–173 ▪ Kirk-Othmer (4.) **14**, 883 ▪ Ullmann (5.) **A14**, 601. – [HS 2834 29; CAS 14013-86-6 (a, Hexahydrat); 7782-61-8 (b, Nonahydrat)]

Eisennitrid. Graue Eisen-Stickstoff-Verb. von der Formel Fe$_2$N, M_R 125,70, (seltener Fe$_4$N), die bei der *Nitrierhärtung in der Oberfläche des *Stahls entsteht u. diesen sehr hart macht; D. 6,35, bei 200 °C Zers., unlösl. in Wasser. – *E* iron nitride – *F* nitrure de fer – *I* nitruro di ferro – *S* nitruro de hierro

Lit.: Brauer (3.) **3**, 1649 f. ▪ Gmelin, Syst.-Nr. 59, Fe, Tl. B, 1929–1932, S. 139–156. – [HS 2850 00; CAS 12023-20-0]

Eisenocker s. Ocker u. Eisen-Pigmente.

Eisen-organische Verbindungen. In E.-o. V. sind ein od. mehrere C-Atome durch σ- od. π-Bindungen an Fe gebunden, wobei die Koordinationssphäre des Fe-Atoms meist durch weitere Liganden so vervollständigt wird, daß das Zentralatom über 18 Valenzelektronen verfügt (18-Valenzelektronen-Regel). Zur Systematik C-gebundener Liganden s. Metall-organische Verbindungen. Viele E.-o. V. enthalten CO (*Eisencarbonyle), Cyclopentadienyl (*Ferrocen) od. beides, z. B. [(η^5-C$_5$H$_5$)Fe(CO)$_2$]$_2$ (**1**); auch Carbenkomplexe (z. B. **2**) existieren in großer Vielfalt. Zahlreiche E.-o. V. lassen sich durch therm., photochem. od. katalyt. initiierte Verdrängung von CO-Liganden in Ggw. anderer Liganden herstellen u. enthalten z. B. π-gebundene

Olefine (**3**), Cycloolefine (**4**) od. Isonitrile {z.B. [Fe(CNC$_6$H$_5$)$_5$]}. Eine Ausnahme von der 18-Valenzelektronen-Regel ist das Tetra-1-norbornyl-eisen(IV), welches mit nur 12 Valenzelektronen trotz ster. Hinderung u. thermodynam. Stabilisierung gegen β-Hydrid-Eliminierung bereits bei Raumtemp. zerfällt. Für die Valenzelektronenzahl in Cluster-Verb. wie **5** gelten die *Wade-Regeln. E.-o. V. werden als wichtige Intermediate der *Fischer-Tropsch-Synthese u. der Wassergas-Reaktion diskutiert.

Abb.: Eisen-organische Verbindungen.

– *E* organoiron compounds – *F* composés d'organofer – *I* composti organici di ferro – *S* compuestos orgánicos de hierro

Lit.: Gmelin, Syst.-Nr. 59, Fe, Eisen-organische Verbindungen, A 1 (1974) – A 9 (1989) (Ferrocene), B 1 (1976) – B 17 (1990) (einkernige Verbindungen), C 1 (1979) – C 7 (1986) (mehrkernige Verbindungen) ▪ Petz, Iron-Carbene Complexes, Heidelberg: Springer 1993 ▪ Wilkinson-Stone-Abel (2.) **7**, 1–289.

Eisen(II)-oxalat. (OOC–COO)Fe · 2 H$_2$O, C$_2$FeO$_4$, M$_R$ 143,87. Schwach gelbe Krist., D. 2,28, Schmp. 190 °C (Zers.), sehr schwer lösl. in Wasser u. Alkohol, löst sich beim Erwärmen in Säuren.

Herst.: Durch Fällung von FeSO$_4$ mit Alkalioxalat. E. wurde in der Photographie erstmals 1879 als Entwickler verwendet. – *E* iron(II) oxalate – *F* oxalate de fer(II) – *I* ossalato di ferro(II) – *S* oxalato de hierro(II)

Lit.: Beilstein E IV **2**, 1840 ▪ Gmelin, Syst.-Nr. 59, Fe, Tl. B, 1929–1932, S. 532 f. ▪ Ullmann (4.) **17**, 480. – *[HS 2917 11; CAS 516-03-0]*

Eisenoxide. (a) *Eisen(II)-oxid*, FeO, M$_R$ 71,85, ist nicht stöchiometr. zusammengesetzt, sondern zeigt wegen Einbaus submikroskop. Fe$_3$O$_4$-Domänen in das FeO-Gitter Eisen-Unterschuß (Fe$_{0,90—0,95}$O). Metastabiles, schwarzes Pulver, D. 5,9, Schmp. 1420 °C, MAK 6 mg/m^3, das unterhalb 570 °C in Eisen(III)-oxid u. Eisen disproportioniert. Bei 20 °C ist es jedoch wegen der geringen Zerfallsgeschw. beliebig lange haltbar. Man erhält es durch Einwirkung von Wasserdampf auf Eisen oberhalb 570 °C. Stöchiometr. zusammengesetztes instabiles FeO entsteht beim Erhitzen von Eisen(II)-oxalat unter Luftausschluß. Dieses Oxid ist pyrophor. Eisen(II)-oxid kommt auch als Mineral *Wüstit* vor.

(b) *Eisen(III)-oxid* (Eisensesquioxid), Fe$_2$O$_3$, M$_R$ 159,69, D. 5,24, Schmp. 1565 °C (Zers.). Rote bis schwarze Krist., die beim Glühen von Eisen(III)-oxidhydrat (s. Eisenhydroxide), Eisen(II)-nitrat od. Eisen(II)-sulfat entstehen. Hochgeglühtes Fe$_2$O$_3$ ist in Säuren schwer löslich. Eisen(III)-oxid kommt in zwei Modif. vor, u. zwar als paramagnet. α-Fe$_2$O$_3$ (*Hämatit*) mit Korund-Struktur u. als ferromagnet. γ-Fe$_2$O$_3$ (*Maghemit*) mit Spinell-Struktur, das bei der langsamen Oxid. von Fe$_3$O$_4$ (*Magnetit*) gebildet wird u. beim Erhitzen über 300 °C in die α-Modif. übergeht. Die natürlichen Fe$_2$O$_3$-Mineralien, die vielfach in großen abbauwürdigen Lagerstätten vorkommen, werden (mit den Varietäten *Eisenglanz* u. *Roteisenstein*) unter dem Oberbegriff Hämatit zusammengefaßt. Reine FeO- u. Fe$_2$O$_3$-*Feinstäube wirken weder tox. noch fibrogen; im Hinblick auf die Beeinträchtigung der Atmungsorgane gilt für sie ein MAK-Wert von 6 mg/m^3.

(c) *Eisen(II,III)-oxid* (Ferroferrioxid), Fe$_3$O$_4$ = FeO · Fe$_2$O$_3$, M$_R$ 231,54. Tiefschwarzes, ferromagnet., elektrizitätsleitendes Pulver, D. 5,1, Schmp. 1538 °C, MAK 6 mg/m^3, in unreiner Form als *Zunder od. *Eisenhammerschlag* bekannt. Es krist. mit Inversspinell-Struktur (s. Spinelle) u. entsteht durch starkes Glühen über 1400 °C von Fe$_2$O$_3$ od. durch Einwirken von Wasserdampf auf rotglühendes Eisen. In der Natur bildet Fe$_3$O$_4$ das wichtigste u. verbreitetste Eisenerz, den Magnetit (*Magneteisenstein*). – E. verschiedener Zusammensetzung u. unterschiedlichen Hydratisierungsgrades [*Eisenoxidhydrate*, Fe$_2$O$_3$ · H$_2$O = 2 FeO(OH)] entstehen beim *Rosten von Eisen, vgl. Rost.

Verw.: In der Metallurgie zur Eisen-Gewinnung (Erze, Schrott), Fe$_2$O$_3$-Pulver als *Eisenoxid-Pigmente u. zur Herst. von *Ferriten, *Magnetbändern (γ-Fe$_2$O$_3$ u. Fe$_3$O$_4$), als Polierpulver für Glas u. dgl., als Katalysatoren, zur Thermit-Herst., für Elektroden usw. – *E* iron oxides – *F* oxydes de fer – *I* ossidi ferrici, ossidi di ferro – *S* óxidos de hierro

Lit.: Brauer (3.) **3**, 1645–1648 ▪ Gmelin, Syst.-Nr. 59, Fe, Tl. B, 1929–1932, S. 11–114 ▪ Kirk-Othmer (4.) **14**, 883 ff. ▪ *Landolt-Börnstein, neue Serie 3/4 a, 12 b ▪ s.a. Hämatit, Magnetit, Eisen u. Eisenoxid-Pigmente. – *[HS 2821 10]*

Eisenoxidhydrate s. Eisenhydroxide.

Eisenoxid-Pigmente. Sammelbez. für eine umfangreiche Gruppe von natürlichen od. künstlichen gelben, roten, braunen u. schwarzen *Eisen-Pigmenten, die *Eisenoxide als farbgebenden Hauptbestandteil enthalten. Mit einer Weltjahresproduktion (1985)[1] von 700 000 t bilden die E. die mengenmäßig größte Buntpigmentgruppe (s. Pigmente). Die je nach Fundort verunreinigten natürlichen E.-P. finden wegen ihrer geringeren Farbstärke u. Farbreinheit heute nur noch weniger anspruchsvolle Einsatzgebiete (ca. 1/7 der Weltjahresproduktion). Die bekanntesten sind *Hämatit (*Spanischrot* od. *Persischrot*, bis zu 95% α-Fe$_2$O$_3$), *Ocker (α-FeOOH od. α-Fe$_2$O$_3$), *Terra di Siena (ca. 50% α-Fe$_2$O$_3$) u. *Umbra (bis zu 70% γ-Fe$_2$O$_3$). Die synthet. E.-P. besitzen hohe chem. Reinheit u. lassen sich gezielt in unterschiedlichen Teilchengrößen darstellen, wodurch Variationen in Deckvermögen u. Farbton möglich sind, z.B. Ferritgelb, krist. Fe$_2$O$_3$ · H$_2$O. Bei Teilchengrößen unter 1 μm ergeben sich transparente Einfärbungen.

Herst.: Als Ausgangsmaterial für die synthet. E. (*Eisenoxidrot, Eisenoxidgelb* u. *Eisenoxidschwarz*) werden meist Eisen(II)-sulfat, Eisen(II)-chlorid sowie Eisenschrott eingesetzt. Wichtigste Herstellverf. sind die Thermolyse von Eisen-Verb., z. B.:

$$2\,FeSO_4 \cdot H_2O + \frac{1}{2}O_2 \rightarrow Fe_2O_3 + 2\,SO_3,$$

od. oxidative Verf. in wäss. Medien. Hier haben das *Penniman-Zoph-Verf.*:

$$2\,Fe + 3\,H_2O + \frac{1}{2}O_2 \rightarrow 2\,FeOOH + 2\,H_2,$$

u. das *Anilin-Verf.*:

$$H_5C_6-NO_2 + 2\,Fe + 2\,H_2O \xrightarrow{AlCl_3/FeCl_2} H_5C_6-NH_2 + 2\,FeOOH$$

bes. Bedeutung erlangt.
Verw.: Als Pigmente für Baustoffe (60%), Farben u. Lacke (29%), Kunststoffe (6%), für Papier etc. In der Lebensmittel-Ind. werden E. zur Färbung von Dragées, Käserinden, Dekors für Süßwaren u. von Verpackungsmaterial verwendet, in der Kosmetik zu Puder u. Schminken. – *E* iron oxide pigments – *F* pigments d'oxyde de fer – *I* pigmenti a base di ossido ferrico – *S* pigmentos de óxido de hierro
Lit.: [1]Büchner et al., Industrial Inorganic Chemistry, S. 532–539, Weinheim: VCH Verlagsges. 1989.
allg.: Buxbaum, Industrial Inorganic Pigments, Weinheim: VCH Verlagsges. 1993 ■ Janistyn (3.) **1**, 264; **3**, 836 f. ■ Kirk-Othmer (3.) **17**, 814 ff. ■ Ullmann (5.) **A 20**, 297–311, 330 f. ■ Winnacker-Küchler (4.) **3**, 376 ff., 394. – [HS 3207 10]

Eisenpentacarbonyl s. Eisencarbonyle.

Eisen(III)-phosphat. $FePO_4$, M_R 150,82. Das Tetrahydrat bildet ein gelbliches Pulver, schwerlösl. in Wasser, lösl. in Mineralsäuren, das Dihydrat bildet farblose bis rosa gefärbte monkline Krist., D. 2,87, schwerlösl. in Wasser, lösl. in Säuren. E. entsteht, wenn man Lsg. von Eisen(III)-Salzen u. Alkaliphosphaten zusammengießt; es findet Verw. in Pharmazie, Nahrungsmittel-Ind. u. Keramik. Ein natürliches Fe(II)-phosphat ist der *Vivianit. – *E* iron(III) phosphate – *F* phosphate de fer(III) – *I* fosfato di ferro(III) – *S* fosfato de hierro(III)
Lit.: Gmelin, Syst.-Nr. 59, Fe, Tl. B, 1929–1932, S. 771–778 ■ Winnacker-Küchler (4.) **2**, 250. [HS 2835 29; CAS 10045-86-0]

Eisenphosphide. Verb. aus Eisen u. Phosphor von wechselnder Zusammensetzung. (a) *Eisenmonophosphid*, FeP, M_R 86,82, rhomb. Krist., D. 6,07. – (b) *Dieisenphosphid*, Fe_2P, M_R 142,67, blaugraue Krist. od. Pulver, D. 6,56, Schmp. 1290 °C, ist der wesentliche Bestandteil von Ferrophosphor; zur Verw. s. dort. – (c) *Trieisenphosphid*, Fe_3P, M_R 198,51, graue Krist. od. Pulver, D. 6,74, Schmp. 1100 °C. Ferner existiert noch ein Eisendiphosphid (FeP_2). Die E. sind in Wasser unlösl., lösl. in Mineralsäuren unter Entwicklung von Phosphorwasserstoff. – *E* iron phosphides – *F* phosphures de fer – *I* fosfuri di ferro – *S* fosfuros de hierro
Lit.: Brauer (3.) **3**, 1650 f. ■ Gmelin, Syst.-Nr. 59, Fe, Tl. A, Abt. II, 1936, S. 1781–1790 ■ Ullmann (5.) **A 19**, 538. – [HS 7202 99]

Eisen-Pigmente. Sammelbez. für anorgan. *Pigmente auf der Basis von Verb. des Eisens. Die bedeutendste Gruppe der E. sind die *Eisenoxid-Pigmente, deren natürliche Vertreter unter histor. Namen im Handel sind, während die chem. einheitlichen synthet. Produkte als *Eisen(oxid)rot, -gelb* u. *-schwarz* od. unter Marken gehandelt werden. Weitere wichtige E. sind die verschiedenen *Eisenblau-Pigmente*, z. B. die *Berliner Blau- u. a. Hexacyanoferrat-Pigmente, u. einige Eisen-haltige *Chrom-Pigmente wie z. B. *Sideringelb* [$Fe_2(CrO_4)_3$].
Verw.: Zum Einfärben von Baustoffen, Lacken u. a. Anstrichstoffen, Kunststoffen, Kautschukerzeugnissen, Kosmetika u. Dragees, einzelne E. auch als Schleif- u. Poliermittel. – *E* iron pigments – *F* pigments de fer – *I* pigmenti di ferro – *S* pigmentos de hierro
Lit.: Ullmann (5.) **A 20**, 326–331 ■ s. a. Eisenoxid-Pigmente.

Eisenportlandzement (EPZ). Veraltete Bez. für ein hydraul. *Bindemittel, das durch gemeinsames Feinmahlen von mind. 65% *Portlandzement-Klinker u. höchstens 35% Hüttensand (granulierte *Hochofenschlacke) unter Zusatz von Calciumsulfat hergestellt wird. E. zählt mit dem *Hochofenzement zu den sog. *Hüttenzementen* u. wird heute nach DIN 1164-1 (10/1994) als *Portlandhüttenzement* (CEM II) bezeichnet. – *E* portland blast-furnace slag cement – *F* ciment Portland de fer, ciment de laitier Portland – *I* ferrocemento Portland – *S* cemento ferroportland
Lit.: Kirk-Othmer (3.) **5**, 186 f.; (4.) **5**, 589 f. ■ Ullmann (4.) **24**, 546; (5.) **A 5**, 491 ■ Winnacker-Küchler (4.) **3**, 215–227 ■ s. a. Zement.

Eisen-Präparate. Im Organismus spielt Eisen eine wichtige physiolog. Rolle (s. dort), z. B. als wesentlicher Bestandteil des *Hämoglobins u. der Atmungsenzyme der *Atmungskette. Daher kann *Eisen-Mangel nicht nur zu Leistungsabfall, sondern auch zu schweren Krankheitserscheinungen führen. Mit *Hypochromie einhergehende *Anämien können sowohl durch Blutverlust od. Eisen-Resorptionsstörungen im Verdauungstrakt hervorgerufen werden als auch bei erhöhtem Eisen-Bedarf (Schwangerschaft, starke Wachstumsschübe bei Kindern) auftreten. Sinkt der Eisen-Gehalt des Blutes (bzw. die Zahl der *Erythrocyten) unter 50% des Normalwertes ab, so wird die Sauerstoff-Versorgung der Gewebe unzureichend, das Verbrennungstempo u. die Energieentwicklung sinken; es treten Frostgefühle, Appetitlosigkeit, Trägheit u. leichte Ermüdbarkeit auf u. die Hautfarbe bekommt einen Stich ins Grünliche (*Chlorose*). Etwa 80–90% aller Fälle von Blutarmut sind *Sideropenien* (d. h. sie beruhen auf Eisen-Mangel) u. sind durch zweckmäßige Eisen-Zufuhr, meist schon durch richtige Ernährung (s. Eisen) zu heilen. Daneben gibt es auch eine Form der Blutarmut (sideroachrest. Anämie), in welcher das Eisen wegen Enzymdefekten vom Körper nicht voll verwertet werden kann u. deswegen im Körper kumuliert. Zur Dekorporation solcher u. a. *Siderophilien* (patholog. Eisen-Ablagerungen) läßt sich *Deferoxamin einsetzen. Eine nicht Eisen-abhängige Stoffwechselkrankheit ist die mit *Hyperchromie verbundene *perniziöse Anämie, die mit *Cyanocobalamin u. a. *Vitamin B_{12}-Derivaten behandelt wird.
Als *Antianämika* werden bei den oben beschriebenen Eisen-Mangelkrankheiten vornehmlich E.-P. eingesetzt. Die früher angewendeten Fe(III)-Salze können als solche bei oraler Anw. vom Körper nicht resorbiert werden, bringen statt dessen das Eiweiß zum Gerin-

nen, ätzen die Magen- u. Darmwände u. zerstören die roten Blutkörperchen (sie werden deshalb z. B. in *Hämostyptika verwendet). Verwendet werden Eisen(II)-Verb. mit reduzierend wirkenden Stabilisatoren, z. B. Vitamin C. In E.-P. hauptsächlich eingesetzte organ. Eisen(II)-Derivate sind die meist in Einzelstichwörtern behandelten Eisenpeptonat, -citrat, -fumarat, -gluconat, -lactat, -saccharat sowie anorgan. Eisen(II)-Salze wie Eisenchlorid u. -sulfat. Daneben bedient man sich auch komplex gebundener Eisen(III)-Verb. (*Ammoniumeisencitrat u. dgl.), die entweder durch parenterale Zufuhr direkt od. in Verbindung mit reduzierend wirkenden Bestandteilen therapeut. verwertbare E.-P. darstellen. Auch Eisen-haltige *Mineralwässer (*Eisensäuerlinge) können eine günstige Wirkung haben.

Geschichte: Die Heilwirkung von E.-P. wurde schon vor ca. 150 Jahren von den Ärzten Blaud u. Niemayer propagiert (die „Blaudschen Pillen" enthalten Eisencarbonat mit Zucker als Oxidationsschutz); sie war jedoch schon viel früher bekannt – so soll angeblich schon Herodot vorgeschlagen haben, alte Hufeisennägel in saure Äpfel zu stecken u. die Äpfel (zur Heilung der Bleichsucht) am anderen Morgen zu essen. Im antiken Griechenland wurden auch alte Schwerter zur Rostung ins Wasser gelegt u. dieses gegen Blutarmut empfohlen. Der Arzt Sydenham (1624–1689) verordnete gegen Blutarmut Auflösungen von Eisenfeilspänen in saurem Wein. – *E* iron preparations – *F* préparations ferrugineuses – *I* preparati ferruginosi, preparati a base di ferro – *S* preparados ferruginosos
Lit.: Mutschler (7.), S. 405 ff. ■ Pharm. Ztg. **138**, 571–582, 659 ff. (1993); **139**, 3807–3811 (1994) ■ s. a. Anämien, Eisen.

Eisen-Proteine (Ferro-Proteine, veraltet: Eisen-Proteide). Gruppenbez. für *Metall-Proteine, die in der *prosthetischen Gruppe Eisen-Ionen enthalten. Je nach Vorhandensein einer *Häm-Gruppe werden sie in Häm- od. Nichthäm-E.-P., nach einem anderen Kriterium in Eisen-Schwefel-Proteine od. sonstige E.-P. eingeteilt. *Hämproteine, in denen Eisen(II) od. -(III) als Zentralatom eines *Porphyrin-Derivates fungiert, sind z. B. *Myoglobin, *Hämoglobin, *Katalase, *Peroxidasen, *Cytochrome u. *Cytochrom-c-Oxidase. In *Eisen-Schwefel-Proteinen*[1] ist Eisen der Oxidationsstufen 2 od. 3 über Schwefel-haltige Liganden gebunden. Beisp. hierfür sind *Aconitase, *Rubredoxine, *Ferredoxine, *Xanthin-Oxidase u. *Nitrogenase. In den Eisen-Schwefel-Proteinen liegen oftmals *Cluster-Verbindungen vor mit stöchiometr. Verhältnissen von Eisen- zu anorgan. Sulfid-Ionen wie 2:2, 3:4, 4:4, 8:8 u. ä., die über Cystein-Reste als zusätzliche Eisen-Liganden ans Protein gebunden sind (vgl. die Abb. bei Ferredoxin u. *Lit.*[2]). In anderer Form als oben erwähnt ist Eisen gebunden in *Transferrin, *Conalbumin u. *Ferritin. Die E.-P., von denen einige Enzymeigenschaften haben (*Eisen-Enzyme*), spielen eine wichtige Rolle in Eisen-Speicherung u. -Transport sowie im Energiestoffwechsel (oft als Oxidoreduktasen), z. B. im Sauerstoff-, Elektronen- u. Wasserstoff-Transport, in der Kohlenstoff- u. Stickstoff-Fixierung, Phosphorylierung, Hydroxylierung, Nitrit- u. Sulfit-Reduktion. – *E* iron proteins – *F* ferroprotéines – *I* ferroproteine – *S* ferroproteínas

Lit.: [1] International Union of Biochemistry and Molecular Biology, Enzyme Nomenclature, Recommendations (1992) of the Nomenclature Committee of the IUBMB, S. 547–554, San Diego: Academic Press 1992. [2] Trends Biochem. Sci. **18**, 153 f. (1993).

Eisenpulver s. Eisen, Pulvermetallurgie u. Sintern.

Eisenquellen s. Eisensäuerlinge.

Eisen-Regulationsfaktor s. Aconitase.

Eisen(III)-rhodanid s. Eisen(III)-thiocyanat.

Eisenrost s. Rost.

Eisenrot s. Eisen-Pigmente.

Eisensäuerlinge (Eisenwässer, Stahlquellen). *Mineralwasser, die im Liter über 10 mg Eisen gelöst enthalten, werden als *Eisenquellen* bezeichnet; sie finden ggf. therapeut. Verw. wie *Eisen-Präparate. In den *Vitriolquellen* (Levico mit 0,19% Fe) liegt das Eisen als Eisen(II)-sulfat, in den häufigeren Eisencarbonat- od. *Stahlquellen* dagegen als Eisen(II)-hydrogencarbonat [Fe(HCO$_3$)$_2$] vor; die E. enthalten daneben noch mehr als 1 g Kohlendioxid je Liter. Da sich die Eisen-Salze beim Transport u. bei längerem Aufbewahren unter Bildung von Eisenoxidhydrat leicht zersetzen, werden die E. meist am Badeort selbst getrunken. Bekannte *Eisenquellen* sind: Pyrmont, Bad Schwalbach (Taunus), Alexisbad (Harz), Franzensbad, Freienwalde (Brandenburg), Spa, St. Moritz, Rippoldsau (0,064% Fe), Berger Sprudel in Bad Cannstatt, Bad Elster (0,003% Fe), Homburger Stahlbrunnen (0,003% Fe). – *E* chalybeate waters – *F* eau ferrugineuse – *I* acque ferrugginose – *S* agua acídula ferruginosa – *[HS 2201 10]*

Eisensalmiak [Ammoniumeisen(III)-chlorid]. Bez. für eine schon bei den Alchimisten – als *Philosophische Säure* – bekannte Verb. von Eisen(III)-chlorid u. Ammoniumchlorid in variierenden Mengenverhältnissen. Gelbes bis rotes, hygroskop. Pulver, in Wasser u. verd. Ethanol bis auf geringe Rückstände an Eisenoxidhydrat u. bas. Eisenchlorid löslich. – *E* ammonium iron chloride – *F* chlorure d'ammonium et de fer – *I* cloruro ammonico di ferro – *S* cloruro de amonio y hierro – *[HS 2842 90]*

Eisensalz-Verfahren (Cyanotypie). In Europa weitgehend durch die *Diazokopie verdrängte, in den USA jedoch noch praktizierte Form der *Lichtpause, bei der sog. *Blaupausen entstehen. Man verwendet hier ein mit Lsg. von *Ammoniumeisencitrat u. -oxalat u. Kaliumhexacyanoferrat(III) (rotes *Blutlaugensalz) getränktes, durch die Imprägnierung gelbgrün gefärbtes Papier, das sich nur an den belichteten Stellen infolge Bildung von *Berliner Blau färbt (Eisenblaupapier), also ein „Negativ" liefert. Verwendet man Kaliumhexacyanoferrat(II), erhält man ein „Positiv". Die Fixierung des Bildes erfolgt durch Auswaschen der nicht umgesetzten Salze mit Wasser. – *E* blueprinting – *F* cyanotypie – *I* cianotipia – *S* cianotipia

Lit.: Kirk-Othmer **17**, 356 ff.

Eisenschwamm s. Eisen.

Eisenschwarz s. Eisen-Pigmente.

Eisen-Schwefel-Proteine s. Eisen-Proteine.

Eisensesquioxid s. Eisenoxide.

Eisensilicide. Verb. zwischen *Eisen u. *Silicium, die als z. T. unbeständige intermetall. Phasen definierter Zusammensetzung (z. B. Fe_2Si, Fe_5Si_3, FeSi) innerhalb des Zustandsdiagramms von Eisen-Silicium-Leg. auftreten können. – *E* iron silicides – *F* siliciures de fer – *I* siliciuri di ferro – *S* siliciuros de hierro
Lit.: Ullmann (4.) **21**, 420–424; (5.) **A 23**, 741–745 ▪ s. a. Ferrosilicium.

Eisensinter. Bez. für Mineral- u. Gel-Gemenge aus Wasser- u. SO_3-haltigen Eisenphosphaten- u. -arsenaten in stalaktit. Formen, vgl. Sinter.

Eisenspat s. Siderit.

Eisensulfate. (a) *Eisen(II)-sulfat* (Ferrosulfat), $FeSO_4$, M_R 151,90, entsteht beim Auflösen von Fe in wasserfreier Schwefelsäure als weißes hygroskop. Pulver, D. 2,84, aus dem beim Glühen Schwefeldioxid u. Schwefeltrioxid entweichen ($2 FeSO_4 \rightarrow Fe_2O_3 + SO_2 + SO_3$). Aus wäss. Lsg. kristallisiert $FeSO_4 \cdot 7 H_2O$ (*Eisenvitriol*) in Form hellgrüner monokliner Prismen, D. 1,88. Ferner sind Hydrate mit 1, 4 u. 5 Kristallwasser bekannt. Durch Luft wird Eisen(II)-sulfat infolge Oxid. zu Fe(III) gelbbraun verfärbt. Wesentlich beständiger ist das Doppelsalz mit Ammoniumsulfat $(NH_4)_2Fe(SO_4)_2 \cdot 6 H_2O$, *Mohrsches Salz*.
Vork.: $FeSO_4 \cdot 7 H_2O$ kommt (selten) in Form junger Neubildung als Mineral *Melanterit* auf Schwefelkies (Rammelsberg bei Goslar, Falun, Rio Tinto) in Form grüner od. weißer Krusten, Überzüge, Ausblühungen, Nadeln od. auch großer Stalaktiten vor.
Herst.: In der Technik gewinnt man $FeSO_4$ durch Auflösen von Eisen in Schwefelsäure, durch Oxid. von feuchtem *Pyrit an offener Luft, als Nebenprodukt bei der Kupfer-Gewinnung durch Zementation, beim Beizen des Eisens, bei der Zinn-Gewinnung, bei der Chromalaun-Herst. od. Titanweiß-Fabrikation; s.a. Grünsalz.
Verw.: Zur Herst. von Eisen-Verb., *Eisengallustinten, im Pflanzenschutz, bei der Färberei u. Gerberei (Indigoküpe), in der Photographie, bei der Desinfektion u. Desodorisierung von Abfallgruben (bindet Schwefelwasserstoff u. Ammoniak), niedrig dosiert in *Eisen-Präparaten, in der Tierheilkunde (Blutbildungsmittel u. Adstringens bei Maul- u. Klauenseuche, Mauke usw.), zur Holzkonservierung, zum Ätzen von Aluminium, als Flockungsmittel bei der Abwasser-Reinigung, als Katalysator (z. B. bei der Ammoniak-Synth.), zur Herst. von *Eisenoxid-Pigmenten in der *Dosimetrie, Lithographie, in der analyt. Chemie zum Nachw. von Nitriten u. Nitraten (Bildung des Adduktes $[Fe(H_2O)_5NO]SO_4$) usw.
(b) *Eisen(III)-sulfat* (Ferrisulfat), $Fe_2(SO_4)_3$, M_R 399,87. Schwach graue od. gelbliche, hygroskop. Krist., D. 3,09, bei 480 °C Zersetzung. Das Enneahydrat, $Fe_2(SO_4)_3 \cdot 9 H_2O$, bildet farblose bis schwachgraue Krist., D. 2,1, spaltet bei 175 °C sieben Mol. Kristallwasser ab, in Wasser langsam lösl., zerfließt an der Luft allmählich zu brauner Flüssigkeit. Wird erhalten durch Oxid. von Schwefelsäure-haltiger Eisen(II)-sulfat-Lsg. mit Salpetersäure; nachher entfernt man HNO_3 u. Wasser durch Abdampfen.
Verw.: Bei der Herst. von Berliner Blau, Alaunen u. a. Fe(III)-Salzen, als Flockungsmittel in der Wasser- u. Abwasserreinigung, als Beize in der Zeugfärberei, beim Kalikodruck, zum Ätzen von Aluminium sowie als Korrosionsschutzmittel für Stahl u. Kupfer. – *E* iron sulfates – *F* sulfates de fer – *I* solfati di ferro – *S* sulfatos de hierro
Lit.: Gmelin, Syst.-Nr. 39, Tl. B, 1932, S. 394–468 ▪ Kirk-Othmer (4.) **14**, 886 ▪ Ullmann (5.) **A 14**, 591 f. – [HS 283329]

Eisensulfide. (a) *Eisen(II)-sulfid* (Schwefeleisen), FeS, M_R 87,91. Dunkelgraue od. schwarze, metallartige Stücke, Platten od. Stäbchen, die gewöhnlich mit überschüssigem Fe verunreinigt sind – reinstes, krist. FeS wäre hell tombakbraun. In Wasser ist FeS unlösl., in Säuren löst es sich unter Entwicklung von Schwefelwasserstoff:

$$FeS + 2 HCl \rightarrow FeCl_2 + H_2S.$$

Die techn. Herst. erfolgt gewöhnlich durch Zusammenschmelzen von pulverisiertem Eisen u. Schwefel im Gewichtsverhältnis 7:4. FeS wird im Laboratorium zur Schwefelwasserstoff-Entwicklung benutzt. Da sich in dem FeS noch nichtumgesetztes Fe befindet, enthält der so gewonnene Schwefelwasserstoff als Verunreinigung Wasserstoff. Das Mineral *Pyrrhotin (Magnetkies, Magnetopyrit)* ist natürliches FeS; dieses enthält immer etwa 1 bis 2% mehr S, als der Formel entsprechen würde, weil z. T. Eisendisulfid (FeS_2) mechan. beigemischt ist u. weil im Kristallgitter ein Teil der den Fe-Atomen zukommenden Plätze von S-Atomen besetzt wird. Dagegen ist der in Meteoriten in Form braungelber bis brauner tropfenartiger Knollen, Platten, Körner od. Kriställchen vorkommende *Troilit nahezu reines, hexagonal krist. FeS.
(b) *Dieisentrisulfid* [Eisen(III)-sulfid], Fe_2S_3, M_R 207,87, D. 4,3. Entsteht als schwarzer, wasserunlösl. Niederschlag beim Zusammengießen von Eisen(III)-chlorid- u. Natriumsulfid-Lsg. bei 0 °C als schwarzer Niederschlag u. zerfällt oberhalb 20 °C in FeS u. S_8 od. FeS u. FeS_2[1]:

$$2 FeCl_3 + 3 Na_2S \rightarrow Fe_2S_3 + 6 NaCl.$$

Bei der Auflösung in Salzsäure scheidet sich Schwefel ab:

$$Fe_2S_3 + 4 HCl \rightarrow 2 FeCl_2 + 2 H_2S + S;$$

angefeuchtet erfolgt an der Luft allmählich eine Zers. unter Abscheidung von S u. Eisenoxidhydrat. Aus Fe_2S_3 läßt sich auch ferromagnet. Fe_3S_4 herstellen, das als Mineral *Greigit* in der Natur vorkommt[2].
(c) *Eisendisulfid*, FeS_2, M_R 119,97, kann als Fe(II)-Salz des Anions S_2^{2-} aufgefaßt werden u. entsteht in der Natur aus organ. Material u. FeS, was man bei *Fossilien als *Pyritisierung* bezeichnet. Es kommt als Mineral in 2 Modif. vor, dem weit verbreiteten *Pyrit u. dem selteneren *Markasit, die zusammen auch als *Eisenkies* bezeichnet werden. Synthet. kann FeS_2 durch Einwirkung von H_2S auf $FeCl_3$ bei Rotglut od. durch Erhitzen von FeS mit überschüssigem Schwefel hergestellt werden. Pyrit ist das wichtigste sulfid. Eisenerz.
Über die Bindungsverhältnisse u. die räumlichen Anordnungen in den Krist.-Gittern der verschiedenen E. informiert *Lit.*[3]. Die komplexen Eigenschaften der E. werden auf ein Verhalten von 3d-Elektronen zwischen lokalisiertem u. beweglichem Zustand zurückgeführt[4]. – *E* iron sulfides – *F* sulfures de fer – *I* solfuri di ferro – *S* sulfuros de hierro

Lit.: [1] Hollemann-Wiberg (101.), S. 1527. [2] Ramdohr-Strunz, S. 449. [3] Pure Appl. Chem. **52**, 73–92 (1980) [4] Ann. Chim. (Paris) **7**, 489–504 (1982).
allg.: Brauer (3.) **3**, 1649f. ▪ Gmelin, Syst.-Nr. 59, Fe, Tl. B, 1929–1932, S. 345–393 ▪ Kirk-Othmer (4.) **14**, 887 ▪ s. a. die einzelnen Mineralien. – *[HS 283090]*

Eisen(III)-thiocyanat [Eisen(III)-rhodanid]. Fe(SCN)$_3$, M_R 230,08. Gibt man zu einer Eisen(III)-Salzlsg. ein Thiocyanat (z. B. KSCN, NH$_4$SCN), so tritt eine blutrote E.-Färbung auf. Die Reaktion eignet sich infolge ihrer hohen Empfindlichkeit zum Fe-Nachweis. Die intensive Farbe in wäss. Lsg. ist auf das Vorhandensein von undissoziiertem [Fe(SCN)$_3$(H$_2$O)$_3$] neben den Ionen [Fe(SCN)$_2$(H$_2$O)$_4$]$^+$ u. [Fe(SCN)(H$_2$O)$_5$]$^{2+}$ zurückzuführen. Verw. als Beize im Dampffarbendruck. – *E* iron(III) thiocyanate – *F* thiocyanate de fer(III) – *I* tiocianato di ferro(III) – *S* tiocianatos de hierro(III)
Lit.: Beilstein EIV **3**, 312 ▪ Gmelin, Syst.-Nr. 59, Fe, Tl. B, 1929–1932, S. 747–761. – *[HS 283800; CAS 4119-52-2]*

Eisentinten s. Eisengallustinte.

Eisentongranat s. Granate.

Eisenvitriol s. Eisensulfate.

Eisenwässer s. Eisensäuerlinge.

Eiserner Hut s. Oxidationszone.

Eisessig s. Essigsäure.

Eisfarben s. Entwicklungs-Farbstoffe.

Eisglas s. Glas.

Eishydrate s. Clathrate u. Eis.

Eispunkt. Fixpunkt in der *Celsius-Temperatur-Skale, definiert als der Schmp. des Eises bei 101,3 kPa (0 °C C = 273,15 K). Damit liegt der E. um 0,01 °C unter dem Fixpunkt der thermodynam. Temp.-Skale, dem *Tripelpunkt des Wassers (273,16 K). – *E* ice point – *F* point de congélation – *I* punto di congelamento – *S* punto de congelación del agua, punto crioscópico

Eisstein s. Kryolith.

Eistert, Bernd (1902–1978), Prof. für Organ. Chemie, TH Darmstadt, BASF u. Univ. Saarbrücken. *Arbeitsgebiete:* Tautomerie, Mesomerie, Chromophor-Syst., Weiterentwicklung der Wittschen Farbentheorie, Reduktone, Reaktion von aliphat. Diazo-Verb., mit *Arndt zusammen Entwicklung der *Arndt-Eistert-Reaktion zur Kettenverlängerung von Carbonsäuren.
Lit.: Chem.-Ztg. **86**, 791 f. (1962) ▪ Nachr. Chem. Tech. **15**, 415 f. (1967) ▪ Neufeldt, S. 155, 159 ▪ Pötsch, S. 132.

Eiszonenschmelzen s. Zonenschmelzen.

Eiweiß s. Proteine.

Eiweißfasern (Proteinfasern). Im engeren Sinne Bez. für *Chemiefasern, die aus regeneriertem pflanzlichem (*Ardein* aus Erdnüssen, *Zein* aus Mais) od. tier. (*Casein* aus Milch) Eiweiß bestehen.
Herst.: Die Eiweißstoffe werden in Alkalien gelöst, filtriert, gereinigt, durch Düsen in ein Säurebad gepreßt, verstreckt u. mit Formaldehyd od. Aluminiumsulfat gehärtet. Die E. haben D. 1,25–1,35, sind gegen schwache Säuren u. bis 10%ige Mineralsäuren beständig; heiße u. starke Alkalien verursachen Quellung u. Faserzerstörung. Mit Peroxiden, Natriumhypochlorit u. Natriumhydrogensulfit sind die E. bleichbar u. mit allen für die Wollfärberei geeigneten Farbstoffen (auch Küpen- u. Schwefelfarbstoffen) färbbar. Da die E. gegen organ. Lsm. u. heißes Wasser empfindlich sind (Quellung, Schrumpfung), spielen sie keine Rolle mehr. Im erweiterten Sinne gehören auch Fasern aus *Wolle, *Haaren u. *Seide sowie animalisierte Zellwolle (s. Animalisieren) zu den Eiweißfasern. – *E* protein fibers – *F* fibres protéiques – *I* fibre proteiche – *S* fibras proteicas

Eiweißfehler. Bei Verw. von *Indikatoren auftretender pH-Anzeigefehler, der auf dem amphoteren Charakter von Eiweißstoffen beruht. – *E* protein effect – *F* effet protéinique – *I* effetto di proteina – *S* error proteico

Eiweiß-Fettsäure-Kondensate. Durch Acylierung von *Eiweiß-Hydrolysaten z. B. mit Fettsäuren, Fettsäuremethylestern, vorzugsweise jedoch Fettsäurechloriden od. neuerdings substituierten Maleinsäureanhydriden zugängliche Gruppe *nichtionischer Tenside. Die Umsetzung findet unter Schotten-Baumann-Bedingungen in wäss. alkalischer Lsg. bei ca. 70–100 °C statt, kann jedoch auch in verschiedenen organ. Lsm. (Ethylenglykol, DMSO) durchgeführt werden. E.-F.-K. finden aufgrund ihres Schaumvermögens, der leichten Abbaubarkeit u. hohen dermatolog. Verträglichkeit Anw. in vielen kosmet. Präparaten. – *E* protein fatty acid condensates – *I* condensati di proteina e acido grasso – *S* condensados proteína-ácido graso
Lit.: C.R. Eurolipid-Kongreß, Angers, Vol. III, 1441 (1989) ▪ J. Am. Oil. Chem. Soc. **59**, 217 (1982) ▪ Parfüm. Kosmet. **68**, 126 (1987). – *[HS 340213]*

Eiweiß-Hydrolysate. Sammelbez. für Hydrolyseprodukte bestimmter Proteine, insbes. des *Collagens. Bei der *enzymat. Hydrolyse* läßt man spezif. auf die Peptid-Bindung wirkende Enzyme definiert reagieren u. erhält in Abhängigkeit von den Reaktionsbedingungen Partialhydrolysate unterschiedlicher Molmassen. Die *alkal. Hydrolyse* verläuft hingegen unspezif., d.h. es findet eine Öffnung der Peptid-Bindung in statist. Weise statt. Da die Carboxy-Gruppe der Peptide während der Hydrolyse als Salz vorliegt, wogegen die Amino-Gruppe ungeschützt ist u. teilw. abgespalten werden kann, resultiert ein Hydrolysat, bei dem die Polypeptide eine höhere Zahl von Carboxy- als Amino-Gruppen enthalten; der isoelektr. pH-Bereich dieser Produkte liegt <6. Bevorzugt wird die Hydrolyse jedoch unter sauren Bedingungen durchgeführt. Auch diese Variante führt zu einer unspezif. Öffnung der Peptid-Bindung. Anders als bei der alkal. Hydrolyse, liegt beim sauren Abbau die Amino-Gruppe als Salz u. die Carboxy-Funktion in freier Form vor, die jedoch eine wesentlich höhere Stabilität als die ungeschützte Amino-Gruppe aufweist. Auf diesem Wege werden Hydrolysate mit einem isoelektr. pH-Bereich von <7 gewonnen. Die Abbaubedingungen können bei allen drei Varianten so gesteuert werden, daß ein bestimmter Molmassen-Bereich erhalten wird, der eine für kosmet. Anw. optimale Größe aufweist u. bei ca. 2000 liegt. Die so erhaltenen Produkte sind gänzlich wasserlösl., weisen jedoch keine oberflächenaktive Ei-

genschaften auf, da ihnen die lipophile Komponente fehlt, während hydrophobe Bereiche vorhanden sind. Aufgrund ihrer kolloidalen Eigenschaften besitzen sie jedoch eine dispergierende Wirkung u. unterstützen so das Schmutztragevermögen in einer Waschflotte. – *E* protein hydrolyzates – *I* idrolisati di proteina – *S* hidrolizados de proteínas
Lit.: J. Am. Oil. Chem. Soc. **59**, 217 (1982) ▪ Seifen, Öle, Fette, Wachse **108**, 177 (1982). – *[HS 2106 90]*

Eiweiß-Tenside. Sammelbez. für oberflächenaktive Stoffe, die ausgehend von *Proteinen, insbes. *Collagen, gewonnen werden. Durch enzymat., alkal. od. sauren Abbau des Collagens werden *Eiweiß-Hydrolysate mit durchschnittlichen Molmassen von 2000 gewonnen, die zwar selbst nicht oberflächenaktiv sind, jedoch dispergierende Eigenschaften aufweisen. Durch Umsetzung der Eiweiß-Hydrolysate mit geeigneten Acylierungsmitteln, z.B. Fettsäurechloriden, werden *Eiweiß-Fettsäure-Kondensate gewonnen, die als schaumstarke Tenside Anw. in einer Vielzahl von kosmet. Produkten finden. – *E* protein surfactants – *I* tensioattivi di proteina – *S* tensioactivos proteicos
Lit.: vgl. Eiweiß-Fettsäure-Kondensate, Eiweiß-Hydrolysate. – *[HS 3402 13]*

Ejektorbelüftung. Bez. für ein *Belüftungsverfahren vornehmlich angewandt bei der *biologischen Abwasserbehandlung (s. aerobe Biologie). Die E. ist eine Art der *Volumenbelüftung (s.a. Druckbelüftung, Schlitzstrahler). Die Sauerstoff-Zufuhr in *Belebungsbecken (meist mittels Luft) erfolgt hierbei nach dem Prinzip der Wasserstrahlpumpe (Zweistoffdüse). Als Treibmittel wird Abwasser durch eine Düse gepumpt, das bei der Düsen-Passage Luft ansaugt, die unterhalb der Wasseroberfläche im Abwasser fein verteilt wird (beim Injektor dient komprimierte Luft als Treibmittel). – *E* ejector aeration – *F* aération par éjecteur – *I* aerazione tramite eiettore – *S* aireación por eyector
Lit.: Korrespondenz Abwasser **27**, 194ff. (1980).

Eka-. (Sanskrit: eins). In vorläufigen Namen von *chemischen Elementen verwendete Vorsilbe, die – nachdem das *Periodensystem allg. als gültig akzeptiert worden war – früher anzeigen sollte, daß dasjenige Element, vor dessen Namen sie steht, der gleichen Gruppe angehört u. im Periodensyst. direkt über demjenigen steht, das noch zu benennen war. Die Bez. geht auf *Mendelejew zurück, der 1871 aufgrund von Lücken im Periodensyst. die Existenz von drei damals noch nicht bekannten Elementen voraussagte u. anhand ihrer Stellung im Periodensyst. ihre voraussichtlichen Eigenschaften beschrieb: Gallium (Eka-Aluminium), Scandium (Eka-Bor) u. Germanium (Eka-Silicium). Die Eka-Elemente erhielten also nach ihrer Entdeckung andere Namen; weitere *Beisp.:* Eka-Cäsium (Francium), Eka-Iod (Astat), Eka-Mangan (Technetium), Eka-Rhenium (Neptunium), Eka-Tantal (Protactinium). – *E* = *S* eka- – *F* éka- – *I* eca-

Ekalin® F. Aliphat. Polyglykolether als polyvalentes Egalisier-, Dispergier- u. Reinigungsmittel in der Textil-, Leder- u. Papier-Industrie. *B.:* Sandoz.

Ekalux®. Insektizid auf der Basis von *Quinalphos gegen Schädlinge im Gemüse-, Obst- u. Ackerbau sowie in Erdnuß-, Kartoffel-, Baumwolle-, Mais-, Tabak- u.a. Kulturen. *B.:* Sandoz.

Ekamet®. Insektizid auf der Basis von *Etrimfos gegen beißende u. saugende Schadinsekten im Gemüse-, Obst-, Feld-, Hackfrucht- u. Zierpflanzenbau. *B.:* Sandoz.

EKasic®. Marke für Siliciumcarbid-Sinterprodukte (z.B. Gleitlager für Pumpen). *B.:* Elektroschmelzwerk, München.

EKasin®. Siliciumnitrid-Sinterkörper (z.B. für Armaturenbauteile, Wälzlagerkomponenten usw.). *B.:* Elektroschmelzwerk, München.

Ekatin®. System. wirkendes Insektizid u. Akarizid auf der Basis von *Thiometon gegen Blattläuse, Rote Spinnen u. Sägewespen. *B.:* Sandoz.

EKATO. Kurzbez. für EKATO Rühr- u. Mischtechnik GmbH, Marktführer für Rühr- u. Mischtechnik in Europa. *Produktion:* Industrierührwerke, mechan. u. verfahrenstechn. Engineering, Mischanlagen, Dichtungstechnik für Rührwerke.

EKA-Wert. Wert zur Angabe von *E*xpositionsäquivalenten für *k*rebserzeugende *A*rbeitsstoffe. Für krebserzeugende Gefahrstoffe, bei denen Stoff- bzw. Metabolitenkonz. im biolog. Material einen Anhalt für die innere Belastung geben u. bei denen eine Beziehung zwischen der Stoffkonz. in der Luft am Arbeitsplatz u. der Stoff- bzw. Metabolitenkonz. im biolog. Material besteht, werden von der EU-Kommission EKA-W. aufgestellt. Aus ihnen kann entnommen werden, welche innere Belastung sich bei ausschließlicher inhalativer Aufnahme ergeben würde.
EKA-W. sind keine Grenzwerte gemäß der GefStoffV u. fallen somit nicht unter die in § 18 der VO verankerte Überwachungspflicht. EKA-W. werden in Abschnitt IX der jährlich erscheinenden MAK-Werte-Liste veröffentlicht. – *E* equivalents of exposition for cancerous substances – *F* (EESC) équivalent d'exposition aux substances cancérigènes – *I* equivalenti d'esposizione per sostanze cancerogene – *S* equivalentes de exposición para sustancias
Lit.: Mitteilung 31 der Senatskommission zur Prüfung gesundheitsschädlicher Arbeitsstoffe der Deutschen Forschungsgemeinschaft vom 1.9.1994, Weinheim: VCH Verlagsges. 1995.

EK-Filtration s. Sterilisation.

EKG. Abk. für Elektrokardiogramm, s. Elektrokardiographie.

Ekliptisch s. Konformation.

Eklogite. Zähe, eher massige, Feldspat-freie, überwiegend *metamorphe Gesteine aus dem grünen Na-*Pyroxen Omphacit u. rotem *Granat. Nebengemengteile sind u.a. *Quarz, *Kyanit, *Zoisit, *Rutil. Die chem. Zusammensetzung der E. entspricht der von *Basalten (u. *Gabbros), ihre D. ist mit $3{,}3 – 3{,}5$ g/cm^3 deutlich höher. E. werden als Hochdruckäquivalente (vgl. Hochdruckmetamorphose) von Basalt angesehen; sie sind Bestandteile des oberen Erdmantels (s. Erde; frühere „Eklogitschale").

Vork.: Z.B. Münchberger Gneismasse/Bayern, Westalpen, Calabrien/Süditalien, Kykladen-Inseln/Griechenland, Californien/USA, Österreich, Sudeten/Polen, VR China; als Einschlüsse (sog. *Griquaite*) in *Kimberliten [z.B. Südafrika, Sibirien (z.T. *Diamanten-führend)]. – *E* eclogites – *F* éclogites – *I* eclogite – *S* eclogitas

Lit.: Carswell, Eclogite Facies Rocks, Glasgow: Blackie and Son Ltd. 1989 ▪ Evans u. Brown, Blueschists and Eclogites, Boulder (Colorado): The Geological Society of America 1986 ▪ Matthes, Mineralogie (4.), S. 370f., Berlin: Springer 1993.

Ekrasit (von französ. écraser = zerschmettern). Ein *Sprengstoff auf Basis von *Pikrinsäure, heute nur noch von histor. Interesse. – *E* = *F* = *I* ecrasite – *S* ecrasita

Lit.: Meyer, Explosivstoffe (6.), S. 239, Weinheim: Verl. Chemie 1985 ▪ Ullmann (4.) **21**, 660f. – *[HS 3602 00]*

Ektoenzyme (sekretor. Enzyme). Bez. für von der Zelle ausgeschiedene u. außerhalb ihrer wirksame *Enzyme, z.B. Verdauungsenzyme, Enzyme zum Zellwand-Bau u. zum Abbau von *Hormonen u. Neurotransmittern[1]. E. können lösl. od. in der Zellmembran gebunden vorliegen. – *E* = *F* ectoenzymes – *I* ectoenzimi – *S* ectoenzimas

Lit.: [1] Trends Pharmacol. Sci. **17**, 288–294 (1996).

Ektohormone s. Pheromone.

Ektotherm (von griech.: ektos = außen u. thermos = warm). Bez. von Organismen, deren Temp. im wesentlichen durch die Umwelt bestimmt bzw. von dieser beeinflußt wird, z.B. viele wechselwarme Tiere, die meisten Mikroorganismen. Für heliotherme Tiere ist die Sonnenstrahlung ein wichtiger Wärmelieferant, für thigmotherme der Untergrund bzw. die Umgebung, vgl. poikilotherm. – *E* ectothermic – *F* ectotherme – *I* ectotermico – *S* ectotérmico

Lit.: Schlee (2.), S. 133–154.

Ektotoxine s. Exotoxine.

E-Kupfer (Elektrolytkupfer) s. Kupfer.

Ekzeme. Bez. für eine Gruppe von Hautkrankheiten mit verschiedener Ursache, die sich in Form von juckenden entzündlichen Papeln u./od. Bläschen äußern. Zur Behandlung werden je nach Ursache u. Verlaufsform (akut/chron.) unterschiedliche externe Medikamente (*Dermatika) angewandt. – *E* eczemas – *F* exzémas – *I* eczemi – *S* eczemas, eccemas

Elacur® hot. Salbe mit Propylnicotinat zur lokalen Hyperämisierung bei rheumat. Erkrankungen u. Neuralgien. *B.:* LAW.

Elacutan®. Creme u. Salbe mit *Harnstoff zur Intervall- u. Nachbehandlung von top. Glucocorticoid- u. Photo-Therapie, sowie Exsiccationsdermatosen. *B.:* LAW.

Elaeocarpus-Alkaloide. Indolizidin- u. Chinolizidin-Alkaloide, deren Vork. auf wenige Arten der Gattung *Elaeocarpus* (Ölfruchtgewächse) beschränkt ist. Es sind 2 Typen E. bekannt: mit 16 C-Atomen wie z.B. *Elaeocarpin*[1] {$C_{16}H_{19}NO_2$, M_R 257,33, Schmp. 81–82°C, $[\alpha]_D + 206°$ ($CHCl_3$)} od. mit 12 C-Atomen wie *Elaeokanin A*[2] {$C_{12}H_{19}NO$, M_R 193,29, $[\alpha]_D + 13°$ ($CHCl_3$)}. – *E* elaeocarpus alkaloids – *F* alcaloïdes de Elaeocarpus – *I* alcaloidi della elaeocarpus – *S* alcaloides de Elaeocarpus

Lit.: [1] Tetrahedron Lett. **21**, 1373 (1980). [2] Nat. Prod. Rep. **8**, 560ff. (1991); **11**, 26 (1994); Manske **28**, 210–218; **44**, 221. *allg.:* Alkaloids: Chem. Biol. Perspect. **3**, 241–273 (1985) ▪ Experientia **46**, 226f. (1990) (Biosynth.) ▪ J. Org. Chem. **53**, 3164 (1988) ▪ Pelletier **3**, 241–273. – *[HS 2939 90; CAS 30891-90-8 (Elaeocarpin); 33023-01-7 (Elaeokanin A)]*

Eläolith s. Nephelin.

Elaeostearinsäure (9,11,13-Octadecatriensäure, Holzfettsäure). $C_{18}H_{30}O_2$, M_R 278,44 (Formel s. Abb. 3 bei Fette u. Öle). Mit *Linolensäure isomere ungesättigte Fettsäure, von der mehrere Stereoisomere existieren. Die α-E. ist die cis,trans,trans-9,11,13-Octadecatriensäure, D. 0,88 (bei 80°C), Schmp. 49°C, Sdp. 170°C (1,33 hPa) u. kommt in chines. Holzöl (*Tungöl) u. a. Pflanzenölen vor. E. dient zur Herst. sog. Vitamin-F-Präp., hat stark trocknende Eigenschaften u. ist nur in Form des Harnstoff-Adduktes längere Zeit haltbar. – *E* eleostearic acid – *F* acide éléostéarique – *I* acido elaeostearico – *S* ácido eleoesteárico

Lit.: Beilstein E IV **2**, 1787 ▪ Ullmann A **10**, 232. – *[HS 1519 19, 2916 19; CAS 13296-76-9]*

Elaidinsäure (trans-9-Octadecensäure).

trans-Isomeres der *Ölsäure. $C_{18}H_{34}O_2$, M_R 282,47. Farblose Krist. D. 0,85, Schmp. 44–51°C, Sdp. 225°C (1,3 kPa). E. entsteht aus Ölsäure (cis-Form) durch *cis-trans-Isomerie (früher Elaidinisierung genannt) unter dem Einfluß von kleinen Mengen Salpetriger Säure, Salpetersäure od. Radikalen als krist. Substanz. Auch durch Partialhydrierung höher ungesättigter Fettsäuren lassen sich E.-reiche Gemische mit Ölsäure gewinnen. Chem. gebunden findet sich E. in einer Reihe von Wiederkäuerfetten sowie einer Reihe von fetthaltigen Nahrungsmitteln, so z.B. Margarine (20%), Butter (10%), Schokolade u. Fritierfett. Ölsäure u. E. unterscheiden sich hinsichtlich ihrer physikal. Eigenschaften drast., während die physiolog. Unterschiede nur marginal sind; im Gegensatz zu Ölsäure weist E. keinen bitteren Geschmack auf. – *E* elaidic acid – *F* acide élaïdique – *I* acido elaidinico – *S* ácido elaídico, ácido elaidínico

Lit.: Beilstein E IV **2**, 1647f. ▪ Biochem. Biophys. Acta, **179**, 447 (1984) ▪ J. Am. Oil. Chem. Soc. **63**, 1017 (1986) ▪ Milchwissenschaft **37**, 264 (1986) ▪ Ullmann **7**, 473. – *[HS 2916 19; CAS 112-79-8]*

Elaiomycin [4-Methoxy-3-(1-octenyl-*ONN*-azoxy)-2-butanol].

$C_{13}H_{26}N_2O_3$, M_R 258,36, gelbes Öl, $[\alpha]_D +38,4°$ (C_2H_5OH), stark giftig, LD_{50} (Maus i.v.) 44 mg/kg. Azoxy-Verb. mit tuberkulostat. Aktivität aus Kulturen von *Streptomyces hepaticus*. E. ist ein experimentelles Carcinogen; zur Biosynth. s. *Lit.*[1] – *E* elaiomycin – *F* elaïomycine – *I* = *S* elaiomicina

Lit.: [1] J. Am. Chem. Soc. **104**, 339 f. (1982); **106**, 5764 f. (1984).
allg.: J. Am. Chem. Soc. **99**, 1643 ff. (1977) (Synth.) ▪ Merck-Index (12.), Nr. 3575 ▪ Sax (8.), Nr. EAG 000. – [HS 2941 90; CAS 23315-05-1]

Elaiophylin (Azalomycin B, Salbomycin).

$C_{54}H_{88}O_{18}$, M_R 1025,28, Nadeln, Schmp. 210–212 °C (Zers.), $[\alpha]_D -48°$ (CH_3OH). C_2-symmetr. Makrolid-Antibiotikum aus Kulturen verschiedener *Streptomyces*-Arten, z. B. *S. melanosporus*, aktiv gegen Protozoen u. Gram-pos. Bakterien. E.-Derivate wirken anthelmint. sowie wachstumsfördernd bei Wiederkäuern. – *E* elaiophylin – *F* elaïophyline – *I* = *S* elaiofilina

Lit.: Beilstein E V **19**/7, 214. – *Synth.:* Chem. Pharm. Bull. **38**, 2435 (1990) ▪ J. Org. Chem. **56**, 6530 (1991); **58**, 5487 (1993) ▪ Synform **4**, 289–304 (1986) (Review). – [HS 2941 90; CAS 37318-06-2]

elantan®. Tabl. u. Kapseln mit *Isosorbidmononitrat gegen coronare Herzkrankheit, Angina pectoris u. Herzinsuffizienz. *B.:* Synthelabo.

Elastan s. Elastofasern.

Elastan®. *PUR-Syst. zur Herst. von Sportplatzbelägen.

Elastase (Pankreatopeptidase E, EC 3.4.21.36). Bez. für eine säureempfindliche, zu den Verdauungsenzymen zählende *Proteinase aus dem *Pankreas, wo sie als *Zymogen (*Proelastase*) gespeichert wird. Nach proteolyt. Aktivierung durch *Trypsin spaltet E. hydrolyt. die Peptid-Ketten des *Fibrins, *Hämoglobins, *Serumalbumins, *Caseins u. a. Proteine, insbes. aber des den anderen *Endopeptidasen* (s. Proteinasen) nicht zugänglichen *Elastins. Mechanist. u. der Struktur nach gehört E. zur Superfamilie der *Serin-Proteasen. Im Gegensatz zu dem verwandten *Chymotrypsin spaltet es nur solche Peptid-Bindungen, deren Bindungsglieder (Aminosäuren) keine aromat. od. raumerfüllenden Seitenketten besitzen. Diese Eigenschaft läßt sich aus der räumlichen Struktur der E. erklären. E. findet sich z. B. auch in bestimmten *Leukocyten (*Leukocyten-Elastase*, EC 3.4.21.37), wo sie mit *Phagocytose u. Abwehr von Mikroorganismen zu tun hat. Um die Zerstörung körpereigenen Bindegewebes durch E. zu verhindern, muß ihre Aktivität sorgfältig kontrolliert werden, was im Blutkreislauf durch die Inhibitoren α_1-*Antitrypsin u. α_2-*Makroglobulin geschieht. – *E* elastase – *F* élastase – *I* elastasi – *S* elastasa – [HS 3507 90; CAS 9004-06-2]

Elaste. In der ehem. DDR gebräuchliche Bez. für *Elastomere.

Elasthan s. Elastofasern.

Elasti(fi)katoren. Selten gebrauchte Bez. für *Weichmacher, die dem *Kautschuk hohe Elastizität u. gute Kältebeständigkeit verleihen. – *E* elasticators, elastifying agents – *F* élastifiants – *I* elastificatori – *S* elastificantes

Elastifizierungsmittel. Bez. für Stoffe, die die Schlag- u. Kerbschlagzähigkeit von Kunststoffen erhöhen, für PVC z. B. hochmol. Copolymerisate des Ethylens mit Vinylacetat. – *E* elasticators, elastifying agents – *F* élastifiants – *I* elastificatori – *S* elastificantes

Elastin. Bez. für das *Skleroprotein, das den Hauptbestandteil der *elast. Fasern* des Bindegewebes bildet u. v. a. in Organen mit hoher Elastizität vorkommt wie den Blutgefäßen, der Lunge, der Haut, den Sehnen, dem Uterus usw. Das E.-Mol. (850–870 Aminosäure-Reste) enthält im wesentlichen Glycin (27%), Alanin (23%), Valin (17%), Prolin (12%), Leucin u. Isoleucin (zusammen 12%) sowie die für E. charakterist. Aminosäuren Isodesmosin u. *Desmosin, die in erster Linie eine Vernetzungsfunktion zwischen den Polypeptid-Ketten ausüben. Sie werden nicht bei der ribosomalen Protein-Biosynth., sondern nachträglich durch Einwirkung des Enzyms *Lysyl-Oxidase* (EC 1.4.3.13) aus Lysin-Resten gebildet. E. unterscheidet sich von den ähnlichen *Collagenen durch den viel höheren Gehalt an Valin u. Leucin, durch den niedrigeren Arginin- u. Hydroxyprolin-Gehalt u. das Fehlen von Lysin u. Histidin. Reines E. bildet spröde, faserartige, gelbe Massen, die im UV-Licht bläulich fluoreszieren u. nicht durch Hitze denaturiert werden. Es ist unlösl. in Wasser, Alkohol, Ether, lösl. in konz. wäss. Alkalihydroxid-Lsg., z. T. auch in Pepsin-Lösung. E. wird von keiner *Protease außer von *Elastase gespalten, ist in Wasser, Säure, Alkalien nicht quellbar u. wird durch Erhitzen mit Wasser od. verd. Säuren nicht in eine Gelatine überführt. Bei der Hydrolyse mit kochender verd. Oxalsäure entsteht (offenbar durch Zerfall des dreidimensionalen Netzwerks) das wasserlösl. α-E. (M_R 70000, enthält im Mittel 17 Peptid-Ketten mit je 35 Aminosäure-Resten) u. eine β-Fraktion (M_R 5500, 2 Ketten zu je 27 Aminosäure-Resten). α-E. kann bei 37 °C zu geordneten Fasern reassoziieren. – *E* elastin – *F* élastine – *I* = *S* elastina

Lit.: Micron Microscop. Acta **24**, 75–89 (1993).

Elastizität. 1. Eigenschaft fester Stoffe, nach einer *Deformation wieder in ihren ursprünglichen Zustand

überzugehen. Nach DIN 7724 (04/1993) unterscheidet man zwei Arten von E., nämlich *Energieelastizität (Stahlelastizität)* u. *Entropieelastizität (*Gummielastizität*; diese ist z. B. verantwortlich für den sog. *Weissenberg-Effekt bei Nicht-Newtonschen Flüssigkeiten). Zwischen beiden E. liegen mehr od. weniger stark ausgeprägte Übergangsbereiche, die durch die sog. *Glasübergangstemperatur (vgl. Glaszustand) u. die Schmelztemp. charakterisiert sind. Die E. wird dadurch bewirkt, daß bei Fortfall der Deformationskraft ihre Gegenkraft die Mol. u. Atome der festen Körper wieder in die ursprüngliche Lage überführt. Ist dies nicht od. nur teilw. der Fall, so bezeichnet man einen Stoff als ganz od. teilw. *plastisch*. Die verschieden starke elast. Verformung fester Stoffe hängt mit deren unterschiedlichen *Elastizitätsmodulen* zusammen. Man unterscheidet das Scherelastizitätsmodul G, das Vol.- (od. Kompressions-) Modul K. Am meisten verwendet wird das Dehnelastizitätsmodul E, das sich aus Stabdehnversuchen als Verhältnis der Zugspannung δ (=Kraft pro Querschnittsfläche) zur Längsdehnung ε (= $\Delta l/l$: Längendehnung Δl zur Gesamtlänge l) ergibt: E = σ/ε, u. die *Poissonzahl* μ, die sich als Verhältnis der neg. Querdehnung zur Längsdehnung ergibt. Es wird hierbei die Gültigkeit des *Hookeschen Gesetzes angenommen. Die Dimension der Module K, G u. E ist Kraft pro Fläche (Einheit Pascal). Bezüglich der Verknüpfung der Größen K, G, E u. μ s. *Lit.*[1]. Hier sind ebenfalls die genormten Meßverf. wie Dehn- u. Biegeversuche, sowie zur Schallausbreitung u. zum Schwingungsverhalten beschrieben, mit denen die E.-Module bestimmt werden. Tab. der E-Module (incl. Temperaturabhängigkeit) von polykrist. u. amorphen Elementen, von Leg., keram. u. mineral. Stoffen, von organ. Stoffen sowie einer Reihe von Flüssigkeiten s. *Lit.*[2]. In einem Krist. sind die E-Module im allg. von der Richtung abhängig (anisotrop). In letzter Zeit haben sich auch Begriffe wie *Viskoelastizität, *Thermoelastizität* (vgl. Thermoelaste) u. *Photoelastizität* (s. Theocaris, *Lit.*) eingebürgert.
2. In der Ökologie bezeichnet E. die Eigenschaft von Biozönosen, durch Störungen verändert (ausgelenkt) zu werden u. nach Störungen einen dem Ausgangszustand ähnlichen Zustand wieder zu erreichen[3]; im gleichen Sinne wird heute auch „Toleranzvermögen" verwendet. Beispielsweise gelten Ökosyst. gemäßigter Breiten als elast. in bezug auf extreme Temperaturschwankungen, artenreiche Land- u. Meeresökosyst. hinsichtlich biogener Störungen. Im Gegensatz zu E. bezeichnet Stabilität den Widerstand eines Syst. gegen Veränderung. – *E* elasticity, resilience – *F* élasticité – *I* elasticità – *S* elasticidad

Lit.: [1]Kohlrausch, Praktische Physik 1, Stuttgart: Teubner 1985. [2]Kohlrausch, Praktische Physik 3, Stuttgart: Teubner 1986. [3]Schubert (Hrsg.), Lehrbuch der Ökologie (2.), S. 60, Jena: G. Fischer 1986.
allg. (zu 1): Atkin u. Fox, An Introduction to the Theory of Elasticity, Harlow: Longman 1980 ▪ Leipholz, Theory of Elasticity, Leyden: Noordhoff 1974 ▪ Leipholz, Stabilität elastischer Systeme, Karlsruhe: Braun 1980 ▪ Nabarro, The Elastic Theory, Amsterdam: North-Holland 1979 ▪ Reismann u. Pawlik, Elasticity, New York: Wiley 1980 ▪ Reismann, Elasticity, Encycl. of Physical Science and Technology, Bd. 5, S. 393–403, San Diego: Academic Press 1992 ▪ Theocaris u. Gdoutos, Matrix Theory of Photoelasticity, Berlin: Springer 1979.

Elastocoat® C. PUR-Syst. als Beschichtungs- u. Vergußmassen. *B.:* Elastogran GmbH.

Elastodien s. Elastofasern.

Elastofasern. Bez. für *Chemiefasern, die extrem dehnbar sind u. nach Aufhebung der Zugkraft weitgehend in den ursprünglichen Zustand zurückkehren, vgl. Elastomere. Die wichtigsten Vertreter sind *Elastan* (früher Elasthan, Kurzz. EL; in den USA ist die Bez. *Spandex* üblich), Fasern aus Hochpolymeren, die zu mind. 85 Gew.-% aus segmentiertem *Polyurethan bestehen, u. *Elastodien* (Kurzz. ED), Fasern, die aus synthet. *Polyisopren od. aus Hochpolymeren bestehen, die durch Polymerisation eines od. mehrerer Diene, evtl. unter Zusatz eines od. mehrerer Vinylmonomerer, entstanden sind. Zur zweiten Gruppe kann man auch die *Gummifasern* (Kurzz. LA) aus Naturkautschuk zählen. Elastodiene werden häufig vulkanisiert. Elast. Eigenschaften besitzt auch eine *Bikomponentenfaser aus *Polyamid u. Polyurethan. – *E* elastomeric fibers – *F* fibres elastiques – *I* fibre elastiche – *S* fibras elásticas

Lit.: DIN 60001 Tl. 3 (10/1988), Tl. 4 (08/1991) ▪ Encycl. Polym. Sci. Eng. **6**, 733–755 ▪ Kirk-Othmer (3.) **10**, 166–182; (4.) **10**, 624–638 ▪ Ullmann (4.) **11**, 312–320; (5.) **A 10**, 609–615 ▪ Winnacker-Küchler (4.) **6**, 709 f.

Elastofix®. Polysiloxan-Emulsion bzw. bifunktionell verethertes Melamin-Formaldehyd-Vorkondensat zur Steifausrüstung bzw. Knitterfreiausrüstung von Cellulose-Textilien u. Polyamid-Waren. *B.:* Dr. Th. Böhme KG, Chem. Fabrik GmbH & Co.

Elastofoam® I. PUR-Syst. für Weichintegralschaumstoffe der Elastogran GmbH.

Elastogran. Kurzbez. für die Elastogran-Gruppe, bestehend aus der Elastogran GmbH, Postfach 1140, D-49440 Lemförde (seit 1971 100%ige Tochterges. der BASF) sowie einer inländ. u. sechs ausländ. Tochtergesellschaften. *Produktion:* Polyurethan-Grundprodukte, -Hartschaumsyst., -Spezialsyst., -Dosiertechnologie u. Polyurethan-Spezialelastomere; Halbzeuge u. Fertigteile aus hochwertigen mikrozelligen Polyurethan-Elastomeren; Platten aus glasmatten- od. glasfaserverstärktem Polypropylen. *Daten* (1994): 1198 Beschäftigte (Inland), 334 Beschäftigte (Ausland), 60,2 Mio. DM Stammkapital, 1,6 Mrd. DM Umsatz (In- u. Ausland).

Elastollan®. Thermoplast. verarbeitbare Polyurethan-Elastomere (TPU) der Elastogran GmbH.

Elastomere. E. sind *Polymere mit gummielast. Verhalten, die bei 20 °C wiederholt mind. auf das Zweifache ihrer Länge gedehnt werden können u. nach Aufhebung der für die Dehnung erforderlichen Zwanges sofort wieder annähernd ihre Ausgangsdimensionen einnehmen. Sie sind weitmaschig vernetzte, hochpolymere Werkstoffe, die bei der Gebrauchstemp. aufgrund der Verknüpfung der einzelnen Polymerketten an den Vernetzungsstellen nicht viskos fließen können. Irreversibel, d. h. über kovalente chem. Bindungen vernetzte E. haben eine *Glasübergangstemperatur T_g (dyn) (bei amorphen Polymeren) bzw. Schmelztemp. T_m (dyn) (bei teilkrist. Polymeren) im allg. unter 0 °C. Unterhalb dieser Temp. sind ausschließlich energie-

Tab.: Eigenschaftsvergleich[a] einiger Elastomere.

Kurzz.	Kautschukart	Glasübergangstemp. T_G [°C]	Kälterichtwert T_R [°C]	Zugfestigkeit[b]	Weiterreißwiderstand[b]	Abriebbeständigkeit[b]	Ozon-Beständigkeit[b]	Druckverformungsrest bei[c]: -20°C, +20°C, +120°C [%]	Wärmebeständigkeit nach[c]: 5 h, 70 h, 1000 h [°C]	Betriebstemp. [°C]	Quellung, 70 h in ASTM-Öl 3 [%]	Quellung, 70 h, 20°C, in Kraftstoff [%]
ACM	*Acrylat-Kautschuk	−22 bis −40	−10 bis −20	M	M	M	H	25 / 5 / 10	240 / 180 / 150	170	25 (150 °C)	65
AU	Polyester-Urethan-Kautschuk	−35	−22	H	H	H	H	25 / 7 / 70	170 / 100 / 70	75	40 (100 °C)	
BIIR	bromierter Butyl-Kautschuk	−66	−38	M	M/H	M	M	12 / 10 / 60	200 / 160 / 130	150	>140 (70 °C)	
BR	*Polybutadien	−112	−72	M	G/M	SH	G		170 / 100 / 75	90	>140 (70 °C)	
CIIR	chlorierter Butyl-Kautschuk	−66	−38	M	M/H	M	M	12 / 10 / 60	200 / 160 / 130	150	>140 (70 °C)	
CM	chloriertes Polyethylen	−25	−12	M/H	M	M	H		180 / 160 / 140	150	80 (150 °C)	75
CO	Epichlorhydrin (Homopolymer)	−26	−10	M	M	M	H	20	240 / 170 / 140	150	5 (150 °C)	10
CR	*Polychloropren	−45	−25	H	H	M/H	M	50 / 10 / 30	180 / 130 / 100	125	80 (100 °C)	
CSM	sulfuriertes Polyethylen	−25	−10	M/H	M/H	M	H		200 / 140 / 130	150	80 (150 °C)	
EAM	Ethylen-Acrylat-Kautschuk	−40	−20	M	M	M	H		240	175	50 (150 °C)	
ECO	Epichlorhydrin (Copolymere)	−45	−25	M	M	M	H	20	220 / 150 / 130	135	10 (150 °C)	30
EPDM, S	Ethylen-Propylen-Terpolymer, schwefelvernetzt	−55	−35	M	M	M	H	20 / 8 / 50	200 / 170 / 130	140	>140 (70 °C)	
EP(D)M, P	Ethylen-Propylen-Copolymer, peroxid. vernetzt	−55	−35	G/M	G	G	H	20 / 4 / 10	220 / 180 / 140	150	>140 (70 °C)	
EU	Polyether-Urethan-Kautschuk	−55	−35	H	H	H	H	25 / 7 / 70	170 / 100 / 70	75	40 (100 °C)	
EVM	Ethylen-Vinylacetat-Copolymer	−30	−18	M/H	M	M	H	95 / 40 / 4	200 / 160 / 140	160	80 (150 °C)	
FKM	*Fluor-Kautschuk	−18 bis −50	−10 bis −35	M/H	M	M	SH	50 / 18 / 20	>300 / 280 / 220	250	20 (150 °C)	5
FVMQ	Fluorsilicon-Kautschuk	−70	−45	G	G	G	SH		>300 / 220 / 200	215	20 (150 °C)	20
H-NBR	hydrierter Nitril-Kautschuk	−30	−18	M/H	M	H	H	30 / 30	230 / 180 / 150	160	15 (150 °C)	65
IIR	*Butyl-Kautschuk	−66	−38	M	M/H	M	M	12 / 10 / 60	200 / 160 / 130	150	>140 (70 °C)	
MVQ	Dimethylpolysiloxan, Vinyl-haltig	−120	−85	G	G	G	SH	10 / 2 / 3	>300 / 275 / 180	225	50 (150 °C)	

Tab.: Eigenschaftsvergleich[a] einiger Elastomere (Fortsetzung).

Kurzz.	Kautschukart	Glasübergangstemp. T_G [°C]	Kälterichtwert T_R [°C]	Zugfestigkeit[b]	Weiterreißwiderstand[b]	Abriebbeständigkeit[b]	Ozon-Beständigkeit[b]	Druckverformungsrest bei[c]: −20°C, +20°C, +120°C [%]	Wärmebeständigkeit nach[c]: 5 h, 70 h, 1000 h [°C]	Betriebstemp. [°C]	Quellung, 70 h in ASTM-Öl 3 [%]	Quellung, 70 h, 20°C, in Kraftstoff [%]
NBR	*Nitril-Kautschuk geringer ACN-Gehalt	−45	−28	M/H	M	H	G	40 / 8 / 45	170 / 140 / 110	125	25 (100°C)	45
	mittlerer ACN-Gehalt	−34	−20	M/H	M	H	G	45 / 8 / 50	180 / 145 / 115	125	10 (100°C)	35
	hoher ACN-Gehalt	−20	−10	M/H	M	H	G	45 / 8 / 55	190 / 150 / 120	125	5 (100°C)	25
NR (IR)	*Naturkautschuk (synthet. Polyisopren)	−72	−45	SH	SH	M/H	G	15 / 8 / 70	150 / 120 / 90	100	>140 (70°C)	
OT	*Thioplaste	−50	−30	G	G	G	H		170 / 120 / 60	100	10 (70°C)	
PNF	Polyfluorphosphazene	−66	−42	M	G	G	H	30		175	10 (150°C)	15
PNR	*Polynorbornen	+25		M	M	M	M			100	>140 (70°C)	
SBR	*Styrolbutadien-Kautschuk	−50	−28	H	H	H	G		195 / 130 / 100	110	>140 (70°C)	
X-NBR	Carboxy-Gruppen-haltiger NBR	−30	−18	H	M	SH	G	60	170 / 140 / 110	120	5 (100°C)	20

[a] Die Eigenschaftsangaben sind typ. Beispiele. Da bei manchen Kautschuken ein umfangreiches Sortiment zur Verfügung steht u. die Eigenschaften zudem durch das Compoundieren bestimmt werden, sind keine Absolutwerte angegeben.
[b] G: gering; M: mittel; H: hoch; SH: sehr hoch
[c] Die bei den einzelnen Kautschuken aufeinanderfolgenden Werte beziehen sich auf die drei angegebenen Temperaturen bzw. Zeiträume.

elast. u. energie-/entropieelast. Formänderungen möglich, während oberhalb dieser Temp. bis hin zur Zersetzungstemp. gummielast. (entropieelast.) Formänderungen erlaubt sind. Irreversibel vernetzte E. werden im allg. durch *Vulkanisation von natürlichen u. synthet. *Kautschuken hergestellt. Zu Eigenschaften von E. s. die Tabelle.
Die für E. charakterist. Vernetzung kann jedoch auch rein physikal. u. damit zumeist reversibel erfolgen. Reversibel vernetzte E. sind z. B. A–B–A–*Blockcopolymere aus (α-Methyl-)Styrol (A) u. Butadien od. Isopren (B). Hierin bildet B die Weichphase, die die Formänderungen ermöglicht, während die die Hartphase bildenden A-Blöcke die notwendige Vernetzung bewirken. Da diese durch Erwärmen auf eine Temp. oberhalb T_g od. T_m der Hartphase aufgebrochen werden können, ist hier im Gegensatz zu den chem. vernetzten E. eine thermoplast. Verarbeitung möglich. Beim Erkalten erfolgt wiederum Phasenseparation von A- u. B-Blöcken sowie Erstarren der A-reichen Phasen unter Rückbildung der Vernetzungsstellen.
Verw.: Über 60% der Gesamtproduktion an E. wird zu Reifen verarbeitet. Der Rest verteilt sich auf techn. u. sonstige Gummiartikel (die Begriffe E. u. Gummi werden vielfach ident. gebraucht) wie techn. Schläuche u. Profile, Formartikel, Gummi-Metall-Verbunde, Fördergurte, Flach- u. Keilriemen, Schaum-, Moos- u. Zellgummierzeugnisse, Klebstoffe u. Reparaturmaterial, Besohlungsmaterial, Plattenware, Stanzartikel u. a. Zu Herst., Eigenschaften u. Verw. s. a. die einzelnen Elastomere. – *E* elastomers – *F* élastomères – *I* elastomeri – *S* elastómeros
Lit.: Batzer 3, 330–392 ▪ Elias (5.) 2, 475 ff. ▪ Encycl. Polym. Sci. Technol. 5, 406–481 ▪ s. a. Kautschuk, Synthesekautschuk u. die einzelnen Elastomer-Gruppen.

Elastopan®. PUR-Syst. zur Verw. in der Schuh-Industrie. **B.:** Elastogran GmbH.

Elastoplaste. E. sind im Gegensatz zu den meisten *Elastomeren reversibel vernetzt. E. werden auch als *thermoplast. Elastomere, Plastomere* od. *Thermoplastics* bezeichnet. Die reversible Vernetzung ist physikal. bedingt. Sie wird durch den zweiphasigen Aufbau der E. erzeugt, bei dem sich als Vernetzer wirkende, harte Domänen mit hohen Übergangstemp. in weichen Matrices mit Übergangstemp. unterhalb der Gebrauchstemp. befinden. Die harten Domänen lösen sich jedoch oberhalb einer oberen Übergangstemp. auf, so daß die E. dann wie *Thermoplaste verarbeitet werden können. – *E* thermoplastics – *F* élastoplastes – *I* sostanze termoplastiche – *S* elastoplásticos
Lit.: Elias (5.) 2, 430, 494 f.

Elastopor® H. PUR-Syst. für Hartschaumstoffe. **B.:** Elastogran GmbH.

Elastopreg®. Plattenförmiges Halbzeug aus glasmattenverstärkten Thermoplasten. **B.:** Elastogran GmbH.

ELASTOSIL®. Silicon-Elastomere, heißvulkanisierend od. durch Einfluß der Luftfeuchtigkeit vulkanisierend; für Form- u. Spritzteile, Kabel, Dichtungen, Versiegelungen, Isolierungen für elast. Formen. **B.:** Wacker-Chemie GmbH.

Elastoviskosität s. Viskoelastizität.

Elasturan®. PUR-Syst. als kalthärtende Gießelastomere. **B.:** Elastogran GmbH.

Elater(ic)ine s. Cucurbitacine.

Elaterit (Mineralkautschuk). Dunkelbraunes, quellbares, fossiles *Bitumen, D. 0,8–1,23, meist weich u. elast., gelegentlich auch hart u. spröde, nach IR- u. NMR-Spektren ein verzweigtes, amorphes Polyethylen mit vereinzelten Doppelbindungen u. Carbonyl-Gruppen. Es ist teilw. lösl. in Heptan, Toluol u. Decalin; der unlösl., Schwefel-haltige Rückstand soll netzartige Struktur besitzen.
Vork.: Bleiminen von England (Derbyshire), in der Ukraine u. Grusinien, in den bolivian. Anden, Kanada (Ontario, Perry Sound). – *E = I* elaterite – *F* élatérite – *S* elaterita
Lit.: J. Microsc. (Oxford) **109**, 165–169 (1977) ▪ Naturwissenschaften **56**, 513 (1969) ▪ Ullmann (5.) **A 20**, 555. – [HS 271490]

Elbait s. Turmalin.

Elbs-Reaktion. Mit dem Namen von K. Elbs (1858–1933) sind zwei Reaktionen verknüpft.
1. Die Hydroxylierung von Phenolen zu Diphenolen mit Kaliumperoxodisulfat in alkal. Lösung. Die E.-R. liefert normalerweise die 1,4-Diphenole u. nur dann 1,2-Substitutionsprodukte, wenn die *para*-Position besetzt ist. Auch aromat. Amine können mit Peroxidsulfat hydroxyliert werden. In diesem Falle dominiert allerdings die Substitution in *ortho*-Stellung (*Boyland-Sims-Oxidation*).

2. Der Ringschluß von Aryl-*o*-tolyl-ketonen zu *Anthracenen durch Erhitzen auf 400–450 °C. Die Ausbeuten sind mäßig; die Reaktion ist aber nützlich zur Herst. polykondensierter Aromaten (*polycyclische aromatische Kohlenwasserstoffe) im Hinblick auf das Studium der carcinogenen Eigenschaften dieser Verbindungsklasse.

– *E* Elbs reaction – *F* reaction d'Elbs – *I* reazione di Elbs – *S* reacción de Elbs

Lit. *(zu 1)*: Chem. Rev. **49**, 91–101 (1951) ▪ Org. React. **35**, 421–511 (1988) Swern, Organic Peroxides, Bd. 2, 319–323, New York: Interscience 1970 ▪ s. a. Hydroxylierung. – *(zu 2)*: Org. React. **1**, 129–154 (1942).

Elcema®. Mikrofeines Cellulose-Pulver als Tablettier- u. Dragierhilfsmittel sowie als Pudergrundlage. **B.:** Degussa.

Elderfield, Robert C. (geb. 1904), Prof. für Organ. Chemie, Univ. of Michigan, Ann Arbor. *Arbeitsgebiete:* Organ. Synth., heterocycl. Verb., Chemotherapie, Alkaloide, herzwirksame Drogen; Hrsg. des Sammelwerkes „Heterocyclic Compounds".

Eldexomer. Internat. Freiname für biolog. abbaubare, veretherte Stärke zur Erhöhung der *Cytostatika-Konz. im Tumor, zur Verstopfung kleiner Arterien. – *E* eldexomer – *F* eldexomère – *I* eldexomero – *S* eldexómero

Eldisine®. Injektionsflüssigkeit mit *Vindesin-Sulfat gegen lymphat. Leukämie, Lymphome u. Melanome. **B.:** Eli Lilly.

Electran®. Marke von Merck Ltd. zur Kennzeichnung von hochreinen Reagenzien für die Elektrophorese einschließlich Isoelectric Point Marker, Molecular Weight Marker u. Ampholyte.

Electuarium s. Latwerge u. vgl. auch Theriak.

Eledoisin. $C_{54}H_{85}N_{13}O_{15}S$, M_R 1188,41. *Peptid aus den Speicheldrüsen von Mittelmeer-Tintenfischen, z.B. des Moschuskraken *Eledone moschata*, mit der Zusammensetzung L-Pyroglutamyl-Pro-Ser-Lys-Asp-Ala-Phe-Ile-Gly-Leu-Met-NH$_2$; das Sesquihydrat bildet ein farbloses Pulver, Schmp. 230 °C (Zers.). E. ähnelt in seiner physiolog. Wirkung den *Kininen, indem es eine Erweiterung der peripheren Blutgefäße bewirkt. Strukturverwandt u. in ähnlicher Weise aktiv sind auch das *Eledoisin-verwandte Peptid*, das ein Hexapeptid der Sequenz Lys-Phe-Ile-Gly-Leu-Met-NH$_2$ darstellt, sowie die Undecapeptide *Substanz P u. *Physalämin. – *E* eledoisin – *F* éledoisine – *I = S* eledoisina – [HS 293390; CAS 69-25-0]

Elektrete. Von Heaviside um 1890 geprägte Bez. für *Dielektrika mit permanenten elektr. Dipolmomenten (*Polarisation). E. bilden das elektr. Analogon zu den *Magneten, weil sie ein permanentes u. konstantes äußeres *elektrisches Feld* erzeugen. Viele E. können den *Ferroelektrika zugerechnet werden, die auch *Piezoelektrizität zeigen. Beispielsweise lassen sich keram. Werkstoffe aus *Bariumtitanat (bes. dann, wenn sie etwas Bleititanat enthalten) durch Abkühlen von Temp. oberhalb ihres Curie-Punktes in einem elektr. Feld polarisieren. Auch bestimmte Harze u. Wachse (z.B. *Carnaubawachs) sowie Polyurethane, Polyethylen u. Fluorkohlenstoffe, die in einem starken elektr. Feld geschmolzen werden, behalten die dadurch erzwungene Ausrichtung ihrer mol. Dipole bei, wenn nach dem Erstarren das Feld abgeschaltet wird. E. finden v. a. Verw. in der *Elektrophotographie u. in Mikrophonen. E., die eine über Jahrzehnte konstante elektr. Spannung besitzen, kann man durch Beschuß hochisolierender Kunststoffe mit Elektronen herstellen. – *E = F = I* electrets – *S* electretos

Lit.: Bergmann u. Schaefer, Lehrbuch der Experimentalphysik, Bd. 2, S. 104, Berlin: de Gruyter 1987 ▪ Mort, Polymers, Electronic Properties, Encycl. of Physical Science and Technology, Bd. 13, S. 203–216, San Diego: Academic Press 1992 ▪ Sessler, Electrets, Berlin: Springer 1979 ▪ s. a. Dielektrika, Ferroelektrika, Piezoelektrizität.

Elektrische Doppelschicht s. elektrochemische Doppelschicht.

Elektrische Einheiten. Gruppe von definierten bzw. abgeleiteten physikal. *Einheiten für elektr. *Größen: *Elektrizitätsmenge (Q):* *Coulomb (C) od. Amperesekunde, *Stromstärke (I):* *Ampere (1 A = 1 C/l s), *elektr. Spannung (U),* *elektromotorische Kraft (EMK) u. Potentialdifferenz:* *Volt (V), *elektr. Widerstand (R):* *Ohm (Ω), *elektr. Arbeit u. elektr. Energie:* *Joule od. Wattsekunde (1 J = 1 V · 1 C = 1 Ws), *elektr. Leistung:* *Watt (1 W = 1 J/l s = 1 V · 1 A), *elektr. Leitwert (G):* *Siemens (1 S = 1/Ω), *Kapazität (C):* Farad (1 F = 1 C/1 V); s. a. Einheiten u. SI. – *E* electric units – *F* unités d'électricité – *I* unità elettriche – *S* unidades eléctricas

Lit.: s. Einheiten.

Elektrische Entladung s. Gasentladung u. Glimmentladung.

Elektrische Leiter. Materialien mit einem spezif. Widerstand (s. Ohmsches Gesetz) $\rho < 10^{-2}\,\Omega \cdot$ cm werden als e. L. bezeichnet. *Halbleiter besitzen ρ-Werte zwischen 10^{-2} u. $10^9\,\Omega \cdot$ cm; allerdings werden auch Stoffe mit $\rho > 10^6\,\Omega \cdot$ cm schon als *Isolatoren bezeichnet. Man unterscheidet *Elektronenleiter* u. *Ionenleiter. Die ersteren (auch Leiter 1. Ordnung genannt) leiten den elektr. Strom durch freie (bei Cu ca. $10^{23}/\mathrm{cm}^3$) od. locker gebundene Elektronen, deren Wanderungsgeschw. im Gegensatz zu der des elektr. *Feldes* (ca. $3 \cdot 10^8$ m/s) sehr klein ist (ca. 0,04 cm/s). Nach dem Bändermodell befinden sich die Leitungselektronen energet. im sog. Leitungsband, d. h. sie sind nicht an ein Atom im *Kristallgitter gebunden, sondern können durch elektr. Felder relativ leicht räumlich bewegt werden (s. Elektronengas). Bei einem e. L. überlappen auf der Energieskala Leitungs- u. Valenzband; Valenzelektronen können prakt. ohne Energiezufuhr aus dem Valenzband in das Leitungsband übergehen. Bei Halbleitern besteht zwischen beiden Bändern eine Energielücke von einigen eV. Der Halbleiter wird elektr. leitend, indem durch äußere Energiezufuhr Elektronen vom Leitungs- ins Valenzband gehoben werden. *Beisp.:* Photoleitfähigkeit (Energiezufuhr durch Licht, *Photoeffekt) od. Heißleiter (Energiezufuhr durch Temperaturerhöhung, *Thermistoren). Bei elektr. Isolatoren ist die Energielücke $\Delta E > 5$ eV. Polymere mit konjugierten Doppelbindungen sind Isolatoren od. Halbleiter mit großer Energielücke. Durch Dotieren (s. Dotierung) z. B. mit Iod, AsF_5, $FeCl_3$, BF_4 od. ClO_4 als Akzeptoren od. Alkali-Metallen als Donatoren kann man sehr gute *elektrische Leitfähigkeit erzeugen (s. Abb. u. *Lit.*[1]).

Bei Elektronenleitern nimmt die elektr. Leitfähigkeit mit abnehmender Temp. zu; unterhalb einer charakterist. *krit. Temp.* (Sprungtemp.) ist kein Ohmscher Widerstand feststellbar (*Supraleitung, *Hochtemperatur-Supraleiter). Allerdings gibt es sog. *Minimumlei-*

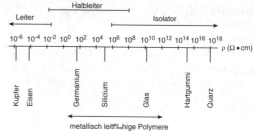

Abb.: Elektrische Leiter, Halbleiter u. Isolatoren.

ter (Au, Ag), deren Widerstand unterhalb einer Grenztemp. wieder zunimmt. Bei *Ionenleitern* (Leiter 2. Ordnung), bei denen die Stromleitung durch Ionenverschiebungen zustande kommt, ist – außer bei *Heißleitern* (Thermistoren) – ein Ansteigen der elektr. Leitfähigkeit mit Erhöhung der Temp. zu beobachten sowie eine mit dem Stromtransport verbundene stoffliche Veränderung dieser Leiter, zu denen alle Feststoffe mit typ. Ionengitter (Kristallgitter), *Salzschmelzen u. Elektrolyt-Lsg. (vgl. Elektrolyse) gehören, aber auch dotierte keram. Metalloxide (*Lit.*[2]). Gase sind gewöhnlich schlechte e. L., bei höheren Temp. u. durch Druckverminderung erfolgt bei ihnen ein Stromdurchgang infolge der *Stoßionisation*, bei der durch im elektr. Feld beschleunigte Elektronen Gas-Mol. ionisiert werden; man spricht dann ggf. von *Gasentladung. Zahlreiche Stoffe, bei denen elektr. Leitfähigkeit sowohl aufgrund von Elektronen- wie Ionenleitung anzutreffen ist, werden als *Mischleiter* bezeichnet. – *E* electrical conductors – *F* électro-conducteurs – *I* conduttori elettrici – *S* conductores eléctricos

Lit.: [1] Phys. Bl. **40**, 321 (1984); Chem. Unserer Zeit **20**, 1, 30 (1986). [2] Angew. Chem. **90**, 38–48 (1978).

allg.: s. elektrische Leitfähigkeit, Dielektrika, Halbleiter.

Elektrische Leitfähigkeit. Oft auch als *elektr. Leitvermögen* bezeichnet, wird mit dem Formelzeichen χ od. κ abgekürzt u. ist definiert als das Reziproke des spezif. Widerstandes ρ (s. Ohmsches Gesetz): $\chi = 1/\rho$. Seine Einheit ist $(\Omega \cdot \mathrm{cm})^{-1}$ bzw. S/cm. Hierbei ist S = $1/\Omega$ die Kurzform für *Siemens, die Einheit des *elektr. Leitwertes*, welcher definiert ist als das Reziproke des elektr. Widerstandes. Materialien werden je nach ihrem ρ-Wert als *elektrische Leiter, *Halbleiter od. *Isolatoren bezeichnet (s. elektrische Leiter). Bei Tieftemp.-Untersuchungen an speziell strukturierten GaAs-$Al_xGa_{1-x}As$-Heterostrukturen wurden eindimensionale elektr. Leiter realisiert u. eine stufenförmige Änderung der e. L. in Einheiten von $2 \cdot e^2/h$ beobachtet, ähnlich dem quantisierten *Hall-Effekt (von Klitzing-Effekt)[1]. In der älteren *Lit.* begegnet man der Bez. *Äquivalentleitfähigkeit* (Λ), unter der man den Quotienten χ/c (mit c = Konz. in mol/L) verstand. Die e. L., die für *Elektronenleiter* größer als für *Ionenleiter* ist (vgl. elektrische Leiter), hängt von der Temp. ab sowie bei Ionenleitern von der Konz., dem Dissoziationsgrad u. dem Lsm.; sie läßt sich nach der *Debye-Hückel-Onsager-Theorie berechnen. Viele Stoffe, z. B. Kunststoffe, sind Nichtleiter; gegen ihre unerwünschte *elektrostatische Auflagung können ggf. *Antistatika eingesetzt werden. Zur Bestimmung der e. L. als Kriterium der Stabilität von Emulsionen s. *Lit.*[2]. Für

Geräte zur Bestimmung der e. L. s. *Lit.*[3]. – *E* electrical conductivity – *F* conductivité électrique – *I* conducibilità elettrica – *S* conductividad eléctrica

Lit.: [1] Phys. Rev. Lett. **60**, 848 (1988); J. Phys. C **21**, L 209 (1988); Phys. Bl. **44**, 171 (1988). [2] Parfüm. Kosmet. **57**, 337–343 (1976). [3] ACHEMA-Jahrb. **1995**.

allg.: Alcácer, The Physics and Chemistry of Low Dimensional Solids, Dordrecht: Reidel 1980 ■ Hamann et al., Organische Leiter, Halbleiter u. Photoleiter, Berlin: Akademie-Verl. 1980 ■ Hatfield, Molecular Metals, New York: Plenum (seit 1979) ■ Kao u. Hwang, Electrical Transport in Solids, Oxford: Pergamon 1980.

Elektrische Polarisation s. Dielektrika u. Polarisation.

Elektrischer Leitwert s. elektrische Leitfähigkeit.

Elektrisches Elementarquantum s. Elementarladung.

Elektrische Spannungsreihe s. Kontaktspannung.

Elektrisch leitfähige Polymere. E. l. P. sind *Polymere, die zwar im nativen festen Zustand, d. h. wie sie bei der *Polymerisation geeigneter *Monomeren anfallen, ausgesprochene elektr. Isolatoren sind, durch gezielte Maßnahmen aber in elektr. Leiter überführt werden können. Der klass. Weg, Polymeren elektr. Leitfähigkeit zu vermitteln, ist die Zumischung leitfähiger Füllstoffe, z. B. Metallpulver od. Ruße, die zu den sog. gefüllten e. l. P. führt, die als *Polymer-compounds vorliegen. Dieses Verf. ist breit variabel hinsichtlich der Polymeren u. Füllstoffe, liefert aber nur e. l. P. mit allg. relativ niedrigen Leitfähigkeitswerten. Diese hängen im starken Maße von der Art u. der Konz. der verwendeten Füllstoffe ab. Der Ladungstransport in den gefüllten e. l. P. erfolgt über ein von den Füllstoffen im Polymeren gebildetes durchgehendes Netzwerk. Derartig ausgerüstete Polymere verhindern z. B. die elektrostat. Aufladung od. elektromagnet. Interferenzen. Einsatzmöglichkeiten finden gefüllte e. l. P. als Widerstandsheizelemente, bei denen kunststoffspezif. Eigenschaften wie Flexibilität, leichte Verarbeitbarkeit od. Korrosionsbeständigkeit gefordert sind. Beisp. hierfür sind rußgefüllte (Polycarbonat-)Folien für Thermodruckwerke von Schreibmaschinen od. rußgefüllte (Polyurethan-)Folien zur Heizung von Beeten u. Fußböden. Neben den gefüllten kennt man weiterhin intrins. e. l. P. mit quasi-eingebauter elektr. Leitfähigkeit. Sie werden hergestellt durch eine Modifizierung, durch sog. Dotierung (*E* doping), von geeigneten, im undotierten Zustand bestenfalls halbleitenden Polymeren über Oxid.- („p-Dotierung") od. Red.-Reaktionen („n-Dotierung"). Zur Dotierung geeignete Polymere sind v. a. solche mit einem ausgedehnten π-Elektronensystem, z. B. *Polyacetylen in der cis- u. trans-Form, bzw. solche mit einer Folge von (hetero)aromat. Ringen in der Hauptkette, wie Poly(p-phenylen), Polythiophen od. Polypyrrol.

cis -Poly(acetylen)	(Struktur)
trans -Poly(acetylen)	(Struktur)
Poly(*p* -phenylen)	(Struktur)
Poly(thiophen)	(Struktur)
Poly(pyrrol)	(Struktur)

Beim Dotieren dieser Polymeren mit starken Oxidations- od. Reduktionsmitteln resultieren in Redoxreaktionen delokalisierte ion. Zentren auf den Polymerketten sowie die zugehörigen Gegenionen aus dem Dotierungsmittel. Geeignete Dotierungsmittel sind u. a. Brom, Iod, Silberperchlorat, Bortrifluorid, Naphthalinlithium u. insbes. Arsenpentafluorid als starkes Oxidationsmittel. Die Tab. zeigt die Leitfähigkeiten einiger Polymerer vor u. nach ihrer Dotierung mit unterschiedlichen Dotierungsmitteln.

Intrins. e. l. P. können schließlich auch durch *elektrochemische Polymerisation hergestellt werden. Beisp. hierfür ist die Gewinnung leitfähiger Polypyrrol-Folien durch anod. Polymerisation von Pyrrol in einer wäss. Lsg. von Leitsalzen (Perchlorate, Fluorborate, Phenylsulfonate od. andere) an der Oberfläche einer walzenförmigen Anode. Von dieser kann der Polymerfilm kontinuierlich abgezogen werden. Bei dieser Prozeßführung werden die Leitsalz-Anionen zur Ladungskompensation als Gegenionen in das geladene Polymere eingebaut.

Die bei den intrins. e. l. P. im Einzelfall erreichbare max. Leitfähigkeit ist abhängig von der chem. Struktur des Polymeren, der Art u. Menge des eingesetzten Dotierungsmittels sowie der Orientierung der Polymer-Moleküle. Sie übertrifft gewichtsbezogen z. T. die von guten metall. Leitern.

Tab.: Spezif. elektr. Leitfähigkeit (25 °C) von Polymeren vor u. nach der Dotierung. LiNp = Lithiumnaphthalid (nach *Lit.*[1]).

Polymer		σ [S · cm^{-1}] bei Dotierung mit				
		vor Dotierung	AsF$_5$	I$_2$	BF$_3$	LiNp
cis-Poly(acetylen)	PAC		1 200	160		
trans-Poly(acetylen)	PAC	10^{-9}	1 200	500	100	200
Poly(*p*-phenylen)	PPP	10^{-15}	500	0.0001	10	5
Poly(*m*-phenylen)	PMP		0.001			
Poly(pyrrol)	PPY	10^{-8}	100	100	100	
Poly(thiophen)	PTP	10^{-11}	0.02	0.0003		
Poly(*p*-phenylensulfid)	PPS	10^{-16}	10	0.0001		
Poly(azasulfen)	PAS	$4 \cdot 10^3$	40 000			
Graphit	C	10^4	10^6			

Potentielle Verwendungsmöglichkeiten für intrins. e. l. P. sind ihr Einsatz zur Herst. von sog. Kunststoffbatterien (*Lit.*[1]), von Dioden od. Transistoren in der Elektronik-Ind. bzw. von Solarzellen. Ein großes Problem stellt dabei jedoch noch die oftmals schnelle *Alterung der e. l. P. dar, die mit einem drast. Verlust an elektr. Leitfähigkeit einhergeht. Bes. betroffen sind hiervon dotierte Polyacetylene, weniger dotierte Polypyrrole. – *E* electrically conductive polymers – *F* polymères électroconducteurs – *I* polimeri conduttori elettrici – *S* polímeros electroconductores

Lit.: [1] Kunststoffe 79, 530–535 (1989).
allg.: Compr. Polym. Sci. 2, 687–705 ▪ Elias (5.) 1, 989 ff. ▪ Kiess, Conjugated Conducting Polymers, Springer-Series in Solid-State Sciences Nr. 102, Berlin: Springer 1992 ▪ Mair u. Roth, Elektrisch leitende Kunststoffe, München: Hanser 1989.

Elektroanalyse (elektrochem. Analyse). Die E. nutzt Reaktionen, an denen Ionen, Elektronen u. die Phasengrenzen Elektronen-/Ionenleiter beteiligt sind, um Informationen über Art u. Menge anorgan. u. organ. Stoffe zu erhalten. Die E. findet in elektrochem. Zellen statt, die eine Lsg. enthalten, in die mind. zwei Elektroden hineinragen. An den Elektroden finden physikal. od. chem. Vorgänge statt, die durch Messung von elektr. Größen wie Zellspannung, Stromstärke, elektr. Widerstand, elektr. Ladung od. Wanderungsgeschw. von Teilchen im elektr. Feld ausgewertet werden können. Dabei befindet sich der zu bestimmende Analyt meist gelöst in einem *Elektrolyt. Ein Ordnungsprinzip beruht auf der Unterscheidung von *Verf. ohne Stromfluß:* *Potentiometrie als Direkt-Potentiometrie od. als Indikationsverf. u. von *Verf. mit Stromfluß.* Findet dabei ein zu vernachlässigender Stoffumsatz statt, gelangt man zu Verf. wie *Konduktometrie u. *Voltametrie mit *Polarographie (Hg-Elektrode) u. *Amperometrie. Verf. mit prakt. 100%-igen Stoffumsatz sind *Elektrogravimetrie u. *Coulometrie. – *E* electroanalytical chemistry – *F* analyse électrochimique – *I* elettroanalisi – *S* análisis electroquímico

Lit.: Camann, Elektrochemische Untersuchungsmethoden, in Naumer u. Heller (Hrsg.), Untersuchungsmethoden in der Chemie, Stuttgart: Thieme 1990 ▪ Henze u. Neeb, Elektrochemische Analytik, Berlin: Springer 1986 ▪ Otto, Analytische Chemie, S. 342–412, Weinheim: VCH Verlagsges. 1995 ▪ Schwedt, Analytische Chemie, S. 115–159, Stuttgart: Thieme 1995.

Elektro-Blotting s. Blotting.

Elektrochemie. Die E. ist ein wichtiges Teilgebiet der physikal. Chemie, das sich mit den gegenseitigen Umwandlungen von chem. u. elektr. Energie beschäftigt, also alle Vorgänge umfaßt, bei denen chem. Reaktionen mit der Wanderung von elektr. Ladungen od. dem Auftreten von elektr. Potentialen verbunden sind. Aus der Umwandlung elektr. Energie in chem. resultiert der elektrochem. Korrosionsschutz u. die *Elektrolyse, aus der sich Begriffe wie *Elektrodialyse, *Elektroosmose u. *Elektrophorese ableiten. Die Elektrolyse läßt sich präparativ in wäss. u. nicht wäss. Syst. durchführen.
Beisp. sind die Schmelzflußelektrolyse (Gewinnung von Al, Mg, Na u. Cl), aus dem organ. Bereich die *Kolbe-Synthese, die Herst. von Adipinsäuredinitril sowie von Bleitetraethyl, -methyl u. -vinyl durch elektrochem. *Grignard-Reaktion. Zum Bereich der Elektrolyse in wäss. Syst. gehört u. a. die Galvanotechnik. Weiterhin sei die elektrochem. Metallbearbeitung erwähnt, bei der harte Leg. u. Sintermetalle durch elektrochem. „Fräsen", „Bohren" od. „Drehen" bearbeitet werden, die der spanabhebenden Verformung nicht zugänglich sind. Die Umwandlung chem. Energie in elektr. führt zur Elektroenergieerzeugung (Energiedirektumwandlung, s. Brennstoffzellen), zu *Akkumulatoren u. *Batterien.

Geschichte: Die wichtigsten Grundgesetze der E. wurden bereits im vorigen Jh. von M. *Faraday entdeckt. An der Entwicklung der wissenschaftlichen E. waren v. a. beteiligt: *Hittorf (Ionen-Wanderung), *Arrhenius (elektrolyt. Dissoziation), *Ostwald (Verdünnungsgesetz), *Helmholtz u. *Nernst (Theorie der galvan. Elemente). – *E* electrochemistry – *F* électrochimie – *I* elettrochimica – *S* electroquimica

Lit.: Bruce (Hrsg.), Solid state electrochemistry, Cambridge University Press 1995 ▪ Fisher, Electrode dynamics, Oxford: University Press 1996 ▪ Zirngiebl, Einführung in die angewandte Elektrochemie, Frankfurt/M.: Salle 1993.

Elektro-Chemie Ibbenbüren. Kurzbez. für die 1960 gegr. Firma Elektro-Chemie Ibbenbüren GmbH, 49462 Ibbenbüren, eine Gemeinschaftsgründung von *AKZO (50%) u. *Preussag (50%), Abk. ECI. *Produktion:* Chlor, Natronlauge, Wasserstoff, Bleichlauge, Salzsäure, Eisen(III)-chlorid. *Daten* (1994): 20 Beschäftigte, 29 Mio. DM Umsatz.

Elektrochemische Analyse s. Elektroanalyse.

Elektrochemische Doppelschicht (elektr. Doppelschicht). Bez. für eine etwa einige Atom- od. Molekülschichten dicke, durch Ladungsverschiebungen hervorgerufene elektr. geladene Zone an der *Grenzfläche zweier Phasen. Die e. D. ist von der Ggw. von Ladungsträgern wie Ionen, Elektronen od. orientierten *Dipolen abhängig; sie ist auf der einen Seite pos., auf der anderen neg. aufgeladen u. verhält sich so wie ein Plattenkondensator mit extrem geringem Plattenabstand. Nach dem *Gesetz von Coehn* wird die Phase mit der kleineren *Dielektrizitätskonstanten neg. aufgeladen. Die Ladungsträger müssen sich nicht unmittelbar an der Grenzfläche befinden. Taucht z. B. ein Edelmetall in eine gleichionige Elektrolytlsg. ein, so wird das Metall pos. aufgeladen, weil seine Ionen bestrebt sind, sich unter Elektronenaufnahme als Metall abzuscheiden; es zieht so eine entsprechende Menge Anionen an. Die unmittelbar an der Metalloberfläche haftenden Anionen bezeichnet man als die *starre, Helmholtz-* od. *Stern-Doppelschicht.* Den Einfluß hier adsorbierter Teilchen auf die Elektrodenkinetik nennt man *Frumkin-Effekt.* Ein Teil der vom (pos. geladenen) Metall angezogenen Anionen befindet sich infolge der Wärmebewegung jedoch in der Flüssigkeitsschicht, die das Metall unmittelbar umgibt; diese bilden die *diffuse* od. Gouy-Chapman-Doppelschicht (Gouy-Doppelschicht). Derartige e. D. bilden sich auch in Kolloiden, *Dispersionen u. bei der *Flotation aus. Das zwischen der e. D. suspendierter Teilchen u. ihrer Umgebung entstehende Potential wird *Zeta-Potential s. die Abb. dort) od. – weil es für die *elektrokinetischen Erscheinungen verantwortlich ist – auch *elektrokinet.*

Potential genannt. – *E* electrochemical double layer – *F* couche double électrochimique – *I* strato doppio elettrochimico – *S* capa doble electroquímica

Lit.: Adamson, Physical Chemistry of Surfaces, 5. Aufl., New York: Wiley 1990 ▪ Bockris et al., The Double Layer (Comprehensive Treatise Electrochem. 1), New York: Plenum 1980 ▪ Dörfler, Grenzflächen- und Kolloidchemie, Weinheim: VCH Verlagsges. 1994 ▪ Hamann u. Vielstich, Elektrochemie I, Weinheim: VCH Verlagsges. 1985 ▪ Hunter, Foundations of Colloid Science, Vol. I, Oxford: Clarendon Press 1986 ▪ Koryta u. Dvorak, Principles of Electrochemistry, Chichester: Wiley 1987 ▪ s. a. Elektrochemie, Grenzflächen, Zeta-Potential.

Elektrochemische Metallbearbeitung (ECM). Im allg. in *Elektrolyt-Lsg. ablaufende Verf. zur Formgebung u. Oberflächenbehandlung von metall. Werkstücken, wobei das zu bearbeitende Werkstück meist als Anode, das Werkzeug als Kathode geschaltet ist; die Form des letzteren bestimmt bei sehr kleinem Kathoden-Anoden-Abstand auch die Form des Werkstückes. Die (manchmal *Elysieren* genannte) e. M. wird zum Entgraten, *Polieren, Schleifen u. *Ätzen benutzt. Ein verwandtes, aber nicht elektrochem. Verf. ist die *Elektroerosion. – *E* electrochemical machining – *F* usinage électrochimique des métaux – *I* lavorazione elettrochimica del metallo – *S* elaboración electroquímica de metales

Lit.: Bergmann, Werkstoffkunde, Tl. 2, Anwendungen, München: Hanser 1987 ▪ Chem. Unserer Zeit **23**, 151 (1989) ▪ Dettner, Lexikon für Metalloberflächen-Veredelung, Saulgau: Leuze 1989 ▪ Kirk-Othmer (4.) **9**, 111–197, 277–342 ▪ Simon u. Thoma, Angewandte Oberflächentechnik für metallische Werkstoffe, München: Hanser 1985 ▪ Walsch, Elektrochemische Metallbearbeitung, Stuttgart: Grossmann 1978 ▪ Zerweck, Untersuchungen zum Polieren u. Entgraten durch elektrochemisches Oberflächenabtragen, Mainz: Krausskopf 1980.

Elektrochemische Polymerisation. Bei der e. P. werden auf der Oberfläche von Elektroden, die in eine Lsg. von Elektrolyten u. geeigneten *Monomeren eintauchen, bei Stromfluß Radikale od. Ionen als Polymerisationsinitiatoren generiert, die die *Polymerisation der *Monomeren auslösen. Die beispielsweise bei der Elektrolyse von fettsauren Salzen I gebildeten Alkylradikale II lösen in Ggw. geeigneter Monomerer eine radikal. Polymerisation aus.

$$R-CH_2-CH_2-COO^- \xrightarrow{-e^-} R-CH_2-CH_2-COO^{\bullet}$$
$$\text{I}$$
$$\longrightarrow R-CH_2-CH_2^{\bullet} + CO_2$$
$$\text{II}$$

In anderen Fällen werden auch kation. od. anion. Mechanismen beobachtet. So ergibt z. B. die anod. Entladung von Perchlorat- od. Bortetrafluorid-Ionen eine kation. Polymerisation von Styrol, *N*-Vinylcarbazol od. *i*-Butylvinylether. Die durch den kathod. Zerfall von Tetraalkylammonium-Salzen angeregte Polymerisation von Acrylnitril verläuft dagegen anionisch. Im Verlauf der Polymerisationen wird auf den Elektrodenoberflächen ein dünner Polymerfilm ausgebildet, der die Wirksamkeit der Elektroden modifiziert. Unter den Bedingungen der e. P. ist auch eine partielle Oxid. der resultierenden Polymeren möglich, die zu dotierten, *elektrisch leitfähigen Polymeren führt. Für eine solche e. P. geeignete Monomere sind u. a. *Furan, *Pyrrol od. *Thiophene. – *E* electrochemical polymerization – *F* polymérisation électrochimique – *I* polimerizzazione elettrochimica – *S* polimerización electroquímica

Lit.: Batzer **1**, 62 ▪ Elias (5.) **1**, 451 ▪ Encycl. Polym. Sci. Eng. **5**, 587–601.

Elektrochemisches Äquivalent. Bez. für die Strommenge, durch die ein Mol einwertiger Ionen od. allg. ein *Äquivalent eines Elements od. einer Verb. an den Elektroden einer Elektrolysenzelle abgeschieden od. umgesetzt wird. Näheres s. Faradaysche Gesetze. – *E* electrochemical equivalent – *F* équivalent électrochimique – *I* equivalente elettrochimico – *S* equivalente electroquímico

Elektrochemische Spannungsreihe s. Spannungsreihe.

Elektrochemisches Potential. Analog zum *chemischen Potential definierte, von Guggenheim eingeführte intensive Zustandsvariable, die ein Maß für die notwendige Energie darstellt, um 1 Mol eines z_i-wertigen Ions aus dem Unendlichen in eine Phase bestimmter Zusammensetzung zu bringen. Das e. P. eines Ions i ist die Summe aus *chemischem Potential u. molarer elektr. Arbeit: $\bar{\mu}_i = \mu_i + z_i F \varphi$ (μ_i: chem. Potential, F: Faraday-Konstante, φ: elektr. Potential der Phase). Das e. P. dient der Beschreibung von thermodynam. Gleichgew., an denen geladene Komponenten beteiligt sind. Z. B. erlaubt die Gleichgewichtsbedingung $\bar{\mu}_i' = \bar{\mu}_i''$ die Berechnung des Donnan-Potentials (s. Donnan-Gleichgewicht) zwischen zwei Phasen $'$ u. $''$. Bei elektrochem. Reaktionen gilt für die *Freie Reaktionsenthalpie $\Delta_R G = \Sigma_{ip} \Sigma \, v_i \, \bar{\mu}_i^p$; i ist dabei der Stoffindex, v_i der stöchiometr. Koeffizient u. p der Phasenindex. – *E* electrochemical potential – *I* potenziale elettrochimico – *S* potencial electroquímico

Lit.: Hamann u. Vielstich, Elektrochemie, 2 Bd., Weinheim: Verl. Chemie 1981, 1985 ▪ Wedler, Physikalische Chemie, 3. Aufl., S. 409–414, Weinheim: VCH Verlagsges. 1987.

Elektrochemische Wertigkeit. Gleichbedeutend mit *Oxidationszahl gebrauchter Begriff, der nicht mit der Ladungszahl eines Ions od. der *Reaktionsladungszahl verwechselt werden darf. – *F* valence électrochimique – *S* valencia electroquímica

Elektrochromie. In Analogie zur *Photochromie eingeführter Sammelbegriff für Änderungen der opt. Eigenschaften. von Mol. (z. B. der opt. Absorption) durch ein äußeres od. im Syst. vorhandenes lokales elektr. Feld. Die E. beruht auf der Beeinflussung der Elektronenzustände durch elektr. Felder, s. Photochromie, Thermochromie. – *E* electrochromism – *F* électrochromie – *I* elettrocromia – *S* electrocromía, electrocromismo

Lit.: Acc. Chem. Res. **11**, 170 ff. (1978) ▪ Kirk-Othmer (3.) **6**, 129 f.

Elektrocyclische Reaktionen. Von *Woodward u. Roald *Hoffmann geprägte Bez. für solche *pericyclischen Reaktionen, bei denen Ringe geöffnet od. gebildet werden. Eine e. R. beschreibt also die Bildung einer σ-Bindung zwischen den Enden eines voll konjugierten, linearen π-Systems, bzw. den umgekehrten Prozeß. E. R. verlaufen prakt. ausnahmslos stereospezif., sie repräsentieren einige synthet. wertvolle Reaktionen u. demonstrieren überzeugend die Anwendbarkeit der Regeln zur Erhaltung der Orbitalsymmetrie (*Woodward-Hoffmann-Regeln). In einem hypothet. Ring mit den Substituenten A u. B an den Enden des π-Syst. existieren vier stereochem. unterscheidbare Wege, wie die e. R. ablaufen kann. Zwei davon sind *disrotatorisch, zwei konrotatorisch. Die Theorie der e. R. kann nur vorhersagen, ob die Reaktion disrotator. od. konrotator. ablaufen wird; sie vermag nicht zwischen den beiden möglichen dis- bzw. konrotator. Ringöffnungsarten zu unterscheiden.

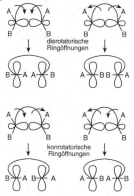

Die Art, wie die Ringöffnung vonstatten geht, hängt in einfacher Weise von der Anzahl der π-Elektronen des offenkettigen Polyens ab. Zur Ableitung der Gesetzmäßigkeiten kann man sich verschiedener Verf. bedienen: Der von Woodward u. Hoffmann (s. Woodward-Hoffmann-Regeln) vorgezeichnete Weg betrachtet über ein Korrelationsdiagramm die Symmetrieeigenschaften sämtlicher Molekülorbitale von Edukt u. Produkt in bezug auf ein Symmetrieelement, das während der gesamten Reaktion erhalten bleibt. Das *HOMO-LUMO-Modell od. die *Aromatizität des Übergangszustandes der Reaktion (Hückel-Möbius-Meth., Dewar-Zimmermann-Meth.) sind andere Betrachtungsweisen, die zum stereochem. gleichen Ergebnis führen.
Weitere Beisp. für e. R. finden sich bei *Isomerisierungen, *Valenzisomerisierungen, konrotator. u. *disrotatorisch. – *E* electrocyclic reactions – *F* reactions electrocycliques – *I* reazioni elettrocicliche – *S* reacciones electrocíclicas
Lit.: Angew. Chem. **81**, 797 f. (1969); **89**, 589–602 (1977); **92**, 979–1005 (1980) ▪ Carey-Sundberg, S. 576–588 ▪ Fleming, Grenzorbitale u. Reaktionen organischer Verbindungen, 1. korr. Nachdruck, S. 120–123, Weinheim: VCH Verlagsges. 1988 ▪ March (4.), S. 1110–1121 ▪ Marvell, Thermal Electrocyclic Reactions, New York: Academic Press 1981 ▪ Russ. Chem. Rev. **64**, 99–124 (1995) ▪ Trost-Fleming **5**, 675 ff. ▪ s. a. MO-Theorie u. Textstichwörter.

Elektrodekantation. Spezielle Anw. der *Elektrophorese zur Anreicherung bzw. Abtrennung bestimmter kolloider Substanzen. Ähnlich wie bei der *Elektrodialyse bringt man das elektrolythaltige Sol in eine Kammer, die durch semipermeable *Membranen abgetrennt zwischen zwei Elektrodenkammern liegt. Beim Anlegen einer elektr. Gleichspannung wandern die Kolloidteilchen aufgrund *elektrokinetischer Erscheinungen zu einer der Elektroden u. reichern sich an der für sie undurchlässigen Membran an. Die konz. Schicht an der Membran sinkt wegen ihrer höheren Dichte zu Boden (s. Abb.), während die verdünntere Flüssigkeit an der anderen Membran infolge ihrer geringeren Dichte nach oben steigt. Auf diese Weise können z. B. am isoelektr. Punkt Proteine aus biolog. Flüssigkeiten abgetrennt u. fraktioniert, Toxine von Proteinen befreit u. Enzyme aus Rohextrakten abgetrennt werden.

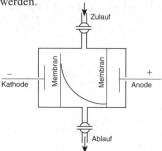

Abb.: Prinzip der Elektrodekantation.

Techn. Verw. findet die E. zur Konz. von Naturkautschuklatices u. *PTFE-Dispersionen. – *E* electrodecantation – *F* électrodécantation – *I* elettrodecantazione – *S* electrodecantación
Lit.: Hibbert u. James, Lexikon Elektrochemie, Weinheim: VCH Verlagsges. 1987 ▪ Kirk-Othmer (3.) **8**, 721–726.

Elektroden. Sammelbez. für elektronenleitende Werkstoffe in einem *Elektrolyten. Man unterscheidet Anoden u. Kathoden. Die pos. geladene *Anode* ist diejenige E., an der die Elektronen angezogen werden (z. B. in einer Elektronenröhre) od. Oxidationsvorgänge (*anodische Oxidation) stattfinden, z. B. durch Entladung von neg. Ionen (*Anionen) bei der Elektrolyse, durch Bildung von pos. Ionen (*Kationen) am neg. Pol von *Taschenbatterien, wo die E. durch die Reaktion $Zn - 2e^- \rightarrow Zn^{2+}$ oxidiert werden. Von der *Kathode* werden dagegen Elektronen emittiert (*Glühkathode* in Elektronenröhren) od. es finden an ihr Red.-Vorgänge statt, z. B. durch Entladung von pos. Ionen bei der *Elektrolyse, durch die Bildung von neg. Ionen od. die Red. von Elementen von höheren zu niedrigeren pos. Oxidationsstufen wie bei der Entladung eines Blei-*Akkumulators am pos. Pol nach der Reaktion $Pb^{4+} + 2e^- \rightarrow Pb^{2+}$. Solche an der Phasengrenze Elektrode/Elektrolyt als *Transport-Reaktion stattfindenden Reaktionen bezeichnet man auch als *Elektrodenreaktionen*, während man den Begriff *Elektrodenprozesse* reserviert zur summar. Beschreibung aller Veränderungen, die an od. in der Nähe von E. beim Stromdurchgang eintreten. Nach der willkürlich festgelegten u. der tatsächlichen Richtung der Elektronenbewegung entgegengesetzten Strombewegung ist die Anode die Eintritts-, die Kathode die Austrittsstelle des Stromes; hier verlassen die Elektronen den Elektrolyten bzw. treten in ihn ein. Unter *Elektrodenpotential* – das nur als Spannung (*Elektrodenspannung*) gegen eine *Bezugselektrode meßbar ist – versteht man das elektr. Potential eines Metalles od. eines elektronenleitenden Festkörpers in einem Elektrolyten. Weitere Definitionen s. in DIN 50900 Tl. 2 (01/1984) u. in *Lit.*[1].
Die Form der E. hängt vom Verw.-Zweck u. vom elektrochem. Syst. ab; *Beisp.:* Die E. von *galvanischen Elementen haben meist Stäbchen- od. Plattenform, bei

den Taschenbatterien besteht die Anode aus einem Kohlestab, die Kathode aus einem Zinkbecher, bei den Akkumulatoren sind die E. Metall- (z. B. Blei-) Platten, bei *Brennstoffzellen sind sie porös u. tragen Katalysatoren. In den Elektroöfen verwendet man in der Regel große, zylindr. od. blockförmige E. aus Kohlenstoff od. Graphit, vgl. a. Söderberg-Elektroden. Derartige E. werden benötigt bei der Herst. von Aluminium, Elektrokorund, Elektrostahl, Carbid, zur *Chloralkali-Elektrolyse von Anoden aus Graphit od. Titan u. Kathoden aus Eisen bzw. Quecksilber. Bei der *Elektroanalyse usw. bevorzugt man E. aus Platinblech od. Platindraht, die von den *Elektrolyten u. den Reaktionsprodukten in der Regel nicht angegriffen werden. Solche E. können sehr verschiedene Gestalt haben (z. B. Bleche, Drahtnetze, Schalen, Scheiben, Spiralen usw.) u. während des Versuchs in Ruhe od. in Bewegung gehalten werden. Über die in der pH-Meßtechnik am häufigsten verwendete *Indikatorelektrode* s. Glaselektrode, zur Verw. der *Normalwasserstoffelektrode* als Bezugselektrode s. Gaselektroden. *Photoelektroden* bestehen oft aus CdS, aber auch aus TiO_2. Bei implantierbaren E. (z. B. für Herzschrittmacher) ist auf physiolog. Unbedenklichkeit zu achten.

Bei den E. im weiteren Sinne handelt es sich um die sog. elektrochem. E., nämlich um Zwei- od. Mehrphasensyst., die ein bestimmtes Potential dadurch annehmen, daß Ladungsträger aus der einen in die andere(n) Phase(n) übergehen. Sie werden auch als *Halbzellen bezeichnet; *Beisp.:* Ein in eine Kupfersulfat-Lsg. eintauchender Kupferstab als Anode eines *galvanischen Elementes. Die elektrochem. E. lassen sich nach verschiedenen Gesichtspunkten einteilen: E. *erster Art* bestehen aus Metallen, die in Lsg. ihrer Salze eintauchen; *Beisp.:* Silber/Silberchlorid-E. (s. *Lit.* Adam, Atkins) u. a. Indikator- u. *Ableitelektroden. E. *zweiter Art* bestehen aus Metallen, die in eine gesätt. Lsg. ihres schwerlösl. Salzes eintauchen, dessen Löslichkeit durch die Konz. eines anderen lösl. Salzes mit dem gleichen Anion bestimmt ist; *Beisp.:* Weston-Element (s. galvanische Elemente), *Kalomel-Elektrode u. a. *Bezugselektroden, die ein *Normalpotential* liefern u. deshalb auch *Standardelektroden* genannt werden. In E. *dritter Art* steht das potentialbestimmende Ion der Lösungsphase mit zwei festen Nachbarphasen im Gleichgew.; *Beisp.:* Eine Kombination aus einem Zink-Stab, der in eine Lsg. eintaucht, die mit einem Gemisch aus Calcium- u. Zinkoxalat als Bodenkörper im Gleichgew. steht, verhält sich wie eine Calcium-E. mit Ca^{2+} als potentialbestimmendem Ion. Bei *umkehrbaren E.* (*reversible E.*) lassen sich die während des Stromschlusses infolge chem. Vorgänge an ihnen eingetretenen Veränderungen wieder rückgängig machen, bei den *nicht umkehrbaren E.* (*irreversible E.*) dagegen nicht, z. B. infolge des Auftretens von *Überspannung. *Polarisierbare E.* lassen beim Stromdurchgang an ihrer Oberfläche infolge chem. Umsetzungen eine in der Gegenrichtung des Stromes wirksame *elektromotorische Kraft od. Polarisation entstehen, während bei *unpolarisierbaren E.* bereits bei beliebig geringen angelegten Spannungen ein Stromfluß einsetzt. Der (meist unerwünschten) Polarisation begegnet man mit *Depolarisatoren.

Einfache E. sind elektrochem. Zweiphasensyst., in denen nur eine Art von Ladungsträgern von einer Phase in die andere übergehen kann; *Beisp.:* Beim Syst. Silber/Silberchlorid-Lsg. erfolgt nur die Entladung od. Bildung von Silber-Ionen. *Zwei- od. mehrfache E.* sind elektrochem. Zweiphasensyst., in denen zwei od. mehrere Vorgänge gleichzeitig ablaufen u. potentialbestimmend sein können; *Beisp.:* Im Zweiphasensyst. Zink/Zinksulfat-Lsg. handelt es sich nicht allein um die Bildung od. Entladung von Zink-Ionen, sondern es kann auch die Bildung von Wasserstoff als potentialbestimmender Vorgang ablaufen. In der analyt. Chemie haben *ionensensitive* od. *ionenselektive Elektroden* – die Bez. ionen*spezif.* E. wird von der IUPAC abgelehnt – seit etwa 1970 große Bedeutung gewonnen. Diese sog. *Sensoren*, bei denen man die Gruppe der *Glas-, Festkörper-* u. *Flüssigkeits-Membranelektroden* unterscheiden kann, eignen sich zur potentiometr. Bestimmung der *Aktivität einer Ionenart in Gemischen mit anderen Ionen od. zu deren indirekter Bestimmung durch potentiometr. Titration. Z. Z. lassen sich ca. 40 Anionen u. Kationen mit derartigen E. quant. bestimmen, mit immobilisierten Enzymen als Sensoren (*Enzymelektroden*) sogar biolog. Substrate (*enzymatische Analyse) (zur Messung von Einzelkanalströmen in biolog. Membranen mit der Saugpipetten-Technik s. *Lit.* Adam, S. 35 ff.). – *E* electrodes – *F* électrodes – *I* elettrodi – *S* electrodos

Lit.: [1] IUPAC, Größen, Einheiten u. Symbole in der Physikalischen Chemie, Weinheim: VCH Verlagsges. 1996.
allg.: Adam, Länger u. Stark, Physikalische Chemie u. Biophysik, Berlin: Springer ▪ Atkins, Physikalische Chemie, Weinheim: VCH Verlagsges. 1996 ▪ Bailey, Analysis with Ion Selective Electrodes, London: Heyden 1980 ▪ Baiulescu u. Cosofret, Applications of Ion-Selective Membrane Electrodes in Organic Analysis, Chichester: Horwood 1977 ▪ Cheung et al., Theory, Design, and Biomedical Application of Solid State Chemical Sensors, West Palm Beach: CRC 1978 ▪ Covington, Ion Selective Electrode Methodology (2 Bd.), West Palm Beach: CRC 1979 ▪ Kohlrausch, Praktische Physik, Bd. 2, Stuttgart: Teubner 1996 ▪ Liteanu u. Popescu, Ion Selective Membrane Electrodes, Chichester: Horwood 1980 ▪ Milazzo u. Caroli, Tables of Standard Electrode Potentials, New York: Wiley 1978 ▪ Pùrves, Microelectrode Methods for Intracellular Recording and Ionophoresis, London: Academic Press 1981 ▪ Thomas, Ion-Sensitive Intracellular Microelectrodes, London: Academic Press 1979 ▪ Trasatti, Electrodes of Conductive Metallic Oxides (2 Tl.), Amsterdam: Elsevier 1980, 1981 ▪ Vesely et al., Analysis with Ion-Selective Electrodes, Chichester: Horwood 1979 ▪ s. a. Elektrochemie u. a. Elektro...-Stichwörter. – *Zeitschrift:* Ion-Selective Electrode Reviews, Oxford: Pergamon (seit 1980).

Elektrodenpotential, -prozesse, -reaktionen, -spannung s. Elektroden.

Elektrodialyse. Bez. für ein *Trennverfahren nach dem Prinzip der *Dialyse, bei dem die Wanderung der Ionen durch die permselektiven Membranen durch Anlegen einer elektr. Gleichspannung beschleunigt wird. Durch Hintereinanderschalten mehrerer anion- u. kationselektiver Ionenaustauscher-Membranen läßt sich eine Entionisierung der zu dialysierenden Flüssigkeit – im allg. Wasser – bei gleichzeitiger Anreicherung der Ionen in den Elektrodenzellen erreichen. Die E. wird z. B. zur Meerwasserentsalzung (vgl. Beschreibung der Meth. dort) dann angewandt, wenn der Salz-Gehalt unter 1 g/L liegt, ferner zur *Trinkwasser-Gewinnung aus Brackwasser, zur Regulierung der *Härte des Wassers, in der Lebensmittel-Ind. zur Molke-Entsalzung, bei der Weinbereitung zur Verhinderung der Weinsteinabscheidung (*Lit.*[1]). Auch die Gewinnung von *Sole mit Anreicherungen bis zu 180–200 g NaCl/L kann mittels E. durchgeführt werden. Andererseits lassen sich durch E. wertvolle Stoffe aus galvan. *Abwässern wiedergewinnen (*Lit.*[2]). Die Umkehrung des E.-Prinzips, bei der durch Verdünnungsarbeit (wie sie z. B. beim Einströmen von Süßwasser aus Flüssen in salzhaltiges Meerwasser geleistet wird) elektr. Strom erzeugt wird, ist zur Energiegewinnung vorgeschlagen worden. – *E* electrodialysis – *F* électrodialyse – *I* elettrodialisi – *S* electrodiálisis

Lit.: [1]Chem. Tech. **4**, 253–256 (1975). [2]Chem. Produkt. **8**, Nr. 3, 16–21 (1979).
allg.: Hamann u. Vielstich, Elektrochemie II, Weinheim: Verl. Chemie 1981 ▪ Hibbert u. James, Lexikon Elektrochemie, Weinheim: VCH Verlagsges. 1987 ▪ Kirk-Othmer (3.) **8**, 726–738 ▪ s. a. Dialyse, Meerwasserentsalzung.

Elektroenzephalographie. Verf. zur graph. Aufzeichnung der Hirnströme zu diagnost. Zwecken. Dabei werden die bei der Tätigkeit des *Gehirns auftretenden Spannungsänderungen von der Schädeldecke über Hautelektroden abgeleitet u. nach entsprechender Verstärkung von einem Mehrkanalschreiber aufgezeichnet (*Elektroenzephalogramm, EEG*). Die so registrierten Potentiale haben einen wellenförmigen Verlauf u. werden nach ihrer Frequenz in verschiedene Gruppen eingeteilt. Das Auftreten unterschiedlicher Hirnstromwellen ist an verschiedene Wachheitszustände des Gehirns gebunden. Die E. wird zur Diagnostik von Gehirnerkrankungen wie z. B. der *Epilepsie herangezogen. – *E* electroencephalography – *F* électroencéphalographie – *I* elettroencefalografia – *S* electroencefalografía

Lit.: Zschocke, Klinische Elektroenzephalographie, Heidelberg: Springer 1995.

Elektroerosion. Oberbegriff für alle durch elektr. Entladungsvorgänge zwischen zwei Elektroden (Werkstück, Werkzeug) in einem Arbeitsmedium hervorgerufenen Abtragungen zum Zwecke einer Bearbeitung. E. umfaßt das *Funkenerodieren* (aufeinanderfolgende elektr. Entladungen ohne Elektrodenkontakt in einem Medium, s. Funkenerosion) u. das *Lichtbogenerodieren* (unterbrochener Lichtbogen durch period. Elektrodenkontakt infolge Schwingung einer Elektrode; weniger aufwendig, aber geringere Arbeitsgenauigkeit u. Oberflächengüte). Das abzutragende Werkstück wird in einem Gleichspannungskreis pos. geschaltet. Bei einem bestimmten, von der Spannung abhängigen Abstand zwischen Werkstück u. Werkzeug (*Kupfer, *Messing od. *Graphit) findet ein Funkenüberschlag statt, der das Werkstück örtlich aufschmilzt u. infolge der elektromechan. Kräfte abträgt. Die E. erfolgt in einem flüssigen *Dielektrikum (Petroleum, inerte Flüssigkeit), das durch Einschnürung des Entladekanals die Energiedichte erhöht, die Abtragsprodukte entfernt u. Werkstück sowie Elektroden kühlt. In der Randzone des Werkstücks sind therm. Beeinflussungen nicht auszuschließen. Die Bearbeitungsgenauigkeit u. Oberflächengüte werden durch aufeinanderfolgende Bearbeitungsschritte (Schruppen, Vorschlichten, Schlichten) gesteuert. Man unterscheidet zwischen elektroerosivem Senken (Bohren, Gravieren), Schleifen u. Schneiden. – *E* electroerosion – *F* électro-érosion – *I* elettroerosione – *S* electroerosión

Lit.: Lueger Lexikon, 4. Aufl., Bd. 9, Fertigungstechnik u. Arbeitsmaschinen, S. 179, Stuttgart: DVA 1968.

Elektrofilter. In einem E. werden feste od. flüssige Teilchen elektr. geladen u. mit Hilfe elektr. Kräfte aus einem Gasstrom entfernt (s. a. Cottrell-Verfahren). Dazu wird eine Sprühelektrode, die ein einfacher, dünner Draht sein kann, in den Gasstrom gesetzt. Als Niederschlagselektrode dient die geerdete Innenwand des Elektrofilters. Zwischen Sprüh- (neg. Pol) u. Niederschlagselektrode (pos. Pol) wird eine Gleichspannung von 30–80 kV angelegt u. eine ständige Entladung erzeugt (Koronarentladung). Staub- od. Flüssigkeitsteilchen (s. Aerosole) werden durch die von der Sprühelektrode emittierten Elektronen elektr. aufgeladen. Unter dem Einfluß des starken elektr. Feldes werden die neg. aufgeladenen Teilchen zur geerdeten Niederschlagselektrode getrieben, wo sie anhaften u. ihre elektr. Ladung wieder abgeben. Für die Abscheideleistung ist der spezif. Widerstand des abgeschiedenen Stoffes maßgeblich, der etwa zwischen 10^4 u. 10^{11} Ω cm liegen muß. Bei zu hohem Widerstand lassen sich die Teilchen nicht aufladen (z. B. manche *Flugaschen/brauner Rauch), bei zu geringem Widerstand (z. B. *Ruß) geben die Teilchen ihre Ladung an der Niederschlagselektrode blitzartig ab u. werden in den Gasstrom reflektiert. Wichtig ist auch die richtige Dimensionierung des Filters u. eine gleichmäßige Verteilung des Rohgases im Filter. Im E. lassen sich unter optimalen Bedingungen Abscheidegrade von über 99,9% auch bei Stäuben mit Korngrößen weit unter 1 μm erreichen. Der Energiebedarf von E. liegt mit 0,1–0,3 kWh pro 1000 m³ Gas vergleichsweise niedrig (in Sonderfällen bis 1 kWh pro 1000 m³). Ihr Druckverlust beträgt nur etwa 100–2000 Pa, was sie v. a. zur Reinigung von großen Gasmengen über 100 000 m³ h^{-1} attraktiv macht.
In Naßelektrofiltern (Abscheidung von Säurenebeln, Salzaerosolen) wird vor Eintritt in das Naß-E. das zu reinigende heiße Abgas mit Wasserdampf gesättigt. Kühlt man die Niederschlagsrohre des E. von außen mit Wasser, bildet sich durch die Kondensation des vorhandenen Wasserdampfes an der Rohrinnenfläche ein gleichmäßiger Wasserfilm. Dieser Wasserfilm wird geerdet u. dient dann als Niederschlagselektrode. Die abzuscheidenden Stäube werden unter dem Einfluß des elektr. Feldes zu der fließenden Niederschlagselektrode transportiert u. bleiben auch nach der Abgabe ihrer elektr. Ladung aufgrund der Oberflächenspannung auf dem Film haften od. lösen sich im Wasser. Der Wasserfilm reicht aus, um selbst bei hohen Staubbelastungen die Rohrwände auch im Dauerbetrieb völlig frei zu halten. Die Rohre selbst brauchen in den Stromkreis nicht einbezogen zu werden u. können deshalb aus elektr. nicht leitendem Kunststoff gebaut werden, was in vielen Fällen aus Korrosionsgründen von Vorteil ist. – *E* electrostatic filter, electric precipitator, electrofilter – *F* électrofiltre – *I* elettrofiltro – *S* electrofiltro, filtro electrostático

Lit.: J. Oberflächentechnik **34**, 62ff. (1994) ▪ Tech. Mitt. HdT **76**, 432ff. (1983) ▪ Ullmann (5.) **B 2**, 13–29ff. ▪ Umweltmagazin **24**, 49 (1995) ▪ VDI-Ber. (Ver. Dtsch. Ing.) **1984**, Nr. 495, 223 ff.

Elektrofiltration s. Cottrell-Verfahren u. Entstaubung.

Elektroflotation s. Flotation.

Elektro-Flox-Verfahren. Mit Eisen-Elektroden arbeitendes Elektrolyse-Verf. zur Abwasserreinigung.
Lit.: Chem. Anlagen + Verfahren **1980**, Nr. 1, 28.

Elektrofluorierung s. Fluorierung.

Elektrofokussierung s. isoelektrische Fokussierung als Spezialverf. der *Elektrophorese.

Elektrofug (von latein.: fuga = Flucht). Bei chem. Reaktionen Bez. für eine Gruppe, die sich aus dem Mol. unter Zurücklassung des bindenden Elektronenpaars löst; Beisp. s. bei Substitutionen (elektrophile) u. Fragmentierung. – *E* electrofuge, electrofugic – *I* elettrofuggente – *S* electrofuga

Elektrofusion. Eine von Zimmermann entwickelte Meth. einer im elektr. Feld induzierten Verschmelzung von Membranen, die bei der Zellfusion in der *Biotechnologie Anw. findet. *Beisp.* sind die Fusion von Säugerzellen, von Pflanzen- u. Hefeprotoplasten bei der Pflanzenzüchtung u. *Stammentwicklung (s. Protoplastenfusion), von Antikörper-bildenden Lymphocyten mit Myeloblasten zur Herst. *monoklonaler Antikörper (s. Hybridoma-Technik), von Zellen u. Protoplasten mit *Liposomen (künstlichen Phospholipid-Vesikeln). Unter mikroskop. Kontrolle können dabei zwei od. mehrere Zellen verschmolzen werden, aber auch viele Einzelzellen zu einer Riesenzelle.
Bei der E. werden die Zellen in einem schwachen elektr. Feld (10–100 Vcm^{-1}) je nach Partikelgröße zu *Dipolen polarisiert (Dielektrophorese), wodurch sie sich kettenförmig aneinanderreihen. Nachdem so der Membrankontakt hergestellt ist, wird die Feldstärke für einige Mikrosekunden auf 1 bis mehrere kV cm^{-1} erhöht. Entsprechend steigt das Membranpotential zwischen innerer u. äußerer Membranoberfläche örtlich an. Bei Überschreiten der krit. Membranspannung kommt es zum lokalen Membrandurchbruch: Es entstehen reversible Poren (s. Elektroporation bei Elektrotransformation), über die es schließlich zu Membranverschmelzung u. Zellfusion kommt. – *E* electrofusion – *F* électrofusion – *I* elettrofusione – *S* electrofusión
Lit.: Adv. Colloid Interface Sci. **57**, 229 (1995) ▪ Biophys. Struct. Mechanisms **6**, 86 (1980). ▪ Forum Mikrobiol. **11**, 507 (1989) ▪ J. Membr. Biol. **67**, 165 (1982) ▪ Rev. Physiol. Biochem. Pharmacol. **105**, 175 (1986) ▪ s. a. Elektrotransformation, Protoplastenfusion.

Elektrogravimetrie. Meth. der *Elektroanalyse, die alle kathod. u. anod., auf *Elektrolyse beruhenden Vorgänge umfaßt, die durch *Gravimetrie ausgewertet werden können, bes. zur quant. Bestimmung von Metallen. Läßt man in eine wäss. Metallsalz-Lsg. zwei *Elektroden aus Platin eintauchen, so wandern die Kationen beim Anlegen einer Gleichspannung, die größer als die *Zersetzungsspannung des gelösten *Elektrolyten sein muß, zum Minuspol (Kathode), die Anionen dagegen zur pos. geladenen Elektrode (Anode). Da sich nun in manchen Fällen (bes. bei Salzen von Edelmetallen u. Cu, Ni, Co) die Metalle aus ihren Salzen bei genügend langem Stromdurchgang vollständig an der Kathode in Form eines guthaftenden Überzugs niederschlagen, so läßt sich durch Wägung der anwesende Metallmenge exakt bestimmen. Als Elektrolyten dienen meist verd. Säuren, seltener wäss. Ammoniak, u. die Bestimmung wird im allg. bei 20 °C durchgeführt. Heute erfolgt die – für ca. 25 Metalle geeignete – E. im Routinebetrieb mit automat. arbeitenden Geräten. Durch Variieren der angelegten Spannung läßt sich die selektive Trennung von Ionen-Gemischen aufgrund ihrer verschiedenen Zersetzungsspannungen erreichen. – *E* electrogravimetry – *F* électrogravimétrie – *I* elettrogravimetria – *S* electrogravimetría
Lit.: Analyt.-Taschenb. **1**, 124–127 ▪ Encycl. of Physical Sciences and Technology, Bd. 1, S. 692, San Diego: Academic Press 1992 ▪ Kirk-Othmer (4.) **7**, 512 ▪ Snell-Hilton **3**, 487–490 ▪ s. a. Elektroanalyse, Elektrolyse u. Gravimetrie.

Elektroisolierpapier s. Papier.

Elektrokapillarität. Wird an einer Grenzfläche zwischen zwei Flüssigkeiten die Potentialdifferenz ΔU u. damit die Flächenladungsdichte σ geändert, führt dies zu einer Änderung der *Grenzflächenspannung χ gemäß der Helmholtz-Lippman-Gleichung $-\sigma = d\chi/dU$. Die E. wird hauptsächlich an der Grenzfläche Quecksilber-Elektrolyt untersucht u. kann zum Nachw. elektr. Potentialdifferenzen herangezogen werden. – *E* electric capillarity – *F* électrocapillarité – *I* elettrocapillarità – *S* electrocapilaridad

Elektrokardiographie. Verf. zur graph. Aufzeichnung des Erregungsablaufes des *Herzens. Dabei werden die bei der Erregung der Herzmuskulatur auftretenden Spannungsschwankungen über Hautelektroden abgeleitet u. nach Verstärkung von einem Mehrkanalschreiber aufgezeichnet (*Elektrokardiogramm, EKG*). Zur Erfassung der Spannungsänderungen in verschiedenen Ebenen werden verschiedene Elektrodenanordnungen u. Ableittechniken angewandt. So können Angaben über Ursprung, Geschw., Ausbreitung u. Dauer der Herzerregung gemacht werden, eine Aussage über die mechan. Eigenschaften der Herzfunktion ist nicht möglich. Die E. ist ein wichtiges diagnost. Hilfsmittel u. a. bei Verdacht auf Herzinfarkt u. Herzrhythmusstörungen. – *E* electrocardiography – *F* électrocardiographie – *I* elettrocardiografia – *S* electrocardiografía
Lit.: Klinge, Das Elektrokardiogramm, Stuttgart: Thieme 1992.

Elektrokinetische Erscheinungen. Bez. für die Vorgänge, die darauf beruhen, daß an der *Grenzfläche von elektrochem. Zweiphasensyst. eine Ladungstrennung eintritt u. sich eine *elektrochemische Doppelschicht mit sog. *elektrokinet.* od. *Zeta-Potential* ausbildet, wobei sich die Phase mit der kleineren *Dielektrizitätskonstanten neg. auflädt (*Coehnsches Gesetz*). Aufgrund einer angelegten Spannung kann sich eine Phase gegenüber der anderen bewegen: *Elektroosmose u. *Elektrophorese. Werden umgekehrt die beiden Phasen gegeneinander verschoben, z. B. beim Pressen einer Flüssigkeit durch eine Kapillare, beim Ausströmenlassen eines Aerosols durch eine Düse od. bei gleichsinniger Bewegung (z. B. durch Sedimentation) suspendierter elektr. geladener Teilchen in einer

Flüssigkeit, so kann eine meßbare Spannung erzeugt werden: *Strömungspotential* u. **elektrostatische Aufladung*. – *E* electrokinetic phenomena – *F* phénomenes électrocinétiques – *I* fenomeni elettrocinetici – *S* fenómenos electrocinéticos

Lit.: Adamson, Physical Chemistry of Surfaces, 5. Aufl., New York: Wiley 1990 ▪ Hibbert u. James, Lexikon Elektrochemie, Weinheim: VCH Verlagsges. 1987 ▪ Hunter, Foundations of Colloid Science, Vol. II, Oxford: Clarendon Press 1989 ▪ Wedler, Lehrbuch der Physikalischen Chemie, Weinheim: VCH Verlagsges. 1987.

Elektrokinetisches Potential s. Zeta-Potential.

Elektrokopierverfahren s. Elektrophotographie.

Elektrokorund s. Aluminiumoxide.

Elektrolumineszenz. Von Destrian 1936 entdecktes Leuchten von Krist.-Phosphoren unter dem Einfluß eines elektr. Wechsel- (od. Gleichstrom-) Feldes. Neben ZnS:Mn, das im gelben Spektralbereich leuchtet, können auch andere Kombinationen von Wirtsmaterialien (z. B. CdS, CdSe, ZnTe od. GaN) u. **Lumineszenz-Zentren* verwendet werden. Man kann damit Emission in allen Bereichen des sichtbaren Spektrums erhalten. Die prinzipielle Wirkungsweise der E. ist folgende: Elektronen werden in einem hochohmigen **Halbleiter* durch ein hohes elektr. Feld so stark beschleunigt, daß sie durch Stoßionisation weitere Ladungsträger aus Störstellen auslösen. Diese werden z. T. an Störstellen eingefangen u. rekombinieren dort unter Aussendung von Licht. Den schemat. Aufbau einer E.-Zelle zeigt die Abbildung.

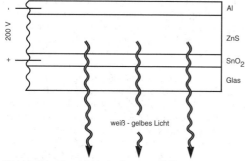

Abb.: Aufbau einer Elektrolumineszenz-Zelle.

Z. Z. versucht man die Eigenschaften von E.-Bauteilen technolog. so weit zu verbessern, daß sich damit ein- u. mehrfarbige, selbstleuchtende Anzeigetafeln (*E display*) herstellen lassen, z. B. ein Dünnfilm-E.-Bildschirm (*E Thin-Film-Electro-Luminescence*, TFEL), s. *Lit.*[1]. Eine weitere Gruppe von Bauelementen, die bei Anlegen einer Spannung Licht emittieren, sind die Lumineszenz- u. Laserdioden (s. Dioden-Laser). Die Lichtentstehung beruht hier auf einem anderen Prozess: Elektronen u. Löcher werden in einen, in Durchlaßrichtung gepolten p-n-Übergang injiziert u. rekombinieren strahlend. Die hierbei verwendeten Materialien sind überwiegend III-V-Halbleiterstrukturen, basierend auf GaAs, GaP u. InP. Anw. findet die E. in Anzeige- u. Warnlampen, Informationsträgern, Rechenautomaten u. dgl., s. a. Optoelektronik. – *E* electroluminescence – *F* électroluminescence – *I* elettroluminescenza – *S* electroluminiscencia

Lit.: [1] Phys. Unserer Zeit **20**, 91 (1989).
allg.: Bergh u. Dean, Light-Emitting Diodes, Oxford: Univ. Press 1976 ▪ J. Electrochem. Soc. **110**, 733–748 (1963) ▪ J. Luminescence **7**, 213–227 (1973) ▪ Naturwissenschaften **63**, 544–549 (1976) ▪ Pankove, Electroluminescence, Berlin: Springer 1977 ▪ Phys. Bl. **49** (6), 510 (1993); **50** (1), 53 (1994) ▪ Spektrum Wiss. **1995**, Nr. 10, 106 ▪ Williams u. Hall, Luminescence and the Light Emitting Diode, Oxford: Pergamon 1978 ▪ s. a. Halbleiter, Lumineszenz, Optoelektronik.

Elektrolyse (von **...lyse*). Unter E. versteht man eine beim Stromdurchgang durch einen **Elektrolyten* hervorgerufene chem. Veränderung, die sich in einer direkten Umwandlung von elektr. Energie in chem. Energie durch den Mechanismus der **Elektroden-Reaktionen* u. der Ionen-Wanderung ausdrückt. Entdeckt wurde die E. 1800 von Ritter. Sie wurde dann von Davy, Faraday, Arrhenius und LeBlanc weiter untersucht. *Beisp.:* Schickt man durch Salzsäure (s. Abb.) einen Gleichstrom, so wandern die pos. geladenen Wasserstoff-Ionen zum neg. Pol (**Kathode*), die neg. geladenen Chlor-Ionen dagegen zum pos. Pol (**Anode*).

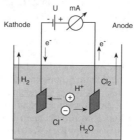

Abb.: Elektrolyse einer wäss. HCl-Lösung.

Der Strom wandelt die Ionen an den Polen, die vorzugsweise inerte Platin-Elektroden sein sollten, in elektr. neutrale Atome (od. Mol. bzw. Radikale) um, wobei sich *Redox-Reaktionen* abspielen: An der Kathode erfolgt Red. (**kathodische Reduktion*), an der Anode Oxid. (**anodische Oxidation*). So gehen z. B. an der Kathode die Wasserstoff-Ionen (H^+) durch Aufnahme von Elektronen (aus dem Stromkreis) in neutrale Atome über, die sich paarweise zu H_2-Mol. vereinigen u. als Gas entweichen. Umgekehrt verlieren gleichzeitig die Chlorid-Ionen (Cl^-) an der Anode ihre neg. Ladung. Die abgegebenen Elektronen werden durch die Stromquelle über den Draht zur Kathode geleitet, während sich die gebildeten Cl-Atome zu Cl_2-Mol. vereinigen u. ebenfalls als Gas entweichen. Dies erfolgt jedoch nur dann, wenn die an den **Elektroden* angelegte Gleichspannung größer ist als die – von den **Redoxpotentialen* abhängige – **Zersetzungsspannung* des Elektrolyten. So entsteht zwar bei der E. von Kochsalz-Lsg. an der Anode Cl_2, an der Kathode dagegen nicht etwa Na, sondern NaOH u. H_2, weil das in der elektrochem. **Spannungsreihe* weit oben stehende Natrium wegen seines hohen neg. **Normalpotentials* (−2,71 V) sofort unter H_2-Entwicklung in Lsg. geht (H ist edler als Na). Dagegen wird z. B. bei der **elektrolytischen Raffination* von **Kupfer* das anod. in Lsg. gehende Cu an der Kathode abgeschieden (H ist unedler als Cu). Um eine Vermischung der Reaktions-Produkte zu verhindern, werden Anoden- u.

Kathodenraum ggf. durch *Diaphragmen getrennt. Manchmal bezeichnet man den in der Nähe der Anode befindlichen Elektrolytanteil als *Anolyt*, analog formuliert man den *Katholyt*. Die Abscheidung der gelösten Stoffe folgt den *Faradayschen Gesetzen: Je höher die Konz. des gelösten Stoffes u. je stärker der Strom, um so größer ist die je s durch den Strom ausgeschiedene Stoffmenge. Allerdings geht ein Teil der zugeführten elektr. Energie durch Wärmeentwicklung, *Polarisation, *Überspannung u. a. Effekte verloren. Außerdem hängt die Abscheidungsgeschw. auch von der Wanderungsgeschw. der Ionen (bedingt durch deren Größe u. Ladung) ab. Schickt man z. B. einem im elektr. Feld wandernden Ionengemisch einen Strom des Lsm. entgegen, so lassen sich die Komponenten – z. B. Seltenerdmetalle od. Isotope – trennen bzw. anreichern (*Gegenstromelektrolyse* od. *-ionophorese*). Die Art der E., bei der Energiezufuhr von außen erfolgt, wird auch als *äußere E.* bezeichnet, im Gegensatz zur *inneren E.*, bei der die notwendige Energie durch eine in der E.-Zelle ablaufende elektrochem. Reaktion geliefert wird (z. B. Abscheidung eines edleren Metalls durch ein unedleres aufgrund der Spannungsreihe).

E.-Verf. spielen in Wissenschaft u. Technik eine große Rolle; Beisp.: *Chloralkali-Elektrolyse, Herst. u. Reinigung von Metallen durch *Schmelzelektrolyse u. *elektrolytische Raffination (insbes. bei Al, Ca, Cu, Zn), Herst. von Wasserstoffperoxid, Persulfaten u. a. Peroxiden, von Wasserstoff aus Wasser, z. B. nach dem *Zdansky-Lonza-Verfahren od. durch Hochtemp.-E., die sog. Elektrokrist. von Metallen, die *elektrochemische Metallbearbeitung, die *Galvanotechnik mit Galvanoplastik u. Galvanostegie, die Bestimmung von Metallen durch *Elektrogravimetrie, die Abwasserentgiftung etc. Auch in der organ. Chemie haben E.-Verf. spezielle Anw. gefunden, z. B. in der Herst. von Adipinsäuredinitril u. Tetraalkylblei, s. a. Elektrochemie, anodische Oxidation, kathodische Reduktion. – *E* electrolysis – *F* électrolyse – *I* elettrolisi – *S* electrólisis
Lit.: Chem. Unserer Zeit **23**, 151–160 (1989) ▪ Hamann u. Vielstich, Elektrochemie II, Weinheim: Verl. Chemie 1981 ▪ Hibbert u. Jones, Lexikon Elektrochemie, Weinheim: VCH Verlagsges. 1987 ▪ Kirk-Othmer (3.) **8**, 751–763 ▪ Ullmann (4.) **3**, 253–304 ▪ Wedler, Lehrbuch der Physikalischen Chemie, Weinheim: VCH Verlagsges. 1987.

Elektrolyte. Sammelbez. für *ionenleitende* Medien (z. B. wäss. Lsg., Salzschmelzen, manche Festkörper), deren *elektrische Leitfähigkeit durch *elektrolytische Dissoziation in Ionen zustande kommt. Eine Sonderstellung nehmen die sog. *Ampholyte u. die *Polyelektrolyte ein. Je nach *Dissoziationsgrad unterscheidet man starke, schwache, echte u. potentielle Elektrolyte.
Die Anwesenheit von E. ist die Voraussetzung für alle *Elektrolyse-Prozesse, für viele *Osmose-Vorgänge, für die Aufrechterhaltung des *Säure-Basen-Gleichgewichts im tier. Organismus, für den Mineralstoffwechsel der Pflanzen u. für die Bereitstellung von Pflanzennährstoffen im *Boden. In der Technik spielen E. aufgrund ihrer *Salzeffekte eine Rolle als *Ausflockungs- u. *Aussalz-Mittel. Neuerdings gewinnen die sog. *festen E.* (das sind krist. Verb., in denen der Stromtransport mit Ionen durch Fehlordnungen im Kristallgitter ermöglicht wird) zunehmend an Bedeutung, z. B. für Sensoren, Batterien, *Brennstoffzellen u. elektron. Schaltkreise. – *E* electrolytes – *F* électrolytes – *I* elettroliti – *S* electrolitos
Lit.: Bergmann-Schäfer, Lehrbuch der Experimentalphysik, Bd. 5: Vielteilchensysteme, S. 333–387, Berlin: Gruyter 1992 ▪ Franks, Water, Bd. 3: Aqueous Solutions of Simple Electrolytes, New York: Plenum 1973 ▪ Hamann u. Vielstich, Elektrochemie II, Weinheim: Verl. Chemie 1981 ▪ Kohlrausch, Praktische Physik 2, S. 844 ff., Stuttgart: Teubner 1985 ▪ Stierstadt, Physik der Materie, Weinheim: VCH Verlagsges. 1989 ▪ s. a. Elektrolyse.

Elektrolyt-Haushalt s. Elektrolyte u. Säure-Basen-Gleichgewicht.

Elektrolytische Dissoziation. Aufgrund vielfältiger Beobachtungen, wie z. B. der Erhöhung der Leitfähigkeit, weiß man, daß bei der Auflösung von Salzen, Säuren u. Basen in Wasser (od. auch geeigneten Lsm.) die Substanzen (*Elektrolyte*) ganz od. teilw. in elektr. geladene Teilchen dissoziiert sind. Da diese Teilchen unter dem Einfluß eines Gleichstroms zum pos. bzw. neg. Pol wandern, werden sie auch als *Ionen* (griech. = Wandernde) bezeichnet. In einer Kochsalz-Lsg. befinden sich nicht etwa NaCl-Mol., sondern pos. elektr. geladene Na-Ionen (Na^+, *Kationen*) u. neg. elektr. geladene Cl-Ionen (Cl^-, *Anionen*); zur symbol. Schreibweise s. chemische Zeichensprache. Die sog. *starken Elektrolyte*, die viele Salze, starke Basen wie KOH, NaOH u. starke Säuren wie HCl, $HClO_3$, $HClO_4$, HNO_3 umfassen, sind bei der Auflösung in Wasser vollständig (od. zumindest über 80%) in Ionen gespalten. Wenn bei der Bestimmung der Leitfähigkeit, des osmot. Druckes usw. bei Salzlsg. Werte erhalten werden, die nicht für eine vollständige Dissoziation sprechen, so liegt dies an den elektrostat. Wechselwirkungen zwischen den Ionen. Bei hohen Elektrolytkonz. werden als Folge von *Assoziation zu geringe Dissoziationsgrade vorgetäuscht. Es treten Ionenpaare auf. Die *Dielektrizitätskonstante des Lsm. beeinflußt das Ausmaß der e. D. (*Nernst-Thomson-Regel). Bes. Verhältnisse liegen in *nichtwäßrigen Lösemitteln vor.
Allg. ist die e. D. eines gelösten Stoffes um so vollständiger, je verdünnter die Lsg. ist. Die meisten Salze sind in verdünnteren Lsg. prakt. vollständig in Ionen gespalten, auch die Salze aus schwachen Säuren u. schwachen Basen (z. B. $AlCl_3$) u. die Salze aus schwachen Säuren u. starken Basen (z. B. Na_2CO_3). Nur verhältnismäßig wenige Salze wie z. B. einige Quecksilber(II)-, Kupfer- u. Cadmium-Salze sind nicht vollständig gespalten – bei $HgCl_2$ baut sich nämlich das Kristallgitter nicht aus Hg^{2+}- u. Cl^--Ionen, sondern aus $HgCl_2$-Mol. auf, die auch bei der Auflösung in Wasser undissoziiert bleiben. Hingegen sind für einige verhältnismäßig starke Basen, wie z. B. Lithium-, Calcium- u. Strontiumhydroxid sowie für einige Säuren (H_2SO_4, $HClO_2$ usw.) nur Dissoziationsgrade von 20–70% bestimmt worden. Bei den mäßig starken Säuren (H_3PO_4, HF, H_2SO_3) u. Basen (AgOH) spalten sich nur 1–20% der anwesenden Mol. in Ionen; bei den schwachen Säuren (CH_3COOH, H_3PO_3, HNO_2) u. Basen (NH_4OH) erreicht der Anteil der gespaltenen Mol. nur 0,1–1%, bei den sehr schwachen Säuren (H_2CO_3,

H₂S, HCN, HOCl, H₃BO₃) u. Basen [Al(OH)₃, Zn(OH)₂, Fe(OH)₃ usw.] weniger als 0,1%, u. bei den organ. Verb. wie Methan, Benzol, Acetylen usw. sind in Lsg. überhaupt keine Ionen nachweisbar (*Nichtelektrolyte*). Bei den mehrwertigen Säuren (z.B. Oxalsäure, Kohlensäure, Phosphorsäure, Schwefelsäure u. dgl.) erfolgt die Dissoziation stufenweise, d. h. es spaltet sich z.B. von der Kohlensäure zunächst ein *Proton ab ($H_2CO_3 \rightarrow H^+ + HCO_3^-$), erst bei stärkerer Verdünnung dissoziiert auch das zweite Proton: $HCO_3^- \rightarrow H^+ + CO_3^{2-}$. Für die Entstehung der Ionen gibt es zwei Möglichkeiten: 1. Die Ionen liegen schon als Bausteine der Reinsubstanz vor (*echte* od. *permanente Elektrolyte*: Ionenkrist. der Salze, Metalloxide u. -hydroxide; vgl. die Abb. der Ladungsverteilung im Kochsalz-Krist. bei chemische Bindung). Stromleitung erfolgt in solchen Stoffen auch in der Schmelze, wenn die Ionen nicht mehr durch ihre gegenseitige Anziehung räumlich fixiert u. somit beweglich sind (*Schmelzflußelektrolyse). Sie werden gelöst, indem sich die Wassermol. auf Grund ihrer Dipoleigenschaften an die Ionen anlagern (*Hydratation) u. die Gitterkräfte entsprechend der hohen Dielektrizitätskonstanten des Wassers abschwächen.
2. Die Ionen entstehen aus Mol. in einer Gleichgew.-Reaktion (*Dissoziationsgleichgew.*) mit dem Lsm. (*potentielle Elektrolyte* – in Reinsubstanz Nichtleiter). Der *Dissoziationsgrad* (= Anteil der dissoziierten Mol. an der Gesamtzahl der gelösten) kann z. B. aus der Abweichung der *Siedepunktserhöhung* od. *Gefrierpunktserniedrigung* von dem nach der Konz. zu erwartenden Wert bestimmt werden.
Das Ausmaß der e.D., das sich in einer mehr od. weniger starken *alkalischen bzw. *sauren Reaktion äußern kann, wird durch die Lage des Dissoziationsgleichgew. $HA + H_2O \rightleftharpoons H_3O^+ + A^-$ (Säure) bzw. $B + H_2O \rightleftharpoons BH^+ + OH^-$ (Base) bestimmt (s. Säure-Base-Begriff). In diesem Fall kann die Stärke des Elektrolyten auch durch die *Gleichgewichtskonstante* bzw. deren neg. dekad. Logarithmus, den *pk-Wert, od. durch den *Gleichgewichtsexponenten* ausgedrückt werden. Dieser beträgt z. B. (Angaben jeweils bei 25 °C) für Wasser 14, für wäss. Lsg. von anorgan. Säuren: Schwefelsäure −2 (1. Stufe), 1,92 (2. Stufe), Flußsäure 3,45, Kohlensäure 6,37 (1. Stufe), 10,25 (2. Stufe); von organ. Säuren: Oxalsäure 1,23 (1. Stufe), 4,19 (2. Stufe), Ameisensäure 3,75, Benzoesäure 4,19, Essigsäure 4,75; von Basen (pK-Werte der konjugierten Säuren): anorgan. Basen: Ammoniak 9,25, Calciumhydroxid 2,43 (1. Stufe), 1,4 (2. Stufe), für Zinkhydroxid 3,02 u. von organ. Basen: Anilin 4,63, Pyridin 5,25 u. Methylamin 10,66.
Bei den starken Elektrolyten (z. B. HCl, KCl, BaCl₂) nimmt die molare Leitfähigkeit mit zunehmender Konz. gemäß dem Kohlrauschschen Quadratwurzelgesetz zunächst leicht ab. Bei schwachen Elektrolyten ist diese Abnahme viel stärker aufgrund des abnehmenden Dissoziationsgrads x u. wird durch das *Ostwaldsche Verdünnungsgesetz beschrieben.
Geschichte: Die von Arrhenius formulierte Theorie der e. D. geht auf Beobachtungen von Faraday, Pfeffer, Hittorf, Kohlrausch u. van't Hoff zurück. Das heutige Bild wurde bes. von Bjerrum, Milner, Sutherland, Debye u. Hückel geprägt. Brønsted u. Lewis vervollständigten es mit der Formulierung ihres *Säure-Base-Begriffes. – *E* electrolytic dissociation – *F* dissociation électrolytique – *I* dissociazione elettrolitica – *S* disociación electrolítica
Lit.: Atkins, Physikalische Chemie, 2. Aufl., Weinheim: VCH Verlagsges. 1996 ■ Handbook **61**, D 161–168 ■ s. a. Elektrolyte, Ionen, Elektrolyse.

Elektrolytische Entfettung. Verf. des Teilschritts Entfetten bei der *Metallreinigung. Zur Beschleunigung u. Intensivierung des Reinigungsvorgangs wird die Entfettung metall. Werkstoffe in werkstoffspezif. alkal. Elektrolyt-Lsg. (Alkalihydroxide, -silicate, -phosphate) mit Netzmittel unter Anlegung eines äußeren Stroms bei angehobener Temp. vorgenommen. Im allg. wird das zu reinigende Werkstück kathod. geschaltet, wobei allerdings das Risiko einer Wasserstoff-Aufnahme bei Werkstoffen mit Tendenz zur Versprödung zu beachten ist. – *E* electrolytical degreasing – *F* dégraissage électrolytique – *I* sgrassatura elettrolitica – *S* desengrasado electrolítico
Lit.: s. Metallreinigung.

Elektrolytische Polymerisation s. elektrochemische Polymerisation.

Elektrolytische Raffination. Bez. für ein Verf. zur Reinigung von Metallen durch *Elektrolyse. Bei dem insbes. für die Herst. von reinem Blei, Kupfer, Silber, Nickel u. Zink angewandten Verf. geht das Rohmetall anod. in Lsg. u. wird kathod. in reiner Form abgeschieden; die gereinigten *Nichteisenmetalle nennt man kurz E- od. *Elektrolytkupfer*, -zink etc. Näheres s. bei den einzelnen Metallen. In dem Rohmetall enthaltene Begleitmetalle, die edler als das Kathodenmaterial sind u. daher dort nicht abgeschieden werden, sammeln sich im Anodenraum als sog. *Anodenschlamm* an. Dieser – insbes. der bei der e. R. von Kupfer anfallende – ist ein wertvolles Ausgangsmaterial zur Gewinnung von *Edelmetallen. – *E* electrolytic refining – *F* raffinage électrolytique – *I* raffinazione elettrolitica – *S* refinado electrolítico
Lit.: s. Elektrolyse.

Elektrolytische Zelle. Allg. ist eine e. Z. eine Anordnung von *Elektroden (Anode u. Kathode), die durch einen *Elektrolyten leitend verbunden sind, u. zwar als *Elektrolysen-Zelle od. als *galvanisches Element. – *E* electrolytic cell – *F* cellule électrolytique – *I* cella elettrolitica – *S* célula electrolítica

Elektrolytkupfer (E-Kupfer, E-Cu). Durch *elektrolytische Raffination gewonnenes Cu-Metall, das infolge seiner Reinheit (ca. 99,95%) den bes. Leitfähigkeits-Anforderungen der Elektrotechnik gerecht wird; Näheres s. bei Kupfer. – *E* electrolytic copper – *F* cuivre électrolytique – *I* rame elettrolitico – *S* cobre electrolítico
Lit.: DIN 1708 (01/1973) ■ s.a. Kupfer.

Elektrolytnickel s. Nickel.

Elektrolytsilber s. Silber.

Elektrolytzink s. Zink.

Elektromagnetischer Puls (EMP). Bez. für einen sehr starken Puls einer elektromagnet. Welle. U. a. wird das

Auftreten einer EMP als Folge der Explosion einer *Kernwaffe außerhalb der ird. Atmosphäre diskutiert. Die dabei entstehende Röntgen- u. Gamma-Strahlung würde schlagartig über einem räumlich großen Gebiet auf die oberste Luftschicht treffen u. dort Compton-Elektronen (vgl. Compton-Effekt) erzeugen, die dann alle gleichzeitig u. in gleicher Richtung vom Erdmagnetfeld abgelenkt werden. Diese Ablenkung würde eine starke elektromagnet. Welle erzeugen, die auf der Erdoberfläche noch Feldstärken von ~50 kV/m hätte, d. h. in einer Antenne von 1 m Länge würde eine Spannung von 50 000 V induziert werden. Da Eingangsstufen moderner EDV- u. Kommunikationsanlagen bei Spannungen dieser Größenordnung zerstört werden (es sei denn sie sind EMP-gehärtet, wie z. B. militär. Geräte), würde solch ein Puls zum Zusammenbruch der Kommunikation in dem räumlichen Bereich führen, der von dem Lichtblitz der Kernwaffenexplosion getroffen wird. – *E* electro magnetic pulse – *F* impulsion électromagnétique – *I* polso elettromagnetico – *S* impulso electromagnético

Lit.: Phys. Bl. **41**, 212, 286 (1985).

Elektromagnetische Strahlung s. Spektroskopie u. Strahlung.

Elektrometallurgie. Die E. umfaßt als Teilgebiet der techn. *Elektrochemie alle Vorgänge, bei denen elektr. Energie im Rahmen der *Metallurgie chem. Arbeit leistet, z. B. die *Elektrolyse zur Metallgewinnung, -abscheidung u. -raffination. Die *Galvanotechnik ist ebenfalls ein Verf. der Elektrometallurgie. Wenn die elektr. Energie dagegen lediglich als Wärmequelle dient, spricht man von *Elektrothermie (s. a. Elektrostahl). Die Grenze ist nicht stets eindeutig zu ziehen, beispielsweise wenn die elektr. Energie gleichzeitig zur Wärmeerzeugung u. zur Leistung chem. Arbeit verwendet wird (*Schmelzelektrolyse). – *E* electrometallurgy – *F* électrométallurgie – *I* elettrometallurgia – *S* electrometalurgia

Lit.: Ullmann (4.) **3**, 519 ■ s. a. Galvanotechnik.

Elektromotorische Kraft (EMK). Auch *Urspannung* genannte Potentialdifferenz zwischen den Klemmen einer elektr. Stromquelle, wobei diese keinen Strom liefert. Da jede Stromquelle einen Innenwiderstand R_i besitzt, fällt in ihr, wenn sie den Strom I liefert, bereits die Spannung $U_i = R_i \cdot I$ ab. Als Klemmenspannung U wird in diesem Fall nicht die EMK sondern $U = EMK - U_i$ gemessen. Um die EMK einer Spannungsquelle zu messen, muß eine Kompensationsschaltung aufgebaut werden. Obwohl die EMK die Dimension einer Spannung besitzt, wurde der Begriff „Kraft" eingeführt, da die Potentialdifferenz, ähnlich einer Kraft, die Trennung von pos. u. neg. Ladungen bewirkt. Die EMK kann aus der *Nernstschen Gleichung berechnet werden. – *E* electromotive force, open-circuit voltage (USA), off-load voltage (GB) – *F* force électromotrice – *I* forza elettromotore – *S* fuerza electromotriz

Lit.: Koryta u. Dvorak, Principles of Electrochemistry, Chichester: Wiley 1987 ■ s. a. Elektrochemie, galvanische Elemente.

Elektromyographie (EMG). Von griech.: myo Maus, Muskel. Messung elektr. Potentiale von aktivierten Muskeln, indem an den Muskel Elektroden (Nadel- od. Oberflächenelektroden) angebracht werden. Hierdurch kann die Steuerung von Bewegungen beim Menschen u. bei Tieren studiert werden. Einsatz zur Bestimmung der Kräfte im menschlichen Kniegelenk, s. *Lit.* – *E* electromyography – *F* électromyographie – *I* elettromiografia – *S* electromiografía

Lit.: Phys. Unserer Zeit **19**, 132 (1988).

Elektronegativität (EN). Bez. für die Fähigkeit der an *chemischen Bindungen beteiligten Atome, von benachbarten Atomen innerhalb des Mol. gemeinsame Elektronen unterschiedlich stark anzuziehen. Die E. bestimmt also wesentlich den Charakter der Bindung. Der Begriff E. geht auf *Pauling zurück, der 1932 die erste empir. EN-Skala aufstellte u. später etwas modifizierte. Nach Pauling ist die Differenz der E. zweier an einer Bindung beteiligter Atome gleich der Quadratwurzel der Größe

$$\Delta = D(XY) - \sqrt{D(XX)D(YY)},$$

wobei $D(XY)$ die *Dissoziationsenergie des zweiatomigen Mol. XY in eV (*Elektronenvolt) ist. Z. B. erhält man mit $D(H_2) = 4{,}50$ eV, $D(F_2) = 1{,}60$ eV u. $D(HF) = 5{,}85$ eV $\sqrt{\Delta} = |EN_F - EN_H| = \sqrt{D(HF) - \sqrt{D(H_2)D(F_2)}} = 1{,}78$. Setzt man $EN_H = 2{,}20$ (so gewählt, daß die EN-Werte sich etwa zwischen 1,0 u. 4,0 bewegen), so erhält man die in der Tab. auf S. 1120 kursiv gesetzten Werte.

Im Laufe der Jahre wurden auch von anderen Autoren EN-Skalen erstellt. Allen Meth. ist gemeinsam, daß sie versuchen, für Atome bzw. Atom-Gruppen Zahlen anzugeben, die es erlauben, die Ladungsverteilung in einem Mol. vorherzusagen od. zu erklären. Nach *Mulliken ist die E. das arithm. Mittel aus *Elektronenaffinität EA u. *Ionisationsenergie IE: $EN = \frac{1}{2}(EA + IE)$. Um eine möglichst gute Übereinstimmung mit dem Paulingschen Konzept zu erzielen, werden die Mullikenschen E. mit 0,357 skaliert, wenn EA u. IE in eV angegeben sind. Die Skala nach Allred-Rochow beruht auf der einfachen Überlegung, daß die E. eines Atoms durch die anziehende Kraft zwischen dem abgeschirmten Kern (s. Abschirmung) u. einem Elektron im Abstand des kovalenten Radius des Atoms gegeben ist. Außerdem wurde versucht, E. *ab initio zu berechnen (s. *Lit.*[2]). Eine Zusammenstellung der histor. Entwicklung u. neuerer Forschungsergebnisse findet man in *Lit.*[3]; zum E.-Konzept im Rahmen der *Dichtefunktional-Theorie s. *Lit.*[4]. Die E. eines Atoms ist um so größer, je stärker die Kernladung über die Elektronenhülle hinaus wirken kann. Kleine Atome haben deshalb große E.-Werte, weil hier die Abschirmung durch die Elektronenhülle gering ist. So nimmt die E. im Periodensyst. von links nach rechts innerhalb der Periode zu. Innerhalb einer Gruppe kann sie auf Grund der *Übergangsmetall- u. *Lanthanoiden-Kontraktion wieder zunehmen. – *E* electronegativity – *F* électronégativité – *I* elettronegatività – *S* electronegatividad

Lit.: [1] J. Inorg. Nucl. Chem. **17**, 215 (1961). [2] J. Am. Chem. Soc. **98**, 7869 (1976). [3] Sen u. Jørgensen, Electronegativity, Berlin: Springer 1987. [4] Parr u. Yang, Density-Functional Theory of Atoms and Molecules, New York: Oxford University Press 1989.

Elektronen

Tab.: Elektronegativitätswerte nach der Methode von Pauling (*Lit.*[1], obere Zahlen, kursiv) u. aus ab initio Rechnungen (*Lit.*[2]).

H									
2,20									
2,79									
Li	Be	B	C	N	O	F			
0,98	*1,57*	*2,04*	*2,55*	*3,04*	*3,44*	*3,98*			
1,00	1,48	1,84	2,35	3,16	3,52	4,00			
Na	Mg	Al	Si	P	S	Cl			
0,93	*1,31*	*1,61*	*1,90*	*2,19*	*2,58*	*3,16*			
0,89	1,24	1,40	1,64	2,11	2,52	2,84			
K	Ca	Ga	Ge	As	Se	Br			
0,82	*1,00*	*1,81*	*2,01*	*2,18*	*2,55*	296			
0,73	0,96	1,54	1,69	1,99	2,40	2,52			
Rb	Sr	In	Sn	Sb	Te	I			
0,82	*0,95*	*1,78*	*1,96*	*2,05*		2,66			
Cs	Ba	Tl	Pb	Bi	Po	At			
0,79	*0,89*	*2,04*	*2,33*	*2,02*					
Sc	Ti	V	Cr	Mn	Fe	Co	Ni	Cu	Zn
1,36	*1,54*	*1,63*	*1,66*	*1,55*	*1,83*	*1,88*	*1,92*	*1,90*	*1,65*
1,14	1,27	1,42	1,72	1,88				1,10	1,40

allg.: Dickerson, Prinzipien der Chemie, Berlin: De Gruyter 1988 ▪ Huheey, Anorganische Chemie, Berlin: De Gruyter 1988 ▪ Pauling, Die Natur der chemischen Bindung, 3. Aufl., Weinheim: Verl. Chemie 1976.

Elektronen (Symbole e, e⁻ od. ⁻). Elektr. neg. geladene *Elementarteilchen aus der Familie der *Leptonen. Der Name E. ist von dem griech. Wort für Bernstein abgeleitet u. geht wahrscheinlich auf den engl. Physiker Stoney zurück. Die wichtigsten Eigenschaften der E. sind: Ladung $-e = -(1{,}60217733 \pm 0{,}00000049) \cdot 10^{-19}$ C, Ruhmasse $m_e = (9{,}1093897 \pm 0{,}0000054) \, 10^{-31}$ kg u. Eigendrehimpuls od. *Spin = $\hbar/2$ mit $\hbar = (1{,}05457266 \pm 0{,}00000063) \, 10^{-34}$ Js. Die Zahlenwerte sind *Lit.*[1] entnommen. Als geladene Teilchen mit Spin besitzen E. ein magnet. Moment vom Betrag $\mu = g_e \, \mu_B/2$, wobei g_e der sog. *g-Faktor* des freien E. ($g_e = 2{,}002319304386 \pm 0{,}000000000020$) u. μ_B das *Bohrsche Magneton sind. Diese Eigenschaft nützt man in der *EPR-Spektroskopie aus.

In der Natur kommen E. meist in gebundenem Zustand vor – in der Elektronenhülle eines Atoms (s. Atombau) od. Moleküls. Nahezu freibewegliche E. sind die *Leitungselektronen von Metallen (s. Elektronengas). Durch Zufuhr von Energie lassen sich E. aus dem Atomverband ablösen. Solche freien E. erzeugt man durch Glühemission aus Drähten von Metallen mit niedriger *Ionisationsenergie (s. Glühen), durch Einstrahlung von Licht (*Photoeffekt), durch Röntgenstrahlen (vgl. Compton-Effekt, Elektronenspektroskopie u. ESCA), durch *Stoßprozesse, durch Reibung, durch Anlegen starker elektr. Felder (Feldemission), mechan. durch Schleifen (*Exoelektronen) usw. Freie E. entstehen auch beim spontanen Zerfall bestimmter instabiler Atomkerne (s. Beta-Zerfall); die aus E. bestehende Strahlung, die dabei ausgesandt wird, bezeichnet man als *Beta-Strahlung* (s. Beta-Strahlen). Reine Beta-Strahler sind z. B. die radioaktiven *Isotope ^{14}C, ^{32}P, ^{40}K, ^{45}Ca od. ^{89}Sr.

E. lassen sich als geladene Teilchen durch Anlegen einer elektr. Spannung beschleunigen u. mit Hilfe elektr. u. magnet. Felder gezielt ablenken. Diese Eigenschaft bildet die Grundlage für wichtige techn. Anw., z. B. in Elektronenröhren, in Oszillographen, im *Elektronenmikroskop u. in *Teilchenbeschleunigern. Zur Beschleunigung von E. auf hohe kinet. Energien eignen sich sowohl *Geradeausbeschleuniger* (Potentialbeschleuniger od. Linearbeschleuniger) als auch *Kreisbeschleuniger* (z. B. Betatron, Mikrotron od. *Synchrotron); Näheres s. *Lit.*[2,3]. In Maschinen neuer Bauart, z. B. dem SLC (*Stanford Linear Collider*) in Stanford/Kalifornien (s. *Lit.*[4]), werden hochenerget. E. u. ihre *Antiteilchen, die *Positronen, aufeinandergeschossen, um fundamentale Wechselwirkungen von Elementarteilchen zu studieren. E. u. Positronen können sich in einer Kollision gegenseitig „vernichten", wobei Energie in Form von *Gamma-Strahlen freigesetzt wird. Den umgekehrten Prozeß macht man für die Entstehung von E. u. Positronen zu Beginn des Bildung des Universums verantwortlich. E. u. Positronen sind demnach ein Produkt der intensiven Strahlung, die sich in den ersten Momenten nach dem *Urknall in dem glühend heißen Universum ausbreitete.

Alle bisherigen Experimente deuten darauf hin, daß E. unteilbar u. damit wirklich *elementar* sind. Isolierte E. haben vermutlich eine unbegrenzte Lebensdauer. E. haben wie alle Mikroteilchen sowohl Korpuskel- als auch Welleneigenschaften (s. a. Quantentheorie u. Welle-Teilchen-Dualismus), die sich z. B. in der Schwärzung von Photoplatten bzw. der *Elektronenbeugung äußern. Die Bewegung freier u. gebundener E. wird im allg. in guter Näherung durch die *Schrödinger-Gleichung (s. a. Atombau) beschrieben. Ihre Lösung, die meist nur approximativ gelingt, liefert Wellenfunktionen $\psi(r)$, deren Betragsquadrat $|\psi(r)|^2$ als *Aufenthaltswahrscheinlichkeitsdichte* interpretiert wird. Bei E. mit hoher Geschw., die in den Bereich der *Lichtgeschwindigkeit kommt, u. E. in Atomen od. Mol. mit schweren Kernen, bei denen sich die Rumpf-E. mit hoher Geschw. bewegen, ist die Schrödinger-

Gleichung nicht ausreichend u. es müssen *relativist. Effekte* berücksichtigt werden. Ähnliches gilt für die Wechselwirkung von E. mit äußeren Magnetfeldern, bei der der *Spin der E. die entscheidende Rolle spielt (*Dirac-Gleichung). Aufgrund ihres halbzahligen Spins sind E. *Fermionen u. gehorchen somit der *Fermi-Dirac-Statistik.
Anders als im Vak., wo freie E. längere Wegstrecken zurückzulegen vermögen, ehe sie abgefangen werden, treten E. in flüssiger Phase nur scheinbar frei auf. Vielmehr weiß man seit einigen Jahren, daß E. in Lsg. als sog. *solvatisierte Elektronen, im speziellen Fall des Wassers als Lsm. als *hydratisierte E.* vorliegen. Da derartige Effekte nicht nur in Flüssigkeiten, sondern auch in Gasen u. Festkörpern beobachtet werden, spricht man heute in diesen Fällen meist von *gelösten E.* od. (in mißverständlicher Weise) von *Überschuß-Elektronen*. Solvatisierte E. sind zwar schon länger bekannt, z. B. als e^-_{am} in der tiefblauen Lsg. von metall. Natrium in Ammoniak, doch sind ihre Eigenschaften u. Wirkung eingehender erst untersucht worden, seitdem sie durch Einwirkung energiereicher *ionisierender Strahlung auf Lsm. (insbes. Wasser) leichter zugänglich geworden sind. Näheres s. bei solvatisierte Elektronen.
E. der äußeren Atomhüllen bestimmen das chem. Verhalten der Atome u. sorgen dafür, daß sich die Atome zu Mol. verbinden können; Näheres hierzu s. Atombau u. chemische Bindung. Die Stromleitung in *elektrischen Leitern beruht auf der Ggw. von E., die sich im Metall nahezu frei zwischen den Kristallgitterbausteinen (Metall-Kationen) bewegen. In *Halbleitern wird die *elektrische Leitfähigkeit durch E. u. sog. *Defektelektronen* vermittelt. In supraleitenden Materialien (s. Supraleitung) spielen Paare von E., sog. *Cooper-Paare, eine wichtige Rolle. – *E* electrons – *F* électrons – *I* elettroni – *S* electrones

Lit.: [1] Mills et al., Quantities, Units and Symbols in Physical Chemistry, 2. Aufl., Oxford: Blackwell Sci. Publi. 1993. [2] Close et al., Spurensuche im Teilchenzoo, Heidelberg: Spektrum der Wissenschaft 1989. [3] Musiol et al., Kern- u. Elementarteilchenphysik, Weinheim: VCH Verlagsges. 1988. [4] Spektrum Wiss. **1989**, Nr. 12, 104–111.

Elektronenaffinität. Unter der E. versteht man die Energiedifferenz zwischen dem Grundzustand eines neutralen Atoms od. Mol. u. dem Grundzustand des zugehörigen neg. geladenen *Ions. Die E. ist ein Maß dafür, wie stark ein Neutralatom od. -mol. ein zusätzliches *Elektron binden kann. Genaue experimentelle Werte für die E. können mit Hilfe der *Laserphotodetachment-Elektronenspektrometrie erhalten werden; sie werden üblicherweise in eV (*Elektronenvolt) angegeben. Eine ausführliche Darst. der Ermittlung der E. für Atome findet man in *Lit.*[1]. Die größte atomare E. hat das Chlor-Atom mit 3,613 eV; auch Fluor, Brom u. Iod haben große E.-Werte von mehr als 3 eV. Die Edelgas-Atome u. Erdkali-Atome sowie das Stickstoff-Atom vermögen kein zusätzliches Elektron zu binden; sie haben daher keine pos. Elektronenaffinität. Werte der E. für einige ausgewählte Atome u. Mol. findet man in der Tabelle.

Tab.: Elektronenaffinitäten (in eV) einiger Atome u. Moleküle.

Atom	Elektronenaffinität	Molekül	Elektronenaffinität
Cl	3,613	UF_6	≥5,1
F	3,401	$POCl_2$	3,83
Br	3,364	CN	3,821
I	3,059	WF_6	3,7
S	2,077	BO_2	3,57
Se	2,021	C_2	3,269
Te	1,971	BO	3,12
O	1,461	F_2	3,08
Si	1,385	C_2H	2,969
C	1,263	N_3	2,70
Sn	1,112	Br_2	2,55
As	0,81	Cl_2	2,38
H	0,754	NO_2	2,273
P	0,747	O_3	2,103
Li	0,618	C_3	1,981
Na	0,548	OH	1,828
K	0,501	CF_3I	1,57
Rb	0,486	SO_2	1,107
Al	0,441	HO_2	1,078
Ga	0,3	CF_3Br	0,91
B	0,277	HNO	0,338

– *E* electron affinity – *F* affinité électronique, électroaffinité – *I* affinità elettronica – *S* afinidad electrónica
Lit.: [1] J. Phys. Chem. Ref. Data **14**, 731 (1985).
allg.: Ausloos u. Lias, Structure/Reactivity and Thermochemistry of Ions, Dordrecht: Reidel 1987 ▪ Handbook **73**, 10–180 ▪ Maier, Ion and Cluster Ion Spectroscopy and Structure, Amsterdam: Elsevier 1989.

Elektronenakzeptoren s. Elektronen-Don(at)or-Akzeptor-Komplexe.

Elektronenaustauscher s. Redoxaustauscher.

Elektronenbeugung. Bez. für die Erscheinung, daß Elektronenstrahlen, ähnlich wie Lichtstrahlen, beim Durchgang durch Materie abgebeugt werden. Nach de *Broglie besitzen bewegte Materieteilchen auch Wellencharakter, wobei z. B. *Elektronen mit der kinet. Energie E (in *eV) eine Wellenlänge $\lambda = \frac{1{,}226}{\sqrt{E}} \cdot 10^{-9}$ m besitzen (s. Elektronenmikroskop).

Auch langsame Elektronen von einigen 100 eV besitzen bereits eine Wellenlänge, die so klein ist wie die Gitterabstände von Kristallen. Deshalb wird E. bei der Elektronenmikroskopie sehr erfolgreich zur Bestimmung von Kristallstrukturen eingesetzt (hierbei wird nicht die Bild-, sondern die Beugungsebene abgebildet; Details s. Elektronenmikroskop). Im Vgl. zur Röntgenbeugung sind bei der E. folgende Unterschiede zu beachten:
a) Die Elektronen werden vorwiegend an den Atomkernen gestreut, während die Streuung von Röntgenstrahlen primär an Elektronen der Hülle erfolgt (s. Compton-Effekt). Der große Wechselwirkungsquerschnitt von Elektronen mit Materie ergibt eine große Streuintensität, aber auch eine starke Schwächung des Elektronenstrahls, d. h. E. kann nur bei dünnen Schichten angewendet werden.
b) Auf Grund der kleinen Wellenlänge erfolgt bei Elektronen die Beugung mit sehr kleinen Bragg-Winkeln, d. h. um Beugungsdiagramme aufzuzeichnen, braucht

man keinen Detektor, der die Probe zylinderförmig umgibt wie bei der Röntgenbeugung, sondern es genügt ein ebener Detektor.
Da für Elektronen mit Energien <500 eV elast. Rückstreuung nur innerhalb einer geringen Tiefe der Probe von ~ 1 nm stattfindet, wird durch Ausmessen der Beugung elast. reflektierter niederenerget. Elektronen (E Low Energy Electron Diffraction, LEED) das Flächengitter der Atome an der Probenoberfläche bestimmt. Bei der Reflexionsbeugung schneller Elektronen (E Reflection High Energy Electron Diffraction, RHEED) wird ein monoenerget. Elektronenstrahl mit einer Energie im Bereich von 10 bis 100 keV unter einem flachen Winkel (1° bis 5°) auf einer Oberfläche gelenkt. Bei geeigneter Orientierung der Oberfläche relativ zum Elektronenstrahl entsteht in Reflexion ein Beugungsbild, das direkt auf einem Leuchtschirm beobachtet werden kann. Da auf Grund des großen Streuquerschnittes die Elektronen nur wenige Atomlagen tief in den Festkörper eindringen, können auf diese Weise Adsorbatstrukturen (s. Adsorption) bis zu einer Bedeckung von nur 1/4 Monolage untersucht werden (s. *Lit.*[1]). – E electron diffraction – F diffraction électronique – I diffrazione degli elettroni – S difracción de electrones

Lit.: [1] Kohlrausch, Praktische Physik, Bd. 2, S. 736, Stuttgart: Teubner 1996.
allg.: Amelinckx et al., Diffraction and Imaging Techniques in Material Science (2 Bd.), Amsterdam: North-Holland 1978 ▪ Brümmer et al., Handbuch Festkörperanalyse mit Elektronen, Ionen u. Röntgenstrahlen, Braunschweig: Vieweg 1980 ▪ Burke, Potential Scattering with Applications to Electron Collisions, New York: Plenum 1977 ▪ Hargittai u. Orville-Thomas, Diffraction Studies on Non-Crystalline Substances, Amsterdam: Elsevier 1981 ▪ Nesbet, Variational Methods in Electron-Atom Scattering Theory, New York: Plenum 1980 ▪ Phys. Bl. **1996**, 997–1002 ▪ Rescigno et al., Electron-Molecule and Photon-Molecule Collisions, New York: Plenum 1979 ▪ Woodruff u. Delchar, Modern Techniques of Surface Science, Cambridge: Univ. Press 1994 ▪ s.a. Elektronen, LEED, physikalische Analyse. – *Zeitschriften:* Molecular Structure by Diffraction Methods, London: Chem. Soc. (seit 1973).

Elektronenbrenzen. Von Schildknecht (s. *Lit.*) geprägte Bez. für eine spezielle, analyt. Nutzanw. der *Strahlenchemie mit Hilfe von *Tritium. – E electron pyrolysis – F pyrolyse électronique – I pirolisi elettronica – S pirólisis electrónica
Lit.: Angew. Chem. **78**, 841–850 (1966).

Elektronendichte. 1. Anzahl der *Elektronen pro Volumeneinheit. Wichtige Größe zur Beschreibung der Verhältnisse in einem *Plasma. – 2. Als E. od. E.-Verteilung bezeichnet man auch die Funktion $\rho(\vec{r})$, die die räumliche Verteilung der Elektronen, z.B. in einem Mol. od. im *Festkörper, beschreibt. Sie ist experimentell über Röntgenbeugung erhältlich u. kann mit Meth. der *Quantenchemie berechnet werden. – E electron density – F densité électronique – I densità elettronica – S densidad electrónica

Elektronen-Don(at)or-Akzeptor-Komplexe (EDA-Komplexe). EDA-Komplexe setzen sich aus einem *Elektronendonator* u. einem *Elektronenakzeptor* zusammen. Oft findet man für EDA-Komplexe die von der IUPAC empfohlene Bez. *Charge-transfer-Komplex, doch ist diese Terminologie nicht für alle EDA-Komplexe zulässig, da sie Ladungstransfer impliziert. Das Donormol. in einem EDA-Komplex kann entweder ein freies Elektronenpaar (n-Donor) od. ein π-Elektronenpaar aus einer Doppelbindung od. einem aromat. Syst. (π-Donor) zur Verfügung stellen. Viele EDA-Komplexe sind farbig, einige instabil u. nur in Lsg. im Gleichgew. mit den Ausgangskomponenten existenzfähig, andere wiederum sind stabile krist. Feststoffe. Die EDA-Komplexe liegen oft in stöchiometr. Zusammensetzung vor (meist 1:1); es sind aber auch nicht stöchiometr. zusammengesetzte Komplexe bekannt. EDA-Komplexe können grob in folgende Kategorien eingeteilt werden: 1. Komplexe mit einem π-Donor u. einem Metall.
2. Komplexe, bei denen der Akzeptor ein organ. Mol. ist. Hier sind bes. die EDA-Komplexe der *Pikrinsäure u.a. Nitroaromaten zu erwähnen[1,2], wobei als *Donatoren u.a. Aromaten, Amine u. Alkene zu nennen sind.

Pikrinsäure

Die EDA-Komplexe der Pikrinsäure sind in der Regel gut kristallisierende u. scharf schmelzende Verb., die deshalb zur Derivatisierung u. Charakterisierung in der organ. Analyse benutzt werden können. Als weitere organ. Akzeptoren sind *Chinone (Chinhydrone)[3] u.v.a. Tetracyanoethylen[4] erwähnenswert.
3. Komplexe, bei denen der Akzeptor ein Halogen-Element ist. Als Donatoren können in diesen Komplexen Amine, Aromaten, Ketone u.a. fungieren. So ist diese Komplexbildung dafür verantwortlich, daß die Lsg. von Iod in Benzol od. Aceton nicht die normale Iod-Farbe zeigen[5,6]. – E electron donor-acceptor complexes – F complexes accepteur-donneur d'electrons – I complessi donatore-accettori di elettroni – S complejos aceptor-donador de electrones

Lit.: [1] Russ. Chem. Rev. **31**, 408–417 (1962). [2] Russ. Chem. Rev. **51**, 107–118 (1982). [3] Patai, The Chemistry of the Quinoid Compounds, Part 1, S. 257–333, New York: Wiley 1974. [4] Patai, The Chemistry of the Cyano Group, S. 639–669, New York: Wiley 1970. [5] Q. Rev., Chem. Soc. **16**, 1–18 (1962). [6] Adv. Inorg. Chem. Radiochem. **3**, 91–131 (1961).
allg.: Angew. Chem. **105**, 1653 (1993) ▪ Chem. Br. **12**, 18–23 (1976) ▪ Chem. Rev. **54**, 713–776 (1954); **70**, 295–322 (1970) ▪ March (4.), S. 79–82 ▪ Prog. Phys. Org. Chem. **3**, 81–163 (1965) ▪ Reichardt, Solvents and Solvent Effects in Organic Chemistry, S. 17–25, Weinheim: VCH Verlagsges. 1988 ▪ Russ. Chem. Rev. **45**, 1077–1090 (1976) ▪ s.a. Akzeptor, charge-transfer-Komplexe, Donator.

Elektronendon(at)oren s. Elektronen-Don(at)or-Akzeptor-Komplexe.

Elektroneneinfang. Absorption eines *Elektrons der Atomhülle durch den Atomkern, wobei die Reaktion p+e⁻→n+ν_e abläuft, d.h. aus einem *Proton p des Atomkerns u. dem Elektron e⁻ werden ein *Neutron n u. ein Elektronenneutrino ν_e (s. Elementarteilchen) gebildet. E. ist sowohl aus der K-Schale (sog. K-Einfang) als auch – mit geringerer Wahrscheinlichkeit – aus der L-Schale (L-Einfang) möglich. Beim Auffüllen der Leerstelle der Atomhülle wird Energie in Form charakterist. *Röntgenstrahlung ausgesandt od. es werden Elektronen freigesetzt (s. Auger-Effekt) – *E* electron capture – *F* capture d'électrons – *I* cattura di elettroni – *S* captura de electrones

Elektronenemission s. Auger-Spektroskopie, ESCA, Elektronen, Elektronenspektroskopie u. Photoelektronenspektroskopie.

Elektronenformeln s. Lewis-Formeln.

Elektronengas. Modellvorstellung zur Beschreibung von *Elektronen im Leitungsband (Bändermodell, *elektrische Leiter). Da die Leitungselektronen nicht an Gitterplätze einzelner Atome gebunden sind, sondern sich im Festkörper weitgehend frei bewegen können, wird ihre Bewegung in Analogie zu einem klass. Gas beschrieben, d. h. die mittlere Energie eines Leitungselektrons wird mit $E = 3/2 \cdot k \cdot T$ angegeben, wobei k die Boltzmann-Konstante u. T die *absolute Temperatur ist. Mit Hilfe dieses Modells konnte der Zusammenhang zwischen *elektrischer Leitfähigkeit u. Wärmeleitung bei Metallen (*Wiedemann-Franzsches Gesetz) richtig hergeleitet werden. Allerdings liefert dieses Modell eine zu große Wärmekapazität der Leitungselektronen. Dieser Widerspruch wurde von Sommerfeld geklärt, indem er die *Fermi-Dirac Statistik auf die Elektronen anwandte. – *E* electron gas – *F* gaz d'électrons – *I* gas elettronico – *S* gas de electrones
Lit.: s. Festkörper u. Elektronen.

Elektronen-induzierte Desorption s. EID.

Elektronenkonfiguration. Die E. beschreibt die Verteilung der *Elektronen in einem Atom od. Mol. über die verschiedenen Einelektronenzustände, die z. B. mit dem *Hartree-Fock-Verfahren berechnet werden können. Die Einelektronenzustände werden, wenn möglich, durch *Quantenzahlen* od. Symmetriesymbole charakterisiert. Bei Atomen verwendet man hierbei die Hauptquantenzahl n u. die Bahndrehimpuls- od. Nebenquantenzahl l (näheres s. Atombau). Z. B. hat das Bor-Atom im elektron. Grundzustand die E. $1s^2 2s^2 2p^1$. Die Einelektronenzustände mit n = 1 od. n = 2 u. l = 0 (1s u. 2s) sind hierbei mit jeweils 2 Elektronen mit antiparallelem *Spin besetzt; im Zustand mit n = 2 u. l = 1 befindet sich lediglich 1 Elektron. Mol. Einelektronenzustände werden üblicherweise mit Symmetriebez. aus der *Gruppentheorie, sog. irreduziblen Darst., gekennzeichnet. Die E. des elektron. Grundzustands des H_2O-Mol. lautet danach $(1a_1)^2 (2a_1)^2 (1b_2)^2 (3a_1)^2 (1b_1)^2$. – *E* electron configuration – *F* configuration électronique – *I* configurazione elettronica – *S* configuración electrónica

Elektronenkorrelation. Begriff aus der *Quantenchemie (s. a. ab initio). Ein *Elektron in einem Atom od. Mol. bewegt sich nur näherungsweise in einem mittleren Feld der übrigen Elektronen (s. Hartree-Fock-Verfahren); Abweichungen von dieser Näherung werden durch die E. verursacht. E.-Effekte wirken sich z. B. stark aus auf *Dissoziationsenergien, *Aktivierungsenergien chem. Reaktionen od. Anregungsenergien für den Übergang in elektron. angeregte Zustände. – *E* electron correlation – *F* corrélation électronique – *I* correlazione elettronica – *S* correlación electrónica

Elektronenleiter s. elektrische Leiter.

Elektronenlücke s. Koordinationslehre und Halbleiter (Defektelektronen).

Elektronenmangel(ver)bindung s. Dreizentrenbindung.

Elektronenmikroskop. Instrument, um Objekte mit Hilfe von Elektronenstrahlen vergrößert abzubilden. Die Grundzüge des E. wurden von E. *Ruska 1931 entwickelt. Das erste E. mit einer höheren Vergrößerung als ein Lichtmikroskop erstellte er 1933; bereits 1938 wurde ein Gerät mit 300 000-facher Vergrößerung gebaut (E. Ruska, Nobel-Vortrag anläßlich der Preisverleihung 1987[1]).

Man unterscheidet Ruhbild- u. Raster-Elektronenmikroskope. Beiden gemeinsam ist, daß man beschleunigte *Elektronen zur Bilderzeugung benutzt. Die Auflösung eines Lichtmikroskopes ist nach *Abbe durch die Wellenlänge λ des verwendeten Lichtes begrenzt. Der dichteste Abstand Δx zweier Linien, die noch getrennt werden können, lautet Δx = λ/NA; NA bezeichnet die *numer. Apertur* (NA = n · sinα, mit n = Brechungsindex, α = Akzeptanzwinkel des Objektivs, typ. Wert NA ≈ 1/3, *Mikroskop). Mit sichtbarem Licht λ ≈ 500 nm können im allg. Punkte mit Δx < 500 nm nicht mehr getrennt werden. Die Verw. von UV-Licht verbessert die Auflösung etwas.

Nach de Broglie haben Teilchen ebenfalls Wellencharakter. Ihre Wellenlänge λ ist im relativist. Fall (Teilchengeschw. ist nahe der Lichtgeschw. c) gegeben durch
$$\lambda = h \cdot c / \sqrt{2 \cdot E \cdot E_0 \cdot (1 + E/2E_0)}$$
bzw. bei kleineren Geschw. durch
$$\lambda = h \cdot c / \sqrt{2 \cdot E \cdot E_0},$$
wobei E_0 die Ruheenergie ist (= $m \cdot c^2$; bei Elektronen 0,511 MeV) u. E die kinet. Energie (bei Elektronen, die mit der Spannung U beschleunigt wurden: E = e · U, e = *Elementarladung). Hieraus folgt für nicht relativist. Elektronen $\lambda = 1{,}226/\sqrt{U[V]} \cdot 10^{-9}$ m, d. h. Elektronen, die durch eine Spannung von 100 kV beschleunigt wurden, haben eine Wellenlänge λ = 0,0037 nm; dies ist ~ 10^5 mal kleiner als die Wellenlänge von sichtbarem Licht, s. Tab. 8.07 in *Lit.*[2].

Das z. Z. leistungsfähigste E. steht am MPI für Metallforschung in Stuttgart. Bei einer Beschleunigungsspannung von 1250 kV beträgt das Punktauflösungsvermögen 0,105 nm[3].

Prinzipiell besteht ein E. aus den folgenden Einheiten:
– *Hochvakuumapparatur*, damit die freie Weglänge der Elektronen genügend groß ist u. der Elektronenstrahl nicht durch Stöße mit Hintergrundsgasteilchen geschwächt u. aufgeweitet wird. – *Strahlquelle* zur Erzeugung eines Elektronenstrahls. Meist verwendet man eine Glühkathode, die gegenüber der geerdeten Anode auf neg. Potential liegt. Wichtig ist, ein Kathodenmaterial mit möglichst hohem Richtstrahlwert i (entspricht der Strahldichte bei opt. Strahlung) zu verwenden. Bei Elektronenenergien von E = 100 keV werden erreicht[4]:
i = 10^5 A/cm · sr mit Wolfram-Haarnadelkathoden
i = 10^6 A/cm · sr mit Wolfram-Spitzenkathoden
i = 10^7 A/cm · sr mit Lanthan-Hexaborid-Kathoden
i ≤ 10^9 A/cm · sr mit Feldemissionskathoden

Elektronenmikroskop

– *Elektronenlinsen*, die auf Elektronenstrahlen ähnlich wirken wie opt. Linsen auf Lichtstrahlen. Im E. verwendet man magnet. Linsen, die durch Magnetfelder die Bahn der Elektronen umlenken. In Analogie zu opt. Instrumenten spricht man von einer Kondensorlinse, mit der die Elektronen auf das Objekt gelenkt werden (s. Abb.). – Das *Objekt* selbst wird in die Mitte eines symmetr. aufgebauten Kondensorobjektives gestellt, um Abbildungsfehler zu reduzieren. Beim Ruhbildmikroskop entwirft das Objektiv ein vergrößertes Zwischenbild, das, ggf. durch weitere Zwischenlinsen mehrstufig vergrößert, durch das Projektiv nochmals vergrößert auf einen *Leuchtschirm* abgebildet wird. Dort kann es direkt od. über ein opt. Instrument betrachtet werden. An Stelle des Leuchtschirmes kann auch eine *Photoplatte* eingesetzt werden od. die Elektronen werden auf eine *Detektorplatte*, ähnlich der Kathode einer Fernsehkamera, abgebildet u. das Signal elektron. verarbeitet. Durch Veränderung der Brennweite des Projektivs wird nicht das reelle Bild, sondern das Beugungsbild auf den Leuchtschirm (Photoplatte, Detektorplatte) abgebildet, was bes. für die Bestimmung von *Kristallgittern eingesetzt wird[5].

Abb.: Aufbau des Transmissions- u. Raster-Elektronenmikroskops.

Der bisher beschriebene Aufbau des *Ruhbild- u. Transmissionsmikroskops* war die erste techn. realisierte Mikroskopart; sie beinhaltet aber einige Nachteile: a) Das Objekt kann nur in Transmission betrachtet werden u. da die Eindringtiefe von Elektronen nicht hoch ist, muß mit sehr dünnen Schnittproben gearbeitet werden, die über ein kompliziertes Verf. hergestellt werden müssen.

b) Um eine ausreichende Helligkeit u. einen guten Kontrast zu erreichen, muß ein Elektronenstrahl mit hoher Intensität verwendet werden. Dieser heizt die Probe oft so stark auf, daß sie therm. verändert od. zerstört wird. Bei modernen Syst. kann aufgrund von Computer-Auswertung mit geringerer Strahlintensität gearbeitet werden, was dieses Problem mindert.
Vermieden werden diese Nachteile durch das *Raster-E*. (*E* scanning electron microscope). Der Elektronenstrahl wird hierbei auf einen kleinen Fleck des Objektes fokussiert (Größe ~ 10 nm) u. die in Vorwärts- od. Rückwärts-Richtung austretenden Elektronen od. Röntgen- bzw. *Gamma-Strahlen gemessen. Die Bilderzeugung erfolgt, indem der Elektronenstrahl, ähnlich wie bei einem Fernsehgerät, zeilenweise über das Objekt gelenkt wird u. die Anzahl der emittierten Sekundärelektronen bzw. die Intensität der Strahlung als Helligkeit für einen synchron laufenden Strahl in einer Elektronenstrahlröhre (Oszilloskop) dient. Beobachtet man in Rückwärtsrichtung emittierte Sekundärelektronen, so werden diese, da sie nur mit geringer Energie emittiert werden, durch ein schwaches elektr. Feld vom Objekt abgesaugt, nachbeschleunigt u. durch einen Elektronenmultiplier nachgewiesen. Da die Nachweiswahrscheinlichkeit für Sekundärelektronen sehr hoch ist, kann mit einem schwachen prim. Elektronenstrahl gearbeitet werden, der nicht das Präp. zerstört. Außerdem kann man dicke Präp. verwenden, denn die Elektronen müssen nicht das Präp. durchdringen (entspricht opt. Auflichtmikroskop). Da ferner die Ausbeute rückgestreuter Elektronen materialabhängig ist, können verschiedene Phasen von Leg. u. Krist.-Orientierungen unterschieden werden. Durch recht einfache Energieanalyse der Sekundärelektronen gelingt es, zwischen verschiedenen elektr. Potentialen der Präp.-Oberfläche zu unterscheiden, was bes. bei der Fehlersuche integrierter Halbleiterbauelemente eingesetzt wird. Der Austritt von Sekundärelektronen an Kanten ist erleichtert, somit erscheinen diese bei der Bilderzeugung sehr stark aufgehellt u. ergeben ein kontrastreiches, räumlich wirkendes Bild.
In der Tab. sind die verschiedenen detektierbaren Partikel, die zugrundeliegenden physikal. Prozesse, die gewonnene Information u. das Auflösungsvermögen zusammengestellt[6].
Die *Objektpräparation* beim Raster-E. ist relativ einfach. Elektr. leitende Proben müssen nach der Reinigung nur mit einem elektr. leitenden Kleber auf dem Objekthalter befestigt werden. Nichtleitende Proben (Isolatoren) würden bei Elektronenbeschuß Bereiche mit hoher neg. Ladung erhalten. Das dadurch aufgebaute elektr. Feld würde den prim. Elektronenstrahl unkontrolliert ablenken u. defokussieren. Daher müssen diese Proben mit einem leitfähigen Überzug aus Kohlenstoff od. einem Metall beschichtet werden.
Beim *Transmissions-E.* müssen zusätzlich dünne Präparatschichten hergestellt werden, denn nur in relativ wenigen Fällen ist eine direkte Betrachtung des Untersuchungsmaterials möglich; sei es, weil es im Hochvak. des Mikroskops u./od. unter der Elektronenstrahlbelastung seine Struktur ändern würde, od. weil es zu dick ist, um von den Elektronen durchstrahlt zu werden. Stabile Festkörper (z. B. Pigmente, Krist.,

Tab.: Daten zur Raster-Elektronenmikroskopie.

Typ des Rasterbildes (REM-Betriebsart)	zugrundeliegender physikal. Effekt	aus dem REM-Bild gewonnene Information	Auflösungsvermögen ([1])
Sekundärelektronen-Bild	– inelast. Streuung – SE-Ausbeute abhängig von Primärstrahlenergie, Ordnungszahl u. Neigungswinkel zwischen Probenoberfläche u. Primärstrahl-Richtung (Kanteneffekt)	– Oberflächentopographie (nahezu schattenfreie Abb.)	2–10 nm
Rückstreuelektronen-Bild	– elast. Streuung – RE-Ausbeute abhängig von Ordnungszahl u. Neigungswinkel zwischen Probenoberfläche u. Primärstrahl-Richtung; erhöhte Rückstreuung an Kanten	– Oberflächentopographie (ausgeprägte Schatteneffekte) – Materialkontrast – Tiefeninformation	0,1–1 µm 0,1–1 µm 1 µm
Probenstrom-Bild	– absorbierte Elektronen in der Probe – Abhängigkeit von Änderungen der SE- u. RE-Ausbeute	– Oberflächentopografie – Materialkontrast	0,1–1 µm
Transmissionselektronen-Bild	a) Durchstrahlungseffekt (ungestreute u. gestreute Elektronen) – Schichtdickenabhängigkeit – Abhängigkeit von Primärstrahlenergie – Ordnungszahl b) *Elektronenbeugung an krist. Schichten (Kikuchi-Diagramme)	a) Massendickeverteilung in einer Schicht; – Materialdifferenzierung b) – Abb. krist. Objekte – Gitterfehler – Orientierungskontrast – *Kristallstruktur	0,2–10 nm
Kathodolumineszenz-Bild	Emission von Lichtquanten (IR bis UV) durch Elektronenbeschuß	*Lumineszenz in *Halbleitern u. Phosphoren	1–10 µm
Röntgenmikrobereichsanalyse a) Anregung durch Elektronen (Röntgenemission)	a) – Ionisationsprozesse von kernnahen Hüllelektronen – Emission charakterist. Strahlung u. Bremsstrahlung (Nachw. durch energiedispersive od. wellenlängendispersive Analyse)	a) – Qual. u. quant. Elementanalyse (Nachweisgrenze 1‰) – Punkt-, Linienanalyse, Flächenanalyse – Elementverteilungsbilder	0,1–1 µm
b) Anregung durch Röntgenquanten (Fluoreszenz)	b) – Ionisationsprozesse der kernnahen Hüllelektronen durch Röntgenquanten – Emission charakterist. Strahlung	b) Wie bei a), jedoch Nachweisgrenze bis 10 ppm (Spurenanalyse)	0,5–1 mm
EMK-Bild	Auftreten einer elektromotorischen Kraft (EMK) bei der Elektronenbestrahlung von pn-Übergängen	– Verteilung der EMK in Halbleiterbauelementen – Abbildung pn-Übergänge – Messung Halbleiterkonst.	
Potentialkontrast	Beeinflussung der SE-Elektronen durch das Probenpotential sowie der SE-Bahnen durch die Konfiguration Probe-Detektor	– Abb. elekt. Potentiale (Helligkeitsänderungen) – Funktionstest von Halbleiterschaltungen	1–10 µm 0,1–0,01 V

keram. Material etc.), von denen man ggf. durch *Ionenstrahlätzen* (s. Ätzen) sehr dünne Präp. herstellen kann, lassen sich unter diesen Voraussetzungen direkt im EM beobachten, während bei biolog.-medizin. Objekten fast stets eine geeignete *Präparation* vorausgehen muß: Fixierung mit Osmiumtetroxid (ggf. nach Vorfixierung mit Glutardialdehyd), Entwässerung mit abs. Ethanol u. Propylenoxid u. schließlich die Einbettung. Bei den *Einbettungsmitteln handelt es sich um Mehrkomponentensyst. (meist auf Epoxid-Basis), die je nach Mischungsverhältnis u. Initiator verschieden hart auspolymerisieren. Von diesem mehr od. weniger harten Block lassen sich im *Ultramikrotom* mit Hilfe von Glas- od. Diamantmessern *Ultradünnschnitte* mit einer Schnittdicke bis zu ca. 20 nm (220 Å) herab anfertigen; erst diese gestatten die Durchstrahlung u. elektronenmikroskop. Betrachtung des Untersuchungsmaterials, insbes. nach Behandlung mit Blei- od. Uran-Salzen zur Kontrasterhöhung.

Die Ausarbeitung von Meth. zum Nachw. bzw. zur Darst. einzelner Stoffe od. Stoffgruppen im elektronenmikroskop. Präp. ist das Anliegen der *Ultrahistochemie* (s. Histochemie), deren Verf. z. B. die Anwesenheit, Menge u. Verteilung eines bestimmten Enzyms in einem Zellorganell festzustellen gestatten. Eine Reihe weiterer Techniken lassen sich mit der E. kombinieren u. erweitern ihren Anwendungsbereich, z. B. die *Autoradiographie zu Stoffwechseluntersuchung u. die immunhistochem. Lokalisierung von *Antigenen mit Ferritin-markierten *Antikörpern. Wichtig sind auch *Abdruck- u. Bedampfungs-Verf.* zur Sichtbarmachung von kleinen Partikeln u. von Oberflächen. Zum *Aufdampfen benutzt man Metalle (Au, Pd, Pt, Pt-Leg. u. a. Schwermetalle) u./od. Kohle.

Ein gutes, möglichst ölfreies Hochvak. ist zum Betreiben eines E. unbedingt notwendig, um Kontamination des Präp. zu vermeiden. Ferner ist zu beachten, daß manche Präp. noch „ausgasen" u. die dabei freiwerdenden organ. Substanzen durch den Elektronenstrahl karbonisiert werden können. Der Einsatz von Kühlfallen hat sich hierbei sehr bewährt.

Neben Elektronen können auch Ionen zur Mikroskopie eingesetzt werden, s. Ionenmikroskop. Weitere Mikroskope, deren Auflösung ausreicht, einzelne Atome in einer Oberfläche abzubilden, sind das *Tunnelmikroskop u. ein Mikroskop, das atomare Kräfte ausmißt (*AFM, *Atomic Force Microscope*). Beide Typen sind Rastermikroskope.

Beim *Feldeffekt-* od. *Emissionselektronenmikroskop* befindet sich eine feine Wolfram-Einkristallspitze als Kathode im Zentrum eines halbkugelförmigen Zinksulfid-Leuchtschirmes als Anode. Durch Anlegen einer hohen Spannung (1–10 kV) werden Elektronen aus der Kristallspitze gelöst. Da ein rein radiales elektr. Feld vorliegt, entsprechen die Auftreffpunkte der Elektronen auf der Leuchtschicht den Kristallbereichen hoher Elektronenemission. Der Vergrößerungsfaktor ist das Verhältnis des Schirmradius zum Krümmungsradius der Spitze. Das Auflösungsvermögen reicht mit ~ $2 \cdot 10^{-9}$ m in den mol. Bereich. – *E* electron microscop – *F* microscope électronique – *I* microscopio elettronico – *S* microscopio electrónico

Lit.: [1] Phys. Bl. **43**, 271 (1987). [2] Kohlrausch, Praktische Physik, Bd. 3, S. 544, Stuttgart: Teubner 1996. [3] Phys. Bl. **50**, 432 (1994). [4] Kohlrausch, Praktische Physik, Bd. 2, S. 668, Stuttgart: Teubner 1996. [5] Chem. Unserer Zeit **21**, 194 (1987). [6] Phys. Unserer Zeit **16**, 180 (1985).
allg.: Alexander, Grundlagen der Elektronenmikroskopie, Stuttgart: Teubner 1996 ▪ Bethe u. Heydenreich, Elektronenmikroskopie in der Festkörperphysik, Berlin: Springer 1982 ▪ Buseck (Hrsg.), High-resolution transmission electron microscopy, Oxford: University 1989 ▪ Cherns (Hrsg.), Evaluation of Advanced Semiconductor Material by Electron Microscopy, New York: Nato ASI Series B, Physics 1989 ▪ Lange u. Blödorn, Das Elektronenmikroskop TEM + REM, Stuttgart: Thieme 1981 ▪ Methods Application Scanning **5**, 14 (1983) ▪ Reimer, Transmission Electron Microscopy, Berlin: Springer 1982. – *Zeitschriften u. Serien:* Advances in Optical and Electron Microscopy, New York: Academic Press (seit 1966) ▪ Biomedical Research Applications of Scanning Electron Microscopy, New York: Academic Press (seit 1979) ▪ Electron Microscopy in Biology, New York: Wiley (seit 1981) ▪ Hayat, Principles and Techniques of Electron Microscopy, New York: Van Nostrand Reinhold (seit 1970) ▪ Hayat, Electron Microscopy of Enzymes, New York: Van Nostrand Reinhold (seit 1973) ▪ Hayat, Principles and Techniques of Scanning Electron Microscopy, New York: Van Nostrand Reinhold (seit 1974) ▪ Practical Methods in Electron Microscopy, Amsterdam: North-Holland (seit 1972) ▪ Schimmel u. Vogell, Methodensammlung der Elektronenmikroskopie (Loseblattsammlung), Stuttgart: Wissenschaftliche Verlagsges. (seit 1975). – *Inst. u. Organisationen:* Institut für Biophysik u. Elektronenmikroskopie der Universität Düsseldorf, 40225 Düsseldorf ▪ Institut für Elektronenmikroskopie am Fritz-Haber-Institut der Max-Planck-Gesellschaft, 14195 Berlin ▪ International Federation of Societies for Electron Microscopy, Univ. California, Berkeley, Calif. 94720.

Elektronenmikroskopie s. Elektronenmikroskop.

Elektronenmikrosonde s. Elektronenstrahl-Mikroanalyse.

Elektronenpaar. Unter einem E. wird meistens ein aus 2 *Elektronen mit entgegengesetztem *Spin gebildetes Paar verstanden. Je nach dem räumlichen Bereich, in dem sich die beiden Elektronen bevorzugt aufhalten, unterscheidet man zwischen *Bindungs-E.* u. *freien E.* (s. einsame Elektronenpaare). In der *Quantenchemie wird der Begriff E. häufig weiter gefaßt; neben zu einem *Singulett gekoppelten E. aus Elektronen mit antiparallelem Spin gibt es auch triplett-gekoppelte Elektronenpaare. Zudem unterscheidet man zwischen *intraorbitalen E.* (nur singulett-gekoppelt) u. *interorbitalen E.* (singulett- od. triplett-gekoppelt); im ersten Fall besetzen beide Elektronen dasselbe *Orbital, im zweiten sind 2 verschiedene Orbitale am Aufbau des E. beteiligt. Spezielle E. sind die *Cooper-Paare, die in der Theorie der *Supraleitung eine wichtige Rolle spielen. – *E* electron pair – *F* paire électronique – *I* coppia elettronica – *S* par de electrones

Elektronenpaartheorien. Wichtige Meth. der *Quantenchemie zur Beschreibung von *Elektronenkorrelations-Effekten; hierzu gehören *CEPA, *Coupled Cluster, CP-MET u. *CPF. – *E* electron pair theories – *F* théories du paire élecrtronique – *I* teoria sulla coppia elettronica – *S* teoría del par de electrones

Elektronenparamagnetische Resonanz s. EPR-Spektroskopie.

Elektronenschale s. Atombau.

Elektronensonde s. Elektronenstrahl-Mikroanalyse.

Elektronenspektroskopie. Bez. für verschiedene spektroskop. Meth., bei denen Elektronen zur *Anregung od. Detektion eingesetzt werden, um Energieniveaus von Atomen u. Mol. in der Gasphase od. im Festkörper auszumessen. Sind die Übergänge bereits bekannt, wird E. verwendet, um bestimmte Atome od. Mol. nachzuweisen. Bei der *Photoelektronenspektroskopie (PES) wird durch UV-Strahlung ein Valenzelektron ins Dissoziationskontinuum angehoben (Ionisation des Atoms). Es wird hierbei die Photonenenergie variiert u. die Zahl der abgelösten Elektronen gemessen u./od. bei fester Photonenenergie die kinet. Energie der Elektronen bestimmt (*Lit.*[1]). Je nach Photonenenergie unterscheidet man nach UPS (*U* Ultraviolet Photoelectron Spectroscopy, Photonenenergie 10 eV bis 40 eV) u. XPS (*E* X-Ray Photoelectron Spectroscopy, Photonenenergie 10^2 eV bis 10^4 eV). Für XPS wird auch die ältere Bez. *ESCA (*E* Electron Spectroscopy for Chemical Analysis) benutzt.
Bei der *Auger-Spektroskopie (AES) wird ein energet. tiefliegendes Rumpfelektron über die Bindungsenergie hinaus angeregt. Das freigewordene Loch wird durch ein Elektron einer höheren Schale aufgefüllt u. die freiwerdende Energie auf ein weiteres Elektron übertragen, das dann ebenfalls das Atom verläßt (s. Auger-Effekt). Bezüglich der Anw. s. Auger-Spektroskopie u. Elektronenstrahl-Mikroanalyse (ESMA).
Bei der *Elektron-Energieverlustspektroskopie* (EELS) werden niederenerget. Elektronen (E <1 keV) inelast. an einer Oberfläche gestreut. Aus den diskreten Energieverlusten erhält man Information über die elektron. Zustandsdichte an der Oberfläche od. über die Schwingungszustände der Oberfläche, wobei gut zu erkennen ist, ob diese frei od. mit einer Adsorbatschicht bedeckt ist (*Lit.*[2]).
Des weiteren kann man die Änderung des Reflexionskoeff. R(E) von der Elektronenenergie E für elast. Elektronenrückstreuung nutzen, um eine Oberfläche zu untersuchen. R(E) ändert sich geringfügig, wenn E eine elementare spezif. Anregungsschwelle der Probenatome erreicht (DAPS, Abk. für engl. Disappearance Potential Spectroscopy).

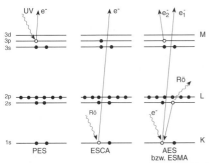

Abb.: Prinzip der Photoelektronenemission nach UV- (PES) od. Röntgenabsorption (ESCA) bzw. der Sekundärelektronen-Emission (e_2^-) nach Elektronen- od. Röntgenabsorption, Emission des Primärelektrons (e_1^-), Auffüllung der Schale u. Dissipation der dabei frei werdenden Energie durch Ausstoßung von e_2^- (AES) od. von Röntgenquanten (ESMA).

– *E* electron spectroscopy – *F* spectroscopie électronique – *I* spettroscopia elettronica – *S* espectroscopia electrónica

Lit.: [1] Berkowitz, Photoabsorption, Photoionization u. Photoelectron Spectroscopy, New York: Academic Press 1979; Briggs, Handbook of X-Ray and Ultraviolet Photoelectron Spectroscopy, London: Heyden 1978. [2] Ibach (Hrsg.), Spectroscopy for Surface Analysis, Berlin: Springer 1977.
allg.: Analyt.-Taschenb. **1**, 287–313 ▪ Brule u. Baker, Electron Spectroscopy (4 Bd.), London: Academic Press 1977–1981 ▪ Buck et al., Electron and Positron Spectroscopies in Material Science and Engineering, New York: Academic Press 1979 ▪ Chem. Rev. **79**, 77–90 (1979) ▪ Kirk-Othmer (3.) **2**, 669ff. ▪ Oechsner, Oberflächen. in Kohlrausch, Praktische Physik 2, Stuttgart: Teubner 1985 ▪ Phys. Bl. **42**, 2 (1986) ▪ s. a. Auger- u. Photoelektronen-Spektroskopie, ESCA u. Spektroskopie. – *Zeitschrift:* Journal of Electron Spectroscopy and Related Phenomena, Amsterdam: Elsevier (seit 1972).

Elektronenspin. Eigendrehimpuls des *Elektrons; Näheres s. Spin.

Elektronenspinresonanz-Spektroskopie s. EPR-Spektroskopie.

Elektronenstoß s. Massenspektrometrie.

Elektronenstrahlen s. Beta-Strahlen, Elektronen, Elektronenbeugung, Kathodenstrahlen u. Elektronenstrahl-Mikroanalyse.

Elektronenstrahl-Mikroanalyse (ESMA, EMA Elektronenmikrosonde). Bez. für eine bes. von Castaing[1] entwickelte, früher *Röntgenmikroanalyse* genannte Meth. der *Röntgen-Spektroskopie. Bei dem auf dem *Moseleyschen Gesetz basierenden Verf. läßt man einen genau fokussierten *Elektronenstrahl* auf diejenige Stelle der Probenoberfläche auftreffen, deren Zusammensetzung bestimmt werden soll. Die von den Elektronen getroffene Probe sendet ein Röntgenspektrum aus (ESMA als *Emissionsspektroskopie), das die charakterist. Linien der in der Probe vorliegenden Elemente enthält, deren Konz. man mit einer Genauigkeit von ca. 1% ermitteln kann. Das Anregungsprinzip der ESMA ist ident. mit dem der *Auger-Spektroskopie (vgl. die Abb. bei Elektronenspektroskopie), weshalb man die beiden Verf. kombinieren kann; genannt AES-Mikroanalyse. Zur Oberflächenanalyse wird im allg. ein fokussierter Primärelektronenstrahl (Durchmesser 1 μm bis 25 nm) im Rasterverf. über die Probenfläche gelenkt. Bei einer Nachweisgrenze von 10^{-15} g, wobei ab Beryllium alle chem. Elemente erfaßt werden können, erhält man neben der räumlichen Elementverteilung auch Information über lokale chem. Bindungszustände u. Phasenverteilungen (Bereiche mit unterschiedlicher Kristallstruktur)[2]. Die ESMA läßt sich zur Untersuchung von Diffusionsvorgängen in Metallen, Gläsern u. Katalysatoren, von Leg., Mineralien, Sinterstoffen, Feuerfestmaterialien u. zur Bestimmung der Dicke von metall. Schichten u. Filmen ebenso heranziehen wie zur Untersuchung von Zellstrukturen. – *E* electron probe microanalysis (EPM) – *F* microanalyse par sonde – *I* microanalisi a raggio elettronico – *S* microanálisis por sonda electrónica

Lit.: [1] Angew. Chem. **75**, 161–164 (1963). [2] Surf. Interf. Anal. **11**, 251 (1988); Springer Tracts Mod. Phys. **77**, 97 (1975).
allg.: Anderson u. Dawson, Preparation and Examination of Practical Catalysts (Exp. Meth. Cat. Res. 2), New York: Academic Press 1976 ▪ Briggs u. Seah (Hrsg.), Practical Surface Analysis by Auger and Photoelectron Spectroscopy, Chichester: Wiley 1983 ▪ Erasmus, Electron Probe Microanalysis in Biology, London: Chapman & Hall 1978 ▪ Goldstein u. Yakowitz, Practical Scanning Electron Microscopy and Electron and Ion Microprobe Analysis, New York: Plenum 1975 ▪ Hall et al., Microprobe Analysis as Applied to Cells and Tissues, London: Academic Press 1974 ▪ Heinrich, Electron Beam X-Ray Microanalysis, New York: Van Nostrand Reinhold 1980 ▪ Hren et al., Introduction to Analytical Electron Microscopy, New York: Plenum 1979 ▪ J. Vac. Sci. Technol. **15**, 837–1099 (1978) ▪ Kirk-Othmer **22**, 456–467; (3.) **2**, 634–639 ▪ Kolloquium über metallkundliche Analyse mit besonderer Berücksichtigung der Elektronenstrahl-Mikroanalyse, Wien: Springer (seit 1964) ▪ Lechene, in Williams u. Da Silva, New Trends in Bio-Inorganic Chemistry, London: Academic Press 1979 ▪ Mikroanalyse mit Elektronen- u. Ionensonden, Leipzig: Grundstoffind. 1980 ▪ Nachr. Chem. Tech. Lab. **37**, M1 (1989) ▪ Phys. Bl. **45**, A 828 (1989).

Elektronenstruktur. Pauschale Bez. aus dem Gebiet der *theoretischen Chemie für Modelle u. rechner. Verf. zur Beschreibung des Aufbaus von Atomen, Mol. od. Festkörpern aus Kernen u. *Elektronen auf der Grundlage der *Quantentheorie. – *E* electronic structure – *F* structure électronique – *I* struttura elettronica – *S* estructura electrónica

Elektronensynchrotron s. Teilchenbeschleuniger.

Elektronentransfer-Proteine (Elektronentransport-Proteine). *Proteine, die Elektronen von einem *Substrat (Reduktionsmittel) zu einem anderen (Oxidationsmittel) transportieren u. sie auf dieses übertragen. Die E.-P. spielen damit die Rolle von Redox-Katalysatoren u. können als *Enzyme (genauer: *Oxidoreduktasen) angesehen werden. Die Elektronen sind während des Transfers meist an *prosthetische Gruppen gebunden. *Beisp.:* Flavoproteine (prosthet. Gruppe: *Flavin-Adenin-Dinucleotid od. *Riboflavin-5'-phosphat), Proteine mit reduzierbaren *Disulfid-Brücken (z.B. *Thioredoxin), *Cytochrome (prosthet. Gruppe: *Häm), Eisen-Schwefel-Proteine (s. Eisen-Proteine, z.B. Ferredoxin), Häm-Thiolat-Proteine (z.B. *Cytochrom P-450) u.a. *Metallproteine. – *E* electron transfer proteins – *F* protéines de transfert d'électrons – *I* proteine di trasferimento degli elettori – *S* proteínas de transferencia de electrones

Lit.: Annu. Rev. Biochem. **65**, 537–561 (1996) ▪ International Union of Biochemistry and Molecular Biology, Enzyme Nomenclature. Recommendations (1992) of the Nomenclature Committee of the IUBMB, S. 534–561, San Diego: Academic Press 1992.

Elektronenübertragung s. Energieübertragung, Charge-transfer-Komplexe, Elektronen-Don(at)or-Akzeptor-Komplexe.

Elektronenvolt (Elektronvolt, eV). Die Energieeinheit 1 eV ist die kinet. *Energie, die ein Elektron od. *Proton [allg.: ein *Elementarteilchen mit der elementaren Ladungseinheit von $1{,}60217733(49) \cdot 10^{-19}$ C] beim Durchlaufen einer Spannungsdifferenz von 1 V im Vak. gewinnt; diese entspricht $1{,}602 \cdot 10^{-19}$ J ($3{,}826 \cdot 10^{-20}$ cal). Um ein Elektron aus einem Atom zu entfernen, braucht man einige eV, dagegen benötigt man zur Entfernung eines Nukleons aus dem Kern einige Mio. eV (Megaelektronvolt, MeV). In der Hochenergiephysik werden Elementarteilchen auf GeV (Giga-eV = 10^9 eV) beschleunigt (s. Teilchenbeschleuniger). – *E* electron volt – *F* électronvolt – *I* volt-elettrone – *S* electrón-volt

Elektrooptische Effekte. Sammelbegriff für Erscheinungen, bei denen die Ausbreitung von Licht in Materie durch elektr. Felder beeinflußt wird. Hierbei wird der im allg. anisotrope (d. h. von der Polarisationsrichtung u. der Ausbreitungsrichtung des Lichtes abhängige) Brechungsindex n od. die Absorptionskante k durch das elektr. Feld E verändert. Folgende Erscheinungen werden unter dem Begriff e. E. zusammengefaßt:
1. *Starkeffekt: Die Linien eines Spektrums spalten unter dem Einfluß eines elektr. Feldes in mehrere Einzelkomponenten auf u./od. verschieben sich spektral.
2. *Pockelseffekt*, der von dem dtsch. Physiker Carl Alwin Pockels (1865–1913) um 1893 intensiv studiert wurde. In dem Material wird durch das elektr. Feld eine *Doppelbrechung induziert, die proportional zur elektr. Feldstärke ist. Der Pockelseffekt tritt nur bei Krist. auf, die kein Symmetriezentrum besitzen. Unter den 32 Symmetrieklassen von Krist. können 20 den Pockelseffekt zeigen. Alle 20 besitzen auch *Piezoelektrizität. Der prinzipielle Aufbau einer Pockelszelle ist in der Abb. gezeigt.

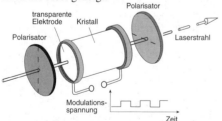

Abb.: Aufbau einer Pockelszelle.

Man unterscheidet einen transversalen u. einen longitudinalen Aufbau, je nachdem ob das elektr. Feld senkrecht od. parallel zur Ausbreitungsrichtung des Lichtes steht. Beim longitudinalen Aufbau (Abb.) verwendet man transparente Elektroden aus Metalloxiden. Der Krist. ist üblicherweise einachsig u. so ausgerichtet, daß die opt. Achse längs der Ausbreitungsrichtung des Lichtes ist. Ein Polarisator vor dem Krist. u. einer hinter ihm lassen gemäß ihres Drehwinkels α zueinander ohne angelegte Spannung einen Anteil $I_0 \cdot \sin^2 \alpha$ der einfallenden Intensität I_0 transmittieren. Durch die angelegte Spannung erfährt die Polarisationsebene des Lichtes eine Drehung um den Winkel

$$\Delta\alpha = 2 \cdot \pi \cdot n_0 \cdot r \cdot U/\lambda_0$$

mit n_0 = Brechungsindex ohne Feld, r = elektroopt. Konstante, U = Spannung zwischen den Elektroden u. λ_0 = Vakuumwellenlänge des verwendeten Lichtes. Die transmittierte Lichtintensität ist dann $I_0 \cdot \sin^2 (\alpha + \Delta\alpha)$. Nachfolgend die elektroopt. Konstanten einiger Krist. bei 20 °C u. $\lambda_0 = 546{,}1$ nm.

Tab.: Elektrooptische Konstanten einiger Kristalle
(r elektrooptische Konstante, n_0 Brechungsindex ohne Feld).

Kristall	r [10^{-12} m/V]	n_0
ADP ($NH_4H_2PO_4$)	8,5	1,52
KDP (KH_2PO_4)	10,6	1,51
KDA (KH_2AsO_4)	13	1,57
KD^+P (KD_2PO_4)	23,3	1,52

Die Schaltzeiten des Pockelseffekts liegen im Subpikosekunden-Bereich. Die nutzbare Grenzfrequenz wird durch die Ansteuerelektronik begrenzt. Man erreicht Werte bis zu einigen 10 GHz; s. a. *Lit.*[1].
3. *Kerr-Effekt; s. a. *Lit.*[2]. Bei diesem 1875 von dem schott. Physiker John Kerr (1824–1907) entdeckten Effekt wird durch das elektr. Feld in einem isotropen Material (Festkörper, Flüssigkeit, Gas) opt. Doppelbrechung erzeugt; d. h. der einfallende Lichtstrahl wird aufgespalten in einen ordentlichen u. einen außerordentlichen Strahl mit den beiden Brechungsindizes n_p u. n_s (entsprechend der Orientierung ihrer Schwingungsrichtung parallel od. senkrecht zu der Richtung des außen angelegten Feldes). Für die Differenz gilt

$$\Delta n = n_p - n_s = \lambda_0 \cdot K \cdot E^2$$

K ist die *Kerr-Konstante* u. besitzt folgende Werte:

Tab.: Werte für die Kerr-Konstante.

Material	K [10^{-7}/m × V^2]
Benzol	0,0066
Schwefelkohlenstoff	0,0035
Chloroform	0,004
Wasser	0,005
Nitrotoluol	1,4
Nitrobenzol	2,2

4. *Franz-Keldysch-Effekt*. Durch ein äußeres elektr. Feld wird es den Elektronen in einem *Halbleiter od. *Isolator ermöglicht, auf Grund der Bandkippung per *Tunneleffekt in die verbotene Zone zu gelangen. Dies führt zu einer Änderung der opt. Eigenschaften in der Nähe der Grundgitterabsorptionskante. Bei Halbleitern mit exponentieller Absorptionskante beobachtet man eine Verschiebung der Kante zu kleineren Photonenenergien, wobei die Verschiebung proportional zum Quadrat der angelegten Feldstärke ist; s. a. *Lit.*[3].
5. *Elektroabsorption.* Änderung des Absorptionsvermögens eines Festkörpers auf Grund des Franz-Keldysch-Effekts (s. oben).
6. *Elektroreflexion.* Änderung des Reflexionsvermögens eines Festkörpers durch ein äußeres elektr. Feld,

das die Dichte der Energiezustände verändert, die an dem opt. Übergang beteiligt sind. – *E* electro-optic effects – *F* effets électrooptiques – *I* effetti elettroottici – *S* efectos electroópticos

Lit.: [1] Pedrotti et al., Optik, Eine Einführung, München: Prentice Hall 1996; Pérez, Optik, Heidelberg: Spektrum Wiss. Verlagsges. 1996. [2] Kohlrausch, Praktische Physik, Bd. 2, S. 339, Stuttgart: Teubner 1996. [3] Bergmann u. Schaefer, Lehrbuch der Experimentalphysik, Bd. 6, Festkörper, S. 83, 708, Berlin: de Gruyter 1992.
allg.: Drause, Molecular-Electro-Optics, New York: Plenum 1981 ■ Elion u. Elion, Electro-Optics Handbook, New York: Dekker 1979 ■ Fynn u. Powell, Cutting and Polishing of Electrooptic Materials, London: Hilger 1979 ■ Jennings, Electro-Optics and Dielectrics of Macromolecules and Colloids, New York: Plenum 1979 ■ Narasimhamurty, Photoelastic and Electro-Optic Properties of Crystals, New York: Plenum 1980 ■ s. a. Kerr-Effekt, Optoelektronik, Refraktion.

Elektroosmose (Elektroendosmose). Mit der *Elektrophorese verwandte, zu den *elektrokinetische Erscheinungen gehörende Wanderung einer Flüssigkeit durch eine Membran unter dem Einfluß eines elektr. Feldes. An der Grenzfläche zwischen einem Festkörper u. einer ihn umgebenden schwach leitenden Flüssigkeit bildet sich die *elektrochemische Doppelschicht aus, wobei der Festkörper entweder pos. od. neg. Ladung erhält, die Flüssigkeit eine äquivalente Ladung umgekehrten Vorzeichens. Bildet der Festkörper eine poröse Membran, die den Anoden- vom Kathodenraum einer Elektrolysezelle trennt, so hat man den Fall eines kolloiden Syst., bei dem der kolloide Anteil unbeweglich im Dispersionsmittel ist. Legt man nun eine Gleichspannung an die Zelle, so wird die Flüssigkeit je nach dem Vorzeichen ihrer Ladung in den Anoden- od. Kathodenraum wandern, da nicht wie bei der Elektrophorese die Kolloide (feste Phase) in der Flüssigkeit frei beweglich sind. Die überführte Flüssigkeitsmenge, gemessen an ihrem Vol. V, ist nach *Helmholtz (1879) gegeben durch

$$V = \frac{q\,\zeta\,E\,D}{4\,\pi\,\eta}.$$

Darin ist q der Querschnitt der Membran, ζ das *Zeta-Potential, E das Strömungspotential, D die *Dielektrizitätskonstante u. η die *Viskosität der Flüssigkeit. Man wendet die E. u. a. zur Entwässerung von Torf, Schlämmen, Leim, Farbpasten sowie zum Entsalzen von Wasser. Auch bei der *isoelektrischen Fokussierung sind E.-Erscheinungen beteiligt. – *E* electroosmosis – *F* électro-osmose – *I* elettroosmosi – *S* electroósmosis

Lit.: Hamann u. Vielstich, Elektrochemie I, Weinheim: Verl. Chemie 1985 ■ Hibbert u. James, Lexikon Elektrochemie, Weinheim: VCH Verlagsges. 1987 ■ s. a. elektrokinetische Erscheinungen.

Elektropherogramm, -graphie s. Elektrophorese.

Elektrophil s. elektrophile Reaktionen.

Elektrophile Reaktionen. Unter e. R. faßt man im wesentlichen die elektrophile *Addition u. elektrophile *Substitution zusammen. E. R. verlaufen in der Regel zweistufig, wobei zunächst ein elektrophiles (elektronenliebendes) Teilchen ein Substrat mit erhöhter Elektronendichte (nucleophile Verb., s. nucleophile Reaktionen), z. B. das π-Syst. einer *aromatischen Verbindung, angreift. Als elektrophile Spezies kommen v. a. pos. Ionen (z. B. *Carbenium-Ionen), pos. Enden eines Dipols (z. B. Carbonyl-Derivate) od. induzierten Dipols, *Lewis-Säuren usw. in Frage. Ob die Reaktion als Substitution od. Addition weiterläuft, hängt von der thermodynam. Stabilität des Endproduktes ab. Während aromat. Verb. prakt. ausschließlich unter Substitution reagieren, addieren Alkene u. Alkine das zum Elektrophil vorhandene Gegenion. Am besten untersucht sind die elektrophilen aromat. Substitutionen wobei *Halogenierung, *Nitrierung, *Sulfonierung, *Alkylierung u. *Acylierung diesem Reaktionstyp angehören. – *E* electrophilic reactions – *F* réactions électrophiles – *I* reazioni elettrofili – *S* reacciones electrófilas

Lit.: Angew. Chem. **92**, 147 ff. (1980); **106**, 990 ff. (1994) ■ Chem. Rev. **94**, 2359–2382 (1994) ■ s. a. Textstichwörter.

Elektrophorese. Die E. beruht, ebenso wie *Elektrodialyse, -dekantation u. -osmose auf einer *elektrokinetischen Erscheinung, nämlich der Wanderung in Flüssigkeit dispergierter od. kolloidal gelöster geladener Teilchen im elektr. Feld. Dabei bewegen sich die Partikeln mit pos. Ladung zur Kathode (*Kataphorese*), die neg. geladenen zur Anode (*Anaphorese*). Aufgrund dieses Effekts wird die E. in der Biochemie, Biologie u. Medizin als analyt. Trennverf. u. für mikropräparative Zwecke vorwiegend bei kolloidalen u. makromol. Stoffen angewendet. Maßgebend für die Trennschärfe der E. ist die Wanderungsgeschw. der Teilchen; diese ist eine Funktion von Form u. Größe der Teilchen, ihrer Ladung, pH, Temp., Viskosität u. Feldstärke. Je nachdem, ob die E. in freier Lsg. erfolgt (wobei die Untersuchungslsg. beidseitig an eine Pufferlsg. angrenzt) od. ob man die Untersuchungslsg. auf ein mit Puffer getränktes Trägermaterial (z. B. Papier) aufträgt, unterscheidet man zwischen *freier E.* u. *Träger-E. (Elektropherographie)*, die in verschiedenen Variationen bes. breite Anw. gefunden hat. Man unterscheidet nach Art des Trägers z. B. zwischen *Agargel-E., Stärkegel-E.* als Verf. der *Gel- (Dünnschicht-)Elektrophorese* u. der *Papier-E.*; früher sprach man auch von *Zonenelektrophorese*, da sich Substanzgemische auf Säulen (ähnlich wie bei der *Säulenchromatographie) in einzelne Zonen trennen lassen. Als Trägermaterialien finden weiterhin Asbestfasern, Baumwollcellulose, Glasperlen u. -pulver, Kunstharze, Celluloseacetat etc. Verwendung. Bes. Beliebtheit erfreut sich die PAGE (von *Polyacrylamidgelelektrophorese*). Resultat einer Träger-E. ist ein *Elektropherogramm*, bei der Papier-E. z. B. ein Papierstreifen, auf dem die verschiedenen Komponenten eines Trennungsgemisches in einzelne Zonen (Banden) getrennt vorliegen. In speziellen Fällen können auch neutrale Teilchen elektrophoret. getrennt werden (sog. *Dielektrophorese*, s. Pohl, *Lit.*). Sind die Substanzen farblos, so können sie durch geeignete Färbungen sichtbar gemacht werden, z. B. mit Coomassie-Brillantblau R 250 od. *Amidoschwarz 10 B für Proteine. Die Substanzen können eluiert u. kolorimetr. vermessen od. einfacher nach Behandlung mit Transparenzöl direkt im durchfallenden Licht photometriert od. mit speziellen *Densitometern (*Scanner*) untersucht werden; auch radiochem. Meth. gelangen zur Anwendung. Auf diese Weise läßt sich eine Extinktionskurve aufstellen, deren planimetr. Ausmessung direkt Aufschluß über die relativen Anteile der einzelnen Fraktionen ergibt. Eine Träger-E. läßt sich in wenigen Stunden od. gar Minuten durchführen, ggf. unter Anw. von Hochspannung. Auch anorgan. Ionen lassen sich durch E. trennen. Für Medizin u. Biologie ist die *Immunelektrophorese von bes. Bedeutung, die von *Antigen-Antikörper-Reaktionen der Proteine Gebrauch macht.

In neuerer Zeit wurde für die Trennung von Stoffen mit verschiedenen *isoelektrischen Punkten (insbes. Eiweiß) die spezielle Technik der *isoelektrischen Fokussierung (IEF) entwickelt, bei der mit Hilfe von *Ampholyten als Puffer-Substanzen zwischen Anode u. Kathode ein pH-Gradient erzeugt wird. Eine Weiterentwicklung der E. ist auch die sog. *Isotachophorese, bei der Ionen unterschiedlicher Beweglichkeit zwischen zwei Elektrolyten in einzelne, mit gleicher Geschw. wandernde Zonen getrennt werden. Daneben kennt man sog. *zweidimensionale E., Trans-E.* u. verschiedene Varianten der Immunelektrophorese. Alle diese Verf. arbeiten *diskontinuierlich*, weshalb man hier pauschal von *Disk.-E.* spricht. Allerdings kann der Ausdruck auch ein Hinweis auf Diskontinuitäten im Gel- u. Puffersyst. (insbes. bei PAGE) od. auf das scheibchenförmige Aussehen der getrennten Stoffzonen sein (*E disc, disk*). Für präparative E. kann man ein *kontinuierliches* Verf. anwenden, bei dem eine Elektrolytlsg. quer zu den Kraftlinien eines elektr. Feldes fließt, die Trennsubstanz kontinuierlich an einer bestimmten Stelle zugeführt wird u. bei der nach Durchwandern der Trennregion an verschiedenen Stellen die getrennten Komponenten kontinuierlich entnommen werden. Eine industrielle Anw. findet die E. als *elektrophoretische Lackierung u. in der *Elektrophotographie. – *E* electrophoresis – *F* électrophorèse – *I* elettroforesi – *S* electroforesis

Lit.: Blaich, Analytische Elektropheseverfahren, Stuttgart: Thieme 1978 ▪ Kirk-Othmer (3.) **2**, 620 ▪ Lewis u. Opplt, Handbook of Electrophoresis (2 Bd.), Boca Raton: CRC 1980 ▪ Pohl, Dielectrophoresis, Cambridge: Univ. Press 1978 ▪ Ullmann (4.) **5**, 217–234 ▪ s. a. elektrokinetische Erscheinungen, isoelektrische Fokussierung u. Trennverfahren.

Elektrophoretische Lackierung (Elektrotauchlackierung). Tauchverf., bei dem die *Beschichtung durch Einwirkung eines elektr. Feldes (50–400 V) erfolgt. Der zu lackierende, den elektr. Strom leitende Körper wird als Anode od. Kathode in das Farbbad eingebracht, in der Praxis fungiert die Beckenwand als 2. Elektrode. Die abgeschiedene Lackmenge ist der zugeführten Strommenge direkt proportional. Die e.L. wird bes. zur Grundierung, z. B. in der Automobil-Ind. eingesetzt. Es treten keine Spritzverluste auf, u. die erhaltenen Beschichtungen sind auch an schwer zugänglichen Stellen sehr gleichmäßig. Bei nichtleitenden Unterlagen, z. B. Kunststoffen, Glas, Keramik usw. bedient man sich zur Beschichtung der *elektrostatischen Auflagung der Lackteilchen (sog. *elektrostat. Lackierung*). – *E* electrophoretic coating – *F* revêtement électrophorétique – *I* verniciatura elettroforetica – *S* revestimiento electroforético

Lit.: DIN 55945 (12/1988) ▪ Ullmann (4.) **3**, 302 f.; **15**, 691 f., 708; (5.) **A 18**, 495 f.; s. a. Anstrichstoffe, Beschichtung, Lacke.

Elektrophotographie (Elektrokopierverfahren). Reproduktionsverf., das – anders als die herkömmliche *Photographie – nicht auf photochem. Reaktionen, sondern auf photoelektr. u. elektrostat. Effekten beruht u. daher auch *elektrostat. Kopierverf.* genannt wird. Man unterscheidet im allg. die *Zinkoxid-E.* u. die *Xerographie*. Beide Prozesse bedienen sich der folgenden Arbeitsschritte: *Aufladung:* Die auf einen Träger (Papier od. Metall) aufgebrachte, dünne, rückseitig geerdete, photoleitende Schicht (z. B. aus ZnO-Pulver von geeigneter Leitfähigkeit u. Korngröße, mit einem spektralen *Sensibilisator (z. B. Bromphenol- bzw. -thymolblau od. Bengalrosa u. Siliconharz als Bindemittel) wird im Dunkeln durch den Ionenstrom einer sog. Corona-Entladung (Elektrodenspannung 5000–10000 V) elektrostat. aufgeladen. Bei der verwandten *Xerographie* wird ein mit einer Selen-Schicht bedeckter zylindr. Körper (Selen-Trommel) pos. aufgeladen (vgl. Abb. 1, hier allerdings in die Ebene projiziert).

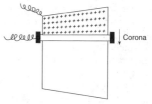

Abb. 1: Auflagung bei der Elektrophotographie.

Bei der *Belichtung* wird weißes Licht aus Glüh- od. Halogenlampen bzw. Leuchtstoffröhren (bei Xerographie ggf. auch grünes Licht) durch eine Vorlage im Kontakt od. durch Projektion auf die pos. (Se) od. neg. (ZnO) aufgeladene Schicht eingestrahlt. Dabei entsteht eine Wiedergabe in Form eines unsichtbaren elektrostat. Bildes dadurch, daß die vom Licht getroffene Schicht infolge Photoleitung ihre Ladung durch Abfluß zur geerdeten Unterlage verliert, während die unbelichteten Stellen der Schicht infolge des hohen Dunkelwiderstandes ihre Ladung behalten.

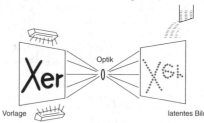

Abb. 2: Belichtung u. Entwicklung bei der Elektrophotographie.

Die Abb. 2 zeigt die Verhältnisse für die Xerographie, während bei der ZnO-E. ein latentes Bild entstehen würde, in dem „Xer" aus neg. Ladungen aufgebaut wäre. *Entwicklung* (Betonerung): Zur Sichtbarmachung des elektrostat. Bildes wird im Dunkeln ein Pulvergemisch (*Toner*) aus Rußkunstharzpulver (auf einem Trägermaterial wie Eisenfeilspänen, Kunstharz- od. Glasperlen aufgezogen) durch Rieseln, Walzenantrag od. in eine hoch isolierenden organ. Flüssigkeit dispergiert auf die Schicht gebracht (vgl. Abb. 2). Infolge des triboelektr. Effekts werden bei inniger Berührung infolge Bewegung des Pulvergemisches die Rußkörnchen pos. aufgeladen u. von dem neg. Ladungsbild (das ZnO) der Schicht fest angezogen, wo sie haften bleiben. Ähnliches, mit umgekehrten Vorzeichen, gilt für die Xerographie. Bei dieser folgt jetzt ein *Umkopiervorgang*, in dem das noch auf der Selen-Trommel haftende seitenverkehrte Bild durch ein kräftiges pos. Potential auf das Kopierpapier (unbeschichtetes Papier) „abgesaugt" wird (Abb. 3).

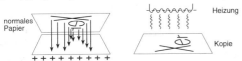

Abb. 3: Umkopieren u. Fixieren durch Wärme.

Dieser Arbeitsgang entfällt bei der ZnO-E., bei der sich an die Entwicklung des Bildes unmittelbar die *Fixierung* anschließt. Diese erreicht man z. B. durch Erwärmen mit einer Infrarotheizung, wobei das Entwicklerpulver auf dem Kopierpapier (Xerokopie) od. dem Zinkoxid-Papier anschmilzt. Neben ZnO u. Se können auch CdS u. organ. Halbleiter in aufladbaren Schichten eingesetzt werden, als Sensibilisator eignet sich auch Chlorophyll. Im allg. zeichnen sich die ZnO-Kopien durch etwas größere Schärfe u. bessere Wiedergabe von Halbtönen aus, während die Vorzüge der Xerographie darin liegen, daß mit normalem Papier (auch transparent u. Karton) gearbeitet werden kann; nach beiden Verf. sind Druckträger für *Offsetdruck herstellbar. Bei modernen Geräten wird das Bild abgetastet (gerastert) u. danach digital weiterverarbeitet u. reproduziert. Hierbei kann das Bild neben der herkömmlichen Vergrößerung od. Verkleinerung (Länge u. Breite werden mit gleichem Faktor multipliziert), zusätzlich in einer Richtung gedehnt od. gestaucht werden od., falls es sich um einen Farbkopierer handelt, die Farben geändert werden (z. B. ein bestimmter Rot-Ton wird durch gelb ersetzt). Farbige Kopien werden durch mehrmalige, hintereinander durchgeführte Kopiervorgänge erreicht, wobei die Belichtung mit jeweils andersfarbigem Licht durchgeführt wird. Toner der entsprechenden Farbe verwendet wird. In einer neuen Generation von Geräten werden *LED eingesetzt, um die photoleitende, rotierende Trommel zu beschreiben od. zu löschen. Die LED sind hierzu in einer Zeile, so breit wie das Papier, angeordnet. Bei einer typ. Dichte von 300 bzw. 600 pro Zoll enthält eine Zeile mehrere tausend LEDs, die oft als monolith. Chip aus GaAs aufgebaut sind u. im roten Wellenlängenbereich emittieren.

Geschichte: Die erste erfolgreiche Übertragung eines Schriftzuges auf Papier gelang dem amerikan. Physiker Chester Carlson u. dem dtsch. Physiker Otto Kornei am 22.10.1938. Sie verwendeten eine mit Schwefel beschichtete, elektr. aufgeladene Metallplatte. Nach der Belichtung hafteten Bärlappsamen nur an den unbelichteten, also weiterhin geladenen Stellen u. konnte auf Wachspapier übertragen werden. In ganz anderem Sinn als oben versteht man E. als photograph. Phänomene unter dem Einfluß von elektr. Feldern od. als sog. *Kirlian-Photographie. – *E* electrophotogra-phy – *F* électrophotographie – *I* elettrofotografia – *S* electrofotografía

Lit.: Durbeck, Printing and Reprography, Electronic, Encycl. of Physical Science and Technology, Bd. 13, S. 473–490, San Diego: Academic Press 1992 ■ Kiess, Electrophotographic Processes in ZnO Layers (Progr. Surface Sci. 9/4), Oxford: Pergamon 1979 ■ Kirk-Othmer (4.) **9**, 245–276 ■ Schein, Electrophotography and Development Physics, Berlin: Springer 1988 ■ Vincett, Photographic Processes and Materials, Encycl. of Physical Science and Technology, Bd. 12, S. 599–649, San Diego: Academic Press 1992 ■ Winnacker-Küchler (3.) **5**, 638–644 ■ s. a. Photographie, Reprographie.

Elektrophotolumineszenz s. Gudden-Pohl-Effekt.

Elektroplattierung, Elektropolierung s. Galvanotechnik.

Elektro-Polymerisation s. elektrochemische Polymerisation.

Elektroporation s. Elektrotransformation.

Elektroschmelzwerk Kempten GmbH. Kurzbez. ESK, 81737 München. Die 100%ige Tochterges. der Wacker-Chemie stellt u. a. Silicium- u. Borcarbide für Hartstoffe u. Schleifmittel, Ind.-Diamanten u. anorgan. Bor-Verb. her.

Elektrosilberung s. Silberung.

Elektrosmog. Schlagwort für die von Sendefunkanlagen (Mobilfunk, TV-/Radiosender), Stromleitungen, Umspannanlagen u. elektr. Geräten ausgehenden elektromagnet. Felder [1] (EMF). Mit dem Schlagwort soll auf die vermutete Gefahr für die Bevölkerung durch schwache nieder- bis hochfrequente EMF ($10^0 - 10^{14}$ Hz) aufmerksam gemacht werden (s. Abb. bei Anregung, S. 207). Diese EMF induzieren (meist nicht wahrnehmbare) Körperströme u. Erwärmung, bei Berührung von nichtgeerdeten leitenden Gegenständen auch eine Entladung. EMF können die Funktion elektr. Geräte, insbes. von Herzschrittmachern, stören. Vermutungen, daß schwache EMF Krebs verursachen, werden durch wissenschaftliche epidemiolog. Studien nicht gestützt [2].

Recht: Ziel rechtlicher Maßnahmen ist die Vermeidung unzulässiger Temperaturerhöhung im Körper durch Begrenzung der spezif. Absorptionsrate. Richtwerte zum Schutz von Arbeitnehmern u. Bevölkerung finden sich in DIN VDE 0848, Tl. 2 u. 4 („Sicherheit in elektromagnet. Feldern"; Entwurf 10/1991 bzw. Vornorm 07/1995). An einer VO nach *Bundes-Immissionsschutzgesetz wird gearbeitet [3]. – *F* brouillard électromagnétique – *I* elettrosmog – *S* electrosmog

Lit.: [1] Römpp Lexikon Umwelt, S. 215. [2] Chem. Eng. News (8. 11.) **1993**, 15–29; Science **262**, 649 (1993); Umwelt (BMU) **1993**, 162–166. [3] Umwelt (BMU) **1993**, 458 f.; **1995**, 293. *allg.:* 26. BImSchV (VO über elektromagnet. Felder) vom 16.12.1996 (BGBl. I, S. 1966) ■ Entsorgungspraxis **1996**, Nr. 12, 75–79.

Elektrospray-Ionisation (ESI). Ein schonendes Ionisierungsverf. für Biomakromol. u. -komplexe mit Molmassen >100 kDa für die *Massenspektrometrie. Die ESI erfolgt aus homogener Lsg. unter Normaldruck u. bei Raumtemperatur. Die Probenlsg. (2–10 µl/min) wird durch eine Mikrokapillare (polyimidbeschichtetes Quarzglas) gepumpt, deren Ende durch eine Metallkapillarspitze geführt ist (s. Abb. 1, S. 1131).

Elektrostahl

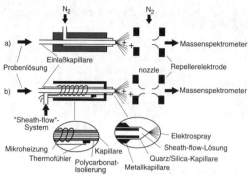

Abb. 1: Schemat. Darstellung kommerzieller Ionenquellen. a) Ionenquelle mit Gegenstrom (N_2); b) therm. unterstützte Elektrospray-Ionenquelle.

Ein elektr. Feld mit einer Potentialdifferenz von 2–5 kV zwischen dem Kapillarende u. einer zylindr. Eintrittsblende erzeugt den Spray geladener Tröpfchen. Beim Ionisierungsprozeß werden Makromol. (Kationen u. Anionen) mit unterschiedlichen Ladungszahlen durch schnelle Zerstäubung der Tröpfchen u. Desolvatisierung gebildet. Günstig für die Desolvatisierung ist ein geringes Potential (ca. 10–100 V) zwischen der Eintrittsblende u. einer Repellerelektrode. Bei einem Typ Ionenquelle (Abb. 1 a) wird die Desolvatisierung pneumat. mit einem *Inertgas-Gegenstrom (meist Stickstoff) unterstützt. Bei einem anderen Typ erfolgt die Desolvatisierung durch eine Mikroheizung bei 40–45 °C (Abb. 1 b). Der koaxiale Flüssigkeitsstrom, „Sheathflow"-Syst. genannt u. ursprünglich zur Direktkopplung von *Kapillarelektrophorese u. ESI-MS entwickelt, ermöglicht die Herst. spezif. Lösungsbedingungen wie z.B. pH u. Puffersysteme. Der Ionisierungsmechanismus ist noch nicht exakt aufgeklärt. Die Abb. 2 zeigt eine Modellvorstellung, wobei es noch andere gibt.

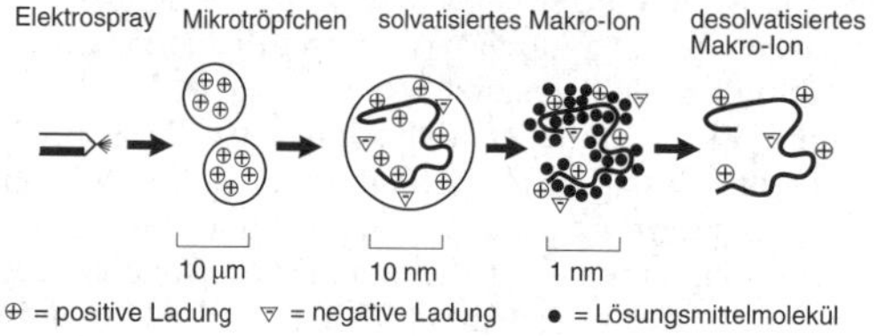

Abb. 2: Schemat. Darstellung der Bildung von Makromolekül-Ionen. Das desolvatisierte Ion hat in diesem Fall eine Gesamtladung von 3+.

Verw.: Zur analyt. Untersuchung von Biomakromol. u. in der *supramolekularen Chemie. – *E* electrospray ionization – *F* ionisation par électrospray – *I* ionizzazione elettrospray – *S* ionización electrospray
Lit.: Angew. Chem. **108**, 878–899 (1996) ▪ Mass Spectrom. Rev. **10**, 359 (1991) ▪ Science **246**, 46 (1989).

Elektrostahl. *Stahl, bei dem die erforderliche Wärme zur Durchführung der metallurg. Prozesse nicht durch die Exothermie der Verbrennung von Stahl-Begleitern unter Zusatz von Sauerstoff bereitgestellt wird, sondern durch elektr. Energie. Der weitaus größte Anteil von E. wird in Elektrolichtbogenöfen hergestellt. Als Rohstoff (Beschickung) dient bevorzugt *Schrott (s.a. Altmetall), der durch einen übertragenen *Lichtbogen zwischen den durch den Deckel abgesenkten, selbstverzehrenden Graphit-Elektroden u. der Beschickung bei sehr hohen Temp. aufgeschmolzen wird. Die elektr. Leistung pro t Beschickung liegt bei 500 kW. Nach dem Aufschmelzen wird der Schrott gefrischt (Eisenoxide reagieren mit in Schmelze gelöstem C) u. anschließend durch Zugabe von Reduktionsmitteln (*Desoxidationsmittel) gefeint. Vorteile sind Flexibilität u. Wirkungsgrad der Verf. sowie der Reinheitsgrad der hergestellten Stähle (s. Edelstahl). Modif.: *Vak.-Lichtbogen-Verf.* mit Unterdruck im Ofen; *Elektro-Schlacke-Verf.* mit Eintauchen der Graphit-Elektroden in ein Schlackebad; *Plasma-Lichtbogen-Verf.* mit nicht übertragenem Lichtbogen u. Argon-Plasma als Energieträger. Die alternative Erzeugung von E. in Induktions- od. Widerstandsöfen hat anteilmäßig geringe Bedeutung. – *E* electro steel, electric steel – *F* acier électrique – *I* acciaio elettrico – *S* acero eléctrico
Lit.: Ullmann (4.) **22**, 8 ▪ s.a. Stahl.

Elektrostatische Aufladung. Bei der Berührung (Reibung, Strömung) von elektr. ungeladenen Stoffen mit unterschiedlichen *Dielektrizitätskonstanten wandern Elektronen aus einem in den anderen Stoff. Die so entstehende Ladungsverschiebung bleibt bei einer raschen Trennung der beiden Stoffe erhalten u. kann zur Ausbildung hoher elektrostat. Potentiale führen[1], deren Stärke durch das *Coulombsche Gesetz definiert ist. Wegen der Gefahr einer Funkenentladung (die übrigens selbst beim Kämmen von *Haar im Dunkeln beobachtet werden kann, s. *Lit.*[2]) ist die durch Reibung (s. Triboelektrizität) od. *Strömung (vgl. elektrokinetische Erscheinungen) entstehende e.A. ein Risiko für die *Arbeitssicherheit. Gegenmaßnahmen bestehen darin, daß man einen Ladungsausgleich – z.B. durch Erden, leitend machen mit Metallfasern, Ionisation der umgebenden Luft – herbeiführt u./od. *Antistatika anwendet. Die Berufsgenossenschaft der chem. Ind. hat Richtlinien für die Vermeidung von Zündgefahren infolge elektrostat. Aufladungen (Weinheim: Verl. Chemie 1980) herausgegeben.

Andererseits nutzt man das Phänomen der e.A. für verschiedene techn. Prozesse, z.B. zur Trennung von Kali- u. Magnesium-Rohsalzen[3], zur *Entstaubung von Gasen (s.a. Cottrell-Verfahren), bei der Abscheidung von *Staub auf Faserfiltern[4], zur elektrostat. *Pulverbeschichtung[5], zur *Beflockung von Textilien od. Kunststoff für die Erzeugung samt- od. velourartiger Oberflächen sowie in der *Elektrophotographie (elektrostat. Kopierverf.). – *E* static electrification – *F* électrisation électrostatique – *I* carica elettostatica – *S* electrización electrostática, carga electrostática
Lit.: [1] Umschau **77**, 794ff. (1977). [2] J. Soc. Cosmet. Chem. **28**, 549–569 (1977). [3] Umschau **81**, 272ff. (1981). [4] DECHEMA-Monogr. **80**, 623–635 (1976). [5] Plaste Kautsch. **26**, 527–533 (1979).
allg.: Beispielsammlung zu den Richtlinien „Statische Elektrizität", Merkblatt 4/88 der B.G. Chemie Heidelberg: Jedermann 1980 ▪ Chem. Eng. (Rugby, Engl.) **454**, 49 (1988) ▪ Chem.-Ing.-Tech. **52**, 635 (1980); **60**, (4) 266–270, 273 (1988) ▪ Current Electrostatics Literature Collected and Classified by the Research Institute of Electricity, Uppsala: Res. Inst. Electricity 1977 ▪ Elektrostatische Aufladung von Kunststoffen, Würzburg: Süddtsch. Kunststoff-Zentrum 1979 ▪ Expertenkomm. für Sicherheit in der chem. Industrie der Schweiz „Sta-

tische Elektrizitätsregeln für die betriebliche Sicherheit" Chem. Rundsch. **31**, 33 (1978) ▪ Kirk-Othmer (4.) **3**, 544 ▪ Lüttgens u. Boschung, Elektrostatische Aufladungen, Ursachen u. Beseitigung, Grafenau: expert-Verl. 1979 ▪ VDI-Bericht 701 „Sichere Handhabung brennbarer Stäube" DECHEMA 1989 ▪ s. a. Arbeitssicherheit. – *Zeitschrift:* Journal of Electrostatics, Amsterdam: Elsevier.

Elektrostatische Beschichtung. Ein auf *elektrostatischer Auflladung basierendes Beschichtungsverf., das meist als *Pulverbeschichtung ausgeführt wird. Der *elektrophoretischen Lackierung liegt ein anderes Prinzip zugrunde. – *E* electrostatic coating – *F* enduction électrostatique – *I* spalmatura elettrostatica – *S* revestimiento electrostático

Lit.: s. elektrostatische Aufladung.

Elektrostatische Bindung s. chemische Bindung.

Elektrostatische Einheit (Abk. esE). Man versteht darunter diejenige Elektrizitätsladung, die auf eine gleich große, im Abstand 1 cm befindliche Ladung mit der Kraft von 10^{-7} J wirkt. Die e. E. ist sehr klein, daher rechnet man in der Praxis gewöhnlich mit *Coulomb; 1 Coulomb = 3×10^9 esE. – *E* statcoulomb, electrostatic unit – *F* unité électrostatique – *I* unità elettrostatica – *S* unidad electrostática

Elektrostatische Kopierverfahren s. Elektrophotographie.

Elektrostriktion s. Piezoelektrizität.

Elektrotauchlackierung s. elektrophoretische Lackierung.

Elektrothermie. Anw. der elektr. Energie zur Wärmeerzeugung in der *Metallurgie, s. a. Elektrometallurgie u. Elektrostahl. – *E* electrothermy – *F* electrothermie – *I* elettrotermia – *S* electrotermia

Elektrotransformation (Transformation durch Elektropermeabilisierung). Bez. für ein physikal. Verf. zum Einschleusen von *DNA in eine Empfängerzelle (s. Transformation) durch Änderung der Membranpermeabilität im elektr. Feld. Die Meth. basiert auf der Beobachtung von Zimmermann[1], daß elektr. Stromstöße kurzer Dauer u. hoher Intensität zu vorübergehenden Membranveränderungen unter Ausbildung von Mikroporen führen. Der Vorgang der Porenbildung wird daher auch als *Elektroporation* bezeichnet (z. T. wird unter Elektroporation noch der gesamte Vorgang der E. verstanden).
Die Meth., die von Neumann u. Mitarbeitern[2] zunächst zur E. von Säugerzellen benutzt wurde, ist breit anwendbar bei eukaryont. Syst. (pflanzlichen. u. tier. Zellen, von Mikroorganismen vorwiegend Hefen), in zunehmendem Maße auch bei Bakterien. Üblicherweise werden dabei intakte Zellen od. *Protoplasten in Ggw. von DNA einem od. wenigen kurzen (1–5 Mikrosekunden) elektr. Impulsen von Feldstärken zwischen 1–30 kV cm^{-1} unterworfen (s. a. Elektrofusion, Gentechnologie). – *E* electrotransformation – *F* électrotransformation – *I* elettrotrasformazione – *S* electrotransformación

Lit.: [1] Biophys. J. **13**, 1005 (1973). [2] EMBO J. **1**, 841 (1982). *allg.:* Anal. Biochem. **170**, 38 (1988) ▪ Annu. Rev. Microbiol. **49**, 427 (1995) ▪ Appl. Microbiol. Biotechnol. **30**, 283 (1989) ▪ Biophys. Chem. **26**, 321 (1987) ▪ TIBTech, Dec. **1988**, 303 ▪ s. a. Elektrofusion.

Elektrum. Im Altertum verwendete Leg. aus ca. 3 Tl. *Gold u. 1 Tl. *Silber, auch alte Bez. für *Bernstein. – *E* = *I* electrum – *F* électrum – *S* eléctrum

Elemene.

R = H : δ-Elemen
R = OH : δ-Elemen-9-ol

R = H : Elemol

Sesquiterpene aus *Elemi, Java-Citronellöl, *Kadsura japonica* u. *Dysoxylon frazeranum*. Bes. wichtige Verb. sind *Elemol* {$C_{15}H_{26}O$, M_R 222,37, Krist., Schmp. 53 °C, $[\alpha]_D^{20}$ –5,8° (CHCl$_3$)}, *δ-Elemen* {$C_{15}H_{24}$, M_R 204,36, Öl, Sdp. 107 °C (1,3 kPa), $[\alpha]_D \pm 0°$} u. *δ-Elemen-9-ol* {$C_{15}H_{24}O$, M_R 220,35, Öl, kommt sowohl in der *cis*-Form als auch in der *trans*-Form vor, $[\alpha]_D^{24}$ –13,1° (CH$_3$OH)}. – *E* elemenes – *F* élémènes – *I* elemeni – *S* elemenos

Lit.: ApSimon **2**, 265–276 ▪ Beilstein E IV **5**, 1180 ▪ Can. J. Chem. **61**, 1111 (1983) ▪ Scheuer I **1**, 163; **2**, 253, 280 ▪ Tetrahedron Lett. **1968**, 2899; **1969**, 869, 1779; **30**, 685–688 (1989). – [CAS 639-99-6 *(Elemol)*; 20307-84-0 *(δ-Elemen)*; 20482-29-5 *(δ-Elemen-9-ol)*]

Elementaranalyse. Verf. zur Bestimmung der Gewichtsprozente chem. Elemente in organ. Verbindungen. Aus diesen Daten kann nach einer *Molmassenbestimmung die *Bruttoformel u. damit die *Stöchiometrie einer Verb. ermittelt werden. Durch weitere *physikalische Analysen gelangt man zur Konstitutions- u. letztendlich zur Strukturformel. Da organ. Verb. überwiegend aus den Elementen C, H, O u. N bestehen, beschränkt man sich meist auf eine C,H,N-Analyse (C,H,N-Analyzer); Sauerstoff kann durch Differenzrechnung ermittelt werden. Fügt man zu diesen Elementen noch einige sog. Heteroelemente wie Halogene, S u. P hinzu, hat man fast das gesamte Spektrum der *organischen Chemie abgedeckt.

Das Vorhandensein dieser Elemente kann durch *Vorproben wie Lassaigne- od. *Beilsteintest nachgewiesen werden. Die eigentliche E. beginnt mit der Probenvorbereitung, bei der durch entsprechende Reinigungs- u. *Trennverfahren die notwendige *chemische Reinheit erhalten wird. Nach dem Abwiegen schließt sich die Mineralisierung auch heute noch überwiegend wie bei der klass. E. (*Pregl) durch Verbrennungsanalyse an. Die endgültige Bestimmung der Verbrennungsgase erfolgt nach ihrer Trennung meist durch Wärmeleitfähigkeitsdetektoren. Bei einigen Verf. werden die Elemente C u. H simultan u. Stickstoff getrennt mit *Azotometern bestimmt. Bei der *Kjeldahl-Meth. wird der Stickstoff naßchem. in Ammoniak umgewandelt u. titrimetr. bestimmt. Ebenfalls titrimetr. lassen sich Schwefel u. Halogene nach der *Schöniger-Bestimmung bestimmen, gravimetr. wird nach der *Carius-Methode gearbeitet. Der Trend geht auch bei der E. in Richtung *Automation unter Einsatz elektron. Datenverarbeitung mit dem Ziel der simultanen Multielementanalyse. Dieses Ziel ist mit hochauflösenden Massenspektrometern mit induktiv gekoppeltem Plasma (*ICP) u. Mikrowellen-Plasma-Emis-

sionsspektrometern als selektive Elementdetektoren erreichbar. Der hohe Preis derartiger Geräte konnte aber den C,H,N-Analyzer für die organ. E. nicht verdrängen. – *E* elemental analysis – *F* analyse élémentaire – *I* analisi elementare – *S* análisis elemental
Lit.: Ehrenberger, Quantitative Elementaranalyse, Weinheim: VCH Verlagsges. 1991 ▪ Schwedt, Analytische Chemie, S. 202 ff., Stuttgart: Thieme 1995.

Elementare Anregung. Ein im allg. krist. *Festkörper enthält pro cm^3 ca. 10^{23} Atomrümpfe u. äußere (Valenz-)elektronen. Die Behandlung dieses Vielteilchenproblems mit der *Schrödingergleichung ist im allg. nicht möglich. Statt dessen versucht man die gemeinsamen Bewegungen der Bausteine (Atomrümpfe, Elektronen, Spins) getrennt durch *Normalkoordinaten zu beschreiben. Dieses Verf. führt zum Konzept der kollektiven Anregungen. Die Quantisierung dieser kollektiven Anregungen liefert die e. A. des Festkörpers. *Beisp.:* *Phononen als Quanten der Gitterschwingungen, *Plasmonen als Quanten der kollektiven Schwingung der Leitungselektronen von Metallen u. dotierten Halbleitern gegen den pos. Ladungshintergrund der Ionen, *Excitonen als Quanten der Anregung im Elektronensyst. von Halbleitern u. Isolatoren u. *Magnonen als Quanten der elementaren Anregungen im Spinsyst. von *Ferromagnetika u. verwandten Substanzen.
Treten die elementaren Anregungen in Wechselwirkung mit dem elektromagnet. Lichtfeld (*Photonen), so bildet sich ein Mischzustand aus Photon u. e. A. aus, dessen Quanten als *Polaritonen* bezeichnet werden (z. B. Phonon-Polariton, Exciton Polariton usw.), die Polaritonen sind die Eigenzustände von Licht in Materie. – *E* elementary excitation – *F* excitation elementaire – *I* eccitazione elementare – *S* excitación elementar
Lit.: Ibach u. Lüth, Festkörperphysik, 3. Aufl., Heidelberg: Springer 1991 ▪ Kittel, Einführung in die Festkörperphysik, 7. Aufl., München: Oldenbourg 1988 ▪ Klingshirn, Semiconductor Optics, Heidelberg: Springer 1995 ▪ Yu u. Cardona, Fundamentals of Semiconductors, Heidelberg: Springer 1995.

Elementarladung (elektr. Elementarquantum, Symbol e). Bez. für die Ladung des Elektrons (neg.) bzw. des Protons (pos.), die als die Ladungseinheit der Elektrizität gilt; 1,60217733(49) · 10^{-19} C. Die E. als Naturkonstante ist mit dem *Elektrochemischen Äquivalent (F) u. der *Avogadroschen Zahl nach e = F/N$_A$ verknüpft. Bei *Quarks (s. a. Elementarteilchen) beträgt die elektr. Ladung nur 1/3 od. 2/3 der Elementarladung. – *E* elementary charge – *F* charge élémentaire – *I* carica elementare – *S* carga elemental
Lit.: IUPAC, Größen, Einheiten u. Symbole in der Physikalischen Chemie, Weinheim: VCH Verlagsges. 1996.

Elementarprozesse. In der Physik Bez. für Vorgänge zwischen u. an *Elementarteilchen, in der Chemie synonyme Bez. für *Elementarreaktionen. – *E* elementary processes – *F* processus élémentaires – *I* processi elementari – *S* procesos elementales

Elementarreaktionen (Elementarprozesse). Bez. für einstufige Reaktionen, an denen ein od. zwei, selten drei Mol. beteiligt sind u. die – entweder nacheinander (*Sukzessiv-* od. *Folgereaktionen*) od. nebeneinander (**Simultan-* od. *Parallelreaktionen*) verlaufend – insgesamt die makroskop. erkennbare u. durch die Reaktionsgleichung ausgedrückte Bruttoreaktion (vgl. Reaktionsmechanismen) ergeben. Bei den Sukzessivreaktionen ist die langsamste, bei den Simultanreaktionen die schnellste für die Geschw. der Bruttoreaktion maßgebend, vgl. Kinetik. Nach der Anzahl der beteiligten Mol. der jeweiligen Ausgangsstoffe unterscheidet man bei den E. *uni-* od. *monomol. Reaktionen* (*Beisp.:* Zerfall, Isomerisierung) u. *bimolekulare Reaktionen* (*Beisp.:* Addition, Substitution); *höhermol. Reaktionen* sind seltener, da bereits das gleichzeitige Zusammentreffen dreier Mol. weniger wahrscheinlich ist. E. wurden in den letzten Jahrzehnten im Detail untersucht, v. a. unter Verw. von *Atomstrahlen, *Molekülstrahlen u. von modernen spektroskop. Techniken zur zustandsselektiven Erzeugung der Reaktanden od. zum Nachw. der Produkte. Für grundlegende Forschung an E. ging 1986 der Nobelpreis für Chemie an D. R. *Herschbach, Y. T. *Lee u. J. C. *Polanyi (*Lit.*[1]).
– *E* elementary reactions – *F* réactions élémentaires – *I* reazioni elementari – *S* reacciones elementales
Lit.: [1] Angew. Chem. **99**, 967, 1001, 1251–1275 (1987).
allg.: Ashfold u. Baggott, Bimolecular Collisions, London: The Royal Society of Chemistry 1989 ▪ Bamford u. Tipper, Selected Elementary Reactions (Comprehensive Chem. Kinetics 18), Amsterdam: Elsevier 1976 ▪ Geiseler, Chemische Elementarreaktionen u. Reaktionsmechanismen, Leipzig: Barth 1979 ▪ Nikitin u. Zülicke, Theorie chemischer Elementarprozesse, Braunschweig: Vieweg 1985 ▪ s. a. Kinetik, Reaktionen, Reaktionsdynamik, Reaktionsmechanismen.

Elementarteilchen. Der Begriff E. wurde zu Beginn der 30er Jahre geprägt, als man experimentell lediglich das *Proton, das *Elektron u. – als Strahlungsquant – das *Photon kannte. Inzwischen ist die Liste der E. auf mehrere hundert angestiegen (s. *Lit.*[1,2]) u. der Begriff „elementar" ist zu relativieren. Die modernen physikal. Theorien der E. versuchen, mit wenigen Grundbausteinen auszukommen u. legen verstärktes Gewicht auf fundamentale Symmetrien u. Wechselwirkungen; die meisten Vertreter des „Elementarteilchenzoos" sind demnach Teilchen mit innerer Struktur od. angeregte Zustände anderer Elementarteilchen. Trotz vielfältiger Anstrengungen u. beachtlicher Erfolge in den letzten Jahren liegt noch keine allg. akzeptierte umfassende Theorie der E. bei beliebigen Energien vor. Nach dem *Standardmodell* gibt es als Grundbausteine der Materie 6 *Quarks u. 6 *Leptonen*, dazu jeweils ihre *Antiteilchen. Man kennt z. Z. 4 fundamentale Kräfte, die *Gravitationskraft*, die *elektromagnetische Kraft*, die *schwache Kraft* u. die *starke Kraft*; eine „fünfte Kraft" wird diskutiert. Die starke Kraft bindet die Quarks z. B. zu Protonen od. Neutronen; die noch verbleibende starke Kraft vermag Protonen u. Neutronen zu Atomkernen zu binden; Näheres s. Kernmodelle. E., die der starken Kraft unterliegen u. als freie Teilchen beobachtet werden können, nennt man auch *Hadronen. Die schwache Kraft ist für bestimmte Arten des Kernzerfalls verantwortlich (s. Beta-Zerfall u. doppelter Betazerfall). Starke u. schwache Kraft sind kurzreichweitiger Natur; sie erstrecken sich lediglich über die Dimension eines Atomkerns. Die langreichweitige elektromagnet. Kraft bindet Atomkerne u. Elektronen zu Atomen; auch die Bildung *exotischer Atome ist möglich, wobei z. B. an die Stelle von Elektronen *Müonen treten. Die verbleibende elektromagnet. Kraft bindet Atome zu Molekülen. Ebenfalls langreichweitiger Natur ist die Gravitationskraft. Nach A. *Einsteins spezieller *Relativitätstheorie breitet sich eine physikal. Wirkung höchstens mit *Lichtgeschwindigkeit aus. Die zwischen 2 Teilchen wirkende Kraft wird daher durch den Austausch von Teilchen, sog. *Austauschteilchen*, erklärt, welche die zur Diskussion stehende Kraft mit endlicher Geschw. übertragen. Experimentell sind z. Z. 3 Arten von Austauschteilchen, auch *Eichbosonen* genannt, bekannt: *Photonen*, die *Vektorbosonen* W^+, W^- u. Z° – die Träger der schwachen Kraft – u. die die starke Kraft vermittelnden *Gluonen*. Die Träger der Gravitationskraft, als *Gravitonen* bezeichnet, konnten experimentell bisher nicht nachgewiesen werden; in Anbetracht der Kleinheit der Gravitationskraft in atomaren u. subatomaren Dimensionen ist dies aber nicht verwunderlich.

Obwohl die Suche nach freien Quarks bisher vergeblich blieb, sind die Indizien für ihre Existenz überwältigend. In Tab. 1 sind die Bezeichnungen u. einige Eigenschaften der 6 als gesichert geltenden Quarks u. ihrer Antiteilchen aufgeführt.

Jeweils 2 Quarks bilden eine *Quark-Familie*, der jeweils eine aus einem geladenen u. einem neutralen Lepton bestehende *Lepton-Familie* zugeordnet ist. Die Minimalzahl von Quark- bzw. Lepton-Familien ist 3; ob dies gleichzeitig die Maximalzahl ist, ist noch nicht endgültig geklärt (s. z. B. *Lit.*[3]). Die erste Quark-Familie wird vom *up-* u. *down-*Quark gebildet; die zugehörige Lepton-Familie umfaßt das Elektron u. das Elektron-Neutrino. Das up-Quark trägt die Ladung 2/3 (in Einheiten der *Elementarladung); das down-Quark hat die Ladung $-1/3$. Ein *Proton (p) mit der Ladung 1 stellt man sich aus zwei up-Quarks u. einem down-Quark aufgebaut vor. Analog setzt sich ein elektr. neutrales *Neutron (n) aus zwei down-Quarks u. einem up-Quark zusammen. Proton u. Neutron zählt man zu den *Baryonen. Das Proton ist stabil u. hat eine mittlere Lebensdauer von wenigstens 10^{38} s; ob es eine – wenn auch winzig kleine – endliche Zerfallswahrscheinlichkeit hat, ist z. Z. noch ungeklärt. Das freie Neutron hat eine mittlere Lebensdauer von ca. 15 min u. zerfällt durch die schwache Kraft in ein Proton, ein Elektron u. ein Elektron-Antineutrino gemäß $n \rightarrow p + e + \bar{v}_e$; dieser Prozeß erfolgt auch bei Atomkernen mit Neutronen-Überschuß (s. Beta-Zerfall).

Am Aufbau anderer Baryonen (s. Tab. 2, S. 1136) ist auch das 3. Quark beteiligt, das *strange*-Quark (s) genannt wird u. die Ladung $-1/3$ trägt. Seine Ruhemasse ist eine Größenordnung größer als die des down-Quarks. 3 strange-Quarks bilden das *Omega-minus*-Teilchen (Ω^-), welches von Murray *Gell-Mann 1962 aufgrund theoret. Überlegungen postuliert wurde u. für welches er eine Ruhemasse von ca. 1680 MeV vorhersagte. Diese Vorhersage wurde 1964 am Brookhaven National Laboratory (BNL) eindrucksvoll bestätigt; der exp. Wert wurde zu 1672 MeV erhalten. Neben Baryonen, die sich aus Tripletts von Quarks zusammensetzen, gibt es auch E. aus Quark-Paaren, die man zu den *Mesonen* zählt (s. Tab. 3, S. 1136); die Begriffe Baryonen u. Mesonen wurden vor der Entwicklung des Quark-Modells geprägt.

So stellt man sich die geladenen *Pionen* π^+ u. π^-, die zuerst 1947 in der *kosmischen Strahlung* entdeckt wurden, aus einem $u\bar{d}$- bzw. $d\bar{u}$-Paar aufgebaut vor. Weitere schon lange bekannte Mesonen sind das elektr. neutrale π^0 u. die *Kaonen* (K^0, K^+ u. K^-), die ebenfalls in der kosm. Strahlung gefunden wurden. 1974 wurde nahezu gleichzeitig am BNL u. am Stanford Linear Accelerator Center (*SLAC) ein Teilchen mit einer Ruhemasse von 3,1 GeV entdeckt, das den Namen J/Ψ erhielt u. eine Lebensdauer von ca. 10^{-20} s besitzt. Nur wenig später konnte mit dem Ψ'-Teilchen der zugehörige erste angeregte Zustand gefunden werden. Inzwischen stellt man sich diese beiden E. aus dem 4. Quark u. seinem Antiteilchen aufgebaut vor. Das 4. Quark, welches bereits 1964 theoret. gefordert worden war, trägt den Namen *charm-Quark (c). Ein Paar aus einem charm-Quark u. dem charm-Antiquark hat Eigenschaften, die denen eines exotischen Atoms ähneln;

Tab. 1.: Eigenschaften von Quarks, Leptonen u. Eichbosonen.

Klasse	Name	Symbol[a]		Ruhemasse [MeV]	Ladung[b]		Spin	Mittlere Lebensdauer [s]
*Quarks	up	u	$\bar{u}$	~5	2/3	$-2/3$	1/2	stabil
	down	d	$\bar{d}$	~10	$-1/3$	1/3	1/2	verschieden
	strange	s	$\bar{s}$	~100	$-1/3$	1/3	1/2	verschieden
	charm	c	$\bar{c}$	~1500	2/3	$-2/3$	1/2	verschieden
	bottom	b	$\bar{b}$	~4700	$-1/3$	1/3	1/2	verschieden
	top	t	$\bar{t}$	~175 000	2/3	$-2/3$	1/2	verschieden
Leptonen	Elektron	e^-	e^+	0,511	-1	1	1/2	stabil
	Myon	μ^-	μ^+	105,6	-1	1	1/2	2×10^{-6}
	Tauon	τ^-	τ^+	1784	-1	1	1/2	3×10^{-13}
	Elektron-Neutrino	v_e	$\bar{v}_e$	?	0	0	1/2	stabil (?)
	Myon-Neutrino	v_μ	$\bar{v}_\mu$	?	0	0	1/2	stabil (?)
	Tau-Neutrino	v_τ	$\bar{v}_\tau$	?	0	0	1/2	stabil (?)
Eichbosonen	Photon	γ		0	1	1	-1	stabil
	W-Teilchen	W^+	W^-	~83 000	1	1	-1	10^{-25}
	Z-Teilchen	Z		~93000	0	0	1	10^{-25}
	Gluon	g		0	0	0	1	stabil

[a] Die Antiteilchen stehen jeweils rechts in der Spalte.
[b] In Einheiten der Elementarladung.

Tab. 2.: Baryonen u. ihre Eigenschaften.

Name	Symbol [b]		Ruhemasse [MeV]	Ladung [b]	Spin [b]	Quarkaufbau	[a]	Mittlere Lebensdauer [s]
Proton	p	$\bar{p}$	938,3	±1	1/2	u u d	$\bar{u}\,\bar{u}\,\bar{d}$	stabil
Neutron	n	$\bar{n}$	939,6	0	1/2	d d u	$\bar{d}\,\bar{d}\,\bar{u}$	ca. 900
Lambda	Λ	$\bar{\Lambda}$	1115	0	1/2	u d s	$\bar{u}\,\bar{d}\,\bar{s}$	$2,6\times 10^{-10}$
Sigma-plus	Σ^+	$\bar{\Sigma}^+$	1189	1	1/2	u u s	$\bar{u}\,\bar{u}\,\bar{s}$	8×10^{-11}
Sigma-minus	Σ^-	$\bar{\Sigma}^-$	1197	−1	1/2	d d s	$\bar{d}\,\bar{d}\,\bar{s}$	$1,5\times 10^{-10}$
Sigma-null	Σ^0	$\bar{\Sigma}_0$	1192	0	1/2	u d s	$\bar{u}\,\bar{d}\,\bar{s}$	6×10^{-20}
Xi-minus	Ξ^-	$\bar{\Xi}^-$	1321	−1	1/2	d s s	$\bar{d}\,\bar{s}\,\bar{s}$	$1,6\times 10^{-10}$
Xi-null	Ξ^0	$\bar{\Xi}^0$	1315	0	1/2	u s s	$\bar{u}\,\bar{s}\,\bar{s}$	3×10^{-10}
Omega-minus	Ω^-	$\bar{\Omega}^-$	1672	−1	3/2	s s s	$\bar{s}\,\bar{s}\,\bar{s}$	8×10^{-11}
Charm-Lambda	Λ_c	$\bar{\Lambda}_c$	2280	1	1/2	u d c	$\bar{u}\,\bar{d}\,\bar{c}$	2×10^{-13}

[a] Die Antiteilchen stehen jeweils rechts in der Spalte.
[b] In Einheiten der Elementarladung.

man bezeichnet daher das $c\bar{c}$-Paar auch als *Charmonium*. Strange-Quark u. charm-Quark bilden mit den Leptonen Myon u. Myon-Neutrino die zweite Quark-Lepton-Familie. Mit der Entdeckung des ebenfalls zu den Mesonen zählenden Y-Teilchens am *Fermilab durch Ledermann u. Mitarbeiter im Jahre 1977 erhielt man den ersten experimentellen Hinweis auf ein 5. Quark, das als *bottom-Quark* (b) bezeichnet wird. Analog zum J/Ψ-Teilchen wird das Y-Teilchen als ein Paar aus bottom-Quark u. bottom-Antiquark betrachtet ($b\bar{b}$). Mit 9,46 GeV hat es eine große Ruhemasse. Da 1975 durch Perl (Nobelpreis 1995) u. Mitarbeiter am SLAC ein weiteres, mit einer Ruhemasse von 1,784 GeV sehr schweres Lepton entdeckt wurde, das den Namen τ erhielt, lag es nahe, ein zugehöriges Neutrino (das *τ-Neutrino*) u. ein 6. Quark zu postulieren, um die dritte Quark-Lepton-Familie komplett zu machen. Letzteres erhielt den Namen *top-Quark* (t) u. konnte nach vielfachen Anstrengungen erstmalig 1994 mit hoher Wahrscheinlichkeit in Proton-Antiproton-Kollisionen im Speicherring Tevatron nachgewiesen werden [4]. Der derzeit (05/1996) beste Wert für seine Ruhemasse ist 175,6 ± 5,7 GeV.

Aufgrund theoret. Überlegungen, insbes. der *Antisymmetrieforderung für Baryonen, die als E. mit halbzahligem Spin zu den *Fermionen zählen, u. einer Reihe von experimentellen Befunden schreibt man Quarks eine Eigenschaft zu, die als *Farbladung* od. einfach nur Farbe (engl.: colour od. color) bezeichnet wird. Die Farbladung ist sozusagen die Quelle der starken Kraft. Die zugehörige physikal. Theorie, die sich in den letzten Jahren als sehr erfolgreich erwiesen hat, ist die *Quantenchromodynamik, Abk. *QCD*. Es gibt 3 verschiedene Farbladungen, die üblicherweise mit den Grundfarben rot, blau od. gelb bezeichnet werden. Ein einzelnes Quark wird somit durch seinen Typ (up, down, strange, charm, bottom od. top; s. Tab. 1) u. seine Farbladung beschrieben. In den Baryonen „mischen" sich die 3 Grundfarben zu einem farblosen Teilchen. In Mesonen neutralisiert die pos. Farbladung eines Quarks die entsprechende neg. Farbe eines Antiquarks; insgesamt ist ein Meson also ebenfalls ein farbloses Teilchen.

Moderne physikal. Theorien versuchen die 4 Grundkräfte zu vereinigen. Die Vereinheitlichung von elektromagnet. u. schwacher Wechselwirkung durch Glashow, Salam u. Weinberg (Nobelpreis 1979) zur sog. elektroschwachen Eichfeldtheorie gelang bereits 1969. Die Vereinigung von starker u. elektroschwacher Kraft wird in den „Großen Vereinigungstheorien" (engl. *Grand Unified Theories*, abgek. *GUT*) u. den sog. supersymmetr. Theorien (abgek. *SUSY*) vorgenommen. Z.Z. existieren eine ganze Reihe konkurrierender Theorien. Eine experimentelle Überprüfung ist überaus schwierig, da die „Große Vereinigung" erst bei Energien von über 10^{15} GeV od. Temp. oberhalb von $10^{28}\,°C$ auftritt. Ein enger Zusammenhang besteht zwischen den Theorien der E. u. Theorien zur Entstehung

Tab. 3.: Mesonen u. ihre Eigenschaften.

Name	Symbol [a]		Ruhemasse [MeV]	Ladung [b]	Spin	Quarkaufbau [a]		Mittlere Lebensdauer [s]
Pionen	π^0		135	0	0	$u\,\bar{u}$ od. $d\,\bar{d}$		8×10^{-17}
	π^+	π^-	140	±1	0	$u\,\bar{d}$	$d\,\bar{u}$	$2,6\times 10^{-8}$
Kaonen	K_0	$\bar{K}_0$	498	0	0	$d\,\bar{s}$	$\bar{d}\,s$	10^{-10} od. $5\cdot 10^{-8}$ [c]
	K^-	K^+	494	±1	0	$u\,\bar{s}$	$\bar{s}\,u$	$1,2\times 10^{-8}$
J/Psi	J/Ψ		3098	0	1	$c\,\bar{c}$		10^{-20}
D-null	D^0		1863	0	0	$c\,\bar{u}$		10^{-12}
D-plus	D^+		1863	1	0	$c\,\bar{d}$		4×10^{-13}
Ypsilon	Y		9460	0	1	$b\,\bar{b}$		10^{-20}

[a] Die Antiteilchen stehen jeweils rechts in der Spalte.
[b] In Einheiten der Elementarladung.
[c] Die beiden Teilchenzustände K^0 u. $\bar{K}^0$ überlagern sich u. bilden ein kurzlebiges K^0_S u. ein langlebiges K^0_L, die die Symmetrie von Materie u. Antimaterie verletzen (sog. CP-Verletzung).

des Universums. Man nimmt an, daß zum Zeitpunkt des *Urknalls alle 4 Grundkräfte vereinigt waren u. die Differenzierung erst bei Abkühlung des Universums erfolgte. – *E* elementary particles – *F* particles élémentaires – *I* particelle elementari – *S* partículas elementales
Lit.: [1] Phys. Lett. Ser. **B 204** (1988). [2] Handbook **70**, F 241–272. [3] Spektrum Wiss. **1988**, Nr. 10, 56–63. [4] Spektrum Wiss. **1994**, Nr. 6, 32 ff.; **1995**, Nr. 5, 16 f.
allg.: Klapdor-Kleinigrothaus u. Staudt, Teilchenphysik ohne Beschleuniger, Stuttgart: Teubner 1995 ▪ Lohrmann, Einführung in die Elementarteilchenphysik, 2. Aufl., Stuttgart: Teubner 1990 ▪ Lohrmann, Hochenergiephysik, 4. Aufl., Stuttgart: Teubner 1992.

Elementarzelle s. Kristallgitter.

Elemente. Sammelbez. für Grundkörper, aus denen sich die Stoffe zusammensetzen od. von denen eine Wirkung direkt ausgeht; *Beisp.:* *chemische Elemente, die vier E. des Aristoteles (s. chemische Elemente), *galvanische Elemente, *Brennelemente, Heizelemente, *Photoelemente etc. – *E* elements – *F* éléments – *I* elementi – *S* elementos

Element-organische Verbindungen. Sammelbez. für organ. Verb., in denen ein Kohlenstoff-Atom od. mehrere Kohlenstoff-Atome mit einem Fremd-Atom verknüpft sind. Man rechnet hierzu im allg. *nicht* die klass. organ. Verb. mit C–H-, C–O-, C–N- u. C–Halogen-Bindungen. Eindeutig als E.-o. V. werden (bes. im sowjet. Schrifttum) die *Metall-organischen Verbindungen aufgefaßt sowie die *Silicone, *Phosphor-, *Arsen- u. *Bor-organische Verbindungen. Hinsichtlich der Einordnung der Verb. mit C–S-, C–Se- od. C–Te-Bindung herrscht offensichtlich Unklarheit. – *E* elementorganic compounds – *F* composés organo-élémentaires – *I* composti organici degli elementi – *S* compuestos elementoorgánicos

Elementspeziesanalyse. Die E. beschreibt die Differenzierung der Elemente, insbes. der *Metalle, nach ihren Oxidationsstufen u./od. Bindungsformen in ihrer jeweiligen Matrix – Luft, Wasser, Boden u. Organismen. Sie erklärt die Mobilität, die Bioverfügbarkeit, das Resorptionsverhalten, allg. die *Bioakkumulation sowie die tox. Wirkung z. B. von Schwermetallen besser als dies der Gesamtgehalt ermöglicht.
Als Analysenmeth. bieten sich Kopplungssyst. aus Trenntechniken u. Detektorsyst. an. Für die selektive spezieserhaltende Trennung kommen vielfältige Verf. in Frage: *Flüssigkeitschromatographie mit ihren Varianten (Reversed-Phase-, *Ionenpaar-, *Ionenaustausch- u. Gelpermeationschromatographie), *Gaschromatographie, *Kapillarelektrophorese, *Chromatographie mit überkrit. Flüssigkeiten, *Voltammetrie, Extraktionstechniken sowie Filtrationsverf. wie die *Ultrafiltration. Der jeweilige Detektor muß an das Trennsyst. angepaßt sein u. kann über ein Interface online verbunden sein od. auch off-line benutzt werden. Als Detektoren kommen in Frage: *AAS mit ihren Varianten Flammen-, Kaltdampf-, Hydrid-AAS sowie AAS mit Hochdruckzerstäubung, *Fluoreszenzspektroskopie, Plasma-MS, *Massenspektrometrie allg. sowie Infrarot-/*Raman-Spektroskopie.

Beisp.: Die Analytik des *Chroms nach Chrom(III)-Ionen u. den tox. Chrom(VI)-Ionen u. die Unterteilung von *Quecksilber-Gehalten in Anteilen an anorgan. u. organ. gebundenem Quecksilber (gilt auch für Blei, Zinn u. Arsen). Die Aufteilung von Schwermetallgehalten einer Probe auf isolierbare Einzelbestandteile, z. B. Pflanzenteile, nennt man Kompartimentierung. – *E* speciation – *F* spéciation – *I* analisi degli elementi specifici – *S* análisis de especies elementares
Lit.: Chem. Lab. Biotech. **47**, 154–161 (1996) ▪ Dunemann u. Begerow, Kopplungstechniken zur Elementspeziesanalytik, Weinheim: VCH Verlagsges. 1995 ▪ Fres. J. Anal. Chem. **351**, 345–350 (1995).

Elementsymbole s. chemische Zeichensprache u. Periodensystem.

Elemi (-Öl, -Resin). Sammelbez. für Harze u. Öle aus der trop. Pflanzenfamilie Burseraceae, bes. den Arten *Canarium luzonicum* u. *C. commune.* Das Harz wird von verwundeten Bäumen gesammelt, bei längerem Lagern wird es spröde (SZ 30–35, VZ 20–40). E. enthält sog. *Elemisäuren* (*Harzsäuren).
Herst.: Das Öl durch Wasserdampfdest., das Resin durch Lsm.-Extraktion (z. B. Toluol).
Zusammensetzung[1]*:* Das Öl enthält zu 15–25% (+)-*Phellandren, 50–65% (+)-*Limonen, 7–14% (–)-Elemol (s. Elemene) u. ca. 1–5% Elemicin.
Verw.: Das Öl hat einen frisch-würzigen Duft mit balsam. Nachgeruch. u. wird was das schwächer duftende Resin in der Parfüm-Ind. verwendet. – *E* = *I* = *S* elemi – *F* élémi
Lit.: [1] Perfum. Flavor. **5** (1), 58 (1980); **9** (3), 38 (1984); Planta Med. **1986**, 305; Flavour Fragr. J. **8**, 35 (1993).
allg.: Arctander, Perfume and Flavor Materials of Natural Origin, S. 221, Elisabeth, N. J.: Selbstverl. 1960 ▪ Bauer et al., Common. Fragrance and Flavor Materials, 2. Aufl., S. 153, Weinheim: VCH Verlagsges. 1990 ▪ Gildemeister **5**, 673 ▪ Das H & R Buch Parfüm, Aspekte des Duftes. Geschichte, Herkunft, Entwicklung. Lexikon der Duftbausteine, S. 164, Hamburg: Glöss 1991. – *Toxikologie:* Food Cosmet. Toxicol. **14**, 755 (1976). – [HS 330129; CAS 8023-89-0 (Öl); 9000-74-2 (Resin)]

Elemol s. Elemene.

Elephantenpheromon s. 7-Dodecenyl-acetat.

Elf s. Elf Aquitaine.

Elf Aquitaine. Kurzbez. für die Société Nationale Elf Aquitaine (*SNEA), La Défense 6, F-92400 Courbevoie. *Produktion:* Erdöl u. Erdgas, Mineralöl, Treibstoffe, Petrochemikalien, Schwefel, anorgan. u. organ. Schwefel-Derivate, organ. Peroxide, Polymere, Chlor u. Chlor-Verb., Additive für Polymere, Chemikalien für Filtration u. Adsorption usw. *Daten* (1992): 87 900 Beschäftigte, 200 563 Mio. FF Umsatz.

Elfasol®. Mit einem organ. Photohalbleiter beschichtete elektrophotograph. Offsetdruckplatten, Verarbeitungschemikalien u. -geräte. *B.:* Hoechst.

Elf Atochem (Kurzbez. ATO). Firmenzeichen der Elf Atochem S.A., Cedex 42, 92091 Paris-La Défense 10, eine 100%ige Tochterges. der Elf Aquitaine-Gruppe, Aktienges. nach der klass. französ. Rechtsform. *Tochter- u. Beteiligungsges.:* Alphacan (100%), Appryl (51%), Aspen Polymères (50%), AtoHaas (51%), CECA (100%), Doryl (50%), Elf Atochem Agri SA

(100%), Grande Paroisse (81%), MLPC (67%), Naphtachimie (50%), NorsoHaas (50%), Oxochimie (50%), Oxosynthèse (50%), Resinoplast (100%), Sodap (100%), Soplaril (62,5%), Elf Atochem Deutschland GmbH (100%), Elf Atochem España S.A. (99%), Elf Atochem UK Ltd. (100%), Elf Atochem Italia S. r. l. (100%), Elf Atochem Holland B.V. (100%).
Produktion: Ind.- u. Feinchemikalien: Fluor-Produkte für die Ind., Lsm., Feuerlöschmittel, Fluortenside, Hydrophobierungs- u. Oleophobierungsmittel, Schwefel-Chemikalien, organ. Feinchemikalien, Ricinusöl-Derivate, Organika u. Oxo-Verb., organ. Peroxide, organ. Synth.-Zwischenprodukte. – Spezialitätenchemie: Adsorbens u. Filtrierhilfsmittel, Leime u. Klebstoffe, Kunststoff- u. Kautschukadditive, Formaldehyd, Galvanisierung u. Oberflächenbehandlung, Additive für Papier u. Verbundstoffe, Wasseraufbereitung. – Techn. Polymere: Polyamide, Fluorpolymere, thermoplast. Leg., Copolyamid-Schmelzklebstoffe u. -Folien, Polybutadien. – Funktionelle Polymere: Ethylen-Copolymere, Coextrusionsbinder, Ultrafeinpulver, Superabsorber, Acryl- u. Vinylemulsionen. – Kunststoffverarbeitung, Petrochemie u. Standardkunststoffe, Chlorchemie u. PVC, Düngemittel, anorgan. Grundchemikalien.

Elfenbein. Von althochdtsch. helfant = Elefant u. bein = Knochen abgeleitete Bez. für das gelblich-weiße, harte, aus *Dentin bestehende Material der Stoßzähne von Elefanten, ersatzweise auch der Mammuts, Flußpferde, Walrosse u. Narwale. E. wird/wurde zu Kunst- (E.-Schnitzerei) u. Gebrauchsgegenständen (z. B. Billardkugeln, Klaviertastenbelag) verarbeitet. Der E.-Handel war u. ist die Hauptursache für den Rückgang dieser Tierarten, v. a. durch Wilderei. 1989 wurde der Handel mit den Stoßzähnen des afrikan. Elefanten verboten, um die dramat. zurückgegangene Art vor dem völligen Aussterben zu bewahren. Heute wird E. weitgehend durch Kunststoffe ersetzt. – *E* ivory – *F* ivoire – *I* avorio – *S* marfil
Lit.: Wehner u. Gehring, Zoologie, 23. Aufl., Stuttgart: Thieme 1995. – [HS 0507 10]

Elfugin®. Marke für ion., nichtion. u. amphotere Antistatika von Sandoz.

Elicitoren s. Phytoalexine.

Eli Lilly. Kurzbez. für die 1876 gegr. amerikan. Firma Eli Lilly and Company, Lilly Corporate Center, Indianapolis, Indiana 46 285. *Daten* (1994): weltweit ca. 24 900 Beschäftigte, 5,7 Mrd. $ Umsatz. *Produktion:* Humanmedizin: Präparate, Antibiotika, Cytostatika, Insulin u. a. Biochemikalien, Feinchemikalien, Produkte für Veterinärmedizin u. Tierernährung.

Elimination. 1. In der Technik der *Abwasserbehandlung allg. Bez. für die Entfernung von gelösten od. suspendierten Stoffen aus dem Abwasser mittels biolog. (s. biologische Abwasserbehandlung u. biologischer Abbau) u./od. physikal.-chem. Verfahren. – 2. In der Medizin Bez. für die Ausscheidung von in den Körper aufgenommenen Stoffen über die Niere u. a. Organe. Die Geschw. ist häufig abhängig von der Metabolisierbarkeit der Substanzen; s. a. Entgiftung. – *E* elimination – *F* élimination – *I* eliminazione – *S* eliminación

Lit. (zu 1.): Mudrack u. Kunst, Biologie der Abwasserreinigung (3.), S. 123–134, Stuttgart: G. Fischer 1991. – *(zu 2.):* Koch u. Ritschel, Synopsis der Biopharmazie u. Pharmakokinetik, Landsberg: ecomed 1986.

Eliminierung (von latein.: eliminare = aus dem Hause treiben). In der organ. Chemie wichtige Reaktion, bei der zwei Gruppen (Atome, Ionen, Mol.) aus einem Kohlenstoff-Gerüst abgespalten werden. Befinden sich beide abzuspaltenden Gruppen an benachbarten Kohlenstoff-Atomen, so entsteht bei der E. eine Doppel- od. Dreifachbindung u. man spricht von β-E., wobei ein Kohlenstoff-Atom als α-, das andere als β-Atom bezeichnet wird. Im Gegensatz dazu werden bei der α-E. beide Reste von dem gleichen Kohlenstoff-Atom abgespalten, wobei *Carbene gebildet werden. In dem selteneren Fall der γ-E. werden beide Reste von einem α- u. γ-Atom unter Bildung von Cyclopropan-Derivaten abgespalten. E., die unter Abspaltung von nur einem Fragment aus einer Kette od. einem Ring verlaufen, rechnet man besser zu den *Fragmentierungs-Reaktionen (*Extrusions-Reaktionen*), wie z. B. die cheletrope Fragmentierung (s. cheletrope Reaktion) von Cyclopropanen in *Carbene u. Alkene od. die Extrusion von Schwefeldioxid aus Sulfonen.

Der am häufigsten auftretende Eliminierungstyp, die β-E., kann grob in zwei Kategorien eingeteilt werden, nämlich die, die in der Gasphase auftreten (pyrolyt. E.) wie beispielsweise die *Ester-Pyrolyse, u. die, die in Lsg. ablaufen. Die E. in Lsg. verlaufen bevorzugt nach dem E2-Mechanismus (*bimol. E.*), wobei eine Base die simultane Abspaltung der Gruppen X u. Y bewirkt. Die E2-E. ist eng mit der *nucleophilen Substitution nach dem S_N2-Mechanismus verwandt, zu der sie in Konkurrenz steht. Stehen die abzuspaltenden Gruppen X u. Y *trans* zueinander, d. h. nehmen sie die *anti-periplanare* *Konformation (s. a. bei gauche) ein, so nennt man die E2-E. *anti*-E., stehen sie *syn-periplanar* zueinander, so spricht man von *syn*-Eliminierung. In der Regel dominiert die *anti*-E., da die dazu notwendige gestaffelte Konformation ohne großen Energieaufwand erreicht werden kann. Wichtigste *anti*-E. sind die *Dehydrohalogenierungen.

Auch die E1-E. wird bei β-E. recht häufig beobachtet. Sie erfolgt ohne Zusatz einer Base, ist monomol., zweistufig u. steht mit der monomol. Substitution (S_N1-Mechanismus) in Konkurrenz, mit der sie den ersten Schritt – die Bildung eines *Carbenium-Ions – gemeinsam hat.

$$-\underset{Y}{\underset{|}{C}}-\underset{X}{\underset{|}{C}}- \xrightleftharpoons{\text{langsam}} -\underset{Y}{\underset{|}{C}}-\overset{+}{C} + X|^-$$

$$-\underset{Y}{\underset{|}{C}}-\overset{+}{C} \xrightarrow{\text{schnell}} C=C + Y^+$$

Eine Alternative zum E1-Mechanismus ist der E1cB-Weg, bei dem die Reihenfolge der abgespalteten Reste umgekehrt ist, d. h. es bildet sich im ersten Schritt ein *Carbanion [1]. Abgesehen von diesen mechanist. Einzelheiten existiert bei β-E. die Problematik, in welche Richtung die E. erfolgt, wenn mehrere Möglichkeiten vorhanden sind. So ist es verständlich, daß sich normalerweise keine Doppelbindung in einem bicycl. Syst. ausbildet, wenn dabei die *Bredt-Regel verletzt wird. Ebenso bildet sich unabhängig vom Mechanismus die Doppelbindung aus, die mit einer C=C- od. C=O-Doppelbindung in Konjugation treten kann. Bei E1-E., bei denen die Ausbildung der Doppelbindung erst im zweiten Schritt erfolgt, besagt die *Saytsev-Regel, daß das Alken mit der höher substituierten Doppelbindung bevorzugt entsteht. Bei acycl. Verb., die einer E. nach dem E2-Mechanismus zugänglich sind, kann entweder ebenfalls die Saytsev-Regel od. aber, insbes. bei ion. Austrittsgruppen ($^+NR_3$ u. a.) die Hofmann-Regel (*Hofmann-E.*) zum tragen kommen, nach der das Alken mit der niedrigst substituierten Doppelbindung bevorzugt entsteht. Die wichtigsten E. sind: die *Dehydratisierung (Abspaltung von Wasser aus Alkoholen, bevorzugt E1-Mechanismus)[2], die Spaltung von quaternären Ammonium-Salzen (*Hofmann-Eliminierung, bevorzugt E2-Mechanismus)[3,4], die *Dehydrohalogenierung (Abspaltung von Halogenwasserstoffen aus Alkylhalogeniden, bevorzugt E2-Mechanismus)[5], die Dehalogenierung (Abspaltung von Halogenen aus vicinalen Dihalogenalkanen)[6], die *Ester-Pyrolyse (Gasphaseneliminierung, E_i-Mechanismus), die *Tschugaeff (od. *Chugaev*)-Reaktion[7], die Cope-E. (Spaltung von *Aminoxiden in ein Alken u. Hydroxylamin)[8,9]. Die Cope-E. darf nicht mit der *Cope-Umlagerung verwechselt werden. – *E* elimination – *F* élimination – *I* eliminazione – *S* eliminación

Lit.: [1] Q. Rev. Chem. Soc. **21**, 490–506 (1967). [2] Patai, The Chemistry of the Hydroxyl Group, Vol. 2, S. 641–718, New York: Wiley 1971. [3] Patai, The Chemistry of the Amino Group, S. 409–416, New York: Wiley 1968. [4] Org. React. **11**, 317–493 (1960). [5] Patai, The Chemistry of Halides, Pseudo-Halides and Azides, S. 1173–1227, New York: Wiley 1983. [6] Patai, The Chemistry of Halides, Pseudo-Halides and Azides, S. 161–201, New York: Wiley 1983. [7] Chem. Rev. **60**, 432–444 (1960). [8] Org. React. **11**, 361–370 (1960). [9] Chem. Rev. **60**, 448–451 (1960).

allg.: Bamford u. Tipper, Comprehensive Chemical Kinetics, Vol. 9, S. 163–372, New York: American Elsevier 1973 ■ Chem. Rev. **80**, 453–494 (1980) ■ Katritzky et al. **1**, 553–587, 589–671 ■ March (4.), S. 198f., 982–1050 ■ Org. React. **44**, 1ff. (1993) ■ Patai, The Chemistry of Double-bonded Functional Groups, S. 152–221, New York: Wiley 1977 ■ Patai, The Chemistry of the Carbon-Halogen Bond, S. 609–675, New York: Wiley 1973 ■ Patai, The Chemistry of Alkenes, S. 149–201, 203–240, New York: Wiley 1964 ■ Trost-Fleming **6**, 949ff. ■ s. a. Alkene, Alkine, Olefine u. Textstichwörter.

ELINCS. Abk. für *E* European *L*ist of *N*otified *C*hemical *S*ubstances, Verzeichnis der in den EG-Staaten angemeldeten *Neustoffe. ELINCS wird laut Beschluß 85/71/EWG der Kommission jährlich über den zurückliegenden Zeitraum (1.7.–30.6.) herausgegeben. ELINCS ergänzt das europ. *Altstoff-Verzeichnis *EINECS. Für jeden Stoff werden die EWG-Nummer (s. EINECS), die Aktenzeichen der Anmeldung(en) in den Mitgliedsstaaten, der Handelsname, – soweit nicht vertraulich – seine chem. Bez., bei reaktionsbedingten Mischungen seine Hauptbestandteile, sowie die Einstufung (sofern erfolgt) angegeben. Zum Anmeldeverf. u. den notwendigen Prüfungen s. Chemikaliengesetz.

Lit.: Amtsblatt der EG C 361, S. 1 (17.12.1994); z.Z. (10/1996) neueste Fassung.

ELISA s. Enzymimmunoassay.

Elite®. Fungizid auf der Basis von *Tebuconazole. *B.:* Bayer.

Elixiere (von arab.: al-iksir = Stein der Weisen). Ethanol. od. weinige Tinkturen mit Zusätzen von Zucker, Extrakten, ether. Ölen u. dgl.; so gibt es z.B. Elixir amarum (bitteres E.), E. Chinae, E. Aurantii comp. (Pomeranzen-E.), E. e succo liquiritiae (Süßholzsaft) usw. In der Alchemistensprache bezeichnete man mit E. Präp., die ewiges Leben u. Gesundheit verleihen od. unedle Metalle in Gold verwandeln können, s. Geschichte der Chemie. – *E* elixirs – *F* élixirs – *I* elisir – *S* elíxires

Lit.: Hager (4.) **7a**, 293 ■ USP 23, S. 2343, Rockville, MD: United States Pharmacopeial Conv. 1994.

Elkadur®. Zinksulfid-Weißpigment von Sachtleben.

Ellagsäure (Gallogen, Benzoarsäure).

$C_{14}H_6O_8$, M_R 302,20, Nadeln, Schmp. >360 °C, lösl. in Pyridin u. wäss. alkal. Lsg. (Gelbfärbung), schwach lösl. in Wasser u. Ethanol, unlösl. in Ether. E. u. Abkömmlinge kommen in Galläpfeln u. Blattgallen vor (Ellag heißt rückwärts gelesen Galle) u. können aus Blättern von *Eucalyptus maculata* gewonnen werden. E. ist Bestandteil vieler Gerbstoffe. Die 3,3'-Di- (*Nasutin C*) bzw. 3,3',4-Trimethylether (*Nasutin B*) sind Bestandteil der Hämolymphe von Termitenarten. Als *Nasutin A* bezeichnet man 3,8-Didesoxy-E. ($C_{14}H_{16}O_6$, M_R 270,20), das auch aus *Castoreum* (getrocknete Duftdrüse des kanad. Bibers) isoliert werden kann. E. ist durch Oxid. von *Gallussäure mit Persulfat od. durch Hydrolyse aus *Tannin synthet. zugänglich. E. hemmt die Mutagenität von Benzpyren u. a. aromat. Kohlenwasserstoffen, Aflatoxinen, Nitropyrenen u. Nitrosoharnstoff-Derivaten[1].
Verw.: Beizenfarbstoff, Antioxidans in Fleischprodukten[2], Geschmacksstoff (Cognac-artig)[3], Darmadstringens, Hämostyptikum. Zur Synth. s. *Lit.*[4]. – *E* ellagic acid – *F* acide éllagique – *I* acido ellagico – *S* ácido elágico
Lit.: [1] ACS Symp. Ser. **546**, 294–302 (1994); Carcinogenesis (London) **14**, 1321 ff. (1993); Mutat. Res. **270**, 87–95 (1992); **308**, 191–203 (1994); **322**, 97–110 (1994); Proc. Natl. Acad. Sci. USA **79**, 5513 (1982). [2] J. Agric. Food Chem. **40**, 17–21 (1992); J. Food Sci. **58**, 318 ff (1993). [3] J. Agric. Food Chem. **41**, 1872–1879 (1993). [4] Phytochemistry **26**, 2124 f. (1987); **36**, 1253 (1994); Wein-Wiss. **49**, 83 ff. (1994).
allg.: Beilstein E V **19/7**, 108 ▪ Karrer, Nr. 1143 ▪ Merck-Index (12.), Nr. 3588. – *[HS 2932 29; CAS 476-66-4 (E.); 71540-38-5 (Nasutin A)]*

Ellatun®. Nasentropfen mit *Tramazolin-Hydrochlorid gegen Schnupfen. *B.:* Basotherm.

Ell-Cranell®. Tinktur mit *Dexamethason, 17α-*Estradiol u. *Salicylsäure gegen Haarausfall u. seborrhoisches Ekzem. *B.:* Basotherm.

Ellipsometrie. Die E. bedient sich des polarisierten Lichtes (UV/VIS), wobei das einfallende elektromagnet. Feld aus einer parallel u. einer senkrecht zur Einfallsebene (definiert durch ein- u. ausfallenden Lichtstrahl) stehenden Komponente besteht. Nach der Reflexion auf der Probe sind sowohl Absolutbeträge der beiden Komponenten verändert als auch deren Phasenbeziehung. Dieser Effekt äußert sich darin, daß der reflektierte Strahl ellipt. polarisiert ist, woher die Meth. ihren Namen hat. Darüber hinaus ist die Ellipse gegenüber der ursprünglichen Polarisationsebene um einen bestimmten Winkel gedreht. Sowohl die Form der Ellipse als auch deren Drehung werden meßtechn. erfaßt u. über ausgefeilte Modelle mathemat. ausgewertet, wobei sich Größen wie Schichtdicken u. deren Zusammensetzung bestimmen lassen. Durch die Verw. eines kommerziellen FT-IR-Spektrometers als Lichtquelle verbinden sich die Vorteile der Fourier-Transform-IR-Spektrometrie mit denen der E.: Man erhält ellipsometr. Spektren innerhalb von 2 s mit extrem hoher Empfindlichkeit, auch bei dünnen Schichten in Monolagen. Zur Verw. für dünne Schichten, z. B. in der Halbleiterphysik. – *E* ellipsometry – *F* ellipsométrie – *I* ellissometria – *S* elipsometría
Lit.: LaborPraxis **19**, 18–22 (1995) ▪ Rev. Sci. Instrum. **64**, 2153 (1993) ▪ Thin solid Films **156**, 295 (1988).

Ellipticin (Elliptisin, 5,11-Dimethyl-6*H*-pyrido[4,3-*b*]carbazol).

$C_{17}H_{14}N_2$, M_R 246,31, hellgelbe Nadeln, Schmp. 311–315 °C (Zers.). Tetracycl. mutagenes Alkaloid aus Hahnenfußgewächsen (Ranunculaceae) u. Immergrüngewächsen (Apocynaceae) mit Antitumor-Eigenschaften (Einschub in DNS), LD_{50} (Maus p.o.) 200 mg/kg, (i.v.) 20 mg/kg. Vorteil von E. gegenüber anderen Cytostatika ist eine geringere Cardiotoxizität. Handelspräp. Celyptium®[1]. – *E = F* ellipticine – *I* ellipticina – *S* ellipticina
Lit.: [1] Manske **25**, 116.
allg.: Beilstein E V **23/9**, 417 ▪ J. Biol. Chem. **270**, 14 998 (1995) (Pharmakologie) – *Synth.:* Heterocycles **16**, 1357–1365 (1981) ▪ J. Chem. Soc., Chem. Commun. **1979**, 642; **1984**, 926 ▪ J. Chem. Soc., Perkin Trans. 1 **1988**, 247, 2945–2954 ▪ J. Org. Chem. **57**, 5878, 5891 (1992) ▪ Sax (8.), Nr. EAJ 850, HKH 000 ▪ Synthesis **1992**, 1221 ▪ Tetrahedron **47**, 6539 (1991) ▪ Tetrahedron Lett. **30**, 297 (1989); **31**, 1081 (1990). – *[HS 2939 90; CAS 519-23-3]*

Elliptizität s. optische Aktivität.

Ellipton s. Rotenoide.

Ellira-Verfahren. Ein Unterpulver-Schweiß-Verf., das zu den *Lichtbogen-Schmelzschweiß-Verf. mit verdecktem Lichtbogen zählt (s. Schweißen). Der von einer Endlosrolle zugeführte blanke Zusatzdraht schmilzt über einen nicht sichtbaren Lichtbogen im Pulver ab, das zuvor in die Schweißfuge eingefüllt wurde. Ein Teil des aufgeschmolzenen Pulvers tritt mit der Metallschmelze metallurg. in Wechselwirkung, der Rest deckt das Schmelzbad als Schutz ab. Das nicht aufgeschmolzene Pulver wird abgesaugt u. – ebenso wie die leicht lösbare feste Schlackeschicht nach Vermahlen – wieder in den Prozeß zurückgeführt. Das E.-V. ist durch hohe Abschmelzleistung gekennzeichnet u. eignet sich gut für ein Mechanisieren. – *E* submerged (arc) welding – *F* soudage sous fluc électroconducteur – *I* processo Ellira, processo di saldatura all'arco elettrico – *S* soldadura Ellira, soldadura electrorápida Linde
Lit.: s. Schweißen.

Elmetacin®. Lsg. mit *Indometacin gegen Arthrosen u. Weichteilrheuma. *B.:* Luitpold.

Elmex Gelee®. Gel mit *Olaflur, Dectaflur u. *Natriumfluorid zur intensiven Kariesprophylaxe. *B.:* Wybert.

Elobact®. Filmtabl., Trockensaft u. Dosierbrief-Granulat mit dem *Cephalosporin-Antibiotikum *Cefuroxim-Axetil zur Therapie von Infektionen der Atem-

u. ableitenden Harnwege, der Haut u. des Weichteilgewebes. **B.**: Cascan/Cascapharm.

Elomag-Verfahren. Von „*e*lektrolyt. *o*xidiertes *Ma*gnesium" abgeleitete Bez. für ein elektrolyt. Verf. zur *anodischen Oxidation von Mg u. Mg-*Legierungen. Die anod. Oxid. von Mg hat nie die Bedeutung erlangt wie die des Al u. seiner Leg. (s. Eloxal-Verfahren), da die entsprechende Schutzwirkung deutlich geringer ist u. vergleichbare Effekte mit preiswerteren Verf. erreicht werden können. – *E* anodizing of magnesium – *F* oxydation anodique du magnésium – *I* processo Elomag – *S* oxidación anódica del magnesio

Lit.: Dettner u. Elze, Handbuch der Galvanotechnik, Bd. 3, S. 180, München: Hanser 1969.

Elongation (von latein.: elongatio = Verlängerung). 1. Kettenverlängerung bei der Biosynth. z. B. von Fettsäuren od. Proteinen (s. Elongationsfaktoren). – 2. Auslenkung eines Pendels, einer Feder usw. aus der Ruhelage bei der Beschreibung von Schwingungen. – *E* elongation – *F* élongation – *I* elongazione – *S* elongación

Elongationsfaktoren. Proteine (Bez. EF bei *Prokaryonten, eEF bei *Eukaryonten), die sich bei der *Translation mit den *Ribosomen verbinden u. dabei die Verlängerung der wachsenden Polypeptid-Kette um jeweils eine Aminosäure ermöglichen (Elongation). Bei Prokaryonten sind die E. EF-T u. EF-G beteiligt: EF-T, bestehend aus den Komponenten Tu u. Ts, ist an der Bindung der Aminoacyl-tRNA an die A-Bindungsstelle des Ribosoms beteiligt (EF-Tu an der Bindung unter GTP-Spaltung, EF-Ts an der Regeneration des EF-Tu·GDP-Komplexes zur aktiven Form EF-Tu · GTP), EF-G an der Translokation der Peptidyl-tRNA durch Freisetzung der deacylierten tRNA an der P-Bindungsstelle des Ribosoms. Die bei Eukaryonten gefundenen E. eEF1 u. eEF2 entsprechen in ihren Funktionen den bakteriellen E. EF-T u. EF-G. Zur Beschreibung der Protein-Biosynth. mit Initiation, Elongation u. Termination s. Translation, außerdem genetischer Code, Ribosomen. – *E* elongation factors – *F* facteurs d'élongation – *I* fattori d'elongazione – *S* factores de elongación

Lit.: Knippers (6.), S. 69 ff., 109.

Elotrans®. Pulver mit Glucose, Natriumchlorid, -citrat u. Kaliumchlorid zum Ausgleich von Salz- u. Wasserverlusten bei Durchfall. **B.**: Fresenius.

Eloxal-Verfahren. Von „*e*lektrolyt. *o*xidiertes *Al*uminium" abgeleiteter Sammelbegriff für elektrolyt. Verf. zur *anodischen Oxidation von Al u. Al-*Legierungen, durch die eine signifikant verstärkte Oxid-Schutzschicht auf der Werkstückoberfläche erzeugt wird. In der Praxis sind mehrere E.-V. verfügbar, mit denen dekorative od. techn. funktionelle Oxid-Schichten hergestellt werden. Vorteile der Schichten: feste Haftung, Dicke bis 30 µm, *Korrosionsschutz, Härte u. Verschleißbeständigkeit, dekorative Wirkung, einfärb- u. imprägnierbar, mechan. beanspruchbar, elektr. isolierend, tox. unbedenklich. Die E.-V. arbeiten mit Gleichstrom in schwefelsaurem Elektrolyt teilw. mit Anteilen an *Oxalsäure. Mit Verfahrensvarianten lassen sich in einer od. mehreren Stufen Einfärbungen (*adsorptives* od. *elektrolyt. Färben, kombiniertes Färben*, s. Farbanodisationsverfahren) od. – für techn. Anw. – bes. verschleißfeste Oxid-Schichten bis 150 µm Dicke erreichen (*Hartanodisation*).

Anw.: Architektur, Fahrzeugtechnik, Möbel-Ind., Haushaltsbereich, Gerätetechnik, Reflektoren, Schmuck-Ind., Gebrauchsgegenstände. Für andere Metalle hat die anod. Oxid. keine vergleichbare Bedeutung, s. a. Elomag-Verfahren. – *E* Eloxal process – *F* oxydation anodique du aluminium – *I* processo Eloxal – *S* anodización del aluminio

Lit.: Aluminium-Taschenbuch, 19. Aufl., S. 711, Düsseldorf: Aluminiumverl. 1983 ▪ DIN 17 611 (06/1985).

Elpa®. E. Fettlöser ist eine hochtensidhaltige, fettlösende Waschpaste für stark verschmutzte Wäsche; E. weich ist ein Weichspüler auf der Basis von *Esterquats für den Einsatz in Großwäschereien. **B.**: Henkel-Ecolab.

Elsamicine. Glykosid. Antitumor-Antibiotika aus einer *Actinomyceten*-Art aus El Salvador, die mit *Chartreusin strukturell verwandt sind; sie besitzen das gleiche Aglykon *Chartarin*, unterscheiden sich jedoch im Zucker-Teil. E. sind im Gegensatz zu Chartreusin wasserlösl. u. werden langsamer biliär ausgeschieden, so daß sie eher als Pharmaka geeignet erscheinen. – *E* elsamicins – *F* elsamicines – *I* elsamicine – *S* elsamicinas

Lit.: J. Org. Chem. **52**, 996–1001 (1987). – [HS 2941 90; CAS 97068-30-9 (Elsamicin A); 97068-31-0 (Elsamicin B)]

Elsinochrome. Rote Perylenchinon-Pigmente aus Kulturen der Ascomyceten *Elsinoë annonae* u. *Sphaceloma randii*, z. B. *E. A* (Phycaron): $C_{30}H_{24}O_{10}$, M_R 544,51, dunkelrote Krist., Schmp. 255 °C u. *E. D*, $C_{30}H_{26}O_{10}$, M_R 546,53, orange Krist., Schmp. 159–161 °C.

E. A (abs. Konfig.)

E. D

Die E. zeigen wie *Hypericin photodyn. Aktivität u. hemmen Protein-Kinase C. Die E. liegen in Lsg. als Tautomerengemische vor, manche E. lassen sich in Diastereomerenpaare trennen [1]. Aufgrund ihrer helicalen Chiralität zeigen einige E. sehr hohe opt. Drehwerte. – *E* elsinochromes

Lit.: [1] Gazz. Chim. Ital. **123**, 131–136 (1993). *allg.*: Acta Cryst. Sect. C **45**, 628 (1989); **46**, 267 (1990) (Struktur) ▪ Can. J. Chem. **59**, 422 (1981) (Biosynth.). – [CAS 24568-67-0 (E. A); 32500-05-3 (E. D)]

Eluat s. Elution.

Elution (von latein.: eluere = auswaschen). In der *Chromatographie gebräuchliche Bez. für das Herauslösen, ggf. auch Verdrängen, von adsorbierten Stoffen aus festen od. mit Flüssigkeit getränkten *Adsorbentien u. *Ionenaustauschern. In der *Adsorptions-

Elutionsmittel

chromatographie verwendet man als *Elutionsmittel* solche Lsm., in denen die zu eluierenden Substanzen ausreichend lösl. sind; die Lsm. lassen sich in einer sog. **elutropen Reihe* ordnen. Den Ablauf aus den Trennsäulen nennt man *Eluat*. In der **Gaschromatographie* „eluiert" man mit Gasen wie z. B. Helium, Stickstoff, Kohlendioxid u. Wasserstoff. – *E* elution – *F* élution – *I* eluzione – *S* elución

Elutionsmittel s. Elution.

Elutriation. Bez. für ein **Trennverfahren* für suspendierte Teilchen, bei dem man nach dem **Gegenstromprinzip* in sog. *Aufstromklassierern (Elutriatoren)* leichtere von schwereren bzw. kleinere von größeren Teilchen durch einen der Schwerkraft entgegengerichteten Gas- od. Flüssigkeits-Strom getrennt werden. Das dem **Windsichten* verwandte E.-Verf. wird z. B. angewandt zur Herst. einheitlicher Tone, Farbpigmente usw. od. auch zur Trennung von verschiedenen Körperzellen. – *E* elutriation – *F* élutriation – *I* elutriazione – *S* elutriación

Lit.: Allen, Particle Size Measurement (3. Aufl.), London: Chapman u. Hall 1981 ▪ Ullmann (5.) **B 2**, 16-1.

Elutrope Reihe. Empir. Anordnung von Lsm. nach ihrer Elutionswirkung bei der **Adsorptionschromatographie*. Eine e. R. wird auf ein bestimmtes Adsorbens bezogen u. folgt im wesentlichen dem Verlauf der **Polarität*, die wiederum zur **Dielektrizitätskonstanten* parallel verläuft.

Elvaron®. Fungizid auf der Basis von **Dichlofluanid*. *B.*: Bayer.

Elymoclavin (8,9-Didehydro-6-methylergolin-8-methanol).

$C_{16}H_{18}N_2O$, M_R 254,33. Monokline Prismen (Methanol), Schmp. 250–252 °C (Zers.), lösl. in Pyridin. **Ergot-Alkaloid aus pflanzenparasitären Pilzen (*Claviceps*-Spezies). Grundstruktur ist das tetracycl. Ergolin-Ringsystem. Die Biosynth. geht von **Tryptophan* u. **Mevalonsäure* aus. E. stimuliert das sympath. Nervensystem. – *E = F* elymoclavine – *I = S* elimoclavina

Lit.: J. Chem. Soc., Perkin Trans. 1 **1990**, 707 (Synth.) ▪ J. Nat. Prod. **52**, 506 (1989) (Isolierung u. Derivate). – *[HS 293 62; CAS 548-43-6]*

Elysieren s. elektrochemische Metallbearbeitung.

Elzogram®. Injektionsflüssigkeit mit **Cefazolin* gegen bakterielle Infektionen. *B.*: Eli Lilly.

Em. Chem. Symbol für Radium-Emanation, s. Radon u. Emanation.

E/MA. Kurzz. (nach DIN 7728, Tl. 1, 01/1988) für Copolymere aus **Ethylen* u. **Methacrylsäureester*.

Email (*das* E. od. *die* Emaille, von franzöz.: émail aus fränk.: smalt = schmelzen). Glasartig erstarrte Schmelzgemische überwiegend oxid. Zusammensetzung auf Werkstücken aus Metall od. Glas. E. sind chem., therm. u. mechan. sehr widerstandsfähig, wegen ihrer Sprödigkeit jedoch schlag- u. stoßempfindlich. Sie sind aus einer Glasmatrix, gewöhnlich Alkaliborosilikat, aufgebaut, in der **Trübungsmittel* u. farbgebende **keramische Pigmente* fein verteilt sind. Die Zusammensetzung eines E. wird bestimmt durch den chem. Charakter des Werkstoffs, der emailliert werden soll, u. durch den Verwendungszweck. *Glasbildende* Oxide sind v. a. SiO_2, B_2O_3, Na_2O, K_2O u. Al_2O_3. Der Schmp. des E. liegt bei ca. 800 °C. E. können auf ein Werkstück ein- od. mehrschichtig aufgebracht werden. Bei mehrschichtigem Auftrag wird zwischen Grund-E. u. Deck-E. unterschieden. *Grund-E.*, die fest auf dem metall. Untergrund haften müssen, enthalten Cobaltoxid, ggf. auch Nickeloxid od. Antimonoxid, als Haftoxide. Eine feine Blasenstruktur (durch in der Matrix eingefrorene Gasbläschen) erhöht die Elastizität dieser E.-Schicht. Das *Deck-E.* verleiht dem Auftrag chem. Beständigkeit, Farbe u. Oberflächenbeschaffenheit. Gebräuchliche *Trübungsmittel* sind Oxide von Ti, Zr, Sb u. Mo; die meistverwendeten *keram. Pigmente* sind Eisenoxide, Chromoxide, Spinelle usw. Zur E.-Analytik s. *Lit.*[1].

Herst.: Als Rohstoffe dienen Quarz, Feldspat, Soda, Kaliumcarbonat, Borax, Natriumnitrat u. Flußspat sowie Zuschläge nach Verwendungszweck. Die E.-Rohstoffe werden gemischt, bei ca. 1200 °C geschmolzen u. mit Wasser od. über Kühlwalzen zum Erstarren gebracht, wodurch die sog. *Fritte* in Form von Granalien od. Schuppen entsteht. Die Fritte wird in speziellen Mahlaggregaten vermahlen u. kann als wäss. Suspension (*Schlicker*) od. als feines Pulver auf die meist metall. Werkstückoberfläche aufgetragen werden. Das Einbrennen erfolgt bei ca. 820 °C. Beim *pulverelektrostat. Auftrag* (trocken) u. beim *Combismalt-Verf.* (naß) werden Grund- u. Deck-E. getrennt aufgetragen, aber zusammen eingebrannt („*two-coat-one-fire*"-Verf.).

Verw.: E. dient als Oberflächenschutz gegen atmosphär. u. chem. Einwirkung – bes. bei höherer Temperaturbelastung – sowie für Dekorationszwecke. Emaillierte Gegenstände werden sowohl im Haushalt (Geschirr, Badewannen, Öfen etc.) wie auch in der Ind. (Behälter in der chem. Fabrikation u. bei der Herst. von Lebensmitteln) verwendet. Zur Emaillierung von Kesseln für die chem. Ind. werden auch *Keramik-E.* genutzt, die durch eine nachgeschaltete Wärmebehandlung in den Zustand der **Glaskeramik* übergeführt werden (Nucerite®). Als kunstgewerbliches Hobby erfreut sich das Emaillieren zunehmender Beliebtheit, wobei hauptsächlich Kupfer- u. Messing-Gegenstände mit E. verziert werden.

Geschichte: Auf Zypern u. Kreta gab es schon um 1400 v. Chr. E.-Handwerker; so fand man aus dieser Zeit ein Goldblech, das mit weißem u. blauem E. verziert war. Von Griechenland kam das E.-Verf. nach Rom u. in die röm. Provinzen; in Deutschland wurde es um die Zeit der flav. Kaiser (69–96 n. Chr.) erstmals eingeführt. Bes. Blütezeiten erlebte die Emaillierkunst im alten Byzanz (500–800 n. Chr.), in Deutschland (1000–1200 n. Chr., Rhein- u. Maasschule) u. in Frankreich (gegen 1600, Schule von Limoges). Die moderne, hauptsächlich auf Emaillierung von Eisenblech aufgebaute Emaillier-Ind. geht auf eine

Erfindung Rinmans (1782) zurück. Ein starker Aufschwung erfolgte um die Mitte des 19. Jh. mit der Bereitstellung von preiswertem Eisen durch die Hüttenwerke. – *E* enamel – *F* émail – *I* smalto – *S* esmalte
Lit.: [1] Ind. Ceram. **765**, 759–762 (1982).
allg.: ASTM Book of Standards, Part 17: Refractories..., Philadelphia: ASTM (jährlich) ▪ Büchner et al., Industrial Inorganic Chemistry, S. 406–414, Weinheim: VCH Verlagsges. 1989 ▪ DIN-Katalog, Sachgruppen-Nr. 498, Berlin: Beuth (jährlich) ▪ Kirk-Othmer (4.) **9**, 413–438 ▪ Ullmann (5.) **A 6**, 60–65 ▪ Winnacker-Küchler (4.) **4**, 695 ff. – *Organisationen:* Deutscher Emailverband e.V., 58097 Hagen. – *Zeitschrift:* Mitteilungen des Deutschen Emailverbandes.

Emaillelack. Veraltete Bez. für eine Lackfarbe zum Erzeugen einer hochglänzenden, gut verlaufenden Lackierung (keine *Emaillierung*!). – *E* enamel varnish – *F* laque-émail – *I* lacca a smalto – *S* esmalte de laca
Lit.: Ullmann (3.) **11**, 285, 338 ff. – *[HS 3208.., 3209..]*

Eman. In der *Balneologie (Bäderkunde) verwendete, nicht SI-konforme *Einheit für die radiolog. Konz. von Quellwässern, Quellgasen, für den *Radon-Gehalt in der Atmosphäre usw.: 1 Eman = $3{,}7 \cdot 10^3$ Bq/m^3. Die nach dem österreich. Physiker Heinrich Mache benannte, früher übliche *Mache-Einheit* (ME) entspricht 3,64 Eman. – *E* eman – *S* emán

Emanation (von latein.: emanatio = Ausfluß). Veraltete Bez. für die radioaktiven Gase, die von den radioaktiven Elementen Radium, Actinium u. Thorium abgegeben werden u. Isotope des *Radons (Kernladungszahl 86) darstellen; sie können in Gasen u. Flüssigkeiten mit Hilfe von sog. *Emanometern* gemessen werden. – *E* emanation – *F* émanation – *I* emanazione – *S* emanación
Lit.: Musiol et al., Kern- u. Elementarteilchenphysik, Weinheim: VCH Verlagsges. 1988.

Emanationsgasanalyse. Die E. ist eine spezielle Form der *Emissionsgasthermoanalyse u. mißt während eines Temperaturprogramms das Freiwerden radioaktiver *Emanation (Radon, Rn) aus einer Probe als Funktion der Temperatur. An Stelle von Rn können auch die radioaktiven *Edelgas-Isotope ^{133}Xe u. ^{85m}Kr verwendet werden, welche bei der Messung durch Ionenbombardement od. Eindiffusion unter erhöhtem Druck in die Probe gebracht werden. In anderen Fällen wird die Probe mit Ra od. Th dotiert, die durch Zerfall Rn bilden. Die Edelgas-Atome werden beim Aufheizen immer dann frei u. gemessen, wenn Kristalldefekte beweglich werden u. die Kristallstruktur u. -oberfläche sich ändert od. wenn in amorphen Materialien Umordnungen eintreten.
Anw.: Zum Nachw. von Phasenumwandlungen, chem. Zersetzungen u. Festkörperreaktionen, Untersuchungen von Sinter- u. Erweichungsvorgängen bei Keramiken u. Polymeren u. vergleichende Studien zu Realbau u. Reaktivität dotierter Festkörper. – *E* emanation thermal analysis – *F* analyse d'émanation en phase gazeuse – *S* análisis térmico de emanación
Lit.: Chem. Lab. Biotech. **45**, 647 (1994) ▪ DIN 51005 (11/1983).

Emanometer s. Emanation.

EMAS s. EG-Ökoauditverordnung.

Ematal-Verfahren. Verf. zur *anodischen Oxidation von Al- u. Al-Leg. (vgl. Eloxal-Verfahren) mit Oxalsäure-Lsg. unter Zusatz von Titan- u. Zirkonium-Salzen. Mit dem E.-V. erhält man milchige, völlig undurchsichtige Oxid-Schichten von ca. 15 µm Dicke, die bes. bei Al-Geräten in der Textil-Ind. Anw. finden. – *E* Ematal process – *F* oxydation anodique du aluminium – *I* processo Ematal – *S* anodización del aluminio
Lit.: s. Eloxal-Verfahren.

Emballagen. Französ. Lehnwort (von emballer = verpacken) für *Verpackungsmittel solcher Waren, die zum Transport bestimmt sind. – *E* packing materials – *F* emballages – *S* embalajes

Embden-Meyerhof-Parnas-Weg s. Glykolyse.

Embonate s. Embonsäure.

Embonsäure [Pamoasäure, 4,4′-Methylenbis(3-hydroxy-2-naphthoesäure)].

$C_{23}H_{16}O_6$, M_R 388,38. Gelbe Nadeln, Schmp. oberhalb 280 °C (Zers.), unlösl. in Wasser, Alkohol, Ether, lösl. in Nitrobenzol u. Pyridin. Salze der E. (in internat. Freinamen *Embonate*, in der amerikan. Lit. häufig *Pamoate* genannt) mit Alkaloiden, Vitaminen, Derivaten von Chinolin, Pyridin, Phenothiazin, Acridin usw. sind schwerlösl.; sie verweilen daher länger im Körper u. ermöglichen Depotwirkung. – *E* embonic acid – *F* acide embonique – *I* acido embonico – *S* ácido embónico
Lit.: Beilstein E IV **10**, 2362 ▪ Merck-Index (12.), Nr. 7136. – *[HS 2918 29; CAS 130-85-8]*

Embrica. Kurzbez. für Embrica Chemie Cosmetic, CH-6331 Hühnenberg, Bösch 27, Schweiz. *Produktion:* pharmazeut., chem. u. kosmet. Erzeugnisse, Diagnostik-Systeme.

Embryonenschutzgesetz. Das E., das zum 1.1.1991 in Kraft getreten ist, regelt die mißbräuchliche Anw. von Fortpflanzungstechniken, die mißbräuchliche Verw. menschlicher Embryonen, die verbotene Geschlechtswahl, die eigenmächtige Embryoübertragung u. künstliche Befruchtung nach dem Tode, die künstliche Veränderung menschlicher Keimbahnzellen, das Klonen u. die Chimären- u. Hybridbildung.
Lit.: Gesetz zum Schutz von Embryonen vom 13.12.1990 (BGBl. I, S. 2746 ff.).

EMC. Kurzbez. für die Firmengruppe Entreprise Minière et Chimique, 75641 Paris. *Produktion:* Organ. u. anorgan. Grundchemikalien, Chlor u. Chlor-Verb., Pottasche. *Daten* (1992): 13530 Beschäftigte, 15717 Mio. FF Umsatz.

EMD s. Dosis.

Emde-Abbau. Abbau quartärer Ammonium-Salze durch reduktive Spaltung der Kohlenstoff-Stickstoff-Bindung mit Natriumamalgam zu tert. Aminen.

$$\left[R_3^1 N^+ - CH_2 - R^2 \right] X^- \xrightarrow[-NaX]{Na(Hg) / H_2O / C_2H_5OH} R_3^1 N + H_3C - R^2$$

– *E* Emde degradation – *F* dégradation d'Emde – *I* degradazione di Emde – *S* degradación de Emde
Lit.: Houben-Weyl **11/1**, 973 f.

Emeléus, Harry Julius (geb. 1903), Prof. (emeritiert) für Anorgan. Chemie, Univ. Cambridge. *Arbeitsgebiete:* Fluor- u. Silicium-Chemie, Grenzgebiete zwischen anorgan. u. organ. Chemie.
Lit.: Nachr. Chem. Tech. **5**, 3 (1957); **16**, 226 (1968) ▪ Pötsch, S. 134 ▪ Poggendorff **7 b/2**, 1246–1249.

Emeproniumbromid.

$$[(H_5C_6)_2CH-CH_2-CH(C_2H_5)-N^+(CH_3)(CH_3)]\;Br^-$$

Internat. Freiname für das spasmolyt. wirksame Ethyldimethyl-(1-methyl-3,3-diphenylpropyl)-ammoniumbromid, $C_{20}H_{28}BrN$, M_R 362,35, weißes, krist. Pulver, Schmp. 201–206 °C; λ_{max} (CH_3OH) 259 nm ($A_{1cm}^{1\%} = 13$). Im urolog. Bereich wird E. auch als *Carrageenat* eingesetzt, ein Komplex aus Emepronium u. Carrageenat mit 10–70% (m/m) Emepronium. Es ist von Fresenius (Uro-Ripirin®) im Handel. – *E* emepronium bromide – *F* bromure d'emépronium – *I* emepronio bromuro – *S* bromuro de emepronio
Lit.: ASP ▪ Hager (5.) **8**, 16 ff. – *[HS 2923 90; CAS 3614-30-0]*

Emeproniumcarrageenat s. Emeproniumbromid.

Emeralda. Handelsname für gelbgrünen synthet. *Spinell.

Emeraldgrün. Guignets Grün (s. Chrom-Pigmente) od. Mischung von Schweinfurter Grün mit organ. Farbstoffen. – *E* emerald green – *F* vert émeraude – *I* verde smeraldo – *S* verde esmeralda

Emerest®. Ölkomponente für Emulsionen; Rückfettungskomponente für alkohol.-wäss. Präp. u. Tensid-Präp. überwiegend auf der Basis von Fettsäure- od. Pelargonsäure. *B.:* Henkel.

Emery®. Sortiment von fettchem. Grundstoffen: Pelargonsäure, Fettsäuren, Fettalkohol, Fettsäuremethylester u. Lanolin sowie Glycerin nach USP. *B.:* Henkel.

Emesan®. Tabl. u. Suppositorien mit *Diphenhydramin-Hydrochlorid gegen Erbrechen. *B.:* Lindopharm GmbH.

Emestrin (Mycotoxin EQ-1).

X = —S—S— : Emestrin
X = —S—S—S— : Emestrin B

$C_{27}H_{22}N_2O_{10}S_2$, M_R 598,60, Krist., Schmp. 233–236 °C (Zers.), $[\alpha]_D +184°$ ($CHCl_3$), wurde aus Kulturen von Pilzen der Gattung *Emericella* isoliert. Das Epi*di*thiodiketopiperazin E. zeigt starke antifung. Wirkung. Auf der Suche nach verwandten Verb. wurde mit E. B [$C_{27}H_{22}N_2O_{10}S_3$, M_R 630,66, Krist., Schmp. 230–238 °C (Zers.)] das analoge Epi*tri*thiodiketopiperazin isoliert[1]. – *E* emestrin – *F* éméstrine – *I* = *S* emestrina
Lit.: [1] Chem. Pharm. Bull. **35**, 3460 (1987).
allg.: J. Chem. Soc., Perkin Trans. 1 **1986**, 109. – *[CAS 97816-62-1 (E.); 107395-37-7 (E. B)]*

Emetika. Bez. für Brechmittel, d. h. Medikamente zur Auslösung des *Erbrechens* (griech.: *emesis*), z. B. nach Vergiftungen per os od. nach Verschlucken von Fremdkörpern. Es gibt E., die zentral eine Erregung des Brechzentrums verursachen (*zentrale E.* wie *Apomorphin) u. solche, die reflektor. durch Reizung der Magenschleimhaut Erbrechen herbeiführen (*Reflex-E.* wie *Emetin u. *Kupfer(II)-sulfat od. Zinksulfat). Apomorphin u. evtl. Kupfersulfat sind heute die medizin. gebräuchlichsten Mittel, da sie im Gegensatz zu anderen E. nur eine geringe *Nausea* (Übelkeit u. Schwäche beim Erbrechen) hervorrufen. *Brechweinstein wird als E. kaum noch verwendet, da die Gefahr einer Magenschleimhaut-Schädigung od. sogar einer akuten *Antimon-Vergiftung besteht. Auch eine Reihe weiterer, in der Volksmedizin gebräuchlicher E. (meist Drogen u. Pflanzenauszüge) haben oft tox. Nebenwirkungen. – *E* emetics – *F* émétiques – *I* emetici – *S* eméticos
Lit.: Ehrhart-Ruschig, S. 761 ff. ▪ Schröder, Rufer u. Schmiechen, Pharmazeutische Chemie, S. 773 f., 794 f., Stuttgart: Thieme 1982.

Emetin (Cephaelinmethylether, Ipecin, 6′,7′,10,11-Tetramethoxyemetan, von griech. emetikos = Brechreiz erregend).

R = H : Cephaelin
R = CH_3 : Emetin

$C_{29}H_{40}N_2O_4$, M_R 480,65, Schmp. 74 °C, $[\alpha]_D -46,5°$ ($CHCl_3$). Alkaloid aus der amerikan. Brechwurzel. *Cephaelis ipecacuanha* u. *Psychotria granadensis*, Cephaelin ($C_{28}H_{38}N_2O_4$, M_R 466,62) auch im ind. *Alangium lamarckii.* E. ist ein hochgiftiges orales *Emetikum, die tödliche Dosis liegt für den Menschen bei ca. 1 g. Cephaelin wirkt ähnlich. E. schädigt parenteral v. a. den Herzmuskel bis zur Lähmung u. verursacht blutige Durchfälle. E. besitzt antivirale, antibakterielle u. Antitumor-Aktivität. Zur Synth. s. *Lit.*[1], zur Biosynth. *Lit.*[2]. – *E* emetine – *F* émétine – *I* = *S* emetina
Lit.: [1] Chem. Pharm. Bull. **34**, 3530 (1986); **36**, 1343 (1988); Heterocycles **24**, 571 (1986); J. Org. Chem. **56**, 6873 (1991). [2] Luckner (3.), S. 371.
allg.: Beilstein E V **23/13**, 611 f. ▪ Dtsch. Apoth.-Ztg. **125**, 863 (1985) ▪ Hager (5.) **4**, 771–788; **8**, 18 ff ▪ Manske **22**, 1–50; **25**, 48–57 ▪ R.D.K. (4.), S. 207 f., 811 ▪ Sax (8.), Nr. CCX 125, EAL 500 ▪ Shamma, The Isoquinoline Alkaloids, S. 426–457, New York: Academic Press 1972. – *[HS 2939 90; CAS 483-18-1 (E.); 483-17-0 (Cephaelin)]*

EMG. Abk. für *Elektromyographie.

Emigen® A, DPR. Klotzhilfsmittel zur Verbesserung des Warenbildes. *B.:* Hoechst.

Eminase®. Injektionsflüssigkeit mit Plasminogen-Streptokinase-4-Amidinophenyl(*p*-anisat)-Hydrochlorid (1:1:1)-Komplex (Anistreplase) zur Wiedereröffnung verschlossener Koronararterien bei Herzinfarkt. **B.:** Reusch.

Emissionen. Allg. Bez. für in die Umwelt – Luft, Wasser [1], Boden – abgegebene Stoffe od. andere Einwirkungen als auch für die Abgabevorgänge selbst. Im Sinne des *Bundes-Immissionsschutzgesetzes sind E. die von einer Anlage ausgehenden *Luftverunreinigungen, Geräusche, Erschütterungen, Licht, Wärme, Strahlen u. ä. Umwelteinwirkungen. Als E. werden auch die austretenden Stoffe selbst bezeichnet. Durch Transmission (Transport u. Ausbreitung in der Luft) verteilen sich E. u. können als *Immissionen auf die Umwelt einwirken, unverändert od. verändert (physikal., chem.), als Gas, Flüssigkeit od. *Staub (*Ablagerung).
E. werden angegeben als 1. *Massenkonz.* (z. B. mg/m^3) in der Regel bezogen auf Abgas im Normzustand (0 °C, $1,013 \cdot 10^5$ Pa), nach Abzug des Feuchtegehalts an Wasserdampf; – 2. *Massenstrom* (z. B. g/h) od. – 3. *Massenverhältnis* (g/t = emittierte Masse im Verhältnis zur Masse der erzeugten od. verarbeiteten Produkte).
Im Hinblick auf Genehmigungsvoraussetzungen (s. genehmigungsbedürftige Anlagen) sind die von einer Anlage ausgehenden E. entscheidende Grundlage, damit die Zusatzbelastungen im Einwirkungsbereich durch Ausbreitungsrechnung ermittelt werden können. Zur Herkunft von E. s. Emissionsquellen.
Verbleib: Die Lufthülle der Erde ist kein abgegrenztes Syst., sondern steht im Stoffaustausch mit der Erdoberfläche u. dem Weltall. Durch vielfältige physikal. u. chem. Prozesse werden E. verschieden rasch aus der Atmosphäre eliminiert, z. B. durch *Deposition (s. a. saurer Regen) u. *Photoabbau. Zu E. von Radionukliden s. Tschernobyl u. *Lit.*[2]. – *E* emission – *F* émission – *I* emissioni – *S* emisiones
Lit.: [1] DIN 4049, Tl. 2 (09/1990). [2] Römpp Lexikon Umwelt, S. 222 f., 383–386, 477 f., 501 f., 730 f.

Emissionserklärung. Gemäß § 27 *Bundes-Immissionsschutzgesetz ist der Betreiber einer *genehmigungsbedürftigen Anlage verpflichtet, der zuständigen Behörde innerhalb einer von ihr zu setzenden Frist od. zu der in der E.-VO (11. BImSchV) festgesetzten Zeitpunkt Angaben zu machen über Art, Menge, räumliche u. zeitliche Verteilung der Luftverunreinigungen, die von der Anlage in einem bestimmten Zeitraum ausgegangen sind, sowie über die Austrittsbedingungen; er hat die E. alle vier Jahre entsprechend dem neuesten Stand zu ergänzen. Befreiungen von der E.-Pflicht sind in § 1 der 11. BImSchV geregelt. Inhalt, Umfang u. Form der E. bestimmen sich nach den Anlagen zu § 4 der 11. BImSchV; dort findet sich auch eine umfangreiche Formblattsammlung. Anzugeben sind Betreiber, Werk/Betrieb, Quellen (Beschreibung, Lage, Maße), Anlage (u. a. Genehmigung, installierte Leistung, Auslastung), Anlagenteile u. Nebeneinrichtungen, Betriebseinheiten u. gehandhabte Stoffe (u. a. Verwendungsart, Massenstrom, Zusammensetzung, bei Verbrennung Heizwert). In der Regel sind außerdem zu nennen die emissionsverursachenden Betriebsvorgänge (u. a. zeitliche Lage, Dauer, Abgas u. seine Reinigungsart, Volumenstrom, Feuchte, Temp.) u. die *Emissionen (u. a. Aggregatzustand, Konz., Massenstrom, Gesamtauswurf, max. Konz. sowie Ermittlungsart der Daten). Die Angaben zu den gehandhabten Stoffen, den emissionsverursachenden Betriebsvorgängen u. den Emissionen sind außerdem aufzuschlüsseln auf Anlagen, Anlagenteile u. Nebeneinrichtungen sowie Betriebseinheiten.
Einzelangaben der E. dürfen nicht veröffentlicht werden, wenn aus diesen Rückschlüsse auf Betriebs- od. Geschäftsgeheimnisse gezogen werden können. Der Betreiber hat bei der Abgabe der E. der zuständigen Behörde mitzuteilen u. zu begründen, welche Einzelangaben solche Rückschlüsse erlauben.
Der Begriff der E. ist rechtstechn. auf die E. nach dem BImSchG fixiert. Der Sache nach handelt es sich bei der Erklärung, die der Abwassereinleiter auf Grund des *Abwasserabgabengesetzes darüber abgibt, welche für die Ermittlung der Schadeinheiten maßgebenden *Überwachungswerte er im Veranlagungszeitraum einhalten wird, ebenfalls um eine Emissionserklärung. – *E* emission declaration – *F* déclaration d'émissions – *I* dichiarazione d'emissione – *S* declaración de emisiones
Lit.: Römpp Lexikon Umwelt, S. 221 ▪ s. a. Bundes-Immissionsschutzgesetz.

Emissionsgasthermoanalyse (EGA von *E* evolved gas analysis). Bei der EGA wird die Art u./od. Menge von flüchtigen gasf. Produkten bestimmt, die von einer Probe abgegeben werden, während sie einem Temperaturprogramm unterworfen wird. Sie ist damit das komplementäre Gegenstück der *Thermogravimetrie (TG). Die EGA umfaßt also die qual. wie quant. *Gasanalyse. Dazu werden Gas-Sensoren wie *Wärmeleitfähigkeitsdetektoren, Gasdichtedetektoren, elektrochem. Gas-Sensoren, Infrarot-Gas-Sensoren, Gaschromatographen u. Massenspektrometer eingesetzt. Da sich die meisten von ihnen durch hohe Empfindlichkeit auszeichnen, eignet sich die EGA insbes. zur Erfassung geringer Umsätze, wie sie z. B. bei der therm. Desorption von flüchtigen Adsorbats von Oberflächen beim Aufheizen in einem Gasstrom entstehen (*temperaturprogrammierte Desorption*, TPD). Diese spezielle Technik der EGA wird insbes. zur Untersuchung von Katalysatoren eingesetzt. Die EGA liefert verglichen mit der *Differentialthermoanalyse (DTA), der *dynamischen Differenz-Kalorimetrie (DDK) u. TG substanzspezif. Informationen zum Chemismus einer Reaktion. Daher wird sie oft in Kombination mit den genannten Meth. eingesetzt. Geräte für die Aufzeichnung von massenspektrometr. EGA simultan mit TG u. DTA (DDK) od. mit TG u. FT-IR-Spektroskopie sind kommerziell erhältlich. – *E* evolved gas analysis – *F* thermoanalyse d'émission en phase gazeuse – *I* termoanalisi del gas tramite l'emissione – *S* análisis térmico de emisión de gas
Lit.: Chem. Lab. Biotech. **45**, 407 f. (1994) ▪ DIN 51005 (11/1983).

Emissionskataster. Nach § 46 *Bundes-Immissionsschutzgesetz haben die nach Landesrecht zuständigen

Emissionsquellen

Behörden für Untersuchungsgebiete (s. Belastungsgebiete) ein E. aufzustellen, das Angaben enthält über Art, Menge, räumliche u. zeitliche Verteilung u. die Austrittsbedingungen von Luftverunreinigungen bestimmter Anlagen u. Fahrzeuge, insbes. soweit die Luftverunreinigungen als Meßobjekte festgesetzt od. Gegenstand der *Emissionserklärungen sind. Bei der Ermittlung der Angaben für das E. sind die Ergebnisse von Messungen aus bes. Anlaß, von erstmaligen u. wiederkehrenden Messungen bei *genehmigungsbedürftigen Anlagen, von kontinuierlichen Messungen u. von Messungen bei der Überwachung zu berücksichtigen. Die Landesregierungen werden ermächtigt, durch Rechtsverordnung geeignete Stellen zu bestimmen, welche die für die Aufstellung des E. erforderlichen Angaben, insbes. über die Leistung von Einzelfeuerungen, die dort eingesetzten Brennstoffe u. die Höhe der Schornsteine, zu ermitteln u. an die zuständige Behörde weiterzuleiten haben. Die zuständigen Behörden haben in regelmäßigen Zeitabständen die Angaben zu überprüfen u. das E. zu ergänzen. – *E* emission register – *F* registre des émissions – *I* catasto d'emissione – *S* registro de emisiones
Lit.: VDI-Fortschrittsber. **15**, 135 (1995) ▪ s. a. Bundes-Immissionsschutzgesetz.

Emissionsquellen. Eine E. ist ein Austrittsort von *Emissionen, z. B. ein Dachauslaß, ein Kamin od. ein Autoauspuff. Im übertragenen Sinn wird der Begriff auf Ursachen, Vorgänge u. Aktivitäten, ganze Anlagen, Betriebe, Gebiete, Staaten, wirtschaftliche u. gesellschaftliche Bereiche ausgedehnt, die man z. T. auch als Emittentengruppen zusammenfaßt. Man unterscheidet u. a. punktförmige (z. B. Kamin), linienförmige (z. B. Strasse) u. flächenhafte E. (z. B. Lagerfläche von unverpacktem, staubendem Gut).
Die E. lassen sich in drei große Gruppen einteilen: – E., die vom Menschen nicht beeinflußt werden, z. B. Vulkane, Ozeane, Gewitter. – E., die durch Eingriffe des Menschen in die Natur beeinflußt od. verursacht werden, z. B. Landbau, Tierhaltung u. Brandrodung. – E., die durch die Tätigkeit des Menschen direkt entstehen, z. B. Gebrauch von chem. Stoffen (z. B. Chemisch-Reinigung, Metallentfettung) u. Einsatz fossiler Brennstoffe in Kraftwerken, Verkehr u. Haushalt.
Vom Menschen beeinflußte od. verursachte E. bezeichnet man als *anthropogen* (fälschlicherweise im Gegensatz zu natürlich). Bes. die Emissionsraten aus biolog. Vorgängen sind schwierig zu ermitteln, weil Lebewesen meist sensibel auf die messungsbedingten Veränderungen ihrer Umwelt reagieren u. Messungen

Tab. 1: Globale jährliche Emissionen[1].

	Emissionsrate [Mio. t/a]	Wichtige Emissionsquellen	[Mio. t/a]
Kohlendioxid CO_2	830 000 (700 000–1 000 000)	Atmung, biolog. Abbau Meer Verbrennung fossiler Brennstoffe u. Brandrodung	370 000–520 000 300 000–450 000 20 000–30 000
Kohlenmonoxid CO	3400 (1465–5800)	Verbrennung von Biomasse Verbrennung von fossilen Brennstoffen Oxid. von Kohlenwasserstoffen in der Atmosphäre	325–1600 400–1000 660–2200
Kohlenwasserstoffe (ohne CH_4, gerechnet als C)	1000 (640–1400)	Bäume (Terpene, Isoprene) Kraftfahrzeuge Ozeane Lösemittel	600–1300 30–50 20–40 10–20
Methan CH_4	590 (268–973)	Sümpfe u. geothermische Aktivität Reisfelder Tierhaltung (Wiederkäuer) Termiten Erdgasgewinnung Verbrennung von Biomasse Kohlebergbau Mülldeponierung	50–200 70–170 75–100 10–100 10–50 20–80 10–80 20–60
Schwefel-Verb. (gerechnet als SO_2)	400 (290–500)	Verbrennung von Kohle u. Erdöl Oxid. von S-Verb. aus Ozeanen, Sümpfen etc. Vulkane	160–240 80–200 10–20
Stickstoffoxide (ohne N_2O, gerechnet als NO_2)	200 (70–320)	Verbrennung fossiler Brennstoffe Verbrennung von Biomasse Blitze atmosphär. Oxid. von Ammoniak	40–108 10–80 7–70 3–30
Ammoniak NH_3	100 (30–1200)	biolog. Abbau, Boden Tiere Abwasser-/Abfallentsorgung	bis 1200 20–30 10
Distickstoffoxid N_2O	20 (8–600)	Boden Ozean	bis 600 2–15
Wasserstoff H_2	50 (40–130)	Kohlenwasserstoff-Oxid. Ind. u. Verkehr	20–50 10–60

od. Schätzungen von Emissionsraten von einer verhältnismäßig kleinen Fläche od. Stückzahl auf große Allgemeinheiten übertragen werden müssen. Zudem sind viele biolog. Gesamtheiten gar nicht bekannt. In Tab. 1 sind von wichtigen Spurenstoffen die gemittelten Schätzwerte der weltweit in die Atmosphäre emittierten Menge u. in Klammern die in der Lit. genannte Bandbreite der Schätzwerte sowie die Bandbreite der geschätzten Emissionsraten verschiedener E. genannt [1]. Für verschiedene Emissionen, z. B. die Ammoniak-Freisetzung während der Photosynth., od. die biot. Bildung von organ. Halogen-Verb. (vgl. Chlormethane), kann noch kein Zahlenwert angegeben werden.
*UNEP, *OECD, *WHO, IUCN, ECE (Economic Commission for Europe) [2] u. in der BRD das Umweltbundesamt erfassen u. sammeln Daten zu E. u. Emissionsraten (z. B. GEMS = Global Environment Monitoring System [2]). Die Abb. nennt als Beisp. Schwefeldioxid-Emissionsraten für verschiedene Staaten, auch bezogen auf Staatsfläche u. Einwohnerzahl. Diese Daten sind, trotz internat. Normierungsbemühungen, aufgrund unterschiedlicher Datenerfassung u. divergierender Definitionen, nur Anhaltswerte. Sie haben z. B. bei internat. Umwelt-Abkommen polit. u. wirtschaftliche Bedeutung. Trotz aller Unzulänglichkeiten läßt sich aus den weltweit gesammelten Daten ableiten, daß manche Emissionsraten in Industrieländern nur noch langsam ansteigen (Kohlendioxid) od. sogar kräftig zurückgehen (*FCKW, *Schwefeldioxid).

Abb.: SO_2-Emissionen im internat. Vergleich [1].
Oberer Balken: 1982/1983
Unterer Balken: 1990

Beisp. für umfangreiche Emissionsminderungen finden sich in der BRD. In den westlichen Bundesländern nehmen die Staubemissionen seit den 60er Jahren, die Schwefeldioxid-, Kohlenmonoxid- u. *VOC-Emissionen seit Mitte der 70er Jahre, die Stickstoffoxid-Emissionen seit Mitte der 80er Jahre ab (vgl. Lit.[2]). Tab. 2 zeigt die anthropogenen Emissionsraten der BRD 1990–1994, die unmittelbar aus der Einwirkung des Menschen resultieren. Folglich sind z. B. nicht die aus Land- u. Forstwirtschaft stammenden flüchtigen organ. Verb. genannt.
Im *Bundes-Immissionsschutzgesetz ist der Begriff E. auf den Luftbereich bezogen; er wird aber auch im Wasserbereich verwendet, wo er aus der Analogie zur Quelle eines Gewässers abgeleitet ist. – *E* emission sources – *F* sources des émissions – *I* fonte d'emissione – *S* fuentes de emisión

Lit.: [1] Fonds der Chemischen Industrie (Hrsg.), Umweltbereich Luft (1. u. 2.), Frankfurt: Selbstverl. 1987, 1995. [2] Römpp Lexikon Umwelt, S. 206, 297, 371. [3] Umweltpolitik aktuell (UBA) **1996**, Nr. 4, 11 ff.
allg.: Brauer (Hrsg.), Handbuch des Umweltschutzes u. der Umweltschutztechnik, Bd. 3, S. 4–11, Berlin: Springer 1996.

Emissionsraten s. Emissionsquellen.

Emissionsspektroskopie. Sammelbez. für solche Meth. der *Spektroskopie (zu den Grundlagen s. dort), bei denen Atome zur *Emission von Strahlung angeregt werden, die für sie charakterist. ist (*Atomemissionsspektroskopie* AES; zur Terminologie s. Lit.[1]). Die *Anregung kann erfolgen: im Gleichstrom-*Lichtbogen (*Bogenspektren*), im Hochspannungsfunken (*Funkenspektren*), durch *Glimmentladung, in Flammen (*Flammenspektroskopie*) od. durch das sog. *ICP (inductively coupled plasma). Bei der AES beobachtet man *Linienspektren* (s. Spektroskopie). Die Meth. ist bes. nützlich bei der Multielementanalyse, wo sie der entfernt verwandten *Atomabsorptionsspektroskopie vorzuziehen ist. Flammenspektroskop. untersucht man Flüssigkeiten, funkenspektroskop. v. a. Metalle u. bogenspektroskop. solche Stoffe, die in größeren Probenmengen vorliegen u. die daher als Elektroden fungieren können wie Metalle, Mineralien, Schlacken etc. Emissionsspektren werden auch bei der *Elektronenstrahl-Mikroanalyse (ESMA), der *Rönt-

Tab. 2: Anthropogene Emissionen in der BRD [3].

Jahr		1990	1991	1992	1993*	1994*
Kohlendioxid insgesamt	[10^6 t]	1 014	975	927	911	901
davon: energiebedingt		987	951	901	886	876
davon: Straßenverkehr		149	153	160	160	158
Stickstoffoxide insgesamt (NO_x, als NO_2)	[10^3 t]	2 640	2 509	2 357	2 274	2 211
davon: Straßenverkehr		1 223	1 207	1 155	1 099	1 046
Schwefeldioxid (SO_2)	[10^3 t]	5 326	4 172	3 436	3 153	2 995
Kohlenmonoxid (CO)	[10^3 t]	10 743	9 046	7 926	7 379	6 738
Ammoniak (NH_3)	[10^3 t]	759	670	649	634	622
Distickstoffoxid (N_2O)	[10^3 t]	211	192	198	191	186
Staub	[10^3 t]	2 024	1 157	820	786	754
flüchtige organ. Verb. (NMVOC**)	[10^3 t]	3 155	2 748	2 505	2 289	2 135
FCKW u. Halone	[10^3 t]	43	34	22	15	8
Methan (CH_4)	[10^3 t]	5 682	5 250	5 194	5 203	5 216

* Stand März 1996, vorläufige Angaben.
** ohne Methan, NMVOC = non-methane volatile organic compounds

Emissionsspektrum s. Emissionsspektroskopie erzeugt u. quant. ausgewertet. – *E* emission spectroscopy – *F* spectroscopie d'émission – *I* spettroscopia d'emissione – *S* espectroscopia de emisión
Lit.: [1] Pure Appl. Chem. **58**, 1737–1742 (1986).
allg.: Hollas, Moderne Methoden in der Spektroskopie, Braunschweig: Vieweg 1995 ▪ Otto, Analytische Chemie, S. 192–223, Weinheim: VCH Verlagsges. 1995 ▪ Schwedt, Analytische Chemie, S. 198–218, Stuttgart: Thieme 1995 ▪ Svanberg, Atomic and Molecular Spectroscopy (2. Aufl.), Heidelberg: Springer 1992.

Emissionsspektrum s. Emissionsspektroskopie.

Emitter s. Transistor.

EMK. Abk. für *elektromotorische Kraft.

Emmett, Paul Hugh (1900–1985), Prof. für Physikal. Chemie, John Hopkins Univ., Baltimore. *Arbeitsgebiete:* Kontakt-Katalyse, Adsorption von Gasen an Feststoffen (*BET-Methode), chem. Gleichgewichte.
Lit.: Neufeldt, S. 201 ▪ Pötsch, S. 135 ▪ Poggendorff **7 b/2**, 1251 ff.

Emodin (1,3,8-Trihydroxy-6-methylanthrachinon, Emodol, Schuttgelb).

$C_{15}H_{10}O_5$, M_R 270,24, orange Nadeln, Schmp. 256–257 °C, unlösl. in Wasser, lösl. in organ. Lsm. u. alkal. Lsg. (kirschrote Farbe). E. ist ein weit verbreiteter Farbstoff in Pflanzen, Pilzen [1] (bes. in Hautköpfen u. Schleierlingen, s. a. Dermocyben-Farbstoffe) u. Flechten. E. kommt frei, in Form von Dianthronen, u. glykosid. gebunden in Wurzeln von Rhabarber, Sauerampfer u. Faulbaumrinde (*Franguline) vor. Die Glykoside besitzen stark abführende Wirkung. Die Biosynth. erfolgt aus *Endocrocin. Das natürliche Dimere von E. heißt *Hypericin. – *E* emodin – *F* émodine – *I* = *S* emodina
Lit.: [1] Zechmeister **51**, 125–135.
allg.: Beilstein E IV **8**, 3575 ▪ Merck-Index (12.), Nr. 3602. – *[HS 291469; CAS 518-82-1]*

E-Modul s. Elastizität.

Emollientien. Von latein.: emollire = weichmachen abgeleitete Bez. für Mittel, die die Körpergewebe weicher u. geschmeidiger machen sollen, z. B. Leinsamen-Umschläge, Fette, Wachse, Stearylalkohol, Zinkstearat, Borsäure u. dgl. – *E* emollients – *F* émollients – *I* emollienti – *S* emolientes

EMP. Abk. für *elektromagnetischer Puls.

Empedokles s. chemische Elemente.

Empfängnisverhütungsmittel s. Antikonzeptionsmittel u. Ovulationshemmer.

Empfindlichkeit. Maß für die Reaktionsfähigkeit gegenüber einer äußeren Einwirkung, z. B. Licht (*Beisp.:* *Photographie), Strahlung od. elektr. Strom; in diesen Fällen spricht man auch häufig von *Sensibilität* (vgl. Sensibilisation u. Sensibilisatoren). Die E. eines analyt. Gerätes od. Verf. wird durch die Steigung der Kalibriergeraden wiedergegeben. Bei der Kalibrierung wird die Abhängigkeit des analyt. Signals von der absoluten Masse, dem Gehalt od. der Konz. des Analyten durch eine Kalibrierfunktion, in der Regel eine Gerade, dargestellt. In der Lit. wird E. häufig mit *Nachweisgrenze od. Erfassungsgrenze gleichgesetzt. – *E* sensitivity – *F* sensibilité – *I* sensibilità – *S* sensibilidad
Lit.: DIN 32645 (05/1994) ▪ Otto, Analytische Chemie, S. 21, Weinheim: VCH Verlagsges. 1995 ▪ Schwedt, Analytische Chemie, S. 25, Stuttgart: Thieme 1995.

Empirische Formel s. Bruttoformel.

Emplastrum. Latein. Bez. für *Pflaster, z. B. E. adhaesivum = Heftpflaster.

Empyreuma (von griech.: empyros=im Feuer, brennend). Bez. für teerartige, mit Aceton od. Benzol extrahierbare u. brenzlig (*empyreumatisch*) riechende Bestandteile, die an Ruß adsorbiert sind u. aus dem Herst.-Prozeß stammen, z. B. aus der trockenen Dest. (*Pyrolyse) von Holz; *Beisp.:* *Wacholderteeröl. – *E* empyreuma – *F* empyrhumatisme – *I* empireumatico – *S* empireumáticos

EM-Reagenz s. Ehrlichs Reagenzien.

EMS-CHEMIE AG. 1936 in CH-7013 Domat/Ems, Schweiz, gegr., gehört zur EMS-CHEMIE HOLDING AG, Zürich. Es ist eine unabhängige Firma im schweizer. Besitz mit Produktionsstätten in der Schweiz, USA, Deutschland, Taiwan u. Japan. *Vertretung* in Deutschland: EMS-CHEMIE (Deutschland) GmbH, 50933 Köln. *Produktion:* Techn. Kunststoff-Rohstoffe mit bes. breitem Polyamid-Sortiment, Textilkleber, PA- u. PET-Stapelfasern, Epoxidharze u. reaktive Verdünner sowie Haftvermittler für Gummi-Polyesterfaser-Verbund. Laurinlactam für PA 12 in Joint-Venture mit japan. Firma.

EMS-CHEMIE HOLDING AG. Die Schweizer Holding mit Sitz in 8039 Zürich hat Beteiligungsges. in BRD, USA, Taiwan. *Produktion:* Kunststoffe für techn. Anw., Kunstfasern für techn. u. textile Anw., Feinchemikalien, Spezialchemikalien für Versiegelungen u. Unterbodenschutz, Klebstoffe, Kraftwerkbau.

Emscherbrunnen (Imhoff-Tank). *Absetzbecken zur *mechanischen Abwasserreinigung (als Sedimentationsbecken); oft werden E. zur Schlammfaulung (s. Klärschlamm-Aufbereitung, Absetzbecken, Eindicken) eingesetzt. – *E* Emscher tank, Imhoff tank – *F* fosse Emscher, fosse Imhof – *I* pozzo Emscher – *S* fosa Imhoff
Lit.: gwf. Wasser/Abwasser **120**, 563–576 (1979).

Emser Salz echt®. Durch Eindampfen des Emser Thermalwassers gewonnenes Salz, das bei Mund- u. Racheninfektionen verwendet wird u. Grundlage für andere Präp. ist, wie *Emser Balsam, Nasensalbe, Pastillen, Sole*. *B.:* (für alle Präp.): Siemens.

EMSODUR®. Strahlmittel zur Entgratung von Duroplastteilen od. zur Oberflächenbehandlung aus Polyamid-Körnern in zylindr. od. kub. Form. *B.:* EMS-CHEMIE AG.

Emulan®. Sortiment von nichtion. Emulgatoren für die chem.-techn. Ind. auf der Basis von Fettalkoholen, Alkylphenol od. Fettsäuren u. ihren Derivaten zum Emulgieren von Lsm., Wachsen, Fetten u. fetten Ölen,

Paraffin u. Mineralölen, für die Emulsionspolymerisation, zum Stabilisieren von Emulsionen u. Dispersionen. *B.*: BASF.

Emulgade®. Fettalkohol enthaltende Cremegrundlagen, z. T. selbstemulgierend, Grundstoffe zur Herst. von Cremes u. flüssigen Emulsionen, vom Typ O/W für Haut- u. Haarpflegeprodukte, nichtion. od. anionisch. *B.*: Henkel.

Emulgatoren. Von latein.: emulgere = ab-, ausmelken, abgeleitete Bez. für Hilfsmittel zur Herst. u. zur Stabilisierung von *Emulsionen, die im engeren Sinne als *grenzflächenaktive Stoffe bzw. *Tenside bezeichnet werden können u. in der Regel als ölige bis wachsartige, aber auch pulverförmige Stoffe vorliegen. Zur Stabilisierung von Emulsionen über einen längeren Zeitraum, werden Hilfsmittel benötigt, welche die Entmischung der beiden Phasen Öl u. Wasser zum thermodynam.-stabilen Endzustand unterbinden bzw. so lange verzögern, bis die Emulsion ihre Bestimmung erfüllt hat. Dies kann durch *Stabilisatoren u./od. E. erreicht werden.

E. setzen die Grenzflächenspannung zwischen den beiden Phasen herab u. erreichen neben der Verringerung der Grenzflächenarbeit auch eine Stabilisierung der gebildeten Emulsion. E. stabilisieren die gebildete Emulsion durch Grenzflächenfilme sowie durch Ausbildung ster. od. elektr. Barrieren, wodurch das Zusammenfließen (*Koaleszenz) der emulgierten Teilchen verhindert wird. Sowohl Elastizität als auch Viskosität der Grenzflächenfilme sind wichtige Faktoren der Emulsionsstabilisierung u. werden stark vom E. beeinflußt. Die Stabilisierung einer bereits gebildeten Emulsion ist die wichtigste Eigenschaft der E. u. bedeutsamer als die Erleichterung der primären Verteilung der Phasen, da hierfür mechan. Hilfsmittel in ausreichendem Maße zur Verfügung stehen. Die wichtigsten Anforderungen an Emulgatoren sind:
a) Der E. muß sich an der Grenzschicht zwischen den Phasen anreichern. Dazu muß er über grenzflächen- bzw. oberflächenaktive Eigenschaften verfügen, d. h. die Grenzflächenspannung der nichtmischbaren Phasen reduzieren.
b) Der E. muß ferner entweder die Teilchen aufladen, so daß sie sich gegenseitig abstoßen od. eine stabile, vielfach hochviskose od. sogar feste Schutzschicht um die Teilchen bilden. Diese Eigenschaften reichen bereits für viele Anw. aus. Für die Herst. besonders langzeitstabiler Emulsionen muß das Aufrahmen od. Sedimentieren der dispergierten Teilchen verhindert u. deren Neigung zum Zusammenfließen noch weiter herabgesetzt werden. Dies erreicht man durch Viskositätserhöhung der äußeren Phase u. die Ausbildung von schützenden viskosen Strukturen, z. B. von flüssigkrist. od. Gelphasen. Das Emulgatorsyst. muß in diesem Fall zusätzlich zum eigentlichen E. noch eine weitere Komponente enthalten, die als Co-Emulgator, Stabilisator od. je nach Wirkmechanismus auch als Konsistenzgeber od. Schutzkolloid bezeichnet wird.
Damit Verb. als E. wirksam sein können, müssen sie eine bestimmte Mol.-Struktur aufweisen. Strukturelles Kennzeichen solcher Verb. ist ihr amphiphiler Mol.-Aufbau. Das Mol. einer solchen Verb. besitzt wenigstens eine Gruppe mit Affinität zu Substanzen starker Polarität (polare Gruppe) u. wenigstens eine Gruppe mit Affinität zu unpolaren Substanzen (apolare Gruppe). Bei dem polaren Rest handelt es sich um eine funktionelle Gruppe, deren Elektronenverteilung dem Mol. ein beträchtliches Dipolmoment verleiht. Diese Gruppe bedingt die Affinität zu polaren Flüssigkeiten, insbes. die Affinität zu Wasser, u. den hydrophilen Charakter der Verbindung. Aus diesem Grund wird die polare Funktion auch als *hydrophile Gruppe* bezeichnet.

Der apolare Rest ist hingegen der Teil des Mol., dessen Elektronenverteilung keinen nennenswerten Beitrag zum Dipolmoment leistet. Der apolare Rest bedingt die Affinität zu apolaren Flüssigkeiten, insbes. organ. Lsm. geringer Polarität, weshalb diese Funktion auch als *lipophile Gruppe* bezeichnet wird. Die gemeinsame Anwesenheit hydrophiler u. lipophiler Gruppen im Mol. ermöglicht E. das Eingehen von Wechselwirkungen, sowohl mit hydrophilen als auch mit lipophilen Phasen. An der Grenzfläche tritt dadurch eine Orientierung ein, die Voraussetzung für die Grenzflächenaktivität solcher Verb. ist.

Die Co-E. sind ebenfalls amphiphil aufgebaute Verb., die aber durch ein Übergewicht des hydrophoben Mol.-Teils weniger wasserlösl. als der eigentliche Emulgator sind, zur Ausbildung von Gelen u. lamellaren Flüssigkristallen neigen u. so die Viskosität der Emulsion erhöhen. Die Klassifizierung von E. erfolgt nach unterschiedlichen Gesichtspunkten, wie
1. der Ladung der hydrophilen Gruppen in Wasser;
2. den lipophilen Gruppen;
3. der Löslichkeit in verschiedenen Stoffen;
4. dem Verhältnis hydrophiler zu lipophiler Gruppen;
5. den Kristallformen;
6. der Anordnung der Emulgator-Mol. bei der Wechselwirkung mit Wasser.

Zu 1.: Aufgrund des Verhaltens der hydrophilen Gruppen in Wasser unterscheidet man ion. u. nichtion. Emulgatoren. Die ion. E.-Klasse selbst umfaßt drei Gruppen grenzflächenaktiver Stoffe, die hinsichtlich der in Wasser entstehenden Ionen-Arten in anion., kation. u. amphotere E. unterteilt werden. Unter den *anionischen E.* versteht man grenzflächenaktive Substanzen mit einer od. mehreren fuktionellen Gruppen, die in wäss. Lsg. in organ., negativ geladene, grenzflächenaktive Ionen (Anionen) sowie in Gegen-Ionen (Kationen) dissoziieren. *Kationische E.* dagegen dissoziieren in wäss. Lsg. in organ., positiv geladene, grenzflächenaktive Ionen, wobei das Kation Träger der Grenzflächenaktivität ist. *Amphotere E.* können wiederum in zwei Gruppen, in *Ampholyte u. *Betaine unterteilt werden. Ampholyte sind Verb., deren Mol. in Abhängigkeit des pH-Wertes als Protonen-Donator od. auch als Protonen-Akzeptor fungieren u. somit sowohl als Säure od. Base reagieren können. Betaine liegen dagegen, ohne gelöst zu sein, als Ionen in Form ihrer inneren Salze vor (*Zwitterionen). Im Gegensatz zu den echten Ampholyten zeigen sie zwar die dafür typ. Reaktionen im sauren u. isoelektr., jedoch nicht im alkal. Bereich, da sich vom Stickstoff-Atom kein Proton mehr abspalten läßt. Unter *nichtionischen E.* versteht man schließlich grenzflächenaktive Substanzen, die in wäss. Lsg keine Ionen bilden. Träger der grenzflächenaktiven Wirkung ist also das Gesamt-

Emulgatoren

molekül. Die Hydrophilie solcher nichtion. E. wird durch den Anteil der polaren Gruppen im Mol. erreicht.

Zu 2.: Aufgrund der lipophilen Gruppen ergibt sich folgende Unterteilung:
A) Kohlenwasserstoff-E. mit 6-22 C-Atomen. a) *n*-Alkyl-E.; b) verzweigte (*i*)-Alkyl-E.; c) ungesätt. Alkyl-E.; d) substituierte Alkyl-E.; e) aromat. E.; f) mehrkettige Alkyl-Emulgatoren.
B) Teilweise fluorierte Emulgatoren.
C) Perfluorierte Alkyl-Emulgatoren.

Zu 3.: Infolge ihrer Struktur, Art u. Menge der hydrophilen u. lipophilen Anteile besitzen E. in verschiedenen Stoffen unterschiedliche Löslichkeiten u. können so klassifiziert werden. Unterschiede in der Löslichkeit ermöglichen eine große Differenzierung hinsichtlich der relativen Polarität der E. Die polaren, hydrophilen E. tendieren zu einer besseren Löslichkeit in Wasser u. hydrophilen Stoffen u. fördern die Bildung von O/W-Emulsionen. Weniger polare, lipophile E. tendieren hingegen zu einer besseren Löslichkeit in Öl u. a. lipophilen Stoffen u. fördern die Bildung von W/O-Emulsionen.

Zu 4.: Ein entscheidendes Merkmal für die Charakterisierung von E. ist das Verhältnis von hydrophilen zu lipophilen Anteilen im Mol., ausgedrückt als hydrophiles-lipophiles Gleichgewicht (*HLB-Wert), zu deren Bestimmung es viele experimentelle u. theoret.-mathemat. Meth. gibt u. die insgesamt auf einer Bestimmung des Verhältnisses von hydrophilen zu lipophilen Gruppen im Mol.-Anteil beruhen. E. mit hohem HLB-Wert ergeben O/W-Emulsionen, solche mit niederem HLB-Wert bilden bevorzugt W/O-Emulsionen. Der HLB-Wert ist eine gute Orientierungshilfe für die Anw. von E., sofern es sich um reine Syst. (z.B. Öl–Wasser) handelt. Liegen jedoch komplexe Syst. vor, die z.B. noch Stärke od. Protein enthalten, stellt der HLB-Wert nur noch eine Orientierungshilfe dar.

Zu 5.: Manche E., insbes. solche, die Glycerin als hydrophile u. Fettsäuren als lipophile Komponenten enthalten, zeigen aufgrund ihrer nahen Fett-Verwandtschaft in Abhängigkeit von ihrer Zusammensetzung u. Vorbehandlung ein ausgeprägtes polymorphes Verhalten, welches der Triglycerid-*Polymorphie ähnlich ist.

Zu 6.: Je nach Konz., HLB-Wert u. Temp. sind E. dazu in der Lage, mit Wasser unterschiedlich in Wechselwirkung zu treten. Dies kann an der Wasseroberfläche durch bes. Orientierung der E. u. Bildung von Oberflächenfilmen u. in der Wasserphase durch Bildung von Mesophasen od. *Micellen erfolgen. Die moderne Synthese-Technik gestattet die Herst. einer großen Anzahl von Verb., die der geforderten u. bisher beschriebenen Eigenschaften von E. aufweisen.

Der lipophile (unpolare Rest) der E. kann durch gerade, verzweigtkettige od. cycl. Kohlenwasserstoff-Reste gebildet werden. Wesentlich vielfältiger sind dagegen die Möglichkeiten in der Gestaltung des hydrophilen (polaren) Restes (s. Abb.).

Die Auswahl geeigneter E. hängt von ihrem Verwendungszweck ab. In Kosmetika muß die Hautverträglichkeit beachtet werden. Bei Lebensmittel-E., die in vielfacher Hinsicht eine Sonderstellung einnehmen, muß die technolog. Notwendigkeit u. die physiolog.-toxikolog. Unbedenklichkeit gewährleistet sein. – *E* emulsifiers – *F* agents émulsionnants, émulsifiants – *I* emulgatori, agenti emulsionanti – *S* emulsionantes

Lit.: Dörfler, Grenzflächen- u. Kolloidchemie, Weinheim: VCH Verlagsges. 1994 ■ Schuster, Emulgatoren für Lebensmittel, Berlin: Springer Verl. 1985 ■ Stache, Tensid-Taschenbuch, 3. Aufl., München: Carl Hanser 1990.

lipophile Endgruppen		hydrophile Zwischengruppen		hydrophile Endgruppen		Klasse
~~	Alkyl-Rest	OH	Hydroxy-Gruppe	−COO⁻	Carboxylat	anion. Emulgatoren
		−C(=O)−O− , −O−C(=O)−	Ester-Gruppe	−SO₃⁻	Sulfonat	
				−OSO₃⁻	Sulfat	
				−OPO₃⁻	Phosphat	
					Polyphosphat	
					Lactat	
					Citrat	
					Tartrat	
~~	Alkyl-Rest ungesätt.	−SO₂−NH−	Sulfamid-Gruppe			
		−C(=O)−NH− , −NH−C(=O)−	Amid-Gruppe	−NH₃⁺	Amin-Salz	kation. Emulgatoren
		[−C(=O)−NH−]ₙ	Polyamid-Gruppe	−N±−	Quartäre Ammonium-Verb.	
~~	Alkyl-Rest verzweigt	−(NH)ₙ−	Polyamin-Gruppe	H₃N⁺∼COO⁻	Zwitterion. Verbindung	amphotere u. zwitterion. Emulgatoren
		−N= , =N−	Amin-Gruppe			
		−O−	Ether-Gruppe	−N⁺∼COO⁻	Betain	
⌬	Aryl-Rest	−(O)ₙ−	Polyether-Gruppe	−OH	Alkohol-Rest	nichtion. Emulgatoren
			Glycerin-Gruppe	−(O)ₙ−H	Polyether-Rest	
~~⌬	Alkylaryl-Rest		Sorbit-Gruppe		Glycerin-Rest	
			Pentaerythrit-Gruppe		Sorbit-Rest	
			Saccharose-Gruppe		Pentaerythrit-Rest	
					Saccharose-Rest	
					Essigsäure-Rest	
					Milchsäure-Rest	

Abb.: Klassifizierung von Emulgatoren.

Emulphor®. Sortiment von anion. Emulgatoren für die chem. u. chem.-techn. Ind. auf der Basis von Ethersulfaten, für die Emulsionspolymerisation, zum Stabilisieren von Emulsionen u. Dispersionen. **B.:** BASF.

Emulsin. Ein in Steinobst enthaltenes Enzym-Gemisch, das β-*Glucosidase sowie *Mandelonitril-Lyase enthält. E. spaltet die Glykoside *Amygdalin, *Arbutin u. *Salicin sowie das Trisaccharid *Raffinose. – *E* emulsin – *F* emulsine – *I* = *S* emulsina

Emulsionen. Disperse Syst. von zwei od. mehreren miteinander nicht mischbaren Flüssigkeiten. Die eine der flüssigen Phasen bildet dabei das Dispersionsmittel (auch: äußere, kontinuierliche od. zusammenhängende Phase), in dem die andere Phase (auch: innere od. disperse Phase) in Form feiner Tröpfchen verteilt ist. In Abhängigkeit von der Größe der dispergierten Teilchen u. von der kinet. bzw. thermodynam. Stabilität spricht man von Makro- (auch: grob-dispers) u. Mikro-E. (auch: kolloid-dispers). Der Teilchendurchmesser schwankt dabei zwischen 10^{-2} u. 10^{-6} cm, die meisten E. zeigen jedoch eine uneinheitliche Teilchengröße u. sind polydispers. Je nach Größe der dispergierten Teilchen sind die E. milchig trüb (Makroemulsion) bis klar (*Mikroemulsionen).

Die meisten natürlichen u. techn. E. bestehen aus Wasser u. Öl od. Fett als nicht mischbare Phasen. In Abhängigkeit von Zusammensetzung u. Verhältnis der Phasen bestehen zwei Möglichkeiten der Verteilung. Ist Wasser die äußere u. Öl die innere Phase, liegt eine *O/W-Emulsion* vor, deren Grundcharakter durch das Wasser geprägt ist (z.B. Milch, Mayonnaise, Speiseeis). Ist Öl die äußere u. Wasser die innere Phase, liegt eine *W/O-Emulsion* vor, wobei hier der Grundcharakter vom Öl bestimmt wird (z.B. Butter, Margarine, Salben). Der Emulsionstyp kann nach folgenden Meth. bestimmt werden:
1. Verdünnungsmeth.: O/W-E. sind mit Wasser, W/O-E. mit Öl verdünnbar;
2. Farbstoffmeth.: O/W-E. sind mit wasserlösl. Farbstoffen (z.B. Methylenblau), W/O-E. mit öllösl. Farbstoffen (z.B. Sudan-Farbstoffen) anfärbar;
3. Papiermeth.: Auf Filterpapier ergeben O/W-E. um die aufgetragene E. einen Wasserrand, während W/O-E. einen durchscheinenden Ölfleck bilden;
4. Leitfähigkeitsmeth.: O/W-E. zeigen hohe, W/O-E. nur geringe Leitfähigkeit.

Bei der Emulsionsherst. wird eine Flüssigkeit in einer anderen verteilt, wodurch die Oberfläche der verteilten Flüssigkeit beträchtlich vergrößert wird u. die Grenzflächenspannung ansteigt; der Energieinhalt des Syst. nimmt folglich zu, die Stabilität ab. Dies gilt aber nur für Makroemulsionen. Die thermodynam. stabilen Mikroemulsionen bilden sich aus den Komponenten spontan; zwischen den Nanophasen werden extrem niedrige Werte der *Grenzflächenspannung erreicht. Die Grenzflächenspannung als thermodynam. Funktion ist eine der wichtigsten Eigenschaften einer Emulsion. Sie drückt die Summe der physikal. Kräfte im Bereich der Grenzfläche zwischen den beiden nicht mischbaren Phasen aus. Die Messung kann z.B. erfolgen durch – Ringtensiometer – Pendant Drop-Meth. – Steighöhenmeth. – Kapillarwellenmeth. – Meth. der schwingenden Strahlen od. Tropfen.

Prakt. erfolgt die Herst. einer E. (Makroemulsion) durch Einbringen von Energie in die Mischung der Phasen durch:
1. Schütteln, Schlagen, Rühren, turbulentes Mischen;
2. Einspritzen einer Flüssigkeit in eine andere;
3. Schwingungen u. Kavitation in der Mischung (z.B. Ultraschall);
4. Emulgierzentrifugen;
5. Kolloidmühlen u. Homogenisatoren.

Techn. gibt es, entsprechend der E.-Zusammensetzung u. vorhandener Technologie, verschiedene Möglichkeiten zur Emulsionsherst. wie kontinuierliche u. diskontinuierliche Emulgierung, „Wasser- zur Ölphase", „Ölphase zur Wasserphase", „alternierende Emulgierung", „Inversionsmethode", „low energy emulsification". Durch Verf. wie *Homogenisation u./od. *Pasteurisierung wird die E. meist entsprechend dem Verwendungszweck u. den Anforderungen nachbehandelt. Zur Verringerung der Grenzflächenarbeit werden bei der Herst. von E. *Emulgatoren eingesetzt, deren *HLB-Wert in starkem Maße bestimmt, ob sich eine O/W- oder W/O-E. ausbildet.

Eine Phasenumkehr (auch: *Inversion), d.h. die Überführung einer O/W- in eine W/O-E. od. umgekehrt kann eintreten (Inversionspunkt), wenn die innere Phase einer E. vergrößert wird. Bei unvollständiger Phasenumkehr können z.B. in der Ölphase Wassertröpfchen entstehen, die ihrerseits im Innern noch Öltröpfchen einschließen u. umgekehrt. Diese E. werden als „Mehrfach-E." od. „Multiple Emulsions" bezeichnet. Auch bei diesen Vorgängen spielt die Auswahl des Emulgators eine entscheidende Rolle.

Die Emulsionsstabilität hängt von der Stärke der Energiebarriere ab, die ein Zusammenfließen der dispergierten Tröpfchen verhindert. An dieser Energiebarriere können folgende Faktoren mit unterschiedlichen Beiträgen beteiligt sein:
1. der Verteilungsgrad der inneren Phase;
2. die Qualität des Grenzflächenfilms;
3. die Viskosität der äußeren Phase;
4. das Phasenvolumenverhältnis;
5. die Differenz der spezif. Gewichte der Phasen.

Insbes. durch Einflüsse auf den Grenzflächenfilm zwischen den Phasen durch Emulgatoren, Proteine, Hydrokolloide (Bildung von hochviskosen, elektr. geladenen u. ster. behinderter Grenzflächenschichten) u. Feststoffteilchen kann die Stabilität von E. verändert werden. Der Stabilität einer E. wirken Aufrahmen bzw. *Sedimentation, *Aggregation u. *Koaleszenz entgegen. Aufrahmen u. Aggregation stellen reversible Vorgänge dar, bei denen die Gleichmäßigkeit der Tröpfchenverteilung der inneren Phase gestört wird. Bei der Koaleszenz als irreversiblem Vorgang fließen die einzelnen Tröpfchen direkt zusammen bis sich schließlich zwei kontinuierliche Phasen gebildet haben.

Von biol. Bedeutung sind die Emulgiervorgänge von Fetten im Verdauungstrakt durch Gallenbestandteile (gallensaure Salze usw.) u. der Transport lipoider Substanzen im Blutkreislauf, die beim Nichtfunktionieren zu gefährlichen Kreislaufstörungen führen können.

Bei der menschlichen Ernährung spielen E. (wie Milch, Butter, Mayonnaise, Salatsoßen, Margarine, Speiseeis) eine wichtige Rolle. Als Kosmetika u. Pharmazeutika für Salbengrundlagen, Cremes usw. gelangen sowohl W/O- als auch O/W-E. zur Anwendung. Weil letztere gut in die Haut einziehen, werden sie bevorzugt am Tage zur Pflege der Haut benutzt, während sog. Nacht- od. Nährcremes in der Regel W/O-E. darstellen, die beim Auftragen einen feinen Fettfilm bilden, der nur langsam von der Haut aufgenommen wird. Von techn. Bedeutung sind die Kautschuk-E., die als *Latex bezeichnet werden, wobei die meist eiförmigen u. halbfesten Kautschuk-Tröpfchen durch eine Protein-Schicht stabilisiert werden. In der techn. Anw. bewirken E. den Transport von Substanzen an Stellen, zu denen sie wegen der entgegengesetzt wirkenden Grenzflächenspannung in reiner Form nicht vordringen können. Ähnlich ist die Bedeutung der Bitumen-E. im Straßenbau, wo das Eindringvermögen in kapillare Hohlräume eine Rolle spielt. Bau-E. bzw. *Polymer-Dispersionen auf der Basis von Styrol, Vinyl- u. Acrylestern od. auch Kautschuk-Latices dienen als Haftgrundlage für Mörtel u. Tapeten. Die Wirkung von Bohrölen bei spanabhebenden Werkzeugmaschinen ist durch die gleichzeitige Anwesenheit von Öl u. Wasser bedingt; neben der schmierenden Wirkung des Öls ist hier die kühlende des Wassers mit seiner großen Wärmekapazität von Bedeutung.

Überzüge von Lacken, Ölen, Wachsen u. Kunststoffen lassen sich aus dem emulgierten Zustand herstellen. Um die Gleitfähigkeit beim Spinnen zu erhöhen, werden in der Textilind. die Garne mit Hilfe von emulgierten Ölen (Reißölen) eingefettet (geschmälzt). E. finden u. a. auch Anw. im Pflanzen- u. Brandschutz, als Fußbodenpflegemittel, Möbelpolituren, Schmiermittel, Schuhcremes, Reinigungsmittel u.a. Neben der Emulsionsbildung u. -stabilisierung kann auch die Zerstörung (Demulgierung) einer E. von Bedeutung sein. Techn. Beisp. hierfür sind z. B. die Demulgierung von Rohöl-E., von Imprägnieremulsionen in der Spanplatten- u. Textilindustrie, von Medikament-E. durch pH-Wert-Änderung im Darmtrakt od. von Kautschuk-Latices. Zwar gibt es kaum E., die nicht bei längerer Standzeit aufnahmen. sonstige Trübungserscheinungen zeigen, doch muß die gewünschte Demulgierung in kurzer Zeit erfolgen. Allg. anwendbar ist das Verdampfen einer Flüssigkeit, die Entfernung einer Phase durch Sorption mit Hilfe eines porösen Materials od. das *Aussalzen. Zuweilen genügen mechan. Einwirkungen wie das Schütteln u. Schlagen (*Butter-Herst.), wobei die stabilisierenden Grenzflächenfilme zerrissen werden; in ähnlicher Weise wirkt auch *Ultraschall. Durch elektr. Doppelschichten stabilisierte E. werden durch Entladen an Elektroden od. durch Elektrolyt-Zusatz gebrochen, durch die Anw. starker elektr. Felder lassen sich z. B. W/O-E. des Rohöls zerstören. Zur Spaltung von W/O-E. in Mineralöl-haltigen Abwässern eignet sich u. a. die *Ultrafiltration mit Membranen. Ferner ist es möglich, speziell bei Rohöl-E., *Demulgatoren (Dismulgatoren, Emulsionsspalter) anzuwenden, die stark hydrophil sind u. in kleinen Mengen zugesetzt, zu einer raschen Spaltung einer W/O-E. führen. Weitere Möglichkeiten zur Demulgierung sind Hitzeeinwirkungen zur Zerstörung von Proteinfilmen (Kautschuk-Latex), Säure- u. Alkali-Behandlung sowie enzymat. Abbau. – *E* emulsions – *F* émulsions – *I* emulsioni – *S* emulsiones

Lit.: Brezesinski u. Mögel, Grenzflächen u. Kolloide – Physikalisch-chemische Grundlagen, Heidelberg: Spektrum Akadem. Verl. 1993 ▪ Dörfler, Grenzflächen- u. Kolloidchemie, Weinheim: VCH Verlagsges. 1994 ▪ Kosswig u. Stache, Die Tenside, München: Hanser 1993.

Emulsionsfarben. Unkorrekte Bez. für *Dispersionsfarben.

Emulsionspolymerisation. Bez. für ein Spezialverf. der *Polymerisation, bei dem wasserunlösl. *Monomere mit Hilfe von *Emulgatoren in Wasser emulgiert u. unter Verw. wasserlösl. *Initiatoren (z. B. Kaliumpersulfat; *Redoxinitiatoren) polymerisiert werden. Dabei wird zunächst das Monomere durch Rühren zu ca. 10^{10} Monomertröpfchen pro cm^3 im Wasser verteilt, u. der Emulgator lagert sich zu Micellen aus typischerweise je ca. 100 Emulgator-Mol. zusammen (ca. 10^{18} Micellen pro cm^3). Im hydrophoben Inneren dieser Micellen lösen sich die wasserunlösl. Monomere-Mol. so gut, daß einige aus den Monomertröpfchen heraus u. über die wäss. Phase in die Micellen wandern. Der im Wasser gelöste Initiator startet nun nahezu ausschließlich in diesen in 10^8-fachem Überschuß vorliegenden Micellen die Polymerisation, prakt. nicht dagegen in den Monomertröpfchen (vgl. dazu Suspensionspolymerisation). Nach dieser Initiierungsphase schreitet die Polymerisation dann in den Micellen voran, wobei stetig immer weiteres Monomer durch die wäss. Phase nachdiffundiert. Die Micellen weiten sich aus u. es entstehen Latex-Teilchen mit einem Durchmesser von ca. 10^{-5} cm. Die Polymerisation endet, wenn die Monomertröpfchen vollständig aufgebraucht sind. Die Vorteile der E. bestehen darin, daß die Polymerisation bei tiefer Temp. durchgeführt werden kann, die Reaktionswärme leicht abführbar ist, u. die Reaktionsgemische auch bei hohen Molmassen der resultierenden *Polymeren niedrigviskos u. damit leicht rührbar bleiben. Die bei der E. anfallenden *Polymerdispersionen (s. a. Latex) sind in vielen Fällen direkt einsetzbar (z. B. als Anstrichfarben, Beschichtungen od. Klebstoffe). Sollten die Polymeren dagegen isoliert werden, so müssen die Emulsionen durch Zusatz von z. B. wassermischbaren Lsm. od. Salzen „gebrochen" werden. Dabei ist zu beachten, daß eine vollständige Abtrennung der verwendeten Zusatzstoffe selten gelingt, was zu einer Verschlechterung der Gebrauchseigenschaften der Polymeren führen kann. Das E.-Verf. kann dis-, halb- u. vollkontinuierlich durchgeführt werden u. findet breite Anw. zur Herst. von techn. sehr bedeutenden Polymeren, z. B. der von *Polyvinylacetat, *Polyvinylchlorid, *Polychloropren od. *Styrol-Butadien-Kautschuk. Mit Hilfe spezieller Techniken gelingt es weiterhin, Latex-Partikel aus verschiedenartigen Monomeren u. mit definierter innerer Struktur (Morphologie) aufzubauen, z. B. Kern-Schale- (core-shell-) Struktur. – *E* emulsion polymerization – *F* polymérisation en émulsion – *I* polimerizzazione in emulsione – *S* polimerización en emulsión

Lit.: Compr. Polym. Chem. **4**, 171–218 ▪ Elias (5.) **2**, 93 ff. ▪ Encycl. Polym. Sci. Eng. **12**, 512 ff. ▪ Encycl. Polym. Sci. Technol. **5**, 801 ff. ▪ Eliseeva et al., Emulsion Polymerization and its Application in Industry, New York: Consultants Bureau 1981 ▪ Houben-Weyl **E 20**, 218–268 ▪ Lovell u. El-Aasser, Emulsion Polymerization and Emulsion Polymers, New York: Wiley 1997 ▪ Odian (3.), S. 335 ff. ▪ Piirma, Emulsion Polymerization, New York: Academic Press 1982

Emulsionsspalter s. Demulgatoren.

Emulsionssprengstoffe. Entwicklung aus den USA (1962) auf dem Gebiet der *Sprengstoffe: Konz. wäss. Lsg. von *Ammoniumnitrat (13–15% Wasser) werden unter Zusatz spezieller *Emulgatoren in Mineralöl emulgiert. Der Zusatz von Glashohlkügelchen sorgt für gleichmäßigen Umsatz mit hoher *Detonationsgeschwindigkeit*. Die E. als Wasser-in-Öl-Emulsionen sind sehr handhabungssicher bei hoher Wirksamkeit u. guter Wirtschaftlichkeit. E. werden in der BRD seit 1983 hergestellt. – *E* emulsions explosives – *F* explosifs à émulsion – *I* esplosivi d' emulsione – *S* explosivos de emulsión

Lit.: Kirk-Othmer (4.) **10**, 49–53 ▪ Ullmann (5.) **A 10**, 166f.

Emulsogen®. Sortiment von techn. verwendeten Emulgatoren für Mineralöl, Fette, Öl, Wachse, Paraffine u. organ. Lsm.; Spezialemulgatoren für Insektizide u. Herbizide auf der Basis von Alkyl(phenol)polyglykolether u. Fettsäurepolyglykolester. **B.:** Hoechst.

EMU® Pulver 120 FD. In alkal. Wasser dispergierbares Styrol-Copolymerisat zur Herst. von Anstrich- u. Klebstoffen usw., zur Modifizierung von Zementmörtel sowie zum Einsatz in Dichtungsschlämmen. **B.:** BASF.

E-MX. Abk. für (*E*)-2-Chlor-3-(dichlormethyl)-4-oxo-2-butensäure, deren Salz aus *MX in bas. Lsg. entsteht; E-MX ist wie MX häufig in chloriertem Trinkwasser nachweisbar u. mutagen. – *E* E-2-chloro-3-(dichloromethyl)-4-oxo-butenoic acid, E-MX – *S* E-MX

Lit.: s. MX.

Emylcamat.

$H_3C-CH_2-\underset{\underset{C_2H_5}{|}}{\overset{\overset{CH_3}{|}}{C}}-O-CO-NH_2$

Internat. Freiname für (1-Ethyl-1-methylpropyl)-carbamat, $C_7H_{15}NO_2$, M_R 224,25, Schmp. 56–58 °C, Sdp. 35 °C (130 Pa) 24 °C (91 Pa). Es wurde 1912 als *Sedativum von E. Merck u. 1961 von Kabi patentiert. – *E = F* emylcamate – *I = S* emilcamato

Lit.: Hager (5.) **8**, 21 f. – [HS 2924 10; CAS 78-28-4]

...en. 1. Suffix in systemat. Namen von *ungesättigten offenkettigen u. cycl. organ. Verb. (IUPAC-Regel A-3.1); die Stellung der Doppelbindung wird durch eine vorangestellte Ziffer angegeben; *Beisp.:* 2-*Buten, s. a. Cholesterin. Enthält das Mol. mehrere Doppelbindungen, so endet der Name mit ...adien, ...atrien etc.; *Beisp.:* *1,3-Butadien, s. a. Ergosterin. Im hier erwähnten Sinne leiten sich von dem Suffix auch Begriffe wie *Endiole, *Enole, *En-Synthese u. dgl. ab. – 2. In Koordinationsverb. ist *en* ein Kurzz. für *Ethylendiamin als *Ligand. – *E = I* ...ene – *F* ...ène – *S* ...eno

EN. Abk. für *Elektronegativität.

Enalapril.

$H_5C_2OOC\ \ H_3C\ \ \overset{HOOC}{\underset{H}{\underset{|}{C}}}$
$H_5C_6-(CH_2)_2-\underset{H}{\overset{|}{C}}-NH-\underset{H}{\overset{|}{C}}-\overset{O}{\overset{\|}{C}}-N\diagdown$

Internat. Freiname für *N*-[(*S*)-1-Ethoxycarbonyl-3-phenylpropyl]-L-alanyl-L-prolin, $C_{20}H_{28}N_2O_5$, M_R 376,45, Schmp. 148–151 °C; $[\alpha]_D^{20}$ –67 (0,1 N HCl). Verwendet wird das Hydrogenmaleat, Schmp. 143–145,5 °C; $[\alpha]_D^{25}$ –42,2° (c 1/CH₃OH); λ_{max} (CH₃OH) 257, 264, 267 nm ($A_{1cm}^{1\%}$ = 30, 22,5, 18); pK_{a1} 2,97, pK_{a2} 5,34. E. wurde als *ACE-Hemmer 1980 u. 1983 von Merck & Co (Xanef®) patentiert u. ist auch von Boehringer Ingelheim (Pres®) im Handel. – *E = F = I = S* enalapril

Lit.: ASP ▪ Hager (5.) **8**, 22 ff. ▪ Merck-Index (12.), Nr. 3605. – [HS 2933 90; CAS 75847-73-3 (E.); 76095-16-4 (Hydrogenmaleat)]

Enamine. Aus *...en u. *Amin in Anlehnung an *Enol gebildete Bez. für α,β-ungesätt. Amine, die auch als *vinyloge* Amine aufgefaßt werden können. Der *Keto-Enol-Tautomerie entspricht bei den E. die *Imin (*Schiffsche Basen*)-Enamin-Tautomerie, wobei in der Regel das Gleichgew. ganz auf der Imin-Seite liegt [1].

$\diagdown C=C \diagdown \rightleftarrows \diagdown CH-C \diagdown$
$\qquad\quad N-R \qquad\qquad\quad N-R$
$\qquad\quad |\qquad\qquad\qquad\qquad\ \ \|$
$\qquad\quad H$
$\ $ Enamin $\qquad\qquad\qquad\quad$ Imin

Es wird damit verständlich, daß nur am Stickstoff-Atom disubstituierte E. stabil u. auch leicht zugänglich sind.

Herst.: Die Umsetzung von Aldehyden od. Ketonen mit *sek. Aminen* unter Säurekatalyse ist die bequemste Herst.-Methode. Als Amin-Komponenten haben sich bes. heterocycl. Amine wie Pyrrolidin, Piperidin u. Morpholin bewährt.

$\diagdown C=O + HN\diagup \xrightarrow[-H_2O]{(H^+)} \diagdown C=C\diagdown N\diagup$
$\qquad\qquad\quad \diagdown R \qquad\qquad\qquad\quad R$

$HN\diagdown R \equiv $ *Pyrrolidin, *Piperidin, *Morpholin

E. mit Acyl-Resten am Stickstoff-Atom (*Enamide*) od. am β-Kohlenstoff-Atom (*Enaminketone*) sind ebenfalls bekannt u. werden wie die E. selbst als Synthesebausteine in der präparativen organ. Chemie eingesetzt. Mit Hilfe von E. lassen sich beispielsweise Carbonyl-Verb. in der α-Position alkylieren od. acylieren, wobei der *elektrophile* Angriff eines Alkylhalogenides bzw. eines Säurechlorides auf das *nucleophile* β-Kohlenstoff-Atom des E. die Reaktion einleitet.

$-N\diagdown C=C\diagdown \leftrightarrow -\overset{+}{N}\diagdown C-\bar{C}\diagdown \xrightarrow{+E^+} -\overset{+}{N}\diagdown C-C-E$

$\xrightarrow[-HN\diagdown]{+H_2O (H^+)} \diagdown C-C-E$
$\qquad\qquad\qquad\quad \overset{\|}{O}$

E., speziell β-Amino-crotonsäureester, sind auch an der Synth. von Indolen nach *Nenitzescu beteiligt, außerdem können E. als *elektronenreiche* Alkene in vielfältiger Weise *Cycloadditions-Reaktionen eingehen. – *E* enamines – *F* énamines – *I* enammini – *S* enaminas

Enantat

Lit.: [1] Tetrahedron **32**, 479 (1976).
allg.: Beyer-Walter, Lehrbuch der Organischen Chemie, 21. Aufl., S. 214ff., Stuttgart: Hirzel 1988 ■ Cook, Enamines, 2nd Ed., New York: Marcel Dekker 1988 ■ Patai, The Chemistry of Enamines, Chichester: Wiley 1994.

Enantat. Internat. Freiname für Salze u. Ester der *Oenanthsäure (Heptansäure). – *E* = *F* enantate – *I* = *S* enantato

enantio- s. ent-.

Enantiomere s. Enantiomerie.

Enantiomerie. Von griech.: enantion = Gegenteil abgeleitete Bez. für eine Form der *Stereoisomerie, insbes. der *Chiralität von Molekülen. Nach IUPAC-Regel E-4.4 bezeichnet man als *enantiomer* solche Mol. (allg. Schreibweise bei organ. Verb.: Cabcd, mit a–d = Substituenten) od. chirale Gruppen, die sich zueinander wie Bild zu Spiegelbild verhalten (*Spiegelbild-Stereoisomere*) u. die nicht miteinander zur Deckung zu bringen sind.
Ein histor. gut untersuchtes Beisp. für E. sind die Enantiomeren der *Milchsäure, die beide in der Natur vorkommen. (+)-Milchsäure, d. h. das Enantiomere, das die Ebene des linear polarisierten Lichtes nach rechts dreht, kommt im Muskelgewebe vor u. entsteht, wenn der Muskel arbeitet (s. Atmungskette). Das (–)-Enantiomer entsteht bei der anaeroben Fermentation von Glucose. Einige Fermentationsprozesse liefern auch (+)- u. (–)-Milchsäure zu gleichen Mengen, (±)- od. racem. Milchsäure, die keine opt. Aktivität mehr aufweist (s. Racemat). Beide Milchsäure-E. unterscheiden sich nicht in ihren gewöhnlichen physikal. Eigenschaften, d. h. sie haben den gleichen Schmp., die gleiche Löslichkeit, Dichte usw. Auch die spektroskop. Daten, wie IR-, UV- u. NMR-Spektrum, sind identisch. Lediglich die chiropt. Eigenschaften sind unterschiedlich, wobei keine Größenänderung, sondern ein Vorzeichenwechsel beobachtet wird. Die opt. Rotation, die opt. Rotationsdispersion u. der Circulardichroismus sind folglich in ihren Vorzeichen unterschiedlich.
Zur Darst. von E. wählt man am zweckmäßigsten die Fischer-Projektion (s. Konfiguration) u. bezeichnet die absolute Konfiguration des asymmetr. Kohlenstoff-Atoms gemäß den *CIP-Regeln mit *R* oder *S*. Die Frage, welche Konfiguration der (+)- od. (–)-Milchsäure zuzuordnen ist, kann nur durch die Bestimmung der absoluten Konfiguration geklärt werden. Ein Zusammenhang zwischen Drehrichtung u. *R*,*S*-Konfiguration besteht nicht.

Spiegelebene

```
       COOH           COOH
    HO─┼─H           H─┼─OH
       CH₃            CH₃
     S-(+)-         R-(-)-
```
Milchsäure in der Fischer-Projektion

Enantiomere unterscheiden sich in ihrer physiolog. (pharmakolog., toxikolog.) Wirkung[1], ihrer Reaktion mit Enzymen[2] u. ihren sensor. Eigenschaften (Geruch, Pheromon-Wirkung; allerdings sind die Zusammenhänge noch unklar)[3]. Zur Gewinnung von E. sind zahllose spezif. Synth. entwickelt worden, von denen enantioselektive Synthesen eine herausragende Rolle spielen; Näheres s. dort. Eine spezielle Form der E. ist die sog. Cycloenantiomerie (s. Cyclostereoisomerie). Drückt sich die E. auch im spiegelbildlichen Bau von Krist. aus, so spricht man dort von *Enantiomorphie*; *Beisp.:* Rechts- od. Linksquarz, vgl. Abb. bei optische Aktivität. Nach Thiemann u. Wagner[4] unterscheiden sich Enantiomorphe möglicherweise in ihrem Energieinhalt. – *E* enantiomerism – *F* énantiomerie – *I* enantiomeria – *S* enantiomería

Lit.: [1] Umschau **75**, 311f. (1975). [2] Chem. Unserer Zeit **13**, 65–77 (1979). [3] Helv. Chim. Acta **63**, 1932–1946. [4] Angew. Chem. **82**, 776f. (1970).
allg.: Elien u. Wilen, Stereochemistry of Organic Compounds, S. 58ff., New York: Wiley 1994 ■ Hauptmann u. Mann, Stereochemie, S. 56ff., Heidelberg: Spektrum Akadem. Verl. 1996 ■ s. a. Chiralität u. enantioselektive Synthese.

Enantiomorphie s. Enantiomerie.

Enantioselektiv s. enantioselektive Synthese.

Enantioselektive Synthese. Bez. für eine *stereoselektive Synthese, die oft mit dem Begriff *asymmetrische Synthese gleichgesetzt wird, u. bei der die zwei möglichen Enantiomere eines chiralen Produktes in ungleichen Mengen gebildet werden. In den meisten Fällen wird eine e. S. durch eine Reaktionssequenz beschrieben, wobei über ein chirales Hilfsmittel eine *diastereoselektive Reaktion mit nachfolgender Abspaltung dieses Hilfsmittels abläuft. Der Begriff *enantiospezif.* sollte Reaktionen vorbehalten werden, bei denen ein Enantiomeres eines chiralen Eduktes in einer diastereoselektiven Reaktion eingesetzt wird, um neue stereogene Zentren zu schaffen (s. Chiralität), wobei die ursprünglich vorhandene Enantiomerenreinheit erhalten bleibt. Der Enantiomerenüberschuß (*ee* = *enantiomeric excess*) ist definiert als Absolutbetrag der Differenz der prozentualen Mengen beider Enantiomere im Produktgemisch:

$$ee = \left|\frac{R-S}{R+S}\right| \times 100\%$$

mit R = Menge der (*R*)-Form u. S = Menge der (*S*)-Form; damit gilt für das Racemat (R = S): ee = 0%, u. für die reine (*R*)-Form: ee = 100%; für ein Verhältnis R : S = 9 : 1 ergibt sich ee = 80%.
Eine e. S. verlangt auf jeden Fall den Einsatz einer enantiomerenreinen Verb. aus natürlichen („chiral pool") od. synthet. Quellen. Diese Verb. dienen als Hilfsstoffe für die *Racemattrennung, als Edukte, als Katalysatoren (z. B. Enzyme) u. als chirale Hilfsstoffe, die temporär an achirale Edukte, Reagentien od. Katalysatoren gebunden werden. Aus der Vielzahl der Letztgenannten seien die von Enders aus der Aminosäure Prolin entwickelten Reagenzien RAMP u. SAMP genannt, die zur enantioselektiven Alkylierung von Ketonen eingesetzt werden können (Abb. 1).
Die Red. von Ketonen mit chiralen, komplexen Hydriden ist ein weiteres Beisp. für eine e. S.; LiAlH₄, modifiziert mit 1,1′-Binaphthyl-2,2′-diol (BINAL-H, s. Binaphthyl) liefert exzellente Enantioselektivitäten, wenn die Reste am Carbonyl-Sauerstoff sich deutlich elektron. unterscheiden. Der in der Formel angegebene Übergangszustand ist begünstigt, weil sowohl ster. als auch elektron. Abstoßung minimiert sind (Abb. 2).
Es ist im Rahmen dieses Lexikons unmöglich auf alle in neuerer Zeit entwickelten e. S. einzugehen, z. B.

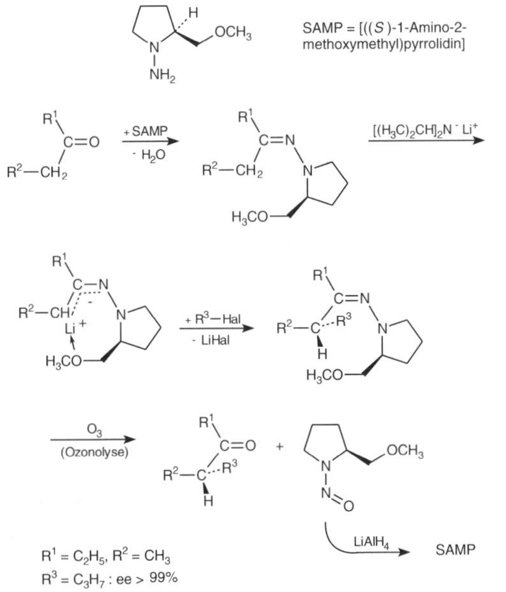

SAMP = [((S)-1-Amino-2-methoxymethyl)pyrrolidin]

$R^1 = C_2H_5$, $R^2 = CH_3$
$R^3 = C_3H_7$: ee > 99%

Abb. 1: Enantioselektive Alkylierung von Ketonen mit Hilfe von SAMP.

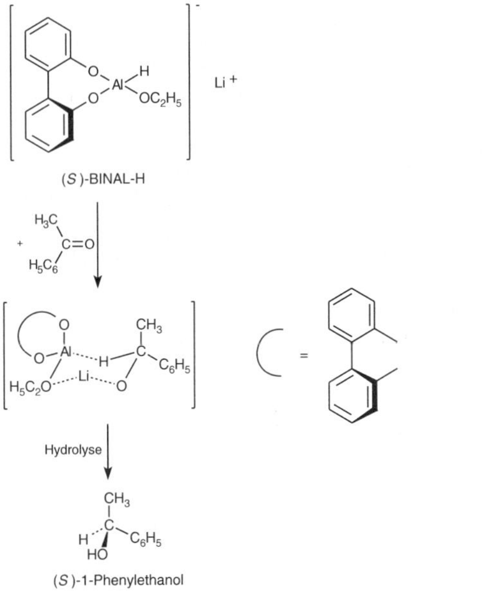

(S)-BINAL-H

(S)-1-Phenylethanol

Abb. 2: Enantioselektive Reduktion von Ketonen mit Hilfe von BINAL-H.

enantioselektive Protonierung u. Deprotonierung[1], cis-Hydroxylierung[2] (vgl. Sharpless-Epoxidierung), Addition an Carbonyl-Verb.[3,4], C–C- u. C–H-Verknüpfungen[5] u. Hydrierungen[6]. Eine bes. Rolle in e. S. spielen Enzyme z. B. aus Bäckerhefe, die zur enantioselektiven Red. von Carbonyl-Verb. benutzt werden; s. a. Lit.[7]. Einen Überblick über aktuelle Trends findet sich in Lit.[8]. – *E* enantioselective synthesis – *F* synthèse énantiosélective – *I* sintesi enantioselettiva – *S* síntesis enantioselectivas

Lit.: [1] Nachr. Chem. Tech. Lab. **39**, 413 (1991). [2] Nachr. Chem. Tech. Lab. **40**, 702 (1992). [3] Angew. Chem. **103**, 34 (1991). [4] Nachr. Chem. Tech. Lab. **43**, 1068 (1995). [5] Angew. Chem. **108**, 1378 (1996). [6] Pure Appl. Chem. **68**, 131 (1996). [7] Chem. Unserer Zeit **30**, 201 (1996). [8] Waldmann (Hrsg.), Organic Synthesis Highlights II, Weinheim: VCH Verlagsges. 1995. *allg.*: Brunner u. Zettelmeier, Handbook of Enantioselective Catalysis, Weinheim: VCH Verlagsges. 1993 ▪ Cervinka, Enantioselective Reactions in Organic Chemistry, London: Horwood 1994 ▪ Eliel u. Wilen, Stereochemistry of Organic Compounds, S. 841 f. u. 939 ff., New York: Wiley 1994 ▪ Hauptmann u. Mann, Stereochemie, S. 223 ff., Heidelberg: Spektrum Akadem. Verl. 1996 ▪ Houben-Weyl **E21a–e** ▪ s. a. diastereoselektive Reaktionen (Synthesen) u. stereoselektive Synthese.

Enantioselektivität s. enantioselektive Synthese.

enantiospezifisch s. enantioselektive Synthese.

Enantiotropie s. flüssige Kristalle u. Modifikationen.

Enantone®(Gyn) Monats-Depot. Retardmikrokapseln u. Suspensionsmittel zur Injektion mit dem *Cytostatikum u. *LH-RH-Agonist *Leuprorelin-Acetat zur Therapie der Endometriose, Uterus- u. Ovarialmyomen, sowie Prostatakarzinomen. *B.*: Takeda.

Enargit, Cu_3AsS_4 bzw. $Cu_2S \cdot 4CuS \cdot As_2S_3$. Wichtiges Kupfer-Erz (Cu 48,4%), stahlgrau bis eisenschwarz, Strich bräunlichschwarz. Stengelige bis nadelige rhomb. Krist., meist längsgestreift, Kristallklasse mm2-C_{2v}; zur Struktur s. *Lit.*[1,2]. Halbmetall.-blendeartiger Glanz ähnlich *Zinkblende. Sehr gute Spaltbarkeit, H. 3, D. 4,4–4,5. Meist in derben Erzmassen u. strahligen Krist.-Aggregaten od. körnig eingesprengt. Lösl. in Salpetersäure unter Schwefel-Abscheidung. Von E. u. dem Antimon-Äquivalent *Stibioenargit* Cu_3SbS_4 gibt es jeweils noch eine tetragonale Modif., den gelblichrosa-stahlgrauen *Luzonit* u. den rötlichviolett-stahlgrauen *Stibioluzonit*.
Vork.: Auf hydrothermalen Gängen, Verdrängungen u. Imprägnationen, z. B. Butte/Montana u. mehrorts in Colorado/USA, Cerro de Pasco/Peru, Tsumeb/Namibia u. Bor/Serbien. – *E = I* enargite – *F* énargite – *S* enargita

Lit.: [1] Acta Crystallogr., Sect. B **26**, 1878 f. (1970). [2] Phys. Chem. Miner. **21**, 317–324 (1994).
allg.: Anthony et al., Handbook of Mineralogy, Bd. 1, S. 147, Tucson (Arizona): Mineral Data Publishing 1990 ▪ Ramdohr, Die Erzmineralien und ihre Verwachsungen, S. 625–634, Berlin: Akademie-Verl. 1975 ▪ Schröcke u. Weiner, S. 181 ff. – [HS 2603 00; CAS 14933-50-7]

Encephaline s. Enkephaline.

Encephalon s. Gehirn.

Enceprint®. Präparationen organ. u. anorgan. Pigmente in niedrigviskosen, Alkohol-lösl. Nitrocellulose für die Herst. von Flexo- u. Tiefdruckfarben, zum Bedrucken von Papier, Aluminium u. Polyolefinfolien. *B.*: BASF.

Endergonische Reaktionen s. Freie Reaktionsenthalpie.

Enders, Dieter (geb. 1946), Prof. für Organ. Chemie, Univ. Bonn, Aachen. *Arbeitsgebiete:* Asymmetr. Synth., Natur- u. Wirkstoffsynthesen.
Lit.: Kürschner (16.), S. 728.

Enders, John Franklin (1897–1985), Prof. für Bakteriologie, Boston (Massachusetts). *Arbeitsgebiete:* Züchtung von Viren (bes. Poliomyelitis-Virus), Gewinnung von Anti-Poliomyelitis-Vakzine, Nobelpreis für Medizin 1954.

Endex®. Hochmol., thermoplast. Kohlenwasserstoffharz auf der Basis von reinen Monomeren für Klebstoff-Anw. u. Polymermodifizierung. *B.:* Hercules.

Endgruppenbestimmung. Viele polymere Naturstoffe od. Laboratoriumsprodukte haben an den Enden der kettenförmigen od. verzweigten Mol. bes. reaktionsfähige Aldehyd-, Hydroxy- od. andere funktionelle Gruppen, sog. *Endgruppen,* deren Anteil am Aufbau der Mol. durch quant. chem. Umsetzungen (evtl. Farbreaktionen) zu ermitteln ist, so daß man Rückschlüsse auf M_R u. Struktur der Gesamtmol. ziehen kann. Die E. hat sich bewährt bei der Bestimmung der Molekülgrößen von Polyethylenoxiden, Polyestern, Polyamiden, Cellulose u. der Struktur von Synthesefasern sowie bei der Untersuchung von Nucleinsäuren, Proteinen u. Kohlenhydraten.
Beisp.: Aus der E. an *Insulin erhält man zwei verschiedende Amino-terminale u. zwei verschiedene Carboxy-terminale Aminosäuren. Daraus kann man schließen, daß Insulin aus mind. zwei verschiedenen Peptid-Ketten besteht. – *E* end group analysis – *F* analyse des groupes terminaux – *I* analisi dei gruppi terminali – *S* análisis de los grupos terminales

Endiandrinsäuren (Endiandrinsäuren A–G).

R = CH_2—COOH : E.A
R = CH_2—CH=CH—COOH : E.B

E.C

E.D

Gruppe von polycycl. Verb. aus Blättern der Dorrigo-Pflaume (*Endiandra introrsa,* Lauraceae), einem großen Baum der austral. Regenwälder. Die wichtigsten Vertreter sind *E. A* ($C_{21}H_{22}O_2$, M_R 306,40, Krist., Schmp. 147–149 °C), *E. B* ($C_{23}H_{24}O_2$, M_R 332,44, Rosetten, Schmp. 163–165 °C), *E. C* ($C_{23}H_{24}O_2$, M_R 332,44, Krist., Schmp. 125–132 °C) u. *E. D* ($C_{21}H_{22}O_2$, M_R 306,40, Krist., Schmp. 90–92 °C). E. besitzen mehrere asymmetr. Zentren u. liegen als Gemische von Stereoisomeren vor. Die Biosynth. erfolgt durch nichtenzymat. Elektrocyclisierungen aus ω-Phenylpolyeninsäuren („*Endiandrinsäure-Kaskade*")[1]. Zur Synth. s. *Lit.*[2]. – *E* endiandrinic acids – *F* acides endiandriniques – *I* acidi endiandrinici – *S* ácidos endiandrínicos

Lit.: [1] Angew. Chem. **108**, 313 ff. (1996); J. Chem. Soc., Chem. Commun. **1980**, 162, 902.[2] J. Am. Chem. Soc. **104**, 5555–5562 (1982); Kočovský et al., Synth. of Natural Products II, S. 269–273, Boca Raton: CRC Press 1986; Nicolaou, in Lindberg, Strategies Tactics Org. Synth., Bd. 1, S. 155–174, Orlando: Academic Press 1984. – [*CAS* 74591-03-0 ((±)*E. A*); 76060-33-8 ((±)*E. B*); 76060-34-1 ((±)*E. C*); 82863-35-2 (*E. D*)]

Endiine (Endiyne). Gruppe von Antitumor-Antibiotika, die als gemeinsames Strukturmerkmal eine Z-konfigurierte 3-Hexen-1,5-diin-Einheit aufweisen. Beisp. sind die teilw. als Einzelstichwörter behandelten *Calicheamicine, C-1027, *Dynemicine, *Esperamicine, *Kedarcidin, Maduropeptin u. *Neocarzinostatin. E. sind aus Kulturen von *Actinomadura-, Actinomyces-, Micromonospora-* u. *Streptomyces*-Arten isoliert worden.
Pharmakolog. Wirkung: Die E. sind hochwirksame Antitumor-Verbindungen. Das eigentliche Wirkprinzip ist die Endiin-Einheit, die elektrocycl. (Bergman-Cycloaromatisierung) unter physiolog. Bedingungen in ein benzoides Diradikal umgewandelt wird:

Solche Diradikale abstrahieren H-Atome aus den Zuckerphosphat-Resten der DNA. Hierdurch kommt es zu Strangbrüchen. Für diese Reaktion ist eine Änderung der geometr. Anordnung der Endiin-Einheit erforderlich, d. h. der Abstand der terminalen C-Atome wird so verändert, daß die Cyclisierung stattfinden kann („Triggering"). Die E. kann man deshalb als *Prodrugs* bezeichnen. Die Entdeckung des Wirkungsmechanismus führte zur Entwicklung synthet. E. mit einfacherer Struktur, die die Palette der Antitumor-Chemotherapeutika in Zukunft bereichern könnten. Der erste Naturstoff, der in die Therapie eingeführt wurde, war Neocarzinostatin, das seit Mitte 1996 in Japan als Tumortherapeutikum auf dem Markt ist. – *E* enediynes – *F* = *I* endiine – *S* endiinas

Lit.: Angew. Chem. **108**, 1178 (1996) ▪ Borders u. Doyle, Enediyne Antibiotics and Antitumor Agents, New York: Dekker 1995 ▪ Chem. Rev. **96**, 207 (1996) ▪ J. Med. Chem. **39**, 2103–2117 (1996) ▪ Nicolaou u. Smith, The Endiyne Antibiotics, in Stang u. Diederich, Modern Acetylene Chemistry, S. 203–283, Weinheim: VCH Verlagsges. 1995 ▪ Synlett **1995**, 13.

Endiole. Aus *...en, *Di... u. *...ol zusammengesetzter Gruppenname für organ. Verb., die die Atom-Gruppierung

$$R^1-\underset{\underset{HO}{|}}{C}=\underset{\underset{OH}{|}}{C}-R^2$$

enthalten. Bekannteste Vertreter der E. sind die *Reduktone, insbes. die *Ascorbinsäure. – *E* enediols – *F* ènediols – *I* endioli – *S* enodioles

Lit.: Chem. Rev. **64**, 7–18 (1964) ▪ Houben-Weyl **6/1 d** ▪ Synthesis **1972**, 176–190; **1977**, 451 ff. ▪ s. a. Enole.

Endivien s. Zichorie.

Endlagerung. Durch *Deponieren von *Schadstoffen soll verhindert werden, daß diese in einer Konz., die für Organismen schädlich wäre, in die *Biosphäre gelangen. Ein ideales Endlager hält Schadstoffe für Zeiträume zurück, die durch die Zeiträume gesteinsbildender Stoffe bestimmt sind, weshalb zum Finden geeigneter Stellen umfangreiche geolog. Untersuchungen notwendig sind. Bezüglich aktueller Endlagerprojekte im In- u. Ausland s. *Lit.* u. radioaktiver Abfall. – *E* final storage, ultimate disposal – *F* stockage final – *I* stoccaggio finale – *S* almacenamiento final de residuos

Lit.: Phys. Unserer Zeit **20**, 116 (1989) ▪ Spektrum Wiss. **1993**, Nr. 10, 32.

Endlosfasern, -garne s. Filamente.

Endo... (von griech.: endon = innen). Präfix in allg. Begriffen (*Beisp.:* *Endokrinologie, *endotherm, s. die folgenden Stichwörter) u. in Namen von organ. Verb. mit verschiedenem Bedeutungsinhalt: 1. In der Beschreibung der Stereochemie von Bicyclo-Verb. besagt *endo-* (kursiv u. klein geschrieben, beim alphabet. Ordnen zunächst unberücksichtigt), daß ein Substituent von der Brücke abgewandt u. „ins Innere" der von den beiden Zweigen des Hauptrings gebildeten Höhlung gerichtet ist; *Beisp.:* *Borneol (vgl. die Abb. bei Bicyclo...). Gegensatz: *exo...
2. Das früher zur Bez. von Brücken bei kondensierten Ringsyst. benutzte Endo... ist heute durch *Epi... abgelöst. Kohlenstoff-Brücken leiten sich von den Namen der betreffenden Kohlenwasserstoffe mit gleicher C-Zahl ab; *Beisp.:* 1,4-Methanonaphthalin (nicht 1,4-Endomethylennaphthalin). CAS benutzt *endo-* bei heterocycl. Brücken; *Beisp.:* *endo*-Pyrrolo... (IUPAC: Epipyrrolo...). – *E* = *F* = *I* = *S* endo...

Endocrocin (1,6,8-Trihydroxy-3-methyl-9,10-dioxo-9,10-dihydro-2-anthracencarbonsäure).

$C_{16}H_{10}O_7$, M_R 314,24, orange Nadeln, Schmp. 340°C (Zers.). Farbstoff aus Pilzen (Dermocyben, Ascomyceten u. *Aspergillus*-Arten) sowie Flechten. E. ist wie *Emodin, von dem es sich nur durch die zusätzliche Carbonsäure-Funktion unterscheidet, ein auf dem Polyketid-Weg gebildetes Octaketid. Der 6-Methylether von E. heißt *Cinnalutein.* – *E* endocrocin – *F* endocrocine – *I* = *S* endocrocina
Lit.: Beilstein E IV **10**, 4129 ▪ J. Chem. Soc., Perkin Trans. 1 **1990**, 1159 ▪ Zechmeister **51**, 129 ▪ Z. Naturforsch. Teil C **33**, 294 (1978) ▪ s. a. Dermocyben-Farbstoffe u. Emodin.

Endocyclisch s. exocyclisch.

Endocytose. Von *Endo... u. *Cyto... abgeleitete Bez. für das Einschleusen von Material in lebende Zellen von *Eukaryonten; *Prokaryonten sind nicht zur E. befähigt. Bei der E. unterscheidet man *Pinocytose, die Aufnahme von gelösten Bestandteilen, u. *Phagocytose, die Einverleibung fester, belebter od. unbelebter Partikel (Nährstoffe, Mikroorganismen, Zelltrümmer). Bei *Protozoen z.B. dient die E. ausschließlich der Nahrungsaufnahme: Das an der Zellaußenseite angelagerte Material wird von der Cytoplasmamembran umschlossen u. als Nahrungsvakuolen (Phagosomen) ins Innere der Zelle transportiert. Dort verschmelzen sie mit den vom *Golgi-Apparat abgeschnürten *Lysosomen, die die zum Abbau erforderlichen Enzyme enthalten.
Bei höheren Organismen dient die E. vorwiegend der Eliminierung körpereigener od. körperfremder Zellen od. Verb. (z.B. von Erythrocyten od. Krankheitserregern durch Makrophagen). Weitere Aufgaben der E. sind die Aufnahme bestimmter körpereigener Verb. in die Zelle, z.T. auch ein Materialtransport durch die Zelle (Transcytose).

Verschiedene Parasiten bedienen sich der E., um in ihre Wirtszellen einzudringen (u.a. *Viren, intrazellulär parasitierende *Bakterien, Protozoen wie der *Malaria-Erreger). Beim umgekehrten Vorgang, der *Exocytose*, werden die vom *endoplasmatischen Retikulum u. vom *Golgi-Apparat gebildeten Verb. nach außen sezerniert. – *E* endocytosis – *F* endocytose – *I* endocitosi – *S* endocitosis

Endoenzyme. 1. Bez. für *Enzyme, die in der Zelle wirksam sind; im Gegensatz zu *Exoenzymen, die außerhalb der Zelle ihre Aktivität entfalten.
2. Bez. für Enzyme, die die Bindungen von Polymeren vom Innern der Kette her angreifen u. spalten. Im Gegensatz dazu bauen *Exoenzyme vom Ende einer Polymer-Kette her ab. Beisp. für beide Typen sind *Exo-* bzw. *Endonucleasen* (s. Nucleasen). – *E* = *F* endoenzymes – *I* endoenzimi – *S* endoenzimas

Endogen. Von *endo... u. *...gen abgeleitetes Adjektiv für „im Körperinneren entstehend", „von innen kommend". *Beisp.:* endogene Opiate s. Enkephaline. – *E* endogenous – *F* endogène – *I* endogeno – *S* endógeno

Endoglykosidasen s. Glykosidasen.

Endokrine Effekte (von griech. endon = innen u. krinein = absondern). Bez. für Wirkungen auf das endokrine Syst. bzw. für *Hormon-Wirkungen.
Endokrines Syst.: Dieses Syst. (Endokrinium, „Hormonsyst."[1]) umfaßt die Gesamtheit der Organe, die in den Blutkreislauf Stoffe (Hormone) abgeben, sowie die steuernden Einheiten, im weiteren Sinn auch die Erfolgs- u. Zielorgane der Hormone[2]. Mit dem Nervensyst. zusammen koordiniert es Entwicklung u. Funktion des gesamten Organismus. Es besteht beim Menschen u. a. aus Bauchspeicheldrüse (Pankreas), Eierstöcken (Ovar), Helle-Zellen-Syst. (APUD-Zellen [von *E* Amine and Precursor Uptake and Decarboxylation = Amin- u. Vorstufen-Aufnahme- u. Decarboxylierung]), Hirnanhangsdrüse (Hypophyse), Hoden (Testis), Nebenniere (Glandula suprarenalis) u. Schilddrüse (Thyreoidea). Im Gegensatz dazu wirkt das parakrine Syst. ohne Einschaltung der Blutbahn z.B. auf Nachbarzellen.
Endokrine Störung: E. E. können bei tatsächlichem Auftreten je nach Art u. Funktion des Hormon-Rezeptors, der Disposition des betroffenen Organismus u. der Struktur des Signalstoffes auf Entwicklung, Sexualverhalten, Immunsyst., Intelligenz u. a. einwirken. *2,3,7,8-Tetrachlordibenzo[1,4]dioxin (s. a. Dioxine)[3], *PCB[3], Tributylzinn (s. Zinn-organische Verbindungen), *DDT u. seinen prim. Abbauprodukten[3], aber auch einigen als Antioxidationsmittel verwendeten Alkoxyphenolen wird aufgrund von kontrovers diskutierten Hypothesen eine den weiblichen Sexualhormonen (*Estrogene) ähnliche Wirkung zugeschrieben. Diese unerwünschte Wirkung wird als endokrine Störung (*E* endocrine disruption) bezeichnet, die Schadstoffe in diesem Zusammenhang als (*E*) estrogen mimics od. endocrine-disrupting chemicals (EDC). Allerdings binden anthropogene Schadstoffe wesentlich schlechter an die Hormonrezeptoren als das genuine Hormon; von Affinitätsunterschieden von

5–6 Größenordnungen ist die Rede [4]. Aus Untersuchungen an zweieiigen Zwillingen [2], von Behandlungen mit Hormonen wie *Diethylstilbestrol u. aus Beobachtungen an Bienen, Pantoffelschnecken u.a. weiß man, daß von außen zugeführte Hormone bzw. *Pheromone die geschlechtliche Entwicklung u. das Sexualverhalten von Organismen beeinflussen können. In mind. 300 Pflanzen aus 16 Familien – einschließlich Weizen, Möhre u. Kartoffel – wurden Stoffe mit estrogener Wirkung nachgewiesen (Phytoestrogene) [3]. Solche Wirkungen werden z.B. auch den Hopfen-*Naturstoffen der *Humulon- u. *Lupulon-Reihe nachgesagt, obwohl nur geringe strukturelle Ähnlichkeiten zu Estrogenen (Steroiden) bestehen. Als e. E. von Schadstoffen werden z.B. Fortpflanzungsstörungen von Wildtieren in Nordamerika [3] interpretiert: Mangelnde Balzaktivität von Weißkopf-Seeadlern, Reproduktionsprobleme bei Ottern u. Nerzen, Paarungen zwischen weiblichen Möwen, Vermännlichung von Fischen od. verkleinerte Geschlechtsorgane bei männlichen Alligatoren. Bes. kontrovers werden vermutete Rückgänge von Spermienzahl u. -Qualität beim Menschen diskutiert [5].

Maßnahmen: Ein verstärkter Forschungsaufwand zur Abklärung der vermuteten Zusammenhänge ist erforderlich. Zur Erforschung möglicher endokriner Wirkungen von Chemikalien haben die europ. (*CEFIC), nordamerikan. (CMA) u. japan. (JCIA) Chemieverbände eine globale Arbeitsteilung vereinbart; zudem sind in Deutschland mehrere Arbeitsgruppen mit dem Thema befaßt [6]. – *E* endocrine effects – *F* effets endocrinologiques – *I* effetti endocrini – *S* efectos endócrinos

Lit.: [1] Karlson et al., Kurzes Lehrbuch der Biochemie (14.), S. 417–467, Stuttgart: Thieme 1994. [2] VCI (Hrsg.), Dossier: Endokrine Effekte, Frankfurt: Selbstverl. 1996. [3] Colburn et al., Our Stolen Future, New York: Dutton 1996. [4] Dtsch. Apoth. Ztg. **135**, Nr. 42 (1995). [5] Fertility Sterility (J. Am. Soc. Reproductive Med.) **65**, 1009–1014, 1015–1020, 1044ff. (1996). [6] Nachr. Chem. Tech. Lab. **44**, 758 (1996). *allg.:* Spektrum Wissenschaft **1995**, Nr. 12, 38–44 ▪ Umweltwiss. Schadstoff-Forsch. **8**, 221–226 (1996).

Endokrinologie. Von *endo... u. griech.: krinein = absondern abgeleitete Bez. für die Lehre von den durch *innere* *Sekretion aus speziellen Drüsen direkt in die Lymph- bzw. Blutbahn abgegebenen *Inkreten*, die als *Hormone bezeichnet u. dort abgehandelt werden. – *E* endocrinology – *F* endocrinologie – *I* endocrinologia – *S* endocrinología

Endomycin s. Helixin.

Endonexine s. Annexine.

Endonucleasen s. Nucleasen u. Restriktions-Endonucleasen.

Endoparasitismus s. Parasiten.

Endopeptidase 24.11 s. neutrale Endopeptidase 24.11.

Endopeptidasen. Bez. für *Proteinasen, der von der *IUBMB neuerdings der Vorzug gegeben wird.

Lit.: International Union of Biochemistry and Molecular Biology, Enzyme Nomenclature. Recommendations (1992) of the Nomenclature Committee of the IUBMB, S. 371, San Diego: Academic Press 1992.

Endoperoxide (von *Endo...). Veraltete Bez. für *Epidioxide.

Endoplasmatisches Retikulum (ER). Bei diesem (wörtlich) „innerplasmat. Netz" handelt es sich um ein elektronenmikroskop. darstellbares Syst. von Zell-Membranen, das im *Cytoplasma aller tier. u. pflanzlichen *Zellen vorkommt (s. die Abb. dort; Ausnahmen: *Erythrocyten, *Thrombocyten) u. das räumlich ein Gitterwerk aus formvariablen flachen (Zisternen) u. röhrenförmigen (Tubuli) Hohlräumen (Durchmesser 25–500 nm) vorstellt, die durch Querverbindungen miteinander u. mit der Kernhülle in Zusammenhang stehen. Bei der Zell-Homogenisation wird das ER zu sog. *Mikrosomen zerschlagen. Die Membranen des ER bestehen aus *Lipiden u. *Proteinen.

Die Außenflächen der Zellkern-nahen Zisternen sind häufig mit 12–20 nm großen *Ribosomen besetzt u. erscheinen dadurch im elektronenmikroskop. Bild rauh: man spricht von *rauhem* (granulärem) *ER* od. *Ergastoplasma* (von griech.: ergastikos = arbeitend). Dessen Ribosomen sind diejenigen Organellen der Zelle, an denen die Protein-Biosynth. (*Translation) abläuft. Dagegen werden die weiter auswärts gelegenen Tubuli wegen des Fehlens von Ribosomen als *glatt* (agranulär) bezeichnet. In den oberflächenreichen Membranen des ER finden sich zahlreiche *Enzyme, die an Stoffwechsel-Prozessen wie Redox-Reaktionen, Desalkylierungen, Oxygenierungen, Arzneimittel-Entgiftungen in der *Leber usw. teilnehmen: Glucose-6-phosphatase (s. D-Glucose-6-phosphat), Esterasen, Oxygenasen (wie *Cytochrom P-450), Transferasen, 5'-Nucleotidasen etc. Das Zisternensyst. des rauhen ER stellt gegenüber der cytoplasmat. Grundsubstanz eine interne Phase dar, in die hinein Oligosaccharide, Phospholipide u. (nach ihrer Synth. am Ribosom) sekretor. Proteine abgegeben werden; jedoch werden auch Membranproteine am rauhen ER synthetisiert. Bei den sekretor. Proteinen spielt eine *N*-terminale *Signalsequenz* eine Rolle, die von den *Präproteine* genannten Vorstufen während der Einschleusung durch die Membran abgespalten wird. Im ER werden die Protein-Mol. gefaltet, *Disulfid-Brücken in ihnen ausgebildet [1], die Proteine (wie auch Membranlipide) werden ggf. glykosyliert [2] u. in Vesikeln zum *Golgi-Apparat weitertransportiert. Proteine, die im ER verbleiben, besitzen Carboxy-terminale Retentionssequenzen.

Im glatten ER werden Lipid-Bestandteile der Lipoproteine des Blutplasmas u. *Steroide synthetisiert. Das ER dient auch als Speicher für Calcium-Ionen u. steht damit in *Muskel-Zellen, wo es als *sarkoplasmatisches Retikulum bezeichnet wird, in funktionellem Zusammenhang mit der Muskel-Kontraktion u. -Relaxation. – *E* endoplasmic reticulum – *F* réticulum endoplasmique – *I* reticolo endoplasmico – *S* retículo endoplásmico

Lit.: [1] Protein Sci. **5**, 1443–1452 (1996). [2] Trends Biochem. Sci. **17**, 32–36 (1992).
allg.: Borgese u. Harris, Endoplasmic Reticulum, New York: Plenum 1993 ▪ J. Exp. Botany **44**, 1417–1444 (1993) ▪ Plant Physiol. Biochem. **34**, 197–205 (1996).

ENDOR s. EPR-Spektroskopie.

Endorphine. Von *endogen u. *Morphin abgeleitete Sammelbez. für schmerzlindernd wirksame Peptide, die aus *Hirnsubstanz u. *Hypophyse in winzigen Mengen isoliert u. in ihrer Zusammensetzung aufgeklärt wurden, z. B. von *Li. Die Strukturaufklärung bewies nicht nur die chem. Verwandtschaft zwischen den E. u. den physiolog. ähnlich wirkenden u. manchmal auch zu den E. gezählten *Enkephalinen u. *Dynorphinen*, sondern zeigte überraschenderweise auch enge biogenet. Beziehungen (vgl. die Abb.) zu den – physiolog. an ganz anderen Wirkorten tätigen – Peptid-Hormonen *Corticotropin, *Lipotropin u. *Melanotropin auf. β-Lipotropin, der Vorläufer der α-, β- u. γ-E., entsteht neben Corticotropin u. α-Melanotropin aus dem Prohormon *Proopio(melano)cortin* (POMC, M_R 26 500), wohingegen die Enkephaline aus *Proenkephalin*, β-Neo-Endorphin u. die Dynorphine aus *Prodynorphin* gebildet werden.
Herst.: Während die Enkephaline einfacher zu synthetisieren sind, werden die E., die sich in ihren Aminosäure-Sequenzen je nach Herkunft (Kamel, Schwein, Mensch) geringfügig unterscheiden, durch Spaltung der β-Lipotropin-Mol. zwischen den Aminosäuren 60 u. 61 (Arg u. Tyr) gewonnen.

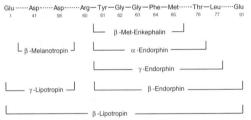

Abb.: Schematischer Aufbau der Endorphine u. Zusammenhang mit Met-Enkephalin, den Lipotropinen u. β-Melanotropin. Zur Erklärung der Kurzz. s. Aminosäuren.

Wirkungsweise: Die den *Hirn- u. Neuropeptiden* zugerechneten E. haben teils *Hormon-, teils *Neurotransmitter-Charakter u. wirken ebenso wie die Enkephaline im Zentralnervensystem auf formal gleiche Weise analget. wie Morphin u. Opiate: Sie blockieren die *Opiat-Rezeptoren* im Gehirn u. Rückenmark u. unterbinden damit die Schmerzleitung, bei der die sog. *Substanz P, ein Undecapeptid, eine Rolle spielt. Leider haben sich die Hoffnungen, man könne die E. als natürliche Analgetika einsetzen, nicht erfüllt. Zum einen können nämlich die Peptide bei intravenöser Anw. die *Blut-Hirn-Schranke nicht überwinden, zum anderen erzeugen sie wie andere starke *Schmerz- u. *Betäubungsmittel u. *Rauschgifte Abhängigkeit. Dafür haben die Untersuchungen zum besseren Verständnis der Leitungsphänomene u. der *Rezeptor-Funktion in der *Neurochemie geführt. – *E* endorphins – *F* endorphines – *I* endorfine – *S* endorfinas
Lit.: Adv. Pain Res. Therapy **22**, 439–457 (1995) ▪ Peptides **16**, 1517–1555 (1995).

Endosomen. Durch *Endocytose u. ggf. anschließendes „Entkleiden" der *coated vesicles* von *Clathrin entstehende intrazelluläre Membran-umschlossene Bläschen, die zum Zweck der Verdauung ihres Inhalts mit prim. *Lysosomen*, die abbauende *Enzyme enthalten, verschmelzen können. Membranbestandteile u. enthaltene *Rezeptoren werden zur Plasmamembran zurückgeführt. – *E = F* endosomes – *I* endosomi – *S* endosomas
Lit.: Tartakoff et al., Endosomes and Lysosomes. A Dynamic Relationship, Greenwich, CT: Jai Press 1993.

Endosperm s. Getreide.

Endosporen. E. sind Dauerformen von *Bakterien (z. B. Gattung *Bacillus*), die diese beständig gegen Hitze, Austrocknung, Strahlung u. chem. Einflüsse machen. Bei der Sporulation wird nach DNA-Verteilung, Membran-*Kompartimentierung, *Differenzierung u. Wasserentzug pro Zelle eine E. gebildet. Diese dient als Ruheform, die bedingt durch die dicke, *Dipicolinsäure enthaltende Sporenhülle u. den geringen Wassergehalt extrem resistent gegen Umwelteinflüsse ist.
Bei *Eukaryonten kommen E. z. B. im Innern von einzelligen *Algen u. *Pilzen od. in den Sporenbehältern mehrzelliger *Moose u. *Farne vor. – *E = F* endospores – *I* endospore – *S* endósporas
Lit.: Schlegel (7.).

Endosulfan.

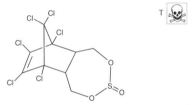

Common name für 6,7,8,9,10,10-Hexachlor-1,5,5a, 6,9,9a-hexahydro-6,9-methano-2,4,3-benzodioxathiepin-3-oxid, $C_9H_6Cl_6O_3S$, M_R 407,0, LD_{50} (Ratte oral) 80 mg/kg (GefStoffV), von Hoechst (jetzt AgrEvo) 1956 eingeführtes breit wirksames nicht-system. nützlingsschonendes *Insektizid u. *Akarizid mit Kontakt- u. Fraßgiftwirkung gegen beißende u. saugende Insekten in vielen Kulturen. – *E = F = I* endosulfan – *S* endosulfán
Lit.: Beilstein E IV **6**, 5533 ▪ Farm ▪ Perkow ▪ Pesticide Manual. – [HS 292090; CAS 115-29-7]

Endosymbionten s. Eukaryonten, Mitochondrien.

Endotheline (ET).

```
       1
Cys-Ser-Cys-Ser-Ser-Leu-Met-Asp-Lys-Glu-Cys-Val-Tyr-
                                   21
Phe-Cys-His-Leu-Asp-Ile-Ile-Trp
              ET-1
```

*Peptide aus dem Endothel (innere Zellschicht) der Blutgefäße, die als sehr wirksame u. wichtige Regulatoren des Blutdrucks gelten. Das überwiegend vorkommende *ET-1* ($C_{109}H_{159}N_{25}O_{32}S_5$, M_R 2491,9) wird durch ein *ET-Konversions-Enzym* (ECE) aus einem größeren Polypeptid (*Proendothelin*, big ET; 38 Aminosäure-Reste) freigesetzt [1]. Es bindet an zwei Arten von *Rezeptoren (ET_A u. ET_B, beide zur 7-Transmembran-Helix-Familie gehörig, *Signaltransduktion durch *Inositphosphate u. *Calcium), die sich auf den glatten Muskelzellen der Gefäße befinden, u. bewirkt Kontraktion (Vasokonstriktion). Über Endothel-ständige ET_B-Rezeptoren kommt es durch ET dagegen zur Freisetzung von Stickstoffmonoxid (s. Stickstoff-

oxide) u. zur Gefäßerweiterung (Vasodilatation). Da die ET auf diese Weise ihre eigene Wirkung aufheben u. außerdem schnell aus dem Blut entfernt werden, wirken sie nur kurz u. lokal begrenzt. Zur Behandlung chron. Vasokonstriktion, von Bluthochdruck u. Herzinsuffizienz sind ET-Antagonisten im klin. Versuch.
Weitere Wirkungen: ET, die auch in Bronchialepithel gebildet werden, erzeugen Spasmen der glatten Muskulatur der Atemwege [2]. Sie sind auch *Wachstumsfaktoren für bestimmte Nierenzellen [3]. – *E* endothelins – *F* endothélines – *I* endoteline – *S* endotelinas
Lit.: [1] Biochem. Pharmacol. **51**, 91–102 (1996). [2] Trends Pharmacol. Sci. **14**, 29 ff. (1993). [3] Annu. Rev. Physiol. **55**, 249–265 (1993).
allg.: Drugs **51**, 12–27 (1996) ▪ Gray u. Webb, Molecular Biology and Pharmacology of the Endothelins, Berlin: Springer 1995 ▪ Nachr. Chem. Tech. Lab. **39**, 210 f. (1991) ▪ Pharmacol. Rev. **46**, 325–415 (1994).

Endothelium-derived relaxing factor s. Stickstoffoxide (Stickstoffmonoxid).

Endotherm. Eine chem. Reaktion ist e., wenn sie unter Wärmeaufnahme aus der Umgebung abläuft. Die *Reaktionsenthalpie einer e. Reaktion ist daher positiv. Der Begriff e. wird zuweilen auch auf Phasenumwandlungen angewandt. *Beisp.:* Umsetzung von Wasserstoff mit Graphit zu Acetylen (vgl. Bildungswärme), Schmelzen von Eis zu Wasser, Verdampfen von Wasser zu Wasserdampf. – *E* endothermic – *F* endotherme – *I* endotermico – *S* endotérmico

Endotoxine (von *Endo... u. *Toxine). Bez. für Bakterientoxine, die im Gegensatz zu den *Exotoxinen nicht von lebenden *Bakterien ausgeschieden werden, sondern erst durch *Autolyse (z. B. im *Darm) freigesetzt werden. Bei den „klass." E. handelt es sich um die in der äußeren Membran von Gram-neg. Bakterien verankerte hitzestabile *Lipopolysaccharid(LPS)-Fraktion der Zellmembran. Das LPS besteht aus dem Lipid A, dem Kernpolysaccharid sowie der *O*-spez. Kette; für die tox. Wirkung von LPS ist das Lipid A verantwortlich. E. sind bei allen *Enterobacteriaceae, z. B. *Salmonella* (Typhus), *Shigella* (Ruhr), u. v. a. Gram-neg. Keimen zu finden. E. stimulieren im Mikroorganismus Mediatoren (*Cytokine) des *Immunsystems. Eine der wichtigsten Folgereaktionen ist die Produktion von *Interleukin 1 u. Kachektin (*Tumornekrose-Faktor) durch Makrophagen. Hierdurch wird eine gesteigerte Synth. von *Prostaglandin E_2 in den Endothelzellen des *Hypothalamus induziert, was eine Temp.-Erhöhung im Organismus zur Folge hat (s. a. Pyrogene). Neben Fieber rufen E. zahlreiche weitere pathophysiolog. Wirkungen hervor. Bei Freisetzung hoher E.-Dosen kann es zum irreversiblen E.-Schock kommen.
Im weiteren Sinne werden im Cytoplasma lokalisierte Proteintoxine Gram-neg. Bakterien ebenfalls als E. bezeichnet, so z. B. Toxine von *Vibrio cholerae* (*Choleratoxin), die *Bakteriocine (z. B. *Colicine) od. die von *Bacillus thuringiensis* gebildeten γ-E., Polypeptid-Krist., die bis zu 30% des Zellgew. ausmachen u. im Pflanzenschutz als Fraßgift gegen Larven von Schadinsekten eingesetzt werden. – *E* endotoxins – *F* endotoxines – *I* endotossine – *S* endotoxinas

Lit.: Agarwal, Bacterial Endotoxins and Host Response, Amsterdam: Elsevier 1980 ▪ Kayser et al., Medizinische Mikrobiologie, Stuttgart: Thieme 1993 ▪ Schlegel (7.).

Endoxan®. Trockensubstanz u. Dragees mit dem *Cytostatikum *Cyclophosphamid. *B.:* Asta Medica.

Endprodukt. Bez. für denjenigen Stoff, der aus dem od. den *Ausgangsmaterialien als letztes Glied einer ggf. längeren Kette zum chem. *Reaktionen in möglichst hoher *Ausbeute entstanden ist. – *E* end product – *F* produit final – *I* prodotto finito – *S* producto final

Endprodukthemmung (Rückkopplungs-, Feedback-Hemmung. Mit E. bezeichnet man ein Regulationsphänomen enzymat. gesteuerter Prozesse, dergestalt, daß das *Endprodukt einer Biosynth.-Kette auf das die erste Teilreaktion der Kette katalysierende Enzym hemmend einwirkt, wodurch die Synth. bei genügend hoher Konz. des Endprodukts zum Erliegen kommt; s. a. Allosterie u. Effektoren. – *E* feedback inhibition – *F* rétro-inhibition – *I* inibizione da feedback – *S* retroinhibición

Endpunkt. Bez. für denjenigen Punkt bei einer Titration, bei dem sich eine ausgewählte Eigenschaft der Lsg. (z. B. die ihr durch einen Indikator verliehene Farbe, s. bei Titration) deutlich ändert. Der E. liegt mehr od. weniger direkt am *Äquivalenzpunkt (*theoret. Endpunkt*). Bei der graph. Meth. der Bestimmung des E. wird dieser als Schnittpunkt von zwei Geraden od. Kurven erhalten. – *E* end point – *F* point de virage – *I* punto estremo – *S* punto final

Endrin.

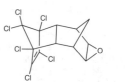

Common name für 1,2,3,4,10,10-Hexachlor-6α,7α-epoxy-1,4,4aα,5,6,7,8,8aα-octahydro-1α,4α:5α,8α-dimethanonaphthalin, $C_{12}H_8Cl_6O$, M_R 380,9, Schmp. 226–230 °C, LD_{50} (Ratte oral) 7 mg/kg (GefStoffV), MAK 0,1 mg/m³, von J. Hyman & Company 1951 eingeführtes breit wirksames *Insektizid u. *Rodentizid, stereoisomer zu *Dieldrin. E. ist in der BRD als *Pflanzenschutzmittel nicht mehr zugelassen. – *E* endrin – *F* endrine – *I* endrina – *S* endrín
Lit.: Beilstein E V **17/2**, 86 ▪ Farm ▪ Perkow. – *[HS 291090; CAS 72-20-8]*

Enelbin®. Paste zur Behandlung von Gelenkerkrankungen usw., enthält *Aluminiumsilicate, *Zinkoxid, *Salicylsäure, E.-Salbe ohne die beiden Erstgenannten, aber zusätzlich mit *Heparin-Natriumsalz. *B.:* Cassella-med GmbH.

Enelfa®. Tabl., Saft u. Suppositorien mit *Paracetamol gegen Schmerzen bei Infektionskrankheiten. *B.:* Dolorgiet.

Energie (von griech.: energeia = Tatkraft). In den Naturwissenschaften versteht man unter E. die Fähigkeit eines Stoffes od. Syst., Arbeit zu leisten, wobei man formal E. als aus *Exergie* (techn. nutzbarer Anteil) u. *Anergie* (nicht nutzbarer Anteil, Verlust) zusammengesetzt betrachten kann. Die Einheiten der E. sind im

SI: *Joule, Wattsekunde, *Elektronenvolt u. Newtonmeter, in älteren Maßsyst.: *Erg, Kilopondmeter u. *Kalorie. Im mikrophysikal., d.h. atomaren u. mol. Bereich spricht man z.B. von *freier od. innerer Energie (*Enthalpie), die über die *Hauptsätze der *Thermodynamik miteinander verknüpfbar sind, von elektron., Rotations-, Schwingungs-, Anregungs-, *Dissoziations-, Resonanz-, Bindungs-, *Aktivierungs-, *Gitter-Energie usw. Im makrophysik. u. techn. Bereich unterscheidet man u.a. folgende *Energieformen:* Potentielle u. kinet. E., Wärme-, Kern-, Strahlungs-, elektr. u. chem. E.; nach den E.-Quellen: Sonnen-, Verbrennungs-, Wind-, geotherm., Gezeiten-E. etc., s.a. Energie-Direktumwandlung u. Bioenergetik. Ebenso wie Materie unterliegt auch E. – natürlich unter Berücksichtigung von A. *Einsteins Masse-Energie-Gleichung – einem globalen *Kreislauf. Auf eine weitergehende Erörterung der E.-Thematik, insbes. unter wirtschaftlichen, polit., ökolog. od. Vorrats-Gesichtspunkten muß hier verzichtet werden. Zum Überblick über Energiebedarf in der BRD u. verfügbare Energiequellen s. *Lit.*[1]. Artikel über globale Strategie zur Energienutzung s. *Lit.*[2] u. neue Energietechnologien s. *Lit.*[3]. – *E* energy – *F* énergie – *I* energia – *S* energía

Lit.: [1]Phys. Unserer Zeit **18**, 47 (1987). [2]Sci. Am. **261**, 86 (1989). [3]Tagungsberichte des Energiewirtschaftl. Instituts Köln, München: Oldenbourg 1989; Kenney, Energy Conservation, Process Industries, Encycl. of Physical Science and Technology, Bd. 6, S. 43–78, San Diego: Academic Press 1992.
allg.: Heinloth, Energie, Stuttgart: Teubner 1983.

Energiebänder. Während die energet. tiefsten elektron. Zustände eines Atoms im allg. deutlich voneinander getrennt sind, bilden sich beim Aufbau eines Krist. aus einer sehr großen Anzahl von Atomen E. aus. Das bedeutet, daß in einem bestimmten Energiebereich eine prakt. kontinuierliche Verteilung von Energiezuständen vorliegt. Die E. sind durch energet. Bereiche voneinander getrennt, in denen keine Elektronenzustände erlaubt sind. Solche verbotenen Bereiche nennt man *Energielücken* od. *Bandlücken*. Sind die erlaubten E. vollständig mit Elektronen besetzt od. völlig leer, so verhält sich der Krist. wie ein *Isolator. Das oberste voll besetzte Band heißt *Valenzband*, das nächsthöhere, beim Isolator leere Band wird *Leitungsband* genannt. Bei *Metallen überlappen sich Valenz- u. Leitungsband, so daß das Leitungsband immer teilw. besetzt ist. Bei *Halbleitern ist am *absoluten Nullpunkt das Valenzband voll u. das Leitungsband gänzlich unbesetzt. Da die Energielücke zwischen diesen beiden Bändern nur in der Größenordnung von 1 eV (s. Elektronenvolt) ist, werden mit steigender Temp. Elektronen vom Valenzband in das Leitungsband therm. angeregt. Damit hat ein Halbleiter bei 20 °C eine gewisse Eigenleitfähigkeit, die im Bereich von 10^{-4} bis 10^{7} Ωm liegt; s.a. chemische Bindung, elektrische Leiter u. Halbleiter. – *E* energy bands – *F* bandes d'énergie – *I* bande d' energia – *S* bandas de energía
Lit.: s. Festkörper.

Energie-Direktumwandlung. Hierunter versteht man die Erzeugung von (meist elektr.) *Energie aus anderen Energieformen auf unkonventionellem Wege, insbes. unter Vermeidung mechan. bewegter, z.B. rotierender Teile. Die wichtigsten Vorrichtungen mit den zugrundeliegenden Prinzipien sind: 1. *Photozellen u. *Solarzellen (*Photoeffekte), 2. *Thermoelemente (*Thermoelektrizität), 3. *Galvanische Elemente u. *Brennstoffzellen (*Elektrochemie), 4. Radionuklid-Batterien (*Thermoelektrizität), 5. Thermion. Konverter (*Thermionische Energieumwandlung), 6. MHD-Generatoren (*Magnetohydrodynamik). – *E* direct energy conversion – *F* transformation directe d'énergie – *I* trasformazione diretta dell'energia – *S* transformación directa de energía

Energiedispersive Röntgen-Spektroskopie (EDRS, EDS). Ein Verf. der *Röntgen-Spektroskopie, bei dem – ebenso wie bei der *Elektronenstrahl-Mikroanalyse – die für chem. Elemente charakterist. Röntgenstrahlung als Folge der Anregung durch Elektronenstrahlen emittiert wird. Die Geräte sind prinzipiell Weiterentwicklungen von Raster-Elektronenmikroskopen (s. Elektronenmikroskop); sie liefern daher ein Bild sowohl von der Struktur als auch von der chem. Zusammensetzung der untersuchten (meist metall.) Werkstoffe. – *E* energy dispersive analysis of X-rays (EDAX) – *F* spectroscopie Röntgen à énergie dispersive – *I* spettroscopia energetica-dispersiva a raggi X – *S* espectroscopia de rayos X de la energía dispersiva
Lit.: Analyt.-Taschenb. **1**, 269–286 ▪ Heinrich, Electron Beam X-Ray Microanalysis, New York: Van Nostrand Reinhold 1980 ▪ Kirk-Othmer (3.) **2**, 638 f. ▪ s.a. Röntgen-Spektroskopie.

Energiedissipation s. Dissipation.

Energieelastizität s. Elastizität.

Energie(hyper)flächen s. Born-Oppenheimer-Näherung, Potential u. Reaktionsmechanismen.

Energieladung s. Adenosin-5'-triphosphat.

Energielücken (Bandlücken) s. Energiebänder u. Halbleiter.

Energie-Masse-Äquivalenz s. Einsteins Masse-Energie-Gleichung.

Energieterm s. Term.

Energieübertragung. Hier ist unter E. der *Transport von *Energie im mol. Bereich zu verstehen, wobei man zwischen physikal. u. chem. Prozessen unterscheiden kann. Zu den ersteren gehören die in Einzelstichwörtern näher behandelten Stoßprozesse, die Wanderung von Elektronen bzw. Ladungen vom Donator zum Akzeptor, u. von Excitonen, zu den letzteren die – ggf. über Exciplexe verlaufende – *Sensibilisation. Durch kurze Laserpulse im Femto-Sekundenbereich (s. Farbstoff-Laser) können heute Energietransferprozesse in Mol. ausgemessen werden, s.a. Photochemie, Charge-transfer-Komplexe u. Elektronen-Donator-Akzeptor-Komplexe. – *E* energy transfer – *F* transfert d'énergie – *I* trasmissione dell'energia – *S* transferencia de energía
Lit.: Brumer, Energy Transfer, Intramolecular, Encycl. of Physical Science and Technology, Bd. 6, S. 93–120, San Diego: Academic Press 1992 ▪ J. Phys. Chem. **88**, 5459 (1984) ▪ Yardley, Introduction to Molecular Energy Transfer, New York: Academic Press 1980. – *Zeitschrift:* Gaskinetics and Energy Transfer, London: Chem. Soc. (seit 1975) ▪ s.a. Photochemie.

Energievariationsprinzip. Wichtiges Prinzip in der *Quantenchemie zur Bestimmung von Näherungslösungen der *Schrödingergleichung; die nur selten erhältlichen exakten *Wellenfunktionen erfüllen automat. das Energievariationsprinzip. Bei Verw. des E., welches eine obere Schranke für den betrachteten Energie-Eigenwert (s. Eigenwertproblem) liefert, wird nach einem stationären Wert des sog. *Energiefunktionals* $E[\Psi] = \langle \Psi | \hat{H} | \Psi \rangle / \langle \Psi | \Psi \rangle$ gesucht. Hierbei sind Ψ eine Näherungswellenfunktion u. $\hat{H}$ ist der *Hamilton-Operator für das betrachtete Syst.; es wurde die *Dirac-Schreibweise benutzt. Anw. findet das E. z. B. in der Meth. der Konfigurationenwechselwirkung (s. Configuration Interaction) od. des *Hartree-Fock-Verfahren. – *E* energy variation principle – *F* principe de variation de l'énergie – *I* principio sulla variazione dell' energia – *S* principio de variación de la energía

Energieverlust-Spektroskopie (ENS) s. Elektronenspektroskopie.

Enfleurage. Eine nur noch vereinzelt praktizierte Meth. zur *Extraktion von *Riechstoffen aus Blüten. Dabei wird – bei der sog. „E. à froid" – das zu extrahierende Material (z. B. Jasmin- od. Tuberosenblüten) zur Übertragung der Inhaltsstoffe auf hochgereinigtem Fett od. a. *Adsorbentien ausgestreut. Dieser Vorgang wird vielfach wiederholt. Bei der „E. à chaud" (*Maceration, Digestion*) nimmt man die Auslaugung mit Fett bei 50 – 70 °C in Kesseln vor. Aus dem Fett (der sog. *Pomade*) lassen sich die *etherischen Öle durch Ausziehen mit Ethanol rein gewinnen. – *E* = *F* = *I* = *S* enfleurage

Lit.: Kirk-Othmer (3.) **16**, 308, 314; (4.) **17**, 604 ▪ Ullmann (3.) **14**, 696; s. a. etherische Öle, Parfüms.

Enfluran.

$$H-\underset{\underset{F}{|}}{\overset{\overset{F}{|}}{C}}-O-\underset{\underset{F}{|}}{\overset{\overset{F}{|}}{C}}-\underset{\underset{Cl}{|}}{\overset{\overset{F}{|}}{C}}-H$$

Internat. Freiname für das Inhalationsanästhetikum (2-Chlor-1,1,2-trifluorethyl)-difluormethyl-ether, $C_3H_2ClF_5O$, M_R 184,50, klare, farblose, flüchtige, nicht brennbare Flüssigkeit, von mildem, süßen Geruch. Sdp. 55,5 – 57,5 °C; d_4^{25} 1,516 – 1,519; n_D^{20} 1,3020 bis 1,3038. E. wurde 1969 u. 1970 von Air Reduction patentiert u. ist von Pharmacia (Enfluran-Pharmacia) u. Abbott (Éthrane®) im Handel. – *E* = *F* enflurane – *I* = *S* enflurano

Lit.: ASP ▪ Hager (5.) **8**, 28 f. – *[HS 2909 19; CAS 13838-16-9]*

Engelhard Arzneimittel. Kurzbez. für die 1872 gegr. Fabrik pharmazeut. Präparate GmbH & Co. KG, 60316 Frankfurt/Main. Spezialist für Atemwegserkrankungen, Haut u. Allergologie. Kindgerechte, compliancefördernde Produkte, Phytopharmaka (Prospan, Isla Moos), Antibiotika, Dermatika. *Daten* (1995): 200 Beschäftigte, 50 Mio. DM Umsatz.

Engelshaar s. Glasfasern.

Engler, Carl (1842 – 1925), Prof. für Chem. Technologie, TH Karlsruhe, BASF. *Arbeitsgebiete:* Indigo, Erdöl, Viskositätsmessung von Mineralölen (Engler Viskosimeter).

Lit.: Pötsch, S. 137 ▪ Strube et al., S. 205.

Engler-Bunte-Institut. Bez. für ein 1971 durch Vereinigung des 1907 von Hans *Bunte gegr. Gas-Inst. mit dem 1950 gegr. Carl-Engler- u. Hans-Bunte-Inst. für Mineralöl- u. Kohleforschung entstandene Inst. der Univ. Karlsruhe, 76128 Karlsruhe, Kaiserstr. 12, das sich mit Forschung u. Lehre in den Bereichen Chemie u. Technik von Gas, Erdöl u. Kohle, Petrochemie u. organ. Technologie, Feuerungstechnik, Wasserchemie u. Umweltmeßtechnik befaßt. Daneben besteht am Inst. die DVGW-Forschungsstelle. Sie ist eine Einrichtung des DVGW (Deutscher Verein des Gas- u. Wasserfaches) u. arbeitet auf den Gebieten Gastechnik, Feuerungstechnik u. Wasserchemie. – INTERNET-Adresse: http://www.ciw.uni-karlsruhe.de/ebi all www/index.html

Engler-Grade, -Viskosimeter s. Viskosimetrie.

Englischgrün s. Chrom-Pigmente.

Engoben. Spezial-*Tone (evtl. mit Farbzusatz) zum Färben von Keramiken u. Dachziegeln durch Aufbrennen; sie werden wetterbeständig u. fest mit dem Ziegel verbunden u. sollen den gleichen Ausdehnungskoeff. haben (sonst Rißbildung). – *E* = *F* = *S* engobes

Lit.: Ullmann (4.) **23**, 330 ▪ Winnacker-Küchler (4.) **3**, 184.

Enhancer. Bei *Eukaryonten u. verschiedenen *Viren von Eukaryonten gefundene *cis*-aktive DNA-Sequenzen einer Länge von 70 – 80 Basenpaaren (Bp). E. haben Einfluß auf die Regulation der *Transkription, indem sie die Aktivität eukaryont. *Promotoren steigern. Der Abstand zwischen E.-Region u. dem zu stimulierenden Gen (z. T. >1000 Bp) sowie die Orientierung relativ zum Promotor sind ohne Einfluß auf die Wirkung. In Ggw. von E. wird auch die Transkription heterologer Gene (eingeschleuste Fremdgene, s. Gentechnologie) stimuliert. – *E* = *I* = *S* enhancer – *F* amplificateur

Enhydros s. Achate.

Enkalon®. Hochfestes Polyamid 6 Filamentgarn für techn. Anwendungen. *B.:* AKZO Nobel Faser AG.

Enka Nylon. Hochfestes Polyamid 6.6, Filamentgarn für techn. Anwendungen. *B.:* AKZO Nobel Faser AG.

Enkaustik (von griech.: enkaustikos = eingebrannt). Eine Maltechnik der Antike, bei der *Bienenwachs (evtl. mit Kopalharz vermischt) mit Farbpigmenten versetzt u. durch Erwärmen mit dem Malgrund verschmolzen wird. – *E* encaustic – *F* encaustique – *I* encaustico – *S* pintura a la encáustica

Enkephalinase s. neutrale Endopeptidase 24.11.

Enkephaline. Von griech.: enkephalos = Gehirn abgeleitete Gruppen-Bez. für schmerzmindernd wirksame *Oligopeptide (*Hirnpeptide, Neuropeptide*), die 1975 von Hughes in Hirnsubstanz entdeckt wurden. Chem. sind die E. *Pentapeptide* der Aminosäure-Sequenzen:

Tyr-Gly-Gly-Phe-Met u. Tyr-Gly-Gly-Phe-Leu

weshalb man Met[5]- ($C_{27}H_{35}N_5O_7S$, M_R 573,66) u. Leu[5]-E. ($C_{28}H_{37}N_5O_7$, M_R 555,63) unterscheidet. Sie lassen sich synthet. gewinnen; ebenso sind Analoga durch Synth. erhältlich. Überraschenderweise stellte sich heraus, daß das durch das Dipeptid Tyr-Arg als *Releasing-Hormon freigesetzte Met-E. ident. ist mit den 5 Anfangsgliedern der später entdeckten polypeptid. *Endorphine, zu denen die E. heute manchmal gerechnet werden, u. der *Dynorphine*; s. bei Endorphin das Aufbauschema mit den Beziehungen auch zum *Lipotropin. Der biosynthet. Vorläufer der E. ist jedoch *Proenkephalin*, ein Polypeptid aus 243 Aminosäure-Resten, das 4 Kopien von Met- u. eine von Leu-E. in sich enthält (daher: *Polyprotein*) u. aus dem diese durch spezif. *Proteolyse entstehen. E. werden durch *neutrale Endopeptidase 24.11 (Enkephalinase) abgebaut. E. u. Endorphine wirken im gleichen Sinne wie *Morphin u. a. Opiate blockierend auf die Opiat-Rezeptoren u. unterbinden damit – als sog. *endogene Opiate* – die Schmerzfortleitung. Bei Fehlen des E.-Gens kommt es bei Mäusen zu Schmerzen, Angst u. Aggression[1]. Zum Einfluß der E. auf das Immunsyst. s. *Lit.*[2]. Die biolog. Funktion der E. ist nicht bekannt. Der medizin. Verw. der E. als Analgetika steht bisher im Wege, daß sie die *Blut-Hirn-Schranke nicht zu überwinden vermögen u. daher ins *Gehirn injiziert werden müßten, daß sie Abhängigkeit erzeugen u. daß sie im Organismus rasch enzymat. abgebaut werden. Stabilität u. analget. Wirksamkeit lassen sich jedoch durch die Verw. von Analoga verbessern, z. B. von Tripeptiden (den *Syndyphalinen*, die 20000mal wirksamer sind als Morphin). – *E* enkephalins – *F* encéphalines – *I* encefaline – *S* encefalinas

Lit.: [1] Nature (London) **383**, 535–538 (1996). [2] Int. J. Neurosci. **67**, 241–270 (1992).

Enne(a)... Veralteter Zahlenvorsatz, abgeleitet von griech.: ennea = neun; früher in der anorgan. Chemie verwendet; *Beisp.*: ...enneacarbonyl (s. Eisencarbonyle), Ennea- = Nonaborane. – *E* = *I* = *S* enne(a) – *F* enné(a)

Enniatine. Aus *Fusarium*-Stämmen isolierte ionophore *Antibiotika, die cycl. Depsipeptide darstellen.

R = CH(CH₃)—C₂H₅ : Enniatin A
R = CH(CH₃)₂ : Enniatin B
R = CH₂—CH(CH₃)₂ : Enniatin C

Das Mol. baut sich auf aus 3 Resten D-α-Hydroxyisovaleriansäure u. *N*-Methylisoleucin bei *E. A* ($C_{36}H_{63}N_3O_9$, M_R 681,91, Schmp. 122 °C), bzw. *N*-Methylvalin bei *E. B* ($C_{33}H_{57}N_3O_9$, M_R 639,83, Schmp. 175 °C) od. *N*-Methylleucin bei *E. C* ($C_{36}H_{63}N_3O_9$, M_R 681,91, Schmp. 123 °C). Die E. bilden mit K⁺-Ionen *Kryptate u. sorgen so für deren selektiven Transport durch biolog. Membranen. Da diese Wirkung nicht auf mikrobielle Membranen beschränkt ist, verhindert die hohe Toxizität der E. eine pharmazeut. Anwendung. – *E* enniatins – *F* enniatines – *I* enniatine – *S* eniatinas

Lit.: Helv. Chim. Acta **31**, 594 (1948) ▪ J. Antibiot. **45**, 1207 (1992).

Enolase (EC 4.2.1.11). Zu den *Lyasen gehörendes, z. B. aus Kaninchenleber u. -muskeln isolierbares Enzym, das bei der *Glykolyse die reversible Dehydratisierung von 2-Phospho-D-glycerat zu Phosphoenolpyruvat katalysiert (*Dehydratase). E. ist ein dimeres Metallprotein der M_R 82 000, das durch 2-wertige Metall-Ionen (bes. Mg^{2+}) aktiviert wird. – *E* enolase – *F* énolase – *I* enolasi – *S* enolasa

Enolate. Bez. für die Anionen von *Enolen. Stabile E. sind von β-Dicarbonyl-Verb. bekannt, so beispielsweise *Metallacetylacetonate u. ä. *Chelate (s. a. Enole).

– *E* enolates – *F* énolates – *I* enolati – *S* enolatos
Lit.: s. Enole.

Enole. Bez. für α,β-ungesätt. *Alkohole, die sich aus den Silben *...en u. *...ol zusammensetzt.

Keto-Form   Enol-Form

E. stehen mit Ketonen in einem tautomeren Gleichgew. (*Keto-Enol-Tautomerie), das bei einfachen E. ganz auf der Seite der Carbonyl-Verb. liegt. Nur wenn bestimmte Faktoren die Enol-Form stabilisieren, sind mehr od. weniger größere Anteile der E. im Gleichgew. nachweisbar, so z. B. bei β-*Dicarbonyl-Verbindungen (s. Acetessigester, Acetylaceton). Früher wurden die E. auch die *aci-Form* der Ketone od. *Pseudosäuren* genannt. In Ggw. einer starken Base verlieren sowohl die Keto- als auch die Enol-Form ein Proton, wobei das mesomere *Enolat-Anion gebildet wird. Dieses ist Zwischenstufe bei der Synth. der präparativ sehr nützlichen *Enolester*[1] u. *Enolether*[2] (s. a. Vinylether). Insbes. die Silylenolether[3] haben Bedeutung erlangt, da sie als verkappte *Methylen-Komponenten in der stereoselektiven *Aldol-Addition eingesetzt werden können[4].

– *E* enols – *F* énols – *I* enoli – *S* enoles
Lit.: [1] Angew. Chem. **81**, 437–447 (1969). [2] Angew. Chem. **81**, 377–391 (1969). [3] Synthesis **1977**, 91–110. [4] Seebach et al., in Sheffold, Modern Synthetic Methods, Berlin: Springer 1986. *allg.*: Adv. Phys. Org. Chem. **18**, 1–77 (1982) ▪ Chem. Rev. **79**, 515–528 (1979) ▪ Houben-Weyl **6/1 d**; **6/3**, 108–116 ▪ Org. React. **46**, 1–104 (1995) ▪ Patai, The Chemistry of the Carbonyl Group, Part 2, S. 157–210, New York: Wiley 1970 ▪ Patai, The Chemistry of Enoles, Chichester: Wiley 1990 ▪ Science **253**, 395–400 (1991) ▪ s. a. Ketone u. Keto-Enol-Tautomerie.

Enolether s. Enole.

Enolisierung

Enolisierung s. Enole.

Enophile s. En-Synthese.

Enoxacin.

Von der WHO vorgeschlagener Freiname für 1-Ethyl-6-fluor-1,4-dihydro-4-oxo-7-(1-piperazinyl)-1,8-naphthyridin-3-carbonsäure. $C_{15}H_{17}FN_4O_3$, M_R 320,17, Schmp. 220–224 °C; LD_{50} (Ratte i.v.) 236, (Ratte s.c.) >2000, (Ratte oral) >5000 mg/kg. Das Sesquihydrat wird als *Chemotherapeutikum (es ist ein *Gyrase-Hemmer) eingesetzt. E. wurde 1980 u. 1982 von Dainippon u. Roger Bellon patentiert u. ist von Pierre Fabre Pharma (Enoxor®) im Handel. – *E* enoxacine – *I* enoxacina

Lit.: ASP ▪ Hager (5.) **8**, 30 ff. – *[HS 293359; CAS 74011-58-8 (E.); 84294-96-2 (Sesquihydrat)]*

Enoxaparin. Internat. Freiname für niedermol. *Heparin, das durch eine 4-Desoxy-2-*O*-sulfo-4-hexenopyranuronsäure am nicht-reduzierenden Ende der Kette charakterisiert ist. Verwendet wird das Natriumsalz, M_R zwischen 3500 u. 5500, das durch alkal. Spaltung des Heparinbenzylesters von Schweinedarmmukosa gewonnen wird. Die Herst. wurde 1981 von Pharmaindustrie patentiert. E. ist als injizierbares Antithrombotikum von Rhône Poulenc Rorer (Clexane®) im Handel. – *E* enoxaparin

Lit.: ASP ▪ Drugs **49**, 388–410 (1995) ▪ Merck-Index (12.), Nr. 3626. – *[CAS 9041-08-1 (Natrium-Salz)]*

Enoximon.

Internat. Freiname für 4-Methyl-5-[4-(methylthio)-benzoyl]-4-imidazolin-2-on, $C_{12}H_{12}N_2O_2S$, M_R 248,30, Schmp. 255–258 °C (Zers.). Es wurde als pos. inotroper u. vasodilatierend wirkender Phosphodiesterase-Inhibitor 1980 von Richardson-Merrell patentiert u. ist von HMR (Perfan®) für die kurzzeitige Behandlung schwerer Herzinsuffizienzen im Handel. Wirkungsähnlich u. strukturverwandt sind *Amrinon u. *Milrinon. – *E* = *I* enoximone – *F* énoximone – *S* enoximona

Lit.: ASP ▪ Drugs **42**, 997–1017 (1991) ▪ Hager (5.) **8**, 33 f. ▪ Merck-Index (12.), Nr. 3627. – *[HS 293329; CAS 77671-31-9]*

Enpesol®. Voll Citrat-lösl. NP-Flüssigdünger (10 Gew.-% N, 34 Gew.-% P_2O_5) für landwirtschaftliche Kulturen. *B.:* BASF.

Enquête-Kommission. Gemäß Geschäftsordnung des Deutschen Bundestages kann zur Vorbereitung von Entscheidungen über umfangreiche u. bedeutsame Sachkomplexe eine E.-K. gebildet werden, die sich aus Mitgliedern des Bundestages u. Sachverständigen zusammensetzt. Die E.-K. sollen bis zum Ende der jeweiligen Wahlperiode, neuerdings jährlich berichten. Durch E.-K. bearbeitet wurden z. B. zukünftige Kernenergiepolitik (1979–1982), Chancen u. Risiken der Gentechnologie (1984–1986), Einschätzung u. Bewertung von Technikfolgen, Schutz des Menschen u. der Umwelt sowie Vorsorge zum Schutz der Erdatmosphäre. – *E* enquete commission – *F* commission d'enquête – *I* commissione d'inchiesta – *S* comision de encuesta

Lit.: Catenhusen u. Neumeister (Hrsg.), Chancen u. Risiken der Gentechnologie, München: Schweitzer 1987 ▪ Enquête-Kommission „Schutz des Menschen u. der Umwelt" (Hrsg.), Verantwortung für die Zukunft, Bonn: Economica 1993 ▪ Enquête-Kommission „Schutz des Menschen und der Umwelt" (Hrsg.), Wege zum nachhaltigen Umgang mit Stoff- u. Materialströmen – Grundlagen des Stoffstrom-Managements, Bonn: Economica 1994 ▪ Enquête-Kommission „Vorsorge zum Schutz der Erdatmosphäre" (Hrsg.), Schutz der Erde (2 Bd.), Bonn: Economica u. Karlsruhe: C. F. Müller 1990 ▪ Enquête-Kommission „Vorsorge zum Schutz der Erdatmosphäre" (Hrsg.), Schutz der Tropenwälder, Bonn: Economica 1990 ▪ Enquête-Kommission „Vorsorge zum Schutz der Erdatmosphäre" (Hrsg.), Energie u. Klima (10 Bd.), Bonn: Economica 1990 ▪ UWSF-Z. Umweltchem. Ökotox. **4**, 103 ff. (1992).

ENS s. Kernenergie (Organisationen).

Ensital®. Schmälzen für Fasern aller Art. *B.:* Henkel.

Ensol®. Ammoniumnitrat-Harnstoff-Lsg. (28% N) als Flüssigdünger für landwirtschaftliche Kulturen. *B.:* BASF.

Enstatit s. Pyroxene.

En-Synthese (En-Reaktion). Die von *Alder gefundene *Addition von Alkenen an andere Alkene mit allyl. Wasserstoff (*indirekt substituierende Addition in der Allyl-Stellung*) bezeichnet man als En-Synthese. In der Namensgebung wird bereits die Analogie zu der *Diels-Alder-Reaktion ausgedrückt, indem die Dien-Komponente durch En-Komponente ersetzt wird. Wie bei der Diels-Alder-Reaktion verläuft die unkatalysierte E.-S. gut mit elektronenarmen Dienophilen (hier *Enophil* genannt), wie z. B. mit Maleinsäureanhydrid. Ein konzertierter Reaktionsablauf unter Beteiligung von sechs Elektronen (s. Abb.) wird als wahrscheinlich erachtet (s. a. pericyclische Reaktionen). Die En-S. funktioniert auch mit elektronenreicheren Enophilen, wenn sie durch Lewis-Säuren katalysiert wird[1,2]; stereoselektive Varianten sind ebenfalls bekannt[2]. Die Umkehrung der En-Reaktion ist die Retro-En-Synthese[3]. Die intramol. Variante der E.-S. kann auch als *Cyclisierung betrachtet werden[4,5]. – *E* ene synthesis – *F* ène-synthèse – *I* ene-sintesi – *S* eno-síntesis

Maleinsäureanhydrid

allg.:

En (H-Donor) Enophil (H-Akzeptor) En-Reaktion En-Addukt

HOMO LUMO LUMO

Übergangszustand der En-Synthese mit Orbitalwechselwirkungen: $\pi^2_s + \pi^2_s + \sigma 2_s$-Reaktion (s.a. Diels-Alder-Reaktion)

Lit.: [1] Acc. Chem. Res. **13**, 426–432 (1980). [2] Chem. Rev. **92**, 1021–1050 (1992). [3] Synthesis **1993**, 659–677. [4] Angew. Chem. **90**, 506–516 (1978). [5] Taber, Intramolecular Diels-Alder and Ene Reactions, S. 61–94, New York: Springer 1984. *allg.:* Angew. Chem. **81**, 587–618 (1969); **107**, 1862f. (1995) ▪ J. Org. Chem. **57**, 1904f. (1992) ▪ March (4.), S. 794 ▪ Patai, The Chemistry of Double-bonded Functional Groups, Bd. 2, S. 477–525, New York: Wiley 1989 ▪ Synthesis **1995**, 347ff. ▪ Trost-Fleming **5**, 1–61.

ent-. Nach IUPAC-Regel F-6.4 Kurzz. für *enantio-* (vgl. Enantiomerie) als Vorsatz vor dem systemat. Namen eines Naturstoffs, das anzeigt, daß die *Konfiguration des gesamten Mol. spiegelbildlich (= enantiomer) zum „normalen" Naturstoff ist. – $E = F = I = S$ ent-

Entactin (Nidogen). Sulfatiertes *Glycoprotein aus der *Basalmembran, das *Laminin u. *Collagen Typ IV bindet. Die Polypeptid-Kette besteht aus 1219 Aminosäure-Resten u. bildet eine *N*-terminale große globuläre *Domäne, eine stabförmige Cystein-reiche Domäne, die 6 dem *epidermalen Wachstumsfaktor ähnliche Sequenzen enthält, u. eine *C*-terminale kleinere globuläre Domäne aus. An die ebenfalls in E. enthaltene Sequenz RGD (Arg-Gly-Asp) können Zellen mit Hilfe von *Integrinen binden. – *E* entactin – *F* entactine – *I* entattina – *S* entacina
Lit.: Am. J. Respir. Cell Mol. Biol. **3**, 275–282 (1990) ▪ Experientia **51**, 901–913 (1995).

Entaktivierung s. Desaktivierung u. Dekontamination.

Entbastung s. Seide.

Entblätterungsmittel s. Entlaubungsmittel.

Entcarbonisierung s. Härte des Wassers.

Entdröhnungsmittel s. Schalldämmstoffe.

Enteisenung. Verf. zur Ausscheidung des z. B. im *Grundwasser enthaltenen Eisens im Zuge der Trinkwasseraufbereitung (s. Wasser) mittels *Flockung u. Belüftung [Oxidation des gelösten Eisen(II)-carbonats in das schwer lösliche Eisen(III)-hydroxid mit anschließender Filtration]. – *E* iron removal, elimination of iron, deferrization – *F* élimination du fer, déferrisation – *I* depurazione dalle materie ferruginose – *S* eliminación del hierro, desferrización
Lit.: Rohre, Rohrleit., Bautransp. **26**, Nr. 1, 22ff. (1987).

Enteisungsmittel (Entfroster). Bez. für Flüssigkeiten, die Eis od. Reif auf Glasoberflächen (z. B. auf Flugzeug-, Auto- od. Fensterscheiben), in Türschlössern od. auf Flugzeugtragflächen zum Schmelzen bringen u./od. deren Bildung bzw. Neubildung vermindern bzw. verzögern. E. sind im allg. Lsm.-Gemische aus einwertigen *Alkoholen u./od. *Glykolen, ggf. mit Zusatz von Netz- u. Korrosionsschutzmitteln. Gefrierpunkterniedrigende Mittel in Treibstoffen nennt man dagegen *Anti-icing-Mittel u. Auftaumittel für Fahrbahnen u. Gehsteige *Streusalze. – *E* deicing fluids – *F* produit dégivrant – *I* dispositivo antighiaccio, sbrinatore – *S* descongelantes, anticongelantes
Lit.: Kirk-Othmer (3.) **3**, 92f.; (4.) **3**, 359–363 ▪ Ullmann (4.) **12**, 209f. – [HS 382000]

Entellan®. Lsg. von Kunstharzen in Xylol als Schnelleinschlußmittel für die Mikroskopie. *B.:* Merck.

Enteral (von griech.: enteron = Darm). Bez. für eine Applikationsform von Nährstoffen u. Medikamenten durch Magen u. Darm; Gegensatz: *parenteral. – $E = I = S$ enteral – *F* entéral

Enter(o)... Von griech.: enteron = Darm abgeleitete Vorsilbe in Wortbildungen u. Begriffen, die in irgendeiner Beziehung zu *Darm, *Resorption, *Verdauung usw. stehen; *Beisp.:* Enterobakterien, Enterotoxine (Endo-, Exo-, usw., vgl. Toxine), Enteritis (Darmentzündung). – *F* entéro – $I = S$ enter(o)...

Enterobacteriaceae. Familie von *Bakterien, deren Vertreter charakterisiert sind als Gram-neg., nicht-sporenbildende, teils begeißelte, teils unbegeißelte Stäbchen (Ø 0,3–1,5 µm, Länge 1–6 µm). Die zugehörigen Organismen sind fakultativ anaerob, d. h. sie gewinnen unter anaeroben Bedingungen die zum Wachstum notwendige Energie durch Gärung, wobei sie Ameisensäure u. weitere organ. Säuren ausscheiden (Ameisensäure-Gärung, gemischte Säuregärung). Der Name der E. leitet sich ab von „enteron" = Darm, da viele Vertreter der E. (u. a. *Escherichia coli, Shigella, Salmonella, Citrobacter, Klebsiella, Enterobacter, Proteus*) im Darmtrakt von Mensch u. Tier vorkommen.
Einige Enterobakterien sind Krankheitserreger, wie *Salmonella typhi* (Typhus), *Shigella* (bakterielle Ruhr), *Yersinia pestis* (Pest); andere Vertreter der E. sind fakultativ pathogen, stellen heute aber die am häufigsten als Krankheitserreger isolierten Bakterien dar u. sind häufig resistent gegen *Antibiotika. Vertreter der Gattung *Erwinia* leben auf Pflanzen, z. T. als Pathogene; weitere E. sind *Saprophyten (d. h. leben auf totem organ. Material) im Wasser od. Boden. Alle Bakterien der Familie der E. besitzen *Endotoxine. – *E* Enterobacteriaceae – *F* enterobacteriaceae – *I* enterobatteriacee – *S* enterobacteriaceas
Lit.: Holt (Hrsg.), Bergey's Manual of Systematic Bacteriology, Vol. 1, S. 409–516, Baltimore: Williams u. Wilkins 1984 ▪ Kayser et al., Medizinische Mikrobiologie, Stuttgart: Thieme 1993 ▪ Schlegel (7.).

Enterokinase s. Enteropeptidase.

Enterokokken. *Streptokokken-Arten (*Streptococcus faecalis, S. faecium, S. durans*), die normalerweise einen Teil der bakteriellen Besiedelung des Darmes (Darmflora) bilden. Im Gegensatz zu anderen Gruppen der Streptokokken sind die E. in der Regel weniger stark krankheitserregend, aber Mitverursacher einer bestimmten Form der Herzentzündung (Endocarditis) sowie von Harnwegsinfekten. E. sind in Bezug auf ihre Wachstumsbedingungen anspruchslos u. häufig resistent gegenüber den üblichen antimikrobiellen Chemotherapeutika. – $E = I$ enterococci – *F* entérocoques – *S* enterococos
Lit.: Brandis et al., Medizinische Mikrobiologie, S. 375ff., Stuttgart: Fischer 1994.

Enteropeptidase (Enterokinase, EC 3.4.21.9). Verdauungsenzym aus der Bürstensaum-Membran des Zwölffingerdarms (Duodenums), eine Kohlenhydrathaltige (30%) *Serin-Protease, die das *Trypsinogen des *Pankreas (der Bauchspeicheldrüse) spezif. zwischen den Aminosäure-Resten Lysin (Position 6) u. Isoleucin (Position 7) spaltet u. dieses dadurch als

*Trypsin aktiviert. Menschliche E. (M_R 300000, 3 verschiedene Untereinheiten) u. E. aus Schwein (M_R 200000, 2 Untereinheiten) lassen sich im Gegensatz zum Rinder-Enzym (M_R 150000, ebenfalls 2 verschiedene Polypeptid-Ketten) durch den Trypsin-Inhibitor aus Rinderpankreas (*BPTI*) nicht hemmen; derjenige aus Sojabohnen hat auf alle 3 Enzyme keine od. nur geringe Hemmwirkung. Die Unterschiede in der Zahl der Untereinheiten u. der Größe der einzelnen Ketten mögen durch Proteolyse (Verdauung) während der Aufarbeitung aus dem Duodenum-Saft bedingt sein. Ähnlichkeiten in den strukturellen u. katalyt. Eigenschaften bestehen mit den Serin-Proteasen des Pankreas u. – in noch größerem Maße – mit denen der Blutgerinnungskaskade (s. Blutgerinnung). – *E* enteropeptidase – *F* entéropeptidase – *I* enteropeptidasi – *S* enteropeptidasa

Lit.: Proc. Soc. Exp. Biol. Med. **206**, 114–118 (1994). – *[HS 350790]*

Enterotoxine. Bez. für *Toxine, die die Darmschleimhaut angreifen. Die Toxine des Bakteriums *Staphylococcus aureus* werden ebenfalls als E. bezeichnet, obwohl sie nicht direkt auf den Darm, sondern eher auf das Nervensyst. wirken. – *E* enterotoxins – *F* entérotoxines – *I* enterotossine – *S* enterotoxinas

Entfärbung. Oft synonym mit *Bleichen benutzte Bez., unter der man jedoch strenggenommen die *völlige Entfernung* einer Färbung versteht, z.B. bei der *Fleckentfernung. Häufig schränkt man ‚E.' auf die Entfernung färbender Begleitstoffe (z.B. aus Ölen, Fetten, Zuckerrübensaft usw. durch Adsorption an *Bleicherden, *Aktivkohle etc.) ein, wobei die Eigenfärbung des zu reinigenden Stoffes erhalten bleibt. – *E* decoloration – *F* décoloration – *I* decolorazione – *S* decoloración

Lit.: s. Bleichen.

Entfetten von Metallen. Verfahrensschritt zum Reinigen metall. Oberflächen (s. Metallreinigung) zur Vorbereitung einer nachfolgenden Oberflächenveredelung. Das Werkstück wird zum Entfetten in flüssigen Medien behandelt. Man unterscheidet: *Löse- od. Emulgiermittel, auch unter Anw. von *Ultraschall; – saure, alkal. od. neutrale wäss. Medien, auch unter Anw. von Ultraschall u./od. anod. bzw. kathod. *Polarisation (s. a. elektrolytische Entfettung); – *Tensidhaltige Beiz-Lsg.; – alkal. wäss. Medien mit Öl-verzehrenden Bakterien. – *E* degreasing of metals – *F* dégraissage des métaux – *I* sgrassatura di metalli – *S* desengrasado de metales

Lit.: DIN 50902 (07/1994) ▪ Wiederholt, Taschenbuch des Metallschutzes, S. 188, Stuttgart: Wissenschaftliche Verlagsges. 1960.

Entflammbarkeit s. Entflammung.

Entflammung. Bez. für die *Entzündung von Gemischen von Gasen od. Dämpfen, d.h. den Beginn ihrer *Verbrennung od. allg. einer chem. Reaktion, die freiwillig u. lebhaft unter Wärme- u. Lichtentwicklung abläuft u. bei der sog. *Entflammungstemp.* einsetzt, wenn sie durch Funken od. *Flammen-Zündung in Gang gebracht wird, vgl. jedoch Zündtemperatur. Der *Flammpunkt ist bei feuergefährlichen Stoffen (zur Kennzeichnung durch ein Bildsymbol s. Gefahrensymbole) ein Maß für die *Entflammbarkeit* des vorliegenden Gas- bzw. Dampfgemisches, wobei die *Zündzeit*, d.h. die bis zur ersten Flammen-Bildung verstreichende Zeit, ebenfalls meßtechn. von Bedeutung ist. Bei entflammbaren Feststoffen wie z.B. Holz u.a. Baustoffen, Kunststoffen, Textilien, Verpackungsmitteln usw. läßt sich durch den Einsatz von *Flammschutzmitteln die *Brennbarkeit vermindern, vgl. a. Brandschutz. – *E* = *F* inflammation – *I* infiammazione – *S* inflamación

Lit.: s. Flammen u. Flammschutzmittel.

Entfroster s. Enteisungsmittel.

Entgasung. Entfernen von gelösten, sorbierten od. inkludierten Gasen aus Feststoffen u. Flüssigkeiten durch Erhitzen (v. a. im Vak.), Ultraschall od. auf chem. Wege. *Beisp.:* Entfernung letzter Gasspuren aus Drähten, die in Vakuumröhren Verw. finden, E. von flüssigem Stahl, Austreiben von aggressiven Gasen aus Kesselspeisewasser. Bei der E. auf chem. Wege versucht man eine Bindung der Gase, z.B. von Sauerstoff durch Oxid. von Na-Sulfit zu Na-Sulfat; auch metall. Ca kann zur E. herangezogen werden, z.B. bei Roheisen, Stahl u.a. Metallen. – Die E. von Kohle ist dagegen ein Prozeß der *Kohleveredlung. – *E* degasification, degassing – *F* dégazage, dégagement de gaz – *I* degassificazione – *S* desgasificación

Lit.: Ullmann (5.), **B 3**, 3–30.

Entgiftung (Detoxifikation). Bez. für alle Behandlungsverf., die darauf abzielen, Produkte des Stoffwechsels in tox. Konz. od. dem Organismus von außen zugeführte *Gifte zur Ausscheidung zu bringen bzw. sie in eine unschädliche Form überzuführen, z.B. durch Bindung od. Verdünnung. Der ungenau definierte Begriff E. wird heute auch für Entseuchung, *Desinfektion, Entsorgung, Aufarbeitung von durch Leckagen verunreinigte Böden, *Altlasten-Sanierung, Autoabgas-Reinigung usw. verwendet. – *E* detoxification, decontamination – *F* décontamination, détoxication – *I* disintossicazione – *S* desintoxicación

Entglasung s. Glas(zustand).

Enthaarungsmittel s. Depilatorien, Haarbehandlung u. Gerberei.

Enthärten des Wassers s. Härte des Wassers.

Enthalpie (von griech. thalpein = erwärmen). Thermodynam. Zustandsfunktion, auch thermodyn. Potential, mit Symbol H, welche definiert ist über $H = U + p \cdot V$, wobei U die *innere Energie, p der Druck u. V das Vol. ist. Das totale Differential der E. ist mit der *Entropie S verknüpft über $dH = T \cdot dS + V \cdot dp$. Hieraus folgt, daß für eine reversible isobare (p = konstant) Zustandsänderung gilt: $dH = T \cdot dS = dW$, d.h. die zugeführte Wärmemenge dW ist gleich der der Enthalpieänderung. Bei Phasenänderungen, wie *Schmelzen od. Erstarren (Festkörper ↔ Flüssigkeit), *Verdampfung od. Kondensieren (Flüssigkeit ↔ Gas) bzw. *Sublimation od. Desublimieren (Festkörper ↔ Gas) ändert sich die E.; hierbei bleibt bei reinen Stoffen die Temp. so lange konstant, bis die Phasenumwandlung vollständig abgeschlossen ist. Als Beisp. ist

die Definition der *Schmelzenthalpie* aufgeführt: Wird ein Festkörper der Masse m von einer Temp. T_1 leicht unterhalb der Schmelztemp. T_s in eine Flüssigkeit der Temp. T_2 leicht oberhalb von T_s gebracht, wozu eine Energie ΔE aufgewendet wird, so ergibt sich die Schmelzenthalpie ΔH_S zu $\Delta H_S = \Delta E - c_p^{fl} \cdot m \cdot (T_2 - T_s) - c_p^{fe} \cdot m \cdot (T_s - T_1)$; c_p^{fl} u. c_p^{fe} sind hierbei die *spezifischen Wärmekapazitäten des flüssigen bzw. festen Zustandes. Für die anderen Umwandlungsenthalpien, wie *Erstarrungs-, Verdampfungs-, Kondensations-* u. *Sublimationsenthalpie* gelten entsprechende Ausdrücke. Zu Meßmeth. dieser E. s. *Lit.*[1]. Unter dem Begriff *Mischungsenthalpie* faßt man folgende E. zusammen: a) *Exzeß-E.*, auch *Zusatz-E.* genannt, die beim Durchmischen von Flüssigkeiten beobachtet u. durch Mischungskalorimeter gemessen wird; – b) *Verdünnungsenthalpie* tritt beim Verdünnen flüssiger Lsg. auf, sie wird mit dem gleichen Kalorimeter wie die Exzeß-E. bestimmt; – c) *Lösungsenthalpie*, mit ihr wird die E.-Änderung beim Auflösen eines Festkörpers in einer flüssigen Lsg. beschrieben[2].
Läuft eine chem. Reaktion bei V = konstant vollständig ab u. wird das Gemisch der Reaktionsprodukte wieder auf die Temp. T gebracht, so bezeichnet man die Differenz der inneren Energien U_1 u. U_2 der Mischungen vor bzw. nach der Reaktion als *Reaktionsenergie* $\Delta U_R(T,V) = U_2(T,V) - U_1(T,V)$. Läuft die Reaktion unter sonst gleichen Bedingungen bei p = konstant ab, so heißt die Differenz der E. *Reaktionsenthalpie* $\Delta H_R(T,p) = H_2(T,p) - H_1(T,p)$. Zwischen beiden Ausdrücken besteht die Beziehung $\Delta H_R = \Delta U_R + p \cdot \Delta V_R$, wobei die Volumenänderung $\Delta V_R = V_2(T,p) - V_1(T,p)$ bei p = konstant bestimmt wird. Reaktionen mit ΔH_R (bzw. ΔU_R) <0 werden *exotherm* genannt; sie geben bei der Reaktion Wärme an die Umgebung ab. Reaktionen mit ΔH_R (bzw. ΔU_R) >0 dagegen werden als *endotherm bezeichnet u. nehmen Wärme aus der Umgebung auf. Zu der wichtigsten exothermen Reaktion gehört die *Verbrennung; hierbei bestimmt der neg. Wert der Reaktionsenthalpie den *Brennwert u. den *Heizwert des Brennstoffes. Zu Messungen von Reaktionsenthalpien s. *Lit.*[3]. Unter der *Aktivierungsenthalpie* versteht man die thermodynam. Grenze zwischen dem Ausgangszustand u. dem Zwischenzustand, der bei der chem. Reaktion durchlaufen wird. Da hierfür keine experimentellen Daten zur Verfügung stehen, muß die Aktivierungsenthalpie durch die statist. Thermodynamik berechnet werden (s. u. a. *Lit.*[4]). Tab. über E.-Größen finden sich in *Tabellenwerken sowie in *Lit.*[5]. – *E* enthalpy – *F* enthalpie – *I* entalpia – *S* entalpía

Lit.: [1] Kohlrausch, Praktische Physik, Bd. 1, S. 411, Stuttgart: Teubner 1996. [2] Hemmerling u. Höhne, Grundlagen der Kalorimetrie, Weinheim: Verl. Chemie 1979. [3] Kohlrausch, Praktische Physik, Bd. 1, S. 412, Stuttgart: Teubner 1996. [4] Atkins, Physikalische Chemie, S. 893, Weinheim: VCH Verlagsges. 1996. [5] IUPAC, Größen, Einheiten u. Symbole in der Physikalischen Chemie, Weinheim: VCH Verlagsges. 1996.
allg.: Ahern, The Exergy Method of Energy Systems Analysis, New York: Wiley 1980 ▪ Fachlexikon Physik abc, Thun: Harri Deutsch 1982 ▪ Kirk-Othmer **20**, 118–146; (3.) **9**, 103ff. ▪ Winnacker-Küchler (3.) **2**, 417ff. ▪ s. a. Thermodynamik.

Enthalpimetrie s. Thermometrie.

Entkälkung(smittel) s. Gerberei.

Entkeimung. In der Mikrobiologie Bez. für die völlige Befreiung eines Materials von lebenden *Mikroorganismen (od. deren Ruhestadien) bzw. für deren Abtötung. E. wird erreicht durch feuchte Hitze, trockene Hitze, Strahlung, Filtration od. chem. Agenzien. Im Sprachgebrauch der Mikrobiologie ist der Begriff E. heute weitgehend durch *Sterilisation ersetzt (s. dort).
Im Lebensmittel-Sektor übliche Bez. für die Entfernung von (pathogenen, auch toten) *Keimen durch *Sterilfiltration (Fruchtsäfte, Wein, Bier, Essig u. a.) od. chem. Verf. wie *Chlorung, *Ozonisierung, *Silberung (s. Trinkwasser), Behandlung mit Dicarbonaten (Fruchtsäfte) u. a. Chemikalien, wie sie auch bei der *Desinfektion u. *Sterilisation gebräuchlich sind. Ebenso wie bei diesen können *Bestrahlung mit UV- od. ionisierender Strahlung u. *Ultraschall zur E. verwendet werden. – *E* germ removal – *F* dégermination – *I* degerminazione – *S* esterilización
Lit.: s. Desinfektionsmittel, Sterilisation, Trinkwasser.

Entkoppler s. ATP-Synthasen.

Entkoppler-Protein (Thermogenin, UCP). In den inneren *Membranen der *Mitochondrien des braunen Fettgewebes aufgefundenes, Purin-*Nucleotide bindendes *ABC-Transporter-Protein (2 ident. Untereinheiten, M_R je 32 000), das die energet. Kopplung des *Atmungskette an die Biosynth. des *Adenosin-5'-triphosphates (ATP) aufhebt (s. a. ATP-Synthasen). Dabei laufen die Reaktionen der Atmungskette – weil exergon. – weiterhin ab, ohne daß ATP gebildet wird, u. die freiwerdende Energie wird in Wärme umgewandelt. Dieses Phänomen dient Kälte-angepaßten Tieren als eine Art „Standheizung", mit deren Hilfe sie ohne Muskelzittern ihre Körpertemp. aufrechterhalten können (*non-shivering thermogenesis*). Der einer Kurzschlußreaktion ähnliche Vorgang beruht im Prinzip auf einer Erhöhung der Membrandurchlässigkeit für Protonen, welche der Bemühungen der Atmungsketten-Enzyme, ein Protonengefälle über die Membran aufzubauen, vereitelt (s. a. chemiosmotisch). Nachgewiesen ist außerdem ein Transport von Chlorid-Ionen. Das E.-P. wird durch Fettsäuren aktiviert u. durch Purin-Nucleotide gehemmt. Der Mechanismus wird jedoch noch kontrovers diskutiert. Durch das Hormon L-*Noradrenalin wird seine Biosynth. induziert. – *E* uncoupling protein – *F* protéine découplante – *I* proteina disaccoppiante – *S* proteína desacoplante
Lit.: FASEB J. **5**, 2237–2242 (1991) ▪ J. Bioenerg. Biomembr. **25**, 447–457 (1993).

Entlaubungsmittel (Entblätterungsmittel, Defolianten). Bez. für Chemikalien, die bei Pflanzen das Abfallen der Blätter bewirken u. so Erntemaßnahmen erleichtern können, z. B. im Baumwoll-, Sojabohnen- u. Tomatenbau. Zu den verwendeten Präparaten gehören z. B. *S,S,S*-Tributyltrithiophosphat, Tributyltrithiophosphit, Natrium- u. Magnesiumchlorat, Natriumpolyborate u. *Paraquat. Ein natürliches E. ist die *Abscisinsäure. Aufsehen erregte der militär. Einsatz von E. durch die Amerikaner in Süd-Vietnam in den Jahren 1962–1971 (Operation Ranch Hand). Zum Einsatz kamen die nach den Farben der Streifen auf den an die Air Force gelieferten Behältern genannten Substanzen „Agent Orange" [eine 50:50-Mischung der *n*-Butylester von *2,4-D u. *(2,4,5-Trichlorphenoxy)essigsäure], „Agent Blue" (Kakodylsäure) u. „Agent White" [4-Amino-3,5,6-trichlorpyridin-2-carbonsäure (*Picloram)] (s. *Lit.*[1]). Insgesamt wurden etwa 71 Mio. Liter Herbizide versprüht, an denen „Agent Orange" mit knapp 60% beteiligt war. Die in ihm enthaltenen Spuren von *2,3,7,8-Tetrachlor-1,4-dibenzodioxin (2,3,7,8-TCDD), das bei der Herst. von 2,4,5-T als Nebenprodukt entsteht, werden für die bei Vietnam-Veteranen beobachteten Spätschäden verantwortlich gemacht. Über die ökolog. Folgen berichtet *Lit.*[2]. – *E* defoliants – *F* défoliants – *I* defogliante – *S* desfoliantes

Lit.: [1] Naturwissenschaften **60**, 177–183 (1973) [2] Umschau **74**, 685f. (1974).
allg.: Farm ▪ Kirk-Othmer (3.) **18**, 14 f.

Entmetallisierung. Entfernen metall. Überzüge von Werkstückoberflächen, um: eine Neubeschichtung vorzubereiten (schadhafte *Beschichtung); – eine problemfreie Entsorgung des Werkstücks zu gewährleisten (krit. Beschichtungsmetalle) u./od. das Beschichtungsmetall in den Stoffkreislauf zurückzuführen (*Edelmetalle). Formal ist E. eine Umkehr der *Metallisierung (Beschichtung), d.h. das beschichtete Werkstück bleibt (zunächst) in fester Form erhalten. Möglich sind ime mechan. E. durch Fräsen od. Schleifen u. die bedeutendere chem. Entmetallisierung. Bei letzterer unterscheidet man Tauch-Verf. (*galvan. E.*) u. anod. Verf. (*elektrolyt. E.*). Hinsichtlich detaillierter Ausführungen über chem. E. einschließlich des Themenkreises Aufarbeitung u. Entsorgung von Entmetallisierungslösungen vgl. *Lit.*[1]. – *E* demetallizing, decoating, stripping – *F* démétallisation – *I* demetallizzazione – *S* desmetalización

Lit.: [1] Dettner u. Elze, Handbuch der Galvanotechnik, Bd. 3, S. 315, München: Hanser Verl. 1969.

Entmischungspunkt s. Trübungspunkt.

Entomologie. Von griech.: entomos = eingeschnitten abgeleitete Bez. für *Insektenkunde*, s. Insekten, Insektizide u. Schädlingsbekämpfung. – *E* entomology – *F* entomologie – *I* entomologia – *S* entomología

Entreprise Minière et Chimique s. EMC.

Entropie (von griech.: entrepein = umkehren, Symbol S). Vom 2. *Hauptsatz der *Thermodynamik abgeleitete *Zustandsfunktion*, die nach *Clausius ein Maß für den *Ordnungszustand* eines thermodynam. Syst. bzw. ein Maß für die Nichtumkehrbarkeit (*Irreversibilität*) eines Vorganges in einem abgeschlossenen Syst. darstellt. Ihr Betrag ist null bei einem (ohne Energieaustausch mit der Umgebung, nur als Gedankenexperiment durchführbaren) streng umkehrbaren (reibungsfreien) Prozeß; bei einem nicht umkehrbaren Prozeß nimmt sie stets zu. Sie läßt sich anschaulich deuten, wenn man *Wärme* als die Energie der ungeordneten Bewegungen der Mol. u. freien Atome auffaßt: Ebenso, wie es unwahrscheinlich ist, daß sich 100 rote u. schwarze Kugeln beim Durchschütteln in einem Korb je wieder so anordnen, daß in einer Hälfte nur rote Kugeln liegen, ist es unwahrscheinlich, daß sich ein Gemisch aus Stickstoff-Gas u. Sauerstoff-Gas, in dem die Mol. unregelmäßig in allen Richtungen durcheinander fliegen, je wieder von selbst entmischt. Nach dem *Boltzmannschen Energieverteilungsgesetz streben alle *irreversibel verlaufenden Naturvorgänge einem *wahrscheinlicheren* Zustand zu, wobei die E. zunimmt. Eine Zustandsänderung von 1 → 2 führt zu einer Entropie-Änderung gemäß

$$\Delta S_{12} = S_1 - S_2 = n \cdot \left[C_v \cdot \ln \frac{T_2}{T_1} + R \cdot \ln \frac{V_2}{V_1} \right]$$

mit C_v = Wärmekapazität bei konstantem Vol., R = allg. *Gaskonstante u. n = Anzahl der Mole. Die E. eines Gesamtsyst. ist gleich der Summe der E. der Einzelsysteme. Von daher ist es möglich, die E. eines Einzelsyst., das mit den anderen Syst. in Verb. steht, zu senken, wobei allerdings die E. des Gesamtsyst. höchstens gleich bleibt bzw. im allg. steigt. Nach dem 3. Hauptsatz der Thermodynamik gilt für reine, kondensierte Stoffe

$$\lim_{T \to 0} S_{Kond} = 0,$$

d.h. für T → 0 strebt die E. solcher Stoffe dem selben Grenzwert S_0 (Nullpunktsentropie) zu, den man gleich Null setzt. Die E. ist (nur für reine Körper) am *absoluten Nullpunkt null; sie hat niedere Werte bei starren Krist., höhere bei Flüssigkeiten u. die höchsten bei Gasen; sie steigt bei fortschreitender Aufteilung der Materie in selbständig bewegte Teilchen immer weiter an. Das E.-Konzept ist im Zusammenhang mit der Thermodynamik irreversibler Prozesse bes. von *Onsager u. *Prigogine (Nobelpreise 1968 u. 1977) weiterentwickelt worden; ein anderer Ansatz stammt von Ruch[1]. Wie bei *Enthalpie unterscheidet man bei der E. auch Schmelz-, Verdampfungs-, Mischungs- u. Reaktionsentropie.
Die E. bildet eine der mathemat. Formulierungen für die physikal. Erfahrungen, die den Inhalt des 2. Hauptsatzes (*Entropiesatz*) darstellen; zur Geschichte ihrer Ableitung s. *Lit.*[2]. Bei nicht abgeschlossenen Syst. kann die E.-Änderung pos. od. neg. sein, d.h. sie kann auch abnehmen. Die E.-Änderung bei chem. Reaktionen wird als Reaktionsentropie bezeichnet; man kann sie aus der Differenz der E. der Ausgangsstoffe u. Endprodukte berechnen. Auf letztere bezogen, kann die E.-Änderung zwar pos. od. neg. sein, jedoch nimmt die Gesamt-E. einer chem. Reaktion stets zu. Die E. wird in Clausius (1 Cl = 4,19 J/K) angegeben; Standard-E.-Werte finden sich in den *Tabellenwerken der physikal. Chemie. In der Technik hat die formelmäßig mit der *freien Enthalpie über G = H – TS (s. freie Energie) verbundene E. v. a. Bedeutung für die Berechnung des Wirkungsgrades von Wärmekraftmaschinen. – *E* entropy – *F* entropie – *I* entropia – *S* entropía

Lit.: [1] Theor. Chim. Acta **38**, 167ff. (1975). [2] Chem.-Ztg. **104**, 195–200 (1980).
allg.: Atkins, Physikalische Chemie, S. 893, Weinheim: VCH Verlagsges. 1996 ▪ Bergmann u. Schaefer, Lehrbuch der Experimentalphysik, Bd. 1, S. 722, Bd. 5, S. 239, Berlin: de Gruyter 1992 ▪ s.a. Thermodynamik.

Entropieelastizität (Gummielastizität). E. ist in dem Bestreben großer Makromol. begründet, eine möglichst ungeordnete Form anzunehmen. Die Änderung der *freien Energie F bei Änderung der Länge L ist ge-

geben durch
$$\left(\frac{\delta F}{\delta L}\right)_T = \left(\frac{\delta U}{\delta L}\right)_T - \left(\frac{\delta S}{\delta L}\right)_T$$
mit U = innerer Energie, T = *absoluter Temperatur u. S = *Entropie. Eine elast. Verformung ohne Änderung der inneren Energie U kann nur unter Änderung der Entropie S ablaufen, was sich darin zeigt, daß sich die Probe beim Dehnen erwärmt bzw. im gedehnten Zustand *Dehnungswärme* abgeführt wird, s. a. Elastizität. – *E* entropy elasticity – *F* élasticité entropique – *I* elasticità entropica – *S* elasticidad entrópica

Entrostungsmittel. Sammelbez. für alle Mittel, mit denen Eisen-Werkstoffe von anhaftendem *Rost od. *Zunder befreit werden können, ohne daß dabei das Werkstück unzulässig abgetragen wird. E. sind im allg. *Beizen aus mehr od. weniger starken Säuren, denen zur Beschleunigung Aktivatoren (*Netzmittel) u. zur Begrenzung des Werkstückabtrags Inhibitoren (*Sparbeizen) zugesetzt werden. Die E. können flüssig od. pastös angewendet werden. Für Eisen-Werkstoffe werden unterschiedliche mineral. Säuren od. Säuremischungen bei Umgebungs- od. höheren Temp. je nach Rostzustand, Werkstoff u. Anforderung angewendet. Durch Überlagern eines Außenstroms können die Entrostungseffekte beschleunigt werden. Die mit der Reaktion verbundene Entwicklung von Wasserstoff ist wegen ihres rostabsprengenden Effekts erwünscht, muß jedoch bei versprödungsanfälligen Werkstoffen berücksichtigt werden. Nach dem Entrosten ist ein Neutralisieren unbedingt erforderlich, da keine Reste des E. auf der Oberfläche verbleiben dürfen. Ferner ist zu beachten, daß die Oberfläche nach dem Entrosten in einem aktiven, d.h. sehr reaktionsfähigen Zustand vorliegt. Im Gegensatz zu E. stabilisieren *Rostumwandler einen vorhandenen Oxidations(Rost)zustand, verhindern weitere Rostbildung u. schaffen einen brauchbaren Untergrund für nachfolgende Schutzbehandlungen, z.B. mit organ. Beschichtungssystemen. Salzschmelzen können als E. ebenfalls verwendet werden, sind jedoch nur in Ausnahmefällen wirtschaftlich. – *E* rust removers – *F* agents dérouillants – *I* dissolvente di ruggine – *S* desoxidante, desherrumbrante
Lit.: Wiederholt, Taschenbuch des Metallschutzes, S. 200, Stuttgart: Wissenschaftliche Verlagsges. 1960.

Entsäuerung s. Calciumoxid.

Entsalzung. Entfernung von im Rohwasser enthaltenen Salzen zur Gewinnung von Trink- u. Brauchwasser, z.B. im Laboratorium. Die E. erfolgt häufig mit *Ionenaustauschern, in zunehmendem Maß auch durch *umgekehrte Osmose; zum Vgl. beider Verf. zur Reinstwasserbereitung s. *Lit.*[1]. Ebenfalls angewendet werden Gefrier-Krist. u. Membranverfahren. Vgl. a. Elektrodialyse, Härte des Wassers u. Meerwasser-Entsalzung. – *E* desalination – *F* désalination – *I* desalificazione – *S* desalación, desalinización
Lit.: [1] Chem. Tech. **6**, 127–134 (1977).
allg.: Ullmann (5.) **A 14**, 443; **B 2**, 3–44; **A 16**, 254 ▪ s. a. Härte des Wassers u. Meerwasser-Entsalzung.

Entschäumer. Bez. für Substanzen, die an der Grenzfläche flüssig-gasf. einen Film bilden u. dadurch dem zu entgasenden Medium ermöglichen, in sehr kurzer Zeit unter Zerstörung der Gasbläschen die kleinste Oberfläche u. damit den energieärmsten Zustand auszubilden. Diese – den schon gebildeten *Schaum *zerstörenden* – E. haben prinzipiell die gleiche Zusammensetzung wie die die Schaumbildung *verhindernden* *Schaumverhütungsmittel (*Schauminhibitoren, Antischaummittel*). – *E* defoamers – *F* antimousses – *I* agente antischiuma – *S* antiespumantes
Lit.: Encycl. Polym. Sci. Eng. **2**, 59–72 ▪ Kirk-Othmer (3.) **7**, 430–448; (4.) **7**, 928–945 ▪ Ullmann (4.) **20**, 411 ff.; (5.) **A 11**, 473 ff.

Entschalungsmittel (Schalungsmittel). Im Betonbau als *Trennmittel zur Beschichtung der Verschalung verwendete *Kunstharzfilme auf Basis härtbarer Harze (vornehmlich Phenol-Formaldehyd-Harze) od. Öl-in-Wasser-Emulsionen u. Öle (*Schalungsöle:* Mineralöle, ggf. mit Zusatz von tier. u. pflanzlichen Fetten), die ein sauberes Ablösen der Schalungsbretter ermöglichen sollen. – *E* parting agents – *F* décoffrants – *I* agente per il rivestimento – *S* desencofrantes

Entschlichtung. Bez. für die Entfernung der *Schlichtemittel von textilen Geweben. Bei Schlichtemitteln aus Stärke (Derivate) od. Eiweiß-Verb. erfolgt die E. enzymat. (mit *Amylasen od. *Proteasen), während man die neuerdings bes. bei Synthesefasern(mischungen) eingesetzten Schlichten auf Basis *Carboxymethylcellulose, Polyvinylalkohol u. Polyacrylat bereits durch einen Waschprozeß entfernen kann. – *E* desizing – *F* désencollage – *I* despalmatura – *S* desencolado, desapresto
Lit.: Peter, Grundlagen der Textilveredlung, 13. Aufl., S. 409–415, 872, Frankfurt a.M.: Dtsch. Fachverl. 1989 ▪ Rath, Lehrbuch der Textilchemie, S. 53–60, 231, Berlin: Springer 1972.

Entschwefelung. Maßnahmen zur Entfernung von Schwefel od. seinen Verb. aus vielen Erzen, fossilen Brennstoffen, Prozeß- u. Abgasen. *Erze u. a. mineral. Rohstoffe enthalten häufig *Sulfide als Verunreinigungen od. bestehen wie *Sulfate, *Pyrit, Kiese, Blenden u. a. weitgehend aus Schwefel-Verbindungen. Als Schwefel-Verb. finden sich in fossilen Brennstoffen Pyrit (*Kohle), Sulfide u. organ. Schwefel-Verb. wie Thiophene u. Mercaptane (Mineralöl). In Erdgas, Kokerei- u. Hydriergas macht der Schwefelwasserstoff den Hauptteil (90–95%) der Schwefel-Verb. aus, der Rest wird überwiegend von COS, CS_2, Schwefel-Organika u. SO_2 gebildet. In Abgasen aus Verbrennungsprozessen ist Schwefeldioxid die wichtigste Komponente, z.B. enthalten Kokereigase 4 bis 8 g/m³ Schwefelwasserstoff, Rauchgase in der Brennkammer oft mehrere g/m³ Schwefeldioxid.
E. ist nicht nur für die Verarbeitung von Rohstoffen u. Zwischenprodukten notwendig, sondern dient auch der *Luftreinhaltung. Schwefelwasserstoff wirkt auf den Menschen giftig u. inaktiviert techn. Katalysatoren. Es korrodiert ebenso wie Schwefeldioxid u. seine Oxidationsprodukte wichtige Metalle u. Legierungen. Der im Metallgitter von Eisen u. Stahl eingeschlossene Schwefel macht diese Werkstoffe spröde. Zur Luftreinhaltung greifen insbes. die VO nach dem *Bundes-Immissionsschutzgesetz, z.B.: Die 1. BImSchV[1] regelt den Schwefel-Gehalt von fossilen Festbrennstoffen (bis 1%) u. Klärgas (bis 1‰) für Kleinfeuerungs-

Entschwefelung

anlagen; die 3. BImSchV [1] schreibt den Höchstgehalt an Schwefel-Verb. für Dieselkraftstoff ab 1.10.1996 von 0,05%, für die Binnenschiffahrt u. für leichtes Heizöl (weiterhin) 0,2% vor; die 13. BImSchV [1] begrenzt u. a. die Schwefeloxid-Gehalte im Abgas von Großfeuerungsanlagen in der Regel auf 400 mg/m^3; die 17. BImSchV [1] schreibt u. a. für die Schwefeloxid-Gehalte im Abgas von Abfall-Verbrennungsanlagen max. 50 mg/m^3 vor; die 22. BImSchV [1] schreibt Immissionswerte für Schwefeldioxid vor.

Sulfide: Sulfid. Erze werden zur Metallgewinnung v. a. durch *Rösten verarbeitet, zur Beseitigung von Schwefel aus Eisen s. Stahl. Aus Kohle kann Pyrit nach dem Aufmahlen mechan. (z. B. über Rüttelstrecken) entfernt werden. Verf. mittels Schwefel-Bakterien sind zur E. Schwefel-reicher Braunkohlen ausgearbeitet worden.

Schwefelwasserstoff (u. einige organ. Schwefel-Verb.): Die E. von Prozeßgasen ist bei hoher H$_2$S-Konz. u. großen Gasvol. in der Regel auf die Gewinnung von elementarem Schwefel gerichtet, weil dieser am leichtesten gelagert, transportiert u. verwendet werden kann. Bei Bedarf wird Schwefelsäure hergestellt. Liegt der Schwefelwasserstoff in konz. Form vor (mehr als 20%), so ist die Schwefel-Gewinnung nach dem *Claus-Verfahren, bei niedrigeren Konz. eine Oxidationswäsche (z. B. nach dem *Stretfort-Verfahren) wirtschaftlich. Gasgemische mit geringer Schwefelwasserstoff-Konz. lassen sich oft durch Ab- od. Adsorption aufkonzentrieren (s. a. Gasreinigung). Zur E. von Mineralöl wird katalyt. zu Schwefelwasserstoff (u. Kohlenwasserstoffen) hydriert.

Die E.-Verf. beruhen auf folgenden Prinzipien: *– (Gasphasen-)Oxid.:* Beim Claus-Verf. wird H$_2$S mit Schwefeldioxid od. Sauerstoff zu Schwefel verbrannt. – *Adsorption:* Weniger zur Aufkonzentrierung als mehr zur Feinreinigung eignen sich synthet. *Molekularsiebe. – *Adsorption mit anschließender Reaktion:* Das älteste, heute auslaufende E.-Verf. ist die Reinigung mit sog. Gasreinigungsmasse. H$_2$S wird mit Eisenoxid in Anwesenheit von Sauerstoff u. Wasser zu Elementarschwefel oxidiert.

Bei dem Aktivkohle-Verf. wird H$_2$S in Ggw. von Sauerstoff an Aktivkohle zu Elementarschwefel oxidiert. Aus der beladenen Aktivkohle wird der Schwefel mit Ammoniumsulfid-Lsg. extrahiert; die Kohle wird mit Wasserdampf gereinigt. Aus der gesätt. Ammoniumpolysulfid-Lauge wird der Schwefel dest. abgeschieden.

Das *Sulfreen-Verfahren wurde zunächst für die Entfernung von Schwefel-Verb. aus den Abgasen von Claus-Anlagen entwickelt.

– Absorption: Man unterscheidet physikal. Lsm., in denen H$_2$S lediglich physikal. gelöst ist, von chem. Lsm., die H$_2$S reversibel chem. binden, z. B. als Sulfid. Als chem. Lsm. werden im allg. wäss. Lsg. bas. Substanzen verwendet (verschiedene Amine, Glykolether, Pyrogallole, Thiophene usw., jeweils mit eigenem Verfahrensnamen). Die Lsm. beladen sich unter Druck mit H$_2$S bzw. organ. Schwefel-Verbindungen. Physikal. u. manche chem. Wäschen werden durch Entspannung u./od. Strippen mit Wasserdampf bzw. Luft od. Stickstoff regeneriert. Die physikal. Wäschen sind bes. für große Gasmengen, hohe Drücke u. hohe Gehalte an auszuwaschenden Verunreinigungen geeignet. Für die Wahl der Lsm. ist auch das spezif. Lösungsvermögen für die verschiedenen Gasbestandteile, d. h. die Selektivität, wichtig, z. B. wenn das zu entschwefelnde Gas auch Kohlendioxid enthält.

– Absorption mit anschließender Oxid.: Absorbiertes H$_2$S wird durch das Waschmittel oxidiert. Der Schwefel fällt dabei zunächst als Schaum an u. wird durch Filtrieren od. Zentrifugieren vom Waschmedium getrennt.

Das *Ferrox-Verf.* verwendet Suspensionen von Eisen(III)-hydroxid in verd. Sodalösung. Der Schwefel wird als Sulfid gebunden u. durch Blasen mit Luft als Elementarschwefel freigesetzt. Beim *Thylox-Verf.* dient Natriumthioarsenat-Lsg., die durch Oxid. mit Luft regeneriert wird, als Oxidationsreiniger. Als eine Fortführung des Claus-Prozesses in wäss. Medium ist der *IFP-Prozeß* anzusehen, wo H$_2$S u. SO$_2$ in Polyethylenglykol absorbiert werden. Anschließend erfolgt die Umsetzung zu Elementarschwefel in Ggw. eines gelösten Katalysators (Carbonsäure) bei 125 °C. Der direkte Abzug des flüssigen Schwefels aufgrund von Löslichkeits- u. Dichteunterschieden ist möglich.

Schwefeldioxid: Für die E. von Verbrennungsgasen aus Kraftwerken (Rauchgas-E.) gibt es eine Vielzahl von Verf., die man in trockene, halbtrockene u. nasse Verf. unterteilen kann. Die Entscheidung für ein bestimmtes Verf. u. die Auslegung der Anlage werden von der Größe der Feuerung, der Art des Kessels, dem Brennstoff, dem Rauchgasstrom sowie dessen Temp. u. Staub-Gehalt bestimmt. Üblicherweise folgt die E.-Anlage einer wirksamen *Entstaubung.

Trockene Verf. umfassen die Zugabe reaktiver Reagenzien auf Calcium- od. Magnesium-Basis zum Brennstoff (*Trocken-Additiv-Verf.*). Sie absorbieren das bei der Verbrennung entstehende SO$_2$. Dieses Verf. ist gut geeignet für Industriefeuerungen mittlerer Größe (50 – 100 MW$_{th}$; Megawatt, therm.) u. Wirbelschichtfeuerungen.

Halbtrockene Verf. weisen einen etwas höheren E.-Grad auf. Das Absorptionsmittel (Calciumcarbonat, Kalkhydrat, Natriumcarbonat od. Natronlage) wird in Wasser gelöst bzw. suspendiert u. in den Rauchgasstrom eingedüst (*Sprühabsorptionsverf.*). Da der Wasseranteil dabei vollständig verdampft, entsteht bei diesem Verf. kein Abwasser.

Bei den *nassen E.-Verf.* haben sich Waschverf. mit einer Kalkhydrat- bzw. Kalkstein-Suspension (*Kalkwaschverf.*) od. Natronlauge durchgesetzt. In einem Wäscher mit Kalkstein-Suspension wird das SO$_2$ in der Kontaktzone zunächst nur physikal. im Waschmittel gelöst. Erst im Wäschersumpf findet die Oxid. u. die Reaktion mit dem CaCO$_3$ zu CaSO$_4$ statt. Durch das Einblasen von Oxidationsluft läßt sich das eingesetzte Calciumcarbonat fast vollständig in Gips umwandeln (92–98%). In einer modernen Anlage mit dem Kalkstein-Waschverf. (s. Abb.) werden die Rauchgase nach der Abkühlung in einem Wärmetauscher im Gegenstrom durch den Absorber geleitet, in dem sie mit dem Waschmittel besprüht werden. Dem Wäschersumpf, dessen Waschwasserphase ständig im Kreis geführt wird, wird ständig Gips-Suspension entnommen u.

neues Waschmittel zugeführt. Die entnommene Gips-Suspension enthält einen Feststoffanteil von 8–12% u. muß im Hydrozyklon von restlichem Kalkstein getrennt werden. Anschließend wird sie eingedickt u. weiterverarbeitet.

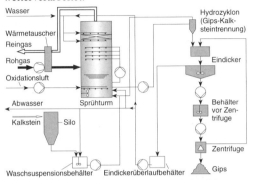

Abb.: Schema eines Kalkstein-Rauchgasentschwefelungsverfahrens mit integrierter Oxidation [2].

Beim *Wellmann-Lord-Verfahren* dient eine im Kreislauf geführte Natriumsulfit-Lsg., die das SO_2 unter Bildung von Natriumhydrogensulfit absorbiert, als E.-Medium. Dieses gibt bei der therm. Regeneration das SO_2 wieder ab:

$$SO_2 + SO_3^{2-} + H_2O \underset{\text{Resorption}}{\overset{\text{Absorption}}{\rightleftharpoons}} 2 HSO_3^-$$

Das desorbierte SO_2 liegt als Reingas vor u. kann z. B. in einer Claus-Anlage zu elementarem Schwefel, zu Schwefelsäure od. zu Flüssig-SO_2 weiterverarbeitet werden. Neben der erwünschten Reaktion finden auch Oxidationsreaktionen u. Umsetzungen mit den Halogenwasserstoffen statt, die zu einem Verbrauch an Waschlsg. führen. Das Wellmann-Lord-Verf. bietet sich u. a. an, wenn für Gips als Endprodukt der E. keine Verw. vorliegt, od. in Kraftwerken von Chemiebetrieben, die eine direkte Verw. für Flüssig-SO_2 haben.

Ein Verf. mit einer *Simultanabscheidung* von SO_2 u. NO_x ist das *Aktivkoks-Verfahren*. Die Rauchgase werden mit 100–150 °C durch einen Wanderbettreaktor geführt, der mit Aktivkoks gefüllt ist. An der Oberfläche der Aktivkokspartikel werden SO_2 sowie Sauerstoff u. Wasserdampf adsorbiert, wo sie zu H_2SO_4 reagieren, das in den Poren gespeichert wird. Beladungen von 15% sind möglich. Durch therm. Regeneration wird ein SO_2-Reingas erzeugt, das wie beim Wellmann-Lord-Verf. weiterverarbeitet werden kann. Zur simultan verlaufenden Red. von Stickstoffoxiden s. Entstickung. – *E* desulfurization – *F* désulfuration – *I* desolforazione – *S* desulfuración, desulfurado

Lit.: [1] s. Bundes-Immissionsschutzgesetz. [2] Baumbach, Luftreinhaltung, Berlin: Springer 1990.
allg.: Börger, Umweltschutztechnik in der Chemischen Industrie, 5. Aufl., Leverkusen: Bayer 1996 ▪ Brauer (Hrsg.), Handbuch des Umweltschutzes u. der Umweltschutztechnik, Bd. 3, S. 451–461, Berlin: Springer 1996 ▪ Fonds der Chemischen Industrie (Hrsg.), Umweltbereich Luft (2.), Frankfurt: Selbstverl. 1995 ▪ Ullmann (5.) **A5**, 137 (Abgas-E.); **A7**, 181 (Kohle); **A12**, 278 ff. (Gasprodukte); **A13**, 467–485 (Schwefelwasserstoff, Absorption); **A14**, 549–555 (Stahl-Herst.); **B3**, 9/9 (Molekularsiebe), 9/44 ff. (Adsorption); **B7**, 550–570 (Luftreinhaltung) ▪ Vogel et al., Handbuch des Umweltschutzes, 3. Aufl., Bd. 1, Tl. II, 2.7.1, Landsberg: ecomed 1992.

Entseuchung s. Desinfektion, Entgiftung u. Bodendesinfektion.

Entsorgung s. Abfallentsorgung.

Entsorgungsanlage s. Abfallentsorgungsanlage.

Entsorgungsnachweis. Der E. ist als Instrument zur Überwachung von Abfallströmen das zentrale Element der früheren *Abfall- u. Reststoffüberwachungs-Verordnung sowie der geltenden *Nachweisverordnung [1]. Mit Hilfe des E. wird bereits vor Beginn der *Abfallentsorgung die Zulässigkeit des vorgesehenen Entsorgungsweges geprüft. Der E. ist grundsätzlich für jeden einzelnen *Abfall eines Erzeugers zu führen, sofern es sich um einen bes. überwachungsbedürftigen Abfall (s. Sonderabfälle) handelt od. sofern die zuständige Behörde den E. im Einzelfall angeordnet hat. Der E. besteht aus mehreren Formularen, in denen der Abfallerzeuger seinen Abfall nach Herkunft, Art u. Menge beschreibt, der Abfallentsorger die Annahme des Abfalls erklärt u. die Entsorger-Behörde nach Prüfung der Zulässigkeit der vorgesehenen Entsorgung – hierbei sind insbes. die Vorgaben der *TA Abfall von Bedeutung – ggf. ihre Zustimmung erteilt. Erst danach darf die Entsorgung durchgeführt werden. Unter bestimmten Voraussetzungen kann auf die behördliche Zustimmung verzichtet werden bzw. können E. durch *Abfallwirtschaftskonzepte ersetzt werden. – *E* waste management certificate – *F* preuve d'élimination des déchets – *I* documentazione dello smaltimento e trattamento dei rifiuti – *S* comprobante de eliminación de residuos

Lit.: [1] BGBl. I, S. 1382 (1996).

Entspiegelung s. Glas.

Entstaubung (Staubabscheidung). Bez. für Maßnahmen zur Partikelabscheidung aus *Rauchgasen bzw. Abluftströmen. Bei der Verbrennung fester Brennstoffe bzw. beim Umgang mit Feststoffen entstehen immer staubförmige Abgas- od. Abluftströme. Prakt. sämtliche Anlagen zur Förderung, Bearbeitung u. Lagerung von stückigen Einsatzstoffen in Wirtschaftszweigen wie Steine u. Erden, Metallurgie, Bergbau u. Feuerungsanlagen sind Staub-Emittenten. Abgasstäube bestehen in der Regel aus unterschiedlich großen Partikeln mit einer Korngrößenverteilung von 0,1–100 µm (Abb. 1).

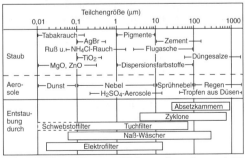

Abb. 1: Teilchengrößen von Stäuben u. Aerosolen sowie Einsatzbereiche verschiedener Abscheidemethoden.

Zum Gefahrenpotential von Stäuben s. Staub.
Verfahrenstechn. betrachtet sind *Staubabscheider* (Staubfilter) Stofftrennapparate zur Feststoff/Gas-

Trennung. Aufgrund des vorherrschenden physikal. Abscheideprinzips werden Staubabscheider in vier Grundtypen eingeteilt (s. Abb. 2), wobei auch Mischformen angewendet werden (z. B. Naßelektrofilter).

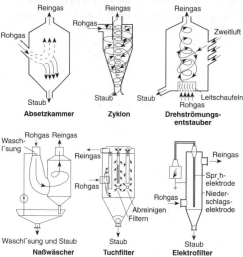

Abb. 2: Systeme zur Abgasentstaubung [1].

In *Massenkraftabscheidern* (Zyklon, Absetz- u. Drehströmungskammer) werden die Massenkräfte Schwerkraft, Zentrifugalkraft u. Trägheitskraft genutzt. Sie werden in der Regel zur Produktrückführung od. als Vorabscheider eingesetzt. Das Prinzip der *Naßabscheider* (Venturi-Wäscher, Rotationswäscher, Strahlwäscher) beruht auf einer Anlagerung der Staubpartikel an dispergierte Flüssigkeitstropfen, deren Durchmesser mind. eine Größenordnung über dem der Staubpartikel liegt. Je nach Anw. können die Wäscher gleichzeitig als Staubabscheider, Quenche, Befeuchter u. Absorber wirksam werden (z. B. Rohgasvorbehandlung zur Lsm.-Abscheidung, Müllverbrennungsanlagen). Nachteilig ist eine häufig notwendige Nachbehandlung der dabei anfallenden *Abwässer (Schwermetalle). *Elektrofilter* sind für Prozesse mit hoher Abgastemp. u. großen Abgasvolumenströmen, wie sie bei Großfeuerungsanlagen, Zement-Öfen u. Eisenerz-Sinteröfen auftreten, die am häufigsten eingesetzten Anlagen. Die Staubpartikel werden in einem elektr. Feld aufgeladen u. wandern zur Niederschlagselektrode, wo sie abgeschieden werden. *Filternde Abscheider* nutzen die Filterwirkung von Geweben, Filzen, mineral. Fasern od. Edelstahlfasern. – *E* dust removal, dedusting – *F* dépoussiérage – *I* spolveramento – *S* despolvoramiento

Lit.: [1] Kugeler u. Phlippen, Energietechnik, Berlin: Springer 1990.
allg.: Birr et al., Umweltschutztechnik (5.), S. 53–78, Leipzig: Dtsch. Verl. für Grundstoffind. 1992 ■ Börger, Umweltschutztechnik in der Chemischen Industrie, 5. Aufl., S. 23–46, Leverkusen: Bayer 1996 ■ Brauer (Hrsg.), Handbuch des Umweltschutzes u. der Umweltschutztechnik, Bd. 3, S. 33–291, Berlin: Springer 1996 ■ Fonds der chemischen Industrie (Hrsg.), Umweltbereich Luft (2.), Frankfurt: Selbstverl. 1995 ■ Int. Chem. Eng. **25**, 223–233 (1985) ■ Löffler, Staubscheiden, Stuttgart: Thieme 1988 ■ Ullmann **B 7**, 526–534 ■ VDI-Richtlinien **3676** (Massenkraftabscheider); **3677** (filternde Abscheider); **3678** (elektr. Abscheider).

Entstickung (Abgas-, Rauchgasentstickung). Bez. für Maßnahmen zur Verminderung der *Stickstoffoxid-Emissionen von Kraftwerken (Verbrennungsmotoren s. Dreiwegekatalysator). Der Stickstoffoxid-Anteil der *Rauchgase besteht typischerweise zu 90 Vol.-% aus dem prakt. nicht wasserlösl. NO u. zu 10 Vol.-% aus dem leichter absorbierbaren NO_2. Die heute angewandten Vorgehensweisen unterteilt man in Primärmaßnahmen u. Sekundärmaßnahmen. Bei den ersteren versucht man die Bildung von Stickstoffoxiden während der Verbrennung zu verringern, bei den letzteren wird bereits gebildetes NO_x aus den Rauchgasen entfernt.

Primärmaßnahmen: Primärmaßnahmen zur Vermeidung der Bildung von therm. NO haben folgende Ziele: Verringerung des verfügbaren Sauerstoffs in der Reaktionszone, Senkung der Verbrennungstemp., gleichmäßige u. schnelle Vermischung der Reaktionspartner in der Flamme, Verringerung der Verweilzeit bei hohen Temp. u. Red. bereits gebildeter Stickstoffoxide am Flammenende. Diese Ziele lassen sich durch Optimierung des Verbrennungsablaufs erreichen; bei Gasfeuerungen u. bedingt auch bei Ölfeuerungen können so die NO_x-*Emissionen um 40–70% gesenkt werden.

Sekundärmaßnahmen: Höhere Emissionsminderungen lassen sich nur mit den erheblich aufwendigeren Sekundärmaßnahmen erreichen, die eine Red. der Stickstoffoxide zu mol. Stickstoff zum Ziel haben. Bei der *selektiven nichtkatalyt. Red.* (*SNCR*, von *E s*elective *n*on-*c*atalytic *r*eduction) wird Ammoniak (NH_3) in die Rauchgase bei einer Temp. zwischen 920 °C u. 1080 °C eingedüst. Bei ausreichender Verweilzeit des Gemisches aus Rauchgas u. Ammoniak in diesem relativ engen Temp.-Bereich kann die Red. der NO_x zu N_2 ohne Katalysator erfolgen. In großtechn. Anlagen kann aber diese Verweilzeit oft nicht gewährt werden. Deshalb wird der Ammoniak-Eindüsung ein Katalysator nachgeschaltet (*selektive katalyt. Red.*, *SCR*, von *E s*elective *c*atalytic *r*eduction). Die Rauchgastemp. muß in diesem Fall zwischen 300 °C u. 500 °C liegen. Am Katalysator läuft eine der folgenden Reaktionen ab, die sich im Verhältnis eingesetztes Ammoniak zu reduziertem NO unterscheiden:

$$4NO + 4NH_3 + O_2 \rightarrow 4N_2 + 6H_2O$$
$$6NO + 4NH_3 \rightarrow 5N_2 + 6H_2O$$

Welche Reaktion überwiegt, hängt vom Katalysatormaterial ab. Zur Maximierung der NO_x-Minderung bei gleichzeitiger Minimierung des NH_3-Schlupfes (eingedüstes NH_3 reagiert nicht mit NO_x) u. der SO_2/SO_3-Konversion müssen die optimalen Strömungsverhältnisse im Katalysator, die optimale Temp. der Rauchgase im Katalysator u. das richtige NH_3/NO_x-Verhältnis bekannt sein u. eingestellt werden. Ein großer Vorteil des SCR-Verf. – außer der über 90%igen NO_x-Minderung – ist, daß kein Endprodukt anfällt, das aufwendig entsorgt od. weiterverarbeitet werden muß (wie etwa *Gips in einer Rauchgasentschwefelungsanlage).

Der SCR-Reaktor wird in den meisten Fällen direkt dem Kessel nachgeschaltet (s. Abb.). Dadurch haben die Rauchgase die zum Betrieb des Katalysators erforder-

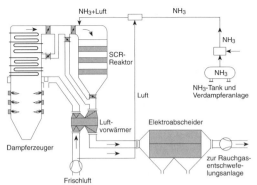

Abb.: Anordnung einer Entstickungsanlage nach dem SCR-Verfahren im Abgasweg einer Kraftwerksfeuerung [1].

liche Betriebstemp., besitzen aber auch noch einen hohen Staubgehalt (deshalb *High-Dust-Schaltung*). Weniger häufig als die High-Dust-Schaltung wird die *Low-Dust-Schaltung* angewendet, bei der der Katalysator der Rauchgasentschwefelungsanlage folgt. Wird die E. nachträglich in ein Kraftwerk eingebaut, ist diese Anordnung aus Platzgründen manchmal unvermeidbar.
Ein Verf., bei dem simultan mit dem NO_x auch SO_2 abgeschieden wird, ist das Aktivkoksverf. (s. Entschwefelung). – *E* nitrogen oxide removal – *F* dénitrification – *I* denitrificazione – *S* eliminación de óxidos de nitrógeno
Lit.: [1] Baumbach, Luftreinhaltung, Berlin: Springer 1990. *allg.:* Brauer (Hrsg.), Handbuch des Umweltschutzes u. der Umweltschutztechnik, Bd. 3, S. 467 ff., 560–570, Berlin: Springer 1996 ▪ Ullmann (5.) **B 7**, 535–547 ▪ s. a. Entschwefelung.

Entwickler s. Photographie u. Entwicklungsfarbstoffe.

Entwickler ON. Entwicklungskomponente für Färbungen auf Acetatreyon. *B.:* Hoechst.

Entwicklung s. Adsorptions- u. Dünnschichtchromatographie.

Entwicklungsfarbstoffe. Wasserunlösl. *Farbstoffe, die aus wasserlösl. Farbstoff-erzeugenden Komponenten aufgrund chem. Reaktionen erst auf der Faser erzeugt werden. Bekannte E. sind die aus *Kupplungskomponenten* vom Typ *Naphtol AS (*Entwickler*) u. *Diazoechtsalzen* (diazotierte *Echtbasen) entstehenden *Azo-Farbstoffe. Einige dieser E. werden, da der Herst.- u. Färbeprozeß bei 0–10 °C vorgenommen wird, auch als *Eisfarben* bezeichnet. – *E* developing dyes, developed dyes – *F* colorants de développement – *I* coloranti di sviluppo – *S* colorantes de desarrollo
Lit.: Ullmann (5.) **A 3**, 303 ▪ Winnacker-Küchler (4.) **7**, 20 f. ▪ Zollinger, Color Chemistry, S. 144 f., Weinheim: VCH Verlagsges. 1991 ▪ s. a. Azo-Farbstoffe.

Entwicklungsschädigend. Reproduktionstox. (fortpflanzungsgefährdende) Stoffe werden nach GefStoffV in Stoffe unterteilt, die die Entwicklung des ungeborenen Lebens schädigen (Entwicklungsschädigung) u. Stoffe, die die Fruchtbarkeit beeinträchtigen. Der Begriff „Entwicklungsschäden" schließt alle schädlichen Wirkungen auf die Entwicklung der Nachkommenschaft ein, die während der Schwangerschaft verursacht werden u. sich post- od. pränatal manifestieren.

Hierbei sind eingeschlossen embryo- od. fetotox. Wirkungen, letale Effekte od. Aborte, Mißbildungen, funktionelle Schädigungen, perinatale u. postnatale Schäden u. die Beeinträchtigung der postnatalen geistigen u. phys. Entwicklung bis zum Abschluß der pubertären Entwicklung. – *E* reprotoxic substances – *F* toxique à la croissance – *I* sostanze tossiche per la riproduzione – *S* sustancias tóxicas para el
Lit.: GefStoffV vom 26.10.1993 (BGBl. I, S. 1782), zuletzt geändert durch die zweite VO zur Änderung der GefStoffV vom 19.9.1994 (BGBl. I, S. 2557).

Entzinnen. Wirtschaftlich bedeutendes Verf. des *Zinn-*Recycling durch Rückgewinnen von Zinn aus Abfällen von Weißblech (galvan. verzinntes Stahlblech). Dies kann durch *Elektrolyse bzw. chem. Auflösung in alkal. Lsg. u. durch Chlor-E. ($Sn + 2 Cl_2 \rightarrow SnCl_4$) erfolgen. – *E* stripping of tin, detinning – *F* désétamage – *I* ricupero di stagno – *S* desestañado

Entzündlich. E. sind *Stoffe u. *Zubereitungen, wenn sie in flüssigem Zustand einen FP. von mind. 21 °C u. höchstens 55 °C haben. *Stoffe u. *Zubereitungen sind **brandfördernd**, wenn sie
a) bei Berührung mit anderen, insbes. entzündlichen Stoffen stark exotherm reagieren können od.
b) organ. Peroxide sind.

Als **hochentzündlich** gelten *Stoffe u. *Zubereitungen, wenn sie als flüssige Stoffe od. Zubereitungen einen FP. unter 0 °C u. einen Sdp. von höchstens 35 °C haben u. wenn sie als gasf. Stoffe u. Zubereitungen bei gewöhnlicher Temp. u. normalem Druck bei Luftkontakt e. sind.

Als **leichtentzündlich** gelten sie, wenn sie
a) sich bei gewöhnlicher Temp. an der Luft ohne Energiezufuhr erhitzen u. schließlich entzünden können,
b) in festem Zustand durch kurzzeitige Einwirkung einer Zündquelle leicht entzündet werden können u. nach deren Entfernung weiterbrennen od. weiterglimmen,
c) in flüssigem Zustand einen FP. unter 21 °C haben,
d) als Gase bei Normaldruck mit Luft einen Zündbereich haben od.
e) bei Berührung mit Wasser od. mit feuchter Luft leicht e. Gase in gefährlicher Menge entwickeln.
– *E* flamable, ignitable – *F* inflammable – *I* infiammabile – *S* inflamable
Lit.: Anhang I der GefStoffV vom 26.10.1993 (BGBl. I, S. 1782), zuletzt geändert durch die Zweite VO zur Änderung der GefStoffV vom 19.09.1994 (BGBl. I, S. 2557).

Entzündung. 1. In der Medizin Reaktion des Gewebes auf schädigende Einflüsse, die aus Veränderungen in der Gefäßregulation mit Übertreten von Blutzellen u. Plasmabestandteilen sowie Aktivierung von lokalen Abwehrzellen besteht. Diese Reaktion dient der körpereigenen Abwehr von Krankheitserregern u. leitet Reparaturvorgänge des geschädigten Gewebes ein. Eine E. führt lokal zu Rötung, Anschwellung, Überwärmung u. Schmerzen. Darüber hinaus können Reaktionen des gesamten Organismus wie *Fieber, Vermehrung der *Leukocyten im Blut u. Veränderungen in der Zusammensetzung der Plasmaproteine auftreten.
Eine E. entsteht durch mechan., therm. u. chem. Verletzungen, Straheinwirkung, Durchblutungsstörungen sowie Krankheitserreger (*Bakterien, *Viren) u. allerg. Reaktionen (*Allergie). Ablauf u. Ausbreitung

Entzündungstemperatur

der E. gehen einher mit Reaktionen der körpereigenen Abwehr wie *Antigen-Antikörper-Reaktionen u. *Komplement-Aktivierung sowie der Freisetzung von Entzündungsmediatoren wie z. B. *Kininen, *Prostaglandinen, *Leukotrienen, *Histamin u. *Lymphokinen. Hier ist der Angriffspunkt von entzündungshemmenden Pharmaka (*Antiphlogistika), die durch Eingriff in den Stoffwechsel von Mediatoren, v. a. der Prostaglandine wirksam werden. Man unterscheidet nach dem zeitlichen Verlauf akute E., bei denen die Symptome rasch auftreten u. häufig der Ausfall des betreffenden Organs im Vordergrund steht, von chron. E. mit langsamem symptomarmem Beginn; diese Verlaufsformen können auch ineinander übergehen.
2. In der Technik gilt als E. die Reaktion eines Gemisches, die mit od. ohne Einwirkung einer Zündquelle unter *Flammen-Erscheinung (vgl. Entflammung) u./od. Verpuffung eintritt. Die niedrigste Temp., bei der *Selbstentzündung eines Gemisches einsetzt, ist die *Zündtemperatur (E.-Temp.). Die Zündtemp. hängt von der Art des Gemisches (brennbarer Stoff u. Oxidationsmittel), der Konz. des brennbaren Stoffes u. dem Druck ab. Außerhalb der *Zündgrenzen eines Gemisches kann keine Selbstzündung bzw. Zündung durch Zündquellen erfolgen. Näheres s. Zündtemperatur u. vgl. a. Brennbarkeit u. Explosion(sgrenzen). – $E = F$ inflammation – I infiammazione – S inflamación

Lit. (zu 1.): Gallin, Inflammation, New York: Raven Press 1992. – *(zu 2.):* Williams, Combustion Theory, Menlo Park: The Benjamin/Cummings Publishing Company 1985.

Entzündungstemperatur. Als E. wird die Temp. bezeichnet, auf die ein brennbarer Stoff in Ggw. von Sauerstoff zur Einleitung der Verbrennung gebracht werden muß (*Zündtemperatur).

Tab.: Beisp. für Zündtemperaturen (in °C).

gelber Phosphor	60
Schwefelkohlenstoff	102
Benzin	470–530
Holz	220–320
Ethylen	425–540

Sie ist u. a. abhängig von der Art des Brennstoffes, der Brennstoffkonz., vom Druck, von der Wärmekapazität des Reaktionsgefäßes, den Zündbedingungen u. katalyt. Einflüssen. Sog. *selbstzündliche* Stoffe (z. B. pyrophores Eisen, Raney-Nickel, Phosphorwasserstoff, verschiedene metallorgan. Stoffe usw.) entzünden sich schon bei 20 °C, wenn sie mit Luftsauerstoff in Berührung kommen. Die E. hängt vom Zerteilungsgrad ab, d. h. je feiner verteilt der feste Stoff ist, umso niedriger ist seine Zündtemperatur. Bes. bei hochmol. brennbaren Stoffen, wie z. B. Holz, Kohle, Papier, Kunststoffe usw., laufen schon unterhalb der Zündtemp. Zersetzungsprozesse ab, wobei u. a. niedermol. brennbare Stoffe entstehen. Damit ändert sich auch die Zündtemp. je nach Dauer der therm. Vorbehandlung. Die Zeit, die vergeht, gemessen von dem Zeitpunkt, an dem ein Stoff auf ein bestimmtes Wärmeniveau gebracht wird, bis zu dem Zeitpunkt, an dem sich eine deutliche Flammenreaktion zeigt, wird *Zündverzug* genannt. Die beispielhaft aufgeführten Zündtemp. sind keine Konstanten, sondern abhängig von den Versuchsbedingungen. – E inflammation temperature – F température d'inflammation – I temperatura d' accensione – S temperatura de inflamación

Lit.: s. Zündtemperatur.

Entzunderung. Entfernen der von vorausgegangenen *Fertigungsverfahren auf Werkstück- od. *Halbzeug-Oberflächen haftenden *Zunder(Oxid)-Schichten aus opt. od. fertigungstechn. Gründen. Folgende Verf. werden zur E. angewendet: mechan. Verf. (Absprengen durch Verformung), therm. Verf. (Flämmen, im weitesten Sinne auch *Blankglühen), spanende Verf. (Schälen). Im weitesten Sinne kann auch das Entfernen von *Anlaßfarben zur E. gerechnet werden. – E descaling – F décalaminer – I rimozione di calamina – S descascarillar

E-Nummer. Codenummer der EG zur Identifizierung von *Lebensmittelzusatzstoffen auf Fertigpackungen. Die E-Nummer erlaubt es, unabhängig von der Landessprache in jedem Land der Europäischen Union die Verw. eines Zusatzstoffes in Lebensmitteln zu identifizieren. Bei der Kennzeichnung ist der Hersteller frei, ob der ausgeschriebene Name des Zusatzstoffes od. die E-Nummer verwendet wird. In jedem Fall besteht jedoch die Pflicht, den Namen der Substanzklasse unverschlüsselt anzugeben (z. B. mit *Süßstoff E 950 = *Acesulfam-K u. *Konservierungsmittel E 200 = *Sorbinsäure).

Environmental Management and Audit Scheme s. EG-Ökoauditverordnung.

Enzian. In europ. Gebirgsgegenden verbreitete Pflanze, deren Wurzeln (insbes. vom Gelben E., *Gentiana lutea* L., Gentianaceae) offizinell sind. Diese enthalten Amarogentin (sehr bitter) u. *Gentiopikrin als glykosid. Secoiridoid-*Bitterstoffe, ferner Xanthon- u. Flavonglykoside als Farbstoffe, z. B. *Gentisin*, ein 1,7-Dihydroxy-3-methoxyxanthon.

Verw.: Zur Appetitanregung u. zur Herst. von bitteren Schnäpsen. *Enzianbranntwein* („Enzian") entsteht beim Destillieren von mit Sprit versetzter E.-Maische od. alkohol. Auszügen von Enzianwurzeln, Alkohol-Gehalt mind. 38 Vol.%. – E gentian root – F gentiane – I genziana – S genciana

Lit.: Bundesanzeiger 223/30.11.85 u. 50/13.03.90 ▪ DAB 1996 u. Komm. ▪ Hager (5.) **5**, 227–247 ▪ s. a. Bitterstoffe. – [HS 1211 90]

Enzyklopädien s. Handbücher, Nachschlagewerke u. Wörterbuch.

ENZYLASE®. Sortiment von Entschlichtungsmittel u. Entschlichtungssyst. auf der Basis von α-Amylasen für alle enzymat. Entschlichtungsprozesse in der Textil-Industrie. *B.:* Diamalt.

Enzymatische Analyse. Bez. für ein Teilgebiet der *biochemischen Analyse, das sich spezif. *Enzyme u. *Substrate als Reagenzien bedient. Dabei geht es einmal um die Bestimmung von Substraten *mit* Enzymen, zum anderen um die quant. Erfassung *von* Enzymen mittels standardisierter Substratmengen. Dies ist u. a. in der *klinischen Chemie von Bedeutung, da man dabei aus der Abweichung der Enzym-Konz. von Normalwerten auf Entgleisungen u. Erkrankungen schließen kann (Enzymaktivitäten als *klin. Parame-*

ter). Man benutzt für Schnell- u. Routine-Untersuchungen enzymat. *Diagnostika auch in *Testpapier- u. *Teststäbchen-Form; für quant. Bestimmungen haben sich auch Enzym-*Biosensoren (*Enzym-Elektroden*) u. automat. Analysegeräte eingeführt. In Analogie zum *Radioimmunoassay entwickelte Kombinationen von Meth. der *Immunchemie mit denen der e. A. (*Enzymimmunoassay) gestatten die Bestimmung von *Antigenen, *Antikörpern u. *Haptenen. Die den herkömmlichen chem. Analysen-Meth. durch Geschw., Empfindlichkeit u. Spezifität meist überlegene e. A. findet außer in der medizin. Diagnostik breite Anw. in der *Sequenzanalyse von Peptiden u. Nucleinsäuren, in der Analyse von Pestizid-Rückständen, ferner allg. in der *forensischen Chemie u. *Lebensmittelchemie, in Biotechnologie, Botanik, Mikrobiologie u. Pharmakologie. – *E* enzymatic analysis – *F* analyse enzymatique – *I* analisi enzimatica – *S* análisis enzimático

Lit.: Nachr. Chem. Tech. Lab. **44**, 886–890 (1996) ▪ Passonneau u. Lowry, Enzymatic Analysis, Totowa: Humana Press 1993.

EnzyMax-Verfahren®. Verf. zur Entfernung nicht hydratisierbarer Phosphatide (Schleimstoffe) aus wasserentschleimten Pflanzenölen unterschiedlicher Art u. Qualität, das ein Enzym (Phospholipase A_2) als Biokatalysator verwendet. Es werden Entschleimungsgrade von ≤10 ppm Phosphor-Gehalt erreicht, u. die Öle können wirtschaftlich physikal. raffiniert werden.
B.: Lurgi.

Enzyme (veraltet: Fermente). Bez. für eine umfangreiche Gruppe von intra- bzw. extrazellulären hochmol. *Proteinen (Eiweißstoffen), die im Organismus bzw. nach Ausscheidung durch denselben als biolog. *Katalysatoren (*Biokatalysatoren*) durch Beeinflussung der *Aktivierungsenergie die Reaktionsgeschw. chem. Prozesse *spezifisch zu erhöhen vermögen (z. T. auf das Millionenfache) u. die Umsetzungen des *Stoffwechsels katalyt. steuern. Im allg. katalysieren E. sowohl die Hin- als auch die Rückreaktion u. werden, wie andere chem. Katalysatoren auch, während der Reaktion, an der sie teilnehmen nicht verändert. Selbst der einfachsten tier. od. pflanzlichen *Zelle ist Leben ohne E. nicht möglich, u. so sind E. ubiquitär. Entsprechend der Vielzahl enzymat. katalysierter Reaktionen (beim Darmbakterium *Escherichia coli* schätzungsweise 4000) besteht ein erheblicher Anteil des Gesamt-Zellproteins aus E., so etwa 2/3 vom Gesamtprotein der Leberzelle. Die E. sind in den Zellen nicht beliebig verstreut, sondern bestimmten Zellkompartimenten bzw. Zellorganellen zugeordnet, wobei sie gelöst (z. B. im *Cytosol od. der *Mitochondrien-Matrix) sowie auch an *Membranen (*Membran-Enzyme*) od. an Partikeln (z. B. *Ribosomen) gebunden vorliegen können. Mehrere verschiedene E., die Reaktionen einer im Organismus vorkommenden Reaktionssequenz katalysieren, sind oft zu sog. *Multienzymkomplexen* vereinigt. In den extrazellulären Raum ausgeschiedene E. (z. B. zur Katalyse des Zellwandbaus od. Verdauungsenzyme) werden als *Ektoenzyme* bezeichnet. Die katalyt. Aktivität (*enzymat. Aktivität*) bzw. die Biosynth. der E. im Organismus unterliegt Schwankungen in Abhängigkeit von einer Reihe externer u. interner Faktoren wie z. B. Alter, Geschlecht, Ernährungslage, gesamtphysiolog. Zustand etc.; auch tagesrhythm. Aktivitätsschwankungen sind bekannt. Beisp. für bes. intensive E.-Tätigkeiten sind die Samenkeimung, *Verdauung u. a. biolog. Abbauprozesse, Zellteilung usw. Bei Krankheiten kann die Biosynth. u./od. die Aktivität der E. fehlend, ungenügend od. übermäßig sein (*A-, Hypo- od. Dysfermentie; An-, Hypo- od. Dysenzymie*); die Diagnose derartiger Defekte (*Enzymopathien*) ist die Aufgabe der *enzymatischen Analyse. E.-Mangelerscheinungen begegnet man u. a. durch Verabreichung von Enzympräparaten.

Nomenklatur: Die Bez. „Enzym" (von griech.: en zyme = in der Hefe, im Sauerteig) u. „Ferment" (von latein.: fermentum = Sauerteig) werden zwar gleichsinnig verwendet, jedoch hat sich der Begriff „E." durchgesetzt. Bei der Namensgebung verwendete man früher neben Trivialnamen wie Diastase (erstes 1833 von Payen u. Persoz benanntes E.), Pepsin, Papain, Trypsin etc. nach einem Vorschlag von Duclaux (1898) die Endung „-ase", die dem Namen des zugehörigen *Substrats (Verb., auf die das E. einwirkt) angehängt wurde; *Beisp.: Saccharase* für ein *Saccharose* spaltendes Enzym. Mit der Auffindung zahlreicher neuer E. wurde ein neues Nomenklatursyst. notwendig, das erstmals 1964 von der „Commission on Enzymes of the IUB" (s. IUBMB) verabschiedet u. zuletzt 1992 überarbeitet wurde [1]. Dieses ordnet grundsätzlich jedem E. zwei Namen zu, nämlich einen systemat. Namen, der auf streng log. Basis aufgestellt wird, u. einen empfohlenen Trivialnamen. Der systemat. Name enthält, wie im Fall des Vorschlages von Duclaux, den Namen des Substrats u. die Endung -ase. Neu ist dabei folgendes:

1. „-ase" hängt hier nicht unmittelbar am Namen des Substrats, sondern der sog. Klasse (vgl. unten: Klassifikation). Dementsprechend enden die Namen auf: -oxidoreduktase, -transferase, -hydrolase, -lyase, -isomerase od. -ligase. Statt des einfachen Klassennamens kann auch der der ersten [z. B. -phosphotransferase (EC 2.7), -epimerase, -racemase, -mutase] od. zweiten Unterklasse [z. B. -methyltransferase (EC 2.1.1)] stehen.
2. Als Substratnamen werden alle am Eintritt einer katalysierten Reaktion beteiligten Partner (außer Wasser) genannt; *Beisp.:* das die Reaktion L-Arginin + Glycin → L-Ornithin + Guanidinacetat katalysierende E. wird systemat. als L-Arginin:Glycin-Amidinotransferase (EC 2.1.4.1) bezeichnet. Die Namen von Akzeptor u. Donator werden hier also durch einen Doppelpunkt getrennt. Von der *IUPAC/*IUBMB empfohlene Abk. wie z. B. AMP für *Adenosin-5′-monophosphat od. ATP für *Adenosin-5′-triphosphat kommen dabei ohne weiteres zur Anwendung. Begleitumstände (z. B. „cyclisierend") u. Nebenprodukte (z. B. „AMP-bildend") der Reaktion werden am Schluß der systemat. Namen in Klammern genannt. Die systemat. Nomenklatur nimmt keine Rücksicht auf die Reaktionsrichtung, d. h. die tatsächliche Lage des thermodynam. Gleichgew. unter physiolog. Bedingungen. Die Regeln für die Bildung der empfohlenen Trivialnamen sind sehr weitgehend u. umfangreich. Grundsätzlich gilt hier, daß allg.

eingeführte Trivialnamen (z. B. Pepsin) – auch von Substraten – nach Möglichkeit beibehalten u. verwendet werden sollen.
Klassifikation: Die Klassifikation der IUBMB kennt 6 Enzymklassen:

Tab.: Enzymklassen nach der IUBMB-Einteilung.

EC-Nr.	Klasse	katalysierter Reaktionstyp
1	Oxidoreduktasen	Wasserstoff-, Elektronenübertragung
2	Transferasen	Gruppenübertragung
3	Hydrolasen	Hydrolytische Spaltung
4	Lyasen	Eliminierung, Fragmentierung
5	Isomerasen	Isomerisierung
6	Ligasen (Synthetasen)	Kondensationen unter Verbrauch von Adenosin-5′-triphosphat

Jedem E. wird eine Schlüsselzahl (EC-Nr.) zugeordnet, die aus vier, durch Punkte voneinander getrennten Zahlen besteht u. gewöhnlich mit vorgesetztem „EC" angegeben wird (z. B. EC 2.7.1.39 = ATP:L-Homoserin-O-Phosphotransferase = Homoserin-Kinase). Die Zahlen symbolisieren nacheinander die Klasse (hier: 2 = Transferasen), die 1. Unterklasse (2.7 = Phosphotransferasen), die 2. Unterklasse (2.7.1 = Phosphotransferasen mit Alkohol-Gruppe als Akzeptor) u. eine laufende Nummer (2.7.1.39 = Phosphotransferasen mit L-Homoserin als Akzeptor u. ATP als Donor). Unterschiedliche Proteine ein- u. desselben Organismus, die dennoch dieselbe Reaktion katalysieren u. somit dieselbe EC-Nr. erhalten haben, werden *multiple Enzym-Formen* genannt, od. speziell, wenn sie als Produkte unterschiedlicher Gene entstehen, als *Isoenzyme* (od. *Isozyme*) bezeichnet.
Physikal. u. chem. Eigenschaften: Chem. sind E. hauptsächlich *Proteine, seltener *Glykoproteine, u. können als solche mit geeigneten physikal., chem. u. immunchem. Meth. untersucht werden. Zur *Charakterisierung* der E. dienen:
1. *physikal. Meth.* wie z. B. M_R-Bestimmung durch Ultrazentrifuge, Lichtstreuung, Diffusion, Osmometrie, Löslichkeitsbestimmung, Ultraviolett-Absorption, Fluoreszenz-Spektroskopie, Röntgenkristallographie, NMR, Circulardichroismus, potentiometr. Titration, Bestimmung des *isoelektrischen Punkts u. der elektrophoret. Beweglichkeit, Wanderungsgeschw. in Säulen von Ionenaustauschern u. dgl.;
2. *chem. Meth.* wie z. B. *Sequenzanalyse, chromatograph. u. elektrophoret. Untersuchung der durch *Proteolyse erhaltenen Oligopeptid-Mischungen, Bestimmung der endständigen Aminosäuren (*Endgruppenbestimmung);
3. *immunchem. Meth.* wie z. B. Immunelektrophorese, Immunoassay u. a.
Neben dem reinen Protein-Anteil, der auch als *Apoenzym* bezeichnet wird, enthalten E. kovalent (*prosthetische Gruppen) u./od. durch Nebenvalenzen gebundene *Cofaktoren wie *Coenzyme, Metall-Ionen u. Effektoren (s. unten bei Regulation). Die Gesamtheit aus Apoenzym u. Cofaktoren bildet das *Holoenzym*.
E. besitzen M_R zwischen etwa 10 000 (Desulfovibrio-Hydrogenase z. B. 9000) bis 4 000 000 (Multienzymkomplexe wie Pyruvat-Dehydrogenase, doch liegt das M_R einfacher E. meist unter 200 000). Gelöste E. be-

sitzen annähernd Kugelgestalt (*globuläre* od. *sphär. Proteine*). Die verschiedenen geladenen Aminosäure-Reste auf der E.-Oberfläche bedingen den Ampholyt-Charakter der E.; derjenige pH-Wert, bei dem die Summe aller Einzelladungen null ist (*isoelektr. Punkt*), stellt eine für das E. charakterist. Größe dar. Als Proteine sind die E. aus Polypeptid-Ketten aufgebaut, deren Aminosäure-Sequenz (*Primärstruktur*) genet. festgelegt ist. Ebenso wie anderen Proteinen muß man auch den E. *Sekundär- u. Tertiär-*, ggf. – d. h. wenn sie aus mehreren Untereinheiten bestehen – auch *Quartärstruktur* zuschreiben. Als Eiweißkörper sind E. auch für die typischste Protein-Reaktion, die *Denaturierung*, empfindlich. Diese in der Regel unter Verlust ihrer Aktivität eintretende Änderung der Sekundär-, Tertiär- u./od. Quartärstruktur kann durch physikal. Einwirkung (Temp., ionisierende Strahlung, Druck, Licht) od. chem. Substanzen (z. B. Säuren, Basen, organ. Lsm., Oxidationsmittel, Tenside) ausgelöst werden. Stabilisierung gegen Denaturierung findet *in vivo* durch zahlreiche Faktoren (Cofaktoren, Salze, Membranlipide, Inhibitoren, Rezeptoren u. a.) statt u. kann darüber hinaus künstlich durch chem. Modifizierung od. *Immobilisierung erzielt werden. Manche E. zeichnen sich allerdings auch durch bemerkenswerte Stabilität gegenüber Säuren (acidophile E.), Alkalien (alkalophile E.), hohen Salzkonz. (halophile E.) u. höhere Temp. (thermophile E.) aus. Denaturierung kann unter bestimmten Bedingungen reversibel sein; in diesem Fall läßt sich eine vollständige od. teilw. Renaturierung u. Wiederherst. der E.-Aktivität erreichen. Viele E. lassen sich durch *Katalysatorgifte leicht unwirksam machen; so stellt z. B. die *Cytochrom-c-Oxidase der *Atmungskette schon bei Anwesenheit von geringen Blausäure-Mengen ihre Aktivität ein, u. *Urease wird durch Schwermetall-Salze „vergiftet". Obwohl E. zur Entfaltung ihrer Aktivität normalerweise der wäss. Umgebung, eines bestimmten pH-Werts u. der Ggw. bestimmter Salze bedürfen, können sie, wenn sie unter geeigneten Bedingungen (optimaler pH-Wert beim Trocknen od. Fällen, genügend anhaftendes Restwasser) in hydrophobe organ. Lsm. überführt werden, bei Erhalt der Aktivität interessante Eigenschaftsänderungen aufweisen wie z. B. erhöhte Stabilität sowie geänderte Spezifität.
In neuerer Zeit wurde gefunden, daß auch *Ribonucleinsäuren (RNA) katalyt. Eigenschaften besitzen können (dafür Nobelpreis für Chemie 1989 an S. *Altman u. T. *Cech). Solche RNA, die u. a. Prozesse im Zusammenhang mit der Reifung von Messenger-RNA steuern, haben die Bez. *Ribozyme erhalten.
Biolog. Eigenschaften: E. enthalten *aktive Zentren* (*E active sites*), die aus räumlich benachbarten (nicht unbedingt in der Primärstruktur aufeinanderfolgenden) Aminosäure-Resten gebildet werden u. für die katalyt. Aktivität der E. u. die Spezifität der Reaktion unmittelbar verantwortlich (*funktionell*) sind. Insofern diese Reste für die Katalyse unverzichtbar sind, werden sie als *essentiell* bezeichnet. Z. B. sind prim. Amino-Gruppen für die Aktivität von α-Amylase u. alkal. Phosphatase essentiell, Carboxy-Gruppen für *Pepsin (Carboxy-Proteasen), Serin-Reste für die *Serin-Proteasen, Histidin-Reste für viele Pyridinnucleotid-ab-

hängigen *Dehydrogenasen u. Thiol-Gruppen für die *Cystein-Proteasen. Auch prosthet. Gruppen können sich im aktiven Zentrum befinden u. an der Katalyse beteiligt sein, wie z. B. Zink-Ionen bei den Zink-Proteinasen, Eisen-Schwefel-Cluster bei den Eisen-Schwefel-E. od. *Häm bei den *Cytochromen. Neben dem aktiven Zentrum muß das E. spezif. *Bindungstaschen* für das Substrat (od. die Substrate), ggf. auch für Coenzyme u. Effektoren (s. bei Regulation) besitzen, in denen die betreffenden Mol. durch nicht-kovalente Wechselwirkungen chelatartig gebunden werden. Die bloße Anwesenheit funktioneller Gruppen reicht allerdings noch nicht dazu aus, die E.-Wirkung zu erklären. So kann man (durch natürliche od. gentechnolog. Mutation) an der Peripherie von E. einzelne Aminosäure-Reste nur dann ohne Schaden für die Aktivität durch ähnliche ersetzen, wenn die native Raumstruktur als solche u. die ursprüngliche Flexibilität gewahrt bleiben. Einige Befunde sprechen dafür, daß aktive Zentren in bes. flexiblen Bereichen des Protein-Mol. lokalisiert sind. Die *Spezifität* der E.-Wirkung kann in verschiedenen Variationen auftreten, von scheinbar abs. bis zu Gruppen-Spezifität, wo eine Reihe von Mol. eines bestimmten chem. Strukturtyps durch ein einziges E. angreifbar ist. Beispielsweise katalysiert Ameisensäure-Dehydrogenase nur die Oxid. von Ameisensäure zu Kohlendioxid u. Wasser. Arylsulfatase dagegen bewirkt die Hydrolyse einer Anzahl von Schwefelsäureestern, darunter sogar derjenigen von Phenolen, Naphtholen u. Diphenolen. Wo enantiomere Substrate vorliegen, wirken E. stets stereoselektiv, d. h. daß nur ein Antipode der E.-Katalyse unterliegt; opt. aktive Produkte werden in enzymat. Reaktionen stereospezif. u. opt. rein hergestellt. E. sind in ihrer Wirkung an bestimmte Wasserstoff-Ionen-Konz. gebunden. So benötigt z. B. das Protein-verdauende *Pepsin des Magens einen pH-Wert von 1,5–2,5, die *Arginase der Leber arbeitet am besten bei pH 9,8, u. die Glykogen-spaltende *Amylase in den Muskeln hat ihr *Wirkungsmaximum* bei pH 7.

Die mol. *Wirkungsmechanismen* von E. werden im einzelnen auch heute noch diskutiert. Im wesentlichen besteht der erste Schritt einer enzymat. Katalyse in der Bildung eines Komplexes zwischen E. u. Substrat (*E.-Substrat-Komplex*), der sich nach einer gewissen Zeit unter Freiwerden des Reaktionsproduktes u. des ursprünglichen E. wieder zersetzt, worauf der Cyclus aus Kombination u. Spaltung erneut beginnen kann (bei „trägen" E. einmal pro s, bei „schnellen" wie der *Katalase ca. 100000mal). Diese 1913 von Michaelis u. Menten aufgestellte „E.-Substrat-Theorie" ist auch heute noch die grundlegende Arbeitshypothese der Enzymologie. Auf ihr beruht auch die zur Beschreibung der Enzymkinetik verwendete Michaelis-Menten-Gleichung (S. 1178). Zur Spezifität des E.-Substrat-Komplexes gibt es zwei verschiedene Theorien: Nach der bereits 1894 von Emil *Fischer formulierten *Schlüssel-Schloß-Theorie* (engl.: lock-and-key theory) liegt das aktive Zentrum als starre, räumlich präformierte Matrix vor, die nur solche Substrate bindet, die zu ihrer Eigenstruktur wie ein Schlüssel zum Schloß passen (oberer Teil der Abb.). Eine modernere u. zutreffendere Formulierung von Koshland (1958) ist als *Anpassungstheorie* (engl.: induced fit theory) bekannt geworden. Demnach sind E. u. Substrat in der Lage, gegenseitige Strukturveränderungen (Konformationsänderungen) zu induzieren, die zu komplementären u. im Sinne der Katalyse aktiveren Zuständen führen, während der E.-Substrat-Komplex ausgebildet wird (unterer Teil der Abb.).

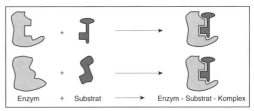

Abb.: Schematische Darstellung der Theorien zur Substratspezifität von Enzymen. Oben: Schlüssel-Schloß-Theorie. Unten: Anpassungstheorie.

Durch chem. Modifizierung von Aminosäure-Seitenketten sowie durch gerichtete Mutagenese (*site directed mutagenesis*), d. h. gezielten gentechnolog. Austausch einzelner Aminosäuren, kann die biolog. Funktion u. die Spezifität von E. verändert u. die Beziehung zwischen Struktur u. Funktion untersucht werden.

Die Bedeutung des E.-Substrat-Komplexes liegt darin, daß in ihm die Aktivierungsenergie der Reaktion verringert ist, da das Substrat (od. die Substrate – wir wollen hier auch Coenzyme mit einschließen) in eine hydrophobe Mikro-Umgebung u. in einen energiereichen, reaktionsfähigen Zustand überführt wird (z. B. durch Deformierung od. Polarisierung an der Reaktion beteiligter Bindungen). Dies wird energet. mit Hilfe der freiwerdenden Wechselwirkungsenergie zwischen den einzelnen Aminosäure-Resten des aktiven Zentrums des E. u. dem Substrat ermöglicht. Anders formuliert, besitzt das E. eine höhere Affinität zum *Übergangszustand (ÜZ; derjenige Zustand – keine Zwischen-Verb. – zwischen Substrat u. Produkt, der entlang des Reaktionsweges die meiste Energie enthält) als zum Substrat im Grundzustand u. kompensiert dadurch einen Teil der Aktivierungsenergie. Diese Ansicht (von *Pauling 1948 formuliert) fand eine elegante experimentelle Bestätigung, als gegen Mol., die solchen ÜZ strukturell ähneln, Antikörper gewonnen u. deren katalyt. Wirksamkeit nachgewiesen wurde (*katalyt. Antikörper* od. *Abzyme). Zur Erhöhung der Reaktionsbereitschaft trägt weiterhin bei, daß zwei miteinander reagierende Substrate (bzw. Substrat u. reaktiver Aminosäure-Rest) im E.-Substrat-Komplex in räumlicher Nähe u. geeigneter Orientierung zueinander fixiert sind – im Grunde auch dieses eine Annäherung an den ÜZ. Die Aktivierungsenergie kann auch dadurch herabgesetzt werden, daß auf dem Reaktionsweg vom Substrat zum Produkt (am E. gebunden) verschiedene *Zwischenverbindungen* durchlaufen werden, z. B. protonierte bzw. deprotonierte Substratspezies (*Säure-Base-Katalyse*) od. Thioester etc., u. daß dadurch der ursprüngliche ÜZ umgangen wird. Bei der Ausbildung solcher Zwischenverbindungen wird der Aktivierungsenergie-„Berg" der unkatalysierten Reaktion in mehrere „Hügel" aufgeteilt, die mit kleinerer Energiezufuhr zu überwinden sind.

Enzyme

Enzym-Kinetik[2]: Michaelis u. Menten entwickelten 1913 eine Gleichung (*Michaelis-Menten-Gleichung*) zur Beschreibung der *Kinetik enzymkatalysierter Reaktionen, wonach die Reaktionsgeschw.

$$V = \frac{V_{max} \cdot [S]}{K_M + [S]}$$

ist u. worin V_{max} die Maximalgeschw. bei Sättigung des E. mit Substrat u. [S] die Substrat-Konz. bedeuten. K_M, die *Michaelis-Konstante*, setzt sich aus mehreren Geschwindigkeitskonstanten zusammen u. stellt anschaulich diejenige Substrat-Konz. dar, bei der die Hälfte der max. Reaktionsgeschw. erreicht wird. Michaelis-Konstanten haben Größenordnungen von $10^{-2} - 10^{-5}$ mol/L, wobei ein kleiner Wert eine große Affinität zwischen E. u. Substrat bedeutet. Die Michaelis-Menten-Gleichung als Beziehung zwischen Reaktionsgeschw. u. Substrat-Konz. stellt graph. eine Hyperbel dar, die für große [S] asymptot. dem Grenzwert V_{max} zustrebt, u. ist der mathemat. Ausdruck einer *Sättigungskinetik*, da V_{max} genau dann erreicht wird, wenn das E. mit Substrat gesätt. ist, d. h. alles E. als E.-Substrat-Komplex vorliegt. Im Bereich der Sättigung ist die Menge der von einem E. umgesetzten Stoffe proportional der E.-Menge u. der Wirkungsdauer. Die Michaelis-Menten-Beziehung gilt jedoch nur für einfachere Syst.; bei Vorliegen von *alloster. Regulation* (vgl. Allosterie), gegenseitiger Beeinflussung von E.-Untereinheiten (*Kooperativität*) sowie bei vielen *Mehrsubstrat-Reaktionen* sind kompliziertere Modelle zu verwenden.
Die E.-Aktivität kann durch die *Wechsel-* od. *Umsatzzahl* (auch: katalyt. Konstante k_{cat}; entspricht der Geschwindigkeitskonstanten des Zerfalls des E.-Substrat-Komplexes zum Produkt u. freien E.) charakterisiert werden. Anschaulich ist dies die Anzahl der Substrat-Mol., die von einem E.-Mol. pro s umgesetzt werden. Das Verhältnis der Umsatzzahl zur Michaeliskonstante ist wegen der Beteiligung von Diffusionsvorgängen (die Substrate müssen ja zum E. bzw. aktiven Zentrum diffundieren) auf höchstens $10^8 - 10^9$ L $\cdot$ mol^{-1} $\cdot$ s^{-1} begrenzt. E., die diese Werte erreichen, werden als *kinet.* od. *katalyt. perfekt* bezeichnet (z. B. *Acetylcholin-Esterase, *Carboanhydrase, *Triosephosphat-Isomerase). Als *Enzymeinheit* U ist durch die IUPAC/IUBMB diejenige E.-Menge definiert, die pro min 1 µmol Substrat umsetzt. Als abgeleitete SI-Einheit ist das *Katal* (Kurzz.: *kat) zu verwenden (vgl. a. Aktivität). Die Messung von E.-Aktivitäten erfolgt meist photometr. durch die Verfolgung der Konz. gefärbter Substrate; dabei muß wegen der Abhängigkeit der Reaktionsgeschw. von der Temp. dieselbe durch Thermostatisierung konstant (meist bei 25 °C) gehalten werden.
Regulation: E. sind nicht ständig im „Arbeitszustand" u. unterliegen zudem ständigem Auf- u. Abbau im Organismus, sodaß ihre Konz. vom jeweiligen Gleichgew. zwischen Zerfall u. Neusynth. abhängt. Nicht alle im Genom (s. Gene) kodierten E. werden zu jeder Zeit bzw. in allen Zellen des Lebewesens synthetisiert (exprimiert). Wenn ein Stoff enzymat. auf- od. abgebaut werden soll, wird das entsprechende E.-Syst. erst gebildet, od. werden die bereits vorhandenen E. aktiviert („angeschaltet"). Auf verschiedenen Ebenen kann regulativ in die *Genexpression der E. eingegriffen werden. Bei der Regulation der *Transkription der in *Operons* zusammengefaßten Gene von im Stoffwechsel-Ablauf zusammengehörenden E. spielen niedermol. *Induktoren, Co-Repressoren* u. *Hormone sowie eine Vielfalt von *Desoxyribonucleinsäure-bindenden Proteinen (Aktivatoren, Repressoren u. a.) eine Rolle. Regulation findet auch bei der Reifung der Messenger-*Ribonucleinsäuren (*mRNA processing*) u. der ribosomalen *Translation statt. Um zu verhindern, daß proteolyt. E. ihre Wirkung am falschen Ort entfalten u. körpereigene Gewebe angreifen, werden sie bei der Biosynth. als inaktive *Zymogene (od. Proenzyme) synthetisiert. Erst nach ihrer Ausschüttung in den Verdauungsapparat bzw. die Blutbahn usw. werden diese Vorstufen durch spezif. Abspaltung bestimmter Oligopeptide in aktive E. umgewandelt; *Beisp.:* *Chymotrypsin(ogen), (Pro-)*Thrombin.
Das „An- u. Abschalten" von E. nach Bedarf geschieht einerseits durch kovalente Modifizierung, d. h. in den meisten Fällen durch *Phosphorylierung/Dephosphorylierung von Serin-, Threonin- od. Tyrosin-Seitenketten durch *Protein-Kinasen bzw. *Phosphatasen; bisweilen geht eine Änderung des Assoziationsgrades (z. B. Dimer → Tetramer) damit einher. Da die beteiligten Protein-Kinasen u. Phosphatasen dem gleichen Regulationsprinzip unterliegen können (u. deren regulierende Protein-Kinasen/Phosphatasen wieder usw.), kommt es nicht selten zu sog. *Aktivierungskaskaden*, wobei es auf jeder Stufe zu einer Vervielfältigung der Aktivierungswirkung kommt, da ein aktiviertes E.-Mol. viele E.-Mol. der nächsten Stufe aktivieren kann (*multiplikative E.-Wirkung*; *Beisp.:* Aktivierungskaskade der Glykogen-*Phosphorylase). Auch bei der obengenannten proteolyt. Zymogen-Aktivierung kennt man solche Kaskaden; s. Blutgerinnung.
Von bes. Bedeutung ist der Einfluß von *Effektoren, d. h. natürlichen Begleitstoffen der E., die als Aktivatoren od. *Inhibitoren (Hemmstoffe) wirken. Letztere können als *kompetitive Inhibitoren* mit dem Substrat um die Bindung in der Substrat-Bindungstasche des E. konkurrieren. Bei der *alloster. Regulation* (s. Allosterie) findet eine Bindung des Effektors an eine regulator. Bindungsstelle, die nicht mit der des Substrats ident. ist, statt. Oft kann man zwischen *katalyt.* u. *regulator. Untereinheiten* eines E. unterscheiden (z. B. *Aspartat-Transcarbamoylase). Ist ein Inhibitor ident. mit dem Endprodukt der fraglichen E.-Reaktion od. einer ihrer Folgereaktionen, so spricht man von *End-produkt-* od. *Rückkopplungs-Hemmung* (engl.: feedback inhibition). Proteinöse Inhibitoren werden manchmal auch *Antienzyme (od. *Antizyme*) genannt.
Biosynth.: Als Proteine entstehen die E. nach den bei *genetischer Code u. *Proteine dargestellten Prinzipien. Einige Aspekte der Biosynth. der E. wurden weiter oben schon kurz angesprochen (z. B. Operon, Zymogene). Wie ebenfalls oben bereits erwähnt, unterliegen die E. ebenso wie andere Proteine Abbauprozessen, u. man spricht deshalb auch von ihrer Halbwertszeit, das ist die Zeitspanne, in der die Hälfte der im Organismus vorhandenen E.-Menge abgebaut bzw. durch Neusynth. ersetzt wird.

Gewinnung: Isolierung u. Reinherst. der E. sind sehr mühsam, denn die Gewebe, Körpersäfte, Mikroorganismen usw. enthalten meist eine große Anzahl von verschiedenen E. u. viele Begleitstoffe, die sich nur schwer voneinander trennen lassen. So mußten beispielsweise Dünndärme von etwa 1400 Kälbern aufgearbeitet werden, um 1 g Adenosin-Desaminase (s. Adenosin) zu erhalten. Auf die gesamte Herstellungstechnologie kann hier nicht näher eingegangen werden. Man stellt aus Mikroorganismen (Bakterien, Pilzen), tier. od. pflanzlichen Organen nach Zerstörung der Zellstruktur zunächst Rohenzym-Lsg. her; im Fall von extrazellulär gebildeten E. vereinfacht sich das Aufarbeitungsverf. entsprechend. Häufig zur präparativen Trennung od. Reinigung von E. herangezogene Verf. sind Ultrafiltration, Gelpermeationschromatographie, Austauschadsorption od. -chromatographie, fraktionierte Fällung u. Verteilungsverfahren. Große Anreicherungsfaktoren sind mit Hilfe der spezif. einsetzbaren *Affinitätschromatographie zu erzielen. Im kleineren Maßstab hat die Anw. von Druck zur Beschleunigung der zeitaufwendigen Gelpermeationschromatographie geführt (FPLC, *fast protein liquid chromatography*). Die Entwässerung der erhaltenen E.-Präp. wird ggf. durch Gefriertrocknung od. – bei weniger temperaturempfindlichen E. – durch Sprühtrocknung vorgenommen. Die Lagerung erfolgt in Form von Suspensionen in konz. wäss. Ammoniumsulfat- od. Glycerin-Lsg. sowie als Trockenpräparate. Techn. E. werden weltweit z. T. in Mengen von einigen hundert t/a gewonnen.

Verw.: Isolierte E. haben in den letzten Jahrzehnten einen festen Platz in der organ. Synth.[3] u. als Ind.-Produkt gewonnen; Arbeitsgebiet ist die *Biotechnologie. In der Lebensmittel-Ind.[4] werden *Amylasen v. a. in der Bäckerei, Brauerei u. Stärkeverzuckerung eingesetzt, Pektinasen in der Klärung von Fruchtsäften, Proteasen (z. B. *Lab) zur Käse-Herst., zum Weichmachen von Fleisch (insbes. *Papain) u. zur Herst. von *Eiweiß-Hydrolysaten usw. Auf die in die Frühgeschichte des Menschen zurückreichende Verw. von E. – man denke an die Herst. von Käse, Backwaren, alkohol. Getränken, ferner an die *Fermentation von Kaffee, Tee, Tabak u. a. Genußmitteln – braucht nicht weiter eingegangen zu werden. Um 1900 führte O. *Röhm Pankreas-Extrakte als Gerbereihilfsmittel u. Entschlichtungsmittel für Textilgewebe ein. Enzymat. Lederhilfsmittel beschleunigen die Weiche, bewirken die Enthaarung der Felle u. dienen als Beizmittel. Von bes. Bedeutung ist der Einsatz von E. in Waschmitteln, wo Proteasen zur Entfernung von Eiweiß-haltigen Anschmutzungen (Blut, Eigelb, Kakao, Milch usw.) dienen, in geringerem Maß auch Amylasen, die sich ebenfalls als Entschlichtungsmittel für textile Gewebe eignen. E. werden auch eingesetzt zur Gewinnung von Fruchtsäuren u. von Aminosäuren, sei es durch direkte Synth. od. über die enzymat. *Racematrennung. Bes. reine E. benötigt man in kosmet. Präp. sowie natürlich in Enzym-Präparaten u. in der klin. Chemie für die *enzymatische Analyse. Hierbei sind die empfindlichsten Verf., mit denen noch Antigen- od. Hapten-Konz. im pikomolaren Bereich (10^{-12} mol/L) nachweisbar sind, diejenigen des *Enzymimmunoassays.

Ganz bes. Aufmerksamkeit für den Einsatz in der *Festphasen-Technik haben an Oberflächen od. in Netzwerken fixierte E. gefunden. Zu dieser *Immobilisierung bieten sich folgende Verf. an: Adsorption an Oberflächen od. kovalente Bindung an polymere *Träger, wofür anorgan. (z. B. Glas, Ton, Sand, Metalloxide, nichtrostender Stahl) u. organ. Stoffe (z. B. Polysaccharide, Polyamide, Vinylpolymere) in Frage kommen; Einschluß in vernetzte Gele; *Mikroverkapselung; *Vernetzung von E. durch bifunktionelle Reagenzien u. andere. Auch in der präparativen organ. Chemie finden immobilisierte E. schon viele Verwendungsmöglichkeiten.

Geschichte: Die Bez. *Ferment* ist seit dem 17. Jh. in Gebrauch zur qual. Beschreibung der *Gärung von Stärkeprodukten, aber auch der Verdauung u. der Fäulnis. *Lavoisier stellte die erste E.-Stoffbilanz auf (1789). Seit ca. 1830 wurden verschiedene angereicherte E.-Präp. beschrieben, z. B. von Diastase (Amylase), Ptyalin, Pepsin, aber erst 1897 stellte E. *Buchner sicher, daß die alkohol. Gärung auch durch zell*freie* Hefepreßsäfte ausgelöst werden kann. Der Untersuchung der E.-Kinetik (*Sørensen, *Michaelis, ca. 1910) folgte 1926 die Krist. des ersten E. (Urease) durch *Sumner u. der Nachw. der Protein-Natur. Das erste E., dessen Aminosäure-Sequenz vollständig entschlüsselt werden konnte, war Ribonuclease (*Moore u. *Stein, 1963). Lysozym war das erste, dessen Tertiärstruktur aufgeklärt wurde (1966). Im Jahre 1969 synthetisierte *Merrifield mit der nach ihm benannten Technik in 11 931 Schritten die gesamte Sequenz der Ribonuclease. Durch die Fortschritte in der Synth. der Desoxyribonucleinsäuren sowie ihrer gentechnolog. Vermehrung (Klonierung) u. Expression in Organismen, ist es heute prakt. möglich geworden, „maßgeschneiderte" E. mit veränderten Eigenschaften wie Substratspezifitäten, Säure- u. Wärmetoleranzen etc. in beliebigen Mengen herzustellen. – *E = F enzymes – I enzimi – S enzimas*

Lit.: [1] International Union of Biochemistry and Molecular Biology, Enzyme Nomenclature, Recommendations (1992) of the Nomenclature Comitee of the IUBMB, San Diego: Academic Press 1992; World Wide Web: http://www.expasy.hcuge.ch/sprot/enzyme.html. [2] Cornish-Bowden, Fundamentals of Enzyme Kinetics, 2. Aufl., London: Portland Press 1995; Schulz, Enzyme Kinetics. From Diastase to Multi-Enzyme Systems, Cambridge: Cambridge University Press 1995. [3] Drauz u. Waldmann, Enzyme Catalysis in Organic Synthesis – A Comprehensive Handbook, Weinheim: VCH Verlagsges. 1995; Faber, Biotransformations in Organic Chemistry – A Textbook, 2. Aufl., Berlin: Springer 1995. [4] Biol. Unserer Zeit **25**, 239–245 (1995).
allg.: Fukui u. Soda, Molecular Aspects of Enzyme Catalysis, Tokio/Weinheim: Kodansha/VCH Verlagsges. 1994 ▪ Jeanteur, Molecular and Cellular Enzymology, Berlin: Springer 1994 ▪ Palmer: Understanding Enzymes, 4. Aufl., New York: Prentice Hall / Ellis Horwood 1995 ▪ Schomburg et al., Enzyme Handbook, Berlin: Springer (seit 1990) ▪ Wiseman, Handbook of Enzyme Biotechnology, Englewood Cliffs: Ellis Horwood 1994. – *Serie:* Methods in Enzymology, San Diego: Academic Press (seit 1955). – [HS 3507 10, 3507 90]

Enzymimmunoassay (EIA). Aus dem Engl. übernommene Bez. für eine sowohl enzymat. als auch immunchem., sehr empfindliche u. spezif. Analysenmeth. (vgl. enzymatische Analyse) zur Bestimmung von

*Antigenen, *Antikörpern od. Haptenen (Nachweisgrenze bis Pikomol-Bereich). Der EIA unterscheidet sich vom sonst verwandten *Radioimmunoassay durch die Verw. von Enzymen (z. B. *Peroxidase) u. Substraten als Detektions-Syst. anstelle von Radioisotopen im Fall des Letzteren. Prinzipiell ist im EIA die Spezifität der *Antigen-Antikörper-Reaktion (AAR) an eine enzymat. Reaktion gekoppelt, indem entweder Antikörper- od. Antigen-Enzym-Konjugate verwendet werden, die nach Zugabe von geeignetem Substrat durch die Messung der Enzym-Aktivität des Konjugats meist photometr., aber auch fluorimetr. usw. bestimmt werden. Die katalyt. Wirkung des Enzyms sorgt für eine Verstärkung des Meß-Effekts (Immunreagenz bindet Antigen stöchiometr., aber ein gekoppeltes Enzym-Mol. kann viele Substrat-Mol. umsetzen). Zur Bestimmung von unbekannten Proben muß zum Vergleich eine Reihe von Proben verschiedener bekannter Konz. (Standards) gemessen werden. Man unterscheidet kompetitive u. nichtkompetitive Assays; bei den Erstgenannten verdrängt das zu bestimmende Antigen ein gleichartiges, aber mit Enzym markiertes Antigen aus dem Komplex mit Antikörper. Mit Erfolg werden heute *monoklonale Antikörper, die spezif. gegen eine Determinante des Antigens gerichtet sind, angewendet. Einige Tests beruhen darauf, daß das mit Antikörper konjugierte Enzym nach der AAR seine Aktivität verändert.

Im allg. bedient man sich heute überwiegend der Festphasen-Technik des ELISA (*e*nzyme *l*inked *i*mmuno*s*orbent *a*ssay), wo das Antigen – entweder durch direkte Adsorption od. über einen weiteren Antikörper: *sandwich assay* – an feste Phase gebunden wird (heute meist in den Vertiefungen einer *Mikrotiter-Platte*), u. nach Behandlung (Inkubation) mit dem Immunreagenz, dessen Überschuß durch einfaches Spülen entfernt werden kann, nachgewiesen wird. Alternativ können durch entsprechende Abwandlung der Meth. Antikörper-Konz. bestimmt werden.

Eine mögliche Vereinfachung bedeutet die Verw. von jeweils gleichen Anti-IgG-Antikörper/Enzym-Konjugaten für verschiedene Tests: Antigen bindet an Primär-Antikörper – Konjugat bindet an diesen Komplex; oft auch verwendet zur Bestimmung des Primär-Antikörpers. Hierbei ist auch die Möglichkeit einer Signalverstärkung durch Bindung mehrerer Sekundär-Antikörper-Mol. an das Primär-Antikörper-Mol. gegeben. Die Abb. zeigt dies schematisch. Die Verw. von *Streptavidin u. biotinyliertem Marker-Enzym (vgl. a. Avidin, Biotin) ermöglicht die Verknüpfung einer größeren Zahl Enzym-Mol. mit einem Antikörper-Molekül.

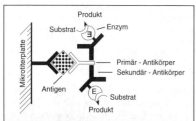

Abb.: Prinzip des Elisa. Signalverstärkung durch Sekundär-Antikörper-Moleküle.

Der EIA hat u. a. in der medizin. Diagnostik u. Lebensmittelanalyse Bedeutung. – *E* enzyme immunoassay – *F* immuno-essai enzymatique – *I* immunoanalisi enzimatica – *S* inmunoensayo enzimático
Lit.: Crowther, ELISA. Theory and Practice, Totowa: Humana Press 1995 ▪ J. Clin. Lab. Anal. **7**, 376–393 (1993) ▪ Kemeny, ELISA. Anwendung des Enzyme-Linked Immunosorbent Assays im biologisch/medizinischen Labor, Stuttgart: Fischer 1994.

Enzyminhibitoren s. Antienzyme u. Inhibitoren.

Enzym-Membran-Reaktor. Untergruppe der *Bioreaktoren, bei denen der Reaktor durch semipermeable Membranen in zwei od. mehrere Räume unterteilt ist (Abb.).

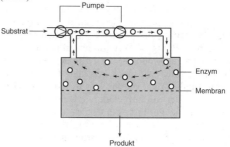

Abb.: Enzym-Membran-Reaktor.

Ein od. mehrere Enzyme u. fallweise das Substrat werden in den Reaktionsräumen durch *Ultrafiltrations- od. *Dialyse-Membranen zurückgehalten, während Produkt u. eventuell auch das Substrat die Membranen bei 50–500 kPa passieren können. E.-M.-R., in denen das Enzym an od. in den Membranen adsorbiert, eingeschlossen od. chem. gebunden ist, sind dadurch charakterisiert, daß die Substrat-Lsg. beim Passieren der Membran umgesetzt wird (z. B. bei der Umsetzung von Saccharose zu Isomaltulose durch gebundene Mutase in einem Radial-Typ-Reaktor aus gewickelten, quervernetzten, sulfonsauren Cellulose-Membranen in Patronenform). Durch Umpumpen des Reaktionsansatzes wird der interne u. externe Massentransfer optimiert. Das *Scale up bereitet keine Schwierigkeiten. Während mit gelösten Enzymen im Labormaßstab mit Hohlfasermodulen gearbeitet wird, erfolgt die Trennung in techn. Größen nicht im Bioreaktor selbst, sondern in einem Bypass, in dem die Membranen angeordnet sind. *Multienzym*-Reaktionen mit *Cofaktor-Regeneration*[1] lassen sich im E.-M.-R. realisieren. Bei Aktivitätsabnahme einzelner gelöster Enzyme, gemessen als verlangsamte Umsatzrate, kann das fehlende Enzym spezif. nachgegeben werden. Dieses Vorgehen reduziert im Vgl. zu den trägergebundenen Verf. mit *Festbettreaktoren die Produktionskosten. E.-M.-R. sind zur Produktion von L-Aminosäuren im Einsatz. – *E* enzyme membrane reactor – *F* réacteur à membrane enzymatique – *I* reattore a membrana enzimatica – *S* reactor de membrana enzimática
Lit.: [1] Wandrey u. Wichmann, in Laskin (Hrsg.), Enzymes and Immobilized Cells in Biotechnology, S. 177–208, London: Benjamin Cummings Publ. 1985.
allg.: Ann. N.Y. Acad. Sci. **750**, 401 (1995) ▪ Enzyme Microb. Technol. **16**, 1064 (1994) ▪ Kula et al., Technische Membranen in der Biotechnologie, GBF Monographie 9, Weinheim: Verl. Chemie 1986.

Enzym-Thermistor. Bez. für eine Untergruppe von *Biosensoren. Bei einem E.-T. wird ein zu bestimmendes Substrat durch ein immobilisiertes Enzym (s. Immobilisierung) umgesetzt u. die entstehende Wärme als Maß der Umsetzung in einem Mikrokalorimeter verfolgt. – *E* enzyme thermistor – *F* thermistor enzymatique – *I* termistore enzimatico – *S* termistor enzimático
Lit.: Curr. Opin. Biotechnol. **5**, 49 (1994) ▪ Karube u. Sode, in Präve et al. (Hrsg.), Biosensors: A Decade of Research. Jahrbuch Biotechnologie, Bd. 2, München: Hanser 1988/89.

EO, EO-Addukte. Abk. für *E*thylen*o*xid-Addukte, s. Ethoxylate u. Ethoxylierung.

EOR. Aus dem engl. übernommene Abk. für enhanced oil recovery, s. Erdöl.

Eosin (von griech. eos = Morgenröte). (a) E. *gelblich* (E. Y), Natriumsalz des 2′,4′,5′,7′-Tetrabromfluoresceins, $C_{20}H_6Br_4Na_2O_5$, M_R 691,91. Rotes, krist. Pulver, Schmp. 295–296 °C, lösl. in Wasser u. Alkohol; die Lsg. fluoresziert grünlich. Durch Nitrierung von Dibromfluorescein erhält man das auch *Eosinscharlach* genannte (b) E. *bläulich* (E. B), $C_{20}H_6Br_2N_2Na_2O_9$, M_R 624,09. Natriumsalz des 4′,5′-Dibrom-2′,7′-dinitrofluoresceins. Rotbraunes, krist. Pulver, lösl. in Wasser mit gelbroter Farbe u. schwachgrüner Fluoreszenz. Die E. gehören zu den *Xanthen-Farbstoffen (s. die Abb. bei Fluorescein) u. wirken photosensibilisierend.
Verw.: Als Färbemittel in der Mikroskopie für histolog. Präp., E. Y auch als Mischungsbestandteil von Azur II Eosin. In kosmet. Präp. (Lippenstiften, Schminken) unterliegt E. Y bes. Dosierungsbegrenzungen, während E. B überhaupt nicht mehr zugelassen ist. E. Y dient v. a. zur Herst. von roten Tinten u. Druckfarben, als Warnfarbe, zur Gelb-Grün-Sensibilisierung von Photoplatten u. von ZnO-Halbleitern. E. B eignet sich zum Färben von Wolle, Baumwolle u. Papier. – *E* eosin – *F* éosine – *I = S* eosina
Lit.: Beilstein E V **19/6**, 462 ▪ Kirk-Othmer (4.) **6**, 903; **8**, 847 ▪ Ullmann (4.) **13**, 189; **23**, 414; (5.) **A 11**, 281; **A 14**, 135 ▪ Winnacker-Küchler (4.) **7**, 41. – [HS 3204 12; CAS 17372-87-1 (a); 548-24-3 (b)]

Eosinophil cationic protein s. kationisches Eosinophilen-Protein.

Eozän s. Erdzeitalter.

EP. Kurzz. für *Epoxidharze.

E/P. Kurzz. (nach DIN 7728, Tl. 1, 01/1988) für *Ethylen/*Propylen-Copolymere.

EPA. 1. Abk. für *Europäisches Patentamt. – 2. Abk. für die 1970 gegr. amerikan. Umweltschutzbehörde Environmental Protection Agency mit Sitz in Washington, D.C., u. Research Triangle Park, N.C., die etwa dem *Umweltbundesamt entspricht. – INTERNET-Adresse: http://www.epa.gov/

...epan. Nach IUPAC-Regel R-2.3.3 Suffix in Namen von gesätt., siebengliedrigen, *heterocyclischen Verbindungen. – *E* ...epane – *F* ...épane (...épanne) – *I = S* ...epano

EPDM. Kurzz. (nach DIN 7728, Tl. 1, 01/1988) für *Ethylen/*Propylen-Dien-Terpolymere (s. Ethylen-Propylen-Elastomere, EPDM-Kautschuk).

EPDM-Kautschuk. Durch *Terpolymerisation von *Ethylen u. größeren Anteilen *Propylen sowie einigen Prozent eines dritten Monomeren mit Dien-Struktur hergestellter *Kautschuk, in dem das Dien-Monomer die für eine anschließende Schwefel-Vulkanisation benötigten Doppelbindungen bereitstellt. Als Dien-Monomere finden vorwiegend *cis,cis*-1,5-Cyclooctadien (COD), *exo*-Dicyclopentadien (DCP), *endo*-Dicyclopentadien (EDCP) u. 1,4-Hexadien (HX) u. v. a. 5-Ethyliden-2-norbornen (ENB) Verwendung. EPDM-K. enthält nur ca. 15 Doppelbindungen pro 1000 C-Atome u. ist daher viel widerstandsfähiger gegen z. B. Ozon als Butadien- od. Isopren-Kautschuke. – *E* EPDM rubber – *I* cauccù EPDM – *S* cauchos EPDM
Lit.: Elias (5.) **2**, 133.

EPE. Kurzz. (nach DIN 7728, Tl. 1, 04/1978) für *Epoxidharz-Ester.

Epená. Von südamerikan. Indianern verwendetes *Rauschgift, das aus Rinde u. Harz verschiedener Bäume der Gattung *Virola* (Myristicaceae) gewonnen wird. Die halluzinogene Wirkung des auch als *Yakee* bezeichneten Schnupfpulvers ist im wesentlichen auf seinen Gehalt an *Tryptamin- u. *Carbolin-Derivaten zurückzuführen. – *E = S* epená – *I* iacea
Lit.: Schultes u. Hofmann, The Botany and Chemistry of Hallucinogens, S. 70–82, Springfield (Ill.): Ch. C. Thomas 1973.

Ependymine. *Glykoproteine aus Fischhirn, die Calcium-Ionen binden. Die E. sind durch *Disulfid-Brücken verbundene Dimere, die sich wechselweise aus drei verschiedenen Untereinheiten zusammensetzen (M_R 37000, 31000 bzw. 26000). Sie werden in der Hirnhaut synthetisiert, in die *extrazelluläre Matrix eingebaut u. in die Hirnflüssigkeit sezerniert. Zur Funktion wird vermutet, daß die E. bei Kontakt mit Nervenzellen deren Wachstum beeinflussen. – *E* ependymins – *F* ependymines – *I* ependimine – *S* ependiminas
Lit.: Int. J. Biochem. **26**, 607–619 (1994).

EP-Harze. Kurzz. (nach DIN 7728, Tl. 1, 01/1988) für *Epoxidharze.

Ephedra-Alkaloide. Alkaloide aus dem Meerträubel (*Ephedra*, Ephedraceae), der in warm-gemäßigten Zonen der Erde vorkommt. Hauptalkaloid ist *Ephedrin. Viele der *Ephedra*-Inhaltsstoffe (Ma-Huang-Droge in der chines. Volksmedizin) wirken blutdrucksenkend. – *E* ephedra alkaloids – *F* alcaloïdes d'Ephedra – *I* alcaloidi di efedra – *S* alcaloides de Efedra
Lit.: Tang u. Eisenbrand, Chinese Drug of Plant Origin, S. 481–490, Berlin: Springer 1992 – [HS 2939 90]

Ephedradin A s. Ephedrin.

Ephedrin [(–)-Ephedrin, (1*R*,2*S*)-2-Methylamino-1-phenyl-1-propanol]. $C_{10}H_{15}NO$, M_R 165,24, Öl, Sdp. 225 °C, Schmp. 40 °C, $[\alpha]_D$ –6,3° (C_2H_5OH), lösl. in Wasser, Ethanol, Chloroform. Phenylethylamin-Alkaloid (Hauptalkaloid der chines. Droge *Ma-Huang*, außer in *Ephedra*-Arten auch in Eisenhut, Beereneibe (*Taxus baccata*), *Catha edulis* u. a. Pflanzen enthalten. E. ist ein orales Sympathikomimetikum, von schwächerer, jedoch länger anhaltender Wirkung als *Adrenalin. E. wirkt blutdrucksteigernd, herzstimulierend, bronchienerweiternd u. appetithemmend, weshalb es in Arzneimitteln gegen Hypotonie, chron. Bronchitis, Asthmaanfälle u. zur Abschwellung der Schleimhäute bei Schnupfen sowie als Bestandteil von Appetitzüglern Verw. findet. Bei wiederholter Anw. nimmt die Wirkung jedoch ab (Tachyphylaxie). E. wird auch für asymmetr. Synth. als chirales Hilfsreagenz eingesetzt [1]. Das Enantiomere (1S,2R)-E. zeigt etwa 1/3 der pharmakolog. Wirkung der natürlichen Form. Die beiden Diastereomeren von E. u. seinem synthet. Enantiomer werden *Pseudoephedrine genannt. Die (1S,2S)-Form kommt ebenfalls in *Ephedra* spp. vor, wogegen die (1R,2R)-Form synthet. gewonnen wird. Ebenfalls in *Ephedra* kommen noch *N*-*Methylephedrin* [natürliche (1R,2S)-Form, $C_{11}H_{17}NO$, M_R 179,26, Nadeln, Schmp. 87–88 °C] u. *Norephedrin* [natürliche (1R,2S)-Form] vor. Von diesen Derivaten existieren auch die Pseudoformen. Das in den Wurzeln von *Ephedra*-Arten aufgefundene *Ephedradin A* ($C_{28}H_{36}N_4O_6$, M_R 524,59, Schmp. 166 °C) hat eine dem E. entgegengesetzte Wirkung.

– *E* ephedrine – *F* éphédrine – *I* = *S* efedrina

Lit.: [1] J. Am. Chem. Soc. **99**, 1988 (1977); Chem. Lett. **1981**, 913.
allg.: Beilstein E IV **13**, 1879 ▪ Hager (5.) **5**, 46 ff.; **8**, 39 ff.; **9**, 439 ff. ▪ Merck-Index (12.), Nr. 3645. – *Reviews:* Anal. Profiles Drug Subst. **15**, 255 (1986) ▪ Pharm. Unserer Zeit **9**, 26 (1980) ▪ R.D.K. (4.), S. 317 f. – *Vork.:* Phytochemistry **16**, 9 (1977). – *[HS 293941; CAS 299-42-3 (Racemat); 321-98-2 ((1S,2R)-E.); 321-97-1 ((1R,2R)-E.); 90-82-4 ((1S,2S)-E.); 552-79-4 (N-Methylephedrin)]*

Epi... (griech.: nach, auf, an, zu). Vorsilbe zur Kennzeichnung bestimmter Beziehungen: 1. Veraltete Bez. für die 1,6-Positionen im Naphthalin-Ringsyst., *Beisp.:* *epi*-Dichlornaphthalin. – 2. Bei den *Inositen bedeutet *epi*- die 1,2,3,4,5-*cis*/6-*trans*-Stellung der Hydroxy-Gruppen (IUPAC/IUP-Regel I-1.1). – 3. Kennzeichnung einer Brückenverknüpfung; *Beisp.:* *Epichlorhydrin, Epidioxy..., *Epoxy... – 4. Kennzeichnung einer Verb. als Epimeres, s. Epimerisierung; *Beisp.:* *Epicatechin. – In den Fällen 1. u. 2. wird das kursiv gesetzte *epi*- bei der alphabet. Einordnung der Namen zunächst übergangen. – *E* = *I* = *S* epi... – *F* épi...

(–)-Epibatidin {(1R)-*exo*-2-(6-Chlor-3-pyridyl)-7-azabicyclo[2.2.1]heptan}. $C_{11}H_{13}ClN_2$, M_R 208,69, Schmp. 63 °C, $[\alpha]_D$ +7,06° (CHCl$_3$). Ungewöhnliches Chlorpyridin-Alkaloid aus der Haut des ecuadoran. Pfeilgiftfrosches *Epipedobates tricolor*; häufiges Syntheseziel u. Leitstruktur zur Synth. neuartiger Analgetika. – *E* epibatidine – *F* épatidine – *I* = *S* epibatidina
Lit.: Pharm. Unserer Zeit **25**, 85–92 (1996). – *[CAS 140111-52-0]*

24-Epibrassinolid s. Brassinosteroide.

Epicatechin [(2R,3R)-3,3′,4′,5,7-Flavanpentaol].

$C_{15}H_{14}O_6$, M_R 290,27, Krist., Schmp. 242 °C, $[\alpha]_D$ –68° (C_2H_5OH). Epimeres des *Catechins, das weitverbreitet in Pflanzen vorkommt, z. B zu 2–10% im Catechin. – *E* epicatechin, epicatechol – *F* épicatéchine – *I* epicatechina – *S* epicatequina, epicatecol
Lit.: Beilstein E V **17/8**, 447 ▪ Karrer, Nr. 1673. – *[HS 293299; CAS 490-46-0]*

Epichlomer®. Synthesekautschuk auf Basis Homopolymer von *Epichlorhydrin, Copolymer von Epichlorhydrin u. Ethylenoxid u. Terpolymer von Epichlorhydrin, Ethylenoxid u. Allylglycidether. *B.:* Krahn.

α-Epichlorhydrin (1-Chlor-2,3-epoxypropan, Chlormethyl-oxiran).

C_3H_5ClO, M_R 92,53. Opt. aktiv, die *dl*-Form bildet eine farblose, leichtbewegliche, stechend Chloroform-artig riechende Flüssigkeit, D. 1,18, Schmp. –48 °C, Sdp. 117 °C, in Wasser wenig lösl. (reagiert allmählich unter Bildung von Chlorpropandiol), mischbar mit Ether, Alkohol, Tetrachlormethan, Benzol. E. reizt Augen, Kehlkopf u. Atmungsorgane, wirkt nephro- u. neurotoxisch. E. gilt als Stoff, der sich im Tierversuch eindeutig als krebserzeugend erwiesen hat (Gruppe III A 2 MAK-Werte-Liste 1996); TRK 3 ppm, Emissionsklasse III (TA Luft 2.3), wassergefährdender Stoff, WGK 3. E. unterliegt der Verordnung über Verbote u. Beschränkungen des Inverkehrbringens gefährlicher Stoffe, Zubereitungen u. Erzeugnisse nach dem ChemG., Chemikalien-Verbotsverordnung vom 19. Juli 1996. Die Dämpfe bilden mit Luft explosionsfähige Gemische.
Herst.: Durch HOCl-Addition an Allylchlorid mit anschließender Dehydrochlorierung od. durch Epoxid. von Allylchlorid mit Perpropionsäure (aus H$_2$O$_2$ u. Propionsäure).
Verw.: Zur Herst. von Epoxidharzen, als Zwischenprodukt bei organ. Synth., Zwischenprodukt bei der Herst. von Tensiden, Pharmaka, Insektiziden, Agrochemikalien, Beschichtungen usw. – *E* epichlorhydrin – *F* épichlorhydrine – *I* α-epicloridrina – *S* epiclorhidrina

Lit.: Beilstein E V **17/1**, 20 ▪ Hager (5.) **3**, 284 ▪ Hommel, Nr. 89 ▪ Paquette 4, 2326 ▪ Rippen ▪ Ullmann (4.) **10**, 570; (5.) **A 9**, 539 ▪ Weissermel-Arpe (4.), S. 320 f. ▪ s. a. Chlorhydrine. – *[HS 291030; CAS 106-89-8; G 6.1]*

Epicillin.

Internat. Freiname für das *Antibiotikum [(R)-Amino-(1,4-cyclohexadienyl)-methyl]penicillin, $C_{16}H_{21}N_3O_4S$, M_R 351,43, Zers. bei 202 °C. E. wurde 1969 von Squibb patentiert. – *E* epicillin – *F* epicilline – *I* epicillina – *S* epicilina

Lit.: Beilstein E V **27/21**, 358 ▪ Hager (5.) **8**, 42 ff. – *[HS 294110; CAS 26774-90-3]*

Epidermaler Wachstumsfaktor (Abk. EGF von *E* epidermal growth factor). Polypeptid-*Wachstumsfaktor aus 53 Aminosäure-Resten (M_R 6045) mit 3 intramol. *Disulfid-Brücken, der als *Mitogen* eine Reihe von Zelltypen, bes. aber Epithelzellen, zur Vermehrung anregt u. die Biosynth. der *Eicosanoide stimuliert. Die minimale wirksame Sequenz erstreckt sich von Rest 20–31. Der EGF ist in vielen verschiedenen Geweben anzutreffen. Das aus Harn isolierte *Urogastron*, das die Säure-Produktion des Magens hemmt, ist mit EGF identisch. Die Biosynth. erfolgt durch spezif. *Proteolyse eines aus 1185 Aminosäure-Resten bestehenden Membran-gebundenen Vorläufers. Viele Proteine zeigen in Teilsequenzen Ähnlichkeit mit dem EGF; da diese auch Wechselwirkungen mit Rezeptoren eingehen, werden in diesem Befund funktionelle Zusammenhänge gesehen.

Der *EGF-Rezeptor*[1,2], ein Membran-*Glykoprotein mit M_R 170000, davon Protein-Anteil M_R 131 600 in einer Polypeptid-Kette mit 1186 Aminosäure-Resten, bindet auch EGF-ähnliche Polypeptide wie z. B. den *transformierenden Wachstumsfaktor α u. den Vakzinevirus-Wachstumsfaktor. Außer seiner Rezeptor-Funktion besitzt das Protein in einer an der Membran-Innenseite lokalisierten Domäne die Aktivität einer Protein-Tyrosin-Kinase (EC 2.7.1.112, s. Protein-Kinasen). In der Folge der Signalübermittlung kommt es zur Dimerisierung u. zur Selbst-Phosphorylierung des Rezeptors sowie zur Bindung einer Reihe von intrazellulären Signal-Proteinen mit ihren *SH2-Domänen* an die Phospho-Tyrosin-Reste. Diese Proteine werden zum Teil von der Rezeptor-Kinase phosphoryliert u. lösen vielfältige Antworten der Zelle aus. Ein wichtiger Signal-Weg führt dabei u. a. über das *Ras-Protein u. die Phosphorylierungskaskade der *Mitogen-aktivierten Protein-Kinase zur Schicksalsschmiede des Zellkerns. Weitere Signale laufen über *Phospholipase C[2] u. in manchen Zelltypen über *Adenylat-Cyclase[3]. Bei lang anhaltender Einwirkung von EGF wird der Rezeptor durch *Endocytose internalisiert u. abgebaut. Der EGF-Rezeptor besitzt Ähnlichkeit mit den Rezeptoren für den EGF-ähnlichen Wachstumsfaktor *Heregulin*, den *Plättchen-entstammenden Wachstumsfaktor u. den *Kolonie-stimulierenden Faktor 1 (M-CSF). Eine Variante des EGF-Rezeptors ohne extrazelluläre Domäne u. somit ohne Bindungsstelle für EGF liegt im Genprodukt des viralen Krebsgens (*Onkogens) v-*erb*B vor. Die Proto-Onkogene c-*fos* u. c-*jun* werden durch EGF induziert. – *E* epidermal growth factor – *F* facteur de croissance épidermique – *I* fattore di crescita epidermico – *S* factor de crecimiento epidérmico

Lit.: [1] Bioorg. Chem. **23**, 369–379 (1995). [2] Biochim. Biophys. Acta **1242**, 99–113 (1995). [3] Cell. Signalling **7**, 303–311 (1995).
allg.: Alberts et al., Molekularbiologie der Zelle, 3. Aufl., S. 897–905, Weinheim: VCH Verlagsges. 1995 ▪ Eur. J. Gastroenterol. Hepatol. **7**, 914–922 (1995) ▪ Luger u. Schwarz, Epidermal Growth Factors and Cytokines, New York: Dekker 1993. – *[CAS 62229-50-9]*

Epidermin (Staphylococcin 1580). Polypeptid aus *Staphylococcus epidermidis* mit antibiotischen Eigenschaften. E. wird wie andere Proteine am *Ribosom synthetisiert als Proprotein mit 52 Aminosäure-Resten; aus diesem entsteht schließlich durch spezif. Abspaltung aus den 22 C-terminalen Resten das Peptid der endgültigen Kettenlänge. Zuvor jedoch werden zwischen bestimmten Cystein/Serin- u. Cystein/Threonin-Aminosäure-Paaren durch Wasser-Eliminierung u. Ringschluß an insges. 4 Stellen intramol. Thioether-Brücken eingeführt. Aufgrund seines Gehalts an *Lanthionin ist E. zu den *Lantibiotika zu zählen. – *E* epidermin – *F* épidermine – *I* = *S* epidermina

Lit.: Naturwissenschaften **80**, 454–460 (1993). – *[CAS 99165-17-0]*

Epidermis s. Haut.

Epidioxide. Sammelbez. für die früher als *Endoperoxide* bezeichneten cycl. *Peroxide, deren systemat. Namen mit dem Präfix *Epidioxy…* (für die Atomgruppierung –O–O–, vgl. Dioxy…) gebildet werden; Beisp.: *Ascaridol. E.-Abkömmlinge der *Arachidonsäure bilden sich unter Einwirkung von Cyclooxygenase bei der Biosynth. der *Prostaglandine. – *E* epidioxides – *F* épidioxydes – *I* epidiossidi – *S* epidióxidos

Epidioxy… s. Epidioxide.

Epidisulfide. Sammelbez. für cycl. *Disulfide, die analog den *Epidioxiden (mit S statt O) aufgebaut sind u. deren systemat. Namen nach IUPAC-Regel C-515.4 mit dem Präfix *Epidithio…* für die Atomgruppierung –S–S– gebildet werden. – *E* epidisulfides – *F* épidisulfures – *I* epidisolfuri – *S* epidisulfuros

Epidithio… s. Epidisulfide.

Epidot, $Ca_2(Al,Fe^{3+})Al_2[O/OH/SiO_4/Si_2O_7]$. Zu den Gruppen-*Silicaten gehörendes monoklines Mineral, Kristallklasse $2/m$-C_{2h}; zur Kristallstruktur s. *Lit.*[1,2] (Verteilung von Fe^{3+} u. Wasserstoff-Bindung), zum Einfluß der Substitution $Al \leftrightarrow Fe^{3+} \leftrightarrow Fe^{2+}$ u. dem Einbau von Seltenerd-Elementen auf die Struktur s. *Lit.*[3]; E. kann ferner Sr, Pb, Mg, Cr^{3+}, V u. Ti^{4+} enthalten[3]. Formenreiche säulige bis nadelige, längsgestreifte, dunkel-, blau- od. schwärzlichgrüne Krist. od. körnige u. stengelige pistaziengrüne Aggregate. Die Eisen-reiche Varietät *Pistazit* ist schwarzgrün, der Eisen-arme *Klinozoisit* grau, der Mangan-haltige Piemontit (Mn^{3+}) rosa u. der Thorium u. Seltene Erden enthaltende *Allanit (Orthit) pechschwarz gefärbt. H. 6–7, D. 3–3,5. Starker *Pleochroismus. Durchsichtig bis durchschei-

nend, z. T. nur an Kanten. Krist. gern zu Kristallrasen vereinigt od. zu Bündeln u. Büscheln gruppiert.
Vork.: Überwiegend in *metamorphen Gesteinen, u. a. in *Kalksilicatgesteinen u. *Grünschiefern; in *Skarnen, z. B. Arendal/Norwegen; auch in *magmatischen Gesteinen als prim. Mineral [4] u. sek. bei der Zersetzung („Saussuritisierung") von Plagioklas-*Feldspäten; auf alpinen Klüften. Bes. schöne Krist. von Knappenwand im Untersulzbachtal/Österreich, Prince of Wales Island/Alaska, Gilgit/Pakistan u. Peru. Verw. gelegentlich als Schmuckstein. – *E* epidote – *F* épidote – *I* epidoto – *S* epidota
Lit.: [1] Am Mineral. **56**, 447–464 (1971); Z. Kristallogr. **178**, 297–305 (1987). [2] Acta Cystallogr., Sect. B **44**, 351–355 (1988). [3] Mineralogy and Petrology **53**, 133–153 (1995). [4] Am. Mineral. **81**, 462–474 (1996).
allg.: Deer et al., (2.), S. 89–97 ▪ Deer, Howie u. Zussman, Rock Forming Minerals, 2. Aufl., Bd. 1 B, Disilicates and Ring Silicates, S. 44–134, Harlow (England): Longman Scientific & Technical 1986 ▪ Lapis **12**, Nr. 9, S. 6–9 (1987) („Steckbrief") ▪ Ramdohr-Strunz, S. 696 f. – *[CAS 1318-49-6]*

Epigenetisch s. Metallogenese.

Epilation s. Haarbehandlung.

Epilepsie (Fallsucht, griech.: epilepsia = Anfall). Gruppe von Krankheiten, die gekennzeichnet sind durch anfallsweise wiederkehrende Störungen der Gehirnfunktion, die sich meist in Bewußtlosigkeit u./od. motor. Phänomenen äußern. Man unterscheidet verschiedene Formen der E. nach ihrer Symptomatik, nach dem Alter ihres Auftretens u. nach der Eigenschaft, entweder in einem abgegrenzten Hirnareal aufzutreten (*fokale Anfälle*) od. die gesamte Hirnrinde einzubeziehen (*generalisierte Anfälle*).
Die bekannteste Form der E. ist der Grand mal-Anfall, eine generalisierte Anfallsform, die mit Bewußtseinsverlust u. Krämpfen der gesamten Muskulatur einhergeht. Daneben gibt es hirnorgan. Anfallsleiden, die sich z. B. als kurzdauernde Bewußtseinsstörung (Absencen), plötzliches kurzdauerndes Erschlaffen der Muskulatur (Sturzanfälle), Zuckungen einzelner Gliedmaßen (fokale Anfälle) od. als psych. Dämmerzustände (psychomotor. Anfälle) äußern.
Die Ursache der E. kann in Mißbildungen, Erkrankungen od. Verletzungen des Gehirnes liegen (*symptomatische E.*), ist aber zumeist unbekannt (*genuine E.*). Ein Krampfanfall ist eine Reaktion, zu der unter bestimmten Bedingungen auch ein gesundes *Gehirn fähig ist. Bei den E. besteht allerdings eine Neigung zu spontanen od. leicht auszulösenden Anfällen. Zu dieser Krampfbereitschaft kommen als auslösende Faktoren verschiedene äußere Einflüsse wie Schlafentzug, Erkrankungen, Alkoholgenuß od. seel. Belastung. Die Behandlung der E. geschieht vorwiegend symptomat. mit Medikamenten (*Antiepileptika). – *E* epilepsy, epilepsia – *F* épilepsie – *I* epilessia – *S* epilepsia
Lit.: Hopf et al., Neurologie in Praxis u. Klinik, Bd. 1, S. 3.1–3.104, Stuttgart: Thieme 1992.

Epilierwachs s. Haarbehandlung.

Epimerasen s. Isomerasen.

Epimere s. Epimerisierung.

Epimerisierung. Bez. für eine bes. Form der Umwandlung einer Verb. in ihr Diastereomeres (vgl. Diastereoisomerie), wobei sich lediglich die *Konfiguration an einem von zwei od. mehreren stereogenen Zentren (s. Chiralität) unterscheidet (*Epimere*), z. B. durch Einwirkung von Katalysatoren od. spezif. Enzymen (*Epimerasen*). Im Fall der Zucker spricht man in diesem Zusammenhang von *Anomeren. *Epimere* sind häufig bei Verb. mit zahlreichen Chiralitätszentren wie Zuckern (vgl. Epi…), Steroiden, Terpenen; *Beisp.*: Glucose/Mannose, Androsteron/Epiandrosteron (3 β-Hydroxy-5 α-androstan-17-on), Menthol/Isomenthol. – *E* epimerization – *F* épimérisation – *I* epimerizzazione – *S* epimerización
Lit.: s. Chiralität u. Stereochemie.

Epimestrol.

Internat. Freiname für das *Estrogen 3-Methoxyestra-1,3,5(10)-trien-16α,17α-diol, $C_{19}H_{26}O_3$, M_R 302,42, Schmp. 158–160 °C; $[\alpha]_D^{20}$ +48° (CHCl$_3$). E. stimuliert die Ovulation u. wurde 1960 von Organon (Stimovul®) patentiert. – *E* = *F* = *S* epimestrol – *I* epimestrolo
Lit.: ASP ▪ Hager (5.) **8**, 44 f. – *[HS 2909 49; CAS 7004-98-0]*

…epin. Suffix in den Namen von ungesätt. siebengliedrigen *heterocyclischen Verbindungen (IUPAC-Regel R-2.3.3). – *E* …epine – *F* …épin(n)e – *I* = *S* …epina

Epinephrin. Internat. Freiname u. im engl. Sprachgebrauch üblicher Name für Adrenalin; Näheres s. dort. – *E* epinephrine – *F* épinéphrine – *I* = *S* epinefrina

Epi-Pevaryl®. Creme, Lotion, Spray-Lsg. u. -puder mit *Econazol-Nitrat gegen Hautmykosen, auch als Lsg. von Econazol gegen *Pityriasis versicolor*. **B.**: Cilag.

Epipevisone®. Creme mit *Econazol-Nitrat u. *Triamcinolon-16α,17α-acetonid gegen pilzinfizierte Ekzeme. **B.**: Cilag.

Epiphyse. Von griech.: epiphysis = Hinzugewachsenes abgeleitete Bez. für ein bei Wirbeltieren zum Zwischenhirn (s. die Abb. bei *Gehirn) gehöriges, wegen seiner Zapfenform auch *Zirbeldrüse* genanntes innersekretor. Organ, das das Hormon *Melatonin ausschüttet. Bei Fischen, Amphibien u. Reptilien werden über die E. Licht- in Nervenimpulse umgewandelt (E. als sog. *drittes Auge*) u. bestimmte Lebensrhythmen (Schlaf-Wach-Cyclus, Keimdrüsenfunktion, Hautfärbung u. a.) reguliert. Als E. wird auch der rundlich verdickte Endabschnitt von Röhrenknochen bezeichnet, der dem oberen u. unteren Ende des Knochenschaftes aufsitzt. – *E* pineal (gland) – *F* épiphyse – *I* epifisi – *S* epífisis
Lit.: Eckert, Tierphysiologie, 2. Aufl., Stuttgart: Thieme 1993 ▪ Wehner u. Gehring, Zoologie, 23. Aufl., Stuttgart: Thieme 1995.

Epirubicin.

Internat. Freiname für ein cytostat. wirksames, zu den *Anthracyclinen zählendes *Antibiotikum aus *Streptomyces peucetius* var. *caesius*, $C_{27}H_{29}NO_{11}$, M_R 543,53. Verwendet wird das Hydrochlorid, orange-rote Krist., Schmp. 185 °C (Zers.), $[\alpha]_D^{20}$ +274° (c 0,01/ CH_3OH). E. wurde 1975 u. 1977 von Soc. Farmaceut. Italia, 1984 von Farmitalia (Farmorubicin®, heute von Pharmacia) patentiert. – *E* epirubicine – *F* épirubicine – *I* = *S* epirubicina

Lit.: ASP ▪ Beilstein EV **18/10**, 351 ▪ Hager (5.) **8**, 49 ff. – *[HS 2941 90; CAS 56420-45-2 (E.); 56390-09-1 (Hydrochlorid)]*

Episom. Bez. für ein extrachromosomales, ringförmiges *DNA-Mol. in Bakterienzellen, das entweder frei im Cytoplasma od. im Bakterienchromosom integriert vorkommen kann. Eine deutliche Abgrenzung zum Begriff des *Plasmids, das ursprünglich ausschließlich für die im Plasma frei vorkommenden extrachromosomalen Elemente gebraucht wurde, ist jedoch nicht möglich. Daher bezeichnet man heute mit dem erweiterten Begriff Plasmid alle in der Zelle vorkommenden extrachromosomalen, sich autonom replizierenden DNA-Mol., unabhängig von ihrer Fähigkeit zur Integration ins Chromosom. – *E* episome – *F* épisome – *I* = *S* episoma

Lit.: s. Plasmid.

Episulfide. Veraltete Bez. für *Thiirane.

Episulfone. Unzulässige Bez. für Thiiran-1,1-dioxide (s. Thiirane).

Epitaxie. Bez. für orientierte, gesetzmäßige Aufwachsungen einer krist. Substanz auf einer anderen. Die E. beruht auf einer weitgehenden Übereinstimmung der Gitterparameter in einer od. besser in zwei Richtungen entlang den verwachsenden Netzebenen. Auf einer bereits vorhandenen Kristallfläche des einen Partners („*Wirt*") bilden sich orientierte Keime des zweiten E.-Partners („*Gast*"), die in der Folge zu sichtbaren Krist. heranwachsen. Sind Wirt u. Gast gleich, spricht man von *Homo-E.*, bei ungleichen Partnern von *Hetero-Epitaxie*. Läßt man z. B. auf einer frischen *Steinsalz-Spaltfläche einen Tropfen NaCl-, KCl- od. KBr-Lsg. auskristallisieren, so setzen sich die ausfallenden würfeligen Gast-Kriställchen auf der Unterlage streng kantenparallel zueinander u. zur Unterlage ab. Es gibt zahlreiche orientierte Verwachsungen von Mineralen, z.B. Staurolith auf Kyanit (das älteste bekannte Beisp. dieser Art von Verwachsungen), Hämatit-Ilmenit, Calcit-Dolomit, Albit-Orthoklas, Pyroxen-Amphibol usw.

Verw.: Mit Hilfe der E. werden in der *Halbleiter-Technik Transistoren, Dioden usw. aus *dünnen Schichten von Silicium u. Germanium hergestellt, wobei die expitaxialen Schichten meist aus der Dampfphase auf dem Träger aufwachsen (*Aufdampfen) u. ggf. Stoffe zur Dotierung mit eingebaut werden. Anders als in der *Topochemie findet bei der E. *keine* chem. Reaktion statt. – *E* epitaxy – *F* épitaxie – *I* epitassia – *S* epitaxis

Lit.: Kleber, Einführung in die Kristallographie, 17. Aufl., S. 229 ff., Berlin: Verl. Technik 1990 ▪ Lapis **3**, Nr. 10, Beilage „Lapis-Lexikon" (1978) ▪ Ramdohr-Strunz, S. 189 ff.

Epithelkörperchen s. Nebenschilddrüsen.

Epithio... Nach IUPAC-Regel C-514.4 u. R-9.2.1.4 Präfix für die Brückengruppe –S– in cycl. organ. *Sulfiden, s. a. Thiirane. – *E* epithio... – *F* épithio... – *I* = *S* epitio...

Epitope s. Antigene.

Epitrope Fasern s. Synthesefasern.

EPLO. Nach DIN 7723 (12/1987) Kurzz. für *epoxidiertes Leinöl* als *Weichmacher.

EPM. Kurzz. (nach ISO 1043, 1975) für Ethylen/Propylen-Kautschuk. Andere Kurzz. für diesen Kautschuk sind PEP (nach DIN 7728, Tl. 1, 04/1978) bzw. APK.

EPN.

Common name für *O*-Ethyl-*O*-(4-nitrophenyl)-phenylthiophosphonat, $C_{14}H_{14}NO_4PS$, M_R 323,3, Schmp. 34,5 °C, LD_{50} (Ratte oral) 14 mg/kg (GefStoffV), MAK 0,5 mg/m³, von DuPont 1949 eingeführtes nicht system. *Insektizid u. *Akarizid mit Kontakt- u. Fraßgiftwirkung.

Lit.: Farm ▪ Pesticide Manual. – *[HS 2920 10; CAS 2104-64-5]*

Epogam®. Kapseln mit Nachtkerzensamenöl, standardisiert auf Gamolensäure (γ-Linolensäure) zur Neurodermitis-Therapie. *B.*: Beiersdorf.

Epolene®. Umfangreiches Sortiment von wachsartigen Produkten aus niedermol. Polyethylen, verträglich mit Paraffin, Carnauba-, Candelilla- u. Ouricury-Wachs, für Verpackungsmaterial, Polituren u. dgl. verwendbar. *B.*: Eastman Chemical International Ltd.

Epoprostenol s. Prostacyclin.

Epotal®. *Polyethylen-Dispersionen für Beschichtungen u. als Klebstoffkomponente. *B.*: BASF.

Epothilone.

Homologe 16gliedrige Makrolide aus *Sorangium cellulosum* (Myxobakterien) mit hoher cytostat. Aktivität, z. B. E. *A* ($C_{26}H_{39}NO_6S$, M_R 493,66, Schmp. 95 °C, $[\alpha]_D^{21}$ –47,1°) u. E. *B* ($C_{27}H_{41}NO_6S$, M_R 507,69, Schmp. 93–94 °C, $[\alpha]_D^{21}$ –35,0°). E. hemmen die Zellteilung durch Stabilisierung der Mikrotubuli u. Apoptose (programmierter Zelltod). E. verfügen damit über den gleichen Wirkungsmechanismus wie *Taxole. E. sind jedoch stärker wirksam gegenüber Cytostatika-resistenten Tumorzellen [1]. – *E* epothilones – *F* épothilone – *I* epotiloni – *S* epotilonas

Epoxiconazol

Lit.: [1] Cancer Res. **55**, 2325 (1995).
allg.: Angew. Chem. **108**, 1671 (1996). – *[CAS 152044-53-6 (E. A); 152044-54-7 (E. B)]*

Epoxiconazol. Common name für (2*RS*,3*SR*)-1-[3-(2-Chlorphenyl)-2-(4-fluorphenyl)-oxiranyl-methyl]-1*H*-1,2,4-triazol.

$C_{17}H_{13}ClFN_3O$, M_R 329,8, Schmp. 136,2–137,5 °C, LD_{50} (Ratte oral) >5000 mg/kg, von BASF 1992 eingeführtes, breit wirksames *Fungizid gegen Pilzerkrankungen in Getreide, Zuckerrüben, Obst, Gemüse u. a. Kulturen. – *E* = *F* epoxiconazole – *I* epossiconazolo – *S* epoxiconazola
Lit.: Farm ▪ Perkow. – *[CAS 133855-98-8]*

Epoxidation s. Epoxidierung.

Epoxide (von *epi… 3.). Bez. für eine Gruppe von reaktiven organ. Verb., die die *Epoxid*-Gruppierung enthalten (s. Abb. bei Epoxidierung). Die Benennung der E. erfolgte früher durch Anhängen von …epoxid (bzw. auch einfach …oxid) an den Namen der Ausgangsverb.; *Beisp.:* *Ethylenoxid, Cholesterinepoxid. Die systemat. Bez. (IUPAC-Regel C-212.2) macht Gebrauch von dem Präfix *Epoxy…; *Beisp.:* 5,6α-Epoxy-5α-cholestan-3β-ol statt Cholesterinepoxid, 1-Chlor-2,3-epoxypropan (*Epichlorhydrin). Einfache E. werden auch als Derivate des *Oxirans benannt, die potentiell carcinogenen E. von aromat. Verb. nennt man pauschal *Arenoxide. Ein natürlich vorkommendes E. ist z. B. der Sexuallockstoff *Disparlure.
Herst.: Durch *Epoxidierung od. aus Hydroperoxiden während der Autoxid. von Olefinen, durch *Dehydrohalogenierung von *Halohydrinen, durch *Dehydratisierung von 1,2-Diolen etc. u. selbst auf mikrobiellem Wege. Durch *Desoxygenierung von E. z. B. mit *Diphenyldiselenid, P_2I_4 od. andere Reagenzien erhält man Olefine. E. reagieren mit einer Vielzahl von Verb. unter Ringöffnung, wobei Alkohole, Halohydrine, Glykole, Aminoalkohole etc. entstehen; dementsprechend sind z. B. die techn. wichtigsten E. Ethylenoxid u. Propylenoxid Ausgangsmaterialien für viele techn. Produkte. Bei der Reaktion mit Verb., die aktive Wasserstoff-Atome enthalten, tritt unter geeigneten Umständen Polymerisation ein, z. B. zu *Epoxidharzen u. *Ethoxylierungs-Produkten wie Polyethylenglykolen, -oxiden u. allg. Polyethern. – *E* epoxides – *F* époxydes – *I* epossidi – *S* epóxidos
Lit.: Katritzky-Rees **7**, 95–129; II, Vol. 1 ▪ Kirk-Othmer (3.) **9**, 251–266, 432–471 ▪ Snell-Ettre **12**, 192–231 ▪ Tetrahedron **50**, 8885 ff. (1994) ▪ Ullmann (4.) **10**, 563 ff.; (5.) **A 9**, 531 ff. ▪ Weissberger-Taylor, Small Ring Heterocycles, Part 3, S. 1–196, New York: Wiley 1984 ▪ s. a. Arenoxide, Oxirane, Epoxidharze u. Prileschajew-Reaktion.

Epoxidharze (Epoxyharze, Ethoxylinharze). Als E., Kurzz. EP (nach DIN 7728, Tl. 1, 01/1988), bezeichnet man sowohl oligomere Verb. mit mehr als einer Epoxid-Gruppe pro Mol., die zur Herst. von *Duroplasten eingesetzt werden, als auch die entsprechenden Duroplaste selber. Die Umwandlung der E. in Duroplaste erfolgt über *Polyadditions-Reaktionen mit geeigneten *Härtern bzw. durch *Polymerisation über die Epoxid-Gruppen. Über 90% der heutigen Weltproduktion an E. erfolgt durch Umsetzung von *Bisphenol A mit *Epichlorhydrin zu Produkten folgender Struktur (Formel s. unten).
E. mit größerer techn. Bedeutung sind weiterhin Reaktionsprodukte des Epichlorhydrins mit *o*-Kresol- bzw. Phenol-*Novolaken. Je nach Einsatzgebiet werden E. kalt, z. B. durch Reaktion der Epoxid-Gruppen mit polyfunktionellen aliphat. Aminen, od. heiß, z. B. durch Einwirkung von polyfunktionellen aromat. Aminen od. Säure(anhydride)n gehärtet. Das Einhalten richtiger Mengenverhältnisse von E. u. Härtern ist wesentlich für die Eigenschaften der gehärteten Produkte. Der Schwund der E. beim Härtungsprozeß ist gering; die gehärteten Produkte sind spannungsfrei, reißfest u. haben hohe Schlagzähigkeit u. Abriebfestigkeit sowie gute Beständigkeit gegen atmosphär. Einflüsse, Wasser, Säuren, Laugen, Öle u. organ. Lösemittel. Für den Umgang mit E. u. Härtern ist das Merkblatt Polyester- u. Epoxidharze (Ausgabe 1/80), Weinheim: Verl. Chemie 1980, zu beachten. E. werden als *Gießharze, *Formmassen od. *Prepregs angeboten.
Verw.: Als Gießharze in der Elektro-Ind. zur Herst. von Bauteilen für Motoren u. Isolatoren, im Werkzeugbau, im Bauwesen für Lacke, Beschichtungen u. Beläge sowie Klebstoffe für Kunststoffe, Metalle u. Betonelemente; als Laminate im Flugzeug- u. Fahrzeugbau, z. B. für Verkleidungen u. Herst. von Bauelementen u. Bootskörpern, in der Elektro-Ind. für gedruckte Schaltungen, in der chem. Ind. für Behälter- u. Rohrleitungsauskleidungen; als Formmassen für die Herst. von Präzisionsteilen in der Feinwerktechnik u. Ummantelung von Geräten in der Elektrotechnik. – *E* epoxy resins – *F* résines époxy – *I* resine epossidiche – *S* resinas epoxídicas, epoxirresinas
Lit.: Batzer **3**, 170–185 ▪ Elias (5.) **2**, 184 f. ▪ Encycl. Polym. Sci. Eng. **6**, 322–382 ▪ Encycl. Polym. Sci. Technol. **6**, 209–270 ▪ Houben-Weyl **E 20**, 1891–1994 ▪ May, Epoxy Resins, Chemistry and Technology, New York: Dekker 1985 ▪ Odian (3.), S. 134 f. – *[HS 3907 30]*

Epoxidierte Öle s. Epoxid-Weichmacher.

Epoxidierung (Epoxidation). Alkene können mit *Persäuren epoxidiert werden, wobei *Epoxide (*Oxirane) entstehen (*Prileschajew-Reaktion). Die am häufigsten benutzte Persäure ist 3-Chlorperoxybenzoesäure; aber auch *Peroxybenzoesäure, *Peroxyessigsäure u. a. – oft *in situ* hergestellt – können verwendet werden. Weitere E.-Reagenzien sind alkal. Wasserstoffperoxid, mol. Sauerstoff u. Alkylperoxide, wie *tert*-*Butylhydroperoxid. Stereoselektive E. ist ebenfalls bekannt[1].

$$\ce{>C=C< + R-C(=O)-O-OH ->[{-R-COOH}] }\text{Epoxid (Oxiran)}$$

$$\ce{-C#C- ->[{[O]}] }\text{Oxiren (Antiaromat)}$$

Die E. von Alkinen sollte zu *Oxirenen führen. Doch diese Verb. sind instabil, da sie zu den Antiaromaten gezählt werden müssen (s. Antiaromatizität). – *E* epoxidation – *F* époxydation – *I* epossidazione – *S* epoxidación

Lit.: [1] Org. React. **48**, 1–299 (1996).
allg.: s. Oxidation u. Textstichwörter.

Epoxid-Kautschuke s. Polyether-Kautschuke.

Epoxid-Weichmacher (Epoxy-Weichmacher). Selbststabilisierende *Weichmacher auf der Basis epoxidierter Triglyceride (*epoxidierter Öle* wie *EPLO, *EPSO), Alkylepoxystearate, -phthalate u. -tetrahydrophthalate für die PVC-Verarbeitung, Lack-Ind. u. Chlorparaffin-Stabilisierung. – *E* epoxide plasticizers – *F* plastifiant d'époxide – *I* ammorbidente epossidico – *S* plastificantes epoxídicos, plastificantes epoxi

Lit.: Kirk-Othmer (3.) **18**, 132f. ▪ Ullmann (4.) **10**, 574; **24**, 362f.

Epoxin®. 4,4'-Diaminodiphenylmethan als Härter für *Epoxidharze u. zur Herst. von Polyesterimiden. *B.:* BASF.

Epoxy... Nach IUPAC-Regel C-212.2 u. R-9.2.1.4 Präfix in systemat. Namen von *Epoxiden, bezeichnet eine Überbrückung einer od. mehrerer C–C-Bindungen durch die Gruppierung –O– (vgl. Oxy...), *Beisp.:* *Epoxide, *Cineol u. *Cantharidin. – *E* epoxy... – *F* époxy... – *I* epossi..., epossidico – *S* epoxi...

Epoxyharze s. Epoxidharze.

Epoxypolyene. Gruppe von Sexuallockstoffen, insbes. weiblicher Spannerfalter u. a. Schmetterlinge. Die Verb. sind opt. aktiv u. enthalten neben einem Epoxid-Ring noch 1–3 homokonjugierte Doppelbindungen entlang unverzweigter Ketten mit 17, 19, 21 od. 23 C-Atomen. – *E* epoxy polyenes – *F* polyénes-époxy – *I* epossipolieni – *S* epoxipolienos

Lit.: Z. Naturforsch. Teil C **49**, 516 (1994).

1,2-Epoxypropan s. Propylenoxid.

2,3-Epoxy-1-propanol s. Glycid(ol).

Epoxy-Weichmacher s. Epoxid-Weichmacher.

Eppendorf Biotronik. Kurzbez. für die Firma Eppendorf-Netheler-Hinz GmbH, Unternehmensbereich Biotronik, 63477 Maintal. *Produktion u. Vertrieb:* Aminosäuren- u. Zucker-Analysatoren, Ionenchromatographen, HPLC-Syst. u. Zubehör, Peptid- u. DANN-Synthesizer, Spektral- u. Fluoreszenzphotometer, Polarimeter, TOC/TOD- u. TC-Analysatoren.

Eprazinon.

Internat. Freiname für 3-[4-(2-Ethoxy-2-phenylethyl)-1-piperazinyl]-2-methylpropiophenon, $C_{24}H_{32}N_2O_2$, M_R 380,53. Verwendet wird das Dihydrochlorid, Schmp. 201 °C; aus CH_3OH/H_2O (10+1)]; λ_{max} (CH_3OH) 245 nm ($A^{1\%}_{1cm}$=267); (H_2O) 249 nm ($A^{1\%}_{1cm}$=269); (0,1 N HCl) 250 nm ($A^{1\%}_{1cm}$=282); LD_{50} (Maus oral) 729, (Maus i.v.) 38 mg/kg. E. wurde 1966 u. 1969 als *Expektorans von Riom patentiert u. ist von Merckle (Eftapan®) im Handel. – *E* = *F* = *I* eprazinone – *S* eprazinona

Lit.: Hager (5.) **8**, 51ff. – [HS 293359; CAS 10402-90-1 (E.); 10402-53-6 (Hydrochlorid)]

EPR-Kautschuke. EPR-K. entstehen durch Copolymerisation von *Ethylen u. größeren Anteilen *Propylen mit VCl_3/R_2AlCl-Katalysatoren in Hexan. Aufgrund des Fehlens von Doppelbindungen zeichnen sich EPR-K. durch hervorragende Elastizität u. gute Licht-, Oxid.- u. Alterungsbeständigkeit aus, sind jedoch nicht mit Schwefel vulkanisierbar. Zur Vulkanisation der EPR-K. wurde daher ein spezielles, auf Übertragungsreaktionen beruhendes Verf. mit Peroxiden entwickelt. Soll eine klass. Schwefel-Vulkanisation ermöglicht werden, so können einige Prozent eines Dien-Monomeren einpolymerisiert werden (*EPDM-Kautschuke). – *E* EPR rubber – *I* cauccìù EPR – *S* cauchos EPR

Lit.: Elias (5.) **2**, 133.

EPROM. Abk. für erasible *PROM (programmable read only memory). Speicherglied in der elektr. Datenverarbeitung, das durch UV-Licht gelöscht werden kann. PROM ist ein programmierbares Speicherglied, das einmal anwendungsspezif. eingeschrieben u. beliebig oft ausgelesen werden kann.

Eprouvette. Von französ.: éprouver = probieren abgeleitete, fachsprachlich veraltete Bez. für *Reagenzglas.

EPR-Spektroskopie. Die 1945 zuerst von Zavoiski experimentell gefundene *elektronenparamagnet. Resonanz*, auch ESR (*Elektronenspinresonanz*) genannt, liefert die Grundlage für eine wichtige u. empfindliche analyt. Meth. der *Spektroskopie* durch Messung der paramagnet. Eigenschaften (s. Magnetochemie) von Atomen od. Mol. im Magnetfeld. Die EPR beruht auf dem magnet. *Zeeman-Effekt. Elektronen erhalten durch ihren *Spin (s = 1/2, s. Atombau) in einem von außen angelegten Magnetfeld 2 Zustände verschiedener Energie, u. deren Differez $\Delta E = \gamma H_0 = h\nu$ [wobei H_0 = Feldstärke, $\gamma = g \cdot \mu_B$ (*g*- od. *Landé-Faktor*; *Bohrsches Magneton), h = Plancksches Wirkungsquantum u. ν = Frequenz] ist von der Größe des Magnetfeldes abhängig. Bei Einstrahlung einer elektromagnet. Welle passender Frequenz ν tritt (analog zur Lichtabsorption in der *Spektroskopie) magnet. *Resonanz*-Absorption ein, deren Größe gemessen wird (*Lit.*[1]). Die Absorption der Probe liegt im Mikrowellenbereich ($\nu \approx 10^{10}$ Hz; Feldstärke üblicherweise 0,34 Tesla = 3400 Gauss); sie wird als Funktion des äußeren Magnetfelds in einer Hohlleiter-Brückenanordnung gemessen.

Als analyt. Meth. erlangt die EPR-S. ihre Bedeutung erst durch die Wechselwirkung der *ungepaarten *Elektronen* mit den *magnet. Momenten* m_I derjenigen

Atomkerne ($m_I \neq 0$), die zum gleichen paramagnet. Teilchen gehören. Hierdurch wird die Resonanzlinie in weitere diskrete Linien aufgespalten; die Linienabstände dieser *Hyperfeinstruktur*- (HFS-)Spektren sind nicht vom Magnetfeld, sondern nur von Zahl, Art u. Stärke der Elektron-Kern-Wechselwirkung abhängig u. daher ein Kriterium der Mol.-Struktur. Da in organ. Verb. der Kernspin (I) von ^{12}C gleich Null ist, tritt eine Wechselwirkung ungepaarter Elektronen nur mit Wasserstoff-Kernen (I = 1/2) od. mit Stickstoff-Kernen (I = 3/2) etc. ein, weshalb die Spektren für kleinere Radikale meist übersichtlich interpretierbar bleiben. Infolge der Delokalisierung des ungepaarten Elektrons in einem organ. π-Radikal über ein größeres π-Syst. führt dessen Kopplung mit allen magnet. Kernen zu einem Multispinensemble mit großem Linienreichtum. Das ungenügende Auflösungsvermögen für derartige Syst. der konventionellen EPR-S.[1] zwang zur Entwicklung von Meth. wie dem ENDOR-(electron nuclear double resonance) Verf.[2] mit seinen Varianten, welches das Auflösungsvermögen drast. erhöht. Eine weitere Entwicklung stellt die gepulste EPR-S. dar, die zu den Elektronen-Spin-Echo-Verf. (ESE) führt[3]. Das bessere Auflösungsvermögen muß mit einem größeren apparativen Aufwand erkauft werden, was einer Routine-Anw. entgegen steht.

Das Anwendungspotential der EPR-S. in Physik, Mineralogie, Chemie, Biologie u. Medizin ist so breit gefächert, daß nur einige Anwendungsbeisp. hier aufgeführt werden können: In der Chemie die Bestimmung der Struktur u. Lebensdauer freier Radikale in Lsg., die Identifizierung von Radikalen in bestrahlten Mol., die Charakterisierung von elektron. labilen Übergangsmetall-Verbindungen. In der Physik können eindimensionale Leiter charakterisiert werden u. Defektstrukturen in Ionenkristallen u. Halbleitern studiert werden. In der Biologie wird sie eingesetzt zur Identifizierung der Ligandensphäre von Metallproteinen, zur Erforschung der Primärprozesse der Photosynth. u. unter Einsatz von Spinlabels zur Untersuchung von Bewegungsvorgängen in Makromolekülen. – *E* electron paramagnetic resonance spectroscopy – *F* spectroscopie par résonance paramagnétique – *I* spettroscopia EPR – *S* espectroscopia de resonancia del espín electrónico

Lit.: [1] Weil et al., Electron Paramagnetic Resonance, New York: Wiley 1994. [2] Kurreck et al., Electron Nuclear Double Resonance Spectroscopy of Radicals in Solution, Weinheim: VCH Verlagsges. 1988. [3] Angew. Chem. **103**, 223–250 (1991).
allg.: Lowe, Endor and EPR, Berlin: Landes 1995 ▪ Packer, Bioradicals Detected by ESR, Basel: Birkhäuser 1995 ▪ Ullmann (5.) **B 5**, 471.

EPS. Kurzz. (nach DIN 7728, Tl. 1, 04/1978) für expandierbares *Polystyrol.

Epsilon s. ε (vor e u. E).

EPSO. Nach DIN 7723 (12/1987) Kurzz. für *epo*xidiertes *Sojaöl* als *Weichmacher.

Epsomit (Bittersalz). $Mg[SO_4] \cdot 7H_2O$, farblos durchscheinendes, weißes, mitunter durch Ni grünlich od. durch Co rosa gefärbtes Mineral, bildet erdige, faserige Aggregate, Krusten u. Ausblühungen. Natürliche Krist. selten, rhomb., Kristallklasse 222-D_2, H. 2–2,5, D. 1,68. Lösl. in Wasser, bitter schmeckend. Nebenprodukt bei der Verarbeitung von Kalisalzen. Verw. als Magnesium-Rohstoff, zur Herst. pharmazeut. Produkte.
Vork.: In Salzlagerstätten u. Salzseen, z. B. Death Valley/Californien, Krüger Mountains/Washington/USA; als Umwandlungsprodukt (sog. *Reichardtit*) des *Kieserits auf Kalisalz-Lagerstätten; als Verwitterungsprodukt auf Erzlagerstätten. E. wurde schon 1695 aus der Mineralquelle zu Epsom in Surrey/England gewonnen. – *E* epsomite, bitter salt – *F* = *I* epsomite – *S* epsomita
Lit.: Acta Crystallogr. **17**, 1361–1368 (1964) (Struktur) ▪ Ramdohr-Strunz, S. 607 f. ▪ Schröcke-Weiner, S. 588 f. – *[HS 253020; CAS 14457-55-7]*

Epstein-Barr-Virus (EBV). Relativ weit verbreitetes Gamma-*Herpes-Virus, das aus dem Burkitt-Lymphom, einem *Krebs der B-*Lymphocyten, isoliert wurde. Die Infektion besteht oft lebenslang u. ist symptomlos, führt allerdings bei gleichzeitiger Fehlfunktion des *Immunsystems zu schweren Erkrankungen des Lymphsystems. – *E* Epstein-Barr virus – *F* virus d'Epstein-Barr – *I* virus di Epstein-Barr – *S* virus de Epstein-Barr
Lit.: Microbiol. Rev. **59**, 387–405 (1995) ▪ Porterfield, Viruses of Vertebrates, (5.), London: Baillière Tindall 1989.

EPTC.

$$H_5C_2-S-\underset{\underset{C_3H_7}{|}}{\overset{\overset{O}{||}}{C}}-N\underset{C_3H_7}{} \quad Xn \quad \blacksquare$$

Common name für *S*-Ethyl-dipropylthiocarbamat, $C_9H_{19}NOS$, M_R 189,3, Sdp. 127 °C (2,6 kPa), LD_{50} (Ratte oral) 1652 mg/kg (GefStoffV), von Stauffer (jetzt Zeneca) 1954 eingeführtes selektives system. Boden-*Herbizid gegen Ungräser u. einige Unkräuter im Mais-, Baumwoll-, Kartoffel-, Luzerne- u. Bohnenanbau. – *E* = *F* = *I* = *S* EPTC
Lit.: Farm ▪ Perkow ▪ Pesticide Manual. – *[HS 293090; CAS 759-94-4]*

EPT-Kautschuk. Bez. für einen Terpolymer-*Kautschuk aus *Ethylen, *Propylen sowie einigen Prozent eines dritten Monomeren mit Dien-Struktur (Kurzz. EPTR). In diesem stellt das Dien-Monomere die für eine Schwefel-Vulkanisation benötigten Doppelbindungen bereit (s. a. EPDM-Kautschuk). – *E* EPT rubber – *F* caoutchouc d'éthylène-propylène – *I* caucciù EPT – *S* caucho EPT
Lit.: Elias (5.) **2**, 133.

Epton-Titration. Von Epton (1947) eingeführte Analysenmeth. zur Bestimmung von *Aniontensiden [z. B. Fettalkohol(ether)sulfaten] durch Titration mit Kationtensiden gegen Methylenblau als Indikator. In einem von Reid et al.[1] verbesserten Verf. benutzt man *Benzethoniumchlorid (Hyamine 1622) als kationakt. Titrationslsg. u. *Dimidiumbromid im Gemisch mit Disulfinblau VN 150 als Indikator; als Bezugssubstanzen dienen Natriumdodecylsulfat bzw. Dodecylbenzolsulfonsäuremethylester. Über eine weitere Variante s. Eppert u. Liebscher[2]. Neuerdings wird vor einer mutagenen Wirkung von Dimidiumbromid gewarnt[3]. – *E* Epton's titration – *F* titration d'Epton – *I* titolazione di Epton – *S* valoración de Epton

Lit.: [1] Tenside **4**, 292 (1967). [2] Z. Chem. **18**, 188 f. (1978). [3] Tenside Surfact. Deterg. **32**, 469 (1995).
allg.: Abwassertechnologie, S. 1053, Berlin: Springer 1988 ▪ Schulz, Titration von Tensiden u. Pharmaka, Augsburg: Verl. für Chem. Ind. 1996 ▪ Wickbold, Die Analytik der Tenside, S. 16 ff., Marl: Hüls 1976.

EPZ. Abk. für *Eisenportlandzement.

Equilenin (3-Hydroxyestra-1,3,5,7,9-pentaen-17-on).

Equilenin — Equilin

$C_{18}H_{18}O_2$, M_R 266,34, Schmp. 258–259 °C, $[\alpha]_D$ +87° (Dioxan), wenig lösl. in Alkohol. Weibliches Geschlechtshormon (estrogenes Steroid), aus dem Harn trächtiger Stuten gewinnbar. Das 6,9-Dihydro-Derivat *Equilin* [$C_{18}H_{20}O_2$, M_R 268,32, Schmp. 238–239 °C, $[\alpha]_D$ +308° (CHCl$_3$)] ist ebenfalls isoliert worden. — *E* equilenin — *F* équilénine — *I* = *S* equilenina
Lit.: Beilstein E IV **8**, 1420 ▪ s. a. Hormone u. Steroidhormone. — *[HS 2937 92; CAS 517-09-9 (E.); 474-86-2 (Equilin)]*

Equilibrin®. Tabl. mit *Amitryptilin-*N*-oxid gegen Depressionen. *B.:* Rhône-Poulenc Rorer.

Equilin s. Equilenin.

Equisetinsäure s. Aconitsäure.

Equisetum-Alkaloide s. Schachtelhalm.

Er. Chem. Symbol für *Erbium.

Erabutoxine.

Erabutoxin B
26 = Asp: Erabutoxin A
51 = Asp: Erabutoxin C

Tödlich giftige Neurotoxine aus dem Gift der Seeschlange *Laticauda semifasciata* (japan.: erabuumihebi). Bisher konnten drei 62er Polypeptide isoliert werden: E. A, B u. C, die sich in jeweils 1–2 Aminosäure-Positionen unterscheiden. E. A: $C_{284}H_{442}N_{86}O_{95}S_8$, M_R 6836,72, LD$_{50}$ (Maus i. m.) 150 µg/kg [1]. E.-mimet. Substanzen wurden von Kahn et al. beschrieben [2]. — *E* erabutoxins — *F* érabutoxines — *I* erabutossine — *S* erabutoxinas
Lit.: [1] Sax (7.), S. 1564. [2] Heterocycles **25**, 29 ff. (1987).
allg.: Mebs, Giftiere, S. 241, Stuttgart, Wiss. Verlagsges. 1992 ▪ Merck-Index (12.), Nr. 3678. — *Review:* Tu in Tu, Handbook of Natural Toxins 3, S. 379–444, New York: Dekker 1988 ▪ s. a. Bungarotoxin. — *[CAS 59536-69-5 (Gemisch); 11094-61-4 (E.A); 9083-23-2 (E. B); 37357-76-9 (E. C)]*

Erba. Kurzbez. für das 1853 von Carlo Erba (1811–1888, Chemiker, Pharmazeut u. Industrieller) gegr. italien. Feinchemikalien- u. Arzneimittelunternehmen Farmitalia, Carlo Erba, SRL, Via Carlo Imbonati 24, Milano. *Daten* (1992): 3250 Beschäftigte, 872 Mrd. Lire Umsatz.

Erbacher, Otto (1900–1950), Prof. am Max-Planck-Inst. für Chemie, Mainz. *Arbeitsgebiete:* Gewinnung künstlicher Radionuklide, Szilard-Chalmers-Verf., Abscheidung von Radionukliden u. Adsorption von Ionen an Metalloberflächen.
Lit.: Angew. Chem. **63**, 83 (1951).

Erbanlage, Erbfaktor s. Gen.

Erbgutverändernd. E. sind Stoffe u. Zubereitungen, wenn sie nach Eindringen in den menschlichen Organismus zu einer Veränderung des Informationsgehaltes des genet. Materials (*Mutation) an Keimzellen führen können; solche Veränderungen können sowohl bei *Genen (Punktmutationen) als auch bei *Chromosomen (Chromosomenmutationen) verursacht werden. Dies ist der Fall, wenn
a) eindeutige epidemiol. Befunde vorliegen,
b) sie in einem geeigneten Tierversuch am Säuger Gen- od. Chromosomenmutationen in Keimzellen verursachen od.
c) sie in einem geeigneten Tierversuch am Säuger Gen- od. Chromosomenmutationen in Körperzellen (Somazellen) verursachen u. zusätzlich nachgewiesen wird, daß sie in die *Keimzellen eindringen können.
— *E* mutagenic — *F* mutagène — *I* mutageno — *S* modificación del patrimonio hereditario
Lit.: Anhang I der GefStoffV vom 26.10.1993 (BGBl. I, S. 1782), zuletzt geändert durch die Zweite VO zur Änderung der GefStoffV vom 19.09.1994 (BGBl. I, S. 2557).

Erbium (chem. Symbol Er). Metall. Element aus der Gruppe der *Seltenerdmetalle (*Lanthanoid), Ordnungszahl 68, M_R 167,26. Natürliche Isotope (in Klammern Angabe der Häufigkeit): 162 (0,136 %), 164 (1,56 %), 166 (33,41 %), 167 (22,94 %), 168 (27,07 %), 170 (14,88 %). Daneben kennt man künstliche Isotope 151–172 mit HWZ zwischen 36 min u. 9,4 d. Graues Metallpulver, D. 9,062, Schmp. 1497 °C, Sdp. 2900 °C; die Verb. sind 3-wertig u. rosafarben. E. ist ziemlich stabil an der Luft u. wird nicht so schnell oxidiert wie einige andere Seltenerdmetalle. Es wird durch Schmelzflußelektrolyse des wasserfreien Chlorids isoliert.
Vork.: Er kommt in allen Seltenerdmineralen vor; seine Häufigkeit in der Erdkruste liegt bei 2,5–6,5 ppm. Techn. Bedeutung hat Er nur vereinzelt (z. B. in der Kernenergietechnologie u. in der *Metallurgie) gewonnen; einige Komplexe [Er(DPM)$_3$, ER(fod)$_3$] dienen als NMR-*Verschiebungsreagentien. Das Element wurde 1843 von Mosander im *Gadolinit (Ytterde) entdeckt u. nach dem ersten Fundort seltener Erdmineralien (Ytterby bei Stockholm) benannt. — *E* = *F* erbium — *I* = *S* erbio
Lit.: s. Seltenerdmetalle — *[HS 2805 30; CAS 7440-52-0]*

Erbium-Laser. *Festkörper-Laser, bei dem dreiwertige *Erbium-Ionen mit hoher Konz. in einem Wirtskrist. wie YAG (Yttrium Aluminium Granulat) od. YAlO$_3$ eingelagert sind. Er emittiert einige Linien um 1,7 µm (Übergänge $^4S_{3/2} \rightarrow {}^4I_{9/2}$) u. im Wellenlängenbereich 2,71 bis 2,92 µm ($^4I_{11/2} \rightarrow {}^4I_{13/2}$). Beide Wellenlängen sind für medizin. Anw. interessant. Während Wasser bei 2,9 µm einen hohen Absorp-

tionskoeff. (~ 10^3 cm^{-1}) besitzt, was zur Folge hat, daß die Strahlung unmittelbar an der Gewebeoberfläche absorbiert wird u. man sehr fein schneiden kann, ist die Wasserabsorption um 1,7 µm wesentlich kleiner (~ 5 cm^{-1}), weshalb diese Strahlung zum Koagulieren u. Blutstillen eingesetzt wird. – *E* erbium laser – *F* laser à erbium – *I* laser all'erbio – *S* láser de erbio
Lit.: Laser + Optoelektronik **19**, 158 (1987).

Erbsen. Bez. für die Samen des zu den *Hülsenfrüchten (Leguminosen) zählenden Schmetterlingsblütlers *Pisum sativum*, der in Europa u. Vorderasien heim. ist u. schon im Altertum kultiviert wurde. Die kugeligen Samen enthalten in grünem Zustand (in Klammern getrocknet, Angaben in g/100 g): 75 (9,3) Wasser, 6,3 (24,2) Eiweiß, 0,4 (1,0) Fette, 15 (61,5) Kohlenhydrate (hauptsächlich *Stärke), 2 (1,2) Faserstoffe, außerdem 1,3 mg *Oxalsäure, *Mineralstoffe u. *Vitamine, der Nährwert ist mit 352 (1457) kJ = 84 (348) kcal sehr hoch. Außerdem enthalten E. die Speicherproteine *Legumin u. Vicilin*, das *Phytoalexin *Pisatin sowie *Lektine (z. B. das *Abrin der Paternostererbse). Die Gemüse-E. sind die wichtigsten Hülsenfrüchte; sie werden auch zu Erbsmehl, Erbswurst u. Suppenerzeugnissen verarbeitet. Die Ackererbse (*P. arvense*) wird zu Futterzwecken, die Kicher- od. Platterbse (*Lathyrus cicera*) hauptsächlich in den Mittelmeerländern u. Indien als Gemüsepflanze kultiviert; sie enthalten u. a. tox. Stoffe wie γ-Glutaminyl-β-aminopropionitril, die zu sog. *Lathyrismus* führen können. – *E* peas – *F* pois – *I* piselli – *S* guisantes
Lit.: Franke, Nutzpflanzenkunde, 5. Aufl., S. 142 ff., Stuttgart: Thieme 1992. – *[HS 0708 10]*

Erbslöh. Kurzbez. für die 1876 gegr. Firma C. H. Erbslöh, 47809 Krefeld, Handel mit Spezialchemikalien u. Ind.-Mineralien für die Gummi-, Kunststoff-, Lack- u. Farben-, Kosmetik- u. Elektro-Ind. sowie Produktion für Umwelttechnik.

Erbstatin [*N*-(2,5-Dihydroxystyryl)formamid].

$C_9H_9NO_3$, M_R 179,18, gelbe Krist., Schmp. 78–82 °C. Der Naturstoff E. wurde aus Streptomyces-Kulturen isoliert[1]. E. ist ein sehr wirksamer Hemmstoff Tyrosin-spezif. Protein-Kinasen[2]. E. hat aufgrund seiner hiermit verbundenen antineoplast. Wirkung[3] starke Beachtung in der pharmazeut. Forschung gefunden; zur Synth. s. *Lit.*[4]. – *E* erbstatin – *F* erbstatine – *S* erbstatina
Lit.: [1] J. Antibiot. **39**, 170, 314 (1986). [2] J. Antibiot. **40**, 1209 f., 1471 ff. (1987). [3] Biochem. Pharmacol. **48**, 549 (1994). [4] J. Antibiot. **46**, 785 (1993); Synth. Commun. **18**, 1483–1489 (1988); Synthesis **1988**, 970 ff. – *[CAS 100827-28-9]*

Ercusol®. Bindemittel auf Polyacrylat-Basis für Dispersionsfarben für Holz sowie mineral. u. metall. Untergrund. *B.*: Bayer.

Erdalkalien s. Erdmetalle.

Erdalkalimetalle. Sammelbez. für die in der 2. Hauptgruppe des *Periodensystems stehenden Metalle *Calcium, *Strontium u. *Barium; häufig wird auch das *Magnesium dazu gezählt, während das ebenfalls in der 2. Hauptgruppe stehende, in seinen Eigenschaften mehr dem Al (Schrägbeziehung!) ähnelnde *Beryllium u. das *Radium zwar zur *Erdalkali-Gruppe*, nicht aber zu den eigentlichen E. gerechnet werden. Sie gehören (außer Ra) zu den Leichtmetallen, da ihr spezif. Gew. unter 5 liegt. Die reinen Elemente sind graue bis weiße, an frischen Schnittflächen glänzende, schnell oxidierende Metalle. Ba ist etwa so weich wie Blei, die übrigen E. sind härter. Die E. besitzen in ihren Elektronenschalen zwei Valenzelektronen u. treten daher zweiwertig auf, über *Metallocene der E. s. *Lit.*[1]. Wie die Alkalimetalle bilden auch die E. Komplexe mit *Kronenethern u. *Kryptanden.
Die physiolog. Bedeutung der E. ist unterschiedlich: Während Mg eine wichtige Rolle als *Enzym-Aktivator u. Membranstabilisator spielt, Ca mit durchschnittlich 1500 g im Skelett u. in anderen Geweben des menschlichen Körpers vertreten ist u. lösl. Strontium-Verb. medizin. Verw. finden (allerdings Ca ggf. verdrängen können), sind lösl. Barium-Verb. giftig. Die charakterist. Flammenfärbungen von Ca, Sr u. Ba können zum Nachw. herangezogen werden[2], zur Trennung mit chromatograph. Meth. od. durch Fällungsreaktionen u. zur Bestimmung durch *Komplexometrie od. andere Verf. s. *Lit.*[3]. Die Herst. der E. erfolgt durch *Schmelzelektrolyse bzw. durch Red. (z. B. aluminotherm.) der entsprechenden Oxide (BaO, RaO). – *E* alkaline-earth metals – *F* alcalino-terreux – *I* metalli alcalini terrosi – *S* metales alcalinotérreos
Lit.: [1] Comments Inorg. Chem. **17**, 41–77 (1995). [2] Z. Chem. (Leipzig) **20**, 266 f. (1980). [3] Townshend, Encyclopedia of Analytical Science, S. 323–331 (Be), S. 2757–2765 (Mg), S. 426–432 (Ca), S. 4812–4818 (Sr), S. 312–322 (Ba), London: Academic Press 1995.
allg.: Hollemann-Wiberg (101.), S. 1105–1148 ▪ Winnacker-Küchler (3.) **6**, 85 ff. ▪ s. a. die Einzelelemente. – *[HS 2805 21, 2805 22]*

Erdatmosphäre s. Erde u. Atmosphäre.

Erdbeeren. Aus der fleischigen Blütenachse von *Fragaria*-Arten gebildete, durch Paeonidin-3-galactosid rot gefärbte Scheinfrucht. Je 100 g frische E. enthalten durchschnittlich 89,9% Wasser, 0,8 g Eiweiß, 0,5 g Fett, 8,3 g Kohlenhydrate (darunter 1,4 g *Cellulose), 0,5 g Aschensubstanz, 28 mg Ca, 0,8 mg Fe, 27 mg P u. Vitamine, insbes. C (60 mg); der Nährwert beträgt nur 155 kJ (37 kcal). Die Säuren der E. sind hauptsächlich *Citronensäure (90%) u. *Äpfelsäure (ca. 10%). Der Verzehr von E. kann bei manchen Menschen *Allergie auslösen. Das *Aroma* der E. ist aus mehr als 300 Komponenten zusammengesetzt, unter denen sich über 90 Carbonsäureester, 30 Carbonsäuren, ca. 20 Acetale, ca. 40 Alkohole sowie Ketone, Aldehyde, Kohlenwasserstoffe u. selbst einige Schwefel-Verb. befinden, während Stickstoff-Derivate fehlen. Eine synthet. Verb. mit starkem E.-Aroma ist der sog. *E.-Aldehyd* (Ethyl-methylphenylglycidat, sog. Aldehyd C16). E.-Blätter enthalten *Gerbstoffe, *Flavonoide u. Leukocyane u. wirken mild adstringierend; sie werden als Tee-Aufguß gegen Durchfall u. in Blutreinigungs-

Tees verwendet. – *E* strawberries – *F* fraises – *I* fragole – *S* fresas
Lit.: Franke, Nutzpflanzenkunde, 5. Aufl., S. 309 f., Stuttgart: Thieme 1992. – *[HS 0810 10]*

Erdbeschleunigung. Maß für die *Gravitation an der Erdoberfläche. Gängiger Wert $g = 9{,}81$ m · s^{-2}. Details s. Gravitation.

Erde. Vor rund 5,5 Mrd. Jahren durch Akkretion (Zusammenballung) von kosm. Staub u. kugelförmigen sog. Planetesimalen aus einem solaren Urnebel entstandener stark differenzierter Körper, der sich in eine Serie von konzentr. *Schalen* mit nach außen abnehmender Dichte gliedert (Abb. 1).

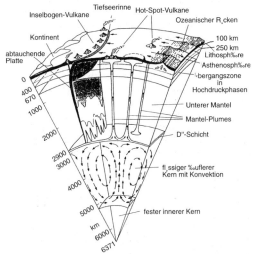

Abb. 1: Gliederung der Erde; nach Strobach, *Lit.*, S. 187.

Die *Hydrosphäre, die *Atmosphäre u. die Magnetosphäre (s. unten) umhüllen den festen Erdkörper; die *Biosphäre umfaßt die Gesamtheit alles organ. Lebens in der Atmosphäre, der Hydrosphäre u. auf der Oberfläche der Erdkruste. Die Mächtigkeiten, Vol., mittleren D. u. Massen der einzelnen Erdsphären (ohne Biosphäre) sind in Tab. 1 zusammengestellt; weitere Daten u. Pauschalzusammensetzung der E. s. Geochemie. Die *Atmosphäre* (Lufthülle) der E. enthält 78,1 Vol.% Stickstoff u. 20,9 Vol.% Sauerstoff. Sie wird in *Schichten* unterteilt, u. a. in die *Stratosphäre*, (10–50 km Höhe), die *Ozon-Schicht, die natürliche *Aerosol-Schicht (in 20–25 km Höhe) u. die in Höhen oberhalb von etwa 70 km befindliche, aus 4 leitenden Schichten aus Elektronen u. pos. geladenen Ionen bestehende *Ionosphäre*. Wechselwirkungen zwischen Atomen u. Mol. der Ionosphäre mit Elektronen des die E. umspülenden Sonnenwindes lassen einen gewaltigen Generator entstehen, der die *Polarlichter erzeugt. Der Sonnenwind engt das Erdmagnetfeld auf ein *Kometen-förmiges Vol., die *Magnetosphäre*, ein; diese ist mit verd. Plasmen unterschiedlicher D. u. Temp. gefüllt [1].

In ihrer chem. Zusammensetzung unterscheidet sich die heutige Atmosphäre deutlich von der *Uratmosphäre* der *chemischen Evolution [2,3]. Ihre Geschichte hängt eng mit der *Entstehungsgeschichte der E*.[4] zusammen; in deren frühem Verlauf war über Mio. a in etwa 200–400 km Tiefe ein *Ozean* aus *Magma aktiv [4,5]. Die ältesten bisher gefundenen Gesteine sind der 3,96 Mrd. a alte Acosta-Gneis in Nord-Kanada u. 3,7–3,8 Mrd. a alte Gesteine im Westen Grönlands. Aus dem ersten Auftreten von *Kalken mit Stromatolithen (kalkige Laminarstrukturen, die als fossile *Algen interpretiert werden) u. von gebänderten Eisensteinen (mit *Hämatit Fe_2O_3) kann man schließen, daß vor ca. 3,5 Mrd. a die ersten Sauerstoff-produzierenden *Cyanobakterien* (Blaugrünalgen) im Meer existierten. Erst vor ca. 2 Mrd. a gelangte Sauerstoff in die Atmosphäre, wie kontinentale Rotsedimente beweisen, deren Färbung von dreiwertigem Eisen herrührt. Die *Hydrosphäre* (Wasserhülle) der E. besteht ganz überwiegend aus *Meerwasser.

Lithosphäre, ozean. Erdkruste: Die Lithosphäre umfaßt die oberen 100 km der festen E. einschließlich der unter den Kontinenten durchschnittlich 40 km (unter großen Faltengebirgszügen wie Alpen, Himalaya bis 70 km), unter den Ozeanen dagegen nur etwa 4–10 km dicken Erdkruste; die Grenze zwischen Erdkruste u. Erdmantel wird als *Mohorovicic-Diskontinuität* (Abk.: „Moho") bezeichnet. Die Lithosphäre gliedert sich nach der Theorie der *Plattentektonik in 7 größere u. einige kleinere Platten, die wie Flöze auf dem plast. verformbaren Material der *Asthenosphäre* treiben u. sich um 1–20 cm pro a *voneinander weg* (divergente Plattengrenzen, z. B. mittelozean. Rücken, Rotes Meer) *aneinander entlang* (Transformgrenzen, z. B. San Andreas-Spalte bei San Francisco) od. *aufeinander zu* (konvergente Plattengrenzen) bewegen. In Subduktionszonen schiebt sich eine Platte – im allg. die schwerere – unter die andere u. taucht in die Asthenosphäre ab. Kontinent-Kontinent-Kollisionen finden z. B. in den Alpen u. im Himalaya statt. An allen Plattengrenzen können *Erdbeben* u. Vulkanismus entstehen; Beisp. sind die großen Erdbeben- u. Vulkangürtel im Pazifik. Einen Sonderfall stellen die sog. *Terrane* dar [6], das sind huckepack von ozean. Platten mitgeführten Krustenblöcke, die sich im Laufe der Plattendrift an alte Kontinentalkerne angelagert haben, z. B. in Alaska.

Tab. 1: Volumina, mittlere Dichten u. Massen der Erdsphären (ohne Biosphäre); nach Mason u. Moore, s. *Lit.* S. 41.

	Mächtigkeit [km]	Volumen [· 10^{27} cm^3]	mittlere Dichte [g/cm^3]	Masse [· 10^{27} g]	Masse [%]
Atmosphäre	–	–	–	0,000005	0,00009
Hydrosphäre	3,80 (Mittel)	0,00137	1,03	0,00141	0,024
Kruste	17 (Mittel)	0,008	2,8	0,024	0,4
Mantel	2883	0,899	4,5	4,016	67,2
Kern	3471	0,175	11,0	1,936	32,4
Erde	6371 (Radius)	1,083	5,52	5,976	100,02

Der *Boden der Ozeane* wird von großen untermeer. Vulkankegeln (*Seamounts*) u. *Tiefseerinnen*, v. a. aber durch ein mehr als 60000 km langes Syst. untermeer. Gebirgsketten, die *mittelozean. Rücken*[7], geprägt. In den Rücken befinden sich Spaltensyst. u. Riftzonen (Grabenzonen), aus denen ständig basalt. Lava austritt, aus der die Mid Ocean Ridge-*Basalte (Mittelozean. Rücken-Basalte, abgekürzt MORB) erstarren. Beiderseits der Rücken driftet der Ozeanboden auseinander („*Sea-floor-spreading*", „Ozeanboden-Spreizung"). Das Magma der MOR-Basalte entsteht im Erdmantel in 30–40 km Tiefe durch teilw. Aufschmelzen von *Peridotit. Ein typ. Profil durch die ozean. Kurste zeigt von oben nach unten Tiefsee-*Sedimente (nicht überall), kissenförmig erstarrte MOR-Basalte, einen Komplex von vertikalen *Gängen (sog. *Sheeted-Dike-Komplex*), *Gabbro u. darunter Peridotit. Zur rezenten Erzbildung aus heißen Quellen (u. a. aus den sog. „Schwarzen Rauchern") am Meeresboden, z. B. im Bereich der Ostpazif. Schwelle, s. *Lit.*[8].

Kontinentale Kruste: Die kontinentale Kruste enthält ein komplexes weltweites Muster von Gürteln u. Gebirgen mit deformierten Gesteinsserien, das zumindest teilw. mit der etwa alle 500 Mio. a stattfindenden Bildung u. dem späteren Zerbrechen einer großen Landmasse zusammenhängt („*Superkontinent-Zyklus*"[9,10]); ein Beisp. dafür ist der vor ca. 250 Mio. a entstandene u. seit etwa 200 Mio. a zu den heutigen Ozeanen u. Kontinenten zerfallende Superkontinent *Pangäa*. Die kontinentale Kruste ist von Intrusivgesteinen durchzogen u. lokal von einer dünnen Schicht aus *Sedimentgesteinen überlagert. Die durch tiefgreifende Abtragung freigelegten alten Kontinentalkerne (*Kratone*, z. B. Fennoskandia) bestehen im allg. aus Gesteinen, die durch *Metamorphose(n) überprägt worden sind; ihre Zusammensetzung entspricht im Mittel der von Granodiorit (*Granite; *Sial* u. Granitschale älterer Vorstellungen). Über die Zusammensetzung der unteren kontinentalen Kruste gibt es unterschiedliche Modellvorstellungen: Basalt- bzw. Gabbro-Zusammensetzung (mit vorherrschend Si, Al u. Mg, *Sialsima* der älteren Vorstellungen) od. hochmetamorphe Gesteine, die etwa *Granulit-Zusammensetzung haben. In geochem. Hinsicht machen nur 8 Elemente, nämlich O, Si, Al, Fe, Ca, Na, K u. Mg, zusammen 98,5 Gew.-% der Erdkruste aus, s. Tab. 2.

Tab. 2: Die acht häufigsten Elemente der kontinentalen Erdkruste; nach Mason u. Moore, s. *Lit.*, S. 48.

	Gewichtsprozente	Atomprozente	Radius [Å]	Volumenprozent
O	46,60	62,55	1,40	91,7
Si	27,72	21,22	0,26	0,2
Al	8,13	6,47	0,53	0,5
Fe	5,00	1,92	0,77	0,5
Mg	2,09	1,84	0,72	0,4
Ca	3,63	1,94	1,12	1,5
Na	2,83	2,64	1,16	2,2
K	2,59	1,42	1,60	3,1

Eine präzise Vermessung der E. unter verschiedenen Aspekten ermöglicht die *Fernerkundung*[11]. Mit hochauflösenden multifrequenten Mikrowellen-Radarsensoren, die z. B. auf den amerikan. Raumfähren eingesetzt werden, können z. B. Informationen wie Veränderungen der Erdoberfläche, der Zustand der Vegetation u. Aspekte des Wasserhaushalts erfaßt werden. Einblicke in die obersten Bereiche des Erdinnern liefern *Bohrungen*; wertvolle Erkenntnisse über den Aufbau der ozean. Kruste hat z. B. das „*Ocean Drilling Program*" geliefert; von vergleichbarer Bedeutung sind die Ergebnisse der *kontinentalen Tiefbohrungen*, z. B. auf der Kola-Halbinsel (12,6 km) u. in der Oberpfalz (9,1 km)[12]. Mittels *Computersimulationen lassen sich heute Fließprozesse u. Änderungen im Erdaufbau nachbilden.

Erdmantel: Aufschluß über den Bau des Erdinnern liefern u. a. die von Änderungen der D., der Temp. od. der chem. Eigenschaften eines Gesteins od. Materials verursachten, teilw. drast. Änderungen in der Geschw. der Ausbreitung von *Erdbebenwellen*; je dichter ein Gestein ist, desto schneller breiten sie sich in ihm aus. Man unterscheidet *P-Wellen* (Prim.-Wellen, in Ausbreitungsrichtung schwingend, kommen zuerst am Aufzeichnungsort an) u. *S-Wellen* (Sek.-Wellen, Scherwellen, quer zur Ausbreitungsrichtung schwingend); letztere können Flüssigkeiten nicht durchdringen. Die Wellengeschw. variieren innerhalb der E. mit der Tiefe entsprechend Abb. 2.

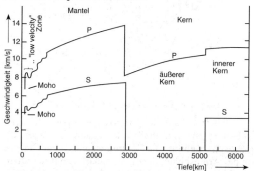

Abb. 2: Seismische Geschwindigkeiten der P- u. S-Wellen innerhalb von Erdmantel u. Erdkern; nach Matthes, s. *Lit.*, S. 402.

Mit Hilfe der *seism. (Computer-)Tomographie* kann man dreidimensionale Bilder (3 D-Bilder) von Vorgängen im Erdmantel entwerfen[13] u. z. B. die Wege abtauchender Lithosphären-Platten im Mantel kartieren. Mit Hilfe einer Laser-beheizten *Diamantstempel-Hochdruckzelle*[14] lassen sich heute sogar die Druck-Temp.-Bedingungen im Erdkern nachahmen[15]. Das Hauptgestein des Erdmantels ist *Peridotit*, mit Magnesium-reichem *Olivin als Hauptmineral; daneben können v. a. *Pyroxene, (Chrom-)*Spinell, *Granat u. Plagioklas (*Feldspäte) anwesend sein. In Subduktionszonen entsteht aus den Ozeanboden-Basalten u. a. *Eklogit. Ringwood (*Lit.*[16]) formulierte ein hypothet. Mantelgestein, den *Pyrolit* (3 Tl. Peridotit + 1 Tl. Basalt); aus diesem Gestein können durch selektive teilw. Aufschmelzung die verschiedenen Basalte entstehen. An einer seism. Diskontinuität in 400 km Tiefe wandelt sich die Inselsilicat-Struktur von Olivin in Olivin mit *Spinell-Struktur* um, an einer weiteren Diskontinuität in 670 km Tiefe in $MgSiO_3$ mit *Perowskit-Struktur* + Magnesio-Wüstit $(Mg,Fe)O$, jeweils verbunden mit einer D.-Zunahme um 10%. Der Bereich zwischen 400 u. 670 km Tiefe wird als *Übergangszone* (*E* transition zone) bezeichnet. Die *670 km-Diskontinuität* markiert die Grenze zwischen oberem u. unterem Erdmantel; zu ihrer Bedeutung für Materialbewegungen im Erdmantel s. *Lit.*[17].

D″-Schicht: Bes. lebhaft diskutiert wird derzeit die bis über 300 km dicke D″-Schicht an der Kern-Mantel-Grenze[18], in der vertikal u. lateral Unstetigkeiten bei der Geschw. der Erdbebenwellen auftreten. Diese Schicht kann durch chem. Reaktionen zwischen Kern u. Mantel gedeutet werden[19], sie enthält aber möglicherweise auch Teile von subduzierten ehemaligen Lithosphären-Platten, die die 670 km-Diskontinuität überwunden haben u. an der Kern-Mantel-Grenze bis Kontinent-große Inseln bilden. Von der D″-Schicht steigt heißes Gesteinsmaterial in schlanken Säulen, sog. *Plumes*, in den Mantel auf u. bildet dort ortsfeste sog. „*Hot Spots*" („heiße Flecken")[20], von denen schmelzflüssiges Material Diapir-artig (*Evaporite) zur Oberfläche aufsteigt u. dort Intraplatten- od. „Hotspot"-Vulkane bildet, z.B. Hawaii.

Erdkern: An der Kern-Mantel-Grenze in 2900 km Tiefe herrschen Drücke von etwa 135 GPa u. Temp. von 3500 K; hier halbiert sich die Geschw. der P-Wellen nahezu, die S-Wellen verschwinden spurlos. Daraus u. aus der Zusammensetzung von Eisen-*Meteoriten schließt man, daß der äußere, bis zu einer Tiefe von rund 5080 km reichende Kern aus einer schmelzflüssigen Nickel-Eisen-Leg. besteht, der innere Kern (von 5080 km bis zum Erdmittelpunkt) aufgrund der dort enorm hohen Drücke aus einer festen Nickel-Eisen-Leg.; hier treten auch die S-Wellen wieder auf. Der äußere Kern muß wegen der sonst zu hohen D. zusätzlich eine leichtere Komponente, etwa Sauerstoff (z.B. als Wüstit mit Fe-Unterschuß, $Fe_{0,94}O$, *Lit.*[21]), Silicium od. Schwefel, enthalten. Das Erdinnere wird dadurch, daß die dort von Anbeginn gespeicherte u. zusätzlich vom radioaktiven Zerfall erzeugte Wärme nach außen abzuströmen versucht, unablässig durchmischt. Schraubenartige Konvektionsströme im äußeren Erdkern (vgl. Abb. 1) erzeugen das Magnetfeld der Erde[22]. Gigant. Konvektionsströme im Erdmantel verursachen die Bewegungen der Lithosphären-Platten. Noch nicht geklärt ist, ob die Konvektionswalzen so groß sind, daß sie von der D″-Schicht bis zur Mantel-Krusten-Grenze reichen od. ob die 670 km-Diskontinuität bewirkt, daß der Erdmantel in 2 Schichten zirkuliert[17,23]. – *E* earth – *F* terre – *I* terra, terreno – *S* tierra

Lit.: [1] Spektrum Wiss. **1986**, Nr. 5, 120–131. [2] Geowissenschaften **6**, 212–217 (1988); Spektrum Wiss. **1981**, Nr. 4, 16–27. [3] Science **259** (5097), 920–926 (1993). [4] Spektrum Wiss. Spezial (Leben u. Kosmos) **1995**, 36–43. [5] Nature (London) **381** (6584), 646f. (1996). [6] Spektrum Wiss. **1986**, Nr. 1, 64–74. [7] Spektrum Wiss. **1990**, Nr. 8, 88–97; Nicolas, Die ozeanischen Rücken, Berlin: Springer 1995. [8] Spektrum Wiss. **1986**, Nr. 3, 78–87. [9] Spektrum Wiss. **1992**, Nr. 6, 52–60. [10] Spektrum Wiss. **1995**, Nr. 3, 64–71. [11] Spektrum Wiss. **1995**, Nr. 1, 86–100; **1995**, Nr. 2, 56–61. [12] Spektrum Wiss. **1996**, Nr. 3, 30–41. [13] Spektrum Wiss. **1984**, Nr. 12, 62–71; Bild Wiss. **1989**, Nr. 10, 36–42. [14] Spektrum Wiss. **1993**, Nr. 7, 48–55. [15] Phys. Chem. Miner. **20**, 86–96 (1993). [16] Ringwood, Composition and Petrology of the Earth's Mantle, New York: McGraw Hill 1975. [17] Nature (London) **361** (6414), 688f., 699–704 (1993). [18] Nature (London) **381** (6581), 373ff., 400–412 (1996). [19] Spektrum Wiss. **1993**, Nr. 7, 48–55. [20] Spektrum Wiss. **1985**, Nr. 6, 67–72. [21] J. Geophys. Res. **96**, 16169–16180 (1991). [22] Spektrum Wiss. **1990**, Nr. 2, 52–60. [23] Spektrum Wiss. **1991**, Nr. 8, 72–82.

allg.: Bild Wiss. **1995**, Nr. 5, 46–53 ■ Broecker, Labor Erde, Berlin: Springer 1994 ■ Brown, Hawkesworth u. Wilson (Hrsg.), Understanding the Earth, Cambridge: Cambridge University Press 1992 ■ GEO **1994**, Nr. 4, 34–53 ■ Giese (Hrsg.), Geodynamik u. Plattentektonik, Heidelberg: Spektrum Akadem. Verl. 1995 ■ Kraatz (Hrsg.), Die Dynamik der Erde, Heidelberg: Spektrum Wiss. Verlagsges. 1987 ■ Lanius, Die Erde im Wandel, Heidelberg: Spektrum Akadem. Verl. 1995 ■ Mason u. Moore, Grundzüge der Geochemie, Stuttgart: Enke 1985 ■ Matthes, Mineralogie (4.), Berlin: Springer 1993 ■ Press u. Siever, Allgemeine Geologie, Heidelberg: Spektrum Akadem. Verl. 1995 (dtsch. Übersetzung von: Press u. Siever, Understanding Earth, New York: Freemann 1994) ■ Strobach, Unser Planet Erde, Berlin: Borntraeger 1995 ■ Warnecke, Huch u. German (Hrsg.), „Tatort Erde" (2.), Berlin: Springer 1992 ■ s. a. Geochemie, Geologie, Plattentektonik. – *Videofilme:* Bild Wiss., Der Planet Erde, 7-teilige Video-Serie, Stuttgart: Bild der Wissenschaft 1995 ■ IMAX Video, Blue Planet, Toronto (Kanada): IMAX Corporation ■ Spektrum Videothek, Erdbeben; Kontinentaldrift. – *Zeitschriften:* s. Geochemie, Geologie.

Erdfarben s. Pigmente.

Erdgas (Naturgas). Brennbare, in der Erdkruste vorkommende, hauptsächlich aus gesätt. Kohlenwasserstoffen bestehende Gase, die je nach ihrer Herkunft unterschiedliche Zusammensetzung aufweisen u. in folgende 3 Gruppen eingeteilt werden: (a) E. aus reinen E.-Lagerstätten (*trockenes E.*) besteht aus Methan u. wenig Ethan u. ist oft nicht nur mit Wasserdampf gesät., sondern kann auch Gashydrate (*Clathrate bes. von Methan mit Wasser; zur Bildung s. *Lit.*[1]) od. freies, flüssiges Wasser enthalten. – (b) E. aus Erdöllagerstätten (*Erdölgas, nasses* E.) enthält zusätzlich noch größere Mengen höhermol. Kohlenwasserstoffe wie Ethan, Propan, Isobutan, Butan, Hexan, Heptan, ferner Kohlendioxid, Schwefelwasserstoff, Helium u. Stickstoff, sowie Arsen-Verb. (*Lit.*[2]), von denen die *Flüssiggase u. die im Benzinbereich siedenden Kohlenwasserstoffe bes. wichtig sind. – (c) E. aus Kondensat- u. Destillat-Lagerstätten. Das Kohlenwasserstoff-Gemisch dieser Lagerstätten enthält nicht nur Methan u. Ethan, sondern auch in erheblichem Umfang höhersiedende Komponenten mit mehr als 7 C-Atomen. Der mittlere *Heizwert (H_u) der E. liegt zwischen 32 u. 38 MJ/m^3 (7600–9000 $kcal/m^3$). E. ist ähnlich wie *Erdöl aus fetthaltigen tier. u. pflanzlichen Organismen hervorgegangen u. hat sich in der Tiefe über dem Erdöl unter hohen Drücken angesammelt, so daß bei geeigneter Bohrung das Erdöl vom E. herausgepreßt wird; Näheres zur Entstehung solcher Lagerstätten s. bei Erdöl. Allerdings gibt es auch Hypothesen, daß das – z.B. bei Erdbeben zutage tretende – E. aus größeren Erdtiefen nichtbiolog. Ursprungs sei (*Lit.*[3]). Das bei der Erdölförderung austretende E. wird zu einem großen Teil wieder in die Lagerstätte zurückgepreßt, um eine vollständigere Entölung zu erreichen. Es wurde früher häufig u. wird teilw. heute noch „abgefackelt". Allein in den engl. E.-Feldern der Nordsee wurden 1979 20 Mio. m^3/d nutzlos verbrannt! Die nutzbaren E.-Reserven wurden für 1994 weltweit auf $148{,}9 \times 10^{12}$ m^3 beziffert. In Abb. 1 sind die E.-Reserven regional gegliedert aufgeführt u. den Fördermengen für 1994 in Abb. 2 gegenübergestellt.

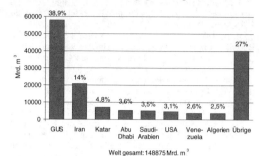

Abb. 1: Erdgas-Reserven 1994 in Mrd. m³; nach Lit.[4].

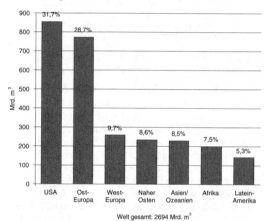

Abb. 2: Erdgas-Produktion 1994 in Mrd. m³; nach Lit.[4].

Ein Vgl. mit älteren Zahlen zeigt, daß einer Steigerung der E.-Produktion von 1979–1988 um ca. 30% u. von 1988–1994 um ca. 39% ein Anstieg der E.-Reserven infolge reger *Prospektion u. Neubewertung der Lagerstätten von 1979–1988 um ca. 53% u. 1988–1994 um ca. 33% gegenübersteht. Eine ausführliche Studie zu den Reichweiten sagt eine sichere E.-Versorgung bis weit in das 21. Jh. voraus [5]. Da Reserven u. Verbrauch regional sehr unterschiedlich verteilt sind, kommt dem E.-Transport steigende Bedeutung zu. E. wird über Ferngasleitungen befördert, die Tausende von Kilometern lang sein können u. deren Drücke $50-100 \cdot 10^5$ Pa betragen. Vor dem Transport wird das E. gereinigt von Kondensaten, Schwefelwasser u. Wasser u. darf nur noch einen geringen Gehalt an organ. Schwefel-Verb. aufweisen. Die Trocknung erfolgt mit Di- u. Triethylenglykol u. *Molekularsieben (gleichzeitige Entfernung von CO_2 u. H_2S); größere Mengen an H_2S u. CO_2 werden z. B. mit wäss. Ethanolamin-Lsg. od. N-Methylpyrrolidon bzw. nach dem Sulfinol-Verf. od. a. *Entschwefelungs-Meth. abgetrennt. Soll das E. verflüssigt werden zum Transport als LNG (liquefied natural gas) mit Spezialtankschiffen, müssen ferner noch Schmieröle, Staub u. Kondensate entfernt werden (z. B. mit Hilfe von Nebelabscheidern od. Zyklonen), höhere Kohlenwasserstoffe können vor od. während der Verflüssigung entfernt werden. Die Speicherung von flüssigem E. kann in isolierten Metallbehältern, Gefriergrubenspeichern u. künstlich angelegten bzw. natürlichen unterird. Hohlräumen erfolgen. Mit Hilfe der Peak-Shaving-Anlagen lassen sich Spitzenbelastungen in der E.-Versorgung durch Zwischenspeicherung auffangen. Nach dem Gas-Synthan-Verf. von Lurgi u. a. Meth. läßt sich synthet. E. herstellen, das als Austauschgas für die Deckung des Spitzenbedarfs an E. verwendet werden kann. Wegen des hohen Heizwertes von E. (s. die Tab. bei Brennstoffe) wird es häufig auch mit *Stadtgas verdünnt (konditioniert).

Verw.: Der größte Teil des E. wird zur Energiegewinnung als *Brenngas verwendet. Höhermol. Anteile (Propan, Butan etc.) können abgetrennt u. als *Flüssiggas (LPG, liquefied petroleum gas) verwendet werden. Außerdem dient E. als Rohstoff für die chem. Ind. zur Herst. von *Petrochemikalien. Auch die im E. vorhandenen Verunreinigungen sind techn. verwertbar; so erhält man z. B. aus dem H_2S des E. viele tausend t Schwefel. Neuerdings wird E. als Kfz.-Treibstoff verstärkt diskutiert [6] u. in subventionierten Projekten bes. im kommunalen Nahverkehr bereits verwendet.

Der E.-Bedarf der BRD in 1995 von ca. 90 Mrd. m³ wurde mit ca. 19,1 Mrd. m³ zu ca. 22% aus heim. Quellen gedeckt, hauptsächlich aus den Gebieten um Elbe, Weser u. Ems [7]. Die Importe von knapp 72 Mrd. m³ E. kamen aus Rußland (ca. 36%), Niederlande (ca. 26%), Norwegen (ca. 14%) u. Dänemark (ca. 2%) [8]. Den größten Anteil am Verbrauch des E. haben Haushalte u. Kleinverbraucher mit ca. 46% [9]. Der Anteil der mit E. versorgten Haushalte in der BRD wuchs von 23,3% in 1982 auf 37,4% in 1995, u. gut 70% aller 1995 zum Bau genehmigten Wohnungen sollen mit E. versorgt werden [10]. Die weiteren Verbraucher von E. als Energieträger waren Ind. (ca. 27%), Kraftwerke (ca. 12%), Fernheizwerke (ca. 6%), u. ca. 9% wurden als Chemierohstoff verwendet [9]. – **E** natural gas – **F** gaz naturel – **I** gas naturale – **S** gas natural

Lit.: [1] J. Phys. Chem. **92**, 6492 ff. (1988). [2] Chem. Br. **25**, 564 f. (1989). [3] Spektrum Wiss. **1980**, Nr. 8, 40–48. [4] Erdöl Erdgas Kohle **111**, 403 (1995). [5] Erdöl Gas Kohle **105**, 21–25 (1989). [6] Erdöl Gas Kohle **110**, 2 (1994). [7] Erdöl Gas Kohle **112**, 286 (1996). [8] Erdöl Gas Kohle **112**, 145 (1996). [9] Erdgas 1996, S. 20, Ruhrgas AG 1996. [10] Erdgas im Wettbewerb, S. 5 f., Ruhrgas AG 1996.
allg.: Kirk-Othmer (3.) **11**, 630–652; (4.) **12**, 318–340 ▪ Ullmann (4.) **10**, 581–620; **11**, 1–40; (5.) **A 17**, 73–124; **A 23**, 137–142 ▪ Winnacker-Küchler (4.) **5**, 1–23, 33–47 ▪ s. a. Erdöl. – *Organisation:* Europäische Vereinigung der Erdgaswirtschaft (EUROGAS), 4, av. Palmerston, B-1040 Bruxelles ▪ Wirtschaftsverband Erdöl- u. Erdgasgewinnung (WEG) 30149 Hannover. – [HS 2711 11, 2711 21]

Erdkern s. Erde.

Erdkruste s. Erde.

Erdmann, Volker A. (geb. 1941), Prof. für Biochemie u. Molekularbiologie, FU Berlin, Geschäftsführender Direktor des Inst. für Biochemie, auswärtiges Mitglied des Inst. of Marine Biotechnology, Univ. Maryland, Baltimore. *Arbeitsgebiete:* Genexpression mit bes. Schwerpunkten auf dem Gebiet der Struktur, Funktion u. Evolution von Nucleinsäuren, Krist. von Proteinen, Protein-Nucleinsäure-Komplexen u. Nucleinsäuren, chem. Synth. von DNA u. RNA, Protein-Synth., Struk-

tur u. Funktion von Ribosomen; mehr als 220 Publikationen aus diesen Gebieten.
Lit.: Kürschner (15.), S. 950 ▪ Wer ist wer, S. 297.

Erdmantel s. Erde.

Erdmetalle. Sammelbez. für die Metalle Al, Sc, Y, La u. die *Lanthanoide, deren M^{3+}-Kationen trotz der Zugehörigkeit zu verschiedenen Gruppen des *Periodensystems eine s^{2}p^6-*Elektronenkonfiguration in der äußeren Schale gemeinsam haben u. schwerflüchtige, „erdige" Oxide bilden. Der Name *Erden* ist von Tonerde (Al$_2$O$_3$) abgeleitet u. bezeichnete im Mittelalter allg. Oxide. Hiervon leiten sich auch die Bez. *Saure Erden* od. *Erdsäuren* für die Oxide der Elemente Nb, Ta, V u. *alkal. Erden* od. *Erdalkalien* für die der Elemente Ca, Sr, Ba ab. Die Oxide der sog. *Seltenerdmetalle (Sc bis Lu) heißen *Seltene Erden. – *E* earth metals – *F* métaux terreux – *I* metalli terrosi – *S* metales térreos

Erdnüsse. Früchte des trop. Schmetterlingsblütlers *Arachis hypogaea*, der in Indien, Westafrika, China u. Südamerika angebaut wird. Die Blütenstiele der Pflanzen krümmen sich nach dem Abblühen in den Boden u. bringen dort die E. zur Entwicklung, blaßgelbliche, in der Mitte eingeschnürte, höckerige Hülsen, die 2–3 braun-rothäutige, sehr nahrhafte (ca. 2430 kJ bzw. 580 kcal/100 g) Samen enthalten. Je 100 g geschälte u. geröstete E. enthalten durchschnittlich 1,8 g Wasser, 26,2 g Eiweiß, 48,7 g Fett (davon 14 g ungesätt. Fettsäuren, s. unten), 20,6 g Kohlenhydrate (davon 2,7 g Faser). Der Aschegehalt (2,7 g) geht auf 740 mg K, 74 mg Ca, 181 mg Mg, 2 mg Fe, 407 mg P, 377 mg S zurück; der Gehalt an *Vitaminen A, E u. *Nicotinsäure ist gegenüber anderen Nüssen stark erhöht. Aus dem hauptsächlich aus *Arachin u. *Conarachin* bestehenden Eiweiß der E. (*Ardein*) lassen sich *Eiweißfasern herstellen. Wegen der Gefährdung durch *Aflatoxine bildende Schimmelpilze müssen zum Verzehr bestimmte E. – bes. geschälte – überwacht werden.

Die gerösteten Samen, deren Aroma hauptsächlich durch 2,5-Dimethylpyrazin bestimmt wird, werden wie Nüsse gegessen od. als Mandelersatz verbacken; in fein gemahlenem Zustand sind sie als *Erdnußbutter* bekannt. Durch Auspressen der frischen Nüsse gewinnt man *Erdnußöl* (Arachisöl), hellgelbe, geruchlose Flüssigkeit, D. 0,91–0,92, Schmp. 2–3 °C, mit Ether u. Chloroform mischbar. Das als Speiseöl, zur Herst. von Margarine, Seifen, Anstrichmittel u. in der Medizin als Lsm. u. in gehärteter, d. h. hydrierter Form, als Salbengrundlage verwendete Öl enthält durchschnittlich (bezogen auf Fettsäuren) 54% Ölsäure, 24% *Linolsäure, 1% *Linolensäure, 1% Arachinsäure, 10% *Palmitinsäure, 4% *Stearinsäure, ferner Lignocerin-(Tetracosan-)säure, *Behen-(Docosan-)säure u. andere. Der Preßrückstand enthält verdauliches Eiweiß, das in Viehfutter Verw. finden kann. Die Schalen der E. lassen sich ebenfalls techn. sowie als Düngemittel verwerten. – *E* peanuts, groundnuts – *F* cacah(o)uète – *I* noccioline americane, arachidi – *S* cacahuetes, maníes

Lit.: Franke, Nutzpflanzenkunde, 5. Aufl., Stuttgart: Thieme 1992. – [HS 1202 10, 1202 20]

Erdöl. Die Bez. E. wurde 1913 von H. von Höfer für alle der Erde entstammenden, flüssigen, organ., brennbaren Naturprodukte vorgeschlagen; sie hat sich im dtsch. Sprachgebiet gegenüber *Petroleum* (das heute in eingeengter Bedeutung definiert wird) durchgesetzt. Das unmittelbar aus der Erde kommende, nicht gereinigte E. wird auch als *Rohöl* bezeichnet. Die Rohöle sind hellgelb bis fast schwarz gefärbt; sie fluoreszieren gelb bis grünblau u. dunkeln im Licht bei Sauerstoff-Zutritt unter Bildung asphalt. Stoffe allmählich nach. Verschiedene E. haben einen aromat., angenehmen Geruch; der unangenehme, oft knoblauchartige E.-Geruch ist auf Schwefel-Verb. od. ungesätt. Verb. zurückzuführen. Schwefel-arme E. nennt man fachsprachlich *süß*, Schwefel-reiche (>1%) *sauer*. Die D. der Rohöle liegt zwischen 0,65–1,02, meist zwischen 0,82 u. 0,94; sie wird durch Öl-*Aräometer bestimmt. Die Verbrennungswärme (mittlerer *Heizwert H_u) beträgt ca. 38–46 MJ/kg (9000–11 000 kcal/kg). Die Siedepunkte der wichtigsten Rohölbestandteile liegen etwa zwischen 50 u. 350 °C; die Trennung erfolgt durch *Destillation. Die *Viskosität der Rohöle u. ihrer Bestandteile steigt im allg. mit der Dichte u. dem Siedepunkt. Bei längerem Aufenthalt an der Luft nimmt die Viskosität zu, da leichtflüchtige Bestandteile verdunsten. Bei Ultrafiltration bleiben die Asphalte u. a. kolloide Partikeln zurück. In Wasser lösen sich die Rohöle nicht od. nur sehr wenig, doch können die zähflüssigen Öle mit Wasser oft recht beständige *Emulsionen geben, die vor der Verarbeitung gebrochen werden müssen. In Ethanol ist Rohöl schwer lösl., dagegen mischt es sich mit Ether, Benzol, Chloroform u. Tetrachlormethan in jedem Verhältnis. E. zeigt eine ziemlich hohe *Kapillarität; deshalb kann es im Boden aus tonigen Gebieten in sandige Zonen eindringen od. im Lampendocht nach oben wandern. Nachdem man lange Zeit geglaubt hatte, daß E. gegen mikrobiol. Angriffe resistent sei, sind inzwischen einige Hefen (*Candida*-Arten) u. Bakterien (*Corynebakterium*- u. *Pseudomonas*-Arten) bekannt, die E. als Substrat verwerten können, um daraus ggf. Eiweiß zu produzieren. Derartige Verf. können auch zur Beseitigung von E.-Rückständen (vgl. Ölpest u. unten) nützlich sein.

Chem. Zusammensetzung: Da die Rohöle aus organ. Bestandteilen von Meeresorganismen hervorgegangen sind, ist die Kompliziertheit u. Mannigfalt ihrer chem. Zusammensetzung begreiflich: Elementaranalysen ergaben bei den meisten Rohölen 85–90% C, 10–14% H, 0–1,5% O, 0,1–3,0 (max. 7)% S, 0,1–0,5 (max. 2)% N, daneben auch geringe Mengen (0,001–0,05%) von Aschenbestandteilen, die Spuren von Cl-, I-, S-, P-, As-, Si-, K-, Na-, Ca-, Mg-, Fe-, V-, Al-, Mn-, Cu-, Ni-Verb. enthalten. Der C- u. H-Gehalt des Rohöls stammt ganz vorwiegend von Kohlenwasserstoffen; der Sauerstoff ist gebunden in *Naphthensäuren, *Phenolen, *Harzen, Aldehyden u. dgl., der Schwefel kommt selten in elementarer Form, häufiger gebunden in Thiolen, Sulfiden u. heterocycl. Verb. vor; er stammt aus den Schwefel-haltigen Eiweißstoffen der Lebewesen. Aus derselben Quelle stammen auch die Stickstoff-Heterocyclen u. die Spurenelemente (aus Enzymen z. B. Nickel- u. Vanadiumporphyrine, vgl. Hämovanadin).

Erdöl

Die im Rohöl vorhandenen Kohlenwasserstoffe gehören im wesentlichen folgenden Gruppen an: *Alkanen, *Cycloalkanen (die hier von alters her *Naphthene* genannt werden) u. *Aromaten. Die Alkane setzen sich aus geradkettigen *Paraffinen (von CH_4 bis ca. $C_{30}H_{62}$, in Ausnahmefällen bis $C_{90}H_{182}$) u. den verzweigten Vertretern zusammen, die alicycl. Verb. bestehen hauptsächlich aus ggf. alkylierten *Cyclopentanen u. -hexanen sowie aus *Cycloheptan, während *Olefine nur eine sehr untergeordnete Rolle spielen. Bei den Aromaten handelt es sich im allg. um *Alkylbenzole. Man kann die E. danach unterscheiden, ob die Paraffine od. die Naphthene überwiegen. Zur Analytik u. Klassifikation der E. existieren zahlreiche normierte Verf. (Tests), z. B. von ASTM u. DIN (s. *Lit.*). Bisher sind im E. über 500 Komponenten aufgefunden u. charakterisiert worden. Als wertvolle analyt. Hilfswissenschaften haben sich *Gaschromatographie, *Flüssigkeitschromatographie u. spektroskop. Meth. erwiesen (*Lit.*[1]).

Entstehung: Die E. sind vorwiegend aus den Kohlenhydraten, Eiweißstoffen u. Fetten von Kleinpflanzen u. Kleintieren unter dem Einfluß von Bakterien, Enzymen, Druck, mineral. Katalysatoren, Hitze usw. in flachen, küstennahen Gewässern hauptsächlich aus marinem *Faulschlamm hervorgegangen. Gestützt wird diese Ansicht u. a. durch die Auffindung opt. aktiver Bestandteile in verschiedenen E., denn diese sollten nur aus organ. Materie entstanden sein. Ferner ließen sich aus E. Abbauprodukte von *Chlorophyll u. *Hämin, Steroid- u. a. *Carbonsäuren (*Lit.*[2]) sowie Steroid- u. Triterpen-Kohlenwasserstoffe (*Hopanoide, *Lit.*[3]) u. a. sog. *Chemofossilien* isolieren, wobei die Zusammensetzung vom Alter der E. abhängt; die Untersuchung der Leitverb. mit den Mitteln der *Geochronologie ist ein Arbeitsgebiet der *Paläobiochemie. Die eigentliche Bildung des E. (die auch heute noch fortdauern kann, z. B. im Schwarzen Meer) kann man sich anhand Abb. 1 wie folgt vorstellen.

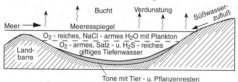

Abb. 1: Entstehung von Erdöllagern.

E. hat sich ursprünglich v. a. in den barrenreichen Küstenregionen am Außenrand von Kettengebirgen gebildet. In kleineren Randmeeren u. ruhigen Meeresbuchten mit Landbarren ist das Wasser in den tieferen Stellen zugleich Sauerstoff-arm u. reich an Schwefelwasserstoff, so daß die Organismen in dieser Zone zugrunde gehen, gleichzeitig aber vor völliger Verwesung geschützt werden. Die von Flüssen mitgeführten Süßwasserbewohner sterben in dem salzigen Wasser ebenso ab wie die Meeresorganismen, die über die Landbarre in die Bucht hineingeraten. Das reichlich vorhandene Salz wirkt wahrscheinlich konservierend, so daß die gewöhnlichen *Fäulnis-Prozesse (die als Endprodukte fast nur Wasser, Kohlendioxid, Ammoniak u. Schwefelwasserstoff liefern) nicht stattfinden können. Statt dessen nimmt man an, daß beim anaeroben Abbau des sog. *Sapropels* (Faulschlamm) z. B. die natürlichen Fette hydrolysiert werden u. dann bei den Fettsäure-Mol. unter Druck u. höherer Temp. (100–200 °C?) eine Abspaltung von CO_2 u. Zertrümmerung der größeren Mol. eintritt. Ein derartiger Abbaumechanismus erscheint angesichts Modellversuchen mit Fettsäuren durchaus plausibel; *Tonminerale dürften dabei katalyt. wirksam gewesen sein, u. die Einwirkung von Mikroorganismen läßt sich ebenfalls in allen Phasen nachweisen. Bei seiner Entstehung soll das E. die Stufe des sog. *Kerogens* durchlaufen, dessen mögliche Zusammensetzung aber noch unklar ist.

Vork.: Nach heutiger Auffassung ist das E. ursprünglich fast nur in Tonablagerungsschichten als dem eigentlichen E.-Muttergestein entstanden – in Sandsteinablagerungen würde viel Sauerstoff zugeführt, der rasch eine vollständige Zers. der Organismenreste bewirkt. Nun liegen heute aber rund 60% aller abbauwürdigen E.-Lager in Sanden u. Sandsteinen; es muß somit viel Öl aus den Tonen in die Sande hineingewandert sein. Vielleicht werden die ölhaltigen Tone durch den Druck der darüberlagernden Gesteinsschichten wie ein Schwamm ausgepreßt, u. das Öl wandert dann in alle möglichen Ausweichbezirke, so in Spalten, Klüfte u. Sande, die die (sek.) E.-Lagerstätten darstellen (Diagenese); ein Maß für die Durchlässigkeit von Gesteinen für E. ist das *Darcy. E. findet sich fast nie in Erstarrungsgesteinen, sondern nur in *Sedimentgesteinen (Sand- u. Kalkstein) – auch dieses spricht für seine organ. Entstehungsweise. Die Migration von Öl (u. Wasser) wird durch Kapillarkräfte, Schwerkraft, Auftrieb u. Druckdifferenz gefördert, durch die Oberflächenspannung behindert, u. findet erst an ölundurchlässigen Schichten, sog. cap rocks, ein Ende.

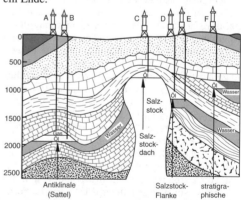

Abb. 2: Die Haupttypen der Erdöl-Lagerstätten (nach *Lit.*[4]).

Weltweit gesehen sind 80% der E.-Lagerstätten (*Ölfallen*) solche vom antiklinalen (od. Sattel-) sowie Salzstock-Dach-Typ (Abb. 2 B u. C), 11% befinden sich in stratigraph. Fallen u. Verwerfungen (Abb. 2 F) u. 3% in Salzstock-Flanken (Abb. 2 D); der Rest ist anders geartet. Die ältesten E.-Lager sollen sich vor ca. 2 Mrd., die wichtigsten vor 500–100 Mio. Jahren gebildet haben (vgl. Erdzeitalter). Im Tertiär liegen z. B. die Lager von Baku, Rumänien, Galizien, vom Rheintalgraben (Pechelbronn) u. von Utah/USA. Etwa 17%

der bekannten E.-Reserven liegen in Kreidegestein, 13% in Juragestein u. etwa 12% in paläoz. Gestein. Häufig staut sich das Öl in Verwerfungsspalten u. sonstigen bewegten Gegenden der Erde; das Öl von Pechelbronn bildet langgestreckte unterird. „Ölschläuche", die bis 1 km lang u. 4 m mächtig werden können. Es gibt Ölfelder, die in mehreren tausend Metern Gesamtmächtigkeit eine Vielzahl von Ölhorizonten mit jeweils verschiedenartigen E.-Sorten aufweisen. *Prospektion u. *Exploration ölhaltiger (*ölhöffiger*) Gebiete ist eine Aufgabe der Geologen u. der Geophysiker. Photogrammetrie (Luftbilder), Gravimetrie (Schweremessung), Seismographie, Messung der elektr. Leitfähigkeit u. des Magnetfeldes ergänzen die Resultate von Probebohrungen; man schätzt, daß jährlich etwa 60 000 Bohrungen niedergebracht werden, die bis 8000 m Tiefe erreichen können. Aufgrund verfeinerter Prospektions-Techniken werden immer neue E.-Lagerstätten entdeckt; während man 1964 mit ca. 46 Mrd. t Reserven rechnete, wußte man 1968 bereits von 62 Mrd. t u. 1970 von 83 Mrd. t Rohölreserven; 1980 hielten sich E.-Förderung u. E.-Entdeckung (87 Mrd. t) mengenmäßig die Waage.

Bis Ende 1995 lagen die weltweit bekannten E.-Reserven bei 136,9 Mrd. t u. waren trotz gestiegener Förderung gegenüber dem Vorjahr um über 1 Mrd. t gestiegen. Bei gegenwärtigem Bedarf würden diese Reserven über 40 ausreichen. Da die in den letzten Jahrzehnten erfolgte Steigerung der Reserven durch Prospektion u. Neubewertung bekannter Lagerstätten auch für die Zukunft zu erwarten ist, dürfte die tatsächliche Reichweite merklich höher liegen, ehe die derzeit unwirtschaftliche E.-Gewinnung aus *Ölsanden u. *Ölschiefern notwendig würde.

Tab. 1 zeigt die regionale Verteilung der E.-Reserven, wobei die *OPEC-Länder markiert sind (*). In Tab. 2 sind die Welt-Rohölförderung u. der Mineralölverbrauch 1995 einander gegenübergestellt. Die Statistiken verdeutlichen die längerfristig zunehmende Abhängigkeit der Industrieländer bes. von den OPEC-Ländern in Nahost.

Gewinnung: Nur selten sickert E. von selbst aus der Erde. Man gewinnt es daher fast ausnahmslos aus tieferen, ölreichen Schichten mit Bohrtürmen, von denen rotierende, an Stahlrohren befestigte Bohrer oft kilometertief in die Erde gesenkt werden. Die beim Bohren eingesetzten *Bohrspülmittel dienen nicht nur der Kühlung u. der Druckentlastung – in 8000 m Tiefe können Temp. von 270 °C u. ein Druck von $>1,7 \cdot 10^8$ Pa herrschen! –, sondern nehmen auch viele andere Funktionen wahr. Wenn sich in der Erde über dem Öl hochgespanntes *Erdgas angesammelt hat, kann dieses das angebohrte E. (s. Abb. 2 B) im Bohrloch emporpressen, so daß ein „Springer" entsteht. Bei den ärmeren Vork. muß man das Öl dagegen herauspumpen. Am meisten Öl liefern die zum erstenmal in einem neuen Ölgebiet angesetzten Bohrungen, weil hier durch die unterird. Gasmengen das Öl von weither zur Sonde gepreßt wird. Oft sind die Gase hier noch so stark gespannt, daß sie Sande u. Steine zusammen mit dem geysirartig ausspritzenden Öl zutage fördern; wenn die Steine aufeinander od. gegen das Bohrgestänge schlagen, kann sich die Ölquelle infolge Funkenbildung entzünden. Natürlich werden auch Rohölquellen unter dem Festlandssockel (Schelf) ausgenutzt, entweder durch schräg niedergebrachte Bohrungen od. durch sog. *Off-shore-*Bohrungen mit schwimmenden Bohrinseln (bis zu 1000 m Wasser-

Tab. 1: Erdölvorräte der Welt (in Mrd. t) Ende 1995 (nach *Lit.*[5]).

Naher Osten		89,6 = 65,4%
davon		
Saudi-Arabien*	35,3	
Irak*	13,4	
Kuweit*	13,0	
Arab. Emirate*	12,9	
Iran*	12,1	
Katar*	0,9	
Übrige	2,0	
Amerika		21,5 = 15,7%
davon		
Venezuela*	9,0	
Mexiko	6,8	
USA	3,0	
Kanada	0,7	
Brasilien	0,6	
Ecuador*	0,5	
Übrige	0,9	
Afrika		9,8 = 7,2%
davon		
Libyen*	3,9	
Nigeria*	2,8	
Algerien*	1,2	
Angola	0,8	
Ägypten	0,5	
Übrige	0,6	
GUS		7,8 = 5,7%
Fernost		5,9 = 4,3%
davon		
China	3,3	
Indien	0,8	
Indonesien*	0,7	
Malaysia	0,5	
Übrige	0,6	
Europa		2,3 = 1,7%
davon		
Norwegen	1,1	
Großbritannien	0,6	
Osteuropa (ohne GUS)	0,3	
Dänemark	0,1	
Übrige	0,2	
Summe Welt		136,9 = 100,0%
Summe OPEC-Länder		105,7 = 77,2%

* der OPEC angehörende Länder

Tab. 2: Welt-Rohölförderung u. -Mineralölverbrauch 1995 in Mio. t (nach *Lit.*[6])

	Förderung	Verbrauch
*OPEC-Länder	1343 = 41,2%	250 = 7,7%
*OECD-Länder	833 = 25,5%	1839 = 56,6%
(darin Nordamerika	(879 = 27,0%)	(879 = 27,0%)
502 = 15,4%)		
(EU-Länder	(610 = 18,8%)	(610 = 18,8%)
156 = 4,8%)		
sonstige Länder	1085 = 33,3%	1161 = 35,7%
Summe Welt	3261 = 100,0%	3250 = 100,0%

tiefe), am Meerboden stehenden od. – halbtauchend – mit Seilen befestigten Förderplattformen (bis 300 m) od. Bohrschiffen (>1000 m Tiefe).
Die „Lebensdauer" einer Bohrung ist ziemlich begrenzt; Sonden, die 10 a lang Öl liefern, sind selten. Läßt die natürliche Produktivität einer Rohölquelle (*Primärförderung*) nach, so kann die Ausbeute ggf. durch Einpressen von Erdgas (Abb. 2, Turm A, S. 1196) od. Wasser (Abb. 2, Turm E, S. 1196) wieder verbessert werden (*Sekundärförderung*). Mit den Meth. der Primär- u. Sekundärförderung erreicht man jedoch nur ca. 30% Entölung. Um auch den – früher vernachlässigten – „Rest" zu nutzen, der infolge zu großer Viskosität u. durch Kapillarkräfte zurückgehalten wird, muß man Verf. der *Tertiärförderung* (*E* enhanced oil recovery, *EOR*) anwenden: therm. od. *Wärmefluten,* d. h. Erhitzen des ölführenden Gesteins mit Heißwasser (200 °C, 4 · 10^6 Pa), Dampf (340 °C) od. durch Untertageteilverbrennung, *Misch-* u. *Lösungsmittelfluten,* d. h. Einpressen von organ. Lsm., Flüssiggasen od. CO$_2$ u. *chem. Fluten,* d. h. Injektion von Natronlauge („Alkalifluten"), Tensiden u./od. Polymer-Lsg., die das E. „vor sich her schieben", s. *Lit.*[7].

Verarbeitung: Das erbohrte Rohöl wird zunächst in großen Tanks einige Zeit aufbewahrt, damit sich das mitgeführte Wasser absetzen kann; Emulsionen werden durch Zusatz von *Demulgatoren gebrochen. Sodann entfernt man häufig schon auf dem Ölfeld die als petrochem. Rohstoffe (s. unten), Brenn- u. Flüssiggase (LPG=Liquefied Petroleum Gas) nützlichen flüchtigen Bestandteile Methan, Ethan, Propan u. Butan (s. a. Erdgas) aus dem Rohöl; Methan u. Ethan werden außerdem als Heizmaterial für Dest.-Prozesse usw. verwendet. Das von flüchtigen Bestandteilen befreite Rohöl wird dann in Tanks od. unterird. in Kavernen gelagert, im allg. jedoch durch – ggf. über 1000 km lange – *Pipelines, mit Tankwagen u. -schiffen den *Raffinerien* zugeleitet. Die mit dem Transport von E. verbundenen u. in internat. Vereinbarungen u. VO (z. B. der IMO) genau definierten Risiken werden durch gelegentliche Tankerunfälle mit der damit verbundenen Meerwasserverschmutzung (**Ölpest*) beleuchtet. Von 1967 bis 1991 wurden 12 Ölkatastrophen mit Rohölverlusten von jeweils mehr als 20 000 t registriert[8], von denen die Tankerunfälle „Amoco Cadiz" 1978 u. „Exxon Valdes" bes. bekannt wurden.

In den Raffinerien wird das Rohöl durch *fraktionierte Dest.* in verschieden hoch siedende Bestandteile zerlegt u. diese auf chem. bzw. physikal. Wege gereinigt. Die Beziehungen der Verf. u. Produkte zueinander sind in Abb. 3 schemat. wiedergegeben, wobei statt der hier gewählten Bez. wie Gasöl, Naphtha etc. fachsprachlich auch andere wie Schwer- u. Mitteldestillat od. Rohbenzin etc. in Gebrauch sind.

An die Trennung der einzelnen Fraktionen schließen sich spezif. Raffinationsgänge an, z. B. die Entfernung von Olefinen, die *Entschwefelung (meist durch katalyt. Hydrierung u./od. Extraktion, s. Süßung des Benzins), die Beseitigung dunkler Bestandteile (durch Adsorption od. durch Extraktion mit anorgan. od. organ. Lsm.), die Entparaffinierung (über *Einschlußverbindungen), die Entfernung von Aromaten (mittels Ex-

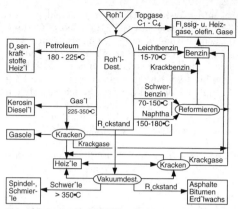

Abb. 3: Schema der Rohöl-Verarbeitung.

traktion z. B. mit Stickstoff-Heterocyclen); viele dieser Verf. werden hier unter ihren Eigennamen (z. B. *Arex-, *Edeleanu-Verfahren) abgehandelt. Die – bereits den Arbeitsgebieten der *Petrochemie zugerechnete – Weiterverarbeitung des E. zu *Benzin, *Dieselkraftstoffen, *Heizölen u. *Schmierstoffen verlangt jeweils spezif. Techniken. Beispielsweise wären die sog. *straight-run*-Benzine zum Betrieb moderner Otto-Motoren ungeeignet, enthielten sie nicht Bestandteile, die ihre *Octan-Zahl erhöhen. Diese höheroctanigen Verb. werden in den straight-run-Benzinen durch *Reformieren (Konversion* im allg. Sinne) erzeugt, wobei an Metall-, insbes. Platin-Katalysatoren Hydrodesalkylierung, Dehydrocyclisation u. Dehydrierung (zu aromat. Verb.), Isomerisierung (von linearen zu verzweigten Alkanen), Hydrogenolyse (hydrierende Spaltung von Alkanen) u. Entschwefelung stattfinden, s. a. Benzin. Da die meisten E. nicht genügend Benzin u. leichtes Heizöl enthalten, müssen die höhermol. Destillate u. Rückstände durch *Pyrolyse hierfür nutzbar gemacht werden. Dies geschieht beim *therm.* u./od. *katalyt.* *Kracken, wobei bei rein therm. Verf. Temp. zwischen 500 °C (z. B. Visbreaking) u. 1000 °C (Steamkracker), bei katalyt. Verf. u. beim Hydrokracken niedrigere Temp. zur Anw. kommen. Die Spaltprodukte der Krackprozesse, zu denen auch *Petrolkoks gehört, werden entsprechend Abb. 3 in den Kreislauf eingeführt. Die Raffinerie- u. petrochem. Anlagen werden heute weitgehend durch *Prozeßrechner gesteuert, sodaß eine Mannschaft von 5 bis 7 Leuten eine Anlage steuern kann.

Verw.: Von den 1995 in der BRD erzeugten E.-Produkten (ca. 114 Mio. t) entfielen auf Ottokraftstoffe 21,4%, Dieselkraftstoffe 18,4%, Heizöl leicht 23,1% u. Heizöl schwer 11,2%, der Rest verteilt sich auf Schmierstoffe, Bitumen, Petrochemikalien etc., s. *Lit.*[9]. Die beim Kracken u. Reformieren anfallenden *Petrochemikalien* Ethylen, Propylen, Buten (LPG) u. die Aromaten Benzol, Toluol u. Xylol (BTX) dienen als Ausgangsmaterial für eine Vielzahl von Produkten. Hinzuzufügen wäre hier noch das mit den Techniken der *Biotechnologie aus Paraffinen od. Methan(ol) gewinnbare Futtermittel-Eiweiß (sog. *Petroprotein*). Angesichts der Vielfalt aus E. herstellbarer organ. Grundchemikalien hat die Petrochemie auf manchen Gebieten die *Kohlechemie* verdrängt: Entstammten noch

1960 nur 1% des Benzols dem E., so waren es 1965 bereits 30% u. 1970 80%; für Synthesegas (H_2/CO) lauten die entsprechenden Ziffern 25, 60, 100%, u. selbst Acetylen (33, 50, 80%) ist heute im wesentlichen ein Produkt der Petrochemie. Eigentlicher Rohstoff für die Petrochemikalien ist das *Naphtha,* dessen Verfügbarkeit naturgemäß mit dem Absatz der anderen E.-Produkte gekoppelt ist.

Verknappungen in der Rohstoffproduktion infolge natürlichen Aufbrauchs od. polit. Manipulationen können sehr weitreichende Folgen haben – man denke an die „Ölkrisen" 1973 u. 1979/80. Angesichts des steigenden Bedarfs an Petrochemikalien werden weltweit nicht nur die Forschungen nach neuen Herst.-Verf. intensiviert, sondern auch Bestrebungen, durch Ausnutzung anderer *Energien u. *Rohstoffe (Kern-, Sonnenu. Wasserenergie, Recycling von *Müll, Aufarbeitung von *Altöl) freie E.- u. Erdgaskapazitäten für die Zwecke der Petrochemie zurückzugewinnen. Hauptaufgaben der E.-Forschung liegen in der Exploration u. der Entwicklung wirkungsvollerer Meth. der Entölung, der Entschwefelung u. der Nutzbarmachung hochsiedender E.-Fraktionen (*Masuts,* Sdp. >350 °C), sowie in der Verbesserung petrochem. Verf. u. Produkte. Die Umstellung von Benzin auf Blei-freie Sorten als Ergebnis dieser Arbeiten ist heute weitestgehend abgeschlossen.

Geschichte: Einzelne Erdölbestandteile wurden schon vor weit mehr als 2000 Jahren in den Mittelmeerländern als Heizmaterial, zum Beleuchten, zum Einbalsamieren von Leichen (Ägypten), als Mörtel (Babylon), Wagenschmiere, zum Vernichten schädlicher Insekten usw. verwendet. Als Alexander der Große in Ekbatana einzog, sollen die Einwohner zu Ehren des Siegers die Straßen mit E. bestrichen haben, das nachts zur Illumination entzündet wurde. Die Thermen des Severus in Byzanz wurden von ca. 200–450 n. Chr. mit E. beheizt. Die im 7. Jh. n. Chr. in Byzanz aufgekommenen „griech. Feuer" bestanden wahrscheinlich aus E., das mit Hilfe der Reaktionshitze aus gebranntem Kalk u. Tau teilw. vergast wurde, so daß man die Dämpfe leicht entzünden konnte. Nach anderen Angaben (vgl. *Lit.*[10]) wurden sie von dem syr. Chemiker Callinicus (Kallinikos) als eine Art Flammenwerfer erfunden u. bestanden aus Schwefel, E., Pech u. gebranntem Kalk; als „Zünder" könnte Calciumphosphid gedient haben, das bei Wasserberührung selbstentzündliches Phosphan bildete. Im kaukas. Ölgebiet errichteten die Parsen schon vor über 2500 Jahren Tempel für die „heiligen Feuer" (brennende Erdgase), u. Wallfahrten in diese Gebiete wurden erst um 1880 von der russ. Regierung verboten. Die industrielle Verw. des E. setzte etwa um 1854 ein, als Silliman vorschlug, dest. u. mit Schwefelsäure gereinigtes E. in Lampen zu Beleuchtungszwecken zu verwenden. Am 27. August 1859 erbohrte Colonel Drake in einem Brunnen am Oil Creek (Pennsylvania) in 22 m Tiefe die erste größere Ölquelle; von diesem Datum an setzten in allen erdölhöffigen Gebieten lebhafte Bohrungen ein, u. die E.-Gewinnung stieg sprunghaft. In Europa sandte Liebig bereits um 1860 seinen Schüler Eichler nach Baku, der dort die Raffinationstechnik in die Wege leitete. In Galizien hatten Hecker aus Prag u. Mitis bereits 1810–1817 E. gebohrt u. daraus Leuchtöl destilliert; sie führten damit schon 1816 eine Probebeleuchtung in der Stadt Prag durch. Bukarest wurde 1857 zum erstenmal mit rumän. E. beleuchtet. Mit der Einführung des Gaslichts u. des elektr. Lichts trat das Leuchtpetroleum in den Hintergrund, dafür beanspruchte die rasch ansteigende Motorisierung riesige Mengen von anderen E.-Produkten (Benzin, Dieselöle, Schmieröle). Die Weltproduktion an E. nahm schnell zu; sie betrug 1860 etwa 70 000 t, 1870 nahezu 1 Mio. t, 1900 21, 1920 100, 1929 210, 1937 281, 1945 367, 1948 450, 1955 765, 1959 ca. 1000, 1963 ca. 1300, 1970 2340 u. 1995 3261 Mio. t. – *E* petroleum – *F* pétrole – *I* petrolio greggio – *S* petróleo

Lit.: [1] Anal. Chem. **55**, 245–313 (1983); Erdöl, Erdgas, Kohle **105**, 117 ff. (1989). [2] Zechmeister **32**, 1–50. [3] Nachr. Chem. Tech. Lab. **32**, 418–423 (1984); **34**, 8–14 (1986). [4] Lichtbogen **24**, Nr. 1, 22 (1975). [5] Erdöl Erdgas Kohle **112**, 94 (1996). [6] Mineralölzahlen 1995, S. 49, Mineralölwirtschaftsverband 1996. [7] Chem. Unserer Zeit **18**, 87–95 (1984); J. Petrol. Technol. **1987**, 976–980. [8] Römpp Lexikon Umwelt, S. 517 f. [9] Mineralölzahlen 1995, S. 26, Mineralölwirtschaftsverband 1996. [10] Bayer Farben Rev. Spec. Ed. (USA) **25**, 31 f. (1974).

allg.: Book of ASTM-Standards, Bd. 05.01–05.04, Philadelphia: ASTM (jährlich) ▪ Das Buch vom Erdöl, 5. Aufl., Hamburg: Reuter u. Klöckner 1989 ▪ Kirk-Othmer (3.) **17**, 110–271; (4.) **18**, 342–479 ▪ Mineralöl- u. Brennstoffnormen (DIN-Taschenbücher 20, 32, 57, 58), Berlin: Beuth jährlich ▪ Ullmann (4.) **10**, 621–714; **11**, 1–40; (5.) **A 18**, 51–99; **A-23**, 117–192 ▪ Winnacker-Küchler (4.) **5**, 1–32, 48–272. – *Organisationen u. Institute:* Deutsches Erdölmuseum, 29323 Wietze ▪ Deutsche wissenschaftliche Ges. für Erdöl, Erdgas u. Kohle (DGMK), 20095 Hamburg ▪ Engler-Bunte-Institut, 76050 Karlsruhe ▪ Erdölbevorratungsverband, 20305 Hamburg ▪ Institut für Erdölforschung, 38678 Clausthal-Zellerfeld ▪ Mineralölwirtschaftsverband, 20099 Hamburg ▪ Wirtschaftsverband Erdöl- u. Erdgasgewinnung (WEG), 30169 Hannover ▪ World Petroleum Congress, 61, New Cavendish Street, London WIM 8AR. – *[HS 2709 00]*

Erdölchemie (EC). Kurzbez. für die 1957 von Bayer u. BP (50:50) gegr. EC Erdölchemie GmbH, 50769 Köln. *Daten* (1994): 2469 Beschäftigte, 320 Mio. DM Kapital, 2,1 Mrd. DM Umsatz. *Produktion:* Krackanlagen u. Betriebe für die chem. Weiterverarbeitung der Krackprodukte.

Erdölgas s. Erdgas.

Erdölharze s. Kohlenwasserstoff-Harze.

Erdölpech s. Pech.

Erdöl-verwertende Bakterien. *Bakterien mit der Fähigkeit, Kohlenwasserstoffe des *Erdöls als Kohlenstoff- u. Energie-Quelle zum Wachstum zu nutzen. Sie gehören verschiedenen Gruppen an u. sind überall aus Feld-, Wald- u. Wiesenböden zu isolieren. E.-v. B. synthetisieren Biotenside, um die Aufnahme der Kohlenwasserstoffe in die Zelle zu erleichtern. In gut durchlüfteten Böden kann Erdöl schnell u. vollständig abgebaut werden. Im Meerwasser dagegen werden nur wasserlösl. Anteile rasch zersetzt, langkettige Alkane, polyaromat. Kohlenwasserstoffe u. *Asphalt-artige Gemische überdauern lange Zeit. Da der Angriff ausschließlich von der Oberfläche her erfolgen kann, werden Ölteppiche nur sehr langsam zersetzt. In Erdöl-Lagerstätten erfolgt aufgrund des Sauerstoffmangels kein merklicher Abbau.

Anw.: E.-v. B. werden eingesetzt zur Gewinnung von Futtermittel-Proteinen (*single cell protein) aus Alkanen sowie zur Beseitigung von Ölrückständen (*Ölpest). – *E* oleaginous bacteria – *F* bactéries dégradant le pétrole – *I* batteri petrolio-degradanti – *S* bacterias degradantes del petróleo
Lit.: Biol. Unserer Zeit **1989**, 145 ff.

Erdölwachse s. Wachse.

Erdostein.

Internat. Freiname für *N*-[(Carboxymethylthio)-acetyl]-DL-homocystein-γ-thiolactone, $C_8H_{11}NO_4S_2$, M_R 249,31, Schmp. 156–158 °C, LD_{50} (Maus i.v.) >3500 mg/kg. Es wurde 1982/83 von Refarmed patentiert u. soll als Mucolytikum von Edmond (Edirel®, Vectrine®) in den Handel kommen. – *E* erdosteine – *F* erdostéine – *I* = *S* erdosteina
Lit.: Merck-Index (12.), Nr. 3684. – *[CAS 84611-23-4]*

Erdpigmente s. Pigmente.

Erdsäuren s. Erdmetalle.

Erdschwarz s. Schieferschwarz.

Erdwachs. Bez. für in *Erdöl-Lagerstätten gefundene feste bis halbfeste Rückstände, auch Bez. für den Rückstand der Erdöl-Destillation. Ein ähnliches Produkt ist das natürliche *Ozokerit von wachsartiger Konsistenz, s. a. Ceresin. – *E* mineral wax, ozokerite – *F* cire de paraffine, dire minérale – *I* cera fossile, ozocherite – *S* cera mineral
Lit.: Kirk-Othmer (3.) **24**, 471–476 ■ s. a. Wachse. – *[HS 2712 90]*

Erdwärme (Geothermie). Bez. für die Wärmeenergie, die in der äußeren Erdkruste gespeichert ist. Durch Abkühlung von ~200 °C heißem Gestein mittels sog. Geothermiekraftwerke wird Heiz- u. Prozeßwärme erhalten u. auch elektr. Energie erzeugt. Da hierbei keine fossilen Energieträger verbrannt werden, ist der Einsatz von E. ein Beitrag zur Red. des CO_2-Ausstoßes.
Bei der Bildung der Erde vor etwa 4,6 Mrd. a wurde sie aufgrund der freiwerdenden potentiellen Energie der sich verdichtenden kosm. Materie mit rund 10^{31} J Energie ausgestattet. Durch Strahlungsausgleich zwischen einfallender Sonneneinstrahlung u. emittierter Wärmestrahlung der Erde stellte sich nach kurzer Zeit eine Oberflächentemp. von rund 14 °C ein. Der heutige Wärmeverlauf mit einem mittleren Temperaturgradienten von 30 °C/km u. einer mittleren kontinentalen Wärmestromdichte von 65 mW/m² wird durch Wärmeproduktion beim Zerfall der langlebigen radioaktiven Isotope U^{238}, U^{235}, Th^{232} u. K^{40} bestimmt, die bes. im Granitgestein der kontinentalen Oberkruste angereichert sind. Die Wärmestromdichte der basalt. ozean. Kruste wird durch den Aufstieg heißer Mantelgesteine auf einem ähnlichen Wert gehalten. Insgesamt beträgt der Wärmestrom, der durch Strahlung von der Erde in das Weltall abgegeben wird ~4 · 10^{13} W (der weltweite Primärenergieverbrauch betrug 1991 1,1 · 10^{13} W).
Bei der Nutzung der E. nach dem Hot-Dry-Rock-Konzept (HDR-Konzept, hot dry rock = heißes trockenes Gestein) werden zwei Bohrungen bis in eine Tiefe von ~6 km vorangetrieben. Durch die eine Bohrung (Injektion) wird Wasser in das ~200 °C heiße Gestein gedrückt, über die zweite Bohrung (Extraktion) erhitztes Wasser entnommen (s. Abb.).

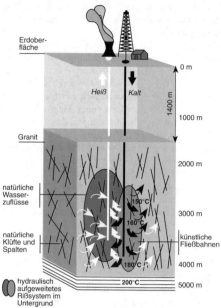

Abb.: HDR-Konzept zur Nutzung von Erdwärme.

Modellrechnungen zeigen, daß sich dieser Wärmetauscher über eine Fläche von 5 bis 10 km² erstrecken müßte, damit bei einer Zirkulationsrate von etwa 75 L/s ein geotherm. Kraftwerk mit einer Leistung von 50–100 MW über eine Dauer von 20 a betrieben werden könnte. Da das abkühlende Gestein Risse bildet, erschließen sich für das einströmende kalte Wasser stets weitere Wärmereservoirs; ein zu hoher Wassereintrag birgt allerdings die Gefahr einer zu großen Rißbildung, wodurch u. a. Wasser verlorengeht.
E. wird seit Jh. in Form heißer Quellen genutzt. Seit 1898 wird sie in Island für die Beheizung von Gewächshäusern u. seit 1928 für die Fernwärmeversorgung von Reykjavik eingesetzt. 1991 waren weltweit E.-Kraftwerke mit einer elektr. Leistung von 6000 MW installiert; ferner beträgt die genutzte Energie für Heizzwecke u. Prozeßwärme mind. 11 GW. Im größten Geothermie-Forschungsprojekt Europas in Soultz-Sous-Foret (Elsaß) wird 1997 die Erprobung unter kraftwerksnahen Bedingungen beginnen. In 5 km Tiefe erwarten Geophysiker eine Gesteinstemp. von 200 °C. Mit zwei zusätzlichen Tiefbohrungen wollen Wissenschaftler im nächsten Schritt 40 bis 50 MW therm. Energie ($\triangleq$~5 MW elektr. Energie) erzeugen. Für den Bau u. Betrieb des turbinenbetriebenen Pilotkraftwerks haben die Pfalzwerke AG in Ludwigshafen u. Electricité Strasbourg eine Ges. „Wärmebergbau" gegründet. – *E* geothermal resources
Lit.: Anderson et al., Geothermal Resources, Encycl. of Physical Science and Technology, Bd. 7, S. 323–359, San Diego: Academic Press 1992 ■ Phys. Unserer Zeit **24**, 120–125 (1993).

Erdzeitalter. Heute durch die Begriffe Ära u. Syst. ersetzte Bez. für die verschiedenen Phasen in der Geschichte der *Erde. Man nimmt heute an, daß die Erde 4,55–4,6 Mrd. a alt ist, u. man unterteilt die Zeitspanne bis heute, in der die *chemische u. darauf die *biolog.* Evolution – Entstehen, Entfaltung u. Vergehen der Arten – stattgefunden haben, mit zunehmender Untergliederung in Äon (Äonothem), Ära (Ärathem), Syst. (früher Formation), Serie u. Stufe. Die Tab. beschränkt sich auf die wichtigsten Begriffe u. berücksichtigt in Mitteleuropa gebräuchliche Benennungen bei den Serien, z. B. bei der Trias; sie ist eine stark vereinfachte Version der geolog. Zeitskala bei Stanley (*Lit.*); diese beruht wiederum auf der von der IUGS (International Union of Geosciences) 1989 herausgegebenen Global Stratigraphic Chart[1]. Es gibt derzeit keine internat. gültige geolog. Zeitskala; eine weitere aktuelle Version (mit Fehlerangaben in ±x Mio. a) gibt Harland (*Lit.*); für Lehr- u. Ausstellungszwecke gibt es eine Wandkarte[2]. Es sei darauf hingewiesen, daß sich v. a. in der älteren Lit. auch andere Bez. finden können (z. B. *Algonkium* für den letzten Abschnitt des Präkambriums u. *Neozoikum* statt Känozoikum). Aufgrund neuer wissenschaftlicher Erkenntnisse können sich die Zeitangaben (in Mio. a) in der Skala – im allg. heute nur noch geringfügig – ändern; die letzte größere Änderung betrifft die *Grenze zwischen Präkambrium u. Kambrium*; sie wird heute statt mit bisher 570 Mio. a mit 545[3] bzw. 543±1[4] Mio. a angegeben. Konstant geblieben ist die Datierung der im Zusammenhang mit einem möglichen Meteoriten-Einschlag u. dem Aussterben der Dinosaurier lebhaft diskutierten *Kreide/Tertiär-Grenze*[5] auf 65±1 Mio. a. Einen Überblick über frühere Zeitskalen gibt *Lit.*[6]. Auf die Angabe tier. u. pflanzlicher *Fossilien mußte in der Tab. verzichtet werden. – *E* geologic time scale – *F* ères géologiques – *I* ere geologiche – *S* eras geológicas

Lit.: [1] Episodes **12**, Nr. 2, Supplement (1989). [2] Haq u. Eysinga, Geological Time Table (4.), Amsterdam: Elsevier 1987. [3] Geology **22**, 496ff. (1994). [4] Science **270**, 598–606 (1995). [5] Earth Sci. Rev. **26**, 1–26 (1994). [6] Episodes **12**, Nr. 1, 3ff. (1989).
allg.: Blatt, Berry u. Brande, Principles of Stratigraphic Analysis, Boston: Blackwell Scientific Publ. 1991 ▪ Harland et al., A Geologic Time Scale, 1989 Edition, Cambridge (U. K.): Cambridge University Press 1990 ▪ Stanley, Historische Geologie, Heidelberg: Spektrum Akadem. Verl. 1994 ▪ s. a. Geochronologie, Geologie, Stratigraphie, Paläontologie u. Fossilien.

Tab.: Einteilung des Erdzeitalters.

Äonothem	Ärathem	System	Zeit [10^6 a]	Serie
Phanerozoikum	Känozoikum	Quartär	0,01	Holozän (Alluvium)
			1,6	Pleistozän (Diluvium)
		Tertiär, Neogen	5,3	Pliozän
			23	Miozän
		Tertiär, Paläogen	37	Oligozän
			53	Eozän
			65	Paläozän
	Mesozoikum	Kreide	95	Obere Kreide
			135	Untere Kreide
		Jura	152	Malm, Oberer Jura (Weißer Jura)
			180	Doggor, Mittlerer Jura (Brauner Jura)
			205	Lias, Unterer Jura (Schwarzer Jura)
		Trias		Keuper
				Muschelkalk
			250	Buntsandstein
	Paläozoikum	Perm	260	Zechstein
			290	Rotliegendes
		Karbon	325	Oberkarbon
			355	Unterkarbon
		Devon	410	Ober-, Mittel-, Unter-Devon
		Silur		Pridolium
				Ludlowium
				Wenlockium
			438	Llandoverium
		Ordovizium	510	Ober-O., Unter-Ordovizium
		Kambrium	545 (570)	Ober-, Mittel-, Unter-Kambrium
"Präkambrium"	Proterozoikum		2500	
	Archaikum		4600	

Eremophilane.

Eremophilon   Petasalbin

*Sesquiterpene mit 7-Isopropyl-1,8a-dimethyldecalin-Grundgerüst. E. sind häufig in Korbblütlern enthalten. Aufgrund der Stereochemie unterscheidet man 2 Typen: den Eremophilan-Typ mit drei β-ständigen Seitenketten, z. B. *Eremophilon* {$C_{15}H_{22}O$, M_R 218,30, Schmp. 41–42 °C, $[\alpha]_{546}$ –207° ($CHCl_3$)} u. *Petasalbin* {$C_{15}H_{22}O_2$, M_R 218,30, Schmp. 81–82 °C, $[\alpha]_D^{24}$ –11,8° ($CHCl_3$)} u. den Valencan-Typ mit zwei α-ständigen Methylgruppen (vgl. Nootkaton u. Valencen). – *E* eremophilanes – *F* érémophilanes – *I* eremofilani – *S* eremofilanos

Lit.: Zechmeister **34**, 81–186. – [CAS 562-23-2 (Eremophilon); 4176-11-8 (Petasalbin)]

Erfassungsgrenze s. Nachweisgrenze.

Erfindung s. Patente.

Erfrischungstücher s. Gesichtswässer.

Erftwerk-Verfahren s. EW-Verfahren.

Erg (Kurzz.: erg). Seit 1. 1. 1978 durch *Joule ersetzte Einheit der *Energie u. Arbeit im *CGS-System: 1 erg = 1 dyn · cm = 10^{-7} Joule. – *E* = *F* = *I* erg – *S* erg, ergio

Ergansoga®. Substantive Farbstoffe für Batikfärbungen von Baumwolle. *B.:* Bayer.

Ergastoplasma s. endoplasmatisches Retikulum.

Ergenyl®. Tabl. u. Lsg. mit Valproat-Natrium gegen Epilepsie. *B.:* Sanofi Winthrop.

Ergo... Anlautender Wortbestandteil in den Namen einzelner *Ergot-Alkaloide u. aus *Ergot isolierter anderer Naturstoffe sowie in meist durch Marken geschützten Handelsnamen für Präp., die diese enthalten. In allg. Begriffen kann auch griech.: ergon = Arbeit der Bez. zugrundeliegen.

Ergocalciferol. Internat. Freiname für *Vitamin D$_2$, s. a. Calciferole.

Ergochrome (Secalonsäuren, früher: Ergochrysine, Chrysergonsäuren).

Ergochrom	alternativer Name
AA	Secalons%oureA
BB	Secalons%oure B
AB	Secalons%oure C
CC	Ergoflavin
AC	Ergochrysin A
BC	Ergochrysin B
AD	-
BD	-
CD	-
DD	-
EE	Secalons%oure D
GG	Secalons%oure E
BE	Secalons%oure F
AG	Secalons%oure G
CF	Ergoxanthin

Ergochrom-Monomere

A, B, C, D, E, F, G

Secalons%oureA:

Ergochrysin

Ergoflavin

Die dunklen Fruchtkörper (Sklerotien) des auf Roggen wachsenden Mutterkorns (*Claviceps purpurea*) enthalten ein Gemisch von Farbstoffen, die als E. bezeichnet werden. Sie sind aber auch in anderen Niederen Pilzen u. Flechten enthalten. Alle E. sind Dimere von sieben verschiedenen *Xanthon-Monomeren, bei den Secalonsäuren tragen beide Monomere Carboxy-Gruppen. Die Xanthone sind in 2,2'-Position miteinander verknüpft. Aus systemat. Gründen werden die E. durch die beiden Monomere, aus denen sie aufgebaut sind, gekennzeichnet (vgl. Abb.), z. B. *Ergochrom BE = Secalonsäure F* {C$_{32}$H$_{30}$O$_{14}$, M$_R$ 638,16, gelbe Nadeln, Schmp. 218–221 °C, [α]$_D^{20}$ +202° (Pyridin)}. Mol., die den Grundbaustein C enthalten, werden nicht Secalonsäuren genannt, z. B. *Ergochrom AC = Ergochrysin A* [C$_{31}$H$_{28}$O$_{14}$, M$_R$ 624,56, gelbe Krist., Schmp. 285 °C (Zers.)] od. *Ergochrom CC = Ergoflavin* {C$_{30}$H$_{26}$O$_{14}$, M$_R$ 610,53, gelbe Nadeln, Schmp. >350 °C (Zers.), [α]$_D^{20}$ +105° (Pyridin)}. Biosynthet. werden E. aus Octaketiden über Ringöffnung u. Recyclisierung von Anthrachinon-Zwischenstufen wie *Emodin gebildet[1]. E. (die Secalonsäuren) besitzen cytostat. Eigenschaften[2]. – *E = F* ergochromes – *I* ergocromi – *S* ergocromos

Lit.: [1] Angew. Chem. **92**, 483 f. (1980). [2] Drugs Exptl. Clin. Res. **13**, 339–344 (1987).
allg.: Cole u. Cox, Handbook of Toxic Fungal Metabolites, S. 646–669, New York: Academic Press 1981 ▪ Sax (8.), Nr. EDA 500 ▪ Tetrahedron Lett. **20**, 4633 (1979) (Isolierung). – [CAS 60687-07-2 (Secalonsäure F); 3419-11-2, 2755-83-1 (Ergochrysin A); 3101-51-7 (Ergoflavin)]

Ergochrysin s. Ergochrome.

Ergocristin, Ergocornin s. Ergot-Alkaloide.

Ergoflavin s. Ergochrome.

Ergokryptin s. Ergot-Alkaloide.

Ergole. Gruppenbez. (Mon-, Di-, Hypergole usw.) für *Raketentreibstoffe.
Lit.: Ullmann (4.) **20**, 91–112; (5.) **A 22**, 185–209.

Ergometrin s. Ergot-Alkaloide.

Ergonomie. Die E. ist ein Teilgebiet der *Arbeitswissenschaft*, das sich mit den Wechselbeziehungen zwischen Mensch u. Arbeit befaßt. Aufgabe der E. ist die Koordinierung verschiedener Wissensgebiete u. Maßnahmen zur Optimierung u. Humanisierung von Arbeitsprozessen („Untersuchung u. Gestaltung von Mensch-Maschine-Syst."). Mit Hilfe der E. sollen arbeitsbiolog. Gesichtspunkte aus Erkenntnissen u. Forderungen der *Arbeitsmedizin, -physiologie u. -psychologie mit den prakt. Verhältnissen u. Bedingungen am Arbeitsplatz in Einklang gebracht u. auf techn. Prozesse übertragen werden[1]. Dazu gehört insbes. die Anpassung der Arbeitsbedingungen an den Menschen durch körpergerechte Gestaltung der Arbeitsplätze (z. B. Büromöbel) u. angemessene Arbeitshaltung, Beschränkung der Beanspruchung durch die Arbeit auf ein zulässiges Maß, Abbau von Belastungen, Gestaltung der Umgebungseinflüsse, Schaffung gebrauchsgerechter Erzeugnisse u. arbeitsgerechte, bedienungsfreundliche Betriebsmittel (z. B. Werkzeuge). § 90 des Betriebsverfassungsgesetzes vom 15.01.1972 fordert von Arbeitgeber u. Betriebsrat, „die gesicherten arbeitswissenschaftlichen Erkenntnisse über die menschengerechte Gestaltung der Arbeit" zu berücksichtigen. – *E* ergonomy – *F* ergonomie – *I* ergonomia – *S* ergonomía

Lit.: [1] Schnauber, Ergonomie, in Handbuch zur Humanisierung der Arbeit, Dortmund: Bundesanstalt für Arbeitsschutz 1985. *allg.:* Betriebsverfassungsgesetz vom 15.01.1972 (BGBl. I, S. 13), zuletzt geändert durch Gesetz vom 24.07.1986 (BGBl. I, S. 1110) ▪ Arbeitssicherheitsgesetz vom 12.12.1973 (BGBl. I, S. 1885) geändert durch Jugendarbeitsschutzgesetz vom 12.04.1976 (BGBl. I, S. 965) ▪ Sicherheitsregeln für Bildschirm-Arbeitsplätze im Bürobereich ZH 1/618 (Ausgabe 10.1980) ▪ UVV „Allgemeine Vorschriften" (VBG 1) in der Fassung vom 01.04.1992 ▪ UVV „Lärm" (VBG 121) in der Fassung vom 01.04.1992 ▪ VO über Arbeitsstätten (ArbStättV) vom 20.03.1975 (BGBl. I, S. 729), zuletzt geändert durch VO vom 01.08.1983 (BGBl. I, S. 1057). – *B.* für Unfallverhütungsvorschriften u. ZH-1-Schriften: Carl Heymanns Verl. KG, Luxemburger Straße 449, 50939 Köln od. Jedermann-Verl., Postfach 10 31 40, 69021 Heidelberg.

Ergosin, Ergostin s. Ergot-Alkaloide.

Ergosterin [Ergosterol, (22*E*)-Ergosta-5,7,22-trien-3β-ol, Provitamin D$_2$].

$C_{28}H_{44}O$, M_R 396,66, Schmp. 168 °C (mit 1,5 Mol Kristallwasser), $[\alpha]_D$ –133° (CHCl$_3$), unlösl. in Wasser, gut lösl. in Ether, Chloroform u. heißem Alkohol. E. kommt im Mutterkorn (*Claviceps purpurea*), in Bierhefe (bis zu 10% des Trockengew.), Pilzen u. Flechten vor. E. wird von *Digitonin ausgefällt.
Bei Belichtung mit UV-Licht in Ggw. von Luftsauerstoff geht E. in das Prävitamin D$_2$ (*Präcalciferol*, antirachit.) u. schließlich therm. in *Vitamin D$_2$ über, man bezeichnet E. daher auch als Provitamin D$_2$. Seitenreaktionen führen über Tachysterol zu Lumisterol, das ebenfalls in Prävitamin D$_2$ übergeht. Die vielfältigen photochem. u. therm. Umwandlungen des E. u. seiner Verwandten werden bei *Isomerisierung behandelt. Im tier. Organismus wird E. in der Leber aus Cholesterin gebildet. – *E* ergosterol – *F* ergostérine – *I* ergosterolo – *S* ergosterol

Lit.: Beilstein E IV **6**, 4407 f. ▪ Merck Index (12.), Nr. 3701 ▪ Phytochemistry **15**, 283 (1976) ▪ s. a. Calciferole. – [HS 2936 10; CAS 57-87-4]

Ergot (Mutterkorn). Getrocknete Sklerotien des Mutterkorn-Pilzes (*Claviceps purpurea*, Hypocreaceae). E. wird durch großflächigen Anbau von Roggen-Mutterkorn hergestellt (v. a. in Kanada, aber auch in Spanien, Frankreich u. der BRD). Die Kultivierung unterliegt strenger behördlicher Kontrolle (Betäubungsmittelgesetz). Durch Extraktion werden aus E. die pharmazeut. wichtigen Mutterkorn-Alkaloide (*Ergot-Alkaloide) gewonnen. Weitere *Claviceps*-Arten, die Sklerotien bilden, sind *C. paspali, C. fusiformis, C. gigantea* u. *Sphacelia sorghi*. E. enthält außerdem Polyketid-Farbstoffe (*Ergochrome, Secalonsäuren) sowie *Ergosterin u. Ricinolsäure. Die Verunreinigung des Roggenmehls mit E. führte im Mittelalter oft zu schweren Massenvergiftungen (infolge der enthaltenen E.-Alkaloide, Ergotismus, St. Antonius-Feuer). E. wird in geringen Konz. u. a. gegen Migräne eingesetzt (vasokonstriktor. Wirkung). – *E* ergot – *F* ergot (de seigle) – *I* segala cornuta – *S* cornezuelo (de centeno)

Lit.: Braun-Frohne (6.), S. 171 ▪ Fördergemeinschaft integrierter Pflanzenbau, Natürliche Gifte im Getreide, Heft 6, Bonn: Rhein. Landwirtschaftsverl. 1990 ▪ Hager (5.) **4**, 911–925 ▪ Sax (8.), Nr. EDB 500 ▪ Ullmann (5.) **A 1**, 385 ▪ s. a. Ergot-Alkaloide, Lysergsäure, LSD. – [HS 1211 90]

Ergot-Alkaloide (Mutterkorn, Secale-Alkaloide). Die Sklerotien des Mutterkorns (s. Ergot; *Claviceps purpurea*, ein auf Getreide, bes. Roggen, wuchernder Fadenpilz, im Engl. *ergot* genannt, von altfranzös.: argot = Hahnensporn) enthalten zahlreiche *Alkaloide. Die E.-A. sind für den sog. *Ergotismus* (Kribbelkrankheit, St.-Antonius-Feuer) verantwortlich, eine früher häufige, durch den Genuß mutterkornhaltigen Mehls od. Brotes hervorgerufene Krankheit, die sich akut als Ergotismus convulsivus in Krämpfen, Gebärmutterkontraktionen, Kribbeln in den Extremitäten (Kribbelkrankheit, Krampfseuche) äußert, während die Brandseuche (Ergotismus gangraenosus, St. Antoniusfeuer) u. a. auf Gefäßverengungen zurückzuführen ist.

Geschichte: Der erste sichere Bericht stammt aus dem Jahre 857 (Xanten a. Rh.), im Jahre 922 sollen dieser Krankheit in Frankreich u. Spanien rund 40 000 Menschen erlegen sein. 1676 wurden Mutterkörner als Ursache des St. Antoniusfeuers erkannt. 1853 wurde der Pilz als der eigentliche Schaderreger entdeckt. Am 13. August 1951 wurden in dem südfranzös. Städtchen Pont-Saint-Esprit an der Rhône mutterkornvergiftete Brote verkauft, die in wenigen Tagen mehr als 200 Erkrankungen u. einige Todesfälle verursachten.

Pharmakolog. Wirkung: Aufgrund ihrer Toxizität haben die E.-A. schon früh das Interesse der Pharmakologen geweckt. Heute finden sie, meist in Form ihrer 9,10-Dihydro-Derivate, als *Sympathikolytika (Alpha-Rezeptoren-Blocker) in der Therapie von *Hypertonie (selten) u. *Migräne Verw., während die wehenerregende, uteruskontrahierende Funktion, derentwegen Mutterkorn (Herkunft des Namens) jahrhundertelang in Gebrauch war, heute vorwiegend durch andere Mittel wahrgenommen wird. Allerdings sind E.-A. bei nachgeburtlichen Blutungen noch immer das Mittel der Wahl.

Strukturen: Die E.-A. gehören drei Gruppen an. Die erste stellt Alkaloide vom Clavin-Typ dar, die beiden anderen sind Alkaloide, die sich von *Lysergsäure ableiten. Alkaloide mit Lysergsäure tragen die Endung -in; die entsprechenden isomeren Derivate der Isolysergsäure (epimer an C-8) sind pharmakolog. unwirksam u. durch die Namensendung …inin (z. B. Ergotaminin) erkennbar. Chem. verwandt mit den E.-A. ist das halluzinogen wirkende *Lysergsäurediethylamid* [LSD, s. Abb. mit –CO–N(C_2H_5)$_2$ an C-8, S. 1204]. Ein einfach gebautes E.-A. ist das Amid der Lysergsäure mit 2-Amino-1-propanol, internat. Freiname *Ergometrin* [auch Ergobasin, Ergonovin genannt, mit CO–NH–CH(CH$_3$)–CH$_2$OH an C-8], $C_{19}H_{23}N_3O_2$, M_R 325,41, Schmp. 159–162 °C. Ergometrin-Derivate sind in zahlreichen Arzneimitteln enthalten. Die komplex aufgebaute Gruppe von E.-A. besteht aus Lysergsäure-Tripeptiden, in denen stets Prolin vorhanden ist (s. Abb.), das mit α-Hydroxyvalin [R^1=CH(CH$_3$)$_2$, Ergotoxin-Gruppe] od. α-Hydroxyalanin (R^1=CH$_3$, Ergotamin-Gruppe) u. a. Aminosäuren (Phe, Leu, Val, s. R^2) verknüpft ist.

R^1	R^2	
CH$_3$	CH$_2$—C$_6$H$_5$	Ergotamin (1)
CH$_3$	CH$_2$—CH(CH$_3$)$_2$	Ergosin (2)
C$_2$H$_5$	CH$_2$—C$_6$H$_5$	Ergostin (3)
CH(CH$_3$)$_2$	CH$_2$—C$_6$H$_5$	Ergocristin (4)
CH(CH$_3$)$_2$	CH$_2$—CH(CH$_3$)$_2$	α-Ergokryptin (5)
CH(CH$_3$)$_2$	CH(CH$_3$)—C$_2$H$_5$ (R)	β-Ergokryptin (6)
CH(CH$_3$)$_2$	CH(CH$_3$)$_2$	Ergocornin (7)

Tab.: Struktur u. Daten von Ergot-Alkaloiden.

	Summenformel	M_R	Schmp. [°C]	CAS
1	C$_{33}$H$_{35}$N$_5$O$_5$	581,67	213–214 (Zers.)	113-15-5
2	C$_{30}$H$_{37}$N$_5$O$_5$	547,65	228 (Zers.)	561-94-4
3	C$_{34}$H$_{37}$N$_5$O$_5$	595,70	204–208 (Zers.)	2854-38-8
4	C$_{35}$H$_{39}$N$_5$O$_5$	609,73	175 (Zers.)	511-08-0
5	C$_{32}$H$_{41}$N$_5$O$_5$	575,71	214 (Zers.)	511-09-1
6	C$_{32}$H$_{41}$N$_5$O$_5$	575,71	173	20315-46-2
7	C$_{31}$H$_{39}$N$_5$O$_5$	561,68	182–184 (Zers.)	564-36-3

Neben den beschriebenen E.-A. finden sich im Mutterkorn, aber auch in einigen Windengewächsen (*Ipomoea*-Arten u.a., vgl. Ololiuqui) die strukturell eng verwandten *Clavin-Alkaloide*[1] mit Uterus-stimulierender Wirkung. Die Biosynth. der E.-A. aus Tryptophan, Mevalonsäure u. der CH$_3$-Gruppe von Methionin ist größtenteils bekannt. Über die Herkunft von C-7 der Lysergsäure besteht jedoch noch Unklarheit. Die E.-A. sind zwar alle synthet. zugänglich (über die *Lysergsäure), werden aber hauptsächlich aus Submerskulturen von *Claviceps*-Arten od. aus Feldkulturen gewonnen, Derivate erhält man meist auf teilsynthet. Wege od. gezielter Fermentation[2]. – *E* ergot alkaloids – *F* alcaloïdes de l'ergot de seigle – *I* alcaloidi della segala cornuta – *S* alcaloides del cornezuelo de centeno

Lit.: [1] Helv. Chim. Acta **58**, 2484–2500 (1975). [2] Appl. Environ Microbiol. **59**, 2029–2033 (1993); J. Nat. Prod. **55**, 424 (1992).
allg.: Anal. Profile Drug Subst. **11**, 273 (1982) ■ ApSimon **3**, 298–307 ■ Berde u. Schild, Ergot Alkaloids and Related Compounds (Hdb. exp. Pharmakol. 49), Berlin: Springer 1978 ■ Dtsch. Apoth.-Ztg. **134**, 1887 (1994) ■ Manske **15**, 1–40; **38**, 1–156 ■ Mühle u. Breuel, Das Mutterkorn, Wittenberg: Ziemsen 1977 ■ Reháček u. Sajdl, Ergot Alkaloids: Chemistry, Biological Effects, Biotechnology, Amsterdam: Elsevier 1990 ■ Sax (8.), Nr. EDA 600 – EDC 575 ■ Spano u. Trabucchi, Ergot Alkaloids, Basel: Karger 1978. – *Synth.*: J. Chem. Soc., Perkin Trans. 1 **1990**, 707 ■ Nachr. Chem. Tech. Lab. **38**, 246 (1990). – *[HS 29 39 61, 29 39 62; CAS 60-79-7 (Ergometrin)]*

Ergotamin s. Ergot-Alkaloide.

Ergothionein (Thionein, 2-Mercapto-N^α, N^α, N^α-trimethyl-L-histidinium-betain).

$C_9H_{15}N_3O_2S$, M_R 229,30, Nadeln, Schmp. 290 °C (Dihydrat, Zers.), $[\alpha]_D^{20}$ +116° (H$_2$O), lösl. in heißem Wasser, fast unlösl. in Ether, Chloroform u. Benzol. E. wurde zuerst aus dem Mutterkorn (*Claviceps purpurea*) isoliert, kommt aber auch in Blut, Samen u. Gewebe bes. von Leber u. Nieren von Säugetieren vor. E. chelatisiert zweiwertige Metall-Ionen u. fungiert als Transportvehikel für Kationen u. CO$_2$. Die Biosynth. erfolgt aus Histidin. – *E* ergothioneine – *F* ergothionéine – *I* ergotioneina – *S* ergotioneína
Lit.: Beilstein E V **25/17**, 205 ■ Biochem. J. **211**, 605 (1983) ■ J. Org. Chem. **60**, 6296 (1995) ■ Med. Hypotheses **9**, 207 (1982); **18**, 351–370 (1985). – *[CAS 497-30-3]*

Ergotismus s. Ergot-Alkaloide.

Ergußgesteine s. Vulkanite.

Erhaltungsstoffwechsel. Bez. für intrazelluläre Prozesse, die weder zu Zellwachstum od. Zellvermehrung, noch zur Bildung od. Umwandlung von Produkten führen, sondern allein zur Aufrechterhaltung bestimmter Funktionen in der Zelle dienen. Zum E. gehören z. B. die Erhaltung des osmot. Überdrucks gegenüber dem Außenmedium, der intrazelluläre Turnover (Abbau u. Neuaufbau) mancher *Proteine u. *RNA-Mol. od. die Eigenbewegungen von Zellen mit Hilfe von Geißeln. Mit abnehmender Wachstumsrate wird während der stationären Phase die Energie fast ausschließlich für den E. verbraucht (s. a. Batch-Fermentation). – *E* maintenance metabolism – *F* métabolisme de maintien – *I* metabolismo di mantenimento – *S* metabolismo de mantenimiento
Lit.: Römpp Lexikon Biotechnologie, S. 263 f.

Eriochrom®. Marke von Ciba-Geigy für Beizenfarbstoffe zur Verw. bei Wolle. *B.*: Ciba Geigy.

Eriochromblauschwarz R s. Calcon.

Eriochromblau SE [Dinatriumsalz der 3-(5-Chlor-2-hydroxy-phenylazo)-4,5-dihydroxy-naphthalin-2,7-disulfonsäure, C.I. 16680].

$C_{16}H_9ClN_2Na_2O_9S_2$, M_R 518,82. Dunkelbraunes, leicht violettstichiges Pulver, leicht lösl. in Wasser, schwer lösl. in Alkohol; die wäss. Lsg. ist rot, bei pH über 10 blauviolett.
Verw.: Indikator für komplexometr. Titration, speziell zur Ca- u. Mg-Bestimmung in physiolog. Flüssigkeiten. – *E* eriochrome blue SE – *[CAS 1058-92-0]*

Eriochromcyanin R.

$C_{23}H_{15}Na_3O_9S$, M_R 536,40. Rötlichbraunes Pulver, in Wasser u. Alkohol leicht löslich.
Verw.: Reagenz auf Al, gibt mit diesem in alkal. Lsg. einen kräftigroten Farblack, der durch Fluorid entfärbt wird. – *E* eriochrome cyanin – *F* eriochrome cyanine – *I* eriocromocianina R – *S* eriocromocianina
Lit.: Beilstein E III **11**, 715; E IV **11**, 707 ▪ Fries-Getrost, S. 19 ff., 148. – *[CAS 3564-18-9]*

Eriochromschwarz T.

$C_{20}H_{12}N_3NaO_7S$, M_R 461,39. Bräunlich-schwarzes Pulver, in heißem Wasser lösl., bei pH 8–12 blau.
Verw.: Komplexometr. *Indikator, bildet mit Mg u. Ca, aber auch mit Al, Co, Cu, Fe, Mn, Ni u. Zn rote Komplexe. – *E* eriochrome® black T – *F* noir Eriochrome – *I* eriocromo nero T – *S* negro de eriocromo
Lit.: Beilstein E III **16**, 320 ▪ Fries-Getrost, S. 100 f., 223 f. ▪ Merck-Index (12.), Nr. 3709. – *[CAS 1787-61-7]*

Erional®. Reservierungsmittel meist auf der Basis von Kondensationsprodukten aromat. Verb. zum Färben von Textilfasermischungen. *B.:* Ciba-Geigy.

Erionit s. Offretit.

Erionyl®. Säure-Farbstoffe für Polyamidfasern. *B.:* Ciba-Geigy.

Eriopon®. Mischungen von anion. u. nichtion. Tensiden od. Fettalkohol- u. Fettsäurepolyglykolethern zum Auswaschen von Textilfärbungen u. -drucken. *B.:* Ciba-Geigy.

Eritadenin [Lentinacin, Lentysin, (*R,R*)-6-Amino-α,β-dihydroxy-9*H*-purin-9-butansäure].

$C_9H_{11}N_5O_4$, M_R 253,22, Nadeln, Schmp. 261–263 °C, $[α]_D$ +16° (1 mol/l HCl), +50° (0,1 mol/l NaOH). E. wurde aus dem Shiitake-Speisepilz (*Lentinus edodes*) isoliert u. besitzt Cholesterin-senkende Wirkung. – *E* eritadenine – *F* éritadenine – *I* = *S* eritadenina
Lit.: Collect. Czech. Chem. Commun. **47**, 1392 (1982) ▪ Experientia **29**, 271 (1973) ▪ J. Med. Chem. **17**, 846 (1974). – *[CAS 23918-98-1]*

ERK s. mitogen-aktivierte Protein-Kinasen.

Erkantol®. Netzmittel für die Textil- u. die Gummi-Industrie. *B.:* Bayer.

Erkennungssequenz. Bez. für die Bindungsstelle von *Restriktionsenzymen auf doppelsträngiger *DNA. E. sind meist 4–8 Basenpaare lang u. oft als *Palindrom organisiert. Sie kennzeichnen die Stellen, an die die DNA von den Restriktionsenzymen gespalten wird (Schnittstellen). – *E* recognition sequence – *F* séquences d'identification – *I* sequenza di riconoscimento – *S* secuencia de reconocimiento

Erlanger, Joseph (1874–1965), Prof. für Neurophysiologie. 1944 erhielt er zusammen mit H. S. *Gasser für die Entdeckung der hochdifferenzierten Funktionen der einzelnen Nervenfasern den Nobelpreis für Medizin od. Physiologie.

Erlenmeyer, Emil (1825–1909), Prof. für Chemie, Univ. Heidelberg u. TH München. *Arbeitsgebiete:* Sättigungskapazitäten, Dampfdichten, Struktur von Naphthalin u. Azo-, Hydrazo- sowie Azoxy-Verb. (*Erlenmeyersche Synthese). Er postulierte die Doppelbindung für Ethen u. als erster die Dreifachbindung für Ethin; Mitbegründer der Strukturchemie, Organisation des Chemie-Studiums.
Lit.: Chem. Unserer Zeit **6**, 52–58 (1972) ▪ Pötsch, S. 139 ▪ Strube, S. 48, 51, 127.

Erlenmeyerkolben. Kegelförmige od. bauchige Glaskolben, die zum Erhitzen von Flüssigkeiten ohne Spritzverluste durch Schütteln geeignet sind.

Abb.: Erlenmeyerkolben.

Sie finden auch Anw. als Reaktionsgefäße in der *Maßanalyse. – *E* Erlenmeyer flasks – *F* erlenmeyers, vases d'Erlenmeyer – *I* alambico Erlenmeyer – *S* erlenmeyeres, matraces Erlenmeyer
Lit.: DIN 12380 (05/1988), 12385 (01/1988), 12387 (10/1972).

Erlenmeyer-Synthese. Die E.-S. ist eine Variante der *Knoevenagel-Kondensation, bei der *N*-Acyl-glycine in Ggw. von Acetanhydrid u. Natriumacetat zunächst zu Azlactonen (vgl. Oxazolone) cyclisieren, die anschließend mit aromat. Aldehyden zu *4-Methylen-oxazolin-5-onen kondensieren.

Diese lassen sich nach Hydrierung der exocycl. Doppelbindung u. anschließender Hydrolyse in α-*Aminosäuren überführen. – *E* Erlenmeyer synthesis – *F* synthèse d'Erlenmeyer – *I* sintesi di Erlenmeyer – *S* síntesis de Erlenmeyer
Lit.: Hassner-Stumer, S. 109 ▪ Org. React. **3**, 198–239 (1946) ▪ Q. Rev. Chem. Soc. **9**, 150–173 (1955).

Ermsech®. Kapseln mit Calciumlactat u. Sonnenhutkraut gegen Allergien. *B.:* Heumann.

Ermüdung s. Korrosion.

Ermüdungsschutzmittel. E. sind spezielle *Alterungsschutzmittel, die bei Kautschuk- u. Gummiartikeln Rißbildung durch Materialermüdung verhindern sollen. Ermüdungsrisse treten bei andauernden mechan. Spannungsveränderungen, z. B. beim period. Biegen, von Gummi auf. Sie beginnen an der Materialoberfläche, vertiefen sich senkrecht zur Spannungsrichtung u. führen schließlich zum Materialbruch. Die Ermüdungsriß-Anfälligkeit ist abhängig vom Kautschuktyp u. der Vernetzungsart u. -dichte des Gummis. Hochwirksame E. sind u. a. Aryl-alkyl-substituierte *p*-Phenylendiamine wie *N*-Isopropyl-*N'*-phenyl- od. *N*-(1,3-Dimethylbutyl)-*N'*-phenyl-*p*-phenylendiamin. – *E* anti-fatiguing agents, anti-flex cracking agents – *F* agents antifatigue – *I* agente antiaffaticante – *S* agentes antifatiga

Lit.: Hofmann, Kautschuk-Technologie, S. 308 ff., Stuttgart: Gentner 1980 ▪ Ullmann (4.) **13**, 644–648.

Ernährung. Unter diesem Begriff versteht man die Zufuhr der für die Aufrechterhaltung des Stoffwechsels u. damit der Lebensvorgänge benötigten Stoffe, wobei man prinzipiell die *Autotrophie der Pflanzen u. zahlreicher Mikroorganismen der *Heterotrophie bei Mensch u. Tier gegenüberstellt. Letzteren müssen die für die Bildung von Körpersubstanz u. Energiegewinnung benötigten Nährstoffe – Eiweiß, Fette u. Kohlenhydrate – sowie essentielle *Vitamine, *Mineralstoffe u. *Spurenelemente in Form von Nahrungs- bzw. Futtermitteln zur Verfügung gestellt werden. Durch die E. werden somit Stoffe zur Verfügung gestellt, deren Fehlen Störungen od. Erkrankungen des Körpers zur Folge hat. Die Nahrung soll eine ausgewogene Mischung der 3 Nährstoffe sowie der erwähnten Begleitstoffe darstellen u. den täglichen Energiebedarf, der für Erwachsene bei leichter körperlicher Arbeit bei ca. 2200 kcal (10 MJ) liegt, decken. So liegt die empfohlene Höhe der täglichen Eiweiß-Zufuhr für Erwachsene bei 45–55 g, die tägliche Fettmenge sollte 80 g nicht überschreiten [1]. Wichtig für eine gesunde E. ist auch ein ausreichender *Ballaststoff-Gehalt der Nahrung (30–35 g/d), da Ballaststoffe die Darmtätigkeit anregen u. die Darmpassage der Nahrung verkürzen [2]. Als Ballaststoffe bezeichnet man die lösl. u. unlösl. Nichtstärke-Polysaccharide u. *Lignin, die hauptsächlich in Getreide u. Hülsenfrüchten vorkommen; bei Obst u. Gemüse ist ihr Anteil relativ gering.

In den vergangenen Jahrzehnten haben sich die E.-Gewohnheiten in den Industrieländern stark verändert, was u. a. auch auf ein Überangebot an Nahrungsmitteln zurückzuführen ist. Dieses Überangebot hat bereits zu Fehlentwicklungen in der E. geführt, die zu Gesundheitsschäden wie *Fettsucht, *Diabetes, *Karies [3], *Arteriosklerose u. Bluthochdruck führen. Trotz eines Überangebotes an Nahrungsmitteln kann es jedoch auch zu Mangelerscheinungen auf Grund einseitiger E. kommen. Hier seien beispielhaft ernährungsbedingte Eisen-Mangelanämien [4] sowie Vitamin B_{12}-Mangel [5] bei streng vegetar. E. erwähnt. Im Gegensatz zu den Industrieländern ist die E.-Situation in den Entwicklungsländern durch einen akuten Nahrungsmangel gekennzeichnet. – *E* nutrition – *F* alimentation – *I* alimentazione – *S* alimentación

Lit.: [1] DGE, Empfehlungen für die Nährstoffzufuhr (4.), Frankfurt: Umschau 1985. [2] Ernährungsforschung **33**, 49 ff. (1988). [3] Vettorazzi (Hrsg.), Sucrose. Nutritional and Safety Aspects, Berlin: Springer 1988. [4] Ernährungsforschung **25**, 74–77 (1980). [5] Ernährungsforschung **28**, 33 ff. (1983).

allg.: Dtsch. Ges. für Ernährung (Hrsg.), Ernährungsbericht 1992, Frankfurt: Henrich 1992 ▪ Dobbing (Hrsg.), Infant Feeding, Anatomy of a Controversy 1974–1984, Berlin: Springer 1988 ▪ Leitzmann et al., Wörterbuch der Ernährungswissenschaft, Stuttgart: Ulmer 1988 ▪ Passmore & Eastwood, Human Nutrition and Dietetics (8.), Edinburgh: Churchill Livingston 1986 ▪ Presse-Taschenbuch Ernährung (4.), Seefeld: Kroll 1989/90 ▪ Souci et al., Lebensmitteltabelle für die Praxis, Stuttgart: Wissenschaftliche Verlagsges. 1987 ▪ Thompson (Hrsg.), Food Acceptability, London: Elsevier 1988 ▪ Wachtel u. Hilgarth, Ernährung u. Diätetik in Pädiatrie u. Jugendmedizin (2 Bd.) Stuttgart: Thieme 1995 ▪ Welzl, in Wolfram u. Schlierf (Hrsg.), Biochemie der Ernährung u. Gesundheit, Stuttgart: Wissenschaftliche Verlagsges. 1988 ▪ Wenger u. Brandstetter (Hrsg.), Eiweiß in Nahrung u. Ernährung des Menschen, Stuttgart: Wissenschaftliche Verlagsges. 1989 ▪ s. a. Lebensmittel, Nahrungsmittel. – *Zeitschriften u. Serien:* Advances in Nutritional Research, New York: Plenum (seit 1978) ▪ Ernährungs-Umschau, Frankfurt: Umschau ▪ Human Nutrition – A Comprehensive Treatise, New York: Plenum (seit 1979) ▪ Nutrition in Health and Disease, Philadelphia: Franklin Inst. Press (seit 1980) ▪ Nutrition and Metabolism, Basel: Karger (seit 1959) ▪ Nutrition Research, Oxford: Pergamon (seit 1981) ▪ Nutrition Research Reviews, Cambridge: Cambridge D. P. (seit 1989) ▪ Zeitschrift für Ernährungswissenschaft, Darmstadt: Steinkopff.

Ernst, Richard R. (geb. 1933), Prof. für Physikal. Chemie, ETH Zürich. *Arbeitsgebiete:* Method. Entwicklungen auf den Gebieten der kernmagnet. Resonanz (NMR) u. der Elektronenspin-Resonanz. Er entwickelte die NMR zu einer vielseitigen Untersuchungsmeth., so z. B. auch für die Struktur u. Dynamik auch größerer u. komplexer Mol. im gelösten Zustand. Für seinen Beitrag zur Entwicklung der Meth. hochauflösender kernmagnet. Resonanz-Spektroskopie erhielt er 1991 den Nobelpreis für Chemie.

Lit.: Nachr. Chem. Tech. Lab. **39**, Nr. 11, 1249 (1991); **40**, Nr. 12, 1410 (1992).

Erosion (von latein.: erodere = abnagen, ausnagen). 1. *Geologie:* Natürlicher od. auch künstlich eingeleiteter Vorgang der Abtragung, bei dem Boden- od. Gesteinspartikel aus ihrem Lagerungsverband gelöst u. abtransportiert werden. E. erfolgt durch die Schwerkraft allein od. in Zusammenwirken mit strömenden Medien wie fließendes Wasser auf dem Festland (*fluviatile E.*), Meeresströmungen (*marine E.*), Wellen u. Brandung (*Abrasion*), Gletschereis (*glaziale E.*) u. Wind (*Deflation, Korrasion*). Das Niveau, unterhalb dessen die E. nicht wirksam werden kann, wird als *Erosionsbasis* bezeichnet. Die abs. Erosionsbasis bildet stets der Meeresspiegel; lokale Erosionsbasis kann z. B. ein See od. eine Ebene sein.

2. In der *Anstrichtechnik:* Zerstörung eines *Anstrichs (Films), so daß die Unterlage sichtbar wird.

3. In der *Werkstofftechnik* eine der Abrasion (s. a. Verschleiß) zuzuordnende Verschleißart, deren Erscheinungsbild sich innerhalb des Abtragsbereichs durch eine zumindest makroskop. glatt abgetragene Oberfläche auszeichnet. E. wird in der Regel hervorgerufen durch eine Zweiphasenströmung mit Relativgeschw. zur Werkstückoberfläche (Gas, Flüssigkeit), bei der Teilchen einer härteren Phase die Oberfläche abtragen (je nach Beanspruchungssyst. auch Spül-, Gleitstrahl-, Prallstrahl- u. Schrägstrahlverschleiß [1]).

In der *Fertigungstechnik* ein Verf., bei dem eine gewünschte Werkstückform durch gesteuertes Herauslösen von Werkstoff-Partikeln aus der Werkstückoberfläche als Folge elektr. Funkenüberschläge erzielt wird, s. a. Elektro- u. Funkenerosion. – *E* erosion – *F* érosion – *I* erosione – *S* erosión

Lit.: [1] Gräfen (Hrsg.), Lexikon Werkstofftechnik, S. 261, 1087, 1089, Düsseldorf: VDI 1993.
allg. (zu. 1.): Press u. Siever, Allgemeine Geologie, S. 114–137, 277 f., 309 f., 567, Heidelberg: Spektrum Akadem. Verl. 1995 ▪ s. a. Geologie.

Erschöpfende Methylierung s. Methylierung.

Erstarren. Auf Flüssigkeiten bezogen, bedeutet E. den Übergang vom flüssigen in den festen Aggregatzustand, d. h. die Umkehrung des *Schmelzens; s. a. Erstarrungspunkt. Im Zusammenhang mit Wasser spricht man meist von *Gefrieren*. – *E = F* solidification – *I* solidificazione – *S* solidificación

Erstarrungsbeschleuniger (Kurzz.: BE). Bez. für *Betonzusatzmittel, die das Erstarren des *Betons ggf. auch bei niedrigen Temp. deutlich beschleunigen. E. enthalten im allg. Carbonate, Aluminate od. organ. Stoffe; die früher häufig verwendeten Chloride, bes. $CaCl_2$, sind wegen Korrosionsgefährdung der Bewehrung nicht mehr zugelassen. – *E* setting accelerator – *F* accélérateurs de prise – *I* acceleratore della solidificazione – *S* aceleradores de fraguado, aceleradores de solidificación

Lit.: Scholz, Baustoffkenntnis (12. Aufl.), S. 263, Düsseldorf: Werner 1991 ▪ Wendehorst, Baustoffkunde (24. Aufl.), S. 262 f., Hannover: Vincentz 1994 ▪ s. a. Beton.

Erstarrungsenthalpie s. Erstarrungspunkt.

Erstarrungsgesteine s. magmatische Gesteine.

Erstarrungspunkt (Gefrierpunkt). Bez. für die Temp., bei der ein flüssiger Stoff in den festen Zustand (*Aggregatzustand) übergeht. Beim *Erstarren bleibt die Temp. nach Erreichen des E. vorübergehend konstant, da hier die *Erstarrungsenthalpie* (Erstarrungswärme) frei wird. Diese hat den gleichen numer. Betrag wie die zum *Schmelzen zuzuführende *Schmelzenthalpie*; s. a. Enthalpie, Umwandlungswärmen u. vgl. die Beisp. mit Abb. bei Thermometrie. In der Fettanalyse wird der E. auch als *Titer bezeichnet. Der Beginn der Erstarrung kann infolge von *Unterkühlung wesentlich tiefer liegen als der Schmp., was man techn. bei der Meth. des *normalen Erstarrens, die eng verwandt mit dem *Zonenschmelzen ist, ausnutzt. – *E* solidification point – *F* point de solidification – *I* punto di congelamento – *S* punto de solidificación
Lit.: s. Schmelzpunkt.

Erstarrungsverzögerer (Kurzz.: VZ). Bez. für *Betonzusatzmittel, die das Erstarren des *Zements verzögern, meist gleichzeitig als *Betonverflüssiger wirken u. dadurch eine längere Verarbeitung des *Betons ermöglichen. – *E* solidification retarder – *F* retardateur de prise, adjuvant-retard – *I* ritardatore della solidificazione – *S* retardador de fraguado, retardador de solidificación

Lit.: Scholz, Baustoffkenntnis (12. Aufl.), S. 261 f., Düsseldorf: Werner 1991 ▪ Wendehorst, Baustoffkunde (24. Aufl.), S. 262, Hannover: Vincentz 1994; s. a. Beton.

Erstarrungswärme s. Erstarrungspunkt.

Erste Hilfe. Bez. für 1. Maßnahmen zur Erhaltung bzw. Wiederherstellung der lebenswichtigen Funktionen (Atmung, Herz, Kreislauf). – 2. Maßnahmen zur Erstversorgung von Unfallverletzungen bzw. Vergiftungen.

Die Unfallverhütungsvorschrift der Berufsgenossenschaft „Erste Hilfe" (VGB 109), regelt die notwendigen personellen u. materiellen Maßnahmen, etwa die Ausbildung von *Ersthelfern in den Betrieben, die Bereitstellung von Feuerlöschdecken, Feuerlöschern, Notduschen mit Augenspülvorrichtungen, Atemschutzmasken od. Fluchtmasken, Erste-Hilfe-Kästen usw. Nach der *Gefahrstoffverordnung ist gesetzlich geregelt, daß chem. Betriebe ihre Mitarbeiter über gefährliche Arbeitsstoffe (*Gefahrstoffe) aufzuklären haben, einschließlich der Erstbehandlung von Unfällen bzw. Vergiftungen. – *E* first aid – *F* premier soins – *I* pronto soccorso – *S* primeros auxilios

Lit.: UVV „Erste Hilfe" (VBG 109) in der Fassung vom 01. 10. 1994 ▪ s. a. Arbeitssicherheit, Gefahrstoffe. *B.:* für Unfallverhütungsvorschriften: Carl Heymanns Verl. KG, Luxemburger Straße 449, 50939 Köln od. Jedermann-Verl., Postfach 10 31 40, 69021 Heidelberg.

Erster Hauptsatz s. Hauptsätze.

Ersthelfer. Bez. für in *Erste Hilfe ausgebildete Mitarbeiter. Die Ausbildung umfaßt 8 Doppelstunden in allg. Erster Hilfe sowie einen Herz-Lungen-Wiederbelebungskurs von 3 Doppelstunden (UVV Erste Hilfe, VBG 109). Wiederholungskurse sind vorgeschrieben.
Lit.: s. Erste Hilfe.

Ertl, Gerhard (geb. 1936), Prof. für Physikal. Chemie, TU Hannover, Univ. München, Fritz Haber Inst. der MPG, Berlin, Vorstandsmitglied der GDCh. *Arbeitsgebiete:* Chemie u. Physik von Festkörper-Oberflächen, heterogene Katalyse. Inhaber zahlreicher Ehrungen, u. a. der Liebig Gedenkmünze der GDCh u. der Alwin-Mittasch-Medaille der DECHEMA.

Lit.: Kürschner (16.), S. 754 ▪ Nachr. Chem. Tech. Lab. **36**, 63 (1988); **40**, Nr. 2, 254 (1992) ▪ Wer ist wer, S. 300.

Ertragskoeffizient (auch Ausbeutekoeffizient od. ökonom. Koeffizient). Bez. für eine Kennzahl, die die Effizienz von Stoffumwandlungen in *Mikroorganismen beschreibt. – *E* yield coefficient – *F* coefficient de rendement – *I* coefficiente di rendimento – *S* coeficiente de rendimiento

Lit.: Römpp Lexikon Biotechnologie, S. 264.

Erucasäure (Z-13-Docosensäure).

H_3C ⌇⌇⌇⌇⌇⌇ COOH

$C_{22}H_{42}O_2$, M_R 338,56, farblose Nadeln, Schmp. 34 °C, Sdp. 225 °C (1,333 kPa), D^{55} 0,86, n_D^{45} 1,4534, lösl. in Ether, Methanol u. Ethanol.

Vork.: Insbes. in den Triacylgyceriden der Samenfette von Kreuzblütlern (Cruciferae) vorherrschende einfach ungesätt. *Fettsäure. In geringeren Konz. kommt E. auch in den Triacylgyceriden von Seetierölen, z. B. Walöl (4–10%) u. Heringsöl (11–16%) vor. Als Speiseöl ist das Rüböl mit einem Gehalt von <2,5% E. von Bedeutung. Der hohe E.-Gehalt klass. Raps-Samen wird für die im Tierversuch beobachteten Organschä-

digungen bei Verfütterung von Rüböl aus solchen Samen verantwortlich gemacht [1,2]. Durch Züchtung neuer Sorten konnte der Gehalt an E. in den Triacylglyceriden des Rüböls auf <5% gesenkt werden. Dieser Grenzwert wurde für Speiseöl in der *Erucasäure-VO* festgelegt [3]. E.-reiches Öl (*E* Lorenzo's oil, Bez. nach dem ersten, der mit diesem Öl behandelt wurde) wird neuerdings zur Behandlung der Stoffwechselkrankheit Adrenoleukodystrophie (ADL) verwendet. Ihr chem. Verhalten ähnelt der Ölsäure. Beim Erwärmen mit salpetriger Säure geht E. in die *E*-Form, *Brassidinsäure* [Krist., Schmp. 61,5 °C, Sdp. 256 °C (1,3 kPa)] über. Durch Ozonolyse von E. erhält man die techn. wichtige *Brassylsäure* (Tridecandisäure) sowie *Pelargonsäure als Nebenprodukt. E.-amid findet techn. Verw. z. B. als Antiblockmittel bei der Polyolefin-Verarbeitung u. in der Papierbeschichtung. Zur Analytik s. Methode nach § 35 LMBG L 23.04-1 (EG) [4].
– *E* erucic acid – *F* acide érucique – *I* acido erucico – *S* ácido erúcico

Lit.: [1] Lindner, Toxikologie der Nahrungsmittel, 4. Aufl., S. 55 f., Stuttgart: Thieme 1990. [2] Macholz u. Lewerenz, Lebensmitteltoxikologie, S. 211 f., Berlin: Akademie-Verl. 1989. [3] Erucasäure-VO vom 24. 5. 1977 (BGBl. I, S. 782) in der Fassung vom 26. 10. 1982 (BGBl. I, S. 1446). [4] Amtliche Sammlung von Untersuchungsverfahren nach § 35 LMBG, Berlin, Beuth (Loseblattsammlung seit 1980).
allg.: Beilstein E IV **2**, 1676 ▪ Belitz-Grosch (4.), S. 149, 590 ▪ Kirk-Othmer (3.) **7**, 624 f. ▪ Lipid Technol. **1994** (1.), 10 ▪ New Engl. J. Med. **329**, 745 (1993) ▪ Ullmann (5.) **A 10**, 245, 255. – [*HS 2916 19; CAS 112-86-7*]

Eruptivgesteine s. magmatische Gesteine.

Erwartungswert. Als E. $\langle \hat{\Omega} \rangle$ eines Operators $\hat{\Omega}$ über eine *Wellenfunktion Ψ bezeichnet man den Ausdruck $\langle \hat{\Omega} \rangle = \langle \Psi | \hat{\Omega} | \Psi \rangle / \langle \Psi | \Psi \rangle$; hierbei wurde die *Dirac-Schreibweise verwendet. Die Berechnung von E., so des Dipoloperators zur Bestimmung von *Dipolmomenten, ist eine wichtige Aufgabe der *Quantenchemie. – *E* expectation value – *F* valeur escomptée – *I* valore aspettato – *S* valor esperado

Erweichungspunkt (Erweichungstemperatur). Unter E. versteht man die Temp. (bzw. den Temp.-Bereich), bei dem Gläser, amorphe od. teilkrist. Polymere vom glasigen, hartelast. in einen weichen Zustand übergehen. Die Verminderung der Härte entsprechender Stoffe am E. wird z. B. dadurch deutlich, daß ein auf eine Stoffprobe unter Belastung aufgesetzter Körper bei Erreichen des E. in diese eingedrückt wird. Auf dieser Meth. basiert die Bestimmung der sog. Vicat-Erweichungstemp. von nichthärtbaren Kunststoffen (DIN 53 460, 12/1976). Nach dieser Norm wird die Temp. ermittelt, bei der ein Stahlstift mit einem kreisförmigen Querschnitt von 1 mm^2 u. einer Länge von mind. 3 mm unter Aufbringen einer Kraft von 1 kp bzw. 5 kp 1 mm tief senkrecht in einen Probekörper eindringt. Der E. liegt grundsätzlich oberhalb der *Glasübergangstemperatur, bei den meisten Polymeren jedoch deutlich unterhalb der Temp., bei der diese vollständig in den flüssigen Zustand übergehen. – *E* softening point – *F* point de ramollissement – *I* punto d' ammorbidimento (ammollimento) – *S* punto de reblandecimiento

Lit.: Brown, Handbook of Plastics Test Methods, S. 319–330, London: George Godwin Ltd. 1981 ▪ Elias (5.) **1**, 845 ff.; **2**, 441 ff.

Erweichungstemperatur s. Erweichungspunkt.

Eryaknen® 2/4. Gel mit dem *Makrolid-Antibiotikum *Erythromycin zur top. Akne-Therapie. *B.:* Galderma.

Ery-Diolan®. Granulat mit *Erythromycin-Ethylsuccinat bzw. (Tabl.) -stearat gegen Infektionen. *B.:* Engelhard.

Eryfer®. Kapseln mit Eisen(II)-sulfat, Vitamin C u. Natriumhydrogencarbonat gegen Eisen-Mangel. E. comp. zusätzlich mit Cyanocobalamin u. Folsäure. *B.:* Klosterfrau.

Eryhexal®. Kapseln, Filmtabl., Granulat u. Saft mit dem *Makrolid-Antibiotikum *Erythromycin zur Therapie von Infektionen des Hals-Nasen-Ohren-Bereichs u. der Atemwege, Diphtherie, Scharlach, Chlamydien-Infektionen. *B.:* Hexal.

Erypo®. Injektionsflaschen u. Fertigspritzen mit dem Antianämikum Epoetin alfa (*Erythropoietin) aus Zellinie CHO-K1 od. Ovarialzellen zur Therapie renaler Anämien. *B.:* Cilag.

Erysec®. Tabl. u. Pulver mit dem Antibiotikum *Erythromycin-Stinoprat gegen Infektionen der Atemwege, HNO-Bereich u. Haut. *B.:* Lindopharm.

Eryso... s. Erythrina-Alkaloide.

Erythem (von griech.: erythema = Röte). Bez. für eine durch *Hyperämie bedingte Hautrötung, die als Folge von Hautläsionen, Verbrennungen, Sonnenbrand, Entzündungen, aber auch als Reaktion auf Allergene, Hyperämika od. Vesikanzien auftreten kann. – *E* erythema – *F* érythème – *I* = *S* eritema

Erythralin s. Erythrina-Alkaloide.

Erythrin (Kobaltblüte), $Co_3[AsO_4]_2 \cdot 8 H_2O$. Monoklines Mineral, Kristallklasse $2/m$-C_{2h}. Prismat. bis nadelige, meist kleine Krist., oft als büschelige od. strahlige Aggregate, auch kugelig-nierige Formen, erdige Anflüge u. Ausblühungen. Farbe dunkelrosa, pfirsichblütenrot; durch Bildung von Mischkrist. mit *Annabergit alle Übergänge zu grünlichgrauen Farbtönen. H. 1,5–2,5, D. 3,0–3,2. E. färbt sich beim Erhitzen unter Abgabe von Wasser u. Arsenik lavendelblau; beim Auflösen in Salzsäure entsteht eine rote Lösung. *Entstehung* in *Oxidationszonen arsenid. Co-Ni-Lagerstätten, kann dem Prospektor als Hinweis auf prim. Cobalterze dienen.

Vork.: Riechelsdorf u. Bieber/Hessen, Wittichen/Schwarzwald; schöne Krist. von Schneeberg/Sachsen, Bou Azzer/Marokko u. Cobalt in Ontario/Kanada. – *E* erythrite – *F* érythrite – *I* = *S* eritrina

Lit.: Lapis **6**, Nr. 2, 5 f. (1981) ▪ Ramdohr-Strunz, S. 643 ▪ Roberts, Campbell u. Rapp, Encyclopedia of Minerals (2.), S. 256, New York: Van Nostrand Reinhold Comp. 1990. – [*CAS 15293-69-3*]

Erythrina-Alkaloide. Gruppe von Alkaloiden aus den in (sub-)trop. Gebieten vorkommenden *Erythrina*-Arten (Fabaceae, Schmetterlingsblütler) mit ähnlicher Wirkung wie *Curare. Es handelt sich um *Isochino-

Tab.: Daten von Erythrina-Alkaloiden.

Name	Summenformel	M_R	Schmp. [°C]	$[\alpha]_D$	CAS
Erysodin	$C_{18}H_{21}NO_3$	299,37	204–205	+239° (CHCl$_3$)	7290-03-1
Erysonin	$C_{17}H_{19}NO_3$	285,34	241–243	+289° (0,5% HCl)	7290-05-3
Erysopin	$C_{17}H_{19}NO_3$	285,34	241–242	+265,2° (C$_2$H$_5$OH/Glycerin)	545-68-6
Erysotrin	$C_{19}H_{23}NO_3$	313,40	159–161 (Pikrat)	+142° (Pikrat/C$_2$H$_5$OH)	27740-43-8
Erysovin	$C_{18}H_{21}NO_3$	299,37	178–179,5	+252° (C$_2$H$_5$OH)	466-72-8
Erythralin	$C_{18}H_{19}NO_3$	297,35	120	+228° (C$_2$H$_5$OH)	466-77-3
α-Erythroidin	$C_{16}H_{19}NO_3$	273,33	58–60	+136° (H$_2$O)	466-80-8

lin-Alkaloide (s. Strukturformel u. Lit.[1]) mit tetracycl. (Erysotrin) bzw. aufgrund einer Methylendioxy-Brücke pentacycl. Spiroamin-Syst. (Erythralin) od. um Piperidin-Alkaloide mit Spiroamin-Syst. u. ankondensiertem δ-Lacton-Ring (α-Erythroidin).

R^1	R^2	R^3	
H	H	CH$_3$	Erysopin
H	CH$_3$	H	Erysonin
H	CH$_3$	CH$_3$	Erysodin
CH$_3$	H	CH$_3$	Erysovin
CH$_3$	CH$_3$	CH$_3$	Erysotrin
—CH$_2$—		CH$_3$	Erythralin

Synth.: Es existieren mehre Synth. für das Erythrinan-Skelett, ausgehend u. a. von Benzylisochinolinen wie Norreticulin[1]. Zur Biosynth. s. Lit.[2] – *E* erythrina alkaloids – *F* alcaloïdes de l'érythrine – *I* alcaloidi dell'eritrina – *S* alcaloides de la eritrina

Lit.: [1] Aust. J. Chem. **38**, 537 (1985); Chem. Ber. **112**, 1329–1347 (1979); Stud. Nat. Prod. Chem. **3**, 455–493 (1989). [2] Mothes et al. Biochemistry of Alkaloids, S. 220, Weinheim: Verl. Chemie 1985.
allg.: Alkaloids (London) **7**, 176–182 (1977); **8**, 144–148 (1978); **9**, 144–150 (1979); **11**, 137–144; **12**, 155–162 (1982); **13**, 196–204 (1983) ■ Manske **18**, 1–98; **35**, 177–214 ■ Nat. Prod. Rep. **1**, 371 (1984); **3**, 555–564 (1986); **6**, 55–66 (1989); **10**, 463 (1993). – [HS 2939 90]

Erythrit (*meso*-1,2,3,4-Butantetrol).

$$\begin{array}{c} CH_2OH \\ H-C-OH \\ H-C-OH \\ CH_2OH \end{array}$$

$C_4H_{10}O_4$, M_R 122,12, opt. inaktive, nicht spaltbare *meso*-Form des *Threit, Inhaltsstoff einiger Flechten (*Rocella tinctoria*), Algen u. Pilze. Farblose, süß schmeckende Krist., in Wasser leicht, in Alkohol wenig lösl., in Ether unlösl., D. 1,45, Schmp. 120 °C, Sdp. 330 °C. E. wird in großem Ausmaß im Dünndarm aufgenommen u. zum größten Teil unverändert über die Nieren ausgeschieden. – *E* erythritol – *F* érythritol, érythrite – *I* eritrite – *S* eritrol, eritrita

Lit.: Beilstein E IV 1, 2807 ■ Br. J. Nutr. **69**, 169–176 (1993) ■ Merck-Index (12.), Nr. 3714 ■ Ullmann (4.) **8**, 523; (5.) **A 25**, 432 ■ s. a. Zuckeralkohole. – [HS 2905 49; CAS 149-32-6]

Erythrittetranitrat (Nitroerythrit, Tetranitrol). $C_4H_6N_4O_{12}$, M_R 302,12. Farblose Blättchen, Schmp. 61 °C, unlösl. in Wasser, lösl. in Alkohol, Ether, Glycerin. E. ist explosiv: Verpuffungstemp. 154–160 °C, Schlagempfindlichkeit 2 Nm, Explosionswärme (H$_2$O

$$\begin{array}{c} H_2C-O-NO_2 \\ H-C-O-NO_2 \\ H-C-O-NO_2 \\ H_2C-O-NO_2 \end{array}$$

flüssig) 6352 kJ/kg. E. wird in der Medizin als Vasodilator verwendet. – *E* erythritoltetranitrate – *F* tétranitrate de erythritol – *I* eritrittetranitrato – *S* tetranitrato de eritritol

Lit.: Beilstein E IV 1, 2809 ■ Köhler, Explosivstoff, S. 214, Weinheim: VCH Verlagsges. 1995 ■ Merck-Index (12.), Nr. 3716 ■ Ullmann **13**, 321 f.; (4.) **12**, 644; (5.) **A 8**, 5. – [HS 2920 90; CAS 643-97-0]

Erythr(o)... (griech.: rot). 1. Vorsilbe in Trivialnamen; *Beisp.:* *Erythrosin (rotbraunes Pulver), auch in den Namen einer Reihe von farblosen Verb., die ggf. aus farbigen Naturprodukten isoliert wurden. – 2. In der Stereochemie wird mit *erythro-* die Konfiguration von zwei benachbarten asymmetr. Kohlenstoff-Atomen gekennzeichnet, *Beisp.:* *Erythrose; die beiden H-Atome u. OH-Gruppen an den Kohlenstoff-Atomen 2 u. 3 dieser Tetrose befinden sich jeweils „auf der gleichen Seite"; vgl. die schemat. Abb. bei Kohlenhydrate. Gegensatz: *threo.* – *E* erythr(o) – *F* érythr(o) – *I* = *S* eritr(o)...

Erythrocin®. Tabl., Suspension, Granulat u. Ampullen mit *Erythromycin gegen Infektionen. *B.:* Abbott.

Erythrocruorin s. Hämoglobin.

Erythrocuprein s. Superoxid-Dismutase.

Erythrocyten (rote Blutkörperchen). Rotgefärbte, bei Säugetieren u. dem Menschen kernlose Zellen, die den größten Anteil der zellulären Elemente des *Blutes ausmachen. Die E. des Menschen sind bikonkave Scheiben mit einem Durchmesser von ca. 7,4 μm u. einer Dicke von ca. 2,5 μm. Durch diese Form entsteht eine Gesamtoberfläche der zirkulierenden E. von 3500 m². Etwa 95% des Trockengew. der E. bestehen aus *Hämoglobin (27–32 pg pro Zelle). Mit Hilfe der Eigenschaft des Hämoglobins, Sauerstoff reversibel zu binden, versorgen die E. über die Blutzirkulation die Gewebe mit Sauerstoff. Die Konz. der E. im Blut beträgt 4,5–5,9 Mio. pro μL, abhängig von Geschlecht, Alter u. Sauerstoff-Bedarf.
Die Produktion der E. (*Erythropoese*) findet im Knochenmark statt, wo sie durch Zellteilungen u. Reifungsvorgänge aus sog. Stammzellen über verschiedene Zwischenstufen hervorgehen. Hierbei sind regulator. Polypeptide wie das *Erythropoietin als *Wachs-

tumsfaktoren beteiligt. Nach Verlust des Kernes werden die E. in die Zirkulation entlassen u. verlieren bei der weiteren Reifung *Ribosomen u. *Mitochondrien u. damit die Fähigkeiten zur Zellteilung, Protein-Synth. u. oxidativen *Phosphorylierung. Der Energielieferant für die E. ist im wesentlichen Glucose, die zum größten Teil über die *Glykolyse zu Lactat abgebaut wird, wobei im Nebenweg 2,3-Diphosphoglycerat entsteht. Dieses kann die Sauerstoff-Affinität des Hämoglobins verändern. Ein kleiner Teil der Glucose wird über den Pentosephosphat-Weg metabolisiert. Das Tripeptid *Glutathion, das in E. in hoher Konz. vorliegt, schützt Enzyme, das Hämoglobin u. die Zellmembran vor Oxidation.
Die Membran der E. besteht aus einer oberflächlichen Lipid-Doppelschicht sowie einem innen angelagerten Membranskelett aus Protein-Elementen. An der äußeren Oberfläche der E. sind *Glykolipide u. *Glykoproteine wie Blutgruppen-*Antigene, Rezeptoren od. Transportproteine fixiert. Nach einer mittleren Überlebenszeit von 120 Tagen werden die E. durch Zellen des *retikuloendothelialen Systems in Milz, Leber u. Knochenmark abgebaut. Dabei wird das aus dem Hämoglobin freiwerdende Eisen in Form von *Ferritin gespeichert, das *Porphyrin-Gerüst zu den *Gallenfarbstoffen abgebaut u. ausgeschieden, der Protein-Anteil in Aminosäuren gespalten u. in den Stoffwechsel eingeschleust. – *E* erythrocytes, red blood cells – *F* érythrocytes – *I* eritrociti – *S* eritrocitos
Lit.: Begemann u. Rastetter, Klinische Hämatologie, Stuttgart: Thieme 1992.

α-**Erythroidin** s. Erythrina-Alkaloide.

Erythromycin.

R = H : Erythromycin
R = CH₃ : *Clarithromycin

Internat. Freiname für die Hauptkomponente (*E.A*, $C_{37}H_{67}NO_{13}$, M_R 733,94) des von *Streptomyces erythreus* gebildeten Gemisches aus *Makrolid-Antibiotika. E. A enthält einen 14-gliedrigen Lacton-Ring, an den zwei seltene Zucker gebunden sind: Cladinose, ein 3-*O*-Methylether der Mycarose (vgl. Carbomycin), u. der *Aminozucker *Desosamin. Für die bakteriostat. Wirkung sind Aglykon u. Zucker erforderlich. E. bildet farblose Krist., Schmp. 135–140 °C u. 190–193 °C, $[\alpha]_D^{25}$ –78 °C (c = 1,99 in C_2H_5OH), in Ethanol, Chloroform, Aceton u. Acetonitril gut, in Ether u. Wasser mäßig löslich.
E. A ist bei geringer Toxizität breit wirksam gegen Gram-pos. Bakterien (v. a. *Streptococcus*, *Staphylococcus*), einige Gram-neg. (*Neisseria*, *Haemophilus*) u. v. a. gegen Mycoplasmen (Verursacher schwerer Atemwegsinfektionen); E. wird häufig bei Erregern eingesetzt, die unempfindlich gegen β-*Lactam- u. *Aminoglykosid-Antibiotika sind. E. wirkt als Inhibitor der bakteriellen Protein-Synth., indem es an die 50S-Untereinheit der *Ribosomen bindet u. die Freisetzung der – nach Übertragung des Aminosäure-Restes auf die wachsende Peptid-Kette – deacylierten tRNA vom Ribosom blockiert. – *E* erythromycin – *F* érythromycine – *I* = *S* eritromicina
Lit.: Angew. Chem. Int. Ed. Engl. **30**, 1302, 1452 (1991) ▪ Kirk-Othmer (4.) **3**, 171 (1992) ▪ s. a. Makrolide 1. – *[HS 2941 50; CAS 114-07-8]*

Erythromycinstinoprat. Antibakteriell u. mukolyt. wirkende 1:1-Additionsverb. aus *Erythromycin-propionat u. *Acetylcystein. – *[CAS 84252-03-9]*

Erythronolid B.

R = H   : E.B
R = OH : E.A

$C_{21}H_{38}O_7$, M_R 402,53, Krist., Schmp. 223–225 °C, $[\alpha]_D$ –66,5° (CH_3OH). E. ist ein *Makrolid-Antibiotikum mit breitem klin. Wirkungsspektrum gegen Gram-pos. Bakterien. E. ist das Aglykon von *Erythromycin B aus *Streptomyces erythreus*, die Hydroxy-Gruppen an C-3 u. C-5 sind glykosidiert, was bedeutsam für die Wirkung ist. – *E* erythronolide B – *F* érythronolide B – *I* eritronolide B – *S* eritronolide B
Lit.: Angew. Chem. (Int. Ed. Engl.) **30**, 1302, 1452 (1991) ▪ Beilstein E V **18/5**, 409 ▪ J. Am. Chem. Soc. **111**, 7634 (1989). – *[CAS 3225-82-9]*

Erythrophlamin s. Erythrophleum-Alkaloide.

Erythrophleum s. Erythrophleum-Alkaloide u. Diterpen-Alkaloide.

Erythrophleum-Alkaloide.

	R^1	R^2	R^3	R^4	
	OH	CH_3	O		Cassain (1)
	OH	CH_3	H	OH	Cassaidin (2)
	H	$COOCH_3$	O		Cassamin (3)
	3-Hydroxy-isovaleryloxy	CH_3	O		Coumingin (4)
	OH	$COOCH_3$	O		Erythrophlamin (5)

Tab.: Daten von Erythrophleum-Alkaloiden.

Nr.	Summen-formel	M_R	Schmp. [°C]	$[\alpha]_D$ (C_2H_5OH)	CAS
2	$C_{24}H_{41}NO_4$	407,59	139,5	–98°	26296-41-3
3	$C_{25}H_{39}NO_5$	433,59	86–87	–56°	471-71-6
4	$C_{29}H_{47}NO_6$	505,69	142	–70°	26241-81-6
5	$C_{25}H_{39}NO_6$	449,59	149–151	–62,5°	511-00-2

Gruppe von *Diterpen-Alkaloiden, die in *Erythrophleum*-Arten (Leguminosae) vorkommen. Es handelt sich um Derivate (Ester u. Amide) der *Cassainsäure*, z. B. *Cassain. Weitere wichtige Vertreter sind *Erythrophlein, Erythrophlamin, Erythrophleguin, Cassaidin, Cassamin, Coumingin* u. a. Die E. sind tox. aufgrund ihrer Digitalis-ähnlichen Wirkung. Vergiftungen können durch Herzstillstand tödlich verlaufen. Einige E. wirken lokalanästhetisch. – *E* erythrophleum alkaloids – *F* alcaloïdes d'Erythrophleum – *I* alcaloidi dell'erythrophleum – *S* alcaloides de Erythrophleum
Lit.: Manske **4**, 265–273; **10**, 298 ▪ Schmidbauer u. vom Scheidt, Handbuch der Rauschdrogen, 7. Aufl., S. 380, München: Nymphenburger 1988. – *[CAS 4829-28-1 (Erythrophleguin); 36150-73-9 (Erythrophlein)]*

Erythrophoren s. Chromatophoren.

Erythropoese s. Erythrocyten.

Erythropoietin (Abk. EPO). *Glykoprotein-Hormon, das in der Niere gebildet wird u. die Erythropoese (Synth. von roten Blutkörperchen) in Säugern reguliert. Die *Anämie bei chron. Niereninsuffizienz ist auf den Mangel an E. zurückzuführen. E. kann in diesen Fällen mit großem Erfolg therapeut. angewendet werden. Es wurde 1977 erstmals aus Urin von Patienten mit aplast. Anämie isoliert. Erst die gentechn. Herstellung des rekombinanten humanen Proteins in Zellkulturen machte den breiten Einsatz als Arzneimittel möglich. E. ist eines der umsatzstärksten gentechn. hergestellten Arzneimittel.
E. hat eine Molmasse von 34 kDa u. besteht aus 166 Aminosäuren u. vier Kohlenhydrat-Seitenketten, die für die biolog. Wirksamkeit von Bedeutung sind. – *E* erythropoietin – *F* érythropoietine – *I* = *S* eritropoietina
Lit.: Alberts et al., Molekularbiologie der Zelle (3.), S. 1381 ff., Weinheim: VCH Verlagsges. 1995 ▪ Mutschler (7.), S. 408.

Erythropterin.

$C_9H_7N_5O_5$, M_R 265,19, rote hydratisierte Krist.; rotes Pigment der Schmetterlingsflügel. – *E* erythropterin – *F* érythropterine – *S* eritropterina
Lit.: Beilstein E V **26/18**, 495 ▪ Comp. Biochem. Physiol. B **101**, 115–133 (1992); **108**, 79–94 (1994). – *[CAS 7449-03-8]*

Erythrose.

L-Form   D-Form

$C_4H_8O_4$, M_R 120,11. In der Natur nicht vorkommende synthet. *Tetrose; farbloser, in Wasser u. Alkohol leicht lösl. Sirup von süßem Geschmack, reduziert Fehlingsche Lösung; zeigt *Mutarotation. E. besitzt 2 asymmetr. Kohlenstoff-Atome, deren OH-Gruppen auf derselben Seite der Fischer-Projektion stehen; vgl. Threose. – *E* erythrose – *F* érythrose – *I* eritrosi – *S* eritrosa

Lit.: Beilstein **31**, 12f.; E IV **1**, 4172 ▪ Merck-Index (12.), Nr. 3731, 3732 ▪ Ullmann (4.) **24**, 751; (5.) **A5**, 81. – *[HS 2940 00; CAS 583-50-6 (D-E.); 533-49-3 (L-E.)]*

Erythrosin.

$C_{20}H_6I_4Na_2O_5$, M_R 879,92; lichtempfindliches, bis 140 °C Hitze- u. Alkali-beständiges, rotbraunes Pulver, das sich in Wasser mit kirschroter Farbe löst; lösl. in Ethanol, unlösl. in pflanzlichen Ölen.
Verw.: In der Mikroskopie zur Plasmafärbung, als Indikator, zur spektralen Sensibilisation, als Lebensmittel-Farbstoff (E 127), Färbemittel für Kosmetika, Gallenblasen-Röntgenkontrastmittel. – *E* erythrosine – *F* érythrosine – *I* = *S* eritrosina
Lit.: Beilstein E V **19/6**, 466 ▪ Merck-Index (12.), Nr. 3734 ▪ Römpp Lexikon Lebensmittelchemie, S. 250 ▪ Ullmann **3**, 301; **11**, 572; **18**, 713; (4.) **13**, 190; **23**, 414; **A 11**, 572. – *[CAS 568-63-8]*

Erythroxylum coca s. Coca.

Erz. Wahrscheinlich von althochdtsch.: aruz = ungereinigtes Metall abgeleitete Bez. für Metall-haltige Mineralgemenge u. Gesteine, aus denen mit techn. Meth. u. mit wirtschaftlichem Nutzen Metalle (z. B. Fe, Pb, Au, Al) od. Metall-Verb. u. *Kernbrennstoffe (U, Th) gewonnen werden können. Abbauwürdige E.-Vork. werden als *Lagerstätten bezeichnet, die mit den E. verwachsenen od. zusammen vorkommenden u. gemeinsam abgebauten „tauben", im allg. unerwünschten Minerale u. Gesteine als *Gangart*. In der *Mineralogie werden auch Metall-haltige Minerale (*Erzminerale*) wie *Bleiglanz od. *Kassiterit „Erz" genannt. E. sind entweder Bestandteile von Gesteinskörpern od. sie bilden eigene Erzkörper; darunter häufig *Erzgänge* (mit Erzmineralen, Gangarten u. Nebengesteinsbruchstücken ausgefüllte Spalten im Gestein von vielfach schwankender Mächtigkeit). Maßgeblich am Aufbau der E. (*Metallogenese*, s. a. Lagerstätten) sind Sauerstoff u. Schwefel (*Chalkogene* = Erzbildner) beteiligt. Man unterscheidet daher oxid. u. sulfid. E.; die letzteren tragen nach ihrem Aussehen z. T. noch heute alte bergmänn. Bez.: *Kiese*: bunt, metallglänzend, meist hart (z. B. Kupferkies), *Blenden*: oft durchscheinend, blendeartig halbmetall. glänzend, geringere Härte (z. B. Zinkblende), *Glanze*: dunkel, metallglänzend, geringe Härte (z. B. *Bleiglanz), *Fahlerze*: grau bis schwarz, As- od. Sb-haltig. Die heute gültige Einteilung der sulfid. E. nach dem Verhältnis Metall : Schwefel findet sich bei Ramdohr-Strunz, S. 414, s. *Lit*. Die Bergbau-Ind. teilt die E. bzw. Metalle in bes. bezeichnete Gruppen ein: E. der *Edelmetalle: Au, Ag, Platingruppenelemente (PGE); E. der *Nichteisenmetalle: Cu, Pb, Zn, Sn (zusammen auch als *Buntmetalle bezeichnet), Al; E. der *Eisen- u. Stahlveredler*: Fe, Mn, Ni, Cr, Mo, W, V, Co; E. der *Sondermetalle u. verwandter Nichtmetalle: z. B. Sb, As, Be, Cd, Seltenerd-Elemente, Ta, Te, Ti, Zr; E. der *Kernbrennstoffe (spaltbare Metalle): U, Th, (Ra). Die Trennung der Erzmineralien von den Gangarten ist Sache der *Aufbereitungstechnik*. Die Lehre von der Gewinnung der Metalle aus den E. ist die *Hüttenkunde, die Technik ist das Arbeitsgebiet der *Metallurgie. Der Anteil (in %) des ursprünglich im E. enthaltenen Metalls, der durch Aufbereitung im Konzentrat gewonnen wird, wird *Ausbringen* bzw. Gewinnungsgrad genannt. Die Forderung, daß die Metall-Gewinnung aus den E. mit Nutzen ausführbar sein soll, setzt den *Bauwürdigkeitsgrenzen* für die einzelnen E. eine untere, durch den zeitbedingten Stand der Technik u. auch der Metallpreise veränderliche Grenze; diese Grenze, auch *Mindest(metall)gehalt* (*E* cut-off-grade) genannt, kann auch von polit. Faktoren abhängig sein. Die BRD muß ihren Bedarf an E. zu fast 100% durch Importe aus dem Ausland decken; 1992 wurden die beiden letzten Buntmetallerzgruben geschlossen, im Abbau steht lediglich noch eine Eisenerzgrube [1]. Eine nützliche Hilfe zur Bestimmung von E. bietet auch heute die mikroskop. Untersuchung (s. *Lit.*). – *E* ore – *F* minerai – *I* minerale – *S* minerales

Lit.: [1] Wirtschaftsvereinigung Bergbau e.V. (Hrsg.), Das Bergbau-Handbuch, S. 249–269, Essen: Verl. Glückauf 1994.
allg.: ASTM Standards, Part 12, Chemical Analysis of Metals, Sampling and Analysis of Metal Bearing Ores, Philadelphia: ASTM (jährlich) ▪ Bender (Hrsg.), Angewandte Geowissenschaften, Band IV: Untersuchungsmethoden für Metall- u. Nichtmetallrohstoffe, Kernenergierohstoffe, feste Brennstoffe u. bituminöse Gesteine, Stuttgart: Enke 1986 ▪ Craig u. Vaughan, Ore Microscopy and Ore Petrography (2.), Chichester: Wiley 1995 ▪ Criddle u. Stanley (Hrsg.), Quantitative Data File for Ore Minerals (3.), London: Chapman & Hall 1993 ▪ Evans, Erzlagerstättenkunde, Stuttgart: Enke 1992 ▪ Mücke, Anleitung zur Erzmikroskopie mit einer Einführung in die Erzpetrographie, Stuttgart: Enke 1989 ▪ Ramdohr, Die Erzmineralien u. ihre Verwachsungen, Berlin: Akademie-Verl. 1975 (engl.: Oxford: Pergamon 1979) ▪ Spry u. Gedlinske, Tables for the Determination of Common Opaque Minerals, El Paso (Texas): Economic Geology Publishing Comp. 1987 ▪ Wirtschaftvereinigung Bergbau eV. (Bonn), Das Bergbau-Handbuch, Essen: Verl. Glückauf 1994 ▪ s. a. Lagerstätten, Mineralogie, Rohstoffe. – *Zeitschriften:* Erzmetall, Weinheim: Verl. Chemie (seit 1971; vorher „Zeitschrift für Erzbergbau u. Metallhüttenwesen" 1948–1969) ▪ Mineralium Deposita, Berlin: Springer (seit 1966).

Erzgänge s. Erz.

Erzlaugung s. Bioleaching u. mikrobielle Laugung.

Es. Chem. Symbol für *Einsteinium.

ESA. Abk. für *European Space Agency*, s. Europäische Weltraumorganisation.

Esaki, Leo (geb. 1925), Physiker, IBM, Yorktown (Pennsylvania). *Arbeitsgebiete:* Halbleiter, Dioden, Tunneleffekt; hierfür Nobelpreis für Physik 1973 (zusammen mit *Giaever u. *Josephson).
Lit.: Bild Wiss. **11**, Nr. 1, 70 (1974) ▪ Neufeldt, S. 266, 362 ▪ Who's Who in America, S. 1096.

Esbachs Reagenz. Wäss. Lsg. von 1% *Pikrinsäure u. 2% *Citronensäure zum Eiweiß-Nachw. im Harn. – *E* Esbach reagent – *F* réactif d'Esbach – *I* reagente di Esbach – *S* reactivo de Esbach

Esbericard®. Lsg. u. Dragees mit standardisiertem *Weißdorn-Extrakt gegen Altersherz. *B.:* Schaper & Brümmer.

Esbericum®. Dragees u. Kapseln mit standardisiertem *Johanniskraut-Extrakt als pflanzliches Antidepressivum. *B.:* Schaper & Brümmer.

Esberitox mono®. Tabl. u. Tropfen mit Purpursonnenhutkraut-Extrakt, E. N zusätzlich mit Thujakraut- u. Indigowurzel-Extrakt zur Steigerung der Immunabwehr. *B.:* Schaper & Brümmer.

Esbit®. Trockenbrennstoff, der u. a. *Hexamethylentetramin enthält. *B.:* Gummi Noll.

ESCA. Abk. für *Electron Spectroscopy for Chemical Application* (ursprünglich: Analysis), auch bekannt als Röntgen (X-ray) Photoelektronen Spektroskopie XPS od. Röntgen Photoemissions Spektroskopie XPES u. weniger häufig als Photoelektronen Spectroscopy of the Inner Shell (PESIS). Eine Meth. der *Elektronenspektroskopie, mit der Bindungszustände analysiert werden können. Wird ein Atomkern von weicher Röntgenstrahlung getroffen, so wird ein Elektron aus einer inneren Bahn (z. B. K-Niveau, s. das Schema bei Elektronenspektroskopie) zum Verlassen der Bahn gezwungen. Aus der in Elektronenvolt gemessenen kinet. Energie dieses *Photoelektrons läßt sich bei Kenntnis der Röntgen-Anregungsenergie die Bindungsenergie des durch den *Photoeffekt ermittierten Elektrons bestimmen. Die ESCA findet insbes. Anw. zur Analyse von *Probenoberflächen,* z. B. zur Bestimmung von Oxidationszuständen, wobei alle Elemente außer Wasserstoff u. Helium analysierbar sind. – *E* electron spectroscopy for chemical application – *F* SEAC: spectroscopie électronique pour application chimique – *I* ESCA – *S* espectroscopia fotoeléctronica

Lit.: Barr, Modern ESCA: The Principles and Praxis of X-Ray Photoelectron Spectroscopy, Boca Raton: CRC 1994 ▪ Briggs u. Seah (Hrsg.), Practical Surface Analysis, 2. Aufl., Vol. 1: Auger and X-Ray Photoelectron Spectroscopy, Vol. 2: Ion and Neutral Spectroscopy, Chichester: Wiley 1990/91 ▪ Randall u. Neagle (Hrsg.), Surface Analysis Techniques and Applications, Letchworth: Royal Society 1990.

ESCALOL® 507. 2-Ethylhexyl-*p*-dimethyl-aminobenzoat: effektiver, öllösl. UVB-Filter. *B.:* ISP.

ESCALOL® 557. 2-Ethylhexyl-*p*-methoxycinnamat. Wirksamer öllösl. UVB-Filter mit gewisser zusätzlicher Wirkung im kurzwelligen UVA-Bereich. *B.:* ISP.

ESCALOL® 567. 2-Hydroxy-4-methoxybenzophenon. Öllösl. Breitbandfilter mit Absorptionsmaxima im UVB- u. UVA-Bereich. *B.:* ISP.

ESCALOL® 577. 2-Hydroxy-4-methoxybenzophenon-5-sulfonsäure. Wasserlösl. Breitbandfilter mit Absorptionsmaxima im UVB- u. UVA-Bereich. Gewährleistet Produktschutz vor UV-Einstrahlung. *B.:* ISP.

ESCALOL® 587. 2-Ethylhexyl-salicylat. Sek., öllösl. UVB-Filter. *B.:* ISP.

ESCALOL® 597. 2-Ethylhexyl-2-cyano-3,3-diphenylacrylat. Öllösl. UVB-Filter mit gewisser zusätzlicher Wirkung im kurzwelligen UVA-Bereich. *B.:* ISP.

Eschenmoser, Albert (geb. 1925), Prof. für Organ. Chemie, ETH, Zürich. *Arbeitsgebiete:* Organ. Naturstoffchemie, Mechanismus u. Stereochemie organ.-chem. Reaktionen, Meth. der organ.-chem. Synth.,

Totalsynth. von komplexen Naturstoffen (u. a. Vitamin B$_{12}$) präbiot. Naturstoffchemie.
Lit.: Kürschner (16.), S. 756 ▪ Nachr. Chem. Tech. Lab. **40**, Nr. 11, 1288 (1992) ▪ Neufeldt, S. 217, 222 ▪ Pötsch, S. 140.

Escherichia coli. E. c. ist ein Gram-neg. Stäbchenbakterium aus der Familie der *Enterobacteriaceae, zu denen auch *Salmonella* (s. Salmonellen), *Shigella u. Klebsiella gehören (s. Bakterien). E. c. hat eine Länge von etwa 2–6 µm bei einem Durchmesser von etwa 1 µm. Die meisten Stämme sind begeißelt u. daher beweglich, jedoch gibt es insbes. unter den Laborstämmen auch viele unbegeißelte Typen. E. c. kommt in der menschlichen u. tier. Darmflora vor. Außerhalb des Darmtraktes verursacht es Infektionen, die insbes. das Urogenital-Syst. betreffen. Bei Darmperforation können Bauchfellentzündungen entstehen. Manche Stämme rufen schwere Durchfallerkrankungen durch Enterotoxine hervor. E. c. kann außerhalb des Darms einige Zeit überleben u. wird daher als Indikator für fäkale Verunreinigungen im Trinkwasser herangezogen. Bei einer Gesamtkeimzahl von < 100 Zellen/mL darf E. c. in 100 mL nicht nachweisbar sein.
Der Stoffwechsel von E. c. ist aerob (s. Aerobier) od. fakultativ anaerob (s. Anaerobier, Gärung). Zum Wachstum ist eine einfache synthet. Nährlsg. (Kohlenhydrat, Ammonium-Salz, Mineralsalze) ausreichend; die Vergärung von Glucose od. anderen Kohlenhydraten erfolgt unter Säurebildung (gemischte Säuregärung). Unter optimalen Bedingungen (Vollmedium, 37 °C) verdoppelt sich die Bakterienzahl alle 20 min (s. Generationszeit). Die Bakterienzellwand ist bei vielen Stämmen verdickt u. von einer Kapsel aus *Polysacchariden umhüllt. Das Genom ist ringförmig, hat eine Molmasse von $2,8 \times 10^9$, entsprechend 4×10^6 Nucleotid-Paaren u. etwa 3500 Strukturgenen. Daneben können auch *Plasmide in der Zelle vorliegen.
E. c. ist der molekularbiolog. u. genet. am besten untersuchte Organismus. In der Vergangenheit wurde E. c. zur biotechnolog. Herst. von nur wenigen Produkten genutzt (Enzyme wie Asparaginase, Penicillinasen; Asparginsäure, Tryptophan). Heute ist unter den mikrobiellen Klonierungssyst. der *Gentechnologie E. c. der wichtigste Wirtsorganismus zur Expression heterologer *Proteine (*Insulin, *Interferone, *Somatostatin) sowie zur Klonierung (s. Klonieren), DNA-*Amplifikation u. Expression von Gensequenzen in der Forschung. Verw. finden dabei Stämme von E. c., die ihre pathogenen Eigenschaften vollständig verloren haben u. fast nur unter Laborbedingungen gut wachsen können. – $E = F = I = S$ Escherichia coli
Lit.: Brock u. Madigan, Biology of Microorganisms, Englewood Cliffs: Prentice-Hall 1991 ▪ Glick u. Pasternak, Molekulare Biotechnologie, Heidelberg: Spektrum Akadem. Verl. 1995 ▪ Ibelgaufts, Gentechnologie von A bis Z, S. 185, Weinheim: VCH Verlagsges. 1993 ▪ Knippers (6.), S. 83–137 ▪ Schlegel (7.).

Eschka-Mischung. Mischung aus 2 Tl. MgO u. 1 Tl. wasserfreiem Na$_2$CO$_3$ zur Schwefel-Bestimmung in Kohle. – *E* Eschka's reagent – *F* réactif d'Eschka – *I* miscela di Eschka – *S* reactivo de Eschka

Eschweiler Reaktion s. Leuckart-Reaktion.

ESCOMER®. Ethylen-Copolymere u. Ionomere mit speziellen Haft- u. Siegelungseigenschaften. *B.:* Deutsche Exxon Chemical GmbH.

ESCOR®. Ethylen-Copolymerisate (Acrylsäure, Vinylacetat), Verw. im Lebensmittel-Verpackungsbereich. *B.:* Deutsche Exxon Chemical GmbH.

ESCORENE®. Marke für Polyethylene. *B.:* Deutsche Exxon Chemical GmbH.

ESCOREZ®. Marke für Kohlenwasserstoff-Harze. *B.:* Deutsche Exxon Chemical GmbH.

Escor®/-forte. Retardkapseln mit dem *Calciumantagonisten *Nilvadipin zur Therapie der Hypertonie. *B.:* Merck.

Esculin s. Aesculin.

esE. Abk. für *elektrostatische Einheit.

E-Selectin s. Selectine.

Eserin s. Physostigmin.

ESF. Abk. für *European Science Foundation*, eine 1974 gegr. Wissenschaftsstiftung mit Sitz in 1, Quai Lezay-Marnésia, F-67080 Strassbourg, dem 59 Forschungsräte, Einrichtungen der Forschungsförderung u. wissenschaftlichen Akademien aus 21 europ. Ländern angehören. Dtsch. Mitglieder sind die *DFG, *MPG, HGF (*AGF) u. die in Mainz ansässige Ständige Konferenz der Akademien der Wissenschaften. – INTERNET-Adresse: http://www.esf.org

Esfenvalerat.

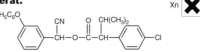

Common name für [(*S*)-α-Cyano-3-phenoxybenzyl]-(*S*)-2-(4-chlorphenyl)-3-methylbutyrat, C$_{25}$H$_{22}$ClNO$_3$, Schmp. 59–60 °C, M$_R$ 419,9, Sdp. 151–167 °C, LD$_{50}$ (Ratte oral) 75 mg/kg, von Sumitomo u. Shell entwickeltes *Insektizid mit Kontakt- u. Fraßgiftwirkung gegen eine Vielzahl von saugenden u. beißenden Insekten im Baumwoll-, Acker-, Gemüse-, Obst-, Wein- u. Hopfenanbau. – $E = F$ esfenvalerate – $I = S$ esfenvalerato
Lit.: Farm ▪ Perkow ▪ Pesticide Manual.

Esidrix®. Tabl. mit *Hydrochlorothiazid gegen Ödeme. *B.:* Ciba-Pharma.

Esilat. Internat. Kurzbez. für die Ethansulfonat-Gruppe in *Freinamen. – $E = F$ esilate – $I = S$ esilato

ESK s. Elektroschmelzwerk Kempten GmbH.

Eskazole®. Filmtabl. mit dem *Anthelmintikum *Albendazol zur Behandlung von Helminthosen (Hunde- u. Fuchsbandwurmbefall), sowie Trichinosen. *B.:* SmithKline Beecham.

ESMA. Abk. für *Elektronenstrahl-Mikroanalyse.

Esmeron®. Injektionslösung mit dem Muskelrelaxans *Rocuroniumbromid zur Erschlaffung der quergestreiften Muskulatur bei Operationen. *B.:* Organon Teknika.

Esmolol.

Esocin

Internat. Freiname für (RS)-Methyl-3-{4-[2-hydroxy-3-(isopropylamino)propoxy]phenyl}propionat, $C_{16}H_{25}NO_4$, M_R 295,38, Schmp. 48–50 °C. Verwendet wird das Monohydrochlorid, Schmp. 85–86 °C. Es wurde 1982 u. 1986 von Hässle u. Amer. Hosp. Supply als β-*Sympath(ik)olytikum patentiert u. ist als *Antiarrhythmikum von DuPont u. Krebs (Brevibloc®) im Handel. – *E* = *F* = *S* esmolol – *I* esmololo
Lit.: Clin. Pharmacokin. **28**, 190–202 (1995) ▪ Merck-Index (12.), Nr. 3741. – *[CAS 81147-92-4 (E.); 81161-17-3 (Hydrochlorid)]*

Esocin s. Protamine.

Esparto (Espartogras). Das auch *Alfagras* genannte E. ist eine bis 1 m hohe Gras-Art (*Stipa tenacissima*), die in Nordafrika u. Südspanien heim. ist u. zur Gewinnung von Hartfasern (Kurzz.: Ag), Cellulose, Papier u. *Esparto-Wachs (Schmp. 78 °C) genutzt werden kann. – *E* esparto (grass) – *F* sparte, alfa – *I* sparto – *S* esparto – *[HS 1404 90]*

Esparto-Wachs (Esparto). Aus dem in Mittelmeerländern beheimateten Espartogras (Graminaceae) wird Zellstoff u. Papier hergestellt. Dabei fällt als Nebenprodukt ein hartes Wachs an, das zu ca. 15–17% aus Wachssäuren (z. B. *Cerotin- u. *Melissinsäure), zu 20–22% aus Alkoholen u. Kohlenwasserstoffen (bes. Hentriacontan, $C_{31}H_{64}$, Schmp. 68 °C) sowie zu 63–65% aus Estern besteht (Esparto-Wachs: Schmp. 78 °C, Verseifungszahl 69,8, D^{25} 0,9887, mäßig lösl. in Ethylenchlorid). E.-W. wird zum Ersatz od. zur Verdünnung von *Carnaubawachs verwendet. E.-W. läßt sich gut mit anderen Wachsen mischen u. gibt Polituren Geschmeidigkeit. E.-W. ist ein guter Emulgator. – *E* esparto gras, esparto wax – *F* cire d'Esparto – *I* sparto – *S* esparto
Lit.: Merck-Index (12.), Nr. 3742 ▪ Ullmann (5.) **A 18**, 605. – *[HS 1521 10]*

Esperamycine (Esperamicine, Esperatrucine).

R^1	R^2	R^3	
H	AC	$CH(CH_3)_2$	A_1
AC	H	$CH(CH_3)_2$	A_2
H	AC	C_2H_5	A_{1b}

Hochwirksame Antitumor-Antibiotika aus Kulturen von *Actinomadura verrucospora*, die strukturell zu den *Endiinen gehören. E. verfügen über extrem hohe Aktivität als Breitspektrum-Antibiotika u. Cytostatika. Sie sind eng verwandt mit den *Calicheamicinen; sie besitzen ebenfalls die in einem Bicyclus fixierte Endiin-Struktur, ungewöhnliche Zuckerreste als Transportteil u. einen allyl. Tri- (bzw.). Tetrasulfid-Teil als Trigger (vgl. Endiine). E. A_{1b} (FR 900405, WS 6049 A, $C_{54}H_{82}N_4O_{22}S_3$, M_R 1235,44, farbloses Pulver, Schmp. 150 °C) zeigt die größte biolog. Aktivität. Die Antitumor-Wirkungen liegen *in vitro* im Pikogramm-Bereich, bei Tumoren der Maus *in vivo* bei 1–10 µg/kg. Die E. befinden sich in klin. Entwicklung als Arzneimittel gegen Krebs. – *E* esperamycins, esperamicins – *F* espéramycines – *I* esperamicine – *S* esperamicinas
Lit.: J. Am. Chem. Soc. **111**, 7630 (1989) (Wirkungsmechanismus); **115**, 12 340 (1993) (Biosynth.) ▪ J. Antibiot. **48**, 1497 (1995) ▪ Synform **1990**, 83–111 ▪ s. a. Endiine. – *[HS 2941 90; CAS 88895-06-1 (E. A_{1b}); 99674-26-7 (E. A_1); 99674-27-8 (E. A_2)]*

ESPRENE®. Ethylen-Propylen-Dien-Kautschuk, Dienkomponenten sind Dicyclopentadien (DCP) od. Ethylidennorbonen (EN) zur Herst. von Profilen u. Fensterabdichtungen für Autos u. Gebäude. **B.:** Krahn.

Esprenit®. Filmtabl., Retardtabl. u. Suppositorien mit dem *Antirheumatikum *Ibuprofen. **B.:** Henning.

ESPRIT. Abk. für *E*uropean *S*trategic *P*rogramme for *R*esearch and Development in *I*nformation *T*echnologies. Forschungsprogramm der EG auf dem Gebiet der Informationstechnologien mit einem Fördervol. von 3,65 Mrd. DM für die Phase III (1994–1998). – INTERNET-Adresse: http://www.cordis.lu
Lit.: Amtsblatt der EG L 334 v. 22.12.1994.

Esprocarb. Common name für *S*-Benzyl-*N*-(1,2-dimethylpropyl)-*N*-ethylcarbamothioat.

$C_{15}H_{23}NOS$, M_R 265,4, Sdp. 135 °C (4,66 kPa), LD_{50} (Ratte oral) 3700 mg/kg, von Stauffer (jetzt Zeneca) 1988 eingeführtes *Herbizid gegen Unkräuter in Reiskulturen. – *E* = *F* = *I* = *S* esprocarb
Lit.: Farm ▪ Pesticide Manual. – *[CAS 85785-20-2]*

ESR, ESR-Spektroskopie s. EPR-Spektroskopie.

Essaven®. Kps., Salbe u. Gel gegen venöse Durchblutungsstörungen, enthalten hauptsächlich Roßkastanien-Extrakt od. *Aescin u. sog. „essentielle" Phospholipide (EPL, d. h. Lecithine mit vorwiegend ungesätt. Fettsäuren) sowie *Heparin od. a. Wirkstoffe. **B.:** Nattermann.

Essentiale®. Ampullen u. Kapseln mit sog. „essentiellen Phospholipiden" (s. Essaven) gegen Lebererkrankungen, Psoriasis u. Bestrahlungssyndrom. **B.:** Rhône Poulenc Rorer.

Essentiell. Von latein.: essentia = Wesen abgeleitetes Adjektiv für „lebensnotwendig". Als e. Stoffe werden in der physiolog. Chemie solche Substanzen bezeichnet, die für einen Organismus unentbehrlich sind, die er aber nicht selbst synthetisieren kann, so daß sie (od. wenigstens ihre Vorstufen) ihm als Nahrungsbestandteile zugeführt werden müssen. Für den menschlichen Organismus sind dies eine Reihe von *Aminosäuren, bestimmte *Fettsäuren bzw. *Phospholipide, einige *Spurenelemente (die anderen sind *akzidentell) u. die meisten *Vitamine; letztere werden teilw. als *prosthetische Gruppen von *Enzymen beansprucht. – Im weiteren Sinn nennt man in der Enzymologie solche Aminosäure-Reste u. funktionellen Gruppen e., die für die Katalyse unverzichtbar sind. – *E* essential – *F* essentiel – *I* essenziale – *S* esencial

Essenzen. Von latein. essentia = Wesen abgeleitete u. hier auf *Geruch od. *Geschmack angewandte veraltete Bez. für „das Wesentliche" od. das „Konzentrat" von *Aromen. Die Essenzen-VO vom 9. 10. 1970 in der Fassung vom 21. 12. 1979 (BGBl. I, S. 2349) wurde abgelöst durch die Aromen-VO vom 22. 12. 1981 (BGBl. I, S. 1625/1676) in der Fassung vom 20. 12. 1993 (BGBl. I, S. 2305); sie enthält Begriffsbestimmungen, Verbote u. Verwendungsbeschränkungen mit Negativ- u. Restriktivlisten, Zusatzstoffvorschriften mit Positivlisten, Kennzeichnungsbestimmungen u. Verkehrsverboten im Sinne des LMBG (Lebensmittel- u. Bedarfsgegenständegesetz).
Natürliche E. bzw. mit *natürlichen Aromastoffen* hergestellte E. sind Zubereitungen, deren geruchlich od. geschmacklich wirksame Bestandteile ausschließlich natürlichen Ursprungs sind. Erstere dürfen als Lsm., Trägerstoffe od. Emulgatoren nur Stoffe enthalten, die *Lebensmittel sind, letztere auch bestimmte *Zusatzstoffe. Derartige E. werden aus Früchten, Fruchtteilen u./od. a. Pflanzenteilen (Kräutern, Drogen) sowie aus daraus gewonnenen *etherischen Ölen (auch Terpenfreien) durch Dest., Extraktion, Auflösung od. Emulgierung hergestellt. Eine häufig praktizierte Extraktionsmeth. ist auch die *Wasserdampfdestillation. Zur Herst. von *Fruchtaroma-E. geht man von Fruchtsäften u. -schalen od. ganzen Früchten (Aprikosen, Erdbeeren, Ananas) aus, die mit Ethanol dest. od. ausgezogen werden. *Künstliche E.* sind Zubereitungen, die aus synthet. Geruchs- od. Geschmacksstoffen hergestellt sind. Dabei können die synthet. Produkte mit den natürlichen Aromastoffen ident. sein (*Beisp.:* *Vanillin, *Menthol, *2,3-Butandion, *Cineol u. a.), sie können aber auch nur geschmacklich ähnlich sein, ohne daß die Konstitution Parallelen aufweist (*Beisp.:* Fruchtether auf der Basis von Estern, vgl. Buttersäureester). Näheres zur Verw. s. bei Aromen u. Geschmack. – *E* = *F* essences – *I* essenze – *S* esencias
Lit.: Kirk-Othmer (3.) **10**, 456–488; (4.) **11**, 16–61 ▪ Ullmann (4.) **12**, 249f.; s.a. Aromen, Geschmack. – [HS 210111–210130]

Essex Pharma. Kurzbez. der Essex Pharma GmbH, 81737 München, Niederlassung der Schering-Plough Corp., Kenilworth (New Jersey). *Daten* (für Deutschland, 1995): 380 Beschäftigte, 250 Mio. DM Umsatz. *Produktion:* Verschreibungspflichtige Pharmazeutika; v. a. Antiallergika, Chemotherapeutika, Dermatika, Cortikosteroide, Immuntherapie, Cytokine.

Essiccum®. Marke für klar lösl. Trockenessig. *B.:* Jungbunzlauer Ladenburg.

Essig. Von latein.: acetum abgeleiteter Name für das bereits um 5000 v. Chr. bekannte saure Würz-, Genuß- u. *Konservierungsmittel[1], das bei der aeroben Vergärung alkoholhaltiger Flüssigkeiten (Wein, Palmwein u. ä.) entsteht u. im wesentlichen eine verd. wäss. Lsg. von *Essigsäure ist. Heute dient letztere hauptsächlich zur E.-Herst.; je nach seiner Herkunft als Synth.- od. Gärungsprodukt ist E. farblos od. bräunlich. E. gelangt unter den Bez. Speise-, Tafel-, Einmach-E. od. Essigessenz in den Handel, wobei nach der Essig-VO vom 25. 4. 1972 in der Fassung vom 13. 6. 1990 (BGBl. I S. 1053, 1066) *Essig* 5–15,5 g u. *Essigessenz* 15,5–25 g Essigsäure/100 mL enthalten sollen. Der durch *Gärung gewonnene E. enthält noch Furfurol, Aceton, Essigsäureester u. Aldehyde, die analyt. Identifikation ermöglicht. Auch das Verhältnis $^{13}C/^{12}C$ kann nach *Lit.*[2] zur Unterscheidung von synthet. E. herangezogen werden. Handelssorten des Gärungsessigs sind: Echter Wein-E., Obst-E., Malz-E. u. Sprit-E. (Branntwein-E.). Der handelsübliche Wein-E. ist ein Verschnitt von 1 Tl. echtem Wein-E. mit 4 Tl. Spritessig. Außerdem sind noch Kräuter- u. Gewürz-E. (z. B. Estragon-E.) in Gebrauch, die mit entsprechenden Pflanzenauszügen hergestellt werden. E. darf wegen möglicher Bildung von bas. Eisenacetat, Zinkacetat, Grünspan usw. nicht in Metallgefäßen aufbewahrt werden. Die Lagerung in Holzfässern hebt die Qualität des Essigs. Bei unsachgemäßer Aufbewahrung kann es zum Befall mit ca. 2 mm langen *Nematoden, den sog. *Essigälchen,* kommen. – *E* vinegar – *F* vinaigre – *I* aceto – *S* vinagre
Lit.: [1] Lück u. Jäger, Chemische Lebensmittelkonservierung, S. 143–150, Berlin: Springer 1995. [2] Z. Lebensm. Unters. Forsch. **166**, 89 (1978).
allg.: s. Essigsäure. – [HS 220900]

Essigester s. Essigsäureethylester.

Essig-Produktion. Essig wird seit 10 000 Jahren aus Alkohol-haltigen Flüssigkeiten durch unvollständige Oxid. mit Essigsäure-Bakterien hergestellt. Unter den extrem variablen Essigsäure-Bakterien gibt es zahlreiche Übergänge zwischen den Arten. Wichtige techn. eingesetzte Stämme sind *Acetobacter xylinum* u. *A. aceti*, es wird immer mit Mischkulturen produziert.
Biochemie: Der Prozeß ist keine *Gärung im klass. Sinne. Die bei der Dehydrierung von *Ethanol anfallenden Elektronen werden in der *Atmungskette unter Energie-Gewinn auf Sauerstoff übertragen (Abb., S. 1216). Daher sind streng aerobe Bedingungen erforderlich. Der Grund, warum die Essigsäure nicht unter Energie-Gewinn weiter oxidiert wird, ist nicht ganz klar. Es wird vermutet, daß in den benutzten Bakterien die Enzyme des *Citronensäure-Cyclus bzw. des *Glyoxylsäure-Cyclus nicht vorhanden od. nicht ausreichend aktiv sind. Möglicherweise erklärt sich daraus auch die extreme Empfindlichkeit des Prozesses gegenüber Störungen in der Sauerstoff-Versorgung. Andererseits können aber optimierte techn. Anlagen jahrelang störungsfrei betrieben werden.
Verf.: Alle histor. Verf. zur mikrobiellen Herst. von Essigsäure waren *Oberflächenverf.,* wobei das *Generatorverfahren, eine Verfahrensvariante, bei der die Essigbakterien auf Buchenholzspänen wachsen, noch

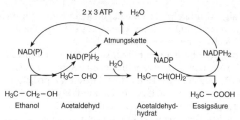

Abb.: Synthese von Essigsäure durch Essigsäure-Bakterien.

heute in der Ind. Anw. findet. Bei Temp. von 26–28 °C u. Substrat-Produkt-Ausbeuten von 85–90% werden Produkt-Endkonz. von 100–110 g Essigsäure pro Liter *Maische erreicht. Seit 1950 wird vorwiegend in *Submersverf.* produziert. Am weitesten verbreitet ist das *Acetator-Verfahren. Mit Produkt-Endkonz. von 150 g Essigsäure pro Liter Maische u. Substrat-Produkt-Ausbeuten von 90% ist es der z.Z. produktivste biotechnolog. Prozeß zur Herst. von Essigsäure. Reine Essigsäure wird heute üblicherweise chem. hergestellt. – *E* acetic fermentation, vinegar production – *F* production de vinaigre – *I* produzione di aceto – *S* producción de vinagre

Lit.: Präve et al. (4.), S. 593–623 ▪ Römpp Lexikon Biotechnologie, S. 268 ff. ▪ Schlegel (7.), S. 351 ff.

Essigsäure (Ethansäure, latein.: Acidum aceticum). $H_3C-COOH$, $C_2H_4O_2$, M_R 60,05. Wichtigster Vertreter aus der Reihe der *Fettsäuren; sie ist die älteste von den Menschen genutzte Carbonsäure. Wasserfreie E. (*Eisessig*) ist eine klare, farblose, stechend riechende Flüssigkeit, D. 1,0492, Sdp. 117,9 °C, die bei 16,5 °C zu eisartigen Krist. erstarrt. E. wirkt auf Augen, Haut u. Schleimhäute stark ätzend, MAK 10 ppm (MAK-Werte-Liste 1996), LD_{50} (Ratte oral) 3310 mg/kg, wassergefährdender Stoff, WGK 1; Emissionsklasse II (TA Luft 3.1.7). Reine E. ist brennbar, FP. 37 °C c.c., Zündtemp. 500 °C, Explosionsgrenzen in Luft 4 bis 17%; die molare Verbrennungswärme beträgt 876,72 kJ (209,4 kcal).
Mit Wasser, Alkohol, Ether, Tetrachlormethan, Chloroform, Glycerin u. ether. Ölen ist E. in jedem Verhältnis mischbar, nicht aber mit Schwefelkohlenstoff. Reine E. löst Schwefel, Phosphor u. viele organ. Verb.; da ihre kryoskop. Konstante nicht unbeträchtlich ist (3,7 °C/kg mol), kann sie als Lsm. zur *Molmassen-Bestimmung benutzt werden. Die D. von wäss. E.-Lsg. steigen etwa bis zu 77–80%igen Lsg. regelmäßig an; von hier ab sinkt die D. bei Erhöhung der Konz., z.B. beträgt bei 20, 40, 60 u. 80 Gew.-% die D. 1,0284, 1,0523, 1,0663 u. 1,0742. Die Erstarrungstemp. wäss. E.-Lsg. sinken mit zunehmendem Gehalt an Wasser, sie betragen z.B. bei einer Säurekonz. von 99,9% 16,4 °C, 99% 14,7 °C u. 98% 13,2 °C. Infolge des hygroskop. Charakters ist E. nur schwer zu entwässern. E. ist eine schwache Säure, pK_s 4,75. Kalk u. verschiedene Metalle (Fe, Mg, Zn) werden von verd. E.-Lsg. mehr od. weniger rasch unter Bildung von *Acetaten (Salze der E.) aufgelöst. Aluminium ist ziemlich widerstandsfähig; man kann daher E. in Aluminium-Tanks transportieren.

Nachw.: Man erkennt E. an dem charakterist., bes. bei Verdünnung hervortretenden Essig-Geruch. Nach Neutralisierung mit Natronlauge werden Lsg. von E. u. essigsauren Salzen durch Eisenchlorid-Lsg. tief rot gefärbt; die Färbung verschwindet nach Zusatz von Salzsäure. Acetate bilden beim Erhitzen mit Arsen(III)-oxid *Kakodyloxid, das an seinem widerwärtigen Geruch erkannt wird. Quant. läßt sich E. sowohl acidimetr. als auch enzymat. bestimmen.

Vork.: In den Organismen scheint E. im wesentlichen die Rolle eines gegen weitere Oxid. ziemlich beständigen Endproduktes zu spielen; dafür spricht ihr häufiges Auftreten bei Gärungs- (s. Essig), Fäulnis- u. Oxidationsvorgängen. Bei normalen Stoffwechselprozessen ist E. in Form der sog. aktivierten Essigsäure beteiligt (s. Coenzym A u. Citronensäure-Cyclus).

Herst.: Zur verd. wäss. E., s. Essig u. Essig-Produktion. Synthet. E. wurde lange Jahre hindurch hauptsächlich aus *Acetaldehyd hergestellt. Bereits zu Beginn des 1. Weltkrieges wurden Oxidationsverf. von Hoechst, Wacker u. Shawinigan im techn. Maßstab betrieben. Damit war die E. sehr eng an die Herstellprozesse des Acetaldehyds gekoppelt, u. sie machte gleichzeitig mit ihm den Wandel der Rohstoffbasis von Acetylen zum Ethylen durch.
Die wirtschaftliche Notwendigkeit zur nutzbringenden Verwertung niederer Kohlenwasserstoffe führte zur Ausarbeitung von Oxidationsverf. für leichte Paraffine sowie von C_4-Olefinen. Nur wenige dieser Prozesse kamen zu einem techn. Einsatz. In den zwanziger Jahren setzten die ersten Bemühungen zur Carbonylierung von Methanol ein:

$$H_3C-OH + CO \rightarrow H_3C-COOH,$$

die aber erst relativ spät durch die BASF zu einer techn. Lsg. führten. Vor wenigen Jahren bekam dann diese Route durch Monsanto mit der Rh-Katalyse einen neuen u. wesentlichen Impuls. Näheres zu den einzelnen Verf., s. in *Lit.*[1,2,3]. In der BRD wurden 1992 330000 t E. produziert. Beispielhaft für die Situation konkurrierender Ausgangsprodukte sei die Essigsäure-Produktion in Westeuropa genannt: so basierten 1979 noch etwa 62% der E. auf Acetaldehyd. Dieser Anteil verminderte sich z.B. 1992 schon auf 26% unter dem wirtschaftlichen Druck der Methanol-Carbonylierung, die etwa 58% der Produktion lieferte u. weiter im Steigen begriffen ist. Weltweit tragen derzeit zur E.-Herstellkapazität die in nachfolgender Tab. aufgeführten Basisprozesse bei (aus Weissermel-Arpe).

Tab.: Essigsäure-Herstellkapazität weltweit (in Gew.-%).

	1988	1989	1991
CH_3OH-Carbonylierung	47	50	55
H_3C-CHO-Oxid.	27	27	23
C_2H_5OH-Dehydrierung/Oxid.	6	7	7
Butan-Naphtha-Oxid.	7	12	10
Sonstige	13	4	5

Verw.: E. dient hauptsächlich zur Herst. verschiedener E.-ester. Die Salze der E., wie z.B. Na-, Pb-, Al- u. Zn-Acetat, dienen als Hilfsmittel in der Textil- u. Leder-Ind., in der Färberei u. Medizin. In Form von Chloressigsäure findet E. Verw. für zahlreiche organ. Synthesen. In der organ. Chemie u. Technologie dient E.

als Lsm., sowie zur Herst. der techn. bedeutenden Folgeprodukte Acetanhydrid u. Keten. In der Lebensmittel-Ind. dient E. als Säuerungsmittel, Konservierungsstoff (E 260) sowie zur Herst. von Essig u. Essigessenz. *Geschichte:* *Essig u. seine Herst. waren bereits im Altertum bekannt, u. Holzessig wird schon von Glauber (1648) erwähnt. Konz. E. erhielt Stahl durch Zers. von Natrium-, Kupfer- u. Bleiacetaten mit Schwefelsäure u. den ersten Eisessig stellte Lowitz 1789 dar. Lavoisier erkannte, daß Alkohol bei Anwesenheit von Luftsauerstoff in E. übergeht, u. die Bruttoformel der E. wurde 1814 von Berzelius durch Elementaranalyse ermittelt. – *E* acetic acid – *F* acide acétique – *I* acido acetico – *S* ácido acético

Lit.: [1] Kirk-Othmer (4.) **1**, 121 ff. [2] Weissermel-Arpe (4.), S. 186–197. [3] Ullmann (5.) **A 1**, 45 ff.
allg.: Agreda, Zoeller, Acetic Acid and its Derivatives, New York: Dekker 1993 ■ Beilstein E IV **2**, 94–109 ■ Brauer, Gefahrstoff-Sensorik, Landsberg: Ecomed Verlagsges. 1988 ■ Gesundheitsschädliche Arbeitsstoffe: toxikologisch-arbeitsmedizinische Begründung von MAK-Werten, Weinheim: Verl. Chemie 1972–1996 ■ Gmelin, Syst.-Nr. 14, C, Tl. C 4, 1975, S. 121–197 ■ Hager (5.) **3**, 539; **8**, 77 ■ Hommel, Nr. 90 ■ Paquette **1**, 11 ■ s. a. Carbonsäuren u. Fettsäuren. – *[HS 2915 21; CAS 64-19-7; G 8]*

Essigsäureamid s. Acetamid.

Essigsäureanhydrid (Acetanhydrid).

$C_4H_6O_3$, M_R 102,09. Wasserhelle, stechend riechende Flüssigkeit, D. 1,08, Schmp. –73 °C, Sdp. 139 °C, FP. 49 °C, lösl. in Alkohol u. Ether, in kaltem Wasser langsam, in der Siedehitze rasch lösl. unter Bildung von Essigsäure (Wasseraufnahme). Kontakt mit Dämpfen u. Flüssigkeit führt zu starker Reizung der Augen, der Atmungsorgane u. der Haut, MAK 5 ppm (MAK-Werte-Liste 1996); LD_{50} (Ratte oral) 1780 mg/kg; wassergefährdender Stoff, WGK 1.

Herst.: Durch katalyt. Oxid. von Acetaldehyd od. aus Essigsäure u. Keten:

$$H_3C\text{-COOH} + H_2C=C=O \longrightarrow (H_3C\text{-CO})_2O$$

(höhere Temp., Triethylphosphat-Katalysator). Neuere Routen zur Herst. von E. bestehen aus der homogen-katalysierten Carbonylierung von Dimethylether od. von Methylacetat als Entwicklungen von Hoechst bzw. Halcon. Sie basieren damit beide, ausgehend von Methanol od. seiner weiteren Carbonylierung zu *Essigsäure, ausschließlich auf Synthesegas u. daher z. B. auch auf Kohle als Rohstoff. Techn. am weitesten entwickelt ist die Carbonylierung von Methylacetat, die vorzugsweise bei 150 bis 220 °C u. 25 bis 75 bar in Ggw. von Rhodiumsalz-Katalysatorsystemen mit Methyliodid. u. z.B. Chromhexacarbonyl/Picolin als Promotoren durchgeführt wird:

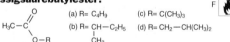

1990 wurden in der BRD 112000 t E. produziert.
Verw.: Bei organ. Synth. zur *Acetylierung, in der analyt. Chemie als nicht-wäss. Lsm. für Titrationen. Man braucht große Mengen von E. zur Herst. von Acetylcellulosen, Acetylsalicylsäure, Nitrofuranen, Sulfonamiden, Vitamin B 6 usw. – *E* acetic anhydride – *F* anhydride acétique – *I* anidride acetica – *S* anhídrido acético

Lit.: Beilstein E IV **2**, 386–390 ■ Brauer, Gefahrstoff-Sensorik, Landsberg: Ecomed Verlagsges. 1988 ■ Hager (5.) **3**, 540 ■ Hommel, Nr. 91 ■ Kirk-Othmer **8**, 405–414; (3.) **1**, 151–161 ■ Paquette **1**, 13 ■ Ullmann **6**, 804–814; (4.) **11**, 75 ff.; (5.) **A 1**, 65 f. ■ Weissermel-Arpe (4.), S. 197 f. – *[HS 2915 24; CAS 108-24-7; G 8]*

Essigsäurebenzylester (Benzylacetat).

$$H_3C-\overset{O}{\underset{}{C}}-O-CH_2-C_6H_5$$

$C_9H_{10}O_2$, M_R 150,17. Farblose, stark nach Birnen u. Jasmin duftende Flüssigkeit, D. 1,057, Schmp. –51 °C, Sdp. 213 °C, in Jasminöl (zu 65%), Gardenia- u. Ylang-Ylang-Öl enthalten. E. entsteht durch Veresterung von Benzylalkohol mit Essigsäureanhydrid u. Natriumacetat bzw. durch Umsetzung von Benzylchlorid mit Alkaliacetat. Er ist einer der wichtigsten Riechstoffe (Jasmin-Richtung) u. wird außerdem als techn. Lsm. verwendet. – *E* benzyl acetate – *F* acétate de benzyle – *I* acetato di benzile – *S* acetato de bencilo

Lit.: Beilstein E IV **6**, 2262 ■ Merck-Index (12.), Nr. 1158 ■ Ullmann (4.) **8**, 438; (5.) **A 11**, 191 ■ s. a. Essigsäureester. – *[HS 2915 39; CAS 140-11-4; G 3]*

Essigsäurebutylester.

$$H_3C-\overset{O}{\underset{}{C}}-O-R$$

(a) R= C_4H_9
(b) R= CH–C_2H_5 / CH_3
(c) R= C(CH_3)$_3$
(d) R= CH_2–CH(CH_3)$_2$

$C_6H_{12}O_2$, M_R 116,15, MAK 200 ppm (MAK-Werte-Liste 1996); wassergefährdende Stoffe, WGK 1. (a) *n-Butylacetat:* D. 0,882, Schmp. –77 °C, Sdp. 126 °C, FP. 25 °C, eines der gebräuchlichsten Lack-Lsm.; kommt in vielen Früchten vor u. ist ein Bestandteil von Apfelaromen; zugelassen als Extraktionslösemittel. – (b) *sek-Butylacetat:* D. 0,865, Schmp. –99 °C, Sdp. 118 °C; – (c) *tert-Butylacetat:* D. 0,859, Sdp. 98 °C, FP. –2 °C; – (d) *Isobutylacetat:* D. 0,87, Schmp. –99 °C, Sdp. 118 °C, FP. 18 °C. Zu Herst., Eigenschaften u. Verw. s. bei Essigsäureester. – *E* butyl acetates – *F* acétates de butyle – *I* acetato di butile – *S* acetatos de butilo

Lit.: Beilstein E IV **2**, 143–146, 148–151 ■ Hommel, Nr. 48 ff. ■ Merck-Index (12.), Nr. 1570 ff. ■ Ullmann (4.) **11**, 72 f.; **20**, 208; (5.) **A 11**, 152. – *[HS 2915 33, 2915 39; CAS 123-86-4 (a); 105-46-4 (b); 540-88-5 (c); 110-19-0 (d); G 3]*

Essigsäurecinnamylester (Cinnamylacetat).

$$H_3C-\overset{O}{\underset{}{C}}-O-CH_2\overset{H}{\underset{H}{C=C}}C_6H_5$$

$C_{11}H_{12}O_2$, M_R 176,21. Farblose, nach Hyazinthen riechende Flüssigkeit, D. 1,056–1,058, Sdp. 262 °C. E. wird als Fixateur in der Parfümerie, Duftkomponente für oriental. Noten verwendet; s. a. Essigsäureester. – *E* cinnamyl acetate – *F* acétate de cinnamyle – *I* acetato di cinnamile – *S* acetato de cinamilo

Lit.: Beilstein E IV **6**, 3801 ■ Ullmann (5.) **A 11**, 192. – *[HS 2915 39; CAS 103-54-8]*

Essigsäurecyclohexylester (Cyclohexylacetat).

$C_8H_{14}O_2$, M_R 142,19. Farblose, angenehm riechende Flüssigkeit, D. 0,969, Sdp. 173 °C, LD_{50} (Ratte oral) 6730 mg/kg; wassergefährdender Stoff, WGK 1; zu Eigenschaften u. Verw. s. Essigsäureester. – *E* cyclohexyl acetate – *F* acétate de cyclohexyle – *I* acetato di cicloesile – *S* acetato de ciclohexilo
Lit.: Beilstein EIV **6**, 36 ▪ Hommel, Nr. 505 ▪ Ullmann (5.) **A 24**, 493 ▪ s. a. Essigsäureester. – *[HS 2915 39; CAS 622-45-7; G 3]*

Essigsäureester.

Häufig als *Acetate der jeweiligen Alkohol-Komponente benannte u. in Einzelfällen auch dort (*Beisp.*: *Linalylacetat) behandelte *Ester. Die niedermol. E. sind farblose, brennfähige Flüssigkeiten von angenehmem, oft fruchtartigem Geruch, die in Wasser meist unlösl. u. mit organ. Lsm. mischbar sind. Die leichter flüchtigen E. wirken mehr od. weniger narkot., schleimhautreizend u. auf der Haut entfettend; ggf. kann auch infolge Hydrolyse die Wirkung der Einzelkomponenten (Säuren, Alkohole) auftreten. Die E. sind im allg. durch *Veresterung der *Essigsäure mit den entsprechenden Alkoholen leicht zugänglich. Die einfachen Alkylester sind gute Lsm., z. B. für Celluloseether, Lacke, Kunstharze, in der Chromatographie usw. Viele E. werden wegen ihres Frucht- od. Blütenaromas zu Essenzen u. in der Parfümerie verwendet, u. einige E. haben auch andere techn. Verw. gefunden, s. a. die benachbarten Einzelstichwörter. – *E* acetic acid esters, acetates – *F* acétates, esters de l'acide acétique – *I* acetati, esteri dell'acido acetico – *S* acetatos, ésteres del ácido acético
Lit.: Beilstein EIV **2** ▪ Kirk-Othmer (3.) **9**, 329–334 ▪ Ullmann (4.) **11**, 68ff.; (5.) **A 1**, 59ff. ▪ Winnacker-Küchler (3.) **4**, 95–98; (4.) **6**, 86f. ▪ s. a. Essigsäure u. die einzelnen Ester. – *[HS 2915 31–2915 39]*

Essigsäureethylester (Ethylacetat, Essigester). $H_3C-COOC_2H_5$, $C_4H_8O_2$, M_R 88,10. Farblose, flüchtige, angenehm riechende Flüssigkeit, D. 0,90, Schmp. –83 °C, Sdp. 77 °C, FP. –4 °C c. c., Zündtemp. 460 °C, Explosionsgrenzen in Luft 2,1–11,5%. Dämpfe u. Flüssigkeit reizen die Atemwege u. die Augen, in höherer Konz. narkot. Wirkung mit eventuell tödlichen Folgen, MAK 400 ppm (MAK-Werte-Liste 1996), LD_{50} (Ratte oral) 5620 mg/kg, wassergefährdender Stoff, WGK 1; Emissionsklasse III (TA Luft 3.1.7). E. ist in der 10fachen Menge Wasser (25 °C) lösl., wobei E. bei Licht u. Luft langsam in Alkohol u. Essigsäure zerfällt u. daher allmählich sauer reagiert.
Herst.: Aus Acetaldehyd nach dem Tischtschenko-Verf. (vgl. Cannizzaro-Reaktion):

$$2\ H_3C-CHO \xrightarrow{Al(OC_2H_5)_3} H_3C-CO-O-C_2H_5$$

od. durch Ethanol-Veresterung mit Essigsäure; 1992 wurden in Westeuropa 270 000 t E. produziert.
Verw.: E. ist einer der häufigst verwendeten *Essigsäureester. Er ist ein wichtiges Lsm. bei der Herst. von Cellophan, Celluloid, Collodiumwolle, Lacken, Kunstharz usw. sowie Hauptbestandteil vieler Speziallösungsmittel. E. wird ferner verwendet zur Extraktion von Antibiotika, zum Aromatisieren von Likören, Bonbons, Limonaden u. Arzneizubereitungen; findet Verw. in Nagellacken u. Nagellackentfernern; E. ist zugelassen als Extraktionslösemittel. – *E* ethyl acetate – *F* acétate d'éthyle – *I* acetato di etile – *S* acetato de etilo
Lit.: Beilstein EIV **2**, 127ff. ▪ Hager (5.) **8**, 124 ▪ Hommel, Nr. 10 ▪ Merck-Index (12.) Nr. 3803 ▪ Rippen ▪ Ullmann (4.) **11**, 69f.; (5.) **A 11**, 152 ▪ Weissermel-Arpe (4.), S. 204f. – *[HS 2915 31; CAS 141-78-6; G 3]*

Essigsäurehexylester (Hexylacetat). $H_3C-COOC_6H_{13}$, $C_8H_{16}O_2$, M_R 144,22. Farblose Flüssigkeit, D. 0,878, Schmp. –61 °C, Sdp. 169 °C, wird für Fruchtaromen verwendet. – *E* hexyl acetate – *F* acétate d'hexyle – *I* acetato di esile – *S* acetato de hexilo
Lit.: Beilstein EIV **2**, 159 ▪ Ullmann (5.) **A 11**, 152 ▪ s. a. Essigsäureester. – *[HS 2915 39; CAS 142-92-7]*

Essigsäureisopropenylester (Isopropenylacetat, Methylvinylacetat).

$C_5H_8O_2$, M_R 100,11. Schwach Ester-artig u. stechend riechende Flüssigkeit, D. 0,92, Schmp. –93 °C, Sdp. 97 °C, FP. 4 °C, leicht reizend, in hohen Konz. narkotisch. E. ist ein wertvolles Acetylierungsmittel, das aus enolisierbaren Aldehyden bzw. Ketonen durch Umesterung Enolacetate bildet. Mit Alkoholen u. Aminen reagiert E. unter Bildung von *Estern u. *Amiden. – *E* isopropenyl acetate – *F* acétate d'isopropényle – *I* acetato di isopropenile – *S* acetato de isopropenilo
Lit.: Beilstein EIV **2**, 179 ▪ Hommel, Nr. 717 ▪ Merck-Index (12.), Nr. 5222 ▪ Synthetica **1**, 198f. ▪ s. a. Essigsäureester. – *[HS 2915 39; CAS 108-22-5; G 3]*

Essigsäuremethylester (Methylacetat).
$H_3C-COOCH_3$, $C_3H_6O_2$, M_R 74,08. Schwach Arrak-artig riechende Flüssigkeit, D. 0,928, Schmp. –98 °C, Sdp. 58 °C, FP. –10 °C c. c., Zündtemp. 475 °C, Explosionsgrenzen in Luft 3,1–16%. E. reizt die Atemwege u. wirkt in hohen Konz. narkot., MAK 200 ppm (MAK-Werte-Liste 1996); wassergefährdender Stoff, WGK 1; Emissionsklasse II (TA Luft 3.1.7). E. entsteht als Nebenprodukt der Essigsäure-Gewinnung.
Verw.: Als Lsm. für Nitrocellulose, Acetylcellulose usw. E. ist mit Beschränkung als Extraktionslösemittel zugelassen. – *E* methyl acetate – *F* acétate de méthyle – *I* acetato di metile – *S* acetato de metilo
Lit.: Beilstein EIV **2**, 122ff. ▪ Brauer, Gefahrstoff-Sensorik, Landsberg: Ecomed Verlagsges. 1988 ▪ Hager (5.) **3**, 803 ▪ Hommel, Nr. 378 ▪ Merck-Index (12.), Nr. 6089 ▪ s. a. Essigsäureester. – *[HS 2915 39; CAS 79-20-9; G 3]*

Essigsäurenitril s. Acetonitril.

Essigsäurepentylester (Pentylacetate, früher Amylacetate).

(a) R= C_5H_{11}
(b) R= $CH-C_3H_7$ | CH_3
(c) R= $CH(C_2H_5)_2$
(d) R= $C(CH_3)_2-C_2H_5$
(e) R= $(CH_2)_2-CH(CH_3)_2$

$C_7H_{14}O_2$, M_R 130,19. Farblose Flüssigkeit, meist als Gemisch nachstehender Isomere im Handel: (a) *1-Pentylacetat:* D. 0,8756, Schmp. –71 °C, Sdp. 150 °C, FP. 37 °C; – (b) *2-Pentylacetat* (1-Methylbutylacetat, *sek*-Amylacetat): Gemisch der opt. Isomeren, D. 0,862–0,866, Sdp. 123–145 °C; – (c) *3-Pentylacetat* (1-Ethylpropylacetat): D. 0,8712, Sdp. 132 °C (988 hPa); – (d) *1,1-Dimethylpropylacetat* (*tert*-Amylacetat): D. 0,8740, Sdp. 124 °C; – (e) *3-Methylbutylacetat* (Isoamylacetat, Birnenether): D. 0,8670, Schmp. –78 °C, Sdp. 142 °C, FP. 25 °C.
Die E. riechen birnen- od. bananenartig (Birnenether, Bananenöl); der Isopentylester ist zu 50% im *Bananen-Aroma enthalten; sie sind leicht schleimhautreizend, MAK 50 ppm (MAK-Werte-Liste 1996), WGK 1.
Verw.: Außer als Lack- u. Harz-Lsm. etc. auch in der Parfümerie- u. Aromen-Ind. u. in der Chromatographie. Der Isopentylester dient außerdem zur Reinigung von Penicillin. – *E* pentyl acetates – *F* acétate de pentile – *I* acetato di pentile – *S* acetato de pentilo
Lit.: Beilstein E IV **2**, 152 ▪ Hommel, Nr. 29, 30 ▪ Ullmann (5.) **A 1**, 60; **A 11**, 152 ▪ s. a. Essigsäureester. – *[HS 2915 39; CAS 628-63-7; G 3]*

Essigsäurepropylester (Propylacetate).

$C_5H_{10}O_2$, M_R 102,13. Die Dämpfe wirken betäubend u. reizen die Augen sowie die Atmungsorgane, Kontakt mit der Flüssigkeit führt zu Reizung der Augen, MAK 200 ppm (MAK-Werte-Liste 1996); wassergefährdende Stoffe, WGK 1.
(a) *Propylacetat:* Farblose, birnenartig riechende Flüssigkeit, D. 0,887, Schmp. –92 °C, Sdp. 102 °C, FP. 10 °C c.c. – (b) 2- bzw. *Isopropylacetat:* D. 0,872, Schmp. –73 °C, Sdp. 90 °C, FP. 4 °C c.c. Die E. finden Verw. als Lsm. für Cellulose-Derivate, Öle, Fette usw., sowie in der Parfümherstellung. – *E* propyl acetates – *F* acétates de propyle – *I* acetato di propile – *S* acetatos de propilo
Lit.: Beilstein E IV **2**, 138 f. ▪ Giftliste ▪ Hommel, Nr. 165, 166 ▪ Merck-Index (12.), Nr. 5224, 8026 ▪ Ullmann (5.) **A 9**, 567. – *[HS 2915 39; CAS 109-60-4 (a); 108-21-4 (b); G 3]*

Essigsäurevinylester (Vinylacetat).
$H_3C-CO-O-CH=CH_2$, $C_4H_6O_2$, M_R 86,09. Farblose, süßlich riechende Flüssigkeit, D. 0,932, Schmp. –93 °C, Sdp. 73 °C, FP. –8 °C c.c., Zündtemp. 425 °C, Explosionsgrenzen in Luft 2,6–13,4%. Die Dämpfe wirken betäubend u. verursachen starke Reizung der Augen. Kontakt mit der Flüssigkeit führt zu Reizung der Augen u. der Haut, wassergefährdender Stoff, WGK 2, Emissionsklasse II (TA Luft 3.1.7), LD_{50} (Ratte oral) 2920 mg/kg; E. gilt als Stoff mit begründetem Verdacht auf krebserzeugendes Potential, Gruppe III B, MAK 10 ppm (MAK-Werte-Liste 1996). E. enthält meist 0,001–0,015% Hydrochinon als Stabilisator, denn es polymerisiert am Licht u. bei Bestrahlung mit ionisierender Strahlung od. durch Katalyse mit organ. u. anorgan. Peroxiden, Azo-Verb., Redox-Syst. zu *Polyvinylacetat. Als ungesätt. Ester ist E. zu zahlreichen Additionsreaktionen befähigt, die Hydrolyse führt zu Essigsäure u. Acetaldehyd. Durch *Umesterung läßt sich die Vinyl-Gruppe auf andere Carbonsäuren übertragen. Vinylacetat-Monomer (VAM) als Ausgangsstoff wird durch Anlagerung von Acetylen an Essigsäure in flüssiger od. Gasphase gewonnen (älteres Verf.) od. nach einem abgewandelten *Wacker-Verfahren aus Ethylen, Essigsäure u. Sauerstoff über Pd-Katalysatoren (ausführliche Beschreibung s. *Lit.*[1]). Außer zur PVAC-Herst. wird E. als Ausgangsprodukt für zahlreiche Copolymere verwendet, die vor allem als Klebstoffe, Binde- u. Beschichtungsmittel eingesetzt werden; E. ist ein nützliches Reagenz in zahlreichen organ. Synthesen. – *E* vinyl acetate – *F* acétate de vinyle – *I* acetato di vinile – *S* acetato de vinilo
Lit.: [1] Weissermel-Arpe (4.), S. 247–252.
allg.: Beilstein E IV **2**, 176 ff. ▪ Brauer, Gefahrstoff-Sensorik, Landsberg: Ecomed Verlagsges. 1988 ▪ Gesundheitsschädliche Arbeitsstoffe: toxikologisch-arbeitsmedizinische Begründung von MAK-Werten, Weinheim: Verl. Chemie 1972–1996 ▪ Hommel, Nr. 203 ▪ Kirk-Othmer **21**, 317–330; (3.) **23**, 817 ff. ▪ Paquette **7**, 5485 ▪ Ullmann (4.) **11**, 96; (5.) **A 9**, 567. – *[HS 2915 32; CAS 108-05-4; G 3]*

Essigsaure Tonerde. Histor. Bez. (vgl. Tonerde) für die *Aluminiumacetate.

Eßkohle s. Kohle.

ESSO. Kurzbez. für die 1890 als dtsch.-amerikan. Petroleumges. gegr. Esso AG, 22285 Hamburg, eine 100%ige Tochterges. der *EXXON. *Produktion:* Gewinnung u. Verarbeitung sowie Transport u. Vertrieb von Mineralölen, Mineralölprodukten, Naturgas u. Gasprodukten. *Daten* (1994): 2052 Beschäftigte, 18,2 Mrd. DM Umsatz.

ESTA®. Düngemittel für die Landwirtschaft, insbes. Magnesiumsulfat-haltige Düngemittel, wie ESTA® Kieserit. *B.:* Kali & Salz.

Estane®. Thermoplast. Polyurethane auf Polyester- od. Polyetherbasis zur Verw. in Beschichtungen od. als extrudierte, spritzgegossene o. ä. verarbeitete techn. Artikel. *B.:* Goodrich.

Ester. Von Gmelin (1850) aus *Essigäther* gebildete Bez. für eine wichtige Gruppe von *Carbonsäure-Derivaten. Entsprechend den Benennungen bei anorgan. Salzen erhalten die E. die Endung ...*at* (IUPAC-Regel C-463, z. B. Ethylacetat, Butylacetat, Dimethylsulfat, Glycerintrinitrat, od. man reiht an den Namen der Säure den Alkyl- od. Aryl-Rest des Alkohols u. setzt das Wort E. an den Schluß (Essigsäureethylester statt Ethylacetat).
Vork.: Wegen der Vielfalt der Säure- od. Alkohol-Komponenten ist die E.-Gruppe sehr variantenreich; in der Natur ist sie in Form der Fette u. fetten Öle (E. der Fettsäuren mit Glycerin), Wachse (E. von Fettsäuren mit Fettalkoholen), Lecithine, Phosphatide u. Riechstoffe von Früchten u. Blüten (*Aromen) sehr häufig anzutreffen. Die E. von niedermol. Komponenten sind flüssig, die der höhermol. fest.
Herst.: Die wichtigste Herst.-Meth. für E. ist die durch Säuren (konz. Schwefelsäure, Chlorwasserstoff, *p*-Toluolsulfonsäure, u. a.) katalysierte Umsetzung von Carbonsäuren mit Alkoholen. Diese sog. *Veresterung*[1] ist eine typ. Gleichgewichtsreaktion (s. chemisches Gleichgewicht), die durch das *Massenwirkungsge-

setz bestimmt wird. Die Veresterung profitiert von einem Alkohol-Überschuß od. von einem kontinuierlichen Entfernen des gebildeten Wassers, das beispielsweise durch *azeotrope *Destillation erfolgen kann.

Der Mechanismus [2] der Veresterung wird durch säurekatalysierte Additions-Eliminierungs-Schritte mit tetraedr. Zwischenstufe beschrieben, u. nach Ingold als $A_{AC}2$-Prozeß klassifiziert [3]. Nicht alle Carbonsäuren lassen sich nach diesem Mechanismus verestern, insbes. wenn ster. Hinderung vorliegt. In diesen Fällen hat sich das Eintragen der Säure in konz. Schwefelsäure (Bildung eines *Acyl-Kations* R-CO$^+$) mit nachfolgender Zugabe zu dem gewünschten Alkohol bewährt ($A_{AC}1$-Mechanismus). Neben der klass. Veresterung können auch wasserbindende Reagenzien wie Dicyclohexylcarbodiimid[4], Carbonyldiimidazol[5], Triphenylphosphin/Diazendicarbonsäure-ester (*Mitsunobu-Reaktion*)[6] u. v. a. als Veresterungsreagenzien eingesetzt werden.
Weitere Herst.-Meth. für E. sind die Umsetzung von Metall-Salzen der Carbonsäuren (z. B.: Silber-Salzen) mit Alkylhalogeniden, die *Alkoholyse von Carbonsäurechloriden, Carbonsäureanhydriden (s. a. Schotten-Baumann-Reaktion) od. Carbonsäureester (*Umesterung) u. speziell für Methylester die Umsetzung der Carbonsäuren mit *Diazomethan. Daneben existieren eine Vielzahl weiterer Meth., die Bedeutung für die Synth. spezieller E. besitzen.
Den techn. wichtigen *Essigsäureethylester stellt man aus Acetaldehyd nach dem Tischtschenko-Claisen-Verfahren her.
Führt man die *Veresterung* intramol. durch, d.h. behandelt man γ- od. δ-Hydroxy-carbonsäuren mit Säuren, so bildet sich ein cycl. Ester, der als *Lacton bezeichnet wird. Befindet sich die Hydroxy-Gruppe näher od. weiter von der Carboxy-Gruppe entfernt, so wird die Lactonisierung zugunsten der *Polyester-Bildung* unterdrückt.

n = 2,3: Lactone

2>n>3: Polyester

Neben den E. der Carbonsäuren gibt es auch E., die sich von anorgan. Säuren ableiten. Bekannte Vertreter sind Schwefelsäuredialkylester (z. B. *Dimethylsulfat*), Glycerintrinitrat (Nitroglycerin), Salpetrigsäureester (z. B. Isoamylnitrit). Mehrwertige Alkohole können an sämtlichen Hydroxy-Gruppen verestert sein, wobei auch unterschiedliche Säure-Reste vorhanden sein dürfen. Zu nennen sind hier die natürlich vorkommenden *Fette und Öle, *Wachse u. *Phospholipide, die den dreiwertigen Alkohol *Glycerin (1,2,3-Propantriol) als Alkohol-Komponente enthalten (Triglyceride, Phosphoglyceride).

Triglyceride   Phosphoglyceride

Umwandlung: E. finden vielfache Verw. in der organ. Synthese. Die Umkehrung der Veresterung ist die Hydrolyse der E. in Carbonsäure u. Alkohol. Die säurekatalysierte Hydrolyse ist wie die Veresterung selbst eine Gleichgewichtsreaktion, während die alkal. Hydrolyse (*Verseifung) infolge der Bildung des reaktionsträgen Carboxylat-Anions prakt. irreversibel verläuft. Weitere wichtige Reaktionen von E. sind die Red. mit metall. Natrium in Ggw. von Ethanol zu Alkoholen (*Bouveault-Blanc-Reaktion), die Kondensation zu β-Ketoestern (*Claisen-Kondensation), die *Stobbe-Kondensation, die *Ester-Pyrolyse u. dgl.
Verw.: In der Analytik dienen E. zum Nachw. von Alkoholen (*Schotten-Baumann-Reaktion u. *Einhorn-Reaktion) u. als leichter handhabbare Derivate ansonsten empfindlicher Stoffe. Techn. wichtige E. sind u. a. die Fette, fetten Öle, Wachse, Cellulosenitrat, Celluloseacetat, Glycerintrinitrat, Lecithine, Phosphatide, Trikresylphosphat, Phosphor- u. Thiophosphorsäureester als Insektizide, Alkydharze für Lacke, Polyester für Esterharze u. Chemiefasern. Viele Pharmawirkstoffe liegen als E. vor. E. spielen infolge ihres Wohlgeruchs in der Parfümerie eine wichtige Rolle. Niedermol. E. werden als Lsm. z. B. in der Anstrichmittel-Ind. u. als Weichmacher gebraucht, einige anorgan. auch als Alkylierungsmittel. – ***E = F*** esters – ***I*** esteri – ***S*** ésteres

Lit.: [1] Tetrahedron **36**, 2409–2433 (1980). [2] Bamford u. Tipper, Comprehensive Chemical Kinetics, Vol. 10, S. 57–204, New York: American Elsevier 1973. [3] Ingold, Structure and Mechanism in Organic Chemistry, S. 1129–1131, Ithaca N. Y.: Cornell University Press 1969. [4] J. Am. Chem. Soc. **80**, 6204 (1958). [5] Angew. Chem. **74**, 407–423 (1962). [6] Synthesis **1981**, 1–28.
allg.: Houben-Weyl **8**, 418–423, 508–646; E **5**, 656–715 ▪ Katritzky et al. **5**, 121–179 ▪ Kirk-Othmer (3.) **4**, 758–771; **9**, 291–337; (4.) **9**, 781 ff. ▪ Patai, The Chemistry of Carboxylic Acids and Esters, New York: Wiley 1969 ▪ Patai, The Chemistry of Acid Derivates, Vol. 1, New York: Wiley 1979; Vol. 2, Chichester: Wiley 1992 ▪ Ullmann (4.) **11**, 89–97; (5.) **A 9**, 565 ff.; **A 11**, 151 ▪ s. a. Alkohole, Aromen u. Carbonsäuren.

Esterasen. E. sind *Enzyme, die Bildung u. *Hydrolyse von *Estern katalysieren; als *Hydrolasen spalten sie ihre jeweiligen Substrate unter Einlagerung der Elemente des Wassers. Zu den E. gehören z. B. *Lipasen (Lipid-spaltende Enzyme), *Phosphatasen (Umsatz von Phosphorsäure-estern), Phosphodiesterasen (spalten Phosphodiester-Brücken), *Sulfatasen (für Sulfatester) u. *Nucleasen (Nucleinsäure-spezif.). *Beisp.:* *Acetylcholin-Esterase u. *Cholin-Esterase bewirken eine Spaltung des *Acetylcholins; die Hemmung dieser Enzyme ist für die Toxizität mancher Phosphorsäureester-Insektizide verantwortlich. Zur Bedeutung der E. in der organ. Synth. s. *Lit.*[1], in der Lebensmittel-Biotechnologie s. *Lit.*[2]. – *E* esterases – *F* estérases – *I* esterasi – *S* esterasas

Lit.: [1] Synthesis **1991**, 1049–1072. [2] Lett. Appl. Microbiol. **16**, 1–6 (1993).

allg.: Mackness u. Clerc, Esterases, Lipases, and Phospholipases. From Structure to Clinical Significance, New York: Plenum 1994. – [HS 350790]

Ester Gum 8 D® u. Ester Gum 8 BG®. Harzsäureglycerinester für Klebstoffe u. Kaugummimassen. *B.:* Hercules.

Ester-Kondensation s. Claisen-Kondensation.

Ester-Pyrolyse. Meth. zur Herst. von *Alkenen, indem geeignete Carbonsäureester meist in der Gasphase (Temp. ca. 500 °C) pyrolysiert werden.

Die E.-P. gehört, wie auch die Pyrolyse von *Xanthogenaten (*Tschugaeff- od. *Chugaev*-Eliminierung)[1,2] u. von *Aminoxiden (Cope-Eliminierung)[3,4] zu der Gruppe der therm. *cis-* (od. *syn*)-*Eliminierungen, die über cycl. Übergangszustände nach dem Ei-Mechanismus ablaufen; s. Eliminierungen. – *E* ester pyrolysis – *F* pyrolyse d'esters – *I* pirolisi dell'estere – *S* pirólisis de ésteres

Lit.: [1] Chem. Rev. **60**, 44–448 (1960). [2] Org. React. **12**, 57–100 (1962). [3] Org. React. **11**, 361–370 (1960). [4] Chem. Rev. **60**, 448–451 (1960).

allg.: Chem. Rev. **60**, 432–444 (1960) ■ Laue-Plagens, S. 114f. ■ March (4.), S. 1014 ■ s. a. Eliminierung.

Esterquats. Sammelbez. für kation. grenzflächenaktive Verb. mit zwei hydrophoben Gruppen, die über Ester-Bindungen mit einem quaternierten Di(Tri-)ethanolamin od. einer analogen Verb. verknüpft sind. E. finden als *Weichspülerwirkstoffe Verw. u. haben das früher auf diesem Gebiet dominierende Distearyldimethylammoniumchlorid wegen dessen unbefriedigender biolog. Abbaubarkeit weitgehend abgelöst. Die Ester-Gruppen können hydrolysieren u. erleichtern so den biolog. Abbau der Esterquats. Techn. wichtige E. s. die Abbildung.– *E* esterquats

Lit.: Tenside Surf. Det. **30**, 186–191, 394–399 (1993).

Estersulfonate (Sulfofettsäureester).

$$H_3C-(CH_2)_n-\underset{SO_3Na}{\underset{|}{CH}}-COOR$$

R = CH$_3$; n = 10-16

Bez. für eine Gruppe von *Aniontensiden, die eine terminale Ester- u. eine Sulfonat-Funktion, üblicherweise benachbart, im Mol. enthalten. Diese α-Estersulfonate sind durch Umsetzung von Alkylestern mit üblichen Sulfiermitteln, vorzugsweise luftverdünntem, trockenem Schwefeltrioxid bei 80 °C u. nachfolgender Neutralisation zugänglich. In der Regel finden dabei Methylester auf Basis Kokosöl ($C_{12/14}$-Kette), bevorzugt jedoch Talgmethylester ($C_{16/18}$-Kette) Verwendung. Neben dem α-E. werden durch Spaltung der Ester-Bindung im Verlauf der Sulfonierung das Disalz der korrespondierenden α-Sulfofettsäure, Methylsulfat u. Seife gebildet.

Der gängigen mechanist. Vorstellung folgend, bilden Methylester u. zwei Mol SO_3 zunächst ein gemischtes Anhydrid aus α-Sulfofettsäure u. Methylschwefelsäure, das sich erst im Verlauf einer Nachreaktionszeit von 15–20 min mit nichtumgesetzten Methylester in das E. umlagert. Langkettige α-E. finden Anw. v. a. im Waschmittelbereich.

Durch lichtinduzierte Sulfoxidation von Methylestern lassen sich ebenfalls E. gewinnen, bei denen jedoch die Stellung der Sulfonat-Gruppe statist. über die C-Kette verteilt ist. Diese Produkte, die auch als ψ-E. bezeichnet werden, zeigen zwar gegenüber α-E. eine höhere Wasserlöslichkeit, jedoch eine deutlich niedrigere Waschleistung. Durch Sulfonierung der Doppelbindung von ungesättigten Methylestern mit luftverdünntem SO_3 sind schließlich auch i-E. zugänglich. – *E* ester sulfonates, sulfo fatty acid esters – *F* sulfonates d'esters – *I* esteri solfonici – *S* sulfonatos de ésteres

Lit.: Cahn (Hrsg.), Proc. 3rd World Conference on Detergents: Global Perspectives, S. 135–140, Champaign: AOCS Press 1994 ■ Stache (Hrsg.), Anionic Surfactants: Organic Chemistry, S. 461–499, New York: Dekker 1996. – [HS 340211]

Esterzahl (EZ) s. Fette und Öle.

Estesol®-Marken. Sortiment von Mischungen aus Mineralöl, Esteröl u. Emulgatoren als Spinnpräparationen für texturierte Polyamid- u. Polyester-Filamente bzw. Polyamid-Spinnfaser. *B.:* Chemische Fabrik Stockhausen GmbH.

Estilux®. Lichthärtendes Einkomponenten-Composite mit glaskeram. Füllstoff u./od. hochdispersem Siliciumdioxid für Zahnfüllungen. *B.:* Kulzer & Co. GmbH.

Estiseal® LC. Lichthärtendes Einkomponenten-Composite auf Microfill-Basis zur Versiegelung von Fissuren (Zahnmedizin). *B.:* Heraeus Kulzer GmbH.

Estofil®

Estofil®. Polymer-lösl., thermostabile Farbstoffe u. Pigmentpräparationen zum Einfärben von PES-Spinnmasse. **B.:** Sandoz.

Estracyt®. Kapseln bzw. Injektions-Lsg. mit *Estramustin-17-Beta-dihydrogenphosphat als Dinatrium- bzw. *Meglumin-Salz gegen Prostatacarcinom. **B.:** Pharmacia.

Estraderm®. Membranpflaster mit *Estradiol gegen klimakter. Beschwerden u. Estrogen-Mangel. **B.:** Geigy Pharma.

Estradiol [Östradiol, Estra-1,3,5(10)-trien-3,17β-diol].

$C_{18}H_{24}O_2$, M_R 272,37. Farblose Prismen, Schmp. 178–179 °C, gut lösl. in den üblichen organ. Lsm., kaum lösl. in Wasser. E. ist ein weibliches *Sexualhormon; Näheres zur physiolog. Wirkung s. bei Estrogene.
Herst.: Vollsynthet., durch mikrobielle Prozesse od. durch Abbau anderer Steroide wie *Cholesterin od. Diosgenin, früher aus Harn.
Verw.: Als Anabolikum in der Tiermast (in der BRD verboten), bes. in Form seiner Ester in 3- od. 17-Stellung (Benzoate, Valerianate, Cipionate etc.) gegen drohende Fehlgeburten, klimakter. Beschwerden etc.; nach der Menopause zur Behandlung von Brustkrebs u. Osteoporose. – **E** (o)estradiol – **F** estradiol, œstradiol – **I** estradiolo – **S** estradiol
Lit.: Beilstein E IV **6**, 6611. – [HS 293792; CAS 50-28-2]

Estragol (1-Methoxy-4-(2-propenyl)benzol, Methylchavicol, 4-Allylanisol).

$C_{10}H_{12}O$, M_R 148,20, Öl, Sdp. 216 °C, lösl. in Chloroform u. Alkohol, bildet mit Wasser ein Azeotrop, riecht Anis-artig. Zusammen mit *Chavicol Hauptbestandteil von Estragonöl (~80%). Bestandteil vieler *etherischer Öle (z. B. Anis-, Sternanis-, Bay-, Fenchel-, Pinien-, Terpentinöl). E. u. Chavicol sind Lockstoffe des amerikan. Maiswurzelstechers (*Diabrotica undecimpunctata* u. *D. virgifera*). E. wird in Parfüms, Likören u. Lebensmitteln als Duftstoff verwendet. – **E** = **F** = **S** estragol – **I** estragolo
Lit.: Beilstein E IV **6**, 3817 ■ Food Cosmet. Toxicol. **28**, 537 (1990) ■ Synthesis **1983**, 701. – [HS 290930; CAS 140-67-0]

Estramustin.

Internat. Freiname für 1,3,5(10)-Estratrien-3β,17β-diol-3-[bis(2-chlorethyl)-carbamat], $C_{23}H_{31}Cl_2NO_5$, M_R 440,41, Schmp. 104–105 °C; $[\alpha]_D^{20}$ +50,0° (c 1/Dioxan); λ_{max} 270,7 u. 276,5 nm (C_2H_5OH). Verwendet werden das 17-Phosphat: Schmp. 155 °C (Zers.); $[\alpha]_D^{20}$ +30,0° (c 1/Dioxan) u. das Dihydrogenphosphat Dinatrium-Salz. E. wurde als *Cytostatikum (gegen metastasierendes Prostatacarzinom) 1963 u. 1967 von AB Leo patentiert u. ist von Pharmacia (Estracyt®) u. cell pharm (cellmustin®) im Handel. – **E** estramustin – **F** estramustine – **I** = **S** estramustina
Lit.: Hager (5.) **8**, 84 ff. – [HS 292429; CAS 2998-57-4 (E.); 52205-73-9 (Dihydrogenphosphat Dinatrium-Salz)]

Estran (Östran).

5α-Estran   5β-Estran

Nach IUPAC-Regel 2S–2.2 systemat. Bez. für den Kohlenwasserstoff $C_{18}H_{30}$, von dem sich weibliche *Sexualhormone (genauer: Follikelhormone, *Estrogene) ableiten; er unterscheidet sich von *Androstan durch das Fehlen einer Methyl-Gruppe an Position 10β. Die physiolog. wirksamen E.-Derivate sind im Ring A dreifach ungesätt., u. die *Equilenin-Derivate enthalten weitere Doppelbindungen im Ring B; gemeinsam ist ihnen im allg. eine phenol. Hydroxy-Gruppe an Kohlenstoff-Atom 3 sowie Substitution an den Positionen 16 u./od. 17. – **E** (o)estrane – **F** estrane, œstrane – **I** = **S** estrano

Estrich. Fugenlose Bodenbeschichtung aus Zement, Gips (E.-Gips s. Calciumsulfat) u. a. *Bindemitteln mit verschiedenen Zuschlägen. Ist der E. durch eine Zwischenschicht, z. B. aus Textilfasern, vom Grundboden isoliert, spricht man von *schwimmendem Estrich*. – **E** plaster, floor – **F** aire en ciment – **I** pavimento di terrazzo, pavimento a smalto – **S** pavimento, solado
Lit.: Scholz, Baustoffkenntnis (12. Aufl.), S. 398–419, Düsseldorf: Werner 1991 ■ Wendehorst Baustoffkunde (24. Aufl.), S. 221 ff., 364 ff., Hannover: Vincentz 1994.

Estriol [Östriol, Estra-1,3,5(10)-trien-3,16α,17β-triol].

$C_{18}H_{24}O_3$, M_R 288,37. Farblose Krist., Schmp. 282–285 °C, lösl. in den üblichen organ. Lsm. u. in pflanzlichen Ölen, prakt. unlösl. in Wasser. Weibliches *Sexualhormon, das neben *Estradiol u. *Estron in Ovarien, Placenta, Schwangeren-Harn u. Nebennieren vorkommt u. aus Estron synthetisiert werden kann. Medizin. Verw. ähnlich wie bei Estradiol. Spurenweise wurde E. auch in einigen Pflanzen gefunden u. unter der Bez. *Theelol* beschrieben; die Funktion in Pflanzen ist unbekannt. – **E** (o)estriol – **F** estriol, œstriol – **I** estriolo – **S** estriol
Lit.: Beilstein E IV **6**, 7550. – [HS 293792; CAS 50-27-1]

Estrogene (Östrogene, Follikelhormone). Sammelbez. sowohl für die v. a. in den Follikeln des Eierstocks gebildeten, natürlichen weiblichen *Sexualhormone als auch für chem. anders aufgebaute, natürliche od. synthet. Substanzen mit estrogener Wirkung. Mit den estrogenen Hormonen im engeren Sinn sind bes. die zu den *Steroid-Hormonen gehörenden Abkömmlinge des *Estrans, insbes. *Estradiol, *Estron u. ihr Metabolit *Estriol gemeint; *nicht* zu den E. gehören als weitere Gruppe der weiblichen Sexualhormone die *Gestagene (Progestine, Gelbkörperhormone). Allg. steuern die estrogenen Hormone im Zusammenwirken mit den *gonadotropen Hormonen *Follitropin, *Lutropin u. *Prolactin den normalen Sexual-Cyclus, der bei den höheren Tieren als period. Brunst (latein.: oestrus, daher Name) auftritt u. bei Menschen u. Affen zum Menstrual-Cyclus abgewandelt u. Vorbereitung für die *Konzeption ist. In höherer Konz. werden die E. beim Follikelsprung in den Eierstöcken gebildet (daher auch die Bez. Follikelhormone), um den 22. Tag des Menstruationscyclus (s. Menstruation) im Gelbkörper u. während der Schwangerschaft in der *Placenta. Weitere Bildungsorte sind die *Nebennieren, das Fettgewebe u. die Keimdrüsen des Mannes, denn wichtige Allgemeinfunktionen liegen im Einfluß auf die Entwicklung der prim. u. sek. Geschlechtsorgane u. -merkmale auch im männlichen Organismus, wo E. als Antagonisten der *Androgene auftreten. Die natürlichen E. zeigen schwache Anabolika-Wirkung, stimulieren Milchdrüsen, Blasen- u. Harnleiter-Muskulatur, beeinflussen die Wasserretention der Haut, den Blutdruck u. die HDL (s. Lipoproteine) u. verhindern die Entkalkung der Knochen[1]. Die sog. *Catechol-E.*, die durch Hydroxylierung an Kohlenstoff-Atom 2 von Estradiol u. Estron gebildet werden, haben keine estrogene Wirkung mehr; sie scheinen die Synth. der *Neurotransmitter *Dopamin u. L-*Noradrenalin zu hemmen. Die Biosynth. der E.[2] erfolgt in mehreren Stufen aus 4-Androsten-3,17-dion unter Verlust der 19-Position u. Aromatisierung des Rings A. E. werden im Harn als *Konjugate (Glucuronide u. Sulfate) ausgeschieden. Sie können z. B. mit dem Kober-Test bestimmt werden: Zusatz von Schwefelsäure u. Hydrochinon zum Harn läßt aus den E. einen grün fluoreszierenden roten Chromophor entstehen, der mit Tetrahalogenethanen extrahierbar ist. In der klin. Praxis findet heute jedoch ausschließlich der *Enzymimmunoassay Anwendung.

Die prim. Wirkung der E. auf mol. Ebene besteht in ihrer Bindung an den intrazellulären *E.-Rezeptor*[3], der nach der Komplexbildung im Zellkern an bestimmte regulator. *Desoxyribonucleinsäure(DNA)-Sequenzen (*Responsiv-Elemente*) bindet u. dadurch die *Transkription spezif. Gene beeinflußt. Der E.-Rezeptor u. der Rezeptor der Glucocorticoide (s. Corticosteroide) erkennen ähnliche, aber nicht ident. DNA-Sequenzen.
Verw.: Therapeut. werden die E. z. B. bei Cyclus-Störungen, klimakter. Beschwerden, Osteoporose etc. eingesetzt. Hauptsächliches Anwendungsgebiet sind jedoch *Antikonzeptionsmittel (vgl. Ovulationshemmer), in denen E. mit Gestagenen kombiniert werden; allerdings kommen hier heute synthet. E. wie 17α-*Ethinylestradiol u. *Mestranol zum Einsatz. Die Anw. von modifizierten E. als *Chemosterilantien ist auch in *Rodentiziden erprobt worden. Zusammenhänge zwischen E.-Aufnahme u. *Krebs (insbes. Brustkrebs) sind immer wieder diskutiert worden[4]. Bes. Augenmerk wird bei derartigen Untersuchungen der Bestimmung der E.-Rezeptoren im Krebsgewebe zuteil. Zur Therapie von Hormon-abhängigen Tumoren können *Antiestrogene* od. *Aromatase-Inhibitoren*[5] eingesetzt werden. Bei ersteren handelt es sich um Verb. wie *Clomifen, *Tamoxifen u. a. Stilben-Derivaten, die an E.-Rezeptoren binden, ohne estrogene Wirkung auszulösen. Die letzteren inhibieren die E.-Biosynth., z. B. *Aminoglutethimid. Andererseits sind viele estrogen wirksame Verb. bekannt, die keine Steroide sind, z. B. Pflanzeninhaltsstoffe (*Phyto-Estrogene*) mit *Isoflavon-Struktur wie *Genistein (a), *Myko-Estrogene* wie *Zeranol od. die schon länger bekannten Stilben-Derivate wie *Dienestrol, *Hexestrol u. *Diethylstilbestrol. Bes. Letzteres hat lange Zeit Verw. als – wie man erst jetzt weiß – allerdings carcinogenes E. u. veterinärmedizin. Anabolikum gefunden. Seine Anw. in der Tiermast ist ebenso wie die anderer E. in der BRD verboten. – *E* (o)estrogens – *F* estrogènes, œstrogènes – *I* estrogeni – *S* estrógenos
Lit.: [1] Endocrine Rev. **15**, 275 – 300 (1994). [2] Fertility Sterility **65**, 687 – 701 (1996). [3] Parker, in Litwack (Hrsg.), Vitamins and Hormones – Advances in Research and Applications, Bd. 51, S. 267 – 287, San Diego: Academic Press 1995. [4] Annu. Rev. Pharmacol. Toxicol. **36**, 203 – 232 (1996); Spektrum Wiss. **1995**, Nr. 12, 38 – 44. [5] J. Int. Med. Res. **20**, 303 – 312 (1992). – [HS 293792]

Estron [Östron, 3-Hydroxyestra-1,3,5(10)-trien-17-on].

$C_{18}H_{22}O_2$, M_R 270,36. Farblose Krist., Schmp. bei 261 – 264 °C, mäßig lösl. in Aceton u. Dioxan, wenig in Alkohol, Ether u. pflanzlichen Ölen, kaum lösl. in Wasser. Das *Ketosteroid E. gehört wie *Estradiol zu den *Estrogenen; beide Verb. können im Organismus wechselweise ineinander übergehen. Das 1929 unabhängig voneinander von *Butenandt u. *Doisy aus Schwangeren-Harn isolierte E. wird heute techn. aus *Diosgenin, *Sitosterin u. a. *Steroiden bzw. totalsynthet. hergestellt. Spurenweise kommt es wie auch *Estriol in einigen Pflanzen vor, z. B. im *Palmkernöl (als *Theelin*).
Verw.: Als Estrogen, als Ausgangsmaterial für die Synth. von 17α-*Ethinylestradiol u. a. Derivate. – *E* (o)estrone – *F* estrone, œstrone – *I* estrone – *S* estrona
Lit.: Beilstein E IV 8, 1204. – [HS 293792; CAS 53-16-7]

...et. Nach IUPAC-Regel B-1.1 u. R-2.3.3 Endsilbe in Namen für ungesätt., viergliedrige *heterocyclische Verbindungen; *Beisp.:* Azet, Thiazet (s. Abb.). Die gesätt. Vierringe haben die Endungen ...*etidin*, wenn die Ringe Stickstoff enthalten, u. ...*etan*, wenn sie Stickstoff-frei sind; *Beisp.:* *Oxetan, *Azetidin (s. Abb.).

– *E = I* ...ete – *F* ...ète – *S* ...eto

ET. Abk. für *Endotheline.

eta- s. η (s. vor e u. E) u. Koordinationslehre.

Etaconazol.

Common name für (±)-1-[2-(2,4-Dichlorphenyl)-4-ethyl-1,3-dioxolan-2-ylmethyl]-1H-1,2,4-triazol, $C_{14}H_{15}Cl_2N_3O_2$, M_R 328,2, Schmp. 75–93 °C, LD_{50} (Ratte oral) 1340 mg/kg (WHO), von Ciba-Geigy entwickeltes breit wirksames system. *Fungizid mit protektiver u. kurativer Wirkung v. a. im Obst-, Wein- u. Gemüseanbau. – $E = F$ etaconazole – I etaconazolo – S etaconazol

Lit.: Farm. – *[CAS 60207-93-4]*

Etacrynsäure (Ethacrynsäure).

Internat. Freiname für die saludiuret. wirksame [2,3-Dichlor-4-(2-ethylacryloyl)-phenoxy]-essigsäure, $C_{13}H_{12}Cl_2O_4$, M_R 303,15, Schmp. 121–122 °C; pK_a 3,50; LD_{50} (Maus i.v.) 176, (Maus oral) 627 mg/kg. E. wurde als Schleifen-*Diuretikum 1962 u. 1966 von Merck & Co (Hydromedin®, MSD) patentiert u. ist auch von medphano (Uregyt®) im Handel. – E et(h)acrynic acid – F acide étacrynique – I acido etacrinico – S ácido etacrínico

Lit.: ASP ▪ DAB **1996** u. Komm. ▪ Hager (5.) **8**, 91 ff. – *[HS 2918 90; CAS 58-54-8]*

ETAD. Abk. für Ecological and Toxicological Association of the Dyestuffs Manufacturing Industry.

Etafedrin.

Internat. Freiname für das sympathikomimet. wirksame (–)-2-(Ethylmethylamino)-1-phenyl-1-propanol, $C_{12}H_{19}NO$, M_R 193,28, Schmp. 29–30 °C; $[\alpha]_D^{20}$ –15,0° (C_2H_5OH); λ_{max} 257 nm ($A_{1\,cm}^{1\%} = 10$ in wäss. Säure). Verwendet wurde auch die Hydrochlorid, Schmp. 183–184 °C. E. wurde als Bronchodilatator eingesetzt. – E etafedrine – F étafédrine – $I = S$ etafedrina

Lit.: Beilstein E IV **13**, 1887 ▪ Hager (5.) **8**, 94 f. – *[HS 2939 90; CAS 4814-64-6 (E.); 5591-29-7 (Hydrochlorid)]*

Etafenon.

Internat. Freiname für 2′-(2-Diethylaminoethoxy)-3-phenylpropiophenon, $C_{21}H_{27}NO_2$, M_R 325,43, Sdp. 264–268 °C; verwendet wird auch das Hydrochlorid, Schmp. 129–130 °C; LD_{50} (Ratte i.v.) 20,8, (Ratte oral) 716 mg/kg. E. wurde 1968 als Coronardilatator von Giudotti patentiert. – $E = I$ etafenone – F etafénone – S etafenona

Lit.: Beilstein E IV **8**, 1314 ▪ Hager (5.) **8**, 96. – *[HS 2922 50; CAS 90-54-0 (E.); 2192-21-4 (Hydrochlorid)]*

Etalon. Planparallele Platte mit verspiegelten Oberflächen od. Anordnung von zwei Spiegeln, die im festen Abstand so zueinander justiert sind, daß eine Lichtwelle zwischen ihnen hin u. her reflektiert wird. Durch *Interferenz kommt es zur Verstärkung od. Auslöschung der elektromagnet. Welle. Folglich ist die *Transmission u. die Reflexion des E. von der opt. Dicke $s = n \cdot d$ (n = Brechungsindex; d = Dicke der Platte bzw. Abstand zwischen den Spiegeln) sowie von der Wellenlänge λ des Lichtes abhängig. Wird ein paralleler Lichtstrahl der Intensität I_0 eingestrahlt, so ergibt sich die transmittierte Lichtintensität zu $I_t = I_0 \cdot [1 + F \cdot \sin^2(\delta/2)]^{-1}$. Die Größe F berechnet sich aus dem Reflexionskoeffizienten R der spiegelnden Flächen gemäß $F = \left[\dfrac{2 \cdot R}{1 - R^2}\right]^2$. Die Phasendifferenz δ ergibt sich aus der opt. Wegdifferenz Δs u. möglichen Phasensprüngen Δ_φ bei der Reflexion nach $\delta = 2 \cdot \pi \cdot \Delta s/\lambda + \Delta_\varphi$. Bei hoher Transmission erhält man eine Frequenz $\nu_m = m \cdot \dfrac{c}{2 \cdot n \cdot d}$, wobei m eine ganze Zahl ist, sie bezeichnet die Mode. Die Differenz zwischen zwei Resonanzfrequenzen $\delta\nu = \nu_{m+1} - \nu_m = \dfrac{c}{2 \cdot n \cdot d}$ wird *freier Spektralbereich* genannt. Das Verhältnis zwischen dem freien Spektralbereich u. der vollen Halbwertsbreite einer Resonanz wird als *Finesse F** bezeichnet: man erhält $F^* = \pi \cdot \sqrt{R}/(1 - R)$. Die Finesse F* sagt aus, wie hoch das Auflösungsvermögen A des E. ist, d. h. ob zwei Wellenlängen λ_0 u. $\lambda_0 + \Delta\lambda$ als getrennt beobachtet werden können: $\dfrac{\lambda_0}{\Delta\lambda} = A \approx F^* \cdot m$. Zahlenbeispiel: Bei $\lambda = 500$ nm, $n \cdot d = 10$ mm u. R = 90% ist das Auflösungsvermögen größer als 10^6. Während für sichtbare Strahlung Metallschichten für die Reflexion verwendet werden, sind sie für *Infrarot-Strahlung aufgrund von *Absorption nicht geeignet; es werden *Hochtemperatur-Supraleiter eingesetzt[1].

Wird monochromat., aber nicht paralleles Licht od. Licht einer ausgedehnten Lichtquelle verwendet, so erhält man hinter dem E. Kreise.

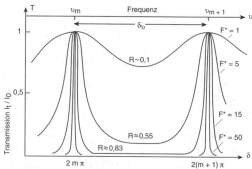

Abb.: Resonanzfrequenzen des Etalon. R = Reflexionskoeffizient, F* = Finesse, δ_ν freier Spektralbereich.

Wird Licht mehrer Spektralfarben verwendet, bildet sich zu jeder Wellenlänge ein eigenes Ringsyst. aus. **Anw.:** Als dispersives Element in der hochauflösenden *Spektroskopie, Einengung der Bandbreite eines *Lasers (s. durchstimmbare Laser, Farbstofflaser, Ein-Moden-Laser). – *E* etalon – *F* étalon – *S* etalón
Lit.: [1] Phys. Bl. **50**, 349 (1994).
allg.: Demtröder, Laser Spectroscopy, Berlin: Springer 1982 ▪ Hecht u. Zajac, Optics Reading: Addison-Wesley 1974.

Etamiphyllin.

Internat. Freiname für 7-(2-Diethylaminoethyl)-theophyllin, $C_{13}H_{21}N_5O_2$, M_R 279,34, farbloser, wachsartiger Stoff, Schmp. 75 °C. Verwendet wird auch das Camsilat, Schmp. 198–202 °C; λ_{max} 274 nm ($A^{1\%}_{1cm} = 175/C_2H_5OH$). E. wirkt ähnlich bronchodilatator. wie *Theophyllin, aber etwas schwächer ausgeprägt u. wurde 1952 von Moussalli et al. patentiert. – *E* = *F* etamiphylline – *I* etamifillina – *S* etamifilina
Lit.: Beilstein E IV **26**, 2409 ▪ Hager (5.) **8**, 96 ff. – [HS 2939 50; CAS 314-35-2 (E.); 19326-29-5 (Camsilat)]

Etamivan.

Internat. Freiname für N,N-Diethylvanillamid, $C_{12}H_{17}NO_3$, M_R 223,27, Schmp. 95–95,5 °C; LD_{50} (Ratte i.p.) 28 mg/kg. Es wurde als *Analeptikum 1953 von Österreich. Stickstoffwerke patentiert u. ist von OTW (Normotin-R rapid®) im Handel. – *E* ethamivan – *I* etamivan – *S* etamiván
Lit.: ASP. – [HS 2924 29; CAS 304-84-7]

Etamsylat.

Internat. Freiname für das Diethylammonium-Salz der 2,5-Dihydroxybenzolsulfonsäure, $C_{10}H_{17}NO_5S$, M_R 263,33, Schmp. 125 °C; auch 127–130 °C angegeben; LD_{50} (Maus i.v.) 800 mg/kg. E. wurde 1962 als Hämostatikum von Labs. Esteve patentiert. – *E* = *F* etamsylate – *I* = *S* etamsilato
Lit.: ASP ▪ Hager (5.) **8**, 98 ff. – [HS 2921 12; CAS 88-46-0 (E.); 2624-44-4 (Diethylamin-Salz)]

Etamycin A (Viridogrisein).

$C_{44}H_{62}N_8O_{11}$, M_R 879,04, Zers. bei 168–170 °C; $[\alpha]^{26}_D$ +62°, +31° (c 5/CHCl$_3$, C$_2$H$_5$OH); λ_{max} 304,5 nm (log ε 3,91/C$_2$H$_5$OH), pK$_a$ zwischen 1 u. 2; LD_{50} >2000, >3000 mg/kg. Verwendet wird auch das Hydrochlorid, Schmp. 163–170 °C; λ_{max} 304 nm ($A^{1\%}_{1cm} = 86$). E. wurde 1962 von Parke, Davis patentiert. Es ist ein *Cyclopeptid-Antibiotikum gegen Gram-pos. Bakterien u. Tuberkelbazillen, erzeugt allerdings Leukopenie. – *E* etamycin – *F* etamycine – *I* = *S* etamicina
Lit.: Beilstein E III/IV **27**, 9723 ▪ Ehrhart-Ruschig, S. 1736 ▪ J. Antibiot. **32**, 392, 575, 1002, 1130 (1979). – [HS 2941 90; CAS 299-20-7 (E. A); 113285-19-1 (E. allg.)]

...etan s. ...et.

Etard-Reaktion. Mit speziellen Oxidationsmitteln können Methyl-Gruppen an aromat. Ringen zu Aldehyden oxidiert werden. Ein geeignetes Oxidationsmittel ist *Chromylchlorid, bei dem der gebildete Aldehyd durch Bildung einer schwerlösl. Chrom-Verb. vor der Weiteroxid. geschützt wird (s. a. Oxidation).

Diese Oxid. wird E.-R. genannt, obgleich dieser Begriff auch ganz allg. für Oxid. mit Chromylchlorid Verw. findet. – *E* Etard reaction – *F* réaction d'Etard – *I* reazione di Etard – *S* reacción de Etard
Lit.: Chem. Rev. **58**, 25–53 (1958).

...eten. Früher verwendete Endung für einen partiell gesätt. Stickstoff-freien Hetero-Vierring (IUPAC-Regel B-1.2; nach Regel R-2.3.3 nicht mehr empfohlen).

E/TFE. Kurzz. (nach DIN 7728, Tl. 1, 01/1988) für alternierende *Ethylen/*Tetrafluorethylen-Copolymere der Formel ~CH$_2$–CH$_2$–CF$_2$–CF$_2$~.
Lit.: Kirk-Othmer (3.) **11**, 35–41.

ETH. Abk. für *E*idgenössische *T*echnische *H*ochschule (Zürich u. Lausanne). Die ETH Zürich hat sich durch bemerkenswerte Forschungsergebnisse in der Chemie (u. a. *Eschenmoser, *Seebach) einen ausgezeichneten Ruf erworben.

Ethacridin.

Internat. Freiname für 6,9-Diamino-2-ethoxyacridin, $C_{15}H_{15}N_3O$, M_R 253,29, orange-gelbe Krist., Schmp. 226 °C. Verwendet wird das Lactat, ein gelbes, krist. Pulver, Schmp. 225–250 °C; λ_{max} 271, 373, 430 nm ($A^{1\%}_{1cm} = 1760$, 534, 242/CH$_3$OH); LD_{50} (Maus s.c.) 120 mg/kg. E. wurde als *Antiseptikum 1922 von Hoechst (Rivanol®, heute von Chinosolfabrik) patentiert u. ist als Generikum im Handel. – *E* = *F* ethacridine – *I* = *S* etacridina
Lit.: ASP ▪ Beilstein E V **22/12**, 243 f. ▪ DAB **1996** u. Komm. ▪ Hager (5.) **8**, 100 f. – [HS 2933 90; CAS 442-16-0 (E.); 1837-57-6 (Lactat)]

Ethacrynsäure s. Etacrynsäure.

Ethalfluralin.

Common name für *N*-Ethyl-*N*-(2-methylallyl)-2,6-dinitro-4-trifluormethylanilin, $C_{13}H_{14}F_3N_3O_4$, M_R 333,3, Schmp. 57–59 °C, LD_{50} (Ratte oral) >10000 mg/kg (WHO), von Elanco entwickeltes selektives Boden-*Herbizid gegen Ungräser u. Unkräuter im Sojabohnen-, Baumwoll- u. Erdnußanbau. – *E* ethalfluralin – *F* ethalfluraline – *I* etalfluralina – *S* etalfluralín
Lit.: Farm ▪ Perkow ▪ Pesticide Manual. – *[HS 2921 43; CAS 55283-68-6]*

Ethambutol.

Internat. Freiname für das tuberkulostat. wirksame (*S,S*)-2,2′-(Ethylendiimino)bis(1-butanol), $C_{10}H_{24}N_2O_2$, M_R 204,31, Schmp. 87,5–88,8 °C; $[\alpha]_D^{25}$ +13,7° (c 2/H_2O); Verwendet wird auch das Dihydrochlorid, Schmp. 198,5–200,3 °C, auch 201,8–202,6 °C angegeben, $[\alpha]_D^{25}$ +7,6° (c 2/H_2O). E. wurde als *Tuberkulostatikum erstmals 1965 von Am. Cyanamid patentiert u. ist von Fatol (EMB-Fatol) u. Lederle (Myambutol®) im Handel. – *E* = *F* ethambutol – *I* etambutolo – *S* etambutol
Lit.: ASP ▪ DAB **1996** u. Komm. ▪ Florey **7**, 231–249 ▪ Hager (5.) **8**, 101–106. – *[HS 2922 19; CAS 74-55-5 (E.); 1070-11-7 (Dihydrochlorid)]*

Ethametsulfuron-methyl.

Common name für Methyl-2-[(4-ethoxy-6-methylamino-1,3,5-triazin-2-yl-carbamoyl)sulfamoyl]benzoat.

$C_{15}H_{18}N_6O_6S$, M_R 410,40, Schmp. 194 °C, LD_{50} (Ratte oral) >5000 mg/kg, von DuPont Ende der 80er Jahre eingeführtes selektives, system. *Herbizid gegen Unkräuter in Raps- u. a. Kulturen. – *E* ethametsulfuron-methyl – *F* ethamethsulfuron-méthyle – *I* etametsulfuron-metile – *S* etametsulfurón-metil
Lit.: Farm ▪ Perkow ▪ Pesticide Manual. – *[CAS 97780-06-8]*

Ethan.
H_3C–CH_3, C_2H_6, M_R 330,07, farbloses, geruchloses, schwach betäubend wirkendes Gas, brennt mit schwach leuchtender Flamme, in Wasser wenig, in Alkohol etwas leichter lösl., Dampfdichteverhältnis, Luft = 1:1,047, Schmp. –183 °C, Sdp. –88 °C, zündfähiges Gemisch, Vol.-%: 3,0–15,5. E. kommt in vielen Erdgasen sowie in Raffineriegasen vor u. wird daraus für die Verw. in der chem. Ind. in reiner Form gewonnen.
Verw.: Hauptsächlich zur Gewinnung von Ethylen durch Pyrolyse, zur Herst. von Acetaldehyd u. Essigsäure durch katalyt. Oxidation. – *E* ethane – *F* éthane – *I* = *S* etano
Lit.: Beilstein E IV **1**, 108–116 ▪ Braker u. Mossman, Matheson Gas Data Book S. 231–236, East Rutherford: Matheson Gas Products 1971 ▪ Brauer, Gefahrstoff-Sensorik, Landsberg: Ecomed Verlagsges. 1988 ▪ Hommel, Nr. 396 ▪ Kirk-Othmer (4.) **13**, 812f. ▪ Merck-Index (12.), Nr. 3767 ▪ Ullmann (4.) **14**, 661; (5.) **A13**, 236. – *[HS 2711 29, 2901 10; CAS 74-84-0; G 2]*

Ethanal s. Acetaldehyd.

Ethandial s. Glyoxal.

1,2-Ethandiamin s. Ethylendiamin.

1,2-Ethandiol. Systemat. Name für *Ethylenglykol.

Ethandisäure s. Oxalsäure.

Ethan-1,2-disulfonat s. Edisilat.

1,2-Ethandithiol
(Dithioglykol). HS–CH_2–CH_2–SH, $C_2H_6S_2$, M_R 94,19. Farblose, übelriechende Flüssigkeit, D. 1,125, Sdp. 144–146 °C, in Wasser nicht, in Alkohol u. Ether lösl.; die Dämpfe verursachen Kopfschmerzen u. Übelkeit. 1,2-E. wird zur Synth. von 1,3-Diketonen, von cycl. Disulfiden, Thioacetalen u. Thioketalen, zur Vernetzung von Latices verwendet. – *E* 1,2-ethanedithiol – *F* 1,2-éthanedithiol – *I* 1,2-etanditiolo – *S* 1,2-etanoditiol
Lit.: Beilstein E IV **1**, 2450 ▪ Brauer, Gefahrstoff-Sensorik, Landsberg: Ecomed Verlagsges. 1988 ▪ Merck-Index (12.), Nr. 3770 ▪ Paquette **4**, 2333 ▪ Synthetica **1**, 18. – *[HS 2930 90; CAS 540-63-6]*

Ethanol
(Ethylalkohol, Weingeist, „Alkohol"). H_3C–CH_2–OH, C_2H_6O, M_R 46,07. Klare, farblose, würzig riechende u. brennend schmeckende, leicht entzündliche, hygroskop. Flüssigkeit, die mit schwach leuchtender Flamme zu Kohlendioxid u. Wasser nach

$$C_2H_5OH + 3 O_2 \rightarrow 2 CO_2 + 3 H_2O$$

verbrennt, D. 0,79367 (15 °C), Schmp. –114,5 °C, Sdp. 78,32 °C, FP. 12 °C c.c., Zündtemp. 425 °C, Explosionsgrenzen 3,4–15 Vol.-%, WGK 0, MAK 1000 ppm (MAK-Werte-Liste 1996); Dampfdrücke in hPa 1,3 (–35,5 °C), 6,7 (–12 °C), 27 (+8 °C), 67 (25 °C), 80 (26 °C), 267 (48,4 °C), 533 (63,5 °C), 1013 (78,32 °C); krit. Temp. 243,1 °C, krit. Druck 63,8 bar (63,8 · 10^5 Pa), Heizwert 29,68 kJ/g.
Mit Wasser, Ether, Chloroform, Benzin u. Benzol ist E. in jedem Verhältnis mischbar. Bei der Mischung mit Wasser kommt es zu Vol.-Kontraktion u. Wärmeentwicklung (z. B. geben 52 Vol.-Tl. E. u. 48 Vol.-Tl. Wasser nicht 100, sondern nur 96,3 Vol.-Tl. der Mischung); die Kontraktion ist bei annähernd gleichem Vol. der Komponenten am größten. Den E.-Gehalt wäss. Mischungen kann man nicht einfach berechnen, sondern nur nach der D. aus Tab. entnehmen; es ist deshalb zweckmäßiger, mit Gew.-% zu rechnen (Dichteu. Konz.-Tab. finden sich in der *Lit.*). Mit Wasser u. einer Reihe anderer Lsm. bildet E. Azeotrope; im Falle des Wassers siedet ein Gemisch aus 95,57 Gew.-% E. u. 4,43 Gew.-% Wasser konstant bei 78,2 °C. Über die Identitäts- u. Reinheitsprüfung von E. s. *Lit.*[1], vgl. a. *Lit.*[2].
E. zeigt die typ. Reaktionen primärer *Alkohole wie Dehydratisierung, Dehydrierung, Oxid. u. Veresterung. Das Wasserstoff-Atom läßt sich durch ein aktives Metall (z. B. Na, K, Ca) unter Bildung eines Ethoxids (s. Alkoholate) u. Wasserstoff-Entwicklung ersetzen. Prim. Oxidationsprodukt des E. ist in der Regel *Acetaldehyd, Endstufe *Essigsäure; durch Ein-

wirkung von Na-Hypochlorit entsteht Chloroform u. entsprechend die übrigen *Haloforme. Durch katalyt. Dehydrierung bzw. Dehydratisierung bei Temp. zwischen 200 u. 500 °C sind, in Abhängigkeit von der Zusammensetzung des Katalysators, eine Vielzahl von techn. wichtigen Produkten zugänglich, so z.B. Acetaldehyd, Ethylen u. Diethylether.

Nachw.: Durch Iodoform-Reaktion (die allerdings nicht spezif. ist, s. Haloforme), durch *Schotten-Baumann-Reaktion zu charakterist. riechendem *Benzoesäureethylester od. den gut krist. 4-Nitro- bzw. 3,5-Dinitrobenzoesäureestern. Zur Bestimmung des Blutalkohols s. dort.

Vork.: Der physiolog. E.-Gehalt des menschlichen Blutes beträgt 0,002–0,003%. Sonst kommt E. in der freien Natur überall da vor, wo nasse, Zucker- od. Stärke-haltige Substanzen durch die allgegenwärtigen Hefezellen vergoren werden, so z.B. in verfaulendem Fallobst, bei der Gärung des Brotteigs usw.

Physiologie: Reines E. ist für Organismen aller Art ein starkes Gift; bei Mikroorganismen wird das Protoplasma-Protein denaturiert. Daher werden Bakterien in 70%igem E. abgetötet od. in ihrer Entwicklung gehemmt. E. dient deshalb auch als Konservierungsmittel im Haushalt u. für anatom. Präparate. Auf den Menschen wirkt E. (meist in Form von *alkoholischen Getränken aufgenommen) anregend, sofern es in kleinen Mengen genossen wird; größere Mengen wirken berauschend. Die Wirkung ist dabei individuell verschieden u. unter a. abhängig von Alter u. Geschlecht. Kinder sind bes. empfindlich, die Letaldosis für ein 5–6jähriges Kind liegt bei ca. 30 g Alkohol. Weiterhin spielen Konstitution, Klima, Jahreszeit u. dispositionelle Faktoren (z. B. Hunger, Ermüdung, Füllungszustand des Magens) sowie die Konz. des E. in dem betreffenden Getränk u. der Zeit, in der eine bestimmte Menge dieses Alkohols aufgenommen wird, eine Rolle. Akute Alkohol-Vergiftung durch einmaligen Genuß einer großen E.-Menge äußert sich durch Gesichtsrötung, allg. Wärmegefühl, Enthemmung. Anfänglich erhöhter Bewegungsdrang folgt Ermüdung u. Muskelerschlaffung, erschwertes Sprechen, Unsicherheit im Gehen u. Stehen (Rauschzustand), u. schließlich kann Narkose mit Atemstillstand eintreten. Infolge der vermehrten Wärmeabgabe durch Erweiterung der Hautgefäße treten Untertemp. auf (Körpertemp. bis unter 30 °C); deshalb erfrieren Betrunkene schon bei geringen Kältegraden. Als Nachwirkung der akuten Alkohol-Vergiftung tritt der „Katzenjammer" mit Kopfschmerz, Übelkeit u. Erbrechen auf. E. wird bereits im Magen zu ca. 20% resorbiert, v. a. aber mit ca. 80% im oberen Dünndarm.

Die Verbrennungsgeschw. ist etwa 0,1 g/kg Körpergew. u. h; 1 g E. liefert dabei 30 kJ (physiolog. Brennwert). Nur in geringem Maße wird E. aus dem Körper durch die Atemluft entfernt od. im Harn ausgeschieden. Im wesentlichen erfolgt der E.-Abbau in der *Leber unter dem Einfluß des Enzyms *Alkohol-Dehydrogenase, das E. zunächst zu Acetaldehyd abbaut, den seinerseits die Aldehyd-Dehydrogenase in Essigsäure umwandelt, in geringerem Maße durch das sog. mikrosomale Ethanol-oxidierende System (MEOS). Zur E.-Oxid. wird *Nicotinamid-adenin-dinucleotid (NAD) benötigt, das – insbes. bei erhöhter E.-Zufuhr – für andere NAD-abhängige Prozesse dann nicht mehr zur Verfügung steht. Auf diese Weise wird der Fettabbau beeinträchtigt; die Folgen sind Alkohol-Fettleber, Zerstörung der Leberzellen, Bindegewebsentartung, Zirrhose. Chron. Mißbrauch kann zu E.-Abhängigkeit führen, die als Alkoholismus (Näheres s. dort) zu den *Sucht-Krankheiten zu rechnen ist. Die Leber des Mannes kann ca. 7 g E./h abbauen, bei Frauen liegt die Kapazität um ca. 15% niedriger. Arzneimittel, insbes. Sedativa, aber auch andere Stoffe, wie z. B. biogene Amine können in ihrer Wirkung durch E. verstärkt werden. Steroidhormone, Contrazeptiva u. Vitamine können inaktiviert werden. Alkoholkonsum während der Schwangerschaft kann zu zahlreichen gesundheitlichen Schäden des Kindes führen, so daß E. als Teratogen betrachtet werden muß. Untersuchungen zur Cancerogenität von alkohol. Getränken wurden von der IARC zusammenfassend dargestellt s. *Lit.*[3].

Herst.: Synthet. stellte man E. früher aus Acetylen durch Anlagerung von Wasser in Ggw. von Quecksilber-Salzen u. Red. des gebildeten Acetaldehyds [Hochdruck-Hydrierung bei etwa 300 bar ($300 \cdot 10^5$ Pa) Wasserstoffdruck] her. E. wird heute industriell überwiegend aus Ethylen nach zwei Verf. hergestellt: 1.) durch indirekte Hydratisierung über die Addition von H_2SO_4 mit anschließender Verseifung der Schwefelsäureester u. 2.) durch direkte katalyt. Hydratisierung. Neuentwicklungen basieren u. a. auf Synthesegas, mit seiner unterschiedlichen Herstellbasis. Eine Route ist die sog. Homologisierung, bei der Methanol mit CO/H_2 in Ggw. von Rh- bzw. Co-enthaltenden Mehrkomponenten-Katalysatoren in der Flüssigod. auch in der Gasphase umgesetzt wird. Je nach Reaktionsbedingungen u. Einsatz von Katalysatoren kann bevorzugt Acetaldehyd od. E. erhalten werden. Eine techn. Anw. steht noch aus[4]. In der BRD wurden 1990 104 000 t Synth.-E. hergestellt.

Weltweit werden etwa 12,6 Mio. jato (1994) E. aus Agrarprodukten wie Melasse, Rohrzucker, Zuckerrüben, Trauben, Beeren, Kartoffeln, Reis, Mais usw. od. aus Produkten der Holzverzuckerung u. aus Sulfitablaugen (sog. Laugenbranntwein) durch *Fermentation erzeugt [ausführliche Beschreibung in Ullmann (4.) u. Ullmann (5.), s. *Lit.*]. Bes. Interesse haben verfahrenstechn. Entwicklungen zur kontinuierlichen Durchführung u. damit zur Steigerung der Wirtschaftlichkeit von Fermentationsprozessen. So kann die Raum-Zeit-Ausbeute an E. erhöht werden, wenn der inhibierende Effekt steigender E.-Konz. auf die Fermentation, z. B. durch simultanes Abdestillieren des E. bei Unterdruck, durch selektive Abtrennung von E. mit Membranen od. durch kontinuierliche Extraktion mit Lsm. verringert wird (Weissermel-Arpe, *Lit.*). Bei der anaerob verlaufenden alkohol. Gärung wird die D-*Glucose (u. a. Hexosen wie D-Fructose u. D-Mannose) durch bestimmte, in verschiedenen Hefenrassen enthaltene Enzyme in einem von *Lavoisier quant. untersuchten Vorgang zu E. u. Kohlendioxid nach der von *Gay-Lussac (1815) aufgestellten summar. *Gärungsgleichung:*

$$C_6H_{12}O_6 \to 2\,C_2H_5OH + 2\,CO_2$$

abgebaut. Bei dieser Reaktion wird Wärme (88 kJ/mol) frei, die z. T. zur Unterhaltung der Lebensprozesse in den Hefezellen dient, zum größten Teil jedoch nach außen abgegeben wird. Bei der alkohol. Gärung entstehen aus 1 kg Glucose etwa 0,5 kg E. u. 0,5 kg Kohlendioxid. Die obige Gärungsgleichung stellt nur die Zusammenfassung vielerlei verwickelter, nebeneinander verlaufender Reaktionsfolgen dar. Tatsächlich beginnt der Gärungsprozeß mit der enzymat. *Phosphorylierung der Glucose zu den nach ihren Entdeckern *Robison, Neuberg* u. *Harden* u. *Young* benannten Phosphorsäureestern, deren letzterer enzymat. in zwei miteinander im Gleichgew. stehende C_3-Bruchstücke gespalten wird; die einzelnen Schritte des Reaktionsablaufs sind bei *Glykolyse näher beschrieben. Der weitere Verlauf des Gärungsprozesses ist in dem Schema wiedergegeben.

$$\begin{array}{l}
CH_2-OH \\
C=O \\
CH_2-O-P(OH)_2
\end{array} \rightleftharpoons \begin{array}{l}
CHO \\
CH-OH \\
CH_2-O-P(OH)_2
\end{array} \xrightleftharpoons[NADH]{NAD^+} \begin{array}{l}
COOH \\
CH-OH \\
CH_2-O-P(OH)_2
\end{array}$$

Dihydroxyaceton-1-phosphorsäure Glycerinaldehyd-3-phosphorsäure 3-Phosphoglycerinsäure (Nilsson-Ester)

$$\rightleftharpoons \begin{array}{l}
COOH \\
CH-O-P(OH)_2 \\
CH_2-OH
\end{array} \xrightarrow{-H_2O} \begin{array}{l}
COOH \\
C-O-P(OH)_2 \\
CH_2
\end{array} \xrightarrow{ADP}$$

2-Phosphoglycerinsäure Phosphoenolpyruvat

$$\begin{array}{l}
COOH \\
C=O \\
CH_3
\end{array} \xrightarrow{-CO_2} \begin{array}{l}
CHO \\
CH_3
\end{array} \xrightleftharpoons[NAD^+]{NADH} \begin{array}{l}
CH_2-OH \\
CH_3
\end{array}$$

Brenztraubensäure Acetaldehyd Ethanol

Als Wasserstoff-Akzeptor dient bei diesen Reaktionen das *Nicotinamid-adenin-dinucleotid (NAD^+), als H-Donator seine reduzierte Form (NADH). Die Gesamtbilanz der stufenweise ablaufenden alkohol. Gärung kann durch die folgende „idealisierte Gärungsgleichung" ausgedrückt werden:

$C_6H_{12}O_6 + 2\,ADP + 2\,H_3PO_4 \rightarrow$
$\qquad 2\,C_2H_5OH + 2\,CO_2 + 4\,ATP + 2\,H_2O.$

Außer den Hauptprodukten E. u. CO_2 liefert die Gärung je nach Ausgangsprodukt noch 4–5% unterschiedliche Nebenprodukte, z. B. Ameisensäure, Bernsteinsäure, Acetaldehyd, Brenztraubensäure, Essigsäure, Glycerin, Kohlenhydrat-phosphorsäureester, Milchsäure, Phosphoglycerinsäure u. höhere Alkohole, bes. die hauptsächlich aus Pentanolen, Isobutanol etc. bestehenden sog. *Fuselöle. Wie ersichtlich, ist die Gärung u. a. von ausreichender Phosphat-Zufuhr abhängig. Man setzt deshalb den gärenden Flüssigkeiten oft noch bes. Gärsalze zu, die überwiegend Diammoniumphosphat, jedoch auch andere wichtige anorgan. Bestandteile u. Spurenelemente enthalten. Die günstigste Gärungstemp. liegt zwischen 30 °C u. 37 °C; unterhalb 0 °C u. oberhalb 50 °C stellen die Hefepilze ihre Gärtätigkeit ein. Der Zucker-Gehalt der Gärflüssigkeit soll 20–25% nicht überschreiten, da sonst die Hefezellen geschädigt werden; bei 30–32% Zucker hört die Gärung überhaupt auf. Die die einzelnen Reaktionsschritte der Glykolyse katalysierenden Enzyme Hexokinase, Phosphofructokinase, Phosphoglyceratkinase, Phosphoglyceromutase, Enolase u. dgl. wurden früher (von E. *Buchner) mit der Sammelbez. *Zymase belegt, u. das Gesamtsyst. von Enzymen, Coenzymen u. Cosubstraten (z. B. NAD, Hexosediphosphat, Mg-Ionen) nannte man *Holozymase*. Durch alkohol. Gärung erhält man höchstens 18%ige E.-Lsg., denn bei höheren E.-Konz. gehen die Hefezellen zugrunde. Die fachsprachlich *Brennen* genannte Dest. liefert den sog. *Rohsprit*; die Reinigung des Rohsprits erfolgt durch kontinuierliche Rektifikation: der Mittellauf liefert den für Trinkbranntweine geeigneten Primasprit (ca. 96 Vol.-%). Vor- u. Nachlauf liefern den techn. Alkohol, weitere Zwischenfraktionen den Sekundasprit. „Wasserfrei" kann man E. z. B. durch *Azeotrop-Dest. mit einer dritten Komponente wie Benzol od. durch Lsm.-Extraktion herstellen. Näheres s. Lit.[5]; abs. Alkohol (mind. 99,7 Gew.-% E.). *Brennspiritus* (92,4 Gew.-% E.): Durch *Denaturieren zum Genuß unbrauchbar gemachtes E., wobei eine Mischung aus Aceton, Methanol u. 2-Butanon als *Vergällungsmittel dienen, bei Heilmitteln u. Kosmetika statt dessen auch Campher, Thymol, Chloroform, Toluol usw.

Wirtschaft: Die Besteuerung des Branntweins ist im Gesetz über das Branntweinmonopol geregelt (Branntweinmonopolgesetz vom 8. 4. 1922 mit mehreren Änderungen, zuletzt 5. 10. 1994). Das Branntweinmonopolgesetz regelt aber nicht nur die Branntweinbesteuerung, sondern v. a. auch die nationale Marktordnung für Branntwein – das Branntweinmonopol. Als Branntwein im Sinne des Branntweinmonopolgesetzes sind solche Erzeugnisse anzusehen „die – ohne Rücksicht auf ihre Gewinnungsart u. ihren Aggregatzustand – E. enthalten u. in denen dieser Weingeist als wertbestimmender Anteil vorhanden ist, sofern nicht für das Weingeist-haltige Erzeugnis wie z. B. Bier, Wein od. Schaumwein bes. Bestimmungen gelten od. das Erzeugnis nach Sprach- od. Handelsgebrauch nicht als Branntwein im Sinne des Branntweinmonopolgesetzes angesprochen werden kann"[7,8]. Das Branntweinmonopol umfaßt im einzelnen a) die Übernahme des hergestellten Branntweins, b) die Herst. von Branntwein aus anderen als landwirtschaftlichen Rohstoffen, c) die Einfuhr von Branntwein, d) die Reinigung von Branntwein, e) den Branntweinhandel. Alkohol. Getränke, insbes. die *Spirituosen – werden umgangssprachlich auch als „geistige Getränke" bezeichnet, was auf die Herkunft des Wortes Weingeist = *Spiritus vini hinweist.

Eine Unterscheidung zwischen Synth.- u. Gärungs-E. läßt sich mit Hilfe der *Radiokohlenstoff-Datierung treffen. Mit Hilfe der Deuterium-NMR-Spektroskopie ist es neben der Unterscheidung von Synth.- u. Gärungs-E. auch möglich, Mischungen verschiedener Gärungsalkohole zu erkennen[6].

Verw.: Die Hauptmenge des produzierten E. wird in Form von alkohol. Getränken für Genußzwecke verbraucht. In der Technik dient E. als wertvolles Lsm. für Fette, Öle u. Harze, v. a. in der Lack- u. Firnisfabrikation sowie zur Herst. von *Essenzen. Es ist das wichtigste Lsm. für Duftstoffe (s. Parfüms) in einer Stärke von 80 bis 90 Gew.-%, für Kosmetika (Rasierwasser, Haarwasser) in einer Stärke von 40–60 Gew.-%. Wegen seines hohen Heizwertes (H_u: 29 kJ/g = 7 kcal/g) eignet sich E. in Form des Brennspiritus od. des sog. *Hartspiritus* (durch Zusatz geringer Mengen von Natronseifen, Celluloseester, Kieselgur etc. verfestigter Brennspiritus) als Brennstoff sowie im Gemisch mit Benzin als Motortreibstoff *(Gasohol)*. So wurden nach Brasilien aus dem ersten Land, das Fermentationsethanol in größerem Maß dafür nutzt (1993 wurden ca. 4 Mio. Kfz mit E. angetrieben), auch z. B. in USA im Rahmen des Gasohol-Projektes 1985 schon etwa 5% des Benzin-Bedarfs durch E. abgedeckt. Wie Methanol kann auch E. zur Produktion von *single cell protein eingesetzt werden. Selbstverständlich ist E. auch das Ausgangsmaterial für viele Chemikalien, z. B. für Ethylacetat, Ethylchlorid, Farbstoffe, pharmazeut. Präp. usw. u. wegen seiner keimtötenden Wirkung dient es zum Konservieren u. Desinfizieren.

Geschichte: In Form von alkohol. Getränken war E. bereits in vorgeschichtlicher Zeit bekannt. Eine 8000–9000 a alte sumer. Keilschrifttafel beschreibt bereits die Bierbereitung; auch die Weingewinnung ist jahrtausendealt. Das Destillieren ist in Süditalien (Salerno) zwischen 1150 u. 1250 aufgekommen. „Absoluter" (d.h. reiner) Alkohol wird zum erstenmal in Kardanus „de subtilitate" (Köln 1554) erwähnt. Im Jahre 1796 erfolgte die erste Herst. von wasserfreiem E. mittels Pottasche, 1826 die erste Herst. aus Ethylen u. Schwefelsäure. – *E* ethanol – *F* éthanol – *I* etanolo – *S* etanol

Lit.: [1]DAB 10. [2]Pure Appl. Chem. **17**, 273–312 (1968). [3]IARC Alcoholdrinking. IARC monographs on the Evaluation of Carcinogenic Risks to Humans, Vol. 44, Lyon: IARC 1988. [4]Weissermel-Arpe (4.), S. 212. [5]Ullmann (5.) **A 9**, 634f. [6]Chem. Unserer Zeit **5**, 162ff. (1988). [7]Unsere Steuern von A–Z, S. 54f., Bonn: Bundesministerium der Finanzen 1987. [8]Gabler-Wirtschafts-Lexikon, S. 582, Wiesbaden: Gabler 1992.
allg.: Beilstein E IV **1**, 1289–1306 ■ Brauer, Gefahrstoff-Sensorik, Landsberg: Ecomed Verlagsges. 1988 ■ Gesundheitsschädliche Arbeitsstoffe: toxikologisch arbeitsmedizinische Begründung von MAK-Werten, Weinheim: VCH Verlagsges. 1972–1996 ■ Gibitz, Bestimmung von Ethanol im Serum, Weinheim: VCH Verlagsges. 1993 ■ Hager (5.) **3**, 541 ■ Hommel, Nr. 22 ■ Kirk-Othmer (4.) **9**, 812f. ■ Moeschlin, Klinik u. Therapie der Vergiftungen, S. 310f., Stuttgart: Thieme 1986 ■ Rippen ■ Ullmann (4.) **8**, 80f.; (5.) **A 9**, 587f. ■ Weissermel-Arpe (4.), S. 209–214. – *[HS 2207 10, 2208 90; CAS 64-17-5; G 3]*

Ethanolamine. In der Ind. übliche Bez. für die hier unter ihrem systemat. Namen *Aminoethanole behandelten Verbindungen.

Ethanolate s. Ethoxide.

Ethansäure s. Essigsäure.

Ethanthiol s. Thiole.

Ethaverin.

Internat. Freiname für 1-(3,4-Diethoxybenzyl)-6,7-diethoxy-isochinolin, $C_{24}H_{29}NO_4$, M_R 395,48, Schmp. 99–101°C. Verwendet wird auch das Hydrochlorid, Schmp. 186–188°C (Zers.); λ_{max} 241, 315 nm ($A_{1cm}^{1\%}$=1490, 208/CH_3OH). E. ist als muskolotropes *Spasmolytikum in Kombination mit anderen Stoffen im Handel. – *E* ethaverine – *F* ethavérine – *I* = *S* etaverina
Lit.: Beilstein E V **21/6**, 183f. ■ Hager (5.) **8**, 106ff. – *[HS 2933 40; CAS 486-47-5 (E.); 985-13-7 (Hydrochlorid)]*

Ethen. Nach IUPAC-Regel A-3.1 systemat. Name für die hier unter ihrem (weiterhin zugelassenen) Trivialnamen *Ethylen behandelte Verbindung. – *E* ethene – *F* éthène – *I* etene – *S* eteno

Ethenyl... s. Vinyl...

Ethenzamid.

Internat. Freiname für das analget., antiphlogist. u. antipyret. wirksame 2-Ethoxybenzamid, $C_9H_{11}NO_2$, M_R 165,19, Schmp. 132–134°C; λ_{max} 230, 290 nm ($A_{1cm}^{1\%}$=532, 210/CH_3OH); LD_{50} (Maus oral) 1160 mg/kg. E. wurde 1951 von H. Lundbeck patentiert u. ist in Grippe- u. Schmerzmittel-Kombinationen enthalten. – *E* = *F* ethenzamide – *I* etenzamide – *S* etenzamida
Lit.: ASP ■ Beilstein E IV **10**, 175 ■ Hager (5.) **8**, 109ff. – *[HS 2924 29; CAS 938-73-8]*

Ethephon.

Common name für 2-Chlorethylphosphonsäure, $C_2H_6ClO_3P$, M_R 144,5, Schmp. 74–75°C, LD_{50} (Ratte oral) >4000 mg/kg (WHO), Pflanzen-*Wachstumsregulator zur Anw. in zahlreichen Kulturen. Die wirksame Komponente ist das durch Zers. gebildete Ethylen. – *E* ethephon – *I* etefone – *S* etefón
Lit.: Beilstein E III **4**, 1780 ■ Farm ■ Pesticide Manual. – *[HS 2931 00; CAS 16672-87-0]*

Ether. Von griech.: aither = obere Luft, Himmels-, Feuerluft (in der Sterne u. Götter wohnen) abgeleitete Bez. für eine Verbindungsklasse der allg. Formel R^1–O–R^2; ist $R^1=R^2$, so spricht man von einfachen od. symmetr., bei Ungleichheit der Reste von gemischten od. unsymmetr. E.; R^1 u. R^2 können jeweils Alkyl- u./od. Aryl-Reste sein. Auch cycl. E. kommen vor, obwohl man diese eher zu den *Sauerstoff-Heterocyclen stellt, sowie geminale Dialkoxy-Verb., die *Acetale genannt werden.
Die Namensgebung der E. (vgl. IUPAC-Regeln C 211–216) kann nach zwei Prinzipien erfolgen; so kann man z.B. die Verb. $H_3C-CH_2-O-CH=CH_2$ als Ethoxyethylen od. als Ethylvinylether bezeichnen. Bei komplizierten Mol. ist der ersteren Meth. der Vorzug zu geben. Übrigens kann der erwähnte *Vinylether als *Enolether aufgefaßt werden, vgl. Enole. Der einfachste E. (*Dimethylether, $H_3C-O-CH_3$) ist ein Gas, die nächsten E. sind flüssig, die höhermol. fest. Die Sdp. der E. liegen immer erheblich tiefer als die der entsprechenden Alkohole; so siedet z. B. der Diethylether bei 35°C, der Ethylalkohol dagegen erst bei 78°C. Die E. reagieren neutral u. sind in Wasser nicht od. nur wenig löslich. Von verd. Säuren, Laugen u. Natriummetall werden sie bei 20°C nicht angegriffen, dagegen bewirken Säuren in der Hitze Zers., u. Iodwasserstoff bildet mit E. leicht Alkyliodide, eine Reaktion, die die

Grundlage der *Zeisel-Methode zur Bestimmung von *Alkoxy-(RO)-Gruppen bildet [1,2].

$$R-O-R + 2HI \longrightarrow 2R-I + H_2O$$

Durch Chromsäure, Salpetersäure u. a. Oxidationsmittel werden E. oxidiert. Mit Sauerstoff bilden die E. leicht Peroxide. Viele E. können mit Halogenen, Salzen, Säuren u. dgl. ziemlich beständige *Etherate* (s. a. Oxonium-Salze) bilden; so kennt man von Diethylether u. a. Verb. der Zusammensetzung $(H_5C_2)_2O \cdot Br_2$, $(H_5C_2)_2O \cdot HCl$, $(H_5C_2)_2O \cdot BF_3$, $(H_5C_2)_2O \cdot MgCl_2$.

Vork.: Methylether sind in der Natur weit verbreitet, als *Phenolether in den *Glykosiden, vor allem bei Alkaloiden, Blütenfarbstoffen, Geruchsstoffen (*Vanillin); Ether-Bindungen liegen in den Zuckern u. Polysacchariden (*Cellulose, *Stärke) vor.

Herst.: Die beiden wichtigsten Herstellungsmeth. für E. sind in der Abb. zusammengefaßt.

$$2\,R-OH + H_2SO_4\,(od.\,Al_2O_3) \xrightarrow{-H_2O} R-O-R$$
speziell f. r R = C_2H_5
(*Diethylether)

$$R^1-X + R^2-O^- \, M^+ \longrightarrow R^1-O-R^2$$
X = Halogen od. Sulfonat
(*Williamson-Synthese)

Verw.: Wegen ihrer außerordentlichen Lsg.-Eigenschaften finden E. als Lsm. u. Extraktionsmittel, die *Glykolether auch als Weichmacher in der Ind. Verw., wobei wegen der Autoxidationsneigung, der Flüchtigkeit u. der leichten Brennbarkeit insbes. der niedermol. E. bes. techn. Vorkehrungen zu treffen sind. Einige E. werden als Narkosemittel, andere als Aerosol-Treibgase eingesetzt. Techn. wichtige E. sind u. a. Diethylether, Diisopropylether, Tetrahydrofuran, Dioxan, Anisol, Diphenylether, *tert*-Butyl-methylether (als Additiv für *Benzin u. als Lsm. für die *Flüssigkeitschromatographie), sowie verschiedene E., die sich von Ethylenglykol, Di- u. Triethylenglykol (die ihrerseits selbst E. sind) ableiten. Letztere leiten über zur Gruppe der *Polyether, z. B. den Polyethylenglykolen, -oxiden etc., s. a. Ethoxylate. Techn. wichtige E. sind auch die *Celluloseether.

Ether (Äther) im Sinne von *Welt-, Ur-, Lichtäther* ist nach früheren, durch Einsteins Relativitätstheorie gegenstandslos gewordenen Vorstellungen (s. jedoch *Lit.*[3]) ein gewichtsloser, ruhender, den gesamten Weltraum ausfüllender Stoff, in dem sich die Lichtwellen – ähnlich wie Schallwellen in Luft – ausbreiten sollten, vgl. *Lit.*[4]. – *E* ethers – *F* éthers – *I* eteri – *S* éteres

Lit.: [1] J. Org. Chem. **41**, 367f. (1976). [2] Z. Anal. Chem. **274**, 291–299 (1975). [3] Ideen exakt. Wiss. **1974**, Nr. 2, 48–58. [4] Cantor u. Hodge, Conceptions of Ether, Cambridge: Univ. Press. 1981.
allg.: Contemp. Org. Synth. **1**, 457–474 (1994); **3**, 65–91 (1996) ■ Houben-Weyl **6/1d**, **6/3**, **6/4** ■ Kirk-Othmer (3.) **9**, 381–393; (4.) **9**, 860ff. ■ Patai, The Chemistry of the Ether Linkage, New York: Wiley 1967 ■ Patai, The Chemistry of Ethers, Crown Ethers, New York: Wiley 1981 ■ Snell-Ettre **12**, 296–316 ■ Ullmann (4.) **8**, 146ff.; (5.) **A1**, 215f.; **A10**, 23ff.; **A11**, 365f. ■ Winnacker-Küchler (3.) **4**, 65ff.; (4.) **6**, 44–47 ■ s. a. Ethoxylierung, Polyether. – *[HS 2909 11–2909 49]*

Etheramine. Bez. für eine Gruppe von *nichtionischen Tensiden, die eine

$$-(O-CH_2-CH_2)_n-\overset{|}{N}-$$

Gruppe enthalten. E. gewinnt man durch Umsetzung von *Fettalkoholen od. den korrespondierenden Polyethern mit einem geeigneten Alkanolamin (z. B. Triethanolamin) u. starkem Alkali. Im Verlauf der Reaktion, die bei 170 °C in Abwesenheit von Wasser erfolgt, werden äquimolare Mengen Natriumsulfat gebildet. E. zeigen avivierende Eigenschaften u. eignen sich als *Waschkraftverstärker. – *E* ether amines – *I* ammine eteriche – *S* aminas etéreas – *[HS 3402 13]*

Etherate s. Ether.

Ethercarbonsäuren.

$$RO-(CH_2-CH_2-O)_p-CH_2-COOH$$
$R = C_1-C_{18}$; $p = 0,1 - 20$

Durch Umsetzung von Fettalkoholethoxylaten mit Natriumchloracetat in Ggw. bas. Katalysatoren od. durch katalyt. Oxid. von *Ethoxylaten zugängliche Klasse der *Aniontenside. E. sind Wasserhärte-unempfindlich u. weisen ausgezeichnete Tensid-Eigenschaften auf. Infolge ihrer guten Hautverträglichkeit finden sie bevorzugt Anw. in Kosmetika. Für die industrielle Herst. von Nachteil ist beim erstgenannten Verf. der Zwangsanfall von NaCl im Verlauf der Synthese. – *E* ether carboxylic acids – *I* acidi carbossilici eterici
Lit.: Seifen, Öle, Fette, Wachse **101**, 37 (1975); **115**, 235 (1989) ■ Stache (Hrsg.), Anionic Surfactants: Organic Chemistry, S. 313–361, New York: Dekker 1996 ■ Tenside Deterg. **25**, 308 (1988). – *[HS 3402 11]*

Etherische Öle. Allg. Sammelbegriff für aus Pflanzen gewonnene Konzentrate, die als natürliche Rohstoffe hauptsächlich in der Parfüm- u. Lebensmittel-Ind. eingesetzt werden u. die mehr od. weniger aus flüchtigen Verb. bestehen, wie z. B. echte e. Ö., *Citrusöle, *Absolues, *Resinoide. Oft wird der Begriff auch für die noch in den Pflanzen enthaltenen flüchtigen Inhaltsstoffe verwendet. Im eigentlichen Sinn versteht man aber unter e. Ö. Gemische aus flüchtigen Komponenten, die durch Wasserdampfdest. aus pflanzlichen Rohstoffen hergestellt werden.
Gewinnung: Als Ausgangsmaterial für die Wasserdampfdest. können ganze Pflanzen od. nur bestimmte Teile verwendet werden. Eine Übersicht über die verschiedenen in der Technik verwendeten Apparaturen gibt *Lit.*[1], eine Apparatur zur quant. Bestimmung des Gehalts von e. Ö. in Naturdrogen gibt *Lit.*[2]. Im allg. liegt die Ausbeute an e. Ö. bei kommerziell genutzten Pflanzen zwischen 0,5 u. 5%.
Zusammensetzung: Echte e. Ö. bestehen ausschließlich aus flüchtigen Komponenten, deren Sdp. überwiegend zwischen 150 u. 300 °C liegen. Anders als z. B. fette Öle hinterlassen sie deshalb beim Auftupfen auf Filterpapier keinen bleibenden durchsichtigen Fettfleck. E. Ö. enthalten überwiegend Kohlenwasserstoffe od. monofunktionelle Verb. wie Aldehyde, Alkohole, Ester, Ether u. Ketone. Stammverb. sind Mono- u. Sesquiterpene, Phenylpropan-Derivate u. längerkettige aliphat. Verbindungen. E. Ö. sind entsprechend relativ unpolare Gemische, d. h. sie sind in den meisten organ. Lsm. löslich. Durch Alterungsprozesse (z. B. durch Licht- u. Luftzutritt infolge unsachgemäßer Lagerung) werden bestimmte Komponenten polymerisiert, was sich oft durch eine herabgesetzte Löslichkeit in Alkohol (trübe, nicht mehr klare Lsg.)

feststellen läßt. Bei manchen e. Ö. dominiert ein Inhaltsstoff (z. B. Eugenol in *Nelkenöl mit mehr als 85%), andere sind wieder äußerst komplex zusammengesetzt. Oft werden die organolept. Eigenschaften nicht von den Hauptkomponenten, sondern von Neben- od. Spurenbestandteilen geprägt, wie z. B. von den 1,3,5-Undecatrienen u. Pyrazinen im *Galbanum-Öl. Bei vielen der kommerziell bedeutenden e. Ö. geht die Zahl der identifizierten Komponenten in die Hunderte. Sehr viele Inhaltsstoffe sind chiral, wobei sehr oft ein Enantiomer überwiegt od. ausschließlich vorhanden ist, wie z. B. (−)-Menthol im *Pfefferminzöl od. (−)-Linalylacetat im *Lavendelöl.

Analytik [3]/*Qualitätsprüfung* [4]/*Untersuchung:* Bei kommerziell verwendeten Ölen werden zur Qualitätsüberprüfung im allg. die Dichte, die Brechung, das opt. Drehvermögen u. die Löslichkeit bestimmt. Die qual. u. quant. Zusammensetzung wird durch Gaschromatographie (GC), ggf. unter Zuhilfenahme eines massenspektrometr. Detektors (GC-MS-Kopplung) untersucht. Die *ISO verfolgt ein Programm zur Ermittlung von Standardwerten für e. Ö., die sowohl die physikal. Daten als auch Gaschromatogramme umfassen u. so eine Grundlage für die Qualitätsbewertung bieten (Übersicht s. ISO 4720). Sofern e. Ö. chirale Komponenten enthalten, lassen sich Verschnitte mit billigen racem. Verb. durch enantioselektive GC überprüfen (s. *Lit.* Carle). E. Ö. unbekannter Zusammensetzung lassen sich bequemer durch GC-MS-Kopplung analysieren. Zur wirtschaftlichen Bedeutung s. *Lit.* Carle.

Verw. (Spezielle Anw. s. Einzelstichwörter): Wertmäßig etwa die Hälfte der e. Ö. wird in der Lebensmittel-Ind. als Aromatisierungsmittel verwendet. Der andere Teil geht hauptsächlich in die Parfüm-Ind., sei es direkt als Kompositionsbaustein, sei es als Rohmaterial für die Gewinnung weiterer Riechstoffe. Für pharmazeut. Präparate wird nur ein relativ geringer Anteil verbraucht. In jüngerer Zeit haben e. Ö. eine gewisse Popularität im Zusammenhang mit der sog. Aromatherapie erlangt. – *E* (essential) oil of – *F* huiles essentielles – *I* oli essenziali – *S* aceites esenciales

Lit.: [1] Perfum. Flavor **9**(2), 93 (1984). [2] DAB 10, Kap. V.4.5.8. [3] Perfum. Flavor **15**(1), 1 (1990). [4] Sandra u. Bicchi, Capillary Gas Chromatography in Essential Oil Analysis, Heidelberg: Hüthig 1987.
allg. Arctander, Perfume and Flavor Materials of Natural Origin, Elizabeth, N.J.: Selbstverl. 1960 ▪ Bauer, Garbe u. Surburg, Common Fragrance and Flavor Materials (2.), Weinheim: VCH Verlagsges. 1990 ▪ Carle, Ätherische Öle – Anspruch u. Wirklichkeit, Stuttgart: Wissenschaftl. Verlagsges. 1993 ▪ Gildemeister ▪ Ohloff, Riechstoffe u. Geruchssinn, Berlin: Springer 1990. – *Zeitschriften:* Perfumer & Flavorist; J. Essent. Oil Res. (beide Carol Stream, Il. (USA): Allured Publishing Corp.) ▪ Flavour Fragr. J. (Chichester: Wiley).

Ethersulfate s. Fettalkoholpolyglykolethersulfate.

Ethersulfonate.

$H_3C-(CH_2)_n-CH-CH=CH-(CH_2)_m-CH_2-O-(CH_2-CH_2-O)_p-R$
$\quad\quad\quad\quad\quad\quad|$
$\quad\quad\quad\quad\quad SO_3Na$

i-Ethersulfonate   n = 11-17, p = 0,1-20, R = H, Alkyl

$R-O-(CH_2-CH_2-O)_p-SO_2Na$

n-Ethersulfonate   R = Alkyl, p = 0,1-20

Bez. für eine Gruppe von *Aniontensiden, die sich formal von den *Fettalkoholpolyglykolethern ableiten u. zusätzlich eine Sulfonat-Gruppe im Mol. aufweisen. Man unterscheidet endständige (*n*-) E., bei denen die Sulfonat-Funktion an die Polyether-Kette gebunden vorliegt sowie innenständige (*i*-) E., bei denen die $-SO_3X$-Gruppe mit dem Fettalkyl-Rest verknüpft ist.
n-E. werden gewöhnlich in einer Austauschreaktion von *Fettalkoholpolyglykolethersulfaten u. Natriumsulfit bei 180 °C gewonnen, bei der äquimolare Mengen Natriumsulfat gebildet werden. Alternativ sind sie jedoch auch durch Umsetzung von Fettalkoholpolyglykolethern mit Propansulfon, Hydroxyalkan- bzw. Halogensulfonaten sowie durch Oxid. von Thiolen zugänglich. *n*-E. eignen sich als Tenside für die tert. Erdölförderung sowie als *Emulgatoren für die *Emulsionspolymerisation.
i-E. werden hingegen durch Sulfonierung der Doppelbindung ungesättigter Fettalkoholpolyglykolether erhalten. Um eine Sulfatierung der freien endständigen OH-Funktion der Polyether-Kette zu vermeiden, muß diese in einem ersten Schritt entweder durch eine Ester-Gruppe geschützt od. mit Hilfe von Alkylchloriden irreversibel Endgruppen-verschlossen werden, ehe die Umsetzung mit üblichen Sulfiergentien, z. B. gasförmigem SO_3 u. anschließender Neutralisation zu den *i*-E. erfolgt. Die Produkte eignen sich als leicht abbaubare, schaumarme Netzmittel. – *E* ether sulfonates – *I* solfonati eterici – *S* sulfonatos de éteres

Lit.: Fette, Seifen, Anstrichmittel **87**, 382, 391 (1985) ▪ Soap Cosmet. Chem. Spec. **1987**, 41. – *[HS 3402 11]*

Ethiazid.

Internat. Freiname für 6-Chlor-3-ethyl-3,4-dihydro-2*H*-1,2,4-benzothiadiazin-7-sulfonamid-1,1-dioxid, $C_9H_{12}ClN_3O_4S_2$, M_R 325,81, Schmp. 269–270 °C. E. wurde 1961 als *Diuretikum von Ciba patentiert. – *E* = *F* ethiazide – *I* etiazide – *S* etiazida – *[HS 2935 00; CAS 1824-58-4]*

Ethidimuron.

Common name für 1-(5-Ethylsulfonyl-1,3,4-thiadiazol-2-yl)-1,3-dimethylharnstoff, $C_7H_{12}N_4O_3S_2$, M_R 264,3, Schmp. 156 °C, LD_{50} (Ratte oral) >5000 mg/kg (Bayer), von Bayer 1973 eingeführtes Total-*Herbizid zur Anw. auf Nichtkulturland. – *E* = *F* ethidimuron – *I* etidimurone – *S* etidimurón

Lit.: Farm ▪ Perkow. – *[HS 2934 90; CAS 30043-49-3]*

Ethidiumbromid s. Homidiumbromid.

Ethin. Nach IUPAC-Regel A-3.2 systemat. Name für die hier unter ihrem (weiterhin zugelassenen) Trivialnamen *Acetylen behandelte Verb., vgl. a. die folgenden *Ethinyl-Stichwörter. – *E* ethyne – *F* éthyne – *I* = *S* etino

Ethinamat.

Internat. Freiname für Carbamidsäure-(1-ethinylcyclohexyl)-ester, $C_9H_{13}NO_2$, M_R 167,20, Schmp. 96–98 °C, Sdp. 118–122 °C (0,39 kPa); $n_D^{21,5}$ 1,4441 (20% Propylenglykol). E. wurde 1957 als *Sedativum u. *Hypnotikum von Schering patentiert u. ist in Anlage II der *BMVVO gelistet. – $E = F$ ethinamate – $I = S$ etinamato

Lit.: Beilstein E IV **6**, 349 ▪ Hager (5.) **8**, 111 ff. – *[HS 29 24 29; CAS 126-52-3]*

Ethinyl... Bez. für die Atomgruppierung –C≡CH in systemat. Namen (IUPAC-Regel A-3.5). Frühere Bez.: Acetylenyl... – *E* ethynyl... – *F* éthynyl... – *I = S* etinil...

1-Ethinylcyclohexanol.

$C_8H_{12}O$, M_R 124,18. Farblose Kristallnadeln, D. 0,9763, Schmp. 30–32 °C, Sdp. 180 °C, die in Wasser wenig, in Alkoholen, Ethern, Estern, Ketonen u. Kohlenwasserstoffen dagegen leicht lösl. sind. Das Campher-ähnlich schmeckende E. dient zur Synth. von Hypnotika u. Sedativa (z. B. *Ethinamat) u. von Riechstoffen. – *E* 1-ethynylcyclohexanol – *F* 1-éthynylcyclohexanol – *I* 1-etinilcicloesanolo – *S* 1-etinilciclohexanol

Lit.: Beilstein E IV **6**, 348 ▪ Hager (5.) **8**, 111. – *[HS 29 06 19; CAS 78-27-3]*

Ethinylestradiol.

Internat. Freiname für 19-Nor-17α-pregna-1,3,5(10)-trien-20-in-3,17-diol[17α-Ethinyl-1,3,5(10)-estratrien-3,17β-diol], $C_{20}H_{24}O_2$, M_R 296,41. Farblose, schwach bitter schmeckende Krist., Schmp. 180–186 °C, $[\alpha]_D^{24}$ 3,5°±0,5° (c 2/Dioxan); LD_{50} (Maus oral) 1737 mg/kg, in Aceton, Ethanol, Dioxan u. Diethylether gut, in Chloroform weniger, in Wasser nicht löslich. E. ist nicht nur selbst ein starkes *Estrogen, das auch in *Antikonzeptionsmitteln enthalten ist, sondern dient auch zur Synth. anderer Estrogene (*Mestranol ist der 3-Methylester) u. *Gestagene. – *E* ethynylestradiol – *F* ethinylestradiol – *I* etinilestradiolo – *S* etinilestradiol

Lit.: ASP ▪ Beilstein E IV **6**, 6877 ▪ DAB **1996** u. Komm. ▪ Hager (5.) **8**, 113 ff. – *[HS 2937 92; CAS 57-63-6]*

Ethinylierung. Von W. *Reppe[1] eingeführte Bez. für die Reaktion von Acetylen od. monosubstituierten Alkinen mit Aldehyden u. Ketonen in Ggw. von Kupferacetylid unter Erhalt der Alkin-Funktion.

HC≡CH + 2 $H_2C=O$ →(Katalysator) $H_2C-C≡C-CH_2$ mit OH OH

Acetylen kann einfach od. zweifach als E.-Reagenz wirken. Mit Formaldehyd erhält man so bei zweifacher Ethinylierung das techn. wichtige *2-Butin-1,4-diol als Vorstufe für 1,4-*Butandiol[2]. Auch Alkalimetallacetylide können zur E. von Carbonyl-Verb. eingesetzt werden (*Nef-Reaktion). – *E* ethynylation – *F* éthynylation – *I* etinilazione – *S* etinilación

Lit.: [1]Reppe, Neuere Entwicklungen auf dem Gebiet des Acetylens und der Kohlenstoffverbindungen, Berlin: Springer 1949. [2]Weissermel-Arpe (4.), S. 108 f.
allg.: s. Acetylen u. Alkine.

17α-Ethinyltestosteron s. Ethisteron.

Ethiofencarb.

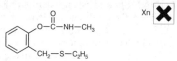

Common name für (2-Ethylthiomethylphenyl)-methylcarbamat, $C_{11}H_{15}NO_2S$, M_R 225,3, Schmp. 33,4 °C, LD_{50} (Ratte oral) ca. 200 mg/kg (Bayer), von Bayer 1975 eingeführtes system. *Blattlaus-*Insektizid zur Anw. im Obst-, Gemüse-, Zierpflanzen-, Getreide-, Mais-, Baumwoll-, Zuckerrüben-, Kartoffel- u. Tabakanbau. – *E* ethiofencarb – *F* ethiophencarbe – *I = S* etiofencarb

Lit.: Farm ▪ Perkow ▪ Pesticide Manual. – *[HS 29 30 90; CAS 29973-13-5]*

Ethion.

$H_5C_2O-P(=S)(OC_2H_5)-S-CH_2-S-P(=S)(OC_2H_5)-OC_2H_5$

Common name für S,S'-Methylenbis(O,O-diethyldithiophosphat), $C_9H_{22}O_4P_2S_4$, M_R 384,5, Sdp. 164 °C (0,04 kPa), LD_{50} (Ratte oral) 161 mg/kg (GefStoffV), von FMC 1956 eingeführtes nicht system. Kontakt-*Akarizid u. -*Insektizid. – *E* ethion – *F* diethion – *I* etione – *S* etión

Lit.: Farm ▪ Perkow ▪ Pesticide Manual. – *[HS 29 30 90; CAS 563-12-2]*

Ethionin s. Methionin.

Ethirimol.

Common name für 5-Butyl-2-ethylamino-6-methylpyrimidin-4-ol, $C_{11}H_{19}N_3O$, M_R 209,3, Schmp. 159–160 °C (mit Phasenwechsel bei ca. 140 °C), LD_{50} (Ratte oral) 6340 mg/kg (WHO), von ICI (jetzt Zeneca) 1968 eingeführtes system. *Fungizid mit protectiver u. kurativer Wirkung gegen Echten Mehltau im Getreideanbau. – *E* ethirimol – *F* ethyrimol – *I* etirimolo – *S* etirimol

Lit.: Farm ▪ Perkow ▪ Pesticide Manual. – *[HS 29 33 59; CAS 23947-60-6]*

Ethisteron.

Internat. Freiname für 17-Hydroxy-17α-pregn-4-en-20-in-3-on(17α-Ethinyltestosteron), $C_{21}H_{28}O_2$, M_R 312,44, Schmp. 269–275 °C; $[\alpha]_D^{23}$ +23,8° (Dioxan); $[\alpha]_D^{25}$ -32° (Pyridin); λ_{max} (CH_3OH) 241 nm ($A_{1cm}^{1\%}=513$), eine gestagen wirkende Verb., deren 19-Nor-Derivat *Norethisteron weitere Verw. gefunden hat. – *E* ethisterone – *F* ethistérone – *I* etisterone – *S* etisterona

Lit.: Beilstein E IV **8**, 1225 ▪ DAB **1996** u. Komm. ▪ Hager (5.) **8**, 118 f. – *[HS 293792; CAS 434-03-7]*

Ethofenprox s. Etofenprox.

Ethoform. Kurzbez. für 4-Aminobenzoesäureethylester, internat. Freiname *Benzocain.

Ethofumesat.

Common name für (±)-(2-Ethoxy-2,3-dihydro-3,3-dimethylbenzofuran-5-yl)-methansulfonat, $C_{13}H_{18}O_5S$, M_R 286,3, Schmp. 70–72 °C, LD_{50} (Ratte oral) >6400 mg/kg (WHO), von Schering entwickeltes selektives system. *Herbizid gegen Ungräser u. Unkräuter im Zucker- u. Futterrübenbau. – *E* = *F* ethofumesate – *I* = *S* etofumesato

Lit.: Farm ▪ Perkow. – *[HS 293299; CAS 26225-79-6]*

Ethoprophos.

Common name für O-Ethyl-S,S-dipropyl-dithiophosphat, $C_8H_{19}O_2PS_2$, M_R 242,3, Sdp. 86–91 °C (0,03 kPa), LD_{50} (Ratte oral) 62 mg/kg (GefStoffV), von Mobil Chem. Co. u. später Rhône-Poulenc entwickeltes nicht-system. *Nematizid u. Boden-*Insektizid zur Anw. im Bananen-, Ananas-, Gemüse-, Sojaanbau sowie im Ackerbau. – *E* = *F* ethoprophos – *I* = *S* etoprofos

Lit.: Perkow ▪ Pesticide Manual. – *[HS 293090; CAS 20845-72-1]*

Ethosuximid.

Internat. Freiname für 3-Ethyl-3-methylpyrrolidin-2,5-dion, $C_7H_{11}NO_2$, M_R 141,17, weiße, wachsartige Masse od. krist. Pulver, Schmp. 45–50 °C; auch 64–65 °C (Krist. aus Aceton/Ether) angegeben, Schmp. der Enantiomeren 78–79 °C; n_D^{20} 1,472 bis 1,474 (50±0,3 °C); R-Enantiomer: $[\alpha]_D^{20}$ –32,2°; S-Enantiomer: $[\alpha]_D^{20}$ +32,2° (CH_3OH); λ_{max} (CH_3OH) 222, 249 nm ($A_{1cm}^{1\%}$ = 10,8, 8,3), pK_a 9,36. E. wird als *Antiepileptikum bei Petit-mal-Epilepsie eingesetzt. E. wurde 1961 von Parke-Davis (Suxinutin®) patentiert u. ist als Generikum im Handel. – *E* = *F* ethosuximide – *I* etosuccimide – *S* etosuximida

Lit.: ASP ▪ Beilstein E V **21/9**, 595 ▪ DAB **1996** u. Komm. ▪ Hager (5.) **8**, 119 ff. – *[HS 292519; CAS 77-67-8]*

Ethoxazorutosid. Internat. Freiname für das gefäßaktive 4′-O-(2-Morpholinoethyl)-rutosid, $C_{33}H_{41}NO_{17}$, M_R 723,68. – *E* = *F* ethoxazorutoside – *I* etossazorutoside – *S* etoxazorutosido – *[HS 293810]*

Ethoxide. Nach IUPAC-Regel C-206.2 Gruppenbez. für *Alkoholate, die sich von *Ethanol ableiten (*Ethylate*, Ethanolate); *Beisp.:* *Natriumethoxid. – *E* ethanolates – *F* éthoxides – *I* etossidi

Ethoxy... Bez. für die Atomgruppierung –O–C_2H_5 in systemat. Namen von Ethylethern (IUPAC-Regel C-205.1). Als Bez. für den Liganden $C_2H_5O^-$ neben Ethanolato... u. Ethoxo... zulässig (IUPAC-Regel I-10.4.5.4). – *E* ethoxy... – *F* éthoxy... – *I* etossi... – *S* etoxi...

2-Ethoxybenzamid s. Ethenzamid.

Ethoxybenzol s. Phenetol.

Ethoxycarbonyl... (Kurzz. Eoc, veraltete Bez.: *Carbethoxy...* od. *Cathyl...*). Bez. für die Atomgruppierung –CO–O–C_2H_5 in systemat. Namen (IUPAC-Regel C-463.3, R-5.7.4.2); s. Schutzgruppen. – *E* ethoxycarbonyl... – *F* éthoxycarbonyl... – *I* etossicarbonil... – *S* etoxicarbonil...

2-Ethoxy-6,9-diamino-acridin s. Ethacridin.

2-Ethoxyethanol s. Ethylenglykol (Tab.).

2-Ethoxyethylacetat s. Ethylenglykol (Tab.).

Ethoxylate (Oxethylate, EO-Addukte). Bez. für Ether, die durch Polyaddition von *Ethylenoxid (s. Ethoxylierung) entstanden u. als *Polyether od. *Polyethylenglykole aufzufassen sind. Bes. die sich von den Fettalkoholen ableitenden E. der allg. Formel RO–(CH_2–CH_2–O)$_n$–H mit n = 4–10 finden als *nichtionische Tenside, *Emulgatoren, Lsm. sowie als Kosmetik- u. Pharmarohstoff vielfache Verw., während die entsprechenden Phenolethoxylate infolge ihrer unzureichenden *biologischen Abbaubarkeit in den letzten Jahren viel von ihrer früheren Bedeutung verloren haben (s. Fettalkoholpolyglykolether, Alkylphenolpolyglykolether). Cycl. Polyethylenoxide (Kronenether, Coronanden) haben sich als tox. für das ZNS erwiesen. – *E* ethoxylates – *F* éthoxylates – *I* etossilati – *S* etoxilatos

Lit.: Kosswig u. Stache, Die Tenside, München: Hanser 1993 ▪ Parfüm. Kosmet. **60**, 448 (1979) ▪ Ullmann (5.) **A25**, 747–817 ▪ s. Ethoxylierung u. Ethylenoxid. – *[HS 340213]*

Ethoxylierung (Oxethylierung). Bez. für die Insertion einer od. mehrerer –CH_2–CH_2–O-Gruppen (EO-Gruppen) in Verb. mit einem aciden Wasserstoff-Atom mit Hilfe von *Ethylenoxid. Geeignete Substrate sind Fettalkohole, Alkylphenole, Fettamine, Fettsäuren u. deren Amide, Fettsäureester, Mercaptane u. Imidazoline. Die Produkte der techn., bei Temp. zwischen 120 u. 220 °C unter Druck (ca. 100–500 kPa) ausgeführten Reaktionen sind lineare *Ether bzw. *Polyether, die an einem Kettenende eine Hydroxy-Gruppe, am anderen eine vom Ausgangsprodukt abhängige funktionelle Gruppe tragen. Die Anlagerung einer definierten Menge Ethylenoxid an das Substrat liefert eine Verteilung homologer *Ethoxylate, deren Breite insbes. durch die Wahl des Katalysators beeinflußt werden kann. Üblicherweise finden alkal. Katalysatoren, bes. Natriummethylat Verw., die zu einer weiten, Schulz-Flory-Homologen-Verteilung führen, während Erdalkali-Salze (z. B. Calciumacetat, Strontiumphenolat) eine Einengung gemäß einer Poisson-Verteilung hervorrufen („narrow-range ethoxylates", NRE). Saure Katalysatoren (z. B. Antimonpentachlorid) bewirken zwar ebenfalls eine deutliche Einengung der Homologen-Verteilung, infolge des säurekatalysierten Abbaus der Polyether-Kette werden jedoch auch große Mengen *1,4-Dioxan als unerwünschtes Nebenprodukt gebildet. – *E* ethoxylation – *F* éthoxylation – *I* etossilazione – *S* etoxilación

Lit.: Cahn (Hrsg.), Proc. 3rd World Conference on Detergents: Global Perspectives, S. 141–146, Champaign: AOCS Press 1994 ▪ Falbe, Surfactants in Consumer Products, Berlin: Springer 1987 ▪ Household and Personal Product Industry **1986**, 120 ▪ Proc. 4th World Surfactants Congress, Barcelona, 3.–6. Juni 1996, Bd. 1, S. 497–506, 548–557.

Ethoxylinharze s. Epoxidharze.

2-Ethoxynaphthalin s. Ethyl-2-naphthylether.

Ethoxyphenyl... Bez. für die Atomgruppierung

in systemat. Namen organ. Verbindungen. Die frühere Bez. Phenetyl... ist wegen Gefahr der Verwechslung mit *Phenethyl... zu vermeiden. – *E* ethoxyphenyl... – *F* éthoxyphényl... – *I* etossifenil... – *S* etoxifenil...

Ethoxysulfuron. Common name für (4,6-Dimethoxy-2-pyrimidinyl)carbamoyl-sulfamidsäure-(2-ethoxyphenylester).

$C_{15}H_{18}N_4O_7S$, M_R 398,4, Schmp. 144–147 °C, LD_{50} (Ratte oral) 3270 mg/kg, bei Hoechst (jetzt AgrEvo) in der Entwicklung befindliches selektives *Herbizid gegen Unkräuter in Getreide, Reis, Zuckerrüben u. a. Kulturen. – *E* = *F* ethoxysulfuron – *I* etossisulfurone – *S* etoxisulfurón

Lit.: Hacker, Brighton Crop Protection Conference – Weeds 1995, Bd. 1, S. 73–78, Farnham, England: The British Crop Protection Council 1995. – *[CAS 126801-58-9]*

Ethoxzolamid.

Kurzbez. für 6-Ethoxybenzothiazol-2-sulfonamid, $C_9H_{10}N_2O_3S_2$, M_R 258,33, Schmp. 188–190,5 °C. E. ist ein *Carboanhydrase-Hemmer ähnlich *Acetazolamid u. wird gegen Glaukom eingesetzt. E. wurde 1958 u. 1959 von Upjohn patentiert. – *E* = *F* ethoxzolamide – *I* etossizolamide – *S* etoxzolamida

Lit.: Beilstein E V **27/17**, 166 ▪ Hager (5.) **8**, 123 f. – *[CAS 452-35-7]*

Ethrane®. *Enfluran als Flüssigkeit zur Inhalationsnarkose. *B.:* Abbott.

Ethyl... Bez. für die Atomgruppierung –CH$_2$–CH$_3$ in systemat. Namen (IUPAC-Regel A-1.2). Ester des Ethanols (*Ethylester*) sind in den meisten Fällen unter den Namen ihrer Säurekomponente beschrieben; *Beisp.:* *Essigsäureethylester. Bei der Pyrolyse von *Bleitetraethyl, bei der Einwirkung ionisierender Strahlung z. B. auf Ethan, bei der Photolyse von Azoethan u. ä. Reaktionen treten kurzlebige Ethyl-Radikale (˙C$_2$H$_5$) in freier u. solvatisierter Form auf. Diese reagieren unter Dehydrierung des Lsm. (zu Ethan), *Disproportionierung (*Beisp.:* 2 ˙C$_2$H$_5$ → C$_2$H$_4$+C$_2$H$_6$) od. Kombination (zu Butan) weiter; s. a. Radikale. – *E* ethyl... – *F* éthyl... – *I* = *S* etil...

Ethylacetat s. Essigsäureethylester.

Ethylacrylat s. Acrylsäureester.

Ethylalkohol s. Ethanol.

Ethylamin (Aminoethan). H$_5$C$_2$–NH$_2$, C$_2$H$_7$N, M_R 45,08. Wasserfreies E. ist ein farbloses Gas mit stechendem Ammoniak-ähnlichem Geruch, mit Wasser, Ethanol u. Diethylether beliebig mischbar (auch als 70 bzw. 50% wäss. Lsg. im Handel). D. 0,689 (als Flüssigkeit bei 25 °C), Schmp. –81 °C, Sdp. 17 °C, FP. ca. –49 °C c.c., Explosionsgrenze 3,5–14 Vol.-%. Das Gas u. die Dämpfe reizen durch ihre alkal. Reaktion bis hin zur Verätzung die Augen, die Atemwege, die Lunge u. die Haut, Lungenödem möglich, MAK 5 ppm (MAK-Werte-Liste 1996), wassergefährdender Stoff, WGK 1; Emissionsklasse I (TA Luft 3.1.7). Das aus Ethanol u. Ammoniak herstellbare E. verhält sich wie Ammoniak, ist jedoch stärker basisch.

Verw.: Als flüchtiges Alkali bei techn. Prozessen, als Stabilisator für Kautschuklatex, zur Ledergerbung, zur Vorbereitung von Reyon u. synthet. Fasern vor der Färbung, als Ausgangsmaterial für die Synth. von Farbstoffen, Pharmazeutika u. Herbiziden. – *E* ethylamine – *F* éthylamine – *I* etilammina – *S* etilamina

Lit.: Beilstein E III **4**, 307 ff. ▪ Brauer, Gefahrstoff-Sensorik, Landsberg: Ecomed Verlagsges. 1988 ▪ Encycl. Gaz, S. 545–550 ▪ Gesundheitsschädliche Arbeitsstoffe: toxikologisch-arbeitsmedizinische Begründung von MAK-Werten, Weinheim: Verl. Chemie 1972–1996 ▪ Hommel, Nr. 353 ▪ Rippen ▪ Ullmann **3**, 128, 306; (4.) **7**, 375 ff.; (5.) **A2**, 9 f. – *[HS 2921 19; CAS 75-04-7; G 2]*

Ethylamino... Bez. für die Atomgruppierung –NH–C$_2$H$_5$ in systemat. Namen (IUPAC-Regel C-811.4). – *E* ethylamino... – *F* éthylamino... – *I* etilammino... – *S* etilamino...

N-Ethylanilin.

$C_8H_{11}N$, M_R 121,18, farblose, stark lichtbrechende, an Luft u. im Licht braunwerdende Flüssigkeit, Geruch Anilin-ähnlich, D. 0,958, Schmp. –63,5 °C, Sdp. 204,5 °C, unlösl. in Wasser, mischbar mit Alkohol, Ether usw. Die Dämpfe u. die Flüssigkeit werden über die Haut u. über die Schleimhäute aufgenommen. E. ist ein starkes Blutgift; es verändert den Blutfarbstoff u. zerstört die roten Blutkörperchen, nachfolgend Nieren- u. Leberschädigung, WGK 2. E. wird durch Erhitzen von Anilin-Hydrochlorid u. Ethanol auf 180 °C hergestellt u. zur organ. Synth., insbes. von Farbstoffen u. Pharmazeutika verwendet. – *E* N-ethylaniline – *F* N-éthylaniline – *I* = *S* N-etilanilina

Lit.: Beilstein E IV **12**, 250 ▪ Hager (5.) **3**, 560 ▪ Hommel, Nr. 354 ▪ Merck-Index (12.), Nr. 3811 ▪ Ullmann **3**, 652; (4.) **7**, 572; (5.) **A2**, 309. – *[HS 2921 42; CAS 103-69-5; G 6.1]*

Ethylbenzoat s. Benzoesäureethylester.

Ethylbenzol.

C_8H_{10}, M_R 106,17, farblose, wasserunlösl., Benzol-artig riechende, leicht enzündliche Flüssigkeit, D. 0,867, Schmp. –94 °C, Sdp. 136 °C, FP. 22 °C c.c., Explosionsgrenze 1–7,8 Vol.-%, mit organ. Lsm. mischbar.

In niedrigen Konz. reizen die Dämpfe die Augen, die Atemwege u. die Haut, in hohen Konz. wirken sie betäubend. Kontakt mit der Flüssigkeit verursacht Reizung der Haut u. der Augen, MAK 100 ppm (MAK-Werte-Liste 1996), wassergefährdender Stoff, WGK 1, LD_{50} (Ratte oral) 3500 mg/kg; Emissionsklasse II (TA Luft 3.1.7).
Herst.: E. wird bevorzugt durch Alkylierung von Benzol mit Ethylen in Ggw. von Katalysatoren hergestellt.
Verw.: Fast ausschließlich zur Herst. von *Styrol, nur ein kleiner Teil des E. wird als Lsm. eingesetzt od. dient als Zwischenprodukt z. B. zur Herst. von Diethylbenzol od. Acetophenon. – *E* ethylbenzene – *F* éthylbenzène – *I* etilbenzene – *S* etilbenceno
Lit.: Beilstein E IV **5**, 885–895 ▪ Gesundheitsschädliche Arbeitsstoffe: toxikologisch-arbeitsmedizinische Begründung von MAK-Werten, Weinheim: Verl. Chemie 1972–1996 ▪ Hommel, Nr. 11 ▪ Rippen ▪ Ullmann (4.) **7**, 237; **8**, 387; (5.) **A 10**, 35 ▪ Weissermel-Arpe (4.), S. 363–367. – *[HS 2902 60; CAS 100-41-4; G 3]*

Ethylbiscoumacetat.

Internat. Freiname für den antikoagulierend wirkenden Bis(4-hydroxy-2-oxo-2H-chromen-3-yl)-essigsäure-ethylester, $C_{22}H_{16}O_8$, M_R 408,35. Bimorphe Krist., Schmp. 177–182 °C u. 154–157 °C; λ_{max} (H_2O) 275 nm ($A^{1\%}_{1cm}$=449), λ_{max} (0,1 N NaOH) 311 nm ($A^{1\%}_{1cm}$=622); pK_a 3,1; LD_{50} (Maus oral) 880, (Maus i.p.) 320 mg/kg. E. wurde als orales *Antikoagulans verwendet. – *E* ethylbiscoumacetate – *F* biscoumacetate d'ethyle – *I* etile biscumacetato – *S* biscumacetato de etilo
Lit.: Beilstein E V **19/8**, 307 ▪ Hager (5.) **8**, 125. – *[HS 2932 29; CAS 548-00-5]*

Ethylbromid
(Bromethan). C_2H_5Br, M_R 108,98. Klare, farblose, stark lichtbrechende, leicht flüchtige u. entflammbare Flüssigkeit, D. 1,45, Schmp. –117,8 °C, Sdp. 38 °C, FP. –20 °C, Explosionsgrenzen 6,7–11,3 Vol.-%. Die Dämpfe u. die Flüssigkeit reizen bis zur Verätzung Augen, Atemwege u. Haut, Lungenödem möglich. E. kann auch über die Haut aufgenommen werden, es wirkt narkot. u. führt in schweren Vergiftungsfällen mit Verzögerung zu Leber- u. Nierenschäden. E. gilt als Stoff, der sich im Tierversuch eindeutig als krebserzeugend erwiesen hat (Gruppe III A 2 MAK-Werte-Liste 1996); LD_{50} (Ratte oral) 1350 mg/kg; wassergefährdender Stoff, WGK 2.
Herst.: Aus Ethanol, konz. Schwefelsäure u Kaliumbromid od. durch Einwirkung von γ-Strahlung auf ein Gemisch von HBr u. Ethen.
Verw.: Als Ethylierungsmittel, früher als lokales Anästhetikum u. als Inhalationsnarkotikum. – *E* ethylbromide – *F* bromure d'éthyle – *I* bromuro di etile – *S* bromuro de etilo
Lit.: Beilstein E IV **1**, 150 ff. ▪ Hommel, Nr. 442 ▪ Kirk-Othmer (4.) **4**, 570 ▪ Merck-Index (12.), Nr. 3819. – *[HS 2903 30; CAS 74-96-4; G 6.1]*

2-Ethyl-1-butanol.

$C_6H_{14}O$, M_R 102,18. Farblose, angenehm riechende Flüssigkeit, D. 0,831, Sdp. 146 °C, in Wasser kaum lösl., mit organ. Lsm. mischbar. Die Dämpfe reizen sehr stark die Augen u. die Atemwege, Lungenödem möglich, in hohen Konz. narkotisch. Kontakt mit der Flüssigkeit bewirkt sehr starke Reizung der Augen u. Reizung der Haut. Das durch Aldol-Addition aus Acet- u. Butyraldehyd zugängliche E. dient als Lsm. für Öle, Harze, Wachse, Fette, Farbstoffe u. zur Synth. von Estern als Weichmacher, Riechstoffe u. Aromen. – *E* 2-ethyl-1-butanol – *F* 2-éthyl-butan-1-ol – *I* 2-etil-1-butanolo – *S* 2-etil-1-butanol
Lit.: Beilstein E IV **1**, 1725 ▪ Brauer, Gefahrstoff-Sensorik, Landsberg: Ecomed Verlagsges. 1988 ▪ Hommel, Nr. 480 ▪ Ullmann (4.) **7**, 213; (5.) **A 1**, 287; **A 24**, 488. – *[HS 2905 14; CAS 97-95-0; G 3]*

2-Ethylbuttersäure (Diethylessigsäure).

$C_6H_{12}O_2$, M_R 116,16. Wasserklare, muffig riechende Flüssigkeit, D. 0,9196, Schmp. –15 °C, Sdp. 194 °C, wenig lösl. in Wasser, mischbar mit Alkohol u. Ether. Dämpfe u. Flüssigkeit reizen stark Augen, Atemwege u. Haut; LD_{50} (Ratte oral) 2200 mg/kg, wassergefährdender Stoff, WGK 2. 2-E. wird zur Herst. von Farbstoffen, Arzneimitteln u. Weichmachern verwendet. – *E* ethylbutyric acid – *F* acide 2-éthylbutirique – *I* acido 2-etilbutirrico – *S* ácido 2-etilbutírico
Lit.: Beilstein E IV **2**, 950 ▪ Hommel, Nr. 482 ▪ Ullmann (4.) **7**, 129; **9**, 138; (5.) **A 5**, 236, 241. – *[HS 2915 90; CAS 88-09-5; G 3]*

Ethylbutylketon s. Heptanone.

Ethylcarbamat s. Urethan.

Ethylcellulosen.
E., Kurzz. EC (nach DIN 7728, Tl. 1, 01/1988) sind nichtion. *Celluloseether, die techn. durch Umsetzung von *Alkalicellulose mit Ethylchlorid hergestellt werden (Formel: s. Cellulose-Derivate; R=H,C_2H_5). E. mit Substitutionsgraden von ca. 1,1–1,4 sind wasserlösl., solche mit höheren Substitutionsgraden in öl. in organ. Lösemitteln. Handelsübliche E. mit einem Substitutionsgrad von ca. 2,2–2,6 sind thermoplast. (*Erweichungspunkt: ca. 150–160 °C) u. werden mit unterschiedlichen Polymerisationsgraden, die wichtige Eigenschaften der E. wie die Lösungs- u. Schmelzviskosität beeinflussen, angeboten.
Verw.: Zur Herst. von Filmen, Folien u. Lacken, als thermoplast. Massen, Bindemittel für Druckfarben, Überzugsmaterial für Tabletten, Textilhilfsmittel. – *E* ethylcellulose – *F* éthylcellulose – *I* etilcellulosa – *S* etilcelulosa
Lit.: s. Celluloseether. – *[HS 3912 39; CAS 9004-57-3]*

Ethylchlorid
(Chlorethan, „Chlorethyl"). C_2H_5Cl, M_R 64,52. Farbloses Gas od. Flüssigkeit, Ether-ähnlicher Geruch, brennt mit grüngesäumter Flamme, D. 0,918, Schmp. –138 °C, Sdp. 12 °C, FP. –50 °C c. c., Explosionsgrenzen in Luft 3,6 bis 14,8%, in Wasser wenig lösl., mit organ. Lsm. mischbar. E. zeigt schon bei geringer Konz. narkot. Wirkung: bereits 4% E. in der Atemluft bewirken tiefe

Betäubung; E. gilt als Stoff mit begründetem Verdacht auf krebserzeugendes Potential (Gruppe III B MAK-Werte-Liste 1996), TRK 9 ppm (1996); wassergefährdender Stoff, WGK 2, Emissionsklasse III (TA Luft 3.1.7).
Herst.: Aus Ethanol u. HCl in Ggw. von Zinkchlorid, heute meist aus Ethylen u. Chlorwasserstoff bzw. durch photochem. od. therm. Chlorierung von Ethan.
Verw.: Als Lokalanästhetikum in feinem Strahl auf die Haut gesprüht, entzieht es dieser Verdunstungswärme, wodurch die betreffenden Hautpartien empfindungslos („vereist") werden. E. wird zur Herst. von *Bleitetraethyl verwendet; die Produktionszahlen für Bleitetraethyl sind allerdings deutlich rückläufig, da der Zusatz von Bleitetraethyl im Benzin in vielen Ländern aus Umweltschutzgründen stark eingeschränkt wurde. E. wird weiterhin als Ethylierungsmittel, z. B. für Cellulose, sowie als Lösungs- u. Extraktionsmittel eingesetzt; E. darf beim Herstellen od. Behandeln von kosmet. Mitteln nicht verwendet werden (Kosmetik-VO Anl. 1, Nr. 96). – *E* ethyl chloride – *F* chlorure d'éthyle – *I* cloruro di etile – *S* cloruro de etilo
Lit.: Beilstein E IV **1**, 124 ff. ▪ Encycl. Gaz, S. 509–514 ▪ Hager (5.) **7**, 861 ▪ Hommel, Nr. 12 ▪ Merck-Index (12.), Nr. 3829 ▪ Ullmann **5**, 417; (4.) **9**, 422 ff.; (5.) **A 6**, 257 ▪ Weissermel-Arpe (4.), S. 213 f. – [HS 2903 11; CAS 75-00-3; G 2]

Ethylcinnamat s. Zimtsäureester.

Ethyl Corporation. Kurzbez. für Ethyl Corporation, 330 South Fourth Street, P.O. Box 2189, Richmond, Virginia 23218. Das Unternehmen entwickelt, produziert u. mischt leistungssteigernde Kraftstoff- u. Schmiermittel-Additive, die weltweit für Raffinerien u. Produzenten von Erdölerzeugnissen sowie für den Gebrauch von Transport- u. Industriezubehör hergestellt werden. *Daten* (1995): ca. 1 Mrd. $ Umsatz.

Ethylcrotonat s. Butensäureethylester.

Ethyldiglykol s. Diethylenglykol (Tab.).

Ethylen (Ethen). $H_2C=CH_2$, C_2H_4, M_R 28,05. Farbloses, schwach süßlich riechendes, brennfähiges Gas, D. 1,26 g/L bzw. 0,97 (Luft = 1), Schmp. –169 °C, Sdp. –104 °C, in Wasser wenig, in organ. Lsm. gut lösl., Explosionsgrenzen in Luft 2,7–28,6%. E. ist ein ubiquitäres Gas, das bei der Verbrennung organ. Materials entsteht. Es ist ein Reifungshormon bei Pflanzen u. wird auch vom Säugetier einschließlich Mensch endogen gebildet. Es zeigt keine akuten tox. Wirkungen u. wurde lange Zeit als inertes Gas angesehen. Im Organismus wird es jedoch im ersten Schritt zu *Ethylenoxid metabolisiert[1]. E. gilt daher als Stoff mit begründetem Verdacht auf krebserzeugendes Potential (Gruppe III B MAK-Werte-Liste 1996); wassergefährdender Stoff, WGK 1 (Selbsteinst.). E. ist der einfachste Vertreter der *Alkene u. zeigt dementsprechend typ. Reaktionen wie Additionen, Cycloadditionen, Hydrierung u. Polymerisation: durch Anlagerung von Wasserstoff, Wasser, Halogenen, Halogenwasserstoffen u. Sauerstoff sind jeweils Ethan, Ethanol, Dihalogenethane, Ethylhalogenide u. Ethylenoxid zugänglich. Mit Übergangsmetallen u./od. ihren Salzen bildet E. Komplexe, was z. B. die Polymerisation zu *Polyethylen ermöglicht.

Herst.: E. wurde ursprünglich durch partielle Hydrierung von Carbidacetylen, durch Dehydratisierung von Ethanol od. durch Isolierung aus Koksofengas erhalten. Diese Verf. sind heute in Ländern mit einer entwickelten Petrochemie bedeutungslos. Allerdings können sich in Entwicklungsländern mit einer Produktion an Fermentations-Ethanol Dehydratisierungsverf. für Ethanol auch heute noch zur Ergänzung des petrochem. erzeugten E. behaupten, wie z. B. in Südamerika, Asien u. Afrika. Sonst wird E. heute ausschließlich aus Erdöl u. Erdgas durch therm. *Kracken gewonnen. In USA dominieren als Rohstoffe zur Herst. von C_2/C_3-Olefinen ein Ethan, Propan u. n/i-Butanen reichen Gasgemische LPG (Liquified Petroleum Gas = Flüssiggas) bzw. NGL (Natural Gas Liquid = verflüssigbare Gase) mit einem Anteil an leichtem Naphtha, wie er bei der Erdölverarbeitung anfällt. Sie liefern aufgrund ihres im Vergleich zum Naphtha höheren Wasserstoff-Gehaltes eine deutlich größere E.-Ausbeute. In Westeuropa fehlte es lange Zeit an Ethanreichem Erdgas, so daß hier wie auch in einigen anderen Ländern, z. B. in Japan, Naphtha als der hauptsächliche Olefin-Rohstoff genutzt wurde. Zunehmende Verw. von Erdgas aus eigenen Gasvork. sowie aus Importen haben in Westeuropa den Naphtha-Anteil bis auf etwa 76% derzeit zurückgehen lassen. Dem techn. Krackprozeß müssen noch umfangreiche Reinigungs- u. Gastrennungsverf. nachgeschaltet werden, bis das E. die für die Weiterverarbeitung notwendige Reinheit besitzt; bes. Aufwand gilt der Entfernung von Acetylen. Näheres zur E.-Gewinnungstechnologie sowie neuere Technologien s. *Lit.*[2,3]. Im Jahre 1992 wurden in der BRD 3,3 Mio. t E. produziert, in USA im gleichen Jahr 18,3 Mio. t.

Verw.: E. ist eines der wichtigsten Produkte der *Petrochemie u. damit Ausgangsmaterial für eine Vielzahl von Produkten, für die früher – zumindest in Europa – Acetylen Voraussetzung war. Etwa die Hälfte des E. wird zur Herst. von *Polyethylen benutzt[3]. Von ge-

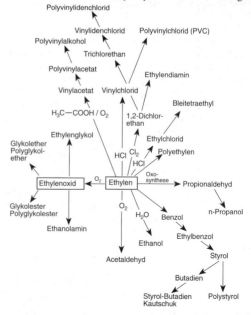

ringerer Bedeutung sind die Oligomerisation u. die Copolymerisation, z. B. mit Propylen zu EP(D)M, mit Vinylacetat zu EVA u. mit Tetrafluorethylen zu ETFE. Die Abb. soll eine Übersicht über die Bedeutung der Erdölverarbeitungsprodukte aus E. vermitteln (Beyer-Walter). – *E* ethylene – *F* éthylène – *I* etilene – *S* etileno
Lit.: [1] Gesundheitsschädliche Arbeitsstoffe: toxikologisch-arbeitsmedizinische Begründung von MAK-Werten, Weinheim: VCH Verlagsges. 1972–1996. [2] Kirk-Othmer (4.) **9**, 877f. [3] Weissermel-Arpe (4.), S. 70f., 94f., 213.
allg.: Beilstein E IV **1**, 677–692 ∎ Beyer-Walter, Lehrbuch der Organischen Chemie S. 90ff., Stuttgart: Hirzel Verl. 1991 ∎ Brauer, Gefahrstoff-Sensorik, Landsberg: Ecomed Verlagsges. 1988 ∎ Encycl. Gaz., S. 459–494 ∎ Hommel, Nr. 13 ∎ Merck-Index (12.), Nr. 3837 ∎ Paquette **4**, 2439 ∎ Rippen ∎ Ullmann (4.) **7**, 16ff.; (5.) **A 10**, 45 ∎ s.a. Alkene, Polyethylen. – [HS 2711 14, 2901 21; CAS 74-85-1; G 2]

Ethylen... (Ethan-1,2-diyl...). Bez. für die Atomgruppierung –CH$_2$–CH$_2$– in systemat. Namen (IUPAC-Regel A-4.2, R-9.1.19b). Hiervon leiten sich zahlreiche ältere Namen 1,2-disubstituierter Ethan-Derivate ab (*Beisp.:* Ethylenchlorid, -bromid, -diamin), die hier im allg. unter den eindeutigen Namen wie 1,2-Dichlorethan abgehandelt werden. In verwirrender Weise werden – von der Herst. her – in der chem. Technik selbst cycl. Verb. mit Ethylen...-Namen belegt; *Beisp.:* Ethylencarbonat, Ethylenharnstoff. – *E* ethylene... – *F* éthylène... – *I* etilen... – *S* etilén...

Ethylen-Acrylat-Copolymere. *Copolymere aus Ethylen u. Acryl-Verb., von denen insbes. Carboxy-Gruppen enthaltende *Terpolymere techn. Bedeutung erlangt haben (s. Ethylen-Acrylat-Elastomere.) – *E* ethylene-acrylate copolymers – *F* copolymères d'éthylène-acrylate – *I* copolimeri di etilene ed acrilato – *S* copolímeros etilenacrílicos

Ethylen-Acrylat-Elastomere. Auf *Kautschuken aus *Terpolymeren aus Ethylen, Methylacrylat u. einer ungesätt. Carbonsäure (Maleinsäure od. deren Halbester, insbes. aber Acrylsäure) basierende Elastomere. Diese Ethylen-Acrylat-Kautschuke, deren Makromol.

```
—CH₂—CH₂—          —CH₂—CH—
                           |
                          COOCH₃

—CH₂—CH—           —CH—CH—
       |             |    |
      COOH          COOR COOH
                          R = H, Alkyl
```

als Monomerbausteine enthalten, lassen sich mit Diaminen, z. B. Hexamethylendiamin od. 4,4′-Diaminodiphenylmethan, ggf. in Ggw. von Guanidin, vernetzen (vulkanisieren). Die dabei resultierenden Vulkanisate zeichnen sich durch hohe Sauerstoff- u. Ozon-Beständigkeit u. gute Ölfestigkeit aus.
Verw.: Zur Herst. von Dichtungen, Schläuchen u. Kabeln. – *E* ethylene acrylic elastomers – *F* élastomères d'éthylène-acrylate – *I* etilen-acrilat-elastomeri – *S* elastómeros etilenacrílicos
Lit.: Encycl. Polym. Sci. Eng. **1**, 325–334 ∎ Kautsch., Gummi, Kunstst. **34**, 276ff. (1981) ∎ s.a. Elastomere.

Ethylen-Acrylat-Kautschuk s. Ethylen-Acrylat-Elastomere.

Ethylenbromid s. 1,2-Dibromethan.

Ethylencarbonat s. 1,3-Dioxolan-2-on.

Ethylenchlorhydrin (2-Chlorethanol). Cl–CH$_2$–CH$_2$–OH, C$_2$H$_5$ClO, M_R 80,52. Farblose Flüssigkeit, D. 1,197, Schmp. –63 °C, Sdp. 129 °C, FP. 55 °C c.c. E. gehört zu den giftigsten organ. Halogen-Verb., MAK 1 ppm (MAK-Werte-Liste 1996), wassergefährdender Stoff, WGK 3. Jeder Kontakt mit den Dämpfen od. der Flüssigkeit sollte unbedingt vermieden werden, auch die Aufnahme über die Haut hat mehrfach zu Todesfällen geführt. Eine örtliche Reizwirkung an der Haut, die als Warnzeichen eines Kontaktes mit der Substanz dienen könnte, fehlt weitgehend. Die Dämpfe reizen die Augen u. die Atemwege, Kontakt mit der Flüssigkeit führt zu Reizung der Augen. Das Zentralnervensystem wird gelähmt u. es entstehen Leber- u. Nierenschäden. Bei Erhitzen bis zur Zers. bilden sich hochgiftige Dämpfe, unter anderem *Phosgen. E. ist mit Alkoholen u. Wasser leicht mischbar.
Herst.: Aus *Ethylenglykol durch Erhitzen mit Chlorwasserstoff; techn. aus Ethylen mit HOCl, das entweder aus Chlorkalk mit Cl$_2$ in wäss. Phase od. direkt durch Einleiten von Chlor in Wasser unter Druck gebildet wird.
Verw.: Als Lsm. für Acetylcellulose, saure u. bas. Farbstoffe, zur Synth. von Insektiziden, Anästhetika u. Weichmachern, Reagenz für die Hydroxyethylierung; E. ist ausfuhrgenehmigungspflichtig gemäß Außenwirtschaftsordnung (Ausfuhrliste Position 2002). – *E* ethylene chlorohydrin – *F* éthylènechlorhydrine – *I* etilenclorhidrina – *S* etilenclorhidrina
Lit.: Beilstein E IV **1**, 1372 ∎ Brauer, Gefahrstoff-Sensorik, Landsberg: Ecomed Verlagsges. 1988 ∎ Hommel, Nr. 401 ∎ Kirk-Othmer **5**, 304–309; **8**, 531–534; (3.) **5**, 850ff.; (4.) **6**, 140f. ∎ Merck-Index (12.), Nr. 3839 ∎ Moeschlin, Klinik u. Therapie der Vergiftungen, S. 363, Stuttgart: Thieme 1986 ∎ Ullmann **3**, 130; (4.) **8**, 195ff.; A **6**, 567ff. – [HS 2905 50; CAS 107-07-3; G 6.1]

Ethylenchlorid s. Dichlorethane.

Ethylendiamin (1,2-Ethandiamin, 1,2-Diaminoethan). H$_2$N–CH$_2$–CH$_2$–NH$_2$, C$_2$H$_8$N$_2$, M_R 60,10. Stark alkal., farblose, nach Ammoniak riechende Flüssigkeit, D. 0,90, Schmp. 8,5 °C, Sdp. 116,5 °C, FP. 34 °C c.c., leicht lösl. in Wasser unter Bildung eines Hydrats, lösl. in Alkohol. Die Dämpfe reizen die Augen u. die Atmungsorgane, Kontakt mit der Flüssigkeit führt zu Verätzung der Augen u. der Haut unter Blasenbildung, MAK 10 ppm (MAK-Werte-Liste 1996); LD$_{50}$ (Ratte oral) 500 mg/kg; wassergefährdender Stoff, WGK 2. E. wird aus 1,2-Dichlorethan u. alkohol. Ammoniak gewonnen u. fungiert als zweizähniger Ligand in Komplex-Verb. (Symbol „en").
Verw.: Als Lsm., Stabilisator, zur Säureneutralisation in Öl, zur Synthese von Chelat-Bildnern (*Ethylendiamintetraessigsäure), Kunstharzen, Kautschuk-Chemikalien, Arzneimitteln, Schädlingsbekämpfungsmitteln, Inhibitoren, grenzflächenaktiven Substanzen, Base zur Isomerisierung von Allylalkoholen in Aldehyde, Red. von Nitroarenen zu Azo-Verb. usw. – *E* ethylenediamine – *F* éthylènediamine – *I* etilendiammina – *S* etilendiamina

Ethylendiamintetraessigsäure

Lit.: Beilstein E IV 4, 1166–1170 ▪ Hager (5.) 3, 418 ▪ Hommel, Nr. 15 ▪ Ullmann 3, 132–135; (4.) 7, 380 ff.; (5.) A 2, 23. – [HS 2921 21; CAS 107-15-3; G 8]

Ethylendiamintetraessigsäure (Ethylendinitrilotetraessigsäure, EDTA).

$$HOOC-CH_2 \diagdown N-CH_2-CH_2-N \diagup CH_2-COOH$$
$$HOOC-CH_2 \diagup \qquad\qquad\qquad \diagdown CH_2-COOH$$

$C_{10}H_{16}N_2O_8$, M_R 292,24. Farblose Krist., die sich ab 150 °C unter CO_2-Verlust zersetzen, wenig lösl. in Wasser. E. u. seine Alkali- u. Erdalkalisalze (die sog. *Edetate*) reagieren – ähnlich wie *Ethylendiamin – mit vielen Metall-Ionen unter Bildung nichtionisierter *Chelate, was man ausnutzt, um störende – z. B. farbige – Metallsalz-Ablagerungen aufzulösen (*Maskierung) u. zu beseitigen; E. wurde bereits 1936 bei der I.G. Farben eingesetzt; es wird aus Ethylendiamin u. Chloressigsäure od. durch saure od. alkal. Cyan-Methylierung von Ethylendiamin mit Formaldehyd u. Blausäure hergestellt. Das Tetranatriumsalz gilt als wassergefährdender Stoff, WGK 2.

Verw.: Als Chelat-Bildner für Metall-Ionen in der Wasserbehandlung, zur Entgiftung bei Schwermetall-Vergiftungen (bes. das *Natriumcalciumedetat), in der Nahrungsmittel-Ind.[1], in Seifen u. Kosmetika, zum Beizen von Metalloberflächen, als Schwermetallkomplex in der Pflanzenernährung, in der Analytik zur Maskierung bzw. zur komplexometrischen Bestimmung von Metall-Ionen. Als Bestandteil von Waschmitteln bindet E. Schwermetall-Spuren u. verhindert damit die durch sie katalysierte Zers. der als Bleichmittel enthaltenen Peroxo-Verbindungen. – *E* ethylenediaminetetraacetic acid – *F* acide éthylènediaminététracétique – *I* acido etildiamminetetraacetico – *S* ácido etilendiamintetraacético

Lit.: [1] Römpp Lexikon Lebensmittelchemie, S. 258. *allg.:* Beilstein E IV 4, 2449 ▪ Hager (5.) 8, 5 f. ▪ Merck-Index (12.), Nr. 3555–3559 ▪ Mutschler, Arzneimittelwirkungen, S. 699, Stuttgart: Wiss. Verlagsges. 1991 ▪ Römpp Lexikon Umwelt, S. 245 ▪ Ullmann (4.) 8, 198 ff.; (5.) A 10, 95 f.; A 18, 148. – [HS 2922 49; CAS 60-00-4]

Ethylendibromid s. 1,2-Dibromethan.

Ethylendichlorid s. Dichlorethane.

Ethylendinitramin (N,N'-Dinitroethylendiamin, EDNA, Haleite). $O_2N-NH-CH_2-CH_2-NH-NO_2$, $C_2H_6N_4O_4$, M_R 150,10. Explosivstoff, D. 1,67, Schmp. 177 °C (Zers.), Verpuffungstemp. 180 °C, Sauerstoff-Wert –32%, Bleiblockausbauchung 410 cm³/10 g, Detonationsgeschw. 7570 m/s, Explosionswärme (H_2O flüssig) 4699 kJ/kg, Schlagempfindlichkeit 8 Nm. E. wird für gepreßte Ladungen verwendet, es ist stärker als TNT. Herst. durch Nitrierung von *Imidazolidin-2-on; s.a. Ednatol. – *E* ethylene dinitramine – *F* éthylènedinitramine – *I* etilendinitrammina – *S* etilendinitramina

Lit.: Beilstein E IV 4, 3411 ▪ Kirk-Othmer 8, 626 f.; (3.) 9, 582; (4.) 10, 7 ▪ Köhler, Explosivstoffe, S. 122, Weinheim: VCH Verlagsges. 1995. – [CAS 505-71-5]

Ethylendinitrilotetraessigsäure s. Ethylendiamintetraessigsäure.

Ethylendioxy... Bez. für die Atomgruppierung –O–CH₂–CH₂–O– in systemat. Namen (IUPAC-Regeln C-72.2, -205.2 u. -212.3). – *E* ethylenedioxy... – *F* éthylènedioxy... – *I* etilendiossi... – *S* etilendioxi...

Ethylenglykol (1,2-Ethandiol, „Glykol"). $HO-CH_2-CH_2-OH$, $C_2H_6O_2$, M_R 62,07. Farblose, viskose, süß schmeckende, stark hygroskop. Flüssigkeit, mit Wasser, Alkoholen u. Aceton, nicht aber mit Diethylether, Benzol u. Chloroform mischbar, D. 1,113, Schmp. –11,5 °C, Sdp. 198 °C. Vergiftungssymptome[1] können auftreten nach Einatmen der Dämpfe des (erhitzten) Stoffes, bei (anhaltendem) Kontakt mit der Flüssigkeit u. nach Aufnahme über den Mund. Neben der Reizung der Augen u. der Atemwege besteht die Gefahr der narkot. Wirkung, anschließend Zeichen der Herz- u. Lungenschädigung, später können Nierenschäden auftreten, MAK 10 ppm (MAK-Werte-Liste 1996) WGK 0; LD_{50} (Ratte oral) 4700 mg/kg, Emissionsklasse III (TA Luft 3.1.7). Als mittlere letale Dosis gelten 1,4 ml/kg Körpergewicht. Als *Glycerin-Ersatz in Lebensmitteln ist E. nicht geeignet; von Glycerin ist es qual. folgendermaßen zu unterscheiden: 1. Iodprobe: Glycerin löst Iod nur sehr wenig unter schwacher, hellgelber Färbung; E. löst Iod mit rotbrauner Farbe. – 2. Gentianaviolett-Probe: Glycerin löst Gentianaviolett nicht; E. löst Gentianaviolett mit blauer Farbe.

Herst.: Techn. wird E. aus Ethylenoxid durch Erhitzen mit Wasser gewonnen. Aussichtsreiche Herst.-Verf. lassen sich auch auf der Acetoxylierung von Ethylen u. nachfolgender Hydrolyse od. auf Synthesegas-Reaktionen aufbauen. Zu Entwicklungsmöglichkeiten der E.-Herst. s. *Lit.*[2]. E. ist der Grundkörper der *Glykole u. der *Pinakole. Außerdem leiten sich von E. durch *Ethoxylierung die techn. ebenfalls wichtigen *Di-, Tri-, *Tetraethylenglykole ab, die man als niedere Glieder der *Polyethylenglykole auffassen kann; *Beisp.:* E.+Ethylenoxid→Diethylenglykol.

Verw.: E. wird überwiegend auf zwei Einsatzgebieten verwendet; es dient zur frostfesten Ausstattung von Motorkühlsyst. u. als Diol zur Polyester-Herstellung. Polyethylenterephthalat (PET), das bedeutendste Produkt, wird bevorzugt zur Faserherst., aber auch für Folien u. Harze eingesetzt. Die Aufschlüsselung des E.-Anteils für diese zwei Verwendungszwecke ist länderabhängig sehr unterschiedlich; in USA gingen z. B. seit langem mehr als 50% in den Frostschutzsektor. Wegen des Trends zu kleineren Motoren u. zu längeren Intervallen zwischen dem Austausch des Frostschutzmittels geht dieser Anteil zurück (s. Tab. 1). Ein kleinerer Anteil des E. wird für Folgeprodukte wie Glyoxal, Dioxolan u. Dioxan verwendet.

Außerdem leiten sich von E. eine ganze Reihe von techn. wichtigen Veretherungs- u. Veresterungsprodukte ab wie Monoether, Diether u. Ether-Ester, von denen einige in der Tab. 2 zusammengefaßt sind.

Systemat. werden die E.-Derivate der Tab. 2 als Alkoxyethanole bzw. Alkoxyethylester benannt, fachsprachlich als Ethylenglykolmono...ether od. durch Voranstellen des Alkyl- (od. Aryl-) Gruppennamens vor Glykol u. ggf. Anhängen des Esternamens; analog werden die – im allg. durch Wz. geschützten – Handelsnamen abgewandelt. Die E.-Ether sind relativ

Tab. 1: Ethylenglykol-Verwendung (in Gew.-%)[2].

Produkt	Welt 1991	USA 1981	USA 1991	Westeuropa 1981	Westeuropa 1990	Japan 1981	Japan 1991	BRD 1981	BRD 1992
Frostschutz	23	54	45	34	29	14	11	23	17
Polyesterfaser	41	40	27	52	35	71	43	66	31
Polyesterfilm, -harze	24	40	18	52	8	71	23	66	24
übrige Einsatzgebiete	12	6	10	14	28	15	23	11	28
Gesamtverbrauch (in Mio t)	6,2	1,79	1,84	0,70	1,0	0,46	0,66	0,25	0,36

Tab. 2: Physikalisch-chemische Daten von Ethylenglykol u. daraus abgeleiteten Derivaten.

R^1O-CH_2-CH_2-OR^2 R^1	R^2	Trivialname*	M_R	Summenformel	D.	Schmp. [°C]	Sdp. [°C]	MAK [ppm] (MAK-Werte-Liste 1996)	Gefahrsymbol	WGK	CAS
H	H	Glykol	62,07	$C_2H_6O_2$	1,113	−11,5	198	10	Xn	0	107-21-1
CH_3	H	Me-Glykol Me-Cellosolve Dowanol EM	76,10	$C_3H_8O_2$	0,9663	−85	124	5	T^+	1	109-86-4
C_2H_5	H	Et-Glykol Cellosolve	90,12	$C_4H_{10}O_2$	0,9311	−100	135	5**	T^+		110-80-5
C_4H_9	H	Bu-Glykol Bu-Cellusolve	118,18	$C_6H_{14}O_2$	0,9019	−75	171	20	Xn	1	111-76-2
C_6H_5	H	Phe-Glykol Phe-Cellosolve Dowanol EPh	138,17	$C_8H_{10}O_2$	1,1094	14	245		Xn	2 (Selbsteinst.)	122-99-6
CH_3	$COCH_3$	Me-Glykol-Ac Me-Cellosolve-Ac	118,18	$C_5H_{10}O_3$	1,0067	−65	145	5	T^+	1 (Selbsteinst.)	110-49-6
C_2H_5	$COCH_3$	Et-Glykol-Ac Cellosolve-Ac	132,16	$C_6H_{12}O_3$	0,9748	−62	156	5**	T^+	1	111-15-9
C_4H_9	$COCH_3$	Bu-Glykol-Ac Bu-Cellosolve-Ac	160,21	$C_8H_{16}O_3$	0,9424	−63	192	20	Xn	1	112-07-2

* Die Abk. bedeuten: Ac=Acetat, Bu=Butyl, Et=Ethyl, Me=Methyl, Phe=Phenyl
** MAK-Wert für die Summe der luftkonz. von 2-Ethoxyethanol u. 2-Ethoxyethylacetat

hochsiedende, in Wasser wenig od. gar nicht lösl., mit den üblichen organ. Lsm. mischbare Flüssigkeiten, die wertvolle Lsm. darstellen, z.B. für Celluloseester, Wachse, Farbstoffe, Lacke sowie Kunstharze; ferner dienen sie als Weichmacher für Polyester-Fasern aus Polyethylenterephthalat. – *E* ethylene glycol – *F* éthylèneglycol – *I* etilenglicole – *S* etilenglicol

Lit.: [1] Moeschlin, Klinik u. Therapie der Vergiftungen, S. 328 f., Stuttgart: Thieme 1986; Gesundheitsschädliche Arbeitsstoffe: toxikologisch-arbeitsmedizinische Begründung von MAK-Werten, Weinheim: VCH Verlagsges. 1972–1996.
[2] Weissermel-Arpe (4.), S. 165 f.
allg.: Beilstein E IV 1, 2369–2374 ▪ Brauer, Gefahrstoff-Sensorik, Landsberg: Ecomed Verlagsges. 1988 ▪ Hommel, Nr. 101 ▪ Kirk-Othmer (4.) **12**, 695 ▪ Luftanalysen: Analytische Methoden zur Prüfung gesundheitsschädlicher Arbeitsstoffe, Bd. 1, Weinheim: Verl. Chemie 1976–1996 ▪ Merck-Index (12.), Nr. 3844 ▪ Paquette **4**, 2453 ▪ Ullmann **3**, 136–142; **E**, 102, 780; (4.) **8**, 200 ff.; (5.) **A 10**, 101 ▪ s. a. Alkohole u. Glykole. – *[HS 290531; CAS 107-21-1; G 6.1]*

Ethylenglykoldinitrat (Glykoldinitrat, Nitroglykol, Dinitroglykol).
$O_2NO-CH_2-CH_2-ONO_2$, $C_2H_4N_2O_6$, M_R 152,07. Klare, farblose Flüssigkeit, D. 1,50, Schmp. −22 °C, löst sich wenig in Wasser, aber gut in Fett. E. ist stark giftig, MAK 0,05 ppm (MAK-Werte-Liste 1996; nur für Arbeitsplätze ohne Hautkontakt), wird leicht über die Haut aufgenommen. E. explodiert heftiger als das chem. verwandte *Glycerintrinitrat:

$$(CH_2-ONO_2)_2 \rightarrow 2\,CO_2 + 2\,H_2O + N_2$$

Explosionswärme (H_2O flüssig) 7294 kJ/kg, Explosionstemp. 4700 °C, Detonationsgeschw. 7300 m/s, Bleiblockausbauchung 620 ml/10 g, Verpuffungstemp. 195 °C. E. ist weniger stoßempfindlich u. daher handhabungssicherer als *Nitroglycerin, Schlagempfindlichkeit 0,2 Nm. E. ist sehr flüchtig: es verliert in 8 d bei 35 °C schon 22% seines Gewichts. Es dient als gelatinöse Basis von frost- u. handhabungssicheren Sprengstoffen u. hat in gewerblichen Sprengstoffen Glycerintrinitrat z.T. verdrängt. E. wurde erstmals 1870 von Henry dargestellt. – *E* ethyleneglycol dinitrate – *F* dinitrate d'éthylèneglycol – *I* dinitrato di glicole etilenico – *S* dinitrato de etilenglicol

Lit.: Beilstein E IV 1, 2413 ▪ Gesundheitsschädliche Arbeitsstoffe: toxikologisch-arbeitsmedizinische Begründung von MAK-Werten, Weinheim: VCH Verlagsges. 1972–1996 ▪ Kirk-Othmer **8**, 605 f., 632 ff.; (3.) **8**, 566, 572–577; (4.) **10**, 4 ▪ Köhler, Explosivstoffe, S. 220, Weinheim: VCH Verlagsges. 1995 ▪ Moeschlin, Klinik u. Therapie der Vergiftungen, S. 369, Stuttgart: Thieme 1986. – *[HS 292020; CAS 628-96-6; G 1a]*

Ethylenglykolester s. Ethylenglykol u. Glykolester.

Ethylenharnstoff s. Imidazolidin-2-on.

Ethylenimin (Aziridin).

C_2H_5N, M_R 43,08, farblose, ölige, stark alkal., nach Ammoniak riechende Flüssigkeit, Schmp. –71 °C, Sdp. 55 °C, FP. –11 °C c.c. Kontakt mit der Flüssigkeit führt zu schwersten Verätzungen der Augen u. der Haut, E. wird schnell durch die Haut resorbiert. Die Dämpfe reizen sehr stark die Augen, die Atemwege u. die Lunge, Lungenödem möglich. E. gilt als Stoff, der sich im Tierversuch eindeutig als krebserzeugend erwiesen hat (Gruppe III A 2 MAK-Werte-Liste 1996), TRK 0,5 ppm; LD_{50} (Ratte oral) 15 mg/kg; wassergefährdender Stoff, WGK 3, Emissionsklasse II (TA Luft 2.3). E. ist der Grundkörper der *Aziridine; es wird aus 2-Chlorethylamin od. aus 2-Aminoethylschwefelsäure mit Basen hergestellt. Ein anderer techn. Prozeß bedient sich der Umsetzung von 1,2-Dichlorethan mit Ammoniak in Ggw. von Calciumoxid bei 100 °C. Bei der Herst., Lagerung u. Verarbeitung von E. sind seine leichte Polymerisierbarkeit, die bei Anwesenheit geringer Mengen acider Substanzen spontan erfolgen kann, sowie die hohe Toxizität zu beachten. E. wird hauptsächlich zu *Polyethylenimin verarbeitet, das in der Papier-Ind. verwendet wird (Flockungs- u. Retentionsmittel). Auch bei der Klärung kommunaler Abwässer dienen Polyethylenimine als Flockungshilfsmittel. In der präparativen Chemie wird E. vor allem zur Einführung der Aminoethyl-Gruppe benutzt. E.-Derivate, bei denen der Dreiring noch erhalten ist, haben vor allem als Textilhilfsmittel techn. Bedeutung erlangt. – *E* ethyleneimine – *F* éthylène-imine – *I* etilenimmina – *S* etilenimina

Lit.: ¹ Beilstein E V 20/1 ▪ Brauer, Gefahrstoff-Sensorik, Landsberg: Ecomed Verlagsges. 1988 ▪ Hager (5.) **3**, 561 ▪ Hommel, Nr. 16 ▪ Moeschlin, Klinik u. Therapie der Vergiftungen, S. 365, Stuttgart: Thieme 1986 ▪ Ullmann (4.) **8**, 211, 213; (5.) A **3**, 239 f. ▪ Weissermel-Arpe (4.), S. 173 f. ▪ s. a. Aziridine. – [HS 2933 90; CAS 151-56-4; G 3]

Ethylenisomerie s. *cis-trans*-Isomerie.

Ethylenoxid (Oxiran).

C_2H_4O, M_R 44,05. Farbloses, süßlich riechendes Gas, D. 0,887 (bei 7 °C), Schmp. –111 °C, Sdp. 10,7 °C, FP. –18 °C c.c., bildet mit Luft in den Grenzen 2,6–100 Vol.-% explosive Gemische. E. reizt stark Augen, Atemwege sowie die Haut u. führt zu Bewußtlosigkeit u. Atemstillstand; Kontakt mit der Flüssigkeit führt zu Erfrierung u. Verätzung der betroffenen Körperpartien. Es kann verzögert zu einem Lungenödem sowie zu Leber- u. Nierenschäden kommen. E. gilt als Stoff, der sich im Tierversuch eindeutig als krebserzeugend erwiesen hat (Gruppe III A 2 MAK-Werte-Liste 1996), TRK 1 ppm, LD_{50} (Ratte oral) 72 mg/kg; wassergefährdender Stoff, WGK 2, Emissionsklasse III (TA Luft 2.3). Wie viele andere *Oxirane (vgl. a. Epoxide), deren einfachster Vertreter es ist, vermag sich E. mit Verb., die ein aktives Wasserstoff-Atom besitzen, in exothermer Reaktion nach folgendem Schema umzusetzen:

X = OH, OR, Cl, Br, CN, NH_2, NH—R

Zum Ringöffnungsmechanismus des E. s. *Lit.*¹. Unter dem Einfluß von katalyt. wirkenden Stoffen (Säuren, Alkali, Rostspuren) kann flüssiges E. spontan in stark exothermer Reaktion zu *Polyethylenglykolen polymerisieren.

Herst.: Früher aus *Ethylenchlorhydrin durch Abspaltung von HCl, heute bevorzugt durch direkte Oxid. von Ethylen an einem Silber-Katalysator, ausführliche Beschreibung *Lit.*². In der BRD wurden 1992 ca. 630 000 t E. produziert.

Verw.: Seine überragende Bedeutung liegt in der Reaktivität des Oxiran-Ringes, die es zu einer Schlüsselsubstanz für eine Vielzahl weiterer Zwischen- u. Endprodukte macht. Die wichtigsten Reaktionspartner des E. sind mit den wesentlichen Reaktionsprodukten u., weiteren Folgeprodukten in der folgenden Tab. aufgeführt.

Tab.: Ethylenoxid – Folgeprodukte.

Reaktionspartner	Reaktionsprodukte	Folgeprodukte
Wasser	Ethylenglykol Diethylenglykol Polyethylenglykole	Glyoxal, Dioxolan Dioxan
Alkylphenole Fettalkohole Fettsäuren Fettamine	Polyethoxylate	
Ammoniak	Monoethanolamin Diethanolamin Triethanolamin	Ethylenimin Morpholin
Alkohole R-CH_2OH R=H, CH_3, n-C_3H_7	Glykolmonoalkylether Diglykolmonoalkylether	Glykoldialkylether Ester der Glykolmonoalkylether

Die Verw. von E. im Pflanzenschutz ist nach der Pflanzenschutz-AnwendungsVO vollständig verboten; E. darf beim Herstellen od. Behandeln von kosmet. Mitteln nicht verwendet werden (Kosmetik-VO, Anlage 1, Nr. 182). Die Verw. von E. in Begasungen ist durch die Techn. Regeln für Gefahrstoffe (TRGS 513) geregelt. – *E* ethylene oxide – *F* oxyde d'éthylène – *I* ossido di etilene – *S* óxido de etileno

Lit.: ¹ Angew. Chem. **89**, 589–602 (1977). ² Weissermel-Arpe (4.), S. 157 ff.

allg.: Beilstein E V 17/1, 3 ▪ Brauer, Gefahrstoff-Sensorik, Landsberg: Ecomed Verlagsges. 1988 ▪ Encycl. Gaz, S. 501–508 ▪ Gesundheitsschädliche Arbeitsstoffe: toxikologisch-arbeitsmedizinische Begründung von MAK-Werten, Weinheim: Verl. Chemie 1972–1996 ▪ Hommel, Nr. 17 ▪ Paquette **4**, 2456 f. ▪ Ullmann (4.) **8**, 215 ff.; **10**, 45; A **10**, 117 f. – [HS 2910 10; CAS 75-21-8; G 2]

Ethylen-Propylen-Copolymere s. Ethylen-Propylen-Elastomere.

Ethylen-Propylen-Elastomere. Übergreifende Bez. für die bei der *Vulkanisation von *Copolymeren aus Ethylen u. Propylen, den sog. Ethylen-Propylen-Kautschuken, anfallenden Produkte. Großtechn. hergestellt werden reine, Doppelbindungs-freie Copolymere der beiden *Monomeren, Kurzz. *EPM, mit einem Ethylen-Gehalt von ~40–75 Gew.-% u. *Terpolymere, Kurzz. *EPDM, aus Ethylen, Propylen u. einem nichtkonjugierten Dien mit einem Ethylen- bzw. Dien-Ge-

halt von ~40–90 bzw. ~1–4 mol.-%. Die Copolymerisation der Monomeren wird mit Ziegler-Natta-Katalysatoren initiiert im Lösungs- od. Suspensionsverf. durchgeführt. Dabei resultieren Polymere mit kautschukartigem Charakter, die peroxid. (EPM-Typen) od. mit Schwefel (EPDM-Typen) vulkanisiert werden. Die Vulkanisate, insbes. die auf EPM-Basis, zeichnen sich durch hohe Beständigkeit gegenüber der Einwirkung von Licht, Hitze, Sauerstoff, Ozon u. polaren Lsm. sowie gegen Laugen u. Säuren aus. Weitere Vorteile von EPM u. EPDM sind ihre hohe Verträglichkeit mit Extender-Ölen u. Füllstoffen.
Verw.: Zur Herst. von Dichtungen für den Automobil- u. Bausektor, von Folien, z.B. für Dachabdeckungen, von Spezialschläuchen für Kühlmittel, Heißwasser u. -luft; für Behälterauskleidungen im chem. Apparatebau, für Kabelfüllmassen u. Kabelummantelungen. – *E* ethylene-propylene elastomers, ethylene-propylene rubber – *F* élastomères d'éthylène-propylène – *I* etilen-propilen-elastomeri – *S* elastómeros de etileno-propileno
Lit.: Elias (5.) **2**, 487 ff. ▪ Encycl. Polym. Sci. Eng. **6**, 522–564 ▪ Kunststoffe **77**, 1057–1064 (1987) ▪ s.a. Elastomere. – *[HS 4002 70, 4002 99]*

Ethylen-Propylen-Kautschuk s. Ethylen-Propylen-Elastomere.

Ethylensulfid (Thiiran).

C_2H_4S, M_R 60,05. E. ist der Grundkörper der *Thiirane, farblose, giftige Flüssigkeit, D. 1,005, Sdp. 55–56 °C, die aus Ethylenoxid od. *1,3-Dioxolan-2-on herstellbar ist.
Verw.: Als Zwischenprodukt bei der Synth. von Kautschuk-Additiven, Insektiziden u. *Depilatorien, wichtiges Reagenz zur Synth. von Schwefel-organ.-Verbindungen. – *E* ethylene sulfide – *F* sulfure d'éthylène – *I* solfuro di etilene – *S* sulfuro de etileno
Lit.: Beilstein E V **17/1**, 9 ▪ Chem. Rev. **66**, 297–339 (1966) ▪ Paquette, **4**, 2458 ▪ Weissberger **19**, 576–623 ▪ s.a. Thiirane. – *[HS 2934 90; CAS 420-12-2]*

Ethylenthioharnstoff s. Imidazolidin-2-thion.

Ethylentrithiocarbonat (1,3-Dithiolan-2-thion) s. Dithiolane u. Trithiokohlensäure.

Ethylen-Vinylacetat-Copolymere (Kurzz. *EVA, E/VA). EVA sind *Copolymere aus Ethylen (E) u. Vinylacetat (VA). Diese beiden Monomere lassen sich radikal. initiiert in beliebigen Mengenverhältnissen copolymerisieren. Dabei resultieren *Copolymere mit statist. Anordnung der Monomerbausteine in den Polymerketten. Über das Molverhältnis von E u. VA lassen sich die Eigenschaften der EVA in weiten Grenzen variieren. Produkte mit einem E-Gehalt von <30 Gew.-% sind teilkrist. u. thermoplast., solche mit einem VA-Gehalt von ~40–70% sind weitgehend amorph. Sie lassen sich als Kautschuke mit Peroxiden in Kombination mit Aktivatoren, z.B. Triallylcyanurat, od. durch Bestrahlung zu *Elastomeren vulkanisieren (vernetzen). Die Vulkanisate zeichnen sich durch hohe Heißluft-, Witterungs-, Sauerstoff- u. Ozon-Beständigkeit aus u. besitzen gute Tieftemp.-Eigenschaften, Ölbeständigkeit u. elektr. Eigenschaften. Ihre Beständigkeit gegenüber dem Einfluß von Hitze, Öl u. Lsm. nimmt im allg. mit steigendem VA-Gehalt zu.
Verw.: Zur Herst. von wärme- u. witterungsbeständigen techn. Gummiartikeln wie Dichtungen, Kabel od. Heizleitungen; von Profilen u. Folien für die Bau-Ind.; als Zusätze zur Herst. von schlagzähem Hart-PVC u. als Weichmacher für Weich-PVC; in Naturkautschuk- u. SBR-Vulkanisaten zur Verbesserung der Alterungs- u. Ozon-Beständigkeit; als Heißschmelz-, Lösungs- od. Dispersionsklebstoffe. – *E* ethylene-vinylacetate copolymers – *F* copolymères d'éthylène-acétate de vinyle – *I* etilen-vinilacetat-copolimeri – *S* copolímeros de etileno-acetato de vinilo
Lit.: Batzer **3**, 370 ▪ Skeist, S. 484–506. – *[HS 3901 30]*

Ethylen-Vinylacetat-Kautschuk s. Ethylen-Vinylacetat-Copolymere.

Ethylen-Vinylalkohol-Copolymere (Kurzz. E/VAL). E/VAL werden durch (partielle) Hydrolyse von *Ethylen-Vinylacetat-Copolymeren hergestellt u. lassen sich zu hydrophilen, transparenten, glänzenden u. antistat. Folien u. Filmen verarbeiten. E/VAL finden Verw. als porenfreie, chemikalien- u. witterungsbeständige, gut haftende u. schwer entflammbare Beschichtungsmaterialien für unterschiedliche Anwendungsgebiete. Beschichtungen mit E/VAL sind im Sinter-, Pulversprüh- od. Flammspritz-Verf. durchzuführen. – *E* ethylene-vinylalcohol copolymers – *F* copolymères d'éthylène-alcool vinylique – *I* etilen-vinilalcool-copolimeri – *S* copolímeros de etileno-alcohol vinílico
Lit.: Kunststoff Produkte '88, S. 88.

Ethylether s. Ether u. Diethylether.

Ethylformiat s. Ameisensäureethylester.

Ethylglykol(acetat) s. Ethylenglykol (Tab.).

2-Ethyl-1,3-hexandiol.

$$HO-CH_2-\underset{\underset{C_2H_5}{|}}{CH}-\underset{\underset{OH}{|}}{CH}-CH_2-CH_2-CH_3$$

$C_8H_{18}O_2$, M_R 146,22, farblose, ölige, augen- u. schleimhautreizende Flüssigkeit, D. 0,94, Sdp. 244 °C (Gemisch der DL- u. *meso*-Form), in Wasser kaum, in Alkoholen gut lösl.; LD_{50} (Ratte oral) 1400 mg/kg, wassergefährdender Stoff, WGK 1 (Selbsteinst.).
Verw.: Als Insekten-Vertreibungsmittel, als Zwischenprodukt bei der Herst. von Harzen, Polyestern u. Weichmachern sowie als Lösungsvermittler, z.B. bei Kühlschmierstoffen bis 5 Gew.% u. als Lsm. für Metall-Verb., z.B. zur Entfernung von Titan-Katalysatoren aus dem Polymerisat der Niederdruck-Polyethylen-Synthese. – *E* 2-ethyl-1,3-hexanediol – *F* 2-éthylhexane-1,3-diol – *I* 2-etil-1,3-esandiolo – *S* 2-etil-1,3-hexanodiol
Lit.: Beilstein E IV **1**, 2597 ▪ Gesundheitsschädliche Arbeitsstoffe: toxikologisch-arbeitsmedizinische Begründung von MAK-Werten, Weinheim: VCH Verlagsges. 1972–1996 ▪ Hager (5.) **1**, 218 ▪ Merck-Index (12.), Nr. 3790 ▪ Ullmann (4.) **13**, 237; (5.) **A 14**, 307. – *[HS 2905 39; CAS 94-96-2]*

2-Ethyl-1-hexanol (Isooctanol).

$$HO-CH_2-\underset{\underset{C_2H_5}{|}}{CH}-(CH_2)_3-CH_3$$

$C_8H_{18}O$, M_R 130,22. Farblose, charakterist. riechende, viskose Flüssigkeit, D. 0,834, Schmp. −76 °C, Sdp.

183,5 °C, kaum lösl. in Wasser, mit den meisten organ. Lsm. mischbar. Die Dämpfe verursachen Reizung der Augen u. der Atmungsorgane, Kontakt mit der Flüssigkeit reizt stark die Augen, LD_{50} (Ratte oral) 2049 mg/kg, wassergefährdender Stoff, WGK 2. E. entsteht durch Aldol-Kondensation von *n*-Butyraldehyd über die Stufe des 2-Ethylhexenals u. dessen weiterer Hydrierung.

Verw.: E. hat von allen höheren Alkoholen die größte wirtschaftliche Bedeutung. Seine Anw. als „Weichmacher-Alkohol" reicht zurück bis etwa Mitte der dreißiger Jahre. Es wird vorwiegend zur Herst. von Estern mit Dicarbonsäuren (z. B. Phthalsäure od. Adipinsäure) verwendet. Ester des E. mit aliphat. Dicarbonsäuren werden als Hydrauliköle od. als Komponenten für synthet. Schmiermittel eingesetzt. E. dient ferner als Lsm. für Fette, Wachse, Öle, Natur- u. Kunstharze, Entschäumer u. Dispergiermittel für Pigmente, sowie zur Synth. von 2-Ethylhexansäure. – *E* 2-ethyl-1-hexanol – *F* 2-éthyl-hexan-1-ol – *I* 2-etil-1-esanolo – *S* 2-etil-1-hexanol

Lit.: Beilstein E IV **1**, 1783 ▪ Brauer, Gefahrstoff-Sensorik, Landsberg: Ecomed Verlagsges. 1988 ▪ Hommel, Nr. 209 ▪ Ullmann (5.) **A 1**, 290; **A 10**, 137 ▪ Weissermel-Arpe (4.), S. 150 f. – *[HS 2905 16; CAS 104-76-7; G 3]*

2-Ethylhexansäure.

$H_3C-(CH_2)_3-\underset{\underset{C_2H_5}{|}}{CH}-COOH$

$C_8H_{16}O_2$, M_R 144,22. Farblose Flüssigkeit, D. 0,903, Schmp. –59 °C, Sdp. 228 °C, in Wasser kaum lösl., mit organ. Lsm. mischbar.

Verw.: Zur Modifizierung von Alkydharzen, insbes. aber zur Herst. von Schwermetall-Salzen (sog. *Octoaten), die als Trockenstoffe, Schmier- u. Verdickungsmittel u. PVC-Stabilisatoren verwendet werden. – *E* 2-ethylhexanoic acid – *F* acide 2-éthylhexanoïque – *I* acido 2-etilesanoico – *S* ácido 2-etilhexanoico

Lit.: Beilstein E IV **2**, 1003 ▪ Ullmann (4.) **9**, 138, 144; (5.) **A 5**, 243 ▪ Weissermel-Arpe (4.), S. 152. – *[HS 2915 90; CAS 149-57-5]*

2-Ethyl-hexyl...
Bez. für die Atomgruppierung –CH$_2$–CH(C$_2$H$_5$)–(CH$_2$)$_3$–CH$_3$, die oft unkorrekt als Isooctyl... od. *Octyl... bezeichnet wird. Die Ester des *2-Ethyl-1-hexanols werden bei den Säureestern (*Beisp.:* *Phthalsäureester) behandelt. – *E* 2-ethylhexyl... – *F* 2-éthylhexyl... – *I* 2-etilesil... – *S* 2-etilhexil...

2-Ethyl-2-hydroxymethyl-1,3-propandiol.
Systemat. Name für *Trimethylolpropan.

Ethyliden...
Bez. für die Atomgruppierung =CH–CH$_3$ in systemat. Namen (IUPAC-Regel A-4.1). Für die Benennung zweier Einfachbindungen –CH(CH$_3$)– ist daneben die Bez. *Ethan-1,1-diyl...* im Gebrauch (IUPAC-Regel R-2.5). – *E* ethylidene... – *F* éthylidène... – *I* etiliden... – *S* etilidén...

Ethylidenchlorid
s. Dichlorethane.

Ethylierung.
Einführung der Ethyl-Gruppe (–C$_2$H$_5$) in eine organ. Verbindung. Man verwendet dazu z. B. Ethanol, Ethylchlorid, -iodid, Diethylsulfat. – *E* ethylation – *F* éthylation – *I* etilazione – *S* etilación

Ethyliodid
(Iodethan). C_2H_5I, M_R 155,98. Farblose, hautreizende, stark lichtbrechende, ether. riechende Flüssigkeit, D. 1,93, Schmp. –108,5 °C, Sdp. 72 °C, lösl. in Alkohol u. Ether. E. muß vor Licht geschützt aufbewahrt werden, da sonst Iod-Ausscheidung erfolgt; käufliches E. ist mit Silber stabilisiert. Es wird für organ. Synth. u. als *Schwerflüssigkeit für die Mineralien-Analyse verwendet. – *E* ethyliodide – *F* iodure d'éthyle – *I* ioduro di etile – *S* yoduro de etilo

Lit.: Beilstein E IV **1**, 163 ▪ Merck-Index (12.), Nr. 3859 ▪ Ullmann (4.) **13**, 427; (5.) **A 14**, 389. – *[HS 2903 30; CAS 75-03-6]*

Ethyllactat
s. Milchsäureester.

Ethyllinoleat.

$H_3C-(CH_2)_4-CH=CH-CH_2-CH=CH-(CH_2)_7-COOC_2H_5$

Kurzbez. für Ethyl(Z,Z)-9,12-octadecadienoat, $C_{20}H_{36}O_2$, M_R 308,49, Sdp. 193 °C, n^{20} 1,4675, D^{20} 0,8919. Es wird aus *Sonnenblumenöl gewonnen[1] u. als Hilfsstoff z. B. für *Vitamin-Präp. verwendet. – *E* ethyl linoleate – *F* linolat d'éthyle – *I* etile linolato – *S* linolato de etilo

Lit.: [1] Org. Synth. Coll. **III**, 526 (1955).
allg.: Merck-Index (12.), Nr. 3866. – *[HS 2916 15; CAS 544-35-4]*

Ethylmethylketon
s. 2-Butanon.

Ethyl-2-naphthylether
(2-Ethoxynaphthalin, Bromelia, Nerolin).

$C_{12}H_{12}O$, M_R 172,23. Farblose, glänzende Krist., D. 1,064, Schmp. 37 °C, Sdp. 282 °C, in organ. Lsm., nicht aber in Wasser löslich. Aufgrund seines Orangenblütenduftes wird E. in Parfümerie u. Kosmetik eingesetzt. – *E* ethyl-2-naphthylether – *F* éther éthyl-2-naphthylique – *I* etere di etil-2-naftile – *S* éter etil-2-naftílico

Lit.: Beilstein E IV **6**, 4257 ▪ Ullmann (4.) **20**, 241; (5.) **A 11**, 196. – *[HS 2909 30; CAS 93-18-5]*

Ethylpentylketon
s. Octanone.

1-Ethylpiperidin.

$C_7H_{15}N$, M_R 113,20. Farblose Flüssigkeit, D. 0,824, Sdp. 130 °C, lösl. in Wasser, mischbar mit Ethanol u. Isoamylacetat. Dämpfe u. Flüssigkeit reizen u. schädigen Augen, Atemwege, Lunge u. Haut. Die Flüssigkeit wird auch über die Haut aufgenommen. E. findet Verw. in organ. Synth. u. als Zwischenprodukt bei pharmazeut. Synth.; es dient zur Gehaltsbestimmung von Penicillin-Salzen. – *E* 1-ethylpiperidine – *F* 1-éthylpipéridine – *I* = *S* 1-etilpiperidina

Lit.: Beilstein E V **20/2**, 25 ▪ Hommel, Nr. 623 ▪ Paquette **4**, 2515 ▪ Ullmann (4.) **7**, 389. – *[HS 2933 39; CAS 766-09-6]*

Ethylpropionat
s. Propionsäureester.

Ethylsenföl
s. Senföle.

Ethylsilicate.
Gruppe von *Kieselsäureestern, die aus $SiCl_4$ u. Ethanol herstellbar sind; sie finden Verw. als Bindemittel für hochschmelzende Massen u. Gußformen, zur Herst. wetter- u. säurefester Mörtel, zusammen mit Zinkstaubfarben in Korrosionsschutzanstri-

chen sowie als Zwischenprodukt für Silicium-organ. Verbindungen. Der wichtigste Vertreter ist das *Tetraethyl(ortho)silicat* [Tetraethoxysilan, Orthokieselsäureethylester, $Si(OC_2H_5)_4$], $C_8H_{20}O_4Si$, M_R 208,30, eine giftige (MAK 850 mg/m³ bzw. 100 ppm), farblose, brennbare Flüssigkeit, D. 0,933, Schmp. –77 °C, Sdp. 165–166 °C, die in Wasser langsam hydrolysiert u. mit Ethanol mischbar ist. – *E* ethyl silicates – *F* silicates d'éthyle – *I* etilsilicati – *S* silicatos de etilo

Lit.: Beilstein E IV **1**, 1360 ▪ Hommel, Nr. 502 ▪ Kirk-Othmer (3.) **20**, 917 ▪ Ullmann (5.) **A 24**, 31 ▪ Winnacker-Küchler (4.) **3**, 93 ff. – [HS 2920 90; G 3]

Ethyltitanat s. Titansäureester.

Ethylurethan s. Urethan.

Ethylvanillin (3-Ethoxy-4-hydroxybenzaldehyd, Protocatechualdehyd-3-ethylether, Bourbonal).

$C_9H_{10}O_3$, M_R 166,17. Farblose, stark nach Vanillin riechende Schuppen, Schmp. 77–78 °C, kaum lösl. in Wasser, dagegen in Ethanol u. Ether. E. riecht süß-cremig, blumig nach Vanille.

Verw.: In der Parfüm- u. Aromen-Ind.; nach der Aromen-VO ist E. für bestimmte Lebensmittel mit einer Höchstmenge von 250 mg/kg zugelassen. – *E* ethylvanillin – *F* éthylvanilline – *I* etilvanillina – *S* etilvainillina

Lit.: Beilstein E IV **8**, 1765 ▪ Merck-Index (12.), Nr. 3904 ▪ Ullmann (5.) **A 11**, 200. – [HS 2912 42; CAS 121-32-4]

Ethylvinylether s. Vinylether.

…etidin s. …et.

Etidocain.

Internat. Freiname für $(\pm)$-N-(2,6-Dimethylphenyl)-2-(ethylpropylamino)-butyramid, $C_{17}H_{28}N_2O$, M_R 276,42. Verwendet wird das Hydrochlorid, Schmp. 203–203,5 °C; pK_a 7,74; LD_{50} (Maus i.v.) 6,7, (Maus s.c.) 99 mg/kg. E. wurde 1972 u. 1974 als *Lokalanaesthetikum von Astra (Dur-Anest®) patentiert. – *E* etidocaine – *F* étidocaïne – *I* etidocaina – *S* etidocaína

Lit.: ASP ▪ Hager (5.) **8**, 131 ff. – [HS 2924 29; CAS 36637-18-0 (E.); 36637-19-1 (Hydrochlorid)]

Etidronsäure.

Internat. Freiname für die gegen Morbus Paget (Knochenentzündung mit starker Knochenverdickung) wirksame (1-Hydroxyethyliden)-diphosphonsäure, $C_2H_8O_7P_2$, M_R 206,02, Schmp. 103–105 °C; n_D^{20} 1,44–146; pK_{a1} 1,35 ± 0,08, pK_{a2} 2,87, pK_{a3} 7,03 ± 0,01, pK_{a4} 11,3; verwendet wird das Dinatriumsalz. E. wurde 1968 von Procter & Gamble (Diphos®) patentiert u. ist auch von Jenapharm (Etidronat) im Handel. – *E* etidronic acid – *F* acide étidronique – *I* acido etidronico – *S* ácido etidrónico

Lit.: Hager (5.) **8**, 133 ff. – [HS 2931 00; CAS 2809-21-4 (E.); 7414-83-7 (Dinatrium-Salz)]

Etifelmin.

Internat. Freiname für das blutdrucksteigernde 2-Ethyl-3,3-diphenylallylamin, $C_{17}H_{19}N$, M_R 237,33, Schmp. 132 °C; verwendet wird das Hydrochlorid, Schmp. 224–225 °C; auch 230–235 °C angegeben; λ_{max} (CH₃OH) 228 nm ($A_{1cm}^{1\%}$ = 512). – *E* = *F* etifelmine – *I* = *S* etifelmina

Lit.: Hager (5.) **8**, 136 ff. – [HS 2921 49; CAS 341-00-4 (E.); 1146-95-8 (Hydrochlorid)]

Etilefrin.

Internat. Freiname für 2-Ethylamino-1-(3-hydroxyphenyl)-1-ethanol, $C_{10}H_{15}NO_2$, M_R 181,23, Schmp. 147–148 °C, verwendet wird das Hydrochlorid, Schmp. 121 °C. Das α- u. β-*Sympath(ik)omimetikum u. Kreislaufanaleptikum wurde 1929 von H. Legerlitz patentiert u. ist als Generikum im Handel. – *E* etilefrine – *F* etiléfrine – *I* = *S* etilefrina

Lit.: ASP ▪ Beilstein E IV **13**, 2654 ▪ Hager (5.) **8**, 138 ff. – [HS 2922 50; CAS 709-55-7 (E.); 943-17-9 (Hydrochlorid)]

…etin. Früher verwendete Endung für einen partiell gesätt. Stickstoff-haltigen Hetero-Vierring (IUPAC-Regel B-1.2; nach Regel R-2.3.3 nicht mehr empfohlen). – *S* …etín

Etioporphyrine (Aetioporphyrine). $C_{32}H_{38}N_4$, M_R 478,68. Die E. sind Grundkörper aller physiol. wichtigen Tetrapyrrole (*Häm, *Chlorophylle, *Vitamin B_{12} u. *Gallenfarbstoffe). Sie entstehen durch Abbau von Essig- od. Propionsäure-Seitenketten (z.B. aus *Uroporphyrinen, Coproporphyrinen, *Protoporphyrinen u. Mesoporphyrinen). Man unterscheidet vier verschiedene Typen mit unterschiedlicher Stellung der Methyl- bzw. Ethyl-Gruppen, z.B. *E. III* (violette Krist., Schmp. 360–363 °C), das wichtigste der vier möglichen Konstitutionsisomeren.

E. III

E. werden bei bestimmten Stoffwechselerkrankungen mit dem Urin ausgeschieden (Porphyrien). – *E* etioporphyrins, aetioporphyrins – *F* étioporphyrines – *I* etioporfirine – *S* etioporfirinas

Lit.: Beilstein E V **26/12**, 190–195 ▪ Dolphin, The Porphyrins, Bd. I, S. 211, 226 ff., 258 f., 300–331, New York: Academic Press 1978. – [CAS 26608-34-4 (E. III)]

Eti-Puren®. Retardkapseln u. Tropfen mit *Etilefrin-Hydrochlorid zur Therapie der Hypotonie. **B.:** Isis Puren.

Etiroxat.

Internat. Freiname für α-Methyl-DL-thyroxinethylester, $C_{18}H_{17}I_4NO_4$, M_R 818,95, Schmp. 156–157°C; λ_{max} (CH$_3$OH) 226, 303 nm ($A_{1cm}^{1\%}$ = 564, 50); E. wurde 1967 u. 1975 von Grünenthal patentiert u. früher gegen Hyperlipidämien eingesetzt. – $E = F$ etiroxate – I etirossato – S etiroxato

Lit.: Hager (5.) **8**, 140f. – *[HS 2922 50; CAS 17365-01-4]*

Etodroxizin.

Internat. Freiname für den als Tranquilizer u. Hypnotikum wirksamen Ethylenglykolether des *Hydroxyzins, $C_{23}H_{31}ClN_2O_3$, M_R 418,98, Sdp. 250°C (1,3 Pa); verwendet wird das Dimaleat, LD_{50} (Ratte oral) 920 mg/kg. – $E = F$ etodroxizine – $I = S$ etodroxicina

Lit.: Beilstein E III/IV **23**, 104f. – *[HS 2933 59; CAS 17692-34-1]*

Etofenamat.

Internat. Freiname für den 2-(2-Hydroxyethoxy)-ethylester der N-(3-Trifluormethylphenyl)-anthranilsäure, $C_{18}H_{18}F_3NO_4$, M_R 369,35, schwach gelbes, viskoses Öl, es ist über 180°C thermolabil, Sdp. 130–135°C (1,3 Pa); λ_{max} (CH$_3$OH) 286 nm ($A_{1cm}^{1\%}$ = 423); n_D^{25} 1,564; LD_{50} (Ratte oral) 292, (Ratte i.v.) 140, (Ratte i.p.) 373, (Ratte s.c.) 643 mg/kg. E. zählt zu den nichtsteroidalen *Antirheumatika, wurde 1971 u. 1972 von den Troponwerken patentiert u. ist als Generikum im Handel. – E etofenamate – F etofénamate – $I = S$ etofenamato

Lit.: ASP ▪ Hager (5.) **8**, 143 ff. – *[HS 2922 50; CAS 30544-47-9]*

Etofenprox (bis 1988 Ethofenprox). Common name für 1-[2-(4-Ethoxyphenyl)-2-methylpropoxymethyl]-3-phenoxybenzol.

$C_{25}H_{28}O_3$, M_R 376,5, Schmp. 36,4–37,5°C, LD_{50} (Ratte oral) >20000 mg/kg, von Mitsui Toatsu 1987 eingeführtes *Insektizid mit Kontakt- u. Fraßgiftwirkung im Wein-, Obst-, Raps- u. Kartoffelanbau. – $E = F = I = S$ etofenprox

Lit.: Farm ▪ Perkow ▪ Pesticide Manual. – *[CAS 80844-07-1]*

Etofibrat.

Internat. Freiname für {2-[2-(4-Chlorphenoxy)-2-methylpropionyloxy]ethyl}-nicotinat, $C_{18}H_{18}ClNO_5$, M_R 363,80, krist. Pulver, Schmp. 100°C; pK_a 6,41. E. wurde 1971 u. 1972 als Lipidsenker von Merz (Lipo-Merz-retard®) patentiert. – $E = F$ etofibrate – $I = S$ etofibrato

Lit.: ASP ▪ Beilstein E V **22/2**, 63 ▪ Hager (5.) **8**, 145ff. – *[HS 2933 39; CAS 31637-97-5]*

Etofyllin.

Internat. Freiname für 7-(2-Hydroxyethyl)-theophyllin, $C_9H_{12}N_4O_3$, M_R 224,22, weißes, krist. Pulver, Schmp. 161–166°C; λ_{max} (CH$_3$OH) 271 nm ($A_{1cm}^{1\%}$ = 396). E. ist in Kombinationspräp. als vasodilatator. bzw. broncholyt. Komponente enthalten. – $E = F$ etofylline – I etofillina – S etofilina

Lit.: Beilstein E V **26/14**, 38f. ▪ DAB **1996** u. Komm. ▪ Hager (5.) **8**, 147f. – *[HS 2939 50; CAS 519-37-9]*

Etomidat.

Internat. Freiname für (+)-(R)-1-(1-Phenylethyl)-imidazol-5-carbonsäureethylester, $C_{14}H_{16}N_2O_2$, M_R 244,29, farblose od. gelbliche Krist., Schmp. 63–68°C; $[\alpha]_D^{20}$ +66° (c 1/C$_2$H$_5$OH), λ_{max} (Isopropanol) 240 nm ($A_{1cm}^{1\%}$ = 499), LD_{50} (Maus i.v.) 29,5 mg/kg. E. wurde 1965 u. 1967 als i.v.-Kurzhypnotikum von Janssen (Hypnomidate®) patentiert u. ist als Generikum im Handel. – $E = F$ etomidate – $I = S$ etomidato

Lit.: ASP ▪ Beilstein E V **25/4**, 85 ▪ Florey **12**, 191–214 ▪ Hager (5.) **8**, 150ff. – *[HS 2933 29; CAS 33125-97-2]*

Etoposid.

Internat. Freiname für 4'-Desmethylepipodophyllotoxin-(4,6-O-ethyliden-glucosid), $C_{29}H_{32}O_{13}$, M_R 588,58, Schmp. 236–251°C; $[\alpha]_D^{20}$ –110,5° (c 0,6/CHCl$_3$); λ_{max} (CH$_3$OH) 283 nm ($A_{1cm}^{1\%}$ = 71); pK_a 9,8. E. wurde als *Cytostatikum 1970 von Sandoz patentiert u. ist von Bristol-Myers Squibb (Vepesid®) im Handel. – $E = F$ etoposide – I etoposite – S etopósido

Lit.: ASP ▪ Beilstein E V **19/10**, 668 ▪ DAB **1996** u. Komm. ▪ Florey **18** 121–151 ▪ Hager (5.) **8**, 152ff. – *[HS 2932 29; CAS 33419-42-0]*

Etoxazol. Common name für 4-(4-*tert*-Butyl-2-ethoxyphenyl)-2-(2,6-difluorphenyl)-4,5-dihydrooxazol.

$C_{21}H_{23}F_2NO_2$, M_R 359,4, Schmp. 101–102 °C, LD_{50} (Ratte oral) >5000 mg/kg, bei Yashima u. Sumitomo in der Entwicklung befindliches *Insektizid u. *Akarizid gegen Milben u. Blattläuse im Obst-, Gemüse-, Wein-, Blumen- u. Teeanbau. – *E = F* etoxazole – *I* etossazolo – *S* etoxazola

Lit.: Ishida, Brighton Crop Protection Conference – Pests and Diseases, Bd. 1, S. 37–44, Farnham, England: The British Crop Protection Council 1994. – *[CAS 153233-91-1]*

Etozolin.

Internat. Freiname für (3-Methyl-4-oxo-5-piperidinothiazolidin-2-yliden)-essigsäureethylester, $C_{13}H_{20}N_2O_3S$, M_R 284,39, Schmp. 140 °C, λ_{max} (CH_3OH) 243, 283 nm ($A^{1\%}_{1cm}$ = 323, 729). LD_{50} (Maus i.p.) 1210 mg/kg. E. wurde 1963 von Warner-Lambert als Schleifen-*Diuretikum patentiert u. ist von Gödecke (Elkapin®) im Handel. – *E = F* etozoline – *I = S* etozolina

Lit.: Beilstein E V **27/21**, 217 ▪ Hager (5.) **8**, 156ff. – *[HS 2934 10; CAS 73-09-6]*

Etretinat.

Internat. Freiname für Ethyl-(all-*E*)-9-(4-methoxy-2,3,6-trimethylphenyl)-3,7-dimethyl-2,4,6,8-nonatetraenoat, $C_{23}H_{30}O_3$, M_R 354,47, Schmp. 104–105 °C; LD_{50} (Maus i.p. an einem Tag) >4000, (Maus i.p. über 20 Tage) 1176, (Maus oral) >2000 mg/kg. E. wurde als Antipsoriatikum 1974, 1978 u. 1980 von Hoffmann-La Roche (Tigason®) patentiert, aber aufgrund seiner Teratogenität in der BRD aus dem Handel genommen. – *E* etretinate – *F* étrétinate – *I = S* etretinato

Lit.: Hager (5.) **8**, 158 ff. – *[HS 2918 90; CAS 54350-48-0]*

Etridiazol.

Common name für 5-Ethoxy-3-trichlormethyl-1,2,4-thiadiazol, $C_5H_5Cl_3N_2OS$, M_R 247,5, Schmp. 20 °C, LD_{50} (Ratte oral) 2000 mg/kg (WHO), Kontakt-*Fungizid mit protektiver u. kurativer Wirkung gegen *Phytophthora* u. *Phytium* spp. im Zierpflanzen-, Baumwoll-, Erdnuß-, Gemüse-, Kürbis-, Tomaten- u. Turfanbau. – *E = F* etridiazole – *I* etridiazolo – *S* etridiazol

Lit.: Farm ▪ Perkow ▪ Pesticide Manual. – *[HS 2934 90; CAS 2593-15-9]*

Etrofol®.
Insektizid auf CPMC-Basis von Bayer.

Etrofolan®.
Insektizid auf Isoprocarb-Basis von Bayer.

Ets-Proteine.
Protein-Familie, der eine bestimmte *Desoxyribonucleinsäuren-bindende *Domäne (*Ets*-Domäne) gemeinsam ist. Das erste entdeckte Ets-P. war das Produkt eines viralen *Onkogens (v-*ets*). Ets-P. wirken als spezif. u. möglicherweise auch generelle Aktivatoren der *Transkription an verschiedenen Promotor- u. Enhancer-Elementen, spielen aber vielleicht auch eine Rolle bei der DNA-*Replikation. Durch ihre Funktion als *Transkriptionsfaktoren sind die Ets-P. beteiligt an Wachstum, Entwicklung u. Krebsentstehung in vielen Organismen. – *E* Ets proteins – *F* protéines Ets – *I* proteine Ets – *S* proteínas Ets

Lit.: Eur. J. Biochem. **211**, 7–18 (1993).

Ettringit,
$Ca_6Al_2[(OH)_4/SO_4]_3 \cdot 24 H_2O$, auch 26 H_2O. Hexagonales Mineral, Kristallklasse 6/mmm-D_{6h}, Struktur s. *Lit.*[1], Kristallchemie s. *Lit.*[2]. Bipyramidale od. kurzsäulige glasglänzende Krist. u. feine seidenglänzende Nadeln, z.T. zu filzigen Aggregaten verwachsen. Farblos, weiß od. gelb durchsichtig bis durchscheinend, H. 2–2,5, D. 1,8.

Vork.: In umgewandelten Kalkstein-Einschlüssen in Basaltlava von Ettringen (Name!) bei Mayen/Eifel[3] u. vom Zeilberg bei Maroldsweisach/Bayern, ferner Scawt Hill/Irland, Crestmore/Californien, Israel; gute Krist. von der N'Chwaning Mine II/Rep. Südafrika. E. entsteht auch in gewöhnlichem Tricalciumaluminumhaltigem *Portlandzement durch Bindung von $CaSO_4$ aus umgebendem Wasser u. bewirkt Aufblähung u. Festigkeitsminderung beim Zement. – *E = F = I* ettringite – *S* ettringita

Lit.: [1] Nature (London) **218**, 1048 f. (1968). [2] Mineral. Mag. **33**, 59–64 (1962). [3] Hentschel, Die Mineralien der Eifelvulkane (2.), S. 62 f., München: C. Weise Verl. 1987.

allg.: Chem. Unserer Zeit **7**, 18–24 (1973) ▪ Ramdohr-Strunz, S. 616 ▪ Roberts, Campbell u. Rapp, Encyclopedia of Minerals (2.), S. 258, New York: Van Nostrand Reinhold 1990. – *[CAS 12252-12-9]*

Etynodiol.

Internat. Freiname für das *Gestagen 17α-Ethinyl-4-estren-3β,17β-diol, $C_{20}H_{28}O_2$, M_R 300,42, Schmp. 147–149 °C; $[\alpha]_D^{20}$ –39° (C_2H_5OH). Verwendet wird das Diacetat, Schmp. 126–131 °C; $[\alpha]_D^{20}$ –72,2° ($CHCl_3$); E. wurde 1958 u. 1965 von Searle patentiert. – *E = F* etynodiol – *I* etinodiolo – *S* etinodiol

Lit.: Florey **3**, 253–279 ▪ Hager (5.) **8**, 160 f. – *[HS 2937 92; CAS 1231-93-2 (E.); 297-76-7 (Diacetat)]*

Eu.
Chem. Symbol für das Element *Europium.

Eu...
Von griech.: eu = gut, wohl, recht, schön abgeleitete Vorsilbe in Trivialnamen von chem. Verb. u. in medizin. Begriffen; *Beisp.:* *Euphorie, *Eutektikum, *Eutrophierung. Gegensatz: *Dys... – *E = F = I = S* eu...

EU.
Kurzz. für *Polyether-Polyurethan-Kautschuke.

EuAB.
In diesem Werk Abk. für *Europäisches Arzneibuch.

Eubakterien
(von griech. eu = gut, richtig; bakterion = Stäbchen). Bez. für das *Mikroorganismen-Reich der *Prokaryonten mit Ausnahme der *Archaea. Die E. umfassen auch die *Actinomyceten u. die phototrophen *Bakterien (s.a. Phototrophie) einschließlich der *Cyanobakterien.

Die Angehörigen der beiden Reiche E. u. Archaea weisen große Unterschiede auf. So enthalten die Zellwände der E. (wenn vorhanden) im Gegensatz zu denen der Archaebakterien *Murein u. die Lipide der Cytoplasmamembranen sind aufgebaut aus Fettsäureglycerinestern mit geraden Ketten anstelle von verzweigten Ketten in den Glycerinethern der Archaebakterien. Ebenso ist die ribosomale *RNA beider Gruppen stark unterschiedlich. – *E* eubacteria – *F* eubactéries – *I* eubatteri – *S* eubacterias
Lit.: Brock u. Madigan, Biology of Microorganisms, Englewood Cliffs: Prentice-Hall 1991 ▪ Schlegel (7.), S. 92 ff.

Eucabal®. Saft mit Spitzwegerich- u. Thymianfluidextrakt; E. Balsam mit Eukalyptus- u. Kiefernnadelöl gegen Bronchitiden u. Katarrhe der oberen Atemwege. *B.:* esperma.

Eucalyptol s. Cineol.

Eucerin. Handelsbez. für eine 1912 von Beiersdorf in den Handel gebrachte Wollwachsalkohol-Salbe für pharmazeut. u. kosmet. Verwendung.
Lit.: Hager **7b**, 526f. ▪ Janistyn **1**, 305f.

Euchlorin s. Chlorsäure.

Euchromatin s. Chromatin.

Eucken, Arnold Thomas (1884–1950), Prof. für Physikal. Chemie, Univ. Breslau u. Göttingen, Schüler von *Nernst. *Arbeitsgebiete:* Wasserstoff-Isotope, Dipole, Parawasserstoff, Gasgleichungen, Reaktionskinetik, chem. Thermodynamik.
Lit.: Nachmansohn, Die große Ära der Wissenschaft in Deutschland 1900–1933, S. 343, Stuttgart: Wiss. Verlagsges. 1988 ▪ Naturwissenschaften **37**, 481 ff. (1950) ▪ Pötsch, S. 140.

Eudesmane. Bicycl. *Sesquiterpene mit 7-Isopropyl-1,4a-dimethyldecalin-Grundstruktur, z.B. (+)-(β-)-Eudesmol[1]:

(+)-(β-)Eudesmol

$C_{15}H_{26}O$, M_R 222,36, Schmp. 76°C, $[\alpha]_D^{20}$ +68,3° ($CHCl_3$). Eudesmole sind wesentliche Bestandteile des Eucalyptusöls. – *E* = *F* = *S* eudesmanes – *I* eudesmani
Lit.: [1]Tetrahedron **48**, 851 (1992); **49**, 4761 (1993). – [CAS 473-15-4 ((+)-Eudesmol)]

Eudesmanolide. *Sesquiterpen-Lactone mit *Eudesman-Grundgerüst, hauptsächlich aus Korbblütlern (Asteraceae). Aufgrund des Ringschlusses der γ-Lacton-Gruppe unterscheidet man die *Santanolide*, bei denen der Lacton-Sauerstoff mit dem Kohlenstoff-Atom 6 verknüpft ist (z.B. *Santonin, *Artemisin) u. die *Alantolide* (z.B. *Helenin), bei denen die Verknüpfung mit dem Kohlenstoff-Atom 8 erfolgt. – *E* eudesmanolides – *I* eudesmanolidi – *S* eudesmanolides

Eudesmene s. Selinene.

Eudesmol s. Eudesmane.

Eudialyt, $(Na,Ca,SEE)_5(Fe^{2+},Mn)(Zr,Ti)[(OH,Cl)/Si_3O_9)_2]$ (SEE = Seltenerd-Elemente). Trigonales, zu den Cyclo-*Silicaten gehörendes Mineral, Kristallklasse $\bar{3}m\text{-}D_{3d}$; Untersuchung von E. mit *Mößbauer-Spektroskopie s.

Lit.[1]. Tafelige, plattige od. rhomboedr., eingewachsene, glasglänzende Krist. od. unregelmäßige Körner, seltener in derben Massen. Bräunlichrot, pfirsichblütenrot, rosa, H. 5–5,5, D. 2,8–3,0. Gegen Säuren wenig beständig (*Name* von griech.: eu = gut, dialysis = Auflösung). *Eukolit* enthält mehr Ca, Nb u. SEE als Eudialyt. E. wird lokal als Rohstoff für Zirkonium verwendet.
Vork.: In *Nephelinsyeniten u. deren *Pegmatiten z.B. in Mt. St. Hilaire/Quebec u. Kipawa/Kanada, Ilimaussaq/Südgrönland, Kola-Halbinsel/Rußland[2], Norra Kärr/Schweden. – *E* eudialyte, eucolite – *F* eudialyte, eudialite – *I* eudialite – *S* eudialita
Lit.: [1]Phys. Chem. Miner. **18**, 117–125 (1991). [2]Gemmologie (Z. Dtsch. Gemmol. Ges.) **45**, Nr. 1, 25 f. (1996).
allg.: Deer et al. (2.), S. 83 f. ▪ Deer, Howie u. Zussman, Rock Forming Minerals, 2. Aufl., Bd. 1B, Disilicates and Ring Silicates, S. 348–363, Harlow (England): Longman Scientific & Technical 1986 ▪ Lapis **15**, Nr. 9, 8 ff. (1990) ▪ Ramdohr-Strunz, S. 714. – [CAS 12173-26-1]

Eudiometer. Einseitig geschlossene, gerade Röhre, die auf der Außenseite eine Einteilung nach mL trägt u. im Inneren mit einer Funkenstrecke ausgestattet ist. Das E. fand bes. früher als Gasbürette Verw. bei Dampfdichte-, Molmassen-Best. sowie Untersuchung von Volumenänderungen in Gasen bei chem. Reaktionen. – *E* eudiometer – *F* eudiomètre – *I* eudiometro – *S* eudiómetro

Eudistomine.

Eudistomin A

Eudistomin D

R^1	R^2	R^3	
H	OH	Br	E. C
Br	OH	H	E. E
H	H	Br	E. K
H	Br	H	E. L

Bromierte *Indol-Alkaloide, überwiegend β-Carboline, aus der karib. Seegurkenart *Eudistoma olivaceum* (Tunicaten) mit vielseitigen pharmakolog. Eigenschaften. Bes. hohe antivirale Aktivität besitzen E., die einen Oxathiazepin-Ring enthalten, z.B. *E. C* u. *E. E* {$C_{14}H_{16}BrN_3O_2S$, M_R 370,26, Öl, $[\alpha]_D^{25}$ –52° (E. C in CH_3OH) bzw. $[\alpha]_D^{25}$ –18° (E. E in CH_3OH)}. – *E* eudistomins – *F* eudistomines – *I* eudistomine – *S* eudistomina
Lit.: Chem. Rev. **55**, 3666 (1990) ▪ Scheuer II **1**, 103 ff. (Review) ▪ Exp. Opinion Ther. Patents **6**, 201 ff. (1996) (pharmakolog. Review). – [CAS 88704-50-1 (E. C); 88704-51-2 (E. E)]

Eu(DPM)₃. Abk. für Europium-tris-dipivaoylmethan, Europium(III)-tris-(2,2,6,6-tetramethyl-3,5-heptandionat).

$C_{33}H_{57}EuO_6$, M_R 701,78, Schmp. 188–189 °C. Die Verb. hat sich in der *NMR-Spektroskopie als sog. *Verschiebungsreagenz bewährt, ebenso wie die analog aufgebauten *Chelate mit Praseodym [*Pr(DPM)₃], Holmium u. Ytterbium.
Lit.: s. NMR-Spektroskopie u. Verschiebungsreagentien. – [CAS 15522-71-1]

EUDRAGIT®. Polymere Filmüberzüge auf Methacrylat-Basis für feste Arzneiformen. *B.:* Röhm, Darmstadt.

Eufibron®. Suppositorien mit *Propyphenazon gegen Schmerzen u. Fieber. *B.:* Berlin-Chemie.

Eufimenth® Balsam N. Balsam mit *Cineol, Fichtennadelöl u. Levomenthol gegen Erkältungskrankheiten. E. N mild Balsam enthält Eukalyptusöl u. Fichtennadelöl. *B.:* Lichtenstein.

Eu(fod)₃.

Abk. für Tris(6,6,7,7,8,8,8-heptafluor-2,2-dimethyl-3,5-octandionato)-europium(III), $C_{30}H_{30}EuF_{21}O_6$, M_R 1041,59, von ähnlichem Aufbau u. ähnlicher Funktion wie *Eu(DPM)₃; ist in Verb. mit Ag(fod) ein effektives *Verschiebungsreagenz für aromat. Verb.[1], Ammonium-Salze [2], Sulfonium- u. Isothiouronium-Salze [3], sowie als Katalysator für *Aldol-Additionen.
Lit.: [1] J. Am. Chem. Soc. **102**, 5903 (1980). [2] J. Org. Chem. **50**, 1322 (1985). [3] Anal. Chem. **59**, 562 (1987).
allg.: Chem. Lett. **29** (1992) ▪ Tetrahedron Lett. **33**, 1465 (1992) ▪ Wenzel, NMR Shift Reagents, Boca Raton: CRC Press 1987.

Eugenik (griech.: eugenes = wohlgezeugt). Von dem engl. Naturforscher Francis Galton (1822–1911) im Jahre 1883 geprägter Begriff. Ausgehend von seinen Erfahrungen in der Tierzucht u. in formaler Auslegung des Selektionsprinzips in der Entwicklungstheorie von Charles Darwin (1809–1882) verfolgte Galton mit seiner Lehre das Ziel, die Menschheit einer Veredelung u. Höherentwicklung zuzuführen. Die E. sah dabei die Aufgabe, pos. u. neg. Auslese durch Zuchtwahl bewußt u. zweckbestimmt zu regeln. Durch Vermeidung der erblichen Weitergabe von *Allelen, die Erbkrankheiten verursachen, soll hierbei eine Verschlechterung des menschlichen Erbgutes od. Gen-Pools verhindert werden. Die E. wurde bereits im 19. Jh. u. nachfolgend insbes. während der Zeit des Dritten Reiches zum Instrumentarium für die Durchsetzung inhumaner gesellschaftlicher Interessen (Sozialdarwinismus, Rassenhygiene). Bei Berücksichtigung humanist. Prinzipien ist eugen. Denken u. Handeln nicht durchweg neg. zu bewerten. Die Anw. oraler Kontrazeptiva, die Durchführung von Heterozygoten-Tests (*Lit.*[1]), die *pränatale Diagnostik u. humangenet. Familienberatung sowie künstliche homologe u. heterologe *Insemination usw. sind eugen. Maßnahmen. Durch die Möglichkeiten, die sich in Zukunft aufgrund der Fortschritte der Gentechnik sowohl auf dem Gen-diagnost. als auch auf dem therapeut. Sektor (*Gentherapie) ergeben, wird sich die Gesellschaft mit völlig neuen Fragestellungen zu beschäftigen haben, die einer sehr differenzierten u. verantwortungsvollen Behandlung bedürfen (s. a. Bioethik). – *E* eugenics, eugenetics – *F* eugénique, eugénisme – *I* eugenetica – *S* eugénesis
Lit.: [1] Hirsch-Kauffmann u. Schweiger, Biologie für Mediziner u. Naturwissenschaftler, S. 180, Stuttgart: Thieme 1996.
allg.: Hennig, Genetik, S. 704–708, Berlin: Springer 1995 ▪ Kevles, In the Name of Eugenics: Genetics and the Uses of Human Heredity, New York: Knopf 1985 ▪ Spektrum Wiss. **1996**, Nr. 7, 48–55.

Eugenol (4-Allyl-2-methoxyphenol).

$C_{10}H_{12}O_2$, M_R 164,20, farbloses Öl, Sdp. 253 °C, Schmp. –9 °C, D^{20} 1,0664, n^{20} 1,5410, unlösl. in Wasser, lösl. in Alkohol, Chloroform, Ether, Essigsäure. E. wird durch Kaliumpermanganat u. Ozon zu *Vanillin oxidiert, es bräunt u. verharzt an der Luft u. duftet nach Nelken. E. ist Hauptbestandteil des Blütenduftes von *Eugenia*- u. *Cassia*-Arten sowie zahlreicher *etherischer Öle: Nelkenöl (80%), Piment- u. Pimentblätteröl (60–90%), Bayöl (60%), Zimtrindenöl (4–10%) u. Basilikumöl; man gewinnt E. durch Ausschütteln von Nelkenöl mit 5%iger Kalilauge.
Wirkung: E. wirkt mäßig giftig bei oraler Aufnahme [LD_{50} (Maus p.o.) 3 g/kg], im Experiment wirkt es carcinogen, mutagen u. hautreizend[1].
Verw.: E. ist Ausgangsstoff für die Partialsynth. von Vanillin. Es wird zur Parfümierung von Seifen u. dgl. verwendet sowie als Anästhetikum in der Zahnheilkunde u. als Zusatz zu Zahnfüllmaterial (zusammen mit E.-ethern, E.-benzoat, E.-cinnamat, E.-acetat u. a.). E. vermag Insekten anzulocken. – *E = S* eugenol – *F* eugénol – *I* eugenolo
Lit.: [1] Sax (8.), Nr. EQR 500.
allg.: Beilstein E IV **6**, 6337 ▪ Karrer, Nr. 185 ▪ Synthesis **1983**, 701 (Synth.) ▪ Ullmann (5.) A **8**, 558. – [HS 2909 50; CAS 97-53-0]

Euglucon® N. Antidiabetikum, Tabl. mit *Glibenclamid. *B.:* Boehringer-Mannheim u. Hoechst.

Eugster, Conrad Hans (geb. 1921), Prof. für Organ. Chemie, Univ. Zürich. *Arbeitsgebiete:* Strukturaufklärung u. Synth. von Naturstoffen, insbes. Pflanzenfarbstoffen, Diterpenen, Carotinoiden, Alkaloiden, Fliegenpilz-Inhaltsstoffen.
Lit.: Kürschner (16.), S. 762.

Eukalisan. Ampullen gegen Leberparenchymerkrankungen; enthalten den *Vitamin B_{12}-Cyanokomplex, *Nicotinsäureamid, das Natriumsalz des Rutinschwefelsäureesters u. *Procain-Hydrochlorid. *B.:* Steigerwald.

Eukanol®. Präp. für die Lederzurichtung mit E.-Farben (wäss. Zubereitungen von anorgan. u. organ. Pigmenten) zusammen mit E.-Bindern (wäss. Bindemittelemulsionen auf Butadien- od. Acrylat-Basis). *B.:* Bayer.

Eukarya. Die von Woese et al.[1] vorgeschlagene oberste Kategorie (Taxon) einer neuen, auf mol. Kriterien (Sequenzdaten) gegründeten Systematik der Lebewesen, die *Domäne (regio)*, soll sich in *Archaea, Bacteria (*Eubakterien) u. E. (*Eukaryonten) aufteilen u. über dem bisherigen obersten Taxon, dem Reich (regnum), angesiedelt sein. Die Vertreter der beiden erstgenannten Domänen werden nach zellbiolog. bzw. entwicklungsgeschichtlichen[2] Kriterien als *Prokaryonten bzw. Prokarya zusammengefaßt. – *E* eucarya, eukarya – *F* = *I* = *S* eucarya
Lit.: [1] Proc. Natl. Acad. Sci. USA **87**, 4576 ff. (1990). [2] Proc. Natl. Acad. Sci. USA **93**, 1071–1076 (1996).

Eukaryonten, eukaryontisch. Als E. bezeichnet man im Gegensatz zu den *Prokaryonten diejenigen *Zellen bzw. Organismen, die einen vom *Cytoplasma wohl abgegrenzten Zellkern (Name von griech.: eu = wohl u. karyon = Nuß, Kern) mit echten, lichtmikroskop. sichtbaren *Chromosomen besitzen. Die für e. Zellen ebenfalls charakterist. *Mitochondrien u. ggf. *Plastiden (*Chloroplasten u. ä.) sind nach einer weithin anerkannten Theorie ins Zellinnere der E. eingewanderte u. im Laufe der Entwicklungsgeschichte degenerierte Prokaryonten (*Endosymbionten*). Stoffwechsel, genet. Syst. u. deren Regulation sind bei E. um etliches komplexer als bei Prokaryonten. Zu den E. zählen neben Tieren u. Pflanzen auch Flagellaten (Geißeltierchen), nicht jedoch Bakterien u. Blaualgen. Mit vergleichenden mol. Meth. (*Sequenzanalyse) findet man eine deutliche Aufteilung der Prokaryonten in *Archaea u. *Eubakterien, weshalb als höchste systemat. Taxa der Lebewesen die Domänen Archaea, Bacteria u. *Eukarya vorgeschlagen wurden. Nach neuerer Theorie entstanden die e. Zelle u. ihr Genom durch Verschmelzen eines Eu- u. Archaebakteriums[1]. – *E* eukaryotes (eucaryotes), eukaryotic (eucaryotic) – *F* eucaryotes, eucaryotique – *I* eucarioti, eucariotico – *S* eucariotas, eucariótico
Lit.: [1] Trends Biochem. Sci. **21**, 166–171 (1996).
allg.: Spektrum Wiss. **1996**, Nr. 6, 60–68.

Euklas, AlBe[OH/SiO$_4$]. Seltenes, als Edelstein verschliffenes, glasglänzendes Mineral, nur als meist langsäulige, durchsichtige bis durchscheinende, flächenreiche monokline Krist., Kristallklasse 2/m-C$_{2h}$, Struktur s. *Lit.*[1]. Farblos, blaß meergrün bis hellblau. H. 7,5, D. 3,1. Sehr vollkommen spaltbar (griech.: eu = gut u. klasis = spalten).
Vork.: Als Zersetzungsprodukt von *Beryll, in Hohlräumen in *Graniten u. Granit-*Pegmatiten (z. B. Epprechtstein/Fichtelgebirge) u. auf alpinen Klüften, z. B. Schweiz[1]. E. von Edelstein-Qualität im Ural/Rußland, in Minas Gerais/Brasilien, Zaire, Tansania u. Simbabwe/Afrika. – *E* = *F* = *I* euclase – *S* euclasa
Lit.: [1] Schweiz. Mineral. Petrogr. Mitt. **72**, 159–165 (1992).
allg.: Anthony et al., Handbook of Mineralogy, Bd. II, Tl. 1, S. 227, Tucson (Arizona): Mineral Data Publishing 1995 ▪ Eppler, Praktische Gemmologie (5.), S. 397 ff., Stuttgart: Rühle-Diebener 1994 ▪ Ramdohr-Strunz, S. 672. – [*CAS 1318-51-0*]

Eukolit s. Eudialyt.

Eukolloide s. Kolloidchemie.

Eukrite s. Meteoriten.

Eukryptit s. Lithiumaluminiumsilicat.

Eulan®. Schutzmittel für Wolle auf der Basis aromat. Sulfonamide u. Sulfanilide gegen Fraßschäden durch Larven von Motten, Teppich- u. Pelzkäfern. *B.:* Bayer.

Eulatin®. Suppositorien mit *Lidocain u. bas. Bismutgallat gegen Hämorrhoiden u. Mastdarmentzündungen, Salbe mit Hamamelisextrakt, bas. Bismutgallat u. *Benzocain. *B.:* Lichtwer Pharma GmbH.

von Euler, Ulf Svante (1905–1983), Sohn von von *Euler-Chelpin, Prof. für Physiologie, Karolinska Inst., Stockholm. *Arbeitsgebiete:* Neurophysiologie, Nervenreizleitung, Rolle von Noradrenalin als Neurotransmitter, Entdeckung der Prostaglandine. Nobelpreis 1970 für Physiologie od. Medizin (zusammen mit *Axelrod u. *Katz).
Lit.: von Euler, in: The Excitement and Fascination of Science, Bd. 2, S. 675 ff., Palo Alto: Ann. Rev. 1978 ▪ Neufeldt, S. 142, 181, 376 ▪ Nobel Prize Lectures, Physiology or Medicine 1963–1970, Amsterdam: Elsevier 1972 ▪ Pötsch, S. 141.

von Euler-Chelpin, Hans Karl August Simon (1873–1964), Vater von U. S. von *Euler, Prof. für Chemie, Stockholm. *Arbeitsgebiete:* Carotine als Provitamine A, Codehydrasen u. a. Enzyme, alkohol. Gärung, Chemie der Hefen, Phosphorylierungen, Reduktone, Kunststoffe, Biochemie der Tumoren usw. Nobelpreis für Chemie 1929 (zusammen mit *Harden).
Lit.: Chem. Labor Betr. **16**, 98–102 (1965) ▪ Chem.-Ztg. **88**, 933 ff. (1964) ▪ Nachmansohn, Die große Ära der Wissenschaft in Deutschland 1900–1933, S. 255, 312 f., Stuttgart: Wiss. Verlagsges. 1988 ▪ Nachr. Chem. Tech. **11**, 452 (1963) ▪ Naturwissenschaften **52**, 97 ff. (1965) ▪ Pötsch, S. 141.

Eulysin®. PH-Wert-Regulatoren beim Färben von Wolle, Seide u. Synthesefasern. *B.:* BASF.

Eulytin (Wismutblende, Kieselwismut), Bi$_4$[SiO$_4$]$_3$. Kleine aufgewachsene Tetraeder u. radialstrahlige, kugelige Aggregate mit braunen, rötlich-braunen, grauen u. weiß-gelben Farben; krist. kub., Kristallklasse $\bar{4}$3m-T$_d$, Kristallstruktur s. *Lit.*[1]. H. 4,5, D. 6,6–6,76. Von Säuren leicht zersetzt (griech.: eulytos = leicht zu lösen, leicht schmelzbar).
Vork.: Auf Wismut-Lagerstätten des sächs. Erzgebirges, z. B. Schneeberg, Johanngeorgenstadt, ferner in Quebec/Kanada u. Dognecea/Rumänien. – *E* eulytine, eulytite – *F* = *I* eulytite – *S* eulitita
Lit.: [1] Z. Kristallogr. Kristallgeom. Kristallphys. Kristallchem. **123**, 73–76 (1966).
allg.: Anthony et al., Handbook of Mineralogy, Bd. II, Tl. 1, S. 231, Tucson (Arizona): Mineral Data Publishing 1995 ▪ Ramdohr-Strunz, S. 671. – [*HS 261790; CAS 14708-87-3*]

Eu-Med®. Schmerztabl. mit *Phenazon. *B.:* Zyma.

Eumulgin®. Nichtion. Emulgator für die Emulsionspolymerisation; Emulgatoren für Salben, Cremes, Emulsionen, Gele, Kaltwellpräp., Badeöle, Handwaschzubereitungen; Spreitmittel u. Solubilisatoren für ether. Öle in Badepräparaten. *B.:* Henkel.

Eunerpan®. Dragees, Saft u. Ampullen mit *Melperon-Hydrochlorid gegen Unruhe u. Verwirrtheitszustände. *B.:* Knoll.

Eunova®. Dragees, Brausetabl. u. Kapseln mit *Vitaminen u. Mineralstoffen gegen Mangelzustände. *B.:* Fink GmbH.

Euosmophore s. Riechstoffe.

Euparal. Gemisch von Paraldehyd, Eucalyptol, Camsal u. Sandarak als Einbettungsmittel für die Mikroskopie.

Euparen®. Fungizides Spritzmittel auf der Basis von Dichlofluanid bzw. Tolylfluanid (E. M) zur Anw. an Beerenfrüchten, Gemüse, Rosen u. Wein. *B.:* Bayer.

EUPERGIT®. Polymer-Träger auf Methacrylat-Basis für biotechnolog. Anwendungen. *B.:* Röhm, Darmstadt.

Euperlan®. Perlglanzkonzentrate in flüssiger u. pastöser Form für kosmet. Tensid-Zubereitungen, wie Shampoos, Dusch- u. Schaumbäder; z. B. Ethylenglykoldistearat. *B.:* Henkel.

Euphorbium comp Spray®. Dosierspray mit Euphorbium D4, Pulsatilla D2, Luffa operculata D2, Mercurium biiodatum D8, Mucosa nasalis suis D8, Hepar sulfuris D10, Argentum nitricum D10, Sinusitis nosode D13 gegen Rhinitis. *B.:* Heel.

Euphorie (griech.: euphoria = leichtes Tragen). Bez. für gehobene Stimmung, die sich beim Gesunden als Heiterkeit u. gesteigertes Lebensgefühl äußert. Bei krankhaften Zuständen wie Demenz od. man. Verstimmung bezeichnet man als E. eine unmotivierte bzw. unangemessene Fröhlichkeit. Auch durch Drogen (*Betäubungsmittel u. *Rauschgift, Alkohol) kann eine E. herbeigeführt werden. – *E* euphoria – *F* euphorie – *I* = *S* euforia

Euphyllin®. Ampullen, Suppositorien, Film- u. Brausetabl., mit *Theophyllin, E. CR Kapseln zusätzlich mit *Ethylendiamin gegen schwere Atemwegserkrankungen. *B.:* Byk Gulden.

Euphylong®. Kapseln mit *Theophyllin gegen Atemnot u. Atemregulationsstörungen. *B.:* Byk Gulden.

Eupyrion-Feuerzeug s. Zündhölzer.

EURAM. EG-Forschungsförderungsprogramm auf dem Gebiet fortgeschrittener Werkstoffe (*E* advanced materials), das gemeinsam mit dem F+E-Programm *BRITE der EG abgewickelt wird.
Lit.: Amtsblatt der EG L 222 vom 26. 8. 1994, S. 19–34.

Euratom. Abk. für die 1957 gegr. European Atomic Energy Community, eine seit 1967 mit der Kommission der EG verbundene Organisation mit Verwaltungssitz in 200, Rue de la Loi, B-1049 Bruxelles. Mitglieder seit 1957: Belgien, BRD, Frankreich, Italien, Luxemburg, Niederlande; seit 1973: Dänemark, Großbritannien, Irland; seit 1980: Griechenland, Spanien u. Portugal. Aufgabe: Hebung des Lebensstandards durch friedliche Nutzung der Atomenergie, Förderung u. Koordinierung von Forschung u. Anwendungstechnik durch Abschluß von Forschungsverträgen mit Inst. u. Firmen, Forschung in gemeinschaftseigenen Inst. u. Anlagen (gemeinsame Kernforschungsstelle *GFS), Zusammenarbeit mit anderen Atomenergiebehörden, Dokumentation u. Information auf dem Kernforschungsgebiet, Sicherstellung der Versorgung der Gemeinschaft mit Kernbrennstoffen.

EurChem. Abk. für *European Chemist.

EUREKA. Abk. für European Research Coordination Agency. EUREKA ist eine europ. Forschungsinitiative, an der 24 Staaten u. die Kommission der EG beteiligt sind. EUREKA ist der Rahmen für eine verstärkte, technolog. Zusammenarbeit dieser Staaten zu zivilen Zwecken auf dem Gebiet der Hochtechnologien. Damit soll die Produktivität u. Wettbewerbsfähigkeit der Ind. u. Volkswirtschaften Europas auf dem Weltmarkt gesteigert werden. Projekte sollen sich auf Produkte, Verf. u. Dienstleistungen folgender Bereiche beziehen: Informations- u. Kommunikationstechnologie, Materialforschung, Fertigungstechnik, Medizin- u. Biotechnologie, Laserentwicklung u. -anw. sowie Techniken für Umweltschutz, Transport u. Verkehr. Die Initiative für EUREKA-Projekte geht von den Unternehmen u. Forschungseinrichtungen aus; es gibt kein Programm u. kein zentrales Budget. Die Projekte werden auf den seit 1985 stattfindenden EUREKA-Minister-Konferenzen notifiziert, über die nat. Koordinationsstellen (*BMBF, Referat 124) abgewickelt u. von den Regierungen der teilnehmenden Staaten finanziell unterstützt. Z. Z. (1996) gibt es über 1000 Projekte, von denen 327 abgeschlossen sind, mit Gesamtkosten von 22 Mrd. DM. Der dtsch. Anteil der ca. 350 Projekte mit dtsch. Beteiligung beträgt 6,1 Mrd. DM, der vom BMBF geförderte 1,26 Mrd. DM. *Publikationen:* EUREKA-News, Fortschrittsberichte.

Eurisotop. Informations- u. Förderungsbüro für die Isotopen- u. Strahlen-Anw. in Ind. u. Technik, 200 Rue de la Loi, B-1049 Bruxelles. Der Informations- u. Beratungsdienst steht interessierten Personen in den Euratom-Ländern zur Verfügung.

EUROBALL s. Gammastrahlen.

Eurochemic. Abk. für Europäische Gesellschaft für die chemische Aufarbeitung bestrahlter Kernbrennstoffe, ein von 12 OECD-Staaten 1957 gegr. Gemeinschaftsunternehmen in B-2400 Mol.

Eurolan®. Marke für ein Sortiment von Bautenschutzmitteln, z. B. Reaktionsharze, Injektionsharze, Bitumenanstriche, Anstriche u. Anstrichsysteme. *B.:* Deitermann.

Europäische Föderation Biotechnologie (EFB). Vereinigung von europ. Fachverbänden, die auf dem Gebiet der *Biotechnologie tätig sind. Die EFB wurde anläßlich des ersten Europ. Kongresses für Biotechnologie am 25. 9. 1978 in Interlaken gegründet. 1996 gehören ihr 81 Mitgliedsvereine aus 27 europ. Ländern u. 5 korrespondierende Vereine (aus Australien, Indien, Israel, Japan, USA) an. Vertreten sind die Fachrichtungen Biotechnologie, Biologie (Mikrobiologie, Zellbiologie, Gentechnik), (Bio-)Chemie, Ingenieurwesen sowie multidisziplinäre u. anwendungsorientierte Bereiche (wie Nahrungsmittel, Umwelt, Landwirtschaft). Die 8 dtsch. Fachvereine sind in der *Arbeitsgemeinschaft Biotechnologie* (c/o *DECHEMA, Postfach 15 01 04, 60061 Frankfurt/Main) zusammengefaßt u. koordinieren die Entsendung ihrer Delegierten.

Ziele u. Arbeitsergebnisse: Die EFB will die interdisziplinäre wissenschaftliche Zusammenarbeit in Europa fördern, um die Biotechnologie weiter zu ent-

wickeln u. in industriellen Prozessen u. Dienstleistungen anzuwenden. Dazu organisiert sie seit ihrer Gründung den Europ. Kongreß für Biotechnologie (ECB), der alle zwei bis drei Jahre stattfindet u. zu den größten Kongressen auf dem Fachgebiet gehört. Die Hauptaktivitäten sind in den Arbeitsgruppen (Working Parties) zusammengefaßt, in die jedes Land über die Fachverbände bis zu zwei Mitglieder entsenden kann. Die Arbeitsgruppen tagen ein- bis zweimal jährlich, veranstalten europ. Symposien, geben Studien u. Empfehlungen heraus (zum Beisp. zur Sicherheit in der Biotechnologie, zur Ausbildung, zur Charakterisierung u. Standardisierung von Bioreaktoren, zur Anw. der Gentechnik, Vorschläge für internat. Forschungs- u. Entwicklungsprogramme) u. organisieren den Austausch von Wissenschaftlern in Europa.
1996 sind 10 Arbeitsgruppen u. 1 Task Group der EFB tätig: Technik biolog. Prozesse; Angewandte Biokatalyse; Ausbildung in der Biotechnologie; Angewandte Molekulare Genetik; Technologie der Zellkulturen; Sicherheit in der Biotechnologie; Umweltbiotechnologie; Aufarbeitung von Bioprodukten; Mikrobielle Physiologie; Meß- u. Regeltechnik. Task Group: Öffentliche Akzeptanz der Biotechnologie. Z. Z. plant die EFB die Einrichtung von Sektionen mit persönlichen Mitgliedschaften für die Bereiche Bioverfahrenstechnik, Umweltbiologie, Landwirtschaftliche u. Medizinische Biotechnologie. Die Sektionen sollen allen interessierten Experten in Europa offenstehen. Die Aktivitäten der EFB reichen bis in wirtschaftliche u. gesellschaftspolit. Bereiche hinein: Sie pflegt gute Kontakte zur Kommission der EU sowie zu internat. Vereinigungen wie der COBIOTECH, der ECBA, der *ESF, der IOBB u. der IUPAC. Seit 1980 gibt die EFB einen Newsletter mit Berichten über die Tätigkeit der Arbeitsgruppen, Nachrichten über neue Entwicklungen u. Veranstaltungskalender heraus.
Organisation der Föderation: Jede Fachgesellschaft entsendet einen Repräsentaten in die Vollversammlung. Die Vollversammlung diskutiert die fachliche Zusammenarbeit, wählt das Direktionskomitee sowie den Wissenschaftlichen Beirat u. beschließt über wesentliche Projekte. Der *Wissenschaftliche Beirat* besteht aus 12 Mitgliedern u. einem ständigen Gast der EU. Er befaßt sich mit wissenschaftlichen u. techn. Fachfragen. Das *Direktionskomitee* besteht aus 8 Mitgliedern u. ist für organisator., finanzielle u. fachpolit. Fragen zuständig. Das *Generalsekretariat* ist aus Gründen der Ausgewogenheit auf drei Büros verteilt (DECHEMA, Frankfurt; Society of Chemical Industry, London; Société de Chimie Industrielle, Paris). Die Finanzierung der Arbeiten der EFB erfolgt über die Mitgliedsgesellschaften.
Lit.: BTF-Biotech-Forum **1988**, Nr. 5 ▪ EFB Newsletter, publiziert vierteljährlich, London: Macmillan Magazines.

Europäische Föderation für Chemie-Ingenieur-Wesen. Eine 1953 gegr. Gemeinschaft, der 1994 73 techn.-wissenschaftliche Vereine, die auf dem Gebiet des Chemie-Ingenieur-Wesens tätig sind, auf freiwilliger Grundlage angehörten. Das Büro des Generalsekretariats befindet sich bei der *DECHEMA. – *E* European Federation of Chemical Engineering – *F* Fédération Européenne de Génie Chimique – *I* federazione europea per ingegneria chimica – *S* Federación Europea de Ingeniería Química
Lit.: ACHEMA-Jahrb. **1994**, Bd. 1, A 8 – A 28.

Europäische Freihandelsassoziation s. EFTA.

Europäischer Abfallkatalog s. Abfallkatalog.

Europäisches Arzneibuch. Grundlage für das im Auftrag des Europarates erarbeitete E. A. = Pharmacopoea Europaea (Ph. Eur., in diesem Werk EuAB abgekürzt) ist ein 1964 getroffenes Abkommen, schrittweise ein E. A. zu schaffen. Die erste Fassung erschien ab 1969 in engl. u. französ. Sprache (3. Bd.). Nachdem die BRD dem Abkommen mit dem Gesetz vom 4. 7. 1973 zustimmte, erschien 1974 der erste Bd. als amtliche dtsch. Ausgabe. Die Weiterentwicklung des EuAB erfolgt durch die Europäische Arzneibuchkommission. Die Bd. 1 – 10 sowie der Reagenzien-Bd. (1986) und der 2. Ausgabe des EuAB wurden vollständig in das *Deutsche Arzneibuch, 9. Ausgabe, übernommen. Damit sind europ. u. nat. Vorschriften verschmolzen.
Lit.: s. Deutsches Arzneibuch.

Europäisches Patentamt (EPA). Das EPA ist eine zwischenstaatliche Organisation mit Sitz in 80331 München, Erhardstr. 27, einer Zweigstelle in Den Haag u. Dienststellen in Berlin u. Wien. Es wurde auf der Grundlage des am 5. 10. 1973 in München unterzeichneten u. am 7. 10. 1977 in Kraft getretenen Europäischen Patentübereinkommens (EPÜ) errichtet. Mit den 15 Mitgliedsstaaten der EU sowie Liechtenstein, Monaco u. der Schweiz gehören dem Amt 18 Staaten an. Aufgabe des EPA ist es, europ. Patente zu erteilen, die in allen Mitgliedsstaaten gültig sind. Ein europ. Patent hat dieselbe Rechtskraft wie ein nat. Patent in den einzelnen Mitgliedsstaaten u. ist für Anmelder, die für ihre Erfindungen in mehr als drei europ. Ländern Schutz begehren, wesentlich kostengünstiger. Die Anzahl der europ. Patentanmeldungen betrug 1995 78 300, der Jahreshaushalt belief sich auf 1,1 Mrd. DM. Der Personalbestand lag 1996 bei 3800 Mitarbeitern. Das Europ. Patentübereinkommen ist mit dem Vertrag über die internat. Zusammenarbeit auf dem Gebiet des Patentwesens verknüpft, der in 40 Ländern ein einheitliches, vereinfachtes Patentanmeldeverf. bietet. Europ. Patente können auch auf solche internat. Anmeldungen erteilt werden. Mit den Datenbanken EPIDOS INPADOC PRS u. PFS bietet das EPA die umfangreichsten Patent-Datenbanken der Welt an. – INTERNET-Adresse: http://www.epo.co.at/epo

Europäisches Umweltschutzbüro (EEB). 1974 schlossen sich ca. 70 Umwelt- u. Naturschutzorganisationen der EG-Mitgliedsstaaten zum EEB mit Sitz in 26, Rue de la Victoire, B-1060 Brüssel zusammen. Das EEB fördert die Zusammenarbeit seiner Mitgliedsgruppen u. vertritt ihre Position gegenüber den EG-Gremien.

Europäische Union (EU). Von den EG-Staaten auf dem Gipfel von Maastricht 1991 beschlossene Union. Sie ersetzt begrifflich „Europäische Gemeinschaft" als Bez. für den Zusammenschluß europ. Staaten zu einem supranationalen Gebilde. Mit dem Vertrag von Maastricht wurde den Verträgen aus den 50er Jahren ein Unionsvertrag hinzugefügt, in dem Bestimmungen zu einer gemeinsamen Außen- u. Sicherheitspolitik, Zusammenarbeit in den Bereichen Justiz u. Inneres sowie die Gründung einer nicht näher definierten Europäischen Union enthalten sind. Die *EG ist zentraler Bestandteil der EU u. umfaßt die Europäische Wirtschaftsgemeinschaft, Montanunion u. Euratom.

Europäische Weltraumorganisation (Abk. von *E* für *European Space Agency*: ESA). Die 1975 als Nachfolgeorganisation der ESRO (European Space Research Organization) u. der ELDO (European Launcher Development Organization) gegr. ESA hat ihren Sitz in F-75738 Paris, Cedex 15, 8–10, Rue Mario-Nikis. Ihr gehören 14 europ. Mitgliedsstaaten an; mit weiteren Ländern wird kooperiert. ESA fördert durch ein europ. Langzeit-Weltraumprogramm die Zusammenarbeit der europ. Staaten in der Weltraumforschung u. -technologie. Dazu gehören Satellitenprogramme für wissenschaftliche Zwecke, Kommunikation u. Erdbeobachtung sowie bemannte Syst. (Spacelab, Columbus) u. Weltraum-Transportsyst. (Ariane, Hermes). Neben dem Hauptquartier in Paris unterhält die ESA mit insgesamt ca. 2100 Mitarbeitern (1994) Forschungszentren in Noordwijk (ESTEC), Darmstadt (ESOC), Köln (EAC) u. Frascati (ESRIN). *Publikationen:* Annual Reports, ESA Bulletin (vierteljährlich), ESA Newsletters, ESA Brochures, ESA Special Publications. – INTERNET-Adresse: http://www.esrin.esa.it

European Chemical Society (ECS). Die ECS wurde als gemeinnützige, internat. Ges. auf Initiative junger Chemiker aus Europa am 26.11.1994 in Gent (Belgien) gegründet. Die ECS mit einem Sekretariat im Dept. of Chemistry, Université Catholique de Louvain, Place Louis Pasteur 2, B-1348 Louvain-la-Neuve, hat derzeit über 500 Mitglieder. Die ECS versteht sich v. a. als Servicegesellschaft. So sollen europaweit Stellenangebote u. Stellengesuche mittels Internet publiziert, Fachzeitschriften für Mitglieder angeboten u. wissenschaftliche Tagungen unter Berücksichtigung der Interessen jüngerer Wissenschaftler durchgeführt werden. Die ECS, die eine Gründung „von der Basis" her ist, will die europ. Chemie fördern u. die Interessen der europ. Chemiker gegenüber der EU einheitlich vertreten. *Publikationen*: European Chemistry Chronicle. – INTERNET-Adresse: http://ecs.tu-bs.de/ecs
Lit.: Nachr. Chem. Tech. Lab. **43**, 311, 1242 f. (1995).

European Chemist (EurChem). Der Titel des Eur-Chem wird seit 1992 vom European Chemist Registration Board (ECRB) vergeben u. bescheinigt dem Inhaber einen europaweit festgelegten u. vergleichbaren Standard an beruflicher Qualifikation. Voraussetzung ist eine abgeschlossene Hochschulausbildung einer chem. Fachrichtung u. mehrjährige Berufserfahrung. Ziel ist die Erleichterung von Bewerbungen im europ. Ausland u. Förderung der Mobilität der Chemiker. In der BRD sind Anträge zu richten an die *GDCh. – INTERNET-Adresse: http://www.gdch.de/eurchem/eurindex.htm
Lit.: Nachr. Chem. Tech. Lab. **41**, 53 (1993).

European Communities Chemistry Committee s. ECCE.

European Cooperation in the Field of Scientific and Technical Research s. COST.

European Federation of Chemical and General Workers Unions s. EFCGU.

European Federation of Chemical Trade (FECC). Der 1960 gegr. Europäische Verband des Chemiehandels mit Sitz in Square Marie-Louise 49, B-1040 Brüssel, vertritt die Interessen der europ. Chemikalien-Distributeure u. -Trader. Mitglieder: Nat. Organisationen aus 14 Ländern (1996). *Publikationen:* FECC Newsletters (monatlich), Informationsschriften (jährlich).

European Industrial Research Management Association s. EIRMA.

European Inventory of Existing Commercial Chemical Substances s. EINECS.

European Scientific Foundation s. ESF.

Europia s. Europium-Verbindungen.

Europium. Von Demarçay entdecktes metall. Element, das zu den *Seltenerdmetallen gehört (*Lanthanoid). Chem. Symbol Eu, M_R 151,96, Ordnungszahl 63. Eu besteht zu 47,82% aus dem Isotop 151 u. zu 52,18% aus dem Isotop 153; es sind über 20 künstliche Isotope mit HWZ 58 µs – 16 a bekannt. Eu ist ein Eisen-graues schmiedbares Metall, D. 5,26, Schmp. 826 °C, Sdp. 1439 °C. Die Bunsenflamme wird durch Eu prächtig rot gefärbt.

Vork.: Eu ist in den Monazitsanden nur zu etwa 0,002% enthalten; sein Anteil an den obersten 16 km der festen Erdkruste beträgt wahrscheinlich nur wenig mehr als ein Millionstel. Damit ist Eu außer dem in der Erdrinde prakt. nicht ($<10^{-9}$%) anzutreffenden Promethium das seltenste Metall unter den *Lanthanoiden, doch kommt es in der Erdkruste immer noch häufiger vor als z.B. I, Ag, Pt, Au, He usw. Im Kosmos soll es in ungewöhnlich großen Mengen in den sog. Europiumsternen auftreten, in deren Spektren die Linien des Eu bes. stark hervortreten.

Herst.: Aus *Monazit od. *Bastnäsit, Abtrennung anderer Seltenerdmetalle durch Lsm.-Extraktion u. Ionenaustausch u. nachfolgende Red. mit Hilfe von Lanthan.

Verw.: Reines Eu (bzw. Eu_2O_3) wird verwendet in Spezialleuchtstoffen in Röhren von Farbfernsehgeräten u., dank seinem außergewöhnlich hohen Neutroneneinfangquerschnitt, in Kernreaktoren. Einige Chelate des Eu (s. Europium-Verbindungen) haben in der NMR-Spektroskopie Bedeutung erlangt. – *E* = *F* europium – *I* = *S* europio

Lit.: Brauer (3.) **2**, 1091 ff. ▪ s. a. Seltenerdmetalle. – [HS 2805 30; CAS 7440-53-1]

Europium-Verbindungen. Von *Europium leiten sich die häufigeren, weil beständigeren, gelb bis rot gefärbten Eu(III)-Verb. u. farblose Eu(II)-Verb. ab; bes. techn. Bedeutung hat seit einiger Zeit Eu_2O_3 (*Europia*, rosa Krist., D. 7,42) erlangt, das zusammen mit Yttriumoxid od. -vanadat als Rot-Phosphor in Fernsehröhren sowie in Steuerorganen für Kernreaktoren verwendet wird. In der NMR-Spektroskopie haben Chelat-Verb. des Eu(III) wie *Eu(DPM)₃ u. *Eu(fod)₃ als sog. *Verschiebungsreagentien Eingang gefunden. – *E* europium compounds – *F* composés d'europium – *I* composti di europio – *S* compuestos de europio – *[HS 2846 90]*

EUROPLEX®. Hochleistungskunststoffe in Form von extrudierten Folien aus PC u. Platten aus PSU, PPSU sowie Platten aus PC mit elektr. leitfähigen Oberflächen. *B.:* Röhm, Darmstadt.

Eury- (in Zusammensetzungen). Von griech.: eurys = breit hergeleitete Bez. für die Fähigkeit von Organismen, große Schwankungen lebenswichtiger *Ökofaktoren zu ertragen; solche Organismen nennt man generell eurypotent, euryvalent, euryplast., euryök. od. euryözisch.

Eurytraphent s. Eutrophierung.

Eusaprim®. Tabl. u. Suspension mit *Cotrimoxazol gegen Infektionen insbes. der Atemwege. *B.:* Glaxo Wellcome.

Eusin®. Organ. Pigmente von bes. Klarheit u. Brillanz für die Lederzurichtung. *B.:* Bayer.

Eusolex®. Sortiment von verschiedenen UV-A- bzw. UV-A+B- u. UV-B-Filtern für Kosmetika u. Dermatika. Das Sortiment besteht aus Fett-, Wasser- od. Alkohollösl. UV-Filtern hoher Effizienz. In allen denkbaren kosmet. bzw. dermatolog. Fertigformulierungen vermitteln die Filter allein od. in Kombination in den Präp. eine ausgeprägte Schutzwirkung, die sich in hohen Lichtschutzfaktoren niederschlägt. Folgende Produkte sind unter dieser Marke zusammengefaßt: *Eusolex 6300 öllösl.:* 3-(4-Methylbenzyliden)-campher, Schmp. 66–68 °C, UV-B-Filter mit Absorption zwischen 285–320 nm, weißes Pulver, gut lösl. in allen Fettstoffen, begrenzt lösl. in Alkohol. LD_{50} (Ratte oral) 5 g/kg. *Eusolex 6007 öllösl.:* p-Dimethylaminobenzoesäureisooctylester, D. 0,9952, UV-B-Filter mit Absorption zwischen 290–320 nm, schwach gelbliche Flüssigkeit, gut lösl. in allen Fetten, begrenzt lösl. in Alkohol. LD_{50} (Ratte oral) 14,9 g/kg. *Eusolex 232 wasserlösl.:* Chem. 2-Phenylbenzimidazol-5-sulfonsäure, M_R 274,30, ist wasserlösl. UV-B-Filter mit Absorption zwischen 285–320 nm. Als Natrium-Triethanolamin bzw. Tris(hydroxymethyl)aminomethan-Salze sehr gut in Wasser löslich. *Eusolex 8020, öllösl.:* Chem. 4-Isopropyl-dibenzoemethan, UV-A-Absorber mit ausgeprägten Absorptionseigenschaften im Bereich zwischen 310 u. 360 nm, gelbliches Pulver. Gut lösl. in allen Fettstoffen, lösl. in Alkohol. LD_{50} (Ratte oral) 6 g/kg. *Eusolex 8021 öllösl.:* Gemisch aus 4-Isopropyl-dibenzoemethan u. 3-(4-Methylbenzyliden)-campher im Verhältnis 6:4. UV-A/UV-B-Absorber mit starker Adsorption im Bereich zwischen 290 u. 360 nm. Leichtes gelbliches Öl. FP. 22–23 °C, gut lösl. in allen Fettstoffen, lösl. in Alkohol. *Eusolex 4360 öllösl.:* Chem. 2-Hydroxy-4-methoxybenzophenon, UV-A/UV-B-Absorber mit Absorption im Bereich zwischen 280 u. 340 nm, grünlich gelbes Pulver, lösl. in Fetten u. Alkohol. LD_{50} (Ratte oral) 12,8 g/kg. *B.:* Merck.

Eusovit®. Kapseln mit *Vitamin E gegen entsprechende Mangelzustände. *B.:* Strathmann.

Euspirax®. Tabl. mit Cholintheophyllinat, auch zusammen mit Guaifenesin (E. comp.), gegen Bronchitiden u. Asthma. *B.:* Asche.

Eutanol®. Guerbet-Alkohole als universell einsetzbare Ölkomponenten für Cremes, Emulsionen, Deodorantien u. Antiperspirantien, pharmazeut. Emulsionen u. dekorative Kosmetika. *B.:* Henkel.

Eutektikum (von griech.: eutektos = leicht schmelzbar). Bei *binären Systemen versteht man unter E. ein in ganz bestimmter Zusammensetzung vorliegendes Gemenge – das *eutektische Gemisch* – zweier Substanzen, die in festem Zustand nicht, in flüssigem dagegen völlig miteinander mischbar sind; *Beisp.:* Ammoniumchlorid (in Abb. 1 als „Salmiak") u. Wasser. Auf der Abszisse ist der Gehalt an NH_4Cl, auf der Ordinate die Temp. eingetragen. Eine 10%ige NH_4Cl-Lsg. ist bei 18 °C flüssig; sie enthält keine Krist. u. liegt im Bereich des weißen Feldes (bei x). Läßt man nun die Temp. auf etwa –5 °C (bei y) sinken, so setzt die Ausscheidung von Eis-Krist. ein. Diese schreitet bei weiterer Abkühlung entlang der sog. *Liquidus-Kurve* (A–y–B) unter Konzentrierung der Lsg. so lange fort, bis Eis u. Ammoniumchlorid im eutekt. Mischungsverhältnis 100:23,9 vorliegen: Das E. enthält also 19,3% NH_4Cl u. erstarrt bei –15 °C. Dieser ausgezeichnete Punkt – der niedrigstmögliche Schmp. eines ein E. bildenden Zweistoffsyst. – heißt *eutektischer Punkt*. Bei ihm allein stehen Schmelze (bzw. Lsg.), die sie bildenden Komponenten als Feststoffe u. die Gasphase miteinander im Gleichgew.; der eutekt. Punkt ist demnach ein sog. *Quadrupelpunkt*, s. a. Phasengesetz. Im bes. Fall der wäss. Salz-Lsg. spricht man statt vom eutekt. auch vom *kryohydratischen Punkt* u. nennt das E. ein *Kryohydrat*. Kühlt man weiter ab, so erstarrt das eutekt. Gemisch als einheitliche Masse. Geht man andererseits von einer konz. NH_4Cl-Lsg. (etwa 25%ig) bei 20 °C aus, so hat man es zunächst wieder mit einer einfachen, echten Lsg. zu tun; der Punkt n liegt im weißen Feld. Senkt man nun die Temp., so scheiden sich von etwa 10 °C an NH_4Cl-Krist. aus, da sonst die Lsg. für die betreffende Temp. übersättigt wäre. Bei weiterer Temp.-Senkung wandert die Zusammensetzung der Lsg. entlang der Liquidus-Kurve m-B, bis sich schließlich bei –15 °C (Punkt B) so viel NH_4Cl ausgeschieden hat, daß das E. mit 19,3% NH_4Cl erreicht ist. Von da ab erstarrt das Gemisch bei weiterer Abkühlung einheitlich; es gefrieren Lsm. u. Gelöstes gleichzeitig, u. bei genauer Untersuchung kann man Eis-Krist. u. Salmiak-Krist. nebeneinander feststellen.

Die gleiche Betrachtungsweise kann man auch auf heiße Schmelzen von zwei vollständig miteinander mischbaren Stoffen anwenden, die bei 20 °C im festen Aggregatzustand vorliegen (s. Abb. 2). Reines Zink schmilzt bei 419 °C, reines Cadmium bei 321 °C. Eine Leg. von z. B. 30% Cd u. 70% Zn liegt bei 450 °C im Bereich des weißen Feldes (s. x in Abb. 2) u. bildet eine einheitliche Schmelze. Kühlt man diese Schmelze auf etwa 370 °C ab, so beginnt die Ausscheidung von Zn-Krist.; der Rest bleibt geschmolzen. Je tiefer die Temp. sinkt, um so mehr Zink scheidet sich aus, bis schließlich beim eutekt. Punkt (264 °C) die verbleibende Schmelze der Zusammensetzung von (rund) 82% Cd u. 18% Zn (eutekt. Zn/Cd-Gemisch) erreicht hat u. auf einmal zu einem einheitlichen Gemisch von feinen Krist. erstarrt. Dünnschliffe durch eutekt. Metall-

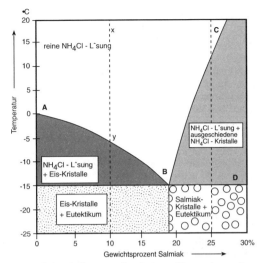

Abb. 1: Schmelzdiagramm des Systems Wasser-Ammoniumchlorid („Salmiak").

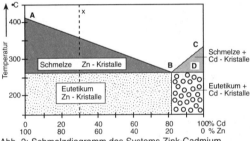

Abb. 2: Schmelzdiagramm des Systems Zink-Cadmium.

Leg. zeigen oft ein bes. zierliches u. feines Gefüge. Es können sich bei dieser raschen Erstarrung keine größeren Krist. bilden, weil die Krist. des einen Legierungsbestandteils sofort die Ausscheidung des anderen nach sich zieht; aus dem gleichen Grund lassen sich auch viele eutekt. Gemenge bes. gut gießen. Die Schmelzpunktsdepressionen sind oft beträchtlich: Das E. aus 11,1% Antimon (Schmp. 630 °C) u. 88,9% Blei (Schmp. 327,5 °C) schmilzt bei 252 °C. E. bilden jedoch nicht nur Metalle (weitere *Beisp.:* Pb/Sn, Cd/Sn, Cd/Pb, Bi/Sn, Bi/Pb, Ag/Pb), sondern auch chem. Verb., z. B. CaO/MgO od. KNO_3/$LiNO_3$. Von der Neigung solcher Stoffe, mit anderen niedrigschmelzende E. zu bilden, macht man im Laboratorium u. in der Technik Gebrauch bei Kältemischungen (s. die Aufstellung dort), bei *Streusalz (Auftausalz), bei *Salzschmelzen als *Heizbäder od. *Wärmeübertragungsmittel, bei Schmelzlegierungen (s. die Aufstellung dort) als *Lote u. Schmelzsicherungen, bei der Herst. von Werkstoffen mit bestimmten Eigenschaften (s. *Lit.*) usw. Für techn. Zwecke benutzt man auch *ternäre Systeme, deren Zustandsdiagramme dreidimensional od. vereinfacht als Dreiecke darzustellen sind. Auch unter den Erstarrungsgesteinen können eutekt. Gemenge vorliegen. So besteht z. B. Quarzporphyr im wesentlichen aus Quarz u. Kalifeldspat (Orthoklas). Es gibt nun Quarzporphyre, bei denen in einer einheitlichen Grundmasse Einsprenglinge von Quarz vorliegen, u. solche, die Einsprenglinge von Feldspat enthalten. Offenbar besteht hier die Grundmasse aus einem erstarrten E. von Quarz-Orthoklas; bei den Stücken mit Quarzeinsprenglingen war der Quarz in der Schmelze vermutlich in starkem Überschuß, so daß er sich so lange ausschied, bis der Rest die eutekt. Zusammensetzung erreicht hatte. Das Studium der Kristallentmischung aus Schmelzflüssen hat die Entstehungsgeschichte vieler Erstarrungsgesteine aufklären können. – *E* eutectic – *F* eutectique – *I* eutettico – *S* eutéctico

Lit.: Atkins, Physikalische Chemie, Weinheim: VCH Verlagsges. 1996 ▪ Domke, Werkstoffkunde u. Werkstoffprüfung, Essen: Girardet 1977 ▪ Kurz u. Sahm, Gerichtet erstarrte eutektische Werkstoffe, Berlin: Springer 1975 ▪ s. a. Lösungen u. Phasen.

Euthyrox®. Tabl. mit Levothyroxin-Natriumsalz bei Schilddrüsendysfunktion. *B.:* Merck.

EUTRAPLAST. Abk. für das Komitee der Verbände der kunststoffverarbeitenden Industrie in Westeuropa mit Sitz in B-1050 Bruxelles, Rue Souveraine 97.

Eutrophierung (von griech.: eutrophia = Wohlgenährtheit). Bez. für den Vorgang der Nahrungs- bzw. Nährstoffanreicherung an einem Standort, insbes. für die Überdüngung von Oberflächengewässern mit Nährstoffen u. für die dadurch bedingte Störung des biolog. Gleichgewichts. Umgangssprachlich ist dabei ein (unnatürlicher) Zustand der Überdüngung gemeint (der eigentlich als Eutrophie bezeichnet wird). Organismen, die natürlicherweise eutrophe (eutrophierte) Standorte (Gegensatz: oligotroph) besiedeln, bezeichnet man als *eurytraphent* (Gegensatz: *stenotraphent*). **Kennzeichen:** In einem eutrophen See ist die Biomasseproduktion von typischerweise täglich 50–300 mg TOC/m^3 auf 600–8000 mg TOC/m^3 erhöht. In stehenden od. langsam fließenden Gewässern zeigt sich eine Massenentwicklung von Blau- u. Grünalgen (s. Algenblüte, Algen, Cyanobakterien). Der Pflanzen-(Makrophyten-)Bewuchs des Gewässerbodens (Benthal) kann sehr stark zunehmen (sog. Verunkrautung) od. bei starker Faulschlamm-Bildung verschwinden. Zudem kann es zu verstärktem Uferbewuchs kommen. Allerdings treten diese Symptome, insbes. Massenentwicklungen von Algen, nicht nur bei E. auf. Ursache können z. B. hohe Temp., starke Belichtung, günstiger Salzgehalt (*Salinität), verminderte Abweidung u. Abbau von *Allelopathika u. a. Faktoren sein. In der natürlichen Entwicklung von Binnengewässern (Seenalterung) werden nährstoffarme Seen auch durch Ablagerung *allothigener Stoffe, die außerhalb dieses Gewässers natürlich entstanden sind, langsam eutrophiert. In diesen Fällen sind Faulschlamm-Bildung u. Vertorfung natürliche E.-Prozesse.

Ursachen: Alle Organismen sind auf Nährstoffe einschließlich essentieller Spurenelemente angewiesen, die in vielen Gewässern, insbes. auf der hohen See, als Mangelfaktor fehlen können u. dann dort Vermehrung u. Wachstum der Primärproduzenten begrenzen (limitierender Faktor). Wird die Versorgung mit einem solchen Nährstoff verbessert, steigen Produktion u. Biomasse. In mitteleurop. Gewässern spielen v. a. Stickstoff- u. Phosphor-Verb. eine Rolle, wobei selten klar ist, welches der beiden Elemente als limitierender Faktor vorliegt. In den 70er Jahren war der Bodensee

Euvegal®

vermutlich durch die Phosphat-Belastung, ihrerseits resultierend aus Wasch- u. Reinigungsmitteln, menschlichen Exkrementen, Haushaltsabfällen u. Düngemitteleinsatz, eutrophiert. Für manche Bäche werden Eisen u. a. Spurenmetalle als E.-Ursache diskutiert.
Folgen: Algenblüten können Sauerstoff-Mangel verursachen, wenn sie unter Schwachlicht-Bedingungen, d. h. nachts od. bei Selbstbeschattung, mehr Sauerstoff aufnehmen als sie produzieren. Zudem werden Algen u. ihre Ausscheidungsprodukte von Bakterien u. Herbivoren unter Sauerstoff-Verbrauch metabolisiert. Unter bes. Bedingungen kann die *Nitrifikation von Ammonium wesentlich zum Sauerstoff-Verbrauch beitragen. Im Extremfall kann die Sauerstoff-Konz. so weit absinken, daß Fische u. a. Wassertiere ersticken. Sinkt der Sauerstoff-Gehalt unter 1 mg/L, gewinnen Fäulnis-Prozesse die Oberhand; man sagt, das Gewässer kippt um. Die weitere *Fäulnis führt zur Bildung von Methan, Schwefelwasserstoff u. Ammoniak. Biogene Methan-Quellen wie beispielsweise Moore, Reisfelder u. Sümpfe sind in bezug auf Kohlenstoff eutrophiert. Die E. kann auch eine bessere Versorgung nützlicher Organismen bewirken u. beispielsweise höhere Fischfangerträge erbringen. Es wurde vorgeschlagen, die Ozeane mit Kupfersalzen u. a. Stoffen zu eutrophieren und damit Nährstofflimitationen für das Algenwachstum aufzuheben, so daß mehr Kohlendioxid aus der Atmosphäre entnommen wird u. in die Sedimente gelangt, um damit den Treibhauseffekt zu vermindern.
Maßnahmen: Der Vermeidung unerwünschter E. dient der *Gewässerschutz, insbes. die Wasserreinhaltung. Nach *Wasserhaushaltsgesetz [1] ist das *Einleiten in Gewässer genehmigungspflichtig; in nachgeordneten Verwaltungsvorschriften u. daraus abgeleiteten Einleitegenehmigungen sind die Einleitungen von Phosphat, Ammonium, Nitrit, Nitrat u. a. Stoffen begrenzt. Nach *Abwasserabgabengesetz [2] sind u. a. Phosphor- u. Stickstoff-Verb. *Schadstoffe. Die Phosphat-Höchstmengenverordnung [3] regelt die zulässigen Phosphat-Gehalte von Wasch- u. Reinigungsmitteln. In Kläranlagen werden organ. Verb. (s. BSB) gut eliminiert (s. biologischer Abbau), Phosphor- u. Stickstoff-Verb. mit dem Klärschlamm aus dem Abwasser entfernt bzw. gefällt, nitrifiziert u. anders beseitigt. Beispielsweise ist der Phosphat-Eintrag in die dtsch. Fließgewässer seit 1974 um rund die Hälfte, auf ca. 57 500 t in 1995, zurückgegangen [4]. Die Stickstoff-Belastung des Rheins u. a. wichtiger mitteleurop. Gewässer ist seit Ende der 70er Jahre nicht mehr angestiegen u. vielerorts rückläufig. Ein drast. Rückgang der *Gewässerbelastung führt über die biolog. Selbstreinigung zur Gewässerregeneration. Kleine eutrophierte Gewässer können darüber hinaus z. B. durch künstliche Belüftung od. Beseitigung des belasteten Sedimentes regeneriert werden [5]. – *E* eutrophication – *F* eutrophisation – *I* eutrofizzazione – *S* eutrofización
Lit.: [1]BGBl. I, S. 1529, ber. 1654 (1986), zuletzt geändert durch Gesetz vom 27.6.1994 (BGBl. I, S. 1440, 1994). [2]BGBl. I, S. 3370 (1994). [3]BGBl. I, S. 664 (1980). [4]UBA (Hrsg.), Jahresbericht 1994, S. 158f., Berlin: UBA 1995. [5]Römpp Lexikon Umwelt, S. 249.
allg.: Ambio **19**, 113–122 (1990) ▪ McComb (Hrsg.), Eutrophic Shallow Estuaries and Lagoons, Boca Raton: CRC 1995.

Euvegal®. Beruhigungsdragees mit Extrakten aus Hopfen u. Baldrian, Tropfen zusätzlich mit Passionsblumen-Extrakt. *B.:* Spitzner.

Euviprint®. Präparationen von organ. u. anorgan. Pigmenten in einem Vinylchlorid-Mischpolymerisat zur Verw. in Tiefdruckfarben u. Lacken für Weich-PVC u. Aluminiumfolien sowie anderen Verpackungsmaterialien. *B.:* BASF.

Euxenit, $(Y,Ce,U,Ca)(Nb,Ti,Ta)_2(O,OH)_6$. Sehr komplex zusammengesetztes, ggf. noch Th, Sn u. Fe enthaltendes, pechschwarzes bis braunes, halbmetall. bis harzartig glänzendes rhomb. Mineral, infolge des Uran-Gehaltes *meist isotropisiert („metamikt")*, s. dazu *Lit.*[1], zur Struktur s. *Lit.*[2]. E. bildet selten u. dann schlechte Krist., häufiger zwischen andere Minerale eingesprengte Körner od. derbe Massen mit muscheligem Bruch. H. 5,5–6,5, D. 4,7–5,9, Strich rötlichbraun. Titan-reichere Varietäten von E. werden als *Polykras* bezeichnet.
Vork.: In *Granit-*Pegmatiten, z. B. in Südnorwegen, Madagaskar, Brasilien, Kanada u. USA; in *Seifen.
Verw.: Als Beiprodukt beim Abbau von Pegmatiten u. Schwermineral-Seifen lokal zur Gewinnung von Seltenerd-Elementen sowie Nb u. Ta. – *E=I* euxenite – *F* euxénite – *S* euxenita
Lit.: [1]Phys. Chem. Miner. **15**, 113–124 (1987). [2]Z. Kristallogr. **152**, 69–82 (1980).
allg.: Lapis **13**, Nr. 11, 6–9 (1988) („Steckbrief") ▪ Ramdohr-Strunz, S. 541 f. – [CAS 1317-53-9]

eV. Abk. für *Elektronenvolt.

E/VA. Kurzz. (nach DIN 7728, Tl. 1, 01/1988) für *Ethylen/Vinylacetat-Copolymere. Die für diese Copolymere oft gebrauchte Bez. EVAC ist unzulässig.

Evakuieren s. Vakuum.

E/VAL. Kurzz. (nach DIN 7728, Tl. 1, 01/1988) für *Ethylen/Vinylalkohol-Copolymere, die nur über die Hydrolyse von *Ethylen/Vinylacetat-Copolymeren zugänglich sind.

Evans Blau.

$C_{34}H_{24}N_6Na_4O_{14}S_4$, M_R 960,83. Mit Trypan-Blau eng verwandter, blauer *Azo-Farbstoff, lösl. in Wasser, Alkohol, Säuren, Alkalien. Farbumschlag bei pH 10; wird durch starke Oxidations- u. Reduktionsmittel zerstört u. durch konz. Neutralsalze ausgefällt.
Verw.: Zu medizin. Blutmengenbestimmungen. – *E* Evans's Blue – *F* bleu Evan – *I* blu di Evan – *S* azul de Evan
Lit.: Beilstein E II **16**, 259 ▪ Merck-Index (11.), Nr. 3863. – [HS 292700; CAS 314-13-6]

Evans-Element s. galvanische Elemente.

Evaporite (Salzgesteine). *Definition, Mineralogie:* E. sind chem. *Sedimente, die in ariden u. semiariden Gebieten, in denen die Verdunstung den Zufluß u. die Niederschläge überwiegt, aus wäss. Lsg. ausgefällt werden, nachdem die darin gelösten Salze durch Verdampfung (Evaporation) angereichert worden sind.

Tab.: Häufige marine u. nichtmarine Minerale in Evaporiten (nach Tucker, *Lit.*[1]).

Häufige marine Evaporitminerale		nichtmarine Evaporitminerale	
Steinsalz (Halit)	NaCl	Steinsalz, Gips, Anhydrit	
Sylvin	KCl	Epsomit	$MgSO_4 \times 7\,H_2O$
*Carnallit	$KMgCl_3 \times 6\,H_2O$	Trona	$Na_2CO_3 \times NaHCO_3 \times 2\,H_2O$
Kainit	$KMgClSO_4 \times 3\,H_2O$	Mirabilit	$Na_2SO_4 \times 10\,H_2O$
Anhydrit	$CaSO_4$	Thenardit	Na_2SO_4
Gips	$CaSO_4 \times 2\,H_2O$	*Astrakanit	$Na_2SO_4 \times MgSO_4 \times 4\,H_2O$
Polyhalit	$K_2MgCa_2(SO_4)_4 \times 2\,H_2O$	Gaylussit	$Na_2CO_3 \times CaCO_3 \times 5\,H_2O$
Kieserit	$MgSO_4 \times H_2O$	*Glauberit	$CaSO_4 \times Na_2SO_4$

Obwohl sich E. auch in Seen (*Salzseen, Playaseen*) bilden können, überwiegen die marinen Ablagerungen nach Mächtigkeit u. Verbreitung in der geolog. Vergangenheit sehr stark. Einen Überblick über die häufigsten marinen u. nichtmarinen Minerale in E. mit ihren chem. Formeln gibt die Tabelle[1].
Die E. werden durch Anhängen der Endung -it an das Hauptmineral benannt. Eine Abweichung bildet das durch Sylvin-Gehalt gekennzeichnete „Hartsalz". Zahlreiche Salzseen enthalten *Borate*, u. a. die Minerale *Kernit, *Borax, *Ulexit u. *Colemanit, in gewinnbaren Mengen, bes. in Californien u. in der Türkei. Es wird angenommen, daß das Bor durch vulkan. Thermen in die Sedimente dieser Seen gelangt ist.
Bedeutung: Die E. sind von großer wirtschaftlicher Bedeutung, vgl. Kalisalze, Steinsalz, Gips u. Anhydrit. E.-Horizonte sind ein wesentlicher Bestandteil vieler Erdölfelder. Häufig bilden sie die abschließenden Horizonte carbonat. Speichergesteine. *Salzstöcke* (*Diapire*), das sind steilwandige Körper, die ihr Aufdringen Faltungsvorgängen od. der Aufwärtsbewegung des Salzes auf Spalten im überlagernden Gestein verdanken (s. dazu *Lit.*[2]), können strukturelle Fallen für Kohlenwasserstoffe darstellen. In tiefliegenden Kavernen in Salzstöcken werden chem. u. radioaktive Abfallstoffe deponiert; zu den dabei auftretenden Problemen s. *Lit.*[3,4]. Zur wissenschaftlichen Bedeutung der E., z. B. bei der Rekonstruktion der Lage von Klimagürteln im Verlauf der Erdgeschichte, s. *Lit.*[5].
Vork.: Beisp. für große E.-Vork. (in Klammern die zugehörigen *Erdzeitalter) sind: In Nordamerika: Elk Point Becken (Devon); Delaware-Becken (Perm), Golfküste-Becken (Jura); in Asien: Vork. in Sibirien (Kambrium) u. die Karabugas-Bucht am Kasp. Meer u. in Europa das Zechstein-Becken (Perm; Alter ca. 250 Mio. a) u. das Moskauer Becken (Devon). *Rezente* E.-Bildung kann man z. B. entlang der Trucial Coast im Pers. Golf beobachten. In Deutschland standen 1993 Kalisalz-Lagerstätten im Werra-Fulda-Gebiet (Wintershall, Hattorf, Unterbreizbach u. Neuhof-Ellers), im Hannoverschen Kalirevier [Siegmundshall, Niedersachsen u. Bergmannssegen-Hugo (Stillegung 1995)] sowie nördlich von Magdeburg (Zielitz) im Abbau; Steinsalz wird z. B. im Raum Stade, Braunschweig-Lüneburg, in Borth/Westfalen, Bad Friedrichshall-Kochendorf, Berchtesgaden u. in Bernburg/Sachsen-Anhalt abgebaut. Bevorzugt abgebaut werden die Sylvin- u. Kieserit-haltigen Salzgesteine *Sylvinit* (= Steinsalz+Sylvin) u. *Hartsalz* (= Steinsalz + Sylvin + Kieserit).

Bildung: Die Hauptbestandteile der marinen E. entsprechen den im *Meerwasser gelösten Ionen, das sind v. a. Natrium Na^+, Calcium Ca^{2+}, Kalium K^+, Chlorid Cl^-, Sulfat $[SO_4]^{2-}$ u. Carbonat $[CO_3]^{2-}$. Bei der Eindampfung scheiden sich die Salze der aufgeführten Ionen entsprechend der Löslichkeit u. der sich ständig ändernden Konz. in einer vorhersehbaren Folge ab, beginnend mit Carbonaten (*Calcit, Dolomit) über Gips, Anhydrit, Steinsalz bis hin zu den sehr lösl. *Edelsalzen* (K- u. Mg-Chloride u. -Sulfate). Als ein Maß für die erreichte Konz. der Lsg. hat sich der Brom-Gehalt im Steinsalz bewährt; er läßt z. B. das Nachfließen von Meerwasser erkennen. Marine Salzablagerungen sind häufig cycl. aufgebaut. Die äußerst mächtigen Salzablagerungen im perm. Zechsteinbecken Mittel- u. Nordwest-Europas[6] umfassen z. B. 6 Cyclen bzw. Serien. Wenn die gesätt. Salzlsg. durch Zutritt von Meerwasser verdünnt werden, scheiden sich E. in umgekehrter Reihenfolge aus. Die *Bildungsweise* der E. ist im einzelnen immer noch nicht geklärt, insbes., weil es nur wenige rezente, vergleichbare Vork. gibt. u. keines davon die Größenordnung der Bildungsmilieus der Vergangenheit erreicht. Die Abb. gibt eine schemat. Darst. evaporit. Bildungsmilieus.

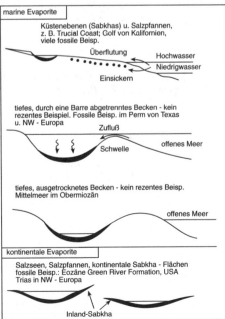

Abb.: Die wesentlichen Bildungsmilieus evaporitischer Gesteine (nach Tucker, *Lit.*[7]).

Eines der erstaunlichsten Phänomene der E. ist ihre oft ungeheure Mächtigkeit. Bei der Eindampfung von 100 m Meerwasser entstehen ca. 1,4 m Steinsalz u. 0,08 m Gips. Indessen sind viele Schichtfolgen von einigen hundert Metern Mächtigkeit bekannt; im Graben des Toten Meeres vermutet man sogar über 8000 m Salzgesteine. Die einzige Erklärung für die vielen bekannten Schichtfolgen von einigen hundert m Mächtigkeit gibt die Annahme abgeschlossener Meeresbecken, in denen die Eindampfungsrate größer od. gleich der Zuflußrate an frischem Meerwasser ist. Unter den stabilen *Isotopen* haben in E. v. a. die des Schwefels das Interesse auf sich gelenkt. Die Sulfate des Perms zeigen ein Minimum des schweren Isotops ^{34}S. – *E* evaporites, salt rocks – *F* sédiments évaporitiques – *I* evaporiti – *S* evaporitas

Lit.: [1] Tucker, Einführung in die Sedimentpetrologie, S. 166, Stuttgart: Enke 1985. [2] Spektrum Wiss. **1987**, Nr. 10, 76–86. [3] Naturwissenschaften **72**, 408–418 (1985). [4] Herrmann u. Knipping, Waste Disposal und Evaporites, Berlin: Springer 1993. [5] Annu. Rev. Earth Planet. Sci. **19**, 131–168 (1991). [6] Peryt (Hrsg.), The Zechstein Facies in Europe, Berlin: Springer 1987. [7] Tucker, Einführung in die Sedimentpetrologie, S. 169, Stuttgart: Enke 1985.
allg.: Braitsch, Entstehung u. Stoffbestand der Salzlagerstätten, Berlin: Springer 1962 (engl. 1971) ▪ Burns (Hrsg.), Marine Minerals (Short Course Notes, Vol. 6), Washington (D.C.): Mineralogical Society of America 1979 ▪ Füchtbauer (Hrsg.), Sedimente u. Sedimentgesteine (Sediment-Petrologie Teil II) (4.), S. 435–500, Stuttgart: Schweizerbart 1988 ▪ Jenyon, Salt Tectonics, London: Elsevier 1986 ▪ Peryt (Hrsg.), Evaporite Basins, Berlin: Springer 1987 ▪ Pohl, Lagerstättenlehre (4.), S. 307–348, Stuttgart: Schweizerbart 1992 ▪ Tucker, Einführung in die Sedimentpetrologie, S. 167–182, Stuttgart: Enke 1985 ▪ Wirtschaftsvereinigung Bergbau e. V. (Bonn), Das Bergbau-Handbuch (5.), S. 223–248, Essen: VGE Verl. Glückauf 1994 ▪ s. a. Lagerstätten. – *Zeitschriften:* Kaliverein e. V. (Hrsg.), Kali u. Steinsalz, Essen: VGE Verl. Glückauf.

E/VA/PS. Kurzz. für *Terpolymere aus Ethylen, Vinylacetat u. Styrol.

E/VA/VC. Kurzz. (nach DIN 7728, Tl. 1, 01/1988) für Ethylen-Vinylacetat-Vinylchlorid-*Terpolymere.

EVEREF. Elektrochem. Referenzsyst. auf der Basis von Silber/Silberchlorid, dessen Silberchlorid-Reservoir durch Diffusionsstrecke vom Silberchlorid-freien Bezugselektrolyten getrennt ist. *B.:* Hamilton.

Evisect®. Spritzpulver u. Granulat mit Thiocyclamhydrogenoxalat gegen fressende Schädlinge in Kartoffeln, Reis, Baumwolle, Zuckerrüben, Gemüse u. a. Kulturen. *B.:* Sandoz.

Evolution. Von latein.: evolvere = entwickeln abgeleitete Bez. für die Gesamtheit aller Vorgänge, die vom Beginn der Erdzeitrechnung vor ca. 4,7 Mrd. Jahren bis heute (u. in Zukunft) die Entwicklung des Kosmos u. der Lebewesen in Gang gesetzt u. gesteuert haben. Bei diesen Betrachtungen werden die noch weiter zurückliegenden Zeiten seit dem „Urknall" (vor 7? 10? 20? Mrd. Jahren) ausgeklammert, in denen die E. der leichteren *chemischen Elemente stattgefunden haben muß. In der ersten Phase der E., der *chemischen Evolution (präbiot. E., Abiogenese) entstanden aus der Gasmol. der Uratmosphäre die einfachen chem. Verb. (wie sie z. T. auch heute noch im intergalakt. Raum nachweisbar sind, vgl. Kosmochemie) u. aus diesen die komplizierteren bis hin zu Proteinen u. Nucleinsäuren mit dem *genetischen Code. An die chem. E. schließt sich eine Übergangsphase an, in der „das Leben begonnen hat", wenn man unter dem *Leben* eines Syst. versteht, daß es zum Stoffwechsel, zur Selbstreproduktion u. zur Mutation befähigt ist. Für diese auch *präzelluläre E.* od. *Biogenese genannte Phase, in der eine irgendwie gesteuerte *Selbstorganisation* der Mol. bis zu *Genen u. einfachen *Zellen stattgefunden haben muß, sind eine Reihe von Modellvorstellungen vorgelegt worden.

Unter der *biolog. E.* versteht man die Entwicklung von der Einzelzelle über Zellverbände u. deren Differenzierung zu mehrzelligen Organismen u. zur heutigen Artenvielfalt der Lebewesen. Als Hauptwirkprinzipien der biolog. E. gelten heute die ungerichtete *Mutation (genet. Variation) u. die von Darwin postulierte gerichtete *natürliche Auslese* unter Optimierungsprinzipien. Während man sich über die biolog. E. anhand von *Fossilien – die den verschiedenen *Erdzeitaltern durch die Meth. der *Altersbestimmung (*Geochronologie u. *Paläontologie) zugeordnet werden – ein ungefähres Bild machen kann, ist man bei den vorausgegangenen Phasen weitgehend auf Vermutungen angewiesen. Auf die ältesten wirbellosen Meerestiere u. Algen kann die *Paläobiochemie nur aus sog. *Chemofossilien* z. B. Kohlenwasserstoffen schließen. Damit lassen sich die Spuren des „Lebens" von Einzellern bis in die sog. Isua-Gesteine des Archäikums, d. h. 3,8 Mrd. Jahre zurückverfolgen. Die präbiot. E. läßt sich experimentell streckenweise simulieren, s. chemische Evolution. – *E* evolution – *F* évolution – *I* evoluzione – *S* evolución

Lit.: Carroll, Paläontologie u. Evolution der Wirbeltiere, Stuttgart: Thieme 1993.

Evoral®-Marken. Sortiment von Oleophobier- u. Hydrophobiermitteln für die Textil-Ind.; enthält u. a. Fluorcarbonharze bzw. Paraffine u. spezielle Zusätze. *B.:* Schill & Seilacher GmbH & Co.

EVU. Abk. für *Energie-Versorgungs-Unternehmen*.

Ewens-Bassett-System. In den Namen von anorgan. Verb. kann man nach IUPAC-Regel I-10.4.4 im E.-B.-S. die Ladung eines Ions mit eingeklammerter Ladungszahl u. Vorzeichen angeben; *Beisp.:* Kaliumeisen(3+)-hexacyanoferrat(4−); im *Stock-System wäre dies Kalium-eisen(III)-hexacyanoferrat(II). – *E* Ewens-Bassett system – *F* sytème Ewens-Bassett – *I* = *S* sistema Ewens-Bassett

EWG-Nummer s. EINECS.

EWO®. Gemahlener Schwerspat ($BaSO_4$) als Füllstoff für Farben u. Dämmplatten. *B.:* Sachtleben.

EW-Verfahren (Erftwerk-Verf.). Verf. zur Erzeugung einer *Chromat-Schicht (Chromatierung) auf Al u. Al-*Legierungen. Das EW-V. arbeitet mit einer alkal. Lsg. von Na-Chromat u. -Carbonat sowie *Silicat-Zusatz bei angehobener Temperatur. Die natürliche Oxid-Schicht des Al wird teilw. aufgelöst. Die mit dem EW-V. erzeugten Schichten sind farblos, transparent, korrosionsbeständig u. sehr hart, für nachträgliche Beschichtungen mit Lacken allerdings weniger geeignet. – *E* chromating of aluminium – *F* chromatation d'alu-

minium – *I* processo EW – *S* cromatización de aluminio
Lit.: DIN 50 933 (04/1988).

Exa... (Kurzz.: E). Von griech.: hexa = sechs ($1000^6 = 10^{18}$) abgeleiteter Vorsatz zur Bez. des 10^{18}-fachen Betrages einer physikal. Einheit. – *E* = *F* = *S* exa... – *I* esa...

Exact®. Fungizid auf der Basis von *Triadimenol. *B.:* Bayer.

EXAFS. Abk. für engl. *Extended X-ray-absorption fine structure analysis*. *Oberflächenanalyse-Methode durch Röntgenabsorption-Feinstrukturanalyse (*Röntgenspektroskopie).
Lit.: Brümmer et al. (Hrsg.), Handbuch der Festkörperanalyse mit Elektronen, Ionen u. Röntgenstrahlen, Braunschweig: Vieweg 1980 ▪ Kohlrausch, Praktische Physik, Bd. 2, Stuttgart: Teubner 1996 ▪ Phys. Bl. **45**, A 828 (1989).

Exaltation. Von latein.: exaltatio = Erhöhung abgeleitete Bez. für die Überhöhung eines gemessenen gegenüber dem berechneten Wert, z. B. bei der *Refraktion – *E* = *F* exaltation – *I* esaltazione – *S* exaltación

Excimere. Von Förster geprägte u. aus engl.: *exci*ted di*mer* = angeregtes Dimer abgeleitete Bez. für solche nur im Anregungszustand (s. Anregung) existierenden Mol.-Komplexe, die durch Anlagerung eines angeregten (A*) an ein nichtangeregtes (A) Mol. entstehen: A* + A → [A...A]*; angeregte Mol. mit einer Solvathülle werden jedoch nicht zu den E. gerechnet. Sind die zusammentretenden Mol. voneinander verschieden (A* + B), so spricht man statt von E. von *Exciplexen* (von engl.: *exci*ted com*plexes*).

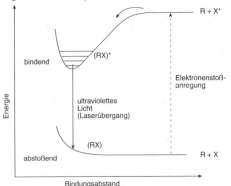

Abb.: Übergänge zwischen Grundzustand u. Anregungszustand bei einem Edelgas-Halogenid-Excimer.

Die Abb. zeigt schemat. die untersten elektron. Niveaus eines Edelgas-Halogenid-Mol. (X = Edelgas, R = Halogen). Während der Grundzustand (RX) rein abstoßend od. bei einem sehr flachen Minimum therm. nicht stabil ist, existiert im angeregten Zustand (RX)* ein bindendes, oft einige Elektronenvolt tiefes Potentialminimum. Wird durch Elektronenstoß das Halogen-Atom angeregt, reichert sich, z.T. über Kaskadenprozesse, eine merkliche Besetzung in (RX)* an. Das ultraviolette Licht, das beim Übergang in den Grundzustand emittiert wird, wurde spektroskopiert, um die E. zu studieren. Beim *Excimer-Laser wird dieses Licht über einen opt. Resonator rückgekoppelt u. verstärkt. Mol.-E. spielen eine Rolle als *Zwischenstufen bei photochem. Reaktionen, bei der *Energieübertragung u. ggf. bei der *Chemilumineszenz, vgl. Photochemie. – *E* excimers – *F* excimères – *I* eccimeri – *S* excímeros, dímeros excitados
Lit.: Hollas, High Resolution Spectroscopy, London: Butterworths 1982 ▪ s. a. Anregung, Molekülverbindungen, Photochemie.

Excimer-Laser. Gepulster *Gas-Laser mit sehr intensiver Lichtemission im ultravioletten Spektralbereich. Die im Grundzustand nicht stabilen *Excimere werden in einer gepulsten *Gasentladung gebildet u. reichern eine Besetzung im angeregten Niveau an. Da der instabile Grundzustand stets unbesetzt ist, wird sofort eine Besetzungsinversion (*Laser) aufgebaut. Durch Rückkopplung des emittierten Lichtes wird stimulierte *Emission u. damit Lichtverstärkung erreicht. Die verwendete Gas-Mischung besteht zu 5 – 10% aus dem aktiven Edelgas, zu 0,1 – 0,5% aus einem Halogen-Donor wie F_2 od. HCl u. einem leichten Puffergas, wie Helium od. Neon bei einem Gesamtdruck von 150 – 400 kPa. Das Gas wird zwischen langgestreckten, parallelen Elektroden gezündet (s. Abb.).

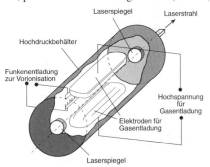

Abb.: Aufbau eines Excimer-Lasers.

Es handelt sich um eine sehr energiereiche Hochspannungsentladung (typ. 20 kV, Leistungsdichte 1 – 2 MW/cm^3), die aus speziellen Kondensatoren gespeist u. über ein *Thyratron gezündet wird. Eine zusätzliche Funkenentladung dient dazu, das Gas-Vol. vorzuionisieren, damit die Hauptentladung homogener brennt. Begrenzt durch die Lebensdauer des angeregten Excimer-Niveaus u. die Dauer der Hochspannungsentladung ist der Laserpuls 15 – 20 ns lang; durch Verlängerung des Entladungspulses sind schon 250 – 300 ns erreicht worden. Verglichen mit anderen Laser-Arten sind hier die Strahldimensionen mit ~10 · 20 mm u. die Divergenz mit 1,3 mrad recht groß (s. Tab.)

Tab.: Physikalische Daten der Excimer-Laser.

Lasermedium	F_2	ArF	KrCl	KrF	XeCl	XeF	
Wellenlänge	157	193	222	248	308	351	nm
Pulsenergie*	5	200	35	250	150	80	mJ
Mittlere Leistung*	0,03	20	4,5	45	25	15	W

* Diese Werte sind von der Größe des Gerätes abhängig; Angaben beziehen sich auf ein Gerät mittlerer Größe. Kommerziell erhältliche Geräte liefern Leistungen bis 160 W. Mit Laborgeräten wurden Pulsenergien von mehr als 20 kJ u. Intensitäten >10^{17} W · cm^{-2} erreicht.

Exciplex

Da es sich bei dem Laser-Übergang um einen gebunden-freien Übergang handelt, kann der E.-L. über einen Wellenlängenbereich von ~ 1 nm abgestimmt werden (*durchstimmbare Laser).
Anw.: Als Pumplichtquelle für *Farbstofflaser, zur Erzeugung von Vakuum-UV-Licht, in der *Photochemie, zur Anregung von Mehrphotonen-Prozessen in der *Spektroskopie u. für *LIDAR. Industrielle Anw. besteht bei der Isotopentrennung, Ausheilen von Kristallfehlern, *Gasphasenabscheidung (CVD), Markierung, *Lithographie u. dem photochem. Stanzen. Bei der Lithographie ist hierbei die kurze Wellenlänge von Vorteil, weshalb der beugungsbegrenzte Fokus so klein ist, daß sub-Mikrometer-Strukturen übertragen werden. Beim photochem. Stanzen, sowie bei der Anw. in der Medizin kommt zugute, daß die Abtragung von organ. Material [sowohl lebendes, biolog. Gewebe, als auch Kunststoffe wie Mylar, Kapton od. PMMA (Plexiglas)] durch E.-L.-Licht ohne Wärmeeinwirkung auf das Umgebungsmaterial abläuft. Hierdurch können sehr feine Schnitte u. scharfe Strukturen erreicht werden. – *E* excimer laser – *F* laser d'excimères – *I* eccimerlaser – *S* láser de excímeros
Lit.: EPA Newsletter **1980**, Nr. 1, 64 ▪ Laser + Optoelektr. **20**, 96 (1988) ▪ Phys. Bl. **41**, 199 (1985) ▪ Rhodes (Hrsg.), Excimer Laser, Berlin: Springer 1979.

Exciplex s. Excimer.

Excision Repair (Excisions-Reparatur) s. Reparatursysteme.

Excitonen (von latein. excitare = anregen). Von *Frenkel 1931 geprägte Bez. für die z.B. durch Lichtabsorption in Ionenkrist., Molekülkrist. (d.h. *Isolatoren) u. in *Halbleitern erzeugten elementaren Anregungsquanten des Elektronensystems. Das E. ist ein Zweiteilchenzustand aus angeregtem neg. Elektron im Leitungsband u. zurückbleibendem pos. *Defektelektron od. Loch im Valenzband. Durch die Coulomb-Wechselwirkung entsteht eine *Positronium od. Wasserstoff ähnliche Serie von gebundenen Zuständen unter der Bandlücke. Darüber liegt ein Ionisationskontinuum, das den Band-Band-Übergängen entspricht. Man unterscheidet zwischen *Frenkel-E.*, die in ihrer Ausdehnung im wesentlichen auf eine Elementarzelle beschränkt sind u. *Wannier-E.*, deren Radius groß ist gegen die Einheitszelle. In Isolatoren u. organ. Molekülkrist. findet man bevorzugt Frenkel-E., in Halbleitern fast ausschließlich Wannier-Excitonen. In Materialien mit dipolerlaubten opt. Übergängen koppeln die E. stark an das elektromagnet. Lichtfeld an. Die Quanten dieses Mischzustandes heißen exciton *Polaritonen*. E. bestimmen die opt. Eigenschaften im Bereich der fundamentalen Absorptionskante von Halbleitern u. Isolatoren. Sie transportieren Energie, aber keine Ladung. Im streng period. Krist. sind sie frei beweglich, können aber an Störstellen lokalisiert werden; in stark ion. Isolatoren ist Selbstlokalisierung möglich. Bei zunehmender Bestrahlung der Krist. mit Licht führen die Wechselwirkungen der E. zu Änderungen der opt. Eigenschaften (*nichtlineare Optik). Man kennt bei E. Streuprozesse, sowie Übergänge zu einem E.-Mol. (*Biexciton, Analogon zu H_2) u. schließlich ein Elektronen-Loch Plasma. Eine Bose-Einstein-Kondensation (s. Bose-Einstein-Statistik) wurde mehrfach postuliert, aber nie zweifelsfrei nachgewiesen. Gegenwärtig werden E. bes. in quasi-zweidimensionalen Halbleiter-Syst. (*Quantentrog) untersucht. – $E = F$ excitons – *I* eccitoni – *S* excitones
Lit.: Adv. Phys. **38**, 89 (1989) ▪ Di Bartalo (Hrsg.), Collective Excitations in Solids, NATO ASI, Series B, Vol. 88, New York: Plenum Press 1983 ▪ Hang u. Koch, Quantum Theory of the Optical and Electronic Properties of Semiconductors, Singapore: World Scientific 1990 ▪ Klingshirn, Semiconductor Optics, Heidelberg: Springer 1995 ▪ Rashba u. Sturge (Hrsg.), Mod. Problems in Cond. Matter Bd. 2, Amsterdam: North-Holland 1982.

Exergie s. Energie, Thermochemie.

Exergonische Reaktionen s. freie Reaktionsenthalpie.

Exfoliating. Aus dem Engl. übernommener in der Kosmetik verwendeter Ausdruck für das Abschilfern von toten, verhornten Zellen der oberen Hautschicht. Dem natürlichen Abrieb von Hautzellen als Schuppen wird dabei durch Bürsten od. Schmirgeln nachgeholfen, was die Haut zarter u. glatter machen soll. Sie wird dadurch jedoch auch verletzbarer u. trockener. In der Medizin bezeichnet man als Exfoliation die Ablösung von oberflächlichen Hautschichten im Rahmen verschiedener Hauterkrankungen. – $E = I$ exfoliating – *F* desquamation – *S* exfoliación

Exhalationen s. Fumarolen.

Exhirud®. Gel u. Salbe mit Extrakt aus Blutegeln zur Behandlung von Thrombosen, Phlebitiden u. Prellungen. *B.:* Sanofi Winthrop.

Exinit. Eines der *Macerale der *Kohle.

Exkremente s. Harn, Kot.

Exkretion. Ausscheidung von für den Organismus nicht verwertbaren Substanzen. Einfach gebaute Lebewesen scheiden diese über die Körperoberfläche aus, bei höher entwickelten Tieren haben sich spezielle Exkretionsorgane herausgebildet. Bei höheren Wirbeltieren nehmen die Nieren die Funktion der E. von Wasser, anorgan. Ionen u. Stickstoff-haltigen Stoffwechselendprodukten wahr u. sorgen so für die Aufrechterhaltung eines konstanten inneren Milieus (vgl. Darm u. Kot). – *E* excretion – *F* excrétion – *I* escrezione – *S* excreción

Exlutona®. Antikonzeptionstabl. mit *Lynestrenol. *B.:* Organon.

Exo... (von griech. = außen). Vorsilbe in Begriffen u. Trivialnamen mit der Bedeutung: von außen kommend od. nach außen gerichtet; *Beisp.:* *Exotoxine, exocycl., exogen, exotherm. In der Beschreibung der Stereochemie von Bicyclo-Verb. drückt *exo-* (Gegensatz: *endo) aus, daß ein Substituent am Hauptring der Brücke zugewandt, von der Höhlung zwischen beiden Zweigen des Hauptrings aus gesehen „außen" ist. *Beisp.:* *Isoborneol (vgl. hierzu das Formelbild bei Bicyclo[...]...). – $E = F = S$ exo... – *I* eso...

Exocyclisch. In alkylierten *Cycloalkenen kann sich die Doppelbindung im Ring od. „zwischen" Ring u. Seitenkette befinden; im letzteren Fall wird sie als e. od. *semicycl.* bezeichnet; *Beisp.:* *Diketen. β-*Caryophyllen enthält eine e. (vom Ring zur CH_2-Gruppe) u.

eine *endocycl.* Doppelbindung. Gelegentlich spricht man von e. Doppelbindungen auch dann, wenn diese vollständig in der Seitenkette liegen; *Beisp.:* 1,2-Divinylcyclobutan. – *E* exocyclic – *F* exocyclique – *I* esociclico – *S* exocíclico

Exocytose. Ausscheidung von Material aus Zellen durch Verschmelzung von intrazellulären Vesikeln (Bläschen) mit der Zellmembran u. Entleerung ihres Inhalts nach außen. Die E. ist die Umkehrung der *Endocytose. Sie dient u. a. zur Sekretion von *Enzymen, *Hormonen u. *Neurotransmittern. In Drüsen- u. Nervenzellen wird die E. durch einen Anstieg der cytosol. Konz. an Calcium-Ionen ausgelöst. Zur Verschmelzung sind *Fusionsproteine [das *N*-Ethylmaleimid-sensitive Fusionsprotein (NSF) u. die lösl. NSF-Anheftungs-Proteine (SNAPs)] notwendig, die spezif. Erkennung von Vesikel u. Zielmembran wird durch *Erkennungsproteine* [die Membran-ständigen SNAP-Rezeptoren (SNAREs) u. das *kleine GTP-bindende Protein Rab3a[1]] gewährleistet. – *E* exocytosis – *F* exocytose – *I* esocitosi – *S* exocitosis

Lit.: [1] Trends Neurosci. **17**, 426–432 (1994). *allg.:* Alberts et al., Molekularbiologie der Zelle, 3. Aufl., S. 739–748, Weinheim: VCH Verlagsges. 1995 ■ Cell **76**, 785 ff. (1994) ■ Nature (London) **375**, 645–653 (1996) ■ Stärnje et al., Molecular and Cellular Mechanisms of Neurotransmitter Release, New York: Raven Press 1994 ■ Šuput u. Zorec, Toxins and Exocytosis, New York: N.Y. Acad. Sci. 1994.

Exoderil®. Creme, Gel u. Lsg. mit *Naftifin-Hydrochlorid gegen Hautmykosen. *B.:* Sandoz.

Exoelektronen. Nicht einheitliche Bez. für *Elektronen, die ohne zusätzliche elektr. Felder aus Festkörperoberflächen austreten. Dies kann geschehen:
1. Durch mechan. Bearbeitung od. Deformation von Metallen (Kramer-Effekt).
2. Durch Beleuchten von z. B. BeO, LiF, Al_2O_3, $CaSO_4$ od. einigen Alkalihalogeniden mit therm. od. opt. Strahlung (man unterscheidet zwischen therm. bzw. opt. stimulierter E.-Emission, TSEE bzw. OSEE). Es werden hierbei aus einer dünnen Oberflächenschicht energiearme (einige eV) Elektronen emittiert. Anw. für Kathodenmaterial für Photovervielfacher u. für *Dosimetrie s. *Lit.*[1].
3. Ohne äußere Energiezufuhr aus frisch aufgedampften od. polierten Metalloberflächen. Die hierfür notwendige Austrittsarbeit der Elektronen wird von exothermen chem. Prozessen geliefert, die an der Oberfläche unter Einwirkung von Sauerstoff od. Iod ablaufen. – *E* exoelectrons – *F* exoélectrons – *I* esoelettroni – *S* exoelectrones

Lit.: [1] Kohlrausch, Praktische Physik, Bd. 2, Stuttgart: Teubner 1996; Portal u. Scharmann (Hrsg.), Proc. 7th Int. Conf. on Exoelectrons Rad. Prot. Dos. 1983 u. folgende Jahre. *allg.:* Bergmann u. Schaefer, Lehrbuch der Experimentalphysik, Bd. 6, S. 786 ff., Berlin: de Gruyter 1992 ■ Reich (Hrsg.), Dosimetrie ionisierender Strahlung, S. 127, Stuttgart: Teubner 1990 ■ Weißmantel u. Hamann, Grundlagen der Festkörperphysik, S. 645 ff.; Heidelberg: Barth 1995.

Exoenzyme. 1. Bez. für *Enzyme, die von der Zelle ausgeschieden werden und außerhalb der Zelle wirken. Im Gegensatz dazu verbleiben *Endoenzyme in der Zelle. E. dienen vorwiegend dem Abbau von Makromol. zu permeablen Bruchstücken.

2. Bez. für Enzyme, die Polymere von einem Ende der Kette her hydrolyt. abbauen. Im Gegensatz dazu greifen Endoenzyme die Bindungen im Innern einer Polymer-Kette an. Beisp. für beide Typen sind *Exo-* bzw. *Endonucleasen* (s. Nucleasen). – *E* = *F* exoenzymes – *I* esoenzimi – *S* exoenzimas

Exogen. Außerhalb (des Organismus) entstehend, stattfindend bzw. von außen in ihn eindringend. Gegensatz: endogen. – *E* exogenic – *F* exogène – *I* esogeno – *S* exógeno

Exoglykosidasen s. Glykosidasen.

Exon. Bez. für einen Sequenzabschnitt innerhalb eines eukaryont. *Gens, der in eine korrespondierende mRNA übersetzt wird u. für ein *Protein kodiert (s. Translation). Die Organisation von Genen in *Intron u. E. unterscheidet *Eukaryonten von *Prokaryonten. Häufig sind die E. eines Gens durch ein od. mehrere Introns unterbrochen, die zwar ebenfalls in RNA transkribiert werden, jedoch während der weiteren RNA-Reifung durch *Spleißen aus dem primären Transkript wieder entfernt werden. Es gibt auch Gene, die nur aus einem einzigen E. bestehen, wie z. B. die *Histone. Der unterschiedlichen Organisation des prokaryont. u. des eukaryont. Genoms muß bei der Herst. von Genprodukten Rechnung getragen werden. Eukaryont. Gene können nicht direkt in Bakterien exprimiert werden. Es muß zunächst durch Klonierung einer *cDNA ein Intron-freies Konstrukt in Bakterien eingeschleust werden. – *E* = *F* exon – *I* esone – *S* exón

Lit.: Knippers (6.), S. 283–297 ■ Watson et al., Rekombinierte DNA (2.), S. 124–128, Heidelberg: Spektrum Akadem. Verl. 1993.

Exonucleasen s. Nucleasen.

Exopeptidasen. EC 3.4.11–3.4.19, nach älterer Empfehlung der IUB[1] auch Peptidasen genannt. Seit 1992 empfiehlt die *IUBMB, die Bez. Peptidasen nicht mehr als Synonym für die E., sondern für die übergeordnete Gruppierung der Peptidhydrolasen (*Proteasen) zu verwenden, die neben den E. auch die *Endopeptidasen (*Proteinasen) mit einschließen[2]. E. sind zu den *Hydrolasen gehörige Enzyme, die bei *Peptiden, *Polypeptiden u. *Proteinen von den Enden her *Aminosäuren, Di- od. Tripeptide ablösen.
Die E. gliedern sich auf in *Aminopeptidasen (EC 3.4.11), die am Amino-Ende des Polypeptids einzelne Aminosäuren ablösen; in Dipeptidasen (EC 3.4.13), die Dipeptide zu Aminosäuren hydrolysieren; in Dipeptidylpeptid- u. Tripeptidyl-Peptidasen (EC 3.4.14), die Amino-ständige Di- bzw. Tripeptide eines Polypeptids freisetzen; in Peptidyl-Dipeptidasen (EC 3.4.15), die dies mit Carboxy-ständigen Dipeptiden tun; weiter in *Carboxypeptidasen (EC 3.4.16–3.4.18), die einzelne Aminosäuren des Carboxy-Terminus abtrennen; u. schließlich in Omega-Peptidasen (EC 3.4.19), die modifizierte Aminosäuren von einem bestimmten Ende abspalten. Die oben erwähnten Carboxypeptidasen werden nach ihrem Katalysemechanismus unterschieden in Serin-Carboxypeptidasen (EC 3.4.16), Metall-Carboxypeptidasen (EC 3.4.17) u. Cystein-Carboxypeptidasen (EC 3.4.18). – *E* = *F* exopeptidases – *I* esopeptidasi – *S* exopeptidasas

Exopolysaccharide

Lit.: [1] International Union of Biochemistry, Enzyme Nomenclature. Recommendations (1984) of the Nomenclature Committee of the IUB, San Diego: Academic Press 1984. [2] International Union of Biochemistry and Molecular Biology, Enzyme Nomenclature. Recommendations (1992) of the Nomenclature Committee of the IUBMB, San Diego: Academic Press 1992. – *[CAS 9031-96-3]*

Exopolysaccharide (Schleimpolysaccharide). Unter dem Sammelbegriff E. werden Polysaccharide zusammengefaßt, die von Mikroben zu ihrer Umhüllung abgegeben werden u. so als Schleim auch in das umgebende Medium gelangen. E. bestehen entweder aus *Homopolymeren od. period. *Copolymeren aus bis zu sieben verschiedenen Zucker-Resten, die zusätzlich period. verzweigt sein können. E. spielen bei der Immunreaktion eine wichtige Rolle. – *E* exopolysaccharids – *F* exopolysaccharide – *I* esopolisaccaridi – *S* exopolisacáridos
Lit.: Elias (5.) **1**, 332.

Exosurf neonatal®. Trockensubstanz u. Suspensionsmittel mit dem *Surfactant *Colfosceril-Palmitat, dem Mucolytikum u. Tensid *Tyloxapol u. *1-Hexadecanol zur Behandlung des Atemnotsyndroms bei Neugeborenen über 700 g Körpergewicht. *B.:* Glaxo Wellcome.

Exotenpolymere. Bez. für *Polymere, die durch eine *Exotenpolymerisation gebildet werden.

Exotenpolymerisation (Phantom-Polymerisation). Bez. für eine *Polymerisation, bei der das eingesetzte *Monomere während des Reaktionsverlaufes infolge intramol. Übertragungsreaktionen isomerisiert. Die E. wird deshalb auch als isomerisierende Polymerisation bezeichnet. Sie kann durch Bindungsisomerisation od. aber unter „Materialtransport" erfolgen. Aus den Wiederholungseinheiten der bei der E. resultierenden *Polymeren sind die zu ihrem Aufbau verwendeten Monomere nicht direkt erkennbar. Beisp. für eine E. unter „Materialtransport" ist die Polymerisation von 3,3-Dimethyl-1-buten:

$$H_2C=CH \atop |\atop C(CH_3)_3 \quad \xrightarrow{+R^+} \quad R-CH_2-\overset{+}{CH} \atop |\atop C(CH_3)_3 \quad \longrightarrow \quad R-CH_2-CH-\overset{CH_3}{\underset{CH_3}{\overset{|}{C}}}{+}$$

für eine E. unter Bindungsisomerisation die ringöffnende Polymerisation von 2-Alkyl-4,5-dihydro-oxazolen zu N-acylierten *Polyethyleniminen.

$$n \; \underset{N}{\overset{O}{\underset{\diagdown}{\diagup}}}{-}R \quad \longrightarrow \quad \left[-CH_2-CH_2-N-\underset{R}{\overset{O=C}{|}} \right]_n$$

– *E* phantom polymerization – *F* polymérisation isomère – *I* polimerizzazione esotica – *S* exotenpolimerización
Lit.: Elias (5.) **1**, 400.

Exotherm. Im Gegensatz zu *endothermen Reaktionen laufen e. Reaktionen unter Freisetzung von Wärme ab; die zugehörige *Reaktionsenthalpie od. Phasenumwandlungsenthalpie ist daher negativ. *Beisp.:* Erstarren von Schmelzen, Kondensieren von Dämpfen, Verbrennung von Kohle zu CO_2, Knallgas-Reaktion, Löschen des Kalks etc. Als *Exothermie* bezeichnet man bei gefährlichen Arbeitsstoffen die Eigenschaft, oberhalb einer Meßtemp. exotherm zu reagieren. – *E* exothermic – *F* exotherme – *I* esotermico – *S* exotérmico

Exotische Atome. Sammelbez. für solche sehr kurzlebigen Atome, in denen eines der „üblichen" *Elementarteilchen Elektron, Proton od. Neutron durch ein anderes Lepton, durch ein *Meson od. Hyperon ersetzt sind; *Beisp.:* π^- od. K^- umkreisen statt e^- den pos. Kern (*Mesonen-Atome) od. e^- ist durch μ^- ersetzt (*Myonium-Atome*), e^- umkreist ein μ^+ (*Myonium*; Abk. Mu) od. ein e^+ (*Positronium), im Kern ist n durch ein Hyperon Λ ersetzt (*Hyperkerne) etc. In jüngerer Zeit werden auch e. A. nachgewiesen, in denen gar kein klass. Elementarteilchen mehr enthalten ist; *Beisp.:* Ein π^+ u. ein μ^- umkreisen einander (*Pionium*), ein *Quark mit *Charm u. sein Antiquark umkreisen einander (*Charmonium*). Für die Chemie sind v. a. Mu-substituierte Mol. von Interesse, die z. B. als Spinsonden Anw. finden. – *E* exotic atoms – *F* atomes exotiques – *I* atomi esotici – *S* átomos exóticos

Exotische Moleküle. Sammelbez. für ungewöhnlich gebaute organ. Verb., s. Käfigverbindungen, Ringsysteme u. Struktur. – *E* exotic molecules – *F* molécules exotiques – *I* molecole esotiche – *S* moléculas exóticas

Exotoxine (Ektotoxine). Bez. für *Bakterien-*Toxine, die im Gegensatz zu den *Endotoxinen von lebenden pathogenen Bakterien, oft Enterobakterien (s. Enterobacteriaceae) ausgeschieden werden. Es handelt sich meist um Proteine mit Molmassen zwischen 24000 u. 1,3 Mio. Sie sind zum Teil extrem tox., weisen *Antigen-Eigenschaften auf u. entfalten ihre Wirkung häufig erst nach einer gewissen Latenzzeit. E. lassen sich durch Hitze inaktivieren, behalten dabei aber noch ihren antigenen Charakter, so daß inaktivierte E. zur aktiven *Immunisierung eingesetzt werden können.
Zu den E. gehören die Enterotoxine von *Clostridium botulinum* (Botulinustoxin; s. Botulismus), *Clostridium tetani* (Tetanustoxin; s. Tetanus) od. *Cornyebacterium diphtheriae* (*Diphtherie-Toxin). Die β-E. aus dem Bakterium *Bacillus thuringiensis, das zur Schädlingsbekämpfung im Pflanzenschutz eingesetzt wird, sind keine Proteine, sondern hitzeresistente *Nucleoside. – *E* exotoxins – *F* exotoxines – *I* esotossine – *S* exotoxinas
Lit.: Teuscher u. Lindequist, Biogene Gifte, S. 549ff., Stuttgart: Fischer 1994.

Expandate. E. entstehen bei der durch eine sprungartige Erhöhung der Temp. bewirkte Aufblähung von Graphiten, in deren Zwischenschichten zuvor Fremdatome, Atomgruppierungen od. Ionen eingelagert wurden. Aus den sog. E. lassen sich anschließend metall. glänzende, biegsame Folien walzen od. Formkörper pressen, die als Ersatz von solchen aus *Asbest verwendet werden. – *E* = *F* expandate – *I* espansi
Lit.: Elias (5.) **2**, 122.

Expektorantien. Von latein. expectorare = aus der Brust verscheuchen abgeleitete Bez. für häufig verwendete Therapeutika, die eine Verflüssigung von Bronchialsekret (*Mucolytika*) u./od. seinen Abtransport fördern. In Hustenmitteln werden E. meist zusammen mit *Broncholytika eingesetzt. E. planzlicher Herkunft sind Guaiacol, ether. Öle u. Extrakte aus *Thymian, *Huflattich, Eukalyptus, *Primeln, Brechwurz, *Sonnentau, *Efeu sowie allg. *Saponine

u. Saponin-haltige Drogen. Einige anorgan. Salze (KI, NH$_4$Cl) wirken als Expektorantien. Mucolyt. wirksam sind die Synthetika *Acetylcystein, *Ambroxol u. *Bromhexin. Bes. drast. wirkende, ggf. in veterinärmedizin. Präp. verwendete E. sind die *Emetika *Apomorphin u. *Antimon-Präparate. – $E = F$ expectorants – I espettoranti – S expectorantes

Lit.: Helwig-Otto II/32-1 f. ▪ Mutschler (7.), S. 518 f.

Experiment. Von latein.: experimentum = Probe, Beweis abgeleitete Bez. für einen willkürlich herbeigeführten natürlichen Vorgang, mit dem man je nach Ausfall eine unbekannte Größe bestimmen od. eine Gesetzmäßigkeit erkennen od. demonstrieren will, die den Ablauf des Vorganges bestimmt. Das E. ist das wesentliche Wahrheitskriterium der naturwissenschaftlichen *Forschung u. das wichtigste Anschauungsmittel nicht nur in Chemie-Unterricht u. -Studium, sondern auch bei Demonstrationen vor anderem Publikum. Die Planung, Ausführung u. Auswertung von E. sollte man aus guten *Experimentierbüchern lernen können, auf elementarer Grundlage auch mit Hilfe von *Experimentierkästen. – E experiment – F expérience – I esperimento – S experimento

Lit.: s. Experimentierbücher.

Experimentierbücher. Sammelbez. für Lehrbücher, die auf dem Gebiet der Chemie durch Anleitung zu *Experimenten prakt. Fertigkeiten u. theoret. Wissen vermitteln. So gibt es E. für alle Bereiche vom *Chemie-Unterricht in weiterführenden Schulen bis zum Hochschulniveau. Für Ausbildungszwecke u. für interessierte Laien werden auch E. mit *Experimentierkästen zusammen angeboten. Die E. auf Hochschulniveau führen den Studierenden durch die Praktika des *Chemie-Studiums, deren erfolgreicher Abschluß Vorbedingung für die Zulassung zu den Examen ist. Solche *Praktikumsbücher* gibt es für viele Teil- u. Randgebiete der *Chemie. Im allg. überwiegen in der anorgan. Chemie analyt., in der organ. Chemie präparative Methoden. Andere E. haben die Vermittlung der *Laboratoriumstechnik* (s. Laboratorium) zum Ziel. Seit Mitte des 20. Jh. hat sich der Typ des deduktiv aufgebauten, theoret. fundierten E. durchgesetzt, das Wissensvermittlung mit Anleitung zum prakt. Arbeiten ideal kombiniert. Im weiteren Sinne zählen zu E. auch Sammlungen von *Synthesevorschriften* für die *Präparative Chemie, die laufend neuaufgelegt od. wie chem. Zeitschriften fortgeführt werden; *Beisp.:* *Houben-Weyl, *Organic Synthesis. – E experimental chemistry books, laboratory manuals – F manuels de chimie expérimentelle – I manuali della chimica sperimentale – S manuales de química experimental

Lit.: Übersichten: Führer durch die technische Literatur, Hannover: Weidemann (jährlich) ▪ Septemberhefte des Journal of Chemical Education, Washington: ACS ▪ *Didaktik der E.:* s. Didaktik der Chemie.

Experimentierkästen. Eine Zusammenstellung von Chemikalien u. Gerätschaften, mit deren Hilfe – je nach Ausstattung der E. – einfache bis komplizierte chem. *Experimente ausgeführt werden können. Das pädagog. Ziel sollte zusätzlich durch zweckmäßig aufgebaute *Experimentierbücher angesteuert werden. Es gibt E. für verschiedene Alters- u. Wissensstufen bis hin zu hochspezialisierten Einheiten, z. B. mit Spektralphotometern, E. für Dünnschichtchromatographie, Enzyme, Kunststoffe, Elektrochemie etc. – E laboratory kits – F coffret d'expérimentation – I giochi sperimentali – S equipos experimentales de laboratorio

Expertensysteme. Ganz allg. versteht man unter E. computergestützte Arbeitshilfen zur Lösung gedanklicher Probleme unter Bezug auf ein bestimmtes Sach-(Fach)gebiet. Sie stellen dem Benutzer vorhandenes Wissen u. Erfahrungen für konkrete, problembezogene Fragestellungen zur Verfügung. Analyt. Verf. lassen sich durch Syst. aus Kenngrößen u. Entscheidungshilfen optimieren. In einfacher Form sind solche Syst. z. B. in Photometern mit Fertigtestküvetten zu finden, bei denen über das Display die Einzelschritte des Verfahrensablaufs abgerufen werden können. Bei analyt. Verf. besteht die wesentliche Aufgabe der E. im Bereitstellen von Entscheidungshilfen bei Problemfällen, so daß sie vom Routinepersonal selbständig erledigt werden können. Sie besorgen die Auswertung u. Interpretation der Daten u. stellen notwendige Informationen für die Benutzung komplizierter Analysengeräte zur Verfügung. – E expert systems (XPS) – F systèmes experts – I sistemi esperti – S sistema experto o de expertos

Lit.: Fres. J. Anal. Chem. **333**, 607 – 614 (1989) ▪ Nachr. Chem. Tech. Lab. **40**, 1005 (1992) ▪ Schwedt, Analytische Chemie, S. 43 ff., Stuttgart: Thieme 1995.

Expidet s. Tabletten.

Expit®. (Brause-)Tabl., Lsg. u. Tropfen mit dem Mucolytikum *Ambroxol-Hydrochlorid. *B.:* Yamanouchi.

Exploration. Von latein.: exploratio = Auskundschaftung abgeleitete Bez. für die der *Prospektion folgende Phase in der Erkundung der *Lagerstätten von Erzen, Erdöl, Kohle usw.; E. umfaßt im internat. Sprachgebrauch jede systemat., moderne Aufsuchung u. Untersuchung (u. a. Probebohrungen, Gesteinsanalysen, Aufbereitungsversuche) potentieller Lagerstätten, die im Erfolgsfall bis zur Entscheidung für die Entwicklung des Fundes führt. – $E = F$ exploration – I esplorazione – S exploración

Lit.: Kuzvart u. Böhmer, Prospecting and Exploration of Mineral Deposits, Amsterdam: Elsevier 1986 ▪ Peters, Exploration and Mining Geology, New York: Wiley & Sons 1987 ▪ Pohl, Lagerstättenlehre (4.), S. 409–445, Stuttgart: Schweizerbart 1992 ▪ s. a. Lagerstätten.

Explosion. Von latein.: explosio = Ausklatschen, Auszischen (von schlechten Schauspielern; Gegensatz zu Applaus) abgeleitete Bez. für eine mit Geschw. von ca. 1 – 1000 m/s ablaufende Umsetzung von potentieller Energie in Ausdehnungs- u./od. Verdichtungsarbeit unter Auftreten von *Stoßwellen (Verdichtungsstößen). Die E. ist bei *explosionsfähigen Stoffen die Folge einer *Detonation od. *Deflagration [Näheres zur Definition s. DIN 20 163 (09/1985)], doch ist die Auffassung der Detonation als einer E., die mit höchster Geschw. ($\geq$1 km/s) u. höchster Druck- u. Knallwirkung abläuft, geläufiger. Das Auftreten von Stoßwellen wird in der Regel durch große Mengen heißer Gase bewirkt, die während der E. entstehen u. die durch schnell erfolgende chem. Reaktion explosionsfähiger Stoffe bzw. Stoffgemische (vgl. Explosiv-, Schieß- u. Sprengstoffe) gebildet werden. Demgegenüber kommt es kaum zur Ausbildung von Stoßwellen bei der – angesichts von Explosionsgeschw. im Bereich 1–100 cm/s „langsamen" – *Verpuffung*, die man mit einer rasch ablaufenden *Verbrennung gleichsetzen kann. *Nicht* um E. im erwähnten Sinne handelt es sich bei Kessel-E. (Ursache: überhitzter Wasserdampf), beim Explodieren von Spraydosen od. von Kohlensäureschneelöschern, die in zu warmer Umgebung aufbewahrt werden (Ursache: Wärmeausdehnung des verflüssigten Treibgases bzw. Kohlendioxids) od. beim Zerknall von evakuierten Glasgefäßen (Ursache: der starke Überdruck der äußeren Luft drückt das Glas nach innen zusammen: *Implosion*), da in all diesen Fällen weder eine chem. Reaktion noch eine Steigerung des Druckes während des Explosionsvorganges eintritt. Diese Fälle werden allerdings von einer älteren Definition des VDI miterfaßt, nach der man unter E. Vorgänge versteht, die auf dem Ausdehnungsbestreben von Gasen u. Dämpfen beruhende, plötzlich verlaufende Kraftäußerungen zur Ursache haben.

Im allg. unterscheidet man folgende Arten von E.: 1. *E. von Gemischen aus brennbaren Gasen, Dämpfen od. Stäuben mit Luft; Beisp.*: *Knallgas, *Schlagwetter, Gemische aus Kohlenoxid, Leuchtgas, Benzindämpfen, Dämpfen aus Ölen, Ether, Lack-Lsm. usw. mit Luft. Gemische brennbarer Gase u. Dämpfe (vgl. brennbare Flüssigkeiten) explodieren mit Luft nur innerhalb bestimmter *Explosionsgrenzen, s. die Tab. dort. Solche E. sind übrigens *Kettenreaktionen, die ggf. durch Wandwirkung unterdrückt werden können; *Beisp.*: *Davysche Sicherheitslampe, Gesteinsstaubsperren gegen Schlagwetter, *Antiklopfmittel. In den Zylindern von Otto- bzw. Dieselmotoren (*Explosionsmotoren*) werden Gemische aus Benzin- bzw. Dieselkraftstoffdämpfen durch Zündfunken bzw. durch Glühtemp. zur E. gebracht. Die sich daraufhin ausdehnenden E.-Gase drücken auf den Kolben u. leisten dadurch Arbeit. Staubfein in Luft verteilte Festkörper (Kohlen-, Mehl-, Metall-, Pigment-, Zucker-, selbst Arzneimittelstäube) können Anlaß zu vehementen *Staubexplosionen sein.
2. Geregelte, langsamer schiebend verlaufende *E. fester Stoffe*, durch die in Feuerwaffen (Revolver, Gewehre, Geschütze) die Geschosse zum Lauf hinausgestoßen werden, vgl. Schießstoffe; bei *Raketentreibstoffen werden auch flüssige Syst. verwendet.
3. Ungeregelte, äußerst rasch verlaufende, zertrümmernd wirkende *E. fester Stoffe*, durch die z. B. in Bergwerken, Steinbrüchen, bei Straßen-, Kanal- u. Tunnelbauten u. dgl. nutzbringende, im Krieg durch Granaten, Bomben u. dgl. zerstörer. Arbeit geleistet wird, vgl. Sprengstoffe.
4. *Nukleare E.* s. bei Kernwaffen.

Da Schadensexplosionen nicht selten mit solchen Substanzen eintreten, die man für ungefährlich (d. h. nicht explosionsfähig) bzw. u. U., die man für nicht explosionsauslösend hielt, kommt unter den Aspekten von *Arbeitssicherheit u. *Unfallverhütung der Veröffentlichung von Berichten über unerwartete E. bes. Bedeutung zu – Explosionskatastrophen größeren Ausmaßes, wie z. B. mit *Ammoniumnitrat in Texas City (1947) u. Oppau (1921) od. mit *Cyclohexan in Flixborough (1974) finden ohnehin öffentliches Interesse. Beschreibungen solcher E., die während der Durchführung von chem. Reaktionen unerwartet auftraten, findet man u. a. in Nachr. Chem. Techn. Lab., J. Chem. Educ., Chem. Eng. News u. im Mitteilungsblatt der *Berufsgenossenschaft „Sichere Chemiearbeit". In diesem werden chem. Laboratorien u. Betriebe auch auf VO u. Vorrichtungen zum *Explosionsschutz* hingewiesen. Weitere Gesichtspunkte s. bei explosionsfähige Stoffe. – *E = F* explosion – *I* esplosione, scoppio – *S* explosión

Lit.: Bartknecht, Explosionen, Ablauf u. Schutzmaßnahmen, Berlin: Springer 1980 ▪ Meyer, Explosivstoffe (6.), S. 124–136, Weinheim: Verl. Chemie 1985 ▪ Ullmann (4.) **21**, 638; (5.) **A 10** 143 f. ▪ Winnacker-Küchler (4.) **7**, 347f.; s. a. Explosionsschutz, Sprengstoffe.

Explosionsfähige Stoffe. Sammelbez. für solche festen, flüssigen u. gasf. Stoffe od. Stoffgemische [1], die ohne Hinzutreten weiterer Reaktionspartner einer schnell ablaufenden chem. Reaktion fähig sind, so daß eine *Explosion resultiert. Die Auslösung der Reaktion kann durch mechan. Beanspruchung (Schlag, Reibung), therm. Belastung (Funken, Flamme, glühende Gegenstände) od. durch Detonationsstoß [*Initialsprengstoff, *Sprengkapsel mit od. ohne *Verstärker-Ladung (*booster*)] erfolgen. Die e. S. umfassen sowohl solche Stoffe u. Stoffgemische, die zur Erzeugung einer Explosion hergestellt werden (*Explosivstoffe), als auch nicht als Explosivstoffe hergestellte Erzeugnisse u. Präparate. Eine schemat. Übersicht über e. S. gibt die Tabelle.

Hierin sind nicht aufgeführt Gemische brennbarer Gase, Dämpfe od. Stäube mit Luft (Sauerstoff), die innerhalb bestimmter Konzentrationsgrenzen zu verheerenden Explosionen führen können (s. Explosionsgrenzen, Staubexplosionen).

Der Begriff *explosionsgefährliche Stoffe* wird verwendet für alle e. S., bei deren Herst., Lagerung, Verpackung, Transport u. Verw. bes. Vorsichtsmaßregeln zu beachten sind. Ihre Kennzeichnung als gefährliche Stoffe (*Gefahrstoffe, *gefährliche Güter) erfolgt mit dem *Gefahrensymbol für Explosionsgefahr (vgl. Abb.).

Explosionsgefährlich

Abb.: Gefahrensymbol für Explosionsgefahr (Quelle: GefStoffV Anh. I).

Die wichtigsten zu beachtenden Vorschriften sind das Sprengstoffgesetz (SprengG, Gesetz über explosionsgefährliche Stoffe) in der Neufassung vom 17. April 1986 (BGBl. I, S. 578), die Explosionsschutzrichtlinie der BG Chemie (Ex-RL, Richtlinien für die Vermeidung von Gefahren durch explosionsfähige Atmosphäre mit Beispielsammlung) vom 1. Jan. 1976 mit laufenden Ergänzungen, Heidelberg: Druckerei Win-

Tab.: Schematische Übersicht über explosionsfähige Stoffe (aus Lit.[1]).

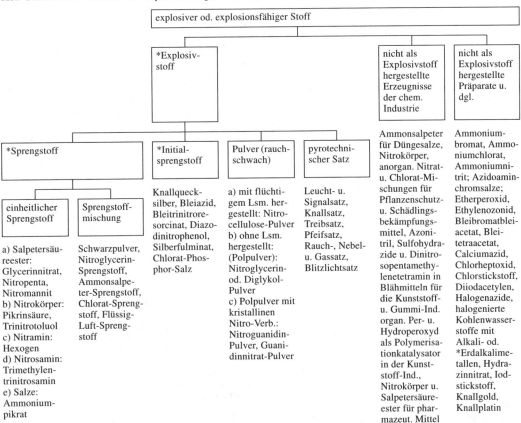

ter sowie die einschlägigen *Unfallverhütungs-Vorschriften (UVV) u. *Transportbestimmungen.
Zur Charakterisierung der e. S. dienen vorrangig *Siedepunkt, *Flammpunkt, *Verdunstungszahl, *Dampfdruck, u. -dichte, *Entzündungs- bzw. *Zündtemperatur, *Explosionsgrenzen, ggf. auch Schlag- u. Reibempfindlichkeit (vgl. Explosivstoffe). – E explosive materials – F matières à risque d'explosion – I materiali espolsivi – S materiales explosivos
Lit.: [1] Meyer, Explosivstoffe (6.), S. 124–132, Weinheim: Verl. Chemie 1985.
allg.: s. Explosionsschutz, Explosivstoffe, Sprengstoffe u. a. Textstichwörter.

Explosionsgefährliche Stoffe s. explosionsfähige Stoffe.

Explosionsgeschwindigkeit (*Detonationsgeschwindigkeit*) s. Explosivstoffe.

Explosionsgrenzen (Zündgrenzen). Unter E. versteht man die untere u. obere Grenzkonz. eines brennbaren Gases od. Dampfes[1] in Mischung mit Luft (od. einem anderen, Sauerstoff enthaltenden Gas), zwischen denen das Gas-(Dampf-)Luft-Gemisch durch Erhitzen (*Zündtemperatur) od. Funken zur *Explosion gebracht werden kann. Die E. sind druck- u. temperaturabhängig; sie werden als Konz. des brennbaren Gases od. Dampfes in Vol.-% od. g/m^3 für einen Anfangszustand von $1{,}013 \cdot 10^5$ Pa u. 20 °C angegeben.

In der Tab. (S. 1264) sind auch die Zündtemperaturen einer Auswahl brennbarer Gase u. Dämpfe angegeben.
Die Explosionsfähigkeit von Staub-Luft-Gemischen ist stark abhängig von der *Korngröße der Stäube. Zu den Brenn- u. Explosionskenngrößen für Stäube vgl. Lit.[2,3]. – E explosion limits – F limites d'explosion – I limiti d' esplosione – S límites de explosión
Lit.: [1] Nabert-Schön, Sicherheitskennzahlen brennbarer Gase u. Dämpfe (2.), Braunschweig: Deutscher Eichverl. 1963, 5. Nachtrag 1980. [2] Forschungsbericht Staubexplosionen, Brenn- u. Explosions-Kenngrößen von Stäuben, Bonn: Hauptverband der gewerblichen Berufsgenossenschaften 1980. [3] BIA-Handbuch, Ergänzbare Sammlung der sicherheitstechnischen Informations- u. Arbeitsblätter für die betriebliche Praxis, Berufsgenossenschaftliches Institut für Arbeitssicherheit BIA (Hrsg.), Abschnitt 140–260, Bielefeld: Erich Schmidt Verl. seit 1985.
allg.: s. a. Explosion u. Explosionsschutz.

Explosionsmotoren s. Explosion.

Explosionsplattierung (Sprengplattierung). Hochgeschw.-Füge-Verf., bei dem die kinet. Energie von zwei mit extremer Relativgeschw. aufeinanderprallenden metall. Halbzeugoberflächen (*Blech) großflächig zu einem nicht trennbaren Verbund der beiden beteiligten Teile u. damit zur Fertigung von *Halbzeug aus einem Verbundsystem ausgenutzt wird. Die hohe Relativgeschw. ergibt sich dabei aus der Detonationsenergie von

Explosionsschutz

Tab.: Explosionsgrenzen u. Zündtemperaturen einiger brennbarer Gase u. Dämpfe (nach Lit.[1]).

Explosionsfähiger Stoff	Explosionsgrenzen in Luft [Vol.-%] untere obere	Explosionsgrenzen in Luft [g/m^3] untere obere	Zündtemperatur [°C]
Acetaldehyd	4,0– 57,0	73 – 1040	140
Aceton	2,5– 13,0	60 – 310	540
Acetylen	2,4– 83,0	25 – 900	305
Ammoniak	15,0– 30,2	105 – 215	630
Anilin	1,2– 11,0	48 – 425	425
Benzaldeyhd	1,4	60	190
Benzol	1,2– 8,0	39 – 270	555
Blausäure	5,4– 46,6	60 – 520	535
Butadien	1,4– 16,3	31 – 365	415
n-Butan	1,5– 8,5	37 – 210	365
l-Butanol	1,4– 10,0	43 – 310	340
Chlorbenzol	1,3– 7,0	60 – 330	(590)
Diethylether	1,7– 36,0	50 – 1100	180
Dioxan	1,9– 22,5	70 – 820	375
Essigsäure	4,0– 17,0	100 – 430	485
Essigsäureanhydrid	2,0– 10,2	85 – 430	330
Ethan	3,0– 12,5	37 – 155	515
Ethanol	3,5– 15,0	67 – 290	425
Ethylacetat	2,1– 11,5	75 – 420	460
Ethylbromid	6,7– 11,3	300 – 510	510
Ethylchlorid	3,6– 14,8	95 – 400	510
Ethylen	2,7– 28,5	31 – 330	425
Ethylenglykol	3,2– 53,0	80 – 1320	410
Ethylenoxid	2,6–100	47 – 1820	440
Kohlenoxid	12,5– 74,0	145 – 870	605
o-Kresol	1,3	58	555
Methan	5,0– 15,0	33 – 100	(650)
Methanol	5,5– 31,0	73 – 410	455
Methylacetat	3,1– 16,0	95 – 500	475
Methylbromid	8,6– 20,0	335 – 790	535
Methylchlorid	7,6– 19,0	160 – 410	625
Methylenchlorid	13,0– 22,0	450 – 780	605
Nitrobenzol	1,8	90	480
Phthalsäureanhydrid	1,7– 10,5	100 – 650	580
Propan	2,1– 9,5	39 – 180	470
2-Propanol	2,0– 12,0	50 – 300	425
Schwefelkohlenstoff	1,0– 60,0	30 – 1900	95
Schwefelwasserstoff	4,3– 45,5	60 – 650	270
Toluol	1,2– 7,0	46 – 270	535
Vinylchlorid	3,8– 31,0	95 – 805	415
Wasserstoff	4,0– 75,6	3 – 64	560
o-Xylol	1,0– 6,0	44 – 270	465

*Sprengstoffen, die pulverförmig auf das zu verbindende Halbzeug aufgetragen u. in geeigneter Form gezündet werden. Es wird angenommen, daß an der Auftrefflinie wegen des sehr hohen Drucks ein Materiestrahl aus flüssigem Werkstoff entsteht, der die zu verbindenden Flächen reinigt, zu einer nicht trennbaren metallurg. Bindung führt u. sich aufgrund der Kinetik des Verbindungsvorgangs als mikroskop. Welle ausbildet, wobei zwischen Wellenlänge u. Sprengenergie ein Zusammenhang besteht. Wegen des extremen *Abschreckens entstehen in der Bindezone thermodynam. instabile Metall-Phasen. Mit der E. lassen sich Verbundsyst. von Metallen u. Leg. herstellen, die über Walz- od. Schweißplattieren nicht realisierbar sind, z. B. unlegierter *Stahl/*Tantal. – *E* explosive plating – *F* plaqué par explosion – *I* placcatura ad esplosione – *S* plaqueteado por explosión

Lit.: Ruge, Handbuch der Schweißtechnik, 2. Aufl., Bd. 2, S. 141, Berlin: Springer 1980.

Explosionsschutz. E. umfaßt alle Maßnahmen zum Schutz vor Gefahren durch *Explosionen. Sie werden unterteilt in a) Maßnahmen, die eine Bildung gefährlicher explosionsfähiger Atmosphäre verhindern od. einschränken – b) Maßnahmen, die die Entzündung gefährlicher explosionsfähiger Atmosphäre verhindern – c) Maßnahmen, die die Auswirkungen einer Explosion auf ein unbedenkliches Maß beschränken.

Maßnahmen nach a) sind
– der Ersatz des brennbaren Stoffes durch einen nicht brennbaren Stoff
– Verw. von Stoffen mit einem FP. oberhalb der höchsten Betriebstemp.
– Begrenzung der Konz. des Dampf-Gas-Nebel-Staub/Luftgemisches
– Inertisierung im Inneren der Apparatur
– häufige u. gründliche Entfernung der Staubablagerungen
– natürliche u. techn. Lüftungsmaßnahmen
– Überwachung der Konz. in der Umgebung von Apparaturen.

Maßnahmen nach b) umfassen die Vermeidung sämtlicher Zündquellenarten wie
– offenes Feuer
– Rauchen, Schweißen, Trennarbeiten mit funkenziehenden Geräten
– Einsatz explosionsgeschützter Geräte (z. B. gekapselte Motoren)
– Benutzung von funkenarmen Werkzeugen
– Ausschluß elektrostat. Auflagung (durch Erdung, leitfähige Geräte, leitfähige Kleidung, sichere Arbeitstechniken)
– Einhaltung der max. Oberflächentemp. (z. B. Temp.-Überwachung zum Schutz vor heißlaufenden Antriebsmotoren.

Maßnahmen nach c) sind:
– explosionsdruckfeste bzw. explosionsdruckstoßfeste Bauweise von Anlagen u. Apparaturen
– Explosionsdruckentlastung
– Explosionsunterdrückung
– Begrenzung von Explosionen auf Teilbereiche von Apparaturen.

Sollen Maßnahmen zur Verhinderung der Entzündung explosionsfähiger Atmosphäre getroffen werden, so sind die verbleibenden explosionsgefährdeten Bereiche nach der Wahrscheinlichkeit des Auftretens gefährlicher explosionsfähiger Atmosphäre in Zonen wie folgt einzuteilen:

Für Bereiche, die durch Gase, Dämpfe od. Nebel explosionsgefährdet sind, gilt
Zone 0: Bereiche, in denen gefährliche explosionsfähige Atmosphäre durch brennbare Gase, Dämpfe od. Nebel ständig od. langzeitig vorhanden ist.
Zone 1: Bereiche, in denen damit zu rechnen ist, daß gefährliche explosionsfähige Atmosphäre durch brennbare Gase, Dämpfe od. Nebel gelegentlich auftritt.
Zone 2: Bereiche, in denen damit zu rechnen ist, daß gefährliche explosionsfähige Atmosphäre durch brennbare Gase, Dämpfe od. Nebel selten u. dann auch nur kurzzeitig auftritt.
Zone 10: Bereiche, in denen gefährliche explosionsfähige Atmosphäre durch Staub langzeitig od. häufig vorhanden ist.
Zone 11: Bereiche, in denen damit zu rechnen ist, daß gefährliche explosionsfähige Atmosphäre gelegentlich durch Aufwirbelung abgelagerten Staubes kurzzeitig auftritt.

Für medizin. genutzte Räume treten an die Stelle der Zonen 0, 1 u. 2 die Zonen G (umschlossene medizin. Gassysteme) u. M (medizin. Umgebung). – *E* explosion protection – *F* protection anti-explosion – *I* antideflagrante – *S* protección contra explosión

Lit.: Richtlinien für die Vermeidung der Gefahren durch explosionsfähige Atmosphäre – mit Beispielsammlung – (EX-RL) ZH 1/10 Ausgabe 3.85/9.94 ▪ VDI 2263 „Staubbrände und Staubexplosionen; Gefahren, Beurteilung, Schutzmaßnahmen" Ausgabe 5.92 ▪ VDI 3673 „Druckentlastung bei Staubexplosionen" Ausgabe 7.95 ▪ VO über elektrische Anlagen in explosionsgefährdeten Räumen (ElexV) (ZH 1/309) Ausgabe 1980/93. – *B.* für VDI-Richtlinien: Beuth Verlag GmbH, Burggrafenstraße 6, 19787 Berlin ▪ *B.* für ZH 1-Schriften: Carl Heymanns Verlag KG, Luxemburger Straße 449, 50939 Köln od. Jedermann-Verlag, Postfach 10 31 40, 69021 Heidelberg.

Explosionsschweißen (Sprengschweißen). Grundsätzlich eine örtliche *Explosionsplattierung zum untrennbaren Fügen von Werkstücken, z.B. das Einschweißen von Rohren in Rohrböden. Hierzu werden Sprengpatronen mit einer auf das zu verbindende Syst. abgestimmten Energie eingesetzt. Hinsichtlich metallurg. Details s. Explosionsplattierung. – *E* explosive welding – *F* soudage par explosion – *I* saldatura ad esplosione – *S* soldadura por explosión
Lit.: s. Explosionsplattierung.

Explosionstemperatur. Durch thermodynam. Berechnung ermittelbare Temp., welche die Schwaden eines *Explosivstoffes bei *Explosion in geschlossenem Syst. haben müßte. Die tatsächliche E. eines detonierenden *Sprengstoffs liegt höher. E. ist nicht zu verwechseln mit der *Zündtemperatur eines *explosionsfähigen Stoffes. – *E* explosion temperature – *F* température d'explosion – *I* temperatura d' esplosione – *S* temperatura de explosión
Lit.: Meyer, Explosivstoffe (6.), S. 133, Weinheim: Verl. Chemie 1985.

Explosionswärme s. Explosivstoffe.

Explosivstoffe. Nach DIN 20163 (11/1994) werden solche *explosionsfähigen Stoffe als E. bezeichnet, die techn. als *Sprengstoffe, *Treib- u. *Schießstoffe, *Zündmittel, Anzündstoffe od. *pyrotechnische Erzeugnisse verwendet werden. Das Sprengstoffgesetz (*Lit.*[1]) unterscheidet außerdem *explosive Gegenstände*, in denen explosionsfähige Stoffe für die bestimmungsgemäße Verw. ganz od. teilw. fest eingeschlossen sind u. in denen eine *Explosion eingeleitet werden kann.
E. bestehen meist aus chem. Verb. od. Stoffgemischen, die disponiblen Sauerstoff enthalten, welcher die verbrennbaren Bestandteile des Mol. bzw. die brennbaren Komponenten des Gemisches oxidiert, wobei sehr rasch Wärme u. heiße Gase frei werden (s. Explosion). Der disponible Sauerstoff ist meist an Stickstoff (Nitrite, Nitrate, Nitro- od. Nitroso-Verb.) od. an Chlor (Chlorate, Perchlorate) gebunden, die verbrennbaren Bestandteile sind fast immer Kohlenstoff u. Wasserstoff, in Gemischen auch Schwefel, Mineralöl, Aluminium. Ausnahmen von der Explosiv-Umsetzung mit disponiblem Sauerstoff bilden einige Stoffe [z.B. *Bleiazid, *Quecksilberfulminat (*Knallquecksilber*), *Tetrazen], bei deren Zers. in die Elemente genügend Energie u. Gasvol. (Stickstoff) für den Explosionsprozeß frei werden.
Die Wahrscheinlichkeit für die Umsetzung eines explosionsfähigen Stoffes hängt ab von seiner *Sensibilität* bzw. Empfindlichkeit gegen mechan. od. therm. Beanspruchung (s. explosionsfähige Stoffe). Man kann die E. nach dem Grad ihrer Sensibilität einteilen von „sehr empfindlich" bis „unempfindlich". Sehr empfindliche E., z.B. Bleiazid u. Quecksilberfulminat, können nur in kleinen Mengen hergestellt u. verarbeitet werden. Viele gewerbliche Sprengstoffe auf Basis von z.B. *Glycerintrinitrat, Glykoldinitrat, *Ammoniumnitrat gehören in die Gruppe der mehr od. weniger empfindlichen Explosivstoffe. Unempfindliche E. benötigen zur vollständigen explosiven Umsetzung neben einem wirksamen Zündmittel oft noch *Verstärker-Ladungen (*booster*). In diese Gruppe fallen bestimmte pulver- u. schlammförmige Sprengstoffe, die z.B. in den USA nicht mehr als „*explosives*", sondern als „*blasting agents*" bezeichnet werden. Zur Beurteilung von E. dienen eine Reihe von Eigenschaften, deren Kenntnis wichtig ist für Hersteller, Händler, Transporteure u. Verwender. In der Tab. sind eine Reihe dieser charakterist. Eigenschaften für einige E. beispielhaft aufgelistet.

Tab.: Eigenschaften einiger Explosivstoffe (aus *Lit.*[2], S. 352).

Verb.	Sauerstoff-Bilanz (%)	Explosionswärme [kJ/kg]	Normalgasvol. [L/kg]	Dichte [g/cm³]	Detonationsgeschw. [m/s]	Bleiblockausbauchung [mL/10 g]	Schlagempfindlichkeit [J]	Reibempfindlichkeit [N]	Stahlhülsentest [mm]
*Glycerintrinitrat	+ 3,5	6770	780	1,60	7600	550	0,2	>360	24
*Ethylenglykoldinitrat	0	7390	815	1,48	7300	620	0,2	>360	24
*Diethylenglykoldinitrat	−40,8	4530	1030	1,38	6600	410	0,2	>360	
Pentaerythrittetranitrat	−10,1	6400	820	1,77	8400	520	3,0	60	6
*Nitrocellulose (13,3%N)	−28,7	4410	875	1,67	6800	370	3,0	>360	20
*Trinitrotoluol (TNT)	−73,9	4520	730	1,64	6900	300	15,0	>360	5
Pikrinsäure	−45,4	4520	800	1,77	7350	315	7,5	>360	4
Tetryl	−47,4	4770	800	1,73	7850	410	3,0	360	6
Hexogen	−21,6	5720	920	1,82	8750	480	7,5	120	8
Octogen	−21,6	5680	920	1,89	9100	480	7,5	120	8
Nitroguanidin	−30,7	3050	1075	1,71	8200	305	>50	>360	<1
*Quecksilberfulminat	−11,2	1788	316	4,42	5000	130	1–2	3	
*Bleiazid	− 5,5	1540	308	4,8	5180	110	2,5–4	0,1–1	−
Ammoniumperchlorat	+34,0	2045	803	1,95	3400	195	15	>360	8
Methylaminnitrat	−34,0	3610	1190	1,42	6600	325	15	>360	3
Ethylendiamindinitrat	−25.8	3905	1083	1,58	6800	350	10	>360	2

Explosivstoffe

Zur Definition u. Ermittlung der Eigenschaftsdaten: *Sauerstoffbilanz*, *Explosionswärme* u. *Normalgasvolumen* können auf Basis der chem. Formel u. Reaktionsgleichung thermodynam. berechnet werden.
Als *Sauerstoffbilanz* wird diejenige Sauerstoffmenge in Gew.% bezeichnet, die bei vollständiger Umsetzung des E. frei wird („positive" Sauerstoffbilanz) bzw. zur vollständigen Umsetzung zusätzlich benötigt wird („negative" Sauerstoffbilanz).
Die *Explosionswärme* ist die bei der Explosion freigesetzte Wärmeenergie, berechnet aus der Differenz der Bildungsenergien des E. bzw. der Komponenten des E.-Gemisches u. den Bildungsenergien der Reaktionsprodukte der Explosion.
Das *Normalgasvolumen (Schwadenvolumen)* ist das Gesamtvol. der bei der vollständigen Umsetzung des E. entstehenden Gase, bezogen auf 0 °C u. 101,3 kPa.
Aus *Explosionswärme* u. *Schwadenvol.* läßt sich das sog. *Berthelotsche Produkt* ableiten als Maß für die Arbeitskraft eines Explosivstoffes.
Die *Dichte wird nach den üblichen Meth. bestimmt. Für E. ist der Begriff der *Ladedichte* gebräuchlich, definiert als Verhältnis des Gew. des E. zum Vol. des Explosionsraumes. Bei E. gleicher Zusammensetzung kann die D. variiert werden. Hierbei führt eine geringe D. wegen größerer innerer Oberfläche u. Porosität zu erhöhter *Detonationsfähigkeit*, eine Erhöhung der D. bei Verringerung der *Detonationsfähigkeit* zu erhöhter *Brisanz* u. *Sprengkraft*.
Die *Explosionsgeschw. (Detonationsgeschw.)* ist die Geschw. in m/s, mit welcher die Explosion in einem E. fortschreitet. Sie kann von wenigen m/s (*Deflagration) bis zu 10 000 m/s (*Detonation) reichen. Ihre Bestimmung erfolgt auch heute noch teilw. nach der *Dautriche-Methode. Für genauere Messungen gibt es elektr. u. opt. Meßmethoden.
Die Bestimmung der *Sprengkraft* beruht auf Vergleichsmethoden. Eine Möglichkeit besteht in der Bestimmung einer *Bleiblockausbauchung* nach der Meth. von *Trauzl* (vgl. Abb. 1).

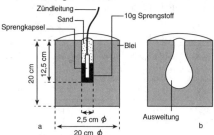

Abb. 1: Bleiblockausbauchung nach der Methode von Trauzl.

Eine andere Möglichkeit bietet der „*ballist. Mörser*", wobei der erzielte Pendelausschlag als Maß für die Leistungsfähigkeit des E. dient (bildliche Darst. vgl. *Lit.*[3], S. 36). Die *Brisanz* (bzw. der *Stoßdruck*) eines E. als Produkt aus D., spezif. Explosionsdruck u. Detonationsgeschw. (*Brisanzwert* nach *Kast*) kann vergleichend bestimmt werden mit dem *Kastschen Stauchapparat* (vgl. Abb. 2).
Schlagempfindlichkeit, Reibempfindlichkeit u. *Stahlhülsentest* sind Kriterien für die Empfindlichkeit eines E. gegen mechan. u. therm. Beanspruchung. Als Testmeth. dienen für die *Schlagempfindlichkeit* die *Fallhammermethode* der *BAM (Bundesanstalt für Materialprüfung), für die *Reibempfindlichkeit* der *Reibapparat* der BAM, u. für die *Temperaturempfindlichkeit* der *Stahlhülsentest*. Die drei letztgenannten Testmeth. sind für die Einstufung der E. gemäß Sprengstoffgesetz (*Lit.*[1]) definiert u. vorgeschrieben. Zu weiteren Eigenschaftskriterien von E. sowie ihren Bestimmungsmeth. s. *Lit.*[2]

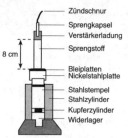

Abb. 2: Kastscher Stauchapparat (Brisanzmesser).

Verw.: Für gewerbliche u. militär. Zwecke als Sprengstoffe (z. B. im Kohlebergbau als *Wettersprengstoffe, beim Bau von Straßen, Tunneln, Stauseen etc. als *Gesteinssprengstoffe*), für geolog. Zwecke als *seism. Sprengstoffe*, als *Initialsprengstoffe u. Zündmittel zur Auslösung der Detonation weniger empfindlicher E., als Treib- u. Schießstoffe zum Antrieb von Geschossen, auch als *Raketentreibstoffe, ferner zur Herst. *pyrotechn.* Artikel wie Feuerwerkskörper u. dgl.; näheres s. Sprengstoffe. Der Umgang mit u. die Verw. von E. ist durch eine Reihe gesetzlicher Vorschriften u. VO geregelt, vgl. explosionsfähige Stoffe u. Explosionsschutz.

Geschichte: Die Erfindung der E. ist nicht genau zu datieren. Die Geschichte der E. beginnt damit, daß wahrscheinlich im 12. Jh. in China ein Unbekannter den bereits seit dem Altertum für krieger. Zwecke benutzten Brandsätzen („Pech u. Schwefel" im 5. Jh. v. Chr., „griechisches Feuer" im 7. Jh. n. Chr.) Nitrate zugesetzt hat. Die erste verbürgte Darst. vom Gebrauch von E. stammt aus China aus dem Jahre 1232. Um die Mitte des 13. Jh. wird von Roger Bacon u. M. *Albertus über *Schwarzpulver-ähnliche E.-Mischungen berichtet. Die (Nach)Erfindung des Schwarzpulvers, einer Mischung aus ca. 75% Kalisalpeter, ca. 15% Kohlepulver u. ca. 10% Schwefel, wird dem legendären Mönch Berthold Schwarz zugeschrieben, es wurde in der 2. Hälfte des 13. Jh. erstmalig als Treibmittel zum Heraustreiben einer Kugel aus einem geschlossenen Rohr verwendet. Die Geschichte der E. in der folgenden Zeit ist eng verbunden mit der Entwicklung von Schußwaffen u. Kanonen ab dem 14. Jahrhundert. Bis weit in das 19. Jh. hinein blieb das Schwarzpulver das einzige Treibmittel für Schußwaffen. Die Verw. von Schwarzpulver für gewerbliche Zwecke begann um 1620 mit Sprengungen in Steinbrüchen u. Erzbergwerken. Das Zeitalter des techn. Fortschritts auf dem Gebiet der E. begann mit der Entdeckung der Nitrocellulose (*Schießbaumwolle) sowie des *Glycerintrinitrat Mitte des 19. Jahrhunderts. Ihre Stabilisierung u. einigermaßen sichere Handhabung lernte man erst ab ca. 1885. Wesentliche Erfindungen auf diesem Gebiet stammen von Alfred *Nobel. In der Folgezeit wurden viele weitere E. entwickelt. Nach dem 2. Weltkrieg wurden in den USA die bes. handhabungssicheren u. preiswerten Ammoniumnitrat/Mineralöl-Sprengstoffe sowie die wasserhaltigen *Sprengschlämme (Slurry-Sprengstoffe) erfunden. Neueste Entwicklung auf diesem Gebiet sind die *Emulsionssprengstoffe, *Emulsionen von konz. wäss. Ammoniumnitrat-Lsg. in Mineralöl. – *E* explosives – *F* explosifs – *I* sostanze esplosive, esplosivi – *S* explosivos

Lit.: [1] Sprengstoffgesetz (SprengG) in der Neufassung vom 17. April 1986 (BGBl. I, S. 578). [2] Winnacker-Küchler (4.) **7**, 346–403. [3] Meyer, Explosivstoffe (6.), Weinheim: Verl. Chemie 1985.
allg.: Kirk-Othmer (3.) **9**, 561–620; (4.) **10**, 1–68 ▪ Ullmann (4.) **21**, 637–697; (5.) **A 10**, 143–172; s. a. Sprengstoffe.

Exposition s. Photographie.

Expression s. Genexpression.

Expressionsvektor s. Vektoren.

Expyrol®. Synthet. Luftschaum-Feuerlöschmittel auf Tensid- bzw. Fluortensid-Basis. *B.*: Hoechst.

Exsikkatoren (von latein.: exsiccare = austrocknen). Geräte zum Austrocknen od. trockenen Aufbewahren von Chemikalien.

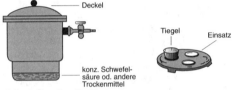
Abb.: Aufbau des Exsikkators.

Der untere Teil wird mit dem Trocknungsmittel (hygroskop. Substanzen, wie z. B. konz. Schwefelsäure in flüssiger od. aufgesaugter Form od. getrocknetes, gekörntes Calciumchlorid, Ätzkali, Phosphorpentoxid, *Blaugel u. dgl.) gefüllt; darüber kommt der durchlöcherte E.-Einsatz mit Tiegeln od. Schalen, in denen die zu trocknende Substanz befindet. Der E.-Gefäßrand u. der Deckel sind aufeinandergeschliffen u. werden zur Abdichtung gefettet. Verminderter Druck fördert die Verdunstung u. Austrocknung; daher haben die Vak.-E. einen oben od. seitwärts angebrachten Glashahn zum Anschluß an eine Vakuumpumpe (s. Abb.). Zum Trocknen im Vak. eignen sich bes. E. mit angenäherter Kugelform, da sie widerstandsfähiger gegen äußeren Druck sind. Die E. bestehen gewöhnlich aus farblosem od. braunem Glas; letzteres schützt lichtempfindliche Substanzen. An Stelle von Wasserdampf können auch – bei passender Wahl des Trockenmittels – Dämpfe von Säuren, Ammoniak od. organ. Flüssigkeiten aus der Substanz entfernt werden. – *E* desiccators – *F* dessiccateurs, exsiccateurs – *I* essiccatori – *S* desecadores

Exsudate. Von latein.: exsudare = ausschwitzen abgeleitete Bez. für Absonderungen aus Wunden od. Gefäßen von Tieren u. Pflanzen; *Beisp.*: *Gummi u. *Harze bei Pflanzen; Sekretaustritte aus Hautöffnungen bei Marienkäfern od. Blattläusen. – *E* exudates – *F* exsudates – *I* essudati – *S* exudado

Extender s. Füllstoffe u. Weichmacher.

Extensive Größen. Bez. für solche physikal. *Größen, die stoffmengenbezogen sind; *Beisp.*: Volumen, *Energie, *Entropie, *Masse, elektr. Ladung, Teilchenzahl, *Parachor, Molrefraktion – man spricht hier von *additiven Eigenschaften*, da sie beim Zusammenfügen zweier thermodynam. Syst. zu addieren sind. Demgegenüber sind *Temperatur, *Dichte, *Druck, *Viskosität, Brechungsindex, elektr. Spannung, *Dielektrizitätskonstante, *Dipolmoment unabhängig von der Stoffmenge u. daher *intensive Größen* mit *konstitutiven Eigenschaften*. – *E* extensive quantities – *F* grandeurs extensives – *I* grandezze estensive – *S* magnitudes extensivas, propiedades aditivas

Exterdens®. Dämmschichtbildende Streifen u. Platten zur Verbesserung des Feuerwiderstandes von Bauteilen. *B.*: Wolman.

Extinktion. Von latein.: extinctio = Auslöschung, Vernichtung abgeleitete, nach DIN- u. IUPAC-Empfehlungen jedoch nicht mehr zulässige Bez. für den Ausdruck log (1/T) [früher log (I_0/I)], der heute *spektrales Absorptionsmaß* (DIN) od. *dekadisches Absorptionsvermögen* (IUPAC) genannt werden soll. Näheres s. Lambert-Beersches Gesetz, Transmission u. UV-Spektroskopie. – *E* = *F* extinction – *I* estinzione – *S* extinción

Lit.: DIN 1349 T1 (06/1972) ▪ Pure Appl. Chem. **49**, 661–674 (1977); **51**, 1–41, bes. 13 (1979).

Extrachromosomale Vererbung (außerkaryont. V., cytoplasmat. V.). Vererbung von Eigenschaften der *eukaryontischen Zelle durch *DNA, die im Cytoplasma u. nicht im Zellkern lokalisiert ist. Hierzu gehört v. a. die DNA aus Mitochondrien u. aus Chloroplasten, die als ringförmige Doppelstrang-Mol. vorliegen. Die e. V. folgt nicht den Regeln der *Mendelschen Gesetze. Da die männliche Keimzelle nur den Kern in die *Zygote einbringt, stammen die sogenannten Plasma-Gene vorwiegend von der Eizelle. Dies wird als mütterlicher Erbgang od. *maternale Vererbung* bezeichnet. – *E* extranuclear (cytoplasmic) inheritance – *F* hérédité cytoplasmique, hérédité non-chromosomique – *I* eredità citoplasmatica – *S* herencia citoplásmica

Lit.: Hennig, Genetik, S. 139–143, Berlin: Springer 1995.

Extracta, Extractum s. Extrakte.

Extrahieren s. Extraktion.

Extraits s. Parfüms.

Extrakt. 1. s. Extrakte. – 2. s. Flüssig-Flüssig-Extraktion. – 3. *Reißwolle aus Halbwollabfällen.

Extrakte. Bez. für Stoffe, die durch *Extraktion u. teilw. od. völliges Eindampfen der Extraktionslsg. gewonnen werden. E. im Sinne der *Pharmazie sind konz., ggf. auf einen bestimmten Wirkstoffgehalt eingestellte *Auszüge* aus pflanzlichen *Drogen, die durch *Mazeration od. *Perkolation mittels Ethanol od. Ethanol/Wasser-Gemischen hergestellt werden. Man unterscheidet nach der Beschaffenheit: *Trockenextrakte* (Extracta sicca): bis zur Trockene eingedampfte E., *Fluidextrakte* (E. fluida): mit Lsm. so hergestellte E., daß aus 1 Tl. Droge höchstens 2 Tl. Fluid-E. gewonnen werden, *zähflüssige Extrakte, Dickextrakte* (E. spissa): E., bei denen ein Teil des Lsm. verdampft wird.

In der Volksmedizin spielten E. schon immer eine große Rolle, in der Pharmazie auch heute noch (*Phytopharmaka*). Im folgenden sind einige Beisp. für E. (mit den dtsch. *Pflanzen-Namen in Klammern) aufgeführt; im allg. nennen die in latein. Sprache „verschlüsselten" Angaben auch die Pflanzenteile, aus denen die E. gewonnen wurden, vgl. deren Aufstellung bei Drogen. Im Chemielexikon sind viele der Heilpflanzen in eigenen Stichwörtern abgehandelt. *Beisp.:* Extractum Belladonnae (Tollkirschen), E. Opii (Opium), E. Rhei (Rhabarber).

Unter dem E. eines *Weins versteht man alle nichtflüchtigen Wein-Bestandteile, die beim Eindampfen zurückbleiben, also alle Wein-Bestandteile außer Wasser, Alkohol u. flüchtigen Säuren. Der zuckerfreie E. ergibt sich, wenn man vom E. die 1 g im L übersteigende Zuckermenge abzieht. Bei den Likören besteht der E. überwiegend aus Zucker, wasserfreien Anteilen des Stärkesirups, Mineralstoffen, nichtflüchtigen Säuren, Eiweißverb. u. dgl. Bei Weinen u. *Spirituosen erfolgt die Bestimmung des E. direkt durch Eindampfen u. Trocknen bis zur Gewichtskonstanz (105 °C) od. indirekt mittels der Dichtebestimmung von Lsg. mit Aräometern od. Pyknometern. – *E* extracts – *F* extraits – *I* estratti – *S* extractos

Lit.: DAB 1996 u. Komm. ▪ Hager (4.) **7a**, 308 ff.

Extraktion (von latein.: extrahere = herausziehen). Bez. für ein *Trennverfahren durch Herauslösen von bestimmten Bestandteilen aus festen od. flüssigen Substanzgemischen mit Hilfe geeigneter Lsm. (*Extraktionsmittel*). Maßgeblich für die Trennbarkeit der Gemische sind die Lösungsgleichgew., für z. B. die Verteilung einer sich ideal verhaltenden Komponente zwischen ineinander unlösl. Lsm. gilt der *Nernstsche Verteilungssatz. Man unterscheidet Fest-flüssig- u. *Flüssig-flüssig-Extraktion. Es gibt Kalt- u. Heißextraktion, sowohl kontinuierliche (s. die Abb. bei Soxhlet-Extraktion, Perforation u. Perkolation) als auch diskontinuierliche Verf., zu denen beispielsweise *Ausschütteln, *Auslaugen, *Auskochen u. *Digerieren gehören. *Verteilungs-Verf. wie die *Gegenstromverteilung können kontinuierlich od. diskontinuierlich durchgeführt werden. Die E. spielt in der Technik eine wichtige Rolle z. B. bei der Arzneimittel-Herst. (s. Extrakte), in der Zuckergewinnung aus Zuckerrübenschnitzeln, zur Gasreinigung, zur Gewinnung von Aromaten (E. mit Stickstoff-Heterocyclen) u. Paraffinen (*Edeleanu-Verfahren) aus Erdöl, wertvollen Metallen aus armen Erzen mit Hilfe organ. Lsm. (z. B. Aminen u. a. Komplexbildnern) od. mittels Bakterien (s. Bioleaching) u. zur Aufarbeitung von Kernbrennstoffen[1], ferner von Gerbstoffen aus zerkleinerten Hölzern u. Rinden, von ether. Ölen aus Blüten u. Früchten, von Fetten (z. B. aus Kopra, Palmkernen, Sojabohnen, Preßrückständen, Knochen), Coffein aus Kaffee u. Tee usw. In vielen Fällen läßt sich auch die mit der E. verwandte *Destraktion anwenden. In der Analyt. Chemie ist die *Extraktionsanalyse* von Bedeutung, z. B. in der extraktiven Trennung anorgan. Verbindungen. In neuerer Zeit gewinnen Verf. der Reaktivextraktion an Bedeutung[2]. – *E* = *F* extraction – *I* estrazione – *S* extracción

Lit.: [1] Chem. Tech. **4**, 83 ff., 135–142 (1975). [2] Chem.-Ing.-Tech. **61**, 941 (1989).

allg.: Ullmann (5.) **B 3**, 6-1 ff., 7-1 ff. ▪ s. a. Trennverfahren.

Extraktive Destillation s. Destillation.

Extra Rapid. Veraltete Bez. einer elektrolyt. Vorverkupferung von Werkstücken aus Zink-*Druckguß zur Schaffung optimaler Voraussetzungen für weitere Oberflächenveredelungen.

Extra-Wasserstoff s. H u. Nomenklatur.

Extrazelluläre Matrix (Abk.: ECM). Von Bindegewebszellen (*Fibroblasten*, z. B. in Augen-Hornhaut u. Sehnen, sowie Zellen der Blutkapillaren, Bandscheiben, Zähne, Knorpel, Knochen u. des Glaskörpers im Auge) u. einigen Epithelzellen der Wirbeltiere in den sie umgebenden Raum abgeschiedene Substanzen, die sich dort zu makro- u. supramol. Strukturen verbinden. Zur e. M. gehören spezielle *Glykosaminoglykane (Mucopolysaccharide) u. *Proteoglykane, die die gelartige Grundsubstanz bilden, in der Nährstoffe, Metaboliten u. Hormone diffundieren können. Darin eingebettet sind die Fasern der *Collagene u. des *Elastins u. *Fibrillins, die zur Versteifung bzw. elast. Vernetzung der Matrix dienen. *Fibronectin bei Fibroblasten u. a. Bindegewebszellen bzw. *Laminin bei Epithelzellen, weiterhin *Vitronectin sind adhäsive Proteine, die die Anheftung der Zellen an die e. M. bewerkstelligen. In der *Basalmembran (*Basallamina*), die sich zwischen Epithel- u. Bindegewebe befindet, liegt eine hauptsächlich aus Protein (nämlich Typ-IV-Collagen u. Laminin) u. Glykosaminoglykanen bestehende, verdichtete Schicht der e. M. vor. Auch das Email u. Dentin der Zähne wird zur e. M. gerechnet sowie die Knochenmatrix. Der e. M. vergleichbare Strukturen sind auch bei den Pflanzen- u. Bakterien-Zellwände, die *Cuticula der Insekten u. Würmer sowie die Schalen der Mollusken.

An gewissen Stellen der Plasmamembran (s. Cytoplasma) von Fibroblasten, den *Fokalkontakten* (s. Adhärenz-Verbindungen), stehen die *Actin-Filamente des *Cytoskeletts über bestimmte Proteine mit der e. M. in Verbindung. Epithelzellen haften mit Hemidesmosomen (s. Desmosomen) an der e. Matrix. Die e. M. beeinflußt die *Differenzierung vieler Zelltypen u. die Morphogenese (Ausbildung der Gestalt) der Gewebe. Verschiedene Proteine der e. M. wie Laminin, *Tenascin u. *Thrombospondin tragen z. B. dem *epidermalen Wachstumsfaktor ähnliche Sequenzabschnitte, weshalb vermutet wird, daß diese Domänen ortsgebundene Signale zur Zell-Vermehrung u. -Differenzierung darstellen. – *E* extracellular matrix – *F* matrice extracellulaire – *I* matrice extracellulare – *S* matriz extracelular

Lit.: Ayad et al., The Extracellular Matrix Factsbook, San Diego: Academic Press 1994 ▪ Haralson u. Hassell, Extracellular Matrix: A Practical Approach, Oxford: IRL Press 1995 ▪ Ruoslahti u. Engwall, Extracellular Matrix Components, San Diego: Academic Press 1994 ▪ Yurchenco et al., Extracellular Matrix Assembly and Structure, San Diego: Academic Press 1994.

Extrinsic factor s. Vitamin B_{12}.

Extrudieren (Extrusion, von latein.: extrudere = hinausstoßen). Bez. für ein auch *Strangpressen* genanntes Verf. zur Herst. von Rohren, Drähten, Profilen, Schläuchen usw. aus thermoplast. Kunststoffen wie z. B. PVC, Polyethylen, Polypropylen, Polystyrol usw. Das E. erfolgt in *Extrudern*, die meist als Schnecken-, seltener als Kolbenextruder ausgelegt sind. Sie werden durch Einfülltrichter (a) mit dem *Thermoplasten in Form von Pulvern od. Granulaten beschickt. Das Material wird erwärmt bzw. gekühlt (b), homogenisiert, plastifiziert, von der (häufig stufenförmigen) Schnecke (c) transportiert u. durch die formgebende Düse im Spritzkopf (d) gepreßt.

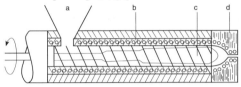

Abb.: Aufbau eines Extruders.

Extruder existieren in verschiedenen Varianten; so unterscheidet man z.B. je nach der Zahl der Förderschnecken Ein- u. Mehrschneckenextruder, Geräte mit elektron. Steuerung od. Führung durch Ultraschall. Auch zum *Plasti(fi)zieren schwer verarbeitbarer Materialien od. Mischen sind Extruder mit Vorteil einzusetzen. – $E = F$ extrusion – I estrusione – S extrusión
Lit.: ACHEMA-Jahrb. **1988**, 1537 ▪ DIN 16 700 (09/1967) ▪ Ebeling, Extrudieren von Kunststoffen kurz u. bündig, Würzburg: Vogel 1974 ▪ Ullmann (5.) **B 4**, 94 ▪ VDI-Ges. Kunststofftechnik (Hrsg.), Der Extruder im Extrudierprozess, Düsseldorf: VDI 1989 ▪ Winnacker-Küchler (4.) **6**, 460.

Extrusil®. Gefällte Kieselsäure mit einem Calciumsilicat-Anteil als Füllstoff für Kautschuk u. a. Elastomere sowie für Klebebänder u. -streifen. *B.:* Degussa.

Extrusion s. Extrudieren.

Extrusivgesteine s. Vulkanite.

EXXAL®. Verzweigtkettige Oxo-alkohole der Deutschen EXXON CHEMICAL GmbH.

EXXATE®. Acetate von Alkoholen aus Oxo-Synth. (C_6–C_{13}) zur Verw. als Lsm. für High Solid Lacke u. Pflanzenschutzformulierungen. *B.:* Deutsche EXXON CHEMICAL GmbH.

EXXELOR®. Polymer-Modifikatoren zur Eigenschaftsverbesserung von Thermoplasten. *B.:* Deutsche EXXON CHEMICAL GmbH.

EXXON. Kurzbez. für die bis 1973 als Standard Oil Company of New Jersey (phonet. Schreibweise aus S u. O = ESSO) firmierende EXXON Corporation, 5959 Las Colinas Boulevard, Irving, Texas 75039-2298, USA; der Name EXXON ist eine Computerwortschöpfung. Zu den zahlreichen *Tochter- u. Beteiligungsges.* gehören u. a. *EXXON CHEMICAL u. *ESSO. *Daten* (1994): 91 000 Beschäftigte, 113,9 Mrd. $ Umsatz. *Produktion:* Erdöl u. Erdgas, Kraft- u. Schmierstoffe, Heizöl u. a. Mineralölprodukte, Kohle, Petrochemikalien (s. EXXON CHEMICAL). *Vertretung* in der BRD: Esso.

EXXON CHEMICAL. Kurzbez. für die 100%ige Tochterges. der *EXXON, EXXON CHEMICAL Co., 13501 Katy Freeway, Houston, Texas 77079-1398, USA. *Produktion:* Olefine, Aromaten, Kunststoffe, Elastomere, Lsm., Additive, Harze, Oxo-Alkohole, Weichmacher. *Daten* (1994): ca. 14 000 Beschäftigte, ca. 11,0 Mrd. $ Umsatz. *Vertretung* in der BRD: Deutsche EXXON CHEMICAL GmbH, Neusser Landstr. 16, 50735 Köln (vormals: Esso Chemie GmbH, Köln).

EXXSOL® D. Zwischen 30 u. 330 °C siedende, hydrierte Mineralölfraktionen mit Aromaten-Gehalt <1%. *B.:* Deutsche EXXON CHEMICAL GmbH.

Exzitatorische Aminosäuren-Rezeptoren s. Glutamat-Rezeptoren.

Eyeliner s. Augenkosmetika.

Eyring, Henry (1901–1981), Prof. für Physikal. Chemie, Univ. Princeton (Utah). *Arbeitsgebiete:* Radioaktivität, Molekularbiologie, Quantenmechanik, opt. Aktivität, Reaktionskinetik, Gleichgew. unter hohem Druck, Theorie der Flüssigkeiten, Photosynth., Statistik der Dynamik u. Mechanik, Textilchemie.
Lit.: Adv. Chem. Phys. **21**, XV–XXXIII (1971) ▪ Nachr. Chem. Tech. **12**, 4 (1964) ▪ Neufeldt, S. 176 ▪ Pötsch, S. 142 ▪ Poggendorff **7 b/2**, 1304–1311 ▪ Science **143**, 826 ff. (1964).

EZ. Abk. für Ester-Zahl, s. Fette und Öle.

EZP (Einzellerprotein) s. Single Cell Protein (SCP).

Ezrin s. Talin.

F

f. 1. Symbol für *Femto… (=10^{-15}) als Vorsatzzeichen vor Kurzz. für physikal. Einheiten. – 2. Im *Atombau steht f für die Nebenquantenzahl 3 der Elektronen, u. entsprechend sind f-Elemente solche mit (teilw.) besetzten f-Niveaus, z. B. Lanthanoide u. Actinoide. – 3. Daneben ist f Symbol für *Frequenz, Aktivitätskoeff. auf Basis *Molenbruch, *Fugazität, *Kraftkonstante, französ. Grad (°f, s. Härte des Wassers).

F. 1. Chem. Symbol für *Fluor. – 2. In *Holzschutzmitteln Kurzz. für Fluor-Verbindungen. – 3. Von der IUPAC empfohlenes Symbol für -fluorid-, -fluor- u. -formaldehyd- bei Abk. von *Polymeren-Namen (z. B. PVF = Polyvinylfluorid, PTFE = Polytetrafluorethylen, PF = Phenolformaldehyd). – 4. In der Einbuchstaben-Notation der *Aminosäuren bedeutet F Phenylalanin. – 5. In der Physik u. a. Kurzz. für *Schmelzpunkt (F., Fusionspunkt), Kraft, Fahrenheit (°F; s. Fahrenheit-Temperatur-Skale), *Farad, *Faraday, *freie Energie. – 6. Bei *Elementarteilchen symbolisiert F ein *Meson. – 7. Beim *Chemisch-Reinigen ist F ein Symbol für Waschbenzin bzw. Trichlortrifluorethan, s. Textilien. – 8. Im Chemie-Lexikon kennzeichnet *F* eine französ. Übersetzung.

Fa. Veraltetes französ. Symbol für *Francium (Fr).

FAA. Abk. für *Fettsäurealkanolamide.

Fab s. Immunglobuline.

Faba. Latein.: *Bohne, z. B. *Fabae albae* = weiße *Bohnen, *F. cacao* = Kakaobohnen, *Vicia faba* = Pferde- od. Saubohne.

Fabinet s. Kunstleder.

Fabry-Pérot-Interferometer. *Interferometer, aufgebaut aus zwei ebenen od. gewölbten Spiegeln, die so zueinander justiert sind, daß Licht zwischen ihnen hin u. her reflektiert wird. Die auftretenden Interferenzen sind gleich denen beim *Etalon. Zur Abstimmung eines F.-P.-I. ist es oft möglich, die Spiegelabstände sehr fein z. B. durch *Piezo-Keramiken zu verändern (Spektrum-Analysator). – *E* Fabry-Pérot interferometer – *F* interféromètre de Fabry et Pérot – *I* interferometro di Fabry-Pérot – *S* interferómetro Fabry-Pérot
Lit.: s. Etalon.

Fabulit s. Perowskit u. Diamanten.

Fabutit®. Phosphorsäure- u. Phosphat-Formulierungen für industrielle Anw. im Bereich Feuerfest, Keramik, Baustoffe u. verwandte Bereiche. *B.:* Budenheim.

fac- (von latein.: facies = Angesicht). Nach IUPAC-Regel I-10.5.4.2 nur noch für allg. Begriffe erlaubte Stereo-Bez. bei oktaedr. Koordinationsverb. mit verschiedenen Liganden, wenn 3 gleiche Liganden die 3 Ecken *einer* Oktaeder-Dreieckfläche (*E* face) besetzen; *Beisp.: fac-* u. **mer*-Isomer von Trichlortris(pyridin)ruthenium(III);

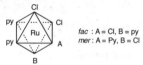

IUPAC-Bez.: (*OC*-6-22)- u. (*OC*-6-21)- = *Ok*taeder-Komplex mit 6 Liganden, Hauptachse von Ligand 1 (nach Sequenzregeln: Cl) zu 2 (py), Nebenachse 1 → 2 (*fac*-) u. 1 → *1* (*mer*-). – *E = F = I = S* fac-

Facet®. Nachauflauf-Herbizid auf der Basis von Quinclorac gegen Hirsearten u. a. Unkräuter in Reis. *B.:* BASF.

Fachhochschulen. Hochschulen mit praxis- u. anwendungsbezogenem Studienangebot, das meist straff gegliedert ist u. ein Grund- u. ein Hauptstudium umfaßt. Die Studiendauer beträgt einschließlich Praktika acht Semester u. führt zum *Diplom-Abschluß. Der Abschluß enthält die allg. Hochschulreife. Voraussetzung zum Besuch der F. ist die Fachhochschulreife od. ein als gleichwertig anerkannter Abschluß. Die F. sind seit 1968 z. T. aus höheren Fachschulen, Akademien u. Ingenieurschulen hervorgegangen od. neu gegründet worden. Sie wurden z. T. in Gesamthochschulen eingegliedert.
Lit.: ACHEMA-Jahrb. **1994**, Bd. 1, A 72 – A 87 ▪ Die Fachhochschulen in Deutschland, Bonn: BMBF 1996 ▪ Scholz, Fachhochschulen, Stuttgart: IRB-Informationszentrum 1995 ▪ s. a. bei Chemieberufe u. Hochschulen.

Fachinformationszentrum (FIZ). Fachinformationseinrichtungen haben die Aufgabe, durch ihren Service die Nutzung elektron. Informationssyst. zu erhöhen u. das Angebot an wissenschaftlichen Datenbanken auszubauen. Ziel ist, durch ein hochwertiges u. schnelles Informationsangebot die Qualität dtsch. Forschung u. Entwicklung zu verbessern u. den Transfer der Forschungsergebnisse in die Anw. zu erleichtern. Einige wichtige FIZ sind: FIZ Karlsruhe, FIZ Chemie (Berlin), FIZ Technik (Frankfurt), Deutsches Informationszentrum für technische Regeln (DITR) im DIN, GEOFIZ (Hannover), FIZ Werkstoffe (Berlin). Für eine vollständige Auflistung der Fachinformationseinrichtungen s. Literatur.
Lit.: Fachinformationsprogramm der Bundesregierung 1990 – 1994, Bonn: BMBF 1993 ▪ Bundesbericht Forschung, Bonn: BMBF 1996.

Fachinformationszentrum Chemie GmbH (FIZ CHEMIE). 1981 gegr. *Fachinformationszentrum mit Sitz in 10587 Berlin, Franklinstr. 9. Das im Rahmen des Programms der Bundesregierung zur Förderung der Information u. Dokumentation gegr. FIZ CHEMIE übernahm die Abteilung *Chemie-Information u. -Dokumentation Berlin (CIDB) der *GDCh, die aus der Westredaktion des 1830 gegr. u. 1969 eingestellten *Chemischen Zentralblattes hervorgegangen war. Mit derzeit 92 Mitarbeitern, davon 56 Wissenschaftlern, nimmt FIZ CHEMIE die Aufgabe einer zentralen wissenschaftlichen Informations- u. Dokumentationsstelle für Chemie wahr, in enger Zusammenarbeit mit seinen Kooperationspartnern *DECHEMA u. *Deutsches Kunststoff-Institut sowie weiteren naturwissenschaftlich-techn. Informationseinrichtungen. Die Angebotspalette wurde 1994 neu gegliedert in die vier Bereiche: Structures and Reactions, Engineering Data, Service and Consulting u. Database-input.

FIZ CHEMIE ist Mitglied der Arbeitsgemeinschaft Fachinformation (AFI), dem International Council for Scientific and Technical Information (ICSTI), von CODATA u. anderen

Zu den Aktivitäten des FIZ CHEMIE gehören die Herst. u. der Vertrieb von Datenbanken auf Magnetband od. Disketten, Softwarepaketen u. gedruckten Informationsdiensten bzw. Büchern, ferner die Veranstaltung von Lehrgängen über die Nutzung von Datenbanken sowie die Durchführung von wissenschaftlichen Recherchen im Kundenauftrag. Dazu nutzt das FIZ CHEMIE eigene Spezial-Datenbanken sowie alle wichtigen Chemie-Datenbanken des In- u. Auslandes. FIZ CHEMIE ist offizieller Vertreter der weltweit größten Chemie-Datenbank *CAS ONLINE (*Chemical Abstracts Service, USA) in der BRD, in Österreich u. der Schweiz. *Publikationen*: Referatezeitschriften ChemInform, Kunststoffe Kautschuk Fasern, CEABA Bulletins usw. – INTERNET-Adresse: http://www.fiz-chemie.de

Lit.: ACHEMA-Jahrb. **1994**, Bd. 1, A 66 – A 68 ▪ Chem. Labor Betr. **43**, 87 (1992) ▪ Nachr. Chem. Tech. Lab. **40**, 1116 f. (1992); **43**, 871 (1995).

Fachinformationszentrum Karlsruhe, Gesellschaft für wissenschaftlich-technische Information mbH (FIZ Karlsruhe). Das FIZ wurde 1977 aus der Zusammenlegung folgender Einrichtungen gegr.: Zentralstelle für Atomkernenergie-Dokumentation, Zentralstelle für Luft- u. Raumfahrtdokumentation u. -information, Physikalische Berichte, Zentralblatt für Mathematik u. Zentralblatt für Didaktik der Mathematik. Es hat seinen Sitz in D-76344 Eggenstein-Leopoldshafen u. beschäftigt 330 Mitarbeiter, davon ca. 100 Wissenschaftler.

Aufgaben: Produktion von Datenbasen aus den Fachgebieten Astronomie u. Astrophysik, Energie, Kernforschung u. -technik, Luft- u. Raumfahrt, Weltraumforschung, Mathematik, Informatik u. Physik; Betrieb des FIZ-Rechenzentrums (Host) im Rahmen von *STN International zusammen mit der *ACS u. dem *JICST. Das FIZ bietet mehr als 190 Datenbanken aus fast allen Gebieten von Wissenschaft u. Technik an; Herausgabe u. Vertrieb von gedruckten u. elektron. Informationsdiensten, Recherchen u. Profildiensten; Betrieb einer Spezialbibliothek für *Graue Literatur; Entwicklung u. Erweiterung von Informationssyst.; Angebot von Online-Datenbanken nat. u. internat. Anbieter über STN-INTERNATIONAL. Im FIZ-Angebot an Online-Datenbanken ist die Chemie als wichtiger Schwerpunkt enthalten. Das Angebot an Datenbanken mit chem. Relevanz umfaßt u. a. *Chemical Abstracts, die Struktur- u. Faktendatenbank *BEILSTEIN, die Patentdatenbanken INPADOC, PATDPA u. a., die ständig gepflegt u. ergänzt werden. – INTERNET-Adresse: http://www.fiz-karlsruhe.de

Fachverband der Chemischen Industrie Österreichs s. FCIO.

Facies s. Fazies.

FAD (H_2). Abk. für *Flavin-Adenin-Dinucleotid (reduzierte Form).

Faden. Unsystemat. Bez. für linienförmige textile Gebilde wie *Garn u. *Zwirn, s. a. Fasern.

Fadenendabstand. Der F. stellt neben dem *Trägheitsradius eine der wichtigsten statist. Größen zur Beschreibung der mol. Dimensionen geknäuelter Kettenmol. dar. Zahlreiche mathemat. Modelle wie das der Phantomkette od. der Valenzwinkelkette wurden entwickelt, um den Zusammenhang zwischen diesen beiden Größen sowie zwischen ihnen u. mol. Parametern wie der Zahl der Kettenbindungen, den Bindungswinkeln u. den Torsionswinkeln zu beschreiben. – *E* end-to-end distance – *F* distance bout à bout – *I* distanza fra la fine dei fili – *S* distancia cabo de hilo

Lit.: Elias (5.) **1**, 605 ff.

Fadenmoleküle s. Makromoleküle.

Fadenpilze (Hyphomycetales). Die größte, auch als Moniliales bezeichnete Form-Ordnung der Klasse der Deuteromycetes od. *Fungi imperfecti. Die Konidien der sich ausschließlich vegetativ vermehrenden F. werden an oft reich verzweigten Konidien-Trägern gebildet. Sie sind anhand morpholog. Kriterien unterteilt in vier Form-Familien.

Vork.: F. kommen als *Saprophyten im Boden od. im Dung sowie als Parasiten von Menschen (z. B. Nagelmykosen durch *Fusarium oxysporum*), Tieren u. Pflanzen vor. Außerdem sind sie Erreger einer Anzahl von Pflanzenkrankheiten (z. B. Kartoffelfäule durch *F. solani*) u. verursachen Vergiftungen bei Menschen u. Tieren durch die Bildung von *Mykotoxinen auf verschimmelten Nahrungs- u. Futtermitteln.

Biotechnolog. Anw.: Zu den F. gehören so wichtige *Antibiotika-Bildner wie *Penicillium* (s. Penicilline) u. *Cephalosporium* sowie *Aspergillus* als Produktionsorganismus von wichtigen techn. Enzymen (z. B. *Amylasen, *Proteasen, *Lipasen, *Katalase) u. organ. Säuren (z. B. *Citronensäure). – *E* filamentous fungi – *F* champignons filamenteux – *I* ficomiceti – *S* hongos filamentosos

Lit.: Wainwright, Biotechnologie mit Pilzen, Berlin: Springer 1995 ▪ Weber, Allgemeine Mykologie, Jena: Fischer 1993.

Fadenwürmer s. Nematoden.

Fadex®. Hilfsmittel zur Verbesserung der Lichtechtheit von Färbungen. *B.:* Sandoz.

FAE. Abk. für fuel air explosives, s. Sprengstoffe.

Fäkalien. Von latein.: faex = Hefe, Bodensatz abgeleitete Bez. für die durch die *Fäkalpigmente gefärbten, festen *Exkremente* von Mensch u. Tier (*Kot). – *E* faeces, feces – *F* matières fécales – *I* feci, sostanze fecali – *S* heces

Fäkalpigmente. Sammelbez. für die verschiedenen, die braune Farbe des *Kots (*Fäkalien*) bedingenden Ab- u. Umbauprodukte des *Bilirubins (aus abgebauten *Erythrocyten), für die Namen wie *Koprochrome, Bilifuscine, Bilinegrine, Biliprasine, Mesobilifuscine* in Gebrauch sind. Die F. entstehen im Darm durch bakteriell-enzymat. Abbau aus den *Gallenfarbstoffen – weshalb bei Verschluß des Gallenganges der Kot nicht gefärbt erscheint – u. nachfolgende Polymerisation der Abbauprodukte. – *E* fecal pigments – *F* pigments fécaux – *I* pigmenti fecali – *S* pigmentos fecales

Fällen, Fällung s. Ausfällen.

Fällungsanalyse (Fällungstitration). Bez. für eine Meth. der *Maßanalyse, bei der die zu bestimmende Substanz durch *Ausfällen mit einer Titrierlsg. bestimmt wird. Der *Äquivalenzpunkt wird durch das *Löslichkeitsprodukt u. das *Massenwirkungsgesetz festgelegt. In der Praxis hat sich bes. die *Argentometrie* durchgesetzt, bei der *Halogenide u. *Pseudohalogene durch Titration mit einer Silbernitrat-Lsg. (mit od. ohne Indikatoren) bestimmt werden; die Endpunktbestimmung erfolgt elektrometr. bzw. visuell. Gelegentlich versteht man unter F. auch die *Gravimetrie. – *E* volumetric precipitation analysis – *F* analyse par précipitation – *I* analisi precipitante – *S* análisis por precipitación
Lit.: s. Maßanalyse.

Fällungsmittel. Sammelbez. für feste, gelöste, flüssige od. gasf. Stoffe, die das *Ausfällen einer gelösten Substanz ermöglichen. In der *Abwasser-Technik werden als F. u./od. *Flockungsmittel zur Entfernung von Sulfiden od. Phosphaten z. B. Aluminium- od. Eisen(III)-sulfat, Natriumaluminat u. dgl. verwendet. – *E* precipitants – *F* agents précipitants – *I* reattivo precipitante – *S* reactivo precipitante
Lit.: s. Flockungsmittel.

Fällungspolymerisation. Bez. für ein Verf., bei dem die *Monomere in solchen Lsm. od. Lsm.-Gemischen polymerisiert werden, in denen die anfallenden *Polymeren nicht od. nur begrenzt lösl. sind u. daher während der *Polymerisation ausfallen. Zu F. zählt man auch *Substanzpolymerisationen, bei denen das entstehende Polymere im Monomeren unlösl. ist u. daher ausfällt. Die F. ermöglicht die Herst. von Polymeren mit relativ hoher Molmasse bei niedrigen Viskositäten der Reaktionsgemische u. eine leichte Abführung der bei der Polymerisation freigesetzten Wärme. Die Polymeren fallen allg. feinteilig u. leicht isolierbar an, können aber schwer entfernbare Restmonomere od. Lsm.-Anteile enthalten. Nach dem F.-Verf. sind auch nichtwäss. Kunststoff-Dispersionen zugänglich, wenn Monomere in Ggw. geeigneter *Dispergiermittel polymerisiert werden. Die F. findet breite Anw. zur Herst. techn. bedeutender Kunststoffe wie *Polyethylen, *Polypropylen, *Ethylen/Propylen-Elastomere, Ethylen/Propylen/Dien-Copolymere, *Polyacrylnitril, *Polyisobuten od. *Butylkautschuk. – *E* precipitation polymerization – *F* polymérisation par précipitation – *I* polimerizzazione precipitante – *S* polimerización por precipitación
Lit.: Compr. Polym. Sci. **4**, 261–272 ▪ Elias (5.) **2**, 101 ff. ▪ Houben-Weyl **E 20**, 334–342.

Fällungsregel von Hahn s. Hahnsche Regeln.

Fällungstitration s. Fällungsanalyse.

FAEO. Abk. für Fettalkoholethoxylate s. Fettalkoholpolyglykolether.

Färbemittel s. Farbmittel.

Färben. Allg. Bez. für den Vorgang, einem ungefärbten (unbunten) Stoff eine Farbe bzw. einem farbigen Stoff eine andere Farbe zu geben. Nach DIN 61704 (02/1958) ist F. das Behandeln von Geweben, Gewirken u. Gestricken in wäss. Lsg. od. Suspensionen von Farbstoffen unter Zusätzen (*Färbereihilfsmittel, Salze, Alkalien, Säuren), wobei die auf Jiggern, Haspelkufen, Sternen, Foulards (vgl. Klotzen) u. dgl. aufgebrachte Ware in der ruhenden Färbeflotte bewegt wird (Färbemaschinen) od. umgekehrt die *Flotte durch die von Kreuzspulen od. Färbebäumen gehaltene Ware strömt (Färbeapparate). Der *Farbstoff wird beim F. auf das Färbegut durch Adsorption an die Oberfläche, durch Eindiffundieren, durch Bildung auf u./od. in der Faser bzw durch chem. Bindung übertragen.
Im weiteren Sinne wird der Begriff auch in der Kosmetik (Haare, Haut etc.), in der Mikroskopie u. Histochemie (Anfärben von Geweben u. Bakterien), beim Einfärben von Holz, Kunststoffen, Synthesefasern, Glas u. Metallen verwendet. Bei der Mehrzahl dieser Anwendungen benutzt man *Pigmente. Zur Geschichte des F. s. Farbstoffe. – *E* dyeing, coloring, staining – *F* teinture – *I* tingitura – *S* tintura
Lit.: s. Farbstoffe, Pigmente u. Textilchemie. – *Organisationen:* CITEN Internationales Komitee für Färberei u. Chem. Reinigung, 82, rue Curial, F-75019 Paris ▪ Verein Deutscher Färber, Vereinigung der Textilfachleute (VDF), 60326 Frankfurt.

Färberdistel. Volkstümliche Bez. für die *Carthaminhaltige Pflanze *Saflor.

Färbereihilfsmittel. Sammelbez. für die beim *Färben eingesetzten *Textilhilfsmittel. Hier handelt es sich um – meist in Einzelstichwörtern behandelte – Farbstofflösungs-, -dispergier-, -fixier- u. -reduktionsmittel, Netzmittel (Färbeöle), Mittel zum Klotzen, Egalisieren, Durchfärben, Reservieren, Beizen, Ätzen, Aufhellen u. Abziehen, Färbebeschleuniger u. Mittel zur Verbesserung der Echtheiten. – *E* dyeing auxiliaries – *F* produits auxiliaires de teinturerie – *I* risorse per la tintoria – *S* productos auxiliares de tintorería
Lit.: Ullmann (4.) **23**, 31 f.; (5.) **A 26**, 267–273.

Färberröte. Volkstümliche Bez. für die *Alizarin-haltige *Krapp-Pflanze.

Färberwaid. Volkstümliche Bez. für die *Indigo liefernde Pflanze.

Färberwau s. Luteolin.

F(A)ES. Abk. für Fettalkoholethersulfate, s. Fettalkoholpolyglykolethersulfate.

Fäulnis. Unter F. versteht man – anders als bei der *Gärung od. gar der *Fermentation – die vornehmlich anaerobe, bakteriell bedingte *Zersetzung von organ. Substanzen. *Protein wird durch *Enzyme bis zu den *Aminosäuren abgebaut, u. diese werden z. T. noch unter Abspaltung von Kohlendioxid in sog. *biogene Amine umgewandelt. Charakterist. Stoffe, die bei der F. entstehen, sind Putrescin (s. 1,4-Butandiamin) u. Cadaverin (s. 1,5-Pentandiamin), die sog. Leichengifte od. *Ptomaine; beides auch biogene Amine. Ferner bilden sich Phenol, Indol, Skatol, Kresol, Schwefelwasserstoff u. Ammoniak, der bakteriell zu Nitrat oxidiert (*Nitrifikation), sowie Kohlendioxid, das von entsprechenden Bakterien zu Methan umgewandelt werden kann. Bei *Kohlenhydraten führt der *biologische Abbau zu niederen Fettsäuren, Alkoholen u. Kohlendioxid. Die Zwischenprodukte der F.-Prozesse können zu neuen, polymeren Produkten zusammentreten; diese *Humifizierung* macht man sich beim *Kompost zunutze. F.-Prozesse spielen auch eine Rolle in Faulgas- u. *Kläranlagen, bei der *Eutrophierung, u. sie werden auch für die Entstehung von Erdöl u. Erdgas aus dem *Faulschlamm verantwortlich gemacht. Da die meisten F.-Erreger Säure-empfindlich sind, lassen sich Lebensmittel – sofern sie für eine derartige Konservierung in Frage kommen – durch einen gewissen Säuregehalt gegen F. schützen (z. B. Sauerkraut, Essiggemüse etc.); Futtermittel können als *Silage konserviert werden. – *E* putrefaction – *F* putréfaction – *I* putrefazione – *S* putrefacción

FAGA. Abk. für *Fettsäureglucamide.

Fagopyrin s. Buchweizen u. Hypericin.

Fahle s. Fahlerze.

Fahlerze. Unter der alten, aus dem dtsch. Bergbau des Mittelalters stammende Bez. F. od. *Fahle* wird eine Anzahl chem. vielfältiger, umfangreicher Substitutionen zeigender Sulfid-Minerale zusammengefaßt. Am häufigsten sind die Glieder der Reihe *Tetraedrit (Antimon-F.) – Tennantit (Arsen-F.)*, angenäherte Formel[1] $(Cu,Ag)_{10}(Fe,Zn)_2(Sb,As)_4S_{13}$, mit Sb_4 bei Tetraedrit u. As_4 bei Tennantit, zum As-Sb-Austausch. *Lit.*[1]. Die Substitutionen umfassen u. a. den Einbau von Mn, Cd, u. Hg für Fe u. Zn, mit bis zu 17% Hg bei *Schwazit (Quecksilber-F.)*, z. B. von Brixlegg/Tirol), sowie von Bi u. Te für Sb u. As, bis zum *Annivit (Wismut-F.)*. Johnson et al.[2] geben als allg. Formel für die Gruppe an: $(Cu,Ag)_6Cu_4(Fe,Zn,Cu,Hg,Cd)_2(Sb,As,Bi,Te)_4(S,Se)_{13}$; Fe kann als Fe^{2+} u. Fe^{3+} anwesend sein[3]. *Freibergit (Silber-F.)* kann in Ausnahmefällen bis 24,25% Ag enthalten (von Keno Hill/Yukon Territory/Kanada, s. *Lit.*[4], dort auch Struktur von Freibergit). Zur Kristallchemie u. Struktur von Tetraedrit s. *Lit.*[5]. Die F. kristallisieren kub.-hexakistetraedr., Kristallklasse $\bar{4}3m$–T_D. Während ihre Krist.-Struktur früher aus derjenigen der *Zinkblende ZnS abgeleitet wurde[6] (u. z. T. noch wird), wird sie heute eher als analog zur Gerüststruktur von *Sodalith interpretiert[5]. Die F. finden sich körnig eingesprengt, derb, verwachsen mit anderen Sulfiden; in Hohlräumen nicht selten Krist.; häufigste Krist.-Form ist das *Tetraeder* (Name Tetraedrit!). Farbe stahlgrau mit olivgelbem Stich bei Tetraedrit, mit Stich nach grünlich u. bläulich bei Tennantit, mehr Eisen-schwarz bei Zink- u. Eisen-reichen Gliedern, mehr weißlich u. gelblich bei Quecksilber- u. Wismut-reichen Fahlerzen. Strich schwarz, wird durch Verreiben etwas rötlich, bes. bei Tennantit. Keine Spaltbarkeit. Auf frischen Bruchflächen lebhafter Metallglanz, Oberfläche der Krist. oft matt. H. 3–4,5, D. 4,4–5,2.

Vork.: Neben untergeordneten Vork. in *Sedimentgesteinen (Kupferschiefer, z. B. Kamsdorf/Thüringen, Polen) v. a. in hydrothermalen Gängen. Einige, z. T. histor. *Fundorte* sind für *Tennantit*: Markirch/Elsaß, Mackenheim/Odenwald, Tsumeb/Namibia, mehrorts in Colorado/USA u. Cornwall/England; für *Tetraedrit*: Horhausen/Westerwald, Clausthal/Harz, Příbram/Böhmen, Cavnic/Siebenbürgen, Pasto Bueno, Peru; für *Freibergit*: Cobalt/Ontario u. Yukon Territory/Kanada, Hokkaido/Japan u. Freiberg/Sachsen (Name!); für *Annivit*: Neubulach/Schwarzwald.

Verw.: Lokal in Verb. mit anderen Mineralen als Kupfererze, durch Silber-Gehalte bisweilen wichtige Silbererze. – *E* fahlerz, fahlore, tetrahedrite – *F* tétraédrite – *I* tetraedriti – *S* cobres grises, tetraedrita

Lit.: [1] Mineral. Mag. **57**, 635–642 (1993). [2] Can. Mineral. **24**, 385–397 (1986). [3] Mineral. Mag. **53**, 193–199 (1989). [4] Mineral. Mag. **50**, 717–721 (1986). [5] Am. Mineral. **73**, 389–397 (1988). [6] Z. Kristallogr. **88**, 54–62 (1934).
allg.: Anthony et al., Handbook of Mineralogy, Bd. I, S. 162, 521, 527, Tucson (Arizona): Mineral Data Publishing 1990 ■ Lapis **5**, Nr. 7/8, 8–11 (1980) ■ Ramdohr, Die Erzmineralien u. ihre Verwachsungen, S. 602–612, Berlin: Akademie-Verl. 1975 ■ Ramdohr-Strunz, S. 433–436. – [*CAS 1317-91-5* (Tetraedrit); *12178-49-3* (Tennantit)]

Fahrenheit, Gabriel Daniel (1686–1736), Glasbläser u. Instrumentenbauer, Amsterdam. *Arbeitsgebiete:* Konstruktion der ersten Quecksilber-Thermometer (1714) mit der nach ihm benannten Temp.-Skale, Bau von Barometern, Aräometern u. Hypsobarometern zur thermometr. Höhenmessung.
Lit.: Chem. Labor Betr., Lernen u. Leisten **1971**, 31 f. ■ Krafft, S. 82, 299.

Fahrenheit-Temperatur-Skale. Von *Fahrenheit eingeführte Temp.-Skale, die noch heute in den angelsächs. Ländern verwendet wird, Symbol °F. Der Eispunkt des Wassers beträgt +32°F, der Sdp. +212°F; zur Umrechnung in die *Celsius-Temperatur-Skale dienen die Gleichungen:

$$x\,°F = \frac{5}{9}(x-32)\,°C \quad \text{u.} \quad y\,°C = \left(\frac{9}{5}y+32\right)°F;$$

s. a. Temperaturskalen. – *E* Fahrenheit temperature scale – *F* échelle Fahrenheit de température – *I* scala della temperatura di Fahrenheit – *S* escala Fahrenheit de temperatura
Lit.: J. Chem. Educ. **46**, 192 (1969) ■ s. a. Temperaturskalen.

Fahrenwald-Legierungen. 1. Au-Pd-Leg. mit *Feingehalt 590/1000 für die Schmuck-Ind.; – 2. Werkzeug-*Stahl mit 20% Co, 10% Cr u. 10% W. – *E* Fahrenwald alloys – *F* alliages de Fahrenwald – *I* leghe di Fahrenwald – *S* aleaciones de Fahrenwald

Fajans, Kasimir (1887–1975), Prof. für Physikal. Chemie, Univ. München u. Michigan. *Arbeitsgebiete:* Radioaktivität, Ionendeformation, Kristallwasser, Hydratationswärme, Ionenradien, Isotope, chem. Bin-

dung, Refraktometrie, Photochemie, Adsorptionsindikatoren usw., stellte zusammen mit *Russell u. *Soddy den nach ihnen benannten Verschiebungssatz auf.
Lit.: Bayer. Akad. Wiss. Jahrb. **1976**, 227 ff. ▪ J. Chem. Educ. **41**, 522 ff. (1964) ▪ Neufeldt, S. 130, 132 ▪ Pötsch, S. 142.

Fakt®. Phosphat-freies, pulverförmiges Universalwaschmittel für den Haushalt. *B.:* Henkel.

Faktisse (Singular: Faktis, von latein.: factitius = künstlich). Farblose, gelbe od. braune kautschukähnliche Stoffe, die durch Einwirkung von Schwefelchlorid bzw. Schwefel in der Kälte (Schwefel-F.) bzw. (Luft-)Sauerstoff in der Hitze (Sauerstoff-F.), Siliciumtetrachlorid (Silicium-F.) od. Diisocyanaten (Isocyanat-F.) auf fette Öle (Rüb-, Tall-, Ricinusöle, Trane) hergestellt werden. F. (auch Ölkautschuke genannt) sind wasserbeständig u. druck- jedoch nicht zugelastisch.
Verw.: Als Füllmittel für *Naturkautschuk u. *Synthesekautschuk bzw. Chlor-sulfoniertes Polyethylen; zur Herst. von Schläuchen, Profilen, Kabel-, Radiergummi-Mischungen usw. – $E = F$ factices – I caucciù sintetici – S facticios, factis
Lit.: Encycl. Polym. Sci. Technol. **6**, 489–503 ▪ Ullmann (4.) **13**, 658 ff. – *[HS 4002 99]*

σ-Faktor s. Initiationsfaktoren.

Faktor I–XIII s. Blutgerinnung.

Faktoren. Bez. für durch Berechnung (aufgrund der *Stöchiometrie) od. empir. ermittelte Zahlen, mit denen man durch *Maßanalyse od. *Gravimetrie gefundene Meßwerte multipliziert, um die ihnen zugrundeliegenden Stoffmengen zu berechnen. *Beisp.:* Aus dem Atomgew. von Ba (137,33) u. dem M_R von $BaSO_4$ (233,43) ergibt sich der Quotient 0,5883 (= F.). Wenn man bei einer Wägung z. B. genau 0,3542 g Bariumsulfat gefunden hat, so braucht man diese Zahl nur mit dem „F." 0,5883 zu multiplizieren, um direkt die genaue Menge des in der Lsg. enthaltenen Bariums zu erhalten. Für quant. Bestimmungen sind in Tabellenwerken Hunderte solcher F. mit ihren Logarithmen zusammengestellt. Ferner benutzt man F. bei *Normallösungen zur Kennzeichnung des wahren Gehaltes einer Lsg. an aktiver (reagierender) Substanz: Wenn z. B. eine Salzsäure nicht genau 1/10 normal, sondern z. B. 0,1035 normal ist, sagt man, sie sei 1/10 normal, habe aber den *Faktor* od. *Titer* 1,035. Der F. gibt also an, wievielmal konzentrierter die Lsg. ist, als sie eigentlich sein sollte; die Ermittlung des F. (*Einstellung*) nimmt man durch *Titration gegen *Urtitersubstanzen vor. Über eine F.-Analyse völlig anderer Art s. *Lit.* – E factors – F facteurs – I fattori – S factores
Lit.: Schwedt, Analytische Chemie, S. 77 f. u. S. 34 ff., Stuttgart: Thieme 1995.

Faktor F₄₃₀ s. Coenzym F_{430}.

Faktu®. Suppositorien u. Salbe mit *Cinchocain u. *Policresulen gegen Hämorrhoiden. *B.:* Tosse.

Falbe, Jürgen (geb. 1933), Prof. Dr. rer. nat. Dipl. Chem., ehem. geschäftsführender Gesellschafter der Henkel KGaA, Leiter des Unternehmensbereichs Forschung u. Technik. Prof. für Chemietechnik der Univ. Dortmund; Mithrsg. des Houben-Weyl.

Lit.: Kürschner (16.), S. 775 ▪ Nachr. Chem. Tech. Lab. **33**, 1088 (1985) ▪ Neufeldt, S. 311 ▪ Wer ist wer, S. 309.

Falcarinol [Carotatoxin, (R)-(Z)-1,9-Heptadecadien-4,6-diin-3-ol].

$C_{17}H_{24}O$, M_R 244,38, (R)-(Z)-$(-)$-Form, Öl, Sdp. 115 °C (2,6 Pa), $[\alpha]_D^{20}$ –22,5° (Ether). Tox. Diacetylen aus *Falcaria vulgaris* u. a. Pflanzen. F. wird unter Streßbedingungen gebildet u. kann beim Menschen allerg. Kontakt-Dermatitis auslösen, F. wirkt antibakteriell. – $E = F = S$ falcrinol – I falcarinolo
Lit.: Acta Chem. Scand. **23**, 2552 (1969) ▪ Chem. Ber. **98**, 3010 (1965); **99**, 3552 (1966) ▪ Contact Dermatitis **17**, 1–9 (1987) ▪ J. Chem. Soc. C **1969**, 685 ▪ Proc. Fla. State Hortic. Soc. **99**, 100 (1987) ▪ Tetrahedron **23**, 465 (1967) ▪ Z. Naturforsch. Teil B **42**, 1328 (1987).

Falicard®. Film-, Retardtabl., Retardkapseln u. Ampullen mit dem *Calciumantagonisten *Verapamil-Hydrochlorid zur Therapie von Hypertonie, koronaren Herzkrankheiten u. Tachycardien. *B.:* Arzneimittelwerk Dresden.

Falithrom®. Filmtabl. mit dem Vitamin-K-Antagonisten *Phenprocoumon zur Behandlung von Embolien u. Thrombosen. *B.:* Hexal.

Falkamin®. Pellets mit L-*Leucin, L-*Valin u. L-*Isoleucin gegen Hirnfunktionsstörungen bei chron. Bererkrankungen. *B.:* Dr. Falk Pharma GmbH.

Falkenauge s. Katzenauge.

Fallbeschleunigung. Maß für die *Gravitation an der Erdoberfläche. Gängiger Wert g = 9,81 m · s⁻². Details s. Gravitation.

Fallfilm-Verdampfer s. Dünnschichtverdampfung.

Fallkörper-Viskosimeter s. Viskosimetrie.

Fallout. Engl. Bez. für Niederschlag u. Ablagerung des atmosphär. Staubes einer *Explosion; Auslöser können *Brände, *Vulkanismus, *Kernwaffen od. auch Kraftwerksunfälle (*Tschernobyl) sein. Da bei oberird. Zündung von Kernwaffen die radioaktive Wolke in sehr große Höhen der Atmosphäre geschleudert wurde, vergingen nach Beendigung der Hauptmenge dieser Experimente Anfang der sechziger Jahre noch mehrere Jahre, bis die Körperaktivität u. die *Aktivität in Nahrungsmitteln wieder auf Normalwerte gesunken war. – $E = I$ fallout – F retombées – S precipitación radioactiva

Fallturm (Bremer F.) s. Gravitation.

Falschdrahtverfahren. Bez. für ein *Texturierungs-Verf. zur Herst. elast. Fasern.
Lit.: s. Texturierung.

Falsches Gold-Teak s. Afrormosia.

Falschfarbenphotographie. Verf. der *Farbphotographie, bei dem die Farben eines Bildes absichtlich von den Farben des abgebildeten Gegenstandes abweichen. Bei der konventionellen Farbphotographie wird dies durch Farbkuppler od. durch Infrarotfilme erreicht. Bei anderen bildgebenden Verf. wie Röntgenaufnahmen, Szintigrammen od. auch Schwarzweiß-Bildern werden verschiedene Schwärzungsbereiche digital einzelnen Farben zugeordnet, um den Kontrast u. die Bildinformation zu erhöhen, wie z.B. in der Luftbildphotographie od. in Satellitenaufnahmen, bei denen Temperaturverteilungen, Wasserströmungen od. Vegetation besser erkannt werden können. – *E* changed color photography, false color photography – *F* photographie en couleurs fausses – *I* fotografia a colori falsi – *S* fotografía en colores falsos

β-Faltblatt s. Proteine.

Faltenmicellen. Als F. werden Kristallite sog. „einkristall." Polymerer bezeichnet, in denen die Makromol. unter Kettenfaltung kristallisiert sind. F. entstehen sowohl durch Krist. der Polymeren als Plättchen aus verd. Lsg. als auch bei der Krist. als Lamellen aus der Schmelze.

Abb.: Schemat. Darstellung der Kettenfaltung unter Ausbildung einer Faltenmicelle (nach Elias, s. Lit.).

– *E* folded chain micelles – *F* micelles de pliage – *I* micelle a pieghe – *S* micelas plegadas
Lit.: Elias (5.) **1**, 749 ff.

Faltung. Bei *Proteinen wird mit F. der Prozeß beschrieben, der die Ausbildung der nativen, biolog. aktiven Struktur bewirkt. Dies geschieht entweder während der Protein-Biosynth. (*Translation) an der wachsenden Polypeptid-Kette od. im Experiment durch Renaturierung eines denaturierten Protein-Moleküls. Der Begriff F. wird auch verwendet zur Beschreibung der fertigen räumlichen Struktur nativer Proteine. – *E* folding, protein folding – *F* repliement – *I* piegatura – *S* plegamiento
Lit.: Lehninger et al., Prinzipien der Biochemie (2.), S. 203–207, Weinheim: VCH Verlagsges. 1994 ▪ Spektrum Wiss. **1991**, Nr. 3, 72–81 ▪ Voet u. Voet, S. 189–198.

Famciclovir.

Internat. Freiname für {2-[2-(2-Amino-9*H*-purin-9-yl)ethyl]-1,3-propandiyl}-diacetat, $C_{14}H_{19}N_5O_4$, M_R 321,34, Schmp. 102–104 °C. Es wurde als Prodrug von Penciclovir entwickelt, 1984 von Beecham patentiert u. ist als Herpes-zoster-Therapeutikum von SKB (Famvir®) im Handel. – *E* = *F* = *I* = *S* famciclovir
Lit.: Drugs **50**, 396–415 (1995) ▪ Merck-Index (12.), Nr. 3971. – [CAS 104227-87-4]

Famotidin.

Internat. Freiname für 3-{[2-(Diaminomethylenamino)-4-thiazolyl]-methylthio}-N^2-sulfamoylpropamidin, $C_8H_{15}N_7O_2S_3$, M_R 337,43, Schmp. 163–164 °C; λ_{max} (CH$_3$OH) 288 nm ($A_{1cm}^{1\%}$=448); pK_b 6,9; LD$_{50}$ (Maus i.v.) 244,4 mg/kg. F. wurde als Histamin-H$_2$-Rezeptor-Antagonist 1980 u. 1981 von Yamanouchi patentiert u. ist von MSD (Pepdul®) u. Thomae (Ganor®) im Handel. – *E* = *F* famotidine – *I* = *S* famotidina
Lit.: ASP ▪ DAB **1996** u. Komm. ▪ Hager (5.) **8** 163 ff. – [CAS 76824-35-6]

Famprofazon.

Internat. Freiname für das analget. wirksame 4-Isopropyl-1-methyl-5-[*N*-methyl-*N*-(1-methyl-2-phenylethyl)-aminomethyl]-2-phenyl-1,2-dihydropyrazol-3-on, $C_{24}H_{31}N_3O$, M_R 377,53, Schmp. 132–133 °C; λ_{max} 279 nm ($A_{1cm}^{1\%}$=248). – *E* = *F* famprofazone – *I* = *S* famprofazona
Lit.: Hager (5.) **8**, 165 f. – [HS 2933 11; CAS 22881-35-2]

Famvir®. Filmtabl. mit dem Virustatikum *Famciclovir gegen Herpes Zoster. *B.:* SKB.

Fanglomerate s. Konglomerate.

Fango (von italien.: fango = Schlamm). Mineralschlamm, der Ca-, Al-, Fe-, Mg- u.a. Salze neben organ. Stoffen enthält. F. wird mit heißem Quellwasser aus dem Erdinnern heraufgebracht u. kommt in Battaglia (Italien), Neuenahr u. Pistyan (CSSR) vor. F. wird als Heilschlamm zu F.-Bädern od. F.-Packungen bei verschiedenen Erkrankungen verwendet. – *E* = *F* = *I* fango – *S* fango, lodo, barro

Fangstoffe s. Getter.

Fanning-Honegger, Ellen (geb. 1946), Prof. für Biochemie, Univ. München. *Arbeitsgebiete:* Molekularbiologie von tier. Viren, eukaryont. DNA-Replikation, Kontrolle der Zellproliferation, Struktur-Funktions-Beziehungen bei Proteinen.
Lit.: Kürschner (16.), S. 780.

FAO. Abk. für *Food and Agriculture Organization*, 1945 in Quebec gegr. Ernährungs- u. Landwirtschaftsorganisation der Vereinten Nationen mit Sitz in Rom, Via delle Terme di Caracalla, der 174 Länder angehören. Aufgaben sind die verbesserte Erzeugung u. Verteilung von Nahrungsmitteln („freedom from hunger") sowie techn. Hilfsdienste für Entwicklungsländer mit den Tätigkeitsfeldern Fischerei-, Forstwesen, Landwirtschaft usw. *Publikationen:* World Food Report, Basic Texts of FAO; World Agriculture: Towards 2010 usw. – INTERNET-Adresse: http://www.fao.org

Farad (Kurzz. F). Nach M. *Faraday benannte *elektrische Einheit der *Kapazität; 1 F = 1 C/V.

Faraday (Symbol F). Nach M. *Faraday benannte Naturkonstante (*Faraday-Konstante*) als Einheit des *elektrochemischen Äquivalents, F = 96 485,309 C/mol; Näheres s. Faradaysche Gesetze.

Faraday, Michael (1791–1867), Prof. für Chemie, London. *Arbeitsgebiete:* Elektrolyse, Magnetismus, galvan. Induktion, Selbstinduktion, Druckverflüssigung von Chlor, Hexachlorethan-Herst., Benzol-Gewinnung, Diamagnetismus u. Drehung der Polarisationsebene durch das magnet. Feld, Herst. von kolloidalem Gold, elektr. Felder (Faraday-Käfig).
Lit.: Bowers, Michael Faraday and Electricity, London: Priory Press 1974 ▪ Krafft, S. 120 ff. ▪ Neufeldt, S. 16, 23 f., 26, 46, 379 ▪ Pötsch, S. 143 ▪ Schütz, Michael Faraday, Leipzig: Teubner 1979 ▪ Tricker, Die Beiträge von Faraday u. Maxwell zur Elektrodynamik, Wiesbaden: Vieweg 1974.

Faraday-Effekt. 1845 von M. *Faraday entdeckter Effekt, bei dem die Lichtausbreitung durch ein Medium durch ein externes Magnetfeld beeinflußt wird; die Schwingungsebene von linear polarisiertem Licht, das sich z. B. in *Glas ausbreitet, wird durch ein Magnetfeld um den Winkel β gedreht. Hierbei gilt die empir. Formel $\beta = V \cdot B \cdot d$. Hierbei ist B der stat. magnet. Fluß, der üblicherweise in Gauß angegeben wird, d die Länge des Krist. u. V die *Verdet-Konstante mit folgenden Werten:

Tab.: Verdet-Konstante von Kristallen.

Material	V [Bogenminuten/Gauß × cm]
leichtes *Flintglas	0,0317
NaCl	0,0359
*Quarzglas	0,0166
Wasser	0,0131
Schott Glas SF 59	0,128*
Hoya Glas FR 5	0,4**

* diamagnet. Glas: Es hat im sichtbaren Spektralbereich einen sehr niedrigen Absorptionskoeff., jedoch auch eine relativ niedrige Verdet-Konstante (optisches Glas, Mainz: Firma Schott)
** paramagnet. Glas: Es besitzt eine große, negative Verdet-Konstante u. im sichtbaren Spektralgebiet Bereiche mit sehr hoher Absorption (s. *Lit.*[1]). Tab. mit Verdet-Konstanten s. *Lit.*[2].

Theoret. wird der F.-E. durch den *Zeeman-Effekt erklärt; Aufspaltung der Energieniveaus durch das Magnetfeld in Zeeman-Niveaus ergibt unterschiedliche Ausbreitungsgeschw. für rechts- bzw. links-zirkular polarisiertes Licht.
Zur techn. Anw. des F.-E., oft auch als *Faraday-Rotator* bezeichnet, wird der Krist. zwischen zwei *Polarisatoren gestellt. Durch Variation des Magnetfeldes wird der Drehwinkel u. damit die *Transmission des Lichtes moduliert. Sind die beiden Polarisatoren um 45° gegeneinander gedreht u. eine Magnetfeldstärke gewählt, bei der auch $\beta = 45°$ erreicht wird, so wirkt der Faraday-Rotator als *optische Diode. Licht, das den Rotator passierte u. an einer Oberfläche reflektiert in sich zurückläuft, erfährt eine weitere Dehnung um 45°, wodurch seine Schwingungsebene senkrecht auf der Durchlaßrichtung des ersten Polarisators steht u. das Licht abgeblockt wird. Opt. Dioden sind notwendig, um verschiedene Verstärkerstufen in einem *Laser opt. zu trennen, da sonst rücklaufende Pulse den Laser zerstören würden.
Der F.-E. äußert sich z. B. als *MCD (magnet. *Circulardichroismus) u. spielt u. a. eine Rolle in *MORD[1].

– *E* Faraday effect – *F* effet Faraday – *I* effetto di Faraday – *S* efecto Faraday
Lit.: [1] J. Opt. Soc. Am. B **9**, 1212–1915 (1992). [2] Handbook **69**, E 424 ff.
allg.: Bergmann u. Schaefer, Lehrbuch der Experimentalphysik, Bd. 6, Festkörper, S. 768, Berlin: de Gruyter 1992 ▪ Weißmantel u. Hamann, Grundlagen der Festkörperphysik, Heidelberg: Barth 1995.

Faraday-Konstante s. Faradaysche Gesetze.

Faradaysche Gesetze. Bez. für die von M. *Faraday festgestellten Beziehungen zwischen dem Stromfluß bei der *Elektrolyse u. den an den *Elektroden abgeschiedenen Stoffmengen:
1. Die bei einer Elektrolyse an den Elektroden abgeschiedene Stoffmenge m ist der Stromstärke I u. der Zeit t, d. h. der durch den Elektrolyten hindurchgegangenen Elektrizitätsmenge Q direkt proportional: $m = A \cdot I \cdot t = A \cdot Q$. A wird das *elektrochemische Äquivalent genannt; es gibt an, wieviel Masse der Ionen von einem Coulomb abgeschieden wird. Zahlenbeisp.: Ag: $A = 1{,}118 \cdot 10^{-6}$ kg/C u. Cu: $A = 0{,}329 \cdot 10^{-6}$ kg/C.
2. Die gleiche Elektrizitätsmenge scheidet aus verschiedenen Elektrolyten gleiche *Äquivalentgewichte der Stoffe ab. Mit Äquivalentgew., bzw. Grammäquivalent, bezeichnet man das Atomgew. dividiert durch die Wertigkeit; z. B. für Ag (Atomgew. 107,88, Wertigkeit 1): 1 Grammäquivalent = 107,88 g, für Cu (Atomgew. 63,6, Wertigkeit 2): 1 Grammäquivalent = 31,8 g. Die Elektrizitätsmenge, die benötigt wird, um ein Grammäquivalent eines Stoffes abzuscheiden, beträgt 96 485,309 C. Folglich wird die Größe F = 96 485,309 C/mol als *Faraday-Konstante* bezeichnet[1]. Sie ist unabhängig von der chem. Natur des Stoffes u. ergibt sich als Produkt aus *Avogadrokonstante u. *Elementarladung. Die Beziehung zwischen Elektrizitätsmenge u. abgeschiedener Stoffmenge kann sehr präzise gemessen werden u. wurde lange Zeit dazu benutzt, die *Basiseinheit *Ampere experimentell zu realisieren. – *E* Faraday's laws – *F* lois de Faraday – *I* leggi di Faraday – *S* leyes de Faraday
Lit.: [1] IUPAC, Größen, Einheiten u. Symbole in der Physikalischen Chemie, Weinheim: VCH Verlagsges. 1996.
allg.: s. physikalische Chemie.

Faraday-Tyndall-Effekt. *Lichtstreuung beim Durchgang durch ein trübes Medium; beschrieben werden *Polarisation, Färbung u. Schwächung des Lichtes. – *E* (Faraday-)Tyndall effect – *F* effet (Faraday-)Tyndall – *I* effetto di Faraday-Tyndall – *S* efecto (Faraday-)-Tyndall

Faranal {(3S,4R,6E,10Z)-3,4,7,11-Tetramethyl-6,10-tridecadienal)}.

$C_{17}H_{30}O$, M_R 250,42, Öl, $[\alpha]_D^{23}$ +16,2° (Hexan). Spurpheromon der Pharaoameise (*Monomorium pharaonis*) mit einer Wirksamkeit von 1 pg/cm der Spur. – *E* = *F* = *I* = *S* faranal
Lit.: Justus Liebigs Ann. Chem. **1995**, 2089 ff. ▪ Tetrahedron Lett. **1977**, 2617 (Isolierung); **22**, 461 (1981) ▪ s. a. Monomorine. – *[CAS 65395-77-9]*

Farbanodisationsverfahren. Anod. erzeugte dicke Oxid-Schichten (s. Eloxal-Verfahren) bes. für Al u. Al-Leg., die durch Einstellung des gewählten *Elektrolyten aus dekorativen Gründen bleibend eingefärbt werden. Ein homogenes Gefüge führt bei Anw. des Standard-Verf. im allg. zu transparenten, farblosen Oxid-Schichten. In gewissen Grenzen können Legierungselemente Transparenz u. Farbe beeinflussen. In der Verfahrenssystematik der *anodischen Oxidation von Al u. Al-Leg. wird bei den F. unterschieden zwischen: 1. *Tauchfärbungen* in organ. od. anorgan. wäss. Farb-Lsg.; – 2. *elektrolyt. Färbung* (Zweistufen-Verf.) in Metallsalz-Lsg. mit Wechselstrom; – 3. dem eigentlichen F. (Integral-Verf.) in organ. Lsg.; – 4. dem kombinierten Färbe-Verf. aus 1. bis 3. Industriell werden zahlreiche geschützte Verf. mit breitem Spektrum an Farben angeboten. – *E* color anodizing – *F* anodisation colorante – *I* anodizzazione colorante – *S* anodización colorante
Lit.: s. Eloxal-Verfahren.

Farbbasen s. kationische Farbstoffe.

Farbbindemittel s. Bindemittel.

Farbbluten s. Ausbluten.

Farbdiffusionsverfahren s. Farbphotographie.

Farbe. Unter F. soll im techn.-wissenschaftlichen Bereich ausschließlich der durch das (menschliche) Auge vermittelte *Sinneseindruck* verstanden werden, nicht aber etwa das *Farbmittel* (der *Farbstoff, das *Pigment od. gar der *Anstrichstoff). Die Gene, die die farbempfindlichen Proteine des menschlichen Auges codieren, ergeben neue Erkenntnisse über die Entwicklung der normalen Farbempfindung u. den genet. Grund von Farbblindheit (*Lit.*[1]). Die Strahlung zersetzt in den lichtempfindlichen Sinneszellen des Auges, den Zapfen, drei verschiedene Proteine mit spektral unterschiedlichem Absorptionsvermögen (Maximum des roten Pigments bei 570 nm, des grünen bei 530 nm u. des blauen bei 420 nm). Durch die Zersetzungsprodukte werden die Nervenverbindungen mit unterschiedlicher Stärke erregt. Neue Messungen zeigen, daß die photoempfindlichen Zellen auch die Absorption einzelner Photonen registrieren können (*Lit.*[2]). Für die Farbempfindung ist neben der spektralen Empfindlichkeit der drei Typen von Sehzapfen auch die neuronale Vernetzung in der Netzhaut des Auges verantwortlich. Wie Abb. 1 zeigt, werden nach der Heringschen Theorie die Signale der einzelnen Rezeptoren verstärkend (+) od. hemmend (–) zur Erzeugung eines bestimmten Farbeindruckes überlagert (*Lit.*[3,4]).
Nur in seltenen Fällen entsteht der F.-Eindruck direkt aus der *Emission (*Beisp.:* *Flammenfärbung, das Gelb der Natriumdampflampen, glühende Körper). Demgegenüber erhalten die gefärbten Körper unserer Umgebung ihre „F." (*Farbigkeit*) dadurch, daß sie einen Teil des auf sie fallenden weißen Lichtes absorbieren, worauf der reflektierte (nicht absorbierte) Anteil des eingestrahlten Lichtes dem Auge als F. (*Körperfarbe*) erscheint.
Die Tab. führt die Wellenlängen der absorbierten Strahlung (in nm) zusammen mit der F. auf, die in

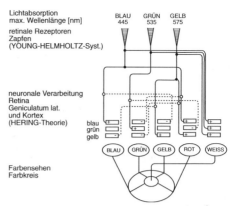

Abb. 1: Entstehung des Farbeindruckes; nach *Lit.*[3].

Tab. 1: Zusammenhang zwischen Wellenlänge der absorbierten Strahlung u. Farbe bzw. Farbeindruck.

| absorbiertes Licht | | Farbeindruck |
Wellenlänge [nm]	Farbe	(beobachtete Farbe)
730	purpur	grün
640	rot	blaugrün (cyan)
590	orange	blau
550	gelb	indigoblau
530	gelbgrün	violett
510	grün	purpur (magenta)
490	blaugrün	rot
450	blau	orange
425	indigoblau	gelb
400	violett	grünlich-gelb

Emission zu beobachten wäre u. stellt diese der tatsächlich beobachteten, reflektierten F. (Körperfarbe) gegenüber. Jedes komplementäre Farbenpaar (*Komplementär-, Gegenfarben*) ergibt bei völliger Reflexion den Eindruck Weiß, bei totaler Absorption entsteht der Eindruck Schwarz. Im mol. Bereich beruht die Absorption auf dem Vorhandensein von *Chromophoren u. auf elektron., Kristallfeld-, Beugungs-, Interferenz- u. a. Prozessen, s. a. Farbstoffe.
Die heutigen Vorstellungen über das Zustandekommen des Sinneseindrucks „F." gehen u. a. auf die spektrale Zerlegung des Sonnenlichts durch das Glasprisma (Sir I. *Newton, 1671) zurück. Nach der Dreifarbentheorie (*Trichromat. Theorie*) von Th. Young (1773–1829) u. von *Helmholtz lassen sich alle F. durch *additive Mischung* der 3 Grundfarben Rot, Grün, Blau entsprechender Intensität erzeugen. Auf dieser Theorie, die inzwischen durch die Untersuchungen von *Wald über den *Sehprozeß bestätigt wurde, beruhen z. B. sowohl das Farbfernsehen als auch die Malweise der Pointillisten Seurat u. Signac. Die *Farbphotographie basiert heute statt auf der additiven Farbmischung von Rot, Grün u. Blau auf der *subtraktiven Farbmischung* der Farben Gelb, Magenta u. Cyan, um denselben Effekt zu erzielen. Die Systematisierung der Farbenlehre wurde von J. *Maxwell u. bes. Wilhelm *Ostwald vorangetrieben, der die sog. reinen Spektral-F., Blau, Grün, Gelb, Rot u. die dazwischenliegenden Farbtöne, in der Praxis meist gemischt mit Weiß u./od. Schwarz, als *bunte F.* bezeichnete; *unbunte F.* sind „Weiß, Grau, Schwarz u. was dazwischenliegt". Die *Farbmetrik* be-

Farbe

ruht auf additiver Farbmischung; ihre mathemat. Gesetze sind ident. mit der Vektorrechnung. Eine *Farbvalenz* $\vec{F}$ wird als eindeutige Linearkombination dreier Einheitsvektoren, den *Primärvalenzen* $\vec{R}$, $\vec{G}$ u. $\vec{B}$, dargestellt $\vec{F} = r \cdot \vec{R} + g \cdot \vec{G} + b \cdot \vec{B}$. Die Größen r, g u. b sind die Beträge mit denen die Primärvalenzen zu der additiven Mischung beitragen; sie werden *Farbwerte, Farbmaßzahlen* od. a. *Farbkoordinaten* genannt. Der von den Primärvalenzen $\vec{R}$, $\vec{G}$ u. $\vec{B}$ aufgespannte Vektorraum wird als Farbenraum bezeichnet. Zwei Farbvalenzen $\vec{F}_1$ u. $\vec{F}_2$, die im Farbenraum die gleiche Richtung aber unterschiedliche Länge besitzen, rufen die gleiche Farbempfindung hervor, allerdings mit unterschiedlicher Helligkeit.

Die Commission Internationale de l'Éclairage (CIE) hat 1931 empfohlen, die Bestimmung von Spektralwerten auf die folgenden, durch monochromat. Strahlung realisierte Primärvalenzen zu beziehen: $\vec{R}$ (rot): $\lambda = 700{,}0$ nm, $\vec{G}$ (grün): $\lambda = 546{,}1$ nm, $\vec{B}$ (blau): $\lambda = 435{,}8$ nm. Betrachtet man für diese Definition die Spektralwerte [dargestellt durch die Faktoren $\bar{b}(\lambda)$, $\bar{g}(\lambda)$ u. $\bar{r}(\lambda)$] eines „energiegleichen" Spektrums, d. h. der Sehreiz soll bei gleicher Strahlungsleistung bei allen Wellenlängen gleich sein, so ergeben die Spektralwertkurven $\bar{b}(\lambda)$, $\bar{g}(\lambda)$ u. $\bar{r}(\lambda)$ Wellenlängenbereiche, in denen sie neg. sind. Aus diesem Grund wurde weiterhin empfohlen, die Spektralvalenzen auf ein Syst. von drei virtuellen Primärvalenzen $\vec{X}$, $\vec{Y}$ u. $\vec{Z}$ zu beziehen, die mit den reellen Primärvalenzen $\vec{R}$, $\vec{G}$ u. $\vec{B}$ durch eine lineare Transformation verknüpft sind (CIE 1971). Nach dieser Transformation enthält das Syst. nur pos. Spektralwerte $\bar{x}(\lambda)$, $\bar{y}(\lambda)$ u. $\bar{z}(\lambda)$, die als *Normspektralwertfunktionen* (s. Abb. 2) bezeichnet werden u. in das dtsch. Normenwerk übernommen wurden [DIN 5033; die wichtigsten DIN-Normen zu F. s. Tab. 2; Werte für $\bar{x}(\lambda)$, $\bar{y}(\lambda)$ u. $\bar{z}(\lambda)$ s. Tab. 6.18 in *Lit.*[5], S. 430].

Tab. 2: Die wichtigsten DIN-Normen zu Farben.

Nummer	Inhalt	Ausgabe
5033 Tl. 1	Grundbegriffe der Farbmetrik	03/1979
5033 Tl. 2	Normvalenzsyst.	05/1992
5033 Tl. 3	Farbmeßzahlen	07/1992
5033 Tl. 4	Spektralverf.	07/1992
5033 Tl. 5	Gleichheitsverf.	01/1981
5033 Tl. 6	Dreibereichsverf.	08/1976
5033 Tl. 7	Meßbedingungen für Körperfarben	07/1983
5033 Tl. 8	Farbmessungen. Meßbedingungen für Lichtquellen	04/1982
5033 Tl. 9	Farbmessungen: Weißstandard für Farbmessungen u. Photometrie	03/1982
6164 Tl. 1	DIN-Farbenkarte Syst. der DIN-Farbenkarte für den 2°-Normalbeobachter	02/1980
6164 Tl. 2	DIN-Farbenkarte Festlegung der Farbenmuster	02/1980
6164 Tl. 3	DIN-Farbenkarte Syst. der DIN-Farbenkarte für den 10°-Normalbeobachter	07/1981
Beiblatt 50 zu 6164	DIN-Farbenkarte Farbmeßzahlen für Normlichtarten C	07/1981
6174	farbmetr. Bestimmung von Farbabständen bei Körperfarben nach der CIELAB-Formel	01/1979

Abb. 2, werden die *Normfarbwerte* X, Y, Z eines Farbreizes $\varphi(\lambda)$ wie folgt berechnet

$$X = \kappa \cdot \int_0^\infty \varphi(\lambda)\bar{x}(\lambda)\,d\lambda$$

$$Y = \kappa \cdot \int_0^\infty \varphi(\lambda)\bar{y}(\lambda)\,d\lambda$$

$$Z = \kappa \cdot \int_0^\infty \varphi(\lambda)\bar{z}(\lambda)\,d\lambda$$

Die Konstante κ wird so festgelegt, daß für einen vollkommen mattweißen Körper bei Reflexion u. Transmission (Reflexions- bzw. Streukoeff. unabhängig von λ, isotrope Streuung) der Normalfarbwert Y gleich 100 wird, unabhängig von der relativen spektralen Strahlungsverteilung.

Die *Normfarbwertanteile* x, y u. z werden aus den Normfarbwerten berechnet nach:

$$x = \frac{X}{X+Y+Z}, \quad y = \frac{Y}{X+Y+Z}, \quad z = \frac{Z}{X+Y+Z}$$

Gemäß DIN 5033 Tl. 2 (05/1992) u. Tl. 3 (07/1992) kann die Farbart einer Farbvalenz graph. in der Normfarbtafel (s. Abb. 3) dargestellt werden, deren rechtwinklige Koordinaten die Normfarbwertanteile x u. y sind. Die Farborte monochromat. Strahlung, sog. Spektralreize, liegen auf einer „hufeisenförmigen" Kurve, dem *Spektralfarbenzug*; sie sind durch Angabe der Wellenlänge in nm eingeteilt, beginnend von 380 nm bis 750 nm. Die Gerade, mit der die Fläche zwischen 380 nm u. 750 nm umschlossen wird, enthält die reinsten Purpurfarben u. wird als *Purpurlinie* bezeichnet. Jedem Punkt in der Farbtafel ist eine Farbart eindeutig zugeordnet; allerdings enthält die Farbtafel keine Information über die Helligkeit. Die Punkte aller F., die durch additive Mischung zweier F. erhalten werden können, liegen auf der Verbindungslinie zwischen den entsprechenden Farbpunkten der Aus-

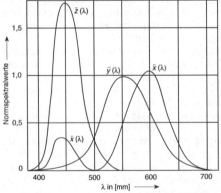

Abb. 2: Normspektralwertfunktion $\bar{x}(\lambda)$, $\bar{y}(\lambda)$, $\bar{z}(\lambda)$ für den farbmeßtechn. Normalbeobachter CIE 1931.

Da die Werte für eine Gesichtsfeldgröße $\leq 4°$ gelten, wird dieses Syst. auch als *2°-Norm-Valenzsyst.* bezeichnet. 1964 wurde ein zweites Tripel von Spektralwertfunktionen von der CIE empfohlen (CIE 1971), um ein praxisgerechtes größeres Gesichtsfeld beschreiben zu können: Das *10°-(Großfeld-)Norm-Valenz-Syst.* (Tab. 6.19 in *Lit.*[5], S. 437). Aus den Normspektralwertfunktionen $\bar{x}(\lambda)$, $\bar{y}(\lambda)$ u. $\bar{z}(\lambda)$, dargestellt in

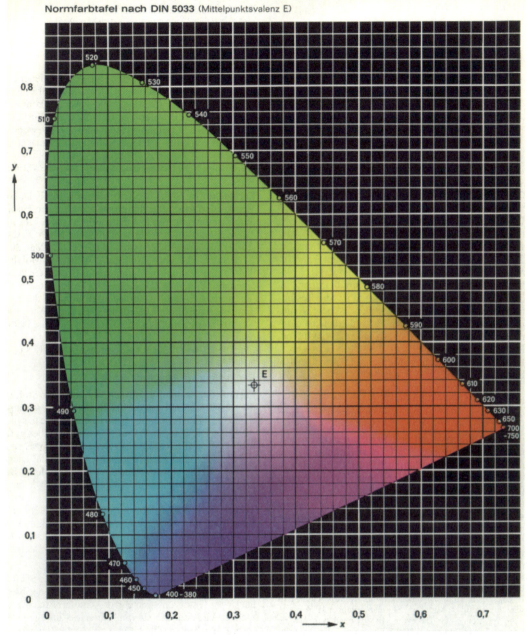

Abb. 3: Normtafel nach DIN 5033 Tl. 2 (05/1992) u. Tl. 3 (07/1992).

gangsfarben. Die aus drei Komponenten mischbaren F. (z. B. beim Farbfernsehgerät) liegen im Inneren des durch die drei Farbpunkte gebildeten Dreiecks. Der Punkt E (bei x=0,333 u. y=0,333) wird als *Unbuntpunkt* bezeichnet, je nach Helligkeit entspricht er weiß, grau od. schwarz.

Zur vollständigen Darst., sowohl der Farbart wie auch der Helligkeit, wird eine Farbempfindung als Vektor eines dreidimensionalen Raumes, des *Farbraumes* dargestellt. 1976 hat die CIE zwei (euklid.) Farbräume mit deutlich unterschiedlichen Eigenschaften als angenähert empfindungsgemäß gleichabständige Farb-

räume empfohlen [DIN 5033 Tl. 3 (07/1992)]. Sie werden als *L*a*b*-Farbenraum 1976* (s. Abb. 4, S. 1280) u. als *L*u*v*-Farbenraum 1976* bezeichnet u. kurz CIELAB bzw. CIELUV genannt.

Sie gelten sowohl für den farbmeßtechn. 2°- als auch für den 10°-Normalbetrachter. Zur Berechnung der Koordinaten L*,a*,b* bzw. L*,u*,v* aus den Farbvalenzen s. *Lit.*[5] (S. 230).

Die Darst. einer Mischfarbe ergibt sich nun als Summe der einzelnen Farben im Farbenraum. Weitere Details über Farbmetrik sowie über Meßgeometrien u. Normlichtarten s. *Lit.*[6] u. *Lit.*[4]. Der für die Farbmetrik wich-

Farbechtheit

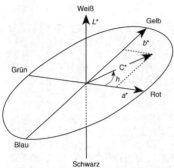

Abb. 4: $L^*a^*b^*$-Farbenraum: L^* ist ein Maß für die Helligkeit, die a^*-Achse weist von Grün nach Rot, die b^*-Achse von Blau nach Gelb. Kennzeichnet man eine Farbvalenz durch die Zylinderkoordinaten L^*, C^* u. h, so ist C^* ein Maß für die Buntheit, während der Drehwinkel h ein Maß für den Buntton ist.

tige Zusammenhang zwischen Remission (zurückgeworfener Strahlung) einerseits u. Absorptions- u. Streukoeff. andererseits wird durch die *Kubelka-Munk-Theorie* hergestellt: $K/S = (1-R_\infty)^2/2R_\infty$, wobei K = Absorptionskonstante, S = Streukonstante u. R_∞ = Remissions- od. Reflexionsgrad ist; die Bestimmung wird durch *Reflexionsspektroskopie vorgenommen. Die F. von Lsg. od. Flüssigkeiten charakterisiert man oft mit einer *Farbzahl (z. B. APHA od. Hazen).

Der normal farbentüchtige Mensch kann weit über 100 F. unterscheiden, ca. 8% der Männer u. 0,5% der Frauen sind – meist aufgrund genet. Defekte – im Farbensehen behindert od. farbenblind. Auch viele Tiere sind unfähig, Farben zu unterscheiden: Kaninchen, Hunde, Ratten u. Goldhamster. Demgegenüber verfügen Tiere, die mehr auf opt. Reize angewiesen sind, nicht nur über einen gut entwickelten Farbensinn, sondern auch über eine auffällige *Pigmentierung. Insekten bedienen sich ggf. der *Interferenz-Erscheinungen (*F. dünner Blättchen*). – In jüngerer Zeit ist (in übertragenem Sinne) der Begriff „F." zur Beschreibung spezif. Eigenschaften von bestimmten *Quarks herangezogen worden, s. Elementarteilchen. – *E* colour (GB), color (USA) – *F* couleur – *I* colore – *S* color

Lit.: [1] Sci. Am. **260** (2), 28 (1989). [2] Sci. Am. **256** (4), 32 (1987). [3] Reim, Augenheilkunde, Stuttgart: Enke 1996. [4] Bergmann u. Schaefer, Lehrbuch der Experimentalphysik, 9. Aufl., Bd. 3, Optik, Berlin: de Gruyter 1993. [5] Kohlrausch, Praktische Physik, Bd. 3, Stuttgart: Teubner 1996. [6] Kohlrausch, Praktische Physik, Bd. 1, Kap. 5.15, Stuttgart: Teubner 1996. *allg.:* Agoston, Color Theory and Its Application in Art and Design, Berlin: Springer 1979 ▪ Billmeyer u. Saltzman, Principles of Color Technology, New York: Wiley 1981 ▪ Boynton, Color, Encycl. of Physical Science and Technology, Bd. 3, S. 603–628, San Diego: Academic Press 1992 ▪ Chamberlin u. Chamberlin, Colour. Its Measurement, Computation & Application, London: Heyden 1980 ▪ DIN-Katalog, Sachgruppen-Nr. 23, Berlin: Beuth (jährlich) ▪ Grum u. Bartleson, Optical Radiation Measurements, Bd. 2: Color Measurement, New York: Academic Press 1980 ▪ Kirk-Othmer (3.) **6**, 523–548; (4.) **6**, 841–876 ▪ Lang, Farbmetrik u. Farbfernsehen, München: Oldenbourg 1978 ▪ MacAdam, Color Measurement, Berlin: Springer 1981 ▪ Munsell Book of Color, Baltimore: Munsell Color (jährlich).

Farbechtheit s. Farbstoffe.

Farben dünner Schichten s. Interferenz.

Farbfernsehen s. Leuchtstoffe.

Farbfilm s. Farbphotographie.

Farbgläser s. Glas.

Farbgold s. Gold-Legierungen.

Farbhölzer. Auffällig gefärbte Hölzer verschiedener, meist trop. Pflanzengattungen, deren Farbstoffe herausgelöst u. zum Färben verwendet werden können, z. B. *Blauholz, Brasilholz u. Rotholz (*Brasilin) od. Färbebereiche u. Gelbholz (*Flavone). – *E* dyewoods – *F* bois colorants – *I* legni coloranti – *S* maderas tintóreas

Lit.: Franke, Nutzpflanzenkunde, 5. Aufl., Stuttgart: Thieme 1992.

Farblacke. Im Sinne der Textilfärberei sind F. keine *Lacke der Anstrichtechnik, sondern auf der Faser durch Umsetzung von lösl. Farbstoffen (saure, bas. u. *Beizen-Farbstoffe, seltener pflanzliche u. tier. Farbstoffe) mit Metallsalzen (wasserlösl. Ca-, Al-, Mn-, Sn- u. Pb-Salze, Phosphor-, Silicium-, Wolfram-, Molybdän-haltige Säuren) bzw. Tannin od. Brechweinstein erzeugte *Pigmente (*Verlackung*). Die F. haften bes. gut, wenn sich auch reaktionsfähige Gruppen der Faser an der Lackbildung beteiligen. – *E* lakes – *F* laques – *I* smalti coloranti, lacche coloranti – *S* lacas, lacas colorantes

Lit.: DIN 55945 (12/1988) ▪ Kirk-Othmer (4.) **6**, 918 ▪ Ullmann (4.) **11**, 138; (5.) **A 9**, 107.

Farbladung s. Elementarteilchen.

Farbmittel. Sammelbez. für alle farbgebenden Stoffe, die nach DIN 55 944 (04/1990) eingeteilt werden in anorgan. u. organ. F. u. diese jeweils in natürliche u. synthetische. Die anorgan. F. sind *Pigmente u. haben ggf. auch *Füllstoff-Charakter, während die organ. F. sowohl Pigmente als auch *Farbstoffe umfassen. Zu den ggf. in Einzelstichwörtern behandelten F. zählen z. B. auch Glanz-, Perlglanz- u. Leuchtpigmente sowie opt. Aufheller.

Verw.: Zum *Färben von techn. Artikeln, Textilien, Lebensmitteln, in kosmet. Färbemitteln, Druckfarben, Anstrichstoffen, Lacken usw. – *E* coloring agents – *F* matières colorantes – *I* agenti coloranti – *S* materias colorantes

Farbphotographie (Farbenphotographie). Als Spezialgebiet der *Photographie beruht die F. (zu der hier auch die Herst. von Amateur- u. Kinofarbfilmen gerechnet wird) auf der *Dreifarbentheorie*, um die sich insbes. von *Helmholtz, J. *Maxwell sowie Young verdient gemacht haben. Danach kann man jede beliebige *Farbe des sichtbaren Lichts durch Mischung von drei Farben herstellen, u. zwar entweder durch sog. *additive Farbmischung* der Grundfarben Rot, Grün u. Blau od. durch *subtraktive Farbmischung* der Grundfarben Gelb, Purpur (Magenta) u. Blaugrün (Cyan). Das erstgenannte Verf. spielt heute in der F. keine Rolle mehr, wohl aber im *Farbfernsehen* (s. Leuchtstoffe). Die heutige F. geht auf die 1935 von *EASTMAN Kodak in den USA u. 1936 von *Agfa-Gevaert in Deutschland eingeführte Technik der Mehrschichtenfilme mit subtraktiver Farbzusammensetzung zurück. Hier muß das einfallende Licht (bei der Belichtung) nacheinander

1–3 Filterschichten passieren, die die Komplementärfarbe (s. Farbe) absorbieren: Die erste Schicht ist gelb (blauabsorbierend), die zweite purpurn (grünabsorbierend) u. die dritte blaugrün (rotabsorbierend). Um also z. B. Rot zu bekommen, müssen die Filter Gelb u. Purpur, bei Schwarz alle drei Filter wirksam sein. Alle drei Schichten enthalten entsprechende spektral sensibilisierte Silberhalogenide, die die von der Schwarz-Weiß-Photographie her bekannten Eigenschaften u. Reaktionen zeigen. Eine umfassende Zusammenstellung der verschiedenen Theorien, die die chem. Lichtempfindlichkeit u. die Bildformation beschreiben, wird von Mitchell[1] gegeben.

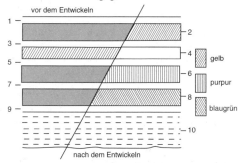

Abb.: Aufbau des Agfacolor-Papiers vor u. nach der Verarbeitung. 1, 3, 5, 7 Schutz- u. Trennschichten, 2, 6, 8 Emulsionsschichten mit Farbkuppler, 4 Gelbfilterschicht, 9 Baryt-Schicht, 10 Papierunterlage; ein Film ist ähnlich aufgebaut.

Die Verarbeitung des belichteten Materials beginnt mit einer Schwarz-Weiß-Entwicklung (s. Photographie). Bei der Erzeugung der Farbstoffe in den Schichten kann man unterschiedliche Wege beschreiten. Bei der *chromogenen Entwicklung* werden die Farbstoffe *aufgebaut*, u. zwar durch chem. Reaktion zwischen dem oxidierten Entwickler (der vorher Silberhalogenid zu Silber reduziert hat) u. *Kupp(e)lungs-Komponenten*, die entweder bereits in den Schichten eingelagert waren (z. B. Agfacolor, Kodacolor, Ektachrome) od. zusammen mit dem Entwickler zugeführt werden (Kodachrome). Zu den sehr unterschiedlichen Strukturen der Kupplungs-Komponenten (Farbbildner) s. Lit.[2] u. Kirk-Othmer (*Lit.*). Die entstehenden Farbstoffe sind im allg. *Azomethine, vgl. das Schema.

Azomethin-Farbstoff (R = z.B. ein Stearyl-Rest)

Bei der *chromolyt. Entwicklung* werden dagegen (von der Herst. her in den Schichten bereits eingelagerte) Farbstoffe durch die Verarbeitung gebleicht od. zerstört, also *abgebaut*. Hier handelt es sich um Azofarbstoffe, die durch das bei der Entwicklung freigesetzte Ag reduziert werden, weshalb das Verf. auch *Silberfarbbleichverf.* (Cibachrome) heißt. Sowohl bei der chromogenen wie der chromolyt. Entwicklung müssen die Silber-Reste entfernt u. fixiert werden, worauf die – aus jeweils drei übereinanderliegenden Einzelbildern in den Farben Cyan, Magenta u. Gelb zusammengesetzten – Bilder fertig sind. Üblicherweise erhält man jedoch bei chromogener Entwicklung ein Farbnegativ, wenn nicht – wie bei der Herst. von Umkehrfilmen (für Farbdiapositive) – nach der ersten Entwicklung zwischenbelichtet wird. Wenn man in den 3-Schichten-Filmen eine der Lichtfiltersubstanzen für andere Strahlungen (z. B. *Infrarotstrahlung) empfindlich macht, gelangt man nach der Entwicklung zu unnatürlichen Farben. Diese sog. *Falschfarbenphotographie* setzt man in der Technik zur Äquidensiten-Darst. ein (*Lit.*[2]). Neben den beiden vorgestellten Farbstoff-Entwicklungsverf. spielt z. Z. nur das bes. von Polaroid ausgearbeitete *Farbstoffdiffusions-* od. *-übertragungsverf.* für die sog. Sofortbild-F. eine Rolle. Das Polacolor-Syst. besteht aus einem lichtempfindlichen 8-Schichten-Photomaterial u. einem 3schichtigen Bildempfangsmaterial. Nach dem Belichten werden die beiden Lagen zusammengepreßt, nicht ohne daß vorher eine alkal. Entwicklerlsg. zwischen ihnen ausgebreitet wurde. Die mit dieser Lsg. entwickelten Farbstoffe diffundieren dann aus dem 8-Schichten-Neg. in das 3-Schichten-Positiv. Ebenfalls auf Farbstoff-Wanderungserscheinungen basieren die verwandten Vielschicht-Syst. SX-70 u. Polavision (*Farbfilm*, s. Lit.[3]) von Polaroid sowie der 19schichtige sog. Instant-Film von Eastman Kodak; im Gegensatz zu Polacolor (einem *Abziehsyst.*) handelt es sich bei letzteren um *Integralsysteme*. Näheres zu den beschriebenen Verf., zum Aufbau der Schichten, zur Konstitution u. Chemie der Filter-, Entwickler- u. Kupplungssubstanzen etc. s. bes. Kirk-Othmer (*Lit.*). Auch andere silbersalzfreie F.-Verf. außer der Elektrophotographie sind noch im Entwicklungsstadium, z. B. die sog. Trägerfrequenz-Photographie od. Farben-Bildebenen-Holographie. Das für die Herst. von Spielfilmen häufig angewandte *Technicolor-Verf.* ist eigentlich teilw. ein Druckverfahren. Es beruht auf der Lichtempfindlichkeit von Gelatine-Dichromat-Schichten, die an Stellen, an denen das Licht auftrifft, gehärtet werden, so daß diese zum Unterschied von nichtbelichteten Bereichen durch heißes Wasser nicht mehr angelöst werden können. Die entstandenen Auswaschreliefs können direkt eingefärbt werden. – ***E*** color photography – ***F*** photographie en couleurs – ***I*** fotografia a colori – ***S*** fotografía en colores

Lit.: [1] J. Imaging Sci. **33**, 103 (1989). [2] Bayer-Ber. **37**, 14–21 (1977); Chem. Labor Betr. **30**, 229 ff. (1979). [3] Chem. Rundsch. **32**, Nr. 40 (Beilage), 13, 17–21 (1979).

allg.: Betton, Développement et tirage couleur, Paris: Presses Univ. France 1978 ■ Bloom et al., in: Venkataraman, The Chemistry of Synthetic Dyes, Bd. 8, New York: Academic Press 1978 ■ Kirk-Othmer (3.) **6**, 617–682; (4.) **6**, 965–1048 ■ Watkins, The Focalguide to Colour Film Processing, London: Focal Press 1978 ■ s.a. Photographie. – *Zeitschriften:* J. Imaging Sci. u. Photogr. Sci. Eng.

Farbpigmente (Buntpigmente) s. Pigmente.

Farbstifte s. Buntstifte.

Farbstoffe. Sammelbez. für in Lsm. u./od. Bindemitteln *lösl.* *Farbmittel – den F. stehen also die unlösl. *Pigmente gegenüber, die den F. an Zahl, Strukturvielfalt u. meist auch an Leuchtkraft (nicht aber absatzmäßig) unterlegen sind. So kennt man nur etwa 100 reine Pigmente, aber viele Zehntausende von verschiedenen F., von denen allerdings nur 6000 bis 7000, in bedeutenderen Mengen sogar nur 500, techn. genutzt werden; üblicherweise rechnet man zu den F. auch die *optischen Aufheller. Man unterscheidet zunächst nach der Herkunft zwischen *natürlichen* u. *synthet.* Farbstoffen. Zu den ersteren gehören z. B. die nicht in allen Fällen techn. brauchbaren *Anthocyane, *Alizarin, *Betalaine, *Blauholz, *Chlorophyll, *Cochenille, *Curcuma, *Hämoglobin, *Indigo, *Kermes, *Krapp, *Lackmus, *Orlean, *Orcein, Antiker *Purpur, *Saflor (vgl. a. Blüten- u. Pflanzenfarbstoffe) usw. Bekanntere *synthet.* F. sind z. B. *Anilinblau, *Anilinschwarz, Anthracenblau, Bismarckbraun, Chrysoidin, Cibablau, *Fuchsin, Hydronblau (*Hydron®-Blau R, 3R, G), Immedialschwarz (*Immedial®- u. Immedial-Licht-Farbstoffe), *Kongorot, *Kristallviolett, *Malachitgrün, *Methylenblau, *Methylorange, *Methylviolett, *Variamin®-Blau, *Viktoriablau. Von den natürlichen F. werden nur Alizarin u. Indigo auch industriell synthet. hergestellt, alle übrigen synthet. F. sind Neuschöpfungen der chem. Industrie.

Die Bez. der F. – man vgl. die Einzelstichwörter – erfolgt (a) durch den wissenschaftlichen Namen nach rein chem. Gesichtspunkten aufgrund der *Chromophoren-Konfiguration u. ohne Rücksicht auf den Verw.-Zweck (*wissenschaftliche F.-Bez.*); *Beisp.:* Azo-, Azin-, Anthrachinon-, Acridin-, Cyanin-, Oxazin-, Polymethin-, Thiazin-, Triarylmethan-F. usw.; – (b) nach dem Verhalten zur Faser u. der anzuwendenden Färbetechnik ohne Rücksicht auf die Konstitution (*techn. F.-Bez.*); *Beisp.:* bas. od. kation. F., Beizen-F., Direkt-F., Dispersions-F., Entwicklungs-F., Küpen-F., Metallkomplex-F., Reaktiv-F., Säure-F., Schwefel-F., substantive F. usw.; – (c) nach dem *Colour Index mit seinem Ziffernsyst. (C. I. ....) od. dem Wort/Ziffernsyst. (Acid Red ...); – (d) durch im allg. als Marken geschützte Phantasienamen (*Handels-F.-Bez.*); *Beisp.:* Sirius-, Anthrasol-, Erio-, Indanthren-, Remazol-, Basilen-, Levafix-, Cibacron-, Drimaren-, Sunifix-, Procion-F. usw. Oft werden den F. noch Buchstaben zur genaueren Kennzeichnung nachgestellt, die jedoch von den einzelnen Herstellern z. T. unterschiedlich verschlüsselt sind. Diese Buchstaben geben einen Hinweis auf den Farbton od. bes. Eigenschaften des betreffenden F.; *Beisp.:* B = blaustichig (aber auch Baumwolle, d. h. zur Färbung von Baumwolle geeignet), C = Chlor-echt (aber auch Chromierungs-F. od. nachkupferbar) usw. Eine sehr umfangreiche Übersicht (Stand 01/1996) über die in Europa angebotenen Textil-F., gegliedert nach Marken od. nach techn. F.-Bez., findet man in *Lit.*[1]. Zur Analyse der F. – sowohl in Substanz als auch auf Fasern aufgezogen – sind eine Vielzahl von Meth. entwickelt worden, die von Schweppe[2] referiert werden. Zur Bestimmung der Löslichkeit von F. in organ. Lsm. s. *Lit.*[3].

Die meisten synthet. F. sind aromat. bzw. heterocycl. u. entweder ion. (z. B. alle wasserlösl. F.) od. nichtion. Verb. (z. B. Dispersions-F.). Bei ersteren unterscheidet man zwischen anion. u. kation. Farbstoffen. Die anion. F. haben ein neg. geladenes, die kation. F. ein pos. geladenes F.-Ion, weshalb man früher auch generell saure u. bas. F. unterschied. Mit wenigen Ausnahmen werden die *anion. F.* als Metall-Salze hergestellt u. verwendet, wobei die Natur der Kationen ohne Einfluß auf die Farbigkeit ist; in der Hauptsache handelt es sich um die Natrium-Salze von Sulfonsäuren (eine der wenigen Ausnahmen ist z. B. Fluorescein). Zur Zeit kennt man > 2000 verschiedene anion. F., wovon nahezu 2/3 Amino- od. Iminosäuren sind; bei den übrigen handelt es sich um saure F. ohne bas. Seitenketten. Demgegenüber ist die Anzahl der *kation. F.* viel geringer. Nur etwa ein halbes Dutzend der bekannten kation. F. sind Aminosäuren; beim Rest handelt es sich um vollständig bas. Farbstoffe. Auch hier läßt sich beispielsweise Parafuchsin mit gewissen Einschränkungen in gleicher Weise in Form des Chlorids, Acetats, Oxalats od. Sulfats verwenden. Die Beziehungen zwischen Konstitution u. *Farbe von F. wurden erstmals von O. N. *Witt 1876 systemat. untersucht. Nach der *Wittschen Farbentheorie*, an deren Weiterentwicklung Dilthey, *Wizinger-Aust u. bes. *Eistert u. H. *Kuhn (mit dem Elektronengasmodell) beteiligt waren, enthalten die F. *Chromogene mit Chromophoren; in einigen Fällen (z. B. bei den Chinon-F.) sind Chromogen u. chromophore Gruppe identisch. Charakterist. für die Chromophore sind die Doppelbindungen; bei den Chromogenen handelt es sich um farbige aromat. Verb. mit einem od. mehreren Chromophoren. Diese bedingen die *Farbe des Chromogens, jedoch nicht den Farbton eines F., weshalb die Glieder unterschiedlicher F.-Gruppen mit ident. Chromogen-Chromophor-Kombinationen keineswegs die gleiche Farbe od. gar den gleichen Farbton besitzen müssen. Letzterer wird bestimmt durch die *Auxochrome (durch *auxochrome* u./od. *antiauxochrome Gruppen*), deren Elektronensyst. mit denen der Chromogene über *Resonanz (*Mesomerie*, vgl. die Abb. bei Triarylmethan-Farbstoffe) in Wechselwirkung treten. Dabei kann die Spektralabsorption zu kürzeren (*hypsochrom, *Blauverschiebung*) od. zu längeren Wellenlängen hin (*bathochrom, *Rotverschiebung*) erfolgen. Beisp. für die Zusammenhänge zwischen Struktur der Verb. u. ihrer Absorption u. Interpretationen im Sinne der *MO-Theorie s. bei Klessinger[4] u. Nassau[5]. Zur Erklärung der Farbigkeit von F. dient bei bestimmten Typen auch ihre Fähigkeit zur *Halochromie u. ihre Neigung, *Chelat-Metallkomplexe u. *Farblacke zu bilden. Die von Gurr[6] eingeführte Klassifikation der F. unter Berücksichtigung der bas., sauren od. neutralen Natur der *Kolligatoren* genannten Seitenketten hat sich nicht durchgesetzt.

Die Verwendbarkeit eines F. hängt davon ab, wie gut, schnell (z. B. mit *Carriern) u. dauerhaft er sich mit dem Substrat (Textil- od. Körpergewebe, Papier etc.) verbindet; im Extremfall können die F.-Mol. in Polymere als Kettenglieder eingebaut sein[7]. Für die Verankerung von F. auf Geweben kommen z. B. in Frage: Drucken (mit Bindemitteln), Spinnfärben (durch F.-Einlagerung vor dem Spinnprozeß), Extraktion aus wäss. Lsg., Fällen, Salzbildung u. Bindung an das Substrat über zwischenmol. Kräfte od. Kovalenzbindung;

dabei spielt die *Substantivität der Fasern eine Rolle. Näheres zur Technologie des *Färbens s. *Lit.*[8]. F.-haltige Abwässer von Textilfärbereien können ggf. durch umgekehrte Osmose gereinigt werden (s. *Lit.*[9]). Die Färbungen von u. auf Textilien müssen einer Vielzahl von Echtheitsprüfungen standhalten, deren Ausführung in DIN 54000–54072 genormt ist; zu diesem Gebiet der *Textilprüfung vgl. Söll[9]. Unter *Lichtechtheit* versteht man die Widerstandsfähigkeit gegenüber der Einwirkung des Lichtes. Während noch im vorigen Jh. einzelne F. so wenig lichtecht waren, daß sie bei einem einzigen Ausflug verblaßten (in Frankreich bezeichnete man solche F. als „déjeuner du soleil"), übertrifft bei manchen modernen F. die Lichtechtheit sogar die Lebensdauer der Gewebe, auf denen sie haften. *Wasserechtheit* ist die Widerstandsfähigkeit gegen eine kurzzeitige/längere Einwirkung von Wasser. *Waschechtheit* liegt vor, wenn die Gewebe beim Waschen bei 40, 50, 60 od. 95 °C den Farbton nicht ändern u. nicht ausbluten (*Ausbluten). Die *Peroxid-Waschechtheit* betrifft die Widerstandsfähigkeit gegenüber der Einwirkung von wäss. Waschmittellsg., die aktiven Sauerstoff abgeben. *Schweißlichtechtheit* bedeutet Widerstandsfähigkeit gegen die Einwirkung des menschlichen Schweißes in Ggw. von UV-Licht. *Alkali-* u. *säureecht* müssen auch die Farben von Kleiderstoffen u. Tischwäsche sein, die z. B. mit alkal. Straßenschmutz (Mörtel-Zement, Beton) od. mit Essig, Limonaden, sauren Fruchtsäften, Johannisbeeren, Zitronen usw. in Berührung kommen können. Außerordentlich Alkali-unechte bzw. Säure-unechte F., wie z. B. Lackmus, Phenolphthalein, Kongorot, Methylorange, Anthocyan, sind zwar zur Kleiderfärbung völlig ungeeignet, doch bilden sie gerade infolge ihrer hohen Säure- bzw. Laugen-Empfindlichkeit hervorragende *Indikatoren. Viele moderne F. sind auch noch *bleichecht*, d. h. sie werden durch Peroxid-, Hypochlorit- od. Chlorit-haltige Bleichbäder in den in der Bleicherei üblichen Konz. nicht angegriffen. Außer diesen Echtheiten gibt es z. B. noch Avivier-, Beuch-, Bügel-, Carbonisier-, Chlor-Badewasser-, Dämpf-, Dekatur-, Entbastungs-, Formaldehyd-, Industriewasch-, Kaltvulkanisier-, Lsm.-, Mercerisier-, Metallsalz-, Photochromie-, Plissier-, Potting-, Reib-, Schwefel-, Sodakoch-, Sublimier-, Trockenreinigungs-, Überfärbe-, Walk-, Wassertropfen-, Weichmacher- u. Wetterechtheit.

Verw.: Der Verbrauch an F. betrug 1995 weltweit über 1 000 000 t, davon in der EG ca. 190 000 t u. in den Schwellen-/Entwicklungsländern 290 000 t. Die meisten F. werden in der Textil-, Leder-, Pelzfärberei, Druckerei, Papier- u. Tapetenfabrikation verbraucht. Daneben gibt es aber auch weniger bekannte Anwendungsgebiete: Pikrinsäure diente als Explosivstoff, Kristallviolett als Wurmmittel, Martiusgelb als Mottenschutzmittel u. die Acridin-F. Trypaflavin, Atebrin u. Rivanol zur Bekämpfung von Mikroorganismen. Kleinere Mengen an F. gelangen auch zur Anw. bei der Herst. von Druckfarben u. Tinten (Eosin in roter Tinte), Tintenstiften, Kugelschreibern, Kopierstiften, Stempelfarben, Schuhcremes, Bohnermassen, Weihnachtskerzen, Farbbändern, Kohlepapier für Schreibmaschinen, als Warnfarbe bei giftigen Stoffen (z. B. Treibstoffen), als Sicherheitsfarbe, als Mikroskopie-F. bei der Färbung von biolog. Präp. (wobei auch fluoreszierende F. od. Fluorogene zur Anw. kommen), in der chem. Analyse als Indikatoren u. Komplexbildner, zum Nachw. unterird. Wasserläufe, als Sensibilisatoren in der opt. u. Elektrophotographie (Cyanin-F.), als Lichtfilter in der Farbphotographie usw. Seit ca. 1960 werden F. auch in *Lasern eingesetzt (s. *Lit.*[10]), allg. zur Anw. von F. in der Energieumwandlung s. *Lit.*[11]. Eine große Rolle spielen natürliche u. synthet. F. als *Lebensmittelfarbstoffe u. *Färbemittel* für Kosmetika – man denke an die Färbung von Limonaden, Likören, Fruchtsäften, Marmeladen, Butter, Backwerk, Konservengemüse, Ostereiern, Seifen, Hautbräunungsmitteln, Lippenstiften, Make-up usw.; auch Arzneimittelumhüllungen werden gefärbt. Die Zulässigkeit der Verw. einzelner F. od. Pigmente zur Färbung von Lebensmitteln u./od. Kosmetika wird durch entsprechende VO geregelt, z. B. durch die *Zusatzstoff-VO u. das sog. Farbengesetz (von 1887!). Listen erlaubter – od. nur für äußerliche (externe) Anw. zugelassener – Farbmittel finden sich in *Lit.*[12], die auch Angaben zur allg. Toxikologie, zum *ADI usw. u. über Konkordanzen mit den von der *FDA zugelassenen F. (*FD & C) macht. Zur dünnschichtchromatograph. Analyse derartiger F. s. Schmidiger[13]; zur ökol. u. toxikolog. Situation bei F. s. Clarke[14].

Geschichte: Der älteste Hinweis auf die Färbung einer Indigo-liefernden Pflanze stammt aus der Mitte des 2. Jahrtausends (Papyrus Ebers). Ungeklärt ist, ob *Isatis tinctoria* (Waid), *Indigofera articulata* od. *Indigofera coerula* zum Einsatz kam. Analyt. Belege für die Verw. in der altägypt. Färberei stammen aus der 18. Dynastie (ca. 1500–1800 v. Chr.). Die Färbeweise erfolgte wahrscheinlich durch Einbringen der Pflanzenblätter in das Färbebad. Im Waid ist das Indoxyl-5-gluconat enthalten, das sich im Färbebad in Indoxyl u. einen Zucker spaltet. Durch Luftoxid. entsteht dann aus zwei Indoxyl-Mol. das Indigotin. Analog verläuft der Färbeprozeß bei den Indigofera-Arten, die *Indican enthalten.

Für das Färben mit antikem Purpur (Dibromindigo) gibt es noch vor den Phöniziern ältere Hinweise im Minoerreich auf Kreta u. für Ugarit im heutigen Syrien. Mumienbinden aus Ägypten (ca. 1900 v. Chr.) wurden mit Safran gefärbt. Vorstufen von Türkischrot-Färbungen sind in Ägypten um 1000 v. Chr. u. in Indien um 1800 v. Chr. feststellbar. Weitere F. des klass. Altertums waren Alkanna (Tuchfarbe u. rote Schminke), Kermes, Luteolin (von den Römern aus dem „Wau" gewonnen), Lackmus, schwarze F. aus Eichenrinden usw. Der Aufschwung des Einsatzes von Cochenille, Blau- u. Rotholz-F. in der Färberei setzte erst nach der Entdeckung Amerikas ein. Zur Analyse mittelalterlicher F. s. *Lit.*[15]. Heute sind die Natur-F. durch die synthet. F. fast vollständig verdrängt worden. 1771 gewann Woulfe durch Oxid. von Indigo Pikrinsäure als ersten synthet. Farbstoff. Die ersten wissenschaftlichen Grundlagen für die F.-Ind. wurden 1834 durch *Runge geschaffen, der im Steinkohlenteer Phenol u. Anilin entdeckte, weshalb die aus diesen gewonnenen F. auch generell *Teer-* od. *Anilin-F.* hießen. Bei dem von A. W. *Hofmann angeregten Versuch zur Herst.

von Chinin stellte Sir *Perkin 1856 zufällig das Mauvein durch Oxid. von Toluidin-haltigem Anilin her. Rasch folgten die Entdeckungen der F. Fuchsin (Verguin, 1858), Anilinblau u. -violett (Girard u. de Laire, 1861), Chrysoidin u. Anilingelb als erste Azo-F. (1864–1866), Methylviolett (Poirrier u. Chapat, 1867), Alizarin (Graebe u. Liebermann, 1869), die Phthaleine (A. v. Baeyer, 1874), Methylenblau (1877), Malachitgrün (O. Fischer u. Döbner, 1878), Biebricher Scharlach (Nietzki, 1879), Baumwoll-F. (Bisazo-F., die Baumwolle ohne Beize direkt färben, Böttiger, 1884), Schwefel-F. (Vidal, 1893), Indigo (Heumann, 1897) u. die ersten Indanthren-F. (Bohn, 1901). In neuerer Zeit entstanden die Phthalocyanin-F. (Linstead, ab 1934) u. die Reaktiv-F. [etwa ab 1952 (Wolle) bzw. 1956 (Cellulose)]. Obwohl die ersten Teer-F. vielfach im Ausland synthetisiert wurden, erlangte die dtsch. F.-Ind. – zwischen 1860 u. 1870 entstanden die wichtigsten F.-Fabriken Deutschlands: Bayer, Hoechst, Kalle (alle 1863), BASF (1865), Agfa (1867), Cassella (1870) – bald eine Vormachtstellung, u. 1913 entstammten 127 000 t = 80% der F.-Weltproduktion der dtsch. F.-Industrie. Verständlicherweise war diese Rolle mit dem 1. Weltkrieg beendet u. konnte auch mit der *I. G. Farben nicht zurückgewonnen werden. Ausführlichere histor. Darst. s. Lit.[16]. – *E* dyes, dyestuffs – *F* colorants – *I* coloranti – *S* colorantes

Lit.: [1] Text. Chem. Color. **28**, Nr. 7 (1996). [2] Analyt. Taschenb. **1**, 353–379. [3] farbe + lack **84**, 935–942 (1978). [4] Chem. Unserer Zeit **12**, 1–11 (1978). [5] Spektrum Wiss. **1980**, Nr. 12, 64–81. [6] Gurr, Synthetic Dyes in Biology, Medicine and Chemistry, London: Academic Press 1971. [7] Naturwissenschaften **56**, 67–71 (1969); Chem. Unserer Zeit **4**, 80–89 (1970); Chem. Rundsch. **33**, Nr. 25, Beilage S. 9–15 (1980); Dtsch. Färber-Kal. **82**, 218–236 (1978). [8] DECHEMA Monogr. **80**, 191–210 (1976). [9] Bayer-Ber. **32**, 40–45 (1974). [10] Fortschr. Chem. Forsch. **61**, 1–30 (1976); Chimia **30**, 459–465 (1976). [11] Chem.-Ztg. **100**, 351–372 (1976); Naturwissenschaften **64**, 247–252 (1977). [12] Chimica **45**, 297–300 (1991); DFG (Hrsg.), Farbstoffe für Lebensmittel, Weinheim: VCH Verlagsges. 1988; Blaue Liste. [13] Parfüm. Kosmet. **57**, 283 ff. (1976). [14] Colour Index **3A**, **6**, 181–215. [15] Die BASF **26**, 29–36 (1976). [16] Z. Chem. **10**, 133 ff. u. 168 ff. (1970); Endeavour **33**, 149–155 (1974); Parfüm. Kosmet. **59**, 82–90 (1978); Chem. Labor Betr. **30**, 525–530 (1979); Text. Praxis Int. **1978**, 1220 ff.
allg.: Abrahart, Dyes and Their Intermediates, London: Arnold 1977 ▪ Counsell, Natural Colours for Food and Other Uses, Barking: Appl. Sci. Publ. 1981 ▪ Czygan, Farbstoffe in Pflanzen, Stuttgart: Fischer 1975 ▪ DIN EN ISO 1996 ▪ Enzykl. Polym. Sci. Technol. **5**, 235–404 ▪ Färbemittel in der Pharmazie, Stuttgart: Dtsch. Apoth.-Verl. 1979 ▪ Farbmittel. Normen für Pigmente, Füllstoffe, Farbstoffe (DIN-Taschenbuch 49), Berlin: Beuth 1993 ▪ Kirk-Othmer (4.) **8**, 542–860 ▪ Marmion, Handbook of Use Colorants for Foods, Drugs and Cosmetics, London: Wiley 1979 ▪ Needles, Textile Fibers, Dyes, Finishes and Processes: A Concise Guide, New York: Noyes Publications Park Ridge 1986 ▪ Rattee u. Breuer, The Physical Chemistry of Dye Adsorption, London: Academic Press 1974 ▪ Rys u. Zollinger, Fundamentals of the Chemistry and Application of Dyes, New York: Wiley 1972 ▪ Snell-Ettre **10**, 447–547; **12**, 1–22 ▪ Ullmann (4.) **11**, 99–192; (5.) **A 9**, 77–124 ▪ Venkataraman, The Chemistry of Synthetic Dyes (mehrbändig), New York: Academic Press (seit 1952) ▪ Winnacker-Küchler (4.) **7**, 1–83 ▪ Zollinger, Color Chemistry, 2. Aufl., Weinheim: VCH Verlagsges. 1991 ▪ s. a. Färben, Pigmente u. die einzelnen F.-Klassen. – *Zeitschriften:* Dyes and Pigments, Barking: Appl. Sci. Publ. (seit 1980) – *Organisation:* Ecological and Toxicological Association of the Dyestuffs Manufacturing Industry (ETAD), CH-4000 Basel.

Farbstoff-Laser. *Laser, deren aktives Medium aus in Flüssigkeiten gelösten organ. *Farbstoffen besteht. Da die Farbstoffe breite Emissionsbanden besitzen, können F.-L. über einen großen Wellenbereich abgestimmt werden.
Geschichte: Unmittelbar nach der Realisierung des ersten Lasers 1960 wurde diskutiert, neben den Festfrequenz-Lasern Laser mit einem breiten Bereich durchstimmbarer Wellenlängen zu bauen, wofür opt. angeregte, organ. Farbstoffe vorgeschlagen wurden. Der erste Nachw. von Laser-Emission solcher Farbstoffe gelang 1966 unabhängig voneinander F. P. Schäfer in der BRD, P. Sorokin u. Lankard (IBM) sowie Spaeth u. Bortfield (Hughes Aircraft) in den USA u. Stepanov in der ehem. UdSSR. Die ersten F.-L. wurden durch *Rubin-Laser gepumpt. Da die *Fluoreszenz langwelliger als die Anregung ist, war ihre Laser-Emission im infraroten Spektralgebiet. Über *Frequenzverdopplung wurde die Strahlung des Rubin-Lasers auf 347 nm u. die des Nd/Yag-Laser (s. Neodym-Laser) auf 532 nm verkürzt, so daß bis 1967 bereits über 20 neue Laser-Farbstoffe gefunden waren u. der gesamte sichtbare Spektralbereich mit gepulster F.-L.-Strahlung abgedeckt werden konnte. Zunächst wurde die Wellenlängenabstimmung über Variation der Farbstoff-Konz. durchgeführt; recht bald wurde entdeckt, daß Beugungsgitter, anstelle eines Resonatorspiegels, die Bandbreite $\Delta\lambda$ einengen u. durch Neigen des Gitters die Wellenlänge λ durchgestimmt werden kann. Ebenfalls 1967 wurden die ersten durch Blitzlampen gepumpten F.-L. gebaut. Der erste quasi-kontinuierliche (500 µs Dauer), noch über Blitzlampen gepumpte F.-L. wurde 1969 von Schäfer in der BRD u. Snaveley in den USA realisiert; 1970 stellte Snavely den ersten durch einen Ar-Laser gepumpten Dauerstrich-Laser (engl. cw: continues wave) vor.
Laserfarbstoffe: Heute ist eine große Palette von Laserfarbstoffen bekannt, mit denen kohärentes Licht von 330 nm bis 970 nm erzeugt werden kann. Je nach Wellenlängenbereich (s. Abb. 1) sind dies Szintillator-Farbstoffe, *Cumarine, *Rhodamine u. *Cyanine. Sie unterscheiden sich erheblich in ihrer Effizienz (Quantenausbeute) u. ihrer photochem. Stabilität [Produkt aus Zeit u. Pumplichtleistung, *Beisp.:* Rhodamin 6G: 1000 Wh, Stilben 1: 4 Wh].

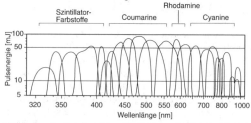

Abb. 1: Durchstimmbereich verschiedener Farbstoffe, die mit einem *Excimer-Laser gepumpt werden. Entsprechende Kurven bei Anregung durch Stickstoff-Laser u. Edelgas-Ionen-Laser sind leicht verschieden (s. *Lit.*[1]).

Weitere Details s. Laserfarbstoffe u. *Lit.*[1]
Gepulste Laser: Mit der hohen Leistung gepulster Pump-Laser lassen sich viele Farbstoffe pumpen, die mit kontinuierlichen Lasern nicht die Laserschwelle

erreichen. Die Pulsfolgefrequenz, Pulsenergie, Pulsdauer u. Resonatoraufbau sind von der Pumplichtquelle abhängig. Übliche Pump-Laser sind *Stickstoff-Laser, Excimer-Laser, Nd/Yag-Laser u. *Kupferdampf-Laser. Gängig sind zwei Arten des Resonatoraufbaus: Beim *Hänsch-Laser* wird anstelle des einen Endspiegels ein Gitter als Retroreflektor (auch Littrow-Anordnung genannt) benutzt. Um dieses besser auszuleuchten, wird der Laserstrahl mit einem Teleskop od. einem Satz Prismen aufgeweitet. Ein *Etalon od. weitere Prismen engen die Bandbreite ein. Beim sog. *Littman-Laser*, auch streifender Einfall (E grazing incidence) genannt, wird im Resonator der Strahl unter einem Einfallswinkel von fast 90° streifend auf ein Beugungsgitter gebracht. Ein Spiegel od. ein weiteres Gitter reflektiert den Strahl zurück in den opt. Resonator. Die typ. Leistungsdaten gepulster F. sind: Pulsenergien bis 50 mJ, Bandbreiten 0,2 bis 0,01 cm^{-1}, Pulsdauer von 0,5 ns bis 30 ns u. Pulswiederholraten von Einzelpuls bis 1000 Pulse/s. Der Abstimmbereich reicht von ~330 nm bis 970 nm u. kann durch Frequenzverdopplung u. *Frequenzmischung, *Raman-Verschiebung od. *parametrische Verstärkung auf den Wellenlängenbereich von 190 nm bis ~4 µm erweitert werden. Durch Nachverstärkung kann die Pulsenergie vergrößert werden.

Kontinuierliche Laser: Das Problem der Selbstabsorption durch Besetzung im Triplett-Niveau wird hier durch ständigen, schnellen Austausch des angeregten Farbstoff-Vol. vermieden. Der Farbstoff wird hierzu in Ethylenglykol gelöst u. über ein Pumpensyst. durch eine polierte Düse gepumpt. In den freifliegenden Flüssigkeitsstrahl wird der Pump-Laser fokussiert. Bei Flußgeschw. von 10 m/s beträgt die Durchflugzeit durch den Pump-Laserfokus ~10^{-6} s. Als Resonatoraufbau werden ein linearer u. ein Ringresonator angeboten. Während sich in dem linearen Resonator eine stehende elektromagnet. Welle aufbaut, die aufgrund der Knoten räumlich nicht die Besetzungsinversion aller angeregten Farbstoff-Mol. abbauen kann (E spatial hole burning), bildet sich in dem Ringresonator eine Wanderwelle. Diese hinterläßt keinen Bereich angeregter Farbstoff-Moleküle. Prinzipiell würden Wanderwellen in beiden Richtungen umlaufen; eine *optische Diode impliziert für eine Laufrichtung so hohe Verluste, daß diese Wanderwelle nicht anschwingt. Durch wellenlängenselektive Elemente, wie Prismen, Filter u. Etalons wird die Bandbreite eingeengt, bis hin zum Ein-Moden-Betrieb (E single mode laser). Die Bereiche nicht abgebauter Besetzungsinversion beim linearen Laser lassen andere Moden viel leichter anschwingen als in einem Ringresonator. Deshalb kann ein schmalbandiger linearer Laser nur mit einer geringeren Leistungsdichte betrieben werden, hat allerdings auch eine niedrige Pumpschwelle. Bei einer Bandbreite <1 MHz erhält man im Maximum von Rhodamin 6 G im Fall des linearen Lasers 100–150 mW (Pumpleistung ~4 W) u. im Fall des Ringlasers mehr als 1 W (Pumpleistung 6 W). Gepumpt werden kontinuierliche F.-L. durch *Edelgas-Ionen-Laser u. kontinuierliche Nd/Yag-Laser.

Moden-gekoppelte Laser: Über aktive (mittels optoakust. Modulatoren) od. passive (mittels sättigbarer Absorber) Kopplung können in einem Laserresonator die longitudinalen Moden aneinander gekoppelt werden. Es entstehen kurze Laserimpulse mit einem Zeitabstand t = 2 · L/c (L = Resonatorlänge, c = Lichtgeschw.) u. einer Pulsdauer von Pico- bzw. Femto-Sekunden. Bei geeigneter Kombination von Laserfarbstoff u. sättigbarem Absorber werden Laserpulse abstimmbarer Wellenlänge erzeugt; als beste Anordnung hat sich hierbei eine Ringkonfiguration mit zwei getrennten Verstärker- u. Absorber-Flüssigkeitsstrahlen herausgestellt. In dem Ringresonator laufen zwei Pulse in entgegengesetzte Richtung u. treffen sich jeweils in Verstärker u. Absorber (E colliding pulse mode locking, CPM). Mit dieser Anordnung lassen sich Pulsdauern bis ~50 fs erzeugen. Noch kürzere Pulsdauern erhält man durch Pulskompression in Faser- od. Gitteranordnungen. Die kürzeste bisher erzielte Pulsdauer von 6 · 10^{-15} s wurde durch Pulskompression aus CPM-Pulsen erreicht.

Anw.: In der *Spektroskopie als universelle Lichtquelle, *LIDAR, in der Medizin, kurze Pulse zum Studium von Energietransfer. S. auch durchstimmbare Laser, Ein-Moden-Laser. – E dye laser – F laser à colorants organiques – I laser a coloranti – S láser de colorante

Lit.: [1] Brackman, Lambdachrome Laser Dyes, Göttingen: Lambda Physik 1986.
allg.: Duarte, High Power Dye Lasers, Berlin: Springer 1991 ▪ Johnston, Tuneable Dye Laser, Encyclopedia of Physical Science and Technology, Bd. 14, New York: Academic Press 1987 ▪ Kaiser (Hrsg.), Ultrashort Laser Pulses, Berlin: Springer 1988 ▪ Phys. Bl. **44**, A 736 (1988) mit einer Marktübersicht über gepulste, kontinuierliche u. Mode-Locked F., sowie Laserfarbstoffe ▪ Schäfer, Dye-Lasers, Berlin: Springer 1990 ▪ Stuke (Hrsg.), Dye Lasers: 25 Years, Topics in Applied Physics, Vol. 70, Berlin: Springer 1992 ▪ s. a. Laser.

Farbton. Nach DIN 5033 Tl. (03/1979) ist F. die Eigenschaft, die eine bunte *Farbe von einer unbunten unterscheidet. Der F. ist also nur eine Eigenschaft einer Farbe, nämlich die Art ihrer Buntheit. Der Gebrauch des Wortes F. für Farbe, Färbung, farbiges Aussehen, wie er noch häufig in der Farbstoff-Praxis angetroffen wird, ist deshalb zu vermeiden. – E hue, shade – F teinte, nuance – I tono, tinta, tonalità – S matiz, tonalidad, coloración

Farbübertragungsinhibitoren. Bez. für funktionelle Inhaltsstoffe von *Waschmitteln, welche in der Waschflotte das Aufziehen von Farbstoffen, die sich in geringen Mengen von – auch farbechten – Textilien ablösen, auf andere Wäscheposten durch Komplexbildung verhindern. Als F. eignen sich v. a. *Poly(vinylpyrrolidone) u. Poly(vinylimidazole) sowie deren Copolymere. – E dye transfer inhibitors

Lit.: Proc. 4th World Surfactants Congress, Barcelona, 3.–6. Juni 1996, Bd. 2, S. 76–90.

Farbzahl. Nach DIN 55 945 (12/1988) ist eine F. „ein unter festgelegten Bedingungen ermittelter Kennwert für die *Farbe von transparenten Substanzen, der durch opt. Vgl. festgestellt wird". Viel benutzte F. bei Flüssigkeiten, Lsm., Weichmachern etc. sind: *Hazen-* od. *APHA-Farbzahl* (nach dem amerikan. Wasseringenieur A. Hazen bzw. nach APHA = American Public Health Association) ist die Anzahl mg Platin [als Kaliumhexachloroplatinat(IV) mit Cobald(II)-chloridhexahydrat im Verhältnis 1,246:1 in 1000 ml wäss. Salzsäure gelöst], die in gleicher Schichtdicke die (annähernd) gleiche Farbe wie die Probe aufweist. Die *Iod-Farbzahl* (IFZ, JFZ) ist die Anzahl mg freies Iod in 100 ml einer wäss. Iod-Iodkalium-Lsg., die in 10 mm Schichtdicke die gleiche Lichtdurchlässigkeit hat wie die Probe. Die *Saybolt-Farbzahl* ist als Kennzahl zwischen +30 u. −16 gegeben durch eine bestimmte Schichtdicke der Probe, deren Helligkeit der von bestimmten Farbvergleichsgläsern entspricht. – *E* color numbers – *F* indices de couleur – *I* indice di colore – *S* índice de color

Lit.: DIN 6162 (Entwurf 04/1975), 51 411 (07/1977), 53 403 (11/1951), 53 409 (07/1967).

Farbzentren. Elektronenfehlstellen (Elektron, Defektelektron od. *Exciton) in einem nichtleitenden Krist., z.B. NaCl od. Quarz. Reine Alkalihalogenide sind im gesamten sichtbaren Spektralbereich durchsichtig. Über die Erzeugung von F. werden sie eingefärbt, wobei mehrere Prozesse möglich sind:
1. Chem. Verunreinigungen, d.h. Dotieren des Krist. mit Fremdatomen. – 2. Additive Verfärbung. Die Krist. werden im Dampf einer der chem. Komponenten getempert, aus der sie aufgebaut sind; z.B. werden auf einen NaCl-Krist. in einer Natrium-Atmosphäre zusätzliche Na-Atome angelagert u. dort durch Chlor-Ionen gebunden, die aus dem Inneren des Krist. an die Oberfläche wanderten. Im Krist. entstehen Anionen-Leerstellen u. auf Grund der ion. Bindung der Natrium-Atome an der Oberfläche freie Elektronen, die dann an den Ionen-Leerstellen gebunden werden. Sie bevölkern Energieniveaus unterhalb des Leitungsbandes, genannt ein *F-Zentrum*. Wird der NaCl-Krist. in einem Halogen-Dampf getempert, so wandern Defektelektronen in den Kristall u. bilden sog. F_2-Zentren. – 3. Ionisierende Strahlung. Wird ein Krist. mit UV-Licht (Photonenenergie > 10 eV), weicher Röntgenstrahlung, *Gammastrahlen od. energiereichen Protonen bestrahlt, werden durch Ionisationsprozesse Elektronen u. Defektelektronen erzeugt, die an ggf. vorhandenen atomaren Gitterfehlstellen eingefangen werden. Durch die ionisierende Strahlung werden ferner zusätzliche Gitterfehlstellen erzeugt. Alle diese Defekte können durch Erwärmung des Krist. leicht rekombinieren, weshalb die durch Strahlung erzeugten F. weniger stabil sind als die additiven. – 4. Anlegen eines elektr. Feldes. Auf diese Weise können in einem Krist. bei höherer Temp. zusätzliche Elektronen einwandern u. F. bilden.

Beim einfachsten F., dem F-Zentrum, wird ein Elekron an der Stelle eines fehlenden Anions durch die umgebenden Kationen im Krist. gebunden. Das F-Zentrum hat Ähnlichkeit mit dem Wasserstoff-Atom, wobei die Fehlstelle die Rolle des Protons übernimmt; folglich klassifiziert man die Energieniveaus nach Hauptquantenzahlen n u. Drehimpulsquantenzahlen l (s. Atombau). Der intensivste Übergang entspricht dem 1s → 2p-Übergang beim Wasserstoff; er liegt bei KCl um λ = 556 nm. Der 2p-Zustand liegt allerdings nur knapp (~ 0,1 eV) unter der Ionisationsschwelle. Daher sind reine F-Zentren für laseraktive Medien unbrauchbar.

Sie haben ferner den Nachteil, daß sie therm. in dem Krist. wandern u. sich zu größeren Aggregaten zusammenschließen können. Um dieses Wandern zu verhindern, dotiert man den Krist. mit geeigneten Fremdatomen (z.B. einige Kalium-Ionen im KCl-Krist. werden durch Lithium-Ionen ersetzt). Durch Kühlen bei typ. 77 K werden F., die zunächst durch den Krist. wandern, an den Fehlstellen lokalisiert [1].

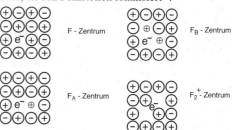

Abb.: Farbzentren.

Unter einem F_2*-Zentrum*, bzw. *M-Zentrum*, versteht man zwei in 110-Richtung benachbarte F-Zentren. Auch diese Zentren sind nicht stabil genug, um sie als Lasermedium einzusetzen. Befindet sich in einem F_2-Zentrum nur ein Elektron, so spricht man vom F_2^+-*Zentrum*. Diese F. eignen sich zum Aufbau von *durchstimmbaren Lasern (s.a. Farbzentren-Laser) mit Wellenlängen zwischen 0,8 µm u. 2,5 µm. Auch diese Krist. müssen gekühlt werden (77 K), um zu verhindern, daß Elektronen, von denen bei 20°C viele nur leicht gebunden sind, mit den F_2^+-Zentren rekombinieren. Die Tendenz der F_2^+-Zentren, zu wandern u. sich zu F.-Aggregaten zusammenzuschließen, wird durch Dotieren des Krist. verhindert. Zum einen können Fremd-Kationen (z.B. Na^+ in einem KCl-Krist.) eingesetzt werden, od. noch günstiger, durch Anionen-Dotierung (in einem NaCl-Krist. werden Cl^--Ionen durch O^{2-}-Ionen ersetzt; man spricht dann von $F_2^+:O_2^-$- bzw. $(F_2^+)_H$-Zentren).

Anw.: Einsatz als aktives Lasermedium (s. Farbzentren-Laser), Färben von Edelsteinen. Nachteilige Auswirkung: Entstehung von F. in der Augenlinse, bes. bei Personen, die viel mit ionisierender Strahlung (Röntgenbereich von Kliniken) arbeiten. Die Zerstörschwelle bei vielen Optiken wie Zellenfenstern, Linsen od. Lichtleitfasern ist durch die Entstehung von F. gegeben. Zur Geschichte der F.-Forschung s. *Lit.*[2]; vgl. a. Kristallbaufehler. – *E* color centers – *F* centres de couleur – *I* centri colorati – *S* centros de color

Lit.: [1] Laser + Optoelektronik **14** (1), 17 (1982). [2] Teichmann, Zur Geschichte der Festkörperphysik, Wiesbaden: Franz Steiner, 1987; Phys. Unserer Zeit **26**, 88–94 (1995).

allg.: Kittel, Einführung in die Festkörperphysik, München: Oldenbourg 1988.

Farbzentren-Laser. *Festkörper-Laser, bei dem als aktives Medium ein Krist. mit *Farbzentren verwendet wird. Mit verschiedenen Krist. überdecken sie den gesamten Bereich des nahen infraroten Wellenbereichs: 0,8 µm bis 4 µm. Es hat sich herausgestellt, daß einfache F-Zentren, enbenso wie F_2-Zentren, für einen Lasereinsatz nicht geeignet sind. Mit F_A- u. F_B-Zentren konnten stabil arbeitende Laser gebaut werden, die im Wellenlängenbereich zwischen 2 µm u. 3,8 µm emittieren (*Lit.*[1]). $F_2^+:O_2^-$-Zentren (s. Farbzentren) werden eingesetzt, um *durchstimmbare Laser im Wellenlängenbereich 0,8 µm bis 2,5 µm zu realisieren. Mit einem Ringresonator aufgebaut ergeben diese Laser (NaCl:OH⁻-Krist.) eine kontinuierliche Lichtleistung von 1,5 Watt (*Lit.*[2]), bei einer Frequenzstabilität von besser als 70 kHz. Mit Farbzentren in KF wurde schon eine Lichtleistung von 2,7 Watt erreicht (*Lit.*[3]). Da im Wellenbereich der F.-L. elektron. u. vibron. Übergänge vieler Mol. liegen, eignen sich diese Laser hervorragend für die Molekülspektroskopie. Ein weiterer Einsatz von ihnen liegt bei der Datenübertragung mit Lichtleitfasern (*Faseroptik). – *E* color center laser – *F* laser à centre de couleur – *I* laser a centro colorato – *S* láser de centro de color

Lit.: [1] J. Appl. Phys. **46**, 3109 (1975); Appl. Phys. Lett. **24**, 386 (1974); **31**, 381 (1977). [2] Appl. Phys. B **47**, 127 (1988). [3] Laser + Optoelektronik **14** (1), 17 (1982).
allg.: Beigang u. Yoon, Color Center Lasers: State of the Art and Recent Developments, S. 221–231, in Inguscio u. Wallenstein (Hrsg.), Solid State Lasers; New Developments and Applications, New York: Plenum Press 1993 ■ Demtröder, Laser Spectroscopy, Springer Series in Chemical Physics 5, Berlin: Springer 1981 ■ Mollenauer, in Stitch u. Brass (Hrsg.), Color Center Laser in Laser Handbook, Vol 4, Amsterdam: North Holland 1985 ■ Mollenauer u. White, Tuneable Lasers, Springer Series in Physics Vol 59, Berlin: Springer 1981.

Farin (ungereinigter Zucker) s. Saccharose.

Farkas, Ladislaus Wilhelm (1904–1948), Prof. für Physikal. Chemie, Univ. Cambridge u. Jerusalem. *Arbeitsgebiete:* Mechanismus der Verbrennung u. Oxid., Knallgas-Reaktion, photochem. Sensibilisierung, Kolloidchemie.
Lit.: Nachmansohn, Die große Ära der Wissenschaft in Deutschland 1900–1933, S. 188, 200, Stuttgart: Wissenschaftliche Verlagsges. 1988 ■ Poggendorf **7 b/3**, 1327 ff.

Farlutal®. Suspension u. Tabl. mit *Medroxyprogesteronacetat zur palliativen Behandlung hormonabhängiger Tumoren der Brust u. des Genitalbereichs. *B.:* Pharmacia.

Farmerscher Abschwächer s. Photographie.

Farmorubicin®. Injektionsflüssigkeit mit *Epirubicin-Hydrochlorid gegen Carcinome u. Sarkome. *B.:* Pharmacia.

Farne (Filicatae). Mit mehr als 10000 rezenten Arten die dominierende Klasse der heutigen *Farnpflanzen* (Pteridophyta). Charakterist. Merkmal sind die Wedelblätter mit rand- od. unterständigen Sporenträgern (Sporangien). Bereits im Paläozoikum (Silur; im Karbon waldbildend) u. Mesozoikum reich entfaltet in Wuchsform u. Biotopnutzung. Schwerpunkt sind feuchte Standorte, v. a. im indomalay. Raum, in Mittelamerika u. im nördlichen Südamerika. F. sondern *Gamone ab. Einzelne F.-Inhaltsstoffe sind parfümist. interessant, andere anthelmint. brauchbar (*Filixsäuren). – *E* ferns – *F* fougères – *I* felci – *S* helechos
Lit.: Kramer et al., Farne u. Farnverwandte, Stuttgart: Thieme 1995.

Farnesen s. Farnesol.

Farnesol (3,7,11-Trimethyl-2,6,10-dodecatrien-1-ol).

$C_{15}H_{26}O$, M_R 222,37, farbloses, nach Maiglöckchen riechendes Öl, D. 0,885, Sdp. 160°C (1,3 kPa), in Wasser nicht, in organ. Lsm. gut lösl.; verbreitet im Öl von Moschuskörnern, Lindenblüten u. in anderen *etherischen Ölen. F. dient in der Parfüm- u. Seifen-Ind. zur Herst. von Maiglöckchenduft u. Cassiablütenöl. Es ist licht-, luft- u. wärmeempfindlich u. wird zu Farnesal, Farnesansäure u. dgl. oxidiert. Der *Sesquiterpen-Alkohol F. ist als Farnesyldiphosphat eine Schlüsselsubstanz in der Biogenese von *Isoprenoiden (vgl. Isopren-Regel). Sowohl F. (bei Hummeln) als auch das durch Wasserabspaltung entstehende *trans*-β-Farnesen ($C_{15}H_{24}$) wirken als *Pheromone, letzteres als *Alarmstoff für Blattläuse. Der Name stammt von der Akazienart *Acacia farnesiana*. – *E* = *S* farnesol – *F* farnésol – *I* farnesolo
Lit.: Beilstein E IV **1**, 2335 ■ Merck-Index (12.), Nr. 3978. – *Biosynth.:* Phytochemistry **29**, 3469 (1990); **33**, 1203 (1994). – *Synth.:* Helv. Chim. Acta **59**, 1233 (1976) ■ s. a. Sesquiterpene. – *[HS 2905 22; CAS 4602-84-0]*

Fas s. Apoptose.

FAS. Abk. für *Fettalkoholsulfate.

Fasax®. Tabl. u. Suppositorien mit dem nichtsteroidalen *Antirheumatikum *Piroxicam. *B.:* BASF Generics.

Faserfilter s. Tuchfilter.

Fasergips s. Gips.

Faserglas s. Glasfasern.

Fasermetallurgie. Sondergebiet der Herst. u. Verarbeitung von Werkstücken od. *Halbzeug aus kompaktierten metall. *Fasern. Nach bes. Verf. hergestellte Fasern werden zu Formteilen verpreßt u. gesintert. Anschließend ist eine Weiterverarbeitung nach den konventionellen Verf. der Um- u. Verformung möglich. Fasermetall-Körper sind porös u. schlagfest u. daher geeignet für die neue Anw. als Filter, zur Schall- u. Schwingungsdämpfung u. als Träger für *Katalysator-Materialien. – *E* fiber metallurgy, fiber compacting – *F* métallurgie des fibres – *I* metallurgia fibrosa – *S* metalurgia de fibras

Fasern. Sammelbegriff für langgestreckte Aggregate, deren Mol. (od. Kristallite) in der Mol.-Längsrichtung (od. *einer* Gittergeraden) überall gleichgerichtet sind. Sie sind entweder faserförmige Gebilde von begrenzter Länge (eigentliche „Fasern" bzw. *Haare) od. prakt. endlose Fasern (*Filamente), entweder in Einzel- od. gebündelter Form. Man kann die F. in verschiedener Weise einteilen. Textile *Faserstoffe* werden nach DIN 60001 eingeteilt in *Naturfasern (Tl. 1, 10/1990) u. *Chemiefasern (Tl. 3, 10/1988), jeweils unterteilt u. spezifiziert nach Fasergruppen u. den einzelnen Fasertypen. Näheres s. Natur- u. Chemiefasern u. bei Textilfasern.
Verw.: Die Verw. der verschiedenen F. (auch in Kombinationen wie z. B. Textil-Chemie-F., Metall-Glas-F.) hängt von den jeweiligen F.-Materialcharakteristiken ab, wie mechan. Festigkeit, Dehnbarkeit, Schrumpfverhalten, Beständigkeit gegen chem. u. Temp.-Einfluß, opt. u. elektr. Eigenschaften, u. bei Textilfasern spielt insbes. das Wasseraufnahmevermögen eine

wichtige Rolle für die Gebrauchseigenschaften auf dem Bekleidungssektor. Die meisten F. lassen sich zu *Vliesstoffen, *Filzen u. – als Fäden od. Gespinste – zu *Geweben, Wirk- u. Strickwaren, Geflechten u. Seilerwaren verarbeiten. In *Verbundwerkstoffen (s. Faserverstärkung) finden v. a. die anorgan. F. ausgezeichnete Einsatzmöglichkeiten, z. B. für *glasfaserverstärkte Kunststoffe. Gebräuchliche Meth. zur Identifizierung von F. werden in *Lit.*[1] beschrieben; eine zerstörungsfreie Meth. ist die Interferenz-Mikroskopie (*Lit.*[2]). Für qual. Tests bedient man sich u. a. sog. *Faserreagenzien. Zu den wirtschaftlichen Aspekten der F.-Produktion s. bei Chemie- u. Textilfasern.

Neben ihrer industriellen haben F. auch noch eine physiolog. Bedeutung, indem sie nicht nur Stütz- u. a. Funktionen in tier. (Skleroproteine, Muskelfasern, Bindegewebe) u. pflanzlichen Geweben ausüben, sondern als Bestandteil von Nahrungsmitteln eine wichtige Aufgabe als *Ballaststoffe bei der *Verdauung erfüllen. Außer den eigentlichen Faserstoffen (*Cellulose, *Lignin, *Polyosen, *Pektine) wirken dabei auch noch F.-assoziierte Stoffe wie Gummen, Schleime u. Algen-Polysaccharide mit. Ein Mangel an F. in der Nahrung wurde mit so unterschiedlichen Krankheiten wie Darmkrebs, Herzbeschwerden u. Diabetes in Zusammenhang gebracht. – *E* = *F* fibres – *I* fibre – *S* fibras

Lit.: [1] Encycl. Polym. Sci. Eng. **8**, 6–22. [2] J. Forensic Sci. Soc. **22**, 103–122 (1982).

Faseroptik. Eine F. besteht aus opt. leitenden *Glasfasern od. Polymerfasern (Crofon) zur Licht- u. Bildübertragung. Die Faser ist aus unterschiedlichen Materialien aufgebaut; der Brechungsindex des Kerns ist um 1–2% größer als der des Mantelmaterials. Nach Einkopplung in den Kern wird ein Lichtstrahl durch Totalreflexion an dem Mantelmaterial weitergeleitet. Je nachdem, wie der Brechungsindex im Querschnitt aufgebaut ist, unterscheidet man *Stufenindexfasern* od. *Gradientenfasern*; bei der letzteren erfolgt die Wellenleitung mehr durch Brechung als durch Reflexion. Der Durchmesser des Faserkerns wird je nach Anw. von Größenordnung mm bis wenige µm gewählt. Ist der Durchmesser so klein (~ 10 µm), daß sich keine transversale Mode mehr ausbilden kann, spricht man von einer *Monomode-Faser*, im Gegensatz zu den dicken *Multimode-Fasern* (D > 200 µm). Wird der Kern der Faser nicht kreis-, sondern ellipsenförmig ausgeführt, so ist die Ausbreitungsgeschw. der Lichtwelle in der Faser polarisationsabhängig; d. h. Licht der einen Polarisationsrichtung kann nicht in den Mode der anderen Polarisationsrichtung überkoppeln. Beim Lichttransport bleibt somit der Polarisationsgrad des eingekoppelten Lichtes erhalten. Um eine bildgebende Faser zu erhalten, werden 10^5 bis 10^6 Einzelfasern streng geordnet zu einem Faserbündel zusammengefaßt.

Verw.: In der Medizin als Endoskop u. zum Transport von Laserlicht zur Diagnose u. Therapie (s. *Lit.*[1,2]), im Maschinenbau zum Ausleuchten u. Beobachten von Hohlräumen, in der Datenverarbeitung u. Nachrichtentechnik (da Licht aufgrund seiner höheren Frequenz in einem viel breiteren Frequenzbereich moduliert werden kann, erreicht man mit einer opt. Faser eine viel höhere Datentransportrate: 100 GBit/s, d. h. 10^{11} Einzeldaten/s; anschaulich ersetzt 1 g Lichtleitfaser ca. 100 kg Kupfer, s. *Lit.*[3]), in der Elektronik (mit Optokopplern werden Komponenten, die auf unterschiedlichem Potential liegen, elektrostat. voneinander getrennt) u. in der Meßtechnik (z. B. Laserkreisel). Für die Datenübertragung werden Modulator, *Diodenlaser u. Lichtleitfaser einerseits, sowie Lichtleitfaser, Empfänger u. Verstärker andererseits bereits auf einem Elektronikchip aufgebaut (*integrierte Optik, s. *Lit.*[4]). – *E* fiber optic – *F* optique sur fibres – *I* ottica di fibra – *S* óptica de fibras

Lit.: [1] Sci. Am. **260**, 86 (1989). [2] Laser + Optoelektronik **20**, (1988). [3] Phys. Unserer Zeit **19**, 37 (1988). [4] Hunsperger, Integrated Optics: Theory and Technology, Berlin: Springer 1985. *allg.:* Blyler u. Di Marcello, Optical Fibers, Drawing and Coating, S. 640–647, Encycl. of Physical Science and Technology, Bd. 11, San Diego: Academic Press 1992 ■ Katzir, Optical Fiber Techniques (Medicine), S. 649–666, Encycl. of Physical Science and Technology, Bd. 11, San Diego: Academic Press 1992 ■ Tamir (Hrsg.), Guided-Wave Optoelectronics, Berlin: Springer 1988 ■ Tariyal u. Cherin, Optical Fiber Communication, S. 611–639, Encycl. of Physical Science and Technology, Bd. 11, San Diego: Academic Press 1992 ■ Taylor, Advances in Fiber Optics Communication, Norwood, MA 02062 USA: Artech House Inc. 1988.

Faserpflanzen. Sammelbez. für Pflanzen, die ganz od. teilw. als Rohstoffe für *Fasern dienen, die ihrerseits für die Spinnerei u. Seilerei, zur Herst. von Geflechten, Bürsten, Besen, Pinseln, Cellulose u. Verpackungsmaterial verwendet werden.

Es ist ein altes menschliches Kulturgut, aus Pflanzen Fasern zu gewinnen, die zu Kleidung u. Gegenständen des Haushaltes verarbeitet werden. In allen Fällen handelt es sich dabei entweder um Haare, also Bildungen der pflanzlichen Epidermis, od. um Bündel von Sklerenchymfasern (Bastfasern), die zur Festigung der Leitbündel in Stengeln u. Blättern dienen. Die Zellwände der Haare u. Fasern bestehen v. a. aus *Cellulose, in geringeren Anteilen aus *Polyosen u. *Pektin. Sklerenchymfasern enthalten auch inkrustiertes *Lignin.

Zu *Haaren* als Faser-Lieferanten gehören die Samenhaare der *Baumwolle (*Gossypium* sp.) u. die Fruchthaare des *Kapok- od. Wollbaums (*Ceiba pentandra*). *Sproßachsen* als Faser-Lieferanten finden sich u. a. beim *Flachs (*Linum usitatissimum*), *Hanf (*Cannabis sativa*), der Großen Brennessel (*Urtica dioica*), der Chines. Nessel (*Boehmeria nivea*), der *Jute (*Corchorus* sp.) u. bei *Hibiscus*-Arten (*Hibiscus cannabinus* bzw. *H. sabdariffa*). *Blattfasern* werden bereitgestellt als Unterblattfasern beim Manilahanf (*Musa textilis*), als Blattstielfasern von vielen Palmen-Arten u. als Blattspreitenfasern von zahlreichen Agave-Arten. *Früchte* als Faser-Lieferanten stellen die Kokosnüsse der *Kokospalme (*Cocos nucifera*) dar (s. a. Kokosfasern). Es gibt über 2300 verschiedene Pflanzenarten, die zu biolog. u. ökolog. Zwecken entwickelte *Naturfasern von hoher Festigkeit, Widerstandsfähigkeit u. auch Elastizität für menschliche Produkte mit entsprechenden techn. Anforderungen bereitstellen. – *E* fiber plants – *F* plantes textiles – *I* piante tessill, piante da fibra – *S* plantas textiles

Lit.: Franke, Nutzpflanzenkunde, 5. Aufl., S. 395 ff., Stuttgart: Thieme 1992.

Faserpolymere s. Fasern, Synthesefasern.

Faserproteine s. Skleroproteine.

Faserquarz s. Quarz.

Faserreagenzien. Bez. für Substanzen zur färber. Differenzierung der verschiedenen *Faser-Gattungen. So färben sich z. B. mit einer wäss. Lsg. von Chicagoblau 6 B, Palatinscharlach 3 R, *Rhodamin B extra, *Leonil DB, Magnesiumsulfat u. neutralisierter *Pikrinsäure Polyamidfasern gelb-gelbgrün, Wolle u. Seide orange, Casein-Fasern rot, Acetatseide orange bis rot fluoreszierend, tannierte Baumwolle, Rohleinen, Hanf, Jute, Ramie, Viskosekunstseide bordeaux bis violett, gechlorte Wolle u. Rohseide braun, Baumwolle, roh, gebleicht u. mercerisiert, Kupferkunstseide, Lanusa rein blau. Ein F. zum Nachw. von Kunstseide ist die *Yorksche Lösung. – *E* fiber reagents – *F* réactifs d'identification des fibres – *I* reagenti fibrosi – *S* reactivos para identificar fibras

Lit.: s. Chemiefasern u. Textilprüfung.

Faserschreiber s. Filzschreiber.

Faserserpentin s. Serpentin.

Faserstoffe s. Fasern.

Faserverstärkte Kunststoffe s. Faserverstärkung.

Faserverstärkung. Die F. ist ein Verf. zur Erhöhung von insbes. der mechan. *Festigkeit, ggf. aber auch anderer wichtiger Eigenschaften, z. B. der therm. Beständigkeit, von *Werkstoffen durch Inkorporation von *Fasern. Sie wird zwar auch bei anderen Werkstoffen, z. B. zur Verstärkung von Zement durch Beimischen von Asbestfasern (Faserzement bzw. *Asbestzement) praktiziert, hauptsächlich aber bei *Kunststoffen angewandt. Die verstärkten Kunststoffe werden nach DIN 7728, Tl. 2 (03/1980) durch Kurzz. – AFK, BFK, CFK, SFK, WFK – charakterisiert, bei denen dem allg. Kurzz. FK für *faserverstärkte Kunststoffe* der Anfangsbuchstabe des Verstärkermaterials vorangestellt wird: A = Asbest-, B = Bor-, C = Kohlenstoff-, M = Metall- u. S = Synthesefaser. Mit (Metall-)Whiskern verstärkte Kunststoffe haben das Kurzz. (M)WK. Werden Gemische chem. unterschiedlicher Fasern zur F. eingesetzt, spricht man von Hybrid-Verstärkung. Die größte Bedeutung der FK haben die *glasfaserverstärkten Kunststoffe (GFK). Andere FK-Typen haben ihre speziellen Einsatzgebiete wie etwa Mineral-, Metall- od. Kohlenstoff-FK für hochfeste u. hochtemperaturbeständige *Verbundwerkstoffe u. a. in der Luft- u. Raumfahrt, Textilfaser-verstärkte Produkte für Spritz- u. Preßmassen od. Whisker-verstärkte Kunststoffe für die Herst. von Materialien, die extrem hohen Zugspannungen unterliegen. Kombinationen von metall. Werkstoffen mit Fasern aus Glas, Keramikmaterial, Metallen od. Kunststoffen werden als Faserwerkstoffe bezeichnet. Wesentlicher Vorteil der FK ist, daß sie aufgrund ihrer z. T. exzellenten mechan. Eigenschaften mit erheblicher Gewichtseinsparung anstelle von Metallen verwendet werden können. – *E* fiber reinforcement – *F* renforcement fibreux – *I* rinforzamento delle fibre – *S* reforzamiento fibroso

Lit.: Becker u. Braun, Kunststoff Handbuch, 2. Aufl., Bd. 10, Duroplaste, S. 169–178, 490–508, München: Hanser 1988 ▪ Bunk u. Hansen, Faserverbundwerkstoffe, Berlin: Springer 1988 ▪ Kostikov (Hrsg.), Fibre Science and Technology, London: Chapman & Hall 1995.

Faservliese s. Vliesstoffe.

Faserwerkstoffe s. Faserverstärkung.

Faserzement. Allg. Bez. für *Zement mit Zusatz von mineral. od. synthet. Faserstoffen, s. a. Asbestzement. – *E* fiber-reinforced cement – *F* fibrociment – *I* cemento fibroso – *S* cemento fibroso, fibrocemento

Faserzeolithe s. Zeolithe.

Fassadenfarbe. Anstrichstoff auf Basis von wäss. *Polymerdispersionen, *Polyurethanen od. a. *Bindemitteln, der licht- u. wetterbeständig sowie kalk- u. zementecht sein soll. Für F. verwendbare Pigmente sind z. B. *Titandioxid, *Chrom-, *Eisen-, *Nickel-, *Mangan- u. organ. Pigmente. – *E* exterior house paints – *F* peinture pour façades – *I* colorante della facciata – *S* pintura para fachadas

Fassadenreiniger. Bez. für Reinigungsmittel für Gebäudefronten. Je nach Säurebeständigkeit bzw. -empfindlichkeit der verbauten Steine enthalten die F. neben *Tensiden starke Säuren (z. B. 3–5% Flußsäure od. Salzsäure) bzw. Alkalien. Letztere müssen wegen möglicher Ausblühungen neutralisiert werden, erstere werden nur nachgewaschen. Im Gegensatz zu diesen *Steinreinigern* müssen F. für Edelstahl- od. Eloxal-Fassaden säure- u. alkalifrei sein. – *E* facade cleaner – *F* nettoyants à façades – *I* pulitore della facciata – *S* productos para limpieza de fachadas

Fassait s. Pyroxene.

Fast Magenta B [Acid Red 33, C. I. 17 200, (5-Amino-4-hydroxy-3-phenylazonaphthalin-2,7-disulfonsäure-Dinatriumsalz].

$C_{16}H_{11}N_3Na_2O_7S_2$, M_R 467,38. Roter Monoazo-Farbstoff der für kosmet. Zwecke eingesetzt wird. – *E* Fast magenta – *F* magenta acido-résistant – *I* magenta – *S* fast magenta

Lit.: Beilstein E II **16**, 246 ▪ Blaue Liste, S. 125. – [*CAS 3567-66-6*]

Fat Mimetics, Replacer s. Fettersatzstoffe.

Fatol. Kurzbez. für die 1848 gegründete FATOL Arzneimittel GmbH, 66578 Schiffweiler. *Daten* (1995): 50 Beschäftigte, ca. 14 Mio. DM Umsatz. *Produktion:* Antibiotika, Antitussiva, Chemotherapeutika, Lebertherapie, Sulfonamide, Tuberkulosemittel, Vitamine.

F$_1$-ATPase s. ATP-Synthasen.

Faujasit. $Na_{20}Ca_{12}Mg_8[Al_{60}Si_{132}O_{384}] \cdot 235 H_2O$, auch: $Na_2Ca[Al_2Si_4O_{12}]_2 \cdot 16 H_2O$. Früher zu den Würfel-*Zeolithen, heute zu den *Zeolithen mit Sechserringen* aus [(Si,Al)O$_4$]-Tetraedern gerechnetes Mineral. Kub.,

kleine weiße od. braune, glasglänzende Oktaeder, Kristallklasse m3m-O_h. Sehr offene Gerüststruktur („Käfigstruktur"), daher Verw. für techn. u. analyt. Trennungen od. Austauschreaktionen, als Adsorptionsmittel, als *Katalysator beim *Kracken von Kohlenwasserstoffen u. zu diesen Zwecken in großem Unfang *synthet.* hergestellt, z.B. unter Bez. wie *Zeolith-X, Zeolith-Y*, Ca-ausgetauschter Zeolith-X [1], Si-reicher Zeolith-Y [2] (dazu umfangreiche Spezial-Lit.).
Vork.: Überwiegend in Blasenräumen vulkan., meist basalt. Gesteine, z.B. Sasbach/Kaiserstuhl, Vogelsberg/Hessen, Aci Castello/Sizilien u. Hawaii. – $E=F=I$ faujasite – S faujasita
Lit.: [1] Acta Crystallogr., Sect. B **45**, 124–128 (1989). [2] J. Solid State Chem. **106**, 66–72 (1993).
allg.: Anthony et al., Handbook of Mineralogy, Bd. II, Tl. 1, S. 233, Tucson (Arizona): Mineral Data Publishing 1995 ▪ Gottardi-Galli, Natural Zeolites, S. 214–222, Berlin: Springer 1985 ▪ Spektrum Wiss. **1989**, Nr. 9, 94–100 ▪ s.a. Zeolithe. – [CAS 12173-28-3]

Faulbaum. In feuchten, lichten Wäldern vorkommender einheim. Strauch od. kleiner Baum (*Frangula alnus* Mill. synonym *Rhamnus frangula* L., Rhamnaceae), mit kugeligen Steinfrüchten. Offizinell ist die F.-Rinde; sie enthält neben unwirksamen, freien *Anthrachinonen 6–7% Anthrachinon-Glykoside, v.a. *Franguline, weiterhin ca. 12% *Gerbstoffe, Zucker, Saponin u. Wachsester. F. muß vor Verw. ein Jahr gelagert haben, denn frische Rinde enthält brechenerregende Dihydrodianthron-Derivate, die beim Lagern oxidiert u. hydrolysiert werden. F.-Extrakte dienen als Abführmittel. – E breaking buckthorn – F bourdaine – I frangola – S arraclán
Lit.: Bundesanzeiger 133/21.07.93 ▪ DAB **1996** u. Komm. ▪ Hager (5.) **6**, 392–410 ▪ Wichtl (2.), S. 167 ff.

Faulgas s. Biogas u. Methan.

Faulschlamm (Sapropel, von griech.: sapros = faul u. pelos = Schlamm). Breiig zerfließende Masse, die sich am Boden stehender od. schwach bewegter, Sauerstoff-freier od. -armer Gewässer aus den Überresten von Cellulose-armem, aber Fett-, Eiweiß- u. Chitin-reichem Plankton, Blütenstaubkörnern u. eingeschwemmten Kalken (F.-Kalke), Tonen (F.-Tone) od. Kieselsäure (Kieselgur-F. von Diatomeen-Gerüsten) ablagert. Im Federsee von Oberschwaben wurde eine etwa 50 cm dicke F.-Schicht festgestellt. Der F. am Boden des Schwarzen Meeres ist reich an Eisensulfiden, die sich aus Eisen-Verb. u. dem aus Eiweiß-Zers. freigewordenen Schwefelwasserstoff gebildet haben. Höhere, Cellulose-reiche Pflanzen sind an der Zusammensetzung des F. nur unwesentlich beteiligt; aus diesen entstehen bei Anwesenheit von Wasser u. teilw. od. völligem Fehlen von Luftsauerstoff die sog. Humusgesteine od. *Humolithe* (*Torf, *Braunkohlen u. die meisten *Steinkohlen). Die aus F. hervorgegangenen Gesteine (gasreiche Sapropelkohlen) heißen auch *Sapropelite*. Aus den F. vergangener Erdzeitalter sind wahrscheinlich *Erdöl, *Bitumen u. *Kannelkohle hervorgegangen. Als F. wird auch der *Klärschlamm* aus den Faultürmen von *Kläranlagen bezeichnet. – E sapropel, faulschlamm – F sapropel, boue organique – $I=S$ sapropel

Faulung. U.a. Bez. für den anaeroben *biologischen Abbau organ. Stoffe, z.B. im Schlamm (*Klärschlamm-Aufbereitung) unter Bildung von Faulgas (s. Biogas). – E fermentation, digestion, putrefaction – F fermentation – I putrefazione – S fermentación

Fauser-Verfahren s. Haber-Bosch-Verfahren.

Faustan®. Injektionslsg., Suppositorien u. Tabl. mit dem *Tranquilizer *Diazepam. *B.:* Arzneimittelwerk Dresden.

Favismus s. D-Glucose-6-phosphat.

Favistan®. Tabl. u. Ampullen mit *Thiamazol gegen Schilddrüsenüberfunktion u. Basedow. *B.:* Asta Medica.

Favorskii, Aleksandr Evgrafovich (1860–1945), Prof. für Organ. Chemie, Leningrad. *Arbeitsgebiete:* Acetylen-Chemie, Vinylether, Vitamin-C-Synth., Polymerisation, Isomerisierungen, s.a. Favorskii-Umlagerung.
Lit.: Neufeldt, S. 95 ▪ Pötsch, S. 143 ▪ Poggendorff **7b/3**, 1336 ff.

Favorskii-Umlagerung. Von *Favorskii 1913 entdeckte Reaktion, bei der α-Halogenketone mit *Alkoholaten zu Estern umlagern. Verwendet man Hydroxide od. Amine als Basen, so erhält man die Säuren bzw. Amide als Reaktionsprodukte. Cycl. α-Halogenketone geben bei der F.-U. Ringverengungsprodukte. Die F.-U. verläuft über reaktive Cyclopropanone [1,2], die nach mechanist. Studien [3] die plausibelsten Zwischenstufen zu sein scheinen.

In den Fällen, bei denen die Cyclopropanon-Bildung aus konstitutionellen Gründen unmöglich ist, erfolgt die F.-U. im Sinne der *Benzilsäure-Umlagerung. – E Favorskii rearrangement – F réarrangement de Favorskii – I trasposizione di Favorskii – S transposición de Favorskii
Lit.: [1] Acc. Chem. Res. **2**, 25–32 (1969). [2] Top. Curr. Chem. **47**, 73–156 (1974). [3] Baretta u. Waegell, React. Intermed., Vol. 2, S. 527–585, New York: Plenum 1982.
allg.: Hassner-Stumer, S. 114 ▪ Laue-Plagens, S. 116 f. ▪ March (4.), S. 1080–1083 ▪ Org. React. **11**, 261–316 (1960) ▪ Patai, The Chemistry of the Carbon-Halogen Bond, Tl. 2, S. 1084–1101, New York: Wiley 1973.

Fayalit. $Fe_2[SiO_4]$, Mineral, Eisensilicat-Endglied der *Mischkristall-Reihe der *Olivine, kann bis zu 10% $Mg_2[SiO_4]$ enthalten, meist mit etwas MnO. Weingelb bis olivgrün, verwittert braunrot u. metall. schimmernd. Ausbildung u. Struktur s. Olivin. Krist. bisweilen tafelig od. kurzsäulig. Starker Glasglanz, H. 6–6,5, D. 4,2.
Vork.: In Mondbasalten; in *magmatischen Gesteinen, z.B. in manchen *Graniten u. *Gabbros, in Hohlräumen in *Obsidian; als Produkt der *Kontaktmetamorphose Eisen-reicher Sedimente, so z.B. bei Bad Harz-

burg. *Künstlich* bildet sich F. bei der Krist. Eisen-reicher Schlacken im Hüttenprozeß. – $E = F = I$ fayalite – S fayalita
Lit.: s. Olivin. – [CAS 13918-37-1]

Fayence (von der mittelitalien. Stadt Faenza). Poröse Tonwaren, die man durch Brennen (Hitze bis rund 1000 °C) eines Breis aus pulverisiertem *Ton, *Quarz u. *Kaolin od. (bei billigeren Sorten) aus Ton, Quarz u. *Mergel erhält. Das Gerät bekommt eine weiße Zinn-Blei-Glasur, die meist mit braunen, blauen od. rubinroten Farben kunstvoll bemalt wird. *Geschichte:* Echte F. sind zum ersten Male in den Fliesenwänden pers. Paläste um 500 v. Chr. nachweisbar. Über mesopotam. *Keramik des 9. Jh. n. Chr. gelangte die F.-Kunst mit den Arabern nach Spanien, wo in Malaga u. Valencia die Hauptsitze der F.-Ind. waren. Mallorca übernahm den Export nach Italien, wo daraus der Name *Majolika* entstand. Im 17. Jh. war Delfter F. in wohlhabenden Haushalten sehr verbreitet; später wurde sie durch das europ. *Porzellan allmählich verdrängt. – E faience – F faïence – I faenza – S fayenza, faenza
Lit.: Ullman (4.) **22**, 209 ■ s.a. Keramik.

Fazies (Facies). 1. Zusammenfassende Bez. für das Aussehen u. die Merkmale [mineralog. Zusammensetzung, Korngröße, *Gefüge, Farbe u., falls vorhanden, *Fossilien-Inhalt (*Bio-F.*)] eines bestimmten *Sediments od. *Sedimentgesteins, durch die es sich von anderen *Gesteinen unterscheidet. Großfazies-Bereiche (z. B. marine F.) können in kleinere F.-Gebiete unterteilt werden, z. B. im Bereich des Meeres Litoral-(= Küsten-), nerit. (= Flachmeer-), pelag. (= Hochsee-) u. abyss. (= Tiefsee-) Fazies.
2. Zu einer *metamorphen F.* (Eskola 1921) gehören alle Gesteine, die während der *Metamorphose unter gleichen Druck-Temp.-Bedingungen kristallisiert sind. Für jede metamorphe F. lassen sich *Dreiecksdiagramme* aufstellen, aus denen für bestimmte Variationsbereiche der Pauschalzusammensetzung die stabilen Mineralkombinationen ablesbar sind. – $E = F = I = S$ facies
Lit.: s. Geologie, Metamorphose, Sedimentgesteine.

FBP. Abk. für D-*Fructose-1,6-bisphosphat.

F-2,6-BP. Abk. für β-D-*Fructose-2,6-bisphosphat.

Fc s. Immunglobuline.

FC s. Fluorkohlenwasserstoffe.

fcc. Abk. für E face centered cubic, s. Kristallstrukturen.

FCC. Abk. für E fluid catalytic cracking, s. Kracken.

FCI. Abk. für *Fonds der Chemischen Industrie.

FCIO. Abk. für *Fachverband der Chemischen Industrie Österreichs.* Ein dem *VCI vergleichbarer Interessenverband der chem. Ind. Österreichs mit Sitz in A-1045 Wien, Wiedner Hauptstr. 63, Mitglied des europ. Chemieverbandes *CEFIC.

FCK s. Fluorchlorkohlenstoffe.

FCKW. 1. Ursprünglich Abk. für Fluorchlorkohlenwasserstoff(e), die alte Bez. für Chlorfluorkohlenwasserstoffe (CFKW). – 2. Üblicherweise werden vollständig halogenierte Verb., die *Fluorchlorkohlenstoffe in die FCKW einbezogen; – 3. seltener zusätzlich die *Fluorkohlenwasserstoffe. – 4. Irreführenderweise faßt man als FCKW alle leichtflüchtigen organ. Halogen-Verb. zusammen, die neben Kohlenstoff u. Fluor andere(s) Halogen(e) u. höchstens noch Wasserstoff enthalten, s. Halone. – 5. Die Abk. FCKW wird gelegentlich für die *Wasserstoff-freien* Fluorchlorkohlenstoffe (E CFC) verwendet, im Gegensatz zu den *Wasserstoff-haltigen* H-FCKW (E H-CFC).

Bez.: Nach DIN 8962 (02/1988) wird jeder FCKW durch den Buchstaben R (von E refrigerant = Kältemittel) u. 2 – 4 Ziffern gekennzeichnet, die dem R – od. dem Markennamen – nachgestellt werden. Die rechts stehende Ziffer gibt die Anzahl der Fluor-Atome im Mol. an, die links neben ihr stehende Ziffer eine um eins größere Zahl als der Anzahl der Wasserstoff-Atome entspricht; hieraus ergibt sich die Anzahl der Chlor-Atome als Differenz. Die Ziffer links daneben ist um eins geringer als die Anzahl der Kohlenstoff-Atome; sie wird nicht geschrieben, wenn sie (bei nur einem Kohlenstoff-Atom) null lauten müßte. *Beisp.:* R 12 = Dichlordifluormethan (2 Atome Fluor, 0 Atome Wasserstoff = 2 Atome Chlor, 1 Atom Kohlenstoff), R 114 = Dichlortetrafluorethan (4 Atome Fluor, 0 Atome Wasserstoff, 2 Atome Kohlenstoff = 2 Atome Chlor). Bei cycl. FCKW wird der Buchstabe C vor die Zahl gesetzt. Enthält das Mol. Brom, so wird der Buchstabe B u. die Anzahl der Brom-Atome nachgestellt, z. B.: R 13 B 1 = Bromtrifluormethan. Bei ungesätt. Produkten wird noch die Anzahl der Doppelbindungen links vor die dreiziffrige Zahl gesetzt; *Beisp.:* R 1113 = Chlortrifluorethylen. Angehängte Buchstaben a, b, c weisen auf unsymmetr. Substitution hin. In der *Halon-Notation für *Feuerlöschmittel [1] tragen die FCKW Ziffern gemäß der Anzahl der Atome in der Reihenfolge C, F, Cl, Br, I (H wird nicht angegeben), z. B. R 13 B 1 = Halon 1301, R 12 B 1 = Halon 1211.

Eigenschaften: Die FCKW sind farblose, leicht zu verflüssigende Gase od. leicht bewegliche Flüssigkeiten von hoher therm. u. chem. Beständigkeit. Sie haben niedrige Oberflächenenergien, Dielektrizitätskonstanten u. Brechungsindizes, geringe Löslichkeit in Wasser u. eine hohe Dichte. Ihre Siedepunkte wachsen mit dem Chlor-Gehalt (Tab. 1, S. 1292). Die meisten FCKW sind nicht entzündlich. Sie bilden sehr stabil Verb., die sich erst bei Flammtemp. zersetzen.

Herkunft: FCKW werden abiot. durch Vulkanismus, therm. u. photochem. gebildet. Techn. werden FCKW z. B. aus *Chlorkohlen(wasser)stoffen u. *Fluorwasserstoff in Ggw. von $SbCl_5$ unter Druck u. erhöhter Temp. od. durch Fluorierung mit SbF_3 in Ggw. von $SbCl_5$ (sog. Swarts-Reaktion) hergestellt, weitere Verf. s. *Lit.*[2]. Ungesätt. FCKW lassen sich zu hochwertigen, chem. u. therm. sehr widerstandsfähigen Polymerisaten (z. B. Polychlortrifluorethen) verarbeiten. Die Produktion an gesätt. niedermol. FCKW geht in den westlichen Industrieländern rapide zurück, z. B. in der BRD von 126 000 t (1986) auf 0 (1995), der Verbrauch im gleichen Zeitraum von ca. 76 000 t auf ca. 1000 t, *Lit.*[3].

Verw.: Wegen ihrer günstigen physikal., chem. u. toxikolog. Eigenschaften (s. Tab. 1, S. 1292) fanden die

Tab. 1: Daten zu FCKW.

R	Systemat. Name (Trivialname)	Formel	Summenformel	M_R	Schmp. [°C]	Sdp. [°C]	D. (flüssig)	CAS	MAK [ml/m³]
11	Trichlorfluormethan	CCl_3F	CCl_3F	137,37	–111	24	1,476	75-69-4	1000 IV C
12	Dichlordifluormethan	CCl_2F_2	CCl_2F_2	120,91	–158	–30	1,311	75-71-8	1000 IV C
13	Chlortrifluormethan	$CClF_3$	$CClF_3$	104,46	–181	–81	1,298	75-72-9	1000 IV IIc
21	Dichlorfluormethan	$CHCl_2F$	$CHCl_2F$	102,92	–135	9	1,366	75-43-4	10 II,1
22	Chlordifluormethan	$CHClF_2$	$CHClF_2$	86,47	–160	–41	1,194	75-45-6	500 IV
31	Chlorfluormethan	CH_2ClF	CH_2ClF	68,48	–133	–9		593-70-4	III A2
111	Pentachlorfluorethan	Cl_3C-CCl_2F	C_2Cl_5F	220,29		135		354-56-3	
112	1,1,2,2-Tetrachlordifluorethan	$Cl_2FC-CCl_2F$	$C_2Cl_4F_2$	203,83	26	93	1,634	76-12-0	200 II,2 IIc
112a	1,1,1,2-Tetrachlordifluorethan	$Cl_3C-CClF_2$	$C_2Cl_4F_2$	203,83	41	92	1,649	76-11-9	1000 IV
113	1,1,2-Trichlortrifluorethan	$Cl_2FC-CClF_2$	$C_2Cl_3F_3$	187,38	–35	48	1,565	76-13-1	500 IV IIc
113a	1,1,1-Trichlortrifluorethan	Cl_3C-CF_3	$C_2Cl_3F_3$	187,38	14	46	1,579	354-58-5	
114	1,2-Dichlortetrafluorethan (Cryofluoran)	$ClF_2C-CClF_2$	$C_2Cl_2F_4$	170,92	–94	4	1,456	76-14-2	1000 IV IIc
114a	1,1-Dichlortetrafluorethan	Cl_2FC-CF_3	$C_2Cl_2F_4$	170,92	–57	–2	1,478	374-07-2	
115	Chlorpentafluorethan	ClF_2C-CF_3	C_2ClF_5	154,47	–106	–39	1,291	76-15-3	
121	1,1,2,2-Tetrachlor-1-fluorethan	$Cl_2FC-CHCl_2$	C_2HCl_4F	185,84	–83	117		354-14-3	
121a	1,1,1,2-Tetrachlor-2-fluorethan	$Cl_3C-CHClF$	C_2HCl_4F	185,84	–95	117		354-11-0	
122	1,2,2-Trichlor-1,1-difluorethan	$ClF_2C-CHCl_2$	$C_2HCl_3F_2$	169,39	–140	72	1,544	354-21-2	
122a	1,1,2-Trichlor-1,2-difluorethan	$Cl_2FC-CHClF$	$C_2HCl_3F_2$	169,39		73		354-15-4	
122b	1,1,1-Trichlor-2,2-difluorethan	Cl_3C-CHF_2	$C_2HCl_3F_2$	169,39		73		354-12-1	
123	2,2-Dichlor-1,1,1-trifluorethan	$F_3C-CHCl_2$	$C_2HCl_2F_3$	152,93	–107	29	1,475	306-83-2	
123a	1,2-Dichlor-1,1,2-trifluorethan	$ClF_2C-CHClF$	$C_2HCl_2F_3$	152,93		28		354-23-4	
124	2-Chlor-1,1,1,2-tetrafluorethan	$F_3C-CHClF$	C_2HClF_4	136,48		–12		2837-89-0	III B
124a	1-Chlor-1,1,2,2-tetrafluorethan	ClF_2C-CHF_2	C_2HClF_4	136,48	–117	–10		354-25-6	
131	1,1,2-Trichlor-2-fluorethan	$Cl_2HC-CHClF$	$C_2H_2Cl_3F$	151,40		103		358-28-4	
132	1,2-Dichlor-1,2-difluorethan	$ClFHC-CHClF$	$C_2H_2Cl_2F_2$	134,94	–155	59		431-06-1	
132b	1,2-Dichlor-1,1-difluorethan	ClF_2C-CH_2Cl	$C_2H_2Cl_2F_2$	134,94	–101	47	1,416	1649-08-7	
133	1-Chlor-1,2,2-trifluorethan	$ClFHC-CHF_2$	$C_2H_2ClF_3$	118,49		17		431-07-2	
133a	2-Chlor-1,1,1-trifluorethan	F_3C-CH_2Cl	$C_2H_2ClF_3$	118,49	–101	6	1,389	75-88-7	
133b	1-Chlor-1,1,2-trifluorethan	ClF_2C-CH_2F	$C_2H_2ClF_3$	118,49		12		421-04-5	
141	1,2-Dichlor-1-fluorethan	$ClFHC-CH_2Cl$	$C_2H_3Cl_2F$	116,95		76		430-57-9	
141b	1,1-Dichlor-1-fluorethan	Cl_2FC-CH_3	$C_2H_3Cl_2F$	116,95	–104	32	1,250	1717-00-6	
142	2-Chlor-1,1-difluorethan	F_2HC-CH_2Cl	$C_2H_3ClF_2$	100,50		35		338-65-8	
142b	1-Chlor-1,1-difluorethan	ClF_2C-CH_3	$C_2H_3ClF_2$	100,50	–131	–9	1,120	75-68-3	1000 IV IIc
151	1-Chlor-2-fluorethan	ClH_2C-CH_2F	C_2H_4ClF	82,51		53		762-50-5	
151a	1-Chlor-1-fluorethan	$ClFHC-CH_3$	C_2H_4ClF	82,51		16		1615-75-4	
C316	1,2-Dichlorhexafluorcyclobutan	$C_4Cl_2F_6$	$C_4Cl_2F_6$	232,94		60		356-18-3	
C317	Chlorheptafluorcyclobutan	C_4ClF_7	C_4ClF_7	216,49		26		377-41-3	
1112a	1,1-Dichlor-2,2-difluorethen	$Cl_2C=CF_2$	$C_2Cl_2F_2$	132,92	–127	19	1,555	79-33-6	
1113	Chlortrifluorethen (Trifluorvinylchlorid)	$ClFC=CF_2$	C_2ClF_3	116,47		–28	1,51	79-38-9	
1122	1-Chlor-2,2-difluorethen	$ClHC=CF_2$	C_2HClF_2	98,48	–138	–18	1,337	359-10-4	

FCKW 1292

leichtflüchtigen FCKW Eingang in viele techn. Anw., z. B. als *Treibgase für *Aerosole, als Kältemittel, Schäumungsmittel für Kunststoffe, Netzmittel u. inerte *Lösemittel in Chemie, Chemisch-Reinigung u. zur Fett- u. Öl-Extraktion aus biot. Rohstoffen, als Reinigungsmittel für Elektronikteile- u. Metallbehandlung, als Soil-Release-Ausrüstung, Hydrophobierungs-, Oleophobierungs- u. Imprägniermittel für Textilien, Leder u. Papier. Heute werden voll halogenierte FCKW zunehmend durch andere Verb. od. geänderte Verf. ersetzt (s. FCKW-Halon-Verbotsverordnung).

Toxikologie: Die FCKW sind – bis auf ungesätt. u. einige narkot. wirkende Derivate – relativ gering tox. (s. MAK-Werte in Tab. 1). Inhalation größerer Mengen (mißbräuchliche Verw. als Schnüffelstoffe) kann jedoch Herzarrhythmie u. Hypoxie verursachen u. dadurch zum Tode führen; zur toxikolog. Beurteilung s. *Lit.*[2,4].

Transport u. Verteilung in der Umwelt: Die leichtflüchtigen FCKW gelangen bei der Verw. prakt. ausschließlich in die *Atmosphäre. Der jährliche Anstieg der atmosphär. Konz. (s. Tab. 2) betrug in den 80er Jahren ca. 4% (R 11, R 12) bzw. 9% (R 113) u. ist seither deutlich zurückgegangen. Vertikale u. horizontale Luftbewegung führen zu einer schnellen Verteilung. Zwischen Nord- u. Südhälfte besteht, durch den behinderten Stoffaustausch über dem Äquator bedingt, ein Konz.-Unterschied.

Abbau: Vollhalogenierte FCKW werden prakt. nicht durch OH-Radikale abgebaut u. sind in der erdnahen Atmosphäre (einschließlich Tropopause) persistent, sie besitzen daher hohe atmosphär. Lebenszeiten (s. Tab. 2); H-FCKW werden durch OH-Radikale in der Troposphäre abgebaut. In anaeroben Böden könnte dagegen ein biolog. Abbauweg bestehen [5]. Erst in der Stratosphäre, in etwa 25 km Höhe, werden vollhalogenierte FCKW durch energiereiches Licht (Wellenlänge 190–220 nm) z. B. nach:

$$CFCl_3 \xrightarrow{h\nu} CFCl_2 + Cl$$

durch Homolyse der C–Cl-Bindung gespalten. Als Abbauprodukte resultieren CO_2, HF sowie neben ClO die aus dem ClO_x-Cyclus hervorgehenden Senkenstoffe HCl, HOCl u. $ClONO_2$.

Wirkung in der Umwelt: Da der Abbau in der Troposphäre sehr langsam ist, gelangen FCKW in die Stratosphäre. Die durch energiereiche UV-Strahlen (Wellenlänge 190–220 nm) erzeugten Cl-Atome greifen im sog. ClO_x-Cyclus [6] in das Gleichgew. des stratosphär. *Ozons ein. Durch die Reaktionsfolge:

$$\begin{array}{c} Cl + O_3 \rightarrow ClO + O_2 \\ ClO + O \rightarrow Cl + O_2 \\ \hline O_3 + O \rightarrow 2O_2 \\ (O_2 \xrightarrow[<242\,nm]{h\nu} 2O) \end{array}$$

wird der Ozon-Abbau katalysiert; im Kettenabbruch entstehen HCl (durch Reaktion mit Methan), HOCl u. $ClONO_2$ (aus $ClO + NO_2$) als Senken-Mol. (s. a. Ozon-Loch). Auf Grundlage dieser Stratosphärenchemie postulierten Rowland u. Molina 1974 die Ozon-Zerstörungshypothese, die bei steigenden FCKW-Emissionen eine Dominanz des ClO_x-Abbaucyclus u. dadurch bedingt, eine Abschwächung der globalen *Ozon-Schicht voraussagt (Zweifel an dieser Hypothese s. *Lit.*[7]). Da diese einen wirkungsvollen Filter für UV-B-Strahlung (242 nm<λ<310 nm) darstellt, sollte eine Verringerung des Ozon-Gehalts der Stratosphäre mit einem Anstieg der UV-B-Intensität am Erdboden verbunden sein. Ein steigendes Risiko für Hautkrebs sowie Schädigungen von Fauna u. Flora wurden prognostiziert. Mittlerweile ist bekannt, daß nicht nur flüchtige organ. Chlor-Verb. einschließlich FCKW über das in ihnen enthaltene Chlor auf die stratosphär. Ozon-Schicht einwirken [8]. Vielmehr spielen die Gesamtgehalte an Chlor (wegen der Rückbildung Ozon-abbauender Radikale aus Senkenmol. sowie wegen Chlorid-Injektionen durch Vulkanausbrüche), Stickstoffoxiden, Brom, Iod, Wasserstoff, Methan, Sulfat u. a. Aerosolen (Bildung katalyt. Eiskrist. u. Speicher), die Strahlungscyclen u. die globalen Ozon-Verteilungsmechanismen wesentliche Rollen bei der Ausbildung u. den Veränderungen der stratosphär. Ozon-Schicht.

Tab. 2: Daten zum Umweltverhalten u. zur Toxizität von FCKW.

	Anw.	Wasserlöslichkeit [bei 0 °C; g/100 g]	atmosphär. Konz. pptv (1989)	mittlere atmosphär. Lebenszeit [a][2]	ODP*	CLP*	GWP*	Weltproduktion 1990 [t]
Trichlorfluormethan (R 11)	Kältemittel, Aerosol-Treibmittel, Schäumungsmittel, Lösemittel	0,0036	268	55	1,0	1,0	1,0 (2400)	232 900
Dichlordifluormethan (R 12)	Kältemittel, Aerosol-Treibmittel, Kunststoffverschäumung	0,0025	453	116	1,0	1,597	3,0 (6200)	231 000
1,1,2-Trichlortrifluorethan	Lsm.	0,0036	64	110	1,07	1,466	1,4 (3900)	174 800
1,2-Dichlortetrafluorethan (R 114)	Kältemittel, Anästhetikum	0,0026	15–20	220	0,8	2,143	3,9 (7000)	8 000
Chlorpentafluorethan (R 115)	Kältemittel	–	≈5	550	0,5	2,964	7,5 (7800)	10 000

* ODP = Ozon-Abbaupotential (*E* ozone decomposition potential)
  CLP = Chlor-Belastungspotential (*E* chlorine loading potential)
  GWP = relativer Treibhauseffekt (*E* greenhouse warming potential)

Für die Bewertung der Relevanz von Spurengasen für die stratosphär. Ozon-Schicht wurden *ODP u. CLP [8] (Chlorine Loading Potential) eingeführt. Aufgrund ihrer IR-Absorption im Bereich des atmosphär. Fensters tragen die FCKW auch zum *Treibhauseffekt bei (*GWP in Tab. 2).
Die globale Verteilung der FCKW-Emissionen 1991 wird in Tab. 3 gezeigt; seither sind die Emissionen drast. zurückgegangen.

Tab. 3: Vermutete FCKW-Emissionen in die Atmosphäre 1991 [1].

	Emissionen 1991 [1000 t/a]	
Amerika	110	
USA		90
Asien (ohne ehem. UdSSR)	100	
Europa (ohne ehem. UdSSR)	120	
Deutschland		23
Großbritannien		17
Frankreich		17
Italien		17
Spanien		11
UdSSR (ehem.)	44	
Welt	400	

Rechtliche Maßnahmen: 1978 wurde die Hauptaerosol-Anw. der FCKW in den USA verboten, 1980 u. 1982 Vorbeugemaßnahmen in der EG [9] erarbeitet. Global sind die Emissionen an vollhalogenierten FCKW, bestimmten Halonen, Tetrachlormethan u. 1,1,1-Trichlorethan durch das Montrealer Protokoll u. (noch weitergehend) durch seine Folgeregelungen von London u. Kopenhagen beschränkt. In der EU sind diese Vereinbarungen durch EG-Rats-VO [10], in Deutschland durch das *Chemikaliengesetz u. die ihm nachgeordnete *FCKW-Halon-Verbotsverordnung umgesetzt. Die 2. BImSchV zum *Bundes-Immissionsschutzgesetz verbietet den Einsatz von FCKW-Lsm. fast vollständig.

Techn. Maßnahmen: In prakt. allen früheren Anw. sind die FCKW bereits weitgehend substituiert: Im Aerosolbereich durch Methan, Propan, Butan, Kohlendioxid, Lachgas, Chlor-freie FCKW, Stäube- od. Pumpsprühvorrichtungen (Ausnahme s. FCKW-Halon-Verbotsverordnung); zum Schäumen von Kunststoffen v. a. durch Luft, Stickstoff od. Kohlendioxid, von Polyurethanen auch durch Wasser; im Lösemittelbereich z. B. zum Reinigen von Platinen od. zum Entfetten von metall. Werkstücken durch Detergenzien-haltiges Wasser od. andere Lsm., in Kühlanlagen z. B. durch Ammoniak, Propan/Butan, Chlor-freie u. Wasserstoffhaltige FCKW (Wert der FCKW-betriebenen Kühlgeräte rund 1000 Mrd. DM [11]). FCKW-Abfallflüssigkeiten können in geeigneten Anlagen verbrannt [12], bes. reine auch reduziert werden [13]. Die meisten Ersatzstoffe weisen techn. od. biolog. Nachteile auf: Sie sind häufig entzündbar, leiten Wärme besser, führen zu zusätzlichem Energieaufwand u. Abwasserbelastungen od. erfordern erhebliche Verfahrensänderungen für ihre Anwendung. – *E* HCFC (hydrochlorofluorocarbons) – *F* (CFC) chloro-fluoro-carbones – *I* fluoroclorocarboidrati – *S* HCFC (hidroclorofluorocarbonados)

Lit.: [1] Ullmann (5.) **11**, 113–121. [2] Ullmann (5.) **11**, 349–392. [3] Umwelt (BMU) **1996**, 78. [4] Henschler, Gefährliche Arbeitsstoffe, Begründungen für MAK- u. TRK-Werte, Frankfurt: DFG (laufende Ergänzung). [5] Chemosphere **24**, 935–940 (1992); Environ. Sci. Technol. **26**, 925, 2454–2461 (1992). [6] Fonds der Chemischen Industrie (Hrsg.), Foliensérie Luft (2.), Frankfurt: Selbstverl. 1995. [7] Science **257**, 727 (1992); Die Zeit, Nr. 16 vom 15.4.1988; Nr. 49 vom 1.12.1989; Ann. Geophys. **11**, 791 (1990). [8] Römpp Lexikon Umwelt, S. 170, 526–532. [9] Entscheidung des Rates 80/372/EWG vom 26.3.1980 über Fluorchlorkohlenwasserstoffe in der Umwelt (ABl. der EG Nr. L 90 vom 3.4.1980, S. 45) u. Entscheidung des Rates 82/795/EWG vom 15.11.1982 zur Verstärkung der Vorbeugemaßnahmen in bezug auf Fluorchlorkohlenwasserstoffe in der Umwelt (ABl. der EG Nr. L 329 vom 25.11.1982, S. 29). [10] Entscheidung des Rates 88/540/EWG vom 14.10.1988 über den Abschluß des Wiener Übereinkommens zum Schutz der Ozonschicht u. des Montrealer Protokolls über Stoffe, die zu einem Abbau der Ozonschicht führen (ABl. der EG Nr. L 297 vom 31.10.1988, S. 7). [11] Informationsdienst Umwelt Chemie vom 20.3.1992. [12] Chemosphere **26**, 2129–2138 (1993). [13] Chem. Unserer Zeit **30**, 203 f. (1996).
allg.: Becker u. Löbl (Hrsg.), Atmosphärische Spurenstoffe u. ihr physikalisch-chemisches Verhalten, Berlin: Springer 1985 ■ Houben-Weyl 5/3, 1–502 ■ IPCS/WHO (Hrsg.), Environmental Health Criteria 113, Fully Halogenated Chlorofluorocarbons, Genf: WHO 1990 ■ Umweltwiss. Schadstoff-Forsch. **4**, 237–245, 296–302, 368–374 (1992); **5**, 103–111 (1993) ■ s. a. Enquête-Kommission (Vorsorge zum Schutz der Erdatmosphäre).

FCKW-Halon-Verbots-Verordnung. Die am 01.08.1991 in Kraft getretene VO verbietet das Inverkehrbringen, die Verw. u. teilw. auch die Herst. von bestimmten Chlorfluorkohlenwasserstoffen (*FCKW), bromierten Fluor- u. Chlorfluorkohlenwasserstoffen (*Halone) sowie von Tetrachlormethan u. 1,1,1-*Trichlorethan für deren Haupteinsatzgebiete (Kältemittel, Herst. von Schaumstoffen, Reinigungs-, Löse- u. Löschmittel). Zusätzlich werden die Vertreiber zur Rücknahme der oben genannten gebrauchten *Halogenkohlenwasserstoffe verpflichtet. Diese Maßnahmen sollen zum Schutz der *Ozon-Schicht u. zur Verminderung des *Treibhauseffektes beitragen. Die Verbote sind stufenweise von 1991–1995 in Kraft getreten, für das teilhalogenierte Chlordifluormethan gilt das Verbot ab dem Jahr 2000. Befristete Ausnahmen, insbes. im medizin. Einsatzbereich (z. B. Medizinalsprays) können von den Behörden zugelassen werden.
Lit.: FCKW-Halon-Verbots-Verordnung vom 06.05.1991 (BGBl. I, S. 1090), geändert durch Gesetz vom 24.06.1994 (BGBl. I, S. 1416).

Fd. Abk. für *Ferredoxine.

FD. Abk. von Froschdosis, d. h. diejenige Minimaldosis (pro 1 g Froschgew.) von *Digitalisglykosiden, die innerhalb von 24 h den Tod des Frosches durch systol. Herzstillstand bewirkt. – *E* frog dose – *I* dose di rana

FD & C... In Verb. mit engl. Farbbez. anzutreffende Abk. für „Food, Drugs and Cosmetics" als Hinweis darauf, daß das betreffende *Farbmittel (*Beisp.:* FD & C Red 3) von der *FDA allg. für die Färbung von Lebens- u. Arzneimitteln sowie Kosmetika zugelassen ist. Diese *Lebensmittelfarbstoffe bzw. kosmet. Färbemittel entsprechen in Deutschland weitgehend den Farbstoffen, die nach Kosmetik-VO mit der Ziffer 1 (zur Herst. für alle kosmet. Mittel) versehen sind (s. Anlage 3 Teil A der Kosmetik-VO). Analog sind Bez.

wie *D & C* Yellow 11 u. *Ext. D & C* Violet 2 (External = für äußerlichen Gebrauch) zu interpretieren.
Lit.: Bertram, Farbstoffe in Lebensmitteln, Stuttgart: Wissenschaftliche Verlagsges. 1989.

FDA. Abk. für *F*ood and *D*rug *A*dministration, eine teilw. dem *Bundesgesundheitsamt entsprechende Abteilung des US Departments of Health and Human Services, Washington, D.C. 20204, mit weiteren über die USA verstreuten Zweigstellen u. 9000 Mitarbeitern. Die FDA überwacht Nahrungsmittel, Arzneimittel u. Kosmetika entsprechend dem Federal Food, Drug and Cosmetic Act (vom 25.6.1938 mit Erg.) zum Schutz der Bevölkerung vor Gesundheitsschäden, Betrug u. Benachteiligungen. Sie veröffentlicht Untersuchungen über Unbedenklichkeit (*GRAS) od. toxikolog. Wirkung von Zusatzstoffen, Kosmetika, Farbstoffen (*FD & C...), Riechstoffen usw., z. B. in der Zeitschrift Food and Cosmetics Toxicology. *Publikationen:* Food, Drug, Cosmetic Law Journal. – INTERNET-Adresse: http://www.fda.gov

Fe. Chem. Symbol für das Element *Eisen.

F & E (F + E, FuE). Abk. für *F*orschung u. *E*ntwicklung, s. Forschung.

FEANI. Abk. für *F*édération *E*uropéenne d'*A*ssociations *N*ationales d'*I*ngénieurs. Der 1951 gegr. Europäische Verband nationaler Ingenieurvereinigungen mit Sitz in F-75014 Paris, 7, rue Edouard Jaques, vertritt die Interessen von ca. 1,5 Mio. Mitgliedern in 22 Ländern.

Febrifugin {Dichroin B, β- od. γ-Dichroin, 3-[3-((2S)-*trans*-3-Hydroxy-2-piperidinyl)-2-oxopropyl]-4(3*H*)-chinazolinon}.

$C_{16}H_{19}N_3O_3$, M_R 301,35, Nadeln, Schmp. 139–140 °C od. 154–156 °C (dimorph), $[\alpha]_D^{25}$ +6° (CHCl$_3$) bzw. +28° (C$_2$H$_5$OH), gut lösl. in Chloroform/Methanol, wäss. Ethanol, wenig lösl. in Wasser, Aceton, Chloroform. Piperidin-Alkaloid [(+)-Form] aus Wurzeln u. Blättern der chines. Droge Ch'ang Shan (*Dichroa febrifuga*) sowie Hortensien-Arten (Hydrangeaceae). F. ist sehr wirksam gegen Malaria-Erreger (ca. 100mal aktiver als *Chinin), aber wegen seiner hohen Giftigkeit obsolet [LD_{50} (Maus p.o.) 2–3 mg/kg]. F. hat auch antipyret. u. emet. Eigenschaften, es ist ein wirksames Coccidiostatikum. – *E* febrifugine – *F* fébrifugine – *I* = *S* febrifugina
Lit.: Beilstein E III/IV **24**, 376 ▪ Manske **29**, 129 ▪ Tang u. Eisenbrand, Chinese Drugs of Plant Origin, S. 455 f., Berlin: Springer 1992 ▪ Tetrahedron Lett. **37**, 3255 (1996) (Synth.). – [CAS 24159-07-7]

Febuprol.

Internat. Freiname für 1-Butoxy-3-phenoxy-2-propanol, $C_{13}H_{20}O_3$, M_R 224,30, farbloses Öl, Sdp. 165 °C (1,466 kPa), Sdp. 125–132 °C (133,3 Pa); n_D^{20} 1,5004; d_4^{20} 1,027, LD_{50} (Maus oral) 3050, (Maus i.p.), 436 mg/kg. F. wurde 1972 u. 1974 von Klinge patentiert u. ist als *Choleretikum von Procter & Gamble Pharmaceuticals (Valbil®) im Handel. – *E* = *S* febuprol – *F* fébuprol – *I* febuprolo
Lit.: Hager (5.) **8**, 167 f. – [HS 290949; CAS 3102-00-9]

Fecapentaene.

R = CH$_3$: F.12
R = C$_3$H$_7$: F.14

Gruppe konjugierter Pentaene, die als Vinylether mit Glycerin verknüpft sind. Es handelt sich um stark mutagene, vermutlich für die Entstehung von Darmkrebs mitverantwortliche, natürliche Stoffwechselprodukte von Bakterien (Bakteroides) der menschlichen Darmflora. F. werden aus Ausscheidungsprodukten (Feces) isoliert. Sie sind sehr instabile, luftempfindliche Substanzen. Beisp.: *F. 12* {FP-12, (S)-3-[(*all-E*)-1,3,5,7,9-Dodecapentaenyloxy]-1,2-propandiol, $C_{15}H_{22}O_3$, M_R 250,34, Öl, Hauptmetabolit} u. *F. 14* {FP-14, (S)-3[(*all-E*)-1,3,5,7,9-Tetradecapentaenyloxy]-1,2-propandiol, $C_{17}H_{26}O_3$, M_R 278,39, Öl]. – *E* fecapentaenes – *F* fécapentaènes – *I* fecapentaeni – *S* fecapentaenos
Lit.: J. Nat. Prod. **48**, 622–630 (1985) ▪ Justus Liebigs Ann. Chem. **1988**, 449–454. – *Biosynth.:* Prog. Biochem. Pharmacol. **22**, 35–47 (1988) ▪ Prog. Clin. Biol. Res. **206**, 199–211 (1986). – *Synth.:* J. Nat. Prod. **50**, 75–83 (1987); **51**, 176–179 (1988). – *Wirkung:* Cancer Lett. **39**, 287–296 (1988) ▪ Chem. Res. Toxicol. **3**, 391 (1990) ▪ Mutat. Res. **259**, 387 (1991). – [CAS 91423-46-0 (F.12); 91379-15-6 (F.14)]

FECC. Abk. für *European Federation of Chemical Trade.

FECS. Abk. für *F*ederation of *E*uropean *C*hemical *S*ocieties, eine 1970 in Prag gegr. Vereinigung nat. *chemischer Gesellschaften mit dem Ziel, die Zusammenarbeit dieser Ges. innerhalb Europas u. im internat. Rahmen (z. B. IUPAC) zu fördern. Der FECS gehörten 1995 41 Ges. aus 32 Ländern an. Die FECS strebt eine Vereinigung mit dem EG-Ausschuß *ECCC an, um künftig als eine Organisation die Interessen der Chemiker aller Fachrichtungen in Europa zu vertreten. Das ECCC soll als Council innerhalb des FECS etabliert werden.
Lit.: Nachr. Chem. Tech. Lab. **43**, 875, 1242 f. (1995).

Fed batch-Fermentation. Bez. für eine Prozeßvariante in der Biotechnologie, die eine Zwischenstellung einnimmt zwischen der abgeschlossenen Chargenkultur od. *Batch-Fermentation u. der offenen *kontinuierlichen Fermentation.

Die f. b.-F. ist eine Batch-Fermentation, bei der kontinuierlich od. in Intervallen ein Volumenstrom mit frischen Nährstoffen od. Vorstufen zugeführt wird, ohne Kulturlsg. abzuziehen. Das Vol. im *Bioreaktor nimmt also während des Prozeßverlaufes zu. Mit einer f. b.-F. können Komponenten unter *limitierenden* Bedingungen zugesetzt werden, das heißt so, daß die Zuführungsrate jeweils dem Verbrauch durch den Mikroorganismus od. die Zellkultur entspricht. Dazu ist eine bes. Meß- u. Steuertechnik erforderlich.

F. b.-F. können eine Hemmung der Produkt-Bildung durch eine leicht verwertbare Kohlenstoff-Quelle wie Glucose verhindern (z. B. bei der Biosynth. von *Pe-

nicillinen u. anderen *Antibiotika) od. Wachstumshemmungen durch zu hohe Konz. eines Substrates vermeiden (z.B. Methanol bei der Gewinnung von *Single Cell Protein, schwer abbaubare *Xenobiotika).
Anw.: F. b.-F. werden im industriellen Maßstab für eine Vielzahl von Prozessen eingesetzt, z. B. zur Herst. von Antibiotika (Penicillin, Streptomycin, Griseofulvin), *Enzymen (Amylasen, Proteasen, Pektinasen), Bäckerhefe, *Vitaminen (Riboflavin) u. *Aminosäuren (Glutaminsäure, Tryptophan). – *E* fed batch fermentation – *F* fermentations fed batch – *I* fermentazione fed batch – *S* fermentaciones fed batch
Lit.: Crueger-Crueger (3.), S. 62.

Fédération Européenne d'Associations Nationales d'Ingénieurs s. FEANI.

Fédération Européenne des Industries de Colles et Adhésifs s. FEICA.

Federation of European Chemical Societies s. FECS.

FEDERCHIMICA. Abk. für Federazione Nazionale dell' Industria Chimica. Ein dem *VCI vergleichbarer Interessenverband der chem. Ind. Italiens mit Sitz in I-20133 Milano, Via Accademia 33, Mitglied des europ. Chemieverbandes *CEFIC.

Federerz s. Jamesonit.

Federn. 1. Ausschließlich bei *Vögeln* vorkommende Bildung der Haut (tote, verhornte Zellen der Epidermis), die sich stammesgeschichtlich von der Schuppe der Reptilien ableitet. Ähnlich dem menschlichen *Haar (zur *Pigmentierung s. Haar) aus *Keratinen aufgebaut. Bei Vogel-F. unterscheidet man *Dunen,* die v. a. der Wärmeisolation dienen (dominierend bei Nestlingen) u. *Kontur*-Federn. Diese dienen dem mechan. Schutz sowie als Schwung- u. Schwanz-F. beim Flug. Dabei können sie auch zur Erzeugung von *Instrumentallauten* eingesetzt werden, wie z.B. bei männlichen Bekassinen. Die bes. gestalteten Schwanzaußen-F. lassen durch Vibration im Sturzflug ein meckerndes Geräusch entstehen („Himmelsziege"). Kontur-F. sind im sichtbaren äußeren Teil auch Träger der Gefiederfärbung (Pigment- u./od. Strukturfarben). 2. Die Bez. F. für Schreibgeräte ist erhalten geblieben von der ursprünglichen Verw. der Vogel-F. zum Schreiben; der hohle Teil des Kiels diente dabei zur Aufnahme der Tinte. Heutzutage bestehen Schreib-, Zieh-, Tusche-F. usw. aus Stahl od. Edelmetall, z.B. Federngold.
3. F. im techn. Sinn sind elast. Körper, die sich unter Druck od. Zug verformen u. bei Entlastung ihre ursprüngliche Gestalt wieder annehmen. Je nach Verw.-Zweck sind sie in verschiedener Gestalt als Druck-, Zug-, Biege- od. Torsions-F. ausgelegt; als Material dienen spezielle Leg., z. B. Cu/Be-Leg. od. meist Stähle mit hoher Zugfestigkeit u. Elastizität. – *E* 1. feathers, 2. pens, 3. springs – *F* 1.+2. plumes, 3. ressorts – *I* 1. piuma, 2. penna, 3. molla – *S* 1.+2. plumas, 3. muelles, resortes
Lit. (zu 1.): Bezzel u. Prinzinger, Ornithologie, 2. Aufl., Stuttgart: Ulmer 1990. – *[HS 050510, 050590 (zu 1.); 732010, 732020, 732090 (zu 2.)]*

Federweiß. Malerbez. für pulverisierten Fasergips (s. Gips) od. auch für *Talk-Puder.

Federweißer s. Wein.

Fedrilat.

Internat. Freiname für den antitussiv wirksamen 4-Phenyltetrahydropyran-4-carbonsäure-(1-methyl-3-morpholinopropyl)-ester, $C_{20}H_{29}NO_4$, M_R 347,45. Farblose Flüssigkeit, Sdp. 160°C (1,33 Pa). – *E* fedrilate – *F* fédrilate – *I* = *S* fedrilato
Lit.: Beilstein E V **27**/2, 245 ▪ Hager (5.) **8**, 168f. – *[HS 293490; CAS 23271-74-1]*

Feedback-Hemmung s. Endprodukthemmung.

Feenhaar s. Glasfasern.

Feet s. Foot.

Fehér, Franz (1903–1991), Prof. für Anorgan. u. Analyt. Chemie, Univ. Göttingen u. Köln. *Arbeitsgebiete:* Nichtmetall-Chemie, bes. Verb. des Schwefels, Siliciums u. Germaniums mit Element-Element-Bindungen; Molekülspektroskopie u. Kristallstrukturanalyse. Mitglied der Deutschen Akademie der Naturforscher Leopoldina, Halle/Saale.
Lit.: Kürschner (16.), S. 789 ▪ Nachr. Chem. Tech. Lab. **39**, Nr. 4, 458 (1991).

Fehlerrechnung. Bei Messungen jeglicher Art – in der *Analytischen Chemie bei Titration, Gravimetrie etc., in Ind. u. Technik – treten Fehler auf, die entweder *systemat.* (Ablese-, Rechen-, Instrumentenfehler usw.) od. *zufälliger* Art sein können. Während erstere durch Verbesserung der Meßmeth. ausgeschaltet werden können, lassen sich die zufälligen durch speziell entwickelte F. korrigieren, die sich der Meth. der *Statistik bedienen. Sie beruhen hauptsächlich auf der Ausschaltung der Streuwerte gemäß der Häufigkeitsverteilung (*Gauß-Verteilung). – *E* error calculation – *F* calcul d'erreurs – *I* calcolo di errore – *S* cálculo de errores
Lit.: Dörffel, Statistik in der analytischen Chemie, Leipzig: Dtsch. Verl. für Grundstoffindustrie 1990 ▪ Otto, Analytische Chemie, S. 21–30, Weinheim, VCH Verlagsges. 1995 ▪ Schwedt, Analytische Chemie, S. 20–31, Stuttgart: Thieme 1995.

von Fehling, Hermann Ch. (1811–1885), Prof. für Chemie, TH Stuttgart. *Arbeitsgebiete:* Zuckernachw. (*Fehlingsche Lösung), Succinimid, Benzonitril, Nahrungsmittel, Mineralwässer, Bergbauprodukte, Organisation des Chemiestudiums.
Lit.: Pötsch, S. 144 ▪ Strube et al., S. 106.

Fehlingsche Lösung. Von *Fehling (1850) entwickeltes Reagenz zum qual. u. quant. Nachw. reduzierender Zucker u. Aldehyde z. B. im Harn. Die durch Tartratokupfer(II)-Komplexe tiefblau gefärbte F. L. entsteht beim Zusammengeben äquivalenter Mengen einer Lsg. von 70 g $CuSO_4 \cdot 5 H_2O$ im Liter Wasser u. einer Lsg. von 340 g Kaliumnatriumtartrat mit 100 g NaOH/L Wasser. In Ggw. von reduzierenden Verb. (Zucker, Brenzcatechin etc.) erfolgt in der Wärme Red.

zu Kupfer(I)-oxid (Cu_2O), das in Form eines gelbroten, kupferroten od. rotbraunen Niederschlags ausfällt. Die verwickelte Reaktion zwischen F. L. u. Zuckern verläuft nicht stöchiometr., weshalb eine Eichung notwendig ist. Es existieren zahlreiche Varianten des Fehlingschen Verf., z. B. nach Soxhlet (vgl. *Lit.*[1], s. a. Benedicts Reagenz u. Trommer-Test. – *E* Fehling's solution – *F* solution de Fehling – *I* soluzione di Fehling – *S* solución de Fehling

Lit.: [1] Kirk-Othmer **19**, 159–166; (4.) **4**, 924. *allg.:* Angew. Chem. **74**, 503 (1962) ▪ Beilstein E IV **3**, 1225 ▪ Gmelin, Syst.-Nr. 60, Cu, Tl. B, 1961, S. 781–791 ▪ Ullmann (5.) **A5**, 90; **A7**, 587; **A12**, 461.

Fehlordnung s. Kristallbaufehler u. Zwischengitterplätze.

FEICA. Abk. für die *Fédération Européenne des Industries de Colles et Adhésifs*, Verband der Europ. Klebstoffindustrien e. V., mit Sitz in 40237 Düsseldorf, Ivo-Beucker-Str. 43. FEICA wurde 1972 als Dachorganisation von 14 nat. europ. Klebstoffverbänden in Rom gegründet. Zu ihren Aufgaben gehört u. a. die Berichterstattung über gesetzliche, wirtschaftliche u. techn. Entwicklungen auf dem Klebstoffsektor.

Feigen. Fleischig verdickter Blütenboden von *Ficus carica* (Moraceae), wird in Südeuropa, Afrika u. Westasien häufig angebaut u. ist eine der ältesten Nahrungs- u. Nutzpflanzen der Menschheit. Frische F. enthalten 80–85% Wasser, 12–15% Zucker, 1% Eiweiß, 0,8% Pektine, 0,6% Asche u. 0,17–0,27% Säure (als Weinsäure berechnet), getrocknet F. 21–24% Wasser, 53–59% Zucker, 2,2–3,7% Eiweiß, 1,8–2,8% Aschenbestandteile u. 0,54–0,7% Säure; sie sind durch den hohen Zuckergehalt äußerst nahrhaft, wirken jedoch auch als mildes Laxans. Die wichtigste organ. Säure der F. ist die *Citronensäure, die bei der Reifung etwa um die Hälfte abnimmt. Aus dem Rinden-Milchsaft einiger F.-Arten lassen sich nicht nur kautschukartige Latices, sondern auch proteolyt. Enzyme (*Ficin) gewinnen. – *E* figs – *F* figues – *I* fichi – *S* higos

Lit.: Franke, Nutzpflanzenkunde, 5. Aufl., S. 313 ff., Stuttgart: Thieme 1992. – [HS 0804 20]

Feigl, Fritz (1891–1971), Prof. für Chemie, Wien u. Rio de Janeiro. *Arbeitsgebiete:* Analyt. Chemie, anorgan. u. organ. Tüpfelanalyse für mikroanalyt. Nachw. mit Mengen unter 0,01; Geochemie.

Lit.: Pötsch, S. 144 ▪ Poggendorff **7 b/3**, 1345–1349.

Feinblech. *Halbzeug aus *Stahl in Form zugeschnittener Tafeln mit einer Dicke von <3 mm (s. a. Blech). F. wurde ursprünglich aus Platinen (gewalzte u. zerteilte Blöcke) wegen hoher Wärmeverluste im Paket mit wiederholtem Zwischenwärmen gewalzt. In jüngster Zeit wird ein langes Breitband zunächst warm- u. mit letzten Stichen kaltgewalzt u. anschließend in Tafeln geschnitten. – *E* thin sheet – *F* tôle fine – *I* lamiera fine – *S* chapa fina

Feinchemikalien. Unsystemat. Bez. für *Chemikalien verschiedener Reinheitsgrade (*chemische Reinheit), die im Laboratoriumsmaßstab hergestellt u. verwendet werden. – *E* fine chemicals – *F* produits chimiques fins – *I* prodotti chimici puri – *S* productos químicos finos

Feine. Kurzform für *Feingehalt.

Feinen. 1. Metallurg. Verminderung der Korngröße eines metall. Gefüges; damit umfaßt F. alle metallurg. Maßnahmen, die zu einer kleinen Korngröße einer *Legierung führen. Allg. setzt dies die Erhöhung der Keimzahl in der Schmelze beim Erstarren od. im Festkörper durch feindisperse Ausscheidungen voraus. F. wirkt sich vorteilhaft auf die mechan. Eigenschaften einer Leg. aus; s. a. Feinkornbaustähle u. HSLA-Stähle. 2. Verfahrensschritt der *Desoxidation bei der Herst. von *Stahl (s. Elektrostahl). – *E* grain fining, desoxidation – *F* désoxydation – *I* 1. affinaggio, 2. disossidazione – *S* grano fino, desoxidación

Lit.: Gräfen (Hrsg.), Lexikon Werkstofftechnik, S. 291, Düsseldorf: VDI 1993.

Feingehalt (Feine, Feinheit, Korn). Vol.-Anteil von *Edelmetallen in ihrer Legierung. Maßzahl ist das Tausendstel (Promille). Außerdem übliche Bez. bei Gold: *Karat* ([kt]; reines Au 1000/1000 entspricht 24 kt); bei Silber: *Lot* (reines Ag 1000/1000 entspricht 16 Lot). In der Münzkunde wird der F. *Korn* genannt. Das dtsch. Gesetz über den F. von Waren aus Edelmetallen von 1884 ist in seinen Grundzügen noch gültig. – *E* fineness – *F* titre – *I* titolo – *S* finura, ley

Lit.: Ullmann (5.) **A 12**, 499.

Feinheit. Weniger gebräuchliche Bez. für *Feingehalt.

Feinkornbaustähle. Gruppe von niedrig legierten *Stählen, die aufgrund der geringen Korngröße ihres Gefüges sehr gute Festigkeitskennwerte u. gute Schweißeignung bei gleichzeitig guter *Duktilität aufweisen. Das *Feinen des Korns wird metallurg. durch geeignete Zusätze erreicht, die zur Bildung feindisperser, fester Ausscheidungen (*Nitride, *Carbide, *Carbonitride) führen u. damit das Wachstum der Körner im Gebiet der Hochtemp.-Phase *Austenit behindern. – *E* fine-grained steel – *F* acier a grain fin – *I* acciaio a grana fina da costruzione – *S* aceros de grano fino

Lit.: DIN EN 10028 (04/1993) ▪ Werkstoffkunde der gebräuchlichen Stähle, Tl. 1, S. 205, 221, Düsseldorf: Verl. Stahleisen 1977.

Feinseifen s. Hautpflegemittel.

Feinstaub. Ältere Bez. für den Alveolen-gängigen Anteil der *einatembaren Aerosole (früher: Gesamtstaub), d. h. die in die Lungenbläschen gelangenden festen od. flüssigen Partikel. F. hat einen (aerodynam.) Teilchendurchmesser <12 µm. Er kann in Abhängigkeit von seiner Gestalt, Größe u. Zusammensetzung in den Lungenbläschen abgelagert u. akkumuliert werden. F. kann schwere Erkrankungen der Atmungsorgane hervorrufen (s. fibrogener Staub). Ein Großteil der F.-Partikel scheidet sich jedoch nicht in der Lunge ab, sondern wird ausgeatmet, bei Teilchengrößen von etwa 1 µm rund 80%. Aufgrund seiner großen Oberfläche bindet F. gasf. Stoffe aus der Luft adsorptiv. Diese Substanzen können mit dem Staub in der Lunge angereichert u. aufgenommen werden. Vermutlich über diesen Mechanismus potenziert *Asbest die destruktive Wirkung des Rauchens. In der MAK-Liste wurde für F. früher die Abk. F verwandt, neu ist A od.

alv. (für alveolengängiger Anteil der Aerosole), R (für E respirable). Als allg. Staubgrenzwert ist eine Konz. des alveolengängigen Anteils von 6 mg/m^3 festgelegt. – *E* fine dust – *F* poussières fines – *I* polvere fine – *S* polvo fino

Lit.: Bank, Basiswissen Umwelttechnik, S. 391–395, Würzburg: Vogel 1993 ▪ DFG (Hrsg.), MAK- u. BAT-Werte-Liste 1996, S. 145–152, Weinheim: VCH Verlagsges. 1996 ▪ Umweltwiss. Schadstoff-Forsch. **4**, 151–157 (1992).

Feinstrukturkonstante s. Spektroskopie u. vgl. Hall-Effekt.

FEIQUE. Abk. für *Federación Empresarial de la Industria Química Española*. Ein dem *VCI vergleichbarer Interessenverband der chem. Ind. Spaniens mit Sitz in E-28001 Madrid, Hermosilla 31–1° dcha, Mitglied des europ. Chemieverbandes *CEFIC.

Fekta® RT. Hochkonz. Algenverhütungsmittel mit Dauereffekt für den Bäderbereich. *B.:* Th. Goldschmidt AG.

Fel. Latein. Bez. für *Galle; *Beisp.:* Fel Tauri (bzw. Suis) depuratum siccum = gereinigte trockene *Ochsengalle (bzw. Schweinegalle).

FE-Laser s. Freie-Elektronen-Laser.

Felbamat.

Internat. Freiname für (2-Phenyl-1,3-propandiyl)-dicarbamat, $C_{11}H_{14}N_2O_4$, M_R 238,24, Schmp. 151–152°C, LD_{50} (Maus i.p.) 4000 mg/kg. F. ist *Meprobamat strukturverwandt, wurde 1990 von Carter-Walace patentiert u. ist als *Antiepileptikum von Essex Pharma (Taloxa®) im Handel. – *E* = *F* felbamate – *I* = *S* felbamato

Lit.: Clin. Biochem. **29**, 97–110 (1996) ▪ Merck-Index (12.), Nr. 3988. – *[CAS 25451-15-4]*

Felbinac.

Internat. Freiname für 4-Biphenylylessigsäure, $C_{14}H_{12}O_2$, M_R 212,25, Schmp. 164–165°C. Verwendet wird das Diisopropanolamin-Salz, $C_{20}H_{27}NO_4$, M_R 345,44. Es gehört zur Gruppe der antiphlogist. Arylessigsäuren, wurde 1946 erstmals hergestellt[1] u. ist als nichtsteroidales antirheumat. Gel von durachemie u. Much (Dolinac®, Target®) im Handel. – *E* = *F* = *I* = *S* felbinac

Lit.: [1] J. Org. Chem. **11**, 798 ff. (1946).
allg.: Eur. J. Rheumatol. Inflamm. **14**, 21–28 (1994) ▪ Merck-Index (12.), Nr. 3989. – *[HS 2916 39; CAS 5728-52-9]*

Felcht, Utz-Hellmuth (geb. 1947), Prof. für Chemie, Univ. Frankfurt; Mitglied des Vorstandes der Hoechst AG, Unternehmensbereich Forschung, Vorsitzender der DECHEMA.

Felddesorption s. Massenspektrometrie.

Feld(emissions)elektronenmikroskop s. Elektronenmikroskop.

Feldemissionsmikroskopie s. Elektronenmikroskop.

Felden®. Kapseln, Tabl., Suppositorien u. Ampullen mit *Piroxicam gegen Gelenk- u. Weichteilrheuma, Ischias, Gicht. *B.:* Mack; Pfizer.

Feldionisation s. Ionisation u. Massenspektrometrie.

Feldspäte. Häufigste Mineral-Gruppe, mit >60% am Aufbau der uns zugänglichen Erdkruste (s. Erde) beteiligt. Chem. recht einfach zusammengesetzte *Alumosilicate* (s. Aluminiumsilicate), aber mit einigen Komplikationen im strukturellen Verhalten. Die F. besitzen alle einen ähnlichen Kristallbau u. unterscheiden sich daher in ihren physikal. u. chem. Eigenschaften kaum.

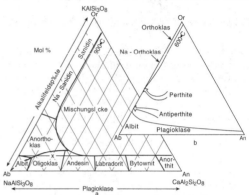

Abb. 1: Das Feldspat-Dreieck. a: bei 900 °C, mit der Nomenklatur der Hochtemp.-Alkalifeldspäte u. der Plagioklas-Reihe, b: bei 600 °C, mit der Mischungslücke bei den Alkalifeldspäten; nach Matthes, *Lit.*, S. 139.

Die *chem. Zusammensetzung* der F. kann im Rahmen des *ternären Syst. (Dreistoffsyst.) $KAlSi_3O_8$ (Or, Orthoklas) – $NaAlSi_3O_8$ (Ab, Albit) – $CaAl_2Si_2O_8$ (An, Anorthit) bzw. $K_2O \cdot Al_2O_3 \cdot 6 SiO_2 – Na_2O \cdot Al_2O_3 \cdot 6 SiO_2 – CaO \cdot Al_2O_3 \cdot 2 SiO_2$ dargestellt werden (Abb. 1). Die F.-Zusammensetzungen zwischen Or u. Ab werden als *Alkalifeldspäte* (u.a. *Albit, Kalifeldspäte), diejenigen zwischen Ab u. An als *Plagioklase* bezeichnet; gebräuchliche Mineralnamen einer weiteren Untergliederung der beiden Reihen s. Abb. 1a. Zwischen Or u. An besteht eine ausgedehnte *Mischungslücke* (s. Mischkristalle). Die chem. Zusammensetzung eines F. wird meistens durch das Or:Ab:An-Verhältnis in Mol.% charakterisiert, wie z.B. $Or_{10}Ab_{70}An_{20}$, entsprechend dem Punkt x im Oligoklas-Feld in Abb. 1a.

Struktur: Die F. gehören zu den Gerüst-*Silicaten. Grundbausteine der Struktur sind Viererringe aus $[SiO_4]$- u. $[AlO_4]$-Tetraedern, in denen das Verhältnis von Al:Si von 1:3 bis 2:2 variiert; sie sind über gemeinsame Sauerstoffe zu *dreidimensionalen Tetraedergerüsten* verbunden (s. Abb. 2). Die Kationen K^+, Na^+, Ca^{2+} (Sr^{2+}, Ba^{2+}, Rb^+) befinden sich in Hohlräumen dieses Tetraeder-Gerüstes. Von bes. Einfluß auf die Eigenschaften eines F. ist die von Bildungstemp. u. Abkühlungsgeschichte abhängige *Verteilung von Si u. Al auf die Tetraeder-Plätze*; diese kann in verschiedenen Teilen eines F.-Krist. unterschiedlich sein[1]. Bei der Hochtemp.-Form von Kali-F., dem monoklinen Sanidin, $K[AlSi_3O_8]$, Kristallklasse $2/m-C_{2h}$, ist die Al-Si-Verteilung bei rascher Abkühlung weitgehend ungeordnet (statist.). Bei dem unterhalb von 500 °C gebildeten triklinen *Mikroklin, ebenfalls $K[AlSi_3O_8]$, Kri-

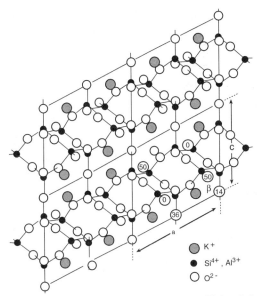

Abb. 2: Struktur von monoklinem Kalifeldspat, Blick auf die a-c-Ebene; nach Ramdohr-Strunz, s. *Lit.*, S. 772.

stallklasse $\bar{1}$-C$_i$, ist die Al-Si-Verteilung im wesentlichen geordnet, da jetzt Al bestimmte Tetraeder-Plätze bevorzugt. *Orthoklas*, ebenfalls K[AlSi$_3$O$_8$], mit einer dazwischenliegenden, teilw. geordneten Al-Si-Verteilung, ist noch monoklin. *Anorthoklas* (s. Abb. 1 a) ist teils monoklin, teils triklin u. strukturell bes. kompliziert[2]; er enthält stets einen deutlichen Gehalt an An-Komponente. Bei den *Plagioklasen* sind Kristallstruktur u. Phasenübergänge durch das sich von Albit, Na[AlSi$_3$O$_8$], zu Anorthit, Ca[Al$_2$Si$_2$O$_8$], ändernde Al:Si-Verhältnis u. durch den Valenzausgleich von Na$^+$ + Si^{4+} u. Ca^{2+} + Al^{3+} zusätzlich kompliziert. Auch hier gibt es Hoch- u. Tieftemp.-Zustände; mit Ausnahme eines oberhalb von 1000 °C gebildeten sehr Albit-reichen F. sind jedoch alle Plagioklase triklin, Kristallklasse $\bar{1}$-C$_i$; von Anorthit wurden jedoch neben der natürlich vorkommenden Form 3 thermodynam. metastabile Formen, darunter 2 monokline Modif. gefunden[3]. Zur Kinetik der Al-Si-Verteilung in Na-F. s. *Lit.*[4], in Anorthit *Lit.*[5]. Bei hohen Temp. (Abb. 1 a) herrscht bei den Plagioklasen u. den Alkali-F. lückenlose *Mischkristallbildung*. Mit abnehmender Temp. läßt die Mischbarkeit in der Alkali-F.-Reihe nach (Abb. 1 b). Bei langsamer Abkühlung von Mittel- bis Hochtemp.-Modif. tritt *Entmischung* zu *Perthiten* (lagen- bis schnurartige Albit-Lamellen in Kali-F.) u. *Antiperthiten* (Kali-F.-Lamellen in Plagioklas) ein. Bei den Plagioklasen treten nur bei tiefen Temp. Entmischungen auf. *Celsian* (Barium-F.) ist lückenlos mit Kali-F. mischbar. In begrenztem Maße können F. Eisen enthalten. Zu Struktur u. Mischkrist.-Bildungen der F. u. zu den Phasenbeziehungen s. a. *Lit.*[6].

Morphologie u. physikal. Eigenschaften: Mikroskop. kleine bis zentnerschwere, tafelige bis prismat. Krist.; bei der farblosen bis weißen Kali-F.-Varietät *Adular* pseudorhomb., bei der milchweißen Albit-Varietät *Periklin* nach der kristallograph. b-Achse (*Kristallsysteme) gestreckt; verbreitet *Zwillinge (Abb. s. Matthes, *Lit.*). Meist derb, oft in großen Spaltstücken, in spätigen körnigen Aggregaten, als Körner. Spaltbarkeit vollkommen bis gut nach 2 Richtungen. H. 6, D. 2,54 (Orthoklas), 2,62 (Albit), 2,76 (Anorthit). Die F. sind gewöhnlich kaum durchsichtig, von grauer, weißer, rötlicher od. gelblicher Farbe u. von porzellanartigem Aussehen; lediglich Sanidin, Adular u. Albit sind z. T. durchsichtig mit Glasglanz. Zur Unterscheidung von Alkali-F. u. Plagioklasen (auch im *Dünnschliff) mittels diverser Anfärbetechniken s. Dietrich u. Skinner (*Lit.*); zu den mikroskop. Eigenschaften u. Bestimmungsmeth. der F. s. Tröger (*Lit.*).

Vork.: In fast allen *magmatischen u. *metamorphen Gesteinen, häufig auch in *Sedimentgesteinen. *Sanidin* v. a. in *Vulkaniten, z. B. Eifel, Drachenfels/Siebengebirge; *Mikroklin* (meist als Mikroklin-Perthit) u. *Orthoklas* für die Ind. v. a. in *Pegmatiten, z. B. Fichtelgebirge, Oberpfalz u. Südnorwegen; *Periklin* u. *Adular* auf alpinen Klüften, z. B. Österreich, Schweiz, Adular auch in hydrothermalen Alterationszonen in Erzlagerstätten, z. B. Rumänien; *Labradorit u. a. in *Basalten, z. B. Schottland, u. in *Gabbros; Anorthit z. B. in Basalten in Japan. In der BRD werden F. auch als Nebenprodukt aus der Aufbereitung der *Kaoline in Hirschau-Schnaittenbach/Oberpfalz gewonnen.

Verw.: In der keram. Ind. (v. a. Kali-F.) als Flußmittel für keram. Massen (Porzellan, Steinzeug u. Steingut); als Zusatz bei der Glas- u. Schleifmittel-Herst.; als Füllstoff. Hauptförderländer[7] für F. (in Klammern Fördermengen 1994) sind Italien (1,6 Mio. t), Türkei (900 000 t, Bedeutung steigend), die USA (740 000 t), Thailand (600 000 t), Deutschland (390 000 t), Frankreich (310 000 t). Als *Schmucksteine* (*Edelsteine) werden verwendet: *Mondstein, die grüne Mikroklin-Varietät *Amazonit* (nach *Lit.*[8] mit [Pb-Pb]$^{3+}$-Paaren; Vork. in Brasilien u. im Ural/Rußland); der durch eingelagerte Schüppchen von *Hämatit rote, goldgelb schillernde *Aventurin-F.* („Sonnenstein") u. manche *Labradorite* (z. B. aus Madagaskar, „*Spektrolith*" aus Finnland), die einen charakterist., mit dem Einfallswinkel des Lichtes wechselnden blauen, grüngoldenen u. roten Farbschiller („Labradorisierten") zeigen. – *E* feldspars – *F* feldspaths – *I* feldspati – *S* feldespatos

Lit.: [1] Am. Mineral. **81**, 92 – 104 (1996). [2] Phys. Chem. Miner. **21**, 325 – 329 (1994). [3] Mineral. Mag. **59**, 25 – 33 (1995). [4] Phys. Chem. Miner. **17**, 700 – 710 (1991). [5] Am. Mineral. **76**, 1110 – 1119 (1991); Phys. Chem. Miner. **19**, 1 – 24 (1992). [6] Neues Jahrb. Mineral., Abh., **158**, 117 – 138 (1988). [7] Ind. Miner. **1995**, Nr. 332, 25 – 45. [8] Am. Mineral. **78**, 506 – 510 (1993). *allg.:* Deer et al. (2.), S. 391 – 456 ▪ Dietrich u. Skinner, Die Gesteine u. ihre Mineralien, S. 46 – 54, Thun: Ott 1984 ▪ Lapis **14**, Nr. 3, 5 – 9 (1989) („Steckbrief" Kalifeldspat) ▪ Matthes, Mineralogie (4.), S. 139 – 153, Berlin: Springer 1993 ▪ Parsons (Hrsg.), Feldspars and Their Reactions, Dordrecht (Niederlande): Kluwer 1994 ▪ Ramdohr-Strunz, S. 771 – 784 ▪ Ribbe (Hrsg.), Feldspar Mineralogy (2.) (Reviews in Mineralogy, Bd. 2), Washington (D.C.): Mineralogical Society of America 1983 ▪ Smith u. Brown, Feldspar Minerals (2.), Bd. 1: Crystal Structures, Physical, Chemical and Microstructural Properties, Berlin: Springer 1988 ▪ Tröger, Optische Bestimmung der gesteinsbildenden Minerale, Tl. 2, Textband (2.), S. 645 – 762, Stuttgart: Schweizerbart 1969 ▪ Ullmann (5.) **A 23**, 674 – 682. – [HS 2529 10; CAS 68476-25-5; 1302-64-3 (Orthoklas); 12251-43-3 (Mikroklin); 12244-10-9 (Albit)]

Feldspatoide s. Feldspat-Vertreter.

Feldspat-Vertreter (Foide, Feldspatoide). Wie die *Feldspäte zu den Gerüst-*Silicaten gehörende Mineralgruppe, jedoch treten im Gegensatz zum einheitlichen Aufbau der Feldspäte innerhalb der F.-V. verschiedene Abweichungen in der Anordnung der Silicat-Tetraeder u. tetraederfremde Anionen wie $[CO_3]^{2-}$, Cl^- u. $[SO_4]^{2-}$ auf. Die F.-V. enthalten wie die Feldspäte Natrium, Kalium u. Calcium, sind jedoch SiO_2-ärmer. Sie kommen – nie zusammen mit *Quarz – in *magmatischen Gesteinen vor, deren Gehalt an SiO_2 relativ zum Alkali-Gehalt zu niedrig ist, um zur Feldspat-Bildung voll auszureichen. Die häufigsten F.-V. sind *Leucit, *Nephelin, *Sodalith, *Nosean, *Hauyn, Lasurit (s. Lapislazuli) u. der meist körnig im Gestein eingesprengte, überwiegend gelb bis rosa gefärbte Cancrinit. Zum Vork. s. die Einzelstichwörter. – *E* foids – *F* feldspathoides – *I* feldspatoidi – *S* feldespatoides
Lit.: Deer et al. (2.), S. 473–485, 488–506 ▪ Dietrich u. Skinner, Die Gesteine u. ihre Mineralien, S. 54ff., Thun: Ott 1984 ▪ Matthes, Mineralogie (5.), S. 166ff., Berlin: Springer 1996 ▪ s. a. Einzelstichworte.

Feldsprung-Methode. *Relaxations-Meth. zur Untersuchung *schneller Reaktionen.

Feldstärke s. magnetische Werkstoffe.

f-Elemente s. f, Lanthanoide u. Actinoide.

Felkin-Modell s. diastereoselektive Reaktionen.

Felle s. Gerberei u. Pelze.

Felodipin.

Internat. Freiname für Ethyl-methyl-4-(2,3-dichlorphenyl)-1,4-dihydro-2,6-dimethyl-3,5-pyridindicarboxylat, $C_{18}H_{19}Cl_2NO_4$, M_R 384,26, Schmp. 145°C. Es gehört zur Gruppe der calciumantagonist. Dihydropyridine, wurde 1980/81 von AB Hassle patentiert u. ist als *Antihypertonikum von Astra/Promed u. Hoechst (Modip®, Munobal®) im Handel. – *E* felodipine – *F* félodipine – *I* = *S* felodipina
Lit.: ASP ▪ Drugs **50**, 495–512 (1995) ▪ Merck-Index (12.), Nr. 3991. – *[HS 2933 39; CAS 72509-76-3]*

Felse. Massige *metamorphe Gesteine ohne Schiefrigkeit, können aber durch Wechsel ihrer Mineralkomponenten einen lagigen Aufbau, auch mit gröber krist. Bereichen, erhalten. Sehr verbreitet sind die je nach Mineralbestand grauen, grünlichen od. bräunlichen *Kalksilicatfelse* mit u. a. Diopsid (*Pyroxene), Grossular, Anorthit-reichen Plagioklasen (*Feldspäte), *Wollastonit, seltener auch Forsterit (*Olivin) u. *Humit als Mineralien; weiter kommen F. mit fast monomineral. Zusammensetzung vor, z. B. *Granat-F., *Chlorit-Fels. Die meist harten, zähen, dichten bis feinkörnigen, schwarzen, grauen, grünlichen od. nahezu weißen, auf frischen Bruchflächen oft matt, „hornartig" glänzenden *Hornfelse* sind typ. Bildungen der *Kontaktmetamorphose; als gröbere Gemengteile können in ihnen u. a. *Andalusit, *Cordierit, *Epidot, Granat, *Hornblende, *Sillimanit u. *Vesuvian auftreten. – *E* fels (Singular) – *F* rochers – *I* rocce, rupi – *S* roca, peña
Lit.: Dietrich u. Skinner, Die Gesteine u. ihre Mineralien, S. 290 ff., Thun: Ott 1984 ▪ Wimmenauer, Petrographie der magmatischen u. metamorphen Gesteine, S. 235, 245, 257, Stuttgart: Enke 1985 ▪ s. a. metamorphe Gesteine.

Felsitisch. Bez. aus der Mineralogie für ein in *Feldspat- u. *Quarz-reichen Gesteinen verbreitetes feinkörniges bis dichtes *Gefüge aus Mineralkörnern ohne spezielle Gestaltmerkmale. Ein Beisp. hierfür ist der zu den *Rhyolithen gehörende Felsitporphyr, der in der Keramik, zu Edelputz u. a. Verw. findet. – *E* felsitic – *F* felsitique – *I* felsitico – *S* felsítico
Lit.: Wimmenauer, Petrographie der magmatischen u. metamorphen Gesteine, S. 45, Stuttgart: Enke 1985.

Felsitporphyr s. felsitisch.

Felsquarzit s. Quarzite.

Felypressin.

Cys-Phe-Phe-Gln-Asn-Cys-Pro-Lys-Gly-NH_2

Internat. Freiname für 2-Phenylalanin-8-lysin-vasopressin, $C_{46}H_{65}N_{13}O_{11}S_2$, M_R 1040,22. Es wurde 1963 u. 1966 von Sandoz patentiert u. wird als sehr kurz wirksamer *Vasokonstriktor in Kombination mit *Lokalanaesthetika in der Zahnheilkunde von Astra (Xylonest®) eingesetzt. – *E* felypressin – *F* félipressine – *I* felipressina – *S* felipresina
Lit.: ASP ▪ Hager (5.) **8**, 170f. – *[HS 293799; CAS 56-59-7]*

Femigoa®. Dragees mit *Levonorgestrel u. *Ethinylestradiol zur Empfängnisverhütung. *B.:* LAW.

Femovan®. Dragees mit *Gestoden u. *Ethinylestradiol zur Konzeptionsverhütung. *B.:* Schering.

Femranette® mikro. Dragees mit *Levonorgestrel u. *Ethinylestradiol als Antikonzeptionsmittel. *B.:* Brenner Efeka.

Femto... (Kurzz.: f). Von dän.: femten = fünfzehn abgeleiteter Vorsatz zur Bez. des 10^{-15}fachen Betrages einer physikal. Einheit. – *E* = *F* = *I* = *S* femto...

Fenamiphos.

Common name für Ethyl-[3-methyl-4-(methylthio)-phenyl]-*N*-isopropylphosphoramidat, $C_{13}H_{22}NO_3PS$, M_R 303,36, Schmp. 49°C, LD_{50} (Ratte oral) ca. 5 mg/kg (Bayer), von Bayer 1970 eingeführtes breit wirksames system. *Nematizid. – *E* fenamiphos – *F* phenamiphos – *I* = *S* fenamifos
Lit.: Farm ▪ Perkow ▪ Pesticide Manual. – *[HS 293090; CAS 22224-92-6]*

Fenarimol.

Common name für (±)-2,4'-Dichlor-α-(pyrimidin-5-yl)diphenylmethanol, $C_{17}H_{12}Cl_2N_2O$, M_R 331,20,

Schmp. 117–119 °C, LD$_{50}$ (Ratte oral) 2500 mg/kg (WHO), von Elanco entwickeltes system. *Fungizid mit protektiver, kurativer u. eradikativer Wirkung gegen Echten Mehltau im Obst-, Wein-, Cucurbitaceen-, Rosen- u. Rübenanbau, Schorf im Kernobstanbau u. verschiedene Blattfleckenkrankheiten an Rasen. – $E = F = S$ fenarimol – I fenarimolo

Lit.: Farm ▪ Perkow ▪ Pesticide Manual. – *[HS 293359; CAS 60168-88-9]*

Fenazaquin. Common name für 4-(4-*tert*-Butylphenethyloxy)chinazolin.

$C_{20}H_{22}N_2O$, M_R 306,41, Schmp. 80 °C, LD$_{50}$ (Ratte oral) 134 mg/kg, von DowElanco entwickeltes *Akarizid gegen Spinnmilben im Obst-, Wein-, Blumen- u. Baumwollanbau. – $E = F = I$ fenazaquin – S fenazaquín

Lit.: Farm ▪ Perkow ▪ Pesticide Manual. – *[CAS 120928-09-8]*

Fenbuconazol. Common name für 4-(4-Chlorphenyl)-2-phenyl-2-(1*H*-1,2,4-triazol-1-ylmethyl)butyronitril.

$C_{19}H_{17}ClN_4$, M_R 336,82, Schmp. 124–126 °C, LD$_{50}$ (Ratte oral) >2000 mg/kg, von Rohm & Haas Anfang der 90er Jahre eingeführtes, system. *Fungizid gegen Pilzerkrankungen im Getreide-, Obst-, Gemüse-, Wein- u. Zierpflanzenanbau. – $E = F$ fenbuconazole – I fenbuconazolo – S fenbuconazola

Lit.: Farm ▪ Perkow ▪ Pesticide Manual. – *[CAS 114369-43-6]*

Fenbufen.

Internat. Freiname für 4-(4-Biphenylyl)-4-oxobuttersäure, $C_{16}H_{14}O_3$, M_R 254,29, Schmp. 185–187 °C; LD$_{50}$ (Maus oral) 795–1673, (Maus i.p.) 506–811 mg/kg. E. zeigt analget. u. antiphlogist. Wirkung u. wurde 1936 von I. G. Farbenindustrie, 1972 u. 1974 von Am. Cyanamid patentiert. – E fenbufene – F fenbufène – I fenbufen – S fenbufeno

Lit.: ASP. – *[HS 291830; CAS 36330-85-5]*

Fenbutatinoxid.

Common name für Hexakis(2-methyl-2-phenylpropyl)distannoxan, $C_{60}H_{78}OSn_2$, M_R 1052,66, Schmp. 138–139 °C, LD$_{50}$ (Ratte oral) 2630 mg/kg (WHO), von Shell 1974 eingeführtes nicht system. *Akarizid mit langanhaltender Wirkung gegen alle beweglichen Stadien von Spinnmilben im Obst-, Wein-, Gemüse-, Zierpflanzen- u. Hopfenanbau. – E fenbutatin oxide – F fenbutatin oxyde – I fenbutatin ossido – S óxido de fenbutatín

Lit.: Farm ▪ Perkow ▪ Pesticide Manual. – *[HS 293100; CAS 13356-08-6]*

Fenbutrazat.

Internat. Freiname für 2-Phenyl-buttersäure-[2-(3-methyl-2-phenylmorpholino)-ethyl]-ester, $C_{23}H_{29}NO_3$, M_R 367,49, honigfarbenes, viskoses Öl, Sdp. 235–240 °C (6,65 Pa). Das Hydrochlorid wurde als Anorektikum verwendet, Schmp. 154 °C; LD$_{50}$ (Maus oral) 3200 mg/kg. – E fenbutrazate – F fénbutrazate – $I = S$ fenbutrazato

Lit.: Beilstein E III/IV **27**, 1050 ▪ Hager (5.) **8**, 173 f. – *[HS 293490; CAS 4378-36-3 (F.); 6474-85-7 (Hydrochlorid)]*

Fencamfamin.

Internat. Freiname für *N*-Ethyl-3-phenyl-2-norbornylamin, $C_{15}H_{21}N$, M_R 215,34, Sdp. 128–131 °C (1,33 kPa). Verwendet wird das Hydrochlorid, Schmp. 192 °C; LD$_{50}$ (Maus oral) 135 mg/kg. F. wurde als Psychoanaleptikum 1961 von E. Merck patentiert u. ist in Anlage III C der BMVV gelistet. – $E = F$ fencamfamine – $I = S$ fencamfamina

Lit.: ASP ▪ Hager (5.) **8**, 174 f. – *[HS 292149; CAS 1209-98-9 (F.); 2240-14-4 (Hydrochlorid)]*

Fenchel. Im Mittelmeerraum heim. Doldenblütler *Foeniculum vulgare* Miller (Apiaceae), der heute in vielen Ländern der gemäßigten Zone angebaut wird. F. ist mit Dill, Kümmel u. Anis verwandt; die graubraunen bis grünen, ca. 8 mm langen u. 4 mm breiten Früchte dienen zur Aromatisierung von Gurken, Back- u. Süßwaren, Branntwein, Likören (Anisette, Kümmel, Boonekamp usw.). Durch Wasserdampfdest. erhält man 1–6% *Fenchelöl, das gleichartige Verw. findet; daneben enthält F. noch 6–15% fettes Öl. Die Blätter u. zarten Sprossen werden zum Würzen von Salaten u. Tunken verwendet, die fleischigen Blattscheiden (F.-Knollen) auch als Gemüse gegessen. Fencheltee wirkt bei Verdauungsstörungen beruhigend, ferner schleimlösend bei Husten. Ähnliche Verw. finden auch Fenchelhonig, -sirup u. -bonbons. – E fennel – F fenouil – I finocchio – S hinojo

Lit.: DAB **1996** u. Komm. ▪ Dragoco-Rep. **27**, 31–40 (1980) ▪ Hager (5.) **5**, 156–181 ▪ Melchior u. Kastner, Gewürze, S. 95–98, Berlin: Parey 1974 ▪ Wichtl (2.), S. 171 ff. – *[HS 070990, 090950]*

Fenchelöle. Ether. Öle aus *Fenchel (*Foeniculum vulgare*). Man unterscheidet zwei Typen:
1. *Bitteres F.* aus den oberird. Pflanzenteilen, wenn die Früchte gerade zu reifen beginnen. Ausbeute 3–5%, Herkunft z.B. Mittelmeerraum. Zusammensetzung: *Anethol (30–40%), *Fenchon u. *Phellandren (jeweils 10–20%) u. *Pinen (ca. 5%) sind Hauptbestandteile. Mit zunehmendem Reifegrad der Früchte steigt der Anteil an Anethol u. Fenchon.
2. *Süßes F.* aus den reifen, getrockneten Samen des hauptsächlich in Tasmanien angebauten Süßen Fenchels. Ausbeute 2–4%. Zusammensetzung: Hauptbestandteil ist Anethol (>80%) neben wenig *Estragol u. *Fenchol (1–2%).

F. werden zur Aromatisierung von Lebensmitteln, Likören, Mundpflegepräp. sowie medizin. in Karminativa, Urologika, Mund- u. Rachentherapeutika, Broncholgika u. Expektorantien verwendet. – *E* fennel oil, oil of Fennel – *F* essence de fenouil, huile de fenouil – *I* olio di finocchio – *S* esencia de hinojo

Lit.: Braun-Frohne (6.), S. 265 ▪ Food Cosmet. Toxicol. **17**, 529 (1976) ▪ Gildemeister **6**, 432 ▪ s. a. Fenchel. – *[HS 3301 29; CAS 8006-84-6]*

Fenchene.

α β

$C_{10}H_{16}$, M_R 136,24, Öle. Isomere bicycl. Monoterpene: α-F. {Sdp. 155–158 °C, $[\alpha]_D$ –32° (unverd.)} u. β-F. {Sdp. 153 °C, $[\alpha]_D$ +84,9° (unverd.)}. α-F. kommt im ether. Öl des Riesenlebensbaumes (*Thyja plicata*) u. im Arznei-*Baldrian vor, β-F. in den Früchten des Wiesenkümmels (*Carum carvi*). – *E* fenchenes – *F* fenchènes – *I* fenchene – *S* fenchenos, fenquenos

Lit.: Beilstein E IV **5**, 465, 466 ▪ Karrer, Nr. 5621. – *[CAS 471-84-1 ((−)-α-F.); 33404-67-0 ((+)-β-F.)]*

Fenchol (1,3,3-Trimethylbicyclo[2.2.1]heptan-2-ol, Fenchylalkohol).

(−)-α-Fenchol-(1*S*,2*S*,4*R*)   (−)-β-Fenchol-(1*S*,2*R*,4*R*)
(−)-(1*S*)-endo-Fenchol   (−)-(1*S*)-exo-Fenchol

$C_{10}H_{18}O$, M_R 154,25, bicycl. Monoterpen mit Fenchan-Struktur, das zuerst im *Terpentinöl der Kiefer *Pinus polustris* entdeckt wurde. Verschiedene Stereoisomere bzw. ihre Gemische kommen in einer Vielzahl von Pflanzenölen vor, z. B. (−)-β-F. (Öl, $[\alpha]_D^{20}$ −31°) im ether. Öl der Lawson-Weißzeder (*Chamaecyparis lawsoniana*, Cupressaceae) od. (+)-α-F. (Krist., Schmp. 47–47,5 °C, $[\alpha]_D^{20}$ +12,5°) aus dem aus Torfmooren gewonnenen Sumpfharz = Kauriharz des Baumes *Agathis australis*, Araucariaceae). Fenchylacetat wird in Parfüms für Koniferen-Noten verwendet. – *E* = *F* = *S* fenchol – *I* fencolo

Lit.: ApSimon **4**, 547 f. ▪ Beilstein E IV **6**, 278 ▪ Karrer, Nr. 310. – *[HS 2906 19; CAS 2217-02-9 ((+)-α-F.); 512-13-0 ((−)-α-F.); 36386-49-9 ((±)-α-F.); 64439-31-2 ((+)-β-F.); 470-08-6 ((−)-β-F.)]*

Fenchon (1,3,3-Trimethylbicyclo[2.2.1]heptan-2-on).

(+)-Form

$C_{10}H_{16}O$, M_R 152,24, Campher-artig riechendes, bitter schmeckendes Öl, $D.^{20}$ 0,947, Sdp. 193 °C, unlösl. in Wasser, lösl. in Ethanol. F. ist isomer mit *Campher*, in der Natur kommen beide Enantiomere vor {$[\alpha]_D$ ±66,9° (C_2H_5OH)}: die (1*S*,4*R*)(+)-Form in *Fenchelöl, die (1*S*,4*S*)-(−)-Form im ether. Öl des amerikan. Lebensbaums (*Thujaöl). Verw. in Parfüms, zur Aromatisierung von Lebensmitteln, als Lsm. für *Celluloid. – *E* = *F* fenchone – *I* fencone – *S* fencona

Lit.: ApSimon **4**, 529, 546 ▪ Beilstein E IV **7**, 212 ▪ Gildemeister **3c**, 330 ff. ▪ Pharm. Unserer Zeit **14**, 11 (1987). – *Review*: Food Cosmet. Toxicol. **14**, Suppl., 769 ff. (1976) ▪ Ullmann (5.) **A 11**, 173. – *Synth.*: Justus Liebigs Ann. Chem. **1981**, 2093. – *[HS 2914 29; CAS 7787-20-4 ((+)-F.); 4695-62-9 ((−)-F.); 18492-37-0 ((±)-F.)]*

Fenchylalkohol s. Fenchol.

Fendilin.

$(H_5C_6)_2CH-CH_2-CH_2-NH-\overset{CH_3}{\underset{}{CH}}-C_6H_5$

Internat. Freiname für (±)-*N*-(3,3-Diphenylpropyl)-α-methylbenzylamin, $C_{23}H_{25}N$, M_R 315,46; farbloses Öl, Sdp. 206–210 °C (39,99 Pa). Verwendet wird das Hydrochlorid, Schmp. 204–205 °C; λ_{max} 260 nm ($A_{1cm}^{1\%}$ = 21,56), LD_{50} (Maus oral) 950, (Maus i.v.) 14,5 mg/kg. F. wurde als *Calcium-Antagonist 1962 u. 1966 von Chinoin patentiert u. ist von Thiemann (Sensit®) im Handel. – *E* = *F* fendiline – *I* = *S* fendilina

Lit.: Hager (5.) **8**, 177 f. – *[HS 2921 49; CAS 13042-18-7 (F.); 13636-18-5 (Hydrochlorid)]*

Fenestrane s. kondensierte Ringsysteme.

Fenetyllin.

Internat. Freiname für 7-[2-(1-Methyl-2-phenylethylamino)-ethyl]-theophyllin, $C_{18}H_{23}N_5O_2$, M_R 341,41. Verwendet wird das Hydrochlorid. Es gibt zwei Modif., Schmp. 227–229 °C u. 237–239 °C; D-Form 246–247 °C; L-Form 246–247 °C; λ_{max} 275 nm ($A_{1cm}^{1\%}$ = 200). F. wurde 1962 als Psychoanaleptikum von Degussa patentiert, ist von Asta Medica (Captagon®) im Handel u. in Anlage III A der *BMVVO gelistet. – *E* fenethylline – *F* fénétylline – *I* fenetillina – *S* fenetilina

Lit.: ASP ▪ Beilstein E V **26/14**, 5 ▪ Hager (5.) **8**, 178 ff. – *[HS 2933 59; CAS 3736-08-1 (F.); 1892-80-4 (Hydrochlorid)]*

Fenfluramin.

Internat. Freiname für (±)-*N*-Ethyl-1-methyl-2-(3-trifluormethyl-phenyl)-ethylamin, $C_{12}H_{16}F_3N$, M_R 231,26; Sdp. 108–112 °C (1,56 kPa); λ_{max} 264, 271 nm ($A_{1cm}^{1\%}$ = 22, 20); pK_b 4,9; LD_{50} (Maus i.p.) 144 mg/kg. Verwendet wird das Hydrochlorid, Schmp. 166 °C, auch 168–172 °C angegeben. F. wurde 1965 als *Appetitzügler von Science Union patentiert u. ist von Servier (Ponderax®) im Handel. – *E* = *F* fenfluramine – *I* = *S* fenfluramina

Lit.: ASP ▪ Hager (5.) **8**, 180 ff. – *[HS 2921 49; CAS 458-24-2 (F.); 37577-24-5 (L-Form); 3616-78-2 (L-Form-Hydrochlorid)]*

Fenfuram.

Common name für 2-Methyl-*N*-phenyl-3-furancarboxamid, $C_{12}H_{11}NO_2$, M_R 201,22, Schmp. 109–110°C (techn.), LD_{50} (Ratte oral) 12900 mg/kg (WHO), von Shell entdecktes, von KenoGard (jetzt Rhône Poulenc) entwickeltes *Saatgut-Behandlungsmittel gegen Pilzerkrankungen im Getreideanbau. – $E = I = S$ fenfuram – F fenfurame
Lit.: Farm ▪ Perkow ▪ Pesticide Manual. – *[HS 2932 19; CAS 24691-80-3]*

Fenint®. Filmtabl. u. Injektionslsg. mit α-*Liponsäure gegen Neuropathien. *B.:* Pharmacia.

Fenipentol. H_5C_6–CH–C_4H_9
                               |
                              OH

Internat. Freiname für (±)-1-Phenyl-1-pentanol, $C_{11}H_{16}O$, M_R 164,25; Sdp. 123–124°C (1,56 kPa); $n_D^{20} = 1,5112$; LD_{50} (Maus i.p.) 1030, (Maus oral) 3100 mg/kg. F. wurde 1963 als *Choleretikum von Thomae patentiert u. ist von medphano (Febichol®) im Handel. – $E = F = S$ fenipentol – I fenipentolo
Lit.: Beilstein E IV **6**, 3371. – *[HS 2906 29; CAS 583-03-9]*

Fenistil®. Dragees, Tropfen, Sirup, Ampullen, Tabl. u. Gel mit *Dimetinden-Maleat gegen Juckreiz u. Allergien. *B.:* Zyma.

Fenitrothion. Xn ✖

Common name für O,O-Dimethyl-O-(3-methyl-4-nitrophenyl)thiophosphat, $C_9H_{12}NO_5PS$, M_R 277,23, LD_{50} (Ratte oral) ca. 250 mg/kg (Bayer), unabhängig voneinander 1961 von Bayer u. Sumitomo u. später von American Cyanamid eingeführtes nicht system. *Insektizid mit Kontakt- u. Fraßgiftwirkung gegen zahlreiche beißende u. saugende Insekten, auch Hygieneschädlinge u. Heuschrecken. – $E = F$ fenitrothion – I fenitrotione – S fenitrotión
Lit.: Farm ▪ Perkow ▪ Pesticide Manual. – *[HS 2920 10; CAS 122-14-5]*

Fenizolan® 600. Vaginalovula mit *Fenticonazol gegen Candidiasis. *B.:* Nourypharma.

Fenobucarb.

Common name für (2-*sec*-Butylphenyl)-methylcarbamat, $C_{12}H_{17}NO_2$, M_R 207,27, Schmp. 31–32°C, Sdp. 115–116°C, LD_{50} (Ratte oral) 620 mg/kg (WHO), von Sumitomo u. Bayer 1962 eingeführtes *Insektizid mit Kontaktgiftwirkung gegen saugende Insekten, bes. gegen Zikaden im Reisanbau. – $E = S$ fenobcarb – I fenobucarb
Lit.: Farm ▪ Pesticide Manual. – *[HS 2924 29; CAS 3766-81-2]*

Fenofibrat.

Internat. Freiname für 2-[4-(4-Chlorbenzoyl)-phenoxy]-2-methylpropionsäureisopropylester, $C_{20}H_{21}ClO_4$, M_R 360,84; Schmp. 80–81°C; λ_{max} 286 nm ($A_{1cm}^{1\%}=486$); LD_{50} (Maus oral) 1600 mg/kg. F. wurde 1972 als *Lipidsenker von Fournier Pharma (Lipanthyl®) patentiert u. ist als Generikum im Handel. – E fenofibrate – F fénofibrate – $I = S$ fenofibrato
Lit.: Hager (5.) **8**, 183 ff. – *[HS 2918 90; CAS 49562-28-9]*

Fenoil®. Chemikalien für die Erdgastrocknung u. -aufarbeitung. *B.:* Bayer.

Fenoprofen.

Von der WHO vorgeschlagener internat. Freiname für (±)-2-(3-Phenoxyphenyl)-propionsäure, $C_{15}H_{14}O_3$, M_R 242,27, ein viskoses Öl, Sdp. 168–171°C (146,7 Pa); n_D^{25} 1,5742; pK_a 7,3. Verwendet wird das Calciumsalz, pK_a 4,5, LD_{50} (Maus oral) 800 mg/kg. F. wurde als *Antiphlogistikum u. *Analgetikum 1971 von Lilly patentiert. – $E = I$ fenoprofene – F fénoprofène – S fenoprofeno
Lit.: ASP ▪ Florey **6**, 161–182 ▪ Hager (5.) **8**, 185 f. – *[HS 2918 90; CAS 31879-05-7 (F.); 53746-45-5 (Calcium-Salz)]*

Fenoterol.

Internat. Freiname für (±)-1-(3,5-Dihydroxyphenyl)-2-(4-hydroxy-α-methyl-phenethylamino)-ethanol, $C_{17}H_{21}NO_4$, M_R 303,36. Verwendet wird das Hydrobromid, Schmp. 222–223°C; λ_{max} (0,1 N HCl) 220, 275 nm ($A_{1cm}^{1\%}=395, 86$), pK_a 8,50; LD_{50} (Maus oral) 1990, (Maus s.c.) 1000 mg/kg. F. ist ein β_2-*Sympath(ik)omimetikum u. wird daher als Broncholytikum u. Tokolytikum eingesetzt. Es wurde 1962 u. 1967 von Boehringer Ingelheim (Berotec®, Partusisten®) patentiert. – $E = S$ fenoterol – F fénotérol – I fenoterolo
Lit.: ASP ▪ DAB **1996** u. Komm. ▪ Hager (5.) **8**, 186 ff. – *[HS 2922 50; CAS 13392-18-2 (F.); 1944-12-3 (Hydrobromid)]*

Fenoxaprop-ethyl.

Common name für (±)-2-[4-(6-Chlorbenzoxazol-2-yloxy)phenoxy]propionsäureethylester, $C_{18}H_{16}ClNO_5$, M_R 361,78, Schmp. 84–87°C, LD_{50} (Ratte oral) 2350 mg/kg (WHO), von Hoechst (jetzt AgrEvo) entwickeltes selektives Nachauflauf-*Herbizid gegen Ungräser in *dikotylen Kulturen (z.B. Sojabohnen), sowie im Getreide- u. Reisanbau. – $E = F$ fenoxaprop-ethyl – I fenossaprop-etile – S fenoxaprop-etilo
Lit.: Farm ▪ Perkow. – *[CAS 71283-80-2]*

Fenoxazolin.

Internat. Freiname für 2-(2-Isopropylphenoxymethyl)-4,5-dihydro-imidazol, $C_{13}H_{18}N_2O$, M_R 218,30. Verwendet wurde auch das Hydrochlorid; Schmp. 172–174 °C. F. wurde als α-*Sympath(ik)omimetikum 1965 von Lab. Dausse patentiert. – **E** fenoxazoline – **F** fénoxazoline – **I** fenossazolina – **S** fenoxazolina
Lit.: Beilstein E III/IV **23**, 2392 ▪ Hager (5.) **8**, 189 f. – *[HS 2933 29; CAS 4846-91-7 (F.); 21370-21-8 (Hydrochlorid)]*

Fenoxycarb.

H_5C_6O—⬡—O—CH_2—CH_2—NH—$\overset{O}{\overset{\|}{C}}$—$OC_2H_5$

Common name für Ethyl-2-(4-phenoxyphenoxy)ethylcarbamat, $C_{17}H_{19}NO_4$, M_R 301,34, Schmp. 53–54 °C, LD_{50} (Ratte oral) >10 000 mg/kg (WHO), von Maag (jetzt Novartis) entwickelter breit wirksamer insektizider Entwicklungshemmer zur Anw. im Obst- u. Zierpflanzenanbau sowie im Hygienebereich. – **E** = **F** fenoxycarb – **I** fenossicarb – **S** fenoxicarb
Lit.: Farm ▪ Perkow ▪ Pesticide Manual. – *[CAS 72490-01-8]*

Fenpiclonil.

Common name für 4-(2,3-Dichlorphenyl)-3-pyrrolcarbonitril. $C_{11}H_6Cl_2N_2$, M_R 237,09, Schmp. 150–151 °C, LD_{50} (Ratte oral) >5000 mg/kg, von Ciba Geigy (jetzt Novartis) 1988 eingeführtes Kontakt-*Fungizid gegen Pilzerkrankungen in Getreide, Obst, Gemüse- u. a. Kulturen. – **E** = **F** = **S** fenpiclonil – **I** fenpiclonile
Lit.: Farm ▪ Perkow ▪ Pesticide Manual. – *[CAS 74738-17-3]*

Fenpipramid.

Internat. Freiname für das spasmolyt. wirksame 2,2-Diphenyl-4-piperidinobutyramid, $C_{21}H_{26}N_2O$, M_R 322,45, Schmp. 178–179 °C, auch 188 °C angegeben. λ_{max} (0,05 M H_2SO_4) 253, 259 u. 265 nm ($A_{1cm}^{1\%}$ = 10,4, 11,8, 9,3); pK_b 4,82. – **E** = **F** = **I** fenpipramide – **S** fenpipramida
Lit.: Beilstein E III/IV **20**, 1096 ▪ Hager (5.) **8**, 191 ff. – *[HS 2933 39; CAS 77-01-0]*

Fenpipran.

Internat. Freiname für 1-(3,3-Diphenylpropyl)-piperidin, $C_{20}H_{25}N$, M_R 279,43, Schmp. 41–42,5 °C; Sdp. 210–220 °C (1,07 kPa). Verwendet wird auch das Hydrochlorid, Schmp. 216–217 °C. F. wurde als *Antiallergikum u. *Spasmolytikum 1948 von Winthrop patentiert. – **E** = **F** fenpiprane – **I** = **S** fenpiprano
Lit.: Beilstein E V **20/2**, 91. – *[HS 2933 39; CAS 3540-95-2]*

Fenpiveriniumbromid.

Internat. Freiname für 1-(3-Carbamoyl-3,3-diphenylpropyl)-1-methylpiperidiniumbromid, $C_{22}H_{29}BrN_2O$, M_R 417,39, Schmp. 177,5–178,5 °C. F. wurde als *Anticholinergikum u. *Spasmolytikum 1954 von Hoechst patentiert u. war in Kombination mit *Metamizol u. *Pitofenon in Baralgin® (enthält heute nur Metamizol) im Handel. – **E** fenpiverinium bromide – **F** bromure de fenpiverinium – **I** fenpiverino bromuro – **S** bromuro de fenpiverinio
Lit.: Beilstein III/IV **20**, 1097. – *[HS 2933 39; CAS 125-60-0]*

Fenpropathrin.

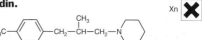

Common name für [(RS)-α-Cyano-3-phenoxybenzyl]-2,2,3,3-tetramethylcyclopropancarboxylat, $C_{22}H_{23}NO_3$, M_R 349,43, Schmp. 45–50 °C, LD_{50} (Ratte oral) ca. 66 mg/kg (WHO), breit wirksames *Akarizid u. *Insektizid mit Repellant-, Kontakt- u. Fraßgiftwirkung zur Anw. im Obst-, Gemüse-, Zierpflanzen-, Wein-, Baumwoll-, Acker- u. Gewächshauskulturenanbau. – **E** fenpropathrin – **F** fenpropathrine – **I** fenpropatrina – **S** fenpropatrín
Lit.: Farm ▪ Perkow ▪ Pesticide Manual. – *[HS 2926 90; CAS 39515-41-8]*

Fenpropidin. Xn ✖

Common name für (RS)-1-[3-(4-*tert*-Butylphenyl)-2-methylpropyl]piperidin, $C_{19}H_{31}N$, M_R 273,46, Sdp. 100 °C (0,5 Pa), LD_{50} (Ratte oral) 1440 mg/kg (WHO), von Maag (jetzt Novartis) entwickeltes system. *Fungizid mit protektiver u. kurativer Wirkung gegen Echten Mehltau u. Rost im Gersten- u. Weizenanbau. – **E** fenpropidin – **F** fenpropidine – **I** fenpropidina – **S** fenpropidín
Lit.: Perkow ▪ Pesticide Manual. – *[HS 2933 39; CAS 67306-00-7]*

Fenpropimorph. Xn ✖

Common name für (±)-*cis*-4-[3-(4-*tert*-Butylphenyl)-2-methylpropyl]-2,6-dimethylmorpholin, $C_{20}H_{33}NO$, M_R 303,49, Sdp. 120 °C (7 Pa), LD_{50} (Ratte oral) 3515 mg/kg (WHO), system. *Fungizid mit breitem Wirkungsspektrum, v. a. gegen Echten Mehltau, Blattflecken- u. Rostkrankheiten im Getreideanbau. – **E** fenpropimorph – **F** fenpropimorphe – **I** = **S** fenpropimorf
Lit.: Farm ▪ Perkow ▪ Pesticide Manual. – *[CAS 67306-03-0]*

Fenproporex.

H_5C_6—CH_2—$\underset{CH_3}{\overset{\|}{CH}}$—$NH$—$CH_2$—$CH_2$—$CN$

Internat. Freiname für (±)-3-(1-Methyl-2-phenylethylamino)-propionitril, $C_{12}H_{16}N_2$, M_R 188,27, Sdp. 126–127 °C (266,6 Pa); λ_{max} (wäss. Säure) 252, 257,

263 nm. Verwendet wird das Hydrochlorid, Schmp. 146°C. F. wurde 1966 u. 1969 als *Appetitzügler patentiert, ist von Chefasaar im Handel u. in Anlage III C der *BMVVO gelistet. – $E = F = I = S$ fenproporex
Lit.: ASP ▪ Beilstein E IV **12**, 2612 ▪ Hager (5.) **8**, 193 f. – *[HS 2926 90; CAS 15686-61-0 (F.); 18305-29-8 (Hydrochlorid)]*

Fenpyroximat.

Common name für *tert*-Butyl-(*E*)-α-(1,3-Dimethyl-5-phenoxy-1*H*-pyrazol-4-ylmethylenaminooxy)-*p*-toluat. $C_{24}H_{27}N_3O_4$, M_R 421,50, Schmp. 101,1–102,4°C, LD_{50} (Ratte oral) 480 mg/kg, von Nihon Nohyaku 1991 eingeführtes *Akarizid mit Kontakt- u. Fraßwirkung gegen Milben im Obst-, Gemüse-, Wein- u. Teeanbau. – $E = F$ fenpyroximate – I fenpirossimato – S fenpiroximato
Lit.: Farm ▪ Perkow ▪ Pesticide Manual. – *[CAS 134098-61-6]*

Fenske, Dieter (geb. 1942), Prof. für Anorgan. Chemie, Univ. Karlsruhe. *Arbeitsgebiete:* Metall-organ. Chemie mit Phosphan-Liganden, Komplexchemie mit mehrzähnigen Phosphanen, Kristallstrukturanalysen, Cluster-Verb. der Übergangsmetalle. Auszeichnung mit dem Wilhelm-Klemm-Preis der GDCh, 1993.
Lit.: Kürschner (16.), S. 802 ▪ Nachr. Chem. Tech. Lab. **41**, Nr. 4, 488 (1993).

Fensterleder (Waschleder). Aus gespaltenen Schaf-, Ziegen-, Rehfellen hergestelltes *Leder, das vor dem Gerben durch Tran-Einwirkung weich, geschmeidig u. wasserbeständig gemacht wird, s. a. Sämischleder. – E wash leather – F peau chamoisée – I pelle di daino, pelle sgamosciata – S gamuza

Fensterreiniger. Wäss. Lsg. von Aniontensiden mit Zusätzen von Ethanol od. 2-Propanol u./od. Glykolethern, gegebenenfalls mit Ammoniak alkal. eingestellt. – E window cleaners – I detersivo per finestre – S limpiacristales

Fentanyl.

Internat. Freiname für *N*-(1-Phenethyl-4-piperidyl)-propionanilid, $C_{22}H_{28}N_2O$, M_R 336,48, Schmp. 83–84°C; verwendet wird das Citrat: Schmp. 150–154°C (Zers.); λ_{max} (Wasser) 250, 256, 262 nm ($A_{1cm}^{1\%}$ = 362, 417, 324); pK_a 8,4. F. wurde 1963 u. 1965 als partialsynthet. Opioid-*Analgetikum von Janssen (Durogesic®, Fentanyl-Janssen®) patentiert u. in Anlage III A der *BMVVO gelistet. – $E = F$ fentanyl – I fentanil – S fentanilo
Lit.: ASP ▪ Beilstein E V **22/8**, 49 f. ▪ Hager (5.) **8**, 195 ff. – *[HS 2933 29; CAS 437-38-7]*

Fenthion. T ☠

Common name für *O,O*-Dimethyl-*O*-[3-methyl-4-(methylthio)phenyl]thiophosphat, $C_{10}H_{15}O_3PS_2$, M_R 278,32, Sdp. 87°C (1 Pa), LD_{50} (Ratte oral) ca. 250 mg/kg (Bayer), MAK 0,2 mg/m³, von Bayer 1958 eingeführtes *Insektizid gegen beißende u. saugende Insekten, bes. gegen Fruchtfliegenarten u. Hygieneschädlinge. – $E = F$ fenthion – I fentione – S fentión
Lit.: Farm ▪ Perkow ▪ Pesticide Manual. – *[HS 2930 90; CAS 55-38-9]*

Fenticlor.

Internat. Freiname für 2,2′-Thiobis(4-chlorphenol), $C_{12}H_8Cl_2O_2S$, M_R 287,16, Schmp. 175°C; verwendet wird das Diacetat. F. wurde 1931 als top. *Antimykotikum u. *Antiinfektivum von I. G. Farben patentiert, ist heute in der Therapie durch *Clotrimazol ersetzt. – $E = F$ fenticlor – $I = S$ fenticloro
Lit.: Hager (5.) **8**, 199. – *[HS 2930 90; CAS 97-24-5]*

Fenticonazol.

Internat. Freiname für 1-{2,4-Dichlor-β-[4-(phenylthio)benzyloxy]phenethyl}-1*H*-imidazol, $C_{24}H_{20}Cl_2N_2OS$, M_R 455,40. Verwendet wird das Nitrat, Schmp. 136°C, LD_{50} (Ratte i.p.) 309, (Ratte oral) >3000 mg/kg. Es wurde 1979/80 von Recordati patentiert u. ist als äußerlich anzuwendendes *Antimykotikum von Nourypharma u. S&K Pharma (Fenizolan®, Lomexin®) im Handel. – E fenticonazole – $F = S$ fenticonazol – I fenticonazolo
Lit.: ASP ▪ Merck-Index (12.), Nr. 4047. – *[HS 2933 29; CAS 72479-26-6 (F.); 73151-29-8 (Nitrat)]*

Fentinacetat. T ☠

Common name für Triphenylzinnacetat, $C_{20}H_{18}O_2Sn$, M_R 409,05, Schmp. 121–123°C, LD_{50} (Ratte oral) 125 mg/kg (GefStoffV), von Hoechst 1954 eingeführtes nicht-system. *Fungizid mit protektiver u. kurativer Wirkung gegen verschiedene Blattfleckenkrankheiten im Kartoffel-, Sellerie-, Rüben-, Erdnuß-, Pekannuß-, Kaffee-, Kakao- u. Reisanbau. F. wird außerdem als *Algizid im Wasserreisbau u. als *Molluskizid in Fischteichen eingesetzt. – E fentin acetate – F fentine acetate – I fentinacetato – S fentín-acetato
Lit.: Farm ▪ Perkow ▪ Pesticide Manual. – *[HS 2931 00; CAS 63314-23-8]*

Fentin-hydroxid. T ☠

Common name für Triphenylzinnhydroxid, $C_{18}H_{16}OSn$, M_R 367,01, Schmp. 118–120 °C, LD_{50} (Ratte oral) 108 mg/kg (GefStoffV), nicht-system. *Fungizid mit protektiver u. kurativer Wirkung gegen verschiedene Krankheiten im Kartoffel-, Sellerie-, Rüben-, Erdnuß-, Pekannuß-, Karotten-, Reis-, Kakao-, Kaffee- u. Sojabohnenanbau. F. wirkt außerdem als Antifraßgift bei blattfressenden Larven. – *E* fentin hydroxide – *F* fentine hydroxyde – *I* fentin-idrossido – *S* fentínhidróxido

Lit.: Farm ▪ Perkow ▪ Pesticide Manual. – *[HS 2931 00; CAS 76-87-9]*

Fentoniumbromid.

Internat. Freiname für 8*anti*-(4-Phenylphenacyl)-3-(*S*)-tropoyloxytropaniumbromid, $C_{31}H_{34}BrNO_4$, M_R 564,52; Schmp. 203–205 °C; λ_{max} 297 nm ($A_{1cm}^{1\%}$ = 439); $[\alpha]_D^{23}$ –5,68° (c 5/DMF), auch angegeben: Schmp. 193–194 °C; $[\alpha]_D^{25}$ –4,7° (c 5/DMF); LD_{50} (Maus i.v.) 12,1, (Maus s.c. u. oral) >400 mg/kg. F. wurde als *Anticholinergikum 1967 u. 1969 von Whitefin Holding patentiert. – *E* fentonium bromide – *F* bromure de fentonium – *I* fentonio bromuro – *S* bromuro de fentonio

Lit.: Beilstein E V **21**/1, 262f. ▪ Hager (5.) **8**, 199f. – *[HS 2933 39; CAS 5868-06-4]*

Fentons Reagenz. Von Fenton 1893 zur Oxid. von Hydroxy-Verb. (Glykolen, Hydroxysäuren) benutztes Gemisch von Wasserstoffperoxid u. Eisen(II)-Salzen. Die Reaktion führt zu Carbonyl-Verb., verläuft über Radikale [1] u. wird auch zu Hydroxylierungen (die ähnlich den enzymat.[2] verlaufen) u. zu radikal. Alkylierungen aromat. Verb.[3] benutzt. – *E* Fenton reagent – *F* réactif de Fenton – *I* reagente di Fenton – *S* reactivo de Fenton

Lit.: [1] Acc. Chem. Res. **8**, 125–131 (1975). [2] Toxicol. Environ. Chem. Rev. **3**, 1–60, bes. 17–25 (1979). [3] Angew. Chem. **84**, 222f. (1972).

Fenvalerat.

Common name für [(*RS*)-α-Cyano-3-phenoxybenzyl]-(*RS*)-2-(4-chlorphenyl)-3-methylbutyrat, $C_{25}H_{22}ClNO_3$, M_R 419,91, Zers. bei Dest., LD_{50} (Ratte oral) ca. 450 mg/kg (WHO), von Sumitomo u. Shell 1976 eingeführtes breit wirksames synthet. *Pyrethroid mit Kontakt- u. Fraßgiftwirkung gegen Schädlinge im Baumwoll-, Gemüse-, Obst- u. Ackerbau sowie im Hygienebereich, auch gegen Chlorkohlenwasserstoff-, Organophosphat- u. Carbamat-resistente Arten. – *E* = *F* fenvalerate – *I* = *S* fenvalerato

Lit.: Farm ▪ Perkow ▪ Pesticide Manual. – *[HS 2926 90; CAS 51630-58-1]*

Fenyramidol.

Internat. Freiname für (±)-1-Phenyl-2-(2-pyridylamino)ethanol, $C_{13}H_{14}N_2O$, M_R 214,27; Schmp. 82–85 °C; λ_{max} (C_2H_5OH 95%) 243 nm ($A_{1cm}^{1\%}$ = 666); pK_a 5,85. Verwendet wird das Hydrochlorid, Schmp. 140–142 °C. F. wurde als *Analgetikum u. *Muskelrelaxans 1959 von Neisler Labs. patentiert. – *E* phenyramidol – *F* fényramidol – *I* feniramidolo – *S* feniramidol

Lit.: Beilstein E V **22**/8, 301 ▪ Hager (5.) **8**, 200f. – *[HS 2933 39; CAS 553-69-5 (F.); 326-43-2 (Hydrochlorid)]*

FEP. Kurzz. für *Copolymere aus Hexafluorpropylen u. *Tetrafluorethylen.

Feran®. Kunststoffdispersionen bzw. -Lsg. als permanente u. nicht permanente Füll-, Steifausrüstungs- u. Appreturmittel, Schiebefestmittel. *B.*: Rudolf GmbH & Co. KG.

Ferberit s. Wolframit.

Ferimzon. Common name für (*Z*)-2-Methylacetophenon-(4,6-dimethylpyrimidin-2-ylhydrazon).

$C_{15}H_{18}N_4$, M_R 254,33, Schmp. 175–176 °C, LD_{50} (Ratte oral) 642 mg/kg, von Takeda entwickeltes *Fungizid gegen Pilzerkrankungen im Reis. – *E* = *F* = *I* ferimzone – *S* ferimzona

Lit.: Farm ▪ Pesticide Manual. – *[CAS 89269-64-7]*

Fermentation (Kultivierung). Von latein.: fermentare = gären abgeleitete Bez. für Stoffumwandlungen unter aeroben od. anaeroben Bedingungen durch Einwirkung von *Mikroorganismen. F. bezeichnet im weiteren Sinn die Gesamtheit aller Reaktionen in einer Mikroorganismen-Kultur u. umfaßt damit den Substratverbrauch, die Bildung des Endproduktes u. die Bildung von Biomasse. Im engeren Sinne wird der Begriff F. bei der techn. Bearbeitung von Leder, Flachs, Tabak, Kakao, Kaffee, Tee u. anderen Lebens- u. Genußmitteln unter Beteiligung von Mikroorganismen benutzt.
Da der Begriff F. im Laufe der Zeit verschiedenste Bedeutungen hatte u. im allg. Sprachgebrauch heute als Synonym für alle Arten von biolog. Stoffumwandlungen, bei denen Mikroorganismen od. Teile davon genutzt werden, erhalten geblieben ist, lehnen viele Publikationsorgane die Verw. des Begriffes F. in wissenschaftlichen Beiträgen ab. – *E* = *F* fermentation – *I* fermentazione – *S* fermentación

Lit.: Crueger-Crueger (3.), S. 62 ▪ Rehm-Reed (2.) **3**.

Fermente. Veraltet für *Enzyme.

Fermenter (Fermentor) s. Bioreaktor.

Fermi, Enrico (1901–1954), Prof. für Theoret. Physik, Florenz, Rom, New York u. Chicago. *Arbeitsge-*

biete: Atomspektren, Fermi-Statistik, Neutrino-Hypothese, gegenseitige Umwandlung von Protonen u. Neutronen in Atomkernen, Kettenreaktion bei Uran-Spaltungen, Bau des ersten Reaktors, kosm. Strahlung usw. F. erhielt 1938 den Nobelpreis für Physik für die Entdeckung von durch langsame Neutronen ausgelösten Kettenreaktionen u. den dabei entstehenden radioaktiven Elementen.
Lit.: De Latil, Enrico Fermi: The Man and his Theories, London 1965 ▪ Krafft, S. 124 ▪ Neufeldt, S. 154, 182, 186, 216, 349, 358.

Fermi-Dirac-Statistik. Von *Fermi u. *Dirac aufgestellte Statistik für ein Syst. von Teilchen mit halbzahligem *Spin (*Fermionen), das sich im therm. Gleichgew. befindet. Im Unterschied zur für *Bosonen geltenden *Bose-Einstein-Statistik können in der F.-D.-S. die Besetzungszahlen einzelner Quantenzustände nur die Werte 0 od. 1 annehmen. – *E* Fermi-Dirac statistics – *F* statistique de Fermi-Dirac – *I* statistica di Fermi-Dirac – *S* estadística de Fermi-Dirac

Fermi-Energie. Energie des obersten besetzten Elektronenzustands, insbes. in einem *Festkörper. In der Näherung des idealen dreidimensionalen *Elektronengases gilt für die F.-E.:

$$\varepsilon_F = \frac{h^2}{8\pi^2 m_e}\left(\frac{3\pi^2 N}{V}\right)^{2/3}.$$

Hierbei sind h die *Plancksche Konstante, m_e die Elektronenruhemasse, N die Anzahl der Elektronen u. V das Volumen. – *E* Fermi energy – *F* énergie de Fermi – *I* energia di Fermi – *S* energía de Fermi

Fermilab. Abk. für Fermi National Accelerator Laboratory. Großforschungsanlage zur Untersuchung von *Elementarteilchen; ca. 50 km westlich von Chicago gelegen. Derzeitiges Kernstück des F. ist der *Teilchenbeschleuniger *Tevatron*, dessen Beschleunigerring einen Durchmesser von 2 km besitzt u. *Protonen auf eine Energie von ca. 10^{12} *Elektronenvolt (1 Teraelektronenvolt, Abk. 1 TeV) beschleunigen kann. – *E = F = I* Fermilab – *S* laboratorio de Fermi

Fermi-Niveau s. Halbleiter.

Fermionen. Bez. für nach *Fermi benannte Teilchen mit halbzahligem *Spin, die damit der *Fermi-Dirac-Statistik gehorchen. Zu den F. zählen *Elementarteilchen wie die *Elektronen, Positronen, Protonen u. *Neutronen, aber auch Atomkerne wie ^{11}B (Kernspin $\frac{3}{2}$) od. ^{31}P (Kernspin $\frac{1}{2}$). F. werden durch *Wellenfunktionen beschrieben, die bezüglich des Austausches zweier Teilchen antisymmetr. sind (s. Antisymmetrieforderung). Gegensatz: *Bosonen. – *E = F* fermions – *I* fermioni – *S* fermiones

Fermium (chem. Symbol Fm). Künstliches radioaktives *Actinoiden-Element, Ordnungszahl 100 (*Transurane). Isotope 242–259 mit HWZ zwischen 0,38 ms u. 100,5 d (^{257}Fm). Aufgrund von Tracerexperimenten ist Fm Erbium-ähnlich u. gibt in Lsg. 3-wertige Ionen; auch die Oxidationsstufen +1 u. +2 kommen vor. Ausgehend von Uran 238, dem schwersten natürlich vorkommenden Nuklid, ist im Hochflußkernreaktor durch insgesamt 19fachen Neutroneneinfang u. 6 dazwischen gelagerte Beta-Zerfälle F. 257 als schwerstes Nuklid erhältlich, das in Aufbaureaktionen hergestellt werden kann. F. 250 entsteht bei der Bombardierung von Uran 238 mit Sauerstoff-Kernen unter Aussendung von 4 Neutronen. Prakt. wurden aus Überresten unterird. Kernexplosionen bisher Mengen von wenigen Pikogramm gewonnen.
Geschichte: Ebenso wie Einsteinium wurde Fm nicht gezielt in Kernreaktionen entdeckt, sondern im radioaktiven Staub der ersten Wasserstoff-Bombenexplosion auf dem Bikini-Atoll (1952) von Seaborg u. a. aufgefunden u. zu Ehren von Enrico *Fermi benannt. Ältere Bez.: ...Eka-Erbium u. Centurium. – *E = F* fermium – *I = S* fermio
Lit.: Chem.-Ztg. **104**, 77–104 (1980) ▪ GIT Fachz. Lab. **1987**, Nr. 10, 944–956; Nr. 11, 1149–1156 ▪ s. a. Actinoide u. Transurane. – *[HS 2844 40; CAS 7440-72-4]*

Fernambukholz s. Brasilin.

Fernerkundung s. Geologie.

Fernleihe. Bez. für den Service der Bibliotheken, Bücher, die in der aufgesuchten Bibliothek nicht vorhanden sind, von auswärtigen Bibliotheken zu beschaffen. Eine gewisse Schlüsselstellung nimmt die Techn. Informationsbibliothek in Hannover ein. Weitere Hinweise erfragen Sie im Bedarfsfall bei Ihrer Universitätsbibliothek.

Fernsehstein s. Ulexit.

Ferrate. Gruppenbez. – 1. für Salze der Sauerstoffsäuren des Eisens; es treten die folgenden Anionen auf: Ferrat(II) [FeO_2^{2-}, $Fe(OH)_4^{2-}$, $Fe(OH)_6^{4-}$], Ferrat(III) [FeO_2^-, $Fe(OH)_8^{5-}$ u. FeO_4^{5-} als Oxoferrat mit isolierten Tetraedern], Ferrat(IV) [FeO_4^{4-}, kein isoliertes Ion, sondern ein Doppeloxid mit Spinellstruktur], Ferrat(V) [FeO_4^{3-}] u. Ferrat(VI) [FeO_4^{2-}]; – 2. für Salze der *Hexacyanoeisensäure (Hexacyanoferrate); – 3. für anion. Carbonyl-Komplexe des Eisens, z. B. Dinatriumtetracarbonylferrat, s. Collmans Reagenz. – *E = F* ferrates – *I* ferrati – *S* ferratos
Lit.: [1] Brauer (3.) **3**, 1652.
allg.: Hollemann-Wiberg (101.), S. 1524, 1526, 1533 ▪ Kirk-Othmer (4.) **14**, 885. – *[HS 2841 90]*

Ferredoxine (Abk.: Fd). Gruppenbez. für solche *Nichthäm-*Eisenproteine tier., pflanzlicher od. mikrobieller Herkunft, die meist ebensoviele Eisen- wie labil gebundene Sulfid-Ionen enthalten, u. zwar je 2, 4 od. 8. Die *2-Eisen-F.* [96–98 Aminosäure-Reste, davon 4–6 Cystein-Reste (Cys)] enthalten die in der Abb. gezeigten Vierringe, die pro Eisen-Ion durch je zwei Cys an das Protein gebunden sind, die *4-Eisen-F.* u. die *8-Eisen-F.* (55 Aminosäure-Reste) besitzen einen bzw. 2 der würfelförmigen Cluster (s. Abb. u. Cluster-Verbindungen), an ein Cys je Eisen-Ion gebunden.

oxidierter [Fe_2S_2-Cys_4]-Cluster   oxidierter [Fe_4S_4-Cys_4]-Cluster

Abb.: Struktur von Ferredoxinen.

In Bakterien kommen jedoch auch F. mit [Fe_3S_3-Cys_4]- u. [Fe_3S_4-Cys_4]-Clustern vor. Eisen u. sulfid. Schwefel lassen sich aus F. herauslösen; das resultierende Apoferredoxin kann mit Eisen(II)-Salzen u. Sulfiden reaktiviert werden. Die Synth. des Eisen-freien Proteins ist Bayer et al. mit Hilfe der *Merrifield-Technik gelungen. Aufgrund ihrer Eigenschaft als *Redoxsysteme ($Fe^{3+} + e^- \rightleftharpoons Fe^{2+}$) dienen die F. dem Elektronen-Transport zwischen Enzymsyst. (*Elektronentransfer-Proteine). Sie übertragen Elektronen z.B. in der *Atmungskette, bei der *Photosynthese u. der *Stickstoff-Fixierung (s. a. Nitrogenase). – *E* ferredoxins – *F* ferrédoxines – *I* ferredossine – *S* ferredoxinas

Lit.: J. Bioenerg. Biomembr. **26**, 67–88 (1994) ▪ Stryer 1996, S. 696 ff., 752 f.

Ferri... Veraltete Bez. für Verb. des 3-wertigen Eisens, s. unter den entsprechenden Eisen(III)-Verbindungen.

Ferrichrome.

R^1	R^2	R^3	
CH_3	H	H	Ferrichrom
CH_3	H	CH_2OH	Ferricrocin
CH_3	H	CH_3	Ferrichrom C
CH_3	CH_2OH	CH_2OH	Ferrichrysin
$CH=C(CH_3)-CH_2-CH_2OH$ (Z)	CH_2OH	CH_2OH	Ferrirhodin
$CH=C(CH_3)-CH_2-COOH$ (E)	CH_2OH	CH_2OH	Ferrichrom A
$CH=C(CH_3)-CH_2-CH_2OH$ (E)	CH_2OH	CH_2OH	Ferrirubin

Von Pilzen gebildete *Siderophore mit wachstumsfördernden Eigenschaften. F. ($C_{27}H_{42}FeN_9O_{12}$, M_R 740,53) u. F. A ($C_{41}H_{58}FeN_9O_{20}$, M_R 1052,81) wurden 1952 als erste Verb. der Gruppe von Neilands[1] aus Kulturfiltraten von *Ustilago sphaerogena* isoliert. F. sind cycl. Hexapeptide, bestehend aus 3 δ-*N*-Hydroxy-L-ornithin- u. 3 Glycin-Resten, bzw. Glycin u. Serin. Die 3 Hydroxamat-Gruppen, an denen Fe^{3+} komplex gebunden wird, entstehen durch Acylierung der Hydroxylamino-Gruppe von Hydroxyornithin mit Essigsäure, *trans*-β-Methylglutaconsäure od. *cis*-bzw. *trans*-5-Hydroxy-3-methylpentensäure. Die F. haben eine Funktion beim Eisen-Transport (s. a. Siderophore). Mit den F. strukturell eng verwandt sind die *Sideromycine vom Typ des *Albomycins, Danomycins, Ferrimycins etc., die antibiot. Gruppen transportieren. F. u. Sideromycine wurden ursprünglich auch als *Siderochrome zusammengefaßt. – *E* = *F* ferrichromes – *I* ferricromi – *S* ferricromos

Lit.: [1] J. Am. Chem. Soc. **74**, 4846 (1952). allg.: J. Am. Chem. Soc. **103**, 6617 (1981) ▪ Vögtle, Supramolekulare Chemie, 2. Aufl., S. 128–131, Stuttgart: Teubner 1992 ▪ s. a. Siderophore.

Ferricinium s. Ferrocen.

Ferricyanide. Fachsprachliche Bez. für Hexacyanoferrate(III) (s. Hexacyanoeisensäure), insbes. mit Ca, Na u. K (*Blutlaugensalze). – *E* ferricyanides – *F* ferricyanures – *I* ferricianuri – *S* ferricianuros

Ferrihämhydroxid s. Hämatin.

Ferrihämoglobin s. Methämoglobin.

Ferrimycine s. Sideromycine.

Ferring. Kurzbez. für die Firma Ferring Arzneimittel GmbH, 24109 Kiel.

Ferrioxamine.

R^1	R^2	n	
H	CH_3	4	Ferrioxamin A1
H	CH_3	5	Ferrioxamin B
$CO-CH_3$	CH_3	5	Ferrioxamin D1
H	$-(CH_2)_2-COOH$	5	Ferrioxamin G

n	
4	Ferrioxamin D_2
5	Ferrioxamin E

Abb.: Struktur der Ferrioxamine.

Unter Eisen-Mangel von *Actinomyceten gebildete Gruppe von *Siderophoren mit der Fähigkeit zur Bildung von Eisen(III)-hydroxamat-Komplexen (Funktion s. Siderophore), die wachstumsfördernde Eigenschaften besitzen. F. sind entweder lineare Trihydroxamate (s. Abb.), bestehend aus 3 Aminohydroxyaminoalkanen (1-Amino-5-hydroxyaminopentan, 1-Amino-4-hydroxyamino-butan) u. 3 Carbonsäure-Resten, od. es handelt sich um cycl. Verb. (F. A_2, D_2, E), bei denen die Endgruppen Säureamidartig verknüpft sind. F. B wird in der Humantherapie zur Behandlung von Eisen-Speicherkrankheiten eingesetzt. – *E* = *F* ferrioxamines – *I* ferriossammine – *S* ferrioxaminas

Lit.: J. Am. Chem. Soc. **97**, 293 (1975) ▪ Vögtle, Supramolekulare Chemie, 2. Aufl., S. 131 f., Stuttgart: Teubner 1992 ▪ s. a. Siderophore.

Ferristene. Bez. (USAN) für ein Präp. aus *Eisenoxid-Krist., die in die Oberfläche von Polystyrolsulfonat-Kügelchen (Durchmesser 3,5 µm) eingelagert sind. Das Eisenoxid ist eine Zwischenform aus *Magnetit u. γ-Eisenoxid mit einer Teilchengröße von <0,05 µm. Dadurch ist die Substanz superparamagnetisch. Sie wird als Kontrastmittel für die Magnetresonanz-tomograph. Diagnose abdomineller Erkrankungen verwendet. In Nachbarschaft der Partikel wird das NMR-Signal ausgelöscht, u. der Magen-Darm-Trakt kann kontrastreich abgebildet werden. Es ist von Nycomed (Abdoscan®) im Handel. – *E* ferristene – *I* ferristeni – *S* ferristeno

Lit.: Acta Radiol. **29**, 599 ff. (1988) ▪ Acta Radiol. Suppl. **387**, 1–30 (1993).

Ferrit. Kub. raumzentrierte (krz) Modif. des *Eisens in den Temp.-Bereichen bis 911 °C (α-F.) sowie 1392–1536 °C (δ-F.). F. wandelt sich bei 911 bzw. 1392 °C in die kub. flächenzentrierte (kfz) Modif. des Eisens (*Austenit, γ-Phase) um. In Eisen-Kohlenstoff-Leg. löst der α-F. max. 0,02 % C, der Austenit dagegen 2,0 %. Dieses unterschiedliche Lösungsvermögen der beiden Modif. des Eisens u. die Gitterumwandlung des kfz-Austenits in den krz-F. im Temp.-Bereich 911–723 °C (abhängig vom C-Gehalt) sind die Voraussetzungen der Umwandlungshärtung des Werkstoffs *Stahl (s. Martensit).

Durch Zusatz F.-stabilisierender Legierungselemente wie Cr, Si, Al, Mo, W, Ti u. V wird der Bereich der zwischen 911 u. 1392 °C stabilen γ-Phase eingeengt, so daß oberhalb bestimmter Grenzgehalte (bei Cr z. B. 13%) der hochlegierte F. im gesamten Temp.-Bereich zwischen 20 °C u. Schmelztemp. stabil bleibt (s. ferritische Stähle). Hierbei handelt es sich dann allerdings nicht mehr um prakt. reines Eisen, sondern um einen hochlegierten F., der nicht umwandlungsfähig ist. Durch geeignete Kombination der Gehalte von sowohl F.- als auch Austenit-stabilisierenden Legierungselementen läßt sich ein ferrit.-austenit. Zweiphasengefüge einstellen (s. ferritisch-austenitische Stähle). F. ist im Gegensatz zu Austenit ferromagnetisch. – *E* = *F* = *I* ferrite – *S* ferrita

Lit.: Horstmann, Das Zustandsschaubild Eisen-Kohlenstoff u. die Grundlagen der Wärmebehandlung der Eisen-Kohlenstoff-Legierungen, Düsseldorf: Verl. Stahleisen 1985.

Ferrite. Gruppe von oxidkeram. Werkstoffen der allg. Zusammensetzung $M^{II}Fe^{III}_2O_4$ od. $M^{II}O \cdot Fe_2O_3$, die permanente magnet. Dipole enthalten. Die Oxid-Ionen bilden kub. (*Spinelle, *Granate) od. hexagonal dichteste Kugelpackungen, in deren Lücken die Kationen sitzen. *Ferritspinelle* od. *Spinell-F.* (M^{II} = 2-wertige Metalle wie Zn, Cd, Co, Mn, Fe, Cu, Mg usw.) kommen in Mol.-Verhältnissen von $1 Fe_2O_3 : 1 M^{II}O$ (z. B. *Magnetit, Fe_3O_4) bis $3 Fe_2O_3 : 2 M^{II}O$ u. mit gemischten M^{II}-Komponenten (z. B. $Ni_{0,5}Zn_{0,5}Fe_2O_4$) vor. Hexagonale F. enthalten meist 2-wertige Übergangsmetalle neben Ba, Sr od. Pb (z. B. *Magnetoplumbit*, $PbFe_{7,5}Al_{0,5}Ti_{0,5}O_{19}$). In den ferrit. *Granaten treten 2-wertige Seltenerdmetalle auf (z. B. $Y_3Fe_5O_{12}$). Die meist durch Sinterung der gemischten pulverisierten Oxid-Komponenten bei 1000–1450 °C herstellbaren F. verfügen über gute magnet. Eigenschaften, wobei man paramagnet. F. (M^{II} z. B. = Zn od. Cd) u. ferromagnet. F. (M^{II} = Mn, Co, Ni usw.) unterscheiden kann. Die Gruppe der letzteren hat große techn. Bedeutung als elektr. Isolatoren gewonnen. Wegen ihrer von den klass. *Ferromagnetika abweichenden Eigenschaften kommt ihnen auch theoret. u. prakt. Interesse zu, denn aufgrund ihrer typ. *Curie-Temperatur können F. zur Markierung von *Sprengstoffen bzw. Rohöl-Ladungen in Tankern herangezogen werden, wodurch sich Diebstähle bzw. Meeresverschmutzungen verfolgen ließen. *Hart.-F.* od. *Dauermagnete (M^{II} = z. B. Ba, Sr) werden z. B. in Kühlschrankdichtungen, als Rotoren für Gleichstrommotoren, Klebe- od. Spielzeugmagnete verwendet, während die leicht ummagnetisierbaren *Weich-F.* in der Radio-, Fernseh-, Daten- u. Nachrichtentechnik als F.-Antennen, Magnettonköpfe, magnet. Verstärker, F.-Kerne für Kernspeicher in elektron. Datenverarbeitungsanlagen, Schaltelemente in der Mikrowellentechnik usw. eingesetzt werden. – *E* = *F* ferrites – *I* ferriti – *S* ferritas

Lit.: Kirk-Othmer (3.) **9**, 881–902; (4.) **10**, 381–413 ▪ Ullmann (4.) **16**, 382 ff., 390 ff.; (5.) **A 16**, 14 ff., 39 ff. ▪ Winnacker-Küchler (4.) **4**, 172–181 ▪ s. a. Eisen, Ferromagnetika, magnetische Werkstoffe.

Ferritgelb s. Eisenoxid-Pigmente.

Ferritin. Eisen-Speicher- u. Transportprotein aus dem *Cytoplasma tier. Zellen (z. B. in Milz, Leber u. Knochenmark). Zusammen mit *Transferrin ist es ein wichtiges Bindeglied im Eisen-Haushalt des menschlichen Organismus, da die benötigten Eisen-Mengen infolge der schlechten Löslichkeit von Eisen(III)-Salzen sonst ausflocken würden. F. besteht aus dem Protein *Apoferritin* (M_R 450 000) u. Micellen aus Eisen(III)-hydroxid-Oxid der Zusammensetzung FeO(OH) mit wechselnden Phosphat-Gehalten. Das Protein enthält 24, nicht notwendigerweise ident. Untereinheiten mit M_R ca. 20 000, die sich kugelschalenförmig zusammenlagern. In dem dadurch entstehenden Hohlraum können bis zu 4500 Eisen-Ionen gespeichert werden, die den Eisen-Kern bilden. Er macht ca. 24% des Gesamtgew. aus. F.-ähnliche *Eisen-Proteine sind auch aus *Plastiden von Pflanzen u. einigen Mikroorganismen bekannt. Zur Kontrolle der Biosynth. des F. s. Aconitase. – *E* ferritin – *F* ferritine – *I* = *S* ferritina

Lit.: Biochim. Biophys. Acta **1275**, 161–203 (1996) ▪ Toxicol. Lett. **82–83**, 941 ff. (1995). – *[CAS 9007-73-2]*

Ferritin-Repressor-Protein s. Aconitase.

Ferritisch-austenitische Stähle (Duplex-Stähle). *Nichtrostende Stähle, bei denen durch Abstimmung hinreichender Anteile an *Ferrit- u. *Austenit-stabilisierenden Legierungselement-Gehalten ein Zweiphasengefüge aus Ferrit u. Austenit mit ca. 60% Ferrit-Anteil eingestellt wird (s. Schaeffler-Diagramm). Die chem. Zusammensetzung kann je nach den betrieblichen Anforderungen sehr komplex sein. Als Bandbreiten der Legierungselemente sind 19–27% Cr, 4–8% Ni, max. 4% Mo sowie Mn-, Cu- u. N-Zusätze kennzeichnend. Bei Wirksummen >40% spricht man auch von *Superduplex*-Stählen. Weder der austenit. noch der ferrit. Anteil wandeln sich zwischen 20 °C u. Schmelztemp. um. Wegen ihres Mischgefüges verbinden die f.-a. S. die vorteilhaften mechan. u. korrosionschem. Eigenschaften der hochlegierten ferrit. u. austenit. Stähle. Anw. bevorzugt zur Handhabung aggressiver Produkte bei normalen bis mittleren Temperaturen. – *E* ferritic-austenitic steel, duplex steel – *F* acier austéno-ferritique, acier duplex – *I* acciai di ferrite e austenite, acciai duplex – *S* aceros ferríticos-austeníticos, aceros compuestos (dúplex)

Lit.: Gramberg u., Kleine Stahlkunde für den Chemieapparatebau, 2. Aufl., S. 165, Düsseldorf: Verl. Stahleisen 1993 ▪ s. a. ferritische Stähle u. austenitische Stähle.

Ferritische Stähle. 1. *Unlegierte* u. *niedriglegierte* *Stähle, deren Gefüge im wesentlichen aus α-*Ferrit besteht u. prakt. keinen od. nur geringe Anteile an *Perlit aufweist. F. S. sind Stähle mit C-Gehalten unter ca. 0,15% u. Umwandlungstemp. von ca. 911 u. 1392 °C (s. Eisen-Kohlenstoff-System).

2. *Hochlegierte Stähle*, in denen durch Zulegieren hinreichender Gehalte an Ferrit-stabilisierenden Legierungselementen (s. Ferrit u. Schaeffler-Diagramm) das *Austenit-Feld so weit eingeengt ist, daß der Ferrit zwischen 20 °C u. Schmelztemp. stabil bleibt. Hochlegierte f. S. lassen sich also nicht umwandlungshärten. In Gebrauch sind f. S. mit 13–30% Cr, max. 2,5% Mo u. max. 4,5% Ni. Bei Wirksummen >40 spricht man von *Superferriten*. Hochlegierte f. S. neigen weniger zu *Spannungsrißkorrosion als *austenitische Stähle,

verhalten sich allerdings im Gegensatz zu den tieftemperaturzähen austenit. Stählen bei niedrigen Temp. spröde. Hochlegierte f. S. werden bevorzugt als *nichtrostende u. hitzebeständige Stähle angewendet. – *E* ferritic steel – *F* acier ferritique – *I* acciaio di ferrite – *S* aceros ferríticos
Lit.: DIN 17440 (07/1985); 10088, Tl. 1–3 (08/1995) ▪ Gramberg et al., Kleine Stahlkunde für den Chemieapparatebau, 2. Aufl., S. 161, Düsseldorf: Verl. Stahleisen 1993 ▪ SEW 400 (04/1988) (Stahl-Eisen-Werkst.bl.).

Ferrlecit®. Dragees mit Eisen(II)-succinat, Ampullen mit Eisen(III)-natriumgluconat-Komplex gegen Eisen-Mangelanämien. *B.:* Rhône Poulenc Rorer.

Ferro. Kurzbez. für die Firma Ferro (Deutschland) GmbH, 67657 Kaiserslautern. Verkauf von keram. Fritten u. Glasuren, Farbkörper für Emails, anorgan. Spezialpigmente für Kunststoffe u. Lacke.

Ferro... 1. Veraltete Bez. für Verb. des 2-wertigen *Eisens. – 2. Namensbestandteil von meist durch Marken geschützten *Eisen-Präparaten gegen anäm. u. a. Eisen-Mangelzustände.

Ferrobor. Durch *Aluminothermie hergestellte *Ferro-Legierung mit 12–24% B, max. 2% Al u. 4% Si sowie max. 2% C. Anw. im wesentlichen in der Eisen-*Metallurgie zum Legieren von Eisen-Werkstoffen mit B (s. Borstähle). Erreicht werden Verbesserung der Härtbarkeit u. Verminderung der Korngröße (s. Feinen). – *E* ferroboron – *F* ferrobor – *I* = *S* ferroboro
Lit.: DIN 17567 (01/1970) ▪ Ullmann (5.) **A4**, 285. – *[HS 7202 99; CAS 11108-67-1]*

Ferrocen [Bis(η^5-cyclopentadienyl)eisen].

$C_{10}H_{10}Fe$, M_R 186,04, Gelborange Nadeln, Schmp. 173 °C, sublimiert oberhalb 100 °C; in Wasser nicht, dagegen in organ. Lsm. löslich. Das 1948 erstmals beobachtete u. 1951 beschriebene F.[1] ist der bekannteste Vertreter einer großen Gruppe von Verb., die sich von *Cyclopentadienyl ableiten u. für die die sog. *Sandwich-Struktur* (s. Abb. hier u. bei Metallocene) charakterist. ist. In Analogie zu dem 1952 von Whiting geprägten Namen Ferrocen von ferrum (latein.: für Eisen) u. benzene (*E* für Benzol, Hinweis auf den aromat. Charakter der C_5H_5-Ringe im F.) wird die ganze Verbindungsklasse mit *Bis(η^5-cyclopentadienyl)...-Verb. *Metallocene* genannt; sie bildet eine Untergruppe der *Sandwich-Verbindungen. Im F. sind beide Ring-Liganden über die jeweils 6 π-Elektronen an das Zentralatom koordiniert (π-Komplex), weitere Informationen zu den Bindungsverhältnissen s. Metallocene.
Herst.: F. entsteht aus gasf. Cyclopentadien u. frisch reduziertem Eisen bei 300 °C sowie aus $FeCl_2$. Alkalicyclopentadieniden, Cyclopentadienylmagnesiumhalogeniden od. monomerem Cyclopentadien in Ggw. von Aminen als Hilfsbase. Auch $FeCl_3$, welches durch $C_5H_5^-$ zunächst reduziert wird, ist als Edukt geeignet. Infolge seines aromat. Charakters läßt sich F. alkylieren, acylieren, sulfonieren u. sogar enzymat. hydroxylieren[2]; eine große Zahl von funktionellen Derivaten ist synthet. zugänglich einschließlich cycl. Oligomerer u. Polymerer[3]. F. läßt sich durch konz. H_2SO_4 od. durch andere Oxidationsmittel zum stabilen, paramagnet. *Ferricinium-Kation* [$(C_5H_5)_2Fe$]$^+$ mit 17 Valenzelektronen oxidieren. Die tiefblauen Ferricinium-Salze werden in der präparativen Metall-organ. Chemie als vielseitige Oxidationsmittel eingesetzt[4]. Bismonosubstituierte F. können drei Konformere bilden, die in Abhängigkeit vom Diederwinkel mit den Präfixen *synclinal* (sc), *anticlinal* (ac) u. *antiperiplanar* (ap) bezeichnet werden, s. Konformation.
Verw.: Als Katalysator bei der Aushärtung von Polyesterharzen, als Verbrennungskatalysator für rauchlosen Abbrand, früher auch als *Antiklopfmittel, ferner im pharmazeut. Bereich für *Eisen-Präparate. – *E* = *I* ferrocene – *F* ferrocène – *S* ferroceno
Lit.: [1] J. Organomet. Chem. **100**, 273 (1973). [2] J. Am. Chem. Soc. **100**, 1290 (1978). [3] Angew. Chem. **108**, 1724ff. (1996). [4] Chem. Rev. **96**, 877–910 (1996).
allg.: Gmelin, Syst.-Nr. 59, Fe, Eisenorganische Verbindungen A 1 (1974) – A 9 (1989) ▪ Kirk-Othmer (4.) **14**, 893 ▪ Methodicum Chimicum **8**, S. 433–456 ▪ Wilkinson-Stone-Abel (2.) **7**, 185–194 ▪ s. a. Eisen-organische Verbindungen, Metallocene, Cyclopentadienyl. – *[HS 2931 00; CAS 102-54-5]*

Ferrochrom (Chromeisen). *Ferro-Legierungen mit 45–95% Cr, bei denen in Abhängigkeit vom C-Gehalt die Sorten *F. suraffiné* (max. 0,5%), *F. affiné* (max. 4%) u. *F. carburé* (max. 10%) unterschieden werden. Mit sinkenden C-Gehalten steigen die Anforderungen an das Reduktionsverf. wegen zunehmender Schmelztemperatur. Die Herst. erfolgt bei hohen C-Gehalten carbotherm., bei niedrigen C-Gehalten silicotherm. (s. Ferro-Legierungen). Anw. wegen der vielfältigen u. vorteilhaften Auswirkungen von Cr hauptsächlich als Legierungselement in der Eisen-*Metallurgie; z. B. bei *Chromstählen, *nichtrostenden Stählen, *austenitischen Stählen, *Nickel-Legierungen, *Superlegierungen, *Hartstoffen, *Hartmetallen u. Heizleiterwerkstoffen. – *E* ferrochromium – *F* ferrochrome – *I* = *S* ferrocromo
Lit.: DIN 17565 (12/1968) ▪ Ullmann (5.) **A7**, 50. – *[HS 7202 41, 7202 49; CAS 11114-46-8]*

Ferro Corp. Kurzbez. für die 1919 gegr. amerikan. Ferro Corporation, 1000 Lakeside Avenue, Cleveland, Ohio 44114. *Daten* (1995): 6500 Beschäftigte, 1065 Mio. $ Umsatz. *Produktion:* Anorgan. Pigmente, keram. Werkstoffe, organ. Polymere.

Ferrocyanide. Fachsprachliche Bez. für die Salze der Hexacyanoferrate(II) (s. Hexacyanoeisensäure), insbes. mit K (s. *Blutlaugensalze*), Na (*Gelbnatron*) u. Ca (*Gelbcalcium*). – *E* ferrocyanides – *F* ferrocyanures – *I* ferrocianuri – *S* ferrocianuros – *[HS 2837 20]*

Ferroelektrika. Bez. für die elektr. Analoga zu den *Ferromagnetika, die durch eine *dielektr. Hystereseschleife* charakterisiert sind, d.h. sie besitzen eine spontane elektr. Polarisation, die durch ein äußeres Feld in eine andere stabile Lage umgeklappt werden kann. Bei Erwärmung oberhalb einer *Curie-Temperatur geht die spontane Polarisation verloren, indem ein Phasenübergang der Kristallstruktur in eine niedrigere Symmetrie stattfindet. Man kennt heute mehr als 160 F.; sie zeigen alle ebenfalls *Pyroelektrizität. Ein antiferroelektr. Krist. wird als ein Krist. angesehen, der aus zwei Untergittern aufgebaut ist, die in unterschiedliche Richtung spontane Polarisation besitzen. Durch ein äußeres elektr. Feld kann eine ferroelektr. Phase erreicht werden. Hierbei ergibt sich eine doppelte Hystereseschleife (Abb.).

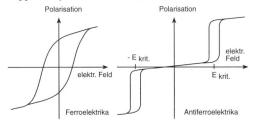

Abb.: Hysteresiskurven von Ferroelektrika u. Antiferroelektrika.

Zu den F. gehören z. B. Kaliumnatriumtartrat, Bariumtitanat, Bleizirkonat u. a. Verb. der *Perowskit-Gruppe, Kaliumdihydrogenphosphat (s. Kaliumphosphate), Aminosäure-, Guanidin- u. Harnstoff-Derivate sowie manche flüssigen Kristalle. Mit Bleigermanat läßt sich im elektr. Feld die Polarisation des Lichtstrahls (s. optische Aktivität) reversibel umkehren [1].
Verw.: Als *Halbleiter, Kondensatoren, Ersatz für Schwingquarze, die *PLZT als Bild- u. Datenspeicher in der *Optoelektronik. – *E* ferroelectrics – *F* substances ferroélectriques – *I* ferroelettrici – *S* sustancias ferroeléctricas

Lit.: [1] Endeavour 33, 18–22 (1974).
allg.: Annu. Rev. Phys. Chem. 29, 497–518 (1978) ▪ Ferro- and Antiferroelectric Substances (*Landolt-Börnstein Neue Serie 3/3, 9, 16), Berlin: Springer 1969, 1975, 1980, 1981 ▪ Fridkin, Photoferroelectrics, Berlin: Springer 1979 ▪ Fridkin, Ferroelectric Semiconductors, New York: Plenum 1980 ▪ Kirk-Othmer 9, 1–25; (3.) 10, 1–30 ▪ Weißmantel u. Hamann, Grundlagen der Festkörperphysik, Heidelberg: Barth 1995 ▪ s. a. Ferromagnetika u. a. Textstichwörter. – *Zeitschrift:* Ferroelectrics, New York: Gordon & Breach

Ferroelektromagnetika s. Ferromagnetika.

Ferrogranul®. Flockungsmittel auf Eisen(II)-Basis für die Wasserreinigung. *B.:* Kronos International, Inc.

Ferroin (1,10-Phenanthrolin-Eisensulfat-Komplex).

$C_{36}H_{24}FeN_6$, M_R 596,47, intensiv rot gefärbter Komplex aus Eisen(II) u. drei Mol *1,10-Phenanthrolin; dient in Form der schwefelsauren Lsg. als Redoxindikator in der *Oxidimetrie (z. B. Cerimetrie, Manganometrie usw.) – *E* ferroin – *F* ferroïne – *I* ferroina – *S* ferroína
Lit.: Ullmann 8, 771.

Ferrokinetik s. Eisen.

Ferro-Legierungen. Verb. bzw. Leg. (Vorleg.) des *Eisens mit für die Eisen-*Metallurgie wichtigen Elementen (als Legierungselemente od. *Desoxidationsmittel). Da die Elemente in reiner Form schmelzmetallurg. nicht eingesetzt werden können, hat sich ihre Zulegierung über F.-L. techn. durchgesetzt.
Herst.: F.-L. werden überwiegend durch therm. Red. der jeweiligen Metalloxide hergestellt, wobei die Wahl des Reduktionsmittels abhängt von der Bindungsenergie der zu reduzierenden Metalloxide: *carbotherm.* Verf. mit C als Reduktionsmittel für *Ferrochrom, *Ferromangan, *Ferrosilicium, *Ferrophosphor u. *Ferrowolfram; – *silicotherm.* Verf. mit Si als Reduktionsmittel für Ferrochrom mit niedrigen C-Gehalten, Ferromangan mit niedrigen C-Gehalten, *Ferronickel u. *Ferromolybdän; – *Aluminothermie mit Al als Reduktionsmittel für *Ferrovanadin, *Ferroniob, *Ferrobor u. *Ferrotitan. – *E* ferro alloys – *F* ferro alliages – *I* ferroleghe – *S* ferroaleaciónes

Lit.: Ullmann (5.) A 10, 305. – *[HS 7202 11 – 7202 99]*

Ferromagnetika. Bez. für solche *magnetischen Werkstoffe, die *Ferromagnetismus* (vgl. Magnetochemie) zeigen. Die Magnetisierung tritt durch – ggf. sprunghafte (s. Barkhausen-Effekt) – Ausrichtung der *Weiss'schen Bezirke unter dem Einfluß eines äußeren Magnetfeldes ein. Die Magnetisierung M eines Stoffes ergibt sich aus der magnet. Feldstärke H zu M = χ · H; χ ist hierbei die *magnetische Suszeptibilität, die im Falle von F. sehr große Werte annimmt. Die magnet. Flußdichte B erhält man als Überlagerung von M u. H zu: B = μ_0 · (H + M) = μ_0 · (1 + χ) · H. Die Größe µ = 1 + χ wird als *relative Permeabilität* bezeichnet. Ab einer stoffabhängigen Feldstärke sind alle Weissschen Bezirke ausgerichtet, d. h. M hat seinen Maximalwert M_s (*Sättigungspolarisation*) erreicht. Bei einer Zurücknahme des äußeren Magnetfeldes sinkt die Magnetisierung nicht auf Null, sondern behält den Wert M_r, genannt *Remanenz*. Die Suszeptibilität χ ist temperaturabhängig (Weiss'sches Gesetz, Curie-Gesetz):

$$\chi = \frac{C}{T - T_C}.$$

Nur bei Temp. unterhalb der *Curie-Temperatur T_C ist ein Stoff ferromagnet., darüber ist er paramagnetisch. Eine Liste mit den Werten von T_C, M_r u. der Sättigungspolarisation der wichtigsten weichmagnet. Werkstoffe ist u. a. in *Lit.*[1] gegeben. Zur Theorie des Ferromagnetismus bei Übergangsmetallen (s. *Lit.*[2]).

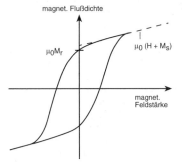

Abb.: Hystereseschleife von Ferromagnetika.

Während bei den F. sich sämtliche Elementarmagneten in ihren *Domänen parallel ausrichten, weist bei den *Antiferromagnetika* die Hälfte von ihnen in die entgegengesetzte Richtung, weshalb das Gesamtmoment

0 beträgt. Bei den F. ist die Zahl der parallel u. antiparallel ausgerichteten Magneten ungleich, so daß nach außen Ferromagnetismus resultiert. Die F. besitzen pos. magnet. Suszeptibilität (etwa 100–1000mal so stark wie im Falle der *Paramagnetika); diese ist von der angelegten Feldstärke abhängig. Beim Erhitzen über die Curie-Temp. hinaus werden sie paramagnetisch. Zu den F. gehören einige Elemente (Eisen, Cobalt, Nickel) sowie Leg., deren Komponenten z. T. (od. alle: *Heuslersche Legierungen aus Mangan, Kupfer u. Aluminium) nicht ferromagnet. sind, aber auch manche Oxide [z. B. Europiumoxid, Chrom(IV)-oxid], Mischoxide (z. B. *Ferrite), s. a. magnetische Werkstoffe.

Als *Ferroelektromagnetika* werden F. bezeichnet, die zugleich *Ferroelektrika sind; ihr erster Vertreter war das Nickeliodboracit ($Ni_3B_7O_{13}I$). – E ferromagnetics – F substances ferromagnétiques – I sostanze ferromagnetiche – S sustancias ferromagnéticas

Lit.: [1] Kohlrausch, Praktische Physik, Bd. 3, S. 398, Stuttgart: Teubner 1996. [2] Phys. Bl. **39**, 95 (1983).
allg.: Bergmann u. Schaefer, Lehrbuch der Experimentalphysik, Bd. 2, Elektrizität u. Magnetismus, Bd. 6, Festkörper, Berlin: de Gruyter 1987 u. 1992 ▪ Handrich u. Kobe, Amorphe Ferro- u. Ferrimagnetika, Berlin: Akademie-Verl. 1979 ▪ Moriya, Electron Correlation and Magnetism in Narrow-Band Systems, Berlin: Springer 1981 ▪ Phys. Bl. **51**, 816 u. 1077 (1995) ▪ Wohlfarth, Ferromagnetic Materials (4 Bd.), Amsterdam: Elsevier (seit 1980) ▪ s. a. Ferrite, Eisen, magnetische Werkstoffe. – *Inst.:* Fraunhofer-Inst. für Angewandte Festkörperphysik, 79108 Freiburg ▪ MPI für Festkörperforschung, 70569 Stuttgart ▪ GDCh-Fachgruppe Festkörperchemie, Inst. für Festkörpertechnologie 80686 München.

Ferromangan. *Ferro-Legierung mit 74–82% Mn. Sortenunterteilung u. Herst. in Abhängigkeit vom C-Gehalt ähnlich wie *Ferrochrom. Eingesetzt in der Eisen-*Metallurgie zur *Entschwefelung u. *Desoxidation, sowie als Legierungselement in *Stahl. F. mit niedrigem Mn-Gehalt (≤25%) wird auch als *Spiegeleisen bezeichnet. – $E=I$ ferromanganese – F ferromanganèse – S ferromanganeso
Lit.: DIN 17564 (12/1968) ▪ Ullmann (5.) **A 16**, 86. – [HS 7202 11, 7202 19; CAS 12604-53-4]

Ferromolybdän. Durch *Aluminothermie hergestellte *Ferro-Legierung mit 62–70% Mo.
Verw.: Hauptsächlich zum Einbringen von Mo als Legierungselement in *Stahl wegen seiner vorteilhaften Auswirkungen. *Beisp.:* In Baustählen zur Verbesserung der Härtbarkeit; in Werkzeugstählen zur Verbesserung der Verschleißfestigkeit u. *Duktilität; in *Hartmetallen als Carbid-Bildner u. für bessere Duktilität; in (hoch)warmfesten Stählen u. *Superlegierungen für bes. Langzeitfestigkeit; in *nichtrostenden Stählen u. *Nickel-Legierungen zur Verbesserung der Beständigkeit gegen örtliche *Korrosion; ferner in Leg. mit bes. magnet. Eigenschaften. – E ferromolybdenum – F ferro-molybdène – $I=S$ ferromolibdeno
Lit.: DIN 17561 (12/1965) ▪ Ullmann (5.) **A 16**, 669. – [HS 7202 70]

Ferron (Loretin, Chiniofon, Yatren, 8-Hydroxy-7-iodchinolin-5-sulfonsäure).

$C_9H_6INO_4S$, M_R 351,12. Reagenz für die spektrophotometr. Fe-Bestimmungen. – $E=F$ ferron – I ferrone – S ferrón
Lit.: Beilstein E III/IV **22**, 3497 ▪ Merck-Index (11.), Nr. 4757 ▪ Z. Chem. **18**, 370 f. (1978); **20**, 422 (1980). – [HS 2933 40; CAS 547-91-1]

Ferronickel. Silicotherm. hergestellte *Ferro-Legierung mit 20–60% Ni sowie max. 2% C u. Co.
Verw.: Zur Herst. verschiedener Leg. mit Ni als Legierungsbasis od. als Legierungselement. Ca. 50% Ni geht in die *nichtrostenden Stähle, ca. 10% in andere *Stähle. – E ferronickel – F ferro-nickel – I ferronichelio – S ferroníquel
Lit.: DIN 17568 (01/1970) ▪ Ullmann (5.) **A 17**, 199. – [HS 7202 60; CAS 11133-76-9]

Ferroniob(tantal). Durch *Aluminothermie hergestellte *Ferro-Legierung mit 55–70% Nb (*Ferroniob*) bzw. zusätzlich bis 8% Ta (*Ferroniobtantal*).
Verw.: In der Eisen-*Metallurgie zum Auflegieren von *Stählen mit Nb u./od. Ta, z. B. zum Stabilisieren *nichtrostender Stähle (stabilisierendes Abbinden von freiem C im Gefüge), zur Bildung festigkeitssteigernder Ausscheidungen in hochwarmfesten Stählen, zum *Feinen von Gefüge in niedriglegierten Stählen hoher *Festigkeit (*HSLA-Stähle), zur Beeinflussung der *Härte u. für Stähle mit bes. magnet. Eigenschaften. – E ferroniobium – F ferro-niobe – $I=S$ ferroniobo
Lit.: DIN 17569 (08/1982) ▪ Ullmann (5.) **A 17**, 260. – [HS 7202 93; CAS 11108-69-3]

Ferrophosphor (Phosphoreisen). Als Nebenprodukt der carbotherm. Herst. von *Phosphor anfallende *Ferro-Legierung mit 15–28% P. Je weitgehender die Red. abläuft, desto mehr P wird durch Si aus der Kieselsäure (Schlacke) verdrängt.
Verw.: Hoch P-haltiger F. mit max. 3% Si wird zur Herst. P-reicher Leg. verwendet, F. mit niedrigem P-Gehalt ist weniger gefragt. Anw. auch als *Desoxidationsmittel in der Eisen-*Metallurgie. – E ferrophosphorus – F ferro-phosphore – I ferrofosforo – S ferrofósforo
Lit.: Ullmann (5.) **A 19**, 518. – [HS 7202 99; CAS 8049-19-2]

Ferroproteine s. Eisen-Proteine.

Ferrosilicium (Siliciumeisen). Carbotherm. hergestellte *Ferro-Legierung mit 8–95% Si.
Verw.: In der Eisen-*Metallurgie als Zusatz von Si zu Eisen-Schmelzen, als *Desoxidationsmittel u. als Zusatz zu *Gußeisen zur Förderung der Erstarrung im stabilen *Eisen-Kohlenstoff-System. Als Legierungselement in *Stahl verbessert Si die Härtbarkeit u. Verschleißfestigkeit (Werkzeugstähle), die Beständigkeit in stark oxidierenden Medien (*nichtrostende Stähle, Si-Guß mit 14% Si) u. die *Festigkeit bzw. das elast. Verhalten (Federstähle). Bedeutung hat Si als Legierungselement auch für Stähle mit bes. magnet. Eigenschaften. – E ferrosilicon – F ferro-silicium – $I=S$ ferrosilicio
Lit.: DIN 17560 (12/1965); 17565 (12/1965) ▪ Ullmann (5.) **A 23**, 741. – [HS 7202 21, 7202 29]

Ferro(silico)zirconium. Als *Ferrozirconium* mit 85% Zr u. als *Ferrosilicozirconium* mit ca. 50% Si u. 35–42% Zr carbotherm. hergestellte *Ferro-Legierungen.

Verw.: In der Eisen-*Metallurgie als *Desoxidationsmittel, allerdings wegen des erheblichen Zr-Abbrands nur bei *beruhigten Stählen (s. Desoxidation). Ebenso wie Ti, V u. Nb in geringen Gehalten zugesetzt zu niedriglegierten Stählen zum *Feinen des Korns u. zur Bildung feindisperser Ausscheidungen, s. Feinkornbau- u. HSLA-Stähle. – *E = F* ferro(silico)zirconium – *I* ferro(silico)zirconio – *S* ferrocirconio
Lit.: Ullmann (5.) **A 10**, 305. – [HS 7202 99; CAS 11108-72-8]

Ferrotantal. Anstelle dieser früher durch *Aluminothermie hergestellten *Ferro-Legierung mit 50–60% Ta, 8–9% Nb, bis 2% Al u. bis 1% Ti u. Si wird heute *Ferroniobtantal eingesetzt. Anw. in der *Metallurgie bevorzugt für Ta-haltige *Superlegierungen u. *Hartmetalle. – *E* ferrotantalum – *F* ferro-tantale – *I* ferrotantalio – *S* ferrotántalo
Lit.: s. Ferro-Legierungen u. Ferroniob(tantal). – [HS 7202 99; CAS 11108-71-7]

Ferrotitan. Durch *Aluminothermie hergestellte *Ferro-Legierung mit 65–75% Ti, 25–35% Fe, ≤ 0,5% Al, ≤ 0,2% Si u. ≤ 0,1% C. In der Eisen-*Metallurgie bevorzugt verwendet als stabilisierendes (C abbindendes) Legierungselement, aber auch als *Desoxidationsmittel u. zum *Feinen von *Feinkornbaustählen u. *HSLA-Stählen. – *E* ferrotitanium – *F* ferro-titane – *I = S* ferrotitanio
Lit.: DIN 17566 (12/1968) ▪ Ullmann (5.) **A 1**, 447; **A 10**, 305. – [HS 7202 91; CAS 60591-60-8]

Ferrotron®. Ferromagnet. Kunststoff, dessen aus Eisenpentacarbonyl gewonnenes Fe in Hochtemperaturbindemitteln nichtleitend eingeschlossen ist. *Verw.* in der Hochfrequenztechnik, in Antennenteilen u. bei der Induktionshärtung. *B.:* Polypenco.

Ferrovanadin. Durch *Aluminothermie hergestellte u. in verschiedenen Handelsgraden angebotene *Ferro-Legierung mit 50–85% V u. max. 10% Si. *Verw.:* In der Legierungstechnik u. hier bes. in der Eisen-*Metallurgie. Vanadium erhöht in *Stahl die *Festigkeit auch bei höheren Temp. durch *Feinen des Korns u. durch Ausscheidungsbildung, u. wird daher *Feinkornbau-, *HSLA-, Vergütungs-, Wälzlager-, Ventil- sowie warmfesten niedrig- u. hochlegierten Stählen zugesetzt. Daneben wegen der Bildung stabiler u. harter *Carbide auch in Werkzeugstählen u. *Hartmetallen. – *E* ferrovanadium – *F* ferro-vanadium – *I = S* ferrovanadio
Lit.: DIN 17563 (12/1965) ▪ Ullmann (5.) **A 1**, 447; **A 10**, 305. – [HS 7202 92; CAS 12604-58-9]

Ferrowolfram. Carbotherm. hergestellte *Ferro-Legierungen mit 70–85% W. *Verw.:* Wichtigste Anw. in der Eisen-*Metallurgie zur Auflegierung von Eisen-Werkstoffen mit W zur Steigerung der *Festigkeit bei hohen Temp. (warmfeste Stähle) sowie der Verschleißbeständigkeit u. Schneidfähigkeit. Bes. Bedeutung hat hierbei die hohe Affinität zu C mit der Folge der Bildung harter u. stabiler *Carbide, daher Einsatz auch in *Superlegierungen (feindisperse Ausscheidung) u. *Hartmetallen. – *E* ferrotungsten – *F* ferro-tungstène – *I* ferrotusteno – *S* ferrovolframio
Lit.: DIN 17562 (12/1965) ▪ Ullmann (5.) **A 1**, 447; **A 10**, 305. – [HS 7202 80; CAS 12604-57-8]

Ferroxidase s. Caeruloplasmin.

Ferroxyhit s. Eisenhydroxide.

Ferrum. Latein. Bez. für *Eisen (daher Symbol Fe); F. chloratum = Eisenchlorid etc., auch in Namen u. Marken für *Eisen-Präparate.

Fertigteile. Allg. Bez. für Erzeugnisse, die ihre Form direkt aus dem Ausgangsmaterial (z. B. Formmassen, Gießharzen, Metallschmelzen) od. durch Bearbeitung von *Halbzeug (z. B. durch spangebendes Bearbeiten, Umformen usw.) erhalten haben. – *E* finished products – *F* produits finis – *I* pezzi finiti, prefabbricati – *S* productos acabados, productos terminados

Fertigungsverfahren. Bez. für alle Verf., die zur Herst. (Fertigung) von Erzeugnissen (Werkstücken) mit Hilfe von Fertigungsmitteln führen. Fertigungsmittel bewirken dabei durch Energieübertragung eine Änderung der Form u./od. der Stoffeigenschaften. F. werden in 6 Hauptgruppen unterteilt: – *Urformen* (Fertigung eines festen Körpers aus formlosen Stoffen) wie Gießen, Pressen, Sintern u. Abscheiden; – *Umformen (bildsames Ändern der Form eines Festkörpers) wie Walzen, Ziehen, Schmieden; – *Trennen* (den Zusammenhalt des Körpers örtlich aufheben) wie Zerteilen, Spanen (Drehen, Fräsen, Hobeln u. Schleifen, Strahlen, Honen), Abtragen (auf nichtmechan. Wege), Zerlegen, Reinigen u. Evakuieren; – *Fügen* (Verbinden fester Werkstücke unter Zuhilfenahme von formlosen Stoffen) wie Füllen, Pressen, Umgießen (s. Al-Fin-Verfahren), Stoffverbinden (*Schweißen, *Löten, *Kleben); – *Beschichten* [Aufbringen einer festhaftenden Schicht aus formlosem (gasf., flüssigem od. viskosem, ionisiertem od. festem/pulverförmigem) Stoff auf einem Werkstück]; – *Ändern der Stoffeigenschaft* (Fertigen durch Umlagern, Aussondern od. Einbringen von Stoffteilchen in ein Werkstück) mit der breiten Gruppe der *Wärmebehandlungen. – *E = F* fabrication – *I* fabbricazione – *S* procedimiento de fabricación
Lit.: DIN 8580 (06/1974).

FERTILYSIN®. Marke von Aldrich für *N,N'*-(1,8-Octandiyl)bis(2,2-dichloracetamid).

Fertrilon®. Als Blatt- u. Bodendünger angewandter Eisen-Dünger mit 13% Fe in Form eines Fe-EDTA-Komplexes zur Verhütung u. Heilung der Eisen-Chlorose bei Pflanzen. Der Spurennährstoff-Mischdünger F. Combi enthält 4% MgO u. die Spurennährstoffe Mn, Fe, Cu, Zn, B, Mo u. Co. *B.:* BASF; COMPO.

Ferulasäure s. Kaffeesäure.

Fervenulin (6,8-Dimethylpyrimido[5,4-*e*]-1,2,4-triazin-5,7-(6*H*,8*H*)-dion, Planomycin, Pulanomycin).

$C_7H_7N_5O_2$, M_R 193,16. Gelbe Krist., Schmp. 179 °C, in den gebräuchlichen organ. Lsm. löslich. *Antibiotikum aus *Streptomyces fervens*, auch Antimykotikum u. Mittel gegen Trichomonaden. – *E* fervenulin – *F* fervenuline – *I = S* fervenulina

Festbett

Lit.: J. Am. Chem. Soc. **99**, 7358 (1977) ▪ J. Organ. Chem. **43**, 469 (1978). – *[HS 2941 90; CAS 483-57-8]*

Festbett (Feststoffbett). Bez. für eine Schüttung feinkörniger Feststoffe (meist *Katalysatoren) unterschiedlicher Formen (Körner, Kugeln, Pellets) in chem. Reaktoren. Beim Durchströmen des F. entsteht ein Druckverlust aufgrund der viskosen Kräfte an den fest/fluid-Grenzflächen. Der Druckverlust steigt mit der Strömungsgeschw. an, bis schließlich die Widerstandskräfte die Schwerkräfte überwiegen u. die Feststoffteilchen aufgewirbelt werden. Das F. geht dann, falls die Schüttung nicht mechan. fixiert ist, in ein *Fließbett über. – *E* fixed bed – *F* lit fixe – *I* letto fisso – *S* lecho fijo

Lit.: Ullmann (5.) **B 4**, 199 ff. ▪ Winnacker-Küchler (4.) **1**, 295 ff ▪ s. a. Katalyse u. Wirbelschichtverfahren.

Festbett-Reaktor. Bez. für einen *Bioreaktor-Typ, bei dem die am Stoffumsatz beteiligten *Biokatalysatoren (Mikroorganismen, Zellen, Enzyme) an stationäre Trägermaterialien gebunden sind, die als ungeordnete Schüttung od. Packung im Reaktor vorliegen. Das Festbett wird stets flüssigkeitsüberflutet betrieben, wobei die aufwärtsgerichtete Flüssigkeitsdurchströmung bevorzugt wird. Bei Fixierung des Biokatalysators an der Oberfläche od. in oberflächennahen Poren kommen als Trägermaterialien ringförmige Füllkörper u. Kugeln aus Glas, Keramik od. Kunststoff zum Einsatz sowie natürliche Materialien wie Holz-Chips, *Anthrazit-Bruch od. Lavatuff-Gestein. Für den Einschluß von Zellen werden *Alginat- od. *Carrageen-Perlen bevorzugt.

Anw.: Von allen Reaktor-Syst. mit fixierten Biokatalysatoren kommt der F.-R. am häufigsten zum Einsatz. Zu den Vorteilen des F.-R. zählt insbes. seine einfache Handhabarkeit. Von Nachteil ist die hohe Verstopfungsrisiko. F.-R. finden Anw. z. B. in der anaeroben Abwasserbehandlung in Reaktoren von bis zu 10 000 m³ Größe (s. anaerobe Biologie), der kontinuierlichen *Denitrifikation von Trinkwasser, der Hydrolyse von *Molke u. der Isomerisierung von Glucose (s. Glucose-Isomerase). – *E* packed-bed reactor – *F* réacteur en lit fixe – *I* reattore a letto solido – *S* fermentador de lecho fijo

Lit.: Crueger-Crueger (3.), S. 73 ▪ Römpp Lexikon Biotechnologie, S. 283.

Feste Lösungen. Bez. für homogene *Festkörper, die aus mehr als nur einem Element od. Verb. bestehen. Zu den f. L. gehören z. B. die meisten *Legierungen u. *Mischkristalle, nicht aber die *Doppelsalze, da sich hier zwei Salze nur in einem ganz bestimmten stöchiometr. Verhältnis verbinden. F. L. liegen nicht nur im krist., sondern auch im amorphen od. *Glaszustand vor. Je nach der Mischbarkeit der einzelnen Bestandteile einer f. L. unterscheidet man solche mit bzw. ohne Mischungslücke; Näheres s. Lösungen. – *E* solid solutions – *F* solutions solides – *I* soluzioni solidi – *S* soluciones sólidas

Lit.: s. Lösungen.

Festigkeit. Die Widerstandsfähigkeit fester Körper gegen deformierende Kräfte. Im engeren Sinne die Kraft, die zur Trennung (Bruch) eines zumeist prismat. Probekörpers mit gegebenem Querschnitt erforderlich ist. Der Quotient Kraft/Querschnitt ist als *mechan. Spannung* mit der Dimension N/mm^2 definiert.

In Abhängigkeit von der Art des wirkenden Spannungszustands unterscheidet man die einachsige *Zug-* od. *Druck-F.* u. die mehrachsige *Biege-, Torsions-* od. *Scher-Festigkeit*. Durch F.-Hypothesen kann der mehrachsige Zustand auf den einachsigen zurückgeführt werden. Hinsichtlich des zeitlichen Beanspruchungsablaufs unterscheidet man die *stat. F.* bei gleichbleibender od. nur sehr langsam veränderter mechan. Belastung von der *dynam. F.* wie *Schwing-F.* bei mehr od. weniger period. Wechselbeanspruchung u. *Schlag-F.* bei Schlag- od. Stoßbelastung.

Die F. ist ein werkstoffspezif. Kennwert, der zusätzlich von der Temp., der Belastungsart u. physikal.-chem. Wechselwirkungen mit der Umgebung abhängt. Hinsichtlich der Auslegung techn. Bauteile spielt die F. im engeren Sinne eine eher untergeordnete Rolle. Von größerer Bedeutung ist die niedrigste mechan. Spannung, bei der die Verformung des Körpers im Falle einer Entlastung nicht mehr vollständig zurückgeht (*elast. Verformung*), sondern ein Verformungsrest zurückbleibt (*bleibende* od. *plast. Verformung*). Dieser F.-Kennwert wird bei Metallen als *Streck-, Fließ-* od. *Dehngrenze* bezeichnet. Eine entscheidende Rolle für das Bauteilverhalten spielt schließlich noch die *Duktilität, durch die gewährleistet wird, daß ein überrelast. beanspruchter Körper nicht sofort bricht, sondern sich zunächst bleibend verformt u. dabei verfestigt. Hinsichtlich der Möglichkeit, die F. von metall. Werkstoffen zu beeinflussen, s. Verfestigen u. Härten. Ein Maß für die F. eines Werkstoffs ist seine *Härte. – *E* strength – *F* resistance – *I* resistenza, tenacità – *S* tenacidad

Lit.: Dahl (Hrsg.), Grundlagen des Festigkeits- u. Bruchverhaltens, Düsseldorf: Verl. Stahleisen 1974.

Festkörper. Sammelbez. für alle Stoffe im festen *Aggregatzustand (Feststoffe). Diese besitzen sowohl ein definiertes Vol. als auch eine definierte Form u. setzen deren Änderung (*Deformation, *Zerkleinern etc.) großen Widerstand entgegen. Erfolgt eine Formänderung unter äußerem Zwang, so versuchen sie, wieder in ihren ursprünglichen Zustand zurückzukehren (*Elastizität). Ihre durch die verschiedenen Arten der *chemischen Bindungen räumlich fixierten Bausteine (Atome, Ionen od. Mol.) suchen sich gegenseitig in diesen Lagen zu halten. Im allg. vermögen sie lediglich *Schwingungen auszuführen, u. dementsprechend beträgt die *Molwärme der festen chem. Elemente ca. 3 R. Die Fortleitung der Schwingungsenergie – diese spielt eine Rolle bei der Wärme- u. *Supraleitung – geschieht über *Phononen. Bei vielen krist. F. (s. S. 1315) herrschen bes. Leitfähigkeitsverhältnisse, die mit *Excitonen-Wanderung u. dem sog. *Bändermodell* erklärt werden; vgl. die Abb. bei Halbleiter. Mechan. Einwirkung auf F. kann zur Emission von *Exoelektronen führen, in anderer Weise aber auch zum Auftreten von *Piezoelektrizität.

Je nach der Art der Ordnung der Bausteine unterscheidet man *krist.* u. *amorphe Festkörper* (s. amorphe Metalle, amorphes Silicium). Im ersten Falle sind die Bausteine mehr od. weniger regelmäßig angeordnet, was auch für die *Anisotropie verantwortlich ist, nicht dagegen im zweiten. *Ideale F.* sind krist. F. höchster Ordnung, d. h. die Bausteine sind völlig regelmäßig angeordnet; solche idealen F. (*Einkristalle) können aber nur vorliegen, wenn die Wärmebewegung wegfällt, was nur am abs. Nullpunkt der Fall ist. Bei den *krist. F.* handelt es sich deshalb in der Regel um sog. *reale F.*, die mehr od. minder starke Abweichungen vom Idealfall aufweisen; sie sind durch zahlreiche Fehlstellen im *Kristallgitter (*Kristallbaufehler) gekennzeichnet, die auch für die Entstehung von *Farbzentren verantwortlich sind, u. außerdem zeigen sie oft eine Verteilung der zu stark geordneten Bereiche in Schollen- od. Mosaik-Strukturen (*Domänen). In den amorphen F. ist noch oft eine Nahordnung, aber keine Fernordnung erhalten. Sie ähneln in ihrem Aufbau eigentlich mehr den Flüssigkeiten u. können tatsächlich als Flüssigkeit mit extrem hoher *Viskosität aufgefaßt werden (*unterkühlte Flüssigkeit*); die hier zwischen den Bausteinen wirksamen Kräfte sind gegenüber den Verhältnissen in den krist. F. sehr viel kleiner (vgl. Aggregatzustände u. Glaszustand), weshalb amorphe F. äußerem Zwang leichter nachgeben. Während die krist. F. stets einen definierten Schmp. besitzen, trifft dies bei den amorphen F. nicht zu: diese erweichen beim Erhitzen u. gehen innerhalb eines großen Temp.-Bereiches vom festen in den zähflüssigen u. schließlich dünnflüssigen Zustand über.

Das chem. Verhalten von F. – man spricht hier oft von *Topochemie – beruht prim. auf dem Vorhandensein von *Fehlstellen* (Leerstellen, Besetzung von *Zwischengitterplätzen durch Fremdbausteine usw.) im Kristallgitter u. auf *Diffusion durch *Platzwechselreaktionen*. Für die *Oberflächenchemie, *Chemisorption, *Katalyse u. a. Eigenschaften der *Aktivstoffe sind nicht nur die *Oberflächenenergien* wichtig, sondern auch *Porenstruktur u. -größe* (vgl. BET-Methode) sowie ggf. *funktionelle Gruppen an der F.-Oberfläche. Außergewöhnliche Leitungsphänomene treten in F. auf, die hohen Drücken ausgesetzt werden, s. Druck. Bei der Untersuchung der Strukturen von F. haben sich bes. die Meth. der *Röntgenstrukturanalyse, der Spektroskopie (*Röntgen-, *Mößbauer-, Ligandenfeld-, *NMR-Spektroskopie etc.) u. Beugungsmeth. (*Neutronen-, *Elektronenbeugung, *LEED etc.) sowie die Elektronenmikroskopie bewährt. Einige Metall-Leg., wie z. B. Nickel-Titan, besitzen bei niedrigen Temp. eine Zwillingsbildung im Metallgitter, die bei höheren Temp. in eine hochsymmetr. Phase übergeht. Hierbei kommt es zu rückstellbaren Dehnungen bis zu 10% im Temperaturintervall von 30 °C. Fachbez.: *Metalle mit Gedächtnis* s. *Lit.*[1]. Bezüglich der Erforschung mikroskop. Eigenschaften von F. mit kernphysikal. Meth. s. *Lit.*[2]. – *E solids – F solides – I corpo solido – S sólidos*

Lit.:[1] Phys. Unserer Zeit **25**, 71–78 (1994). [2] Phys. Bl. **44**, 135 (1988).
allg.: Bergmann u. Schaefer, Lehrbuch der Experimentalphysik, Bd. 6, Festkörper, Berlin: de Gruyter 1992 ■ Henzel u. Göpel, Oberflächenphysik des Festkörpers, Stuttgart: Teubner 1989 ■ Ibach u. Luth, Festkörperphysik, Berlin: Springer 1988 ■ Kittel, Einführung in die Festkörperphysik, München: R. Oldenbourg 1988 ■ Kopitzki, Einführung in die Festkörperphysik, Stuttgart: Teubner 1989 ■ Weißmantel u. Hamann, Grundlagen der Festkörperphysik, Heidelberg: Barth 1995 ■ s. a. Oberflächenchemie. – *Zeitschriften u. Serien:* Festkörperprobleme, Braunschweig: Vieweg (seit 1962) ■ Journal of Physics and Chemistry of Solids, Oxford: Pergamon (seit 1956) ■ Progress in Solid State Chemistry, Oxford: Pergamon (seit 1964) ■ Solid State Abstracts, Riverdale: Cambridge Scient. Abstr. (seit 1957) ■ Solid State Communications, Oxford: Pergamon (seit 1963) ■ Solid State Ionics, Amsterdam: North-Holland (seit 1980) ■ Solid State Physics Literature Guides, New York: Plenum (seit 1970) – *Inst. u. Organisationen:* Fraunhofer-Institut für Angewandte Festkörperphysik, 79108 Freiburg ■ Institut für Festkörpertechnologie, 80686 München ■ Max-Planck-Institut für Festkörperforschung, 70569 Stuttgart.

Festkörperchemie s. Festkörper.

Festkörper-Laser. *Laser, deren aktives Medium ein *Festkörper ist. Der erste 1960 realisierte u. damals noch opt. *Maser genannte Laser war ein F.-L., der *Rubin-Laser. Bis heute hat dieser Lasertyp nichts an Aktualität verloren; er ist weiterhin Gegenstand intensiver Forschung u. Entwicklung. Die höchsten Lichtleistungen, die mit F.-L. erreicht werden, liegen im Bereich von mehreren Giga-Watt. Auf eine Oberfläche fokussiert, erreicht das elektr. Feld der Lichtwelle Feldstärken, die in der Größe des Coulombfeldes sind, durch das die Elektronen an den Atomkern gebunden werden. Hierbei entsteht ein Plasma, das zur Diagnose der Oberfläche, zur Untersuchung von Plasmen u. als Quelle für *Röntgen-Laser eingesetzt wird.

Die hohe Leistungsdichte der Lichtwelle, die im Lasermedium erreicht wird, führt zu dessen Aufheizung. Hierdurch ändert sich u. a. der Brechungsindex; es kommt zur Selbstfokussierung der Lichtwelle (Fachwort: *therm. Linse*) u. zur Zerstörung des Festkörpers. Um diese Leistungsbegrenzung zu verbessern, wird nicht mehr mit runden Festkörperstäben, sondern quaderförmigen Festkörpern gearbeitet, die an den Ein- u. Auskoppelflächen unter dem Brewsterwinkel geschliffen sind. Ober- u. Unterseite sind ebenfalls geschliffen u. poliert, so daß sich die Lichtwelle aufgrund von Totalreflexion an Ober- u. Unterseite zick-zackförmig im Festkörper ausbreitet (engl. slab laser). Einige Daten der wichtigsten F.-L. sind in der Tab. zusammengefaßt. Details s. entsprechendes Stichwort.

Tab.: Daten der wichtigsten Festkörper-*Laser.

Material	Wellenlänge	Pulsdauer[1]	Leistung[2]
*Rubin	694,3 nm	0,5 ms–30 ps	1 GW
*Nd/Glas	1064 nm	20 ns–5 ps	10 GW
*Nd/Yag	1064 nm	cw	15 W
		5 ms–20 ps	1 GW
*Dioden	0,8–32 µm	cw	200 mW
array Struktur		cw	8 W
array Struktur		150 µs	134 W
*Farbzentren	0,8–3,2 µm	cw	2,7 W
Alexandrit	720–800 nm	cw	4,5 W
		30–0,1 ms	5 mW
*Titan/Saphir	680–1000 nm	cw	3,5 W
*Erbium/Yag	2,94 µm	cw	2 W
		250 µs	8 kW
Holmium/Yag	2,1 µm	cw	0,8 W

[1] cw bedeutet kontinuierlich (engl. continous wave).
[2] marktübliche Geräte; Laborgeräte können deutlich darüber liegen.

Festkörperphysik

– *E* solid state lasers – *F* lasers à état solide – *I* laser a corpo solido – *S* láseres de estado sólido
Lit.: Cheo Handbook of Solid-State Lasers, New York: Dekker 1989 ▪ Koechner, Solid State Laser Engineering, Berlin: Springer 1996 ▪ Inguscio u. Wallenstein (Hrsg.), Solid State Lasers; New Developments and Applications, New York: Plenum Press 1993 ▪ s. Diodenlaser, Farbzentrenlaser, Rubinlaser, Titan/Saphir-Laser.

Festkörperphysik s. Festkörper.

Festkörperpolykondensation s. Festphasenpolykondensation.

Festkörperpolymerisation s. Festphasenpolymerisation.

Festphasen-Fermentation (Feststoff-*Fermentation). Sammelbez. für Fermentationsprozesse, bei denen *Mikroorganismen auf festen Substraten in Abwesenheit von freiem Wasser wachsen u. dabei den Feststoff od. Teile davon abbauen. Der Wassergehalt des Feststoffs liegt vorzugsweise zwischen 30 u. 80%. Am besten angepaßt an die Bedingungen der F.-F. sind filamentöse *Pilze, am schlechtesten wachsen *Bakterien. F.-F. können für aerobe u. für anaerobe Prozesse eingesetzt werden; sie erfordern besondere *Bioreaktor-Typen.
Anw.: F.-F. dienen insbes. zur Herst. von Nahrungsmitteln, techn. Enzymen (Cellulase, Lactase, Proteasen u. a.) u. Ethanol sowie zur Delignifizierung von Stroh u. zur Kompostierung organ. Reststoffe. F.-F. gehören zu den ältesten Fermentationsprozessen u. werden in asiat. Ländern seit Jh. zur Herst. fermentierter Lebensmittel genutzt. – *E* solid phase fermentation – *F* fermentation en phase solide – *I* fermentazione a fase solida – *S* fermentación en fase sólida
Lit.: Römpp Lexikon Biotechnologie, S. 284.

Festphasenmikroextraktion (SPME von *E* solid-phase microextraction). Meth. zur Anreicherung von Komponenten, bei der eine polymerbeschichtete Quarzfaser dazu benutzt wird, Substanzen aus ihrer Matrix zu extrahieren u. die Analyten durch therm. Desorption direkt in einen Gaschromatographen zu überführen. Das Verf. hat den Vorteil, daß es leicht handhabbar, automatisierbar u. völlig Lsm.-frei ist. Es ermöglicht in Umweltanalysen (Luft, Wasser, Böden) den Nachw. von organ. Komponenten im ppb- bis ppt-Bereich. Das kommerziell erhältliche Gerät gleicht einer Mikroliterspritze, wobei die Quarzfaser in der Spritzennadel bewegt werden kann. Die Probe befindet sich in einem mit einem Septum verschlossenen Gefäß. Das Septum wird durchstochen u. die beschichtete Quarzfaser in die wäss. Lsg. od. in den darüber liegenden Gasraum gebracht. Durch Rühren od. Vibration der Nadel wird die Gleichgewichtseinstellung beschleunigt.
Verw.: Extraktion von leicht- bis schwerflüchtigen Substanzen durch Verw. von unpolaren Phasen (Polydimethylsiloxan) in verschiedenen Schichtdicken, sowie von Phenolen, Alkoholen u. Nitroaromaten aus wäss. Lsg., wobei polarere Phasen (Polyacrylat, Carbowax/Divinylbenzol, Polydimethylsiloxan/Divinylbenzol) verwendet werden. Die letzteren Fasern haben einen kombinierten Aufbau. Sie sind beschichtet mit Divinylbenzol-Partikeln, auf denen entweder Polydimethylsiloxan od. Carbowax aufgebracht wurde. – *E* solid phase mikro extraction – *F* microextraction en phase solide – *I* microestrazione tramite la fase solida – *S* microextracción en la fase sólida
Lit.: Anal. Chem. **62**, 2145 (1990); **64**, 1187 (1992) ▪ Chem. Lab. Biotech. **47**, 358 ff. (1996).

Festphasenpolykondensation (Festkörperpolykondensation). Bez. für ein Verf. zur Nach- bzw. Weiterkondensation von *Polykondensaten (*Polyamide, *Polyester). Die F. wird bevorzugt im Wirbelbett unter Einsatz granulierter teilkrist. Polykondensate durchgeführt, um deren Molmasse unter möglichst schonenden Bedingungen zu erhöhen u. damit ihre Gebrauchseigenschaften zu verbessern. Sie hat gegenüber der *Schmelzpolykondensation den Vorteil tieferer Reaktionstemp. u., damit verbunden, einer geringeren Verfärbung der Polykondensate. Außerdem vermeidet sie Viskositätsprobleme, die in einer Polykondensatschmelze gravierend sein können. – *E* solid-state polycondensation – *F* polycondensation à l'état solide – *I* policondensazione a fase (corpo) solida – *S* policondensación en fase sólida
Lit.: Compr. Polym. Sci. **5**, 201–216 ▪ Houben-Weyl **E 20**, 603 f.

Festphasenpolymerisation (Festkörperpolymerisation). Die F. ist ein Verf. zur *Polymerisation von *Monomeren unterhalb ihres Schmp. in fester Phase. Sie ist deutlich abzugrenzen von der *Festphasenpolykondensation. Die F. ermöglicht den Zugang zu *Polymeren aus sehr unterschiedlichen Monomeren wie Olefinen (Isopren, Styrol), Diolefinen (Butadien), Diacetylenen (s. Polydiacetylene), (Meth)acrylaten (Methacrylsäure, Acrylamide), Vinylestern (Vinylacetat, Vinylstearat, Vinylethern (Vinyloctadecylether) od. bestimmten Heterocyclen (Trioxan, Tetroxan, Trithian). Sie wird vorteilhaft durch energiereiche Strahlung (UV-, Laser-, γ-, Röntgen-Strahlen) ausgelöst, kann aber auch therm. (Acrylamid) od. chem., z. B. mit Lewis-Säuren, initiiert werden. Eine bes. Form der F. ist die *topochemische Polymerisation, bei der krist. Monomere direkt in krist. Polymere überführt werden. Im weiteren Sinne zu F. gerechnet werden auch die *Einschlußpolymerisation u. die *Polymerisation in mono- u. multimol. Schichten. Die F. macht z. B. die Herst. von Polymer-Einkrist. od. die von Polymeren mit perfekter Stereoregularität möglich, deren techn. Bedeutung u. a. auf den Gebieten der Optik u. Photoresists gesehen wird. – *E* solid-state polymerization – *F* polymérisation à l'état solide – *I* polimerizzazione a fase solida – *S* polimerización en estado sólido
Lit.: Compr. Polym. Sci. **4**, 275–302 ▪ Houben-Weyl **E 20**, 79, 86.

Festphasen-Technik (s. a. Immobilisierung, Festbett-Reaktor, Fließbett-Reaktor). Bez. für Arbeitsweisen, bei denen mind. ein Reaktionspartner in fester Form vorliegt. In der *Biotechnologie werden insbes. *Enzyme od. Enzym-Syst. immobilisiert u. so zur Stoffumwandlung genutzt. Des weiteren werden *Oligonucleotide u. viele *Oligopeptide (s. a. Peptid-Synthese) an fester Phase synthetisiert. Als Trägermaterialien kommen dabei insbes. Glas u. Kunstharze mit großen Oberflächen zur Maximierung der Beladungsdichte zum Einsatz. Als bekannteste Meth. ist die *Merrifield-Technik zu nennen. Durch die Entwicklung der *kombinator. Chemie zur Herst. von *Substanz-Bibliotheken* haben F.-T. einen neuen Aufschwung genommen. Sowohl die Entwicklung von geeigneten Trägermaterialien als auch die Übertragung von chem. Reaktionen, die bislang nur in flüssiger Phase möglich waren, an die feste Phase werden derzeit intensiv bearbeitet (Lit.[1]). Dabei wird insbes. in der Wirkstoffforschung der chem. pharmazeut. Ind. die Entwicklung von Geräten zur automatisierten Festphasen-Synth. mit einbezogen. – **E** solid-phase technique – **F** réactions à phase solide – **I** tecnica a fase solida – **S** técnica de fase solida

Lit.: [1] Angew. Chem. **108**, 19–46 (1996).

Festschmierstoffe. Sammelbez. für *Schmierstoffe, die in fester Form für Schmieraufgaben unter extremen Bedingungen der Umgebung (Temp., aggressive Stoffe), der Gleitpaarung (oszillierende Belastung, hohe Belastung bei geringer Geschw.) od. der Instandhaltung (keine Möglichkeit zum Nachschmieren) eingesetzt werden. Hierzu zählen *Graphit u. Molybdändisulfid, die als Pulver, Suspension od. Pasten verwendet werden. – **E** solid lubricants – **F** lubrifiants solides – **I** lubrificanti solidi – **S** lubri(fi)cantes sólidos

Lit.: Ullmann (5.) **A 15**, 443 ▪ s. a. Schmierstoffe.

FET. Abk. für Feld-Effekt-Transistor, s. Transistor.

α-Fetoprotein (AFP). Von latein.: fetus = Geburt, Junges, Frucht abgeleitete Bez. für ein Serum-*Glykoprotein vom Typ der α-*Globuline, (M_R 70000), das zuerst im Dottersack, später in Leber u. Magen-Darm-Trakt der Feten gebildet wird, im Plasma des Neugeborenen zu 0,1 mg/mL, beim Erwachsenen jedoch nur in Spuren (<1 µg/mL) vorkommt; nach der Geburt nimmt das strukturell ähnliche *Serumalbumin seine Stelle ein. Die Funktion des α-F. besteht im Transport lipophiler Stoffe. Bei bestimmten Mißbildungen (Spina bifida, Anenzephalie) des Feten tritt α-F. vermehrt im mütterlichen Blut u. der Fruchtblasenflüssigkeit auf, was durch Blutuntersuchung (z.B. durch *Immunoassay) schon in einem frühen Schwangerschaftsstadium festgestellt werden kann[1]. Derartige Bestimmungen sind auch bei der Krebsdiagnose von Nutzen, denn bei verschiedenen Carcinomen ist die α-F.-Konz. erhöht (s. Tumormarker). – **E** α-fetoprotein – **F** α-fétoprotéine – **I** α-fetoproteina – **S** α-fetoproteína

Lit.: [1] Epidemiology **4**, 471–476 (1993).

Fett s. Fette und Öle.

Fettaldehyde. Ausgehend von *Fettalkoholen lassen sich die zugehörigen F. z.B. durch Oxid. mit Hypochlorit in Ggw. von 4-Methoxy-2,2,6,6-tetramethylpiperidin-1-yloxyl (Tempo) gewinnen. Die Luftoxid. der Alkohole kann in Ggw. von Ruthen- od. Platin-Katalysatoren zu den F. dehydrieren; die Isomerisierung ungesättigter Alkohole zu den F. findet schließlich unter Eisenpentacarbonyl-Katalyse statt. Ausgehend von Fettsäuren erhält man F. durch Hydrierung an Adkins-Katalysatoren od. Umsetzung mit Persäuren in Ggw. von Titan(IV)-oxid. Eine klass. Meth. stellt die *Rosenmund-Reaktion dar, bei der man Säurechloride an Lindlar-Katalysatoren zu den entsprechenden Aldehyden hydriert. – **E** fatty aldehydes – **I** aldeidi grassi – **S** aldehídos grasos

Lit.: J. Am. Chem. Soc. **109**, 3786 (1987) ▪ J. Org. Chem. **52**, 2259 (1987) ▪ Tetrahedron Lett. **28**, 4575 (1987).

Fettalkohole. Sammelbez. für die durch Red. der *Triglyceride, *Fettsäuren bzw. *Fettsäuremethylester erhältlichen linearen, gesätt. od. ungesätt. prim. Alkohole (1-Alkanole) mit 6–22 Kohlenstoff-Atomen.

Tab. 1: Physikalisch-chemische Daten der Fettalkohole.

Alkohol	Formel	M_R	Schmp. [°C]	Sdp. [°C/kPa]
1-Hexanol (Capronalkohol)	$C_6H_{14}O$	102,18	–51,6	157,2
1-Heptanol (Önanthalkohol)	$C_7H_{16}O$	116,20	–30,0	177
1-Octanol (Caprylalkohol)	$C_8H_{18}O$	130,23	–16,3	194,5
1-Nonanol (Pelargonalkohol)	$C_9H_{20}O$	144,26		212
1-Decanol (Caprinalkohol)	$C_{10}H_{22}O$	158,28	7,0	229
1-Undecanol	$C_{11}H_{24}O$	172,31	16,3	131/2,0
10-Undecen-1-ol	$C_{11}H_{22}O$	170,30	–2	133/2,1
1-Dodecanol (Laurylalkohol)	$C_{12}H_{26}O$	186,34	23,8	150/2,7
1-Tridecanol	$C_{13}H_{28}O$	200,36		155/2,0
1-Tetradecanol (Myristylalkohol)	$C_{14}H_{30}O$	214,39	38,0	167/2,0
1-Pentadecanol	$C_{15}H_{32}O$	228,42	44,0	
1-Hexadecanol (Cetylalkohol)	$C_{16}H_{34}O$	242,45	49,3	190/2,0
1-Heptadecanol	$C_{17}H_{36}O$	256,47	54,0	308
1-Octadecanol (Stearylalkohol)	$C_{18}H_{38}O$	270,50	59,0	210/2,0
9-cis-Octadecen-1-ol (Oleylalkohol)	$C_{18}H_{36}O$	268,48	–7,5	209/2,0
9-trans-Octadecen-1-ol (Erucylalkohol)	$C_{18}H_{36}O$	268,48	36,5	216/2,4
9-cis-Octadecen-1,12-diol (Ricinolalkohol)	$C_{18}H_{36}O_2$	284,48		182/0,07
all-cis-9,12-Octadecadien-1-ol (Linoleylalkohol)	$C_{18}H_{34}O$	266,47	–5	153/0,4
all-cis-9,12,15-Octadecatrien-1-ol (Linolenylalkohol)	$C_{18}H_{32}O$	264,45		133/0,3
1-Nonadecanol	$C_{19}H_{40}O$	284,53	62	167/0,04
1-Eicosanol (Arachidylalkohol)	$C_{20}H_{42}O$	298,55	65,5	220/0,4
9-cis-Eicosen-1-ol (Gadoleylalkohol)	$C_{20}H_{40}O$	296,54		209/2,0
5,8,11,14-Eicosatetraen-1-ol	$C_{20}H_{34}O$	290,49		
1-Heneicosanol	$C_{21}H_{44}O$	312,58	69,5	
1-Docosanol (Behenylalkohol)	$C_{22}H_{46}O$	326,61	73,5	180/0,03
13-cis-Docosen-1-ol (Erucylalkohol)	$C_{22}H_{44}O$	324,59	34,5	241/1,3
13-trans-Docosen-1-ol (Brassidylalkohol)	$C_{22}H_{44}O$	324,59	53,5	241/1,1

Höhermol. Alkohole, wie z.B. Lignocerylalkohol ($C_{24}H_{50}O$), Cerylalkohol ($C_{26}H_{54}O$) od. Myricylalkohol ($C_{30}H_{62}O$) werden hingegen als *Wachsalkohole bezeichnet. Natürliche Fette u. Öle enthalten beinahe ausschließlich Fettsäuren mit einer geraden Anzahl von Kohlenstoff-Atomen (Ausnahme Rinderschmalz mit bis zu 3% C_{17}-Margarinsäure), so daß auf techn. Wege in der Regel nur Alkohole mit entsprechendem C-Zahl-Muster zugänglich sind.

Herst.: Die Red. von Estern mit metall. Natrium in Ggw. eines Alkohols wurde 1903 von *Bouveault* u. *Blanc* entdeckt u. zuerst 1928 von den deutschen Hydrierwerken in Rodleben techn. genutzt; 1942 folgte Procter & Gamble in den USA. Als Wasserstoff-Spender eingesetzte Alkohole dienten vornehmlich Butanol, Cyclohexanol od. 4-Methyl-2-pentanol. Üblicherweise wurde der stark exotherme Prozeß diskontinuierlich bei Normaldruck durchgeführt u. verlief derart, daß zunächst Natrium in einem Lsm. (z. B. Toluol od. Xylol) geschmolzen, fein verteilt u. dann der sorgfältig getrocknete Fettsäureester, der reduzierende Alkohol u. weiteres Lsm. zugefügt wurden. Anschließend wurden die gebildeten Alkoholate durch vorsichtiges Einrühren in Wasser gespalten, die organ. Phase gewaschen u. destilliert.

Heute ist das Natrium-Reduktionsverf. als veraltet anzusehen u. weitgehend durch die Hochdruck-Hydrierung ersetzt. Ausgehend von destillierten bzw. fraktionierten Methylester-Schnitten lassen sich diese in einem od. mehreren hintereinandergeschalteten Festbettreaktoren bei Temp. von 200–250 °C u. einem Wasserstoff-Druck von 200–300 bar zu den F. hydrieren. Dazu wird der Methylester kontinuierlich gegen den Wasserstoff-Druck in die Anlage gepreßt, auf Reaktionstemp. erhitzt u. am Reaktorkopf aufgegeben. An der Kupfer-haltigen Festbettfüllung werden in der Regel neben der Ester-Gruppierung auch C,C-Doppelbindungen hydriert, so daß man auch bei Einsatz ungesätt. Ester nur gesätt. F. erhält. Für den Sonderfall der Herst. ungesätt. Fettalkohole werden spezielle Katalysator-Kontakte auf Basis Cu/Zn od. Cu/Cd verwendet. Die Verf. zur Herst. synthet. Alkohole aus petrochem. Rohstoffen gestatten es nicht, ungesätt. F. herzustellen. Nach dem beschriebenen Verf. lassen sich jedoch auch freie Fettsäuren zu F. hydrieren. Die mit der Säure in Berührung kommenden Anlagenteile müssen in Edelstahl ausgeführt sein; außerdem muß ein säurefester Katalysator, z. B. Kupferchromit, verwendet werden.

Die katalyt. Hochdruck-Hydrierung in der Rieselphase ist dem Festbettverf. ähnlich. Auch hier durchströmen Ester u. H_2 den Reaktor bei einer Temp. von 200–300 °C u. einem Druck von 250–300 bar von oben. Jedoch sind hier die Kreisgasmengen u. damit der mol. Wasserstoff-Überschuß erheblich geringer, was sich in kleineren Anlagendimensionen dokumentiert. Als Katalysator zur Herst. gesätt. Alkohole wird ein Silicagel-Trägerkontakt mit 20–40% Kupferchromit verwendet. Dieser Katalysator besitzt hohe mechan. Stabilität, ist jedoch wegen seines geringen Gehaltes an Aktivsubstanz anfälliger gegen Vergiftungen als ein Massivkontakt u. muß deshalb häufiger ausgetauscht werden.

Pflanzliche Wachsester haben bisher zur techn. Herst. von F. keine Bedeutung gehabt. Möglicherweise wird sich das in Zukunft ändern, wenn es gelingt, z. B. das in den Früchten der *Jojoba-Pflanze vorkommende Öl, das hohe Anteile an Oleylleat u. Erucaerucat enthält, zu wirtschaftlich vertretbaren Herstellkosten zu gewinnen. Beide Ester sind wichtige Bestandteile des *Spermöls, das man durch Auspressen von *Walrat, dem Körperfett des Pottwals, erhält. Aus Artenschutzgründen ist die Herst. von Spermöl heute nur noch in Rußland u. in Japan von Bedeutung. Zur Spaltung wird Spermöl mit konz. Natronlauge hoch erhitzt (bis über 300 °C) u. der freigesetzte Alkohol zusammen mit dem Wasser im Vak. von der Seife abdestilliert.

Alternativ zur Herst. von F. über Fette u. Öle sind diese Produkte über die Oxo-Reaktion (*Hydroformylierung*) zugänglich. Dabei werden Olefine bei 200–300 bar u. 150–180 °C in Ggw. homogener Cobalt- od. Rhodium-Komplexe mit Synthesegas umgesetzt u. die entstehenden Aldehyde zu den entsprechenden Alkoholen (*Oxoalkohole) im C-Zahl-Bereich C_{11}–C_{15} hydriert.

Beim Alfol-Prozeß werden zunächst höhere Olefine durch Oligomerisation von Ethylen als Aluminiumorgan. Verb. hergestellt (vgl. Ziegler-Reaktionen), die in einem weiteren Schritt mit Luftsauerstoff oxidiert u. zu den entsprechenden F. hydrolysiert werden.

Verw.: F. stellen neutrale, farblose, hochsiedende, weiche farblose Massen dar, die in Wasser schwer- bis unlösl., in Alkohol u. Ether hingegen leicht lösl. sind. Durch Umsetzung der F. mit Oleum, Chlorsulfonsäure od. gasförmigem Schwefeltrioxid werden saure Schwefelsäurehalbester gewonnen, die nach Neutralisation Fettalkoholsulfate, eine wichtige Klasse anion. Tenside, ergeben. F. im Bereich von C_6–C_{10} dienen als Lsm., im Bereich von C_{12}–C_{18} als Rohstoffe für Tenside u. Emulgatoren u. im Bereich von C_{16}–C_{18} als Komponenten für Cremes u. Salbengrundlagen. Zu F. liegt ein Life Cycle Inventory (eine *Ökobilanz) als Teil einer *LCA-Studie vor [1]. – *E* fatty alcohols – *F* alcools gras – *I* alcooli grassi – *S* alcoholes grasos

Lit.: [1] Tenside Surfact. Deterg. **32**, 398–410 (1995). *allg.:* Beilstein E IV 1 ▪ Fettalkohole, Düsseldorf: Henkel KGaA (Hrsg.) 1981 ▪ Kirk-Othmer **1**, 542–529; (3.) **1**, 716–754 ▪ Proc. 4th World Surfactants Congress, Barcelona, 3.–6. Juni 1996, Bd. 1, S. 190–201 ▪ Stache (Hrsg.), Anionic Surfactants: Organic Chemistry, S. 1–38, New York: Dekker 1996 ▪ Tenside Deterg. **10**, 246 (1973) ▪ Ullmann **7**, 437–453; (5) **A10**, 277–296. – *[HS 1519 30, 2905 16–2905 19]*

Fettalkoholether(sulfate) s. Fettalkoholpolyglykolethersulfate.

Fettalkoholpolyglykolether (Alkylpolyglykolether, Fettalkoholalkoxylate, FAEO). Gruppe nichtion. Tenside, die durch Alkoxylierung, vorzugsweise jedoch *Ethoxylierung von prim. *Fett- bzw. Oxoalkoholen in Ggw. bas. od. saurer Katalysatoren bei Temp. von 150–200 °C u. Drücken von 1–10 bar gewonnen wird. Bei der Umsetzung des Alkohols mit dem Alkoxid entsteht ein Polyglykolether-Gemisch unterschiedlich hoch alkoxylierter Homologer, deren Verteilung in Abhängigkeit des Katalysators u. der Alkoxid-Menge zwischen einer der Statistik entsprechenden Gauss- u. einer unselektiven Schulz-Flory-Kurve variieren kann. So wird z. B. in Ggw. von Natriumhydroxid eine breite, unter Verw. von Erdalkali-Salzen eine eingeengte (*narrow-range*) Homologen-Verteilung erhalten. Infolge der durch saure Ethoxylierungskatalysatoren begünstigten Bildung von *1,4-Dioxan als unerwünschtem Nebenprodukt, werden in der Technik bevorzugt bas. Katalysatoren, z. B. Natriummethylat in Methanol, eingesetzt. F. weisen ein inverses Lösungsvermögen auf, d. h. ihre Löslichkeit in Wasser nimmt mit steigender Temp. ab. Sie zeigen ein hohes Wasch- u. Dispergiervermögen u. stellen schaumarme, biolog. leicht abbaubare Produkte dar, deren Bedeutung zu Lasten typ. anion. Tenside steigt. Zu F. liegt ein Life Cycle Inventory (eine *Ökobilanz) als Teil einer *LCA-Studie vor [1]. Durch Umsetzung der F. mit geeigneten Sulfieragentien, z. B. gasf. Schwefeltrioxid od. Chlorsulfonsäure, werden *Fettalkoholpolyglykolethersulfate, eine wichtige Anion-aktive Tensid-Klasse, erhalten. – *E* fatty alcohol polyglycol ethers – *I* alcoolpoliglicoleteri grassi – *S* éteres poliglicólicos de alcoholes grasos

Lit.: [1] Tenside Surfact. Deterg. **32**, Nr. 2, 171–192 (1995). *allg.:* Cahn (Hrsg.), Proc. 3rd World Conference on Detergents: Global Perspectives, S. 141–146, Champaign: AOCS Press 1994 ▪ Falbe, Surfactants in Consumer Products, Berlin: Springer 1986 ▪ Fette, Seifen, Anstrichm. **86**, 563 (1984) ▪ J. Am. Oil. Chem. Soc. **66**, 367 (1989) ▪ Kosswig u. Stache, Die Tenside, München: Hanser 1993 ▪ Schick (Hrsg.), Nonionic Surfactants: Physical Chemistry, New York: Dekker 1987 ▪ Seifen, Öle, Fette, Wachse, **108**, 43 (1982) ▪ Tenside Deterg. **19**, 127, 144 (1982); **25**, 169 (1988). – [HS 3402 13]

Fettalkoholpolyglykolethersulfate [Fettalkoholether(sulfate), F(A)ES]. Gruppe anion. *Tenside, die durch Sulfatierung von *Fettalkoholpolyglykolethern z. B. mit Schwefeltrioxid od. Chlorsulfonsäure erhalten werden. Insbes. F. mit Fettalkyl-Resten von 12–14 C-Atomen u. niedrigen Ethoxylierungsgraden zwischen 1 u. 5 zeichnen sich durch starkes Schaumvermögen, gute dermatolog. Verträglichkeit u. hohe biolog. Abbaubarkeit aus u. finden daher vorwiegend in manuellen Spülmitteln sowie kosmet. Präp. (Haarshampoos, Schaumbäder etc.) Verwendung. Durch Zusatz geeigneter Elektrolyte (z. B. NaCl) lassen sich F. auf extrem hohe Viskositäten verdicken. Zu F. liegt ein Life Cycle Inventory (eine *Ökobilanz) als Teil einer *LCA-Studie vor [1]. – *E* fatty alcohol polyglycol sulfates – *I* alcoolpoliglicoletersolfati grassi – *S* sulfatos poliglicólicos de alcoholes grasos

Lit.: [1] Tenside Surfact. Deterg. **32**, Nr. 2, 140–151 (1995). *allg.:* Falbe, Surfactants in Consumer Products, Berlin: Springer 1986 ▪ Henkel-Referate **20**, 23 (1984) ▪ Kosswig u. Stache, Die Tenside, München: Hanser 1993 ▪ Stache (Hrsg.), Anionic Surfactants: Organic Chemistry, S. 223–312, New York: Dekker 1996 ▪ vgl. Aniontenside. – [HS 3402 11]

Fettalkoholsulfate (Alkylsulfate, FAS). Gruppe von *Aniontensiden der allg. Formel R–O–SO$_3$X, die durch Umsetzung von gesätt. *Fettalkoholen mit konz. Schwefelsäure, gasf. Schwefeltrioxid, Chlorsulfonsäure od. Amidosulfonsäure erhalten werden. F. zeigen eine gute Wasserlöslichkeit, geringe Härteempfindlichkeit u. bei ausreichender Kettenlänge ein hohes Waschvermögen. F. sind leicht biolog. abbaubar u. finden Einsatz für Wasch- u. Netzmittel in der Textil-Ind., als Tenside, Dispergier- u. Emulgiermittel in der Kosmetik, als Stabilisatoren beim Bleichen sowie als Zusatzstoffe in Lacken u. Schmierölen. Zu F. liegt ein Life Cycle Inventory (eine *Ökobilanz) als Teil einer *LCA-Studie vor [1]. Deutlich müssen die F. von den *Alkansulfonaten R–SO$_3$X unterschieden werden, die durch Sulfoxidation von Paraffinen erhalten werden. – *E* fatty alcohol sulfates, fatty alkyl sulfates – *I* alcoolsolfati grassi – *S* sulfatos de alquilo, sulfatos de ácidos grasos

Lit.: [1] Tenside Surfact. Deterg. **32**, Nr. 2, 128–139 (1995). *allg.:* Falbe, Surfactants in Consumer Products, Berlin: Springer 1986 ▪ Kosswig u. Stache, Die Tenside, München: Hanser 1993 ▪ Stache (Hrsg.), Anionic Surfactants: Organic Chemistry, S. 223–312, New York: Dekker 1996 ▪ Ullmann (5.) **A25**, 747–817. – [HS 3402 11]

Fettamine. Durch Umsetzung von *Fettsäuren mit Ammoniak über die Stufe der Fettsäureamide werden Fettsäurenitrile erhalten, die sich anschließend am Nickel-Kontakt bei 100 °C u. 50 bar zu F. hydrieren lassen. Durch Zusatz von Ammoniak od. sek. Amin bei der Hydrierung der Nitrile kann die Bildung von prim., sek. od. tert. Aminen gesteuert werden. Neuerdings wird das Nitril in einem Schritt – direkt ausgehend vom Fett – mit Ammoniak hergestellt. Darüber hinaus lassen sich F. auch in einem einstufigen Prozeß aus Fettsäuren od. *Fettsäuremethylestern mit Ammoniak od. niederen Aminen bei 250 bar Wasserstoff-Druck in Ggw. oxid. Katalysatoren herstellen. Ein weiteres techn. Verf. zur Herst. von F. geht von *Fettalkoholen aus, die bei 210–260 °C in Ggw. von Dehydrierungskatalysatoren mit Ammoniak od. kurzkettigen Alkyl- od. Dialkylaminen umgesetzt werden. F. können in Abhängigkeit der Alkyl-Reste flüssig, pastös od. aber fest vorliegen. In Wasser sind sie wenig, in organ. Lsm. gut lösl.; mit Säuren werden Salze gebildet.

Die Salze der F. stellen *Kationtenside dar. Durch Alkoxylierung lassen sie sich in Fettaminpolyglykolether überführen. Durch Alkylierung werden *quartäre Ammonium-Verbindungen erhalten, die als *Avivage-Mittel für die Textil-Ind. von großer Bedeutung sind. Durch Umsetzung mit Chloracetaten werden *Amphotenside vom Typ der *Betaine gewonnen, während die Oxid. der F. mit Wasserstoffperoxid *Aminoxide, eine Klasse *nichtionischer Tenside, liefert. – *E* fatty amines – *F* amines grasses – *I* ammine grasse – *S* aminas grasas

Lit.: Angew. Chem. **100**, 41 (1988) ▪ Falbe, Surfactants in Consumer Products, Berlin: Springer 1986 ▪ J. Am. Oil. Chem. Soc. **61**, 353 (1984) ▪ Ullmann (5.) **A2**, 18–23.

Fettchemie vgl. Oleochemie.

Fettersatzstoffe. Da eine übermäßige Fettaufnahme aus ernährungsphysiolog. Sicht unerwünscht ist u. in den meisten Ind.-Nationen mit dem Auftreten verschiedener Krankheiten pos. korreliert ist, sucht die Lebensmittel-Ind. nach Substanzen, die die technolog., funktionellen u. sensor. Eigenschaften von Fetten übernehmen können. Hierbei sind prinzipiell *Fat Mimetics* von *Fat Replacern* zu unterscheiden. Fat Mimetics ahmen bei der Aufnahme eines Lebensmittels das typ. Mundgefühl eines Fettes nach, während es sich bei Fat Replacern um echte F. die demnach auch zum Braten u. Backen geeignet sind, handelt. Fat Mimetics können beispielsweise auf Basis von Proteinen bzw. Protein-

Fette und Öle

u. Kohlenhydratmischungen hergestellt werden u. sind keinesfalls zum Braten od. Backen geeignet. Fat Replacer (z. B. *Saccharose-Ester langkettiger *Fettsäuren, Olestra®) sind in der Lage, Fette zu ersetzen ohne einen entsprechenden kalor. Beitrag zur Nahrung zu leisten. Dies liegt u. a. daran, daß Fat Replacer durch Lipasen nicht gespalten werden (keine kalor. Verwertung). Dies führt jedoch bei übermäßigem Konsum zu gastrointestinalen Beschwerden. – *E* fat substitutes – *F* produits de substitution des graisses – *I* sostitutivi del grasso – *S* materias reemplazantes de las grasas
Lit.: Food Technol. **43**(7), 66–74 (1989) ▪ Inform **3**, 1270–1292 (1994); **4**, 1227–1235 (1993) ▪ Int. Z. Lebensm. Technol. Verfahrenstech. **43**, 6–9 (1992).

Fette und Öle (*Triglyceride). Sammelbez. für verbreitete, feste, halbfeste od. flüssige, mehr od. weniger viskose Produkte des Pflanzen- od. Tierkörpers, die chem. im wesentlichen aus gemischten Glycerinestern höherer *Fettsäuren mit gerader Anzahl von Kohlenstoff-Atomen bestehen. F. sind wasserunlösl. u. weisen stets eine geringere Dichte als Wasser (D. 0,9 bis 0,95) auf. In kaltem Alkohol ist die Löslichkeit gering, in Ether, Benzin, Benzol, Chloroform, Schwefelkohlenstoff, Tetrachlormethan, Tetralin, Trichlorethylen u. a. organ. Lsm. jedoch hoch. Reine F. sind geruchlos u. geschmacksneutral; beim längeren Aufbewahren werden sie jedoch unter Zutritt von Licht u. Luft infolge *Autoxidation u. *Desmolyse, teils enzymat. od. oxidativen Abbau zu übelriechenden, kurzkettigen Methylketonen u. Aldehyden, ranzig. Ebenfalls beim Erhitzen mit Wasserdampf (*Dampfspaltung) sowie beim Erwärmen in Ggw. von Alkali findet Hydrolyse statt, bei der die Triglyceride zu Glycerin u. Fettsäuren verseift werden. In der Technik wird die hydrolyt. Spaltung in kontinuierlichen Kolonnen bei 250 bar u. 20–60 °C mit Wasserdampf durchgeführt. Beim trockenen Erhitzen neigen F. mit größeren Anteilen an mehrfach ungesät. Fettsäuren (z. B. Fischöle) zur Polymerisation, was techn. zur Herst. von Standölen ausgenutzt wird, ernährungsphysiolog. jedoch zu unerwünschten Nebenprodukten führen kann.

Vork.: Soja wird hauptsächlich in den USA, Brasilien u. China angebaut, Palmöl kommt v. a. aus Indonesien, Malaysia u. den anderen südostasiat. Ländern, während Kokosöl auf den Philippinen u. in Indonesien gewonnen wird.

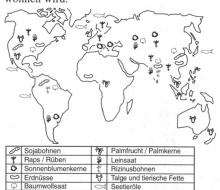

Abb. 1: Vorkommen von pflanzlichen u. tierischen Fetten u. Ölen.

Zusammensetzung u. Klassifizierung: Während pflanzliche F. prakt. ausschließlich geradkettige Fettsäuren enthalten, spielen bei tier. F. jedoch auch Fettsäuren mit ungerader Kohlenstoff-Zahl, insbes. Margarinsäure mit 17 C-Atomen, eine Rolle. Ein weiterer Unterschied besteht darin, daß die in pflanzlichen F. vorkommenden ungesät. Fettsäuren in der *cis*-Form vorliegen, während tier. Fettsäuren häufig *trans*-konfiguriert sind (z. B. Palmitolein im Rindertalg 50%). Tier. F. enthalten ferner bis zu einer Gesamtmenge von 5% einfachverzweigte, meist ungeradzahlige gesät. Fettsäuren mit 17 C-Atomen, die sowohl in Iso- als auch Anteiso-Form vorliegen können sowie Anteile der mehrfachverzweigten Phytonsäure, was auf einen wesentlich komplexeren Bildungsmechanismus von tier. im Vgl. zu pflanzlichen F. hinweist. Die häufigsten in Form ihrer Glycerin-, z. T. jedoch als Glykolester vorkommenden Fettsäuren sind *Laurin-, *Myristin-, *Stearin-, *Palmitin- u. *Ölsäure, untergeordnet auch *Linol- u. *Linolensäure, während Buttersäure nur im Butterfett u. auch dort nur zu 2–3% vorkommt. Tab. 1 bietet einen Überblick über die Zusammensetzung der wichtigsten Fette und Öle.

Tab. 1.: Zusammensetzung der wichtigsten Fette und Öle (Anzahl C-Atome : Anzahl Doppelbindungen), Angaben in %.

	10:0	12:0	14:0	16:0	18:0	18:1	18:2	18:3	20:1	22:1
Raps (neu)	–	–	0,5	4	1	60	20	9	2	2
Sonnenblume	–	–	–	6	4	28	61	–	–	–
Lein	–	–	–	5	4	22	17	52	–	–
Ölbaum	–	–	–	14	2	64	16	2	–	–
Kokosnuß	7	48	17	9	2	7	1	–	–	–
Ölpalmkern	5	50	15	7	2	15	1	–	–	–
Ölpalme	–	–	2	42	5	41	10	–	–	–

Die frischen F. sind stets Neutralfette, d. h. es sind stets alle drei Hydroxy-Funktionen des Glycerins mit – in der Regel verschiedenen – Fettsäuren verestert. Bei langem Aufbewahren an Licht u. Luft entstehen infolge Hydrolyse durch Wasseraufnahme erhebliche Mengen von freien Fettsäuren. Die Einteilung der F., von denen man weit über 1300 kennt, kann aufgrund ihres Gehaltes an *Phytosterinen od. *Cholesterin u. a. Zoosterinen, d. h. nach ihrer pflanzlichen od. tier. Herkunft erfolgen; man spricht von Pflanzen- u. Tierfetten, beim Menschen auch von *Blutfetten.

Die physikal. Beschaffenheit der F. wird durch die Kettenlänge u. die Zahl der enthaltenen Doppelbindungen in den Glyceriden bestimmt. Längerkettige u. gesät. Fettsäuren bedingen einen höheren, kürzerkettige od. ungesät. einen tieferen Schmp. u. ölige Beschaffenheit. Aus Ölen lassen sich höher schmelzende Anteile durch *Ausfrieren (*Winterisierung) abtrennen. Die Einteilung der F. erfolgt nach *Iodzahl (IZ) u. dem Verhalten eines dünnen Ölaufstrichs auf Papier:

IZ>170 = trocknende Öle (Leinöl)

IZ 170–100 = halbtrocknende Öle (Soja-, Sonnenblumen-, Rüb-, Baumwollsaat-, Fischöl)

IZ<100 = nichttrocknende Öle (Kokos-, Palmkern-, Palmöl, Talge)

Trocknende Öle verändern sich infolge ihres hohen Gehaltes an gesätt. u. einfach ungesätt. Fettsäuren an der Luft, während F. mit steigendem Grad an Ungesättigtheit infolge Autoxidation u. Polymerisation zunehmend verharzen. Während dieser Effekt für viele Anw. außerordentlich störend ist, wird er beim Leinöl seit altersher für das Aufbringen von *Firnis auf Gemälden ausgenutzt. Das Trocknungsverhalten der Öle läßt sich in Grenzen manipulieren, s. geblasene Öle u. Standöle.

Biogenese u. neue Fettrohstoffe: F. werden bei Pflanzen vornehmlich in Samen u. Früchten in Form mikroskop. kleiner Tröpfchen, als feine, im Plasma verteilte *Emulsionen od. auch als Feststoffe eingelagert. Evolutionsgeschichtlich ist eine bevorzugte Bildung der einen od. a. Fettsäure in bestimmten Pflanzenarten nicht zu beobachten. Die Variation innerhalb des Fettsäuremusters einer Pflanzenart ist sehr gering. Deshalb haben die Fettsäuremuster der Samen eine hohe taxonom. Relevanz für die Klassifizierung von Pflanzenarten u. -familien erlangt. Bei den Bakterien werden überwiegend Fettsäuren der Kettenlänge C_{14}–C_{18} bevorzugt. Im Laufe der Evolution bildete sich dann ein Maximum an C_{20}-Fettsäuren bei den Rhodophyta aus. Bei den Spermatophyta ist schließlich eine Bevorzugung der C_{18}-Fettsäuren zu beobachten. Die Evolutionsstrategie der pflanzlichen Fettsäure-Synth. orientiert sich an der biochem. Notwendigkeit, den Schmp. der Öle – etwa durch Einführung von Doppelbindungen od. die Überführung von *trans-* in *cis-*Isomere – so niedrig wie möglich zu halten.
Um den steigenden Bedarf insbes. an pflanzlichen Ölen zu decken u. das zur Verfügung stehende Fettsäure-Spektrum zu verändern, werden umfangreiche Forschungsprogramme unter Einsatz klass. Züchtungsmethoden u. neuer biotechnol. Verf. (Anbau transgener Pflanzen) durchgeführt, bei denen aus chem. Sicht die Gewinnung oleochem. interessanter Fettsäuren, ihre Funktionalisierung u. Anreicherung im Mittelpunkt stehen. Die in Europa anbaubaren Ölpflanzen, wie Raps (*Brassica napus*), Lein (*Linum usitatissimum*), Sonnenblume (*Helianthus annuus*) od. Sojabohne (*Glycine max*), weisen eine beträchtliche natürliche, aber auch züchter. beeinflußte Variation im Fettsäure-Muster auf. Durch diese unterschiedliche Zusammensetzung ist das Ernteprodukt „Samenöl" gleichermaßen für die menschliche Ernährung u. die *Oleochemie interessant. Beim Raps gibt es sowohl für die Ernährung wichtige Erucasäure-freie als auch industriell interessante Erucasäure-reiche Formen. Ebenso stehen Linolensäure-arme u. Hochölsäure-haltige Sorten zur Verfügung. Neuerdings kann aus transgenem Raps auch „Laurinöl" („laurate canola") gewonnen werden (s. a. Fettsäuren). Bei der Sonnenblume gilt inzwischen ein Ölsäure-Gehalt von >95% als erreichbar („High oleic"-Formen).
Vorbild für die gentechn. Veränderung der Fettsäure-Zusammensetzung sind Samenfette mit bes. hohen Konz. an „normalen" Fettsäuren od. ungewöhnlichen Triglyceriden u. anderen Fett-Grundstrukturen. Beisp. sind Palmitinsäure: 96,3% in *Gymnacranthera contracta*, Stearinsäure: 60% in *Garcinia hombroniana* u. Ölsäure: 94,3% in *Coula edulis*. Cyclopropen-Fettsäuren sind charakterist. für viele Familien der *Malvales*, Cyclopenten-Fettsäuren konnten bisher nur in *Flacourtiaceae* gefunden werden, Fettsäuren mit Dreifachbindungen in Santalaceae u. Olacaceae, Allene (Laballensäure) in einer Unterfamilie der Labiatae (Lamiaceae). Abb. 2 zeigt eine Reihe von ungewöhnlichen Fettsäuren im Samenöl einjähriger Pflanzen.

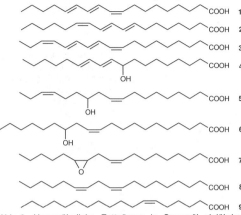

Abb. 2. Ungewöhnliche Fettsäuren in Samenöl einjähriger Pflanzenarten. **1**: α-Elaeostearinsäure aus *Centranthus macrosiphon* Boiss; **2**: Calendulasäure aus *Calendula officinalis* L.; **3**: α-Parinarsäure aus *Impatiens balsamina* L.; **4**: Dimorphencolsäure aus *Dimorphotheca pluvialis* (L.) Moench.; **5**: Densipolsäure aus *Lesquerella lescurii* (Gray) Wats.; **6**: Lesquerolsäure aus *Lesquerella gracilis* (Hook.) Wats.; **7**: Vernolsäure aus *Euphorbia lagascae* Spreng.; **8**: Crepeninsäure aus *Crepis alpina* L.; **9**: Petroselinsäure aus *Coriandrum sativum* L.

Herst.: Industriell erfolgt die Gewinnung techn. Talge entweder nach dem Trocken- od. nach dem Naßschmelzverfahren. Bei der trockenen Gewinnung werden die Schlachthofabfälle ohne nennenswerte Wasserzugabe in Kochern auf 120 °C erhitzt. Durch therm. Eiweiß-Abbau werden Geruch u. Geschmack von Grieben u. Fett jedoch stark beeinflußt, was zu Talgen minderer Qualität führt. Beim Naßschmelzverf. werden die tier. Ausgangsstoffe zunächst mechan. zerkleinert u. mit direktem Dampf auf 90 °C erhitzt u. der Talg ausgeschmolzen. Die prakt. fettfreien Grieben werden mit Dekantierzentrifugen vom Leimwasser getrennt, aus dem das Fett durch Kühlung abgeschieden wird. Diese schonende Meth. führt zu Talgen höherer Qualität. Eine Alternative stellt der Chayen-Kaltschmelz-Prozeß unter Anw. von Hochfrequenzimpulsen dar. Die Klassifizierung techn. Talge erfolgt nach Säurezahl, MIU (Moisture, inorganic material, unsaponificable), Polyethylen-Gehalt (aus Verpackungsrückständen) u. FAC (fatty acid color). Im internat. Handel gilt folgende Terminologie:

techn. Rindertalg	>2 ffa
US fancy tallow	4 ffa
US bleachable fancy tallow	6 ffa
US special tallow	10 ffa
US Talg A	15 ffa
Tierkörperfette, Knochenfett, Klauenöle	10 ffa

Milchfett wird durch Zentrifugieren gewonnen u. meist zu Butter verarbeitet, während flüssige od. halbflüssige pflanzliche F. durch Abpressen u./od. Extrahieren mit organ. Lsm. (hauptsächlich *n*-Hexan) erhalten werden. Je nach Verwendungszweck werden die rohen F. noch speziellen Reinigungsverf. unterworfen (*Raffination), wobei durch Klären, Filtration, Behandlung mit Bleicherden (Fullern), Säuren od. Alkali störende Verunreinigungen (Proteine, Phosphatide, Schleimstoffe) abgetrennt werden.

Analytik: Die chem. Analyse eines F. umfaßt die qual. u. quant. Bestimmung der jeweiligen Fettsäure-Reste. Neben chromatograph. Meth. haben hierbei naßchem. Verf. große Bedeutung.

– Spezif. Gew.:
Bestimmung bei festen Fetten mit dem Araeometer, bei flüssigen Ölen mit dem Pyknometer; liegt zwischen 0,9 u. 1,0.

– Schmelz- bzw. Erstarrungspunkt (*Titer):
Liegt im allg. um so tiefer, je höher der Gehalt des F. an niederen u. ungesätt. Fettsäuren ist. Den niedrigsten Schmp. weist Nußöl (–27 °C), den höchsten Hammeltalg (+55 °C) auf. Verschiedene F. zeigen einen doppelten Schmelzpunkt (z. B. Tripalmitin 43 u. 65 °C).

– *Säure-Zahl (SZ):
Angabe der Menge Kaliumhydroxid in mg, die zur Neutralisation der in 1 g F. enthaltenen freien, unveresterten Fettsäuren erforderlich ist.

– Verseifungszahl (VZ):
Angabe der Menge Kaliumhydroxid in mg, die zur völligen Verseifung von 1 g F. sowie zur Neutralisation ggf. vorliegender freier Säuren erforderlich ist.

– Ester-Zahl (EZ):
Angabe der Menge Kaliumhydroxid in mg, die zur Verseifung der Neutralester in 1 g F. erforderlich ist. Berechnet sich aus der Differenz von Verseifungs- u. Säurezahl.

– *Iod-Zahl nach Kaufmann (IZ):
Angabe der Menge an elementarem Iod, die von 1 g F. unter Aufspaltung der Doppelbindungen addiert werden. Wird heute jedoch in der Regel mit Brom durchgeführt u. dient als Maß für die Ungesättigtheit eines F.

– *Hydroxyl-Zahl, *Acetyl-Zahl (OHZ):
Angabe der Menge an Kaliumhydroxid in mg, die der bei der Acetylierung von 1 g F. verbrauchten Menge Essigsäure entspricht.

– Peroxid-Zahl (POZ):
Angabe der in 1 kg F. enthaltenen mEq aktiven Sauerstoffs, die in einem Gemisch aus Chloroform u. Eisessig aus Kaliumiodid elementares Iod freisetzen. Nach Wheeler wird dabei in der Kälte, nach Sully in siedendem Lsm. gearbeitet.

– *Reichert-Meißl-Zahl (RMZ):
Angabe der Menge an 0,1 N NaOH in mL, die zur Neutralisation der aus 5 g F. abdestillierten flüchtigen Fettsäuren erforderlich ist; liegt in der Regel unter 1.

Physiologie: Die biolog. Bedeutung der F. ist durch ihren hohen ernährungsphysiolog. Wert gegeben: 1 g F. ergibt bei der Verbrennung 38–39 kJ (9–9,2 kcal), 1 g Kohlenhydrat od. Eiweiß dagegen nur 17–19 kJ (4–4,5 kcal). Die wasserunlösl. F. stellen damit den konzentriertesten u. beständigsten natürlichen Reserve- u. „Brennstoff" dar. Höchstwahrscheinlich werden die F. der grünen Pflanzen aus assimilierten, überschüssigen Kohlenhydraten aufgebaut, welche die Kohlenstoff-Ketten zum Aufbau gesättigter Fettsäuren liefern. Diese werden z. T. dehydriert u. mit Glycerin aus der Zuckergärung verestert. Beim Auskeimen der fetthaltigen Samenkörner wird das wasserunlösl. F. durch *Lipasen gespalten, wobei die Fettsäuren wieder in Kohlenhydrate umgewandelt werden. Im tier. Organismus werden die mit der Nahrung aufgenommenen F. in Form von *Chylomikronen* (s. Lipoproteine) (89% Trigylceride, 6% Cholesterin, 4% Phospholipide, 1% Protein) transportiert u. am Fettgewebe des Darms od. in der Leber enzymat. gespalten (Lipolyse). Im Rahmen der Lipogenese werden Fettsäuren bereits in der Darmwand wieder mit Glycerin-1-phosphat, das der *Glykolyse entstammt, zu körpereigenem F. umgesetzt, das über den Lymphweg in die Fettdepots gelangt. Ein weiterer Teil der Fettsäuren dient der Energiegewinnung im Blut od. wird in der Leber zu den art- u. organspezif., Lipoid-reichen Organfetten von Hirn-, Rückenmark u. Muskeln umgewandelt.

Die höheren Organismen benötigen zwar für ihre Ernährung eine gewisse Mindestmenge an F., doch kann diese in erheblichem Maße durch erhöhte Kohlenhydrat-Zufuhr ausgeglichen werden. Menschen u. Tiere können Kohlenhydrate in Fett umwandeln – daher wirken Mehlspeisen u. Zuckerwaren als „Dickmacher". Umgekehrt vermag der tier. Organismus auch Fett in Kohlenhydrate (z. B. Zucker) umzuwandeln, denn der Blutzucker-Gehalt (0,1%) sinkt selbst bei längerem Hungern od. Winterschlaf nicht wesentlich ab. Eine völlig fettfreie Ernährung führt infolge des Fehlens der beiden *essentiellen *Fettsäuren *Linolsäure u. *Arachidonsäure zu starken Mangelerscheinungen.

Verw.: Die Weltproduktion an F. betrug 1992/93 etwa 84,5 Mio. t u. wird nach Schätzungen 1993–1997 jährlich etwa 90,5 Mio. t u. für den Zeitraum 2002–2012 132 Mio. t erreichen. Palmöl wird im Jahr 2000 die Produktion des bisher dominierenden Sojaöls übertroffen haben. Etwa 80% dienen der Ernährung, wobei F. wie Butter, Schmalz u. Olivenöl unmittelbar genossen werden können. Viele flüssige ungesätt. pflanzliche u. tier. F. sind hingegen erst nach der von *Normann* 1901 entwickelten Partialhydrierung (*Härtung) für den menschlichen Organismus geeignet. Hierbei werden die oft unangenehm riechenden u. dunkelgefärbten flüssigen ungesätt. F. durch katalyt. *Hydrierung in Ggw. von Nickel-Katalysatoren bei 200 °C u. $2 \cdot 10^6$ Pa in fast geruch- u. geschmacklose F. umgewandelt.

6% der F. dienen als Futtermittel, 14% (1992/93: 11,8 Mio. t) als Rohstoff für die oleochem. Industrie.
– *E* fats and oils – *F* corps gras et huiles – *I* grassi e oli grassi – *S* grasas y aceites

Lit.: Eierdanz (Hrsg.), Perspektiven nachwachsender Rohstoffe in der Chemie, Weinheim: VCH Verlagsges. 1996 ▪ Fat. Sci. Technol. **89**, 99 (1987) ▪ Fette, Seifen, Anstrichm. **87**, 47 (1985); **88**, 250 (1986) ▪ J. Am. Oil Chem. Soc. **62**, 317 (1985) ▪ Seifen, Öle, Fette, Wachse **113**, 455 (1987) ▪ Ullmann (5.) **A10**, 173–243. – [HS 1501–1504, 1570, 1580, 1510]

Fettfarbstoffe. Sammelbez. für fett- u. öllösl. Farbstoffe zur Identifizierung u. Markierung von Vergaser-, Turbinen-, Düsen- u. Dieselkraftstoff u. von Heizöl, ferner zum Färben von Getriebe-, Schmier- u. Hydrauliköl, Schmierfetten, Wachsen, Lederpflegemitteln u. für die Kunststoff-verarbeitende Industrie.
– *E* fat dyes – *F* colorants pour graisses alimentaires – *I* coloranti grassi – *S* colorantes grasos

Lit.: Ullmann (4.) **8**, 298 ▪ Winnacker-Küchler (3.) **4**, 324.

Fettgerbung s. Degras u. Gerberei.

Fetthärtung s. Fette und Öle.

Fetting, Fritz (geb. 1926), Prof. für Techn. Chemie, TH Hannover, TH Darmstadt. *Arbeitsgebiete:* Mit Zeolithen katalysierte Reaktionen, Adsorption an Zeo-

lithen, Schadstoffe bei der Verbrennung, chem. Synth. in Flammen.
Lit.: Kürschner (16.), S. 807 ▪ Wer ist wer, S. 320.

Fettketone. Ausgehend von Fettsäure-Salzen lassen sich F. durch Pyrolyse erhalten. So läßt sich z. B. Octadecansäure-Magnesiumsalz bei 340 °C unter Abspaltung von CO_2 in das Pentatriacontan-17-on (*Stearon) überführen. Die Bildung von F. erfolgt ferner als Nebenreaktion bei der Dest. von Fettsäuren in Eisen-Gefäßen. – *E* fatty ketones – *I* chetoni grassi – *S* cetonas grasas
Lit.: Houben-Weyl **7/2a**, 622. – [HS 2914 19]

Fettkohle. Bez. für eine auch *Backkohle* genannte *Steinkohle, die beim Verkoken 19–28% Gase abgibt; zur Zusammensetzung s. Kohle. – *E* fat coal – *F* charbon gras – *I* carbone grasso – *S* carbón graso

Fettkraut s. carnivore Pflanzen.

Fettlicker s. Gerberei u. Licker.

Fettlöser. Lsm. für Fette u. Öle, so z. B. Benzin, Benzol, Terpentinöl, Decalin, Hexalin, Tetralin, Trichlorethylen, Tetrachlorkohlenstoff, Perchlorethylen, Dipenten usw. Fettlösende Waschmittel setzen sich aus F., *Seifen u./od. *Tensiden sowie Lösungsvermittlern (z. B. Alkohole, Glykole) zusammen u. werden zur Reinigung stark fettverschmutzter Küchenwäsche u. Berufskleidung, zur Teppich- u. Polsterreinigung sowie zur Entfernung von Schmälz- u. Reißölen eingesetzt. – *E* fat solvents – *F* solvants de graisse, solvants dégraisseurs – *I* grassante – *S* disolventes de grasas

Fettpech. Bez. für eine Gruppe von Produkten (Stearinpech, Wollfettpech, Palmölpech), die als Rückstände bei der Dest. von *Fettsäuren anfallen. F. setzen sich aus Fettsäuren, Hydroxysäuren, Anhydriden, Ketonen, Kohlenwasserstoffen, Metallseifen u. dgl. zusammen, deren Anteile je nach Ausgangsstoff stark schwanken. – *E* fatty acid pitch – *I* pece grassa – *S* brea de ácido graso

Fettsäure-Abbau. Der Abbau von Fettsäuren im Organismus erfolgt durch deren oxidative Spaltung u. dient der Energiegewinnung u. der Bereitstellung von niedermol. Bausteinen für Biosynthesen. Am bedeutendsten ist die von *Knoop aufgeklärte, bei *Eukaryonten in den *Mitochondrien stattfindende *Beta-Oxidation*, eine sich wiederholende Folge von 4 Reaktionsschritten (Abb.), bei der Zwei-Kohlenstoff-Bruchstücke in Form der Acetyl-Gruppe des *Acetyl-CoA entstehen. Vor Beginn müssen die Fettsäuren aktiviert werden. Dazu werden sie unter Verbrauch von *Adenosin-5'-triphosphat auf *Coenzym A übertragen, mit dem sie einen Thioester (Acyl-CoA) bilden. Die Enzyme der mitochondrialen β-Oxid. bauen kurz- u. mittelkettige Fettsäuren ab. In den *Peroxisomen gibt es eine β-Oxid. langkettiger Fettsäuren. Zum Abbau verzweigtkettiger u. ungesätt. Fettsäuren gibt es spezielle Reaktionen. – *E* fatty acid degradation – *F* dégradation des acides gras – *I* degradazione degli acidi grassi – *S* degradación de los ácidos grasos
Lit.: Biochim. Biophys. Acta **1301**, 7–56; **1302**, 1–16 (1996) ▪ Karlson et al., Kurzes Lehrbuch der Biochemie, 14. Aufl., S. 292ff., Stuttgart: Thieme 1994 ▪ Progr. Lipid Res. **34**, 267–342 (1995) ▪ Stryer (5.), S. 492–498, 659.

Abb.: β-Oxidation gesättigter, unverzweigter Fettsäuren (R = Alkyl; FAD, $FADH_2$ = *Flavin-Adenin-Dinucleotid, oxidierte bzw. reduzierte Form; NAD^+, NADH = *Nicotinamid-Adenin-Dinucleotid, oxidierte bzw. reduzierte Form). Die gezeigte Reaktionsfolge wiederholt sich mit dem um 2 Kohlenstoff-Atome verkürzten Acyl-CoA.

Fettsäurealkanolamide (FAA). Gruppe nichtion., *N*-alkylierter *Fettsäureamide der allg. Formel

$$R^1-CO-N(R^2)-(CH_2)_n-OH$$

die man durch Umsetzung von *Alkanolaminen mit *Fettsäuren, *Fettsäuremethylestern od. Fettsäureglyceriden erhält. R^1 steht in der Regel für einen Stearin-, Kokosfett- od. Olein-Rest, während als Alkanolamin bevorzugt Di-, seltener Monoethanolamin od. Aminopropanole eingesetzt werden. Bei den Monoalkanolamiden der gesätt. Fettsäuren handelt es sich im allg. um wachsartige bis krist., bei den sich von ungesätt. Fettsäuren ableitenden F. um fettige Produkte; Dialkanolamide sind hingegen flüssig. Durch Alkoxylierung der F. lassen sich Fettsäureamidpolyglykolether erhalten, die sich, ebenso wie die F. selbst, sulfatieren lassen.

Verw.: F. finden Einsatz als Emulgatoren, Verdickungsmittel sowie insbes. als Schaumstabilisatoren in Haarshampoos, Spül- u. Reinigungsmitteln, Rostschutzmitteln, Schmierstoffen u. Abbeizmitteln. Die F. der Undecensäure zeigen darüberhinaus eine bakterizide u. fungizide Wirkung. – *E* fatty alkanolamides – *F* alcanolamides grasses – *I* alcanolammidi grasse – *S* alcanolamidas grasas

Fettsäureamide

Lit.: Falbe, Surfactants in Consumer Products, Berlin: Springer 1986.

Fettsäureamide. Bez. für *Amide der allg. Formel R–CO–NH$_2$, bei denen R für einen Alkyl-Rest mit 5 bis 21 C-Atomen steht. Techn. F. stellen Gemische mit unterschiedlichen Alkyl-Kettenlängen dar.
Verw.: Hydrophobierung von Textilien, in Kosmetika, Druckfarben, Schmiermitteln, Polituren, Rostschutzmitteln u. Antischaummitteln. – *E* fatty acid amides – *F* amides d'acides gras – *I* ammidi degli acidi grassi – *S* amidas de ácidos grasos

Fettsäure-Biosynthese. Die F.-B. findet an einem Multienzymkomplex, der *Fettsäure-Synthase* (EC 2.3.1.85, 2.3.1.86) statt, der die Synth. langkettiger gesätt. *Fettsäuren aus *Acetyl-CoA, Malonyl-CoA u. reduziertem *Nicotinamid-Adenin-Dinucleotid-Phos-

phat (NADPH) katalysiert. Ein Bestandteil, das *Acyl-Carrier-Protein* (ACP u. ACP-SH) besitzt eine Panthein-4'-phosphat-Gruppierung (ebenso wie Coenzym A; Struktur s. dort), mit deren Hilfe die wachsende Fettsäure-Kette als Thioester gebunden u., wie der Name *Carrier schon sagt, von einem katalyt. Zentrum zum nächsten transportiert wird. Die beteiligten Enzym-Komponenten u. die von ihnen katalysierten Reaktionen können dem Schema links entnommen werden.

Fettsäure-Synthase aus Bakterien u. *Plastiden dissoziiert beim Versuch der Isolierung in 6–7 getrennte Enzyme u. das ACP.

Der Proteinkomplex aus Hefe (EC 2.3.1.86, M_R 2,3 Mio.) hat die Form eines länglichen Ellipsoids mit den Abmessungen 210 × 250 Å u. besteht aus zwei unterschiedlichen Polypeptid-Ketten, die 6fach vorhanden sind ($\alpha_6\beta_6$). Die α-Untereinheit (M_R ca. 200 000) enthält das ACP, das condensing enzyme u. die β-Ketoacylreduktase, während die β-Kette (M_R ca. 190 000) die Acetyl- u. Malonyltransferase, die Dehydratase u. die Enoylreduktase enthält. Der tier. Multienzym-Komplex (M_R 520 000) schließlich besteht aus 2 ident. Untereinheiten, die in je 3 Domänen aufgeteilt sind, auf welche sich 7 einzelne Enzym-Aktivitäten verteilen. Diese multifunktionalen Proteine sind wahrscheinlich im Lauf der *Evolution durch Verknüpfung einst getrennter *Gene entstanden.

In den *Mitochondrien u. im *endoplasmatischen Retikulum gibt es Enzym-Syst. zur Verlängerung mittellanger Fettsäuren. Zur Synth. einfach ungesätt. Fettsäuren erfolgt eine durch Acyl-CoA-Desaturase (EC 1.14.99.5) katalysierte Dehydrierung. Mehrfach ungesätt. Fettsäuren sind für Säuger essentiell u. müssen mit der Nahrung aufgenommen werden. – *E* fatty acid biosynthesis – *F* biosynthèse des acides gras – *I* biosintesi degli acidi grassi – *S* biosíntesis de los ácidos grasos

Lit.: Biochim. Biophys. Acta **1301**, 7–56; **1302**, 1–16 (1996) ▪ FASEB J. **8**, 1248–1259 (1994) ▪ Karlson et al., Kurzes Lehrbuch der Biochemie, 14. Aufl., S. 297ff, Stuttgart: Thieme 1994 ▪ Stryer (5.), S. 500–510.

Fettsäureglucamide (Abk. FAGA bzw. GA). Gruppe nichtion., *N*-alkylierter, vorzugsweise *N*-methylierter *Fettsäureamide der allg. Formel

$$R^1-CO-N(R^2)-CH_2-\underset{H}{\overset{OH}{C}}-\underset{OH}{\overset{H}{C}}-\underset{H}{\overset{OH}{C}}-\underset{H}{\overset{OH}{C}}-CH_2OH$$

die man durch Umsetzung von *N*-Alkyl-(*N*-methyl-)-glucosamin mit *Fettsäuremethylestern erhält. R^1 steht in der Regel für den *n*-C$_{12}$-Alkyl-Rest, R^2 für einen niederen Alkyl-Rest. F. zeichnen sich durch hohe Grenzflächenaktivität, ein überlegenes Ökoprofil u. gute Hautverträglichkeit aus.
Verw.: F. finden Einsatz in Spül- u. Reinigungsmitteln, Waschmitteln, kosmet. Formulierungen u. bestimmten Prozeßchemikalien. – *E* fatty acid glucamides – *F* glucamides d'acides gras

Lit.: Jürges u. Turowski, in Eierdanz (Hrsg.), Perspektiven nachwachsender Rohstoffe in der Chemie, S. 61–70, Weinheim: VCH Verlagsges. 1996 ▪ Scholz, 3. Symposium Nachwachsende Rohstoffe – Perspektiven für die Chemie, S. 172–186, Münster: Landwirtschaftsverl. 1994.

Abb.: Schema der Kettenverlängerung von Fettsäuren bei der Biosynth. am Fettsäure-Synthase-Komplex. Nach Ablauf der gezeigten Reaktionsfolge wiederholt sich diese ab dem 2. Schritt mit Butyryl-ACP anstelle von Acetyl-ACP usw. Bei einer Kettenlänge von 16 Kohlenstoff-Atomen wird Palmitat durch eine *Thioesterase* hydrolyt. abgespalten (bei Tieren) bzw. auf Coenzym A übertragen (bei Bakterien u. Hefe).

Fettsäureisethionate (Isethionate). Gruppe anionaktiver *Tenside der allg. Formel R–CO–O–(CH$_2$)$_2$–SO$_3$Na, die man durch Umsetzung von Fettsäurechloriden mit Natriumisethionat erhält. F. zeigen gute Netz- u. Schaumeigenschaften, sind wenig Wasserhärte-empfindlich, dermatol. unbedenklich u. finden daher Verw. in Kosmetika u. Reinigungsprodukten. – *E* fatty acid isethionates – *F* iséthionates d'acides gras – *I* isetionati dell' acido grasso – *S* isetionatos de ácidos grasos

Lit.: Ullmann (5.) A25, 747–847.

Fettsäuremethylester. F. lassen sich durch Veresterung von *Fettsäuren mit Methanol od. durch *Umesterung von gesätt. u./od. ungesätt. *Fetten und Ölen mit *Glycerin gewinnen u. stellen wichtige Zwischenprodukte für die Herst. von *Fettalkoholen, *Fettaminen u. *Estersulfonaten dar.

Veresterung: Die Veresterung von Fettsäuren mit Methanol wird bei 200–250 °C u. unter Druck durchgeführt u. kann sowohl batchweise in Autoklaven als auch kontinuierlich in Gegenstrom-Reaktionskolonnen über Glockenböden erfolgen. In letzterem Fall kommt man mit einem geringen Methanol-Überschuß aus. Durch Einsatz eines Alkohol-Überschußes od. durch Entfernung des Reaktionswassers, läßt sich das Gleichgewicht auf die Seite der Produkte verschieben. Die Reaktionsgeschw. kann durch Temperaturerhöhung sowie durch alkal. od. saure Katalysatoren (z. B. Zinkseifen) gesteigert werden. Die Qualität der Methylester läßt sich über die Säurezahl bestimmen.

Umesterung: Unter der Umesterung (Alkoholyse) von Glyceriden mit Methanol versteht man den Austausch des im Ester gebundenen Alkohols durch einen anderen. Die Umesterung stellt ebenso wie die Veresterung eine Gleichgewichtsreaktion dar. Auch hier kann das Gleichgew. durch einen Überschuß von Methanol od. Entfernen des Glycerins auf die Seite der Methylester verschoben werden. Der Austausch der Glycerin-Komponente von Fetten u. Ölen gegen einwertige Alkohole wie Methanol ist ohne Schwierigkeiten bereits bei niedrigen Temp. drucklos möglich. Zur Verarbeitung müssen vorentsäuerte Öle u. Fette eingesetzt werden. Hierbei wird der Rohstoff (z. B. Kokosöl) bei ca. 50–70 °C mit einem Überschuß an reinem Methanol in Ggw. eines alkal. Katalysators gemischt. Nach entsprechender Verweilzeit scheidet sich das Glycerin prakt. wasserfrei am Boden des Reaktionsgefäßes ab. Die Umesterungsreaktion ist abgeschlossen, wenn im gebildeten Methylester kein Glycerin mehr vorhanden ist. Die Reaktionsgeschw. kann durch Temperaturerhöhung sowie durch alkal. od. saure Katalysatoren gesteigert werden. Die großtechn. Umesterung von Fetten u. Ölen wird in der Regel kontinuierlich durchgeführt. Sie kann sowohl drucklos bei 70 °C als auch unter Druck bei 90 bar u. 240 °C erfolgen. Dazu wird das Einsatzmaterial zusammen mit Methanol im mehrfach mol. Überschuß mit Dosierpumpen im Gleichstrom den Anlagen zugeführt. Gleichzeitig wird die erforderliche Katalysatormenge dem Edukt zudosiert. Durch Entspannung gelangt das fertige Umesterungsgemisch, das Methylester, Glycerin u. Methanol enthält, in eine Trenneinheit, die im wesentlichen aus einer Bodenkolonne u. einem Glycerin-Abscheider besteht. Im Verstärkerteil der Kolonne wird das abgetriebene, wasserhaltige Methanol aufkonzentriert, welches im Anschluß kondensiert u. in die Umesterung zurückgeführt wird. Im Separator scheidet sich eine ca. 90%ige Glycerin-Lsg. ab, die an anderer Stelle aufgearbeitet werden kann, während der Methylester in einer nachgeschalteten Vak.-Destillationsanlage aufgereinigt u. ggf. fraktioniert wird.

Enzymatische Umesterung: Durch 1,3-spezif. Lipasen lassen sich gezielt Fettsäuren in Triglyceriden austauschen, was auf chem. Wege nicht möglich ist. Dadurch lassen sich Fette mit definiertem Schmelzverhalten synthetisieren, die für die Herst. von Kakaobuttersatz, Margarine-, Butter- u. Backfetten erforderlich sind. Durch Immobilisierungstechniken können auch die Standzeiten der Enzyme erhöht u. damit die Katalysatorkosten erniedrigt werden. – *E* fatty acid methylesters – *F* esters méthyliques d'acides gras – *S* ésteres metílicos de ácidos grasos

Lit.: Falbe, Surfacants in Consumer Products, Berlin: Springer 1986. – [HS 3823 90]

Fettsäuren. Gruppenbez. für aliphat., gesätt. *Carbonsäuren mit nahezu ausschließlich unverzweigter Kohlenstoff-Kette. Die Bez. F. geht darauf zurück, daß man schon frühzeitig erkannte, daß die natürlichen *Fette und Öle aus den Estern langkettiger Carbonsäuren mit Glycerin bestehen. Später übertrug man den Gattungsnamen auf alle Alkancarbonsäuren u. deren ungesätt. Vertreter („Ölsäuren") (s. Tab. 1). F. mit 1–7 C-Atomen werden als niedere, solche mit 8–12 C-Atomen als mittlere u. solche mit mehr als 12 C-Atomen als höhere F. bezeichnet. Die Nomenklatur der F. folgt den bei den *Carbonsäuren erläuterten Prinzipien, doch sind aus histor. Gründen insbes. für die techn. relevanten Vertreter Trivialnamen fest eingebürgert. Niedere F. mit bis zu 3 C-Atomen stellen Flüssigkeiten mit stechendem Geruch dar, die mittleren Glieder liegen flüssig od. fest vor u. zeichnen sich durch üblen Gestank aus, während höhere F. fest u. geruchlos sind. Mit der Zahl der C-Atome im Molekül steigen die intermol. wirksamen *van der Waals-Kräfte, während die Flüchtigkeit in gleicher Richtung abnimmt. Die Schmelzpunkte zeigen keinen linearen, sondern einen „zickzackartigen" Verlauf: F. mit gerader C-Zahl weisen durchweg etwas höhere Schmelzpunkte auf, als die daraufffolgenden mit ungerader C-Zahl. Ursache hierfür ist, daß in den Kristallgittern die Mol. der geradzahligen F. dichter gepackt sind als die der nächsthöheren ungeradzahligen. In Wasser lösen sich die F. mit bis zu 4 C-Atomen (Ameisensäure bis Buttersäure) in beliebigen Verhältnissen, die Valeriansäure löst sich noch in der 27fachen Wassermenge. Die höheren F. stellen schwache Säuren (Dissoziationsgrad Essigsäure: ca. 1%) dar; Ameisensäure übertrifft die Essigsäure in ihrer Acidität etwa um das 12fache, muß jedoch im Vgl. zur Salzsäure immer noch als schwache Säure bezeichnet werden. Die Bestimmung der F. kann auf gaschromatograph. Wege erfolgen, ggf. nach Überführung in die Methylester od. andere Derivate (z. B. 4-Bromphenacylester).

Vork.: Die F. kommen in der Natur sowohl in freiem Zustand wie auch als *Ester vor. Bes. häufig sind die

Fettsäuren

Tab. 1: Fettsäuren.

Säure	C-	Formel R–COOH	Schmp. [°C]	Sdp. [°C/hPa]	Vorkommen
Gesätt., unverzweigte Fettsäuren					
Ameisen-	1	H–	8	101/1013	Ameisengift
Essig-	2	CH_3-	17	118/1013	Stoffwechselprodukte
Propion-	3	C_2H_5-	–22	141/1013	Schweiß
Butter-	4	C_3H_7-	–6	164/1013	Gärungsprodukte, Milchfett
Valerian-	5	C_4H_9-	–34	186/1013	Ether, Öle, Hefe
Capron-	6	$C_5H_{11}-$	4	205/1013	Butter, Kokosöl
Önanth-	7	$C_6H_{13}-$	–10	223/1013	Kalmusöl
Capryl-	8	$C_7H_{15}-$	17	239/1013	Butter, Kokosöl
Pelargon-	9	$C_8H_{17}-$	12	255/1013	Fuselöle, Pelargonium
Caprin-	10	$C_9H_{19}-$	31	270/1013	Butter, Kokosöl
Undecan-	11	$C_{10}H_{21}-$	30	280/1013	Kokosöl, ether. Öle
Laurin-	12	$C_{11}H_{23}-$	43	225/133	Kokosöl, Tierfette
Tridecan-	13	$C_{12}H_{25}-$	42	236/133	Iris- u. Kokosöl (selten)
Myristin-	14	$C_{13}H_{27}-$	54	250/133	Kokosöl, Tierfette
Pentadecan-	15	$C_{14}H_{29}-$	54	257/133	Tierfette
Palmitin-	16	$C_{15}H_{31}-$	63	272/133	Palmöl, Tierfette
Margarin-	17	$C_{16}H_{33}-$	61	277/133	Tierfette
Stearin-	18	$C_{17}H_{35}-$	71	291/133	Palmöl, Tierfette
Nonadecan-	19	$C_{18}H_{37}-$	69	298/133	Tierfette
Arachin-	20	$C_{19}H_{39}-$	75	245/24	Erdnuß-, Rüb-, Kakaoöl
Behen-	22	$C_{21}H_{43}-$	80	306/80	Rüb-, Erdnußöl
Lignocerin-	24	$C_{23}H_{47}-$	81	–	Holzteer, Carnaubawachs
Cerotin-	26	$C_{25}H_{51}-$	88	–	Bienenwachs, Lanolin
Melissin-	30	$C_{29}H_{59}-$	92	–	Carnaubawachs
Gesätt., verzweigte Fettsäuren					
Isobutter-	4	$i\text{-}C_3H_7-$	–47	153/1013	Ether, Öle
Isovalerian-	5	$i\text{-}C_4H_9-$	–29	177/1913	Baldrian, ether. Öle
Tubercolostearin-	19	$i\text{-}C_{18}H_{37}-$	13	178/0,9	Tuberkelbakterien
Einfach ungesätt., unverzweigte Fettsäuren					
Acryl-	3	C_2H_3-	13	142/1013	–
Croton-	4	C_3H_5-	72	185/1013	Crotonöl, Bakterien
Palmitolein-	16	$C_{15}H_{29}-$	1	210/13	Meerestiere, Samenöle
Öl-	18	$C_{17}H_{33}-$	16	229/20	Palmöl, Tierfette
Eruca-	22	$C_{21}H_{41}-$	34	225/13	Rüb-, Traubenkernöl
Zweifach ungesätt., unverzweigte Fettsäuren					
Sorbin-	6	C_5H_7-	135	228/1013	Eberesche
Linol-	18	$C_{17}H_{31}-$	–5	230/21	Pflanzenöle, Tierfette
Dreifach ungesätt., unverzweigte Fettsäuren					
Linolen-	18	$C_{17}H_{29}-$	–11	232/23	Pflanzenöle
Elaeostearin-	18	$C_{17}H_{29}-$	49	235/16	Pflanzenöle
Vierfach ungesätt., unverzweigte Fettsäuren					
Arachidon-	20	$C_{19}H_{31}-$	–49	–	Leber, Tierfette
Fünffach ungesätt., unverzweigte Fettsäuren					
Clupanodon-	22	$C_{21}H_{33}-$	–78	330/1013	Fischöle
Sechsfach ungesätt., unverzweigte Fettsäuren					
Docosahexaen-	22	$C_{21}H_{31}-$	–	–	Fischöle

Palmitin- (C_{16}), Stearin- (C_{18}) u. die Ölsäure (C_{18}), die in vielen pflanzlichen Ölen (z. B. Palmöl) u. tier. Fetten (z. B. Rindertalg) enthalten sind; ferner sind die Laurin- (C_{12}) u. Myristinsäure (C_{14}) als Bestandteile von Kokos- u. Palmkernöl sowie die Erucasäure (C_{22}) zu nennen, die den Hauptbestandteil des Rüböls alter Züchtung darstellt. F. mit weniger als 12 C-Atomen sind in der Milch von Säugetieren enthalten (vgl. Fette u. Öle). Die meisten F., die in natürlichen Fetten u. Ölen gebunden vorliegen, zeigen einen linearen Aufbau; verzweigte Ketten findet man jedoch im Bürzeldrüsenfett der Vögel sowie in Bakterienfetten (z. B. Tuberkelbakterien). Ungesätt. F., die insbes. Bestandteil von Fischölen darstellen, liegen in der Regel *cis*-konfiguriert vor, doch finden sich *trans*-Formen in Spuren sowohl in gehärteten als auch natürlichen Produkten.

Herst.: Für die niederen F. existieren eine Vielzahl von Herstellungsmeth., die meist oxidativer Natur sind u. Alkohole u./od. Aldehyde (z. B. aus der *Oxo-Synthese) sowie aliphat. bzw. acycl. Kohlenwasserstoffe als Startmaterialien benutzen. Weitere Syntheseverf. sind die *Reppe-Synthese, die Koch-Haaf-Synth. u. a. *Carbonylierungs-Reaktionen od. die Verseifung von Nitrilen (vgl. Carbonsäuren).

Die höheren Homologen, insbes. die ungesätt. u. substituierten Vertreter, sind auch heute noch am einfachsten durch Verseifung natürlicher Fette zugänglich (vgl. Fett-Spaltung). Bis in die 40er Jahre wurde in Deutschland ferner die Oxid. von *Paraffinen aus der *Fischer-Tropsch-Synthese betrieben. Durch die Fortschritte in der „grünen" *Gentechnik (transgene Pflanzen) sind inzwischen fast unbegrenzte Möglichkeiten zur Variation des F.-Spektrums in den Speicherfetten von Ölpflanzen gegeben. Den 1996 erreichten Stand faßt Tab. 2 zusammen.

Tab. 2: Gentechnische Induzierung von Fettsäuren in Ölpflanzen (Stand Ende 1996).

Enzyme	induzierte Fettsäuren bzw. Verbindungen (Anzahl C-Atome : Anzahl Doppelbindungen)
Acyl-ACP-Esterasen	8:0/10:0, 12:0, 14:0/16:0, 16:0, 18:0
Desaturasen	18:0, 18:1
Elongasen	20:0, 22:1, 24:1
Reduktasen	flüssige Wachsester
Hydroxylasen	18:1-OH
LPAAT	Tri-12:0, Tri-22:1

Zur Physiologie der F. s. Fettstoffwechsel, Fettsäure-Biosynthese u. Fettsäure-Abbau.

Verw.: F. lassen sich mit Alkoholen zu Fettsäureestern, insbes. *Fettsäuremethylestern umsetzen, zu Fettalkoholen – ggf. über die Stufe der Ester – hydrieren sowie in *Fettsäurealkanolamide, F.-ethoxylate u. F.-amine überführen. Sie stellen Ausgangsprodukte für die Herst. von Seifen, Tensiden, Schmierstoffen, Epoxid- u. Alkydharzen, Anstrichmitteln, Weichmachern, Pharmazeutika, Insektiziden, Kunststoffen, Gleit- u. Textilhilfsmitteln dar. – *E* fatty acids – *F* acides gras – *I* acidi grassi – *S* ácidos grasos

Lit.: Beilstein E IV 2 ▪ Chem. Ind. **33**, 136 (1981) ▪ Fette, Seifen, Anstrichm. **83**, 401 (1983) ▪ Nachr. Chem. Tech. Lab. **35**, 1240 (1987) ▪ Seifen, Öle, Fette, Wachse **115**, 112 (1989) ▪ Soap Cosmet. Chem. Spec. **1996**, Nr. 10 ▪ Ullmann (5.) **A10**, 245–276. – [HS 1519 11 – 1519 30, 2915 11, 2915 21, 2915 60, 2915 70, 2915 90]

Fettsäuresarcosinate. Bez. für Kondensationsprodukte von Fettsäuren mit *N*-Methylglycin (*Sarkosin) der allg. Formel

$$R-CO-N(CH_3)-CH_2-COOH$$

F. zeichnen sich durch eine hohe Hautverträglichkeit, ausgeprägtes Schaumvermögen sowie geringe Wasserhärteempfindlichkeit aus u. finden daher vorwiegend Einsatz in kosmet. Präparaten. – *E* fatty acid sarcosinates – *F* sarcosinates d'acides gras – *S* sarcosinatos de ácidos grasos

Lit.: Falbe, Surfactants in Consumer Products, Berlin: Springer 1986.

Fettsäure-Synthase s. Fettsäure-Biosynthese.

Fettsäuretauride [2-(Acylamino)ethansulfonate]. Bez. für Kondensationsprodukte von Fettsäurechloriden mit *N*-Methyltaurin der allg. Formel

$$R-CO-N(CH_3)-(CH_2)_2-SO_3Na$$

F. weisen in Bezug auf Schaum- u. Emulgiervermögen ähnliche Eigenschaften wie Seifen auf, sind aber im Gegensatz zu diesen wenig Wasserhärte-empfindlich. Bevorzugt werden Fettsäurechloride auf Basis von Ölsäure od. Kokosfettsäure-Schnitten eingesetzt. – *E* fatty acid taurides 2-(acylamino)ethanesulfonates – *I* acilamminoalcansolfonati – *S* taururos de ácidos grasos, acilaminoalcansulfonatos

Lit.: Falbe, Surfactants in Consumer Products, Berlin: Springer 1986.

Fett-Spaltung. Bez. für die *Verseifung od. *Hydrolyse von Glycerin-fettsäure(partial)estern. Bei der Herst. von *Seife aus *Fetten u. Ölen reagiert 1 Mol des Triglycerids mit drei Molen Natriumhydroxid zu einem Mol Glycerin u. drei Molen Natriumseifen. Will man bis zu den *Fettsäuren gelangen, müssen die Seifen anschließend z. B. mit Schwefelsäure angesäuert werden. Die Hydrolyse von Fetten u. Ölen wurde bis Ende des 19. Jh. in Kupfer-Autoklaven bei einem Druck von 10 bar durchgeführt. 1898 wurde von Ernst Twitchell ein Normaldruckverf. (*Twitchell-Spaltung) eingeführt, bei dem die Spaltung mit heißem Wasserdampf in Ggw. von Schwefelsäure u. dem Twitchell-Reaktiv, einem sulfonierten Gemisch aus Naphthalin u. Ölsäure, erfolgte. Aufgrund der höheren Leistungsfähigkeit in bezug auf den Mengendurchsatz war die Twitchell-Spaltung dem Autoklavenprozess überlegen. Als nachteilig erwies sich jedoch, daß dieses Verf. nicht auf alle Fette u. Öle in gleicher Weise anzuwenden war. Mit dem Aufkommen von VA-Edelstählen stand jedoch ab Mitte der 30er Jahre dieses Jh. ein hochfestes, Fettsäure-beständiges Autoklavenmaterial zur Verfügung, das es erlaubte, die seit 1854 bekannte Druckspaltung auf der Basis der reinen Wasserspaltung durchzuführen (vgl. Dampfspaltung). – *E* fat splitting – *F* dédoublement de graisses – *I* scissione dei grassi – *S* desdoblamiento de grasas

Lit.: Fat Sci. Technol. **89**, 297 (1987).

Fettstifte s. Buntstifte.

Fettstoffwechsel. Die Fette (*Neutralfette*) als die wichtigsten intrazellulären Reservestoffe werden bei reichlicher Ernährungslage aus dem Überschuß der Nährstoffe synthetisiert (*Lipogenese*). Bei Bedarf können sie wieder abgebaut u. für die Energieversorgung des Organismus sowie als Biosynth.-Vorstufen genutzt werden (*Lipolyse*).

Der Abbau der Fette beginnt mit der Hydrolyse der Triacylglycerine (Triglyceride) zu Fettsäuren u. Glycerin. Zur Oxid. u. Spaltung der *Fettsäuren s. Fettsäure-Abbau. Das Abbauprodukt *Acetyl-CoA dient zur Synth. der verschiedensten Substanzklassen – z. B. Aminosäuren, Steroide – u. kann somit vielleicht als *das* zentrale Stoffwechselprodukt bezeichnet werden. So wird es denn auch als Ausgangsmaterial zur *Fettsäure-Biosynthese verwendet. Zur Triglycerid-Bildung ist als Reaktionspartner *sn*-Glycerin-3-phosphat (s. Glycerinphosphate) notwendig, von dem nach zweimaliger Acylierung Phosphat hydrolyt. abgespalten wird, worauf die Veresterung mit dem dritten Fettsäure-Rest erfolgt. Während der Abbau der Fettsäuren in den *Mitochondrien stattfindet, vollzieht sich ihr Aufbau im *Cytoplasma. Schlüsselenzym des Aufbaus ist Acetyl-CoA-Carboxylase (EC 6.4.1.2), das mit *Biotin als Coenzym die Carboxylierung von Acetyl-CoA zu Malonyl-CoA katalysiert. Durch Citrat, das Salz der *Citronensäure, das bei ausreichender Menge an energiereichen Verb. im Cytoplasma auftritt, wird dieses Enzym alloster. aktiviert, durch langkettige Fettsäure-CoA-Derivate gehemmt (*Endprodukthemmung). Malonyl-CoA wiederum, das, wie aus dem oben Gesagten hervorgeht, bei Nährstoff-Überfluß entsteht, hemmt den Transport der Fettsäure-CoA-Derivate in die Mitochondrien, so daß sie in dieser Situation nicht abgebaut, sondern zur Fett-Synth. verwendet werden können. Mittelfristige Regulation von Auf- u. Abbau der Fette erfolgt durch Hormone wie *Glucagon u. *Adrenalin, die die Lipolyse auslösen. Längerfristige Regulationsmechanismen beeinflussen Synth.- u. Abbau-Raten der beteiligten Enzyme. – *E* fat metabolism – *F* métabolisme des gras – *I* metabolismo dei grassi – *S* metabolismo de las grasas

Lit.: Karlson et al., Kurzes Lehrbuch der Biochemie, 14. Aufl., S. 481 ff., Stuttgart: Thieme 1994.

Fettsucht (Adipositas, Obesitas). Abnorme Gewichtszunahme aufgrund einer gestörten Energiebilanz durch übermäßige Kalorienaufnahme, die ein Gesundheitsrisiko beinhaltet. Von F. spricht man, wenn der Anteil des Fettgewebes am Gesamtkörpergew. beim Mann 20%, bei der Frau 25% überschreitet od. wenn das *Idealgewicht* um 20–25% überschritten wird. Das Idealgew. ist das Gew., bei dem sich statist. eine optimale Lebenserwartung ergibt u. lag bisher bei etwa 10% unterhalb des Normgew. (Normgew. in kg = Körperlänge in cm – 100).

Die Ursache der F. ist in erster Linie die Überernährung, bei der die Menge der zugeführten Kalorien der Verbrauch des Körpers übersteigt u. in Form von Fett gespeichert wird. Selten sind Stoffwechselstörungen z. B. der Nebennierenrinde od. der Schilddrüse für eine F. verantwortlich. Die Folgen der F. sind *Hyperlipidämien, *Hypertonie, Störungen des Glucose-Stoffwechsels bis zum *Diabetes mellitus u. *Hyperurikämie, die als Risikofaktoren für die *Arteriosklerose u. damit für coronare Herzkrankheit u. den Schlaganfall gelten.

Eine Gewichtsred. wird durch Verminderung der Kalorienzufuhr in Form einer *Diät unter ärztlicher Betreuung erreicht (vgl. diätetische Lebensmittel). Des weiteren werden Verhaltenstherapie u. körperliches Training eingesetzt. Eine medikamentöse Behandlung der F. gibt es nicht, die gelegentlich eingesetzten *Appetitzügler sind zwar kurzzeitig erfolgreich, aber stark suchterzeugend u. daher krit. zu bewerten. Maßnahmen der Behandlung wie der Einsatz von lipolyt. Hormonen u. Darmoperationen haben sich nicht bewährt. – *E* adiposity, obesity – *F* adipose, obésité – *I* adiposità – *S* adiposis, obesidad

Lit.: Siegenthaler, Klinische Pathophysiologie, S. 213–220, Stuttgart: Thieme 1994.

Fettsynthese s. Fette und Öle u. Fettsäure-Biosynthese.

Fettung(smittel) s. Licker.

Fetuin (α2HS-Glykoprotein). Ein *Glykoprotein aus fetalem *Serum u. Gehirn, das zur Cystatin-Superfamilie (s. Cystein-Proteasen) gehört u. *Trypsin inhibiert. F.-Präparationen wirken wachstums- u. differenzierungsfördernd in vielen Zellkulturen, weshalb sie Bestandteile Serum-freier Kulturmedien sind. Die Effekte könnten jedoch auch auf Verunreinigungen dieser Präparationen zurückgehen, u. über die Funktionen des F. besteht noch immer Unklarheit. – *E* fetuin – *F* fétuine – *I* fetuina – *S* fetuína

Lit.: Amer. J. Physiol. **263**, C551–C562 (1992) ▪ Bioessays **14**, 749–755 (1992) ▪ Dziegielewska u. Brown, Fetuin, Berlin: Springer 1995.

Feuchthaltefaktor s. Feuchthaltemittel.

Feuchthaltemittel (Feuchtigkeitsstabilisatoren). 1. Bez. für *Hautpflegemittel, die der Feuchtigkeitsregulierung der *Haut dienen. Die synthet. F. sind Ersatzstoffe für den „Natural Moisturizing Factor" (*NMF = natürlicher Feuchthaltefaktor), der aus 40% freien *Aminosäuren, 12% *Pyroglutaminsäure, 12% *Lactaten, 7% *Harnstoff, 1,5% *Harnsäure sowie *Glucosamin, *Kreatinin u. verschiedenen Salzen besteht. Die F. sind von ähnlicher Zusammensetzung u. enthalten oft zusätzlich Spaltprodukte des *Collagens, Glykol-Derivate etc. – 2. Bez. für Salze, die in abgeschlossenen Gefäßen die Herst. einer konstanten *relativen Luftfeuchtigkeit ermöglichen, s. dort die Aufstellung für Feuchtigkeitswerte 15–99%. Für die Eignung der Stoffe spielt deren *Hygroskopizität eine Rolle. – 3. Bez. für Zusätze zu Lebens- u. Genußmitteln, die deren Feuchtigkeitshaushalt regulieren, z. B. *Sorbit, 1,2-*Propandiol, *Glycerin in Süßwaren od. verschiedene Glykole in Tabakwaren. – *E* = *F* humectants – *I* umettante, umidificatore – *S* humectantes

Lit. (zu 1.): Janystin **1**, 391 ▪ Umbach (Hrsg.), Kosmetik (2. Aufl.), S. 128, 227, Stuttgart: Thieme 1995. – *(zu 2.):* James, Desiccants and Humectants, Park Ridge: Noyes 1973. – *(zu 3.):* Ullmann (4.) **16**, 82; (5.) **A 11**, 571.

Feuchtigkeit. Unter F. wird gewöhnlich der Wassergehalt von Stoffen verstanden, doch kann man z. B. auch von Benzol-, Methanol-, generell von Lsm.-feuchten Gasen, Niederschlägen u. a. reden. Der F.-Grad von Gasen kann durch die *absolute F.* (g Wasser/m^3 Gas), *relative F.* [das in % ausgedrückte Verhältnis der bei einer bestimmten Temp. vorhandenen abs. F. zu dem bei dieser Temp. höchstmöglichen Wasserdampfgehalt, dem Sättigungsgehalt in g/m^3 (*Beisp.:* *relative Luftfeuchtigkeit)] u. weniger gebräuchlich durch den *Sättigungsgrad*, die spezif. *Mengenfeuchtigkeit*, durch Konz.-Angabe in ppm usw. angegeben werden. Die F.-Angaben bei Flüssigkeiten u. Festsubstanzen (chem. gebundenes Wasser wird nicht einbezogen) erfolgen meist durch den abs. Wassergehalt (Verhältnis von Wassergehalt zu Trockensubstanz), relativen Wassergehalt (Verhältnis von Wassergehalt zu feuchter Substanz) bzw. den abs. Trockengehalt (Verhältnis von Trockensubstanz zu feuchter Substanz). F.-Bestimmung bei Gasen können mit *Hygrometern, *Psychrometern usw., bei Flüssigkeiten u. Feststoffen

durch *Trocknen bzw. mit Hilfe physikal. Meßmeth. (z. B. Leitfähigkeitsmessungen, Bestimmung der *Dielektrizitätskonstanten, thermogravimetr. Messung, Mikrowellen- od. Infrarotabsorption, Bestimmung mit schnellen Neutronen usw.) bzw. chem. Verf. erfolgen. Der qual. Nachw. ist mit *Feuchtigkeitsindikatoren* möglich, z. B. mit $KPbI_3$ (s. Bleiiodid) od. mit *Cobalt(II)-chlorid, das auch zur Herst. von *Blaugel u. von sog. „wetteranzeigenden" Bildern viel verwandt wird. Näheres über die Bestimmung der F. s. Wasser, u. zur Beseitigung s. Trocknen u. Trockenmittel. Letztere wirken aufgrund ihrer *Hygroskopizität entwässernd auf ihre Umgebung. Die Kenntnis u. Beeinflussung der F. ist in der Technik von Bedeutung im *Korrosionsschutz, in der Kälte- u. Klimatechnik, für die *Konservierung von Lebensmitteln, das Wachstum von Bakterien, für die chem. Reinheit von Chemikalien, für die Funktionstüchtigkeit der Haut u. ganz allg. für die Beurteilung der technolog. Eigenschaften der Stoffe (z. B. Textilien, Papier, Stäube). Durch sog. *Feuchtigkeitsstabilisatoren* (*Feuchthaltemittel) läßt sich eine bestimmte relative Luftfeuchtigkeit für längere Zeit erhalten. – *E* humidity, moisture – *F* humidité – *I* umidità – *S* humedad
Lit.: Ullmann (4.) **5**, 915–920 ■ s. a. Trocknen, Wasser.

Feuer s. chemische Elemente, bengalisches Feuer u. Erdöl (griech. F.) sowie unter den hier folgenden u. den Brand...-, Brenn...-, Explos...-, Flamm...- u. Zünd...-Stichwörtern.

Feuerfest (im Sinne von *flammfest) s. Flammschutzmittel.

Feuerfestmaterialien (feuerfeste Erzeugnisse). Sammelbegriff für nichtmetall. Werkstoffe (jedoch einschließlich solcher, die einen Anteil an Metall enthalten, z. B. *Cermets), die einen *Segerkegel-Fallpunkt von mind. 1500 °C haben [vgl. DIN 51060 (12/1975)] u. die bei den Dauertemp. von über 800 °C industriell einsetzbar sind. Die F. bestehen aus hochschmelzenden Oxiden, feuerfesten *Silicaten u. a. Materialien. Nach ISO-Empfehlung R 1109 werden F. wie folgt klassifiziert: *Tonerde-reiche Erzeugnisse Gruppe 1 (>56% Al_2O_3); Tonerde-reiche Erzeugnisse Gruppe 2 (45–56% Al_2O_3); *Schamotte-Erzeugnisse (30–45% Al_2O_3); saure Schamotte-Erzeugnisse (10–30% Al_2O_3, <85% SiO_2); Tondinas-Erzeugnisse (85–93% SiO_2); Silica-Erzeugnisse (>93% SiO_2); bas. Erzeugnisse: *Magnesit (>80% MgO), Magnesit-*Chromit (55–80% MgO), Chromit-Magnesit (25–55% MgO), Chromit (>25% Cr_2O_3, <25% MgO), Forsterit, *Dolomit; Sondererzeugnisse auf der Basis von u. a. Kohlenstoff, *Graphit, Zirkoniumsilicat, Silicium- u. a. *Carbiden, *Nitriden, *Boriden, *Spinellen sowie Cermets.
Bei den F. handelt es sich entweder um geformte, gebrannte od. ungebrannte (chem. gebundene), seltener um schmelzgegossene Steine, od. um ungeformte Erzeugnisse (Mörtel, Kitte, Rammassen, plast. Massen, Feuerbetone, Spritzmassen), die entweder direkt im Anlieferungszustand od. nach Zugabe einer geeigneten Flüssigkeit verwendet werden, z. B. als *Hochtemperaturwerkstoffe). Wärmedämmende feuerfeste u. feuerbeständige Erzeugnisse (Feuerleichtsteine, Feuerleichtbetone u. a.) haben eine Gesamtporosität von mind. 45%. Großabnehmer für F. sind Eisen- u. Stahl-Ind., ferner die Glas-, Zement-, Kalk- u. Porzellan- sowie die Ofen- u. Herd-Ind. (zur feuerfesten Auskleidung). – *E* refractory materials – *F* matières réfractaires – *I* materiali resistenti al fuoco – *S* materiales refractarios

Lit.: Ullmann (4.) **11**, 549–565; (5.) **A 13**, 66–77; **A 23**, 1–48 ■ Winnacker-Küchler (4.) **3**, 202–212. – *Inst. u. Organisationen:* Europäische Vereinigung der Hersteller feuerfester Erzeugnisse, Rue des Colonies 18–24, B-1000 Brüssel ■ Forschungsgemeinschaft Feuerfest, 53113 Bonn ■ Verband der Deutschen Feuerfest-Industrie, 53113 Bonn ■ Verband feuerfeste u. keramische Rohstoffe, 56021 Koblenz.

Feuerlöschmittel. Bez. für flüssige, gasf. od. feste Stoffe, die zum Löschen eines Brandes geeignet sind; von den im folgenden erwähnten Beisp. sind einige ggf. in der BRD nicht od. nur eingeschränkt zur Brandbekämpfung zugelassen. Bekanntlich werden Brände in die *Brandklassen A–D eingeteilt, u. entsprechend spricht man von Löschmitteln für die Brandklassen A, ABC, BC u. D. Unter den flüssigen F. besitzt das Wasser größte Bedeutung. Durch das hohe Wärmebindungsvermögen (spezif. Wärmekapazität, spezif. Verdampfungswärme) führt es bei Bränden die entstehende Wärme ab, bis die *Zündtemperatur unterschritten ist. Deshalb hat es sich insbes. gegen Glutbrände bewährt. Unwirksam od. gefährlich ist die Anw. von Wasser dagegen bei Bränden in elektr. Anlagen [hier ist DIN-VDE 0132 (11/1989) zu beachten] u. mit Wasser nicht mischbaren organ. Flüssigkeiten (diese schwimmen auf dem Wasser), Carbid (entwickelt mit H_2O leicht brennbares Acetylen), Leichtmetallen wie K, Na, Ca, Mg, Al (geben mit H_2O brennbaren H_2, der auch ein Verspritzen der Brennmaterialien verursacht) usw. Sein Einsatz ist also nur in der Brandklasse A erlaubt.
Gegen brennende Materialien beständig ist das *Kohlendioxid, das als CO_2-Gas eingesetzt wird. Es erstickt den Brand durch Verdrängung des Luftsauerstoffs. Da für diesen Effekt 30–50 Vol.-% CO_2 benötigt werden, ist sein Einsatz sowohl bei offenen Bränden problemat., weil es durch Luftbewegungen immer wieder verdünnt wird, als auch in geschlossenen Räumen, weil hier Erstickungsgefahr besteht: bei >6 Vol.-% CO_2 in der Luft kann Bewußtlosigkeit eintreten.
Die Nachteile des CO_2-Einsatzes kann man durch die Verw. der gasf. *Halon-Typen umgehen, bei denen es sich um Brom-haltige, perhalogenierte Kohlenwasserstoffe (*FCKW) handelt. Diese wirken dadurch, daß sie in der *Flamme in Radikale zerfallen, die als *Radikal-Fänger in die *Kettenreaktion der Verbrennung eingreifen u. so den Brand zum Erliegen bringen. Ihre Löschkonz. ist mit 3–4 Vol.-% niedriger als die gesundheitsschädliche Konz.; wegen des hohen spezif. elektr. Widerstandes werden die Halone nicht nur gegen die Brandklassen B u. C, sondern auch in elektr. Anlagen eingesetzt. Nachteilig ist die mögliche Bildung korrosiv wirkender Halogenwasserstoffe. Zudem benötigt man aufgrund der chem. Löschwirkung der Halone eine – im Vgl. mit CO_2-Gas – zehnmal kleinere Löschmittelmenge. Wegen der Bildung von *Phosgen darf Tetrachlormethan seit dem 1. 3. 1964 nicht mehr

als F. angewendet werden, u. seit dem 1.1.1975 ist auch *Bromchlormethan (CB) verboten. An ihrer Stelle wurden die Halone 1211 (CBrClF$_2$) u. 1301 (CBrF$_3$, s. FCKW) verwendet. Gemäß der FCKW-Halon-Verbots-VO vom 06.05.1991 (BGBl.I, S. 1090) sind die Herst. der Halone u. ihre Verw. als F. ab 01.01.1992, die Verw. in Altanlagen ab 01.01.1994 in der BRD verboten.

Am weitesten verbreitet sind die *Pulverlöschmittel*, die heute in einer od. mehreren Brandklassen eingesetzt werden. Auch hier beruht der F.-Effekt auf dem Kettenabbruch der radikal. Reaktion, u. zwar an der Oberfläche der Staubteilchen; man nennt diese neg. heterogene Wandreaktion fachsprachlich auch *antikatalyt.* od. *Inhibitions-effekt*. Deshalb hängt die Löschwirkung der Pulver ganz entscheidend von Anzahl u. Oberfläche der Teilchen ab: Bei ABC- u. BC-Pulvern kann man heute bis zu 10^7 löschaktive Teilchen je mL Löschsubstanz erzeugen. Die Vorteile der Pulver sind ihre schlagartige Löschwirkung bei Flüssigkeits- u. Gasbränden, ihre Wirksamkeit bei Fließ- u. Tropfbränden u. ihre Frostbeständigkeit. Nachteilig sind die Verstaubung in geschlossenen Räumen (Beeinträchtigung der Sicht u. evtl. Reizung der Atemwege), der fehlende Kühleffekt (kann eine Rückzündung zur Folge haben, die durch den anschließenden Einsatz von Schaumlöschmitteln verhindert werden muß) sowie die Notwendigkeit, den meisten Pulvern wegen ihrer hygroskop. Eigenschaften Hydrophobierungsmittel zuzusetzen, von denen Stearate wiederum die Wirkung der Schaumlöschmittel beeinträchtigen können. Die hauptsächlich in *Trocken-* od. *Pulverlöschern* eingesetzten Salze sind die Kalium- od. Natriumhydrogencarbonate sowie Kaliumsulfat, seit einigen Jahren auch ein Pulver auf der Basis von KHCO$_3$ u. Harnstoff (Monnex); in der BRD sind jedoch KHCO$_3$-F. nicht zugelassen. Löschpulver, die im Gegensatz zu den erwähnten BC-Pulvern auch Glutbrände zu löschen vermögen, bestehen aus einem Gemisch von Ammoniumphosphaten u. Ammoniumsulfat, das in der Hitze schmilzt u. dadurch den Brandherd absperrend wirkt. Wegen ihrer hygroskop. Eigenschaften werden hier die Staubpartikeln mit einer Silicon-Schicht überzogen. Als ABC-Löschmittel werden diese Ammonium-Salze in vielen Ländern in Kfz-Feuerlöschern verwendet. Bei Metallbränden (Klasse D) können weder Sulfate noch Carbonate eingesetzt werden, weil es dabei zu *Explosionen kommen kann. Hier verwendet man ein Chlorid-Kunststoff-Gemisch, das eine Decke über das brennende Metall zieht u. es so vom Luftsauerstoff abschließt.

In den Brandklassen A u. B finden außerdem *Schaumlöschmittel* Verwendung. Als Schaumbildner verwendet man hydrolysierte Proteine (*Eiweißhydrolysate), evtl. kombiniert mit *Fluortensiden, od. Tenside; Flüssigkeits-Brände können auch alleine mit Fluortensiden (AFFF) als Schaumbildnern bekämpft werden (Light water). Die Schaumbildner werden in Mengen von 2–6% dem Löschwasser zugesetzt, das durch Vermischung mit Luft den Schaum auf mechan. Wege bildet; 1 L Wasser kann (ca.) 10 L Schwer-, 100 L Mittel- od. 1000 L Leichtschaum bilden. Dessen feuerlöschende Wirkung beruht auf Absperr- u. Kühleffekten.

Beim Einsatz von Schaumlöschmitteln ist darauf zu achten, daß zuvor verwendete Pulverlöschmittel die Schaumbildung beeinträchtigen können.

Die hier beschriebenen F. werden – je nach Brandort u. v. a. *Brandart – mit tragbaren od. fahrbaren Geräten zum Brandherd gebracht, od. sie werden über fest installierte Feuerlöschsyst. eingesetzt, die ggf. automat. in Aktion treten, z. B. durch Schmelzsicherungen, opt. od. therm. Sensoren gesteuert als *Sprinkleranlagen* etc. Kleinere Brände können mit Branddecken, trockenem Sand, Löschbrause usw. gelöscht werden, bes. aber mit *Handfeuerlöschern*. Diese sind in der BRD typengeprüft, müssen zugelassen sein u. sollen regelmäßig, mind. aber alle zwei Jahre, durch Fachleute überprüft werden. Heute sind die Behälter der Wasser-, CO$_2$-, u. Pulver-Handlöscher vereinheitlicht. In der Ind. ist die Verw. von Feuerlöschern durch die Sicherheitsregeln der Berufsgenossenschaft festgelegt. Über feuer*verhütende* Maßnahmen s. Brandschutz, s.a. Brandarten, Brandklassen u. Flammschutzmittel. – *E* fire extinguishing agents – *F* extincteurs – *I* materiale antincendio – *S* productos para la extinción de incendios, agentes matafuegos

Lit.: Handbuch Brandschutz, Landsberg: Ecomed Verlagsges. seit 1980, Erg. jährl. ▪ Hommel (8.), S. 4–13 ▪ Kirk-Othmer (3.) **S**, 443 ff. ▪ Ullmann (4.) **11**, 567–575; (5.) **A 11**, 113–121 ▪ s. a. Arbeitssicherheit, Brandschutz. – *Organisationen:* Arbeitsgemeinschaft Brandschutz-Industrie, 60412 Frankfurt ▪ Bundesverband Feuerlöschgeräte u. -anlagen e.V., 58097 Hagen ▪ Vereinigung zur Förderung des Deutschen Brandschutzes e.V. (vfdb), 48338 Altenberge.

Feueropal s. Opal.

Feuersalamander. Der F. (*Salamandra salamandra*) ist in der BRD in feuchten, Quellbach-durchzogenen Laubmischwäldern der Mittelgebirge bis zur submontanen Stufe verbreitet. Namengebend dürfte seine gelb-rötliche Signalfarbe sein, auch für den wissenschaftlichen Namen (wohl von persisch samandar = feuerrot). Während sich juvenile Tiere eher durch Flucht einem Feind zu entziehen versuchen, präsentieren adulte F. Angreifern ihre Hautdrüsenfelder an Kopf u. Rücken. Das weißliche Sekret – es besteht aus verschiedenen Steroid-Alkaloiden wie Samandarin u. Samandaridin (s. Salamander-Alkaloide) – ist ein zentral-wirkender, krampfauslösender Stoff. Die Giftigkeit soll so groß sein, daß Freßfeinde bis zur Größe eines Hundes daran sterben können. – *E* spotted salamander – *F* salamandre – *I* salamandra giallo-nera – *S* salamandra motcada

Lit.: Günther, Die Amphibien u. Reptilien Deutschlands, S. 82–104, Jena: Fischer 1996 ▪ Mebs, Gifttiere, S. 177 ff., Stuttgart: Wissenschaftliche Verlagsges. 1992.

Feuerschutzmittel s. Brandschutz, Feuerlösch- od. Flammschutzmittel.

Feuerstein. 1. Sammelbez. für auch *Flint* od. *Silex* genannte Kieselsäure-*Konkretionen, ist mineralog. innig mit *Opal durchsetzter *Chalcedon (Krypto- bis Mikro-*Quarz). Die oft mit einer weißen Rinde bedeckten F. sind braun, grau od. schwarz u. härter als Stahl; sie können als Kern *Fossilien, z.B. Seeigel, enthalten.

Vork.: Als Knollen bis zu 1 m Durchmesser in Kalken, insbes. in Kreide-Schichten, die sich von Frank-

reich u. Irland bis nach Rußland erstrecken, z. B. Insel Rügen in der Ostsee, ferner in eiszeitlichen Ablagerungen in Norddeutschland.
Geschichte: Wegen ihrer bes. Härte (H. 7) u. des splitternden, scharfkantigen Bruches dienten F. dem vorgeschichtlichen Menschen zum Feuerschlagen sowie als Werkstoff für die Waffen- u. Werkzeug-Herst. („Steinzeit"). Im Mittelalter wurden Lunten u. das Schießpulver der Gewehre (Flinten, Name!) mittels F. u. Pyrit gezündet.
2. Im übertragenen Sinne versteht man heute unter F. auch die *Zündsteine für *Feuerzeuge. – *E* flint – *F* flint, silex – *I* balenite, selce piromaca – *S* pedernal, sílex
Lit.: Lüschen, Die Namen der Steine, 2. Aufl., S. 217 f., Thun: Ott 1979 ▪ Füchtbauer (Hrsg.), Sedimente u. Sedimentgesteine (Sedimentpetrologie Tl. II) (4.), S. 539–542, Stuttgart: Schweizerbart 1988. – *[HS 2517 10]*

Feuerwerk s. Flammenfärbung u. Pyrotechnische Erzeugnisse.

Feuerwiderstandsklasse. Das Brandverhalten von Bauteilen wird durch ihre Feuerwiderstandsdauer gekennzeichnet. Die Feuerwiderstandsdauer ist die Mindestdauer in min, während der das geprüfte Bauteil festgelegte Anforderungen an den Feuerwiderstand erfüllt. Die Bauteile werden entsprechend der bei der Prüfung erreichten Feuerwiderstandsdauer in folgende F. eingestuft:

Feuerwiderstands- klasse	Feuerwiderstands- dauer [min]	Bauaufsichtliche Benennung
F 30	30	feuerhemmend
F 60	60	
F 90	30	feuerbeständig
F 120	120	
F 180	180	

– *E* fire resistance class – *F* classe de résistance au feu – *I* classe sulla refrattarietà – *S* clase de resistencia al fuego
Lit.: DIN 4102 Tl. 2 (09/1977). – *B.* für DIN-Normen: Beuth Verlag GmbH, Burggrafenstraße 6, 19787 Berlin.

Feuerzeug. Die heutigen F. verbrennen verflüssigtes *Butan, während *Benzin nur noch selten gebraucht wird – *Döbereiners od. Chancels Tunkfeuerzeug würden heute nicht mehr zugelassen. Die Zündung moderner F. geschieht elektron. od. über mechan. erzeugte Funken. Dabei wird ein Stahlrädchen an einem *Zündstein aus *Cereisen* (s. Cermischmetall) gerieben, wobei dieser zerstäubt u. die abgeschleuderten feinen Kriställchen unter Funkenbildung oxidieren. Die Funken entzünden die vom benachbarten Docht aufsteigenden Benzin-Dämpfe bzw. das aus einer Düse entweichende F.-Gas. – *E* lighter – *F* briquet – *I* accendino – *S* mechero, encendedor

Feulgen, Robert Joachim Wilhelm (1884–1955), Prof. für Physiol. Chemie, Univ. Gießen. *Arbeitsgebiete:* Zellkernfärbung (*Feulgen-Färbung), Aminosäuren, Phosphatide. Er konnte zeigen, daß die Zellkernfärbung sowohl bei tier. als auch bei pflanzlichen Zellen auftritt u. schloß daraus gegen die damals vorherrschende Meinung, daß es eine universelle Nucleinsäure gibt.
Lit.: Pötsch, S. 144 f.

Feulgen-Färbung. Nucleal-Färbung nach *Feulgen zur Erkennung der Zellkerne in Gewebsschnitten, die auf dem Nachw. von *Desoxyribonucleinsäuren beruht. Durch Hydrolyse mit 1 N Salzsäure bei 60 °C werden die Purine (Guanin, Adenin) aus dem Verband der DNA gespalten, wobei Aldehyd-Gruppen entstehen. Diese reagieren nach Behandlung mit Fuchsin/ Schwefliger Säure (s. Schiffs Reagenz) unter Bildung eines intensiv rotvioletten Farbstoffs. – *E* Feulgen's test – *F* test de Feulgen – *I* test di Feulgen – *S* ensayo de Feulgen, tinción de Feulgen

Fevarin®. Filmtabl. mit dem Antidepressivum *Fluvoxamin-Hydrogenmaleat. *B.:* Duphar.

Fewa®. Feinwaschmittel (Abk.!), das 1932 als erstes neutrales Haushaltswaschmittel mit synthet. Tensiden auf den Markt kam. Heute ein Phosphat-freies u. pH-neutral eingestelltes Spezialwaschmittel für moderne farbige Textilien, die im unteren Temperaturbereich bis 60 °C gewaschen werden. Als Normalpulver Kompaktat u. flüssiges Waschmittelkonzentrat erhältlich. *B.:* Henkel.

Feynman, Richard Phillip (1918–1988), Prof. für Theoret. Physik, Caltech. *Arbeitsgebiete:* Quantenmechanik u. Quantenelektrodynamik, flüssiges Helium, β-Zerfall, schwache Wechselwirkung. Nobelpreis für Physik 1965 zusammen mit *Schwinger u. *Tomonaga.
Lit.: Nobel Prize Lectures, Physics 1963–1970, Amsterdam: Elsevier 1972.

F-Faktoren (Fertilitätsfaktoren) s. Plasmide.

FFF. Abk. für *field flow fractionation* (Flußfeld-Fließ-Fraktionierung) auch *flow FFF* (F^4), im dtsch. Sprachgebrauch besser mit *Querflußfraktionierung* übersetzt. Die FFF ist eine Meth. zur Trennung u. Charakterisierung wasserlösl. Polymere. Die Trennwirkung dieser Meth. (s. Abb.) beruht auf einer spezif. Verteilung der verschiedenen Probenbestandteile in Bereiche unterschiedlicher Strömungsgeschwindigkeiten.

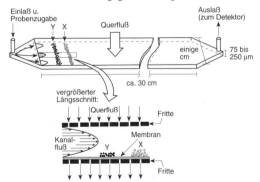

Abb.: FFF-Funktionsprinzip der Querflußfraktionierung u. schemat. Meßanordnung der gekoppelten Anlage.

Die Probe wird durch einen Trägerstrom durch einen ca. 30 cm langen u. 250 µm hohen Kanal geführt. Senkrecht dazu fließt durch den Kanal ein zweiter Lsm.-Strom, der Querfluß, welcher die Probenteilchen entgegen der *Brownschen Molekularbewegung in Richtung Kanalunterseite drückt. In Abhängigkeit von der Teilchengröße resultiert ein charakterist. Gleichgewichtsabstand von der Kanalunterseite. Infolge des parabol. Geschwindigkeitsprofils werden wandnahe Teilchen deutlich langsamer durch den Kanal strömen als die in der Kanalmitte. Somit verlassen kleinere Teilchen den Kanal vor größeren (ein Austreten der Teilchen mit dem Querstrom wird durch eine Membran auf der Kanalunterseite verhindert). Der Querfluß kann auch z. B. durch einen Temperaturgradienten od. einfach durch Sedimentation ersetzt werden. Die FFF kann mit modernen Detektionsmeth. online gekoppelt werden, z. B. Lichtstreuung, *Diodenarray, ICP-MS u. wird dadurch zum universellen u. leistungsfähigen Instrument der Polymer-Analytik. – *E* field flow fractionation – *F* (FFC), fractionnage de flux de champ – *I* frazionamento a flusso trasversale – *S* fraccionamiento del campo de flujo

Lit.: GIT Fachz. Lab. **1993**, 739 ▪ Nachr. Chem. Tech. Lab. **44**, 370 (1996) ▪ Science **260**, 1456 (1993).

FFT. Abk. für Fast-Fourier-Transformation. Spezieller Algorithmus der *Fourier-Transformation, bei der die Integration nicht kontinuierlich durchgeführt wird, sondern sich einer großen Zahl diskreter Stützstellen bedient. Der Vorteil besteht in einer wesentlich kürzeren Rechenzeit bei der elektron. Datenverarbeitung. – *E* fast Fourier transformation – *F* TSF: transformation simple de Fourier – *I* transformazione rapida di Fourier – *S* transformación de Fourier rápida

Lit.: Hartt, Mathematical Modelling, Encycl. of Applied Physics, Bd. 9, S. 417–444, Weinheim: VCH Verlagsges. 1994 ▪ Taylor, Signal Processing, Digital, Encycl. of Phys. Science and Technology, Bd. 15, S. 155–203, San Diego: Acad. Press 1992.

FGF (fibroblast growth factor) s. Fibroblasten-Wachstumsfaktoren.

FGK. Abk. für *Forschungsgesellschaft Kunststoffe e.V.

FHC. Engl. Abk. für *Fluorkohlenwasserstoffe.

FhG. Abk. für *Fraunhofer-Gesellschaft zur Förderung der angewandten Forschung e.V.

Fibiger, Johannes (1867–1928), Prof. für Pathologie, Univ. Kopenhagen. *Arbeitsgebiete:* Infektionskrankheiten. 1926 erhielt er zusammen mit A. Grib den Nobelpreis für Medizin od. Physiologie für die 1912 zum ersten Mal gelungene experimentelle Erzeugung von Krebs aus gesunden Zellen.

Fibrilläre Proteine s. Skleroproteine.

Fibrillen. Unter F. versteht man faserförmige Struktur-Einheiten aus *Proteinen (*Beisp.:* Muskeln, Bindegewebe, Geißeln von Bakterien). – *E* fibrils – *F* fibrilles – *I* fibrille – *S* fibrillas

Fibrillieren (Spleißen). Bez. für die Spaltung einer Folie od. eines Fadens längs der Faserachse durch eine äußere Kraft; *Beisp.:* Herst. von Polyolefin-Fasern. – *E* = *F* fibrillation – *I* fibrillazione – *S* fibrilación

Fibrillin. Hochmol. Struktur-*Glykoprotein (M_R 350000; vgl. Skleroproteine), das aus Fibroblasten-Zellkulturen gewonnen werden kann. Es ist Hauptbestandteil gewisser Mikrofibrillen der *extrazellulären Matrix des Bindegewebes, die zusammen mit *Elastin an der Ausbildung elast. Fasern beteiligt sind. Die Aminosäure-Sequenz des F., von dem man zwei verschiedene Formen kennt, weist 47 sich wiederholende dem *epidermalen Wachstumsfaktor ähnliche Bereiche auf, von denen 43 Calcium-Ionen binden, sowie 7 Domänen, die dem Bindungsprotein für den *transformierenden Wachstumsfaktor β ähneln. Bei genet. Defekt des F. 1 kommt es zum *Marfan-Syndrom*, einer Bindegewebserkrankung mit Auswirkungen auf Herz, Kreislauf, Augen u. Skelett [1]. Mutationen in F. 2 sind mit einer ähnlichen Krankheit (Spinnenhändigkeit) assoziiert. – *E* fibrillin – *F* fibrilline – *I* = *S* fibrillina

Lit.: [1] Human Mol. Genet. **4**, 1799–1809 (1995).
allg.: Int. J. Biochem. Cell Biol. **27**, 747–760 (1995).

Fibrin. Das zu den *Plasmaproteinen, insbes. zu den *Globulinen gehörende, bereits von *Berzelius 1812 isolierte F. ist der Hauptbestandteil des Blutgerinnungssyst. (s. Blutgerinnung); es findet sich im menschlichen *Blut in einer Vorstufe (*Fibrinogen*, Faktor I) zu 0,2–0,4%. Bei Verletzungen gerinnt es infolge der Einwirkung der *Serin-Protease *Thrombin, die aus ihrem Zymogen (der inaktiven Vorstufe dieses Enzyms) – dem *Prothrombin* – freigesetzt wird, nach etwa 5–7 min zu einem feinfaserigen Gerüst, mit dem die rote u. weiße Blutkörperchen sowie Blutplättchen (Thrombocyten) verkleben. Auf diese Weise wird ein wirkungsvoller Wundverschluß geschaffen; Fibrinogen in Form von Schaum od. Schwamm, durchtränkt mit Thrombin-Lsg., ist ein wirksames Blutstillungsmittel. Andererseits kann Fibrinogen bei *Thrombose schon in den Blutgefäßen zu F. gerinnen. Die Gerinnung des Blutes kann durch Zusatz von *Antikoagulantien, Blutegel-Enzymen od. Oxalat-, Fluorid- bzw. Citrat-Ionen verhindert werden. Letztere entfernen die Calcium-Ionen aus dem Blut, die zur normalen Gerinnung nötig sind. Der hydrolyt. Abbau des F., die *Fibrinolyse*, bedarf ebenfalls einer Serin-Protease, des *Plasmins (od. Fibrinolysins), das auch wieder als inaktive Vorstufe (genannt: *Plasminogen od. Profibrinolysin) im Blut vorliegt. Die wesentlichen Schritte von Blutgerinnung u. Fibrinolyse gibt das folgende Schema wieder:

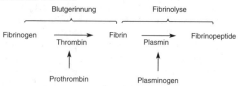

Abb.: Blutgerinnung u. Fibrinolyse.

Beide Prozesse sind sich also im schemat. Ablauf relativ ähnlich. Der wesentliche Katalysator ist jeweils ein proteolyt. Enzym (eine Serin-Protease), die als inaktive Vorstufe im Blut vorliegt, wo sie durch z. T. sehr komplex zusammengesetzte Aktivatoren in die biolog. aktive Form überführt wird; bei Prothrombin ist dies beispielsweise Thrombokinase (*Thromboplastine; Faktor Xa, EC 3.4.21.6).

Fibrinogen ist ein symmetr. aufgebautes Mol., dessen zwei durch eine Reihe von *Disulfid-Brücken verbundene Teile aus je 3 unterschiedlichen Polypeptid-

Ketten bestehen: Aα (610 Aminosäure-Reste, M_R 63000), Bβ (M_R 56000) u. γ (409 Aminosäure-Reste, M_R 47000). Bei der Umwandlung des Fibrinogens in F. bleibt die Mol.-Größe zunächst ziemlich unverändert. Thrombin spaltet von den Aα- u. Bβ-Ketten an den Enden die kurzkettigen Peptide (*Fibrinopeptide*) A u. B ab, die beim Menschen aus 18 (A) bzw. 20 (B) Aminosäure-Resten bestehen. Das geringfügig verkürzte Mol. ist das *Fibrin-Monomer* der Struktur $(\alpha\beta\gamma)_2$, das unter dem Einfluß von Calcium-Ionen u. a. Faktoren zu einem unlösl. Gerüst polymerisiert, in dem auch Isopeptid-Bindungen vorliegen sollen.
Der Abbau des F., z. B. durch *Fibrinolytika, führt über Fibrinopeptide u. weitere proteolyt. Spaltung zu Oligopeptiden u. Aminosäuren. Einige *Schlangengifte enthalten Komponenten, die die Blutgerinnung hemmen od. fördern. Verstärkte Fibrinogen- u. F.-Bildung spielt auch eine Rolle bei der Entstehung der *Arteriosklerose[1]. – *E* fibrin – *F* fibrine – *I* = *S* fibrina
Lit.: [1] Naturwissenschaften **80**, 547–555 (1993).
allg.: Karlson et al., Kurzes Lehrbuch der Biochemie, 14. Aufl., S. 500ff., Stuttgart: Thieme 1994 ■ Stryer (5.), S. 260–269. – *[HS 3002 10; CAS 9001-31-4]*

Fibrinase s. Plasmin.

Fibrinogen s. Fibrin.

Fibrinogenase s. Thrombin.

Fibrinolyse s. Fibrin, Plasmin.

Fibrinolysin s. Plasmin.

Fibrinolytika. Während *Antikoagulantien die Bildung von Blutgerinnseln hemmen bzw. verhindern, lösen F. die bereits entstandenen Gerinnsel aus *Fibrin auf direktem od. indirektem Wege auf, wirken also als *Thrombolytika* (s. a. Thrombose). Verwendet werden: *Urokinase, Gewebeplasminogen-Aktivator, *Streptokinase (aus Streptokokken) u. Anistreplase (Komplex aus Streptokinase mit im katalyt. Zentrum p-anisoyliertem Plasminogen; hat verzögerte u. verlängerte Wirkung). – *E* fibrinolytics – *F* agents fibrinolytiques – *I* fibrinolitici – *S* fibrinolíticos
Lit.: Mutschler (7.), S. 429f. ■ Prog. Drug Res. **39**, 197–217 (1992) ■ s. a. Antifibrinolytika.

Fibrinopeptide s. Fibrin.

Fibroblasten-Wachstumsfaktoren (FGF, Heparinbindende Wachstumsfaktoren, HBGF). Familie von Struktur-verwandten Polypeptid-*Wachstumsfaktoren, die in Wirbeltieren vorkommen u. als *Mitogene* (Zellvermehrung anregende Stoffe) für Fibroblasten-Kulturen entdeckt wurden. Bis jetzt sind 9 genet. kodierte Formen bekannt, von denen FGF-1 (saurer FGF, 140 Aminosäure-Reste) u. FGF-2 (bas. FGF, 146 Aminosäure-Reste) am besten untersucht sind. Sie besitzen eine durch β-Faltblätter (s. Proteine) geprägte Struktur mit 3-zähliger Quasi-Symmetrie (*β-Kleeblatt*).
Funktion: Die FGF stimulieren *in vitro* das Wachstum der meisten mesodermalen u. neuro-ektodermalen Zellen. *In vivo* induzieren sie die Angiogenese (Blutgefäßbildung), sind an Wundheilung u. Tumorwachstum beteiligt u. dirigieren die Wachstumsrichtung von Nervenzellen. Weiterhin bewirken sie Differenzierungsprozesse (s. Differenzierung) in frühen Entwicklungsstadien, z. B. können sie die Entwicklung von Gliedmaßen einleiten u. unterhalten[1]. FGF werden durch *Corezeptoren aktiviert, die Heparansulfat (s. Heparin) enthalten u. binden dann an *Rezeptoren der Zellmembran. Diese sind Protein-Tyrosin-Kinasen (s. Protein-Kinasen) u. gehören strukturell zur *Immunglobulin-Superfamilie. Bei Aktivierung durch FGF u. Corezeptor dimerisieren sie, phosphorylieren sich u. beeinflussen durch Signalübertragung über eine Reihe von Proteinen die DNA-Synth. u. die Expression verschiedener Gene. Schließlich werden die Rezeptor-Mitogen-Komplexe durch Endocytose ins Zell-Innere eingeschleust u. dort langsam abgebaut. Heparansulfat-haltige *Proteoglykane der *extrazellulären Matrix binden FGF u. regulieren so deren Verfügbarkeit.
Pathologie: Mutationen der FGF-Gene führen zu schweren Störungen des Knochenbaus, wie z. B. Kraniosynostose (Fehlen od. Schließung der Knochenspalten am Schädel), Syndaktylie (Verwachsungen der Hände) u. Achondroplasie (Minderwuchs infolge gestörter Knorpelbildung). – *E* fibroblast growth factors – *F* facteurs de croissance fibroblastiques – *I* fattori di crescita dei fibroblasti – *S* factores de crecimiento fibroblásticos
Lit.: [1] Curr. Biol. **5**, 594ff., 797–806 (1995).
allg.: Cancer Metastasis Rev. **15**, 177–186 (1996) ■ Curr. Biol. **5**, 500–507 (1995) ■ Int. J. Clin. Lab. Res. **26**, 15–23 (1996) ■ M. S. – Méd. Sci. **12**, 303–312 (1996). – *[CAS 62031-54-3]*

Fibrocol®. Schlichtemittel für Stapelfasergarne, Kombinationsprodukt auf Stärke-Basis. *B.:* Henkel.

Fibrogammin®. Trockensubstanz zur Injektion mit humanem Blutgerinnungsfaktor VIII gegen hämorrhag. Syndrome aufgrund Faktor-VIII-Mangel. *B.:* Behring.

Fibrogener Staub. Bez. für *Staub (*Feinstaub), der Fibrosen verursachen kann. *Fibrosen* sind krankhafte Bindegewebsvermehrungen, die in der Lunge zur Verengung der luftführenden Hohlräume u. zur Verhärtung des Lungengewebes führen. Zu den Fibrosen zählen *Asbestose, *Silicose, Talkose u. a. Staublungenerkrankungen (Pneumokoniosen), die oft nach dem verursachenden Staub benannt sind. Sehr spät können bösartige Wucherungen in der Lunge u. dem sie umgebenden Gewebe folgen. Fibrosen werden prakt. ausschließlich durch Staubbelastungen am Arbeitsplatz verursacht; sie sind in der BRD meist entschädigungspflichtige Berufskrankheiten. – *E* fibrogenic dust – *F* poussière fibrigène – *I* polvere fibrigene – *S* polvo fibrógenos
Lit.: DFG (Hrsg.), MAK- u. BAT-Werte-Liste 1996, S. 145–152, Weinheim: VCH Verlagsges. 1996.

Fibroin. Die Einzelfäden der von bestimmten Insekten (z. B. Seidenspinner, *Bombyx mori*) in den Spinndrüsen erzeugten Natur-*Seide bestehen aus einer Hülle von wasserlösl. *Sericin (Bast, Seidenleim) u. aus einem Doppelfaden von wasserunlösl. F., einem *Skleroprotein (vgl. Proteine) mit langkettiger Mol.-Struktur aus etwa 26% Alanin, 44% Glycin u. 13% Tyrosin, M_R ca. 200000. Die mol. Struktur baut sich zum größeren Teil aus einem Vielfachen des Hexapeptids Ser-Gly-Ala-Gly-Ala-Gly auf. F. ist unlösl. in Wasser, Neutralsalz-Lsg., verd. Alkalien u. Säuren; in konz.

Laugen, Kupferoxidammoniak u. Zinkchlorid-Lsg. lösen sich Sericin u. F. leicht auf.
Verw.: In der Kosmetik für Zahnpflegemittel, Puder, Haut- u. Haarpflegemittel (*Lit.*[1]). – *E* fibroin – *F* fibroïne – *I* fibroina – *S* fibroína
Lit.: [1] Parfüm. Kosmet. **64**, 643 (1983).
allg.: Kirk-Othmer (3.) **20**, 974 ff. ▪ Rath, Lehrbuch der Textilchemie, S. 246, 302 f., Berlin: Springer 1972 ▪ Ullmann (4.) **21**, 203 f. ▪ s. a. Seide. – *[CAS 9007-76-5]*

Fibrolan®. Trockensubstanz u. Salbe mit Fibrinolysin u. *Desoxyribonuclease zur enzymat. Wundreinigung bei Verbrennungen, Wunden, Abszeßhöhlen, Fisteln u. dgl. *B.*: Parke-Davis.

Fibrolith s. Sillimanit.

Fibronectin. Bez. (von latein.: fibra = Faser u. nectere = verbinden) für eine Gruppe im Tierreich weit verbreiteter hochmol. *Glykoproteine (M_R des Dimers ca. 440000–550000), die sich in der *extrazellulären Matrix u. in extrazellulären Flüssigkeiten wie Blut, Fruchtwasser u. Rückenmarksflüssigkeit finden. Aufgrund der unterschiedlicher Verarbeitung (*Spleißen) der zugehörigen Messenger-RNA (s. Ribonucleinsäuren) u. unterschiedlichem Kohlenhydrat-Gehalt (4–10%) kommt es zu Formen mit abweichender Molekülgröße, je nach Typ der Herkunfts-Zelle. Das durch zwei *Disulfid-Brücken verbundene F.-Dimer, ein langgestrecktes Mol. mit den Abmessungen 600 × 25 Å, bindet durch lineare Kombination dreier verschiedener sich wiederholender *Domänen u. a. *Collagene, *Glykosaminoglykane, *Proteoglykane, *Fibrin(ogen), *Desoxyribonucleinsäuren, *Immunglobuline, C3 des *Komplement-Systems, *Plasminogen, Plasminogen-Aktivator, *Thrombospondin, Zellen u. Mikroorganismen. Durch diese Eigenschaften vermittelt es z.B. die Anhaftung von Bindegewebszellen an Collagen-Fibrillen od. von *Thrombocyten u. Fibroblasten an Fibrin (Beitrag zur Wundheilung). Die zellständigen *Rezeptoren* werden zur *Integrin-Superfamilie gerechnet.
F. kann, wie auch *Vitronectin, in Zellkulturen die Anheftung der Zellen an feste Oberflächen bewirken, was in den meisten Fällen eine Voraussetzung für ihre Vermehrung darstellt. Weiterhin unterstützt F. die Polarität (d. h. die Asymmetrie in Form u. Funktion) mancher Zelltypen u. leistet einen Beitrag zur Zell-Wanderung u. -Adhäsion (vgl. Zell-Adhäsionsmoleküle) in der Embryonalentwicklung u. der Wundheilung. F. beeinflußt die Entwicklung (*Differenzierung) von Chondrocyten (Knorpelzellen) u. Muskelzellen u. die Vermehrung z.B. von Hepatocyten (Leberzellen) u. Keratinocyten (Epidermis-, Oberhaut-Zellen). – *E* fibronectin – *F* fibronectine – *I* = *S* fibronectina
Lit.: Adv. Enzymol. Rel. Areas Mol. Biol. **70**, 1–21 (1995) ▪ Exp. Cell Res. **221**, 261–271 ▪ FASEB J. **10**, 248–257 (1996) ▪ Hynes, Fibronectins, Berlin: Springer 1990.

Fibropur®. Einheitsschlichtemittel für das Schlichten von Stapelfasergarnen auf der Basis von Polyvinylalkohol u. Carboxymethylcellulose. *B.*: Henkel.

Fibrosen s. fibrogener Staub.

Fibrosint®. Schlichtemittel für Stapelfasergarne, Kombinationsprodukte auf der Basis von Carboxymethylcellulose. *B.*: Henkel.

FIC. Abk. für *Fédération des Industries Chimiques de Belgique*. Ein dem *VCI vergleichbarer Interessenverband der chem. Ind. Belgiens mit Sitz in B-1000 Bruxelles, Square Marie-Louise 49, Mitglied des europ. Chemieverbandes *CEFIC.

Ficaprenole s. Polyterpene.

Ficellomycin.

$C_{13}H_{24}N_6O_3$, M_R 312,37, amorpher Feststoff, $[\alpha]_D$ +39° (H_2O). Ungewöhnliches Dipeptid-Antibiotikum aus Kulturen von *Streptomyces ficellus*. F. enthält eine bisher bei Naturstoffen unbekannte 1-Azabicyclo-[3.1.0]hexan-Einheit u. wirkt gegen Gram-pos. Bakterien möglicherweise unter Alkylierung der DNA. – *E* ficellomycin – *F* ficellomycine – *I* = *S* ficellomicina
Lit.: J. Antibiot. **29**, 1001 (1976); **42**, 357 (1989). – *[HS 2941 90; CAS 59458-27-4]*

Fichtenspanreaktion s. Furan u. Pyrrol.

Fichten- u. Kiefernnadelöle. Sammelbegriff für *etherische Öle, die durch Wasserdampfdest. aus den Nadeln (Zweigspitzen, junge Triebe) von verschiedenen Pinaceen-Arten der Gattungen *Pinus, Abies, Picea* u. *Tsuga* gewonnen werden. Sie besitzen überwiegend einen frischen, harzig-kienigen Geruch u. bestehen zumeist aus Monoterpenkohlenwasserstoffen wie den *Pinenen, den *Phellandrenen, *Camphen, *Myrcen, 3-*Caren u. *Limonen. Wesentlicher geruchsgebender Inhaltsstoff ist (–)-*Bornylacetat, das wie im Sibir. Fichtennadelöl zu über 30% enthalten sein kann. Verwendet werden F.- u. K. zur Parfümherst., z.B. für Herrennoten, zur Parfümierung von techn. Artikeln wie Haushaltsreinigern u.ä., in Badepräp., Saunaölen u. in pharmazeut. Präp. wie antirheumat. Einreibemitteln, Massageölen, Balneotherapeutika, Bronchologika u. Rhinologika. F.- u. K. bilden leicht Peroxide, die sensibilisierende Eigenschaften haben. Es muß daher darauf geachtet werden, daß keine Öle mit einem Peroxid-Gehalt von mehr als 10 mmol Peroxid/L verwendet werden. Die am häufigsten verwendeten Öle sind:

1. *Kiefernnadelöl:* n_D^{20} 1,4730–1,4785, $[\alpha]_D^{20}$ –4° bis +10°, lösl. in 6 Vol.-Tl. 90% Ethanol, hergestellt aus den Nadeln von *Pinus sylvestris* u. *P. nigra*. Hauptkomponente ist α-Pinen (ca. 60–70%); der Gehalt an *Bornylacetat* liegt zwischen 1 u. 5%.

2. *Latschenkiefernöl:* Öl mit einem frischen, balsam. Geruch, n_D^{20} 1,4750–1,4800, $[\alpha]_D^{20}$ –3° bis –16°, lösl. in 10 Vol.-Tl. 90% Ethanol, wird aus den Nadeln verschiedener Unterarten der Latschenkiefer *P. mugo* destilliert. Hauptkomponenten sind α-Pinen, 3-Caren, β-Phellandren (je ca. 15–20%), β-Pinen, Myrcen, Limonen (je ca. 5–10%); *Bornylacetat* ist zu ca. 2–3% enthalten.

3. *Sibir. Fichtennadelöl:* Öl mit einem strengen, frischwürzigen Geruch, n_D^{20} 1,4685–1,4730, $[\alpha]_D^{20}$ –33° bis –45°, lösl. in 1 Vol.-Tl. 90% Ethanol, wird aus den Nadeln der in Ostasien wachsenden Tannenart *Abies*

sibirica hergestellt. Hauptbestandteile sind *α-Pinen*, *3-Caren* (jew. 10–15%), *Camphen* (ca. 20%) u. *Bornylacetat* (um 30%). Charakterist. wie für alle aus *Abies*-Arten gewonnenen Nadelöle ist ein geringer Gehalt von 2% an *Santen* (C_9H_{14}, M_R 122,21).

Santen

– *E* fir and Scotch pine needle oils – *F* essences d'aiguilles d'épicéa et de pin – *I* oli di foglie di pino e pinastro – *S* esencias de las hojas de pinos y abetos
Lit.: Bauer, Garbe u. Surburg, Common Fragrance Materials (2.), S. 172, Weinheim: VCH Verlagsges. 1990 ▪ Braun-Frohne (6.), S. 15f., 432–437 ▪ Gildemeister **4**, 182, 196, 201 ▪ Ullmann (5.) **A 11**, 238, 548. – *[HS 3805 20, 3805 90; CAS 8023-99-2 (1.); 8000-26-8 (2.); 8021-29-2 (3.); 529-16-8 (Santen)]*

Ficin. 1. Ficus-Protease, *Debricin*: Protease aus dem Milchsaft verschiedener südamerikan. *Ficus*-Arten (Moraceae) vom M_R 23 800 bis 25 500. F. erfordert wie *Papain u. *Bromelain SH-Gruppen zur Aktivität. Es ist ca. 5–20mal wirksamer als Papain. F. ist sehr schwach giftig [LD_{50} (Ratte p.o.) 10 g/kg], es reizt Haut u. Augen. Das kommerzielle Produkt ist ein cremefarbenes hygroskop. Pulver, das durch Filtrieren u. Trocknen des Milchsafts (Latex) von *Ficus glabrat* gewonnen wird. Das Konzentrat wird ebenso wie das reine Enzym F. genannt.
Verw.: In der Lebensmittel-Ind. bei der Herst. von Bier, Käse- u. Fleischprodukten. F. kann Milch zum Gerinnen bringen, Fleisch erweichen u. Getränke klären. Weitere Anw. findet F. in der Leder- u. Textil-Ind. (z. B. zur Herst. verfilzungsfreier Wolle). F. wirkt anthelmint. gegen Darmwürmer (*Trichuris*).
2. *Pyrrolidin-Alkaloid*: $C_{20}H_{19}NO_4$, M_R 337,38, farblose Krist., Schmp. 235 °C, aus *Ficus pantoniana* (Moraceae).

– *E* 1. ficin 2. ficine – *F* ficine – *I* = *S* ficina
Lit. (zu 1.): Merck-Index (12.), Nr. 4121 ▪ Ullmann (5.) **A 9**, 396, 416, 418. – *(zu 2.)*: Tetrahedron Lett. **1965**, 1987. – *[HS 3507 90; CAS 9001-33-6 (1.); 2520-36-7 (2.)]*

Ficksche Gesetze. Von A. Fick (1829–1901), Prof. für Physiologie in Zürich u. Würzburg) aufgefundene Gesetzmäßigkeiten, die die Zusammenhänge zwischen Diffusionsstrom (J) u. Konz.-Abnahme (dc) auf einer Strecke dx quant. erfassen, z. B. J = –D · (dc/dx), wobei D der Diffusionskoeff. ist, s. a. Diffusion. – *E* Fick laws – *F* lois de diffusion de Fick – *I* leggi di Fick – *S* leyes (de difusión) de Fick
Lit.: s. Diffusion.

Ficortril®. Augensalbe mit *Hydrocortison gegen Bindehautentzündung. *B.*: Pfizer.

FID. Abk. für: 1. Flammenionisationsdetektor, s. Detektoren. – 2. Fédération Internationale d'Information et de Documentation, eine übernat. Vereinigung von 77 (1995) nat. Ges. der *Dokumentation mit Sitz in Den Haag, POB 90402. Die FID arbeitet mit anderen internat. Inst. (UNESCO, ICSU) u. nat. Körperschaften (z. B. DGD) in Fragen der Dokumentation zusammen, erarbeitet Empfehlungen für die Gestaltung wissenschaftlicher Zeitschriften, betreut die *Dezimalklassifikation u. gibt *Bibliographien zu Teilgebieten der Dokumentation heraus. *Publikationsorgan:* FID news bulletin, FID Directory. – 3. Das als freier Induktionsabfall (FID, nach dem engl. free induction decay) bezeichnete Empfängersignal bei der Impuls-NMR-Spektroskopie.

Fieber. Erhöhung der Körpertemp. über 38 °C bei rektaler Messung. Bei einer Vielzahl von Krankheiten tritt F. als Symptom, vermutlich als Teil der Abwehrreaktion des Organismus, auf. Bei seiner Entstehung wird die Körpertemp. vom Zentralnervensystem auf einen höheren Sollwert einreguliert. Fiebererzeugend (pyrogen) wirken verschiedene Stimuli wie Bakterien u. ihre Endotoxine, Viren, Immunreaktionen sowie bestimmte Hormone u. Drogen, die daher als *exogene* *Pyrogene bezeichnet werden. Diese Substanzen wirken wohl über die Freisetzung von sog. *endogenem Pyrogen*, dem Mediatorstoff *Interleukin-1 aus verschiedenen Zellen des körpereigenen Abwehrsystems (Monocyten, Makrophagen). Im Blut zirkulierendes endogenes Pyrogen wirkt auf das Temp.-Regulationszentrum im Zwischenhirn. Bei diesen Vorgängen scheinen *Prostaglandine eine große Rolle zu spielen, was die fiebersenkende Wirkung von Glucocorticosteroiden u. nichtsteroidalen Entzündungshemmern wie *Acetylsalicylsäure erklärt. Weitere *Cytokine, die F. hervorrufen können, sind Interleukin-6 u. -8, Tumornekrosefaktor α u. *Interferon α. – *E* fever – *F* fièvre – *I* febbre – *S* fiebre
Lit.: [1] Schönbaum u. Lomax, Thermoregulation: Pathology, Pharmacology and Therapy, New York: Pergamon 1991 ▪ Werner, Regelung der menschlichen Körpertemperatur, Berlin: de Gruyter 1984.

Fieberklee s. Bitterklee.

Fiehe-Test. Den Zusatz von (*5-Hydroxymethylfurfural, HMF enthaltendem) *Kunsthonig zu *Honig erkennt man an der Rotfärbung, die dessen Ether-Extrakt nach Zugabe einer salzsauren *Resorcin-Lsg. erfährt. Heute gelingt der Nachw. von HMF in verschiedenen Matrizen (auch Säften) durch HPLC[1] od. spektralphotometrisch. HMF ist stets ein Erhitzungsindikator für Kohlenhydrate[2]. Der Zusatz von (stets Dextrin-haltigem) Stärkesirup gibt sich – nach einer Trübung zu erkennen, die im Filtrat nach Zugabe von HCl in alkohol. Lsg. auftritt. – *E* Fiehe test – *F* test de Fiehe – *I* test di Fiehe – *S* ensayo de Fiehe
Lit.: [1] J. Chromatogr. **467**, 395–401 (1989); Agric. Biol. Chem. **52**, 2231–2234 (1988). [2] J. Agric. Food Chem. **40**, 1022–1025 (1992).

Field flow fractionation s. FFF.

Fieser, Louis Frederick (1899–1977), Prof. für Organ. Chemie, Harvard Univ., Cambridge (Massachusetts). *Arbeitsgebiete:* Präparative organ. Chemie, Carcinogene, Chinone, Synth. von Vitamin K, Cortison- u. zahlreichen weiteren Steroid-Derivaten, Erfindung von Napalm u. a. Produkten der Militärchemie.

Das bes. Verdienst Fiesers u. seiner Frau (Mary A. P. Fieser) ist die Erarbeitung zahlloser method. Verbesserungen von experimentellen Verf. im organ.-chem. Laboratorium u. die anschließende klare, didakt. geschickte Darst. in zahlreichen Büchern. Die Entwicklung u. Anw. von Lehrfilmen, Formelschablonen (Chemist's Triangle) u. Stereomodellen sind Ergebnisse von Fiesers pädagog. Erfahrungen.
Lit.: Pötsch, S. 145 ▪ Strube et al., S. 171.

FIESTA®. Fluoreszierende Tagesleuchtpigmente in trockener u. angepasteter Form zur Verw. in Anstrichstoffen, Druckfarben u. Kunststoffen. *B.:* Langer & Co.

Filament (Endlosfaser). Textiltechn., auch auf die faserförmigen Protein-Einheiten der *Muskel-Fibrillen u. der Geißeln von Mikroorganismen (z. B. *Flagellin) übertragener Begriff, unter dem man nach DIN 60001 Tl2 (10/1990) eine auf chem.-techn. Wege nach verschiedenen Verf. erzeugte, prakt. endlose *Faser als Bestandteil von F.-Garnen u. Kabeln versteht. F.-Garn ist ein analog erzeugtes *Garn, das aus einer gleichbleibenden Anzahl von F. besteht u. in dieser Form, häufig auch verändert, z. B. durch *Texturierung, weiterverarbeitet wird. F.-Garn aus mehreren F. wird *Multifilgarn,* aus nur einem F. *Monofilgarn* genannt. Monofilgarn mit einem Durchmesser von mehr als etwa 0,1 mm wird nur *Monofil* od. auch *Draht* genannt. *Kabel* ist ein Faserband aus parallel liegenden F. zur Weiterverarbeitung als F.-Garn od. für die Herst. von *Spinnfasern. Der Grenzwert der Feinheit zwischen Multifilgarn u. Kabel liegt bei etwa 30000 dtex (3 ktex)". – $E = F$ filament – $I = S$ filamento

Filamid®. Farbstoffe für die Anw. in der Spinnfärbung von Polyamid-Fasern u. für Engineering Plastics. *B.:* Ciba-Geigy.

Filamin (Actin-bindendes Protein 280). *Actin-quervernetzendes Protein des Membranskeletts (s. Cytoskelett). Das Monomer (M_R 280000) hat die Gestalt eines Stabes von 80 nm Länge mit 2 Gelenken (ansonsten starr), mit einer *N*-terminalen Bindungsdomäne für F-Actin, sich wiederholenden Sequenz-Abschnitten im Innern, u. einer selbst-assoziierenden Domäne am Carboxy-Ende. Aufgrund letzterer Domäne dimerisiert F.; das Dimer verbindet Actin-Filamente miteinander u. mit Membran-Glykoproteinen. Es besteht strukturelle Ähnlichkeit zu anderen Actinbindenden Proteinen wie *Actin-bindendem Protein 120, α-*Actinin, *Dystrophin, *Fimbrin, *Fodrin u. *Spectrin. In Muskelzellen tritt eine spezielle Form des F. auf, die dazu dient, die Actin-Filamente an der Zellmembran zu befestigen. – E filamin – F filamine – $I = S$ filamina
Lit.: J. Cell Biol. **111**, 1089–1105 (1990) ▪ Trends Biochem. Sci. **16**, 87–92 (1991).

Filapan®-Marken. Umfangreiches Sortiment von Textilhilfsmitteln auf der Basis von sulfatierten Triglyceriden, Mineralölen, Seifen, Alkyloxid-Addukten, Phosphorsäureestern, Alkylpolyglykolethern usw. *B.:* Dr. Th. Böhme KG.

Filariasis (Filariose). Sammelbez. für in den Tropen weitverbreiteten Befall von Wirbeltieren u. Mensch mit parasit. Fadenwürmern (*Nematoden*, Überfamilie Filarien). Die weiblichen Filarien werden bis zu 70 cm lang, sind lebendgebärend u. leben bis zu 15 Jahre lang in kirsch- bis eigroßen Ausbuchtungen der Haut von Becken, Genitalien u. Extremitäten. Die von den Weibchen abgegebenen Mikrofiliarien entwickeln sich in blutsaugenden Gliederfüßlern (Insekten wie Stechmücken u. -fliegen, Milben, Zecken) nach der Aufnahme mit dem Blut weiter zu infektiösen Larven. Diese werden durch Insektenstiche übertragen. Verschiedene Formen der F. sind die *lymphat. Filiarose*, die Entzündungen des Lymphsyst. verursacht, *Loa loa* u. die *Flußblindheit (Onchozerkose),* die zu Entzündungen der Haut, bei letzterer auch der Hornhaut des *Auges führen.
Zur Behandlung verwendet man *Diethylcarbamazin, das die Mikrofilarien abtöten kann, neuerdings auch *Ivermectin. Auch bekämpft man verstärkt die Brutgebiete der Wirtstiere mit abbaubaren Insektiziden, z. B. Abate. – $E = F = S$ filariasis – I filariasi
Lit.: Brandis et al., Lehrbuch der medizinischen Mikrobiologie, Stuttgart: Fischer 1994 ▪ Dönges, Parasitologie, 2. Aufl., Stuttgart: Thieme 1988 ▪ Mehlhorn u. Piekarski, Grundriß der Parasitenkunde, Stuttgart: Fischer 1989 ▪ s. a. Schistosomiasis u. Anthelmintika.

Filariose s. Filariasis.

Filberton s. Haselnußaroma.

Filester®. Farbstoffe, Pigmente sowie deren Präparationen für die Anw. in der Spinnfärbung von Polyesterfasern u. für Engineering Plastics. *B.:* Ciba-Geigy.

Filgrastim. Internat. Freiname für einen nicht-glykosylierten humanen rekombinanten *N*-L-Methionyl-Granulozytenkolonie-Stimulationsfaktor (*G-CSF*); Kette aus 175 Aminosäuren (*N*-terminal im Unterschied zu endogenem G-CSF ein Methionin), M_R ca. 18800. Es ist als hämatopoet. Wachstumsfaktor von Amgen/Roche (Neupogen® Injektionsflaschen) im Handel. – $E = F = I = S$ filgrastim
Lit.: ASP ▪ Drugs **48**, 731–760 (1994) ▪ Merck-Index (12.), Nr. 4558. – *[CAS 121181-53-1]*

Filicin s. Filixsäuren.

Filigranarbeit (von latein.: filum = Faden u. granum = Korn). Goldschmiedearbeiten aus feinstem Gold- od. Silberdraht, erstmalig nachgewiesen in Mesopotamien um 2500 v. Chr. Im Mittelalter findet man F. in der byzantin., arab. u. roman. Kunst, höchste Ausbildung auch in China u. Indien, ebenfalls in altamerikan. Kulturen verbreitet. In der Goldschmiedekunst Europas hat F. erst in neuerer Zeit Verbreitung gefunden. – E filigree – F filigrane – $I = S$ filigrana

Filipin (Filimarsin, Durhamycin).

R^1	R^2	
H	H	F. I
OH	H	F. II
OH	OH	F. III

Antifung. wirksamer Polyenmakrolidantibiotika-Komplex mit den Hauptkomponenten F. I ($C_{35}H_{58}O_9$, M_R 622,84), F. II ($C_{35}H_{58}O_{10}$, M_R 638,84), F. III ($C_{35}H_{58}O_{11}$, M_R 654,84) u. F. IV, einem Isomer von F. III. F. wurde ursprünglich aus Mycel u. Kulturfiltrat von *Streptomyces filipinensis* isoliert [1]. F. wirkt auf die Membran-Sterine empfindlicher *Eukaryonten, wobei es zu Änderungen der Membranpermeabilität kommt. F. wurde früher als Pflanzenschutz-*Antibiotikum eingesetzt. – *E* filipin – *F* filipine – *I* = *S* filipina

Lit.: [1] J. Am. Chem. Soc. **77**, 4799 (1955). *allg.*: Angew. Chem. **107**, 1355 (1995). – [HS 294190; CAS 11078-21-0]

Filixsäuren (Filicin).

Phenol. Naturstoffe aus den Wurmfarn (*Dryopteris filixmas*); das Naturprodukt ist ein Gemisch aus sechs Homologen (R^1, R^2 = Methyl, Ethyl, Propyl) mit drei Hauptkomponenten: a) F. BBB (R^1, R^2 = C_3H_7) $C_{36}H_{44}O_{12}$, M_R 668,74, Schmp. 168–174 °C; – b) F. PBB (R^1 = C_2H_5, R^2 = C_3H_7) $C_{35}H_{42}O_{12}$, M_R 654,71, Schmp. 184–186 °C; – c) F. PBP (R^1, R^2 = C_2H_5) $C_{34}H_{40}O_{12}$, M_R 640,68, Schmp. 192–194 °C. Das Gemisch krist. in blaßgelben Tafeln, Schmp. 184–185 °C, lösl. in Chloroform, Toluol, Eisessig. F. finden gelegentlich noch veterinärmedizin. Verw. als Wurmmittel. – *E* filixic acids – *F* acides filixiques – *I* acidi filixici – *S* ácidos filíxicos

Lit.: Braun-Frohne (6.), S. 231 f. ■ Hager (5.) **4**, 1200 ■ Phytochemistry **11**, 1850 (1972); **12**, 1493 (1973) ■ R.D.K. (4.), S. 313 f. – [CAS 4482-83-1 (F. BBB); 49582-09-4 (F. PBB); 51005-85-7 (F. PBP)]

Filmbildner. Nach DIN 55 945 (12/1988) Bez. für diejenigen Bestandteile des *Bindemittels, die für das Zustandekommen des *Anstrichfilms* (s. Anstrich) wesentlich sind. *Selbständige F.* sind solche, die allein – d. h. ohne Zusatz von weiteren Substanzen – mit od. ohne Sauerstoff-Einfluß einen Anstrichfilm zu bilden vermögen; *nichtselbständige F.* bilden dagegen nur in geeigneten Gemischen einen Anstrichfilm. – *E* film-forming agents, film formers – *F* agents formant une pellicule, agents filmogènes – *I* formatore del film – *S* agentes formadores de películas

Filmdruck s. Filmwaage u. Siebdruck.

Filme. Sammelbez. für dünne Häute u. *Folien (in der Regel unter 0,25 mm dick), die zum Überziehen, Bedecken od. Einwickeln verwendet werden, sowie für jede dünne zusammenhängende Schicht, die – meist auf od. in der Nähe der Oberfläche fixiert – in die Struktur einer Substanz eindringt. In der Praxis wird der Begriff F. oft auf flüssige od. aus dem flüssigen Zustand hergestellte *dünne Schichten eingeschränkt. F. aus nur einer Mol.-Lage nennt man *monomolekulare Schichten (*Monolayers*); bimol. F. kann man dagegen schon als *Membranen ansehen. Wichtige F. der Praxis sind die Anstrich-F. (s. Anstrich), die aus *Filmbildnern entstehen, sowie die photograph. u. Kino-F. (s. Photographie u. Farbphotographie). Weitere spezielle Anw. von F. betreffen die Medizin (z. B. F. aus *Polymethacrylaten als Wundverbände, aus Cyanacrylaten zur Gewebsverklebung etc.), Elektronik (Dünnschicht-F. für Magnetspeicher, Mikroschaltelemente u. dgl.), Bedampfungstechnik, Dest.-Technik (Filmverdampfer) usw. – *E* = *F* films – *I* film – *S* películas, film(e)s

Lit.: s. dünne Schichten, Folien.

Filmtabletten s. Dragées u. Tabletten.

Filmtec®. Umkehrosmose-Membran von Dow Deutschland Inc.

Filmtruder. Wischerelemente zum Erzeugen eines Flüssigkeitsfilms. Je nach Bauart läßt sich die Konsistenz u. die Förderrichtung des Films beeinflussen. Haupteinsatzgebiet ist die Bestückung von Rotoren für die *Dünnschichtverdampfung.

Filmwaage. Apparatur zur Messung des Filmdrucks, der von einer an der Grenzfläche Flüssigkeit/Luft angereicherten Substanz ausgeübt wird. Der Filmdruck π entspricht dabei der Differenz zwischen der *Oberflächenspannung der reinen Wasseroberfläche γ_0 u. der filmbedeckten Oberfläche γ. $\pi = \gamma_0 - \gamma$. Die Flüssigkeit befindet sich dabei in einem rechteckigen Trog; auf der Oberfläche wird ein Schieber bewegt. Dabei wird der Filmdruck in Abhängigkeit von der Oberflächenkonz. registriert. Die Bestimmung des Filmdrucks erfolgt entweder aus der elast. Auslenkung eines beweglichen Schwimmers (Meth. nach *Langmuir) od. aus der Benetzung eines eintauchenden Plättchens (*Wilhelmy-Methode). Meist wird die F. zur Untersuchung von unlösl. monomol. Oberflächenfilmen (*monomolekulare Schichten) auf Wasser benutzt. Eine bekannte Menge des Filmmaterials, z. B. langkettige Fettsäuren, wird in Lsm. auf die Oberfläche aufgetragen (gespreitet); nach Verdunsten des Lsm. wird der Film komprimiert, wobei der jeweilige Filmdruck einem best. Flächenbedarf der Mol. entspricht.

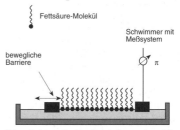

Abb.: Schematische Darstellung einer Filmwaage mit monomolekularer Schicht.

Lit.: Adamson, Physical Chemistry of Surfaces, 5. Aufl., New York: Wiley 1990 ■ Dörfler, Grenzflächen- u. Kolloidchemie, Weinheim: VCH Verlagsges. 1994 ■ s. a. monomolekulare Schichten.

Filofin®. Präp. mit organ. u. anorgan. Pigmenten für die Spinnfärbung von Polyolefin-Fasern. *B.*: Ciba-Geigy.

Filter (von german.: felti = Festgestampftes, vgl. Filz). Unter F. versteht man in der Technik Gläser, die nur für bestimmte Wellenlängen des Lichts durchlässig sind (*opt. F.*, s. Lichtfilter), elektron. od. akust. F. die nur für einen bestimmten Wellenlängenbereich elektromagnet. bzw. akust. Wellen durchlässig sind, u. auch die im folgenden beschriebenen Vorrichtungen für die *Filtration, eines der wichtigsten *Trennverfahren für Stoff-*Gemische. Hier soll nur auf Fest/Flüssig-Trennungen eingegangen werden.

Im chem. Labor bedient man sich v. a. der *Filterpapiere* (Filtrierpapiere), deren Beschaffenheit den DIN-Normen 12 448 (09/1977) u. 53 135 – 53 138 (1962 – 1977) entsprechen muß. Als Rohstoffe für Filterpapiere dienen im wesentlichen veredelte Zellstoffe mit einem Gehalt an α-Cellulose von über 95% u. Linters, d. h. kurzfaserige Baumwolle von hoher Reinheit. Daneben werden für Sonderzwecke Glasfasern, PVC-Fasern u. Polyesterfasern eingesetzt. Die Eigenschaften der F.-Papiere werden durch bestimmte Daten festgelegt, z. B. Flächengew., Dicke, Trennfähigkeit, Naßfestigkeit, chem. Reinheit, Aschegehalt u. Saughöhe. Man unterscheidet techn. F.-Papiere u. solche für chem. Analysen; letztere müssen für quant. Analysen z. T. aschefrei gearbeitet sein. Ein F.-Papier wird gekennzeichnet durch seine Durchlässigkeit für die Flüssigkeit (*Filtratgeschw.*) u. durch sein Rückhaltevermögen für die Feststoffteilchen (*Scheidefähigkeit*). Die Messung der Durchlässigkeit erfolgt im allg. mit vorfiltriertem Wasser bei 20 °C u. einer Druckdifferenz von 200 Pa, die Prüfung des Rückhaltevermögens z. B. mit frisch gefälltem Bariumsulfat. Mit zunehmender Porengröße des Papiers steigt die Durchlässigkeit an, während das Rückhaltevermögen abnimmt. Für analyt. Zwecke geeignete Filtrierpapiere kommen gewöhnlich in Form runder Blätter (*Rundfilter*) in einer Reihe von Größen (als Durchmesser in cm ausgedrückt) in den Handel. Im Gebrauch befinden sich folgende Filterpapierarten: Techn., analyt., qual., quant. Filtrierpapiere, Flockenmassen, Spezialfilter, Hartfilter, F. aus speziellen Rohstoffen u. bakteriendichte Filter. Die sog. Normalfilter haben eine Porenweite von etwa 5 µm. Durch diese werden grobkörnige Niederschläge zurückgehalten, dagegen fließen kolloide Lsg. (s. Kolloidchemie) u. echte Lsg. aller Art hindurch. Für saure (z. B. bis 25%ige Salzsäure) u. stark alkal. (bis 20%ige Natronlauge) Filtrate eignen sich die reißfesten, oberflächlich pergamentierten Filter. Auf der Filterpackung ist häufig der Aschengehalt angegeben. Für Spezialzwecke werden auch Phosphat-, Fett-, N- u. Mg-freie, acetylierte, gehärtete, naßfeste, mit Kunstharz imprägnierte, mit eingearbeiteter Kieselgur od. Aktivkohle versehene Filtrierpapiere u. dgl. hergestellt.

Die Filterleistung läßt sich folgendermaßen verbessern: 1. Man ersetzt das gewöhnliche, glatte, kegelförmige Filterpapier (Abb. 1a u. e) durch einen *Faltenfilter* (Abb. 1b), dessen größere filtrierende Oberfläche in kürzerer Zeit größere Flüssigkeitsmengen bewältigen kann.

2. In einem gläsernen *Rippentrichter* (s. Abb. 1c) kann die Flüssigkeit nach dem Passieren der Filterporen analog wie beim Faltenfilter rasch u. ungehindert zwischen den Glasrippen abfließen.

3. Die Saugwirkung des abfließenden Filtrats erhöht man z. B. durch Verlängerung der Flüssigkeitssäule unter dem Filter in der in Abb. 1d gezeigten Weise.

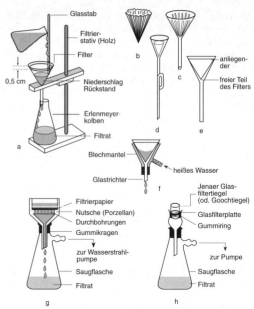

Abb. 1: Verschiedene Filter u. Filtrationsmethoden.

4. Bei speziell für Schnellfiltration konstruierten *Analysentrichtern* beträgt der Trichterwinkel genau 60°, so daß die aus Rundfiltern hergestellte Filtertüte glatt anliegen kann. Ihr unterer Teil hängt hier großenteils frei, weil am Glastrichter innen 3 bis 6 Aussparungen angebracht sind, durch die das Filtrat schnell abfließt (s. Abb. 1e). Zwischen diesen Aussparungen befinden sich noch 3 – 6 schmale Stege, die das F. vor dem Zerreißen schützen. Außen hat dieser Trichter 3 kleine Rippen; zwischen diesen kann die vom Filtrat verdrängte Luft entweichen, falls man den Trichter ohne Stativ direkt z. B. in den Hals eines Erlenmeyerkolbens einsetzt.

5. Viele Flüssigkeiten lassen sich in heißem Zustand rascher u. besser filtrieren, weil hierbei die *Viskosität wesentlich vermindert ist. Um das Filtrat warm zu halten, verwendet man zur Filtration einen sog. *Heißwassertrichter* (s. Abb. 1f); hier handelt es sich um einen doppelwandigen Metalltrichter, der von einer Heizflüssigkeit od. Wasserdampf durchströmt wird u. in den man Glastrichter beim Filtrieren einsetzt. In stärkerem Umfang verwendet man auch elektr. beheizte Trichter. Beim Filtrieren heißer Flüssigkeiten bieten die mit Melamin-Harzen, Polyamiden od. Harnstoff-Kondensationsprodukte präparierten Filtrierpapiere verschiedene Vorteile.

6. Beim *Absaugen (Nutschen, Vakuumfiltration)* wird unter dem Filtermittel in einer Saugflasche mit Hilfe einer angeschlossenen Pumpe (z. B. *Wasserstrahlpumpe) ein Unterdruck erzeugt, so daß die abzufiltrierende Flüssigkeit infolge des Überdrucks der Außenluft rasch durch Filterkuchen u. Filtermittel gepreßt wird (s. Abb. 1g). Der Druckunterschied erfordert hier stabilere Gerätschaften, nämlich eine starkwandige *Nutsche* (auch *Büchner-Trichter* genannt, s. Abb. 1g) aus Porzellan od. Glas (letztere hat herausnehmbare, bequem zu reinigende Schlitzsiebplatten), eine dickwandige Saugflasche u. bes. gehärtetes Filtrierpapier, das durch den Saugdruck nicht zerrissen

wird. Eine Variante unter Anw. von Druck (*Druckfiltration*) wird – im Laboratorium – weit weniger häufig als die Vakuumfiltration angewendet.

7. Zur Filtration von starken Säuren od. starken Laugen ist Filtrierpapier nicht verwendbar, da dieses von solchen Chemikalien angegriffen wird. Man stopft in diesem Falle feine Glaswolle in die Spitze eines gewöhnlichen Trichters u. gießt die Substanz hindurch, od. man benutzt die ebenfalls Schwefelsäure-beständigen *Glasfiltergeräte*, in denen an Stelle von Filtrierpapier eingeschmolzene scheibenartige Filterplatten aus Sinterglas (*Fritten) als Filtermittel dienen. Diese Sinterglasplatten halten etwa den Druck von 10^5 Pa aus. Sie werden in Glasnutschen (ähnlich Porzellannutsche von Abb. 1g) od. in Glasfiltertigel usw. (s. Abb. 1h u. i) eingeschmolzen verwendet. Man kann die Niederschläge in diesen Geräten im Trockenschrank bei 150°C trocknen u. im elektr. Ofen bei Temp. bis 500°C glühen. Quarzfiltergeräte halten Temp. bis 1200°C aus. Neben den Glasfiltergeräten werden auch entsprechende Porzellangeräte mit porösen Filterplatten (*Gooch-Tiegel*) zum Filtrieren verwendet; sie eignen sich v. a. für krist. Niederschläge, u. man kann sie unbedenklich in der Gebläseflamme od. im elektr. Ofen glühen.

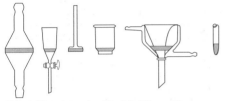

Abb. 2: Filterplatten (punktiert) in Filtergeräten.

Im Vgl. mit den schon erwähnten F. sehen die im Chemie- u. Pharmabetrieb, in der Biotechnologie der Fruchtsaft-, Bier-, Wein- od. Zuckerind., der Abwasserreinigung in Kläranlagen od. der Galvanotechnik, der Trinkwasseraufbereitung u. vielen anderen Gebieten der Technik gebräuchlichen F. ganz anders aus, wenn sie auch denselben Filtrationsprinzipien gehorchen. Grundsätzlich unterscheidet man bei den F.-Apparaturen der techn. Chemie Druckfilter, Vakuumfilter u. Filterzentrifugen, die je nach Aufgabenstellung in kontinuierlicher od. diskontinuierlicher Arbeitsweise benutzt werden. Bei den *Druckfiltern* haben sich neben den einfachen Kastenfiltern, bei der – ähnlich wie bei der Labornutsche – das Filtrat durch einen porösen Filterboden (meist poröses keram. Material) abgesaugt wird, sehr bald die *Filterpressen* eingebürgert, vgl. Abb. 3.

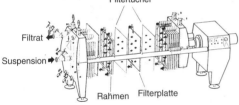

Abb. 3: Filterpresse.

Diese bestehen entweder aus vielen rechtwinkligen, senkrecht stehenden, kannelierten u. parallel geschalteten Filterplatten, die beidseitig mit Filtertüchern belegt sind, u. dazwischenliegenden Rahmen zur Aufnahme des Filterkuchens (Rahmenfilterpressen) od. aber aus einer Vielzahl von senkrecht stehenden, kannelierten Filterplatten, deren starker Rand gegenüber der eigentlichen Filterfläche hervorsteht, so daß sich zwischen zwei solchen Platten, die ebenfalls beidseitig mit einem Filtertuch belegt sind, eine Kammer zur Aufnahme des Kuchens bildet (*Kammerfilterpressen*). Letztere werden heute bevorzugt verwendet. Platten od. Rahmen sind in einem Gestell angeordnet u. werden über entsprechende Kopfstücke vor Beginn der Filtration zusammengepreßt. Moderne Filterpressen (Plattenabmessungen bis 2×2 m, Filterflächen bis ca. 1000 m^2) sind z. B. mit automat. Plattentransport, Waschvorrichtung für die Filtertücher, elektrohydraul. Verschluß, Schließdruckregelung usw. ausgerüstet. Anw. finden derartige Filterpressen u. a. bei der Herst. von organ. u. anorgan. Farbstoffen, Zwischenprodukten u. im *Klären von Abwasser. Eine wichtige apparative Weiterentwicklung ist der Einbau von Membranen, mit denen die Filterkuchen vor dem Entleeren der Presse zusätzlich mechan. ausgepreßt werden können. Andere Druckfilter sind Scheibenfilter mit horizontalen od. vertikalen Filterelementen, Kerzenfilter, Plattenfilter, Drucknutschen mit od. ohne Rührvorrichtung. Bei schwierigen Klärfiltrationen werden *Filterhilfsmittel (Kieselgur, Perlite, Cellulose, Koks) im Druckfilter als erstes aufgebracht, bevor die eigentliche Filtration beginnt (*Anschwemmfilter*). Meist erfolgt auch noch ein Zusatz des Filterhilfsmittels zur Suspension. V. a. bei Abwässern wird versucht, sehr feine Teilchen durch Zugabe von *Flockungsmitteln (synthet. *Polyelektrolyte) zu agglomerieren, worauf sich diese dann leichter abtrennen lassen. Mit den hierfür entwickelten Siebbandpressen lassen sich hohe Preßdrücke zur Entfeuchtung des Kuchens erreichen. Ein häufig verwendetes *Vakuumfilter* ist das *Trommelfilter*, dessen Trommel (Baugrößen von 0,1 – ca. 100 m^2) am Umfang in achsparallel verlaufende, außen mit Filtermittel belegte Zellen eingeteilt ist, vgl. Abb. 4.

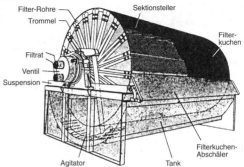

Abb. 4: Vakuumtrommelfilter.

Aus der im Trog befindlichen Trübe, in die die horizontal gelagerte Trommel teilw. eintaucht, wird das Filtrat beim Hindurchwandern der Zelle abgesaugt, der sich bildende Kuchen nach dem Auftauchen ausgewaschen, anschließend trockengesaugt u. mit den verschiedensten Vorrichtungen bei gleichzeitigem Rück-

blasen vom Filtermittel abgenommen. Neuerdings werden solche Trommel-F. wegen weitgehendem Abschluß zur Umgebung u. Intensivierung des Trennvorgangs auch als Druck-Trommelfilter konstruiert. Andere Vakuumfilter sind Bandfilter, Planfilter, Scheibenfilter, Kippnutschenfilter etc. *Filterzentrifugen* – auch als *Siebzentrifugen* bezeichnet – bestehen in der einfachsten Form aus einer rotierenden Trommel, deren Mantelfläche durchbohrt u. im Inneren mit Filtermittel belegt ist. Sie sind bes. gut geeignet zur intensiven Entfeuchtung meist etwas gröberer Feststoffteilchen. Spezielle Bauarten sind z. B. Pendelzentrifugen, Dreisäulenzentrifugen, Schälschleudern, Schubschleudern, Siebschneckenzentrifugen. *Zentrifugieren findet Anw. bei der Herst. von Kunststoffen, Zwischenprodukten, Düngemitteln, bei der Aufbereitung von Erz u. Kohle. In den hier erwähnten F. kommen *als Filtermittel* nur selten Papier u. Glasfaserpapiere in Frage, sehr viel häufiger dagegen textile Gewebe, Filze, Fluor- u. a. Kunststoffe, Vliesstoffe, Metallfaservliese, Nutschen aus Glas, Kunststoffen, Porzellan, Steinzeug sowie Sintermetalle für Filterkerzen. Eine gesonderte Behandlung erfahren in diesem Werk die Abtrennung kolloider Teile aus Flüssigkeiten (*Kolloidchemie, *Ultrafiltration, Hyperfiltration od. *umgekehrte Osmose) od. fester Teile aus Gasen (*Atemfilter, *Entstaubung, *Gasreinigung, *Staub, *Tabakrauch) sowie die Verw. von Membranen (*Membranfilter) od. sterilen F. (*Sterilisation). – *E* filtres (GB), filters (USA) – *F* filtres – *I* filtro – *S* filtros
Lit.: Ullmann (5.) B 2, 10-1 ff., 9-5 ▪ s. Filtration.

Filterhilfsmittel. Hilfsmittel bei der *Filtration, die den Zweck haben, entweder bei Suspensionen mit nur wenig Feststoffen die Bildung eines Filterkuchens (s. Filtration) zu ermöglichen od. bei schleimigen Feststoffen den sich sonst daraus bildenden sehr dichten Kuchen aufzulockern. Die – nicht mit *Flockungsmitteln zu verwechselnden – F. werden entweder der zu filtrierenden Suspension unmittelbar zugesetzt od. vor der Filtration als Hilfsschicht auf dem *Filter gebildet. Die gebräuchlichsten F., nämlich Cellulose, Kieselgel, Kieselgur, Perlit, Holzkohle u. Holzmehl, früher auch Asbest, wirken alle physikal.-mechan., sie verändern also nicht die chem. Zusammensetzung der Flüssigkeit, sind unlösl., u. bei ihrer Aufschwemmung ergibt der Filterkuchen viele Kapillaren, die klein genug sind, um die Feststoffe zurückzuhalten, aber auch zahlreich genug, um eine optimale Durchlässigkeit zu ermöglichen. – *E* filter aids – *F* adjuvants de filtration – *I* espedienti di filtrazione – *S* materiales auxiliares para filtración
Lit.: Ullmann (5.), B 2, 10-58 ▪ s. Filtration.

Filterkalk. Gekörnter Kalkstein als Filterfüllung.

Filterkerzen s. Filter.

Filterkies. Getrockneter, säurebeständiger, auf gleiche Korngröße abgesiebter Kies zur Filtration z. B. in Kläranlagen. – *E* filter gravel – *F* gravier à filtrer – *I* ghiaia filtrante – *S* gravilla para filtrar

Filterkuchen s. Filtration, Filter.

Filterpapier, Filterplatten, Filterpressen, Filtertiegel s. Filter.

Filterzigaretten s. Tabakrauch.

Filtrat s. Filtration, Filter.

Filtration (Filtrieren). Verf. zur Trennung von Feststoffteilchen aus Flüssigkeiten (*Suspensionen) od. von Feststoffteilchen aus Gasen (*Staub); auch von nichtlösl. Flüssigkeitströpfchen aus einer anderen Flüssigkeit (*Emulsion) od. aus Gasen (*Aerosolen). Hier u. bei *Filter soll nur auf das disperse Syst. Fest/Flüssig eingegangen werden, nicht auf die Probleme der *Entstaubung u. *Gasreinigung. Gemeinsames wesentliches Merkmal der F. ist, daß ein poröses Medium (Filtermittel, Filter) von der kontinuierlichen Phase (Flüssigkeit od. Gas) durchströmt wird, wobei gleichzeitig die dispergierte Phase (Feststoffteilchen, Tröpfchen) an der Oberfläche des porösen Mittels od. in seinem Innern zurückgehalten wird (*Retention). Wegen der Ähnlichkeit der Vorrichtungen wird häufig auch bei *Adsorptions-Prozessen (z. B. Gasmaske, *Atemfilter, *Aktivkohle-Filter) von F. gesprochen, u. tatsächlich können beide Vorgänge gleichzeitig stattfinden (vgl. a. filtrierende Adsorption). Ist hierbei die Adsorptionskapazität erschöpft, so spricht man von *Filterdurchbruch*. Die Filtermittel bestehen aus losen od. verfestigten Feststoffschichten; *Beisp.:* Schüttungen (aus Sand, Koks, Kieselgur, Kunststoffen), Filtersteine (aus Quarz, Schamotte, Kohle, Kunststoffen), Filtermembranen (aus Cellulose-Derivaten, Kunststoffen), Gewebe od. Vliese (aus Metall-, Natur-, Kunst- u. Glasfasern), Sinterstoffe (aus Metall-, Glas- u. a. Pulvern), im Laboratorium im allg. Papier (Filter- od. Filtrierpapier, s. Filter) od. gesintertes Glas od. Porzellan (*Fritten). Nicht selten muß man mit *Filterhilfsmitteln arbeiten (z. B. bei der *Anschwemmfiltration*, s. Filter) od. mit *Flockungsmitteln, die die Filtrierbarkeit der Teilchen über ihr *Zeta-Potential beeinflussen. Man spricht von *Trennfiltration*, wenn den festen Niederschlag aus der Flüssigkeit gewinnen will, von *Klärfiltration*, wenn die Flüssigkeit vom Niederschlag befreit werden soll; in vielen Fällen will man auch beide Komponenten gewinnen. Die F. läßt sich diskontinuierlich od. – zumindest in techn. Anw. – kontinuierlich betreiben.

Voraussetzung für das Filtrieren ist stets ein Druckunterschied zwischen Zu- u. Ablaufseite des Filtermittels. Diesen errreicht man im einfachsten Fall durch den stat. Druck beim Aufstauen der Suspension oberhalb des Filtermittels, durch die Saugwirkung der abfließenden Flüssigkeitssäule bzw. durch Absaugen der Flüssigkeit; eine andere Möglichkeit ist *Zentrifugieren. Zur Berechnung der F.-Geschw. wird unter anderem die Darcysche Filtergleichung verwendet

$$\dot{V}/A = \frac{1}{\alpha \eta} \cdot \frac{\Delta P}{H},$$

wobei $\dot{V}$ = Volumendurchsatz an Flüssigkeit, ΔP = Druckdifferenz über die Filterschicht, A = Fläche des Filters, H = Höhe der Filterschicht, η = Viskosität u. α = Strömungswiderstand;

$$\text{wobei } \alpha = \frac{\kappa(1-\varepsilon)^2 a_v^2}{\varepsilon^3}$$

mit ε = Porösität, a_v = spezif. Oberfläche u. κ = Kozeny-Konstante (2 für kreisrunde Kapillaren) ist.

Das im Laboratorium gebräuchlichste Filtrierverf. zeigt Abb. 1 a bei Filter: Hierzu wird in einen Glastrichter als Filtergerät eine durch zweimaliges Falten eines Rundfilters hergestellte „Tüte" gelegt; ihre Größe richtet sich nach der Menge des abzutrennenden Niederschlags u. nicht nach der Flüssigkeitsmenge. Hat man die gesamte Flüssigkeit abfiltriert, so wäscht man den Rückstand gut aus, um ihn von den noch in Lsg. befindlichen Bestandteilen zu befreien. Es ist dabei viel wirksamer, mit wenig Flüssigkeit öfters auszuwaschen u. gut abtropfen zu lassen, als mit viel Flüssigkeit weniger oft auszuwaschen. Auch in der chem. Technik umfaßt das Filtrieren häufig die Teilvorgänge Kuchenbildung, Wäsche des Filterkuchens, Nachentfeuchten des Filterkuchens (Trockensaugen); s. Abb. 4 bei Filter. Dabei nennt man die an der Oberfläche des Filtermittels zurückgehaltene feuchte Feststoffschicht *Filterkuchen*, u. die durchgeströmte Flüssigkeit *Filtrat*. Man spricht von *Kuchen-F.*, wenn die abzutrennenden Teilchen nur zu Beginn an der Oberfläche des Filtermittels abgeschieden werden, im wesentlichen aber an der jeweiligen Oberfläche der anwachsenden Teilchenschicht. Werden die Teilchen im Innern des Filtermittels abgeschieden, so spricht man von *Tiefen-F.* (Sandfilter). Bei der *Klär-F.* handelt es sich um das Abtrennen sehr weniger, meist sehr feiner Teilchen. In schemat. Weise kann man nach Teilchengröße der abgeschiedenen Stoffe (in Klammern) unterscheiden zwischen Grob-F. (>50 µm), Fein-F. (50–1 µm), *Mikro-F. (1–0,1 µm), *Ultrafiltration (100–1 nm) u. Hyper-F. od. *umgekehrte Osmose (Mol.). Beim Filtrieren sehr feiner Niederschläge, deren Teilchengrößen z.T. im kolloidalen Bereich ≤0,1 µm liegen (z.B. frisch gefälltes Bariumsulfat, Zinksulfid, Schwefel aus Natriumthiosulfat-Lsg. u. Säure), läuft häufig ein trübes Filtrat durch das Filtermittel; kocht man dagegen die Trübe einige Zeit, wobei Zusammenballung zu größeren Teilchen (*Agglomeration*) erfolgt, oder gießt man sie mehrmals durch das gleiche Filtermittel, so läuft die Flüssigkeit (infolge Verengung der Poren) schließlich klar durch. Weitere Gesichtspunkte zur F. s. bei Filter u. bei Trennverfahren. – *E* = *F* filtration – *I* filtrazione – *S* filtración

Lit.: Gasper (Hrsg.), Handbuch der industriellen Fest-Flüssig-Filtration, Heidelberg: Hüthig 1990 ▪ Hager **7b**, 364–369 ▪ Kirk-Othmer **9**, 264–286; (3.) **10**, 284–337 ▪ Müller, Zentrifugieren, Filtrieren, Frankfurt: Salle-Sauerländer 1981 ▪ Ullmann (5.) **B 2**, 10-1 ff. ▪ Vauck u. Müller, Grundoperationen chemischer Verfahrenstechnik, Weinheim: Verl. Chemie 1982.

Filtrierende Adsorption. Bez. für eine wenig gebräuchliche *Filtrations-Meth., die dadurch gekennzeichnet ist, daß zwei chem. verschiedene Stoffe aufgrund ihres unterschiedlichen Adsorptionsvermögens voneinander getrennt werden, indem man das Analysengemisch in einem geeigneten Lsm. löst u. die Lsg. durch ein Adsorbens filtriert, das nur eine Komponente zurückhält. Von der normalen *Adsorption unterscheidet sich die f. A. durch ihre Selektivität, die durch das selektive Lsm. u. ein ausgesuchtes Adsorbens erreicht wird. – *E* adsorptive filtering – *F* filtration par adsorption – *I* adsorbimento filtrante – *S* filtración por adsorción

Filtrierpapier s. Filter.

Filz. Von german.: felti=Festgestampftes (vgl. Filter) abgeleitete Bez. für faserige *Textilien mit – hier erwünschter (vgl. dagegen Filzfreiausrüstung) – regelloser Anordnung der Fasern (*Natur- u. *Chemiefasern). Je nach dem Herst.-Verf. unterscheidet man: *Nadel-F.*, bei dem die anfangs watteähnliche Faserschicht mittels F.-Nadeln mit Widerhaken verschlungen wird, *Walk-F.*, bei dem Faservliese durch Druck u. Bewegung unter Wärme u. Feuchtigkeit (*Walken) verfestigt werden, u. *Filztuche* (*Web-F.*), die unvernadelt od. vernadelt sein können, aus gewebten, gewalkten u. verfilzten Stoffen. Die filzbaren Fasern waren früher ausschließlich tier. Natur (Wolle, Tierhaare), werden heute ggf. mit max. 70% pflanzlichen od. synthet. Fasern gemischt od. sind rein synthet. (PP-F.).

Verw.: Bekleidungs-Ind., Teppichunterlagen, Dichtungs-, Isolations- u. Filtrierzwecke, Benzin- u. Ölaufsaugmaterial, Verpackungsmaterial, Hut-Ind., Herst. von verkohltem F. etc. – *E* felt – *F* feutre – *I* feltro – *S* fieltro

Lit.: DIN 61 200 (12/1985) ▪ DIN 61 205 (06/1985) ▪ Encycl. Polym. Sci. Technol. **6**, 504 f. ▪ Kirk-Othmer (3.) **9**, 846–861 ▪ Ullmann **17**, 283–287; (4.) **11**, 577 ff.; (5.) **A 10**, 297–304. – [HS 5602 10, 5602 21, 5602 29, 5602 90]

Filzfreiausrüstung. Bez. für ein Verf. der *Textilveredlung, das die Verminderung des Filzvermögens tier. *Fasern zum Ziel hat. Geeignete Maßnahmen sind Oberflächenglättung durch Chlorung od. Oxid. (mittels Isocyanursäurechloriden) od. Aufbringen von Kunstharzen od. Polyamiden. Die bei normalen Geweben unerwünschte *Filz-Bildung beruht auf Wechselwirkung zwischen einzelnen Fasern, die durch Zug u. Schub beim Waschvorgang „verfilzen", wobei eine Kürzung (Einlaufen) des Gewebes entsteht. – *E* shrink-resistance treatment – *F* traitement antifeutrage – *I* agenti abbassando l' infeltrirsi – *S* acabado antifieltro

Lit.: Kirk-Othmer (3.) **24**, 631–636 ▪ Rath, Lehrbuch der Textilchemie, S. 295–299, Berlin: Springer 1972 ▪ Ullmann (4.) **23**, 94 ff.; (5.) **A 26**, 315 ▪ s.a. Textilveredlung. – [HS 5602 10 5602 90]

Filzpappe (Filzpapier). Pappe od. *Papier, das unter Zusatz von Textilfasern hergestellt wird, so daß das Produkt ein lockeres u. weiches Gefüge erhält, u. verwendet wird u.a. als wärme- u. schalldämmende Unterlage für *Bodenbeläge. – *E* felt paper – *F* carton-feutre – *I* cartone di feltro – *S* cartón fieltro

Filzschreiber. Schreibgeräte, in denen flüssige *Farbmittel aus einer (ggf. nachfüllbaren) Patrone durch Kapillarkräfte in die aus *Filz od. *Chemiefasern (*Faserschreiber*) bestehende, verschieden breite Schreibspitze dringen. Es gibt F. mit wasserlösl. u. -unlösl. Farbmitteln (für Beschriftungen auf Glas u. dgl.); letztere lassen sich mit Aceton, Alkohol usw. entfernen. – *E* felt pen – *F* stylo feutre – *I* pennarello – *S* rotulador de fieltro

Lit.: Ullmann (4.) **23**, 261 f.; (5.) **A 9**, 44 f. – [HS 9608 20]

Filztuche s. Filz.

Fimbrin (Plastin). F-*Actin bündelndes Protein (M_R 68 000) aus *Mikrovilli, Stereozilien (Härchen der Haarzellen der Gehörorgans) u. Filopodien (Fadenförmige Scheinfüßchen von Einzellern), zu deren Ausbildung es beiträgt. Beim Mensch gibt es das epithelial-mesenchymale F. (*T-Plastin*; in Muskel, Gehirn, Uterus, Speiseröhre), das Leukocyten-F. (*L-Plastin*; in Milz, Lymphknoten, Tumorgewebe) u. das *I-Plastin* (Darm, Niere). Der *N*-Terminus des F. bildet zwei Calcium-bindende *EF-Hand-Domänen aus, während sich am *C*-Terminus zwei Actin-bindende Domänen befinden, die Ähnlichkeit zeigen mit denen des *Actin-bindenden Proteins 120, α-*Actinins, *Dystrophins, *Filamins, *Fodrins u. *Spectrins. Bei Aktivierung der Zelle wird L-Plastin phosphoryliert. – Ein zu den oben beschriebenen Proteinen nicht in Beziehung stehendes *Pilin von *Haemophilus influenzae* (Erreger der Mittelohrentzündung) wurde ebenfalls F. genannt [1]. – *E* fimbrin – *F* fimbrine – *I* = *S* fimbrina

Lit.: [1] Infect. Immun. **62**, 2002–2020 (1994).
allg.: Curr. Biol. **5**, 591ff. (1995) ▪ J. Cell Biol. **127**, 1995–2008 (1994) ▪ Mol. Cell. Biol. **14**, 2457–2467 (1994); **15**, 69–75 (1995).

Fina. Die 1956 als American Petrofina gegründete Firma wurde 1991 in Fina, Inc. umbenannt. Der Konzernsitz befindet sich in Dallas, Texas 75206, USA. *Produktion:* Exploration u. Produktion von Gas u. Erdöl, Petrochemikalien, Polyethylen, Polystyrol, Styrol-Monomeren, Polypropylen. *Daten* (1994): 2770 Beschäftigte, 3,4 Mrd. $ Umsatz.

Finalgon®. Creme, Liniment u. Salbe mit *Nonivamid u. *Nicoboxil zur Wärme-Reiz-Therapie bei rheumat., traumat. u. neuralg. Beschwerden. *B.:* Thomae.

Finasterid.

Internat. Freiname für *N-tert*-Butyl-3-oxo-4-aza-5α-androst-1-en-17β-carboxamid, $C_{23}H_{36}N_2O_2$, M_R 372,55, Schmp. ca. 257°C; $[\alpha]_{20}^{D}$ $-59°$ (c 1/CH_3OH). Es wurde als Inhibitor der 5α-Reduktase, die *Testosteron in das stärker androgene 5α-Dihydrotestosteron umwandelt; 1985/88 von Merck & Co. patentiert u. ist als Therapeutikum bei benigner Prostatahyperplasie von MSD (Proscar®) im Handel. – *E* = *I* finasteride – *F* finastéride – *S* finasterida

Lit.: Biomed. Pharmacother. **49**, 319–324 (1995) ▪ Merck-Index (12.), Nr. 4125 ▪ Dtsch. Apoth. Ztg. **134**, 4691ff. (1994). – [CAS 98319-26-7]

Finavarren s. Algenpheromone.

Finesse (Kurzz. F*). Maß für das Auflösungsvermögen eines *Etalons od. eines *Interferometers. – *E* finesse – *F* finura – *I* finezza – *S* fineza

Fingerhut s. Digitalis- u. Herzglykoside.

Fingernägel. Die F. sind ebenso wie die Fußnägel sog. *Hautanhangsgebilde*, die als trübe, durchscheinende, gewölbte Hornplatten (*Keratin) dem Nagelbett aufliegen u. durch dieses ernährt werden. Das Nagelwachstum hängt ab von Faktoren wie Allgemeinzustand des Körpers, Alter, Außentemp. etc. u. schwankt zwischen 0,4 u. 0,14 mm pro Tag. Nagelbettverletzungen, Infektionen, hormonale u. Zirkulationsstörungen können zu Wachstumsstörungen führen; beschleunigtes Wachstum tritt in der Schwangerschaft auf. Ursachen brüchiger F. können sein: Blutarmut, Vitaminmangel, Schilddrüsenüber- u. -unterfunktion, Gicht, Pilz- u. Bakterieninfektion, stark alkal. Waschmittel (diese lösen –S–S-Bindungen des Keratins), Anw. fettlösender *Nagellack-Entfernungsmittel (Fingernägel enthalten 0,15–0,76% Fett), Arbeiten mit organ. Lösemitteln. – *E* finger nails – *F* ongles – *I* unghie – *S* uñas

Lit.: Junqueira et al., Histologie, Heidelberg: Springer 1991 ▪ Zaias, The Nail in Health and Disease, Hemel Hempstead: Appleton u. Lange 1989 ▪ s. a. Haut u. Keratin.

Fingerprint. Aus dem Engl. übernommener Ausdruck (= Fingerabdruck) für Substanzcharakteristiken, die sich z. B. äußern können durch Lage, Farbe, Form u. Größe der dünnschichtchromatograph. Flecken auf der Schicht, in der Spektrophotometrie als typ. Absorptionsspektrum einer Substanz bzw. einer absorbierenden Gruppe (bes. in der *IR-Spektroskopie), in der *Gaschromatographie als charakterist. Gaschromatogramm der Pyrolyse- u. Dissoziationsprodukt einer Substanz. In allen Fällen soll mit dem Begriff F. zum Ausdruck gebracht werden, daß die betreffenden Werte für die jeweilige Substanz so individuell charakterist. sind wie ein Fingerabdruck für einen bestimmten Menschen; vgl. a. DNA-Fingerabdruck.

Fingersteine s. Belemniten.

Finite-Elemente-Verfahren. Numer. Verf., um komplexe, dreidimensionale Abläufe mit Hilfe von Computern berechnen zu können. Kompliziert geformte Gegenstände werden durch eine Anzahl von Teilstücken (Elemente) endlicher (finiter) Größe repräsentiert. Anw. in der Berechnung der mechan. Belastung u. des Schwingungsverhaltens von Bauteilen, Wärmeausbreitung in Materie, Diffusion u. Durchmischung von Gasen u. Flüssigkeiten etc. – *E* finite elements – *F* méthode d'éléments finis – *I* elementi finiti – *S* elementos finitos

Lit.: Encycl. of Physical Science and Technology, **4**, S. 29; **15**, S. 24, **16**, S. 125, 739, San Diego: Acad. Press 1992.

Finkelstein-Reaktion s. Iodierung.

Finlepsin®. Tabl. u. Retardtabl. mit dem Antikonvulsivum *Carbamazepin. *B.:* Arzneimittelwerk Dresden/Boehringer Mannheim/Galenus.

FIOLAX®. Chem. hochresistente Spezialglasröhren (Hydrolyseklasse 1) für die Verarbeitung zu Ampullen u. Reagenzgläsern. *B.:* Schott.

Fior-Verfahren. Abk. für *f*luid bed *i*ron *o*re direct *r*eduction, ein von der Exxon entwickeltes Red.-Verf. zur Herst. von *Eisen-Schwamm. – *E* fior process – *F* procédé F.I.O.R – *I* processo fior – *S* procedimiento FIOR
Lit.: s. Eisen.

Fipronil. Common name für 5-Amino-1-[2,6-dichlor-4-(trifluormethyl)phenyl]-4-(trifluormethylsulfinyl)-1*H*-pyrazol-3-carbonitril.

$C_{12}H_4Cl_2F_6N_4OS$, M_R 437,15, Schmp. 200–201 °C, LD_{50} (Ratte oral) 100 mg/kg, von Rhône-Poulenc 1993 eingeführtes *Insektizid u. *Akarizid gegen ein breites Insektenspektrum. – $E = F = S$ fipronil – I fipronile
Lit.: Farm ▪ Pesticide Manual. – *[CAS 120068-37-3]*

FIR. Abk. für Fernes IR, s. Infrarotstrahlung u. IR-Spektroskopie.

Fireclay s. Kaolinite.

Firex®. Gemisch aus anorgan. u. organ. Salzen zur flammhemmenden Ausrüstung von Textilien. *B.:* Dr. Th. Böhme KG.

Firmenich. Kurzbez. für die 1895 gegr., im Familienbesitz befindliche Schweizer Firma Firmenich SA, 1, Route des Jeunes, CH-1211 Genève 8. *Produktion:* Ether, Öle, natürliche u. synthet. Riechstoffe, Parfüms. *Vertretung* in der BRD: Firmenich GmbH, Postfach 4160, 50155 Kerpen.

Firmenschriften. (Abk. hier FS). Bez. für in regelmäßigen od. unregelmäßigen Abständen od. nur bei Gelegenheit publizierte Schriften, die von Industrie- u. Handelsfirmen zum Zwecke der Unterrichtung über neue Produkte, Produktänderungen, als Gebrauchsanleitungen, Kataloge u. Preislisten o. zur Werbung für Produkte u./od. für die herausgebende Firma veröffentlicht werden. Formal kann man zu den FS rechnen: Postkarten, Einzelblätter, Broschüren, Bücher, Loseblattsammlungen, Zeichnungen, Diagramme u. dergleichen. Auch Spezial-Wörterbücher werden gelegentlich als FS herausgebracht u. bei bes. Anlässen können die FS durchaus luxuriös ausgestattet sein (Firmengeschichten, Jubiläumsbände, Widmungsbände etc.). Eine leichter überschaubare Kategorie von FS ist die der *Firmenzeitschriften*, deren Thematik häufig über den Rahmen der engeren Firmeninteressen weit hinausgeht. Für *Spezial-* *Bibliotheken* u. für die *Dokumentation* der Chemie sind die (anderenorts häufig als „nicht-bibliothekswürdig" abqualifizierten) FS eine wertvolle, wenn auch oft nur mit viel Aufwand erschließbare Spezies der *chemischen Literatur (*graue Literatur), die z. T. auch von den *Referateorganen ausgewertet wird. Ankündigungen neuer FS findet man in Zeitschriften wie Nachr. Chem. Tech. Lab., Chem. Labor Betr., Chem. Ind., Chimia, Chem. Eng. News usw. – E manufacturers' literature – F publications d'entreprises – I letteratura manufatta – S publicaciones de empresas

Firnisse [von griech.: phernix = Ausstattung od. vom Namen der Stadt der ägypt. Königin Berenike (heute Bengasi in Libyen)]. Sammelbez. für nichtpigmentierte *Anstrichstoffe, die *trocknende Öle od. Harz-Lsg. od. Mischungen von diesen enthalten, vgl. a. DIN 55 945 (12/1988). Man sollte deshalb die Bez. „F." zusammen mit kennzeichnenden Wortzusätzen wie Mineralöl-, Leinöl-, Harz-F. gebrauchen. Im allg. wird unter F. ein Öl verstanden, dessen Trocknungsfähigkeit durch Zusatz von *Trockenstoffen (*Sikkativen*) od. Trockenstoffgrundlagen wesentlich erhöht wurde. *Beisp.:* Der wichtigste F., Leinöl-F., ist Leinöl, dem Trockenstoffe od. ihre Grundlagen bei 140–150 °C beigemischt worden sind. Die F. sind stets Flüssigkeiten, die in dünner Schicht auf Gegenstände aufgetragen, durch chem. u. physikal. Veränderungen zu einer festen, auf den Gegenständen haftenden Schicht (*Film) werden. Hochviskose F. werden auch als Bindemittel in *Druckfarben eingesetzt. – E varnishes – F vernis – I vernici – S barnices
Lit.: Ullmann (4.) **23**, 443 ff.; (5.) **A 9**, 64; s. a. Anstrichstoffe, Beschichtung u. Lacke.

Fische. Im Wasser lebende, wechselwarme Wirbeltiere - man unterscheidet *Rundmäuler, Knorpel-F.* u. *Knochen-F.* – von meist stromlinienförmigem Körperbau mit schuppenbedeckter Haut (*Fischsilber). F. atmen durch Kiemen u. pflanzen sich – bis auf einige lebendgebärende Arten – durch Legen von Eiern (dem sog. *Laich*) fort; dies unterscheidet sie von Walen u. Delphinen, die echte Säugetiere u. Lungenatmer sind. Abgesehen von einigen Raub-F. ernähren sich die F. im allg. von *Plankton u. *Algen. Einige wenige F.-Arten können Gifte produzieren (s. Fischgifte), gelegentlich können aus natürliche Gifte wie *Toxine aus *Algen (Phycotoxine) über die Nahrungskette in F. u. damit in den Menschen gelangen. Bei über 20 verschiedenen Arten kennt man *elektr. Organe*, die aus bis zu 6000 hintereinander geschalteten Platten (umgewandelte Muskulatur) bestehen, die zentralnervös gleichzeitig entladen werden können, wobei *Acetylcholin eine Rolle spielt. Dabei entstehen Stromstöße zwischen 400 Millivolt (Sternarchus) u. bis zu 800 V (Zitteraal), die dem Beutefang, der Verteidigung, der Orientierung, der Revierverteidigung u. der Kommunikation dienen können. Zitteraal, Zitterrochen u. Zitterwels sind die bekanntesten elektr. Fische. Eine Reihe von Tiefsee-F. nutzt in Form von leuchtenden Augen, Anhangsorganen u. Körpermustern das Phänomen der *Biolumineszenz. In polnahen Gewässern lebende F. enthalten im Blut bestimmte Proteine, die als *Gefrierschutzmittel wirken. Man nimmt an, daß die Kälteanpassung der F. unter Hypophysen-Steuerung durch Hormone geregelt wird.

F. haben in der *Ernährung des Menschen schon seit ältesten Zeiten eine Rolle gespielt, u. in der Neuzeit hat sich der Fischfang zu einem bedeutenden Wirtschaftszweig entwickelt. Der Verarbeitungstrend der Hochseefischerei geht heute immer mehr zum Tiefkühl-F., der bereits an Bord unmittelbar nach dem Fang filetiert u. tiefgefroren wird. F. sind ein hochwertiges Nahrungsmittel; sie liefern (auch in Form von FPC) vollwertiges Eiweiß in leicht verdaulicher Form, da sie wenig schwerverwertbares *Bindegewebe enthalten. Die meisten Nutz-F. sind fettarm (fettreicher sind Aal, Hering, Lachs), u. das vorhandene Fett ist wegen seines Gehalts an *essentiellen *Fettsäuren ernährungsphysiolog. von Bedeutung. Zu erwähnen ist der Gehalt an A-, B- u. D-*Vitaminen u. an *Mineralstoffen, bes. K u. P, bei See-F. auch Iod. Die Tab. auf S. 1344 gibt einen Vgl. zwischen dem Nährwert u. dem Gehalt an Eiweiß u. Fett (in g) bei je 100 g F. od. Fleisch bzw. Fleischprodukt.

Außer dem F.-Fleisch werden auch die Eier (der sog. *Rogen*, liefert beim Stör *Kaviar), das Sperma (sog. *Milch*) u. die sehr fettreiche Leber (zu *Fischölen) verarbeitet, die F.-Abfälle außerdem zu *Fischleim u. *Fischmehl. F. reichern bestimmte Umweltgifte

Tab.: Nährwert, Eiweiß- u. Fettgehalt von Fischen u. Fleisch(produkten) in g pro 100 g.

	Eiweiß	Fett	kJ	(kcal)
Aal	9	18	875	(209)
Hering	13	10	650	(155)
Goldbarsch	9	2	230	(55)
Forelle	10	1	220	(52)
Rindfleisch	15	18	996	(238)
Schweinefleisch	18	21	1126	(269)
Fleischwurst	11	30	1356	(324)
Leberwurst	12	40	1842	(440)

(*Xenobiotika) aus ihrer Umgebung in z. T. erheblichem Maße an – lipophile Stoffe wie Halogen-organ. Verb. bes. in der Leber, Schwermetalle wie Quecksilber im Skelett. Diese Tatsache in Verb. mit der besorgniserregenden Giftstoffbelastung u. Verschmutzung der Weltmeere, z. T. auch noch der Binnengewässer macht F. als Nahrungsmittel nicht unproblematisch. Andererseits lassen sich F. aber auch als Testorganismen im *Umweltschutz u. zur Beurteilung der *Kontamination des *Meerwassers u. a. Gewässer heranziehen. – *E* fishes – *F* poissons – *I* pesci – *S* peces, pescados

Fischer, Karl, s. Karl Fischer-Reagenz.

Fischer. Kurzbez. für die 1924 gegr. Firma Karl Fischer, Industrieanlagen GmbH, 13509 Berlin. *Produktion:* Chemieanlagen, Anlagen zur Herst. von Polymer- u. Synthesefasern, Trockner u. sonstige verfahrenstechn. Anlagen u. Apparate.

Fischer, Emil (1852–1919), Prof. für Organ. Chemie, Univ. Erlangen, Würzburg u. Berlin. *Arbeitsgebiete:* Zucker, Eiweiße, Fette, Indol, Glucose, Schlüssel-Schloß-Theorie der Stereospezifität der Enzyme (1894), Synth. von Aminosäuren, Peptiden, Triphenylmethan-Farbstoffen u. Gerbstoffen. Für seine bahnbrechenden Arbeiten auf dem Gebiet der Zucker- u. Purin-Gruppen erhielt er 1902 den Nobelpreis für Chemie. In gewisser Weise kann man F. als den Begründer der Biochemie ansehen.
Lit.: Adv. Carbohydr. Chem. **21**, 1–38 (1966) ▪ Angew. Chem. **65**, 45–52 (1953) ▪ Krafft, S. 124f. ▪ Neufeldt, S. 27, 65, 74, 88, 93, 109, 364, 380 ▪ Pötsch, S. 146.

Fischer, Ernst Otto (geb. 1918), Prof. für Chemie, Univ. München. *Arbeitsgebiete:* Cyclopentadienyl-Metallkomplexe (Ferrocen) u. a. Sandwich-Verb. des Cyclopentadienyls, Aromaten-Übergangsmetall-Komplexe (Dibenzolchrom), Carben- u. Carbin-Übergangsmetall-Komplexe; Nobelpreis für Chemie 1973 (zusammen mit *Wilkinson).
Lit.: Chem. Labor Betr. **25**, 1–5 (1974) ▪ Kürschner (16.), S. 827 ▪ Nachr. Chem. Tech. **7**, 305 (1959) ▪ Nachr. Chem. Tech. Lab. **40**, Nr. 11, 1288 (1992) ▪ Naturwiss. Rundsch., **41**, 442 (1988) ▪ Neufeldt, S. 247, 272, 297, 369 ▪ Pötsch, S. 147 ▪ Wer ist wer, S. 328.

Fischer, Franz (1877–1947), Prof. für Chemie, TH Berlin u. Direktor des KWI für Kohlenforschung, Mülheim (Ruhr). *Arbeitsgebiete:* Chemie u. Technologie der Steinkohlen, Ausarbeitung des Fischer-Tropsch-Verf. zur Synth. von Benzin u. a. Kohlenwasserstoffen, allg. Brenn- u. Treibstoffchemie.
Lit.: Neufeldt, S. 151 ▪ Pötsch, S. 147.

Fischer, Hans (1881–1945), Prof. für Organ. Chemie, Innsbruck, Wien u. München. *Arbeitsgebiete:* Pyrrol-Farbstoffe, Synth. des Hämins u. Bilirubins, Aufklärung der Konstitution des Chlorophylls. Für diese Arbeiten erhielt er 1930 den Nobelpreis für Chemie.
Lit.: Chem.-Ztg. **89**, 447 ff. (1965) ▪ Chem. Unserer Zeit **1**, 58 ff. (1967) ▪ Krafft, S. 353 ▪ Neufeldt, S. 158, 204, 366 ▪ Pötsch, S. 147.

Fischer, Hermann Otto Laurenz (1888–1960), Prof. für Biochemie, Berlin, Basel, Toronto, Berkeley; Sohn von Emil *Fischer. *Arbeitsgebiete:* Chinasäure, Glycerinaldehyd, Zuckerphosphate, Kohlenhydrate usw.
Lit.: Adv. Carbohydr. Chem. **17**, 1–14 (1962) ▪ Nachmansohn, Die große Ära der Wissenschaft in Deutschland 1900–1933, S. 81, 265, Stuttgart: Wiss. Verlagsges. 1988 ▪ Nachr. Chem. Tech. **4**, 2 (1956) ▪ Pötsch, S. 148 ▪ Poggendorff **7 b/3**, 1407 ff.

Fischer-Gatsch s. Fischer-Tropsch-Synthese u. Gatsch.

Fischer-Hepp-Umlagerung s. Nitrosamine.

Fischer Industrieanlagen. Kurzbez. für die 1924 gegründete Karl Fischer Industrieanlagen GmbH, 13509 Berlin. *Produktion:* Chemieanlagen (Formaldehyd, Acetaldehyd, Kunstharze u. Leime auf Formaldehyd-Basis, Ameisensäure u. Alkaliformiate, Oxalsäure, Hexamethylentetramin), Polymer- u. Synthesefaseranlagen, Trocknungsanlagen, Spezialzubehör (Destillatoren, Rektifikatoren, Verdampfer usw.).

Fischer-Projektion s. Kohlenhydrate u. Konfiguration.

Fischer-Reaktionen. Mit den Namen der vorstehend erwähnten, miteinander nicht verwandten Fischer sind eine Reihe von synthet. nützlichen Reaktionen verbunden. Die meisten Reaktionen stammen von Emil *Fischer: Synth. von *Indol, Oxazolen (aus Cyanohydrinen u. Aldehyden), Peptiden, *Phenylhydrazin, Zucker-*Phenylhydrazonen u. -*Osazonen, *Glykosiden u. Estern (Fischer-Speier-Veresterung). Dagegen gehen die Fischer-Hepp-Umlagerung von *Nitrosaminen auf O. Fischer u. die *Fischer-Tropsch-Synthese auf F. *Fischer zurück. – *E* Fischer reactions – *F* réactions de Fischer – *I* reazioni di Fischer – *S* reacciones de Fischer

Fischers Salz s. Kaliumhexanitrocobaltat(III).

Fischer-Tropsch-Synthese. Nach den Erfindern F. *Fischer u. *Tropsch benanntes, 1925 am KWI für Kohlenforschung in Mülheim/Ruhr entwickeltes Verf. zur Gewinnung von flüssigen Kohlenwasserstoffen durch *Kohleverflüssigung. Bei dem auf das ältere *Synthol-Verf. zurückgehenden, auch Kogasin-Verf. (von *Koks* → *Gas* → *Benzin* genannten Prozeß führte man Koks, Rohbraunkohle od. Braunkohlenbriketts mit Wasserdampf zunächst in *Wassergas über, das ca. 6% CO_2, 40% CO u. 50% H_2 enthält. Um den katalysatorzerstörenden Schwefel zu entfernen, wurde dieses Gas durch eine Gasreinigungsmasse geleitet u. z. T. umgewandelt, so daß ein Gemisch von ziemlich reinem CO u. H_2 (sog. *Synthesegas) entstand. Im *Nieder- od. Normaldruckverf.* wurde in einer exothermen Reaktion (170–200 °C) das Synthesegas über als Festbettkatalysator angelegtes Cobalt geleitet. Der Katalysator war ein poröser Körper mit außerordentlich großer innerer

Oberfläche aus ca. 200 Tl. Kieselgur, 100 Tl. Cobalt, 5 Tl. Thoriumoxid u. 7,5 Tl. Magnesiumoxid. Die nach der Bruttogleichung

$$n\,CO + 2n\,H_2 \rightarrow (CH_2)_n + n\,H_2O$$

ablaufende Reaktion – zum Mechanismus der Kettenreaktion gibt es mehrere Theorien, vgl. die in *Lit.*[1] genannten Arbeiten – lieferte als Produkt *Flüssiggas (*Gasol, C_3-C_4, 10–15%), *Benzin (C_5-C_{10}, 50%), *Kogasin I (C_{10}-C_{14}, ca. 15%), Kogasin II (C_{14}-C_{18}, ca. 12%), Paraffingatsch (Fischer-*Gatsch, C_{18}-C_{28}, ca. 8%) u. Paraffine (>C_{28}, ca. 3%) sowie geringe Mengen an Alkoholen. Die später bes. von *Pichler entwickelte *Mitteldrucksynth.*, die bei 2500–2700 kPa u. 220–340 °C an Eisen-Katalysatoren (z. B. aus 100 Tl. Eisen, 5 Tl. Kupfer, 1 Tl. Kaliumcarbonat u. 6,5 Tl. Dolomit) im Festbett-Verf. (*Lurgi-Ruhrchemie*-Verf.), im Wirbelschicht-Verf. (*Hydrocol-Verfahren) od. im Ölsuspensionsverf. (*Kölbel-Rheinpreußen*-Verf.) ablief, lieferte je nach Reaktionsbedingungen unterschiedliche Anteile der obigen Paraffine u. außerdem ca. 7% Alkohole. In großem Maßstab wird die F.-T.-S. bei Sasol (Suid-Afrikaanse Steenkool-, Olieven Gaskorporasie Beperk) in Süd-Afrika eingesetzt (*Lit.*[2]). Die drei Reaktoren arbeiten mit einem Fällungskatalysator auf Eisenbasis bei 220–225 °C u. 2500 kPa (ARGE-Festbettreaktor) bzw. bei 320–340 °C u. 2300 kPa (Synthol-Fließbettreaktor). Die Produktzusammensetzung der beiden Prozesse ist unterschiedlich; ARGE liefert einen hohen Anteil an Wachsen (C_{24}-C_{35}). Einer der F.-T.-ähnlicher Prozeß ist das *Kölbel-Engelhardt-Verf.*, bei dem Wasserdampf mit CO-haltigen Gasen wie Generatorgas, Gichtgasen u. dgl. an Eisen-Kontakten bei 180–280 °C u. mittleren Drücken zur Reaktion gebracht wird:

$$3n\,CO + n\,H_2O \rightarrow (CH_2)_n + 2n\,CO_2.$$

Hierbei entstehen bis 60% Kohlenwasserstoffe u. bis 40% Alkohole, Aldehyde, Säuren u. a. Sauerstoff-haltige Verb. (*Lit.*[3]).
Die F.-T.-S. war in den 30er Jahren bei der *Ruhrchemie zur techn. Reife entwickelt worden, u. bis 1945 arbeiteten in Deutschland 9 F.-T.-S.-Anlagen, um die nicht nur für Motortreibstoffe, sondern auch zur Fettsäure-Synth. benötigten Kohlenwasserstoffe zu liefern. Mit 0,6 Mio. t/a war ihre Leistung allerdings gering im Vgl. zur Produktion nach dem Verf. von *Bergius u. *Pier mit 4 Mio. t/a. Mit dem starken Aufschwung der Petrochemie auf Erdölbasis verlor auch die F.-T.-S. ihre Bedeutung, zumal sie nur wenig verzweigte Alkane, die bes. als Treibstoffe gesucht sind, entstehen ließ; die letzte nach dem Fischer-Tropsch-Verf. arbeitende Anlage in der BRD (Bergkamen) wurde 1962 stillgelegt. Lediglich im erdölarmen, aber kohlereichen Südafrika wird die F.-T.-S. in größerem Umfang praktiziert. Durch die wirtschaftlichen Veränderungen auf dem Erdölsektor könnte jedoch in Zukunft die Nutzung der Kohle als Lieferant für chem. Grundprodukte u. damit auch die F.-T.-S. wieder interessant werden. So wurde nach dem Ölembargo der OPEC (1973) die Forschung verstärkt u. nur wenige Jahre nach dem zweiten Ölschock konnte eine Pilot-Anlage im Ruhrgebiet in Betrieb gehen (*Lit.*[4]). – *E* Fischer-Tropsch synthesis – *F* synthèse de Fischer et Tropsch – *I* sintesi di Fischer e Tropsch – *S* síntesis de Fischer-Tropsch
Lit.: [1] Adv. Catal. **30**, 165–216 (1981); Catal. Rev. Sci. Eng. **18**, Nr. 1, 151 (1978); Dry, in Anderson u. Boudart, Catalysis: Science and Technology, Bd. 1, S. 159–255, Berlin: Springer 1981. [2] Endeavour NS **8**, 2ff. (1984); McKetta **9**, 299. [3] Kölbel u. Ralek, in Anderson, The Fischer-Tropsch-Synthesis, S. 265–292, Orlando: Academic Press 1984. [4] Erdöl Kohle Erdgas Petrochem. **36**, 373–376 (1983).
allg.: Anderson, The Fischer-Tropsch Synthesis, Orlando: Academic Press 1984 ▪ Frohning et al., in Falbe, Chemical Feedstocks from Coal, S. 309–432, New York: Wiley 1982 ▪ Kirk-Othmer (3.) **11**, 473–478; (4.) **12**, 128, 158–164 ▪ McKetta **6**, 483 f.; **8**, 439–507; **9**, 299–328 ▪ Ullmann (4.) **14**, 329–355; (5.) **A 7**, 206–218 ▪ Winnacker-Küchler (4.) **5**, 518–537.

Fischgifte. In erster Linie sollen unter F. hier die von lebenden, *aktiv tox.* Fischen produzierten Stoffe verstanden werden, die auf natürliche Feinde giftig wirken u. die zu Angriff od. Verteidigung benutzt werden. Giftapparate besitzen z. B. Kofferfische (*Pahutoxin), Doktorfische, Skorpionfische u. Stachelrochen. Bei den sog. *passiv tox.* Fischen, die das F. in der Haut, den Eingeweiden od. der Muskulatur enthalten (die also erst beim Verzehr giftig sind), unterscheidet man noch zwischen *prim.* u. *sek. tox.* Arten. Erstere produzieren ihr F. im eigenen Organismus (*Beisp.:* *Tetrodotoxin aus dem japan. Kugelfisch od. Fugu), letztere nehmen das F. mit der Nahrung, z. B. aus Algen, auf (*Beisp.:* *Ciguatoxin, ein Phosphatid aus normalerweise wenig od. nicht giftigen Fischen wie Barracudas, Muränen u. a.). Einige dieser z. T. sehr starken Gifte (zum Vgl. der Toxizitäten s. Gifte) sind auch für den Menschen tödlich. Die Inhaltsstoffe der F. zeigen keinen übereinstimmenden Aufbau, u. entsprechend beruht auch ihre Wirkung auf Cholinesterase-Hemmung od. Hämolyse od. Inaktivierung von Nervenfunktionen. In (z. B. durch Schwermetalle) verseuchten Gewässern lebende Fische u. Meeresbewohner (Muscheln, Austern etc.) können durch Speicherung dieser Stoffwechselgifte tox. wirken. Tote, in *Fäulnis übergegangene Fische wirken ggf. aufgrund ihres Gehalts an Bakterien u. deren Toxinen giftig.
Umgekehrt bezeichnet man als F. auch auf Fische giftig wirkende Stoffe, z. B. in ungeklärten Abwässern enthaltene, biolog. nicht abbaubare Detergentien, Schwermetalle, Pestizide, weshalb in der Ökotoxikologie *Fische als empfindliche Testorganismen benutzt werden (s. Fischtest). Bestimmte pflanzliche F., insbes. *Rotenoide, werden von Eingeborenen Afrikas zum Fischfang benutzt. – *E* fish poisons – *F* venins de poisson – *I* veleni di pesce – *S* venenos de peces
Lit.: Habermehl, Gift-Tiere u. ihre Waffen (5.), Berlin: Springer 1994 ▪ Mebs, Gifttiere, Stuttgart: Wissenschaftliche Verlagsges. 1992 ▪ Teuscher u. Lindequist, Biogene Gifte, 2. Aufl., Stuttgart: Fischer 1994.

Fischgiftigkeit (Fischtoxizität, G_F). 1. Nach *Abwasserabgabengesetz Maß zur Ermittlung der Abwasserabgabe unter Zugrundelegung der Giftigkeit des *Abwassers gegenüber *Fischen. Im *Fischtest wird die Abwasser-Verdünnungsstufe ermittelt, bei der keiner der jeweils 3 verwendeten Fische innerhalb der Testzeit von 48 h gestorben ist; als Testfisch dient die juvenile *Goldorfe. Im übrigen wird die F. nach Nr. 401

der Anlage zur Rahmen-Abwasserverwaltungsvorschrift bestimmt. Liegt die F. bei der niedrigsten Verdünnungsstufe $G_F = 2$, entfällt dafür die Abwasserabgabe. – 2. F. nach Chemikaliengesetz s. Fischtest. – 3. F. als Giftigkeit von Fischen s. Fischgifte. – *E* 1., 2. toxicity to fish; 3. fish toxicity – *F* 1., 2. toxicité pour poissons; 3. toxicité des poissons – *I* 1., 2. tossicità per i pesci, 3. tossicità di pesce – *S* 3. toxicidad de peces
Lit.: DIN 38412, Tl. L 31 (03/1989).

Fischleim. Gelblichweißer, dickflüssiger, saurer *Leim, der aus eiweißhaltigen Fischabfällen (Haut, Gräten, Knorpel) durch *Glutin-Abbau gewonnen u. früher als Klebstoff für Papier u. Gewebe sowie als Kittmaterial für Glas u. Porzellan verwendet wurde; Wassergehalt ca. 40%. F. kann mit Wasser od. Essig verdünnt u. mit Kleister, Gummi arabicum etc. vermischt werden. Als bes. wertvoll (aber auch sehr teuer) gelten die aus der Schwimmblase von Stören (Hausenblase) gewonnenen Fischleime. F. haben heute kaum noch prakt. Bedeutung. – *E* fish glue – *F* ichthyocolle, colle de poisson – *I* colla di pesce, ittiocolla – *S* cola de pescado, ictiocola
Lit.: Kirk-Othmer (3.) **11**, 911. – *[HS 350300]*

Fischmehl. Bez. für Fischrückstände, die z. B. bei der Gewinnung von *Fischöl abfallen u. als Düngemittel, Eiweißfuttermittel für Rinder, Schweine u. Geflügel, zum Füttern von Fischen in Teichen bzw. zur Herst. von Würzen Verw. finden. Das entgrätete, getrocknete u. gemahlene Fleisch vom Dorsch wird ebenfalls als F. bezeichnet. Es enthält ca. 63% Rohprotein, 7% Calcium, 3,5% Phosphor. Unter den Aminosäuren treten Lysin u. Leucin hervor, Methionin, Cystin, Threonin, Isoleucin u. Tryptophan sind in geringeren Mengen vorhanden. – *E* fish meal – *F* farine de poisson – *I* farina di pesce – *S* harina de pescado

Fischöle. Sammelbez. für schlecht *trocknende Öle, die aus dem ganzen Körper von Heringsfischen wie Sardellen, Heringen, Sardinen od. Sprotten od. aus den Abfällen bei der Fischverarbeitung durch Extraktion od. Auspressen gewonnen werden, die Preßrückstände liefern das *Fischmehl. Charakterist. für die Zusammensetzung von F. ist der hohe Anteil an mehrfach ungesättigten Fettsäuren mit 4 – 6 Doppelbindungen. Dagegen ist der Anteil an autoxidativ wirksamem *Tocopherol relativ gering. F. werden nach Reinigung u. Bearbeitung in der Tierernährung, für techn. Zwecke (in Mischung mit *Trockenstoffen bei der *Firnis- u. Lackproduktion) u. nach Härtung auch als Nahrungsfette (als Bestandteil von Margarine) verwendet. F. haben auf Grund ihres hohen Gehalts an mehrfach ungesättigten Fettsäuren (insbes. sog. ω-3-Fettsäuren) eine bes. ernährungsphysiolog. Bedeutung erhalten. Mehrfach ungesättigte Fettsäuren haben eine günstige Wirkung auf die Prävention u. Behandlung von *Arteriosklerose u. Herz-Kreislauf-Krankheiten[1]. Auf diese Fettsäuren wurde man dadurch aufmerksam, daß Eskimos, die viel Fisch essen, kaum zu Herzerkrankungen neigen, obwohl sie sich hochkalor. u. fettreich ernähren. Der diätet. günstige Effekt dürfte dabei bes. der *5,8,11,14,17-Eicosapentaensäure[2] (20:5, n-3) u. der Docosahexaensäure (22:6, n-3) zukommen. Der Anteil dieser beiden Fettsäuren am Gesamtfett ist bei vielen Fischarten sehr hoch (ca. 20%)[3], weshalb die zur Erzielung günstiger Effekte benötigten Mengen gering sind. – *E* fish oil – *F* huiles de poisson – *I* oli di pesce – *S* aceites de pescado
Lit.: [1] Lands (Hrsg.), Proceedings of AOCS short course on polyunsaturated fatty acis and eicosanoids, Illinois: American Oil Chemists' Society 1987. [2] Ernährungs-Umschau **33**, 218 ff. u. 224 f. (1986). [3] Chem. Ind. (London) **1988**, 139 – 145.
allg.: Akt. Ernähr. **12**, 20 – 24 (1987); **14**, 293 – 303 (1989) ▪ Ernährungs-Umsch. **41**, 50 – 54 (1994); **43**, 122 – 128 (1996) ▪ Food Technol. **40**, 89 – 97 (1986); **42**, 140 – 155, 160 (1988) ▪ Food Rev. Intern. **3**, 105 – 138 (1987) ▪ Prog. Food Nutrition Sci. **12**, 371 – 419 (1988) ▪ Science **241**, 453 – 456 (1986). – *[HS 150410, 150420]*

Fischsilber. Blättchenförmiges Pigment, das aus Weißfischschuppen (Hering, Ukelei u. a.) gewonnen wird u. überwiegend aus *Guanin u. *Hypoxanthin besteht. F. diente früher zum Erzeugen von Perlglanz auf Kunstperlen, Knöpfen u. a. Artikeln u. wird heute noch häufig in Nagellacken eingesetzt. Wegen der Bruchempfindlichkeit der Krist. wird F. nur als Suspension (z. B. in Nitrocellulose-Lack) gehandelt. Im Bereich techn. Anw. u. in der Schmuck-Ind. steht es in Konkurrenz zu den synthet. *Perlglanzpigmenten. – *E* pearl essence – *F* essence d'Orient – *S* esencia de perla
Lit.: Janistyn **1**, 393 ▪ Ullmann (4.) **18**, 631 f.; (5.) A **20**, 351. – *[HS 320300]*

Fischsterben. Bez. für ein massenhaftes Verenden von Fischen, ausgelöst z. B. durch Viren, mikrobielle Erkrankungen, Wurmbefall od. Gewässerverschmutzung (z. B. Cyanide, Schwermetall-Verb., Ammonium-Salze, Mineralöle; s. Fischgiftigkeit). Auch schlagartig auftretender Sauerstoff-Mangel (s. a. Eutrophierung), ausgelöst durch überhöhte organ. Belastungen od. übermäßige Erwärmung, kann F. verursachen. – *E* death of fish, fish kill(ing) – *F* mort de poissons – *I* moria di pesce – *S* muerte de peces, destrucción de peces
Lit.: OECD-Monographie Nr. 24, Accidents Involving Hazardous Substances, Paris: Selbstverl. 1989.

Fischtest. Bez. für Verf. zur Ermittlung tox. Wirkungen von Wasser, Abwasser od. chem. Verb. (*Altstoffe, *Neustoffe) u. deren Gemische auf *Fische. Innerhalb der aquat. Lebensgemeinschaft sind Fische Endglieder der Nahrungskette u. damit Sekundärkonsumenten, im Unterschied zu Primärkonsumenten (*Daphnientest), Produzenten (*Algentest) u. Destruenten (*Bakterientest). Der F. erfolgt zumeist aufgrund gesetzlicher Anforderungen (u. a. *Wasserhaushaltsgesetz, *Abwasserabgabengesetz u. *Chemikaliengesetz) u. unterliegt in seiner Durchführung stets dem Tierschutzgesetz. Man unterscheidet zwischen Tests auf *akute *Toxizität* nach kurzer Einwirkungsdauer (im allg. 48 od. 96 h) u. solchen auf *chron. *Toxizität* nach längerfristiger Einwirkung. Bezüglich des Austauschs des Prüfmediums kennt man stat. (das Prüfmedium wird während des F. nicht erneuert), semistat. (das Prüfmedium wird regelmäßig ausgetauscht) u. Durchfluß-Verf. (das Prüfmedium wird ständig erneuert). Zur Beurteilung von *Abwasser wird seine *Fischgiftigkeit bestimmt. In der Chemikalienprüfung dient in Übereinstimmung mit internat. Testvorschriften der Zebrabärbling (*Brachydanio rerio*) als Testspezies zur Ermittlung der

akuten Fischtoxizität u. der chron. Toxizität im verlängerten F., in dem auch Verhaltensveränderungen registriert werden.
Akute u. chron. Laborverf. ermöglichen unter standardisierten Bedingungen den Vgl. der tox. Wirkung verschiedener Abwässer od. Chemikalien, die Testergebnisse können jedoch nicht unmittelbar zur Voraussage eines Effekts in der Umwelt herangezogen werden. Sog. *dynam. Testsyst.* dienen demgegenüber vor Ort zur Überwachung u. Feststellung tox. Belastungen in natürlichen Oberflächengewässern. Im dynam. F. werden unterschiedliche einheim. Arten verwendet. In den verschiedenen Testanordnungen wird hier zumeist die Schwimmfähigkeit u. das Schwimmverhalten registriert; s. a. Biotest. – *E* ichthyo-testing – *F* test-poisson – *I* test di pesce – *S* ensayo del pez, ictiotest
Lit.: DIN 38412, Tl. 20 (12/1980) ▪ OECD Guideline for Testing of Chemicals 203 u. 204, Fish, Acute Toxicity Test; Prolonged Toxicity Test, Paris: OECD 1984 ▪ Richtlinie (Anhang) 92/69/EWG, C.1., Akute Toxizität für Fische (Amtsblatt der EG Nr. L 383 A ▪ US-EPA 540/9-86-137, Fish Life-cycle Toxicity Tests; US-EPA 540/9-86-138, Fish Early Life-stage, Washington: EPA 1986.

Fischtoxizität s. Fischgiftigkeit u. Fischtest.

Fischwolle. 1. Gewebe aus *Zellwolle (*Fischzellwolle*)*, wobei nach einer Erfindung von O. Mecheels die *Cellulosefasern mit einer Schutzschicht aus Fischeiweiß überzogen werden (*Animalisieren*). Dadurch wird die Faser auch für Wollfarbstoffe anfärbbar u. läßt sich zusammen mit Wolle färben. – 2. Auch Bez. für bei der Wollwäscherei anfallende kurzfaserige *Wolle, die in der Streichgarnspinnerei verarbeitet wird. – *E* fish wool – *F* laine de poisson – *I* lana di pesce – *S* lana de pescado
Lit. (zu 1.): Rath, Lehrbuch der Textilchemie, 3. Aufl., S. 218f., Berlin: Springer 1972. – *(zu 2.)*: Großes Textil-Lexikon, Bd. 1, S. 442, Stuttgart: Deutsche Verl.-Anstalt 1965. – *[HS 5103 20 (zu 2.)]*

Fisetin (3,3′,4′,7-Tetrahydroxyflavon, 5-Desoxyquercetin). $C_{15}H_{10}O_6$, M_R 286,24, gelbe Nadeln, Schmp. 330 °C (Zers.), unlösl. in Wasser, lösl. in Alkohol (Formel s. Flavone). Farbstoff aus *Rhus cotinus, Cotinus coggyria* (Perückenstrauch, Fisetholz, Anacardiaceae, *Sumach-Gewächse). Verd. Lsg. von F. in alkohol. Natronlauge zeigen dunkelgrüne Fluoreszenz. F. ist schwach giftig [LD_{50} (Maus i.v.) 180 mg/kg] u. soll mutagen wirken [1]. F. verringert die Toxizität von *Aflatoxinen [2]. – *E* fisetin – *F* fisétine – *I = S* fisetina
Lit.: [1] Sax (8.), S. 1706; Mutat. Res. **66**, 223 (1979); Biochem. Soc. Trans. **5**, 1489 (1977). [2] J. Environ. Pathol. Toxicol. **2**, 1021 (1979).
allg.: Beilstein E V **18/5**, 291 ▪ Hager (5.) **4**, 27, 30f. ▪ Merck-Index (12.), Nr. 4026 ▪ s. a. Flavonoide. – *[HS 293 99; CAS 528-48-3]*

Fisons PLC. Kurzbez. für die 1856 gegr. engl. Firma Fisons Ltd., Princess Street, Ipswich. Tochter- u. Beteiligungsges. u. a. *Haake. *Daten* (1993): 13 364 Beschäftigte, 172,8 Mio. £ Kapital, 1324,4 Mio. £ Umsatz. *Produktion:* Pharmazeut. Präparate, Medizin.-wissenschaftliche Geräte u. Gartenbau-Artikel. *Vertretung* in der BRD: Fisons Arzneimittel GmbH, 50832 Köln.

Fissium. Bez. für Spaltprodukte von *Kernreaktionen, die als – nicht leicht trennbares – Gemisch z.B. von Mo, Nb, Pd, Rh, Ru, Tc u. Zr vorliegen; bei solchen Gemischen in U/Pu-Leg. spricht man auch von *Fizzium*. – *E = F* fissium – *I* prodotto della fissione – *S* fisio
Lit.: DIN 25 401 Tl. 2 (09/1986) ▪ Winnacker-Küchler (3.) **2**, 584.

FITC s. Fluorescein.

Fitch, Val Logsdon (geb. 1923), Prof. für Physik, Princeton (New Jersey). *Arbeitsgebiete:* Kernphysik, Symmetriebeziehungen bei Elementarteilchen, Antimaterie, Paritätsverletzung beim Kaonen-Zerfall; hierfür Nobelpreis für Physik 1980 (zusammen mit *Cronin).
Lit.: Naturwiss. Rundsch. **33**, 530 (1980) ▪ Who's Who in America, S. 1184.

Fitoraz®. Fungizid auf der Basis von *Propineb u. *Cymoxanil. *B.*: Bayer.

Fittig, Rudolf (1835–1910), Prof. für Chemie, Straßburg. *Arbeitsgebiete:* Synthet. aromat. Kohlenwasserstoffe (*Wurtzsche Synthese), Phenanthren, Fluoranthen, Biphenyl, Lactone, Strukturisomere bei ungesätt., einbas., organ. Säuren, stereochem. Probleme.
Lit.: Pötsch, S. 149 ▪ Strube **2**, 51, 108, 119, 126 ▪ Strube et al., S. 106, 164.

Fittigsche Synthese s. Wurtz Synthese.

Fitzer, Erich (geb. 1921), Prof. für Techn. Chemie, Univ. Karlsruhe. *Arbeitsgebiete:* Hochtemp.-Werkstoffe, insbes. $MoSi_2$ u. Graphit, Kohlenstoff-Fasern, Verbundwerkstoffe, zahlreiche Patente u. Fachveröffentlichungen.
Lit.: Kürschner (16.), S. 841 ▪ Wer ist wer, S. 334.

Fitzroyit s. Lamproit.

Fixage s. Photographie.

Fixanal®. Marke von Riedel für ein umfangreiches Sortiment von Präp. zur Herst. von Maß- u. Standardlsg. mit Titergarantie (±0,2%) in Ampullen od. Flaschen. Eine Packung enthält genau die auf ihr in Äquivalenten od. g angegebene Menge der bezeichneten Substanz. Durch Lösen u./od. Auffüllen des Inhalts nach den Regeln des quant. Arbeitens stellt man Normallsg. (Auffüllung mit dest. Wasser auf 1 L) der angegebenen *Molarität od. Standards (Auffüllung mit dest. Wasser od. einem nicht-wäss. Lsm. auf 1 kg) mit entsprechenden ppm-Konz. her.

Fixapret®. Die F.-Marken sind Reaktant-Vernetzer auf der Basis von Hydroxymethyl-substituierten Imidazolidinonen für die Hochveredelung Cellulose-haltiger Textilien (Regeneratcellulose, Baumwolle u. Zellwolle, auch im Gemisch mit Polyestern). Sie werden zur Erzielung von kochwaschbeständigen Wash-and-Wear-, Bügelarm-, Knitterarm- u. Krumpfechtausrüstungen u. von permanenten Präge-, Plissee-, Chintzausrüstungen u. Effekten eingesetzt, u. zwar im Trocken-, Feucht- u./od. Naßvernetzungsverfahren. *B.*: BASF.

Fixateure. In der Parfümerie Bez. für Stoffe, die imstande sind, dem Duft von – in *Parfüms freien, in *Seifen gebundenen – *Riechstoffen eine erhöhte Beständigkeit zu verleihen u. die Verdunstung der einzelnen Duftkomponenten so zu verlangsamen u. einander anzugleichen, daß der Duftcharakter während der Verdunstungszeit einigermaßen konstant bleibt.

Fixative

Die F. sind meist schwerflüchtig u. hochsiedend.; sie sind duftend od. duftfrei. Man unterscheidet vier Hauptgruppen von F.: *Eigenfixateure*, die aufgrund ihrer Schwerflüchtigkeit ihren Eigengeruch lange bewahren, ohne dabei andere, leichter flüchtige Komponenten in ihrer Geruchsentfaltung zu behindern (synthet. Moschuskörper); *Pseudofixateure* als schwachriechende, viskose bis krist. Stoffe, die als Stabilisatoren od. als Diffusionsmittel wirken (Diethylenglykolmethylether); *Stimulantien:* als „Katalysatoren" der Duftentwicklung wirkende natürliche animal. F. sowie deren Grundstoffe od. synthet. Analoga (*Ambra, Castoreum, *Moschus, *Zibet, *Muscon, einige *Makrolide, Fixateur 404 u. a.); *„echte" Fixateure:* durch Adsorptionskräfte fixierende F. (Extrakte aus *Labdanum, *Styrax, *Tolubalsam, Benzoe, Iris, *Eichenmoos, *Opopanax usw.). Die Wirkung der oft auch *Basen* genannten F. beruht auf einer Verminderung des Dampfdruckes der *Duftstoffe, z. B. durch Dipol-Bildung, Wasserstoff-Brückenbindung, Adsorptionseffekte, Bildung azeotroper Gemische, obwohl noch eine Reihe anderer, auch hautphysiolog. Effekte Einfluß geltend machen. – *E* fixing agents – *F* fixateurs – *I* fissatori – *S* fijadores

Lit.: Janystin **1**, 393 f. ▪ Umbach (Hrsg.), Kosmetik, (2. Aufl.), S. 350, 353, Stuttgart: Thieme 1995; s. a. Parfüms, Riechstoffe.

Fixative. Bez. für farblose Lsg., die auf Bleistift-, Kohle-, Kreide- u. Pastellzeichnungen aufgespritzt werden, um diese unverwischbar zu machen; hierzu eignen sich v. a. Lsg. von *Schellack, *Mastix u. *Harzen. – *E* sealing agents – *F* fixatifs – *I* fissativi, sostanze fissative – *S* fijadores, fijativos

Fixe Alkalien s. Alkalien.

Fixierbad s. Photographie.

Fixieren. Von latein.: fixus = fest, bleibend abgeleitetes Verb für „etwas widerstandsfähiger, beständiger, unveränderlich machen", s. z. B. Photographie. In Biologie u. *Mikroskopie versteht man unter F. zahlreiche, meist mit Hilfe von *Fixiermitteln zu Eiweiß-Gerinnung des Protoplasmas führende Verf., durch die das Material (zoolog. u. botan. Präp., Kleinlebewesen usw.) in einen unveränderlichen Zustand gebracht wird. In der *Textilveredlung bezeichnet man als F. unterschiedliche Arbeitsgänge: Bei Wollwaren ist F. das Behandeln in heißem od. siedendem Wasser auf dem Brennbock, um die Wollfasern gegen Formänderung bei späteren Naßbehandlungen unempfindlich zu machen; ferner dient es zur Falten- u. Bruchentfernung bei Geweben. Bei Textilwaren aus Chemiefasern ist F. das Behandeln mit Heißluft (*Thermofixieren*), Dampf, Infrarotstrahlungswärme od. Kontaktwärme zum Verhüten von Formänderungen. Statt vom F. spricht man bei Enzymen von *Immobilisierung u. bei chem. Reagenzien meist von *Festphasen-Technik. – *E* fixing – *F* fixage – *I* fissaggio – *S* fijado

Fixierentwickler s. Photographie.

Fixiermittel. Unspezif. Bez. für verschiedene Stoffe zum *Fixieren. Für *Mikroskopie u. Elektronenmikroskopie sind eine Reihe von Lsg. in Gebrauch, die Ethanol, Essigsäure, Chloroform, Formaldehyd, Quecksilber- u./od. Chrom-Salze, ggf. a. Osmium-Verb. enthalten u. unter Namen wie Bouins, Cajals, Carnoys, *Flemmings Lösung, Heidenhains, Müllers, Schaudinns od. Zenkers Lsg. in Gebrauch sind. – *E* fixatives – *F* produits de fixation – *I* fissativo, sostanza fissativa – *S* fijadores

Fixiersalz s. Photographie.

FIZ. Abk. für *Fachinformationszentrum.

Fizzium s. Fissium.

FK. 1. Kurzz. (nach DIN 7728, Tl. 1, 03/1980) für faserverstärkte Kunststoffe. – 2. Abk. für *flüssige Kristalle.

FK-506 (Tacrolimus, Tsukubaenolid, Fujimycin).

$C_{44}H_{69}NO_{12}$, M_R 804,03. Farblose Prismen als Monohydrat (M_R 822,04) aus Acetonitril, Schmp. 127–129 °C, $[\alpha]_D$ −84,4° ($CHCl_3$). Das zu den *Makroliden zählende, aus *Streptomyces* isolierte Immunsuppressivum (s. Immunsuppression) FK-506 ist strukturell dem *Rapamycin verwandt.

Biolog. Wirkung: FK-506, *Cyclosporin A (CsA) u. Rapamycin binden an cytoplasmat. Rezeptoren (*Immunophiline*, vgl. Cyclophilin) u. verhindern auf noch nicht genau bekannte Weise die *Signaltransduktion, die zur Aktivierung von T-*Lymphocyten führt. FK-506 u. das strukturell nicht verwandte CsA verhindern die Produktion von *Interleukin 2 (IL-2) durch die Lymphocyten, während Rapamycin die ebenfalls zur Aktivierung notwendige Reaktion der Lymphocyten auf IL-2 unterdrückt. FK-506 ist bereits bei 10–100mal niedrigeren Konz. als Cyclosporin A wirksam.

Das aus Kalbsthymus u. menschlicher Milz isolierte *FK-506-bindende Protein* (*FKBP, Fujiphilin*), das auch Rapamycin bindet, hat eine M_R von ca. 12 000 u. besitzt wie das – in der Aminosäure-Sequenz jedoch nicht verwandte – CsA-bindende Cyclophilin die Aktivität einer Peptidylprolyl-*cis-trans*-Isomerase (*Rotamase*, EC 5.2.1.8), die von den jeweiligen *Liganden gehemmt wird. Nicht jedoch die Hemmung der Isomerase-Aktivität wirkt sich immunsuppressiv aus, sondern die Bindung des Komplexes FK-506/FKBP (bzw. Cyclosporin/Cyclophilin) an die Protein-Phosphatase *Calcineurin sowie die dadurch verursachte Hemmung des *Transkriptionsfaktors NF-AT.

Verw.: FK-506 wird als Immunsuppressivum in der Transplantationsmedizin zur Unterdrückung von Abstoßungsreaktionen verwendet. – *E* = *F* = *I* = *S* FK-506

Lit.: Biochem. Soc. Trans. **24**, 45–49 (1996) ▪ Trends Biochem. Sci. **18**, 334–338 (1993). – *[CAS 104987-11-3]*

FKBP s. FK-506.

FKM. Kurzz. für *Fluorkautschuke.

FKW s. Fluorkohlenwasserstoffe.

Flacavon®. Flammschutzmittel für Textilien von Schill & Seilacher GmbH & Co.

Flachdruck s. Druckverfahren u. Offsetdruck.

Flachfäden. F. werden durch Aufschneiden einer extrudierten Folie mit vielen parallel angeordneten Messern u. anschließender monoaxialer Verstreckung der Fäden erzeugt. Der wirtschaftliche Anreiz dieses Verf. gegenüber der Herst. von Fasern aus der Schmelze, Lsg., Emulsion od. Dispersion besteht einerseits in den geringeren Herstellungskosten, andererseits in den speziellen Eigenschaften der Flachfäden. So weisen Gewebe aus F. eine sehr hohe Flächendeckung auf. Zu F. werden u. a. *Viskose, *Poly(styrol), *Poly(vinylchlorid), insbes. aber *Poly(ethylen) u. *Poly(propylen) verarbeitet; sie werden zu Seilen, Schnüren, Sackgeweben u. Gartenmöbel-Bespannungen verwendet. – *E* flat tape – *F* fils plats – *I* fili piatti – *S* fibras planas

Lit.: Elias (5.) **2**, 518.

Flachglas s. Glas.

Flachs. Zu den *Bastfasern gehörende *Textilfaser, die von dem einjährigen 0,6 – 1 m hohen, blau blühenden *Lein* (*Linum usitatissimum*, Storchschnabelgewächs, einer *Faserpflanze) erhalten wird. Zur Verarbeitung werden die Pflanzen kurz vor der Samenreife samt Wurzel ausgerissen, auf dem Feld getrocknet, gerifelt (Beseitigung der Blätter, Seitenäste u. Früchte, die zu *Leinöl u. *Leinsamen verarbeitet werden), geröstet (Auflösung der Calciumpektat-haltigen Interzellularsubstanzen durch Bakterien bzw. Pilze) u. sodann durch Brechen, Schwingen u. Hecheln vom holzigen Abfall u. kurzfaserigen Flachswerg befreit. Der bei der F.-Verarbeitung entstehende Staub kann zu *Byssinose*, einer der *Silicose ähnlichen Krankheit, führen, die als Berufskrankheit anerkannt ist. Zur Anw. der Biotechnologie für die Züchtung neuer F.-Sorten s. *Lit.*[1]. Die spinnfertigen techn. Fasern sind grau bis lichtblond, sehr fest u. geschmeidig, ihre Länge beträgt 20 – 140, im Mittel 50 – 60 cm. Die Bastbündel sind 0,1 – 0,6 mm breit, die bes. bei der Bleiche freigelegten Einzelzellen der Bastfasern sind durchschnittlich 20 – 50 mm lang, 15 – 30 µm dick u. so starkwandig, daß der Hohlraum verschwindend klein ist. Sie bestehen aus *Cellulose (71%), *Polyosen (18,5%), *Lignin (2%), *Pektinen (2%), *Wachsen (2%) sowie *Pigmenten (Carotin, Chlorophyll u. a.), Stickstoffhaltigen Verb., *Tannin, anorgan. Ionen etc. (zusammen 4,3%). Gewebe aus F. gehören zu den hochwertigen Textilwaren. So bestehen Reinleinen nur aus Flachsfasern (*Leinwand*), Halbleinen aus Baumwollkette u. Leinenschußfäden od. umgekehrt. F. wird in großem Umfang in der GUS, Polen, Belgien, Holland, Nordfrankreich, BRD u. in den Alpenländern gewonnen. Die Ägypter haben F. schon um 4000 v. Chr. angebaut – die Mumiengewänder bestehen aus Leinen – u. auch in Europa gab es zur Bronzezeit bereits Gewebe aus Leinen (u. Wolle). – *E* flax – *F* lin – *I* = *S* lino

Lit.: [1] Fett: Wiss. Technol.=Fat: Sci. Technol. **91**, 272 – 275 (1989).

allg.: Hager (3.) **5**, 517 – 525 ▪ Kirk-Othmer (3.) **10**, 189 f.; (4.) **10**, 728, 730 ff., 734 ▪ Rath, Lehrbuch der Textilchemie, S. 178 – 190, Berlin: Springer 1972 ▪ Ullmann (4.) **9**, 252; (5.) **A 5**, 399 ▪ s. a. Bastfasern, Faserpflanzen. – [*HS 5301 10, 5301 21, 5301 29*]

Flad, Wolfgang (geb. 1942), Leiter des Chem. Instituts Dr. Flad, Stuttgart. *Arbeitsgebiete:* Optimierung der Chemieausbildung, Kooperationsmodelle der Chemieausbildungsstätten auf nat. u. internat. Ebene, Ausrichtung der Stuttgarter „Chemietage". F. erhielt (zusammen mit seinem Vater Dr. Manfred Flad) den Heinrich-Roessler-Preis u. die Comenius-Medaille.

Flächenpolymere (Schichten-, Parkett-, zweidimensionale Polymere). Unter F. versteht man *Polymere, die zumindest aus einer Doppelleiterstruktur aufgebaut sind (vgl. Leiterpolymere). *Graphit sowie einige Schichtsilicate (Montmorillonit, Bentonit, Glimmer) sind typ. Beisp. für Flächenpolymere.

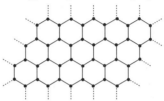

Abb.: Schemat. Darstellung eines Flächenpolymers.

Die gezielte in-vitro-Synth. strukturell einheitlicher, flächiger Kohlenstoff-Polymerer ist wegen der Unlöslichkeit dieser Verbindungsklasse bereits im Oligomeren-Stadium bis heute nicht gelungen. – *E* layered polymers – *F* polymères en couches – *I* polimeri di superficie – *S* polímeros laminares

Lit.: Elias (5.) **1**, 45 f.

Flämmen s. Flammstrahlen.

Flagellaten. Von latein.: flagellum = Geißel abgeleitete Bez. für *Protozoen mit einer od. mehreren der Fortbewegung dienenden Geißeln aus *Mikrotubuli; zur Chemie der Geißelbewegung s. Dynein u. Tubulin. Ca. 6000 Arten, dabei häufig Koloniebildung. Die F. kommen im *Plankton des Meeres u. des Süßwassers vor, aber auch als Parasiten u. Kommensalen in u. auf anderen Organismen. Da sowohl photoautotrophe als auch heterotrophe Ernährungsweisen auftreten, verläuft die Grenze zwischen Pflanzen- u. Tierreich durch diese Gruppe: *Phyto-F.* (Geißelalgen) u. *Zoo-F.* (Geißeltierchen). Einige F. zeigen *Biolumineszenz. – *E* = *F* flagellates – *I* flagellati – *S* flagelados

Lit.: Wehner u. Gehring, Zoologie, 23. Aufl., Stuttgart: Thieme 1995.

Flagelline. Bakterielle *Glykoproteine (M_R je nach Herkunft 27000 – 60000) mit Sulfat-veresterten Oligosaccharid-Komponenten, aus denen sich die Geißeln (*Flagellen*) bestimmter Bakterien (z. B. der salzliebenden Halobakterien), *nicht* der *Flagellaten od. überhaupt der *Eukaryonten – s. dazu Dynein, Tubulin –, zusammensetzen. Die F.-Mol. lagern sich dabei selbständig zu den langgestreckten, hohlzylindr. Flagellen-Fäden zusammen u. bilden sozusagen eindimensionale Kristalle. Zum bakteriellen *Flagellen-Motor* s. molekulare Motoren. Die Geißeln dienen den

Bakterien zur Fortbewegung. – *E* flagellin – *F* flagelline – *I* flagellina – *S* flagelina
Lit.: Can. J. Microbiol. **39**, 451–472 (1993); **40**, 67–71 (1994). – *[CAS 12777-81-0]*

Flaggenstange s. Konformation.

Flaig, Wolfgang (geb. 1912), Prof. Dr. Dr. h.c., Direktor des Inst. für Biochemie des Bodens, Forschungsanstalt für Landwirtschaft, Braunschweig, bis 1978, Prof. an der Techn. Univ. Braunschweig. *Arbeitsgebiete:* Bildung u. Konstitution der Bestandteile der organ. Bodensubstanz, physikal. u. chem. Eigenschaften der Humin-Stoffe, insbes. der Huminsäuren, Beeinflussung des pflanzlichen Stoffwechsels durch Humusbestandteile u. deren Einfluß auf die Bodenproduktivität, Synth. organ. Stickstoff-Quellen als Nährstofflieferanten, Bedeutung von Moorbestandteilen für die Heilwirkung der Moortherapie.
Lit.: Kürschner (16.), S. 842.

FLAIR. Abk. für *Food-Linked Agro-Industrial Research*, ein EG-Forschungsförderungsprogramm auf dem Gebiet der Lebensmittelwissenschaft u. -technologie.
Lit.: ABl. der EG L 334 vom 22.12.1994, S. 73–86.

Flammazine®. Creme mit *Sulfadiazin-Silbersalz zur Behandlung von Ätz-, Brüh- u. Brandwunden. *B.:* Duphar.

Flammbehandlungsverfahren. Verf., mit denen eine metall. Oberfläche durch die therm.-chem. Einwirkung von Flammen veredelt wird, z. B. zur Säuberung od. Vorbereitung einer Beschichtung (*Flammstrahlen), zum Ändern einer Stoffeigenschaft (*Flammhärten) od. zum Beschichten (*Flammspritzen). Zumeist ein Verf. der Autogentechnik (s. autogenes Schneiden). – *E* flame treatment processes – *F* procédés de traitement à la flamme – *I* processo a trattamento fiammeggiante – *S* procedimientos de tratamiento a la flama
Lit.: DIN 8522 (09/1980).

Flammen. Nach DIN 14011 Tl. 1 (07/1977, Entwurf 07/1991) versteht man unter F. den „Bereich brennender od. anderweitig exotherm reagierender Gase od. Dämpfe, von dem sichtbare Strahlung ausgeht". F. gehören neben *Glut u. *Rauch zur äußeren Erscheinungsform der *Verbrennung. An den meisten F. sind zwei Reaktionspartner beteiligt, die gewöhnlich als *Brennstoff* u. als *Oxidationsmittel* bezeichnet werden. Bei den Oxid. treten *Radikal- *Kettenreaktionen auf. Die Wirkung von *Feuerlöschmitteln beruht z. T. darauf, daß sie als *Radikal-Fänger in die Reaktionssequenzen eingreifen. Es gibt jedoch auch F., die nur aus einer einzigen Verb. entstehen (z. B. die F. beim Zerfall des *Ozons), od. solche, an denen Gemische verschiedener Brennstoffe od. Oxidationsmittel beteiligt sind. Nicht einmal die gleichzeitige Ggw. von oxidierenden u. reduzierenden Verb. od. zumindest Gruppen ist unbedingt notwendig, wie die F.-Bildung bei der Reaktion von Hydrazin mit *Diboran(6) zeigt:

$$N_2H_4 + B_2H_6 \rightarrow 2 BN + 5 H_2.$$

Bei der ruhig brennenden *Kerzen-F. unterscheidet man z. B. drei sich umhüllende Zonen. Im nichtleuchtenden Kern, der verhältnismäßig kalten Innenzone, findet keine Verbrennung statt; er besteht aus den gasf. Kohlenwasserstoffen, die bei der therm. Zers. des Kerzenmaterials entstehen. Die Hauptverbrennung dieser Kohlenwasserstoffe (zu Kohlendioxid u. Wasser) erfolgt im schwach leuchtenden Außenmantel, da sie hier direkt mit dem Sauerstoff zusammentreffen. In der mittleren Zone kann nur unvollkommene Verbrennung (Zers. der Kohlenwasserstoffe in einfachere u. Bildung von *Ruß) erfolgen. Das Leuchten dieser Zone beruht auf dem Glühen des hierin entstandenen Rußes, der dabei meist ein gelbes Licht ausstrahlt. Bei der F. des *Bunsenbrenners tritt Rotglut bei mind. 525 °C, Gelbglut bei mind. 1100 °C u. Weißglut oberhalb 1500 °C auf (*Wien-Gesetz). Die *Flammentemp.* der Gemische von *Brenngasen mit Luft od. Sauerstoff liegen im allg. weit oberhalb 1000 K, vgl. die Tab. bei Hochtemperatur-Chemie. Derart hohe F.-Temp. nutzt man nicht nur zum Schweißen u. Schneiden, sondern auch in der analyt. Chemie zur therm. Anregung bei der *Flammenfärbung, *Flammenspektroskopie u. *Atomabsorptionsspektroskopie.

Man unterscheidet stationäre F. u. Explosionsflammen: In den *stationären* F. wird die Fortpflanzungsgeschw. der Reaktion (d.h. die Geschw. der Bewegung einer F.-Front in das kalte, unverbrannte Gas hinein) durch die Strömungsgeschw. des zugeführten Gases ausgeglichen, bei den *Explosions-Flammen erfolgt die Fortpflanzung der Reaktion im ruhenden Gas. Die Kenntnis der F.-Ausbreitungsgeschw. ist im *Brandschutz von Bedeutung, wenn es darum geht, die Zeit zwischen dem Auftreten einer Explosion u. dem Ansprechen automat. Feuerlöschanlagen zu verkürzen. Man unterscheidet ferner vorgemischte, Diffusionsflammen u. turbulente Flammen. Bei den *vorgemischten* F. liegt ein homogenes Gemisch der reagierenden Gase vor; hier lassen sich die F. annähernd als eine dünne Reaktionswand auffassen, die sich in ein kaltes brennbares Gasgemisch bewegt, dessen Strömungsgeschw. die Brenngeschw. ausgleicht. Bekanntestes Beisp. für vorgemischte F. mit laminarer Strömung ist die kegelförmige Bunsenbrenner-F., s. die Abb. dort, die auch die Unterschiede zwischen der leuchtenden u. der nichtleuchtenden, der oxidierenden u. der reduzierenden F. verdeutlicht. Es sind auch andere geometr. Formen solcher F. möglich, z. B. kennt man flache, zylinder- u. kugelförmige Flammen. Bei den *Diffusions-F.* werden Brennstoff u. Oxidationsmittel getrennt zugeführt u. an einer Grenzfläche zur Reaktion gebracht; hier ist die Reaktionsgeschw. oft von der Geschw. abhängig, mit der die beiden Komponenten ineinanderdiffundieren. Diese F. besitzen gewöhnlich zwei F.-Fronten, nämlich eine zum Brennstoff u. eine zum Oxidationsmittel hin. Die einfachste Form solcher F. ist die kugelförmige Diffusionsflamme, bei der aus einer „punktförmigen" Einlaßstelle der eine Reaktionspartner in eine Atmosphäre des zweiten strömt (bei niedrigem Druck wird hier Kugelsymmetrie der F. erreicht); gebräuchlich sind bes. solche F., bei denen die Reaktionspartner getrennt zugeführt werden u. nebeneinander an der Reaktionsstelle austreten. Bekannteste Beisp. für Diffusionsflammen sind die Kerze u. die Petroleumlampe. Bei den *turbulenten F.* ist die Strömung der Gase nicht laminar wie in den beiden anderen Fällen, sondern turbulent, so daß die F.-Front dabei diffus (d. h. gefaltet statt glatt) od. gar aufgebrochen wird. Im letzten Fall werden kleine F.-Inseln im brennbaren Gemisch verstreut, die als Zündquellen fungieren, ebenso werden Teile des unverbrannten Gases in das bereits verbrannte Gas hineingetragen. Gegenüber den laminaren F. ist hier die scheinbare Fortpflanzungsgeschw. der F. stark erhöht; bei schwacher Turbulenz wird dies durch die Vergrößerung der Oberfläche der Reaktionszone verursacht, im zweiten Falle durch ihre Verdickung. Solche turbulenten F. können ihrer Natur nach vorgemischte od. Diffusionsflammen sein, doch läßt sich bei hoher Turbulenz wegen der starken Verbreiterung der Reaktionszone hier keine strenge Unterscheidung mehr treffen. Die in der Ind. verwendeten F. dieser Art sind meist vom Diffusionstyp, z. B. die F. in Verbrennungsmotoren u. in Strahltriebwerken.

Weitere Einteilungsmöglichkeiten für F. ergeben sich nach dem Ausgangsaggregatzustand der Reaktionspartner, denn hierdurch wird die Thermodynamik der F. stark beeinflußt – z. B. müssen die Schmelz- u. Verdampfungswärme durch die F. geliefert werden, denn die Reaktionszone ist ein adiabat. System. Das drückt sich in den für *Entflammung u. *Entzündung eines Stoffes charakterist. Größen *Flammpunkt u. *Zündtemperatur aus. Obwohl die F. meist in der Gasphase auftreten, erfolgt doch auch heterogene Verbrennung. Diese tritt z. B. in den späten Stufen eines Kohlen- od. Holzfeuers ein, nämlich dann, wenn die vergasbaren Komponenten verbraucht sind u. verhältnismäßig reiner Kohlenstoff zurückbleibt; wegen der geringen Flüchtigkeit des Kohlenstoffs muß die Verbrennung somit direkt an dessen Oberfläche erfolgen. – *E* flames – *F* flammes – *I* fiamme – *S* llamas

Lit.: Fristrom, Flame Structure and Processes, Oxford: Univ. Press 1995 ▪ Kirk-Othmer (3.) **4**, 278–312, (4.) **6**, 1049–1092 ▪ s. a. Brennstoffe, Explosion, Verbrennung, Flammschutzmittel.

Flammenfärbung. Bez. für die charakterist. Färbung, die der nichtleuchtenden Flamme eines *Bunsenbrenners durch bestimmte Elemente od. sie enthaltende Verb. infolge der *Anregung ihrer *Leuchtelektronen* u. die nachfolgende *Emission der charakterist. *Strahlung verliehen wird; die auftretenden Linien sind dieselben, die sich auch bei der *Gasentladung beobachten lassen. Natürlich können nur die in der Bunsenflammenhitze vergasenden Stoffe eine F. geben, weshalb man in der Regel von den Chloriden ausgeht. Bringt man mit einem ausgeglühten Magnesia-Stäbchen od. Platin-Draht die mit Salzsäure befeuchtete Substanz in die nichtleuchtende Bunsenflamme, dann wird sie von Na gelb, von Ca gelbrot, von Ba gelbgrün gefärbt; Cs, K u. Rb verfärben violett, Li u. Sr karminrot, Borsäure, Te u. Tl grün, Cu blau, As, Pb, In, Se u. Hg bläulich. Man nutzt die F.-Effekte in der *Pyrotechnik, z. B. in Feuerwerksraketen u. *bengalischen Feuern. Bei gleichzeitiger Anwesenheit von mehreren, die Flamme färbenden Elementen können sich die Einzelfärbungen überdecken. Um z. B. K, Li, Ca, Sr od. Ba neben dem sehr verbreiteten Na zu erkennen, beobachtet man die Flamme durch ein blaues Cobalt-Glas, das die gelben Linien des Natrium-Dampfes absorbiert u. dadurch die von den anderen Elementen (z. B. K) herrührenden F. deutlicher erkennen läßt. In der qual.

Analyse dient die F. als *Vorprobe; quant. läßt sie sich in der *Flammenspektroskopie auswerten. – *E* flame coloration – *F* coloration de flamme, analyse pyrognostique – *I* colorazione della fiamma – *S* coloración de llama

Lit.: Strähle u. Schweda, Jander · Blasius, Einführung in das anorganisch-chemische Praktikum, Stuttgart: Hirzel 1995 ▪ Strähle u. Schweda, Jander · Blasius, Lehrbuch der analytischen u. präparativen anorganischen Chemie, Stuttgart: Hirzel 1995.

Flammenhydrolyse s. AEROSIL®.

Flammenionisationsdetektoren s. Detektoren.

Flammenphotometrie. Veraltete Bez. für *Flammenspektroskopie.

Flammenspektroskopie. Im engeren Sinne Bez. für ein Verf. der *Emissionsspektroskopie, das sich zur Bestimmung von Elementen eignet, die bereits durch eine *Flamme angeregt werden können. Die Arbeitsweise entspricht im wesentlichen der bei der Feststellung der *Flammenfärbung: Die im Wasser od. einem organ. Lsm. gelöste Probe wird mit einem Zerstäuber dem *Brenngas zugemischt. Die Lichtstrahlung der Flamme wird durch Prismen od. Gitter spektral zerlegt, wobei man eine Anzahl von Linien u. Banden erhält, deren Lage im Spektrum für jedes einzelne Element eindeutig festliegt, s. Atombau u. Spektroskopie. Eine andere Möglichkeit ist, den interessierenden Spektralbereich aus dem Flammenlicht mit Hilfe eines Filters auszublenden. Mit Filtern ausgerüstete Geräte nannte man früher *Flammenphotometer* (*Flammenphotometrie*), mit Monochromatoren ausgerüstete Geräte *Flammenspektrometer*. Aus der Intensität der Banden läßt sich – bei konstanten Brennbedingungen der Flamme u. Verw. von Standardlsg. zur Eichung – das quant. Verhältnis der vorhandenen Elemente bestimmen.

Die heute zur Verfügung stehenden Geräte ermöglichen quant. Analysen in Sekundenschnelle. Das zu verwendende Brenngas für die Flamme muß der Anregbarkeit der Atome angepaßt sein: Bei Alkalien kommt man mit der Temp. einer Propan-Luft-Flamme aus, für Erdalkalien benötigt man eine solche aus Acetylen-Luft. Noch höhere Temp. (*Hochtemperatur-Chemie) erreicht man mit Gemischen aus Wasserstoff, Acetylen, Dicyan u. Luft, Preßluft od. Sauerstoff. Die F. ermöglicht heute die schnellsten Analysen im Bereich der anorgan. Chemie. Mit modernen Geräten, insbes. mit Plasma-Anregung (*ICP[1]) lassen sich mit großer Empfindlichkeit u. Genauigkeit bestimmen: Ag, Al, B, Ba, Ca, Cd, Co, Cs, Cu, Fe, Ga, Hg, In, K, La, Li, Mg, Mn, Mo, Ni, Pb, Pd, Ru, Sn, Sr, Ti, Tl, V. – *E* flame spectroscopy – *F* spectroscopie de flammes – *I* spettroscopia a fiamma – *S* espectroscopia de llama

Lit.: [1] Schwedt, Analytische Chemie, S. 200–207, Stuttgart: Thieme 1995.
allg.: Steger, Strukturanalytik, S. 105–127, Leipzig: Dtsch. Verl. für Grundstoffindustrie 1992 ▪ Vandecasteele u. Block, Modern Methods for Trace Element Determination, Chichester: Wiley 1995.

Flammentemperaturen s. Hochtemperatur-Chemie.

Flammenwerfer s. Brandwaffen.

Flammfest. In ähnlichem Sinn wie *feuerfest* gebrauchter, aber nicht normierter Begriff, unter dem man sowohl verstehen kann, daß ein Stoff nicht entzündbar, als auch, daß er zwar entzündbar, aber selbstverlöschend sein soll. Bei Baustoffen u. Textilien sucht man *Flammfestigkeit* durch die Verw. von Flammschutzmitteln zu erreichen; Näheres s. dort. – *E* flame proof – *F* ignifuge – *I* resistente alle fiamme – *S* ignífugo

Flammhärten. Oberfläches Umwandlungshärten von Werkstücken aus härtbarem *Stahl durch rasches Aufheizen mit einem autogenen Brenner hoher Leistung u. unmittelbar nachfolgendes Abschrecken mit Wasserbrause od. Preßluft. Bevorzugt angewendet für Teile mit angehobenen Anforderungen an harte u. verschleißfeste Oberflächen bei gleichzeitig duktilem Werkstückverhalten. – *E* flame hardening – *F* trempe au chalumeau – *I* fiammatura – *S* templar a la llama
Lit.: Lueger Lexikon, 4. Aufl., Bd. 8, Fertigungstechnik u. Arbeitsmaschinen, S. 261, Stuttgart: DVA 1968.

Flammhemmend s. Flammschutzmittel.

Flammkohle s. Kohle.

Flammpunkt (Abk.: FP.). Der FP. ist die niedrigste Temp., korrigiert auf einen Barometerstand von 101,3 kPa (760 Torr), bei der unter Anw. einer Zündflamme unter den vorgeschriebenen Versuchsbedingungen die Entflammung der Dämpfe der Probe erfolgt. Der FP. unterscheidet sich vom *Brennpunkt*, der höher liegt u. bei dem die Dämpfe nach der *Entflammung von selbst weiterbrennen u. von der *Zündtemperatur*, bei der die *Entzündung ohne Fremdzündung (*Selbstentzündung) eintritt. Der FP. von brennbaren Flüssigkeiten, Flüssigkeiten mit suspendierten Feststoffen u. Schmierölen wird im „geschlossenen Tiegel" nach Pensky-Martens, DIN EN 22719 (1993), ISO 2719 (1988), bestimmt; bei Mineralölerzeugnissen mit einem FP. von >+5 u. <65 °C kann das Gerät nach Abel-Pensky, DIN 51755 (1974), verwendet werden. Die Meth. nach Cleveland, ISO DIS 2592 (1973), verwendet einen „offenen Tiegel". Für die Bestimmung der FP. von Farben u. Lacken sowie von trocknenden Ölen gilt DIN ISO 1516 (1987) u. für Klebstoffe DIN EN 924 (1995). Der FP. ist eine wichtige Kenngröße für feuergefährliche u. *explosionsfähige Stoffe; bei brennbaren Flüssigkeiten (Näheres u. Beisp. s. dort) bestimmt der FP. die Einteilung in *Gefahrenklassen bei Transport u. Lagerung. – *E* point d'éclair – *I* punto d'infiammabilità – *S* punto de inflamación
Lit.: s. brennbare Flüssigkeiten, Arbeitssicherheit, Gefahrenklassen.

Flammruß. Heute nur noch wenig hergestellter trockener, leichter *Ruß, der durch ungenügende Verbrennung von festen od. dickflüssigen aromatenreichen Materialien, Ölen, Destillationsrückständen der *Mineralöl-Fabrikation usw. gewonnen wird. Die F.-Teilchen haben Durchmesser von 60–100 nm mit Oberflächen von 20–30 m^2/g. Verw. in der Gummi- u. Lack-Industrie. – *E* lampblack – *F* noir de lampe, suie – *I* fuliggine di fiamme – *S* negro de humo
Lit.: Kirk-Othmer (3.) **4**, 653; (4.) **4**, 1054 f. ▪ Ullmann (4.) **14**, 641, 645 f.; (5.) **A 5**, 150 ▪ Winnacker-Küchler (4.) **3**, 319 f. ▪ s. a. Ruß.

Flammschutzmittel. Sammelbez. für solche anorgan. u./od. organ. Stoffe, die insbes. Holz u. Holzwerkstoffe, Kunststoffe, Textilien *flammfest* machen (*flammhemmend* ausrüsten) sollen. Sie erreichen dies, indem sie die *Entflammung der zu schützenden Stoffe verhindern, die *Entzündung behindern u. die *Verbrennung erschweren.
Die bei Holz wirksamen F. werden dort auch *Feuer-* od. *Brandschutzmittel* genannt u. den *Bautenschutzmitteln u./od. den *Baustoffen zugerechnet, deren Brandverhalten durch DIN 4102 Tl. 1–18 (1977–1994, z. T. mit Ergänzungen 1995/1996) beschrieben wird. Ihrer Wirkung nach kann man einzelne F. als feuererstickend, verkohlungsfördernd, sperrschicht- u. dämmschichtbildend bewerten; die bei Holz u. Holzwerkstoffen heute meist als *Anstrichstoffe [Brandschutzanstriche (Brandschutzbeschichtung), vgl. DIN 14011 Tl. 5 (05/1980, Entwurf 07/1991)] od. *Holzschutzmittel [vgl. DIN 52175 (01/1975)] aufgebrachten F. wirken im allg. nach mehreren dieser Prinzipien. *Verkohlungsfördernde* u. *feuererstickende* F. wirken dadurch, daß sie die natürliche Fähigkeit des Holzes, sich durch Bildung einer unbrennbaren u. wärmeisolierenden *Holzkohlen-Schicht gegen Feuer u. Hitze abzuschirmen, verstärken, indem sie den therm. Abbau der Cellulose so lenken, daß die Verkohlung des Holzes gefördert u. die Abspaltung brennbarer Gase abgeschwächt wird. Unter den F., die in der Feuerhitze vorwiegend flammenerstickende Gase abgeben, hat sich – ebenso wie in *Feuerlöschmitteln – das *Ammoniumphosphat [$(NH_4)_2HPO_4$] am besten bewährt: Erhitzt gibt es nach $(NH_4)_2HPO_4 \rightarrow 2 NH_3 + H_3PO_4$ nicht nur Ammoniak ab, sondern auch dehydratisierend, d. h. verkohlend wirkende Phosphorsäure. Die *sperrschichtbildenden*, auch als *Versiegelungsmittel* bezeichneten F. bilden auf der Holzoberfläche in der Hitze eine nur schwer entflammbare dünne Sperrschicht aus, die dem Luftsauerstoff den Zutritt zum Holzuntergrund verwehrt; das Holz kann so eine wärmedämmende Holzkohleschicht aufbauen. Früher benutzte man hier Wasserglas od. Borate; heute wird die Absperrfunktion von Ammoniumpolyphosphaten wahrgenommen, die in der Hitze Metaphosphorsäure liefern. Die *Dämmschichtbildner* vereinigen die Eigenschaften der verkohlungsfördernden u. sperrschichtbildenden F.; die gut isolierende Holzkohleschicht wird jedoch nicht im u. aus dem Holz, sondern auf dessen Oberfläche gebildet. Man verwendet hierzu Substanzen, die sich beim Erwärmen schaumig aufblähen, ab 250 bis 300 °C verkohlen, sich dabei verfestigen u. ein feinporiges, gut isolierendes Polster bilden. Hierzu eignen sich Gemische aus *Harnstoff, Dicyandiamid, *Melamin u. organ. Phosphaten. Solche *Intumeszenz-Anstrichstoffe bestehen typischerweise aus Ammoniumpolyphosphaten, Melamin, Dipentaerythrit (verkohlt), *Chlorparaffinen (verkohlen u. liefern als *Radikal-Fänger wirkende Chlor-haltige Gase) sowie TiO_2-Pigmenten. Als dämmschichtbildende Lacke, die auch Stahlkonstruktionen u. Kunststoffe schützen, dienen entweder Spezialkunstharze, die sich in der Hitze aufblähen od. Kombinationen aus nichtblähenden Bindemitteln u. schaumbildenden Füllstoffen.

Angesichts der zunehmenden Verw. von *Kunststoffen* auch im Bauwesen kommt der Flammfestigkeit dieser Produkte erhöhte Bedeutung zu. Polyolefine wie *Polyethylen, *Polypropylen unterhalten eine einmal gestartete Verbrennung von selbst, während *Polycarbonate u. insbes. Polymere mit höherem Halogen-Gehalt wie PVC u. PTFE *selbstverlöschend* sind. Zur Erzielung flammwidrigen Verhaltens fügt man brennbaren Polymeren bereits bei der Herst. F. bei, wobei diese Additive natürlich mit den sonstigen Eigenschaften des Kunststoffs (Polymerisation, Härtung, opt. u. toxikolog. Eigenschaften etc.) vereinbar sein müssen; in geeigneten Fällen versucht man auch, flammhemmende Verb. als Monomere in die Makromol. einzubauen (reaktive F.). Die zum Einsatz in Kunststoffen meist herangezogenen Halogen-Verb. wirken so, daß die bei erhöhter Temp. freigesetzten Halogen-Atome durch Abfangen der die Verbrennung unterhaltenden Radikale die *Kettenreaktionen abbrechen (Radikal-Fänger). Die breite Palette in Kunststoffen eingesetzter F. kann man 4 Gruppen zuordnen:
1. Spezielle anorgan. Verb., wie Aluminiumoxidhydrate, *Zinkborate, Ammoniumphosphate sowie *Antimonoxid (meist zusammen mit organ. Halogen-Verb.).
2. Halogenierte organ. Verb., wie z. B. Chlorparaffine, Hexabrombenzol, bromierte *Diphenylether u. a. Brom-Verbindungen. Als reaktive F. werden eingesetzt z. B. *Tetrabrombisphenol A (in Epoxidharzen), Tetrabromphthalsäureanhydrid (in Polyesterharzen), Dibromneopentylglykol (in PU-Schäumen).
3. Organ. Phosphor-Verb., v. a. Phosphate, Phosphite u. Phosphonate, überwiegend mit *Weichmacher-Wirkung, wie z. B. *Trikresylphosphat u. a.
4. Halogenierte organ. Phosphor-Verb. wie z. B. Tri(2,3-dibrompropyl)-phosphat od. Tris-(2-brom-4-methylphenyl)-phosphat.
Um die Entflammbarkeit (vgl. Entflammung) u. Brennbarkeit sowie das Nachglimmen von *Textilien* herabzusetzen, kann man die Fasern mit Sauerstoff-absperrenden, dünnen Überzügen versehen od. Stoffe anwenden, die *Cellulose (Cellulose-Produkte sind bes. feuergefährdet) u. dgl. während des Brennens (katalyt.) in C u. H_2O zersetzen. Dies ist sowohl durch textilchem. Ausrüstung mit Phosphor-Verb., wodurch allerdings die Gebrauchseigenschaften beeinträchtigt werden, als auch durch Pfropfung von Vinylphosphonsäure möglich. Bei Synthesefasern läßt sich die Forderung nach Schwerentflammbarkeit – ein Maß ist der sog. LOI-Wert (*l*imiting *o*xygen *i*ndex = Grenzsauerstoff-Konz.) – mit den oben erwähnten Phosphor- u. Brom-Verb. nur unter teilw. Verzicht auf einige der typ. Eigenschaften der Fasern erkaufen, ganz gleich, ob die F. als Monomere einpolymerisiert, als Additive beim Spinnen zugesetzt od. durch Textilausrüstung appliziert werden. Bei Vorhängen, Möbel- u. Dekostoffen sowie bei Teppichen entfallen die Einschränkungen im F.-Gebrauch; bei Teppichen lassen sich, ebenso wie bei manchen Kunststoffen, Aluminiumhydroxide einsetzen, deren therm. Dehydratisierung genügend Energie verbraucht, um sie als F. geeignet zu machen.
Der Einsatz von F. ist nicht in allen Fällen ohne Gefahren, der Verminderung eines Brandrisikos steht im Falle eines Brandes die Möglichkeit von Umweltgefährdungen gegenüber. Es können tox. Phosphate gebildet werden (*Lit.*[1]). Halogenierte F. können bei der Verbrennung die Atmosphäre belasten u./od. persistente Rückstände bilden (*Beisp.*: *PCB, *Chlorbiphenyle u. a.). Bei Verbrennungsvorgängen in Ggw. organ. Chlor-Verb. kann die Bildung hochtox. *Dioxine nicht ausgeschlossen werden. An der Entwicklung weniger umweltgefährdender F. wird daher intensiv gearbeitet. – *E* flame retardants – *F* ignifugeants – *I* materiale refrattario – *S* ignifugantes

Lit.: [1] Science **187**, 742 (1975).
allg.: Encycl. Polym. Sci. Eng. **7**, 179–195 ■ Kirk-Othmer (3.) **10**, 348–444; (4.) **10**, 930–1022 ■ Ullmann (4.) **12**, 688; **15**, 271 ff.; **23**, 89 ff.; (5.) **A 11**, 123–140.

Flammspritzen (Spritzplattieren). Als therm. Spritzen Bez. für ein *Fertigungsverfahren Beschichten der Autogentechnik zur Oberflächenveredlung von (metall.) Werkstücken[1]. Beim F. wird der pulver- od. drahtförmige Spritzzusatz mit einer Brenngas-Sauerstoff-Flamme geschmolzen u. durch das Verbrennungsgas allein od. mit Unterstützung durch ein Zerstäubergas auf die geeignet vorbereitete Werkstückoberfläche gestrahlt[2]. Die geschmolzenen Spritzpartikel erstarren, haften auf der Werkstückoberfläche u. bilden dort eine mehr od. weniger geschlossene Beschichtung. Nach der Form des Zusatzwerkstoffs unterscheidet man *Draht-* u. *Pulver-F.*, wobei sowohl metall. als auch nichtmetall. (polymere, keram.) Zusatzwerkstoffe verarbeitet werden. Im weitesten Sinn gehören dazu das *Hochgeschwindigkeits-F.* u. das *Detonationsspritzen* zum F., da beide Verf. ihre Energie gleichfalls aus einer Verbrennungsreaktion (Brenngas/Sauerstoff) beziehen. Beim Hochgeschw.-F. erfolgt die Verbrennung in einer Brennkammer, der dort aufgebaute Druck führt in einer nachgeschalteten Expansionsdüse zu sehr hohen Spritzgeschwindigkeiten. Beim Detonationsspritzen wird das Gasgemisch in einer Brennkammer in gesteuerten Intervallen zur Explosion gebracht u. erzeugt einen period. Hochgeschwindigkeitsgasstrahl. Haftung u. Dichtheit der Beschichtungen werden durch beide Verf. verbessert. – *E* flame plating, flame spraying – *F* apport de métaux par fusion, placage dans la flamme – *I* spruzzo di fiamma – *S* metalizar con la llama

Lit.: [1] DIN 8522 (09/1980). [2] DIN EN 657 (06/1994).

Flammstrahlen (Flämmen). Verf. der Fertigungsgruppe therm. Schneiden[1]. F. wird angewendet zum Entfernen fehlerhafter Oberflächenbereiche an Vorprodukten (Blöcke, Brammen, Knüppel, Freiformstücke) aus un- u. niedriglegiertem *Stahl. Als Flamme dient eine Acetylen-Sauerstoff-Flamme mit zusätzlichem Sauerstoff. Das Vorprodukt wird oberflächlich aufgeschmolzen u. durch den Zusatzsauerstoff verbrannt. Die Verbrennungsprodukte werden ebenfalls durch den Sauerstoff fortgeblasen, s. autogenes Schneiden. Zurück bleibt eine blanke Oberfläche. Das manuelle Verf. ist geeignet sowohl zum örtlichen als auch zum flächigen Säubern. – *E* flame scarfing – *F* chalumeautage – *I* fiammeggiare – *S* decapado por soplete

Lit.: [1] DIN 2310 Tl. 6 (02/1991).
allg.: Lueger Lexikon, 4. Aufl., Bd. 8, Fertigungstechnik u. Arbeitsmaschinen, S. 261, Stuttgart: DVA 1968.

Flamprop-isopropyl s. Flamprop-methyl.

Flamprop-methyl.

Common name für N-Benzoyl-N-(3-chlor-4-fluorphenyl)-DL-alaninmethylester, $C_{17}H_{15}ClFNO_3$, M_R 335,76, Schmp. 84–86°C, LD_{50} (Ratte oral) >3000 mg/kg (WHO), von Shell entwickeltes selektives system. Nachauflauf-*Herbizid gegen Flughafer im Winter- u. Sommerweizenanbau. – $E = F$ flampropmethyl – I flamprop-metile – S flamprop-metilo
Lit.: Farm ▪ Perkow ▪ Pesticide Manual. – *[CAS 52756-25-9]*

Flaschenglas s. Glas.

Flash-Chromatographie.
Die F.-C. ist eine Variante der *Säulenchromatographie, die unter Druck ($1,5-2 \cdot 10^5$ Pa) betrieben wird. Durch Verw. von kurzen Trennsäulen (s. Abb.) mit Sorbensbetthöhen von 15 cm ist es möglich, Substanzmengen von 0,01 bis 25 g in 5 bis 10 min zu trennen.

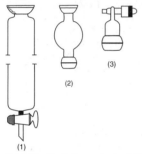

Abb.: Die Flash-Apparatur besteht aus Säule (1), Lösemittelreservoir (2) u. Flußregler mit Teflonnadelventil.

Zur Meth.-Entwicklung ist die *Dünnschichtchromatographie bestens geeignet. Man sucht sich ein niedrigviskoses Laufmittelsyst. aus, mit dem zum einen die interessierenden Komponenten bis zu einem *R_f-Wert von 0,35 wandern u. zum anderen die R_f-Wertdifferenz zwischen den zu trennenden Komponenten >0,15 ist. Dieses Laufmittel wird dann als Eluent für die F.-C. verwandt. Anw. für Trennungen in der präparativen organ. Synth. u. in der Lebensmittelchemie. – E flash chromatography – F flash-chromatographie – I cromatografia flash – S cromatografía instantánea
Lit.: Chem. Lab. Biotech. **45**, 411 ff. (1994) ▪ J. Chem. **43**, 2923 (1978) ▪ LC-GC Int. **2**, 10 (1988).

Flash-Destillation s. Destillation.

Flatulenz.
Von latein.: flatus = Wind, abgeleitete Bez. für vermehrten Abgang von im Darm gebildeten Gasen. Bei übermäßiger Gasansammlung im Verdauungstrakt unter krankhaften Bedingungen spricht man von *Meteorismus* (von griech.: meteoros = in der Luft befindlich). Normalerweise bestehen die bei der *Verdauung entstehenden *Darmgase* (Flatus, Furz) aus NH_3, H_2S, N_2, H_2, CH_4 u. CO_2. – $E = F$ flatulence – I flatulenza – S flatulencia

Flatus s. Flatulenz.

Flavanole, Flavanone s. Flavonoide.

3,3′,4′,5,7-Flavanpentaol s. Catechin.

Flavazine.

Flavazin L

Gruppe von gelben Pyrazolon-Derivate, die als *Säurefarbstoffe verwendet wurden[1,2]. So wird beispielsweise Flavazin L {4-[(3-Methyl-5-oxo-4-phenylhydrazono)-4,5-dihydro-1H-pyrazol-1-yl]benzolsulfonsäure}, $C_{16}H_{14}N_4O_4S$, M_R 358,37, zur Herst. bestimmter kosmet. Mittel eingesetzt. – $E = F$ flavazines – I flavazine – S flavazinas
Lit.: [1] Ullmann (4.) **7**, 650. [2] Winnacker-Küchler (3.) **4**, 287, 354.
allg.: Blaue Liste, S. 128. – *[HS 2933 19; CAS 6359-82-6]*

Flaviansäure s. Naphthol-Farbstoffe.

Flavin-Adenin-Dinucleotid (FAD; reduzierte Form: $FADH_2$).

Abb. 1: FAD, oxidierte Form.

$C_{27}H_{33}N_9O_{15}P_2$, M_R 785,56. Amorphes, gelbes Pulver, in Wasser, Pyridin, Phenol leicht, in Alkohol, Ether, Aceton, Chloroform wenig löslich. Das aus Leber, Herz, Nieren, Muskeln, Hefe isolierbare FAD ist in neutraler Lsg. beständig; es kann als gelbes Natrium- od. Barium-Salz krist. erhalten werden. Verd. Lsg. von FAD werden beim Erhitzen z.T. zu *Flavinmononucleotid (FMN s. Riboflavin-5′-phosphat) hydrolysiert. Im Gegensatz zu diesem ist FAD ein echtes *Nucleotid-Derivat mit Adenosinphosphat, jedoch kein echtes Dinucleotid. Die gelbe Farbe geht auf das im Mol. enthaltene *Flavin (7,8-Dimethylisoalloxazin) zurück. Vorstufe mit *Vitamin-Charakter ist *Riboflavin (Lactoflavin, Vitamin B_2), das in einer *Kinase-Reaktion zu FMN phosphoryliert wird. In einer durch FAD-Pyrophosphatase (EC 3.6.1.18) katalysierten Reaktion wird es mit *Adenosin-5′-triphosphat unter Abspaltung von anorgan. Diphosphat zum FAD verknüpft. Im Organismus spielt FAD wie FMN als *prosthetische Gruppe zahlreicher *Flavoproteine*[1] (*Flavoenzyme*; speziell: *Dehydrogenasen, *Oxidasen, *Reduktasen) eine Rolle, wobei typischerweise von Position 6 bzw. von der Methyl-Gruppe in Position 8 eine kovalente Verknüpfung zum Apoprotein besteht. Als Wasserstoff- u. Elektronen-Übertrager lagert das FAD bzw. FMN am *Isoalloxazin-Syst. in der in Abb. 2 gezeigten Weise an die 1- u. 5-Position zwei Wasserstoff-Atome an, was mit einer Entfärbung einhergeht.

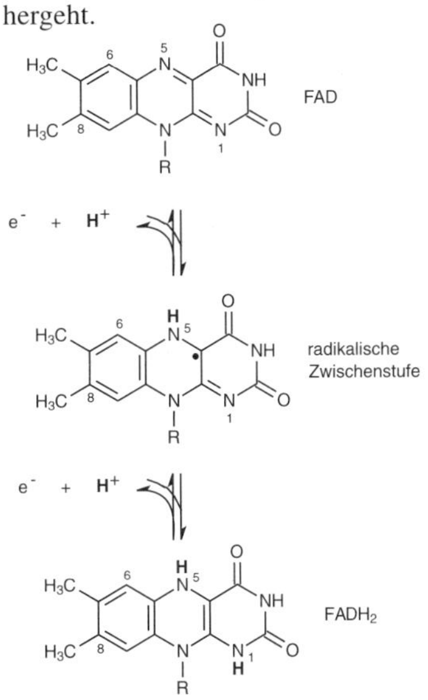

Abb. 2: Reduktion des FAD in Einelektronenschritten zum $FADH_2$. Zur Beschaffenheit von R s. Abb. 1.

Die beiden locker gebundenen Wasserstoff-Atome des Reduktionsproduktes $FADH_2$ (in Abb. 2 verstärkt dargestellt) können wiederum auf ein Substrat höheren Oxidationspotentials transferiert werden, wobei das Coenzym in den gelben, oxidierten Zustand zurückkehrt. Diese Redox-Funktion übt FAD – zusammen mit FMN – in über 70 bekannten Enzymen aus, die zudem zur Wirksamkeit häufig noch Spuren-Elemente wie Kupfer, Eisen u. Mangan benötigen: *Beisp.:* *Atmungskette, *Citronensäure-Cyclus, *Pyruvat-Dehydrogenase. Im Gegensatz zum ebenfalls sehr häufig in Dehydrogenasen co-katalyt. wirksamen *Nicotinamid-Adenin-Dinucleotid(-Phosphat), das Wasserstoff-Atome nur nach ion. Mechanismus übertragen kann (Hydrid-Übertragung), sind beim FAD- sowie beim FMN-Syst. auch Einelektronenschritte u. radikal. Zwischenstufen (s. Abb. 2) möglich. – *E* flavin adenine dinucleotide – *F* flavine-adénine-dinucléotide – *I* flavinadenindinucleotide – *S* dinucleótido adeninaflavina
Lit.: [1] FASEB J. **9**, 473 ff. (1995).
allg.: Beilstein E V **26/16**, 393 f. ■ Biospektrum **1995**, Nr. 4, 32 f. ■ Karlson et al., Kurzes Lehrbuch der Biochemie, 14. Aufl., S. 79 f., Stuttgart: Thieme 1994 ■ Yagi, Flavins and Flavoproteins 1993, Berlin: de Gruyter 1994. – [HS 293 59; CAS 145-14-5]

Flavine. Trivialname für alle niedermol. Verb., die das Grundgerüst des 7,8-Dimethylisoalloxazins (*Flavin*) aufweisen (s. Riboflavin). F. sind u. a. Bestandteile des Reaktionszentrums von *Photoproteinen (Photorezeptoraktivität im blauen Bereich des Spektrums, vgl. Riboflavin) sowie der prosthet. Gruppe von Redoxenzymen (u. a. Monooxygenasen der *Atmungskette), vgl. Flavin-Adenin-Dinucleotid (FAD). *Lumichrom ist dagegen kein F., sondern ein *Alloxazin-Derivat. – *E* flavins – *F* flavines – *I* flavine – *S* flavinas
Lit.: *Monographien:* Bray et al. (Hrsg.), Flavins and Flavoproteins, Proc. of the 8th Int. Symp., Berlin: De Gruyter 1984 ■ Chem. Biochem. Flavoenzymes **1**, 1 – 193 (1991) ■ Edmondson u. McCormick (Hrsg.), Flavins and Flavoproteins, Proc. of the 9th Int. Symp., Berlin: De Gruyter 1987.

Flavinmononucleotid (FMN; reduzierte Form $FMNH_2$). Geläufige, aber nicht korrekte Bez. (vgl. Flavinnucleotide) für *Riboflavin-5′-phosphat.

Flavinnucleotide. Gruppenbez. für *Nucleotide, die *Flavine enthalten; s. Flavin-Adenin-Dinucleotid u. *Riboflavin-5′-phosphat. Letzteres ist im genauen Sinn des Wortes kein Nucleotid, da es zwar Base u. Phosphorsäure, jedoch keinen Zucker-Bestandteil, sondern stattdessen den Zucker-Alkohol Ribit enthält. – *E* flavin nucleotides – *F* flavine-nucléotides – *I* flavinnucleotidi – *S* flavina-nucleótidas

Flav(o)... Von latein.: flavus = gelb abgeleitete Vorsilbe zur Kennzeichnung gelber Verb.; *Beisp.:* s. die folgenden Stichwörter. – *E* = *F* = *I* = *S* flav...

Flavodoxine. Zu den *Redoxinen gehörende bakterielle *Elektronentransfer-Proteine mit *Riboflavin-5′-phosphat als *prosthetischer Gruppe. Die F. ähneln den *Ferredoxinen, von denen sie funktionell vertreten werden können, enthalten jedoch kein Eisen od. Schwefel. Sie sind z. B. an der *Stickstoff-Fixierung beteiligt, wo sie Elektronen auf *Nitrogenase übertragen, weiter an *Photosynthese, Sulfat-Red., Wasserstoff-Entwicklung. – *E* flavodoxins – *F* flavodoxines – *I* flavodossine – *S* flavodoxinas

Flavoenzyme s. Flavin-Adenin-Dinucleotid, Riboflavin-5′-phosphat.

Flavomannine.

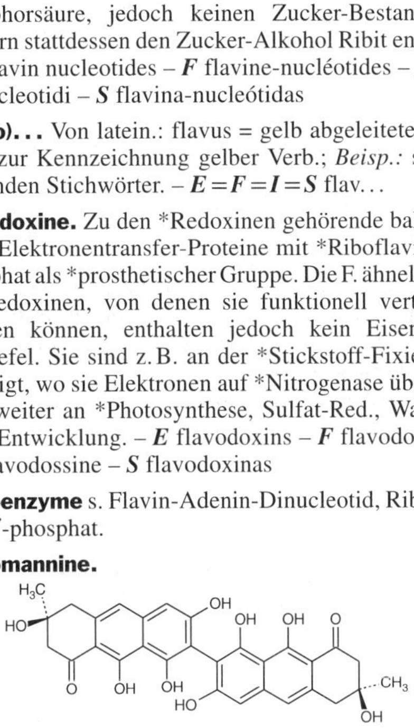

Flavomannin

Gruppe dimerer 1,4-Anthrone (Octaketide) aus Niederen Pilzen der Gattung *Penicillium* sowie Basidiomyceten der Gattungen *Cortinarius* (Untergattung *Phlegmacium*), *Dermocybe* u. *Tricholoma*, denen sie gelbe, orange u. grüne Farben verleihen. Charakterist. für F. ist eine 7,7′-Verknüpfung zweier Präanthrachinon-Einheiten, die sie von den *Phlegmacinen unterscheidet. Der Grundkörper *Flavomannin* = 6,6′,7,7′-Tetrahydro-1,1′,3,3′,6,6′,9,9′-octahydroxy-6,6′-dimethyl(2,2′-bianthracen)-8,8′(5,5′H)-dion, $C_{30}H_{26}O_{10}$, M_R 546,53, gelbe Platten (als Monohydrat), Schmp. 224 – 226 °C, $[\alpha]_D$ –1400° (C_2H_5OH), wurde zuerst aus *Penicillium wortmanni* u. aus *Cortinarius odoratus* isoliert. Bei der Mehrzahl der natürlichen F.-Derivate sind die phenol. OH-Gruppen teilw. od. vollständig methyliert, die 4- u. 4′-Stellung kann hydroxyliert od. zur Keto-Gruppe oxidiert vorliegen. Das häufigste F.-Derivat ist der 6,6′-Di-O-methylether [„FDM", $C_{32}H_{30}O_{10}$, M_R 574,58, gelbe Krist., Schmp. 245 – 250 °C (Zers.)]. Die F. besitzen neben einem Asymmetriezentrum in 3- bzw. 3′-Position axiale Asymmetrie (*Atropisomerie), die die teilw. sehr hohen opt. Drehwerte natürlicher F. bedingt. – *E* flavomannins – *F* flavomannines – *I* flavomannine – *S* flavomaninas

Lit.: Nat. Prod. Rep. **11**, 82f. (1994) ▪ Zechmeister **51**, 154–162. – *[CAS 19953-89-0 (Flavomannin)]*

Flavone. Zu den *Flavonoiden gehörende Gruppe von im allg. gelben *Pflanzenfarbstoffen, denen das – bei den *Flavonolen*[1] in 3-Stellung hydroxylierte – Grundgerüst des *Flavons* gemeinsam ist. Zu den Verwandtschaftsbeziehungen zu anderen *Chromen- u. Chroman-Derivaten s. Flavonoide. Von F. leiten sich sowohl gelbe Kernholz-Farbstoffe als auch lipophile Aglykone sowie viele *Blütenfarbstoffe ab. Diese Farbstoffe können mit Mineralsäuren ähnlich wie die chem. eng verwandten *Anthocyanidine (man vgl. die Abb.) Oxonium-Salze bilden; gebeizte Wolle läßt sich mit ihnen gelb bzw. braun färben. Da die F. häufig als Copigmente der *Anthocyane auftreten (intermol. Stacking), trifft man oft auf der gleichen Pflanze gelbe u. rote Blüten bzw. an der gleichen Blüte Rot- bzw. Blau- u. Gelbfärbungen. Die Hydroxy-Gruppen, die ggf. mit Methyl-Resten verethert, meist aber mit Glucose u./od. Rhamnose od. selteneren Zuckern glykosid. verknüpft sind, treten bevorzugt in den Positionen 3, 5 u. 7 sowie 3' u. 4' auf, vgl. die Tab., die die Substitutionsverhältnisse der im allg. in Einzelstichwörtern behandelten F. wiedergibt; zum Vork. u. zur Verw. s. Einzelstichwörter.

Tab.: Substituenten der Flavone.

	3	5	7	3'	4'	+OH
Flavonol	OH					
*Chrysin		OH	OH			
Galangin	OH	OH	OH			
*Apigenin		OH	OH		OH	
*Fisetin	OH		OH	OH	OH	
*Luteolin		OH	OH	OH	OH	
Kämpferol	OH	OH	OH		OH	
Quercetin	OH	OH	OH	OH	OH	
*Morin	OH	OH	OH		OH	2'
Robinetin	OH		OH	OH	OH	5'
Gossypetin	OH	OH	OH		OH	8
Myricetin	OH	OH	OH	OH	OH	5'

Neben den F. finden sich in der Natur – wenn auch seltener – die stellungsisomeren *Isoflavone. – *E* = *F* flavones – *I* flavoni – *S* flavonas

Lit.:[1] Acta Chem. Scand., Ser. B **42**, 303–308 (1988); ApSimon **1**, 470 (Synth.); Pharm. Unserer Zeit **14**, 46 (1985). *allg.:* Römpp Lexikon Lebensmittelchemie, S. 291 ▪ Schweppe, S. 319–394 ▪ s.a. Flavonoide. – *[HS 293290]*

Flavonoide. F. (latein. flavus = gelb), die in allen Höheren Pflanzen vorkommen, sind wichtige Phenylpropan-Derivate mit dem C_{15}-Grundgerüst des Flavans. Sie liegen vorwiegend wasserlösl. in den Vakuolen pflanzlicher Zellen in glykosidierter Form vor u. sind häufig mit aliphat. u./od. aromat. Säuren verestert, z.B. mit Malonsäure bzw. Kaffeesäure. Nicht-glykosidierte lipophile F. treten als nichtflüchtige Komponenten in *etherischen Ölen auf, akkumulieren im Holzparenchym od. werden auf die Epidermis von Blättern ausgeschieden. Die Aglyka der F. werden nach dem Oxidationsgrad ihres zentralen Pyran-Rings in folgende Klassen unterteilt: *Anthocyanidine, Aurone, *Catechine, *Chalkone, Desoxyanthocyanidine, Flavanole, Flavanone, Flavonole, *Flavone, *Isoflavone, *Leukoanthocyanidine. Weit verbreitet sind auch die aus zwei F.-Einheiten aufgebauten Biflavonoide, die in *Gingko*, Eiben (*Taxus*) u. Cypressaceen vorkommen[1]. Die Vertreter der F.-Klassen unterscheiden sich in der Anzahl der Hydroxy- u. Methoxy-Substituenten. Durch die Art u. Anzahl nicht-acylierter u. acylierter Zuckerreste kommen mehr als 5000 bekannte Strukturen zustande.

Biosynth.: Das C_{15}-Gerüst der F. wird aus Phenylalanin u. 3 C_2-Einheiten (aus Malonyl-CoA) aufgebaut. Aus den zunächst gebildeten Chalkonen entstehen durch Folgereaktionen (Hydroxylierungen etc.) die anderen Flavonoide.

Verw.: F.-haltige Pflanzen zur Naturfärberei. F. haben protektive Wirkung gegen Erkrankungen der Venen (Biflavonoide wie *Hesperidin u. *Rutin) u. des Leberparenchyms (*Silybin), verbessern die coronare Durchblutung (*Weißdorn-Extrakt) u. wirken diuret. (Birkenblätter-) u. spasmolyt. (Kamillen-Drogen). – *E* flavonoids – *F* flavonoïdes – *I* flavonoidi – *S* flavonoides

Lit.:[1] Zechmeister **30**, 207–312.
allg.: Agrawal (Hrsg.), C-13 NMR of Flavonoids (Stud. Org. Chem. **39**),Amsterdam: Elsevier 1989 ▪ Czygan, Pigments in Plants, S. 210–224, Stuttgart: Fischer 1980 ▪ Farkas u. Kallas, Flavonoids and Bioflavonoids, Amsterdam: Elsevier 1988 ▪ Flavonoids **1988**, 525–538 ▪ Harborne (Hrsg.), The Flavonoids, Tl. 1 u. 2, London: Chapman & Hall 1975 u. Ergänzungsbände: Advances in Research 1982, 1988 u. 1993 ▪ Karrer, Nr. 1435–1673, 4595–4681 ▪ Pharm. Unserer Zeit **10**, 47 (1981); **12**, 50 (1983); **14**, 115 (1985); **16**, 155 (1987); **17**, 1, 93 (1988) ▪ Schweppe, S. 319–394 ▪ Stud. Org. Chem. **19**, 660–706 (1985) ▪ Zechmeister **25**, 150–174; **27**, 158–260; **31**, 153–216; **34**, 269–273, 280.

Flavonole s. Flavonoide.

Flavoproteine s. Flavin-Adenin-Dinucleotid.

Flavopurpurin (1,2,6-Trihydroxyanthrachinon, Alizarin GI).

$C_{14}H_8O_5$, M_R 256,21. Braungelbe Kristallnadeln, Schmp. 336 °C, Sdp. 459 °C, lösl. in siedendem Wasser, in Alkohol u. Benzol, in Natronlauge mit rotvioletter Farbe. Als typ. *Alizarin-Farbstoff färbt F. Aluminium-gebeizte Wolle u. Baumwolle scharlachrot. – *E* = *F* flavopurpurine – *I* = *S* flavopurpurina
Lit.: Beilstein E IV **8**, 3568 ▪ Kirk-Othmer (4.) **8**, 653 ▪ Ullmann (4.) **7**, 604. – *[HS 291469; CAS 82-29-1]*

Flavosalze. Veraltete Bez. für *Cobaltammine mit dem *cis*-Tetraamminbis(nitrito-*N*)cobalt(1+)-Ion.

Flavoxanthin [(3*S*,3′*R*,5*R*,6′*R*,8*R*)-5,8-Epoxy-5,8-dihydro-β,ε-carotin-3,3′-diol].

$C_{40}H_{56}O_3$, M_R 584,88, goldgelbe Prismen, Schmp. 184 °C, $[\alpha]_D^{20}$ +190° (Benzol), lösl. in Chloroform, Benzol, Aceton, wenig lösl. in Ethanol u. Methanol. F. kommt als Blütenfarbstoff in Hahnenfuß, Löwenzahn, Besenginster, Stiefmütterchen u. Akazienpollen etc. vor. – *E* flavoxanthin – *F* flavoxanthine – *I* = *S* flavoxantina
Lit.: Beilstein E V **17/5**, 490 ▪ Karrer, Nr. 1847. – *[CAS 512-29-8]*

Flavoxat.

Internat. Freiname für 3-Methyl-4-oxo-2-phenyl-4*H*-chromen-8-carbonsäure-(2-piperidinoethyl)-ester, $C_{24}H_{25}NO_4$, M_R 391,47; Schmp. 87–89 °C, pK_b 6,7; verwendet wird das Hydrochlorid, Schmp. 230–233 °C (Zers.); λ_{max} (0,1 M HCl) 240, 292, 318 nm ($A_{1cm}^{1\%}$ = 402, 323, 350); LD_{50} (Ratte i.v.) 27,4 mg/kg. F. wurde als *Spasmolytikum 1960 von Recordati, 1967 von Seceph patentiert u. ist von Sanofi Winthrop (Spasuret®) im Handel. – *E* = *F* flavoxate – *I* = *S* flavoxato
Lit.: Beilstein E V **20/2**, 142 ▪ Hager (5.) **8**, 206 ff. – *[HS 293490; CAS 15301-69-6 (F.); 3717-88-2 (Hydrochlorid)]*

Flavylium-Salze s. Anthocyanidine.

Flazasulfuron. Common name für 1-(4,6-Dimethoxy-2-pyrimidinyl)-3-(3-trifluormethyl-2-pyridylsulfonyl)-harnstoff.

$C_{13}H_{12}F_3N_5O_5S$, M_R 407,32, Schmp. 166–170 °C, LD_{50} (Ratte oral) >5000 mg/kg, von Sangyo Kaisha 1989 eingeführtes system. *Herbizid gegen breitblättrige Unkräuter u. Ungräser in Rasen u. a. Kulturen. – *E* = *F* flazasulfuron – *I* flazasulfurone – *S* flazasulfurón
Lit.: Farm ▪ Pesticide Manual. – *[CAS 104040-78-0]*

Flecainid.

Internat. Freiname für (±)-*N*-(2-Piperidinylmethyl)-2,5-bis(2,2,2-trifluorethoxy)benzamid, $C_{17}H_{20}F_6N_2O_3$, M_R 414,35; λ_{max} 205, 230, 300 nm ($A_{1cm}^{1\%}$ = 521, 219, 59); verwendet wird das Acetat, Schmp. 145–147 °C. F. zählt zu den Klasse-IC-*Antiarrhythmika, wurde 1975 u. 1977 von Riker patentiert u. ist von 3 M Medica (Tambocor®) im Handel. – *E* = *I* flecainide – *F* flécaïnide – *S* flecainida
Lit.: Beilstein E V **22/8**, 121 ▪ Florey **21**, 169–196 ▪ Hager (5.) **8**, 209 ff. ▪ Z. Kardiol. **70**, 124 (1981). – *[HS 293339; CAS 54143-55-4 (F.); 54143-56-5 (Acetat)]*

Flechten. 1. In der Medizin versteht man unter F. *Dermatomykosen*, d. h. Pilzerkrankungen der *Haut, vgl. Antimykotika.
2. In der Botanik Bez. für Lagerpflanzen (Thallophyten), die eine dauernde Lebensgemeinschaft zwischen *Pilzen u. *Algen darstellen mit etwa 16 000 Arten. In der *Symbiose*-Gemeinschaft wird der Pilzpartner *Mykobiont*, der Algenpartner (meist Blau- od. Grünalgen) *Phykobiont* genannt. Nach den Hauptwuchsformen unterscheidet man Krusten-, Laub- u. Strauch-F., die da, wo sie unerwünscht sind, mit *Algiziden bekämpft werden. Zur Zeit sind über 300 F.-Stoffe bekannt, von denen viele ausschließlich in F. vorzukommen scheinen, z. B. die F.-Säuren (Polyhydroxypolycarbonsäuren), welche als gute Chelatbildner den F. auch so nährstoffarme Substrate wie Baumrinde u. Stein aufschließen. Über den genauen Biosyntheseweg der F.-Stoffe, von denen viele *Depside sind od. vom Depsidon-, *Dibenzofuran-, *Pulvinsäure- od. *Vulpinsäure-Typ, ist wenig bekannt. Immerhin konnte nachgewiesen werden, daß beim Aufbau eines Depsids beide Symbiosepartner folgenden prinzipiellen Stoffwechselweg einschlagen: *Photosynthese in der Alge, Transport der Glucose (bei Blaualgen) bzw. von *Erythrit, *Ribit od. *Sorbit (bei Grünalgen) zum Pilz, Biosynth. des Depsids aus Acetat- u. Malonat-Einheiten, die aus dem Zucker(alkohol) entstanden. So werden bis zu 80% der in der Alge erzeugten Kohlenstoff-Verb. an den Pilz abgegeben. Da die Photosynth. bei vielen F.-Arten auch bei –18 °C noch abläuft u. selbst dann wieder aufgenommen wird, wenn die F. längere Zeit bei –196 °C eingefroren waren, ist ihre Verbreitung in den Kälte- u. Hochgebirgszonen der Erde, in denen sie gleichzeitig als Nahrung für anspruchslose Tiere wie Rentiere dienen, verständlich. Manche F. finden aber auch sehr spezielle Verw.: Aus F. isolierte *Usninsäure wirkt antibakteriell u. antimykot., *Isländisches Moos enthält expektorierend wirkende Schleimstoffe (*Lichenin), *Eichenmoos-Extrakte liefern Riechstoffe u. wieder andere *Orcein, *Lackmus u. a. F.-Farbstoffe. Die vor einigen Jahren wegen der hohen Empfindlichkeit der F. gegenüber SO_2 u. HF vorgeschlagene Verw. als *Bioindikatoren für die *Luftverunreinigung hat sich als eine der Möglichkeiten zur Beurteilung von Umweltbelastungen durchsetzen können. – *E* = *F* lichens – *I* licheni – *S* líquenes
Lit.: Masuch, Biologie der Flechten, Heidelberg: Guelle u. Meyer 1993 ▪ Wirth, Flechtenflora, Stuttgart: Ulmer 1980 ▪ s. a. Algen, Pilze.

Flechten-Farbstoffe. Bei den F.-F. muß man zwischen den farbigen Verb. der *Flechten selbst u. den *Farbstoffen unterscheiden, die durch chem. Umwandlung aus farblosen Flechtenstoffen entstehen. Zur ersten Gruppe gehören *Usnin- u. Isousninsäure (gelb), *Pulvinsäure-Derivate (gelb u. orange), Xanthone (gelb), *Naphthochinone (rot, violett), *Anthrachinone (rot), Phenanthrenchinone (violett), *Polyporsäure (rot), Thelephorsäure (violett) u. *Carotinoide (gelb, rot). Bei der zweiten Gruppe von Farbstoffen handelt es sich um ein Gemisch aus komplexen polymeren Komponenten mit 7-Hydroxy-3-phenoxazon-Chromophoren. Diese Phenoxazone entstehen aus *Depsiden (Lecanorsäure, Erythrin, Gyrophorsäure) durch Hydrolyse u. anschließende Reaktion mit Ammoniak. Die Färbung von Textilien mit F.-F. hat heutzutage keine prakt. Bedeutung mehr. Möglicherweise haben die in der Thallusrinde abgelagerten Pigmente die Aufgabe, die Algensymbionten vor zu starker Lichteinwirkung zu schützen. – *E* lichen pigments – *F* pigments des lichens – *I* coloranti di lichene – *S* colorantes de los líquenes

Lit.: *Reviews*: Acta Soc. Bot. Pol. **55**, 239–246 (1986) ▪ Biochem. Syst. Ecol. **6**, 157–170 (1978); **13**, 83–88 (1985); **16**, 117 f. (1988) ▪ Method. Chim. **11**, 208–223 (1978) ▪ Pure Appl. Chem. **57**, 649–658 (1985) ▪ Zechmeister **45**, 103–234.

Flechtenstärke s. Lichenin.

Flechtenwüste. Zonen in Städten, Ballungsräumen u. in der Nähe von Industriegebieten, in denen rindenbewohnende *Flechten-Arten durch Luftverunreinigungen (v. a. unterschiedliche Schwefeldioxid-Konz.) teilw. bis ganz verschwunden sind; vgl. Bioindikatoren. – *E* lichen desert – *I* deserto di licheni – *S* desierto de líquines

Lit.: s. Flechten.

Fleckensalze. Verbraucherprodukte zur Entfernung von oxidativ bleichbaren Flecken auf textilem Waschgut. Das wirksame Prinzip der F. besteht in einem Bleichsyst. aus Natriumpercarbonat, das wegen der besseren Lagerstabilität mit weiteren Inhaltsstoffen, wie *Builder-Substanzen u./od. *Tensiden beschichtet ist, u. einem *Bleichaktivator, wie TAED.

Verw.: F. werden als Granulate in der Wäschevorbehandlung od. direkt zur Beseitigung einzelner Flecken angewendet. F. sind im wesentlichen mit der Bleichkomponente in Baukastensyst. (*Baukasten-Waschmittel) identisch. – *E* bleach boosters

Fleckentfernung. Flecke von Chemikalien, Farben, Fett, Gras, Milch, Rost, Tinte usw. auf Geweben, Glas, Holz, Metall, Papier usw. lassen sich um so leichter entfernen, je jünger sie sind: Bei sofortigem Einschreiten genügt in vielen Fällen heißes Wasser. Wenn die Fleckensubstanz jedoch gealtert ist, wobei sie sich chem. verändert hat, ist sie häufig nur noch sehr schwer zu entfernen. Falls man die Wirkungsweise eines Reinigungsverf. nicht genau kennt, bringt man vorher an unauffälliger Stelle einen kleinen Fleck der gleichen Art an u. erprobt daran das Reinigungsmittel bzw. -verfahren. Dies gilt bes. bei der Verw. von Entfärbern, da bei manchen farbigen Stoffen die *Fleckentfernungsmittel Spuren hinterlassen. Chem. gleichartige Verunreinigungen erfordern auf verschiedenen Unterlagen oft verschiedene Reinigungsverf., u. chem. verschiedene Flecken müssen mit verschiedenartigen Mitteln behandelt werden. Auch die Art des Gewebes ist zu berücksichtigen; so darf man z. B. bei Celluloseacetat-Fasern kein Aceton verwenden (sonst Auflösung), u. bei Wolle u. Seide sind scharfe, heiße Alkalien unzweckmäßig. Alkohol kann bei Chemiefasern Mattierung bewirken. Selbstverständlich müssen beim Umgang mit den verwendeten Chemikalien Vorsichtsmaßnahmen ergriffen werden, da viele von ihnen brennbar, giftig, ätzend od. zumindest gesundheitsschädlich sind. Wenn man auf Geweben mit Hilfe von flüssigen Reinigungsmitteln Flecke entfernen will, sollte man saugfähige Papiere unter die fleckige Tuchstelle bringen, damit das überschüssige F.-Mittel vom Papier aufgenommen wird. Das saugfähige Material sollte öfter gewechselt werden. Dann taucht man einen Wattebausch od. einen farblosen Tuchlappen in die Reinigungsflüssigkeit u. verreibt – günstiger wirkt leichtes Klopfen – diesen längere Zeit sachte auf der fleckigen Stelle von den Rändern nach der Mitte zu, damit sich der Fleck nicht weiter ausbreitet. Zum Schluß muß das Reinigungsmittel (falls es nicht flüchtig ist) mit viel warmem Wasser gründlich ausgewaschen werden. Ein solches Auswaschen ist bes. bei scharfen Chemikalien wichtig, z. B. wäss. Lsg. von Wasch-, Bleichmitteln, Säuren usw., da diese sonst im Lauf der Zeit das behandelte Gewebe brüchig machen könnten. Ränder-Bildungen lassen sich durch Nachbehandlung mit reinem Benzin vielfach beseitigen. Im Handel werden eine Vielzahl von Fleckentfernungsmitteln angeboten, deren Gebrauchsanleitungen sorgfältig beachtet werden sollten. Ferner sind in einschlägigen Haushaltsratgebern Mittel u. Meth. zur Entfernung von Flecken verschiedenster Herkunft von A (wie Alleskleber) bis Z (wie Zucker) beschrieben, auf deren Wiedergabe hier verzichtet werden muß. Zur F. bei der Textilwäsche enthalten die modernen *Waschmittel meist *Fleckenlöser* auf der Basis eiweißabbauender *Enzyme (*Proteasen), die auch in den zur Vorbehandlung stark verschmutzter Textilien verwendeten *Fleckensalze* enthalten sein können. Die F. beim gewerblichen *Chemisch-Reinigen wird als *Detachur bezeichnet. Die dabei verwendeten Fleckenentfernungsmittel nennt man *Detachiermittel*. Der F. von Metallen, lackierten Flächen (z. B. Automobilen) u. Möbeln dienen spezielle *Polituren. – *E* stain removal – *F* détachage – *I* smacchiatura – *S* eliminación de manchas

Lit.: Diener, Fleckentfernung – aber richtig, (12. Aufl.), Leipzig: Fachbuchverl. 1987 ▪ Vollmer u. Franz, Chemische Produkte im Alltag, Stuttgart: Thieme 1985.

Fleckentfernungsmittel (Detachiermittel). Sammelbez. für Präp., die zur Entfernung örtlich begrenzter Verschmutzungen insbes. auf Textilien dienen. Diese können lösend, bleichend, reduzierend, adsorbierend od. grenzflächenaktiv sein. F. werden grob eingeteilt in zwei Kategorien: *Universalmittel*, die im Wortsinn gegen alle Flecken auf den verschiedensten Stoffen wirksam sind, gibt es eigentlich nicht. Dazu sind die Verschmutzungen zu unterschiedlich u. die verschmutzten Materialien gegen die eingesetzten Chemikalien unterschiedlich empfindlich.

Spezialfleckmittel sind meist nur für begrenzte Anw. geeignet u. dann meist sehr wirksam (Kugelschreiber-, Tinten-, Obst-, Blut-, Rost-, Fett-, Lack/Far-

ben-, Gilb- u. Stockflecken usw.). Als Handelsformen sind erhältlich:
- *Fleckenwasser*: klare, wasserhelle, trotz des Namens wasserfreie Mischungen organ., früher auch chlorierter Lsm., hauptsächlich gegen Fett- u. fettähnliche Flecken;
- *Fleckmilch*: Emulsion aus organ. Lsm. u. wäss. Seifen-Lsg., wobei letztere zugleich reinigend u. emulsionsstabilisierend wirkt;
- *Fleckpasten*: Kombination aus organ. Lsm. u. feinpulvrigem adsorbierendem Trägerstoff, der den gelösten Schmutz aufnehmen soll u. nach Verdunsten des Lsm. abgeklopft od. ausgebürstet wird;
- *Fleckenspray*: ähnlich aufgebaut wie Fleckpaste, enthält zusätzlich *Treibmittel;
- *Flecksseifen*: vielfach gewöhnliche Seifen, enthalten zusätzlich Fettlösungsmittel;
- *Fleckstifte*: Mischungen von Fleck- u. Kernseife, in die u. a. Bleichmittel eingearbeitet sind.
– *E* stain removers – *F* détachants – *I* smacchiatori – *S* quitamanchas
Lit.: Vollmer u. Franz, Chemische Produkte im Alltag, S. 271 ff., Stuttgart: Thieme 1985 ▪ s. a. Fleckentfernung.

Fleisch. Nach den Leitsätzen des Deutschen Lebensmittelbuches sind alle für den Menschen verzehrbaren Teile von Tieren als F. definiert. Dies umfaßt neben Muskel- u. Fettgewebe auch Organe, Blut, Knochen u. Haut. Auch deren Zubereitungen u. Verarbeitungsformen sind eingeschlossen. Der Verbraucher hingegen meint mit F. Muskelfleisch mit anhaftendem Fettgewebe u. *Bindegewebe u. unterscheidet hiervon Organe (Innereien) u. Fleischerzeugnisse.
F. warmblütiger Tiere stammt weltweit v. a. von fünf Tierarten: Rind, Schwein, Schaf, Huhn u. Pute (Truthahn). Die Verzehrmengen dieser 5 Tierarten zusammen überschreiten fast immer 90–95% des Gesamtverzehrs. Je nach Tradition u. Kulturkreis verschieben sich aber die Relationen: Argentinien, Australien u. viele angelsächs. Länder bevorzugen Rindfleisch gegenüber Schweinefleisch; Mittel- u. Osteuropa sowie China legen den Schwerpunkt auf Schwein u. Huhn (Geflügelfleisch), arab. Länder häufig auf Schaffleisch.
Zusammensetzung: Die Zusammensetzung variiert bes. bei den Teilstücken einer Tierart, aber auch zwischen den Tierarten. Durchschnittlich gelten folgende Richtwerte für mageres F.: 76% Wasser; 22% Stickstoff-Substanz; 1% Mineralstoffe; max. 0,5% Kohlenhydrate (*Glykogen). Fett variiert in weiten Grenzen: Wild 1–10%, Rind 1–20%, Geflügel 1–15%, Schwein 1–30%. Weitere Daten s. die Tabellen.
F. nach dem Schlachten: Bedingt durch das Unterbrechen des Blutkreislaufes beim Schlachten kommt es im Muskel zu anaeroben Bedingungen. Die energiereichen Phosphate (*Kreatinphosphat, ATP u. ADP) werden abgebaut u. die *Glykolyse wird zum einzigen energieliefernden Prozeß. Da die dabei gebildete Milchsäure im Muskel liegen bleibt, fällt der pH-Wert des F. von ca. 6,5 auf <5,8. Mit zunehmendem ATP-Abbau verliert der Muskel rasch seine Dehnbarkeit, er wird hart (Muskelstarre, Rigor mortis) u. feucht bis naß. Der Rigor mortis entwickelt sich beim Rind nach 10–24 h, beim Schwein in 4–18 h.
An den Rigor mortis schließt sich die Reifungsphase des F. an, die für die zarte Konsistenz u. die Aromabildung wesentlich ist. Die Reifung erfolgt üblicherweise unter Kühllagerung (0–2 °C) u. dauert unter diesen Bedingungen für Rindfleisch ca. 14 d. Im Verlaufe der Reifung steigt der pH-Wert leicht an u. das Wasserbindungsvermögen nimmt etwas zu. Die Reifungsvorgänge sind proteolyt. bedingte Vorgänge, an denen endogene Enzyme wie z. B. *Kathepsine u. ein als CASF (Calcium Activated Sarcoplasmatic Factor) bezeichnetes Protein beteiligt sind.

Fleischfehler: Durch physiolog. Störungen od. durch bestimmte Einwirkungen nach der Schlachtung können die postmortalen Veränderungen einen abnormalen Verlauf nehmen. So kann ein sehr schneller ATP- u. pH-Abfall beim Schweinemuskel zu blassem, wäss. F. mit niedrigem Wasserbindungsvermögen führen (*PSE-Fleisch: pale, soft exudative) [1,2]. Dieser F.-Fehler tritt bei bestimmten, streßanfälligen Schweinerassen gehäuft auf, ist also genet. bedingt. Das Auftreten von dunklem, klebrigem Schweine- u. Rindfleisch (DFD-F.: dark, firm, dry) [3,4] ist ebenfalls für streßanfällige Tiere charakteristisch. Während der gravierendste Mangel des PSE-F. die Wäßrigkeit ist, ist DFD-F. durch eine aufgrund eines höheren pH-Wertes verringerte Haltbarkeit gekennzeichnet [5].

F.-Handelsklassen: EG-einheitliche Vermarktungsnormen auf der Großhandelsstufe für Rind-, Schwein- u. Schaf-F., die eine neutrale Beschreibung der Schlachtkörper anhand einer Kodifizierung einzelner Merkmale erlauben (Geschlecht, Gew., Alter, Verfettungsgrad). Die Klassifizierung nach Handelsklassen erlaubt *keine direkte* Bewertung der für den Konsumenten wichtigen Qualitätseigenschaften wie Zartheit des F. u. Fleischaroma, sie dient wegen der höheren Erlöse für fleischreiche, fettarme Tiere lediglich der objektiven Ermittlung des Muskelfleisch- u. Fettgewebeanteils. Von direkter Bedeutung für den Verbraucher sind die Handelsklassen beim Geflügel, deren Kri-

Tab. 1: Durchschnittlicher Vitamin-Gehalt in gebratenem Fleisch (Angaben in µg pro 100 g Fleisch).

Fleischart	B1	B2	B6	B12	A	C [10^3 µg]
Rindfleisch mager	100	260	380	2,7	20	1
Schweinefleisch mager	700	360	420	0,8	10	1
Lammfleisch mager	105	280	150	2,6	45	1
Kalbfleisch mager	70	350	305	1,8	10	1
Schweineleber	260	2200	570	18,7	18000	24

Tab. 2: Weitere Inhaltsstoffe von Fleisch.

L(+)-Milchsäure	ca. 1%
pH-Wert	5,4–5,7
Na	70–110 mg/100 g
K	280–450 mg/100 g
Fe	0,7–6 mg/100 g
Zn	2–10 mg/100 g
Myoglobin	
Schwein	40–150 mg/100 g
Rind	300–800 mg/100g
Cholesterin	
Rind u. Schwein	50–80 mg/100 g
Wild, Kalb u. Geflügel	40–100 mg/100 g
Innereien	höher, bis 320 mg/100 g (Niere)
Purine	
	ca. 150 mg Harnsäure/100 g
Innereien	höher, ca 250 mg Harnsäure/100 g (Leber u. Niere)

terien die Einteilung nach Qualitätsstufen (A, B, C), Angebotszustand u. Lagertemp. (frisch, gefroren, tiefgefroren) umfassen.

Rückstände: Umweltbedingte Kontaminationen sind gering [6]. Bei *Schwermetallen kommen in F. ganz selten Überschreitungen der Richtwerte vor [7], bei Leber u. Niere gelegentlich (unter 5%). Nach *Lit.*[8] liegt die Belastung der dtsch. Bevölkerung mit *Blei durch F. u. F.-Waren bei 5% (29,6 µg pro Woche) der Gesamtaufnahme mit der Nahrung. Dieser Wert ist weniger als 1% des *ADI-Wertes der WHO. Bei *Cadmium wird der WHO-Wert durch F. u. F.-Waren zu 5%, bei *Quecksilber zu 3% erreicht. Bei Organochlor-Verb. (*DDT, *Lindan, *polychlorierte Biphenyle) werden die Höchstwerte in Fett u. F. sehr selten überschritten. Die mittleren Belastungen bei Schweinefett liegen bei 5–10% der Höchstwerte. Zu den gesetzlichen Höchstmengen von Nitritpökelsalz in F. s. dort, zu denen von *Benzo[*a*]pyren s. polycyclische aromatische Kohlenwasserstoffe. Bei vom Menschen applizierten Substanzen (Tierarzneimittel, *Hormone, *Antibiotika, *Tranquilizer) treten bei Einhaltung der vorgeschriebenen Wartezeiten beim Einsatz zugelassener Mittel keine meßbaren Rückstände auf.

F.-Verbrauch: Von den verschiedenen F.-Arten steht in der BRD Schweinefleisch beim Verzehr an 1. Stelle. Anteil am Gesamtfleischverzehr (ca. 67 kg/Kopf u. a.): Schweinefleisch 62%; Rindfleisch 21%; Geflügelfleisch 11%; Innereien 3%; Kalbfleisch u. Schaf-/Ziegenfleisch jeweils 0,9%; sonstiges Fleisch (Kaninchen, Damtier, Wild, Pferd) 1,2%. – *E* meat – *F* viande – *I* = *S* carne

Lit.: [1] Z. Lebensm. Unters. Forsch. **201**, 30–34 (1995). [2] Fleischwirtschaft **65**, 1125–1130 (1985); **69**, 875ff. (1989). [3] Chem. Br. **27**, 1013ff. (1991). [4] Trends Food Sci. Technol. **6**, 117ff. (1995). [5] Fleischwirtschaft **68**, 67–70 (1988). [6] Hecht, Fleisch u. Wurst, Bedeutung in der Ernährung des Menschen, S. 62, Kulmbach: Bundesanstalt für Fleischforschung 1989. [7] Ernährungsbericht 1988, Frankfurt: Dtsch. Ges. für Ernährung 1988. [8] Müller u. Weigert, Bleigehalte in Lebensmitteln, ZEBS Hefte 2/90, Berlin: BGA 1990.

allg.: Belitz-Grosch (4.), S. 507–560 ▪ Ernähr.-Umsch. **31**, 175ff. (1984) ▪ Großklaus, Rückstände in von Tieren stammenden Lebensmitteln, Berlin: Paul Parey 1988 ▪ Girard (Hrsg.), Technology of Meat and Meat Products, Chichester: Horwood 1992 ▪ Hanarahan, Beta-Antagonists and their Effects on Animal Growth and Carcass Quality, London: Elsevier 1987 ▪ Pearson u. Dutson, Edible Meat By-Products. Adv. in Meat-Research, Vol. 5, London: Elsevier Appl. Science 1988 ▪ J. Sci. Food Agric. **45**, 69–78 (1988) ▪ Kluthe u. Kasper (Hrsg.), Fleisch in der Ernährung, Stuttgart: Thieme 1994 ▪ Prändl et al., Fleisch, Stuttgart: Eugen Ulmer 1988. – *Organisationen:* Bundesanstalt für Fleischforschung in 95326 Kulmbach, E.-C.-Baumann-Str. 20, Bundesverband der Deutschen Fleischwarenindustrie in Köln, Deutscher Fleischerverband in Frankfurt.

Fleischaroma. Direkt nach der Schlachtung hat *Fleisch kein od. nur sehr wenig Aroma. Voraussetzung für die Entstehung desselben ist die Bildung von *Aromavorstufen* bei der *Reifung* von Fleisch, bei der es sich um enzymat. Abbau der Proteine, Kohlenhydrate, Fette u. Nucleinsäuren handelt. Aus diesen Abbauprodukten entstehen je nach Art der Weiterbehandlung – Kochen, Braten, Grillen, Pökeln, Räuchern – in Abhängigkeit von den angewandten Temp. sowohl leicht als auch schwer od. nicht flüchtige Substanzen. Während beim Kochen v. a. hydrolyt. Prozesse auftreten, überwiegen beim Braten od. Grillen pyrolyt. von der Art der *Maillard-Reaktion. Unter den im wesentlichen für den *Geruch verantwortlichen flüchtigen Verb. finden sich Kohlenwasserstoffe, Alkohole, Ether, Carbonyl-Verb., Carbonsäuren u. Ester sowie organ. Stickstoff- u. Schwefel-Verb., während als *Geschmacks-Träger bes. Aminosäuren u. Oligopeptide u. die als *Geschmacksverstärker wirkenden Salze der Glutamin- u. Inosinsäure in Frage kommen. Trennung u. Identifizierung der F.-Komponenten ist erst durch moderne Analysentechniken wie *Gaschromatographie u. *Massenspektrometrie ermöglicht worden. Bisher wurden im F. zwischen 800 u. 1000 Komponenten identifiziert, davon eine Vielzahl von Heterocyclen; *Beisp.:* *Furane, *Pyrane, Oxazoline, 1,2,4-Trithiolane, *Thiazole, *Pyridine u. bes. *Pyrazine; einen Überblick über die Sauerstoff-, *Schwefel- u. *Stickstoff-Heterocyclen im F. gibt *Lit.*[1]. Der charakterist. Geruch gekochten Hammelfleisches geht nach *Lit.*[2] auf 4-Methyloctan- u. -nonansäure u. Homologe zurück. Die genaue Kenntnis der Bestandteile hat auch zur Entwicklung synthet. F. beigetragen, s. *Lit.*[3]. – *E* meat flavor – *F* flaveur de la viande – *I* aroma di carne – *S* aroma de carne

Lit.: [1] Heterocycles **11**, 663–695 (1978); Zechmeister **36**, 231–283. [2] Chem. Ind. (London) **1975**, 40. [3] Flavour Ind. **5**, 30–38 (1974).

allg.: CRC Crit. Rev. Food Sci. Nutr. **24**, 141f. (1986) ▪ Fleischwirtschaft **67**, 548f. (1987) ▪ Food Technol. **37**, 227f. (1983) ▪ J. Animal Sci. **68**, 4421f. (1990) ▪ J. Food Sci. **44**, 1f., 6f., 12f. (1979) ▪ s. a. Aromen, Fleisch.

Fleischbrühwürfel. F., auch *Bouillonwürfel* genannt, sind Erzeugnisse aus *Fleisch, *Fleischextrakt u. Fetten unter Verw. von Gemüse- u. Kräuterauszügen, Gewürzen u. einem hohen Kochsalz-Anteil. Ein Mindestgehalt von 0,45% nativem Kreatinin (entspricht in etwa 10% Fleischextrakt) u. 3% lösl. Stickstoff als Bestandteil der den Genußwert bedingenden Stoffe muß gegeben sein. Der Kochsalz-Gehalt darf 65% nicht überschreiten. Der Zusatz von *Kreatinin u. ä. sowie von Zucker, Sirup, Binde- u. Verdickungsmitteln, Farben u. Konservierungsstoffen ist verboten. Analoge Definitionen gelten für *Hühner-* u. *Hefebrühwürfel.* Erzeugnisse, die nicht aus Fleisch(extrakt) od. Hefeextrakt, sondern z. B. aus *Eiweißhydrolysaten hergestellt sind, dürfen nicht schlicht als *Brühwürfel* bezeichnet werden. – *E* bouillon cubes – *F* cubes de bouillon – *I* dadi per brodo – *S* cubitos de caldo

Lit.: s. Fleischextrakt u. Würzen.

Fleischextrakt. Als F. bezeichnet man den eingedickten, *Albumin-, Leim- u. Fett-freien Wasserauszug aus frischem *Fleisch. Er enthält u. a. Fleischbasen (*Kreatin, *Kreatinin, *Carnosin, Inosinsäure, *Carnitin, *Aminosäuren), *Purin-Basen (*Xanthin, Hypoxanthin, Harnsäure, Guanin), Stickstoff-freie Extraktstoffe (*Glykogen, *Inosit, *Glucose) u. organ. Säuren (Milch-, Ameisen-, Essigsäure usw.). Aus 25 kg magerem Rindfleisch erhält man etwa 1 kg F.; der Extrakt wird im Vak. konzentriert u. teils flüssig, teils fest in den Handel gebracht. Je 100 g fester F. enthalten etwa 60 g organ. Substanz (darunter 11 g Fleischbasen, 0,3 g Fett), 20 g Mineralstoffe (darunter

4 g Kochsalz) u. 20 g Wasser. Die flüssige F.-Würze besteht aus etwa 50% Wasser, 30% organ. Substanzen u. 20% Salz. F. hat keinen hohen Nährwert (1000–1100 kJ je 100 g); er ist jedoch aufgrund seines Gehaltes an *Fleischaroma-Komponenten nicht nur ein appetitanregendes Genußmittel, sondern auch Bestandteil von *Fleischbrühwürfeln u. *Suppenwürzen. Außer in der menschlichen Ernährung wird F. auch zur Herst. von Bakterien-Nährböden verwendet. F. wird in großem Umfang in Argentinien, Uruguay u. Brasilien hergestellt; die erste Anregung zu dieser Art der Fleischverwertung erfolgte durch Justus von Liebig (1847). – *E* meat extract – *F* extrait de viande – *I* estratto di carne – *S* extracto de carne, carne líquida
Lit.: Belitz-Grosch (4.), S. 545 ▪ s. a. Fleisch(aroma). – [HS 1603 00]

Fleischfressende Pflanzen s. carnivore Pflanzen.

Fleischmilchsäure s. Milchsäure.

Fleming, Sir Alexander (1881–1955), Prof. für Bakteriologie, Univ. London. *Arbeitsgebiete:* Bakteriologie, Chemotherapie u. Immunologie, Entdeckung des Lysozyms u. des Penicillins; hierfür Nobelpreis für Medizin u. Physiologie 1945 (zusammen mit *Chain u. *Florey).
Lit.: Krafft, S. 126 ▪ Neufeldt, S. 168, 373.

Flemmings Lösung. Ein *Fixiermittel auf der Basis von Chromoxid/Osmiumoxid/Essigsäure.

Flerov (Fljorow), Georgy Nikolayevich (geb. 1913), Prof. (emeritiert) für Kernphysik, Direktor des Laboratory of Nuclear Reactions, Joint Institute for Nuclear Research, Dubna (ehem. UdSSR). *Arbeitsgebiete:* Kernreaktionen, langsame Neutronen, Kernspaltung von Uran, Synth. von Transactinoiden, z. B. Kurtchatovium, Nielsbohrium, Versuche zum Nachw. natürlicher überschwerer Elemente.

Fleroxacin.

Internat. Freiname für das Chinolon-Derivat 6,8-Difluor-1-(2-fluorethyl)-1,4-dihydro-7-(4-methyl-1-piperazinyl)-4-oxo-3-chinolincarbonsäure, $C_{17}H_{18}F_3N_3O_3$, M_R 369,34. Verwendet wird das Monohydrochlorid, Schmp. 269–271 °C (Zers.). Es wirkt als *Gyrase-Hemmer u. wurde 1981/83 von Kyorin patentiert u. ist als *Chemotherapeutikum von Roche/Grünenthal (Quinodis®) im Handel. – *E* fleroxacin – *F* fléroxacine – *I* fleroxacina – *S* fleroxacín
Lit.: Arzneim.-Forsch. **32**, 674–681 (1982) ▪ Merck-Index (12.), Nr. 4137 ▪ Pharm. Ztg. **141**, 712–716 (1996). – [CAS 79660-73-4]

Flexase®. Tabl., Tabs u. Ampullen mit dem nichtsteroidalen *Antirheumatikum *Piroxicam. *B.:* TAD.

Flexin®. Schiebefestmittel in Normalappretur u. Hochveredelungsflotten; Abbaumittel für native Stärkeschichten. *B.:* Henkel.

Flexiperm®. Wiederverwendbare Labor-Kulturgefäße aus Silicon für Zellen u. Gewebe. *B.:* W. C. Heraeus Instruments GmbH.

Flexite®. Thermoplast. Elastomer auf Metallocen-Basis von Krahn.

Flexodruck (Gummidruck). Ein für Verpackungspapiere u. Folien eingesetztes Rollenrotations-*Druckverfahren, bei dem flexible Druckvorlagen aus Gummi od. Kunststoff verwendet werden. – *E* flexographic printing – *F* flexographie, impression flexographique – *I* flessografia – *S* flexografía

Flexonyl®. Pigment-Präparationen für wäss. Flexodruckfarben, Büroartikel u. für die Tapeten- u. Papier-Industrie. *B.:* Hoechst.

Flexoprint®. Oberflächenbehandelte organ. Pigmente für wäss. Tief- u. Flexodruckfarben. *B.:* Hoechst.

Flexosmalt®. Beizverf. für Stahlblech für die Direktemaillierung. *B.:* Bayer.

Flieder. 1. Gewöhnlicher F. *Syringa vulgaris* L. (Oleaceae) ist ein Zierstrauch mit weißen u. blauen Blüten, der in Europa, Vorder- u. Ostasien heim. ist. Der F.-Duftstoff ist ziemlich komplex zusammengesetzt; er enthält u. a. *Farnesol. – 2. Dtsch. F. ist ein volkstümlicher Name für *Holunder; die Blüten liefern den sog. *Fliedertee*. – *E* 1. lilac, 2. elder – *F* 1. lilas, 2. sureau – *I* lilla – *S* 1. lila, 2. saúco, sabuco

Fliegen. Die F. bilden zusammen mit den Mücken die artenreiche Insekten-Ordnung der Zweiflügler (Diptera); allein in Europa leben ca. 6000 Arten, weltweit sind ca. 85 000 bekannt. Das hintere Flügelpaar ist zu Schwingkölbchen reduziert, die Steuerungs- u. Gleichgewichtsfunktionen beim Flug haben. Die Mundteile sind saugend, vielfach stechend ausgebildet. Viele Lästlinge u. Schädlinge, Blutsauger u. Krankheitsüberträger gehören zu den F., so z. B. die Tsetsefliegen (*Glossina palpalis* u. *G. morsitans*) als Überträger der *Schlafkrankheit u. der Nagana (Tierseuche). Die Larven mancher F. leben als parasit. Maden in der Haut od. den inneren Organen von Säugetieren, so die Larve der Magenfliege (*Gastrophilus equi*) im Magen des Pferdes; die Larve der Dasselfliege (*Hypoderma bovis*) verursacht beim Rind, gelegentlich auch beim Menschen die Dasselbeule. Die überall verbreitete Stubenfliege (*Musca domestica*) ist als Überträgerin von *Tuberkulose, Typhus, *Poliomyelitis u. a. Krankheiten u. auch von *Salmonellen bekannt. Weiterhin gibt es bei den F. eine Reihe von Pflanzenschädlingen, z. B. die Frit-F. (*Oscinella frit*) als Haferschädling, die Gelbe Halm-F. (*Chlorops pumilionsis*) als Gerstenschädling, die Hessen-F. (*Phytophaga destructor*) als Weizenschädling sind. Für die Bestäubung vieler Pflanzen, die Zers. organ. Materials im Boden u. als Futtergrundlage vieler Tiere (z. B. Vögel) spielen die F. allerdings eine wichtige Rolle.
Die Anwesenheit von F. ist oft auf mangelnde *Hygiene zurückzuführen. Dem Schutz nicht nur des Menschen, sondern auch des Nutzviehs vor F. dienen *Insektenabwehrmittel (s. a. Repellentien), der F.-Bekämpfung vor allem synthet. *Insektizide einschließlich der *Insektenlockstoffe, z. B. das *Phero-

mon der Stubenfliege (*Muscalur, *cis*-9-Tricosen). Als biolog. *Schädlingsbekämpfungsmittel kann man bestimmte F.-Parasiten wie Schlupfwespen od. bestimmte Nematoden ansehen, als „mechan." wirkende die altbekannten Fliegenfänger, mit *Haftklebstoffen u./od. Kolophonium, Leinöl, Honig u. dgl. beschichtete Papierstreifen. – *E* flies – *F* mouches – *I* mosche – *S* moscas
Lit.: s. Insekten, Insektizide.

Fliegenpilz. Der F. [*Amanita muscaria* (L. ex. Fr.), Agaricaceae] gehört wegen seines schönen Aussehens u. seiner interessanten Wirkungen zu den bekanntesten Pilzen. Entgegen der Aussage alter Literaturzitate ist der Pilz nicht sehr giftig. Der Name geht auf die Behauptung zurück, daß man mit in Milch eingelegtem Pilzfleisch Fliegen anlocken u. töten könne. In Wirklichkeit werden Fliegen jedoch nur betäubt. Der Pilz hat nur in rohem Zustand psychotrope u. leicht giftige Wirkung. Durch Kochen werden die hierfür verantwortlichen Inhaltsstoffe zerstört. Ein bis vier mittelgroße Pilze verursachen Schläfrigkeit u. Schwindel, fünf bis zehn Pilze lösen schon deutliche Vergiftungserscheinungen aus mit muskulärem Zucken, Verwirrtheit, Erregungszuständen u. lebhaften Halluzinationen. Mehr als zehn Pilze sollen tödlich sein.
Die wichtigsten Inhaltsstoffe sind die α-Amino-3-hydroxy-5-isoxazolessigsäure (*Ibotensäure), ihr Decarboxylierungsprodukt *Muscimol (möglicherweise ein Aufarbeitungsartefakt) sowie das zu Ibotensäure isomere Oxazol *Muscazon. Der Gehalt an Isoxazolen schwankt zwischen 0,17 u. 1% des Trockengew.[1]. *Muscarin ist in frischen F. nur zu ca. 0,0003% enthalten u. nicht für die Vergiftungssymptome verantwortlich; insofern ist die „Chemie" des F.-Mordes in einem Kriminalroman[2] inzwischen überholt. An Farbstoffen wurden *Muscaaurine* (*Betalaine) u. das Vanadium-haltige *Amavadin gefunden[3].
Die halluzinogene Wirkung der F. beruht auf den genannten Isoxazol- u. Oxazol-Derivaten. Ibotensäure u. Muscazon greifen als exzitator. Aminosäure-Rezeptoren vom Kainat-Typ (*Kainsäure) an; Muscimol an *GABA-Rezeptoren.
Typ. für den F.-Rausch ist die falsche Einschätzung von Entfernungen u. Größenverhältnissen.
Geschichte: Der Pilz wurde in Nord-, Ost- u. Mitteleuropa als religiöse Rauschdroge verwendet[4]. Die Fliege war in Europa ein Symbol des Wahnsinns, der Teufel wurde als Herr der Fliegen bezeichnet. Der Pilz wurde roh gegessen od. als wäss. Auszug bzw. Preßsaft verköstigt. Heute findet man diesen Mißbrauch nur noch in Sibirien bzw. als Ersatz für illegale Rauschdrogen auch in den Industrieländern. Es wird vermutet, daß der in der ind. Rigweda beschriebene Soma-Trank, über dessen pflanzlichen Ursprung lange gerätselt wurde, ebenfalls F.-Saft darstellte. Die Kenntnis der Wirkung ist wohl von arischen Völkern aus Europa nach Indien gebracht worden. Um die gleiche Droge scheint es sich bei dem pers. „huoma" gehandelt zu haben. Ob F. auch bei altgriech. Kulturen eine Rolle gespielt hat, ist unklar. – *E* fly agaric – *F* amanite tuemouches – *I* ovolo malefico – *S* amanita muscaria

Lit.: [1]Kinghorn (Hrsg.), Toxic Plants, S. 21–27, New York: Columbia University Press 1979. [2]Sayers, The Documents in the Case, London: V. Gollancz 1930. [3]Naturwissenschaften **69**, 326–331 (1982). [4]Schultes u. Hofmann, Pflanzen der Götter, S. 82ff., Bern: Hallwag 1980.
allg.: Bresinsky u. Besl, Giftpilze", S. 98–106, Stuttgart: Wissenschaftliche Verlagsges. 1985 ▪ Dtsch. Apoth. Ztg. **131**, 2682 (1991) ▪ Ethnopharmacol. Search Psychoact. Drugs **1967**, 416–418; **1979**, 419–439 ▪ J. Nat. Prod. **44**, 422–431 (1981) ▪ Pharm. Unserer Zeit **12**, 111–118 (1983) ▪ Schmidbauer u. vom Scheidt, Handbuch der Rauschdrogen, S. 140–146, 409, 628, 670ff., München: Nymphenburger 1988 ▪ Zechmeister **51**, 75ff.

Fliehkraftabscheider s. Zyklone.

Fliesen. Keram. Bauteile für Wand- u. Bodenbeläge aus Ton, Kaolin, Sand u. a. mineral. Rohstoffen, s. a. keramische Werkstoffe. Analog spricht man bei ähnlich geformten *Bodenbelägen aus Textil- od. Kunststoffmaterial auch von *Teppich- u. PVC-Fliesen. – *E* tiles – *F* carreaux de céramique – *I* piastrelle, marmette, mattonelle – *S* baldosas

Fließbeton vgl. Fließmittel.

Fließbett. Beim Durchströmen einer Schüttschicht feinkörniger Feststoffe mit Gas od. Flüssigkeiten von unten nach oben kommt es ab einer bestimmten Strömungsgeschw. zu einer Expansion der Schüttschicht, die eine lebhafte Bewegung u. Durchmischung der Teilchen zur Folge hat. Dieses *Fluidisieren setzt dann ein, wenn der Druckverlust des strömenden Fluids das auf die Flächeneinheit bezogene Schüttgewicht des Feststoffes erreicht. An diesem *Wirbelpunkt erfolgt der Übergang vom *Festbett zum F., das man auch *Wirbelschicht nennt. Wirbelschichten weisen gute Durchmischung der festen u. fluiden Phasen auf, so daß innerhalb der Wirbelschicht guter Stoff- u. Wärmetransport vorherrscht. Ebenso ist die Wärmeübertragung an Heiz- od. Kühlflächen besser als im Festbett. In Wirbelschichten werden daher viele techn. Synth. durchgeführt, bei denen die Temp.- u./od. Stoffführung wichtig ist. *Beisp.:* Katalyt. Prozesse wie das *Fluid Catalytic Crack-*(FCC)*Verf.* zum *Kracken mit F.-Katalysatoren, das *Fluid Coking-* od. *Fließkoksverf.* zum Kracken u. zur Verkokung von Erdölrückständen mit feinverteiltem Koks als Katalysator (Flexicoking[1]), Fischer-Tropsch-Synth. zur Herst. von Kohlenwasserstoffen, Polymerisation von Olefinen etc. – *E* fluidized bed – *F* lit fluidisé – *I* letto fluidico – *S* lecho fluidizado
Lit.: [1]McKetta **10**, 5–41.
allg.: Ullmann (5.) **B 4**, 239ff. ▪ s. a. Wirbelschichtverfahren.

Fließbett-Reaktor (Wirbelbett-Reaktor). Bez. für säulenförmige *Bioreaktoren, bei denen die am Stoffumsatz beteiligten *Biokatalysatoren (Mikroorganismen, Zellen, Enzyme) an suspendierte Trägerpartikel gebunden sind, die durch eine aufwärtsgerichtete Flüssigkeitsströmung in Schwebe gehalten werden. Im F.-R. können aerobe u. anaerobe Prozesse durchgeführt werden. Als Trägermaterial kommen z. B. Quarzsand, *Sinterglas-Kugeln, *Polyurethan-Schaumflocken sowie *Alginat- u. *Carrageen-Perlen zum Einsatz.
Anw.: F.-R. werden u. a. zur anaeroben Abwasserbehandlung (s. anaerobe Biologie), zur *Denitrifikation von Trink- u. Abwasser u. zur Glucose-Isomerisierung

(s. Glucose-Isomerase) genutzt. F.-R. werden im Vgl. zu *Festbett-Reaktoren großtechn. nur noch relativ selten eingesetzt. – *E* fluidized bed reactor – *F* réacteurs au lit fluidisé – *I* reattori a letto continuo – *S* reactores de lecho fluidizado
Lit.: Crueger-Crueger (3.), S. 73 ▪ Römpp Lexikon Biotechnologie, S. 293.

Fließen. Unter Fließen versteht man den kontinuierlichen Transport von z. B. Masse, Energie od. anderen Größen. Der Fluß ist dementsprechend transportierte Größe pro Zeit.
Für die Darst. der Flüsse unterschiedlicher Größen in Naturwissenschaft u. Technik findet man unterschiedliche Formen. Der Kreislauf von Wasser, Kohlenstoff, Stickstoff u. a. Stoffen in der Natur läßt sich durch *Flußdiagramme* (sog. *Sankey-Diagramme*) veranschaulichen. In der Technik stellt man Produktionsabläufe in sog. *Fließbildern* dar. Als *Fließgleichgew.* bezeichnet man den stationären Zustand, bei dem sich Zu- u. Abfluß die Waage halten od. bei dem gleichzeitig Substanzen ein- u. Reaktionsprodukte ausgeschleust werden.
In vielen Bereichen von Naturwissenschaft u. Technik spielt das *Fließverhalten* der Stoffe eine wesentliche Rolle, ob im Transport von Festkörpern (z. B. beim Fördern von Schüttgütern), in der *Rheologie (Fließkunde)* von Polymeren u. a. Nichtnewtonscher Flüssigkeiten, in der Strömung Newtonscher Flüssigkeiten etc. Die Viskosität von Stoffen mit ihren Begleiterscheinungen wie *Thixotropie, *Strukturviskosität od. *Rheopexie charakterisiert ihre *Fließfähigkeit*; diese beginnt z. B. bei plast. Massen wie Bingham-Medien erst jenseits der sog. *Fließgrenze. – *E* flow – *F* écoulement – *I* fluire, flusso – *S* flujo, corriente

Fließgleichgewicht s. Fließen.

Fließgrenze. Mindestschubspannung, die aufgewendet werden muß, damit ein Stoff fließt (*Fließen). Die Meßgröße wird mit einem schubspannungskontrollierten Viskosimeter ermittelt u. dient zur Charakterisierung v. a. plast. Stoffe (Binghamsche Körper) u. damit z. B. zur Auslegung von Rührwerken. – *E* yield point – *F* limite de fluidité – *I* limite di fluidità – *S* límite de fluidez

Fließhilfsmittel, Fließverbesserer s. Strömung, Reynolds-Zahl.

Fließkoksverfahren s. Fließbett.

Fließkunde s. Rheologie.

Fließmittel. 1. Allg. übliche Bez. für die als *mobile Phase* (Laufmittel, Entwickler) in der *Chromatographie, v. a. in der *Papierchromatographie u. *Dünnschichtchromatographie verwendeten Flüssigkeiten, s. a. Adsorptionschromatographie. Als *Fließmittelfront* bezeichnet man die vom F. erreichte Grenzlinie bei Beendigung der Entwicklung.
2. Unter F. versteht man oft auch die sog. *Rieselhilfen*, die bei ansonsten klebrigen od. stockenden Pulver deren freies *Fließen (*Fluidifikation*) bewirken sollen.
3. Die Bez. F. wird mitunter synonym für *Betonverflüssiger gebraucht, die auch zur Herst. von *Fließbeton*[1] benutzt werden. – *E* 1. solvent, 2. free-flow agent, 3. concrete plasticizer – *F* 1. solvant, 3. fluidifiant – *I* 1. solvente, 2. fluidificanti, 3. liquefatore del calcestruzzo – *S* 1. eluyente, 2. agente de fluidez, 3. plasticante para hormigón
Lit.: [1] Beton **24**, 342 (1974).

Fließpapier s. Papier.

Fließpressen s. Umformen.

Fließpunkt. Unspezif., nicht durch Normen abgedeckte Bez. für diejenige Temp., bei der ein Feststoff unter gegebenen Meßbedingungen zu fließen beginnt. Insbes. ist F. nicht ident. mit *Pourpoint od. *Stockpunkt, wird jedoch oft synonym für *Tropfpunkt, seltener auch für *Schmelzpunkt gebraucht. – *E* flow point – *F* point de fluage, point d'écoulement – *I* punto fluidico – *S* punto de fluidez

Fließverhalten s. Fließen.

Flint s. Feuerstein u. Flintglas.

Flintglas. Bez. für eine Gruppe *optischer Gläser mit relativ hoher *Dispersion, bezogen auf die Lichtbrechung (Abbesche Zahl v_d = ca. 20–50), s. Glas u. optische Gläser. Der Name F. geht zurück auf die frühere Verw. von zerstoßenem *Feuerstein (*E* flint) anstelle von Sand in Bleialkali-Gläsern für opt. Zwecke. – *E* flint glass – *F* flint-glass – *I* vetro flint, flint – *S* flintglass, vidrio flint
Lit.: Kirk-Othmer (3.) **11**, 843 f. ▪ Ullmann (4.) **12**, 353 ff.; (5.) A **12**, 401–405 ▪ Winnacker-Küchler (4.) **3**, 108, 149 f. ▪ s. a. Glas, optische Gläser.

Flinzgraphit s. Graphit.

Flippasen. Kurzbez. für membrangebundene *Phospholipid-Translokator-Proteine. Die Biosynth. von Phospholipiden findet ausschließlich auf der cytosol. Seite der Doppelmembran des *endoplasmatischen Retikulums (ER) statt. Um den Aufbau einer Lipid-Doppelschicht zu ermöglichen, muß also ein Teil der neu synthetisierten Phospholipide auf die Lumen-Seite des ER gebracht werden. Die F. katalysieren diesen Transport u. ermöglichen so ein Wachstum der beiden Hälften der Lipid-Doppelschicht. Der Begriff F. ist abgeleitet von dem als *flip-flop* bezeichneten sehr langsamen Wandern eines Lipid-Mol. von einer Membranoberfläche zur anderen in künstlichen Lipid-Vesikeln (transversale Diffusion). – *E* = *F* flippases – *S* flippasas
Lit.: Alberts et al., Molekularbiologie der Zelle (3.), S. 698, Weinheim: VCH Verlagsges. 1995.

Fljorow s. Flerov.

Floatglass s. Glas.

Flock (Flockfasern). Nach DIN 60001, Tl. 2 (10/1990) Bez. für kurze, nicht zum Verspinnen vorgesehene, aber nach anderen Verf. (z. B. zur *Beflockung) verarbeitbare *Textilfasern, die gezielt erzeugt werden. Vgl. dagegen Flocke. – *E* = *I* flock – *F* floc – *S* fibra flocada
Lit.: s. Beflockung.

Flocke. Bez. für loses *Faser-Material, wie z. B. lose Wolle, Zellwolle u. a. Wird in diesem Zustand gefärbt, so spricht man vom Färben „in der Flocke"; vgl. dagegen Flock. F. ist auch ein Begriff in der *Stahl-Ind.

Flockenemulsion 1364

für im Stahl auftretende feine Innenrisse. – *E* flock, flake – *I* fiocco – *S* (Textil) floca, borra
Lit.: DIN 60 000 (01/1969).

Flockenemulsion s. Photographie.

Flockengraphit s. Graphit.

Flockfasern s. Flock.

Flockulation s. Flockung(smittel).

Flockung. Sammelbez. für alle Vorgänge, welche die Abscheidung der in einem kolloidalen Syst. (s. Kolloidchemie) suspendierten Teilchen in Form von Flocken – prakt. den Übergang Sol → Gel – bewirken. Dabei treten die Kolloidteilchen unter dem Einfluß von *Flockungsmitteln infolge *Elektrolyt-* od. *Adsorptions-*Koagulation* bzw. *Flockulation* (Zusammenschluß von Teilchen unter Einwirkung intermol. brückenbildender Makromol.) zu größeren Einheiten zusammen. Die *Aggregation zu Flocken erfolgt in ruhenden Syst. durch *Brownsche Molekularbewegung (*perikinet. F.*), in bewegten Syst. z. B. durch *Rühren (*orthokinet. F.*). Näheres auch zur Anw. s. bei Ausflockung, Flockungsmittel u. Sedimentation. Die F. kann auch durchaus unerwünscht sein, z. B. in Anstrichstoffen, techn. Suspensionen u. dgl. In diesen Fällen wendet man Schutzkolloide (*Flockungsschutzmittel*) als *Stabilisatoren an, vgl. Kolloidchemie. – *E* flocculation – *F* floculation – *I* flocculazione – *S* floculación
Lit.: Ullmann (5.) **B 2**, 14-5 ▪ s. a. Flockungsmittel.

Flockungsmittel. Unter F. versteht man Stoffe, die das *Zeta-Potential der Teilchen in kolloiden *Suspensionen (s. a. Kolloidchemie) so beeinflussen, daß sie zu Flocken aggregieren (*Ausflockung, *Flockung) u. – nach *Sedimentation, seltener nach Aufschwimmen – aus dem Syst. entfernt werden können. Die F. müssen dazu die elektrostat. Abstoßung der im Wasser meist neg. aufgeladenen Partikeln überwinden. Deshalb verwendet man als sog. *Klärmittel* meist Metallsalze (bevorzugt Chloride u./od. Sulfate von Eisen u. Aluminium), die in bestimmten pH-Bereichen voluminöse Niederschläge kation. Hydroxide bilden. Diese F. wirken oft auch als *Fällungsmittel, wobei Phänomene wie *Okklusion u. *Mitfällung ebenfalls in Erscheinung treten können. Im allg. ist die Absetzgeschw. der mit den adsorbierten Teilchen beladenen Niederschläge relativ gering, so daß oft Flockungshilfsmittel zugesetzt werden, um die Sedimentationszeit zu verkürzen. Unter *Flockungshilfsmitteln* od. *Sedimentationsbeschleunigern* versteht man Produkte, die die Zusammenballung von Feststoffpartikeln zu großen Einheiten (Flocken) bewirken. Diese – zwar in gleicher Richtung, aber auf andere Weise als *Filterhilfsmittel wirkenden – Produkte bestehen aus Makromol., die sich an den suspendierten Teilchen unter Brückenbildung (*Flockulation*) anlagern. Die Wirksamkeit hängt vom ion. Charakter u. der Länge der Molekülketten ab. Die Molmasse kann daher einige Mio. betragen. Neben Naturprodukten wie *Stärke u. *Leim haben sich bes. synthet. *Polyelektrolyte auf der Basis von Polyacrylamid, Polyacrylat, Polyethylenimin, Polyethylenoxid durchgesetzt. Durch die Zusammenballung als Flocken können sich die Feststoffe wegen ihrer größeren Masse bedeutend schneller absetzen. Gleichzeitig werden die Poren zwischen den einzelnen Teilchen vergrößert, so daß sich das Wasser, das sich im abgesetzten Schlamm befindet, leicht durch *Filtration od. *Zentrifugieren entfernen läßt. Flockungs(hilfs)mittel werden daher dort eingesetzt, wo folgende Arbeitsvorgänge zu bewältigen sind: *Klären von Flüssigkeiten, *Eindicken u. Entwässerung von *Schlamm; *Beisp.:* Reinigung von Ind.- u. kommunalen *Abwässern, Aufbereitung von *Trinkwasser, Gewinnung von Steinsalz, Steinkohle, Kaolin u. Erzen durch *Flotation usw. – *E* flocculation agents, flocculants – *F* floculants – *I* agente flocculante – *S* floculantes
Lit.: Encycl. Polym. Sci. Eng. **7**, 211–233 ▪ Kirk-Othmer (3.) **10**, 489–523; (4.) **11**, 61–80 ▪ Ullmann (4.) **11**, 581–586; (5.) **A 11**, 251–261 ▪ s. a. Ausflockung, Filtration, Flotation, Klären.

Flocoumafen.

Common name für 4-Hydroxy-3-[1,2,3,4-tetrahydro-3-[4-(4-trifluormethylbenzyloxy)phenyl]-1-naphthyl]-coumarin, $C_{33}H_{25}F_3O_4$, M_R 542,55, von Shell entwickeltes *Rodentizid mit indirekter blutgerinnungshemmender Wirkung gegen Ratten u. Mäuse im städt., industriellen u. landwirtschaftlichen Bereich, auch gegen Arten, die gegen andere Blutgerinnungshemmer resistent sind. – *E* flocoumafen – *F* flocoumafene – *I* flocumafene – *S* flocumafén
Lit.: Farm ▪ Perkow ▪ Pesticide Manual. – *[CAS 90035-08-8]*

Floctafenin.

Internat. Freiname für (2,3-Dihydroxypropyl)-*N*-(8-trifluormethyl-4-chinolyl)-anthranilat, $C_{20}H_{17}F_3N_2O_4$, M_R 406,36, Schmp. 179–180 °C; LD_{50} (Maus oral) 3400, (Maus i.v.) 180 mg/kg. F. wurde als *Analgetikum 1969 u. 1972 von Roussel UCLAV patentiert. – *E* floctafenine – *F* floctafenine – *I* = *S* floctafenina
Lit.: Beilstein E V **22/10**, 394 ▪ J. Clin. Pharmacol. **19**, 20 (1979) ▪ Synthesis **1980**, 54 f. – *[HS 293340; CAS 23779-99-9]*

Flöhe. F. (Aphaniptera) sind eine Ordnung der sich vollständig verwandelnden (holometabolen) Insekten: Meist 2–3 mm lang, stets flügellos, als Erwachsene an Warmblütlern Blut saugend. Die berühmt weiten Sprünge von bis zu 30 cm werden über eine Vorspannung u. Arretierung im basalen Brustbereich u. die plötzliche Entspannung, unterstützt durch die Streckung der Hinterbeine, ermöglicht. Zum Blutsaugen sind die Mundwerkzeuge zu Stechborsten u. einem Saugrohr umgewandelt. – *E* fleas – *F* puces – *I* pulci – *S* pulgas
Lit.: Dönges, Parasitologie, 2. Aufl., Stuttgart: Thieme 1988 ▪ Mehlhorn u. Piekarski, Grundriß der Parasitenkunde, 3. Aufl., Stuttgart: Fischer 1989.

Flöhl, Rainer (geb. 1938), Dipl.-Chemiker, Dr. rer. nat., seit 1980 Chefredakteur der Wissenschaftsredaktion der FAZ, 1986–1988 Chefredakteur u. späterer Hrsg. der Ärzte-Tageszeitung „Die Neue Ärztliche", 1992 ausgezeichnet mit dem Preis der GDCh für Journalisten u. Schriftsteller.
Lit.: Nachr. Chem. Tech. Lab. **40**, Nr. 12, 1408 (1992) ■ Wer ist wer, S. 338.

Flohsamen (Psyllium). Samen verschiedener *Plantago*-Arten [*P. afra* (syn. *P. psyllium*) u. *P. ovata* (ind. F.), Plantaginaceae], in Südeuropa u. Asien heim. Kräuter. Zur Gattung *Plantago* gehören auch unsere einheim. Wegerich-Arten, deren Samen jedoch aufgrund des geringeren Quellungsvermögens nicht verwendet werden. Die Quellung beruht auf dem Gehalt der Samen an *Schleimstoffen (10–25%); Verw. als *Laxantien u. für Lebensmittel. – *E* plantago seeds, psyllium – *I* psilio, pulicaria
Lit.: Bundesanzeiger Nr. 223 vom 30.11.1985; Nr. 50 vom 13.03.1990; Nr. 22a vom 01.02.1990 ■ Steinegger u. Hänsel, Pharmakognosie, S. 129f., Berlin: Springer 1992 ■ Wichtl (2.), S. 177ff. – *[HS 1211 90]*

Flomen s. Schmer.

Floor-Temperatur (von *E* floor = Boden). Temp., unterhalb der die *Polymerisation von *Monomeren, z. B. die *Ringöffnungspolymerisation von cycl. Siloxanen u. cycl. Oktameren des Schwefels u. Selens aus thermodynam. Gründen nicht mehr erfolgt (pos. Polymerisations-Enthalpie u. pos. Polymerisations-Entropie). Gegensatz: *Ceiling-Temperatur. – *E* floor temperature – *F* température-plancher – *I* = *S* floor-temperatura
Lit.: Elias (5.) **1**, 354 ■ Encycl. Polym. Sci. Technol. **6**, 271–274 ■ Odian (3.), S. 283ff.

Flophemesyl. Abk. für die Dimethyl(pentafluorphenyl)-silyl-Gruppe [$F_5C_6-Si(CH_3)_2-$], die als Chlorid od. Amin zur Veretherung von prim. u. sek. Alkoholen für die *Gaschromatographie dienen kann.

Flor. Bez. für die Oberfläche von *Geweben (F.-Geweben) wie *Samt (*Kurzflor*, <2 mm) od. Plüsch (*Langflor*, >2 mm). *Teppiche mit samtartigem F. heißen Veloursteppiche. – *E* pile – *F* poil – *I* garza – *S* pelo, superficie

Floramat®. Riechstoff, Ethyl-2-*tert*-butylcyclohexylcarbonat, mit Geruchsnote würzig, fruchtig, blumig. *B.:* Henkel.

Floranid®. Gleichmäßig langzeitig wirkender Dünger mit 32% N für Rasenflächen u. Gartenbau. Mind. 29% des Stickstoffs stammen aus Isobutylidendiharnstoff, der Rest aus Harnstoff. F. NK enthält neben 14% N 19% K_2O u. 3% MgO u. ist für Böden mit hohen Phosphat-Gehalten geeignet. *B.:* BASF.

Floranit®. Anionaktive Mercerisierhilfsmittel von Henkel.

Florentiner Flaschen. Bes. geformte Auffanggefäße zur kontinuierlichen Trennung von nicht mischbaren flüssigen Phasen.

Flores (von latein.: flos = Blüte). In der Apotheker- u. Drogistensprache Bez. für offizinell genutzte *Drogen aus Blüten der im folgenden erwähnten u. ggf. in Einzelstichwörtern behandelten Pflanzen. *Beisp.:* Flores Althaeae = Eibisch, F. Chamomillae = Kamille, F. Matricariae = Kamille, F. Millefolii = Schafgarbe, F. Tiliae = Linde. – *E* flowers – *F* fleurs – *I* fiori – *S* flores
Lit.: s. Drogen u. pharmazeutische Biologie.

Florette-Seide s. Seide.

Florey, Sir Howard Walter (1898–1968), Prof. für Pathologie, Univ. Oxford. *Arbeitsgebiete:* Verw. des Penicillins in der Medizin; hierfür (zusammen mit *Fleming u. *Chain) Nobelpreis für Medizin od. Physiologie 1945.
Lit.: Herrlinger, Die Nobelpreisträger der Medizin, München: H. Moos 1963 ■ Krafft, S. 126 ■ MacFarlane, Howard Florey, Oxford: Univ. Press 1979 ■ Neufeldt, S. 168, 373 ■ Nobel Lectures, Physiology or Medicine 1942–1962, Amsterdam: Elsevier 1964.

Floriabene®. Salbe mit *Ethyllinoleat gegen Ekzeme u. Milchschorf. *B.:* Cefak.

Floridaerden s. Floridin-Erden.

Florideal®. Gekörntes Absorptionsmittel für Öle u. a. Flüssigkeiten auf der Basis von *Attapulgit. *B.:* Chemie-Mineralien KG, Engelhard.

Floridin®. Pulver- u. granulatförmige Bleicherden/Adsorptionsmittel auf der Basis von Attapulgit. *B.:* Chemie-Mineralien AG & Co. KG.

Floridin-Erden (Floridaerden). *Bleicherden aus Florida zum Entfärben von Mineral- u. Pflanzenölen, Fetten, Wachsen u. dgl., auch geeignet für die *Säulenchromatographie von z. B. Vitamin D[1]. – *E* floridin earths – *F* terres de Floride – *S* tierras de Florida, tierras de floridina
Lit.: [1] Kirk-Othmer (3.) **24**, 203.

Florigen s. Blühhormon.

Florkin-Stotz. Kurzbez. für die seit 1962 bei Elsevier (Amsterdam) erscheinende, von M. Florkin u. E. H. Stotz begründete Serie „Comprehensive Biochemistry", die in 6 Sektionen mit bisher 42 Bd. alle Aspekte der Biochemie behandelt.

Flory, Paul John (1910–1985), Prof. für Chemie, Univ. Stanford (California). *Arbeitsgebiete:* Polymerisationsmechanismus u. -kinetik, Radikal-Kettenreaktion, Kautschukelastizität, Thermodynamik von Polymer-Lsg. (Flory-Temp.), Konformation von Kettenmol.; Nobelpreis für Chemie 1974.
Lit.: Nachr. Chem. Tech. **22**, 451f. (1974) ■ Pötsch, S. 149f. ■ Umschau **74**, 762f. (1974).

Flory-Huggins-Theorie. Mit Hilfe der F.-H.-T. kann das Verhalten von Polymer/Polymer-Mischungen u. (konzentrierteren) Polymer-Lsg. abseits krit. Punkte beschrieben werden. Generell gilt, daß Mischbarkeit zweier Komponenten eine neg. Änderung der *Gibbs-Energie beim Mischen verlangt. Zu dieser liefern die Änderungen (a) der Entropie, (b) der Enthalpie u. (c) des Vol. Beiträge. Mit der F.-H.-T. lassen sich die Beiträge der Entropie- u. der Enthalpieänderungen berechnen. Dazu wird angenommen, daß die Polymer-Lsg. eine Art Gitter darstellt. Die Mol. des Lsm. u. die Grundbausteine des gelösten Polymers befinden sich auf den einzelnen Gitterplätzen. Zusätzlich setzt man voraus, daß auf jeden Grundbaustein und jedes Lsm.-Mol. das gleiche Kraftfeld wirkt („mean-field theory").

Abb.: Anordnung von niedermol. (links) u. hochmol. (rechts) Gelöstem (•) in niedermol. Lsm. (○) in einem zweidimensionalen Gitter (nach Elias, s. *Lit.*).

Aus der wechselseitigen Anordnung der Grundbausteine kann dann die Entropieänderung, aus den auftretenden Wechselwirkungen die Enthalpieänderung berechnet werden. Eine Kompressibilität der Mischungen wird in dieser statist.-thermodynam. Gittertheorie nicht berücksichtigt. – *E* Flory-Huggins theory, Flory-Huggins lattice model, mean-field theory – *F* théorie de Flory-Huggins – *I* teoria di Flory-Huggins – *S* teoría de Flory-Huggins

Lit.: Elias (5.) **1**, 666 ff.; **2**, 608.

Flory-Temperatur s. Theta-Temperatur.

Flotanol®. Flotationsschäumer auf der Basis von Polyglykolen u. deren Ethern. **B.:** Hoechst.

Flotation. Von französ.: flot = Flut (aus latein.: fluere = fließen) abgeleitete Bez. für ein auch (*Schaum*)-*Schwimmaufbereitung* genanntes *Trennverfahren zur *Aufbereitung von Erzen, Kohle, Salzen od. Abwässern. Die F. dient zwar den gleichen Zielen wie die weitläufig verwandte *Sink-Schwimm-Aufbereitung, gründet aber anders als diese nicht auf Dichteunterschieden. Sie macht sich statt dessen die unterschiedliche *Grenzflächenspannung von Feststoffen gegenüber Flüssigkeiten (meist Wasser) u. Gasen (meist Luft) – d. h. die unterschiedliche *Benetzung im Wasser suspendierter Teilchen – zunutze; an den *Grenzflächen spielen Phänomene der *Adhäsion, des *Zeta-Potentials u. allg. der *elektrochemischen Doppelschicht eine Rolle. Beispielsweise werden Metallsulfide, viele Metalloxide, Schwermetalle, Kohle u. Diamant von wasserabstoßenden (*hydrophoben) Stoffen wie aliphat. od. aromat. Kohlenwasserstoffen u. ä. Verb. leicht benetzt, die *Gangart (taubes Gestein), nämlich Quarz, Silicate, Phosphate, Sulfate, Carbonate, Halogenide u. dgl. dagegen leicht von Wasser u. *hydrophilen Stoffen. Die F. beruht darauf, daß benetzte Teilchen absinken, nicht benetzte aber – bei einer Korngröße zwischen 10 u. 500 μm – sich an durch die Suspension (*Trübe*) geleitete Luftblasen anlagern, an die Oberfläche wandern (*Aufrahmen*) u. zusammen mit dem *Schaum entfernt werden können. Die Benetzbarkeit der zu trennenden Stoffe läßt sich durch Zusätze von *Flotationsmitteln* gezielt beeinflussen. Unter diesen versteht man Chemikalien, die entweder die Benetzbarkeit der verschiedenen Mineraloberflächen verbessern (sog. *Sammler* od. *Kollektoren*), ihre Selektivität steuern (*Schwimmittel*, nämlich sog. Drücker, Beleber, pH-Wert-Regler, Dispergier- u. Flockungsmittel) od. die Schaumbildung bewirken od. verbessern (*Schäumer*). Unter den Sammlern – bes. für sulfid. Erze – sind die Anion-aktiven Typen die wichtigsten mit den Untergruppen der sog. *Sulfhydryl-Sammler* (Xanthogenate, Dithiophosphorsäureester) u. der *Oxhydryl-Sammler* (Alkansulfonate, Alkylsulfate, Phosphor- u. Phosphonsäureester, Fettsäuren u. Seifen). Von geringerer Bedeutung, außer für Kalisalze bzw. Kohle u. Schwefel, sind die Kation-aktiven (Amine, Diamine u. davon abgeleitete Ammonium-Salze) u. nichtion. Sammler (Öle pflanzlicher od. petrochem. Herkunft, Polyglykol-Fettsäureester u. -Alkylphenolether). *Drücker* (z. B. Cyanide u. a. anorgan. Verb. wie Kalk, Carboxymethylcellulose) schwächen die Wirkung der Sammler, „drücken" also bestimmte Minerale wieder in die Trübe. *Beleber od. Aktivatoren* (Mineralsäuren, Salze) heben die Wirkung der Drücker auf; dadurch wird es möglich, aus derselben Trübe nacheinander die einzelnen Bestandteile eines Erzes zu gewinnen (*differentielle* od. *selektive F.*). Zur Schaumbildung u. -stabilisierung (als *Schäumer*) kommen v. a. Phenole, Alkanole, Terpenalkohole (insbes. α-*Terpineol u. *Pine Oil) u. Polyglykole bzw. deren Ether in Frage.

Techn. wird die F. in Freiluftzellen bzw. in Rührwerkzellen durchgeführt, wobei hauptsächlich im alkal. Medium gearbeitet wird. Näheres zur Theorie der F. u. Beisp. s. bei Winnacker-Küchler u. Ullmann (*Lit.*).

Verw.: Die F. wird erst seit etwa 1910 in größerem Maßstab durchgeführt; sie hat sich sehr rasch zu einem umfangreichen wissenschaftlichen u. techn. Sondergebiet entwickelt. Sie eignet sich für Blei-, Molybdän-, Kupfer- u. Zinkerze (hier F. noch bei 1% Metall-Gehalt lohnend), Gold (F. bei 5 g Gold je t rentabel), Silber, Quecksilbererze etc. Heute werden mehr als 90% aller Cu-, Zn- u. Pb-Erze durch F. angereichert – in den USA waren dies 1975 bereits ca. 250 Mio. t Roherz. Durch sog. *umgekehrte F.* (die Gangart schwimmt auf) können auch Eisenerze aufbereitet werden. Die F. ermöglicht die Ausbeutung von erzarmen Lagerstätten, von Haldenerzen u. Teichschlämmen; sie wird mit fortschreitender Erschöpfung der hochwertigen Erzlager immer wichtiger u. deshalb werden heute mit F.-Anlagen von ca. 100000 t/d Kapazität schon Cu-Erze mit 0,3% Metall-Gehalt als abbauwürdig betrachtet. Aber man kann mittels F. auch nichtmetall. Mineralien (z. B. Schwefel, Kohle, Phosphorit, Flußspat, Glimmer usw.) aufbereiten. Kalisalze (z. B. KCl) werden aus ihrer Mischung mit Kochsalz getrennt, indem man das Kalirohsalz auf 0,5 – 1 mm zermahlt u. es anschließend in eine Lsg. einbringt, die mit Kochsalz u. Kaliumchlorid gesätt. ist. Gibt man bei dem Durchleiten von Luft sulfatierte aliphat. Alkohole mit 8 – 12 C-Atomen dazu, so sammeln sich oben 96% Kaliumchlorid an. Mit Hilfe von Naphthensäuren u. Bleinitrat kann man auch Borax von Glaubersalz durch F. trennen. Druckerschwärze läßt sich von Papier mit Hilfe von 3% Harzseifen u. 1,5 – 3% Kerosin durch F. entfernen, so daß man weißes Papier erhält. In Australien u. den USA trennt man die Mutterkornpilze vom Roggen durch F., in den USA reinigt man Erbsen u. Weizen nach dem gleichen Verfahren. Erbsen kann man von beigemischten, gleich schweren u. gleich großen Unkrautsamen durch F. befreien. Weitere, teils versuchte, teils prakt. durchgeführte F.-Verf. zur Abtrennung sind: S aus Abfallaugen von Lithopone, As_2O_3 u. Se bei der H_2SO_4-Fabrikation, Ag aus verbrauchten Photobädern (durch sog. *Elektroflotation*, s. *Lit.*[1]), Calciumsilicat von Beimengungen in der Zement-Ind., Quarzsand von Eisen- u. Chrom-Mineralien in der Glas-Ind., seltene Elemente (z. B. Germanium) aus Kohlenasche, Wollwachs aus Wolle, Bitumina aus Ölsanden, F. von Mikroorganismen u. das *Klären von Abwässern. – *E* flotation – *F* flottation – *I* flottazione – *S* flotación

Lit.: [1] Chem. Ind. **29**, 151 (1977).
allg.: Hundert Jahre Flotation (2 Tl., FFH A 593, 594), Leipzig: Grundstoffind. 1978 ▪ Kirk-Othmer **9**, 380–398; (3.) **10**, 523–547 ▪ Neue Forschungsergebnisse zu den Grundlagen des Flotationsprozesses (FFH A 638), Leipzig: Grundstoffind. 1980 ▪ Physikalisch-chemische Grundprobleme der Flotation (FFH A 568), Leipzig: Grundstoffind. 1977 ▪ Schulze, Physikalisch-chemische Elementarvorgänge des Flotationsprozesses, Berlin: Dtsch. Verl. der Wissenschaften 1981 ▪ Ullmann (5.) **B 2**, 23-1 ff. ▪ Winnacker-Küchler (4.) **4**, 63 ff. ▪ s. a. Aufbereitung, Erz, Metalle, Metallurgie.

Flotationsmittel s. Flotation.

Flotigam®. Sortiment von kation. Sammlern für die *Flotation von Kalisalzen u. Industriemineralen (z. B. Quarz, Feldspat, Glimmer, Pyrochlor, saure Silicate) u. die umgekehrte Flotation von Eisen-, Calcit-, Magnesit- u. Phosphorit-Erzen auf der Basis von prim. Fettaminen, Fettalkylpropylendiaminen, -etheraminen u. -etherdiaminen, oxethylierten Aminen u. quartären Ammonium-Salzen. F. wird auch als Antibackmittel für Dünger u. a. Schüttgüter auf der Basis prim. Amine u. ihrer Salze eingesetzt. *B.:* Hoechst.

Flotigol® CS. Flotationsschäumer auf der Basis von Alkylphenolen (Xylenole, Kresole), die einen bes. schnell zerfallenden Schaum erzeugen u. z. B. zusammen mit Aminen eingesetzt werden. *B.:* Hoechst.

Flotinor®. Sortiment von anion. Oxhydril-Sammlern für die *Flotation nichtsulfid. Erze u. Industrieminerale (z. B. Kassiterit, Columbit, Wolframit, Scheelit, Baryt, Fluorit, Monazit, Rutil, Apatit, Schwermetalloxide) auf der Basis von Phosphonsäuren, Phosphorsäureestern, Fettsäuren, Alkylsulfaten, Aminocarbonsäuren u. Sulfobernsteinsäuren. *B.:* Hoechst.

Flotol®. Flotationsschäumer aus dest. Kiefernölen (Pine Oil), die im wesentlichen α-Terpineol enthalten. *B.:* Hoechst.

Flotte. In der Färberei u. allen Gebieten der *Textilveredlung Bez. für das verwendete wäss. Medium (z. B. Abkoch-F., Bleich-F., Färbe-F., Wasch-Flotte). Die Färbe-F. besteht aus dem Lsm. (meist Wasser), dem Farbstoff u. den für den Färbeprozeß notwendigen Zusätzen bzw. Hilfsmitteln. Das *F.-Verhältnis* ist die Verhältniszahl aus Trockengew. des Veredlungsgutes in kg u. Vol. der F. in L, z. B. bedeutet „F.-Verhältnis 1:20" bei einem Färbebad 1 kg Ware/20 L Färbebad. Bei einem F.-Verhältnis kleiner 1:10 spricht man von *kurzer*, bei größer 1:25 von *langer Flotte*. – *E* liquor – *F* bain – *I* bagno colorante – *S* baño de tintura o de tenir

Lit.: Winnacker-Küchler (4.) **7**, 67 f.

Flovan®. Nicht-dauerhafte Flammschutzmittel für Textilien auf der Basis anorgan. Halogen- u. Phosphor- bzw. Stickstoff-Phosphor-Verbindungen. *B.:* Pfersee.

Floxal®. Augentropfen u. Augensalbe mit dem *Chemotherapeutikum (*Gyrase-Hemmer) *Ofloxacin gegen Infektionen (auch durch Chlamydien) des vorderen Augenabschnittes. *B.:* Mann.

Fluanison.

$$F-\underset{}{\bigcirc}-\overset{O}{\underset{}{C}}-(CH_2)_3-N\underset{}{\bigcirc}N-\underset{H_3CO}{\bigcirc}$$

Internat. Freiname für 4'-Fluor-4-[4-(2-methoxyphenyl)-1-piperazinyl]-butyrophenon, $C_{21}H_{25}FN_2O_2$, M_R 356,44, Schmp. 67,5–68,5 °C; LD_{50} (Maus, i.p.) 200 mg/kg; verwendet wird das Hydrochlorid, Schmp. 205–205,5 °C. F. wurde als *Neuroleptikum 1961 von Janssen patentiert. – *E* = *F* = *I* fluanisone – *S* fluanisona

Lit.: Beilstein E V **23/2**, 213 ▪ Merck-Index (12.), Nr. 4150. – [HS 293 59; CAS 1480-19-9]

Fluanxol®. Dragees od. Ampullen mit *Flupentixol-Hydrochlorid od. -decanoat zur Langzeitbehandlung von psych. Störungen. *B.:* Bayer Pharma Deutschland.

Fluate. Abk. von *Fluorosilicate (Silicofluoride) als Bez. für wasserlösl. Salze der *Fluorokieselsäure (Siliciumfluorwasserstoffsäure, Kieselflußsäure) der allg. Formel $M_2^I[SiF_6]$ (M^I = einwertiges Metall). Die Alkali-Salze sind giftig; sie wirken gärungshemmend u. vernichten den Hausschwamm u. holzschädigende Insekten. Bei ihrer Handhabung ist Vorsicht geboten; sie dürfen nicht mit Augen, Wunden, Kleidern, Metallen u. Glas in Berührung kommen. Die F. werden entweder in Form der krist. Salze od. als hochkonz. Lsg. geliefert.

Verw.: Im Baugewerbe dienen bes. die wasserlösl. Al-, Mg-, Pb- u. Zn-Salze als *Bautenschutzmittel, die nach dem Auftragen auf die gesäuberten u. trockenen Oberflächen (*Fluatieren*) infolge Reaktion mit den Zementbestandteilen wasserunlösl. Calciumfluorid u. Kieselsäuren bilden. Diese verstopfen die Zementporen u. schützen auf diese Weise Fußböden, Wände u. Fassaden gegen Witterungseinfluß, Säuregase, aggressive Flüssigkeiten, Öle etc. Auch Natur- u. Kunststeine (z. B. Denkmäler) lassen sich mit F. konservieren. Für viele Zwecke ist die *innere Fluatierung* vorzuziehen, womit die Beigabe von F. als *Betondichtungsmittel (vgl. a. Dichtungsmassen) zum Mörtel bzw. Beton gemeint ist. Infolge der Bildung stabiler Kieselsäure-Gele u. von Metallhydroxiden wird bei diesem Vorgehen die Widerstandsfähigkeit des Betons gegen aggressive Einwirkung erhöht, was sich im Ausbleiben von Kalkauslaugungen u. Aussinterungen ausdrückt. Nachteilig ist die Korrosionswirkung der anorgan. F. auf Metalle. Zu den sonstigen Eigenschaften der F. s. Fluorosilicate. – *E* = *F* fluates – *I* fluati – *S* fluatos

Lit.: Ullmann (5.) **A 11**, 336 ▪ s. a. Bautenschutzmittel u. Fluorosilicate.

Fluatieren s. Fluate.

Fluazifop-butyl.

Common name für (±)-2-[4-(5-Trifluormethyl-2-pyridyloxy)phenoxy]propionsäurebutylester, $C_{19}H_{20}F_3NO_4$, M_R 383,37, Schmp. 13 °C, LD_{50} (Ratte oral) 3330 mg/kg (WHO), von Ishihara u. Zeneca entwickeltes selektives system. Nachauflauf-*Herbizid gegen Flughafer, Hirsearten u. a. Ungräser sowie Ausfallgetreide in vielen *dikotylen Kulturen. Das *R*-Isomere wird als Fluazifop-P-butyl bezeichnet. – *E* = *F* fluazifop-butyl bzw. fluazifop-P-butyl – *I* fluazifop-butile – *S* fluazifop-butilo
Lit.: Farm ▪ Perkow ▪ Pesticide Manual. – *[HS 2933 39; CAS 69806-50-4]*

Fluazifop-P-butyl.

Common name für (*R*)-2-[4-(Trifluormethyl-2-pyridyloxy)phenoxy]propionsäure-butylester. $C_{19}H_{20}F_3NO_4$, M_R 383,37, Schmp. 5 °C, LD_{50} (Ratte oral) 2451 mg/kg, von Zeneca Anfang der 80er Jahre eingeführtes selektives *Herbizid gegen Ungräser u. einkeimblättrige Unkräuter im Raps-, Kartoffel-, Gemüse- u. Rübenanbau. – *E* = *F* fluazifop-P-butyl – *I* fluazifop-P-butile – *S* fluazifop-P-butil
Lit.: Farm ▪ Perkow ▪ Pesticide Manual. – *[CAS 79241-46-6]*

Fluazinam.

Common name für 3-Chlor-*N*-(3-chlor-2,6-dinitro-4-trifluormethyl-phenyl)-5-trifluormethyl-2-pyridylamin, $C_{13}H_4Cl_2F_6N_4O_4$, M_R 465,10, Schmp. 116–117 °C, von Ishihara Sangyo Kaisha entwickeltes *Fungizid gegen eine Vielzahl von Pilzerkrankungen in verschiedenen Kulturen. F. besitzt außerdem eine gute *akarizide Wirkung. – *E* = *F* = *I* = *S* fluazinam
Lit.: Perkow ▪ Pesticide Manual. – *[CAS 79622-59-6]*

Fluazuron.

Common name für 1-[4-Chlor-3-(3-chlor-5-trifluormethyl-2-pyridyloxy)phenyl]-3-(2,6-difluorbenzoyl)-harnstoff, $C_{20}H_{10}Cl_2F_5N_3O_3$, M_R 506,22, Schmp. 219 °C, LD_{50} (Ratte oral) >5000 mg/kg, von Ciba Geigy (jetzt Novartis) entwickeltes Ixodicid gegen Zecken u. a. Parasiten in der Viehhaltung, v. a. Rinderhaltung. – *E* = *F* fluazuron – *I* fluazurone – *S* fluazurón
Lit.: Pesticide Manual. – *[CAS 86811-58-7]*

Flubenzimin.

Common name für (2*Z*,4*E*,5*Z*)-N^2,3-diphenyl-N^4,N^5-bis(trifluormethyl)-thiazolidin-2,4,5-triylidentriamin, $C_{17}H_{10}F_6N_4S$, M_R 416,34, Schmp. 119 °C, LD_{50} (Ratte oral) >2000 mg/kg (Bayer), von Bayer 1980 eingeführtes *Akarizid mit einer den *Chitin-Synthesehemmern ähnlichen Wirkungsweise gegen Spinn- u. Weichhautmilben im Kern- u. Steinobst-, Zitrus- u. Gemüseanbau. F. besitzt außerdem eine fungizide Wirkung gegen Blattkrankheiten im Apfel-, Tee-, Zitrus- u. Kartoffelanbau. – *E* = *F* flubenzimine – *I* = *S* flubenzimina
Lit.: Perkow. – *[CAS 37893-02-0]*

Fluck, Ekkehard (geb. 1931), Prof. für Anorgan. Chemie, Univ. Stuttgart, Direktor des Gmelin-Inst., Frankfurt. *Arbeitsgebiete:* Schwefel-Stickstoff-Verb., Phosphor-Verb., Koordinationslehre, NMR- u. Mößbauer-Spektroskopie. ESCA, Information u. Dokumentation.
Lit.: Kürschner (16.), S. 855 ▪ Wer ist wer, S. 339.

Flucloxacillin.

Internat. Freiname für [3-(2-Chlor-6-fluorphenyl)-5-methylisoxazol-4-yl]-penicillin, $C_{19}H_{17}ClFN_3O_5S$, M_R 453,87. Verwendet wird das Natriumsalz-Monohydrat, λ_{max} 241, 267, 272 nm ($A_{1cm}^{1\%}$ = 51,1, 25,2, 25,6); pK_a 2,7. F., ein halbsynthet. Isoxazolyl-*Penicillin, hat bakterizide Eigenschaften u. ist gegen viele β-Lactamasen stabil. Es wurde 1964 u. 1966 von Beecham (Staphylex®) patentiert u. ist auch von Reusch (Flucloxacillin AR®) im Handel. – *E* flucloxacillin, floxacillin – *F* flucloxacilline – *I* flucloxacillina – *S* flucloxacilina
Lit.: ASP ▪ Beilstein E V **27/21**, 512 ▪ DAB **1996** u. Komm. ▪ Hager (5.) **8**, 220–224. – *[HS 2941 10; CAS 5250-39-5 (F.); 34214-51-2 (Natrium-Salz-Monohydrat)]*

Fluconazol.

Internat. Freiname für 2-(2,4-Difluorphenyl)-1,3-bis(1*H*-1,2,4-triazol-1-yl)-2-propanol, $C_{13}H_{12}F_2N_6O$, M_R 306,27, Schmp. 138–140 °C. Es wurde als oral wirksames Fungistatikum vom Bistriazol-Typ 1982/83 von Pfizer patentiert u. ist von Pfizer (Diflucan®) im Handel. – *E* = *F* fluconazole – *I* fluconazolo – *S* fluconazol
Lit.: ASP ▪ Merck-Index (12.), Nr. 4158 ▪ Pharm. Weekbl. Sci. **13**, 45–57 (1991). – *[CAS 86386-73-4]*

Fluctin®. Kapseln, Tabl. u. Lsg. mit dem Antidepressivum (Serotonin-Wiederaufnahme-Hemmer) *Fluoxetin. *B.*: Lilly.

Flucycloxuron.

Common name für N-(4-{[(4-Chlorphenyl)-cyclopropyl-methylenaminooxy]methyl}-phenylcarbamoyl)-2,6-difluorbenzamid, $C_{25}H_{20}ClF_2N_3O_3$, M_R 483,90, Schmp. 143,6 °C, LD_{50} (Ratte oral) >5000 mg/kg, von Philips Duphar entwickeltes *Akarizid u. *Insektizid mit Fraßgiftwirkung. – *E* flucycloxuron – *I* flucicloxurone – *S* flucicloxurón
Lit.: Perkow ▪ Pesticide Manual. – *[CAS 113036-88-7]*

Flucythrinat.

Common name für [(RS)-α-Cyano-3-phenoxybenzyl]-(S)-2-(4-difluormethoxyphenyl)-3-methylbutyrat, $C_{26}H_{23}F_2NO_4$, M_R 451,47, Sdp. 108 °C (47 Pa), LD_{50} (Ratte oral) ca. 67 mg/kg (WHO), von American Cyanamid entwickeltes breit wirksames nicht-system. synthet. *Pyrethroid mit Kontakt- u. Fraßgiftwirkung gegen saugende u. beißende Insekten zur Anw. im Ackerbau u. im Baumwoll-, Gemüse- u. Obstanbau. – *E = F* flucythrinate – *I = S* flucitrinato
Lit.: Farm ▪ Perkow ▪ Pesticide Manual. – *[CAS 70124-77-5]*

Flucytosin.

Internat. Freiname für 5-Fluorcytosin (4-Amino-5-fluor-1H-2-pyrimidinon), $C_4H_4FN_3O$, M_R 129,09, Schmp. 292–298 °C (Zers.); λ_{max} (0,1 M HCl) 283 bis 287 nm (ε 8900); LD_{50} (Maus oral u. s.c.) >2000, (Maus i.p.) 1190, (Maus i.v.) 500 mg/kg. F. wurde als system. *Antimykotikum 1960 u. 1962 von Hoffmann-La Roche (Ancotil®) patentiert. – *E = F* flucytosine – *I = S* flucitosina
Lit.: Beilstein E V **25/14**, 434 ▪ DAB **1996** u. Komm. ▪ Florey **5**, 115–138 ▪ Hager (5.) **8**, 226 ff. – *[HS 293359; CAS 2022-85-7]*

Fludilat®.
Dragees u. Tropfen mit *Bencyclan-Hydrogenfumarat gegen Cerebralsklerose, Kopfschmerzen, Durchblutungsstörungen. *B.:* Thiemann.

Fludioxonil.

Common name für 4-(2,2-Difluor-1,3-benzodioxol-4-yl)-1H-pyrrol-3-carbonitril. $C_{12}H_6F_2N_2O_2$, M_R 248,19, Schmp. 199,8 °C, LD_{50} (Ratte oral) >2000 mg/kg, von Ciba-Geigy (jetzt Novartis) 1993 eingeführtes nicht-system. *Fungizid als Beizmittel im Getreideanbau u. Blattfungizid im Wein-, Obst- u. Gemüseanbau. – *E = F = I = S* fludioxonil
Lit.: Farm ▪ Perkow ▪ Pesticide Manual. – *[CAS 131341-86-1]*

Fludrocortison.

Internat. Freiname für 9-Fluor-11β,17,21-trihydroxy-4-pregnen-3,20-dion (9-Fluorhydrocortison), $C_{21}H_{29}FO_5$, M_R 380,46, Schmp. 260–262 °C (Zers.); λ_{max} (C_2H_5OH) 239 nm ($A_{1cm}^{1\%}$=463); $[\alpha]_D^{23}$ +139° (c 0,55/95% C_2H_5OH), ein Mineralocorticoid (s. Corticosteroide), dessen Acetat, Schmp. 233–234 °C, λ_{max} (C_2H_5OH) 238 nm ($A_{1cm}^{1\%}$=398), $[\alpha]_D^{23}$ +123° (c 0,64/$CHCl_3$), gegen Nebenniereninsuffizienz eingesetzt wird. F. wurde 1958 von Olin Mathieson, 1960 von Merck & Co (Astonin H®) patentiert. – *E = F = I* fludrocortisone – *S* fludrocortisona
Lit.: Beilstein E IV **8**, 3427 ▪ DAB **1996** u. Komm. ▪ Florey **3**, 281–306 ▪ Hager (5.) **8**, 228 ff. – *[HS 293722; CAS 127-31-1 (F.); 514-36-3 (21-Acetat)]*

Fludroxycortid.

Internat. Freiname für 6α-Fluor-11β,21-dihydroxy-16α,17-isopropylidendioxy-4-pregnen-3,20-dion, $C_{24}H_{33}FO_6$, M_R 436,52, Schmp. 247–255 °C; λ_{max} 236 nm ($A_{1cm}^{1\%}$=339); $[\alpha]_D^{20}$ +140–150° ($CHCl_3$); F. ist ein synthet. Glucocorticoid (s. Corticosteroide) zur lokalen Anw.; es wurde 1962 u. 1964 von Syntex patentiert u. ist von Lilly (Sermaka Folie®) im Handel. – *E* fludroxycortide, flurandrenolide – *F* fludroxycortid – *I* fludroxicortide – *S* fludroxicortida
Lit.: Beilstein E V **19/6**, 547 ▪ Hager (5.) **8**, 230 f. – *[HS 293722; CAS 1524-88-5]*

Flüchtigkeit.
Unter F. versteht man allg. das *Verdunstungsverhalten* bzw. die *Verdunstungsgeschw.* von Stoffen, speziell von Flüssigkeiten. Da die F. realer Flüssigkeiten von vielen Parametern abhängig ist, läßt sie sich kaum theoret. berechnen. Zur Beurteilung der F. bedient man sich daher empir. ermittelter Maßzahlen: Für *Lösemittel der *Verdunstungszahl (Kurzz. VD; z.B. zur Beurteilung des Trocknungsverhaltens von Lacken od. Klebstoffen), für *etherische Öle u. *Riechstoffe des *Verdunstungskoeffizienten (Kurzz. VK). Eine weitere Kenngröße für die Beurteilung der F. von Stoffen – z.B. im Zusammenhang mit den *MAK-Werten od. Überlegungen zur destillativen Trennung von Stoffgemischen – bietet der *Dampfdruck. – *E* volatility – *F* volatilité – *I* volatilità – *S* volatilidad
Lit.: Ullmann (4.) **2**, 491 ff.; **16**, 289; (5.) **A 24**, 448 ff.; **B 3**, 4 f. ▪ s. a. die Textstichwörter.

Flügge, Siegfried
(geb. 1912), Prof. (emeritiert) für Theoret. Physik, Univ. Marburg, Freiburg. *Arbeitsgebiete:* Struktur der Materie, Kernphysik, Quantentheorie; Hrsg. des Handbuchs der Physik.
Lit.: Kürschner (16.), S. 856 ▪ Wer ist wer, S. 339.

Flüssigchromatographie s. Flüssigkeitschromatographie u. HPLC.

Flüssigdünger s. Düngemittel u. Düngung.

Flüssige Kristalle (Flüssigkristalle, FK). 1889 von Lehmann, der die ersten grundlegenden Arbeiten über FK durchführte (s. *Lit.*[1]), geprägte Bez. für eine mit über 15 000 Vertretern weit verbreitete Gruppe von organ. Verb., denen man aufgrund ihrer charakterist. Eigenschaften einen eigenen *Aggregatzustand zuordnet. Die Phänomene der FK wurden 1888 von dem österreich. Botaniker Reinitzer am Cholesterinbenzoat beobachtet, das am Schmp. (145,5 °C) zwar schmolz, aber wolkig trübe blieb. Erst bei 178,5 °C, dem heute *Klärpunkt* genannten zweiten Umwandlungspunkt, wurde die Schmelze schlagartig klar. Beim Abkühlen traten die Effekte in umgekehrter Reihenfolge auf, wobei zwischen Klär- u. Schmp. zweimal ein intensives blauviolettes Farbenspiel zu beobachten war. Heute weiß man, daß Reinitzer das erste Beisp. cholester. FK in Händen hatte. Die ersten, großteils noch immer gültigen Strukturvorstellungen über FK, gehen auf Vorländer (*Lit.*[2]) zurück; danach bauen stäbchenförmige Mol. die FK auf. Grundsätzlich unterscheidet man zwischen (einphasigen) thermotropen FK u. (zweiphasigen) lyotropen FK (s. unten). *Thermotrope FK*, die man durch Erwärmen von Krist. über ihren Schmp. hinaus erhält, weisen Eigenschaften auf, die zwischen denen des flüssigen u. denen des festen Zustandes liegen: Sie zeigen (schon) die Beweglichkeit der durchweg isotropen *Flüssigkeiten u. (noch) die opt. *Anisotropie von *Kristallen. Man nennt sie deshalb gelegentlich auch *krist. Flüssigkeiten* (die sog. *plastischen Kristalle allerdings auch) od. *Mesophasen* (mesomorphe Phasen), häufiger jedoch *anisotrope Flüssigkeiten*. Ihr mol. Ordnungszustand ist wesentlich besser als in Flüssigkeiten, dagegen schlechter als in Kristallen. Während sich in Flüssigkeiten die Mol. in den drei Raumrichtungen frei bewegen u. um drei senkrecht aufeinanderstehende Achsen rotieren können (*Translation u. *Rotation), im festen Zustand dagegen die Mol. fixiert sind u. nicht rotieren können, sind im flüssigkrist. Zustand die Translation u. Rotation nur beschränkt möglich. Beim Übergang anisotrop-krist./anisotrop-flüssigkrist. bricht zwar das Kristallgitter zusammen, die Mol. behalten aber eine Vorzugsrichtung (*Direktor*, s. Abb. 1a–c) bei, wobei sie sich in den nemat. (Abb. 1a) u. smekt. Phasen (Abb. 1b) annähernd parallel zueinander ausrichten.

Abb. 1.: Flüssigkrist. Phasen.
(a) Nematische Phase (b) Smektische Phase (c) Cholesterische Phase

Ihre opt. Anisotropie-Eigenschaften (Trübung infolge Streuung einfallender Lichtstrahlen, Doppelbrechung, Beugungserscheinungen) verlieren FK erst beim Übergang anisotrop-flüssig/isotrop-flüssig (am Klärpunkt). Diese Umwandlungspunkte lassen sich durch *Differentialthermoanalyse u. sprunghafte Änderungen der Viskosität u. der spezif. Wärmekapazität nachweisen. In Analogie zu den Eigenschaften von *Modifikationen spricht man bei wechselseitigen Umwandlungen der FK von *enantiotropen*, bei den nur in einer Richtung erfolgenden von *monotropen* Umwandlungen, z.B. dann, wenn der flüssigkrist. Zustand nur durch *Unterkühlung der Schmelze erreichbar ist: Hier liegt der Schmelzpunkt höher als der Klärpunkt.

Aus der chem. Formel einer Verb. läßt sich noch nicht eindeutig voraussagen, ob diese zur Bildung von FK in der Lage ist od. nicht. Nach C. *Weygand lassen sich viele thermotrope flüssigkrist. Verb. auf das folgende Konstitutionsschema zurückführen[3]:

$$F^1-\!\!\!\bigcirc\!\!\!-M-\!\!\!\bigcirc\!\!\!-F^2$$

Das Mittelstück M trägt beiderseits aromat. Ringe, die ihrerseits in *p*-Stellung die Flügelgruppen F (häufig *n*-Paraffin-Ketten, Alkoxy-Ketten, Carbonsäureester-Ketten, Cyano-, Halogen-Substituenten u. dgl.) tragen; statt der Phenyl- können auch Cyclohexyl-Ringe vorliegen; *Beisp.*: –N=N– (*Azo-Verbindungen), –N(O)=N– (*Azoxy-Verbindungen), –CO–O– (aromat. Ester), –CH=N– [*Schiffsche Basen vom Typ des 4-Butyl-*N*-(4-methoxybenzyliden)-anilins, MBBA]. Der flüssigkrist. Zustand ist also vorzugsweise bei Substanzen zu beobachten, deren Mol. gestreckt, verhältnismäßig gerade u. häufig auch abgeflacht sind; diese Form begünstigt ihre parallele Anordnung. Es ist allerdings nicht so, daß alle stäbchenförmige Mol. FK bilden, denn die Seitenketten spielen dabei eine wesentliche Rolle. Die Gruppierung F^1–C_6H_4–M–C_6H_4– bezeichnet man aufgrund ihrer Basisfunktion als *mesogene Gruppe* (*mesogen).

Für die Eigenschaften der FK sind jedoch nicht nur die Struktur der Einzelverb. von Bedeutung, sondern v. a. deren räumliche Anordnung innerhalb des FK. Hier unterscheidet man 3 Phasen: die nemat. (von griech.: nema = Gespinst, Faden), die smekt. (von griech.: smegma = Seife, Schmiere) u. die cholester(in). (von *Cholesterylester). Bei *nemat.* Phasen tritt eine bevorzugte Parallelorientierung der Moleküllängsachsen auf, wobei die Mol. hinsichtlich ihrer langen u. auch kurzen Achsen zueinander verschiebbar sind (s. Abb. 1a), was zu einer niedrigen Viskosität führt. Die Molekülschwerpunkte weisen also keine Positionsfernordnung auf, es existiert nur eine Orientierungsordnung der Moleküllängsachsen mit einer Vorzugsrichtung, die Direktor n genannt wird.

Bei *smekt.* Phasen liegen die langgestreckten Mol. ebenfalls parallel zueinander, sie sind jedoch in Schichten angeordnet (s. Abb. 1b). Sie können sich in der Schichtebene leicht bewegen, eine Diffusion senkrecht dazu ist jedoch behindert (zweidimensionale Flüssigkeit). Dies bedingt eine erhöhte Viskosität. Es tritt also neben der Orientierungsordnung eine zusätzliche Positionsfernordnung senkrecht zu den Schichtebenen auf, jedoch nicht innerhalb einer Schicht. Es existiert eine Vielzahl verschiedener smekt. Phasen, die sich durch die Orientierung des Direktors relativ zur Normalen z auf die Schichtebenen unterscheiden. In den *smekt. A-Phasen* ist z parallel zum Direktor, in den *smekt. C.-Phasen* ist der Direktor n um den Tiltwinkel θ gegenüber der Schichtnormalen z geneigt. Haben die Mol. stark polare Eigenschaften, d. h. ein großes Dipolmoment in Richtung der Moleküllängsachse, ergeben sich sowohl für die *smekt.* A- als auch C-Phasen eine Reihe weiterer unterscheidbarer Anordnungsmöglichkeiten, die zu einer reichen *Polymorphie führen. Wenn in Gemischen flüssigkrist. Substanzen eine Komponente chiral ist, können sich smekt. C-Phasen ausbilden, bei denen sich die Tiltrichtung von Schicht zu Schicht kontinuierlich ändert, so daß sich eine helixartige Überstruktur bildet (*smekt. C*-Phasen*). Diese Phasen können auch ferroelektr. Eigenschaften haben. Die spontane Polarisation baut sich aus den permanenten mol. Dipolmomenten auf u. liegt senkrecht zur Ebene, die vom Direktor n u. der Schichtnormalen z aufgespannt wird. Wegen der helixartigen Überstruktur ändert sich die Polarisationsrichtung von Schicht zu Schicht, so daß in einer makroskop. Probe die spontane Polarisation zu Null gemittelt wird. Durch ein äußeres elektr. Feld läßt sich die spontane Polarisation in eine spezielle Richtung bringen, wobei die Überstruktur verschwindet. Diese Umorientierung kann als *elektrooptischer Effekt zum Bau von Flüssigkristallanzeigen mit kurzen Schaltzeiten genutzt werden. Neben flüssigkrist. smekt. Phasen gibt es noch eine ganze Reihe von quasi-krist. smekt. Phasen, in denen eine echte dreidimensionale Positionsfernordnung existiert, die Orientierungsordnung aber noch nicht perfekt ist wie in einem echten Kristall.

Das Charakteristikum der *cholester.* Phasen, die nur mit opt. aktiven Mol. realisierbar sind, ist eine helixartige Überstruktur durch eine kontinuierliche Änderung der Vorzugsrichtung der Moleküllängsachsen. Als Ganghöhe p bezeichnet man den Abstand zwischen zwei gedachten Schichten mit ident. Ausrichtung der Moleküllängsachsen (*Helix, s. Abb. 1 c). Enantiomere haben dieselbe Ganghöhe, aber entgegengesetzten Drehsinn der Helix. Das augenfälligste Merkmal einer stabilen Form der cholester. Schmelze sind die metall. schillernden Reflexionsfarben (sog. Selektivreflexion). Das schillernde Blau der Panzer einiger Käferarten wird von einer cholester. Phase hervorgerufen. Das von cholester. Phasen reflektierte Licht ist circular polarisiert. Die Farbe hängt von Einfalls- u. Ausfallswinkel, von der Temp. u. von der chem. Struktur des die cholester. Phase aufbauenden Mol. ab. Cholester. Phasen können auch aus nemat. Phasen durch Zugabe chiraler Mol. entstehen, die selbst nicht flüssigkrist. Phasen ausbilden können (*induzierte cholester. Phasen*).

Während die nemat. u. die cholester. Strukturen beim Erhitzen der Substanzen direkt in die isotrope Flüssigkeit übergehen, entsteht aus der smekt. Struktur zunächst im allg. eine nemat. od. cholester., bei höheren Temp. dann erst aus diesen die isotrope Flüssigkeit. Nicht wenige FK durchlaufen mehrere anisotropflüssige Phasen; man redet dann von Polymorphie. Beisp. für die Bildung von thermotropen FK mit nemat. Struktur sind das 4,4′-Diethoxy-azoxybenzol (Schmp. 136 °C, Klärpunkt 167 °C), MBBA u. Phenylcyclohexan.

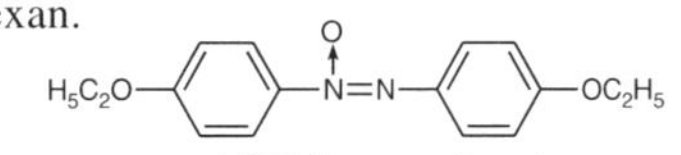

4,4′-Diethoxy-azoxybenzol

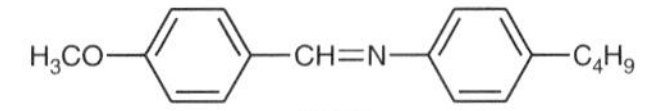

MBBA

Thermotrope FK mit smekt. Struktur bildet z. B. das 4-(Heptyloxy)benzaldehyd-azin

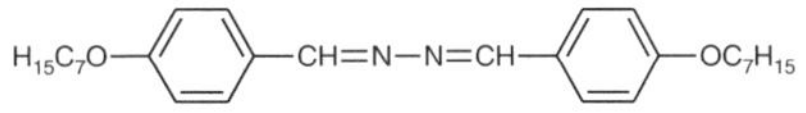

solche mit cholester. Struktur das Cholesterylnonanoat od. -benzoat.

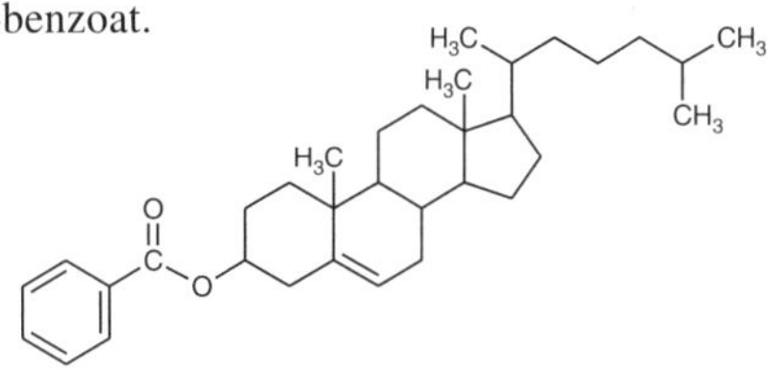

Cholesterinbenzoat

Für die Anw. der FK in der Technik benötigt man Verb., deren Schmp. bei od. unterhalb 20 °C liegen; die erste dieser Verb. war das MBBA. Gemische verschiedener FK haben ebenfalls Schmp. im erwünschten Bereich. Flüssigkrist. Phasen können auch aus scheibchenförmigen Mol. gebildet werden, sog. *diskot.* Flüssigkristalle. Mol. mit diskot. mesogenen Gruppen besitzen häufig einen scheibchenförmigen Mittelteil aus aromat. Ringen mit mehreren flexiblen Seitengruppen (Abb. 2).

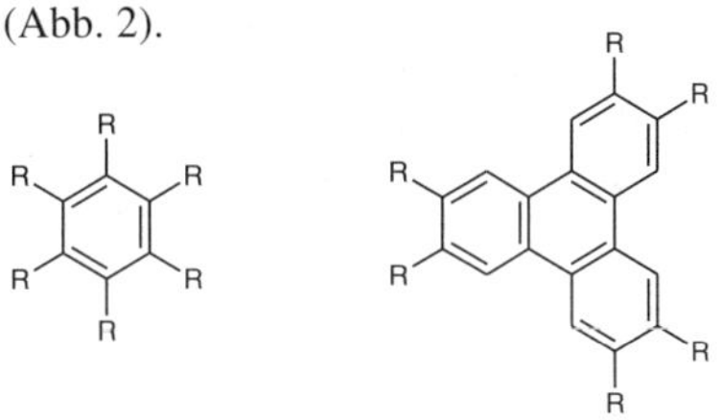

Abb. 2: Chem. Strukturen von diskot. Phasen bildenden Molekülen.

Die diskot. Mol. bilden bevorzugt Stapel od. Säulen aus, die zweidimensional verschieden geordnet sein können (*kolumnare diskot. Phasen*, s. Abb. 3 a,b, S. 1372). Diese kolumnaren diskot. Phasen werden hinsichtlich ihrer zweidimensionalen Anordnung (hexagonal od. rechtwinklig), der Neigung der Säulen (getiltet od. nicht) u. der Ordnung innerhalb der Säulen (geordnet, ungeordnet) unterschieden. Neben kolumnaren diskot. Phasen können auch *nemat. diskot. Phasen* auftreten, in denen nur eine Ordnung der kurzen Molekülachsen vorliegt (s. Abb. 3c, S. 1372). Kombiniert man das Prinzip der stäbchen- od. scheibchenförmigen mesogenen Gruppen mit Polymeren, so erhält man *flüssigkristalline Polymere. In diesen können die mesogenen Gruppen in die Hauptketten od. die Seitenketten eingebaut sein.

Lyotrope FK erhält man bei Zugabe von Wasser od. auch polaren Lsm. zu *amphiphilen Verb., wie z. B. *Tensiden od. *Phospholipiden. Viele dieser Substanzen sind in Wasser nahezu unlösl., die Mol. aggregie-

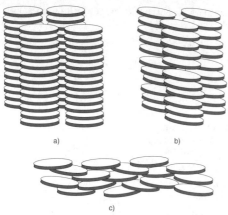

a) kolumnar diskotisch, geordnet, b) kolumnar diskotisch, getiltet, c) nematisch diskotisch
Abb. 3: Strukturen diskot. FK-Phasen.

ren oberhalb einer bestimmten Konz. zu verschiedenen Aggregatformen, wie *Micellen, die zunächst globulär sind u. sich bei Konzentrationserhöhung in zylinderförmige bzw. plattenförmige Micellen umwandeln. Aus diesen werden bei weiterer Konzentrationserhöhung *kolumnare flüssigkrist. lyotrope Phasen*, bei denen die Zylinder hexagonal angeordnet sind, od. *lamellare lyotrope Phasen*, in denen in der Regel bimol., durch Wasser getrennte Schichten vorliegen. Letztere sind mit smekt. Phasen verwandt (*Lit.*[4]). Die bimol. Schichten der lyotropen lamellaren Phasen können auch bei Wasserüberschuß existieren u. sind durch mechan. Behandlung, wie z. B. Schütteln od. Ultraschall, in *Liposomen od. *Vesikel überführbar, die als Modellsyst. für biolog. Membranen dienen können, da die bimol. Schichten die Grundstrukturen von Biomembranen sind, wie sie in den Plasmamembranen von Zellen vorkommen (*Lit.*[5]). Es gibt auch eine Reihe *lyotroper kub. Phasen*, die zunehmendes Interesse gefunden haben, weil in ihnen topolog. interessante Phänomene auftauchen, wie z. B. in den bikontinuierlichen kub. Phasen. Hier sind durchgängige Netzwerke von wäss. u. hydrophober Phase dreidimensional ineinander verwoben.
Verw.: Cholester. FK finden in steigendem Maß Verw. als Temperaturindikatoren, insbes. in der zerstörungsfreien *Werkstoffprüfung: Der Übergang der prakt. farblosen Cholesterin-Derivate in FK läßt sich bei der thermograph. Analyse zum Sichtbarmachen von Temp.-Feldern auf der Oberfläche prakt. beliebiger Gegenstände ausnutzen. In der Thermotopographie (s. *Temperaturmessung) lassen cholester. Mischphasen, auf die Haut aufgetragen, Blutgefäße, Krebsgeschwülste (infolge lokaler Überwärmung) u. Abkühlungserscheinungen an den Extremitäten (z. B. infolge Rauchens) deutlich erkennen. Ungleich größeres Interesse für die *Optoelektronik haben jedoch die nemat. FK erlangt, seitdem man gelernt hat, die Lichtstreuung sehr dünner Schichten dieser FK (10–100 μm) durch Anlegen u. Variieren von elektr. Feldern zu manipulieren. Bei diesen elektroopt. Effekten können sich die FK parallel od. senkrecht zur leitfähigen Schicht ausrichten – sog. *homogene* od. *homöotrope Orientierung* einnehmen – u. damit als Lichtschalter wirken (Schad-Helfrich-Effekt). Am weitesten verbreitet als FK-Anzeigegeräte [abgekürzt *LCD[6], von *E Liquid Crystal Displays*] sind die sog. verdrillten nemat. Zellen (twisted nematics, TN-Zelle), die oft 12 od. mehr verschiedene Komponenten umfassen. Sie finden Verw. bei tragbaren Computern (Desktop-, PC- u. Workstation-Monitore), bei mobilen Kommunikationsgeräten (Mobiltelefone, elektron. Notizbücher) u. bei der Flachbildschirm-Technologie. Aufgrund ihrer spezif. Strukturen eignen sich nemat. FK nicht nur als stationäre Phasen in der Gaschromatographie, insbes. zur Trennung isomerer Benzol-Derivate, polycycl. Aromaten, epimerer Steroide u. von PCB, sondern auch als anisotrope Lsm. für prakt. alle Formen der Spektroskopie (s. z. B. *Lit.*[7]). Hier finden, allerdings seltener, auch smekt. FK Anwendungsmöglichkeiten. – *E* liquid crystals – *F* cristaux liquides – *I* cristalli liquidi – *S* cristales líquidos

Lit.: [1] Lehmann, Flüssige Kristalle, sowie Plastizität von Kristallen im Allgemeinen, molekulare Umlagerungen u. Aggregatzustandsänderungen, Leipzig: Engelmann 1904. [2] Vorländer, Kristallinisch-flüssige Substanzen, Stuttgart: Enke 1908; Vorländer, Chemische Kristallographie der Flüssigkeiten, Leipzig: Akadem. Verlagsges. 1924. [3] Weygand, Chemische Morphologie der Flüssigkeiten u. Kristalle. Handbuch u. Jahrbuch der chemischen Physik, Bd. 2, Abschnitt 3 c, Leipzig: Akadem. Verlagsges. 1941. [4] Ber. Bunsenges. Phys. Chem. **98**, 1433–1455 (1994). [5] Angew. Chem. **100**, 117–162 (1988). [6] Nachr. Chem. Tech. Lab. **45**, Nr. 1, 9 ff. (1997). [7] Miehl u. Thulstrup, Spectroscopy with Polarized Light, Weinheim: Verl. Chemie 1986.

allg.: Bergmann u. Schäfer, Lehrbuch der Experimentalphysik, Bd. 5, Vielteilchensysteme, S. 389–445, Berlin: Gruyter 1992 ▪ Dörfler, Grenzflächen- u. Kolloidchemie, Weinheim: VCH Verlagsges. 1994 ▪ Gray, Thermotropic Liquid Crystals, New York: Wiley 1987 ▪ Kirk-Othmer (3.) **14**, 395–427 ▪ Stierstadt, Physik der Materie, Weinheim: VCH Verlagsges. 1989 ▪ Ullmann (4.) **11**, 657 ff. ▪ Verhogen u. de Jeu, Thermotropic Liquid Crystals, Fundamentals. Springer Series in Chemical Physics, Bd. 45, Berlin: Springer 1988 ▪ Vögtle, Supramolekulare Chemie, Stuttgart: Teubner 1992.

Flüssige Luft. Verflüssigte *Luft ist in frischem Zustand nahezu farblos, bei längerem Lagern wird sie allmählich bläulich, da der farblose Stickstoff (Sdp. –196 °C) rascher verdampft als der in dicken Schichten bläuliche Sauerstoff (Sdp. –183 °C). Die Dichte der f. L. steigt (infolge rascherer Verdampfung des leichteren Stickstoffs) von 0,9 (schwimmt auf Wasser) auf ca. 1,1 (sinkt im Wasser unter), der Sdp. steigt von anfangs –194,5 °C bis auf –185 °C u. höher. Wenn, z. B. im Laboratorium, f. L. als Kühlflüssigkeit benutzt wird, muß die im Lauf der Zeit eintretende Sauerstoff-Anreicherung beachtet werden, da im Falle von Bränden u. a. Unfällen die Kühlflüssigkeit als Oxidationsmittel wirken kann. Aus dem gleichen Grund ist darauf zu achten, daß bei der Verflüssigung von Luft der Sauerstoff-Anteil entfernt wird. Dies geschieht bei älteren Anlagen durch „Abkochen", d. h. kurzes Erwärmen; bei neueren Verf. werden Adsorber (*Adsorption) eingesetzt, an deren Oberfläche der Sauerstoff zurückgehalten u. so nur der Stickstoff weiter abgekühlt u. verflüssigt wird. Taucht man (in Probiergläsern) Schwefel, Brom, Phosphor in f. L., so beobachtet man starke Farbaufhellung; ein Gummiball wird

in f. L. glashart, Hg erstarrt zu einem Silber-ähnlichen Metall, eine Pflanze wird so spröde, daß man sie im Mörser pulverisieren kann. Auf der Haut erzeugt f. L. frost- u. verbrennungsähnliche Schäden.
Herst.: Die *Luftverflüssigung* erfolgt auch heute noch in großem Maßstab nach einem Linde-Verf., bei dem Luft auf bis zu $2 \cdot 10^4$ kPa verdichtet u. die dabei auftretende Kompressionswärme in Gegenstromwärmeaustauschern abgeführt wird, worauf sich das abgekühlte Gas durch Entspannung weiter abkühlen kann (*Joule-Thomson-Effekt). Durch vielmalige Wiederholung von Kompression, Gegenkühlung, Entspannung erhält man schließlich flüssige Luft. In den sog. Niederdruckanlagen nach *Linde-Fränkl* wird die Luftverflüssigung bei 500 – 600 kPa durchgeführt; der Wärmeaustausch findet in Regeneratoren od. Reversing-Heat-Exchangern statt (vgl. *Lit.*[1]). Großtechn. Anlagen zerlegen stündlich bis zu 75 t (600 000 Nm³) Luft, wobei allerdings meist ein erheblicher Prozentsatz der Produkte in Gasform bereitgestellt wird. Für den Laboratoriumsbedarf zur Herst. von f. L. geeignet sind die nach dem Stirling-Prozeß arbeitenden *Gaskältemaschinen* (prakt. eine Umkehrung einer Heißluftmaschine), deren techn. Ausführungen bes. von Philips vervollkommnet wurden. Derartige Maschinen, deren Platzbedarf 1 m³ kaum übersteigt, liefern bereits wenige min nach Inkraftsetzung flüssige Luft. Die Aufbewahrung von f. L. geschieht im Laboratorium in *Dewar-Gefäßen, in der *Kältetechnik in stationären (bis 100 m³ Fassungsvermögen) bzw. transportablen (bis 20 m³) Tanks.
Verw.: In kleinen Mengen als Kühlflüssigkeiten, in techn. Maßstab als Ausgangsmaterial für die destillative *Luftzerlegung* zur Gewinnung von *Sauerstoff* (als Oxidationsmittel in der Stahl-Ind., in der organ.-chem. Ind., in der Schweißtechnik, zum Sprengen in Flüssig-Luft-Sprengstoffen wie *Oxyliquit), von *Stickstoff* (zur Ammoniak-Synth., als Schutzgas, als Kühl- bzw. Gefriermittel in der Lebensmittel-Ind. etc.) u. von *Edelgasen. – *E* liquid air – *F* air liquide – *I* area liquida – *S* aire líquido
Lit.: [1] Ullmann (5.) **B 3**, 19-1-39, 20-1-42.
allg.: Kirk-Othmer (4.) **7**, 664 ▪ Ullmann **1**, 318 – 332; **12**, 54 ff; (4.) **3**, 185 – 252 ▪ Winnacker-Küchler (3.) **2**, 409 – 510 ▪ s. a. Gase, Luft, Kälte- u. Tieftemperaturtechnik.

Flüssig-Flüssig-Extraktion. Bez. für ein Verf. der *Extraktion, bei dem eine gelöste Substanz aus ihrem Lsm. durch ein anderes, mit dem ersten nur geringfügig mischbares flüssiges *Extraktionsmittel* (kalt od. heiß) extrahiert wird, wobei die *Verteilung zwischen den *Phasen dem *Nernstschen Verteilungssatz entspricht. Der vom Extraktionsmittel zu isolierende Stoff wird *Extrakt*, die nach Extraktion verbleibende Phase *Raffinat* genannt. Im Laboratorium dient die sowohl diskontinuierlich (*Ausschütteln, auch *Gegenstromverteilung) wie kontinuierlich (z. B. *Perforation nach Kutscher-Steudel) durchführbare F.-F.-E. zur Isolierung von Naturstoffen u. zur analyt. Trennung. Auch die Kreuzstrom-Verteilung u. die sog. Tropfen-Gegenstrom-Chromatographie sind F.-F.-E.-Verfahren. In der Petrochemie gewinnt man Aromaten aus Erdölfraktionen, u. in der Metallurgie reichert man bes. Metalle wie Uran, Thorium od. Seltenerdmetalle aus armen Erzen mittels F.-F.-E. an. Verf. wie das *Purex-Verfahren zur Wiederaufarbeitung abgebrannter *Brennelemente bedienen sich des Prinzips ebenso wie die Rückgewinnung organ. Substanzen aus Abwässern. In der Technik arbeitet man oft mit Blasensäulen u. Füllkörpersäulen, pulsierenden Kolonnen, Kolonnen mit rotierenden Einbauten, Mixer-Settler-Batterien, s. die Abb. auf S. 1374. – *E* liquid-liquid extraction – *F* extraction liquides-liquides – *I* estrazione fluido-fluido – *S* extracción líquido-líquido
Lit.: Kirk-Othmer **8**, 719 – 761; (3.) **9**, 672 – 721 ▪ Ullmann (5.) **B 3**, 6-1 ff. ▪ s. a. Trennverfahren, Verteilung.

Flüssiggase. Sammelbez. für *Gase, die bei meist schon geringen *Drücken u. 20 °C vom gasf. in den flüssigen Zustand übergeführt werden können; gelegentlich soll die Bez. auch für die mittels *Tieftemperaturtechnik *verflüssigten Gase* wie H$_2$, N$_2$, O$_2$ etc. gelten. Im engeren Sinn der DIN 51622 (12/1985) versteht man unter F. jedoch die Kohlenwasserstoffe *Propan, *Propen, *Butan, *Buten u. deren Gemische, die in Ölraffinerien als Nebenprodukte bei Dest. u. Kracken von *Erdöl sowie in der *Erdgas-Aufbereitung bei der Benzinabscheidung anfallen. Aufbewahrung (in *Bomben u. Untergrundspeichern), Transport, Handel u. Umgang mit F. unterliegen zahlreichen VO (z. B. der *Druckgas-VO) u. Prüfnormen (s. DIN-Katalog, Sachgruppe 490, 494 E). Zur Brandschutzausrüstung von F.-Lagertanks s. *Lit.*[1].
Verw.: Als gasf. *Brennstoffe (*Brenngase) in Gasfeuerzeugen, Haushalt u. Ind., als Motorkraftstoffe, zum Schweißen u. zur Beleuchtung, als Treibgas in *Sprays sowie als chem. Rohstoffe. Verflüssigte niedermol. Alkane u. Alkene waren schon 1905 von der Firma Blau für die erwähnten Anw. in den Handel gebracht worden (*Blaugas*). – *E* liquefied (petroleum) gas (LPG) – *F* gaz (de pétrole) liquéfies – *I* gas liquidi – *S* gases (de petróleo) licuados, gases licuefactos
Lit.: [1] BAM Amts-Mitteilungsblatt **18**, Nr. 1, S. 18 – 24 (1988). *allg.:* Das Buch vom Erdöl, 5. Aufl., S. 406 – 412, Hamburg: Reuter u. Klöckner 1989 ▪ Hommel, Nr. 1071, 1073, 1095, 1102, 1103 ▪ Kirk-Othmer (3.) **14**, 383 – 394; (4.) **15**, 360 – 372. – *Organisation:* Deutscher Verband Flüssiggas (DVFG), 61476 Kronberg. – [HS 2711 11 – 2711 19]

Flüssigkautschuke. Die F. bilden eine Gruppe der Spezialkautschuke. Sie besitzen eine niedrigere Viskosität als die klass. *Kautschuke u. erlauben daher ein leichteres Einarbeiten von Additiven wie Vulkanisationsbeschleunigern, Füllstoffen, Weichmachern od. Aktivatoren. F. wurden auf der Basis von Siliconen, Polyurethanen, Polyestern, Polyethern u. Dien-Kautschuken entwickelt. Bei den flüssigen Silicon-Kautschuken dominieren die „kalt" härtenden Einkomponenten-Typen RTV (*E* room *t*emperature *v*ulcanizing). Bei ihnen handelt es sich um verzweigte Poly(dimethylsiloxane) mit Silanol-Endgruppen, die z. B. mit Tetrabutyltitanat od. Triacetoxy-methylsilan versetzt werden u. bei Zutritt von Luftfeuchtigkeit vulkanisieren. Flüssige Polyurethan-Kautschuke bestehen meist aus *Polyurethanen mit Isocyanat-Endgruppen u. werden in der Regel mit schwach bas. Di- u. Polyaminen vulkanisiert. Flüssige *Dien-Kautschuke werden vorwiegend durch *anionische Polymerisation von Dienen mit bifunktionellen Startern hergestellt. Die ent-

Flüssigkeiten

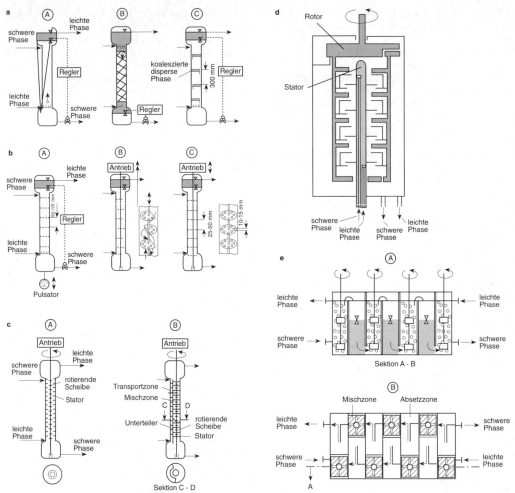

Abb. a–e: Verschiedene Kolonnentypen zur Flüssig-Flüssig-Extraktion; a: A Blasensäule, B Füllkörperkolonne, C Siebbodenkolonne. b: A pulsierende Siebbodenkolonne, B u. C pulsierende Siebbodenkolonne mit bewegten Einbauten. c: Kolonnen mit rotierenden Einbauten. d: Zentrifugalextraktor; e: Mixer-Settler-Batterie.

stehenden Makro-Dianionen werden mit Kohlendioxid, Ethylenoxid od. Ethylensulfid zu Polymeren mit Carboxy-, Hydroxy- od. Sulfhydryl-Endgruppen umgesetzt. Die Vulkanisation erfolgt dann durch Reaktion dieser Endgruppen mit z. B. polyfunktionellen Isocyanaten. Die Konz. der Vernetzer muß wegen der niedrigen Molmassen der F. recht hoch sein. Während die Eigenschaften der resultierenden Elastomeren bei den F. auf Polyurethan-Basis ähnlich denen regulärer Polyurethane sind, weisen Vulkanisate flüssiger Dien-Kautschuke weit niedrigere Reißfestigkeiten u. Reißdehnungen auf als Vulkanisate regulärer Dien-Kautschuke.

Verw.: Aus Polyurethan-F. werden Reifen für langsam bewegte Baumaschinen hergestellt. Flüssige Dien-Kautschuke dienen z. B. zum Runderneuern von Reifen. – *E* liquid rubber – *F* caoutchoucs liquides – *I* caucciù fluido – *S* cauchos líquidos

Lit.: Elias (5.) **2**, 491.

Flüssigkeiten. Sammelbez. für alle Stoffe im flüssigen Aggregatzustand; hierzu gehören auch Schmelzen u. Emulsionen. Die Dichten von F. sind ähnlich groß wie bei Festkörpern u. damit wesentlich größer als bei Gasen. Bei 20 °C liegen sie im allg. zwischen 0,8 u. 2,0; die schwerste F. ist Quecksilber (D. 13,5). F. mit D. >2 bezeichnet man mitunter als Schwerflüssigkeiten. Während für den krist. Festkörper die period. Anordnung seiner Gitterbausteine über den gesamten Krist. hinweg charakterist. ist, ist diese in F. größtenteils, aber nicht völlig aufgehoben. In kleinen Bezirken besitzen die F.-Mol. (od. F.-Atome) noch eine Ordnung, die als *Nahordnung* bezeichnet wird. Diese läßt sich mittels Röntgen- od. *Neutronenbeugung nachweisen. Im Gegensatz zu Festkörpern existiert in F. jedoch keine Fernordnung; diese wird beim Schmelzen des Festkörpers zerstört. Für die Nahordnung in F. sind *zwischenmolekulare Kräfte verantwortlich. Bei aus Atomen aufgebauten F. (atomare F.; z. B. flüssiges Argon) sind dies ausschließlich Dispersionskräfte (vorausgesetzt, das einzelne Atom hat eine sphär. symmetr. Ladungsverteilung u. damit kein elektr. Multipolmoment). Die durch Dispersionskräfte verursachte attraktive Wechselwirkung zwischen zwei Atomen od. Mol. ist näherungsweise proportional zu r^{-6} (führender Term in der Dispersionsenergie), wobei r der interatomare od. intermol. Abstand ist. Bei kürzeren Abständen setzt die Abstoßung der Elektronenhüllen der Atome od. Mol. ein; diese wird häufig näherungsweise durch einen exponentiellen Ansatz (Born-Mayer-Potential; *chemische Bindung, *Gitterenergie) od. durch einen auf *Lennard-Jones zurückgehenden Ausdruck der Form $A \cdot r^{-n}$ (für n wird häufig der Wert 12 verwendet) beschrieben. Bei Mol. mit permanenten elektr. Momenten, z. B. *Dipolmomenten, wird die attraktive Wechselwirkung größer; sie weist zudem eine beträchtliche Orientierungsabhängigkeit auf. Diese wird allerdings in F. durch die therm. Bewegung herausgemittelt, so daß normale f. insgesamt isotropes Verhalten zeigen. Insgesamt können die Wechselwirkungen zwischen Mol. in flüssiger Phase sehr komplex sein; man unterscheidet zwischen Dispersions-, Induktions- u. elektrostat. Wechselwirkung; dazu kommen Charge-Transfer-Effekte u. Abstoßung der Elektronenhüllen bei einsetzender Überlappung. Bei Mol. mit an elektroneg. Atome gebundenen Wasserstoff-Atomen u. freien Elektronenpaaren (z. B. HF od. H_2O) wird die Nahordnung in den F. durch die Ausbildung von *Wasserstoff-Brücken* bestimmt; diese Art von Wechselwirkung läßt sich auch in die oben genannten Beiträge zerlegen. Die Struktur von F. u. der Zusammenhang zwischen zwischenmol. Kräften u. makroskop. Eigenschaften von F. lassen sich mittels *Computersimulation untersuchen; verwendet werden hierbei die *Monte-Carlo-Methode od. die Meth. der *Molekulardynamik. Wichtige makroskop. Eigenschaften von F. sind *Dielektrizitätskonstante, *Viskosität, *Wärmeleitfähigkeit u. *Oberflächenspannung. Kleine F.-Mengen können unter dem Einfluß der Oberflächenspannung kugelförmige Gestalt annehmen u. damit Tropfen bilden; F., die dies vermögen, werden *tropfbare* F. genannt. *Benetzende* F. sind solche, die in einem Gefäß am Rand höher stehen als in einiger Entfernung davon; bei Vorliegen der umgekehrten Situation redet man von *nichtbenetzenden Flüssigkeiten*. Entscheidendes Kriterium für das Maß der Benetzung ist der bei *Adhäsion beschriebene Randwinkel. Unter der Wirkung einer Schubspannung werden F.-Teilchen unbegrenzt gegeneinander verschoben; daher verschwinden in F. alle Elastizitätskonstanten des Festkörpers mit Ausnahme des Dehnungsmoduls. F. sind somit volumenbeständig, aber formunbeständig. Bezüglich des Fließverhaltens unterscheidet man zwischen *newtonschen u. *nichtnewtonschen Flüssigkeiten*; Näheres s. dort. Für den Chemiker bes. wichtig sind F., die als *Lösemittel verwendet werden können; Näheres s. bei Lösungen. Erstarren die F. zu einem krist. Festkörper, so erfolgt dies an einem definierten Erstarrungspunkt, der theoret. mit dem Schmelzpunkt ident. sein sollte, bei dem Festkörper vom festen in den flüssigen Zustand übergehen; beim Abkühlen kann jedoch Unterkühlung eintreten (unterkühlte F.). Der Übergang von F. in amorphe Festkörper erfolgt unter stetiger Zunahme der Viskosität, bis der Glaszustand erreicht ist; Gläser können als unterkühlte Schmelzen od. Flüssigkeiten angese-

hen werden. Beim Erhitzen gehen F. an ihrem Sdp. (Kochpunkt) in Dampf über; die bei konstantem Druck hierzu aufzuwendende Wärmemenge heißt Verdampfungsenthalpie, ihr Großteil muß zur Überwindung der zwischenmol. Anziehungskräfte aufgebracht werden, der Rest ist Volumenarbeit, d. h. Ausdehnungsarbeit in den Gasraum. Beim Verdampfen wird die Bewegung der Atome od. Mol. ungeordneter; damit erhöht sich die *Entropie. Die für den Verdampfungsprozeß aufzuwendende Verdampfungsentropie ist für *nichtassoziierende* F. (bilden keine Wasserstoff-Brückenbindungen) nahezu konstant (s. Pictet-Trouton-Regel). Das therm. Gleichgew. zwischen F. u. Dampf (u. auch zwischen F. u. Festkörper) wird durch die *Clausius-Clapeyronsche Gleichung beschrieben. Der Punkt, an dem F. u. Dampf ununterscheidbar werden, heißt *krit. Punkt*; oberhalb der zugehörigen krit. Temp. läßt sich ein Gas nicht mehr verflüssigen.
Eine F. mit speziellen Eigenschaften ist die Tieftemperaturmodif. des flüssigen Helium, He-II. Sie fließt ohne Viskosität; Näheres s. Supraflüssigkeit. Auf weitere Eigenschaften von F. wird bei *Emulsion u. *Kolloidchemie sowie bei *Lösungen eingegangen. – *E* liquids, fluids – *F* liquides, fluides – *I* liquidi, fluidi – *S* líquidos, fluidos

Lit.: Allen u. Tildesley, Computer Simulation of Liquids, Oxford: Clarendon 1990 ■ Henderson, Physical Chemistry, An Advanced Treatise, Bd. 8 A, The Liquid State, New York: Academic Press 1971 ■ Kruus, Liquids and Solutions: Structure and Dynamics, New York: Dekker 1977 ■ Landolt-Börnstein 2/2–4, 4/4 a–c, NS 4/1–4 ■ Marcus, Introduction to Liquid State Chemistry, New York: Wiley 1977 ■ Murrell u. Boucher, Properties of Liquids and Solutions, Wiley: New York 1982 ■ Rowlinson u. Swinton, Liquids and Liquid Mixtures, 3. Aufl., London: Butterworths 1982.

Flüssigkeits-Ausschlußchromatographie s. Gelchromatographie.

Flüssigkeitschromatographie (Flüssigchromatographie). Sammelbez. für alle Meth. der *Chromatographie, bei denen Flüssigkeiten als *mobile Phase verwendet werden, vom Prinzip her also auch *Papier- u. *Dünnschichtchromatographie. Heute wird der Begriff F. (LC = geläufige engl. Abk.) sowohl in eingeengtem Sinn als Oberbegriff für *Adsorptions- (LSC), *Verteilungs- (LLC), Reverse Phase- (RPC), *Ionenaustausch- (IEC), *Ionenpaar- (IPC), Gelpermeations- (GPC) u. Gelfiltrationschromatographie (GFC) benutzt als auch als Synonym für *Hochdruck- (Hochleistungs-, Hochgeschw.-, Schnelle) F.*, die hier unter *HPLC behandelt wird. Als Variante der F. kann man die sog. *Fluidchromatographie ansehen. – *E* liquid chromatography – *F* chromatographie en phase liquide – *I* cromatografia liquida – *S* cromatografía (en fase) líquida
Lit.: s. HPLC.

Flüssigkeitseinschlüsse s. fluide Einschlüsse.

Flüssigkeitspotential s. Diffusionspotential.

Flüssigkeitsstrahler. F. sind Maschinen, Einrichtungen od. Anlagen, bei denen die Flüssigkeit auch mit Beimengungen, in freiem Strahl über Geräte, die mit Düsen versehen sind, od. über andere Einrichtungen mit geschwindigkeitserhöhenden Öffnungen austritt.

F. dienen insbes. zum
- Reinigen (z. B. Kaltwasser- u. Heißwasser-Hochdruckreiniger)
- staub- u. funkenarmen Entrosten bzw. Oberflächenbehandeln
- Zerteilen von festen Stoffen
- Beschichten von Oberflächen u.
- Ausbringen von Desinfektions-, Pflanzenschutz- u. Schädlingsbekämpfungsmitteln.

Sie bestehen im allg. aus dem Druckerzeuger, Erhitzer, Hochdruckleitungen, Spritzeinrichtungen, Sicherheitseinrichtungen sowie Regel- u. Meßeinrichtungen. Die Anforderungen an Bau u. Ausrüstung sind den einschlägigen DIN EN-Normen zu entnehmen. Im Hinblick auf sicheres Betreiben sind folgende Punkte zu beachten:
- Jugendliche unterliegen Beschäftigungsbeschränkungen.
- Die Geräte dürfen nur von Beschäftigten bedient werden, die damit vertraut u. über die möglichen Gefahren unterwiesen sind.
- F. müssen mit einer Sicherheitseinrichtung gegen Drucküberschreitung u. einer Druckmeßeinrichtung ausgerüstet sein. Bei Ausrüstung des F. mit einem Erhitzer muß zusätzlich eine Sicherheitseinrichtung vorhanden sein, die ein Überschreiten der zulässigen Betriebstemp. verhindert.
- Mechan. geführte Spritzeinrichtungen sind manuell geführten vorzuziehen.
- Von Hand gehaltene Spritzeinrichtungen dürfen nur verwendet werden, wenn die Bedienperson einen sicheren Stand einnehmen kann.
- Der Arbeitsbereich ist von Unbefugten freizuhalten.
- Schutzkleidung u. persönliche Schutzausrüstungen müssen zur Verfügung gestellt werden.
- Der Unternehmer hat anhand der Betriebsanleitung eine Betriebanweisung in verständlicher Form aufzustellen u. den Beschäftigten bekanntzugeben.

Eine Prüfung durch Sachkundige unter Beachtung der Betriebsanleitung des Herst. muß mind. einmal pro Jahr erfolgen. Die Ergebnisse sind schriftlich zu dokumentieren. – *E* liquid jet apparatus – *F* appareil à jet liquide – *I* apparecchiatura a getto di liquido – *S* equipo a chorro de líquido

Lit.: Richtlinien für Flüssigkeitsstrahler (Spritzgeräte) ZH 1/406 Ausgabe 10/1987 ▪ UVV „Allgemeine Vorschriften" (VBG 1) in der Fassung vom 1.4.1992 ▪ UVV „Arbeiten mit Flüssigkeitsstrahlern" (VBG 87) in der Fassung vom 01.10.1993. – *B.* für Unfallverhütungsvorschriften: Carl Heymanns Verl. KG, Luxemburger Straße 449, 50939 Köln od. Jedermann-Verl., Postfach 103140, 69021 Heidelberg. – *B.* für ZH-Schriften: Jedermann-Verl., Postfach 103140, 69021 Heidelberg.

Flüssigkeitsszintillationsmessung s. Szintillatoren.

Flüssigkeitsverteiler. Ein Einbauteil in techn. *Kolonnen zur Stofftrennung durch *Rektifikation, *Extraktion, *Absorption etc. Die F. sollen bei Füllkörperkolonnen die rückströmende bzw. von oben aufgegebene Flüssigkeit möglichst gleichmäßig über den Kolonnenquerschnitt verteilen u. die Bildung von Bächen, insbes. an der Kolonnenwand verhindern. Bei Bodenkolonnen od. anderen Ausführungsformen (s. z. B. Kolonnentypen bei der Flüssig-Flüssig-Extraktion) haben die Flüssigkeitsverteiler entsprechende Aufgaben. – *E* liquid distributor – *F* distributeur de liquide – *I* distributore del fluido – *S* distribuidor de líquido

Lit.: ACHEMA-Jahrb. **1988**, 1996.03 ▪ s. a. Kolonnen-Einbauten.

Flüssigkristalle s. flüssige Kristalle.

Flüssigkristalline Polymere (Kurzz. LCP, von *E* Liquid Cristall Polymers). F. P. sind *Polymere, die als Lsg. (lyotrope Lsg.) od. Schmelzen (thermotrope Syst.) die Eigenschaften von *flüssigen Kristallen zeigen. Je nach Anordnung der stäbchen- bzw. scheibchenförmigen od. amphiphilen *mesogenen Gruppen im Polymeren in der Haupt- od. Seitenkette unterscheidet man zwischen flüssigkrist. Hauptketten- u. Seitenketten-Polymeren (s. Abb.).

	stäbchenförmig	scheibchenförmig	amphiphil
Monomer-Einheit			
LC-Hauptketten-Polymere			
LC-Seitenketten-Polymere			

Abb.: Flüssigkristalline Polymer-Typen.

Die flüssigkrist. Hauptketten-Polymere unterteilt man in solche mit starrer, keine flexiblen Elemente (Alkyl-, Alkoxy-Gruppen) enthaltender Hauptkette u. solche mit semiflexibler Hauptkette, in der mesogene u. flexible Kettensegmente regelmäßig od. statist. regellos alternieren.

Von den Hauptketten-LCP haben bisher fast nur solche mit stäbchenförmigen Segmenten techn. Interesse gefunden. Sie werden überwiegend durch *Polykondensation von aromat. Dicarbonsäuren mit aromat. Diaminen (Aramide) od. Phenolen hergestellt. Die dabei resultierenden *Polyamide u. *Polyester – z. B. solche mit (I) bzw. (II) als kennzeichnende Gruppierungen für Produkte aus der Reaktion von Terephthalsäure mit *p*-Phenylendiamin bzw. mit *p*-Hydroxybenzoesäure u. 4,4'-Dihydroxybiphenyl –

haben meist oberhalb ihrer Zersetzungstemp. liegende Schmelzpunkte. Nemat. Phasen können bei ihnen daher nur nach Zugabe von Lsm. wie halogenierten Phenolen od. konz. Schwefelsäure beobachtet werden. Aus den dabei anfallenden Lsg. können die f. P. verarbeitet werden, z. B. zu hochfesten Aramid-Fasern. Aus der Schmelze verarbeitbar werden sie, wenn ihr Schmelzbereich durch Einbau flexibler Gruppen in die Hauptkette od. durch Anheften lateraler, möglichst flexibler Substituenten als Seitengruppen erniedrigt wird.

Außer bei den Polyamiden u. Polyestern findet man f. P. auch unter den *Polypeptiden, *Polyoxamiden, *Polyhydrazinen, *Polyazomethinen, *Polyisocyaniden, *Polyisocyanaten, *Polyorganophosphazenen u. Metall-Polyinen sowie bei der *Cellulose u. bestimmten *Cellulose-Derivaten wie z. B. der *Ethylcellulose u. *Hydroxypropylcellulose.

Die außergewöhnlichen mechan. Festigkeiten von aus Lsg. od. Schmelzen gesponnenen Fasern aus f. P. basieren auf dem hohen Orientierungsgrad der Polymermol. parallel zur Faserachse u. können durch kurzzeitiges Tempern der Fasern bei Temp. über 300 °C noch signifikant über Nachorientierungs-, Nachkristallisations- u. Nachkondensations-Prozesse verbessert werden. Die Festigkeiten senkrecht zur Faserrichtung sind allerdings zumeist wenig ausgeprägt. Bes. Vorteile der f. P. sind neben den wertvollen mechan. Eigenschaften, die z. T. die von Stahl erreichen, u. a. ihre im Vgl. zu Metallen niedrige D., ihre hohe Wärmeform- sowie Lsm.-Beständigkeit u. Flammfestigkeit.

Verw.: Zur Herst. von Fasern, Folien, Filmen u. anderen Kunststoff-Formteilen mit hohen mechan. Eigenschaften; z. B. für die Verstärkung von Autoreifen, zur Herst. von Hochseekabeln, hochwertigen Elektronikbauteilen, kugelfesten Westen u. im chem. Apparatebau. – *E* liquid cristalline polymers – *F* polymères liquides cristallins, polymères de cristals liquides – *I* polimeri liquido-cristallini – *S* polímeros líquidos cristalinos, polímeros de cristales líquidos

Lit.: Carfagna, Liquide Crystalline Polymers, Oxford: Pergamon 1994 ▪ Ciferri, Liquid Crystallinity in Polymers, New York: VCH Publishers Inc. 1991 ▪ Compr. Polym. Sci. **5**, 701–732 ▪ Houben-Weyl **E 20**, 2201–2207 ▪ Platé, Liquid-Crystal Polymers, New York: Plenum 1993.

Flüssig-Luft-Sprengstoffe s. Oxyliquit.

Flüssigmist s. Düngemittel.

Flüssig-Mosaik-Modell s. Membranen (biolog.).

Flüssig-Treibstoff-Raketen s. Raketentreibstoffe.

Flufenaminsäure.

Internat. Freiname für *N*-[3-(Trifluormethyl)phenyl]-anthranilsäure, $C_{14}H_{10}F_3NO_2$, M_R 281,23; blaßgelbes Pulver (verschiedene Krist.-Formen), Schmp. 125 °C (aus 50% C_2H_5OH), auch 134–136 °C (aus Cyclohexan) angegeben; λ_{max} (0,1 N methanol. HCl) 287, 344 nm ($A^{1\%}_{1cm}$=339); pK_a 3,9; LD_{50} (Maus oral) 715 mg/kg. F. wurde als nichtsteroidales *Antirheumatikum 1961 von Parke Davis patentiert u. ist generikafähig. – *E* flufenamic acid – *F* acide flufénamique – *I* acido flufenamminico – *S* ácido flufenámico

Lit.: ASP ▪ Florey **11**, 313–346 ▪ Hager (5.) **8**, 231 ff. – [HS 2922 49; CAS 530-78-9]

Flufenoxuron.

Common name für 1-[4-(2-Chlor-4-trifluormethylphenoxy)-2-fluorphenyl]-3-(2,6-difluorbenzoyl)harnstoff, $C_{21}H_{11}ClF_6N_2O_3$, M_R 488,77, Schmp. 169–172 °C (Zers.), LD_{50} (Ratte oral) >3000 mg/kg, von Shell entwickelter *Chitin-Synthesehemmer gegen Insekten u. Spinnmilben im Obst-, Wein-, Zitrus-, Baumwoll-, Sojabohnen- u. Gemüseanbau. – *E* flufenoxuron – *I* flufenoxurone – *S* flufenoxurón

Lit.: Farm ▪ Perkow ▪ Pesticide Manual. – [CAS 101463-69-8]

Flufenprox. Common name für 1-(4-Chlorphenoxy)-3-[2-(4-ethoxyphenyl)-3,3,3-trifluorpropoxymethyl]-benzol.

$C_{24}H_{22}ClF_3O_3$, M_R 450,89, Sdp. 204 °C (26,6 Pa), LD_{50} (Ratte oral) >5000 mg/kg, bei Zeneca in der Entwicklung befindliches *Insektizid. – *E* = *F* = *I* = *S* flufenprox

Lit.: Gordon, Brighton Crop Protection Conference – Pests and Diseases, Bd. 1, S. 81–88, Farnham, England: The British Crop Protection Council 1992. – [CAS 107713-58-6]

Flugasche. Bez. für niedergeschlagenen *Flugstaub; F. fällt im Abgasreinigungssyst. von Verbrennungsanlagen an. Nach Brennmaterial, weniger nach der Abscheidetechnik, gibt es charakterist. Unterschiede in Zusammensetzung u. Anfallmenge. Hauptsächlich wird unterschieden in F. aus Steinkohle- u. Braunkohle-Kraftwerken sowie *Filterstaub* als Abfallverbrennungsanlagen. Der überwiegende Teil der Stoffe in F. kommt aus dem Brennmaterial (Kohle, Abfälle). Unterschiede der Zusammensetzung ergeben sich durch Prozeßtechnik u. zusätzliche Maßnahmen der *Abluftreinigung. F. enthält, neben Oxiden des Aluminiums, Siliciums u. Eisens, lösl. Salze (v. a. Chloride, Sulfate, Sulfite, Fluoride, hauptsächlich des Natriums, Kaliums u. Calciums), aber auch Verb. tox. *Schwermetalle (v. a. Zink, Blei, Kupfer), weiterhin organ. *Schadstoffe wie *polycyclische aromatische Kohlenwasserstoffe u. *Dioxine. – *E* fly ash, flue dust – *F* cendres volantes – *I* cenere volatile – *S* ceniza volante

Lit.: Römpp Lexikon Umwelt, S. 265 f.

Flugbenzin. Ein *Flugkraftstoff aus *Benzin zum Antrieb von Flugzeug-Ottomotoren. Die F.-Sorten haben einen Siedebereich von 75–170 °C mit *Octan-Zahlen (ROZ) 80–130 u. – nach Zusatz von *Anti-Icing-Mitteln – einen Gefrierpunkt unterhalb –58 °C. Zur Erzielung der erwünschten Klopffestigkeit werden die F. nicht nur stark verbleit, sondern sie enthalten auch einen hohen Anteil an verzweigten Kohlenwasserstoffen (Alkylatbenzin). Eine typ. Zusammensetzung für ein F. mit ROZ 100–130 ist: 15–20% Isopentan, 30–40% höhere Isoparaffine, 5–15% aromat. Kohlenwasserstoffe, 5–10% sog. straight-run-Benzin (s. Benzin u. Erdöl) u. 20–40% Krackbenzin. – *E* aviation gasoline – *F* essence-aviation – *I* benzina aerea – *S* gasolina de aviación

Lit.: Goodger, Hydrocarbon Fuels, S. 132 f., 180, 258, London: McMillan Pr. 1975 ▪ Hommel, Nr. 38 ▪ Kirk-Othmer (3.) **17**, 257, 260, 267 ▪ McKetta **2**, 62 ff. – [HS 271000]

Flugkraftstoffe. Gruppenbez. für die zum Betrieb von Flugzeugen verwendeten Kraftstoffe. Man unterscheidet folgende Haupttypen: *Flugbenzin zur Versorgung von Ottomotoren (Kolbenmotoren), *Düsenkraftstoffe für Turbinenmotoren (Turbopropmaschinen) u. Strahltriebwerke sowie die *Raketentreibstoffe. – *E* aviation fuels – *F* carburants d'aviation – *I* carburanti aerei – *S* combustibles de aviación, carburantes para aviación

Flugrost. Bez. für beginnende *Rost-Bildung als Eigenrost auf der Oberfläche von *Eisen u. *Stahl als Folge einer Wechselwirkung mit der umgebenden Atmosphäre. Allg. handelt es sich hierbei um leicht entfernbaren Rost (s. dagegen Fremdrost). – *E* initial rust – *F* couche mince de rouille – *I* ruggine iniziale – *S* óxido inicial, herrumbre inicial
Lit.: DIN 50900 Tl. 1 (04/1982) ▪ Lexikon der Korrosion, S. 34, Düsseldorf: Mannesmann 1970.

Flugstaub. Bez. für ein Verbrennungsprodukt vornehmlich aus Steinkohlefeuerungen, das von Verbrennungsgasen mitgeführt, mechan. mitgerissen wird od. beim Abkühlen aus dem Dampfzustand kondensiert, s. a. Staub, Schwebstoffe, Rauche, Nebel. Mit Hilfe moderner *Entstaubungs-Techniken (*Elektrofilter, *Tuchfilter) kann F. aus dem Abgas abgeschieden werden, er wird zur *Flugasche. F. eignet sich in dieser niedergeschlagenen Form als Zusatzstoff für die Beton-Herstellung.

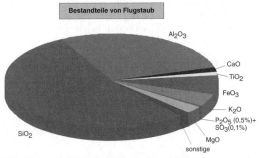

Abb.: Verteilung der Hauptbestandteile des Flugstaubes.

In den hier nicht aufgeführten ca. 2% sind ziemlich alle anderen Metalle einschließlich ihrer natürlich vorkommenden radioaktiven Isotope u. der im Erdreich vorhandenen *Actiniden enthalten. – *E* flue dust – *F* poussières volantes – *I* pulviscolo – *S* polvo volátil, polvo en suspensión

Flugturbinenkraftstoffe s. Düsenkraftstoffe.

Flugzeit-Massenspektrometer s. Massenspektrometrie.

Flugzeugenteisungsmittel Hoechst®. Enteisungsmittel für Flugzeuge. *B.:* Hoechst.

Fluid. von engl.: fluid = flüssig, *Flüssigkeit abgeleitete Bez. für flüssige Mittel, z. B. Abbeizfluid, Badefluid.

Fluidat(bett) s. Wirbelschicht.

Fluid Chromatographie. Unzweckmäßige Bez. für ein chromatograph. Verf., bei dem Gase (CO_2, N_2O, SF_6 etc.) im überkrit. Zustand (s. a. Destraktion) als *mobile Phase benutzt werden u. für das sich daher die Bez. Supercritical Fluid Chromatography (SFC) durchgesetzt hat. Die SFC wird vielfach als Bindeglied der *Gaschromatographie u. der *HPLC angesehen. Da überkrit. Gasen im Vgl. zum Normalzustand eine merkliche Elutionskraft zukommt, können empfindliche Proben unter schonenderen Bedingungen analysiert werden, wobei sowohl Kapillar- als auch gepackte Säulen (HPLC-Säulen) verwendet werden. – *E* supercritical fluid chromatography – *F* chromatographie fluide supercritique – *I* cromatografia fluidica – *S* cromatografía fluida supercrítica
Lit.: Analyt.-Taschenb. **11**, 63–111 ▪ Wenclawiak (Hrsg.), Analysis with Supercritical Fluids: Extraction and Chromatography, Berlin: Springer 1992.

Fluide Einschlüsse. Einschlüsse von Flüssigkeiten, Gasen u. überkrit. Phasen sind in den Mineralen *magmatischer u. *metamorpher Gesteine weit verbreitet. Sie geben durch ihr Verhalten beim Erhitzen od. Abkühlen u. durch ihre Zusammensetzung wichtige Informationen über die Bildung u. Umbildung der sie einschließenden Minerale (z. B. *Quarz, *Feldspäte, *Apatit, *Topas, *Beryll, *Fluorit) u. ermöglichen die Rekonstruktion von Kristallisationstemp. u. genet. Abfolgen. F. E. sind im allg. mikroskop. bis submikroskop. klein. Größere f. E., z. B. in Bergkrist. u. *Achat, sind oft bes. an ihren Gasblasen (Libellen) deutlich erkennbar. Die *äußere Form* der f. E. variiert von einfach rundlichen od. unregelmäßigen bis zu regelmäßigen, kristallograph. definierbaren Figuren. Nach ihrem *Inhalt* kann man die f. E. gliedern in 1. *einphasige* Einschlüsse, meist Gaseinschlüsse; – 2. *zweiphasige* Einschlüsse mit einer Flüssigkeit u. einer Gasblase. In den meisten zweiphasigen Einschlüssen, die aus Wasser (mit gelösten Substanzen) u. Wasserdampf bestehen, wird die Gasblase beim Erwärmen kleiner u. verschwindet bei der *Homogenisationstemp.* ganz[1]; daraus kann die Einschließungstemp. des f. E. – mit Hilfe einer Druckkorrektur – berechnet werden; – 3. *dreiphasige* Einschlüsse; sie enthalten meist eine Gasblase u. zwei flüssige Phasen; – 4. Einschlüsse mit *Tochtermineralen* – meist in Wasser gut lösl. Mineralarten, z. B. *Steinsalz od. *Sylvin –, die sich aus der eingeschlossenen Lsg. bei fallender Temp. gebildet haben. Die *Zusammensetzung* der f. E. variiert in weiten Grenzen; eine Hauptkomponente ist Wasser. Es enthält gewöhnlich gelöste Salze, deren Konz. bis auf über 50% ansteigen kann. Die häufigsten Kationen sind Na^+, K^+, Ca^{2+}, Mg^{2+}, die häufigsten Anionen Cl^-, SO_4^{2-}, HSO_3^-, HCO_3^- u. CO_3^{2-}. Freies CO_2 ist verbreitet u. kann sogar die vorherrschende Phase werden. Weitere Komponenten sind H_2S, H_2, N_2, CO, CH_4, C_2H_6 u. komplexere organ. Verbindungen. Zu diesen als fluide Stoffe zusammengefaßten Substanzen kommen noch die Tochterminerale.

Untersuchungsmeth.: Analyse der durch Zermahlen des einschlußhaltigen Materials im Vak. freigesetzten flüchtigen Bestandteile mit dem Massenspektrometer, mit der *Gaschromatographie u. mit anderen chem. Meth.; Extraktion der flüssigen u. lösl. Phasen, meist mit Wasser, u. chem. Analyse; Analyse der festen Phasen mit der Mikrosonde (*Elektronenstrahl-Mikroanalyse); Bestimmung der opt. Eigenschaften des Einschlußinhaltes; Bestimmung der Homogenisations- bzw. Einschließungstemp.; Beobachtung des Einschlußinhaltes beim Abkühlen auf dem Kühltisch unter dem Mikroskop zur Abschätzung der Salinität aus der Gefrierpunktserniedrigung wäss. Salzlsg.; Beobachtungen über die Viskosität (Beweglichkeit der Gasblasen); spektroskop. Meth. (*IR- u. *UV-Spektroskopie, *Fluoreszenz). – *E* fluid inclusions – *F* inclusions fluides – *I* inclusioni fluide – *S* inclusiones fluidas

Lit.: [1] Econ. Geol. **87**, 1616–1623 (1992).
allg.: Fortschr. Mineral. **59**, 267–302 (1981) ▪ Leeder, Thomas u. Klemm, Einschlüsse in Mineralen, Stuttgart: Enke 1987 (mit umfangreichem Lit.-Verzeichnis) ▪ Roedder, Fluid Inclusions (Reviews in Mineralogy, Bd. 12), Washington (D.C.): Mineralogical Society of America 1984 ▪ Roedder (Hrsg.), Fluid Inclusion Research, Blacksburg (Virginia): Virginia Polytechnic Institute & State University 1991 ▪ Santosch (Hrsg.), Fluid Inclusions, Bangalore: Geological Society of India 1988 ▪ Wimmenauer, Petrographie der magmatischen u. metamorphen Gesteine, S. 11–14, Stuttgart: Enke 1985. – *Reihe:* Fluid Inclusion Research. Proceedings of COFFI (Commission on Ore Forming Fluids in Inclusions), Ann Arbor (Michigan): The University of Michigan Press (seit 1968).

Fluidextrakte s. Extrakte.

Fluidifikation. Wenig gebräuchliche Bez. für Meth. zur Umwandlung verklumpender Pulver (z.B. Waschmittel, Düngemittel) in frei fließende Pulver mit Hilfe sog. Rieselhilfen; Näheres s. dort. – *E* = *F* fluidification – *I* fluidificazione – *S* fluidificación

Fluidisieren. Aus dem engl. Sprachgebrauch (vgl. Fluid) übernommener Begriff, der das „Fließen-Machen" von Stoffen beschreiben soll, allerdings weniger im Sinne der *Fluidifikation als vielmehr im Sinne von *Fließbett- od. *Wirbelschichtverfahren. – *E* = *F* fluidisation – *I* fluidificare – *S* fluidización
Lit.: s. Wirbelschichtverfahren.

Fluidität (Symbol φ). Bez. für den Kehrwert der dynam. *Viskosität ($\varphi = 1/\eta$), vgl. DIN 1342 (12/1971), s. a. Supraflüssigkeit. – *E* fluidity – *F* fluidité – *I* fluidità – *S* fluidez

Fluidol®. Fettalkoholethoxylate zur Entfettung im Zuge der Leder- u. Pelzherstellung. *B.:* Henkel.

Fluimucil®. Granulat, Kapseln, Ampullen u. Brausetabl. mit *Acetylcystein als Schleimlösemittel bei Bronchitis u. Entzündungen im HNO-Bereich. *B.:* Zambon.

Fluimucil Antidot®. Infusionsflasche mit *Acetylcystein zur Entgiftung von *Paracetamol u. Tetrachlormethan. *B.:* Zambon.

Fluisil® S 55 K. Tieftemp.-Schmiermittel für Kältemaschinen auf der Basis eines *sec*-Butylesters der Polykieselsäure. *B.:* Bayer.

FLUKA. F. ist eine eingetragene Marke der FLUKA Chemie, die ein Geschäftsbereich der SIGMA-ALDRICH Corp. St. Louis, Missouri, ist. Die Produktionsstätte ist in Buchs (Schweiz). *Daten* (1996): ca. 380 Beschäftigte (Stammhaus in der Schweiz). *Geschäftstätigkeit:* Entwicklung, Herst. u. Vermarktung von rund 18 000 Laborreagenzien, Biochemikalien u. chem. Zwischenprodukten. *Vertretung* in Deutschland: SIGMA-ALDRICH Chemie GmbH, Geschäftsbereich Fluka Chemie, Messerschmittstr. 17, 89231 Neu-Ulm.

Fluktuierende Bindungen. Seit den 60er Jahren kennt man Verb., in denen eine permanente *Valenzisomerisierung unter ständigem Platzwechsel von Bindungen stattfindet – heute nennt man diese spezif. *Umlagerung, die als *pericyclische Reaktion abläuft, *Topomerisierung. Das am längsten bekannte Beisp. für Verb. mit f.B. ist das Bullvalen (s. Abb. dort), dem sich inzwischen neben *Semibullvalen auch Metall-Komplexe des *Cyclopentadienyls hinzugesellt haben; hier kommen die *fluktuierenden Strukturen* als Folge permanenter *sigmatroper Umlagerungen zustande. – *E* fluctuating bonds – *F* liaisons fluctuantes – *I* legami fluttuanti – *S* enlaces fluctuantes
Lit.: s. Valenzisomerisierung.

Flumazenil.

Internat. Freiname für Ethyl-8-fluor-5,6-dihydro-5-methyl-6-oxo-4*H*-imidazo[1,5-*a*][1,4]benzodiazepin-3-carboxylat, $C_{15}H_{14}FN_3O_3$, M_R 303,29, Schmp. 201–203 °C, LD_{50} (Ratte i.p.) 1360 mg/kg. Es wurde als Benzodiazepin-Antagonist 1981/82 von Hoffmann-LaRoche patentiert u. ist von Roche (Anexate®-Injektionslösung) im Handel. – *E* = *I* = *S* flumazenil – *F* flumazénil
Lit.: ASP ▪ Clin. Neuropharmacol. **18**, 215–232 (1995) ▪ Merck-Index (12.), Nr. 4169. – *[CAS 78755-81-4]*

Flumedroxon.

Internat. Freiname für 17-Hydroxy-6α-trifluormethyl-4-pregnen-3,20-dion, $C_{22}H_{29}F_3O_3$, M_R 398,47. Verwendet wurde das 17-Acetat, Schmp. 205–207 °C; λ_{max} 234 nm ($A_{1cm}^{1\%}$ = 354); $[\alpha]_D^{20}$ +30° (CHCl₃); F. wurde 1962 als Migränemittel von Lövens Kemiske Fabrik patentiert. – *E* flumedroxone – *F* flumédroxone – *I* flumedrossone – *S* flumedroxona
Lit.: Hager (5.) **8**, 234 ff. – *[HS 291470; CAS 15687-21-5 (F.); 987-18-8 (17-Acetat)]*

Flumetason.

Internat. Freiname für 6α,9-Difluor-11β,17,21-trihydroxy-16α-methyl-1,4-pregnadien-3,20-dion, $C_{22}H_{28}F_2O_5$, M_R 410,46, verwendet wird das 21-Pivalat, Schmp. 271–284 °C; λ_{max} 237 nm ($A_{1cm}^{1\%}$ = 338); $[\alpha]_D^{20}$ +71–82° (c 1/Dioxan); $[\alpha]_D^{20}$ +83–89° (c 0,4/CH₃OH). F. wurde als lokales Glucocorticoid (s. Corticosteroide) 1962 u. 1970 von Upjohn patentiert u. ist von Zyma (Locacorten®) u. LAW (Cerson®) im Handel. – *E* = *I* flumetasone – *F* flumétasone – *S* flumetasona
Lit.: Hager (5.) **8**, 236–240. – *[HS 29322; CAS 2135-17-3 (F.); 2002-29-1 (21-Pivalat)]*

Flumetsulam.

Flumiclorac-pentyl

Common name für N-(2,6-Difluorphenyl)-5-methyl-[1,2,4]triazolo[1,5-a]pyrimidin-2-sulfonamid, $C_{12}H_9F_2N_5O_2S$, M_R 325,29, Schmp. 251–253 °C, LD_{50} (Ratte oral) >5000 mg/kg, von DowElanco 1992 eingeführtes system. *Herbizid gegen Ungräser u. breitblättrige Unkräuter in Mais- u. Sojakulturen. – **E = F = I = S** flumetsulam
Lit.: Farm ▪ Perkow ▪ Pesticide Manual. – *[CAS 98967-40-9]*

Flumiclorac-pentyl. Common name für [2-Chlor-5-(1-cyclohexen-1,2-dicarboximido)-4-fluorphenoxy]-essigsäurepentylester.

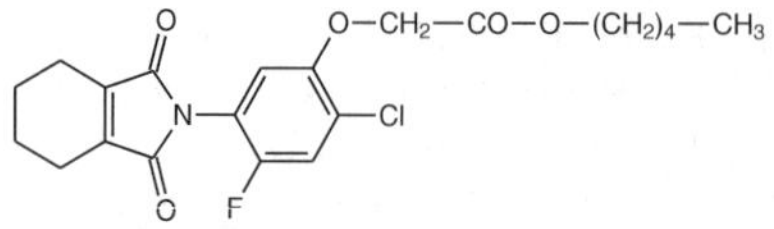

$C_{21}H_{23}ClFNO_5$, M_R 423,87, Schmp. 90 °C, LD_{50} (Ratte oral) >3600 mg/kg, von Sumitomo entwickeltes, schnell wirkendes Kontakt-*Herbizid gegen breitblättrige Unkräuter in Soja- u. Maiskulturen. – **E** flumiclorac-pentyl – **F** flumiclorac pentyle – **I** flumiclorac-pentile – **S** flumiclorac-pentil
Lit.: Farm ▪ Perkow ▪ Pesticide Manual. – *[CAS 87546-18-7]*

Flumioxazin. Common name für N-(7-Fluor-3,4-dihydro-3-oxo-4-prop-2-ynyl-2H-1,4-benzoxazin-6-yl)-1-cyclohexen-1,2-dicarboximid.

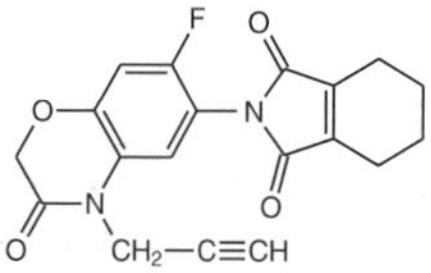

$C_{19}H_{15}FN_2O_4$, M_R 354,34, Schmp. 202–204 °C, LD_{50} (Ratte oral) >5000 mg/kg, von Sumitomo 1993 eingeführtes *Herbizid gegen breitblättrige Unkräuter in Soja-, Obst- u.a. Kulturen. – **E = F** flumioxazin – **I** flumiossazina – **S** flumioxazín
Lit.: Farm ▪ Perkow ▪ Pesticide Manual. – *[CAS 103361-09-7]*

Flumipropyn. Common name für N-[4-Chlor-2-fluor-5-(1-methyl-2-propynyloxy)phenyl]-1-cyclohexen-1,2-dicarboximid.

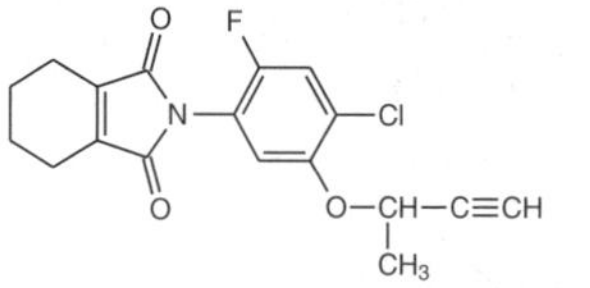

$C_{18}H_{15}ClFNO_3$, M_R 347,77, Schmp. 115–116,5 °C, LD_{50} (Ratte oral) >5000 mg/kg, von Sumitomo entwickeltes Kontakt-*Herbizid mit system. Wirkung gegen breitblättrige Unkräuter v. a. in Getreidekulturen. – **E = F = I** flumipropyne – **S** flumipropina
Lit.: Perkow. – *[CAS 84478-52-4]*

Flunarizin.

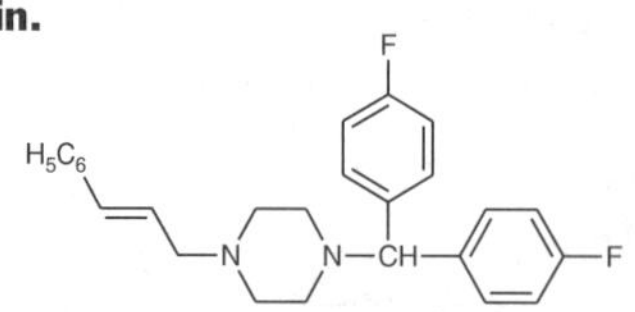

Internat. Freiname für 1-Cinnamyl-4-(4,4'-difluorbenzhydryl)-piperazin, $C_{26}H_{26}F_2N_2$, M_R 404,50. Verwendet wird das Dihydrochlorid, Schmp. 251,5 °C, auch 200–220 °C (Zers.) angegeben. λ_{max} (Isopropanol) 226, 254, 282, 293 nm ($A_{1cm}^{1\%}$ = 304, 459, 38, 24); pK_{a1} 7,71; pK_{a2} 4. F. ist ein *Calcium-Antagonist mit antillerg. u. vasodilatator. Wirkung. Es wurde 1970 u. 1973 von Janssen (Sibelium®) patentiert u. ist generikafähig. – **E = F** flunarizine – **I = S** flunarizina
Lit.: Beilstein E V **23/1**, 234 ▪ Hager (5.) **8**, 240 f. – *[HS 2933 59; CAS 52468-60-7 (F.); 30484-77-6 (Dihydrochlorid)]*

Flunisolid.

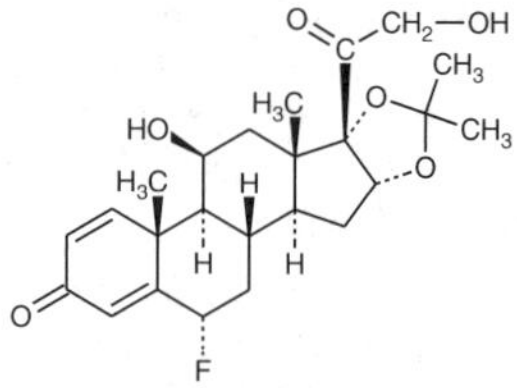

Internat. Freiname für das Glucocorticoid 6α-Fluor-11β,21-dihydroxy-16α,17-isopropylidendioxy-1,4-pregnadien-3,20-dion, $C_{24}H_{31}FO_6$, M_R 434,50, Schmp. 245 °C; $[\alpha]_D^{25}$ +103° – 111° (c 1/CHCl$_3$); F. wird aufgrund seiner antillerg. u. antiphlogist. Eigenschaften zur lokalen Therapie von Rhinitis u. Asthma verwendet. Es wurde 1964 von Syntex (Syntaris®) patentiert u. ist auch von Boehringer Ingelheim (Inhacort®) im Handel. – **E = F = I** flunisolide – **S** flunisolida
Lit.: ASP ▪ Hager (5.) **8**, 241 ff. – *[HS 2937 22; CAS 3385-03-3]*

Flunitrazepam.

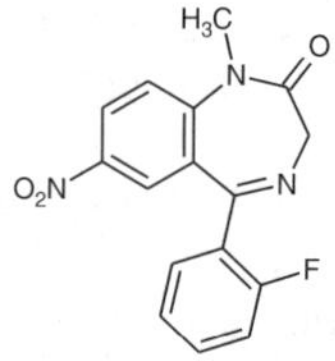

Internat. Freiname für 5-(2-Fluorphenyl)-1,3-dihydro-1-methyl-7-nitro-2H-1,4-benzodiazepin-2-on, $C_{16}H_{13}FN_3O_3$, M_R 314,30, weißes od. gelbliches krist. Pulver, Schmp. 170–172 °C; λ_{max} (CH$_3$OH) 218, 252 nm ($A_{1cm}^{1\%}$ = 523, 332); pK_a 1,8. F. wurde 1963, 1964 u. 1965 als *Hypnotikum der Benzodiazepin-Gruppe von Hoffmann-La Roche (Rohypnol®) patentiert u. ist generikafähig. F. ist in Anlage III C der *BMVVO gelistet. – **E = I = S** flunitrazepam – **F** flunitrazépam
Lit.: ASP ▪ Beilstein E V **24/4**, 350 ▪ DAB **1996** u. Komm. ▪ Hager (5.) **8**, 243 f. – *[HS 2933 90; CAS 1622-62-4]*

Fluo... s. a. Fluoro...

Fluoborate s. Fluoroborate.

Fluocerit s. Tysonit.

Fluocinolonacetonid.

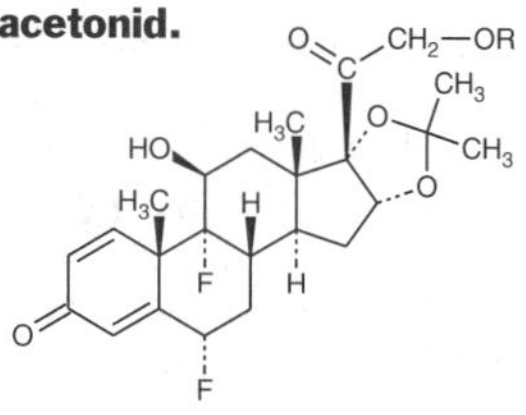

R = H : Fluocinolonacetonid
R = CO—CH$_3$: Fluocinonid

Internat. Freiname für 6α,9-Difluor-11β,21-dihydroxy-16α,17-isopropylidendioxy-1,4-pregnadien-3,20-dion, $C_{24}H_{30}F_2O_6$, M_R 452,50, Schmp. 265–

266 °C; λ_{max} 238 nm ($A_{1cm}^{1\%}$ = 358); $[\alpha]_D$ +95° (CHCl$_3$). F. wurde als antiallerg. u. antiphlogist. Glucocorticoid (s. Corticosteroide) zur top. Anw. 1961 u. 1964 von Syntex patentiert u. ist von Grünenthal (Jellin®) u. medphano (Flucinar®) im Handel. – *E* = *I* fluocinolone acetonide – *F* acétonide de fluocinolone – *S* acetónido de fluocinolona

Lit.: Beilstein E V **19/6**, 571 ▪ DAB **1996** u. Komm. ▪ Hager (5.) **8**, 245 – 249. – *[HS 2937 22; CAS 67-73-2]*

Fluocinonid. Internat. Freiname für 21-Acetoxy-6α,9-difluor-11-hydroxy-16α,17-isopropylidendioxy-1,4-pregnadien-3,20-dion (Formel s. Fluocinolonacetonid), C$_{26}$H$_{32}$F$_2$O$_7$, M_R 494,53, Schmp. 308–311 °C. F. ist ein Glucocorticoid (s. Corticosteroide), dessen Herst. erstmals 1963 von Olin Mathieson patentiert wurde u. das als Therapeutikum entzündlicher Dermatosen von Grünenthal (Topsym®) im Handel ist. – *E* = *F* = *I* fluocinonide – *S* fluocinonido

Lit.: Merck-Index (12.), Nr. 4186. – *[HS 2937 22; CAS 356-12-7]*

Fluocortinbutyl.

R = COOH : Fluocortin
R = COOC$_4$H$_9$: Fluocortinbutyl
R = CH$_2$OH : Fluocortolon

Internat. Freiname für 6α-Fluor-11β-hydroxy-16α-methyl-3,20-dioxo-1,4-pregnadien-21-carbonsäure-butylester, C$_{26}$H$_{35}$FO$_5$, M_R 436,48; Schmp. 195,1 °C; $[\alpha]_D^{25}$ +136° (c 0,5/CHCl$_3$); LD$_{50}$ (Maus oral u. s.c.) >4 g/kg. F. ist ein schwach wirksames Glucocorticoid (s. Corticosteroide) zur lokalen Therapie. Es wurde 1973 u. 1974 von Schering (Lenen®, Vaspit®, heute von Asche) patentiert. – *E* fluocortin butyl – *F* fluocortine butyle – *I* fluocortin butile – *S* fluocortina butilo

Lit.: Hager (5.) **8**, 250 f. – *[HS 2918 90; CAS 33124-50-4 (Fluocortin); 41767-29-7 (Butylester)]*

Fluocortolon. Internat. Freiname für das *Corticosteroid 6α-Fluor-11β,21-hydroxy-16α-methyl-1,4-pregnadien-3,20-dion, C$_{22}$H$_{29}$FO$_4$, M_R 376,47 (Formel s. Fluocortinbutyl), Schmp. 188–190,5 °C; λ_{max} (CH$_3$OH) 242 nm ($A_{1cm}^{1\%}$ = 433); $[\alpha]_D^{20}$ +100° (Dioxan); verwendet werden das 21-Hexanoat, Schmp. 242–245 °C, λ_{max} 242 nm ($A_{1cm}^{1\%}$ = 341), $[\alpha]_D^{20}$ +98,5° (Dioxan), u. das 21-Pivalat, Schmp. 187 °C, $[\alpha]_D^{20}$ +100–105° (c 1/Dioxan). F. wurde 1962 u. 1966 von Schering (Ultralan®) patentiert. – *E* = *F* = *I* fluocortolone – *S* fluocortolona

Lit.: Hager (5.) **8**, 251 – 255. – *[HS 2937 22; CAS 152-97-6 (F.); 303-40-2 (21-Hexanoat); 29205-06-9 (21-Pivalat)]*

Fluometuron.

Common name für 1,1-Dimethyl-3-(3-trifluor-methyl-phenyl-)harnstoff, C$_{10}$H$_{11}$F$_3$N$_2$O, M_R 232,21, Schmp. 163–164,5 °C, LD$_{50}$ (Ratte oral) >8000 mg/kg (WHO), von Ciba 1960 eingeführtes selektives system. *Herbizid gegen Unkräuter u. Ungräser im Baumwollanbau. – *E* = *F* fluometuron – *I* fluometurone – *S* fluometurón

Lit.: Farm ▪ Pesticide Manual. – *[HS 2924 21; CAS 2164-17-2]*

Fluomine.

C$_{16}$H$_{12}$CoF$_2$N$_2$O$_2$, M_R 361,21. Aus 3-Fluorsalicylaldehyd, Cobalt u. Ethylendiamin zusammengesetztes Metall-*Chelat, das wie das analog aufgebaute *Salcomin in der Lage ist, Sauerstoff reversibel zu binden. F. wird zur Oxid. von substituierten Phenolen u. Chinolinolen verwendet. – *E* = *F* = *I* fluomine – *S* fluomina

Lit.: Beilstein E IV **8**, 223 ▪ Chem. Eng. (N. Y.) **84**, Nr. 13, 67 (1977) ▪ Chem. Tech. (Washington, DC) **6**, 575 (1976).

Fluomycin®. Vaginaltabl. mit dem *Antiseptikum *Dequaliniumchlorid. *B.:* Nourypharma.

Fluor (chem. Symbol F). Nichtmetall. Element der 7. Hauptgruppe des *Periodensystems (*Halogene), Ordnungszahl 9, M_R 18,998403. F. ist ein *anisotopes Element mit künstlichen Isotopen ^{17}F – ^{22}Fl mit HWZ 4 s–109,7 min. F. ist unter Normalbedingungen ein schwach grünlich-gelbes, stechend (Chlor-artig) riechendes, giftiges, stark ätzendes Gas aus F$_2$-Mol., MAK-Wert 0,2 mg/m^3 bzw. 0,1 ppm, Litergew. 1,696 g (0 °C), Schmp. –219,62 °C, Sdp. –188,14 °C. Das verflüssigte F$_2$ (krit. Temp. –129 °C, krit. Druck, 5220 kPa) ist eine hellgelbe Flüssigkeit, das feste ebenfalls gelb; nach *Lit.*[1] ist F. unter allen Bedingungen farblos. In seinen Verb. (*Fluoride) ist F. stets neg. einwertig; es ist das elektronegativste Element (*Elektronegativität). F. vereinigt sich mit anderen Elementen leicht in deren höchsten Wertigkeitsstufen – so gibt es z. B. OsF$_8$, IF$_7$, SF$_6$, BiF$_5$, AgF$_2$ – u. bildet selbst mit *Edelgasen stabile Verbindungen. Für einige der erwähnten Verb. (*hypervalente Moleküle) nimmt man Beteiligung von d-Orbitalen an, bei anderen geht man von Dreizentren-Vierelektronen-Bindungen aus (*Edelgas-Verbindungen).

Unter allen Elementen zeigt F. die stärkste chem. Aktivität: es zersetzt Wasser (unter Bildung von Fluorwasserstoff, Sauerstoff, Ozon u. Difluoroxid, F$_2$O), ferner Glas, Silicate, Oxide, Sulfide, Halogenide, Blausäure, Schwefelwasserstoff, Ammoniak, Salpetersäure usw. Mit Brom, Iod, Schwefel, Phosphor, Arsen, Antimon, Bor, Holzkohle u. vielen Metallen vereinigt es sich unter Aufglühen. Dagegen werden z. B. Aluminium, Magnesium, Nickel, Kupfer u. Stahl bei gewöhnlicher Temp. verhältnismäßig wenig angegriffen, da sie sich mit einer Fluorid-Schicht bedecken, die den weiteren Angriff von F$_2$ verhindert; bei stärkerem Erhitzen erfolgt aber auch bei ihnen eine durchgreifende Reaktion. Selbst Gold u. Platin werden bei Rotglut von F$_2$ stark angegriffen. Ein Gemisch aus festem F$_2$ u. flüssigem H$_2$ explodiert schon bei –253 °C mit großer Heftigkeit.

Organ. Substanzen werden bei direkter Einwirkung von F_2 meist rasch unter Bildung von Fluorwasserstoff u. Kohlenstoff-Fluorid zersetzt, daher ist F_2 außerordentlich giftig. Hochfluorierte Kohlenwasserstoffe sind etwas beständig gegen F_2, ebenso einige Kunststoffe, die allerdings an ihrer Oberfläche angegriffen werden können u. dadurch eine Schutzschicht aufbauen. Dieser Effekt läßt sich zur gezielten Modifizierung der Oberfläche von Formkörpern nutzen. Die Einführung von F. in organ. Verb. nennt man *Fluorierung.

Im Vgl. zu den übrigen Halogenen nimmt F. eine gewisse Sonderstellung hinsichtlich seiner Verb. ein; so ist z.B. Calciumfluorid wasserunlösl., Calciumchlorid, -bromid u. -iodid sind dagegen leicht löslich. Umgekehrt löst sich Silberfluorid leicht in Wasser, während die übrigen Silberhalogenide unlösl. sind. Viele Eigenschaften des F. sind durch den bes. kleinen *Ionenradius bedingt, z.B. auch der *Hyperkonjugations-Effekt. Der Kernspin (1/2) des F. ist verantwortlich dafür, daß sich Fluor-Verb. durch *NMR-Spektroskopie untersuchen lassen.

Physiologie: Im menschlichen Organismus findet sich F. in Zahnschmelz (0,1–0,3 g/kg), Dentin (0,2–0,7 g/kg), Knochen (0,9–2,7 g/kg), Blut (0,18 mg/L), Magensaft (0,4–0,7 mg/L), Schweiß (0,2–1,8 mg/L), während der F.-Gehalt von Haaren, Haut, Muskeln niedriger liegt; Gesamtgehalt ca. 800 mg. Die durchschnittliche Fluorid-Zufuhr mit der Nahrung pro Tag beträgt ca. 2,5 mg. Lange Zeit war der Nutzen zusätzlicher Gaben von Fluorid zur Verhütung von *Karies umstritten, doch hat sich inzwischen aufgrund statist. Erhebungen, auch von der WHO, herausgestellt, daß durch kontrollierte Zufuhr von F. ein wirksamer Schutz möglich ist. Zur Karies-Prophylaxe sollten Kinder daher 0,4–1,1 mg Fluorid zusätzlich aufnehmen[2]. Von den Möglichkeiten der F.-Zufuhr hat sich außer der oralen Verabreichung von Fluorid in Tablettenform die *Fluoridierung des *Trinkwassers als zweckmäßigsten erwiesen, da die Aufnahme über z.B. Stannofluoride, Natriumfluorophosphate usw. enthaltende Zahnpasten individuellen Eigenheiten zu sehr unterliegt. Beim Einbau von F. in die Knochensubstanz (durch Ionenaustausch von OH gegen F. in den *Apatiten) wird die Grenzfläche zwischen den Mineralkrist. u. dem Protein-Material bis zu 30% verkleinert[3], weshalb sich der Knochen verfestigt; daher wird F. auch in der Therapie der Osteoporose eingesetzt. Die jahrelange Aufnahme ungewöhnlich großer Mengen von F. (etwa 1,5–2,4 mg/kg u. d) kann allerdings zu *Fluorosen* (Verdickung u. Versteifung der Gelenke u. Knochen, Osteosklerose) führen. In höheren Dosen sind Fluoride ausgesprochene Gifte, die durch Blockierung von *Enzymen schädlich wirken: NaF hemmt die Enolase u. *Fluoressigsäure den *Citronensäure-Cyclus. Zur Toxizität von F. u. seinen Verb. s. Lit.[4]. Über Maßnahmen bei Vergiftungsfällen s. Lit.[5]. Pflanzen, insbes. Nadelbäume werden bes. durch HF u. Fluoride geschädigt.

Nachw.: Qual. durch Ätzung von Glas durch den bei der Zers. der Fluoride durch konz. Schwefelsäure freiwerdenden Fluorwasserstoff, z.B. nach der Gleichung (*Ätzprobe*):

$$CaF_2 + H_2SO_4 \rightarrow CaSO_4 + 2HF$$

Diese Reaktion wird auch zur quant. Bestimmung benutzt, wobei das gebildete HF durch Wasserdampfdest. abgetrennt u. anschließend photometr. mit Alizarin-3-methylamin-N,N-diessigsäure od. Alizarin S, Chromazurol, Eriochromcyanin R od. fluorimetr. mit Aluminiumoxinat bestimmt wird[6]. Wenn die Substanz gleichzeitig größere Mengen von Kieselsäure enthält, bildet sich bei der Zers. Siliciumtetrafluorid, das man auf einen an einem Glasstab hängenden Wassertropfen einwirken läßt, der sich infolge der bei der Hydrolyse des Gases entstehenden Kieselsäure trübt (*Wassertropfenprobe*):

$$SiF_4 + 4H_2O \rightarrow Si(OH)_4 + 4HF$$

Quant. wurde F. früher durch Fällung u. Wägung als Calciumfluorid bestimmt; zu modernen Bestimmungsmeth. mittels Fluorid-sensitiver Elektroden, Fluoreszenzmessung nach Erzeugung *Laser-angeregter MgF-Mol. (LEMOFS), Ionenchromatographie u. Spektrofluorimetrie s. Lit.[7]. Wasserunlösl. Fluoride müssen vorab mit $Na_2CO_3/NaOH$ od. mit Na aufgeschlossen werden. Für die Analyse der organ. Fluor-Verb. bieten sich v.a. physikal. Meth. wie *Gaschromatographie, *IR- u. *NMR-Spektroskopie an, vgl. Lit.[7].

Vork.: Infolge seiner außergewöhnlich starken Reaktionsfähigkeit kommt F. in der Natur nur in Verb. vor, u. zwar beträgt sein Anteil an der obersten, 16 km dicken Erdkruste etwa 0,065%; es steht somit in seiner Häufigkeit an 13. Stelle. In vielen Magma-Gesteinen ist F. zu 0,08% enthalten. Das wichtigste Fluormineral ist *Calciumfluorid (*Fluorit, Flußspat*); ferner findet sich F. in *Kryolith (Na_3AlF_6) sowie in Apatit, *Topas, *Glimmer u. v. a. Silicaten, in kleinen Mengen auch in Sedimenten, Kohlen, Korallen, Muscheln usw. Man schätzt, daß die im Apatit verfügbaren F.-Reserven erheblich größer sind als die Flußspat-Vorräte, weshalb die Gewinnung des F. aus Phosphaten zukünftig größere Aufmerksamkeit erlangen könnte. F.-Verb. treten spurenweise in sehr vielen pflanzlichen u. tier. Organismen auf. Bes. F.-haltig ist Tee[8], Spargel u. Fische; einen sehr hohen F.-Gehalt (bis 11,5% des Trockengew.) hat ein bei Neuseeland vorkommender Schwamm[9].

F.-Verb. treten auch in Schadstoffen industrieller Emissionen in Erscheinung, z.B. in den Abgasen der Aluminium-, Email-, Keramik-, Zement- u. Ziegel-Ind., von Kraftwerken (bes. braunkohlenbeheizten) u. Müllverbrennungsanlagen. Nach der *TA Luft dürfen die Emissionskonz. von F. u. F.-Verb. in der Abluft 5 mg/m³ nicht überschreiten. Der Reinigung F.-haltiger Abgase kommt daher große Bedeutung zu.

Herst.: Obwohl heute die Herst. von F. auf rein chem. Wege möglich erscheint[10], wird F. prakt. ausschließlich durch *Elektrolyse von (mit KF leitend gemachtem) HF od. von geschmolzenem KHF_2 (ggf. mit LiCl-Zusatz zur Schmp.-Erniedrigung) produziert. Kathoden u. Zellgefäß sind meist aus Monel-Leg. od. Stahl, die Anoden aus Graphit-freier Kohle. Als günstigste Arbeitsweise hat sich die Elektrolyse eines Gemisches von KF u. HF im Molverhältnis 1:2,0–2,2 bei

70–130°C (8–12 V, 4000–15000 A, 10–15 A/dm²) erwiesen; die Stromausbeute beträgt 90–95%. Zur Laboratoriumsherst. s. *Lit.*[11]. Im Handel ist F. in Gasflaschen mit grauem Anstrich u. Rechtsgewinde.

Verw.: Die techn. Bedeutung des F. reicht bei weitem nicht an die des Chlors heran, obwohl die F.-Chemie seit ca. 1955 einen beachtlichen Aufschwung genommen hat. Elementares F. dient v.a. zur Herst. von Uranhexafluorid (zur Isotopentrennung für Kernbrennstoffe) u. Schwefelhexafluorid sowie solcher anorgan. u. organ. F.-Verb., die auf andere Weise nicht od. nur schwer zugänglich sind[12]. Ein neues Einsatzgebiet ist die nachträgliche Fluorierung von Benzintanks aus Polyethylen[12], die damit Lsm.-beständig werden. Weitere wichtige F.-Verb. sind Fluorwasserstoff u. die hieraus erhältlichen anorgan. u. organ. Fluoride, die Fluorkohlenstoffe u.a. *perfluorierte Verbindungen wie Fluorcarbonsäuren, Fluoralkohole u. Fluortenside, die in Kälte- u. Treibmitteln verwendeten *FCKW (*Fluorchlorkohlenwasserstoffe*), die zur Herst. von Kunststoffen u. *Fluor-Elastomeren benötigten Fluorolefine wie Vinylidenfluorid, Tetrafluorethylen usw. Perfluorierte Alkane, Amine u. Ether (z. B. Fluosol) eignen sich, da sie O_2 u. CO_2 zu transportieren vermögen, als Blutersatzmittel, s. dort.

Geschichte: Schon 1529 beschrieb Agricola die Verw. von Flußspat als Flußmittel beim Schmelzen von Erzen; von dieser Verw. stammt auch der latein. Name F. (= Fluß). 1670 entdeckte Schwandhard die Ätzung von Glas in einem Gemisch aus Flußspat u. Säure. Die Existenz des F. als Element wurde schon von Ampère 1810 aufgrund einer Theorie von Davy prophezeit, doch scheiterte die Herst. daran, daß F. sofort mit dem Lsm. (Wasser) od. mit den Glaswänden reagierte. Erst 1886 gelang es *Moissan, reines F_2 durch Elektrolyse von Kaliumfluorid (in wasserfreiem, verflüssigtem Fluorwasserstoff gelöst) in Apparaten aus Platin herzustellen. Im Jahre 1897 wurde F_2 erstmals verflüssigt, u. 1903 erhielten Moissan u. Dewar nach starker Kühlung festes Fluor. Ein Überblick über die Geschichte der F.-Chemie findet sich in *Lit.*[13]. – *E* fluorine – *F* fluor – *I* fluoro – *S* flúor

Lit.: [1] Encycl. Gaz., S. 815–822. [2] Belitz-Grosch (4), S. 381, 383. [3] Chem. Eng. News **43**, Nr. 16, 50 (1965). [4] Seiler u. Sigel (Hrsg.), Handbook on Toxicity of Inorganic Compounds, S. 283–294, New York: Dekker 1988. [5] Braun-Dönhardt, S. 173 f. [6] Fries-Getrost, S. 144, 149. [7] Townshend, Encyclopedia of Analytical Science, S. 1435–1452, London: Academic Press, 1995. [8] Z. Lebensm. Unters. Forsch. **169**, 453 (1979). [9] Science **206**, 1108 (1979). [10] Chem. Eng. News **1986** (15.9.1986), 23 f. [11] Brauer (3.) **1**, 162, 164. [12] Chem. Ind. (Düsseldorf) **1988**, Nr. 8, 26. [13] J. Fluorine Chem. **33**, 1–131 (1986). *allg.:* Büchner et al., Industrial Inorganic Chemistry, S. 133–137, Weinheim: VCH Verlagsges. 1989 ▪ Gmelin, Syst.-Nr. 5, F, 1926, Erg.-Bd. 1 u. 2, 1959, 1980, Erg.-Werk (mehrbändig) seit 1973 ▪ Hommel, Nr. 94 ▪ J. Fluorine Chem. **33**, 133–146 (1986) ▪ Kirk-Othmer (4.) **11**, 241–729 ▪ Ullmann (5.) **A 11**, 293–348 ▪ s. a. Halogene u. perfluorierte Verbindungen. – *Zeitschrift:* Journal of Fluorine Chemistry, Lausanne: Elsevier (seit 1971). – *[HS 2801 30; CAS 14762-94-8; G 2]*

Fluor… Bez. für *Fluor als Substituent in systemat. Namen von organ. Verb., im Dtsch. selten auch *Fluoro…, das in Komplexverb. ausschließlich verwandt wird (*Fluoroborate, -silicate etc.). In Kurzz.

von Polymeren kann F. als F abgekürzt werden; *Beisp.:* PTFE = Polytetrafluorethylen. – *E* = *F* = *I* = *S* fluoro…

Fluoralkohole s. 2-Fluorethanol.

Fluoranthen.

$C_{16}H_{10}$, M_R 202,26. Farblose Nadeln od. Tafeln mit hellblauer Fluoreszenz, D. 1,236, Schmp. 110°C, Sdp. 384°C, lösl. in Schwefelkohlenstoff u. Eisessig, in kaltem Alkohol schwer, in siedendem leicht lösl., gibt mit Schwefelsäure grünblaue Färbung. Das zu 3,3% im Hochtemp.-*Steinkohlenteer enthaltene F. wird als Zwischenprodukt in der Farben-Ind. u. für *Spasmolytika verwendet. – *E* fluoranthene – *F* fluoranthène – *I* fluorantene – *S* fluoranteno

Lit.: Beilstein E IV **5**, 2463 ▪ Kirk-Othmer (3.) **22**, 572 ▪ Ullmann (4.) **14**, 685; (5.) **A 13**, 269 f. – *[HS 2902 90; CAS 206-44-0]*

Fluorapatit s. Apatit.

Fluorbenzol.

C_6H_5F, M_R 96,10. Farblose, Benzol-artig riechende Flüssigkeit, D. 1,0236, Schmp. –41°C, Sdp. 85°C, FP. –15°C c.c., wenig lösl. in Wasser, lösl. in Alkohol. Die Dämpfe reizen u. schädigen die Augen u. die Atemwege sowie die Haut. Kontakt mit der Flüssigkeit ruft Reizung der Augen hervor, wird auch über die Haut aufgenommen; Leber- u. Nierenschäden möglich. F. dient als Zwischenprodukt zur Synth. von Pflanzenschutz- u. Arzneimitteln, flüssigen Krist. usw. – *E* fluorbenzene – *F* fluorbenzène – *I* fluorobenzene – *S* fluorobenceno

Lit.: Beilstein E IV **5**, 632 ▪ Hommel, Nr. 624 ▪ Merk-Index (12.), Nr. 4208 ▪ Ullmann (4.) **10**, 127; **11**, 649; (5.) **A 11**, 378. – *[HS 2903 69; CAS 462-06-6; G 3]*

Fluorbromkohlen(wasser)stoffe s. Halone.

Fluorcarbonsäuren s. perfluorierte Verbindungen.

Fluorchlorkohlenstoffe (FCK). Unsystemat. Bez. für die Chlorfluorkohlenstoffe (CFK), die sich von aliphat., alicycl. u. aromat. Kohlenstoffwasserstoff-Verb. durch vollständige Substitution von Wasserstoff durch Chlor u. Fluor ableiten (s. a. Fluorkohlenwasserstoffe). Die leichtflüchtigen F. werden häufig wegen ihrer physikal. u. chem. Eigenschaften zu den FCKW gerechnet (s. dort). – *E* chlorofluorocarbons, CFC

Fluorchlorkohlen(wasser)stoffe s. FCKW.

1-Fluor-2,4-dinitrobenzol (Sangers Reagenz).

$C_6H_3FN_2O_4$, M_R 186,10. Blaßgelbe, giftige Krist., D. 1,472, Schmp. 26°C, Sdp. 296°C, lösl. in Benzol, Ether u. Alkohol. Reagenz zur Bestimmung von Phenol-Gruppen, Aminosäuren (gibt Dinitrophenyl-Derivate, sog. DNP-Aminosäuren), Aminozuckern u. Morphin, zum Nachw. von Hydrodisulfid-Gruppen in

Proteinen. – ***E = I*** 1-fluoro-2,4-dinitrobenzene – ***F*** 1-fluoro-2,4-dinitrobenzène – ***S*** 1-fluoro-2,4-dinitrobenceno

Lit.: Anal. Biochem. **126**, 360 (1982) ▪ Beilstein E IV **5**, 742 ▪ Biochem. J. **45**, 563 (1963) ▪ Merck-Index (12.), Nr. 4210 ▪ Synthetica **1**, 200 ff. ▪ Ullmann (5.) **A 11**, 380. – *[HS 290490; CAS 70-34-8]*

Fluor-Elastomere. F.-E. sind nichtkrist., elast. *Fluor-Polymere. Zu ihnen zählen neben den *Polyfluorsiliconen u. *Polyfluoralkoxyphosphazenen die Vulkanisationsprodukte von *Fluor-Kautschuken. Handelsübliche F.-E. basieren auf Bis- u. Terpolymeren von Chlortrifluorethylen, Hexafluorpropylen, Tetrafluorethylen, Perfluormethylvinylether u. Vinylidenfluorid. Bei ihrer Synth. mitverwendete Fluor-freie Comonomere sind Ethylen u. Propylen. Die bei der (Co-)Polymerisation dieser Monomeren anfallenden Fluor-Kautschuke werden unter Einsatz von Diaminen, Bisphenolen od. Peroxiden als Vernetzer vulkanisiert. Sie werden für die *Vulkanisation als Abmischungen mit Füll- od. Verstärkungsstoffen, z. B. Calciumhydroxid, Magnesiumoxid u. Rußen, eingesetzt. Hervorstechendste Eigenschaften der F.-E. sind deren Verwendungsmöglichkeiten in einem sehr weiten Temp.-Bereich, hohe Beständigkeit gegenüber aliphat. u. aromat. Kohlenwasserstoffen, Ölen, Hydraulikflüssigkeiten, polaren Lsm., Wasser, wäss. Säuren, Laugen u. Salzlsg., Oxidationsmitteln u. Witterungseinflüssen.

Verw.: F.-E. werden bevorzugt zur Herst. von Treibstoff- u. Öldichtungen sowie von O-Ringen im Flugzeug-, Schiffs- u. Kraftfahrzeugmotorenbau eingesetzt. – ***E*** fluorcarbon elastomers, fluorelastomers – ***F*** fluoroélastomères, élastomères fluoro-carbonés – ***I*** fluoroelastomeri – ***S*** fluoroelastómeros, elástomeros fluorocarbonados

Lit.: Batzer **3**, 378 ▪ Encycl. Polym. Sci. Eng. **7**, 257–269 ▪ s. a. Fluor-Polymere.

Fluoren.

$C_{13}H_{10}$, M_R 166,22. Farblose Blättchen, D. 1,20, Schmp. 115 °C, Sdp. 298 °C, in Wasser nicht, in siedendem Alkohol, Aceton, Ether u. Benzol löslich. Die unreinen Präp. fluoreszieren in alkohol. Lsg. bläulich (daher der Name); ganz reines F. fluoresziert nicht. F. wird aus der bei 270–300 °C überdestillierten Fraktion des Steinkohlenteers gewonnen u. dient zur Herst. von *9-Fluorenon, Farbstoffen, Arznei- u. Schädlingsbekämpfungsmitteln. Fluorencarbonsäuren haben sich als Pflanzenwuchsstoffe erwiesen u. der 9-Fluorenylmethoxycarbonyl-(FMOC)Rest dient als Schutzgruppe. – ***E = I*** fluorene – ***F*** fluorène – ***S*** fluoreno

Lit.: Beilstein E IV **5**, 2142 ▪ Merck-Index (12.), Nr. 4190 ▪ Rippen ▪ Ullmann (4.) **14**, 685; (5.) **A 13**, 268. – *[HS 290290; CAS 86-73-7]*

9-Fluorenon.

$C_{13}H_8O$, M_R 180,21. Gelbe Krist., Schmp. 80–82 °C, Sdp. 342 °C, unlösl. in Wasser, lösl. in Alkoholen, Aceton, Ether u. heißer Schwefelsäure.

Verw.: Zwischenprodukt in organ. Synth., geeignetes Oxidationsmittel in der *Oppenauer-Oxidation. – ***E = I*** 9-fluorenone – ***F*** 9-fluorénone – ***S*** 9-fluorenona

Lit.: Beilstein E IV **7**, 1629 ▪ Ullmann (4.) **14**, 682, 685; (5.) **A 13**, 269. – *[HS 291439; CAS 486-25-9]*

Fluorescamin (Fluram®).

Trivialname für 4-Phenyl-spiro[furan-2,1'-isobenzofuran]-3,3'-dion, $C_{17}H_{10}O_4$, M_R 278,26, Schmp. 155–157 °C.

Verw.: Als *Fluorogen zur fluorimetr. Bestimmung von prim. Aminen, Aminosäuren, Peptiden u. Proteinen im Picomolbereich. – ***E = F*** fluorescamine – ***I*** fluorescammina – ***S*** fluorescamina

Lit.: Anal. Biochem. **112**, 158 (1981) ▪ Biochemistry **142**, 411 (1984) ▪ Methods Enzymol. **47**, 236 (1977). – *[CAS 38183-12-9]*

Fluorescein [Resorcinphthalein, 2-(6-Hydroxy-3-oxo-3H-xanthen-9-yl)-benzoesäure].

$C_{20}H_{12}O_5$, M_R 332,31. F. liegt in 2 Formen vor, als stabile rote Krist. (Schmp. 314–316 °C) u. als instabile gelbe, amorphe Verb. (ebenfalls Schmp. 314–316 °C); der letzteren wird heute im allg. die Lacton-Form (s. linke Abb., ein *Phthalid) zugeschrieben. F. gehört – ebenso wie die *Rhodamine u. *Rosamine – zu den gelegentlich auch als *Phthaleine bezeichneten *Xanthen-Farbstoffen. F. ist sehr schwer lösl. in Wasser, leichter lösl. in Alkohol, Ether u. Alkalien; die alkohol. Lsg. u. die verd. Lsg. der leichter lösl. Alkalisalze, von denen das Dinatrium-Derivat als *Uranin* im Handel ist, sind durch grüne *Fluoreszenz ausgezeichnet. So ist z. B. die 1%ige Lsg. des Ammoniumfluoresceins rotbraun gefärbt u. kaum fluoreszierend, bei Verdünnung 1:100 000 blaßgelb u. stark grünfluoreszierend, u. bei Verdünnung 1:100 000 000 ist die Fluoreszenz im Sonnenlicht noch gut wahrnehmbar. Darum dienen Derivate wie F.-Isothiocyanat (FITC) zur Fluoreszenz-Markierung biochem. Substrate, vgl. Fluorochrome.

Herst.: Durch Erhitzen von Phthalsäureanhydrid mit Resorcin, eine Reaktion, mit der A. von *Baeyer 1871 das F. entdeckte.

Verw.: Trotz seiner ungeheuren Färbekraft wird F. wegen seiner geringen Beständigkeit in der Färberei nicht verwendet, wohl aber als Indikator, medizin. zur Diagnose von Hornhautschäden, Durchblutungsstörungen u. bei Gallenblasen- u. Darmoperationen, zum Färben von Seifen, Badesalzen u. -extrakten,

Tab.: Substituenten ausgewählter Xanthen-Farbstoffe.

	3	4	5	6	2'	4'	5'	7'
Fluorescein	H	H	H	H	H	H	H	H
Gallein	H	H	H	H	H	OH	OH	H
Eosin gelblich	H	H	H	H	Br	Br	Br	Br
Eosin bläulich	H	H	H	H	NO_2	Br	Br	NO_2
Phloxin	Cl	H	H	Cl	Br	Br	Br	Br
Erythrosin	H	H	H	H	I	I	I	I
Bengalrosa	Cl	Cl	Cl	Cl	I	I	I	I
4',5'-Dibromf.	H	H	H	H	H	Br	Br	H
4',5'-Dijodf.	H	H	H	H	H	I	I	H
Phloxin B	Cl	Cl	Cl	Cl	Br	Br	Br	Br

techn. zur Beobachtung von Verunreinigungen durch Abwässer, zum Nachw. unterird. Wasserläufe usw. So hat man z. B. 1877 bei Immendingen 10 kg F. in die Donau geworfen u. 60 h später in dem Flüßchen Aach eine deutliche Fluoreszenz bemerkt, wodurch die Donauversickerung aufgeklärt werden konnte. Mit 500 g F. können Schiffbrüchige u. notgewasserte Flieger eine Meeresfläche von ca. 4000 m² auffällig färben. – *E* fluorescein – *F* fluorescéine – *I* fluorescina – *S* fluoresceína

Lit.: Adv. Photochem. **18**, 315–394 (1993) ▪ Amalric, Fluorescein Angiography, Basel: Karger 1972 ▪ Beilstein E V **19/6**, 456 ▪ Kirk-Othmer (4.) **6**, 903; **8**, 847 ▪ Prog. React. Kinet. **20** (3), 245–307 (1995) ▪ Ullmann (5.) **A 9**, 91; **A 11**, 281, **A 14**, 135; **A 18**, 144 ▪ Winnacker-Küchler (4.) **7**, 41. – [CAS 2321-07-5]

Fluoressigsäure. F–CH₂–COOH, $C_2H_3FO_2$, T+ ☠
M_R 78,04. Farblose Nadeln, D. 1,369, Schmp. 35 °C, Sdp. 165 °C, in heißem Wasser u. Alkohol löslich. Kontakt mit der hochgiftigen F. führt zu starker Reizung u. Schädigung der Augen, der Atmungsorgane (Lungenödem) sowie der Haut (wird auch über die Haut aufgenommen), LD_{50} (Ratte oral) 4680 µg/kg, letale Dosis für Menschen liegt bei 2–10 mg/kg (Na-Salz); wassergefährdender Stoff, WGK 2. F. führt zu einer Störung des *Citronensäure-Cyclus u. dadurch zu Krämpfen, Kreislaufkollaps u. Atemlähmung. Das Na-Salz wirkt als Rattengift, die Anw. als Pflanzenschutzmittel ist nach der Pflanzenschutz-Anwendungsverordnung verboten. F. kommt in der südafrikan. Giftpflanze *Dichapetalum cymosum* u. a. Pflanzen vor. – *E* fluoroacetic acid – *F* acide fluoroacétique – *I* acido fluoroacetico – *S* ácido fluoroacético

Lit.: Beilstein E IV **2**, 446 ▪ Brauer, Gefahrstoff-Sensorik, Landsberg: Ecomed-Verlagsges. 1988 ▪ Hommel, Nr. 943 ▪ Kirk-Othmer (3.) **10**, 891 f.; (4.) **11**, 544 ▪ Merck-Index (12.), Nr. 4205 ▪ Moeschlin, Klinik u. Therapie der Vergiftungen, S. 257, Stuttgart: Thieme 1986 ▪ Ullmann (4.) **11**, 646, 652; (5.) **A 11**, 385. – [CAS 144-49-0; G 8]

Fluoreszenz. Von Mineral *Fluorit abgeleitete Bez. für eine Form der *Lumineszenz von gasf., flüssigen od. festen anorgan. u. organ. Verb., die dadurch gekennzeichnet ist, daß diese innerhalb von 10^{-10} bis 10^{-7} s nach der *Anregung (durch Einwirkung von sichtbarem od. ultraviolettem Licht bzw. Röntgen- od. Elektronenstrahlen) die absorbierte Energie in Form von Strahlung gleicher (*Resonanz-F.), längerer (*Stokessche Regel) od. kürzerer Wellenlänge wieder abgeben. Eine schemat. Darst. der Übergänge zwischen *Grund-, *Singulett- u. *Triplett-Zustand anhand eines sog. *Jabłoński-Termschemas* findet man bei *Photochemie. Liegt die emittierte Strahlung im sichtbaren od. nahe dem sichtbaren Bereich des Spektrums, so spricht man von *opt. F.* zum Unterschied zur *UV-* od. *Röntgenfluoreszenz*. Von der F. ist die *Phosphoreszenz, die vom längerlebigen Triplettzustand ($\geq 10^{-3}$ s) aus erfolgt, zu unterscheiden. In seltenen Fällen kann die emittierte Strahlung auch energiereicher, d. h. kürzerwellig als die absorbierte sein. Dies ist z. B. bei einigen Uranylsalzen der Fall; von ihnen emittierte *Anti-Stokes-Linien* entstehen dadurch, daß der angeregte Krist. bzw. die angeregten Mol. mit der aufgenommenen Energie bei der Rückkehr zum Grundzustand auch noch Schwingungsenergie in Form von Licht aussenden. Voraussetzung ist hierbei, daß aufgrund der Temp. höhere Schwingungsniveaus besetzt sind; s. a. Raman-Spektroskopie. Innerhalb gewisser Grenzen ist die F. um so besser zu beobachten, je geringer die Konz. u. je tiefer die Temp. ist, da F.-Löschung (s. unten) verhindert wird (weniger Stöße zwischen den Mol., weniger Selbstabsorption der F.). Da Mol. im Gegensatz zu Atomen über zahlreiche Freiheitsgrade verfügen, die angeregt werden können, ist auch ihr F.-Emissionsverhalten reichhaltiger. Ebenso wie Mol. ein Absorptionsspektrum mit Bandenstruktur besitzen, verfügen sie auch über ein ähnlich strukturiertes, häufig sogar spiegelbildlich angeordnetes *Fluoreszenzspektrum* (s. Fluoreszenz-Spektroskopie). Die Aussendung von Fluoreszenzlichtquanten kann infolge *F.-Löschung* (*E* quenching) ausbleiben, wenn die Anregungsenergie z. B. 1. durch Stöße mit anderen Mol. „verlorengeht" (strahlungslose Desaktivierung, *Konzentrationslöschung*), 2. als elektron. Energie auf andere, als *Fluoreszenzlöscher*, ggf. aber auch als sog. *Fluoreszenzverstärker* wirksame Mol. übertragen wird (sensibilisierte, auch *verzögerte Fluoreszenz*) od. 3. (nach vorausgegangenem sog. *Intersystem Crossing*) in ein langlebiges („metastabiles") Niveau übergeht u. dann als Phosphoreszenzlichtquant abgestrahlt wird, vgl. a. Lumineszenz u. Photochemie. Die Überkopplungsraten sind abhängig u. a. von der Teilchendichte u. der Stärke von elektr. u. magnet. Feldern.

F.-Erscheinungen sind außerordentlich häufig, entgehen aber im gewöhnlichen Tageslicht zumeist der Beobachtung. Bes. oft wird die von der Sonne od. von künstlichen Lichtquellen ausgestrahlte unsichtbare *Ultraviolettstrahlung absorbiert u. als sichtbares, längerwelliges Licht ausgestrahlt. Beispielsweise emittieren die Leuchtstoffröhren im Verlaufe der *Gasentladungs-Reaktionen einen beträchtlichen Prozentsatz ultravioletten Lichtes, das erst durch die im Innern der Röhren aufgedampften *Leuchtstoffe in sichtbares Licht umgewandelt werden muß. Die Zahl der anorgan. Stoffe mit deutlicher F. ist verhältnismäßig klein; hierher gehören neben dem Flußspat einige Uran-Verb., die Salze von Seltenerdmetallen (z. B. von Erbium, Didym, Lanthan) u. die Dämpfe von Quecksilber, Natrium, Kalium, Rubidium, Iod usw. Viel häufiger sind fluoreszierende organ. Stoffe; v. a. finden sich F.-Erscheinungen bei Benzol-Derivaten aller Art. Benzol selbst zeigt kräftige ultraviolette F., d. h. es absorbiert kurzwelliges Ultraviolett (230–270 nm) u. strahlt längerwelliges, aber immer noch unsichtbares Ultraviolett (260–300 nm) aus. Sind mehrere Benzol-Kerne kondensiert, so kann das F.-Licht in den sichtbaren Bereich des Spektrums rücken. Auf Substitutionen in den Benzol-Mol. reagiert das F.-Spektrum hinsichtlich Lage u. Intensität der Linien ähnlich empfindlich wie das gewöhnliche Absorptionsspektrum. Führt man in den Benzol-Kern die Nitro-Gruppe (Nitrobenzol, Nitrotoluol) ein, so verschwindet die F. völlig; dagegen wird sie durch Einführung von Alkyl-Gruppen verstärkt, u. zwar tritt bathochrome Verschiebung (nach längerwelligem Rot) ein; ähnlich wirken die eingeführte CN- od. $H_2C=CH$-Gruppe, während Halogene im Benzol-Mol. nur eine geringe Verschiebung der F. unter gleichzeitiger Schwächung der Intensität bewirken.

Verw.: In der Spektroskopie zur Untersuchung u. Detektion von Atomen u. Mol. (*Fluoreszenzspektroskopie), wobei neben Lampen zur Anregung zunehmend *Laser (*Gas-Laser, *Festkörperlaser, *Farbstofflaser) eingesetzt werden (LIF, *laserinduzierte Fluoreszenz, *Laserspektroskopie). Die F. ist die Basis für eine Reihe von analyt. Meth. in Chemie, Biochemie u. Klin. Chemie; beispielsweise benutzt man fluoreszenzfähige Mol. (*Fluorochrome) für spezif. Nachweismeth. in der sog. *Fluoreszenzanalyse u. als sog. Fluoreszenzsonden (*E* fluorescent probes) zur spezif. *Markierung in der *Immunologie (*Immunfluoreszenz* s. *Lit.*). Da hierbei die F. von Fluorochrom „mitgebracht" wird, spricht man von *sek. Fluoreszenz.* *Fluorogene (Fluorophore) dienen zur Untersuchung von Enzymen u. Proteinen, vgl. a. die folgenden Stichwörter. *F.-Farbstoffe*, die im Tageslicht u./od. im UV-Licht stark fluoreszieren, können zur Herst. von fluoreszierenden Briefmarken, von Reklamedrucken im Siebdruckverf., ferner zum Anfärben von Kunststoffen u. Lacken verwendet werden. Geeignete F.-Farbstoffe für *Tagesleuchtfarben gehören den Acridinen, Xanthenen (z. B. Fluorescein, Rhodamin), Thioxanthenen, Pyrenen u. a. Klassen an. Die F. wird auch ausgenutzt in *optischen Aufhellern (*Weißtöner*), die Textilien, Waschmitteln, Papieren etc. beigegeben werden. Näheres zu diesen hauptsächlich auf Stilben, Cumarin, Pyrazolin u. Benzoheterocyclen aufbauenden Verb. s. Waschmittel. – *E* = *F* fluorescence – *I* fluorescenza – *S* fluorescencia

Lit.: Bergmann u. Schaefer, Lehrbuch der Experimentalphysik, Bd. 4, Teilchen, S. 653–897, Berlin: de Gruyter 1992 ▪ Klessinger u. Michl, Lichtabsorption und Photochemie organischer Moleküle, Weinheim: VCH Verlagsges. 1989 ▪ Miller, Standards in Fluorescence Spectrometry, London: Chapman & Hall 1981 ▪ Photochem. Photobiol. Rev. **5**, 87–104 (1980) ▪ Schwedt, Fluorimetrische Analyse, Weinheim: Verl. Chemie 1980 ▪ Schwedt, Taschenatlas der Analytik, Stuttgart: Thieme 1996 ▪ Snell, Photometric and Fluorometric Methods of Analysis: Metals (2 Tl.), Nonmetals, New York: Wiley 1978, 1981 ▪ Snell-Hilton **2**, 94–113 ▪ Svanberg, Atomic and Molecular Spectroscopy, Berlin: Springer 1991 ▪ Ullmann (4.) **5**, 269–302 ▪ Zander, Fluorimetrie, Berlin: Springer 1981 ▪ s. a. Atomabsorptionsspektroskopie, Lumineszenz, Photochemie u. Spektroskopie.

Fluoreszenzanalyse. Sammelbez. für analyt. Meth., die auf den charakterist. *Fluoreszenz-Eigenschaften von Verb. beruhen. Zu diesen Meth. gehört die qual. Analyse, d. h. der Nachw. einer Substanz aufgrund der Fluoreszenz, die *Fluoreszenzspektralanalyse* (die Aufnahme von Spektren zur Identifizierung von Substanzen) u. die *Fluorophotometrie* zur Bestimmung von Konzentrationen. – *E* fluorescence analysis – *F* analyse de fluorescence – *I* analisi fluorescente – *S* análisis por fluorescencia

Lit.: Munck (Hrsg.), Fluorescence Analysis in Food, New York: Wiley 1990 ▪ Schwedt, Analytische Chemie, S. 239, Stuttgart: Thieme 1995.

Fluoreszenzfarbstoffe s. Fluoreszenz, Fluorochrome, Fluorogene, Leuchtstoffe, optische Aufheller u. Tagesleuchtfarben.

Fluoreszenz-Immunoassay s. Immunoassay.

Fluoreszenzindikatoren. 1. Bez. für *Indikatoren, die eine Änderung der Fluoreszenzemission am od. in der Nähe des *Äquivalenzpunktes einer *Titration (*Fluoreszenztitration*, vgl. Maßanalyse) zeigen. – 2. Unter F. versteht man auch *Leuchtstoffe (z. B. Zinksilicat), die Adsorbentien für die *Dünnschichtchromatographie zur Sichtbarmachung der Trennergebnisse beigemengt werden. – *E* fluorescence indicators – *F* indicateurs de fluorescence – *I* indicatori fluorescenti – *S* indicadores de fluorescencia

Fluoreszenzintensität s. Fluoreszenzspektroskopie.

Fluoreszenzsonden s. Fluoreszenz.

Fluoreszenz-Spektroskopie. Bez. für Meth. der *Spektroskopie, bei denen die *Fluoreszenz von gasf., flüssigen od. festen Stoffen gemessen wird. Die dafür benutzten Geräte werden als Fluoreszenz-Spektrometer, Fluoreszenz-Spektrophotometer, Spektrofluorometer, Fluorophotometer od. Fluorimeter bezeichnet. Nach dem Vorschlag der IUPAC (1981) soll der Begriff *Spektrofluorimetrie* für die analyt. Anw. der F. benutzt werden.

Um Spektren einer Probe aufzuzeichnen, können mehrere Meßprinzipien angewendet werden: Zur Beobachtung eines Absorptionsspektrums wird entweder eine breitbandige Lichtquelle benutzt u. mittels eines Monochromators herausgefunden, bei welchen Wellenlängen die Strahlung absorbiert wird, od. man setzt eine schmalbandige, durchstimmbare Lichtquelle ein u. mißt mit einem Detektor die transmittierte Lichtintensität (s. Abb.). Bei der Aufzeichnung eines *Fluoreszenz-Spektrums* wird die Anregung bei einer festen, gewählten Wellenlänge vorgenommen u. das emittierte Licht über einen Monochromator u./od. ein *Eta-

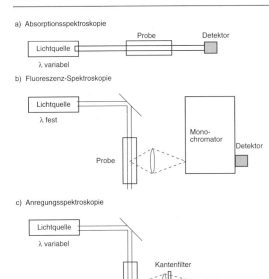

Abb.: Meßprinzip der Absorptions-, Fluoreszenz- u. Anregungsspektroskopie.

Ion spektral zerlegt. Die Anregung muß hierbei nicht ausschließlich durch elektromagnet. Strahlung passieren, sondern kann auch durch Elektronenstöße z. B. in einer *Gasentladung od. andere Energiezufuhr erfolgen. Um ein *Anregungsspektrum* zu beobachten, wird ebenfalls die Fluoreszenz gemessen, diesmal aber nicht spektral zerlegt, sondern über einen bestimmten Wellenlängenbereich aufsummiert. Ein Kantenfilter zwischen Probe u. Detektor dient dazu, das gestreute Anregungslicht abzublocken u. nur das Fluoreszenzlicht nachzuweisen. Die Anregungswellenlänge der schmalbandigen Lichtquelle wird durchgestimmt; wann immer sie einen Absorptionsübergang trifft, wird erhöhte Fluoreszenz emittiert. Somit entspricht das Anregungsspektrum einem Absorptionsspektrum; lediglich in der Intensität einzelner Linien können sich beide Spektren unterscheiden. Als Detektoren werden meist *Photomultiplier, zunehmend auch *Photodioden verwendet. Bei einem opt. *Spektrumanalysator* (engl. optical spectrum analyzer, *OSA od. optical multichanel analyzer, *OMA) wird anstelle des Austrittsspaltes des Monochromators eine Diodenreihe, eine *CCD-Reihe od. eine CCD-Kamera eingesetzt. Da diese Detektoren die auftreffenden Lichtintensitäten ortsabhängig registrieren, wird somit das Fluoreszenzspektrum simultan über einem größeren Wellenlängenbereich gemessen, ohne den Monochromator durchzustimmen. Der Vorteil ist ein signifikanter Zeitgewinn. Als Lichtquelle wurden oft Spektrallampen od. breitbandige Hochdrucklampen eingesetzt, die mit entsprechenden Transmissionsfiltern od. einem Monochromator spektral eingeengt wurden. Da die spektrale Dichte (Intensität pro Wellenlängenintervall) von *Lasern um mehrere Größenordnungen höher ist u. mit ihnen vom infraroten bis in den ultravioletten Spektralbereich jede beliebige Wellenlänge erzeugt werden kann, werden in der Forschung fast ausschließlich Laser für die F. eingesetzt. Mit Ausnahme des *Di-

odenlasers sind *durchstimmbare Laser heute techn. noch sehr aufwendig, weshalb in Analysegeräten mit begrenztem Anwendungsbereich weiterhin noch Lampen verwendet werden.
Über *laser-induzierte Fluoreszenz* (Kurzform LIF) können heute Elemente in einer Gesamtmenge von 10^{-15} g quant. nachgewiesen werden (*Laser-Atomfluoreszenz-Spektrometrie). In der Gasphase wird LIF eingesetzt, um Umweltgase wie NO_2, SO_3 od. O_3 in einer Entfernung von mehreren Kilometern mit Konz. im ppm-Bereich nachzuweisen (*LIDAR). Zur Überwachung der Vegetation in der Agrikultur über LIF s. Lit.[1]. Der Rekord, kleinste Mengen über LIF zu detektieren, besteht darin, ein einziges Ion, das in einer Ionenfalle (*Paul-Falle, Nobelpreis für Physik 1989) gespeichert ist, zu beobachten u. zu photographieren[2]. Werden mehrere Ionen in einer solchen Falle gespeichert, so ordnen sie sich zu einem Kristallverband, was ebenfalls über LIF beobachtet wurde[3]. – *E* fluorescence spectroscopy – *F* spectroscopie de fluorescences – *I* spettroscopia fluorescente – *S* espectroscopia de fluorescencia

Lit.: [1] Phys. Unserer Zeit **20**, 188 (1989). [2] Phys. Bl. **45**, 465 (1989). [3] Phys. Bl. **44**, 12 (1988).
allg.: Bergmann u. Schaefer, Lehrbuch der Experimentalphysik, Bd. 4, Teilchen, Berlin: de Gruyter 1992 ■ Demtröder, Laser Spectroscopy, Berlin: Springer 1981 ■ Klesinger u. Michl, Lichtabsorption u. Photochemie organischer Moleküle, Weinheim: VCH Verlagsges. 1981 ■ Lakowics, Principles of Fluorescence Spectroscopy, New York: Plenum Press 1986.

Fluoreszenz-Thermochromie s. Thermochromie.

Fluoreszenztitration s. Fluoreszenzindikatoren.

Fluoreszenzverstärker s. Fluoreszenz.

2-Fluorethanol. $F-CH_2-CH_2OH$, C_2H_5FO, M_R 64,06. Farblose Flüssigkeit, D. 1,104, Schmp. −26 °C, Sdp. 103 °C, mit Wasser, Ethanol u. Ether mischbar. Das sehr giftige F. (wird leicht zu *Fluoressigsäure oxidiert) wird zur Herst. von Schädlingsbekämpfungsmitteln benutzt. – *E* 2-fluoroethanol – *F* 2-fluoroéthanol – *I* 2-fluoroetanolo – *S* 2-fluoroetanol

Lit.: Beilstein E IV **1**, 1366 ■ Kirk-Othmer (3.) **10**, 871–874; (4.) **11**, 521 f. – *[HS 2905 50; CAS 371-62-0]*

Fluorethylen s. Vinylfluorid.

Fluoretten®. *Natriumfluorid-Tabl. gegen Karies. *B.:* Albert-Roussel Pharma.

Fluorexon s. Calcein.

Fluorglycofen-ethyl.

Common name für Ethyl-[5-(2-Chlor-4-trifluormethylphenyloxy)-2-nitrobenzoyloxy]acetat, $C_{18}H_{13}ClF_3NO_7$, M_R 447,75, Schmp. 65 °C, LD_{50} (Ratte oral) 1500 mg/kg (WHO), von Rohm & Haas entwickeltes Nachauflauf-*Herbizid gegen Unkräuter u. Ungräser im Getreide-, Erdnuß- u. Sojabohnenanbau. – *E* fluorglycofen-ethyl – *F* fluoroglicofene-ethyl – *I* fluorglicofen-etile – *S* fluoroglicofén-etilo

Lit.: Perkow ■ Pesticide Manual. – *[CAS 77501-90-7]*

Fluoride. Bez. für die Salze der *Flußsäure. Wird das H-Atom von *Fluorwasserstoff durch ein Metall ersetzt, so entstehen die einfachen, „neutralen" F., so z. B. Natriumfluorid, Calciumfluorid u. die z. T. schwer zugänglichen Metallfluoride. Fluor neigt bes. zur Bildung von sauren Salzen u. Komplex-Ionen; diese sauren F. od. Hydrogenfluoride haben die allg. Formel $M^I HF_2$, *Beisp.:* Kaliumhydrogenfluorid (KHF_2, s. Kaliumfluoride), Ammoniumhydrogenfluorid [$(NH_4)HF_2$, s. Ammoniumfluoride]. Die Wasserlöslichkeit der F. weicht vielfach stark von der Löslichkeit der Chloride, Bromide u. Iodide ab. So lösen z. B. je 100 g Wasser 18,8 g CsF (löslichstes F.), dann folgen in der Löslichkeit nacheinander K-, Ba-, Ag- u. Li-Fluorid (nur 0,125 g). Die löslichen F. sind infolge Hemmung der *Acetylcholinesterase giftig, MAK 2,5 mg/m^3 (als Fluor berechnet); über den Umgang mit anorgan. Fluoriden informiert *Lit.*[1] u. über Maßnahmen im Vergiftungsfall *Lit.*[2], s. a. die Einzelverbindungen. Zu den F. im weiteren Sinne gehören auch die Verb. des Fluors mit Nichtmetallen wie Bortrifluorid, Chlorfluoride u. a. *Interhalogen-Verbindungen des Fluors, Schwefelfluoride, *Fluoroborate, *Fluorosilicate, die Oxidfluoride, die Schwefel-Stickstoff-F. u. die Edelgas-F. (s. Edelgas-Verbindungen); ein Bild von der Strukturvielfalt der Nichtmetall-F. ergibt sich aus *Lit.*[3]. Über die Strukturen binärer F. der Übergangsmetalle s. *Lit.*[4]. Oft werden auch die organ. Fluor-Verb., z. B. die *Fluorkohlenwasserstoffe, als F. benannt; *Beisp.:* Ethylfluorid. Zu Vork. u. Nachw. der F. s. Fluor.
Verw.: Als *Flußmittel, *Holzschutzmittel, spezielle opt. Gläser, zum Vergüten von Glas, zur *Fluoridierung, die Nichtmetall-F. auch zur *Fluorierung. – *E* fluorides – *F* fluorures – *I* fluoruri – *S* fluoruros
Lit.: [1] Merkblatt M005 der Berufsgenossenschaft der chem. Industrie (2/83). [2] Braun-Dönhardt, S. 173 f. [3] Adv. Inorg. Chem. Radiochem. **27**, 157–195 (1983). [4] Adv. Inorg. Chem. Radiochem. **27**, 83–112 (1983).
allg.: Kirk-Othmer (4.) **11**, 267–466 ▪ Ullmann (5.) **A 11**, 320–334, 337–348 ▪ s. a. Fluor, Fluoridierung, Fluorwasserstoff. – [*HS 2826 11, 2826 12, 2826 19, 2903 30*]

Fluoridierung. Bez. für den Zusatz von *Fluor-Verb. zu Lebensmitteln (Wasser, Milch, Salz) u. Zahnpflegemitteln zur Kariesprophylaxe. Eine pos. Wirkung von Fluor im Zusammenhang mit *Karies ist bewiesen: 0,5–1 ppm Fluor im Trinkwasser, in Form von NaF od. $(NH_4)_2SiF_6$ verabreicht, reduziert die Kariesbildung. Bei 2 ppm jedoch zeigt Fluor schon tox. Wirkungen. Fluor-Verb. wirken durch Umwandlung des relativ weichen Hydroxylapatits (Hauptbestandteil des Zahnschmelzes) in den härteren, säurebeständigen Fluorapatit kariesfesthemmend. Daneben wirkt Fluor hemmend auf die an der Kariesbildung beteiligten Enzyme. Zur Einführung des Fluors eignen sich z. B. die Natrium- u. Zinn-Fluoride, Fluorphosphate u. Fluorosilicate. Da der Fluorid-Gehalt der Nahrung sehr gering ist[1] u. oft auch der natürliche Fluorid-Gehalt des Trinkwassers niedrig ist, kann durch F. von Trinkwasser ein protektiver Effekt erzielt werden. Von der WHO werden Fluorid-Gehalte von 1,0–1,2 ppm für Trinkwasser empfohlen. Inzwischen wird in vielen Staaten, z. B. England, Schweiz, USA, dem Trinkwasser Fluorid bis zu einer Endkonz. von ca. 1 mg/mL zugesetzt. Das Verf. ist in der BRD wegen der geringen therapeut. Breite, der Massenmedikation über Trinkwasserzusätze u. der großen Belastung der Vorfluter durch mit dem Abwasser eingeleitete Fluoride umstritten. Statt einer F. wird zur Kariesbekämpfung eine gezielt durchgeführte Tablettenprophylaxe bei Kindern empfohlen. Nach der Trinkwasser-VO ist ein Zusatz von Fluorid zu *Trinkwasser (s. dort) nicht zugelassen. Doch ist es nach § 37 *LMBG möglich, Ausnahmegenehmigungen bei den zuständigen Landesbehörden zu beantragen.
Die oft vorliegende Unterversorgung an Fluorid kann durch Fluorid-haltige Arzneimittel u. Fluoridhaltiges *Mineralwasser ergänzt werden. Gehalte über 1,5 mg/L müssen bei Mineralwasser durch die Angabe „fluoridhaltig" gekennzeichnet werden. Bei Gehalten über 5 mg/L muß das Mineralwasser mit einem Warnhinweis versehen werden, daß es nur in begrenzten Mengen verzehrt werden darf. Für Mundpflegemittel erlaubt die Kosmetik-VO den Zusatz von 19 verschiedenen Fluorid-Verb., wobei die Maximalkonz. auf 0,15%, berechnet als Fluor, beschränkt ist. Fluorid-Zusätze sind deklarationspflichtig. In Zahnpflegemitteln sind die gebräuchlichsten Fluorid-Verb. Natriumfluorid, Natriummonofluorphosphat u. Aminhydrofluoride. – *E* fluoridation – *F* fluoruration – *I* fluoridazione – *S* fluoración
Lit.: [1] Ernähr. Umsch. **33**, 153 ff. (1986).
allg.: Bundesgesundheitsblatt **28**, 103, 189, (1985) ▪ Höll, Wasser (7.), Berlin: de Gruyter 1986 ▪ Hütter (4.), Wasser u. Wasseruntersuchung, S. 95, Aarau-Frankfurt: Salle u. Sauerländer 1990 ▪ J. Dairy Sci. **70**, 392–396 (1987) ▪ Murray u. Rugg-Gunn, Fluorides in Caries Prevention (2.), Bristol: Wright 1982 ▪ Nature (London) **322**, 125–129 (1986) ▪ Quentin, Trinkwasser, Untersuchung u. Beurteilung von Trink- u. Schwimmbadwasser, Berlin: Springer 1988.

Fluorierung. Einführung von *Fluor in organ. Verb., wobei z. B. Cl, H u. dgl. durch F ersetzt werden. Man verwendet als Fluorierungsmittel z. B. Alkalifluoride, Cobalt(III)-fluorid, Halogenfluoride, Antimonfluoride, Molybdänfluorid, Fluorwasserstoff, Fluorwasserstoff/Pyridin-Gemische, Xenonfluoride u. a. *Edelgas-Verbindungen, gasf. Fluor, Schwefeltetrafluorid. Mit der *Swarts-Reaktion* (Reagenz: $SbF_3/SbCl_5$) sind *CFK (Chlorfluorkohlenstoffe), mit der *Schiemann-Reaktion fluorierte Aromaten zugänglich. Unter sehr milden Bedingungen läßt sich Fluor durch Ionenaustauscher-gebundene quartäre Ammoniumfluoride einführen. Bei den techn. F.-Prozessen zur Herst. von *Fluorkohlenwasserstoffen sind die direkte F. in der Gasphase u. die indirekte F. mit Metallfluoriden durch die elektrochem. F. (*Elektrofluorierung*) ergänzt worden. Beim sog. *Simons-Prozeß*[1] werden in HF gelöste Carbonsäure- od. Sulfosäurefluoride in Nickel-Zellen bei 5 bis 8 V u. Stromdichten von 0,01–0,02 A/cm^2 elektrolysiert, wobei vollständiger H → F-Austausch eintritt, z. B. gemäß

$$C_n H_{2n+1} SO_2 F + (2n+1) HF \rightarrow C_n F_{2n+1} SO_2 F + (2n+1) H_2$$

(n z. B. = 8). Zum Mechanismus u. zu anderen Herstellungsverf. für *perfluorierte Verbindungen u. *Fluortenside s. *Lit.*[2]. – *E* fluorination – *F* fluoration – *I* fluorurazione – *S* fluoración
Lit.: [1] J. Fluorine Chem. **32**, 29–134 (1986). [2] Büchner et al., Industrial Inorganic Chemistry, Weinheim: VCH Verlagsges. 1989; Chem.-Ztg. **104**, 45–52 (1980).

allg.: Naumann, Fluor u. Fluorverbindungen, Darmstadt: Steinkopff 1980 ▪ s. a. Fluor, perfluorierte Verbindungen.

Fluorimetrie. Ebenso wie *Fluorometrie* in uneinheitlichem Sinn gebrauchte u. daher hier vermiedene Bez. für „Messung der *Fluoreszenz", worunter weithin die *Fluoreszenz-Spektroskopie (als quant. Meth.) u./od. die *Fluoreszenzanalyse (als qual. Meth.) verstanden werden. Neuere Terminologievorschläge der IUPAC (1981) empfehlen jedoch die Benutzung der Bez. *Spektrofluorimetrie* für die analyt. Anw. der Fluoreszenzspektroskopie. – *E* fluorimetry – *F* fluorimétrie – *I* fluorimetria – *S* fluorimetría

Fluoriodkohlen(wasser)stoff s. Halone.

Fluorit (Flußspat), CaF_2, M_R 78,08. Wichtigstes Fluor-Mineral, krist. kub.-hexaoktaedr., Kristallklasse m3m-O_h. Häufigste Krist.-Formen sind Würfel u. Oktaeder, ferner *Zwillinge in Form zweier sich durchkreuzender Würfel. Verbreitet *derbe, körnige, spätige od. gebänderte Aggregate.
In der Struktur[1] von F. (s. Kristallstrukturen) bilden die Ca^{2+}-Ionen einen flächenzentrierten Würfel (auch jede Flächenmitte ist besetzt); Ca^{2+} ist würfelförmig von 8 F^--Ionen u. jedes F^--Ion tetraedr. von je 4 Ca^{2+}-Ionen umgeben. Die vollkommene *Spaltbarkeit, die im Idealfall Oktaeder als Spaltkörper ergibt, verläuft parallel zu den Gitterebenen, die nur mit einer Ionenart besetzt sind. Die *Farbe* wechselt von farblos über gelb, hellgrün, rosa bis zu blau, violett od. schwarz; die Farbverteilung kann homogen od. inhomogen (fleckig, dentrit., geradlinig-zonar, punktuell, schlierig) sein. Ursache für die Färbung (s. *Lit.*[2,3]) sind *Kristallbaufehler als Vorstufe von *Farbzentren; letztere werden auch durch radioaktive Strahlung – erzeugt durch den Einbau od. Einschluß radioaktiver Elemente od. winziger Körnchen radioaktiver Minerale – gebildet, bes. bei violetten od. schwarzblauen F., z. B. von Wölsendorf/Bayern; beim Zerschlagen der dortigen, auch als „Stinkspat" bezeichneten F. entweicht Sulfurylfluorid SO_2F_2. Viele der intensiver gefärbten F. zeigen im UV-Licht eine starke *Fluoreszenz, bedingt durch geringen Ersatz von Ca^{2+} durch Seltene Erden (Y^{3+} u. Ce^{3+})[3,4]; dieser Ersatz ist umfangreicher im *Yttrofluorit*, $(Ca,Y^{3+})F_{2-3}$; Ca kann ferner z. T. durch Sr ersetzt werden. H. 4, D. 3,18. Glasglanz, durchsichtig bis durchscheinend, dunkel gefärbte Abarten undurchsichtig.
Vork.: In *Graniten u. *Pegmatiten; in *Kassiterit-Vork. (z. B. Ehrenfriedersdorf/Erzgebirge). Auf hydrothermalen *Gängen, oft zusammen mit Baryt $BaSO_4$ (z. B. Wolfach/Schwarzwald), u./od. *Bleiglanz u. *Zinkblende (z. B. Wölsendorf/Oberpfalz, Derbyshire, Durham u. Cumberland/England). Wirtschaftlich bedeutend sind schichtgebundene (lagerartige) Vork. in *Kalken, *Dolomiten u. Arkosen (*Sandsteine), z. B. in Frankreich, Spanien, Nordafrika, Mexiko u. Illinois u. Kentucky/USA. Hauptförderländer sind China, die Mongolei, Mexiko, USA u. Rußland (u. a. Transbaikalien) sowie in Europa Italien; in der BRD standen 1996 im Schwarzwald noch 2 Gruben im Abbau.
Verw.: Hauptsächlich als Flußmittel in der Eisenschaffenden Ind., z. T. auch in Gießereien (*Hüttenspat*) u. zur Gewinnung von Flußsäure u. Fluor-Verb. in der Fluor-Chemie (*Säurespat*); zur Herst. künstlicher *Kryolith-Schmelze (Na_3AlF_6) für die elektrolyt. Gewinnung von Aluminium; als *Keramikspat* in der Glas-, Email- u. feinkeram. Industrie. Farbloser, völlig reiner, heute künstlich hergestellter F. wird in der opt. Ind. zu *Linsen* für scharf zeichnende Objektive (Apochromate) verschliffen. Schön gebänderte F., v. a. aus China u. Peru, für *kunstgewerbliche Gegenstände*, z. B. Steinkugeln, Figuren u. Schalen; s. a. Calciumfluorid. Ein spezielles *Umweltproblem* stellen die bei der therm. u. chem. Verarbeitung des F. auftretenden Fluor-haltigen Abgase dar[5]. Die wegen der Schädigung des *Ozon-Haushaltes in der Stratosphäre weltweit eingestellten bzw. in Einstellung begriffene Verw. von *Fluorkohlenwasserstoffen als Treibmittel für Aerosole (Spraydosen) u. als Kältemittel hat zu einem erheblichen Absatzrückgang für F. auf dem Weltmarkt[6] geführt; ein zusätzlicher Preisverfall wurde durch umfangreiche billige chines. Exporte verursacht. – *E* fluorite, fluor-spar – *F* fluorine – *I* fluorite, fluorina – *S* fluorita, espato flúor

Lit.: [1] Acta Crystallogr., Sect. A **41**, 35–40 (1985). [2] Aufschluß **46**, 1–11 (1995). [3] Phys. Chem. Miner. **3**, 117–131 (1978). [4] Geochim. Cosmochim. Acta 56, 1–11 (1992). [5] Chem. Unserer Zeit **19**, 33–41 (1985). [6] Ind. Miner. **1993**, Nr. 307, 36–49.
allg.: Deer et al. (2.), S. 672–675 ▪ Eppler, Praktische Gemmologie (5.), S. 399–402, Stuttgart: Rühle-Diebener 1994 ▪ extra Lapis Nr. 4, Fluorit, München: C. Weise 1993 ▪ Matthes, Mineralogie (4.), S. 74f., Berlin: Springer 1993 ▪ Schröcke-Weiner, S. 322–327 ▪ Ullmann (5.) A **11**, S. 296, 316–319 ▪ Wirtschaftsvereinigung Bergbau e.V. (Bonn), Das Bergbau-Handbuch, S. 278ff., Essen: Verl. Glückauf 1994. – [HS 2529 21, 2529 22; CAS 7789-75-5]

Fluor-Kautschuke (Kurzz. FKM). F.-K. sind thermoplast. *Fluor-Polymere, die durch *Vulkanisation in *Fluor-Elastomere überführt werden. Techn. Bedeutung haben v. a. die *Copolymere Poly(vinylidenfluorid-co-hexafluorpropylen), Poly(vinylidenfluorid-co-hexafluorpropylen-co-tetrafluorethylen), Poly(vinylidenfluorid-co-tetrafluorethylen-co-perfluormethylvinylether), Poly(tetrafluorethylen-co-propylen) u. Poly(vinylidenfluorid-co-chlortrifluorethylen) erlangt. Bevorzugtes Herst.-Verf. für F.-K. ist die *Polymerisation der Monomeren in wäss. Emulsion im Temp.- bzw. Druck-Bereich von 80–125 °C bzw. 2–10·10^6 Pa. Zur Vulkanisation u. Verw. der F.-K. s. Fluor-Elastomere. – *E* fluorocarbon rubbers – *F* caoutchouc fluoré – *I* fluorocauccìu – *S* caucho fluorado

Lit.: Elias (5.) **2**, 490 ▪ s. a. Fluor-Elastomere u. Fluor-Polymere.

Fluorkohlenwasserstoffe (FKW). Fluor-Derivate der Kohlenwasserstoffe. Man unterscheidet vollständig fluorierte, d. h. Wasserstoff-freie Fluorkohlenstoffe (FKW od. perfluorierte Fluorkohlenwasserstoffe, *E* [P]FC) von teilhalogenierten, d. h. Wasserstoff-haltigen F. (H-FKW, *E* FHC). Leichtflüchtige F. werden auch den *FCKW zugerechnet.
Eigenschaften: Die niedermol. F. bilden Gase od. leichtflüchtige Flüssigkeiten mit niedrigen Dielektrizitätskonstanten, kleinen Brechungsindices u. geringer Oberflächenspannung[1]. Sie sind in Wasser prakt. unlösl. u. mischen sich nur wenig mit anderen organ. Lsm.; sie selbst sind – von wenigen Ausnahmen ab-

Fluorkohlenwasserstoffe

Tab.: Daten zu Fluorkohlenwasserstoffen (einschließlich der Perfluor-Verb.), nach Lit.[1,3,7,8]

R	Systemat. Name (Trivialname)	Formel	Summen-formel	M_R	Schmp. [°C]	Sdp. [°C]	D. (flüssig) [in Klammern Temp. in °C]	Lebens-dauer [a]	GWP*	CAS
41	Fluormethan (Methylfluorid)	CH_3F	CH_3F	34,03	−141	−78	0,844 (−80)			593-53-3
32	Difluormethan (Methylenfluorid)	CH_2F_2	CH_2F_2	52,02	−136	−52	1,200 (−50)	6,1	0,13	75-10-5
23	Trifluormethan (Fluoroform)	CHF_3	CHF_3	70,01	−155	−82	1,442 (−80)	411		75-46-7
14	Tetrafluormethan (Fluorkohlenstoff)	CF_4	CF_4	88,00	−184	−128	1,613 (−130)	10000		75-73-0
161	Fluorethan (Ethylfluorid)	FH_2C-CH_3	C_2H_5F	48,06	−143	−37	0,818 (−37)			353-36-6
152	1,2-Difluorethan	FH_2C-CH_2F	$C_2H_4F_2$	66,05	−117	31	0,913 (19)	1,8		624-72-6
152a	1,1-Difluorethan	F_2HC-CH_3	$C_2H_4F_2$	66,05	−84	−25	1,023 (−30)	1,8	0,03	75-37-6
143	1,1,2-Trifluorethan	F_2HC-CH_2F	$C_2H_3F_3$	84,04	−111	5		64,2		430-66-0
143a	1,1,1-Trifluorethan	F_3C-CH_3	$C_2H_3F_3$	84,04	−89	−47	1,176 (−50)	41	0,72	420-46-2
134	1,1,2,2-Tetrafluorethan	$F_2HC-CHF_2$	$C_2H_2F_4$	102,03	−101	−20		15,6		359-35-3
134a	1,1,1,2-Tetrafluorethan	F_3C-CH_2F	$C_2H_2F_4$	102,03	−103	−26	1,21 (25)	15,5	0,25	811-97-2
125	Pentafluorethan	F_3C-CHF_2	C_2HF_5	120,02	−101	−49	1,53 (−49)	40,5	0,84	354-33-6
116	Hexafluorethan (Perfluorethan)	F_3C-CF_3	C_2F_6	138,01	−101	−78	1,607 (−78)	>500		76-16-4
1114	Tetrafluorethen	$F_2C=CF_2$	C_2F_4	100,02	−143	−76				116-14-3
1132a	1,1-Difluorethen (Vinylidenfluorid)	$F_2C=CH_2$	$C_2H_2F_2$	64,03	−144	−82	0,750			75-38-7
1141	Fluorethen (Vinylfluorid)	$FHC=CH_2$	C_2H_3F	46,04	−161	−72				75-02-5
281ea	2-Fluorpropan	$H_3C-CH(F)-CH_3$	C_3H_7F	62,09	−133	−10	0,724 (−20)			420-26-8
281fa	1-Fluorpropan	$H_2C-CH_2(F)-CH_3$	C_3H_7F	62,09	−159	−3	0,796 (20)			460-13-0
218	Octafluorpropan	$F_3C-CF_2-CF_3$	C_3F_8	188,02	−183	−37	1,350 (20)			76-19-7
356	1,1,1,4,4,4-Hexafluorbutan	$F_3C-(CH_2)_2-CF_3$	$C_4H_4F_6$	166,07	−128	25		0,4	0,015	
31-10	Decafluorbutan	$F_3C-(CF_2)_2-CF_3$	C_4F_{10}	238,03	−128	−2	1,543 (20)	>2600		355-25-9
C318	Octafluorcyclobutan	C_4F_8	C_4F_8	200,03	−41	−6	1,524 (20)	>1000		115-25-3
41-12	Dodecafluorpentan	$F_3C-(CF_2)_3-CF_3$	C_5F_{12}	288,04	−126	29	1,620 (20)	>1900		678-26-2

* GWP = relativer Treibhauseffekt (E greenhouse warming potential); Werte im Vgl. zu R11 (s. FCKW)

gesehen – nur schlechte Lösemittel [2]. Von den entsprechenden Kohlenwasserstoffen unterscheiden sie sich durch wesentlich größere therm. u. chem. Stabilität. Die gesätt. perfluorierten Verb. bilden die wohl stabilsten organ. Verb. u. verhalten sich fast wie die Edelgase ähnliche Masse [1].

Herkunft: F. lassen sich in Vulkanausgasungen nachweisen. Tetrafluormethan u. Hexafluorethan entstehen als Nebenprodukte bei der Schmelzflußelektrolyse von Aluminiumoxid in Kryolith. Die F. sind aus *Chlorkohlenwasserstoffen durch katalyt. (Cr/Sb)Cl/F-Austausch mit *Fluorwasserstoff zugänglich. Techn. werden auch die Elektrofluorierung von Kohlenwasserstoffen, die Addition von Fluorwasserstoff an Mehrfachbindungen u. a. Meth. angewandt [1].

Verw.: Einige C_{6-8}-FKW werden als Isomerenmischung in Spezialreinigern verwendet, H-FKW als Ersatz für FCKW-Kältemitteln, z. B. Pentafluorethan für R 115 u. 1,1,1,2-Tetrafluorethan für R 12 (s. FCKW). 1,1,1,4,4,4-Hexafluorbutan dient zum Aufschäumen von Polyurethanen [3]. Die ungesätt. F. lassen sich zu *Fluor-Elastomeren u. Fluor-Kunststoffen (Fluorkohlenstoff- od. Fluorcarbonharze) polymerisieren, z. B. Polytetrafluorethen, (Co)-Polymere von Vinylidenfluorid mit Tetrafluorethen od. Hexafluorpropen, Perfluor-Alkoxy-Polymere. Diese Thermoplaste sind sehr stabil gegen Chemikalien, Sauerstoff, Wärme, ultraviolettes Licht u. Feuchtigkeit; sie finden u. a. als Beschichtungsmaterial im Korrosionsschutz Verwendung.

Toxikologie: Die F. sind mit wenigen Ausnahmen (z. B. Perfluorisobuten) untoxisch. Für R 134 a (1,1,1,2-Tetrafluorethan) ist ein *MAK-Wert von 1000 ppm (Spitzenbegrenzung nach Kategorie IV) festgelegt, R 1132 a (1,1-Difluorethen) ist als krebserzeugend (MAK: IIIA2) eingestuft. Für einige F. sind *TLV-Werte festgelegt [1]. Im Rahmen von PAFT (Program for Alternative Fluorocarbon Toxicology Testing) wurden verschiedene F. als FCKW-Ersatzstoffe ausführlich toxikolog. getestet [4].

Verhalten in der Umwelt: Methylfluorid kann durch die Monooxygenase aus *Nitrosomonas europaea* oxidiert werden [5], s. a. FCKW (Abbau). *Emissionen der leichtflüchtigen F. gelangen bevorzugt in die Atmosphäre. Dort verteilen sie sich relativ gleichmäßig bis in große Höhen; über der Nordhalbkugel sind manchmal geringfügig höhere Konz. nachweisbar als über der Südhalbkugel. Die Konz. von Tetrafluormethan wird mit 70 ppt, von Hexafluorethan mit 4 ppt angegeben [6]. Perhalogenierte, gesätt. F. sind in der Atmosphäre außerordentlich stabil (Tab.) u. werden erst in der Ionosphäre durch kurzwellige UV-Strahlung photolyt. gespalten. H-FKW hingegen werden durch atmosphär. OH-Radikale durch H-Abstraktion angegriffen, so daß ein Abbau letztendlich zu HF, H_2O u. CO_2 erfolgt. Da F. IR-Strahlung im Wellenlängenbereich des atmosphär. Fensters (s. Treibhauseffekt) absorbieren, tragen atmosphär. F. zum *Treibhauseffekt bei; ihre Klimawirksamkeit (s. GWP in Tab. S. 1390) wird wesentlich durch ihre atmosphär. Lebenszeit bestimmt. Fluor besitzt keine Ozon-abbauende katalyt. Wirkung; F. haben daher ein *ODP von Null; vgl. FCKW.

– *E* fluorohydrocarbons – *F* fluorohydrocarbures – *I* fluoroidrocarburi – *S* fluorohidrocarburos

Lit.: [1] Kirk-Othmer (4.) **11**, 499–521. [2] Chem. Unserer Zeit **29**, 23 (1995). [3] Römpp Lexikon Umwelt, S. 267f. [4] UTECH Tagungsband: Alternativen zu FCKW und Halonen, Berlin: FGU 1993. [5] Appl. Environ. Microbiol. **60**, 3033ff. (1994). [6] VDI-Berichte **745** (1993). [7] WMO (Hrsg.), Scientific Assessment of Stratospheric Ozone Washington: WMO 1991. [8] Science **259**, 194–199 (1993).

allg.: VDI Fortschritt-Bericht **15**, Nr. 138 (1995).

Fluor-Kunststoffe s. Fluor-Polymere.

Fluoro... Bez. für das *Fluorid-Ion (F^-) als Ligand in den Namen von Koordinationsverb., selten im Dtsch. auch statt *Fluor... als Substituentenbez. von organ. Verbindungen. – *E = F = I = S* fluoro...

Fluoroantimonsäure (Hexafluoroantimonsäure). Bez. für ein als *Supersäure wirksames 1:1-Gemisch von HF u. SbF_5 (= $HSbF_6$), mit dem sich z. B. *Carbenium-Ionen herstellen lassen. – *E* fluoroantimonic acid – *F* acide fluoroantimonique – *I* acido fluoroantimonico – *S* ácido fluoroantimónico

Lit.: s. Antimonfluoride u. Supersäuren. – [HS 2811 19]

Fluoroborate (Tetrafluoroborate, Fluoborate). Salze der *Fluoroborsäure von der allg. Formel $M^I[BF_4]$: *Beisp.:* Kaliumfluoroborat; Ammonium-, Blei-, Cadmium-, Eisen-, Natrium-, Nickel-, Zink- u. Zinn-F. werden hauptsächlich in der *Galvanotechnik verwendet, ferner als *Fluß- u. *Flammschutzmittel. Die F. lassen sich durch Auflösen der betreffenden Metalloxide, -hydroxide od. -carbonate in wäss. Fluoroborsäure bzw. (bei Alkali- u. Erdalkaliverb.) durch Umsetzen von Metallfluoriden u. Bortrifluorid herstellen. – *E = F* fluoroborates – *I* fluoroborati – *S* fluoroboratos

Lit.: s. Fluoroborsäure. – [HS 2826 90]

Fluoroborsäure (Borfluorwasserstoffsäure, Tetrafluorborsäure). HBF_4, M_R 87,81. Farblose, giftige, stark ätzende Flüssigkeit, nur in wäss. Lsg. erhältlich. Im festen Zustand ist die F. in Form des Oxoniumfluoroborats, $[H_3O]^+[BF_4]^-$, bekannt. Die F. ist eine sehr starke Säure (stärker als *Flußsäure), greift jedoch Glas in der Kälte nicht an; sehr leicht lösl. in Wasser, Alkohol u. Ether, zersetzt sich bei etwa 130 °C. F. wird in der *Galvanotechnik, zur Herst. von *Fluoroboraten u. als Katalysator verwendet. – *E* fluoroboric acid – *F* acide fluoroborique – *I* acido fluoroborico – *S* ácido fluorobórico

Lit.: Büchner et al., Industrial Inorganic Chemistry, S. 145, Weinheim: VCH Verlagsges. 1989 ▪ Hommel, Nr. 402 ▪ Kirk-Othmer (4.) **11**, 309–323 ▪ Synthetica **2**, 400ff. ▪ Ullmann (5.) **A 4**, 313–315. – [HS 2811 19; CAS 16872-11-0; G 8]

Fluorochrome. Sammelbez. für alle *Fluoreszenzfarbstoffe*, mit denen man sog. sek. *Fluoreszenz z. B. in mikroskop. Präp. erzeugt bzw. in chem. Verb. einführt, wobei die Bindung an das Substrat über Haupt- od. Nebenvalenzen zustande kommen kann. Von den F. sind die *Fluorogene zu unterscheiden. Die F. (z. B. Fluorescein, Acridinorange, Tetracycline, Porphyrine) bewirken schon in sehr geringer Konz. eine starke Fluoreszenz der angefärbten Zellbestandteile, z. B. Bakterien, Knochen. Kovalent werden die F. gebunden, die in der *Fluoreszenzanalyse od. -spektroskop.

zum Nachw. benutzt werden. In der *Immunfluoreszenz*-Analyse arbeitet man mit durch F. markierten Antikörpern, um Antigene nachzuweisen. – *E* = *F* fluorochromes – *I* fluorocromi – *S* fluorocromos

Lit.: Holz, Was man von der Fluoreszenzmikroskopie wissen sollte, Oberkochen: Zeiss 1976 ▪ J. Immunol. Meth. **13**, 215–226 (1976) ▪ Ullmann (4.) **16**, 683 ▪ Zeiss Inf. 85, 36–39 (1976) ▪ s.a. Fluoreszenz u. Mikroskopie. – *[HS 2932 90, 2941 30]*

Fluorocult®. Nährmedien zum Schnellnachw. von *Escherichia coli*. **B.:** Merck.

Fluorofasern. Nach DIN 60001 Tl. 3 (10/1988) Bez. für *Chemiefasern, die aus fluorierten aliphat. Kohlenwasserstoffen bestehenden linearen Makromol., z.B. *Polytetrafluorethylen, gebildet sind. Kurzz. nach DIN 60001 Tl. 4 (08/1991): PTFE. – *E* = *F* fluorofibres – *I* fluorofibre – *S* fluorofibras

Fluoroform (Trifluormethan R 23) s. Fluorkohlenwasserstoffe.

Fluorogene. Fachsprachliche, von *Fluoreszenz u. *...gen abgeleitete Bez. für nicht fluoreszierende chem. Verb., aus denen (z.B. nach Einwirkung eines Enzyms, aber auch in nicht-enzymat. Reaktion) ein Fluoreszenz zeigendes Teilchen (z.B. Cumarin- od. Naphthol-Derivate) gebildet wird (s. dagegen Fluorochrome). Die F. dienen u.a. als Substrate für die *enzymatische Analyse, wobei die Fluoreszenz-Messung (Fluorimetrie) wesentlich geringere Konz. nachzuweisen gestattet als die Absorptions-Messung (Kolorimetrie), die mit *Chromogenen arbeitet. – *E* fluorogens – *F* fluorogènes – *I* fluorogeni – *S* fluorógenos

Fluorokieselsäure (Kieselfluorwasserstoffsäure, Hexafluorokieselsäure). $H_2[SiF_6]$, M_R 144,09. Diese Säure ist in chem. reinem, wasserfreiem Zustand nicht herstellbar; beim Abkühlen konz. wäss. Lsg. erhält man u.a. das Oxoniumfluorosilicat $[H_3O]_2^+$ $[SiF_6]^{2-}$, Schmp. 19 °C. In wäss. Lsg. bildet F. eine farblose Flüssigkeit, die Glas kaum ätzt, wohl aber Haut, Augen u. Schleimhäute. F. ist eine starke Säure; ihr scheinbarer Dissoziationsgrad beträgt in der Normal-Lsg. bei 20 °C 53%. Verd., wäss. Lsg. der Säure lassen sich in Glasgefäßen aufbewahren; sie wirken stark desinfizierend u. finden daher z.B. als Konservierungsmittel von Holzmasten u. Gerbebrühen sowie bei der Reinigung von Kupfer- u. Messingkesseln in der Bierbrauerei Verwendung. Ihre Salze, die *Fluorosilicate, finden als *Fluate in der Technik bzw. zur *Fluoridierung Verwendung. Die Herst. der F. erfolgt durch Einleiten von Siliciumtetrafluorid od. durch Eintragen von Quarz in Flußsäure. Die techn. beim Schwefelsäure-Aufschluß von Fluor-haltigen Rohphosphaten u. bei der Herst. von *Fluorwasserstoff anfallende F. kann vorteilhaft auf AlF_3 u. Na_3AlF_6 (*Kryolith) verarbeitet werden. – *E* fluorosilicic acid – *F* acide fluorosilicique – *I* acido fluorosilicico – *S* ácido fluorosilícico

Lit.: Büchner et al., Industrial Inorganic Chemistry, S. 140ff., Weinheim: VCH Verlagsges. 1989 ▪ Hommel, Nr. 462 ▪ Kirk-Othmer (3.) **10**, 662, 710, 744 ▪ Ullmann (5.) **A 11**, 334ff. ▪ Winnacker-Küchler (4.) **2**, 221, 534–538. – *[HS 2811 19; G 8]*

Fluorometholon.

Internat. Freiname für 9-Fluor-11β,17-dihydroxy-6α-methyl-1,4-pregnadien-3,20-dion, $C_{22}H_{29}FO_4$, M_R 376,47, Schmp. 292–303 °C; $[\alpha]_D^{20}$ +52 bis +60° (c 1/Pyridin). F. wird als Glucocorticoid (s. Corticosteroide) zur lokalen Anw. am Auge eingesetzt. F. wurde 1959 u. 1962 von Upjohn patentiert u. ist von Alcon-Thilo (Isopto-Flucon®) u. Pharm-Allergan (Efflumidex®) im Handel. – *E* fluorometholone – *F* fluorométholone – *I* fluorometolone – *S* fluorometolona

Lit.: Beilstein E IV **8**, 3006 ▪ Hager (5.) **8**, 256ff. – *[HS 2937 22; CAS 426-13-1]*

Fluorometrie (Fluorimetrie) s. Fluoreszenz-Spektroskopie.

Fluorone. Trivialname für in 9-Stellung substituierte Derivate des 2,6,7-Trihydroxy-3-oxo-3*H*-xanthens, die zum Färben von Textilien u. als Komplexbildner für die quant. Photometrie von Metall-Ionen verwendet werden. – *E* = *F* fluorones – *I* fluoroni – *S* fluoronas

Lit.: Fresenius Z. Anal. Chem. **298**, 150–154 (1979).

Fluorophore. Von *Fluoreszenz u. griech.: pherein = tragen abgeleitete Bez. für Atom-Gruppierungen, die einer Verb. Fluoreszenz verleihen (vgl. Chromophore). Bei diesen Atom-Gruppierungen handelt es sich meist um ausgedehnte aromat. Syst. – gewisse Substituenten können jedoch durch strahlungslose Desaktivierung die Fluoreszenz des F. löschen. – *E* fluorophors – *F* fluorophores – *I* fluorofori – *S* fluoróforos

Fluorophosphate s. Fluorophosphorsäuren.

Fluorophosphorsäuren. Größere Gruppe von z.T. in freier Form herstellbaren Fluor-haltigen Phosphorsäuren. Der wohl bekannteste Vertreter ist F–P(O)(OH)$_2$, dessen Natriumsalz (Na_2PO_3F) in Zahnpasten zur *Fluoridierung benutzt wird. Die Salze der *Hexafluorophosphorsäure* (HPF_6) sind sehr stabil u. finden als Katalysatoren, bes. bei der *Photopolymerisation Verwendung. – *E* fluorophosphoric acids – *F* acides fluorophosphoriques – *I* acidi fluorofosforici – *S* ácidos fluorofosfóricos

Lit.: Hommel, Nr. 1092, 1110 ▪ Kirk-Othmer (3.) **10**, 780–788. – *[HS 2811 19]*

Fluorophotometer s. Fluoreszenz-Spektroskopie.

Fluorophyten (Fluorpflanzen). An Fluor-reichen Boden angepaßte Pflanzen, wie der einheim. *Plantago lanceolata* (Spitzwegerich), *Tussilago farfara* (Huflattich), verschiedene Leguminosen (Fabaceen aus der Gattung *Acacia*, *Gastrolobium* u. *Oxylobium*) u. Gräser (z.B. *Agrostis tenuis*, *Festuca rubra*). Fluor wird in F. als anorgan. od. organ. Fluorid gespeichert. Die Teepflanze *Camellia* kann bis zu 3 g Fluorid pro kg Trockengew. enthalten. Einige Akazien (*Acacia* spec.), *Palicourea marcgravii* u. *Gastrolobium grandiflorum* speichern *Fluoressigsäure, wohingegen die Samen

von *Dichapetalum toxicarium* ω-Fluorpalmitat bzw. ω-Fluorooleat enthalten. – *E* fluorophytes – *I* fluorofiti – *S* fluorofitas
Lit.: Harborne, Ökologische Chemie, S. 244 f., Heidelberg: Spektrum Akadem. Verl. 1995 ▪ Schlee (2.), S. 214 ff.

Fluoroschwefelsäure. HO–SO$_2$F, M$_R$ 100,06. Systemat. Name für die oft auch als *Fluorsulfonsäure* bezeichnete Verb., deren Salze u. Ester als *Fluorsulfate* bekannt sind. F. ist eine farblose bis blaßgelbe, etwas viskose, an feuchter Luft rauchende Flüssigkeit, D. 1,74, Schmp. –87 °C, Sdp. 163 °C, die mit Wasser heftig u. exotherm reagiert. F. kann in Apparaturen aus Glas od. Aluminium gehandhabt werden. In ihrer Säurestärke übertrifft F. selbst 100 %ige Schwefelsäure; die *Acidität kann durch Zusatz von Antimonpentafluorid (SbF$_5$) noch beträchtlich gesteigert werden (*Magische Säure, *Supersäuren).
Herst.: Aus flüssigem HF u. flüssigem SO$_3$ in F. als Lsm. od. durch Reaktion von Chlorschwefelsäure mit Fluoriden.
Verw.: Fluorierungsmittel in der anorgan. u. organ. Chemie, zum Sulfonieren, Fluorosulfonieren, als hochacides Lsm. sowie als Katalysator für Alkylierungs- u. Polymerisationsreaktionen; im Gemisch mit SbF$_5$ als bes. starkes Protonierungsmittel. – *E* fluorosulfuric acid – *F* acide fluorosulfurique – *I* acido fluorosolforico – *S* ácido fluorosulfúrico
Lit.: Brauer (3.) **1**, 193 f. ▪ Chem. Nonaqueous Solvents 5 B, 53–155 (1978) ▪ Hollemann-Wiberg (101.), S. 558 ▪ Kirk-Othmer (4.) **11**, 442–449 ▪ Ullmann (5.) **A 11**, 431–434. – *[HS 2811 19; CAS 7789-21-1; G 8]*

Fluoroschwefelsäuremethylester (Methylfluorosulfat). H$_3$CO–SO$_2$–F, CH$_3$FO$_3$S, M$_R$ 114,09. Farblose, extrem giftige [1] Flüssigkeit, D. 1,427, Sdp. 92–94 °C, ein sehr aktives Mittel zur *Methylierung (magisches Methyl) von Aminen, Amiden, Nitrilen, Sulfiden u. Sulfoxiden u. zur Bildung von *Oxonium-Salzen. – *E* methyl fluorosulfate – *F* fluorosulfate de méthyle – *I* fluorosolforato di metile – *S* fluorosulfato de metilo
Lit.: [1] Nachr. Chem. Tech. **24**, 424 (1976). *allg.:* Beilstein E IV **1**, 1251 ▪ Chem. Ind. (London) **1973**, 983–986 ▪ Merck-Index (12.), Nr. 6151 ▪ Synthesis **1972**, 473 f. – *[CAS 421-20-5]*

Fluorose s. Fluor.

Fluorosilicate (Hexafluorosilicate, Silicofluoride). Die Salze der *Fluorokieselsäure, z. B. M$_2^I$[SiF$_6$], können durch Umsetzen der entsprechenden Hydroxide od. Carbonate mit Fluorokieselsäure bzw. von Siliciumtetrafluorid mit den entsprechenden Fluoriden erhalten werden; in Wasser sind sie bis auf die Alkalifluorosilicate (Lithiumfluorosilicat ist lösl.) u. Bariumfluorosilicat lösl., sie wirken wie die Fluorokieselsäure giftig.
Verw.: Hauptsächlich als *Fluate, aber auch in *Galvanotechnik, Holzschutz, *Email-Fabrikation u. in Säurekitten, ggf. auch zur Trinkwasser-Fluoridierung. – *E* = *F* fluorosilicates – *I* fluorosilicati – *S* fluorosilicatos
Lit.: Hommel, Nr. 955, 1142 ▪ Ullmann (5.) **A 11**, 336 f. ▪ s. a. Fluorokieselsäure. – *[HS 2826 20, 2826 90; G 8]*

Fluorosint®. PTFE-Compound mit Glimmer zur Herst. von Dichtungen, Gleitelementen usw., an die höhere Anforderungen gestellt werden; gute Festigkeit u. Gleiteigenschaften, kein Angriff des Gegenlaufpartners; höhere Leistung gegenüber PTFE bei gleicher Chemikalienbeständigkeit, enge Toleranzen möglich, bis 280 °C Temp. einsetzbar. *B.:* Polypenco.

Fluorosis (Fluorose). Vergiftung von Weidetieren durch Fluorid od. Fluor-Verb., die in *Fluorophyten enthalten sind; z. B. sind Vergiftungen von Weideren durch *Dichapetalum cymosum* bekannt. Zum Mechanismus der Intoxikation s. Fluor. – *E* = *S* fluorosis – *F* fluorose – *I* fluorosi
Lit.: s. Fluorophyten.

Fluorosulfate. Sammelbez. für die Salze u. Ester der *Fluoroschwefelsäure. – *E* = *F* fluorosulfates – *I* fluorosolfati – *S* fluorosulfatos

Fluorosulfonierung s. Fluoroschwefelsäure.

Fluorosulfonylisocyanat (FSI, Isocyanatosulfonylfluorid, *N*-Carbonylsulfamoylfluorid). F–SO$_2$–N=C=O, CFNO$_3$S, M$_R$ 125,07, Sdp. 61,5 °C. Das giftige F. kann aus Chlorsulfonylisocyanat mit Natriumfluorid bzw. Fluorwasserstoff od. aus Sulfuryl-bis-isocyanat mit Fluorsulfonsäure hergestellt werden. F. wird als reaktives Zwischenprodukt in organ. Synthesen verwendet. – *E* fluorosulfonyle isocyanate – *F* isocyanate de fluorosulfonyle – *I* fluorosolfonilisocianato – *S* isocianato de fluorosulfonilo
Lit.: Chem. Ber. **97**, 849 (1964) ▪ Houben-Weyl **E 4**, 832 ▪ Kirk-Othmer (3.) **22**, 461 f. – *[CAS 1495-51-8]*

Fluorouracil.

Internat. Freiname für 5-Fluoruracil (5-Fluor-1*H*-2,4-pyrimidindion), C$_4$H$_3$FN$_2$O$_2$, M$_R$ 130,08, Zers. bei 282–283 °C, Subl. bei 190–200 °C (13 Pa); λ_{max} (Acetat-Puffer pH 4,7) 266 nm ($A_{1cm}^{1\%}$ = 543,4). F. wird als *Antimetabolit in RNA eingebaut u. wirkt aufgrund der Blockierung der Thymidylsäure-Synthetase als *Cytostatikum. Es ist als Generikum im Handel. – *E* = *F* fluorouracil – *I* fluorouracile – *S* fluorouracilo
Lit.: ASP ▪ Beilstein E V **24/6**, 271 ff. ▪ DAB **1996** u. Komm. ▪ Florey **2**, 221 ff. ▪ Hager (5.) **8**, 258–262. – *[HS 2935 59; CAS 51-21-8]*

Fluoroxide. s. Sauerstoff-Fluoride.

Fluorphosphatgläser s. Phosphat-Gläser.

Fluor-Polymere (Fluor-Kunststoffe). Als F.-P. werden allg. sowohl Fluor-haltige *Polymere mit ausschließlich Kohlenstoff-Atomen als auch solche mit Heteroatomen in der Hauptkette bezeichnet. Vertreter der ersten Gruppe sind *Homo- u. *Copolymere olefin.-ungesätt. fluorierter *Monomeren, von denen (in alphabet. Reihenfolge) Chlortrifluorethylen (1), Fluorvinylsulfonsäure (2), Hexafluorisobutylen (3), Hexafluorpropylen (4), Perfluorvinylmethylether (5), *Tetrafluorethylen (6), *Vinylfluorid (7) u. *Vinylidenfluorid (8) techn. Bedeutung erlangt haben (Abb. S. 1394).

Fluorsilicone

Die Einteilung der aus diesen Monomeren resultierenden F.-P. erfolgt in die Kategorien *Polytetrafluorethylen, *Fluor-Thermoplaste u. *Fluor-Elastomere bzw. *Fluor-Kautschuk. Wichtigste Vertreter der F.-P. mit Heteroatomen in der Hauptkette sind die *Polyfluorsilicone u. *Polyfluoralkoxyphosphazene. Fluorierte Polyepoxide u. Polyurethane haben großtechn. noch keine Bedeutung erlangt.

Die F.-P. zeichnen sich u. a. durch hohe chem. u. therm. Stabilität, sehr gute elektr. Isoliereigenschaften, hervorragende Witterungsbeständigkeit, antiadhäsives Verhalten u. Unbrennbarkeit aus. Diese Eigenschaften machen sie als *Hochleistungskunststoffe zu wertvollen Werkstoffen für techn. anspruchsvolle Anwendungen. Ihre Einsatzmöglichkeiten werden jedoch durch ihre hohen Herstellkosten u. Schwierigkeiten bei ihrer Verarbeitung eingeschränkt. Zur Herst. u. Verw. s. die einzelnen Stichworte sowie Polychlortrifluorethylen u. Polyvinylidenfluorid. – *E* fluorine-containing polymers, fluoropolymers – *F* fluoropolymères, polymères fluores – *I* fluoropolimeri – *S* fluoropolímeros, polímeros fluorados

Lit.: Compr. Polym. Sci. **3**, 321–326 ▪ Houben-Weyl **E 20**, 1028–1041 ▪ Kunststoffe **79**, 519–524 (1989) ▪ Schleirs, Modern Fluoropolymers, New York: Wiley 1997. – [*HS 390461, 390469*]

Fluorsilicone s. Silicone.

Fluorsilicon-Kautschuk s. Polyfluorsilicone.

Fluorstickstoff s. Stickstoff-Halogenide.

Fluorsulfonsäure. Trivialname für die *Fluoroschwefelsäure.

Fluor-Tenside. Gruppenbez. für *Tenside, die als *hydrophobe Gruppe einen Perfluoralkyl-Rest tragen. F.-T. zeichnen sich gegenüber nichtfluorierten Tensiden durch kleinere c.m.c.-Werte (s. Micellen) aus u. bewirken daher bereits in äußerst geringen Konz. eine deutliche Verringerung der *Oberflächenspannung des Wassers. Sie besitzen eine hohe chem. u. therm. Stabilität, so daß sie auch in aggressiven Medien u. bei hohen Temp. einsetzbar sind; F.-T. sind nicht biolog. abbaubar.

Herst.: Durch elektrochem. *Fluorierung der entsprechenden Sulfon- od. Carbonsäurehalogenide (Simons-Verf.) od. durch *Telomerisation von Tetrafluorethylen mit Perfluoralkyliodiden bzw. durch *Oligomerisation mit nachfolgender Funktionalisierung.

Verw.: Aufgrund ihres hohen Preises (bis zu mehreren 100 DM/kg) kommen sie nur dort zum Einsatz, wo andere Tenside versagen: Als Emulgatoren bei der PTFE-Herst., in der Metall-Bearbeitung zum Abdecken galvan. Bäder gegen den Austritt ätzender Dämpfe, als Netzmittel bei der Herst. photograph. Filme u. Papiere, als Verlaufsmittel in Selbstglanzemulsionen, als Feuerlöschmittel, in der Textil-Ind. zur Hydro- u. Oleophobierung sowie zur schmutzabweisenden Ausrüstung. – *E* fluorinated surfactants, fluorosurfactants – *F* agents de surface fluorés – *I* fluorotensioattivi – *S* tensioactivos fluorados, fluorotensioactivos

Lit.: Chem. Ztg. **104**, 45 (1980) ▪ J. Am. Chem. Soc. **110**, 7797 (1988) ▪ J. Am. Oil. Chem. Soc. **58**, 800 (1981) ▪ J. Phys. Chem. **93**, 1472 (1989) ▪ Kissa, Fluorinated Surfactants: Synthesis–Properties–Applications, New York: M. Dekker 1994 ▪ Tenside Deterg. **13**, 1 (1976); **24**, 272 (1987) ▪ Textilveredlung **21**, 384 (1986).

Fluor-Thermoplaste. F.-T. sind teilkrist., schmelzbare u. damit im Gegensatz zu *Polytetrafluorethylen thermoplast. verarbeitbare *Fluorpolymere. F.-T. wurden als potentielle Substitute für das schwierig zu verarbeitende Polytetrafluorethylen entwickelt. Techn. hergestellte F.-T. sind [Kurzz. in Klammern (zu Typen u. Herstellern von F.-T. s. *Lit.*[1])]:
Poly(chlortrifluorethylen-co-vinylidenfluorid) (CTFE/VDF), Poly(ethylen-co-chlortrifluorethylen) (ECTFE), Poly(ethylen-co-tetrafluorethylen) (ETFE), Poly(tetrafluorethylen-co-hexafluorpropylen) (FEP), *Polychlortrifluorethylen (PCTFE), Poly(tetrafluorethylen-co-perfluoralkylvinylether) (PFA od. TFA), *Polyvinylidenfluorid (PVDF), *Polyvinylfluorid (PVF), Poly(tetrafluorethylen-co-hexafluorpropylen-co-vinylidenfluorid) (TFB), Poly(hexafluorisobutylen-co-vinylidenfluorid) (CM-X) u. als anion. modifiziertes Produkt Poly-(tetrafluorethylen-co-perfluorvinylsulfonsäure) (TFE/PVS).

Tab.: Verwendung von Fluor-Thermoplasten (nach *Lit.*[1])

Typen (Kurzz.)	typ. Verw.-Möglichkeiten
FEP	Rohre, Schläuche, Auskleidungen, Armaturen, Pumpengehäuse im chem. Apparatebau; Isolierungen in der Elektrotechnik; Ummantelung von Walzen mit Schrumpffolien; Imprägnieren u. Beschichten mit Dispersionen
TFB	Beschichtung von Geweben; weiche Schläuche für die Medizin
ETFE	Abrieb- u. durchschnittsfeste Draht- u. Kabelisolierungen; mechan., licht- u. wetterfeste Folien für Bauwesen, Elektrotechnik u. Medizin; Siebgewebe u. Tröpfchenabscheider aus Lsm.- u. chemikalienbeständigen Filamenten; Spritzgußteile für labormedizin. Geräte, Elektrotechnik u. Maschinenbau
PFA, TFA	Rohre, Schläuche, Behälter, Auskleidungen u. Ventile im chem. Apparatebau; Draht- u. Kabelisolierungen; Imprägnieren u. Beschichten von Fasern u. Geweben bzw. Metallen u. Keramik; Spritzgußteile für labormedizin. Geräte u. Elektrotechnik; transparente Folien; Schmelzkleber für PTFE mit sich selbst od. mit Metallen, Glas u. Keramik
TFE/PVS	Kationenaustauscher
ECTFE	Draht- u. Kabelisolierungen; Rohre, Schläuche u. Auskleidungen im chem. Apparatebau; Maschinenbauteile
CM-X	extrem tragfähige Lager, bei hohen Temp. bes. steife u. harte Teile für den Apparatebau, Beschichtungen

Die Herst. der F.-T. erfolgt bevorzugt durch (Co-)Polymerisation in wäss. Syst., z. B. in Emulsion, unter Verw. von Peroxiden od. *Redoxinitiatoren als Polymerisationsstartern bei hohem Druck. Die Verarbeitung der F.-T. erfolgt nach für *Thermoplaste üblichen Verf., z. B. durch Extrusion, Spritzgießen od. Transfermoulding im Bereich hoher Temp. (~300–400 °C). Zu Eigenschaften der F.-T. s. Fluor-Polymere. Zur Verw. s. die Tabelle. – *E* fluorothermoplastic – *F* thermoplastiques fluorés – *I* fluorotermoplasti – *S* termoplásticos fluorados

Lit.: [1] Chem. Ind. (Düsseldorf) **1989**, Nr. 1, 26–32.
allg.: s. Fluor-Polymere. – [HS 390469]

Fluortrichlormethan s. FCKW.

Fluoruracil s. Fluorouracil.

Fluor-Vigantoletten®. Tabl. mit Colecalciferol-Cholesterin u. *Natriumfluorid zur Karies- u. Rachitisprophylaxe. *B.:* Merck.

Fluorwasserstoff. HF, M_R 20,01. Farbloses, stechend riechendes, giftiges Gas bzw. Flüssigkeit, D. 1,002 (0 °C), Schmp. –83 °C, Sdp. +19,54 °C, mit Wasser in jedem Verhältnis zu *Flußsäure mischbar. Wasserfreier F. bildet *Wasserstoff-Brückenbindungen aus, am Sdp. liegen z. T. hexamere Mol. (HF)$_6$ vor, oberhalb von 90 °C findet man nur Monomer. Im Gegensatz zu den anderen Halogenwasserstoffen bildet F. keine Ionen, denn F u. H sind durch eine Atombindung verknüpft: Flüssiger F. leitet den elektr. Strom nicht; zum anomalen Verhalten beim Auflösen in Wasser s. Flußsäure. In wasserfreier Form greift F. Metalle kaum an u. kann daher in Gefäßen aus Eisen, Platin, Nickel, Kupfer od. Silber aufbewahrt werden. HF ist sehr giftig, MAK 2 mg/m^3 bzw. 3 ppm; zu den Gefahren beim Umgang mit F. u. Flußsäure s. *Lit.*[1]

Herst.: Im Labor durch *Thermolyse von Kaliumhydrogenfluorid (s. *Lit.*[2]), techn. aus Flußspat u. Schwefelsäure. Die Reaktion ist endotherm, d. h., zu ihrer Durchführung muß Energie zugeführt werden. Dies erfolgt z. B. beim Bayer-Verf. an mehreren Stellen des Prozesses, indem auf 500 °C vorerhitzter Flußspat in einem beheizten Drehrohrofen mit Schwefelsäure umgesetzt wird, die zuvor beim Waschen des gebildeten Roh-HF vorerhitzt u. mit Oleum aufkonzentriert wurde. Im Flußspat enthaltene Kieselsäure geht in SiF$_4$ über, welches mit Flußsäure zu H$_2$SiF$_6$ (z. B. für die Herst. von *Kryolith) umgesetzt werden kann. Pro Tonne HF entstehen 3,8 t *Anhydrit, CaSO$_4$, der im Bauwesen eingesetzt werden kann od. deponiert werden muß.

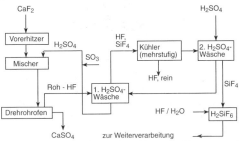

Abb.: Schema des Bayer-Verf. zur Herst. von Fluorwasserstoff (*Lit.*[3]).

Die HF-Kapazitäten wurden 1988 weltweit auf $1100 \cdot 10^3$ jato geschätzt (ohne VR China), davon 404 in Westeuropa mit 54 in der BRD, 309 in USA u. Kanada, 124 in Lateinamerika, 110 in der UdSSR u. 96 in Japan.

Verw.: Aus HF bzw. Flußsäure werden zahlreiche techn. wichtige *Fluoride hergestellt. Dem Bedarfsrückgang durch die auslaufende Verw. von Fluorchlorkohlenwasserstoffen (*FCKW) für Aerosol-Treibmittel u. verstärktes Fluor-Recycling in der Aluminium-Ind. stehen neue Entwicklungen von F-Spezialchemikalien mit zunehmendem Einsatz in verschiedenen Industriezweigen gegenüber, *Beisp.:* *Fluorkohlenwasserstoffe, Fluor-Kunststoffe, *Fluor-Tenside, Katalysatoren für Kondensationen, Isomerisationen (z. B. bei der Herst. verzweigter Benzinkohlenwasserstoffe) u. Polymerisationen. Im Laboratorium wird HF als *nichtwässriges Lösemittel, zur *Fluorierung u. in *Supersäuren verwendet. – *E* hydrogen fluoride – *F* fluorure d'hydrogène – *I* fluoruro di idrogeno – *S* fluoruro de hidrógeno

Lit.: [1] Merkblatt M005 der Berufsgenossenschaft der chem. Industrie (2/83); Braun-Dönhardt, S. 173 f. [2] Brauer (3.) **1**, 164 ff. [3] Büchner et al., Industrial Inorganic Chemistry, S. 137–140, Weinheim: VCH Verlagsges. 1989.
allg.: Gmelin, Syst.-Nr. 5, F, 1926, S. 31–50; Erg.-Bd. 1959, S. 143–220; Suppl. Bd. 3, Compounds with Hydrogen (1982) ■ Hommel, Nr. 92 f. ■ Kirk-Othmer (4.) **11**, 355–376 ■ Ullmann (5.) **A 11**, 307–315 ■ Winnacker-Küchler (4.) **2**, 531–536 ■ s. a. Fluor, Fluoride, Fluorierung. – [HS 2811 11; CAS 7664-39-3; G 8]

Fluorwasserstoffsäure s. Flußsäure.

Fluostigmin s. Diisopropylfluorophosphat.

Fluothane®. Inhalationsanästhetikum aus *Halothan. *B.:* Zeneca.

Fluowet®. *Fluor-Tenside als Netzmittel für Beiz- u. Galvanikbäder, als Feuerlöschmittel u. Entschäumer. *B.:* Hoechst.

Fluoxetin.

Internat. Freiname für (RS)-*N*-Methyl-3-phenyl-3-[4-(trifluormethyl)phenoxy]propylamin, C$_{17}$H$_{18}$F$_3$NO, M_R 309,33. Verwendet wird das Monohydrochlorid, Schmp. 159 °C, LD$_{50}$ (Maus oral) 248 mg/kg. Es wurde als *Serotonin-Wiederaufnahme-Hemmer 1975/82 von Lilly patentiert u. ist als Antidepressivum von Lilly (Fluctin®) im Handel. F. ist weltweit einer der umsatzstärksten Arzneistoffe der letzten Jahre. – *E* fluoxetine – *F* fluoxétine – *I* = *S* fluoxetina

Lit.: Kramer, Glück auf Rezept, Kösel: München 1995 ■ Life Sci. **57**, 411–441 (1995) ■ Merck-Index (12.), Nr. 4222. – [CAS 54910-89-3 (F.); 59333-67-4 (Hydrochlorid)]

Fluoxymesteron.

Flupentixol

Internat. Freiname für 9α-Fluor-11β,17β-dihydroxy-17α-methylandrost-4-en-3-on, $C_{20}H_{29}FO_3$, M_R 336,45; Krist., Schmp. 270 °C (Zers.), λ_{max} (C_2H_5OH) 240 nm (ε 16 700); $[\alpha]_D$ +109° (C_2H_5OH), lösl. in Pyridin, Aceton, Chloroform, schlecht lösl. in Methanol, prakt. unlösl. in Wasser, Ether, Benzol, Hexan. F. wirkt als androgenes u. anaboles Steroid. – *E* fluoxymesterone – *F* fluoxymestérone – *I* fluossimesterone – *S* fluoximesterona

Lit.: Beilstein E IV **8**, 2057 ▪ Florey **7**, 251–275. – *[HS 2937 99; CAS 76-43-7]*

Flupentixol.

Internat. Freiname für 4-[3-(2-Trifluormethyl-9-thioxanthenyliden)-propyl]-1-piperazinethanol, $C_{23}H_{25}F_3N_2OS$, M_R 434,52. Verwendet wird das Dihydrochlorid. F. wurde als *Neuroleptikum von Smith Kline & French 1963 u. 1966 patentiert u. ist von Bayer (Fluanxol®) im Handel. – *E* = *F* = *S* flupentixol – *I* flupentixolo

Lit.: Beilstein E V **23/2**, 452 f. ▪ Nervenarzt **50**, 534–539 (1979). – *[HS 2934 90; CAS 2709-56-0]*

Fluphenazin.

Internat. Freiname für 4-[3-(2-Trifluormethyl-10-phenothiazinyl)-propyl]-1-piperazinethanol, $C_{22}H_{26}F_3N_3OS$, M_R 437,52, dunkelbraunes, viskoses Öl, Sdp. 268–274 °C (66,5 Pa), 250–252 °C (39,99 Pa). Verwendet werden das Decanoat {Schmp. 30–32 °C; das Dihydrochlorid: Schmp. 231–233 °C, auch 224,5–226 °C angegeben; λ_{max} (CH_3OH) 261, 310 ($A_{1cm}^{1\%}$ = 646, 69); pK_{a1} 3,9, pK_{a2} 8,05} u. das Enanthat. F. wurde als *Neuroleptikum vom *Phenothiazin-Typ 1956 erstmals von Squibb (Dapotum®, Omca®) patentiert u. ist als Generikum im Handel. – *E* fluphenazine – *F* fluphénazine – *I* = *S* flufenazina

Lit.: ASP ▪ Beilstein E V **27/6**, 482 f. ▪ DAB 1996 u. Komm. ▪ Florey **2**, 245–294; **9**, 275–294 ▪ Hager (5.) **8**, 264–268. – *[HS 2934 30; CAS 69-23-8; 5002-47-1 (Decanoat); 146-56-5 (Dihydrochlorid); 2746-81-8 (Enanthat)]*

Flupirtin.

Internat. Freiname für Ethyl-2-amino-6-(4-fluorbenzylamino)-3-pyridylcarbamat, $C_{15}H_{17}FN_4O_2$, M_R 304,32, Schmp. 115–116 °C; LD_{50} (Maus oral) 617 mg/kg. Verwendet werden auch das Hydrochlorid, Schmp. 214–215 °C, u. das Maleat, Schmp. 175,5–176 °C. F. wurde als *Analgetikum 1970, 1980 u. 1984 von Degussa patentiert u. ist von Asta Medica (Katadolon®) im Handel. – *E* = *F* flupirtine – *S* flupirtina

Lit.: ASP ▪ Beilstein E V **22/11**, 361 ▪ Hager (5.) **8**, 268 ff. – *[HS 2933 39; CAS 56995-20-1 (F.); 75507-68-5 (Maleat)]*

Flupoxam.

Common name für 1-[4-Chlor-α-(2,2,3,3,3-pentafluorpropoxymethyl)phenyl]-5-phenyl-1*H*-1,2,4-triazol-3-carboxamid. $C_{19}H_{14}ClF_5N_4O_2$, M_R 460,79, Schmp. 144–148 °C, LD_{50} (Ratte oral) >5000 mg/kg, von Monsanto u. Kureha entwickeltes selektives *Herbizid gegen breitblättrige Unkräuter v. a. in Getreidekulturen. – *E* = *F* = *I* = *S* flupoxam

Lit.: Farm ▪ Perkow ▪ Pesticide Manual. – *[CAS 119126-15-7]*

Flupredniden.

Internat. Freiname für 9-Fluor-11β,17,21-trihydroxy-16-methylen-1,4-pregnadien-3,20-dion (Flupredny-liden), $C_{22}H_{27}FO_5$, M_R 390,45. Verwendet wird das 21-Acetat, Schmp. 231–234 °C; λ_{max} (CH_3OH) 238 nm (ε 15 700), $[\alpha]_D^{20}$ +43° ($CHCl_3$), $[\alpha]_D^{20}$ +32° (Dioxan). F. wurde 1960 u. 1964 als lokales Glucocorticoid (s. Corticosteroid) von Merck & Co patentiert u. ist von Hermal (Decoderm®) im Handel. – *E* = *I* flupredniden – *F* fluprédnidène – *S* fluprednideno

Lit.: Hager (5.) **8**; 270 ff. – *[HS 2937 22; CAS 2193-87-5 (F.); 1255-35-2 (21-Acetat)]*

Fluprednisolon.

Internat. Freiname für 6α-Fluor-11β,17,21-trihydroxy-1,4-pregnadien-3,20-dion, $C_{21}H_{27}FO_5$, M_R 378,44, Schmp. 208–213 °C; $[\alpha]_D^{20}$ +92°. F. wurde 1958 von Upjohn, 1960 von Syntex u. Bayer patentiert. – *E* = *F* = *I* fluprednisolone – *S* fluprednisolona

Lit.: Beilstein E IV **8**, 3470. – *[HS 2937 22; CAS 53-34-9]*

Fluquinconazol.

Common name für 3-(2,4-Dichlorphenyl)-6-fluor-2-(1*H*-1,2,4-triazol-1-yl)-4(3*H*)-chinazolinon. $C_{16}H_8Cl_2FN_5O$, M_R 376,18, Schmp. 191,5–195 °C, LD_{50} (Ratte oral) 112 mg/kg, bei Schering (jetzt AgrEvo) in der Entwicklung befindliches *Fungizid gegen Pilzerkrankungen in Getreide, Raps, Obst u. a.

Kulturen. – *E* = *F* fluquinconazole – *I* fluquinconazolo – *S* fluquinconazola
Lit.: Farm ▪ Perkow ▪ Pesticide Manual. – *[CAS 136426-54-5]*

Fluram® s. Fluorescamin.

Flurazepam.

Internat. Freiname für 7-Chlor-1-[2-(diethylamino)-ethyl]-5-(2-fluorphenyl)-1,3-dihydro-2*H*-1,4-benzodiazepin-2-on, $C_{21}H_{23}ClFN_3O$, M_R 387,88, weiße Stäbchen od. Krist., Schmp. 77–82°C; λ_{max} (CH_3OH) 228, 312 nm ($A_{1cm}^{1\%}$ = 742, 43); λ_{max} (0,1 M NaOH) 230, 314 nm ($A_{1cm}^{1\%}$ = 721, 45); verwendet wird auch das Dihydrochlorid, Schmp. 190–220°C; LD_{50} (Maus i.p.) 290, (Maus oral) 870, (Maus i.v.) 84 mg/kg. F. wurde als Benzodiazepin-*Hypnotikum 1963, 1964, 1967 u. 1971 von Hoffmann-La Roche (Dalmadorm®) patentiert. F. ist in Anlage III C der *BMVVO gelistet u. als Generikum im Handel. – *E* = *I* = *S* flurazepam – *F* flurazépam
Lit.: ASP ▪ Beilstein E V **24/4**, 322f. ▪ DAB **1996** u. Komm. ▪ Florey **3**, 307–331 ▪ Hager (5.) **8**, 273 ff. – *[HS 2933 90; CAS 17617-23-1 (F.); 1172-18-5 (Dihydrochlorid)]*

Flurbiprofen.

Internat. Freiname für 2-(2-Fluor-4-biphenylyl)-propionsäure, $C_{15}H_{13}FO_2$, M_R 244,27, Schmp. 110–111°C, auch 116°C angegeben. λ_{max} (0,1 M NaOH) 247 nm ($A_{1cm}^{1\%}$ = 800); pK_a 4,16, verwendet wird auch das Natriumsalz-Dihydrat; Schmp. 235–239°C (Zers.). F. wurde als nichtsteroidales *Antirheumatikum 1968 u. 1973 von Boots patentiert u. ist von Kanold (Froben®) u. Pharm-Allergan (Ocuflur®) im Handel. – *E* = *I* flurbiprofen – *F* flurbiprofène – *S* flurbiprofeno
Lit.: ASP ▪ Hager (5.) **8**, 275 ff. – *[HS 2916 39; CAS 5104-49-4]*

Fluridon.

Common name für 1-Methyl-3-phenyl-5-(3-trifluormethylphenyl)-4-pyridon, $C_{19}H_{14}F_3NO$, M_R 329,32, Schmp. 154–155°C, LD_{50} (Ratte oral) >10 000 mg/kg (WHO), von Elanco 1977 entwickeltes selektives *Herbizid gegen Ungräser u. Unkräuter in Wasserkulturen. – *E* = *F* = *I* fluridone – *S* fluridona
Lit.: Beilstein E V **21/9**, 264 ▪ Farm ▪ Pesticide Manual. – *[CAS 59756-60-4]*

Flurochloridon.

Common name für 3-Chlor-4-chlormethyl-1-[3-(trifluormethyl)phenyl]-2-pyrrolidon, $C_{12}H_{10}Cl_2F_3NO$, M_R 312,12, Schmp. *cis*-Isomer 55–57°C, *trans*-Isomer 81–83°C, LD_{50} (Ratte oral) 3650 mg/kg, von ICI (jetzt Zeneca) Mitte der achtziger Jahre eingeführtes selektives *Herbizid gegen breitblättrige Unkräuter u. verschiedene Ungräser in Getreide-, Kartoffel-, Sonnenblumen- u. a. Kulturen. – *E* = *F* flurochloridone – *I* fluorocloridona – *S* flurcloridón
Lit.: Perkow. – *[CAS 61213-25-0]*

Fluroxypyr.

Common name für (4-Amino-3,5-dichlor-6-fluor-2-pyridyloxy)essigsäure, $C_7H_5Cl_2FN_2O_3$, M_R 255,03, Schmp. 232–233°C, LD_{50} (Ratte oral) 2400 mg/kg, von Dow Chemicals entwickeltes selektives system. Nachauflauf-*Herbizid gegen Unkräuter im Getreide-, Mais-, Obst- u. Weinanbau. – *E* = *F* fluroxypyr – *I* flurossipir – *S* fluroxipir
Lit.: Perkow ▪ Pesticide Manual. – *[CAS 69377-81-7]*

Flurtamon.

Common name für 5-Methylamino-2-phenyl-4-[3-(trifluormethyl)phenyl]-3(2*H*)-furanon, $C_{18}H_{14}F_3NO_2$, M_R 333,33, Schmp. 152–155°C, LD_{50} (Ratte oral) >5000 mg/kg, von Rhône-Poulenc Ende der 80er Jahre eingeführtes selektives *Herbizid gegen breitblättrige Unkräuter u. einige Ungräser in Getreide-, Baumwoll-, Sonnenblumen- u. a. Kulturen. – *E* = *F* = *I* flurtamone – *S* flurtamona
Lit.: Farm ▪ Perkow ▪ Pesticide Manual. – *[CAS 96525-23-4]*

flushed ends s. blunt ends.

Flushing-Verfahren. Von engl.: flushing = Ausspülen abgeleitete Bez. für eine Meth. zur Zubereitung organ. Pigmente für *Druckfarben, bei der der wasserfeuchte Pigment-Preßkuchen mit dem organ. Bindemittel (Firnis) u. ggf. einem wasserabweisenden Flush-Hilfsmittel verknetet wird, wobei 80–95% des im Preßkuchen enthaltenen Wassers abgetrennt werden u. an Stelle des Wassers die organ. Phase tritt. Die Entfernung des restlichen Wassers erfolgt unter Erwärmung im Vakuum. – *E* flushing process – *F* procédé flushing – *I* procedimento flushing – *S* procedimiento flushing
Lit.: Ullmann (5.) **A 18**, 481.

Flusilazol.

Common name für 1-{[Bis(4-fluorphenyl)methylsilyl]methyl}-1H-1,2,4-triazol, $C_{16}H_{15}F_2N_3Si$, M_R 315,40, Schmp. 55°C, LD_{50} (Ratte oral) 674–1100 mg/kg, von DuPont 1985 eingeführtes system. *Fungizid mit protektiver u. kurativer Wirkung gegen Echten Mehltau u. a. pilzliche Krankheiten im Getreide-, Kern- u. Steinobst-, Wein-, Rüben-, Gemüse-, Erdnuß- u. Reisanbau. – *E* = *S* flusilazol – *I* flusilazolo
Lit.: Farm ■ Perkow ■ Pesticide Manual. – *[CAS 85509-19-9]*

Fluspirilen.

Internat. Freiname für 8-[4,4-Bis(4-fluorphenyl)-butyl]-1-phenyl-1,3,8-triazaspiro[4.5]decan-4-on, $C_{29}H_{31}F_2N_3O$, M_R 475,58, weißes od. gelbliches, amorphes od. krist. Pulver, Schmp. 187,5–190°C; LD_{50} (Ratte i.m.) 146±14 mg/kg. F. wurde 1963 u. 1966 als *Neuroleptikum (es ist ein Butyrophenon-Derivat) von Janssen (Imap®) patentiert. – *E* = *I* fluspirilene – *F* fluspirilène – *S* fluspirileno
Lit.: Beilstein E V **26/4**, 97 ■ Hager (5.) **8**, 277 f. – *[HS 2933 90; CAS 1841-19-6]*

Fluß s. Fließen.

Flußblindheit s. Filariasis.

Flußeisen. Histor., heute nicht mehr übliche Bez. für schmelzflüssig erzeugten, nichthärtbaren *Stahl (s. a. Flußstahl) [1]. Etwa gleichzusetzen mit heutigen unlegierten Stahl mit <0,2% Kohlenstoff (s. Martensit u. Härtung von Stahl). Begrifflich abgegrenzt gegen das gleichfalls nicht härtbare, jedoch über den teigigen Zustand erzeugte *Schweißeisen.* – *E* ingot iron – *F* fer coulé – *I* ferro omogeneo, acciaio semiduro – *S* hierro de lingote
Lit.: [1] Meyers Lexikon der Technik u. der exakten Naturwissenschaften, 7. Aufl., Bd. 3, S. 1322, Mannheim: Bibliograph. Inst. 1970.
allg.: Ullmann (4.) **10**, 312.

Flußfeld-Fließ-Fraktionierung s. FFF.

Flußkläranlage. *Kläranlage an der Mündung eines Flusses zur biolog. Reinigung des fließenden Wassers. Anw. findet eine F. nur im Falle von großen Mengen u. in erheblichem Umfang belastete Abwasserströme im Verhältnis zur Flußwassermenge (z. B. Emscher-Kläranlage in Essen u. Dinslaken). – *E* river clarifying basin – *F* bassin d'épanouissement en rivière – *I* impianto di depurazione su fiume – *S* depuradora de río

Flußmittel. Bez. für Zuschlagstoffe, die z. B. *keramischen Werkstoffen u. *Erzen hinzugefügt werden, um das Schmelzen zu erleichtern (Gemenge haben niedrigere Schmp. im Vgl. zu den Einzelbestandteilen), die Abscheidung einzelner Stoffe zu fördern bzw. Oxid. zu verhindern, z. B. beim *Löten. Beisp. für techn. F.: Kalk (z. B. im *Hochofen-Prozeß), Soda, Eisenoxide u. Bleiglätte sind *bas. F.*, Sand, Glas, Bauxit u. Tonschiefer sind *saure F.*, Flußspat, Schwerspat, Borax u. Kochsalz sind *neutrale Flußmittel*. Bei der Herst. von Leichtmetallen u. deren Leg., bei der Herst. von opt. Spezialgläsern u. in der Email-Ind. verwendet man Bariumfluorid als Flußmittel. F. spielen auch bei der Synth. von Edelsteinen eine Rolle. – *E* fluxes – *F* fondant – *I* fondente – *S* fundentes
Lit.: Winnacker-Küchler (4.) **2**, 527 f., 542; **3**, 100, 162 ff., 184, 194 f., 202, 211.

Flußsäure (Fluorwasserstoffsäure). HF ist eine stechend riechende, stark ätzende u. sehr giftige farblose Lsg. von *Fluorwasserstoff in Wasser. Das wäss. Azeotrop (38,26% HF) siedet bei ca. 112,2°C, D. ca. 1,13. Auf der Haut verursacht HF sehr schwer heilende, schmerzhafte Wunden; Näheres zur Toxizität s. bei Fluorwasserstoff u. Fluor. F. ist in Wasser stark ionisiert, aber nur schwach dissoziiert (Ionenpaar $H_3O^+\ldots F^-$); zur Korrektur früherer Vorstellungen s. *Lit.*[1]. Wäss. HF löst die meisten Metalle außer Ag, Au, Pb, Pt unter Bildung von H_2 u. *Fluoriden auf; Quarz, Glas u. a. Silicate werden ebenfalls angegriffen u. aufgelöst:

$$SiO_2 + 4HF \rightarrow SiF_4 + 2H_2O$$

Daher wird F. (<70% HF) in Gefäßen aus Polyethylen od. -propylen aufbewahrt, u. für höherkonz. F. sind eiserne Behälter brauchbar.

Verw.: Die techn. über Fluorwasserstoff gewonnene F. wird zum Ätzen von Glas u. Metallen sowie von Halbleiterplatten u. Chips, in Fassadenreinigern, zum Ententemaillieren, zum Entsanden von Metallgußstücken u. in der *Galvanotechnik verwendet, ferner als Ausgangsmaterial für die Herst. von Uranhexafluorid u. von Fluoriden. Zum Recycling HF-haltiger Metallbeizen s. *Lit.*[2]. Die F. wurde 1768 von Marggraf entdeckt u. 1771 von Scheele näher untersucht. – *E* hydrofluoric acid – *F* acide fluorhydrique – *I* acido fluoridrico – *S* ácido fluorhídrico
Lit.: [1] J. Chem. Educ. **56**, 571 (1979); Chem.-Ztg. **104**, 172 f. (1980). [2] Chem. Eng. News **1977**, Nr. 1, 48.
allg.: s. Fluorwasserstoff. – *[HS 2811 11]*

Flußspat s. Fluorit.

Flußstahl. Veraltete, aus der histor. Entwicklung der Eisen-*Metallurgie abgeleitete Bez. für schmelzflüssig hergestellten, härtbaren *Stahl. Anfänglich wurde die zur Red. der Eisenerze (mittels Holzkohle) erforderliche Wärme durch die Verbrennung zusätzlicher Kohle erzeugt. Das führte allerdings nur zur Herst. einer teigigen, wegen des geringen C-Gehaltes schmiedbaren *Luppe* (Gemisch aus *Eisen u. *Schlacke), aus der anschließend durch Verschmieden die Schlacke weitgehend entfernt wurde. Durch Verbessern der Ofentechnik wurde die Arbeitstemp. soweit angehoben, daß flüssiges, hoch C-haltiges u. nicht schmiedbares Eisen entstand. Das anschließend erforderliche *Frischen zur Herst. von (schmiedbarem) Stahl wies eine ähnliche Entwicklung auf. In der zeitlich ersten Stufe fiel der Stahl teigig an, da mit der Entkohlung die Schmelztemp. deutlich ansteigt. Wenn dieser Stahl härtbar war, wurde er als *Schweißstahl bezeichnet, andernfalls als *Schweißeisen* [1]. Erst als Öfen höherer Leistung (*Bessemer-, *Thomas- u. *Siemens-Martin-Verfahren) zur Verfügung standen, blieb der Stahl nach dem Frischen flüssig u. wurde – wenn er härtbar war – als F. bezeichnet, andernfalls als *Flußeisen [1]. In diesem Sinne ist F. heute ident. mit dem für eine *Wärmebehandlung bestimmten Stahl. – E ingot steel – F acier coulé – I acciaio dolce, acciaio fuso – S acero dulce

Lit.: [1] Meyers Lexikon der Technik u. der exakten Naturwissenschaften, 7. Aufl., Bd. 3, S. 1322, Mannheim: Bibliograph. Inst. 1970.
allg.: Klas u. Steinrath, Die Korrosion des Eisens u. ihre Verhütung, S. 269, Düsseldorf: Verl. Stahleisen 1974 ▪ Ullmann (4.) **10**, 312 ▪ Winnacker-Küchler (4.) **4**, 93.

Flustramin B s. Bryozoen-Alkaloide.

Flusulfamid.

Common name für 2′,4-Dichlor-α,α,α-trifluor-4′-nitro-m-toluolsulfonanilid, $C_{13}H_7Cl_2F_3N_2O_4S$, M_R 415,17, Schmp. 170–171,5 °C, LD_{50} (Ratte oral) 132 mg/kg, von Mitsui Toatsu Anfang der 90er Jahre entwickeltes *Fungizid gegen Pilzerkrankungen im Gemüse-, Raps-, Rüben- u. Kartoffelanbau. – $E=F=I$ flusulfamide – S flusulfamida

Lit.: Farm ▪ Perkow ▪ Pesticide Manual. – *[CAS 106917-52-6]*

Flutamid.

Internat. Freiname für das nichtsteroidale *Antiandrogen 4′-Nitro-3′-(trifluormethyl)-isobutyranilid, $C_{11}H_{11}F_3N_2O_3$, M_R 276,22, ein gelbes Pulver, Schmp. 111,5–112,5 °C. F. wird beim metastasierenden Prostatacarcinom eingesetzt. Es wurde 1973 u. 1974 von Schering patentiert u. ist von Sanofi Winthrop (Flutamex®) u. Essex Pharma (Fugerel®) im Handel. – $E=F=I$ flutamide – S flutamida

Lit.: ASP ▪ Hager (5.) **8**, 279f. – *[HS 2924 29; CAS 13311-84-7]*

Fluten. 1. Begriff bei der sog. *Erdöl-Tertiärförderung; – 2. Bez. für ein Auftragsverf. für *Lacke.

Fluticason.

Internat. Freiname für S-(Fluormethyl)-6α,9-difluor-11β,17-dihydroxy-16α-methyl-3-oxo-1,4-androstadien-17β-carbothioat, $C_{22}H_{27}F_3O_4S$, M_R 444,51. Verwendet wird das 17-Propionat, $C_{25}H_{31}F_3O_5S$, M_R 500,57, Schmp. 272–273 °C (Zers.). Es wurde als Flumethason-Derivat 1981/82 von Glaxo patentiert u. ist als *Antiallergikum u. *Antiphlogistikum u.a. von Glaxo (Flutide®, Flutivate®) im Handel. – $E=F=I$ fluticasone – S fluticasona

Lit.: Drugs **47**, 318–331 (1994) ▪ Merck-Index (12.), Nr. 4244. – *[HS 2930 90; CAS 90566-53-3 (F.); 80474-14-2 (F.-propionat)]*

Flutide®. Dosieraerosol, Suspension mit Treibmittel u. Pulver zum Inhalieren mit *Fluticason-17-propionat gegen Bronchialasthma. *B.:* Glaxo Wellcome.

Flutivate®. Salbe u. Creme mit *Fluticason-17-propionat gegen Ekzeme u. Schuppenflechte. *B.:* Glaxo Wellcome.

Flutolanil.

Common name für 3′-Isopropoxy-2-trifluormethylbenzanilid, $C_{17}H_{16}F_3NO_2$, M_R 323,31, Schmp. 104–105 °C, LD_{50} (Ratte oral) >10 000 mg/kg (WHO), von Nihon Nohyaku entwickeltes system. *Fungizid, vorwiegend gegen Basidiomyceten wie *Rhizoctonia solani* im Reis-, Zuckerrüben-, Kartoffel- u. Gemüseanbau u. *Typhula incarnata* u. *Puccinia recondita* im Weizen- u. Gerstenanbau. Die Anw. erfolgt als Saatgut-, Boden- u. Sproßbehandlungsmittel. – $E=F=I=S$ flutolanil

Lit.: Farm ▪ Pesticide Manual. – *[CAS 66332-96-5]*

Flutriafol.

Common name für (RS)-1-(2-Fluorphenyl)-1-(4-fluorphenyl)-2-(1H-1,2,4-triazol-1-yl)ethanol, $C_{16}H_{13}F_2N_3O$, M_R 301,30, Schmp. 130 °C, LD_{50} (Ratte oral) 1140 mg/kg (WHO), von ICI (jetzt Zeneca) entwickeltes breit wirksames system. *Fungizid, als Spritzmittel gegen Blattkrankheiten im Getreide- u. Rübenanbau, als Beizmittel gegen samen- u. bodenbürtige Krankheiten im Getreideanbau. – $E=F=S$ flutriafol – I flutriafolo

Lit.: Farm ▪ Perkow ▪ Pesticide Manual. – *[CAS 76674-21-0]*

Fluvalinat.

Common name für (RS)-α-Cyano-3-phenoxybenzyl-N-(2-chlor-4-trifluormethylphenyl)-D-valinat, $C_{26}H_{22}ClF_3N_2O_3$, M_R 502,92, Sdp. 164 °C, (9 Pa), LD_{50} (Ratte oral) 1097 mg/kg (WHO), von Sandoz entwickeltes *Insektizid u. *Akarizid mit *Pyrethroid-ähnlicher Kontakt- u. Fraßgiftwirkung gegen eine Vielzahl von Insektenarten u. Spinnmilben im Baumwoll-, Gemüse-, Obst- u. Hopfenanbau sowie im Ackerbau. – $E=F$ fluvalinate – $I=S$ fluvalinato

Lit.: Farm ▪ Perkow ▪ Pesticide Manual. – *[CAS 69409-94-5]*

Fluvastatin.

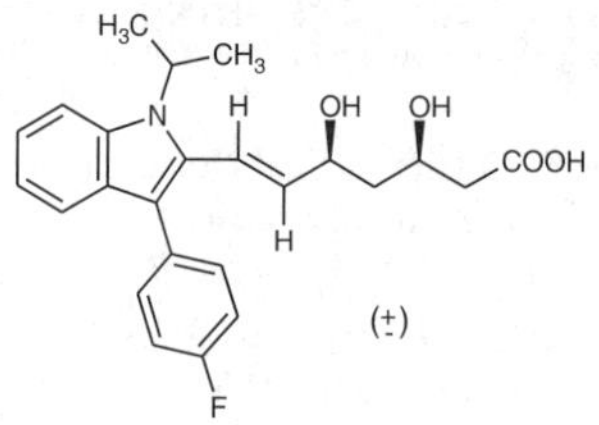

Internat. Freiname für (±)-(3RS,5SR,6E)-7-[3-(4-Fluorphenyl)-1-isopropyl-1H-indol-2-yl]-3,5-dihydroxy-6-heptensäure, $C_{24}H_{26}FNO_4$, M_R 411,47. Verwendet wird das Natriumsalz, $C_{24}H_{25}FNNaO_4$, M_R 433,45, Schmp. 194–197 °C. Es wurde als HMG-CoA-Reduktase-Inhibitor (s. Mevalonsäure) 1984/88 von Sandoz patentiert u. ist als Lipidsenker von Astra/Promed (Cranoc®) u. Sandoz (Locol®) im Handel. – *E* fluvastatin – *F* fluvastatine – *I* fluvastatina – *S* fluvastatín

Lit.: Clin. Ther. **16**, 366–385 (1994) ▪ Merck-Index (12.), Nr. 4250. – [CAS 93957-54-1 (F.); 93957-55-2 (Natriumsalz)]

Fluvoxamin.

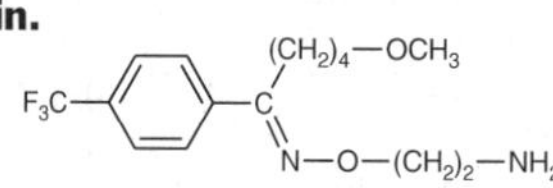

Internat. Freiname für (E)-5-Methoxy-4'-(trifluormethyl)-valerophenon-O-(2-aminoethyl)oxim, $C_{15}H_{21}F_3N_2O_2$, M_R 318,34. Verwendet wird das Hydrogenmaleat, Schmp. 120–121,5 °C, pK_a 8,7. F. wurde 1975 u. 1978 als *Antidepressivum von Philips-Duphar (Fevarin®) patentiert. – *E* = *F* fluvoxamine – *I* = *S* fluvoxamina

Lit.: Hager (5.) **8**, 281 f. – [HS 2928 00; CAS 54739-18-3 (F.); 61718-82-9 (Hydrogenmaleat)]

Fm. Chem. Symbol für *Fermium.

FM. Kennbuchstaben (nach DIN 7728, Tl. 1, 01/1988) für *Formaldehyd in der Bez. für (Co)polymere; z.B. PVFM = *Poly(vinylformal), Poly(vinylformaldehyd).

FMC. Kurzbez. für die 1929 gegr. Food Machinery Corporation mit Sitz in Chicago Illinnois 60601, USA. Der Konzern betreibt zahlreiche Produktionsstätten u. Minen weltweit. *Produktion:* Pharmazeut. Produkte, Peroxide, Phosphor-Verb., Nahrungsmittel-Zusätze, agrarchem. Produkte, Stahl, Lithium, Gold- u. Silberminen. *Daten* (1994): 21 344 Beschäftigte, 4,0 Mrd. $ Umsatz.

FMN, FMNH₂. Abk. für Flavinmononucleotid (oxidierte bzw. reduzierte Form), s. Riboflavin-5'-phosphat.

FMOC s. Peptid-Synthese.

Foamaster®. Entschäumer u. Entlüfter für Papier- u. Zellstoffsuspensionen, für Kunststoffdispersionen, Papierkreislaufwasser u. Abwasser; pulverförmige u. flüssige Entschäumer für die Verarbeitung von Beton u. Zement, für die Herst. von Pflanzenschutzmitteln. *B.:* Henkel.

FoamFlush®. Speziell entwickelter Urethan-Entferner für harte u. weiche PU-Schäume, Gießharzrückstände u. Klebstoff. Ersetzt Dichlormethan, Keton u. Aceton. *B.:* ISP.

fob. Abk. für *free on board* (frei Bord Schiff). Handelsrechtlicher Begriff, der die Transportkosten einer Ware bis an Bord des Schiffes dem Verkäufer zuordnet; vgl. a. cif.

Fock-Operator. Begriff aus der *Quantenchemie. Hierbei handelt es sich um einen effektiven Einelektronenoperator, dessen Eigenfunktionen kanon. *Atomorbitale od. *Molekülorbitale sind; Näheres s. Hartree-Fock-Verfahren.

Focus®. Nachauflauf-Gräsermittel auf der Basis von Cycloxydim, selektiv in allen breitblättrigen Kulturen. *B.:* BASF.

fod s. Eu(fod)₃ u. Pr(fod)₃.

Fodrin (Gehirn-Spectrin, Calspectin). Protein des *Cytoskeletts in Gehirn- u. a. Zellen, das dem *Spectrin der *Erythrocyten entspricht. F. besteht aus α-F. (M_R 240 000) u. β-Fodrin (M_R 235 000) u. bindet *Ankyrin, *Annexin VI, Calcium-Ionen, *Phospholipide u. *Calmodulin. Es ist an der Innenseite der Plasmamembran (s. Cytoplasma) lokalisiert, die es quasi „ausfüttert" (daher Name von italien.: fodera = Kleidungsfutter). – *E* fodrin – *F* fodrine – *I* = *S* fodrina

Fönwell-Lotion s. Haarbehandlung.

Fördern. Im techn. Sinne Bez. für den stetigen od. unstetigen *Transport von festen, flüssigen od. gasf. Stoffen od. Gütern. Einen Überblick über die verschiedenen Förderanlagen für Schütt- od. Stückgut, über *Pumpen, pneumat. od. hydraul. Förderer bieten die ACHEMA-Jahrbücher. – *E* conveying – *F* manutention – *I* estrazione – *S* manutención

Lit.: Ullmann (5.) **B 2**, 8-1 ff.

α-Fötoprotein s. α-Fetoprotein.

Fog. Aus dem Engl., dichter Nebel ohne wesentliche Beimengung von Staub u. Ruß (s. a. Smog).

Foide s. Feldspat-Vertreter.

Fokalkontakte s. Adhärenz-Verbindungen.

Fokussierung s. isoelektrische Fokussierung.

Fol. Abk. für *Folia = Blätter.

Folate. Salze u. Ester der *Folsäure.

Folescutol.

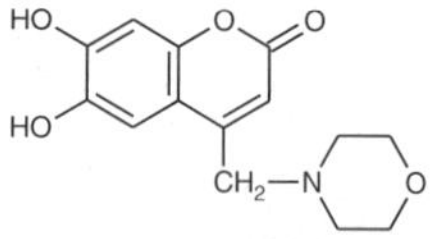

Internat. Freiname für 6,7-Dihydroxy-4-(morpholinomethyl)-cumarin, $C_{14}H_{15}NO_5$, M_R 277,28, Schmp. 232 °C; verwendet wird das Hydrochlorid, Schmp. 259–261 °C; LD_{50} (Maus i.v.) 375 mg/kg. F. wurde 1963 als Kapillartherapeutikum von Labs. Dausse patentiert. – *E* = *F* = *S* folescutol – *I* folescutolo

Lit.: Beilstein E V **27/3**, 303 ▪ Hager (5.) **8**, 282 f. – [HS 293490; CAS 15687-22-6 (F.); 36002-19-4 (Hydrochlorid)]

Folgereaktionen s. Sukzessivreaktionen sowie Reaktionsmechanismen.

Folia (Abk. Fol). In der Apotheker- u. Drogistensprache Bez. für offizinell genutzte *Drogen aus Blättern

(latein. folia) von Pflanzen, die z. T. in eigenen Stichwörtern abgehandelt sind.
Beisp.: F. Belladonnae = Tollkirschenblätter, F. Digitalis = Fingerhut, F. Farfarae = Huflattich, F. Menthae piperitae = Pfefferminze, F. Uvae Ursi = Bärentrauben.
Lit.: s. Drogen u. pharmazeutische Biologie.

Folicur®. Fungizid auf der Basis von *Tebuconazol. *B.*: Bayer.

Folidol®. Insektizid auf der Basis von *Parathion-ethyl bzw. -methyl; F.-Öl als Spritzmittel gegen Überwinterungsformen von Schadinsekten. *B.*: Bayer.

Folien (von latein.: folium = Blatt). Dünne, flächige, flexible, aufwickelbare Bahnen aus Metallen (dünnste *Bleche, z. B. Blattgold, Aluminium, Zinn-Folie = Stanniol) od. Kunststoffen (z. B. Celluloseacetat, PVC, Polyethylen etc.). Bes. dünne F. nennt man auch *Filme. Metall-F. erhält man durch Walzen od. Schlagen, Kunststoff-F. durch Gießen, Kalandrieren od. Extrudieren, das als *Blasformen* ausgeführt wird, wobei Schlauch- bzw. Blas-F. entstehen, die aufgeschnitten werden. Gegen evtl. *Blocken der F. werden *Antiblock(ing)mittel eingesetzt. Zur Erzielung bes. Eigenschaften werden Kunststoff-F. unterschiedlicher Rohstoffbasis – z. B. durch *Kaschieren mittels Klebstoffen od. als Extrusions-*Laminate – miteinander od. mit Metall-F. od. mit Papier zu *Verbundfolien* kombiniert. Auch mono- od. biaxiales *Recken kann die Eigenschaften spezif. verbessern, was man bei der Herst. von *Schrumpffolien ausnutzt.
Verw.: Metall-F. v. a. als Verpackungsmaterial u. zum Belegen von Spiegeln, Kunststoff-F. als Packstoffe, Elektroisoliermaterial, zur Herst. von Hohlkörpern u. Behältern (*Tiefziehfolien), Fasern (Spleißfasern durch *Fibrillieren von sog. *Folienbändchen*) etc. Bei F. für Lebensmittelverpackungen muß an die Möglichkeit der *Weichmacher-*Migration gedacht werden; außerdem müssen solche F. aromadicht, wasserdampfundurchlässig u. ggf. auch fettdicht u. lichtundurchlässig sein. – *E* films, foils – *F* feuilles – *I* fogli, lamine – *S* hojas, láminas, folios
Lit.: Encycl. Polym. Sci. Eng. **7**, 73–127 ▪ Kirk-Othmer (3.) **10**, 216–246; (4.) **10**, 761–787 ▪ Ullmann (4.) **11**, 673–686; (5.) **A 11**, 85–111.

Folienkunstleder s. Kunstleder.

Folienlacke. 1. Geruch- u. geschmackfreie *Schutzlacke* – meist auf Basis von Cellulosenitrat, auch aus Vinylidenchlorid-Copolymerisaten u. ä. – zum Überziehen dünner *Zellglas-Verpackungsfolien (z. B. für Käse, Schokolade, Zigaretten usw.), durch die deren Feuchtigkeitsempfindlichkeit u. Wasserdampfdurchlässigkeit herabgesetzt wird. – 2. F. ist auch die Bez. für einen *Abziehlack*, dessen Film sich nach dem Trocknen von der Unterlage mühelos wieder abziehen läßt, s. Schutzhäute. – *E* foil lacquers, strippable coating – *F* pellicule de laque – *I* lacche di fogli – *S* 1. lacas para láminas, 2. revestimientos desprendibles, lacas desprendibles
Lit. (*zu 1.*): Winnacker-Küchler (4.) **6**, 437. – (*zu 2.*): Kirk-Othmer (3.) **6**, 433.

Foligan®. Tabl. mit *Allopurinol gegen Gicht u. Harnsäuresteine. *B.*: Henning.

Folimat®. Insektizid auf der Basis von *Omethoat zur Bekämpfung saugender u. beißender Schädlinge. *B.*: Bayer.

Folinerin s. Oleandrin.

Folinsäure {*N*-[(6*S*)-5-Formyl-5,6,7,8-tetrahydropteroyl]-L-glutaminsäure, 5-Formyltetrahydrofolsäure, Leucovorin}.

$C_{20}H_{23}N_7O_7$, M_R 473,45. F. kommt in verschiedenen Mikroorganismen vor, für die es ein Wachstumsfaktor ist, u. tritt als Überträger der Formyl-Gruppe im Stoffwechsel der *Folsäure u. der *Tetrahydrofolsäure auf. Das Calcium-Salz der auch synthet. zugänglichen F. findet therapeut. Verw. als Antidot gegen Folsäure-Antagonisten. – *E* folinic acid – *F* acide folinique – *I* acido folinico – *S* ácido folínico
Lit.: Beilstein E V **26/18**, 10 ▪ Trends Biochem. Sci. **18**, 102–106 (1993). – [*HS 2936 29; CAS 58-05-9*]

Folins Reagenz. Hierunter versteht man: 1. Eine Lsg. mit Natriumwolframat, Natriummolybdat, Phosphor- u. Salzsäure zum *Phenol- od. *Tyrosin-Nachw. (Blaufärbung). – 2. Eine wäss. Lsg. aus Natriumwolframat u. Phosphorsäure zum *Harnsäure-Nachw. im Harn bzw. von Phenol (*Folin-Denis*-Reagenz) u. zur *Ascorbinsäure-Bestimmung (in beiden Fällen Blaufärbung). – 3. Eine wäss. Lsg. mit Ammoniumsulfat, Uranylacetat u. Essigsäure zum Harnsäure-Nachweis. – 4. Eine wäss. Lsg. von Na-3,4-Dioxo-3,4-dihydro-1-naphthalinsulfonat zum Nachw. von *Aminosäuren u. Sulfaten (Blaufärbung). – *E* Folin's reagent – *F* réactif de Folin – *I* reagente di Folin – *S* reactivo de Folin
Lit.: Chem. Pharm. Bull. **32**, 3093 (1984) ▪ Fresenius Z. Anal. Chem. **349**, 311 (1994) ▪ Ullmann (5.) **A9**, 361. – [*HS 2914 70; CAS 521-24-4*]

Folithion®. Insektizid auf der Basis von *Fenitrothion zur Verw. in Feldgemüse, Ackerbau u. Forst. *B.*: Bayer.

Folkers, Karl August (geb. 1906), Prof. für Chemie, Stanford University. *Arbeitsgebiete*: Arzneimittel-Synth., katalyt. Hydrierung, Pyrimidine, Alkaloide, Vitamine, Biotin, Corrinoide, Antibiotika, Hormone.
Lit.: Neufeldt, S. 195, 222, 251 ▪ Who's Who in America, S. 1204.

Folliberin s. Gonadoliberin.

Follic. Abk. von latein. folliculus = Schlauch in der pharmazeut. Terminologie; *Beisp.*: Follic. Sennae = Sennesschoten.

Follikel s. Follitropin.

Follikelhormone s. Estrogene.

Follikelstimulierendes Hormon s. Follitropin.

Follistatin. Einkettiges Polypeptid-*Hormon, das beim Menschen in zwei Formen auftritt: F. 1 hat 309

Aminosäure-Reste, F. 2 ist durch alternatives *Spleißen der mRNA (*Ribonucleinsäuren) am Carboxy-Terminus um 21 Aminosäuren kürzer u. entbehrt dadurch einer an sauren Aminosäuren reichen Sequenz. F. bindet Heparansulfat-haltige *Proteoglykane u. inhibiert spezif. die Biosynth. u. Freisetzung des *Follitropins aus der Hypophyse. Zu *Inhibin, das ähnliche Wirkung zeigt, besteht keine Sequenzverwandtschaft. Außerdem neutralisiert F. die Wirkung des *Activins durch Bindung desselben u. wirkt direkt auf den *Progesteron-Stoffwechsel ein. – *E* follistatin – *F* follistatine – *I* follistatina – *S* folistatina

Lit.: Ann. N. Y. Acad. Sci. **687**, 29–38 (1993) ▪ Mol. Cell. Endocrinol. **91**, 1–11 (1993).

Follitropin (follikelstimulierendes Hormon, FSH). Ein *gonadotropes Hormon des *Hypophysen-Vorderlappens, das auch Follikelreifungshormon, Gonadotropin A, Prolan A, Thylakentrin genannt wurde. Menschliches FSH ist ein saures *Glykoprotein (*isoelektrischer Punkt 4,5; enthält viele L-Cystein-, L-Glutaminsäure- u. L-Threonin-Reste) mit 16% Kohlenhydrat-Anteil (hauptsächlich D-Galactose, D-Glucosamin, D-Mannose u. Sialinsäure), M_R 34000, dessen α-Polypeptid-Kette (92 Aminosäure-Reste) nahezu ident. ist mit derjenigen von *Chorio(n)gonadotrop(h)in. Die für FSH spezif. β-Kette enthält 111 Aminosäure-Reste. Zur Bestimmung von FSH ist bes. der *Radioimmunoassay geeignet. FSH fördert Wachstum u. Entwicklung der Keimdrüsen (Gonaden) u. regt diese zur Hormon-Synth. an. Bei Frauen spielt es v. a. im Menstruationscyclus eine Rolle, indem es die Reifung eines neuen *Follikels* (von latein.: folliculus = Schlauch, die mit Epithelzellen ausgekleidete Höhle, in der das Ei heranreift) u. dessen Produktion von *Estradiol bewirkt. In den männlichen Keimdrüsen stimuliert es die Bildung von Samenzellen. Als *second messenger dient *Adenosin-3′,5′-monophosphat. Die Sekretion des FSH wird durch ein entsprechendes *Releasing-Hormon, das Folliberin (*Gonadoliberin) aus dem *Hypothalamus gesteuert, der seinerseits durch das Sexualzentrum im Gehirn beeinflußt wird. Die FSH-Freisetzung wird auch durch *Activin u. den *transformierenden Wachstumsfaktor β stimuliert; durch *Follistatin u. *Inhibin wird die Serum-Konz., des FSH abgesenkt. – *E* follitropin – *F* follitropine – *I* follitropina – *S* folitropina

Lit.: Endocrine Rev. **16**, 765–787 (1995). – *[HS 2937 10; CAS 9002-68-0]*

Folpet.

Common name für *N*-(Trichlormethylthio)phthalimid, $C_9H_4Cl_3NO_2S$, M_R 296,56, Schmp. 177 °C (Zers.), LD_{50} (Ratte oral) >10000 mg/kg (WHO), von Standard Oil Development Co. (Chevron) 1949 eingeführtes protektives *Fungizid mit breitem Wirkungsspektrum im Obst-, Gemüse-, Wein-, Hopfen-, Oliven- u. Zierpflanzenanbau, häufig als Bestandteil von Mischpräparaten. – *E* = *I* = *S* folpet – *F* folpel

Lit.: Beilstein E V **21/11**, 118 ▪ Farm ▪ Perkow ▪ Pesticide Manual. – *[HS 2930 90; CAS 133-07-3]*

Folsäure. {*N*-[4-(2-Amino-3,4-dihydro-4-oxo-6-pteridinylmethylamino)-benzoyl]-L-glutaminsäure, *N*-Pteroyl-L-glutaminsäure, PteGlu}.

$C_{19}H_{19}N_7O_6$, M_R 441,40. Gelb-orange, geruch- u. geschmacklose länglich-dünne Blättchen, unlösl. in Chloroform, Aceton, Ether, Benzol u. kaltem Wasser, in heißem Wasser zu ca. 1% lösl., in Ethanol u. Butanol wenig, in alkal. u. Carbonat-Lsg. sowie in Pyridin, Phenol u. Eisessig relativ gut löslich. Schmp. ab 250 °C, Verkohlung. F. kommt in Leber, Niere, Hefe, Pilzen, Getreide u. grünen Blättern (z. B. Spinat), vorwiegend als Konjugat mit Poly-γ-L-glutaminsäure (*Pteroylpolyglutaminsäuren*) vor. Sie wurde als Wuchsstoff für verschiedene Mikroorganismen entdeckt u. hat für den menschlichen Organismus Vitamin-Charakter; s. Vitamine (Folsäure). Der Bedarf des erwachsenen Menschen beträgt etwa 200 μg/d an bioverfügbarem Folat.

Biochemie: F. steht im Organismus im Gleichgew. mit 7,8-*Dihydrofolsäure* (H_2Folat; alte Abk.: FH_2) unter Beteiligung von *Nicotinamid-Adenin-Dinucleotid-Phosphat u. des *Enzyms *Dihydrofolat-Reduktase*[1] (DHFR, EC 1.5.1.3). H_2Folat wiederum entsteht in Pflanzen u. einigen Mikroorganismen über mehrere Zwischenstufen aus Guanosin-5′-triphosphat (*Guanosinphosphate) u. setzt sich mit Hilfe der oben erwähnten DHFR zu (6*S*)-5,6,7,8-*Tetrahydrofolsäure um, der eigentlichen physiolog. wirksamen Form der Folsäure. Die bakterizide Wirkung der *Sulfonamide beruht auf ihrer Eigenschaft als Antimetaboliten von 4-Aminobenzoesäure u. der daraus resultierenden Hemmung der F.-Biosynthese. – *E* folic acid – *F* acide folique – *I* acido folico – *S* ácido fólico

Lit.: [1] Adv. Enzymol. Rel. Areas Mol. Biol. **70**, 23–102 (1995). *allg.*: Ayling et al., Chemistry and Biology of Pteridines and Folates, New York: Plenum 1993 ▪ Beilstein E V **26/18**, 237 f. – *[HS 2936 29; CAS 75708-92-8]*

Folsäure-Bindungsprotein s. Vitamine (Folsäure).

Fomannosin.

$C_{15}H_{18}O_4$, M_R 262,31, instabiles Wachs. F. wird von Mycelkulturen des baumzerstörenden Wurzelschwammes (*Heterobasidion annosum* = *Fomes annosus*, Basidiomycetes) gebildet. Als Zwischenstufe bei der Biosynth. wird Illudosin ($C_{15}H_{24}O_3$, M_R 252,35,

[α]$_D$ +52,4° (CHCl$_3$) diskutiert. F. wirkt tox. gegen Kiefernsämlinge. – **E** fomannosin – **F** fomanosine – **I** fomannosina – **S** fomanosina
Lit.: Beilstein E V **18/3**, 293 ▪ J. Chem. Soc., Perkin Trans. 1 **1991**, 1787 ▪ Tetrahedron **37**, 2199 (1981). – *[CAS 18885-59-1 (F.); 137360-24-8 (Illudosin)]*

FOMBLIN®. Perfluorpolyether in Form von Ölen u. Fetten. **B.:** AUSIMONT.

Fomentariol.

$C_{17}H_{16}O_7$, M_R 332,31, braune Krist., Schmp. >350 °C. F. ist der braune Farbstoff des Zunderschwammes (*Fomes fomentarius*). Dieser Baumpilz wurde im Mittelalter zur Herst. von *Zunder verwendet. – **E** = **F** = **S** fomentariol – **I** fomentariolo
Lit.: Chem. Ber. **111**, 3939–3948 (1978) ▪ Zechmeister **51**, 87 f. – *[CAS 53948-12-2]*

Fomesafen.

Common name für 5-(2-Chlor-4-trifluormethylphenoxy)-N-methylsulfonyl-2-nitrobenzamid, $C_{15}H_{10}ClF_3N_2O_6S$, M_R 438,76, Schmp. 220–221 °C, LD$_{50}$ (Ratte oral) 1250 mg/kg (WHO), von ICI (jetzt Zeneca) entwickeltes selektives Nachauflauf-*Herbizid gegen Unkräuter im Sojabohnenanbau. – **E** fomesafen – **F** = **I** fomesafene – **S** fomesafén
Lit.: Pesticide Manual. – *[CAS 72178-02-0]*

Fominoben.

Internat. Freiname für 3′-Chlor-2′-[N-methyl-N-(morpholinocarbonylmethyl)-aminomethyl]-benzanilid, $C_{21}H_{24}ClN_3O_3$, M_R 401,89, Schmp. 122,5–123 °C; verwendet wird das Hydrochlorid, Schmp. 206–208 °C (Zers.); λ_{max} (CH$_3$OH) 257 nm ($A_{1cm}^{1\%}$=220), LD$_{50}$ (Maus i.p.) 630, (Maus oral) 2200 mg/kg. F. wurde als *Antitussivum 1968 von Thomae patentiert. – **E** fominoben – **F** fominobène – **I** fominobene – **S** fominobeno
Lit.: ASP ▪ Beilstein E V **27/2**, 594 ▪ Hager (5.) **8**, 286 ff. – *[HS 293490; CAS 18053-31-1 (F.); 24600-36-0 (Hydrochlorid)]*

Fomocain.

Internat. Freiname für 4-{3-[4-(Phenoxymethyl)-phenyl]propyl}-morpholin, $C_{20}H_{25}NO_2$, M_R 311,42, Schmp. 52–53 °C, Sdp. 238–240 °C (146,63 Pa); λ_{max} (C$_2$H$_5$OH) 220, 269 nm ($A_{1cm}^{1\%}$=508, 44), LD$_{50}$ (Maus i.v.) 175 mg/kg. Verwendet wird auch das Hydrochlorid, Schmp. 173–175 °C; F. wurde 1957 als Oberflächenanaesthetikum von Promonta patentiert u. ist in Pellit® dermal Wund- u. Heilsalbe (Engelhard) enthalten. – **E** fomocaine – **F** fomocaïne – **I** fomocaina – **S** fomocaína
Lit.: ASP ▪ Beilstein E V **27/2**, 306 ▪ Hager (5.) **8**, 288 ff. – *[HS 293490; CAS 17692-39-6 (F.); 56583-43-8 (Hydrochlorid)]*

Fomox®. Intumeszensmassen für den vorbeugenden Brandschutz von Bayer.

FONAR s. NMR-Spektroskopie.

Fondants (von französ.: fondant = zerfließend). Weiche, leicht schmelzende *Zuckerwaren, die in Formen gegossen (Pralinen), kandiert od. mit Zucker überzogen sind. Die sog. Dessert-F. sind mit Nüssen, Mandeln, Likören, Marmelade u. dgl. gefüllt. Chem. sind die F. Dispersionen winziger Saccharose-Krist. in gesätt. Zuckersirup. – **E** fondants – **I** fondenti – **S** fondantes
Lit.: Belitz-Grosch (4.), S. 793 f. ▪ Hofmann et al., Zucker u. Zuckerwaren, Hamburg: Parey 1985 ▪ s. a. Zuckerwaren.

Fonds. Aus dem Französ. (von latein.: fundus = Grund, Boden) übernommene Bez. für die mitunter auch *Basen* genannten Grundkörper von *Kosmetika (*Salbengrundlagen, Fettkörper von *Schminken u. ä.); bei *Parfüms versteht man unter F. meist die Duftnote, die im mittleren Verdampfungsstadium auftritt, wo also alle Komponenten, sowohl die leicht-, als auch die mittel- u. schwerflüchtigen, den Duftcharakter beeinflussen. In der Textil-Ind. bezeichnet man eine mit ätzbaren Farbstoffen vorgefärbte Ware als F. od. Fondfärbung. – **E** base – **F** fond, couleur de base – **I** fondi – **S** tintura de fondo

Fonds der Chemischen Industrie (FCI). 1950 von Mitgliedern des *Verbandes der Chemischen Industrie (VCI) gegr. Fonds mit Sitz in 60329 Frankfurt/Main, Karlstr. 21, der die Sicherung des wissenschaftlichen Nachwuchses u. der Grundlagenforschung in der Chemie durch leistungsbezogene Förderung zum Ziel hat. Zur Förderung von Lernenden u. Lehrenden wurden in den Jahren 1950–95 insgesamt 449,6 Mio. DM in den Förderschwerpunkten Forschung (56%), Nachwuchs (26%), Lit./Information (14%) u. Sonstiges (4%) vergeben. Die Mittel stammen überwiegend aus Beiträgen der Mitgliedsfirmen des VCI. Zusätzlich werden Zuschüsse des *BMBF eingesetzt. Entscheidungsgremium ist das Engere Kuratorium des Fonds, dem 1995 Mittel von ca. 23,5 Mio. DM zur Verfügung standen. Die *Forschungsförderung kam 1995 fast 1900 Hochschullehrern zugute. Zur Sicherung des wissenschaftlichen Nachwuchses wurden seit 1950 mehr als 7700 Stipendien vergeben. Seit 1985 werden auch Mittel zur Förderung der Mobilität, seit 1988 Stipendien für angehende Wissenschaftsjournalisten u. seit 1993 wieder Post-Doc Stipendien bereitgestellt. Schwerpunkt der Informationsarbeit sind die Dia- u. Folienserien sowie Schriften zu chemiespezif. Themen. Die 1987 begonnene Veranstaltungsreihe „Dialogpartner-Umwelt", seit 1994 „Dialogpartner-Chemie", dient der Belebung des Kontaktes zwischen Ind. u. Hochschulen.
Der Fonds ist ferner engagiert in Fragen der Forschungs-, Technologie-, Wissenschafts- u. Bildungs-

politik. Zur Förderung ostdtsch. Wissenschaftler leistete der FCI 1991 eine einmalige Starthilfe von 5 Mio. DM. Die Summe der bisher bewilligten BMBF-Zuschüsse für die Fördermaßnahmen biolog. Chemie, Materialforschung, Soforthilfe Ost u. supramol. Zellchemie betragen 56,3 Mio. DM.
Publikationen: Schriftenreihe des Fonds der Chemischen Industrie, Dia- u. Folienserien mit wissenschaftlichem Begleittext, Chemie aktuell, Chemie heute, Leistungsbilanz 1950–1995, Fördermaßnahmen, Festschrift „45 Jahre Fonds der Chemischen Industrie".

Fonofos.

Common name für (*RS*)-*O*-Ethyl-*S*-phenyl-ethyldithiophosphonat, $C_{10}H_{15}OPS_2$, M_R 246,32, LD_{50} (Ratte oral) 8 mg/kg (GefStoffV), von Stauffer (jetzt Zeneca) 1967 eingeführtes Boden-*Insektizid mit Kontakt- u. Fraßgiftwirkung. – $E = F = I = S$ fonofos
Lit.: Farm ▪ Perkow ▪ Pesticide Manual. – *[HS 293100; CAS 944-22-9]*

Food and Agriculture Organization s. FAO.

Food and Drug Administration s. FDA.

Food-Linked Agro-Industrial Research s. FLAIR.

Foot (Plural feet, Abk.: ft). Anglo-amerikan. Längenmaß, das mit *Yard u. *Inch über 1 Yard = 3 Feet = 36 Inches zusammenhängt; zur Umrechnung gilt: 1 ft = 30,48 cm.

Footprint-Analyse s. Desoxyribonucleinsäuren.

Foral®. Vollständig hydriertes Kolophonium bzw. dessen Glycerin- (F. 85) od. Pentaerythritester (F 105) als Klebrigmacher in Klebstoffen u. Homelts. *B.:* Hercules.

FORALYN®. Glycerin (F. 90) od. Pentaerythrit (F. 110) von teilhydriertem Kolophonium als Klebrigmacher in nichtreaktiven Klebstoffen. *B.:* Hercules.

Foraminiferen. Meist mikroskop. kleine, einzellige, zu den marinen Protozoen (Urtieren) gehörende Lebewesen. Plankton. F. sind Hauptbestandteile einiger pelag. (s. Fazies) *Sedimente, wie z. B. der *Globigerinenschlämme der Meeresböden, sowie einiger Kreide-Vork. (s. Kalke) u. *Mergel aus der Kreideformation u. dem Tertiär (s. Erdzeitalter). Auf dem Gewässerboden lebende (benthon.) F. sind häufig in warmen Flachmeeren anzutreffen. Sie leben im od. auf dem Sediment u. umkrusten Hartgründe. F. bestehen aus *Calcit od. Magnesium-reichem Calcit, selten aus *Aragonit. Ihre äußere Gestalt ist vielfältig. Den über 30 000 bekannten fossilen Arten, die z. T. die Funktion von geolog. Leitfossilien haben, stehen ca. 4000 rezente Arten gegenüber. Die Querschnitte vieler häufiger Formen sind rund bis beinahe rund u. zeigen Kammern. Die Gehäusewand ist bei vielen dünnwandigen F. feinkörnig u. bei größeren, dickeren Formen oft faserig ausgebildet. – *E* foraminifera – *F* foraminifères – *I* foraminiferi – *S* foraminíferos

Lit.: Tucker, Einführung in die Sedimentpetrologie, S. 114, Stuttgart: Enke 1985 ▪ Wehner u. Gehring, Zoologie, 23. Aufl., Stuttgart: Thieme 1995.

Foratom. Vom Forum Atomique Européen abgeleitete Abk. für das von den Atomforen der 6 EWG-Staaten 1960 gegr. Europäische Atomforum, dem inzwischen 15 Länder angehören, mit Sitz in Rue d'Egmont 15, Boîte 4, B-1050 Brüssel. Die Ziele des F. entsprechen denen des dtsch. Mitglieds, s. Deutsches Atomforum e.V.

Ford-Becher s. Viskosimetrie.

Forellenstein s. Gabbros.

Forene®. Flüssigkeit mit Isofluran zur Inhalationsnarkose. *B.:* Abbott.

Forensische Chemie (Gerichtschemie, von latein.: forensis = zum Forum, zum Gericht gehörig). Dieser Zweig der Chemie befaßt sich mit der Aufklärung von Kriminalfällen mit Hilfe chem. u. physikal.-chem. Methoden. Als eigene Wissenschaft ist die f. C. wenig über 100 a alt, hat aber unter der ständig wachsenden Anforderung u. wechselnden Problematik der heutigen *Kriminalistik* eine große Bedeutung gewonnen. Wenn man einmal von „makroskop." Techniken wie der Verw. von Färbemitteln (*Beisp.:* *Bromphenolblau) u. a. physikal. *Tracern als *Spürmitteln* absehen will, bedient sich die f. C. bei ihren Untersuchungen derselben *Spurenanalyse-Meth. wie z. B. die *Doping-Kontrolle im Sport, die *Kunstwerkprüfung od. die *Werkstoffprüfung z. B. in der Archäologie. Häufig ist die Zusammenarbeit mit anderen Disziplinen erforderlich, z. B. Toxikologie (Giftanalyse), Pathologie, Serologie (Blutgruppenbestimmung) od. Pharmakologie (Medikamentenanalyse) u. a. Fachrichtungen, speziell aus dem Bereich der forens. Medizin. Für die Vielzahl der interessierenden u. oft nur in Spuren vorhandenen Substanzen wie etwa Blut, Speichel, Farben, Erde, Haschisch u. a. Drogen, Blutalkohol, Pflanzenschutzmittel u. a. Gifte, Rückstände brennbarer Flüssigkeiten[1], Glas, Fasern[2], Metallspuren von Geschossen[3], Fingerabdrücke usw. werden entsprechend empfindliche Nachweisverf. angewendet, beispielsweise Papier-, Dünnschicht- u. Gaschromatographie, in neuerer Zeit auch *HPLC[4] u. Ionenpaarchromatographie[5]. Gebräuchliche Verf. der *physikalischen Analyse sind Massenspektrometrie, Differentialthermoanalyse[6], Laser-, UV- u. IR-Spektroskopie, (Röntgen-)Fluoreszenzanalyse, (Neutronen-)Aktivierungsanalyse[7], Isotopenverdünnungsmeth. etc. In jüngerer Zeit sind diese Techniken biochem. Untersuchungsmeth. wie enzymat. Analyse, Radioimmunoassay, Serodiagnostik, Immunelektrophorese, iso-elektr. Fokussierung u. a. Elektrophorese-Verf. an die Seite getreten, mit deren Hilfe sich z. B. aus Blutflecken Rückschlüsse auf Geschlecht, Alter u. Rassenzugehörigkeit, überstandene Epidemien usw. ziehen lassen[8]. Meist werden verschiedene Analysenmeth. miteinander gekoppelt, wie z. B. in der Gaschromatographie-Massenspektroskopie[9], die sich in der Aussagekraft ergänzen. Einen Überblick über die Fortschritte der f. C. bietet ein Vgl. der Aufsätze in *Lit.*[10]. – *E* forensic chemistry – *F* chimie légale – *I* chimica forense – *S* química forense

Lit.: [1] J. Chem. Educ. **51**, 549 (1974). [2] Pohl, Naturwissenschaftlich-kriminalistische Spurenanalyse bei Verkehrsunfällen, Lübeck: Schmidt-Römhild 1975; Pohl, Handbuch der Naturwissenschaftlichen Kriminalistik, Heidelberg: Kriminalistik-Verl. 1981. [3] Nachr. Chem. Tech. **22**, 278 (1974). [4] Int. Lab. **10**, Nr. 8, 61–65 (1980); J. Chromatogr. **122**, 85–105 (1976). [5] J. Assoc. Off. Anal. Chem. **60**, (1977). [6] Hellmiß, in Marti et al., Angewandte Chemische Thermodynamik u. Thermoanalytik (Experientia Suppl. 37), S. 343–349, Basel: Birkhäuser 1979. [7] Umschau **79**, 24–29 (1979). [8] Naturwissenschaften **66**, 446–451 (1979). [9] Int. Lab. **1978**, Nr. 3, 115–122. [10] Chimia **17**, 249–274 (1963); Bild Wiss. **8**, 472–479 (1971); **11**, Nr. 12, 46–51 (1974); Naturwissenschaften **64**, 30–35 (1977). *allg.:* Criminalistics, An Introduction to Forensic Science, Haar: Prentice Hall 1994 ▪ Steinke et al., Kriminalistik u. forensische Wissenschaften, Hamburg: Kriminalistik Verl. 1994 ▪ Reinmann, Vademecum Gerichtsmedizin, Wiesbaden: Ullstein Mosby 1990.

Forlanit®. Phosphorsäureester bzw. Ethercarbonsäure als Emulgatoren mit antistat. Eigenschaften zur Herst. feinteiliger Polymerdispersionen. **B.:** Henkel.

Formaldehyd (Methanal). $H_2C=O$, CH_2O, M_R 30,03. Der Name wurde aus Acidum *form*icium (Ameisensäure) u. *Aldehyd* gebildet. In reinem, wasserfreien Zustand ist F. ein farbloses, stechend durchdringend riechendes Gas, nur wenig schwerer als Luft, Schmp. –117 °C (auch –92 °C angegeben), Sdp. –19 °C. Die Dämpfe sind brennbar, Gemische mit Luft explosionsfähig, Explosionsgrenzen 7–72% bei Normaldruck u. 20 °C. Das Gas reizt stark die Augen u. die Atemwege (Bronchopneumonien). Kontakt mit wäss. Lsg. des F. führt zu Verhärtung der Haut (Lederhaut) sowie zu Verätzung der Augen u. der Haut, auch Ekzembildung möglich. Bei Aufnahme durch den Mund treten schwere innere Verletzungen auf. Die tödliche Dosis liegt bei 10–20 mL der 35% wäss. Lösung. F. gilt als Stoff mit begründetem Verdacht auf krebserzeugendes Potential (Gruppe III B, MAK-Werte-Liste 1996), MAK 0,5 ppm; LD_{50} (Ratte oral) 100 mg/kg, wassergefährdender Stoff WGK 2, Emissionsklasse I (TA Luft 3.1.7). Gasf. F. ist leicht lösl. in Wasser, Alkoholen u. a. polaren Lsm., bei Anwesenheit schon geringer Mengen an Verunreinigungen polymerisiert F. schnell. Anstelle der monomeren Verb. sind daher drei Handelsformen üblich:
1. Die wäss. 35–55% Lsg., in der F. zu über 99% als Hydrat od. als Gemisch von Oligo-Oxymethylenglykolen vorliegt.
2. Die cycl. trimere Form, das *1,3,5-Trioxan, die man durch sauer katalysierte Umsetzung des Formaldehyds erhält.
3. Die polymere Form des F., der sog. *Paraformaldehyd*, die beim Eindampfen wäss. F.-Lsg. entsteht u. reversibel durch Wärmezufuhr od. Säure-Einwirkung in das Monomere zurückgespalten wird. Der reine u. gelöste F. neigt zu vielen Anlagerungs-, Kondensations-, Redox- u. Polymerisationsreaktionen, wobei er u. U. in der Hydroxycarben-Form (H–C̄–OH) reagieren kann. Unter den *Additionsreaktionen* ist die Bildung von in Wasser schwer lösl. F.-Natriumhydrogensulfit nach

$H_2C=O$ + $NaHSO_3$ ⟶ $HO-CH_2-SO_3^-$ Na^+

u. von F.-Sulfoxylat (Salze der *Hydroxymethansulfinsäure, vgl. Rongalit) von Bedeutung. Andere Beisp. sind die Umsetzung mit Blausäure unter Bildung des entsprechenden Cyanohydrins:

$H_2C=O$ + HCN ⟶ $HO-CH_2-CN$

die Reaktion mit Grignard-Verb., die *Aldol-Addition (z. B. mit Acetaldehyd zu Pentaerythrit), die Formal-Bildung mit Cellulose u. Alkoholen (s. Acetale) u. die Addition an Olefine (*Hydroxymethylierung, s. Prins-Reaktion).
Wichtige *Kondensationsreaktionen* sind die Umsetzung von F. mit Amino-Gruppen zu *Schiffschen Basen u. die *Mannich-Reaktion; für die analyt. Chemie ist die Reaktion mit 2,4-Dinitrophenylhydrazin wichtig. Mit Ammoniak reagiert F. über Aldehydammoniak, Formaldimin u. Hexahydro-1,3,5-triazin zu *Hexamethylentetramin. Die *Acyloin-Kondensation des F. in Ggw. von Thiazol-Derivaten führt zu Monosacchariden (*Formoin-Reaktion* s. Lit.[1]).
Techn. wichtig sind die Polykondensations-Reaktionen des F. mit Phenolen, Harnstoff, Melamin zu *Formaldehydharzen u. die Homo- bzw. Copolymerisation zu *Polyoxymethylenen. Dagegen haben die durch Einwirkung von F. auf Casein erhältlichen *Casein-Kunststoffe nur noch geringe Bedeutung, ebenso wie die sog. Aldehydharze aus Xylol u. F. (Kondensationsharze). *Redoxreaktionen:* F. reduziert Metallsalz-Lsg. (Herst. kolloidaler Gold-Lsg. mit F., Red. von *Fehlingscher Lösung u. ammoniakal. Silber-Lsg.) u. läßt sich mit Kaliumdichromat, Kaliumpermanganat bzw. Sauerstoff zu Ameisensäure oxidieren, mit Wasserstoff erfolgt Red. zu Methanol. *Polymerisationsreaktionen:* Von F. sind mehrere Oligomere bekannt, z. B. *1,3,5-Trioxan (Trioxymethylen, Metaformaldehyd) u. 1,3,5,7-*Tetraoxan (Tetraoxymethylen); beide Verb. geben keine Aldehyd-Reaktionen.

Wird F.-Lsg. längere Zeit aufbewahrt od. über Schwefelsäure eingeengt, so bildet sich eine feinkrist., farblose Masse von linearen Polyoxymethylenglykolen der allg. Formel $H-(O-CH_2)_n-OH$ mit $n=8-100$ (Para-F.).
Nachw.: Mit Prüfröhrchen, durch Farbreaktion mit Chromotropsäure (*Lit.*[2]).
Vork.: F. entsteht bei allen unvollständigen Verbrennungsprozessen (z. B. in Autoabgasen u. Tabakrauch) sowie beim photochem. Abbau organ. Spurenstoffe (z. B. Methan) in der Luft. In Innenräumen trägt häufig die Emission aus Spanplatten, Isolierschaumstoffen u. anderen Baumaterialien zur F.-Konz. der Luft bei. In zahlreichen Lebensmitteln läßt sich F. nachweisen[3]. Im Organismus tritt F. im Stoffwechsel der C_1-Körper als sog. aktiver Formaldehyd an *Folsäure gebunden in Erscheinung.
Herst.: Im Laboratorium oxidiert man Methanol mit oxidiertem Kupfer-Draht od. mit Kaliumdichromat u. Schwefelsäure; auch durch Depolymerisation von Para-F. bei 180–220 °C kann man F. herstellen. Techn. gewinnt man F. durch Dehydrierung od. Oxydehydrierung von Methanol in Ggw. von Ag- od. Cu-Katalysatoren od. durch Oxid. von Methanol in Ggw. von

Fe-haltigen MoO$_3$-Katalysatoren, wobei 30–40%ige wäss. Lsg. von F. erhalten werden, die aus der Herst. bereits das zur Stabilisierung nötige Methanol – je nach Verw.-Zweck 0,5–15% – enthalten. 1991 wurden in der BRD ca. 600 000 t F. hergestellt.

Verw.: F. wird überwiegend zur Harzherst. mit Harnstoff, Phenolen u. Melamin eingesetzt. Dieser Anteil der Polykondensationsprodukte beträgt weltweit nahezu 50%[4]. Wasserfreier, reiner F. (od. in Form seiner Trimeren) dient zur Herst. hochmol. thermoplast. Kunststoffe (Polyoxymethylene). Weiterhin ist F. Ausgangsprodukt zur Synth. von Pentaerythrit, Trimethylolpropan, Neopentylglykol, 1,4-Butandiol, Isopren u. β-Propiolacton. F. findet Verw. als Hilfsmittel in der Textil-, Leder-, Pelz-, Papier- u. Holz-Ind.; es dient als Konservierungs- u. Desinfektionsmittel. Sein breites biozides Wirkungsspektrum umfaßt Bakterien, Pilze, Sporen u. gewisse Viren. F. u. Para-F. sind nach der Kosmetik-VO als Konservierungsstoffe für kosmet. Mittel bis zu einer Höchstkonz. von 0,2% zugelassen (ausgenommen Mundpflegemittel, hier bis 0,1%). Für den Umgang mit F. gelten mehrere *Technische Regeln für Gefahrstoffe (TRGS) z. B.

TRGS 451: Umgang mit Gefahrstoffen im Hochschulbereich;
TRGS 522: Raumdesinfektion mit F. (Ausgabe 06/1992);
TRGS 607: F.-Ersatzstoffe u. Verwendungsbeschränkungen (Ausgabe 03/1989);
TRGS 513: Begasungen mit Ethylenoxid u. F. in Gas-Sterilisatoren mit einem Nutzraum bis 1000 dm^3... (Ausgabe 03/1991)

sowie die VO über Verbote u. Beschränkungen des Inverkehrbringens gefährlicher Stoffe, Zubereitungen u. Erzeugnisse nach dem Chemikaliengesetz (Chemikalien-Verbotsverordnung vom 19.07.1996). – *E* formaldehyde – *F* formaldéhyde – *I* formaldeide – *S* formaldehído

Lit.: [1] Tetrahedron Lett. **1980**, 4517. [2] DAB 10. [3] Römpp Lexikon Lebensmittelchemie, S. 308. [4] Weissermel-Arpe (4.), S. 43.
allg.: Beilstein E IV **1**, 3017–3025 ▪ Brauer, Gefahrstoff-Sensorik, Landsberg: Ecomed 1988 ▪ Gesundheitsschädliche Arbeitsstoffe: toxikologisch-arbeitsmedizinische Begründung von MAK-Werten, Weinheim: VCH Verlagsges. 1972–1996 ▪ Hager (5.) **1**, 146; **3**, 611; **8**, 290 ▪ Hommel, Nr. 95 ▪ Kirk-Othmer (4.) **11**, 929 f. ▪ Luftanalysen: Analytische Methoden zur Prüfung gesundheitsschädlicher Arbeitsstoffe, Bd. 1, Weinheim: VCH Verlagsges. 1976–1996 ▪ Moeschlin, Klinik u. Therapie der Vergiftungen S. 332, Stuttgart: Thieme 1986 ▪ Mutschler, Arzneimittelwirkungen, S. 562, Stuttgart: Wissenschaftliche Verlagsges. 1991 ▪ Paquette **4**, 2576 ▪ Rippen ▪ Ullmann (5.) **A 11**, 619. – [HS 2912 11; CAS 50-00-0; G 8]

Formaldehyd-Harnstoff-Harze s. Formaldehyd-Harze u. Harnstoff-Harze.

Formaldehyd-Harze (Formaldehyd-Kondensationsharze). Unter dem Begriff F.-H. werden die techn. sehr wichtigen *Harnstoff-, *Melamin-, *Phenol- u. im weiteren Sinne auch die *Furan-Harze zusammengefaßt, die durch Kondensation von Formaldehyd mit Harnstoff, Melamin, Phenol(en) u. Furfurylalkohol als NH- bzw. OH-Gruppen enthaltenden Monomeren hergestellt werden. Sog. Formaldehyd-Mischharze werden aus Gemischen dieser H-aciden Verb. gewonnen. F.-H. sind direkt od. indirekt zu *Duroplasten härtbare Kunstharze. Sie bestehen ungehärtet aus einem Gemisch von *Oligomeren, die beim Aushärtungsprozeß in unterschiedlich stark vernetzte *Polymere überführt werden. Direkt- od. selbsthärtende F.-H. besitzen in der Regel eine größere Anzahl reaktiver Hydroxymethyl-Gruppen, über die in der Wärme u. unter Einfluß von bas. od. sauren Katalysatoren die Vernetzung als Polykondensationsreaktion abläuft. Zur Aushärtung von auch bei höherer Temp. nicht selbsthärtenden, sog. Zweistufen-F.-H., z. B. Phenolnovolake, müssen zusätzlich Härtungsmittel eingesetzt werden, z. B. Polyamine (Hexamethylentriamin). F.-H. sind heute ausgesprochene Massenkunststoffe, die hauptsächlich als *Formmassen, *Lack- u. insbes. *Leimharze eingesetzt werden. Zu Eigenschaften u. Verw. s. die einzelnen Formaldehyd-Harze. – *E* formaldehyde resins – *F* résines de formaldehyde – *I* resine di formaldeide – *S* resinas de formaldehído

Lit.: Compr. Polym. Sci. **5**, 611–665 ▪ Houben-Weyl **E 20**, 1794–1890 ▪ Kunststoff Handbuch, 2. Aufl., Bd. 10 (Duroplaste), S. 6–89, München: Hanser 1988 ▪ Verband Kunststofferzeugende Industrie e. V., Geschäftsbericht 1988/89 ▪ s. a. die einzelnen Stichworte.

Formaldehyd-Kondensationsharze s. Formaldehyd-Harze.

Formaldehyd-Melamin-Harze s. Formaldehyd-Harze u. Melamin-Harze.

Formaldehyd-Phenol-Harze s. Formaldehyd-Harze u. Phenol-Harze.

Formale. Sammelbez. für *Acetale des *Formaldehyds, s. a. Polyoxymethylene u. Polyvinylacetale.

Formamid (Ameisensäureamid).

$$H-\underset{NH_2}{\overset{O}{\underset{\|}{C}}}$$

CH$_3$NO, M$_R$ 45,04. Farblose, schwach viskose, hygroskop. Flüssigkeit, D. 1,13, Schmp. 2,6 °C, Sdp. 210 °C (Zers.), haut- u. schleimhautreizend, LD$_{50}$ (Ratte oral) 5570 mg/kg. F. ist mit Wasser, niederen Alkoholen, Essigsäure, Phenol, Dioxan, Glykolen u. Aceton in allen Mengenverhältnissen mischbar, unlösl. in Kohlenwasserstoffen, chlorierten Lsm. u. Ethern. Aufgrund seiner hohen Dielektrizitätskonstante (109±1,5) ist F. ein ausgezeichnetes *nichtwäßriges Lösemittel für viele anorgan. Salze (z. B. Chloride von Cu, Pb, Zn, Sn, Co, Fe, Al, Ni, die Acetate der Alkalimetalle usw.), es löst Casein, Gelatine, Glucose, Tannin, Stärke, Polyvinylalkohol, Celluloseacetate. Wegen seiner Bifunktionalität (Carbonyl- u. Amid-Gruppe) ist F. zu zahlreichen Reaktionen der organ. Chemie befähigt. Es gibt mit Alkoholen Ameisensäureester, mit Formaldehyd ein Hydroxymethyl-Derivat, wird katalyt. zu HCN umgewandelt, zersetzt sich >200 °C zu CO, NH$_3$, HCN u. H$_2$O u. hydrolysiert sehr langsam bei 20 °C, schneller bei höheren Temp. u. in Ggw. von Säuren od. Basen.

Herst.: Früher durch Dehydratisierung von Ammoniumformiat, heute durch direkte Synth. aus Kohlenmonoxid u. Ammoniak od. durch Umsatz von CO u. Methanol zu Ameisensäuremethylester, der mit Ammoniak unter mäßigem Druck umgesetzt wird:

$$H-\underset{OCH_3}{\overset{O}{\underset{\|}{C}}} + NH_3 \longrightarrow H-\underset{NH_2}{\overset{O}{\underset{\|}{C}}} + H_3C-OH$$

Verw.: Als Lsm., zur Herst. von Vitaminen, Ameisensäure, Blausäure, zum Geschmeidigmachen von Leim, Papier, in organ. Synth. zur Spaltung von Benzhydrylestern, zur Herst. von γ-Lactonen u. zur Red. von Enaminen zu Aminen; zur Reaktion mit Alkylhalogeniden s. *Lit.*[1]. – *E* = *F* formamide – *I* formammide – *S* formamida

Lit.: [1] J. Org. Chem. **58**, 1804 (1993).
allg.: Beilstein E IV **2**, 45 ▪ Brauer, Gefahrstoff-Sensorik, Landsberg: Ecomed Verlagsges. 1988 ▪ Kirk-Othmer (4.) **11**, 959 f. ▪ Merck-Index (12.), Nr. 4264 ▪ Ullmann **3**, 89 ff.; (4.) **11**, 703 ff.; (5.) **A 12**, 1 ▪ Weissermel-Arpe (4.), S. 48. – *[HS 2924 10; CAS 75-12-7]*

Formamidin s. Amidine.

Formamidinsulfinsäure (Aminoiminomethansulfinsäure).

Thioharnstoffdioxid ⇌ Aminoiminomethansulfinsäure

$CH_4N_2O_2S$, M_R 108,11. Farblose Krist., therm. Zers. ab 123 °C in Wasser wenig, in konz. Schwefelsäure leicht löslich. F. (aufgrund der Röntgenstrukturanalyse liegt das Thioharnstoffdioxid vor[1]) reduziert Sn- u. Cu-Salze, Chinone, zahlreiche Farbstoffe; Sulfoxide, Ketone u. aromat. Nitro-Gruppen werden zu Sulfiden, Alkoholen bzw. aromat. Amino-Gruppen reduziert.
Verw.: Als Redox-Aktivator bei der Chlorkautschuk-Herst., als Red.-Mittel für Küpenfarbstoffe, Beschleuniger für Aminoplastharze u. bei der Produktion von Polyacrylnitril-Fasern. – *E* formamidinosulfinic acid – *F* acide formamidinosulfinique – *I* acido formamidinsolfinico – *S* ácido formamidinosulfínico

Lit.: [1] Beyer u. Walter, Lehrbuch der organischen Chemie, S. 362, Stuttgart: Hirzel Verlag 1991.
allg.: Beilstein E IV **3**, 145 ▪ Synthesis **1975**, 529 ff.; **1978**, 542 ▪ Synth. Commun. **9**, 647 (1979) ▪ Tetrahedron Lett. **1972**, 343 ▪ Ullmann (5.) **A 25**, 471. – *[HS 2930 90; CAS 1758-73-2]*

Formasil® II. Kondensationsvernetzende, knetbare Silicon-Abformmasse zur Fixierung von Prothesenzähnen nach der Vorwall-Technik. *B.:* Heraeus Kulzer GmbH.

Formazane. Nach IUPAC-Regel C-995.1 Bez. für die Atomgruppierung

$$\overset{5}{H_2N}-\overset{4}{N}=\overset{3}{CH}-\overset{2}{N}=\overset{1}{NH},$$

von der sich nicht nur einige *Reaktivfarbstoffe (F.-Farbstoffe)* ableiten, sondern durch Dehydrocyclisierung auch *Tetrazolium-Salze; Beisp.:* 1,3,5-Triphenylformazan ⇌ *2,3,5-Triphenyl-2H-tetrazoliumchlorid. Einige 1,3,5-trisubstituierte Vertreter bilden tief gefärbte Metallchelate, die zu photometr. Bestimmungen geeignet sind, z. B. für Cu u. Zn (*Zincon) od. für Pd[1]. – *E* = *F* formazans – *I* formazani – *S* formazanos

Lit.: [1] Ullmann (5.) **A 16**, 328.
allg.: Beilstein E IV **16**, 421 ▪ Ullmann (5.) **A 7**, 516; **A 8**, 321. – *[HS 2933 90]*

Formeln. Hierunter versteht man bestimmte Anordnungen von chem. Symbolen, um Zusammensetzung u. evtl. auch den räumlichen Aufbau einer chem. Verb. auszudrücken. Man spricht hier von empir. Analysen-

u. Summenformeln (*Bruttoformel u. *Elementaranalyse), von aufgelösten F., Konstitutions-, Stereo- u. *Strukturformeln, zu deren Darst. man sich der *Formelschablonen, der Letraset- u. ä. Druckvorlagen u. in jüngerer Zeit vermehrt geeigneter Textverarbeitungssyst. bedient (*chemische Zeichensprache) u. von Valenzstrich-, Strich- u. Elektronen- od. *Lewis-Formeln. In der Lit., bes. in der angelsächs., wird die Bez. F. od. *Formulierung* auch als Synonym für *Rezept(ur) od. Vorschrift zur Herst. von Gemischen od. chem. Verb. verwendet. In der Mathematik ist die F. die symbolhafte Darst. eines Gesetzes. – *E* formulas – *F* formules – *I* formule – *S* fórmulas

Formelschablonen. Aus meist farbigem, durchsichtigem Kunststoff gefertige Zeichenschablonen, mit deren Hilfe *Strukturformeln gezeichnet werden können. Je nach Aufwand u. Anwendungsgebiet ist neben einfachen Ringstrukturen auch die Darst. von zahlreichen stereochem., perspektiv. u. Koordinationsverb., sowie von Atom- u. Molekülorbitalen möglich. – *E* (formula) stencils, templates – *F* pochoir à formules – *I* mascherine per le formule – *S* plantillas para fórmulas

Formen s. Umformen u. Deformation.

Formestan.

Internat. Freinamen für 4-Hydroxyandrost-4-en-3,17-dion, $C_{19}H_{26}O_3$, M_R 302,41, Schmp. 199–202 °C, $[\alpha]_{20}^{D}$ +181° (c 7,7/CHCl$_3$). Es wurde 1973 zum ersten Mal beschrieben[1] u. ist als Aromatase-Inhibitor (s. Estrogene) zur Behandlung des Brustkrebs von Ciba Cancer Care (Lentaron®) im Handel. – *E* formestane – *F* formestan – *I* = *S* formestano

Lit.: [1] J. Chem. Soc., Perkin Trans. 1 **1973**, 1830 ff.
allg.: Drugs **45**, 66–84 (1993) ▪ Merck-Index (12.), Nr. 4267 ▪ Pharm. Ztg. **141**, 2400–2407 (1996). – *[CAS 566-48-3]*

Formetanat-Hydrochlorid. T

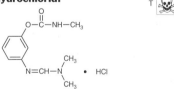

Common name für [3-(Dimethylamino-methylenimino)phenyl]-methylcarbamathydrochlorid, $C_{11}H_{16}ClN_3O_2$, M_R 257,72, Schmp. 200–202 °C (Zers.), LD$_{50}$ (Ratte oral) 21 mg/kg (WHO), von Schering (jetzt AgrEvo) 1967 eingeführtes *Akarizid u. *Insektizid mit Kontakt- u. Fraßgiftwirkung gegen bewegliche Stadien von Spinnmilben u. einige Insekten in zahlreichen Kulturen. – *E* = *F* formetanate hydrochloride – *I* formetanato – *S* formetanato-clorhidrato

Lit.: Farm ▪ Perkow ▪ Pesticide Manual. – *[HS 2925 20; CAS 23422-53-9]*

Formgußmassen s. Abgußmassen.

Formiate

Formiate. Bez. für Salze bzw. Ester der *Ameisensäure der allg. Formel HCOOM^I (M^I = einwertiges Metall) bzw. HCOOR (R = organ. Rest); *Beisp.:* Aluminiumformiat [(HCOO)$_3$Al], Ethylformiat (Ameisensäureethylester, HCOOC$_2$H$_5$). Die Na-(E 237) u. Ca-F. (E 238) waren als Konservierungsmittel für Lebensmittel zugelassen. Mit der Umsetzung der entsprechenden EU-Richtlinie in den Jahren 1996 u. 1997 werden die F. nicht mehr für Lebensmittel zugelassen sein. F. können z. B. mit *Formiat-Dehydrogenase* bestimmt werden. In der Parfüm-Ind. werden die fast vollständig veresterten F. des Borneols, Citronellols u. Menthols u. die teilw. veresterten Geraniol- u. Linalool-Verb. verwendet. – *E* formates – *F* formiates – *I* formiati – *S* formiatos
Lit.: s. Ameisensäure. – *[HS 2915 12, 2915 13]*

Formiergas. Leicht reduzierend wirkendes Gasgemisch zum Schutz der Wurzelseite von nichtrostenden Leg. (*nichtrostende Stähle, Nickel-Legierungen) beim Lichtbogenschweißen von Stumpfstößen (Wurzelschutz, Gegenschutz). Da hier während des Schweißprozesses ein schmelzflüssiger Werkstoff vorliegt, dessen Eigenschaften durch Aufnahme von Gasen aus der Umgebung beeinträchtigt werden können, ist ein Schutz bei Schweißverbindung mit angehobenen betriebsseitigen Anforderungen notwendig. F. ist ein Gemisch aus Stickstoff mit 1–30% Wasserstoff. – *E* inert gas, shielding gas – *F* gaz inert, gaz protecteur – *I* gas inerte – *S* gas inerte, gas protector
Lit.: DIN EN 439 (10/1994) ▪ Ruge, Handbuch der Schweißtechnik, 2. Aufl., Bd. 2, S. 55, Berlin: Springer 1980.

Formmassen. Bez. (nach DIN 7708, Tl. 1, 12/1980) für ungeformte Erzeugnisse, insbes. Kunststoffe, die unter Einwirkung mechan. Kräfte innerhalb eines bestimmten Temp.-Bereichs durch spanlose Formung (z. B. durch Spritzgießen, Extrusion, Pressen) bleibend zu *Formteilen od. *Halbzeug geformt werden können. Die härtbaren F. (früher als Preßmassen bezeichnet) sind *Duroplaste, die nicht härtbaren *Thermoplaste. – *E* mo(u)lding materials – *F* matières à mouler – *I* masse per formare – *S* compuestos de moldeo, polvos de moldeo

Formocortal.

Internat. Freiname für das antiphlogist. u. antiallerg. wirksame Glucocorticoid 3-(2-Chlorethoxy)-9-fluor-11β,21-dihydroxy-16α,17-isopropylidendioxy-20-oxo-3,5-pregnadien-6-carbaldehyd-21-acetat, C$_{29}$H$_{38}$ClFO$_8$, M$_R$ 569,07, Schmp. 180–182 °C; [α]$_D^{20}$ +26° (CHCl$_3$); λ$_{max}$ (C$_2$H$_5$OH) 216, 324 nm (ε 12 100, 17 100); LD$_{50}$ (Maus s.c.) 490, (Maus i.p.) 535, (Maus oral) >2000 mg/kg. F. wurde 1965, 1966 u. 1967 von Farmitalia patentiert. – *E* = *F* = *I* = *S* formocortal
Lit.: Beilstein E V **19**/7, 37. – *[HS 2937 22; CAS 2825-60-7]*

Formoin-Reaktion s. Formaldehyd.

Formose s. Fructose.

Formo-Sulfathiazol.

Kurzbez. für das bakteriostat. wirkende Polymethylen-*Sulfathiazol, (C$_{10}$H$_9$N$_3$O$_2$S$_2$)$_x$, ein schwer lösl. Kondensationsprodukt aus Formaldehyd u. Sulfathiazol, das in der veterinären Medizin angewendet wird. – *E* formosulfathiazole – *F* formo-sulfathiazol – *I* formosulfatiazolo – *S* formo-sulfatiazol – *[CAS 12041-72-4]*

Formpressen (Warmpressen). Verf. zur Verarbeitung von *Monomeren, *Reaktionsharzen od. *Polymeren, bei dem das Ausgangsmaterial als kaltes Pulver od. Gießmasse unter Druck in eine geheizte Form gebracht wird, wo es die Gebrauchsform erhält u. ggf. gleichzeitig gehärtet (z. B. glasfaserverstärkte, ungesätt. *Polyesterharze) od. vulkanisiert (z. B. *Elastomere) wird. – *E* [compression] moulding – *F* pressage en forme – *I* presse per formare – *S* moldeado por compresión
Lit.: Elias (5.) **2**, 393.

Formsand (Formstoff). Sand für *Gießereien zur Herst. von *Gießformen für Formguß. Mit dem F. wird ein Negativabdruck des Gußstückmodells geformt, in den das flüssige Metall eingegossen wird u. in dem die Erstarrung stattfindet. F. besteht aus einem feuerfesten Mineral (Quarz), einem Binder (z. B. Ton) u. weiteren Zusätzen. F. muß verschiedene Bedingungen erfüllen: Gute Bildsamkeit, ausreichende mechan. Festigkeit, Widerstandsfähigkeit gegen Verschlackung, Formstabilität u. Gasdurchlässigkeit. F. wird unterteilt nach Herkunft, Tongehalt, Verwendungszweck u. Gebrauchszustand. – *E* facing sand – *F* sable de moulage – *I* sabbia per fonderia – *S* arena de moldear
Lit.: Gießerei Lexikon, 10. Aufl., S. 268, Berlin: Fachverl. Schiefe & Schön 1978 ▪ Gräfen (Hrsg.), Lexikon Werkstofftechnik, S. 334, Düsseldorf: VDI 1993.

Formsil®. Sortiment von Verflüssigungsmitteln für anorgan. Schlämme u. keram. Massen auf der Basis von Silicaten bzw. speziellen organ. komplexen Phosphonsäure-Verbindungen. *B.:* Henkel.

Formspüler. Wäschenachbehandlungsmittel zur Formerhaltung von Kleidung u. Haushaltswäsche. Die F. sind Emulsionen von modifizierten *Polyvinylacetaten u. enthalten ggf. Emulgatoren, opt. Aufheller, Schutzkolloide, Konservierungs- u. Glättemittel, Bügelhilfen u. Duftstoffe. – *E* fabric former – *I* ammorbidenti per biancheria – *S* agente de enjuague para la conservación de la forma
Lit.: Ullmann (4.) **24**, 112 f.; (5.) **A 8**, 381 f.

Formstoffe. 1. Bez. (nach DIN 7708, Tl. 1, 12/1980) für früher als Preßstoffe bezeichnete Stoffe (Werkstoffe), die aus *Formmassen (insbes. Kunststoff-Formmassen) durch spanlose Formung (Pressen, Spritzpressen, Strangpressen od. Spritzgießen) hergestellt worden sind, u. die dann als *Formteile od.

*Halbzeug vorliegen. – 2. s. Formsand. – *E* mo(u)lded materials – *F* matière moulée – *I* materie (materiali) per formare – *S* material moldeado, moldeados

Formteile. Bez. (nach DIN 7708, Tl. 1, 12/1980) für gestaltete Kunststofferzeugnisse, die aus *Formmassen od. *Halbzeugen hergestellt worden sind. – *F* pièces de forme – *I* pezzo sagomato – *S* pieza preformada

Formtrennmittel s. Trennmittel.

Formulierung. Bez. für die Zubereitung einer biolog. wirksamen Substanz mit Hilfsstoffen (Formulierhilfsmitteln) mit dem Ziel, eine auf die jeweilige Anw. optimal abgestimmte Ausbringung, Verteilung u. Entfaltung des Wirkstoffs zu ermöglichen. *Pflanzenschutzmittel können z. B. folgende Hilfsstoffe enthalten: Pulver- od. granulatförmige Trägerstoffe aus Gesteinsmehlen od. synthet. Kieselsäuren, Lsm., Tenside (als Emulgatoren, Dispergier- od. Netzmittel), Stabilisatoren (z. B. pH-Regulatoren), Entschäumer, Viskositätsregulatoren, Staubbinder (Öle, Wachse, hygroskop. Substanzen), Hydrophobierungsmittel (z. B. Öle, Wachse). Für die verschiedenen Typen von F. haben sich internat. gültige Abk. eingebürgert, von denen einige im folgenden genannt seien: Für *wasserverdünnbare Konzentrate* z. B. EC = emulgierbares Konzentrat, SC = Suspensionskonzentrat, SL = wasserlösl. Konzentrat, SP = wasserlösl. Pulver, WG = wasserdispergierbares Granulat, WP = wasserverdünnbares Pulver; für *unverdünnt anzuwendende Produkte* z. B. DP = Staub, GR = Granulat; für *Saatgutbehandlungsmittel* z. B. DS = Saatgutpuder od. Trockenbeize, FS = Suspensionskonzentrat zur Saatgutbehandlung od. Suspensionsbeize, WS = Schlämmpulver od. Schlämmbeize; für *spezielle Anw.* z. B. AE = Aerosoldose od. -flasche, PA = Paste. – *E* = *F* formulation – *I* formulazione – *S* formulación

Lit.: GIFAP-Broschüre „Catalogue of Pesticide Formulation Types and International Coding System".

Formverschäumung s. Integralschaumstoff.

Formyl... Präfix für die Atomgruppierung CH=O in den Namen von organ. Verb. (IUPAC-Regeln C-304.2, C-304.3, R-5.6.1); über F.-Radikale s. *Lit.* – *E* = *F* formyl... – *I* = *S* formil...

Lit.: Gmelin, Syst.-Nr. 14, C, Tl. C4, 1975. S. 16–28.

Formylierung. Bez. für die Einführung der *Formyl-Gruppe in organ. Verb., d. h. für die Synth. von *Aldehyden. Die F. von aromat. Verb. ist eine spezielle Acylierung. Im Gegensatz zu anderen Acylierungen mit Säurechloriden od. Säureanhydriden (*Friedel-Crafts-Reaktion) ist die direkte F. des Aromaten nicht möglich, da sowohl Formylchlorid als auch Formylanhydrid instabile Verb. sind.

An deren Stelle lassen sich disubstituierte Formamide in Ggw. von Phosphoroxychlorid (Vilsmeier- od. *Vilsmeier-Haack-Reaktion)[1], Kohlenmonoxid u. Chlorwasserstoff in Ggw. von Aluminiumtrichlorid u. Kupfer(I)-chlorid (*Gattermannsche Aldehyd-Synthese)[2], Zink(II)-cyanid u. Chlorwasserstoff mit anschließender Hydrolyse (Gattermann-Reaktion)[3] u. Chloroform in alkal. Lsg. (intermediäre Bildung von Dichlorcarben[4], *Reimer-Tiemann-Reaktion)[5] zur F. von aromat. Verb. einsetzen. Neben Aromaten lassen sich auch Alkene[6,7,8] od. *Acetale[9] unter den Bedingungen der Vilsmeier-Reaktion formylieren.

Zu den F. ist auch die *Hydroformylierung von Alkenen mit Kohlenmonoxid u. Wasserstoff in Ggw. eines Katalysators zu rechnen (s. a. Oxo-Synthese). – *E* = *F* formylation – *I* formilazione – *S* formilación

Lit.: [1] Adv. Org. Chem. **9**, Teil 1, 225–342 (1976). [2] Org. React. **5**, 290f. (1949). [3] Org. React. **9**, 37–72 (1957). [4] Houben-Weyl **E 19 b**, 1553 ff. [5] Org. React. **28**, 1–36 (1982). [6] Chem. Ind. (London) **1973**, 870. [7] Patai, The Chemistry of the Carbonyl Group, Tl. 1, S. 281 f., New York: Wiley 1966. [8] Olah, Friedel-Crafts and Related Reactions, Bd. 3, S. 1214–1219, New York: Wiley 1964. [9] Tetrahedron Lett. **1964**, 2161.

allg.: Angew. Chem. **92**, 147–168 (1980) ▪ March (4.), S. 542–546 ▪ Olah, Friedel-Crafts-Chemistry, New York: Wiley 1973 ▪ Organikum, S. 343 f. ▪ s. a. Acylierung, Aldehyde, Friedel-Crafts-Reaktion u. Oxo-Synthese.

4-Formylmorpholin (4-Morpholincarbaldehyd).

$C_5H_9NO_2$, M_R 115,13. Farblose Flüssigkeit, D. 1,15, Schmp. 20–23 °C, Sdp. 239–241 °C, mischbar mit Wasser u. den üblichen organ. Lösemitteln. F. dient als Lsm. für die Flüssig-Flüssig-Extraktion von Aromaten aus petrochem. Reformaten. Es wird weiterhin verwendet bei der Synth. von Morpholino-isothiazolen sowie zur Formylierung von Grignard-Reagenzien, Organolithium-Verb. u. Dialkylphosphonaten, wird zusammen mit Phosphorylchlorid als Vilsmeier Reagenz in der Reaktion mit wenig reaktiven Olefinen verwendet. – *E* = *F* 4-formylmorpholine – *I* = *S* 4-formilmorfolina

Lit.: Beilstein E III/IV **27**, 274 ▪ Can. J. Chem. **70**, 2040 (1992) ▪ J. Org. Chem. **49**, 3856 (1984) ▪ Ullmann (5.) **A 12**, 9 ▪ Weissermel-Arpe (4.), S. 346 f. – *[HS 2934 90; CAS 4394-85-8]*

Formyltetrahydrofolsäure s. Folinsäure u. Tetrahydrofolsäure.

Formylviolett S4BN {4-(Dimethylamino)-4',4''-bis[ethyl(3-sulfobenzyl)amino]tritylium-betain}.

$C_{39}H_{41}N_3O_6S_2$, M_R 711,89. F. wird zum Färben von Wolle, Leder u. Papier sowie zur Herst. kosmet. Mittel verwendet. F. besitzt nur eine geringe Lichtechtheit. – *E* acid violett 49 – *I* formilvioletto S4BN – *S* ácido violeta 49

Lit.: Beilstein E II **14**, 449 ▪ Blaue Liste, S. 171 ▪ Ullmann (4.) **23**, 401. – *[CAS 4129-84-4]*

Fornax®. Kieselsäure-Emulsion zur Schiebebefest- u. Antipilling-Ausrüstung von Textilien. *B.:* Pfersee.

Foromacidin. Älterer Name für *Spiramycin.

Foron®. Umfangreiches Sortiment von Dispersionsfarbstoffen zum Färben od. Bedrucken von PES-Fasern rein u. in Fasermischungen. *B.:* Sandoz.

Forosyn®. Gruppe von Farbstoffen (Mischungen von Foron®- u. Lanasyn®-Farbstoffen) zum Färben von PES/Wo-Fasermischungen. *B.:* Sandoz.

Forschung. Nach dem „Frascati-Handbuch"[1] ist F. eine schöpfer. Arbeit zur Erweiterung des Erkenntnisstandes. *Grundlagen-F.* ist experimentelle od. theoret. Arbeit, die in erster Linie auf die Gewinnung neuer Erkenntnisse gerichtet ist, ohne auf eine bes. An- od. Verwendung abzuzielen. *Anwendungsorientierte Grundlagen-F.* ist Grundlagen-F., die beeinflußt ist durch die bes. prakt. Bedeutung eines Themenbereiches. *Angewandte F.* (Zweck-F.) ist F., die allein od. überwiegend auf prakt. Anwendbarkeit ihrer Ergebnisse abzielt. Aus der Auswertung u. Anw. der F.-Ergebnisse ergibt sich die *Entwicklung* – häufig findet man im dtsch. Schrifttum die Begriffszwillinge „F. u. Entwicklung" als FuE (F & E, F+E), im engl. Schrifttum als R & D (research and development) abgekürzt. Der Begriff *Innovation* kann als weitgehend bedeutungsgleich mit FuE interpretiert werden. Die dtsch. Forschungslandschaft läßt sich in FuE durchführende u. FuE finanzierende Sektoren unterteilen. FuE durchführende Sektoren sind: die Hochschulen; der Staat mit bundes-, landes- u. kommuneneigenen Forschungseinrichtungen; private Organisationen ohne Erwerbszweck wie die *Großforschungseinrichtungen, *MPG[2], *Fraunhofer-Gesellschaft zur Förderung der angewandten Forschung e.V., Einrichtungen der *Blauen Liste; die Wirtschaft mit Forschungsstätten der Unternehmen, Institutionen der Gemeinschaftsforschung wie die *AIF[3], Stiftungen wie der *Stifterverband für die Deutsche Wissenschaft[4] u. die Volkswagenstiftung. Weiterhin zu nennen sind die *DFG u. der *Fonds der Chemischen Industrie. Der stärkste FuE finanzierende Sektor ist die Wirtschaft. Allein die chem. Ind. bestritt 1994 mit ca. 11 Mrd. DM fast 18% der Gesamt-Forschungsaufwendungen der dtsch. Ind., zusätzlich wurden 5 Mrd. DM für ausländ. FuE-Zentren dtsch. Unternehmen bereitgestellt. Die Gesamtaufwendungen für alle Disziplinen der F. (*Wissenschaften* allg., also auch für die vorwiegend aus der Öffentlichen Hand gespeiste F. der Hochschulen, der MPG, der Großforschungseinrichtungen etc.) haben in den vergangenen 47 a wie folgt zugenommen (Angaben in Mrd. DM im Vgl. öffentliche/Wirtschaftsmittel): 1948/1949 (0,641/0,211), 1970 (10,4/7,21), 1977 (9,02/17,23), 1980 (13/20), 1987 (21,6/34,7), 1995 (31,9/48,9). Gemeinsame europ. Projekte fördert auch die 1974 gegr. European Science Foundation (*ESF) mit Sitz in Straßburg, der im Jahre 1996 insgesamt 21 europäische Länder angehörten. – *E* research – *F* recherche – *I* ricerca – *S* investigación

Lit.: [1] Frascati Manual 1993 – Proposed Standard Practice for Surveys of Research and Experimental Development, Paris: OECD 1994. [2] Jahrbuch der *MPG. [3] Handbuch der *AIF 1996/97. [4] Schulze, Der Stifterverband für die Deutsche Wissenschaft 1920–1995, Berlin: Akademie Verl. 1995.
allg.: (mit Schwerpunkt F. in der Chemie): ACHEMA-Jahrbuch ▪ Bundesbericht Forschung 1996, Bonn: BMBF 1996 ▪ Forschungsfreiheit – ein Plädoyer der DFG für bessere Rahmenbedingungen der Forschung in Deutschland, Weinheim: VCH Verlagsges. 1996 ▪ s.a. Chemie, chemische Industrie, pharmazeutische Industrie u.a. F.-Disziplinen od. F.-Gegenstände.

Forschungsförderung. Bereitstellung von öffentlichen Mitteln für *Forschung u. Entwicklung. Der Staat schafft damit günstige u. verläßliche Rahmenbedingungen für Forschung, Entwicklung u. Innovation. Dieser Rahmen ist so gestaltet, daß sich Privatinitiative u. unternehmer. Eigenverantwortung voll entfalten können. Neben Gesetzen, Verordnungen u. Normen ist die Förderung von FuE eine wichtige Möglichkeit des Staates, um auf Innovationen u. techn. Wandel Einfluß zu nehmen.

Man unterscheidet zwischen institutioneller F., indirekter u. direkter hochschulbezogener Förderung, sowie Projektförderung. Ferner werden noch Beiträge an internat. Forschungseinrichtungen, z.B. *ESA od. *CERN, aufgebracht. Die *institutionelle* Förderung kommt z.B. den *Großforschungseinrichtungen zugute; die staatliche Forschungsförderung wird ferner eingesetzt zur Grundfinanzierung von *MPG, *DFG u. *FhG. Die *indirekte* Projektförderung umfaßt z.B. steuerliche od. Personaltransfer-Maßnahmen, von denen auch die kleinen u. mittleren Unternehmen (*KMU) in vollem Umfang profitieren. Bei der *indirekt-spezif.* Förderung werden einzelne *Schlüsseltechnologien breitenwirksam gefördert, z.B. Biotechnologie u. Mikroelektronik. Die *direkte* Projektförderung kommt definierten Projekten (meist Verbundprojekte, an denen unterschiedliche Partner mitarbeiten) zugute. Sie erfolgt bei den Technologie-orientierten Förderprogrammen des Bundes, der Länder od. der

EG auf Antrag u. in der Regel in Form von Zuwendungen.
Der Bund stellte 1995 ca. 16,8 Mrd. DM für FuE zur Verfügung, davon wurde mehr als die Hälfte vom *BMBF aufgebracht. Die F. geht in folgende Bereiche: Erkenntnisorientierte u. programmübergreifende Grundlagenforschung, Forschung u. Entwicklung zur Daseinsvorsorge, Technologie- u. Innovationsförderung, Hochschulbau u. überwiegend hochschulbezogene Sonderprogramme u. Wehrforschung u. -technik. Der Bund sieht insbes. in der Technologie- u. Innovationsförderung eine vordringliche Aufgabe; etwa 42% der staatlichen Mittel werden dafür aufgewendet. Forschungsförderung wird auch regional von Ländern u. Gemeinden betrieben sowie von privater Seite, z. B. durch *Stiftungen od. wissenschaftliche Organisationen, od. von der Ind. (z. B. *Fonds der Chemischen Industrie). Die Forschungsförderung schafft die Voraussetzungen für Wachstum, Beschäftigung u. insbes. Wettbewerbsfähigkeit. Auch die EU fördert Forschung u. Entwicklung. Grundlage sind Rahmenprogramme, die die grundsätzlichen wissenschaftlichen Zielsetzungen für jeweils 5 a festlegen. Das 4. Rahmenprogramm (Laufzeit 1994–1998; Etat über 25 Mrd. DM) wird durch 13 spezif. Fachprogramme konkretisiert. Daneben gibt es noch spezielle Programme zur Förderung der internat. Zusammenarbeit, der Verbesserung, der Verbreitung u. Verwertung von Forschungsergebnissen u. zur Förderung der Wissenschaftlermobilität. – *F* promotion de la recherche – *I* incentivazione della ricerca – *S* promoción para la investigación

Lit.: BDI, Handbuch der Forschungs- u. Innovationsförderung, Köln: Dtsch. Wirtschaftsdienst ▪ Bundesbericht Forschung 1996, Der Bundesminister für Forschung u. Technologie: Bonn 1996 ▪ Die Politik der Europäischen Gemeinschaft in Forschung u. Technologischer Entwicklung, Luxemburg: Europ. Kommission 1994 ▪ Förderfibel, Förderung von Forschung, Entwicklung u. Innovation, Bonn: BMBF 1995.

Forschungsgesellschaft Kunststoffe e.V. (FGK). Trägerverein des *Deutschen Kunststoffinstituts mit Sitz in 64289 Darmstadt, Schloßgartenstr. 6.

Forschungsgesellschaft Verfahrens-Technik e.V. (GVT). 1952 gegr. Forschungsförderungsges. mit Sitz in 40239 Düsseldorf, Graf-Recke-Str. 84. Der GVT gehören ca. 65 Firmen als Mitglieder an. Aufgabe der GVT ist die Förderung von Forschung, Lehre u. Fortbildung auf dem Gebiet der Verfahrenstechnik.

Forschungszentrum Jülich GmbH (früher *KFA Jülich). Das 1956 gegr. u. 1968 in eine GmbH umgewandelte KFA mit Sitz in 52425 Jülich, Wilhelm-Johnen-Str., ist eine von 16 *Großforschungseinrichtungen u. Mitglied der HGF (*AGF). Das KFA beschäftigte 1995 ca. 4100 Mitarbeiter, davon 1100 Wissenschaftler u. hatte einen Etat von 616 Mio. DM. Arbeitsgebiete: Struktur der Materie u. Materialforschung, Informationstechnik, Energietechnik, Umweltvorsorgeforschung, Lebenswissenschaften. Bes. wissenschaftliche Einrichtungen: Kühler-Synchrotron COSY, Forschungsreaktor DIDO, Fusionsexperiment TEXTOR, Nuklearmedizin. Klinik, Umweltprobenbank, Supercomputer-Zentrum. – INTERNET-Adresse: http://www.kfa-juelich.de

Forskolin (Boforsin).

$C_{22}H_{34}O_7$, M_R 410,51, Krist., Schmp. 230–232 °C, $[\alpha]_D$ −26,2° ($CHCl_3$). Herzaktives *Diterpenoid (Labdan-Typ) aus der ind. Heilpflanze *Coleus forskolii*. F. hat einen pos. inotropen Effekt, es wirkt blutdrucksenkend u. allg. gefäßerweiternd, bes. bei intravenöser Applikation. Die Wirkung beruht auf der direkten Stimulierung der Adenylat-Cyclase. F. gilt als Prototyp für Substanzen mit diesem Wirkmechanismus. Im Laborversuch konnte es erfolgreich bei der Therapie von kongestiver Kardiomyopathie, Glaukom, Asthma u. a. angewandt werden. Die interessante Wirkung von F. war Anlaß für die Entwicklung mehrerer Totalsynthesen. F. dient in der medizin. Chemie als Leitstruktur für die Synth. noch wirksamerer Verbindungen. Wegen der geringen Wasserlöslichkeit von F. werden besser lösl. Derivate hergestellt u. untersucht. – *E* forskolin – *F* forskoline – *I* = *S* forscolina

Lit.: Beilstein E V **18**/5, 56 ▪ J. Med. Chem. **31**, 1872–1879 (1988) ▪ Phytotherapy Res. **3**, 91 (1989) ▪ Planta Med. **51**, 473–477 (1985) ▪ Tetrahedron **45**, 763–766 (1989) ▪ Tetrahedron Lett. **28**, 4089 (1987) ▪ Trends Pharmacol. Sci. **4**, 120 (1983). – *Synth.:* Tetrahedron **48**, 963–1037 (Synth.-Review) ▪ Tetrahedron Lett. **29**, 2031, 4039, 6409–6412 (1988); **37**, 1015–1024 (1996). – [HS 2932 99; CAS 66575-29-9]

Forßmann, Werner (1904–1979), Prof. für Chirurgie, Univ. Mainz u. Düsseldorf. 1929 führte er im Selbstversuch erstmals die Herzkatheterisierung durch, ein Verf., das für seine Habilitation in Deutschland nicht anerkannt wurde u. für das er 1956 zusammen mit A. F. *Cournand und D. W. *Richards den Nobelpreis für Physiologie od. Medizin erhielt.

Forst s. Holz.

Forsterit s. Olivin.

Forst-Kieserit. Kali- u. Magnesium-haltige Mineraldünger für die Landwirtschaft. *B.:* Kali & Salz AG.

Forstschutz(mittel) s. Pflanzenschutz(mittel).

Fortecortin®. Tabl., Krist.-Suspension u. Ampullen mit *Dexamethason gegen Polyarthritis, Bursitis, Dermatosen u. Hirnödeme. *B.:* Merck.

Fortpflanzung s. Konzeption.

Fortpflanzungsgefährdend. Stoffe u. Zubereitungen sind f. (reproduktionstox.), wenn sie beim Einatmen, Verschlucken od. bei Aufnahme über die Haut nichtvererbbare Schäden der Nachkommenschaft hervorrufen od. deren Häufigkeit erhöhen (fruchtschädigend) od. eine Beeinträchtigung der männlichen od. der weiblichen Fortpflanzungsfunktionen od. -fähigkeit zur Folge haben können. – *E* toxic to reproduction – *F* nuisible à la reproduction – *I* pericoloso per la riproduzione – *S* suatancias tóxicas para la reproducción

Lit.: GefStoffV vom 26.10.1993 (BGBl. I, S. 1782), zuletzt geändert durch die Zweite VO zur Änderung der GefStoffV vom 19.9.1994 (BGBl. I, S. 2557).

Fortral®. Ampullen, Kapseln u. Suppositorien mit dem starken Analgetikum *Pentazocin. *B.:* Winthrop.

Fortrat-Diagramm. Begriff aus der Molekülspektroskopie (s. a. Spektroskopie). Die Rotationsstruktur von Elektronen- od. Rotationsschwingungsübergängen wird in guter Näherung durch eine quadrat. Gleichung des Typs $\bar{v}$ (J″) = a + b J″ + c J″^{2} beschrieben. Hierbei sind $\bar{v}$ (J″) die *Wellenzahl einer Spektrallinie u. J″ die *Rotationsquantenzahl im energet. tieferliegenden (unteren) Molekülzustand. Die Größen a, b u. c sind molekülspezif. Parameter. Je nach den *Auswahlregeln für verschiedene Übergänge, die zu *Zweigen* zusammengefaßt werden, gelten für a, b u. c verschiedene Ausdrücke. Für einen R-Zweig mit ΔJ = J′–J″ = 1, wobei J′ die Rotationsquantenzahl im oberen Zustand ist, gilt z. B.: a = $\bar{v}_0$ + 2 B′, b = 3 B′–B″ u. c = B′–B″. B′ u. B″ sind hierbei die Rotationskonstanten im oberen bzw. unteren Zustand u. $\bar{v}_0$ ist der sog. *Bandenursprung*, der dem rotationslosen Übergang entspricht. Die graph. Auftragung von J″ (Ordinatenwerte) gegen $\bar{v}$ (Abszissenwerte) für verschiedene Zweige (R-Zweig mit ΔJ = 1, Q-Zweig mit ΔJ = 0 u. P-Zweig mit ΔJ = –1) liefert das F.-Diagramm. Die zu den einzelnen Zweigen gehörenden Kurven bezeichnet man als *Fortrat-Parabeln*. – *E* Fortrat diagramme – *F* diagrammes de Fortrat – *I* diagramma di Fortrat – *S* diagrama de Fortrat

Lit.: Bingel, Theorie der Molekülspektren, Weinheim: Verlag Chemie 1967 ■ Hellwege, Einführung in die Physik der Molekeln, Berlin: Springer 1974 ■ Wedler, Lehrbuch der Physikalischen Chemie, 3. Aufl., S. 552 f., Weinheim: VCH-Verlagsges. 1987.

Fortron. Glasfaserverstärktes Polyphenylensulfid mit inhärenter Flammwidrigkeit; steifharter Thermoplast mit geringer Kriechneigung, hoher Wärmebeständigkeit u. guter Chemikalienbeständigkeit. F. dient zur Herst. von Spritzguß mechan. hoch belasteter Teile im Automobilbereich (Vergaser, Ventile), Elektrobereich (Buchsen, Sockel, Fassungen, Spulenkörper) u. Maschinenbau (Kolben, Getriebe). *B.:* Hoechst.

Fortum®. Injektionsflüssigkeit mit *Ceftazidim gegen schwere Infektionen. *B.:* Cascan; Glaxo.

Forum Atomique Européen s. Foratom.

Foryl®. Universalwasch-, Reinigungs-, Walk- u. Nachseifmittel für die Textil-Ind. auf der Basis von Fettalkoholpolyglycolethern. *B.:* Henkel.

Fos (p55$^{c\text{-}Fos}$). Zunächst als Produkt eines viralen *Onkogens (*v-Fos*) entdecktes, dann aber auch als zelluläre Variante (*c-Fos*, im Zellkern lokalisiert) aufgefundenes Phospho-*Protein. Die Biosynth. von c-Fos erfolgt rasch nach der Aktivierung einer Zelle mit *Wachstumsfaktoren od. bei Streß, daher zählt das *c-fos*-Gen zu den *Immediate-Early-Genen*. Daneben gibt es viele weitere Stimuli, die Fos induzieren, z. B. Aktivierung von *Glutamat- u. *Dopamin-Rezeptoren im Gehirn [1]. Dabei werden verschiedene Wege der *Signaltransduktion benutzt. Mit Hilfe seiner *Leucin-Reißverschluß-Domäne bildet Fos mit c-Jun, das eine ganz ähnliche Struktur besitzt, einen stabilen heterodimeren Komplex, den *Transkriptionsfaktor AP-1. So vereint, verfügen Fos u. Jun noch über die bas. Region, die – im Heterodimer – eine spezielle *Desoxyribonucleinsäure(DNA)-Sequenz bindet (Fos-Promotor) u. die *Transkription etlicher weiterer Gene bewirkt (*Erregungs-Transkriptions-Kopplung*). U. a. wird c-Fos zur Differenzierung von Osteoklasten [2] benötigt. Zur Kristallstruktur des Fos-Jun-DNA-Komplexes s. *Lit.*[3]. – *E* = *F* = *I* = *S* fos

Lit.: [1] Behav. Brain Res. **66**, 225–230 (1995). [2] Bioessays **17**, 277–281 (1995); Science **266**, 443–448 (1994). [3] Nature (London) **373**, 257–261 (1995).

Fosamin-ammonium.

$$\left[H_5C_2O-\overset{O^-}{\underset{\|}{P}}-\overset{O}{\underset{\|}{C}}-NH_2 \right]^+ NH_4$$

Common name für Ammonium-ethylcarbamoylphosphonat, $C_3H_{11}N_2O_4P$, M_R 170,11, Schmp. 175 °C, LD_{50} (Ratte oral) 2400 mg/kg (WHO), von DuPont entwickeltes schwach-system. Kontakt-*Herbizid gegen Gehölze auf Nichtkulturland. – *E* = *F* fosamine-ammonium – *I* fosamin-ammonio – *S* fosamina-amonio

Lit.: Farm ■ Perkow ■ Pesticide Manual. – *[CAS 25954-13-6]*

Foscarnet.

$$\left[{}^-O-\overset{O^-}{\underset{\|}{P}}-\overset{O}{\underset{\|}{C}}\overset{O^-}{\underset{O^-}{\diagup}} \right] 3\,Na^+$$

Internat. Freiname für Phosphonoameisensäure, deren Trinatriumsalz-Hexahydrat als *Virostatikum verwendet wird; $CNa_3O_5P \cdot 6H_2O$, M_R 300,07, Schmp. >250 °C, LD_{50} (Maus i.p.) 600–1200 mg/kg. Schon 1924 [1] wurde entdeckt, daß es virale *DNA-Polymerase u. *reverse Transcriptase hemmt. Es wurde 1978/80 von Astra patentiert u. ist von Astra (Foscavir® Infusionslösung) u. LAW/Wyeth (Triapten® Creme) im Handel. – *E* = *F* = *I* = *S* foscarnet

Lit.: [1] Ber. Dtsch. Chem. Ges. **57 B**, 1023 ff. (1924).
allg.: ASP ■ Drugs **41**, 104–129 (1991) ■ Merck-Index (12.), Nr. 2884. – *[HS 293100; CAS 63585-09-1 (Foscarnet-Na); 34156-56-4 (Hexahydrat)]*

Fosetyl-aluminium.

$$Al\left[O-\overset{O}{\underset{H}{\overset{\|}{P}}}-OC_2H_5 \right]_3$$

Common name für Aluminiumtris(*O*-ethylphosphonat), $C_6H_{18}AlO_9P_3$, M_R 354,11, Zers. >200 °C, LD_{50} (Ratte oral) 5800 mg/kg (WHO), von Rhône-Poulenc entwickeltes system. *Fungizid mit kurativer Wirkung vorwiegend gegen *Plasmopara viticola* im Weinbau u. Falschen Mehltau in vielen Kulturen. – *E* = *F* fosetyl-aluminium – *I* fosetil-alluminio – *S* fosetil-aluminio

Lit.: Farm ■ Pesticide Manual. – *[CAS 39148-24-8]*

Fosfestrol.

$$(HO)_2\overset{O}{\underset{\|}{P}}-O-\text{Ar}-\underset{H_3C}{\overset{CH_3}{C}}=C-\text{Ar}-O-\overset{O}{\underset{\|}{P}}(OH)_2$$

Internat. Freiname für α,α′-Diethyl-4,4′-dihydroxystilbenbis(dihydrogenphosphat), $C_{18}H_{22}O_8P_2$, M_R 428,32, voluminöses, weißes krist. Pulver, Zers. bei 204–206 °C; verwendet wird das Tetranatrium-Salz, Zers. u. braune Verfärbung >240 °C, λ_{max} (Puffer-Lsg.

pH 8) 240 nm ($A_{1cm}^{1\%} = 297$). F. wird als *Cytostatikum gegen metastasierendes Prostatacarcinom eingesetzt. Es wurde 1941 von Ciba, 1957 von Asta-Werke (Honvan®) u. 1961 von Miles Labs. patentiert. – $E = F = S$ fosfestrol – I fosfestrolo

Lit.: ASP ▪ Beilstein E IV **6**, 6859 ▪ Hager (5.) **8**, 301 ff. – *[HS 291900; CAS 522-40-7 (F.); 4719-59-9 (Tetranatrium-Salz)]*

Fosfocin®. Infusionsflüssigkeit mit *Fosfomycin-Dinatriumsalz gegen bakterielle Infektionen. *B.:* Boehringer-Mannheim.

Fosfomycin [Phosphomycin, (3-Methyl-oxiranyl)-phosphonsäure].

$C_3H_7O_4P$, M_R 138,06, Krist., Schmp. 94 °C, $[\alpha]_{405}^{28} -14°$ (c 5/H_2O, als Na-Salz), lösl. in Wasser. Antibiotikum aus *Streptomyceten* u. *Pseudomonaden* mit breitem Wirkungsspektrum. F. verhindert durch Hemmung der Pyruvat-Uridindiphospho-*N*-acetylglucosamin-Transferase (EC 2.5.1.7) die Biosynth. von Bakterienzellwänden. Therapeut. eingesetzt werden Calcium- u. Ammonium-Salze [z.B. F. Tromenamol (Monuril®), ein Salz mit 2-Amino-2-hydroxymethyl-1,3-propandiol]. F. erreicht hohe Urinspiegel bei oraler Applikation u. wird gegen Harnwegsinfektionen in Einmalgabe verabreicht[1]. – *E* fosfomycin – *F* fosfomycine – *I = S* fosfomicina

Lit.: [1] Boll. Chim. Farm. **117**, 575–582 (1978). *allg.:* Beilstein E V **18/12**, 526 ▪ J. Antibiot. **49**, 502 (1995) ▪ J. Org. Chem. **54**, 1470–1473 (1989) (asymm. Synth.). – *Pharmakologie:* Chemotherapy (Basel) **22**, 1 (1976) (Review) ▪ Drugs Exp. Clin. Res. **6**, 281–288 (1980) ▪ Med. Actual. **23**, 151–158 (1987). – *[HS 294190; CAS 23155-02-4]*

Fosinopril.

Internat. Freiname für (4*S*)-4-Cyclohexyl-1-{(*RS*)-*O*-[α-(propionyloxy)isobutyl]-4-(phenylbutyl)hydroxyphosphinoyl}acetyl-L-prolin, $C_{30}H_{46}NO_7P$, M_R 563,67. Es wurde als *ACE-Hemmer 1982 von Squibb patentiert u. ist als *Antihypertonikum von Schwarz Pharma (Dynacil®) u. Bristol-Myers Squibb (Fosinorm®) im Handel. – $E = F = I = S$ fosinopril

Lit.: ASP ▪ Drugs **43**, 123–140 (1992) ▪ Merck-Index (12.), Nr. 4282. – *[CAS 98048-97-6]*

Fosinorm®. Tabl. mit dem *ACE-Hemmer *Fosinopril-Natrium zur Therapie der Hypertonie. *B.:* Bristol-Myers Squibb.

Fossile Brennstoffe. Sammelbez. für die natürlichen *Brennstoffe *Kohle, *Erdöl, *Erdgas u. *Torf. Mögliche Anw. biotechnolog. Verf. auf f.B. beschreibt *Lit.*[1]. – *E* fossil fuels – *F* combustibles fossiles – *I* combustibili fossili – *S* combustibles fósiles

Lit.: [1] Chem. Eng. News **67**, Nr. 7, 28–36 (1989). *allg.:* s. Braunkohle, Steinkohle u. die Textstichwörter.

Fossilien (Versteinerungen, Petrefakten). Von latein.: *fossilis* = ausgegraben abgeleitete Bez. für die in *Sedimentgesteinen eingebetteten Reste von vorzeitlichen pflanzlichen u. tier. Organismen. Meist handelt es sich um deren Hartteile wie Schalen u. Gehäuse von wirbellosen Tieren (z.B. Muscheln, Korallen, Ammoniten) od. die Knochen u. Zähne von Wirbeltieren. Weichteile bleiben nur unter bes. Bedingungen (v.a. Sauerstoffabschluß) erhalten; Beisp. sind die im Dauerfrostboden Sibiriens gefundenen Mammutkadaver od. von Harzen, z.B. im *Bernstein, eingeschlossene Insekten. *Leitfossilien* sind F., die kurzlebigen Gattungen od. Arten angehören, in möglichst weiter, überregionaler Verbreitung u. in möglichst vielen u. sehr unterschiedlichen Sedimentgesteinen vorkommen u. damit an möglichst vielen Orten auffindbar sind; sie werden in der Bio-*Stratigraphie zur Parallelisierung von Schichten herangezogen. *Spuren-F.* sind Fährten, Kriechspuren, Grabgänge u.a. durch tier. Tätigkeit im *Sediment hinterlassene Marken, die Rückschlüsse auf das Verhalten ausgestorbener – hinsichtlich ihrer Identität oft nicht ermittelbarer – Tiere zulassen.

Die F. entstehen durch die *Fossilisation*, bei der die ursprüngliche organ. Substanz ganz od. teilw. durch anorgan. ersetzt wird (*Mineralisation), z.B. durch *Calcit (*Calcifizierung*), *Kieselsäuren (*Verkieselung*, Einkieselung, z.B. Kieselhölzer) od. Eisensulfide (*Pyritisierung*, Verkiesung). Zu den ältesten bekannten F. gehören 3,5 Mrd. Jahre alte Mikro-F. u. *Stromatolithen mit *Cyanobakterien (Blaualgen) in Australien. Vor etwa 600 Mio. Jahren erschienen die ersten mit bloßem Auge erkennbaren Groß-F., nach ihrem Fundort in Südaustralien auch „*Ediacara-F.*" genannt[1]. Eine explosive Entfaltung der Tierwelt, bei der die Grundmuster der Körperbaupläne der meisten heute existierenden Stämme des Tierreichs (mit Bildung harter, mineralisierter Skelette, Schalen, usw.) entstanden, erfolgte im Kambrium[2] (*Erdzeitalter) vor etwa 560 Mio. Jahren („*kambr. Explosion*"). Derzeit lebhaft diskutiert[3,4] werden die auch zur Festlegung der zeitlichen Grenzen geolog. Syst. u. Ären (s. Erdzeitalter) herangezogenen *Massenextinctionen* (Massensterben) im Verlauf der Erdgeschichte, v.a. am Ende des Devons, am Ende des Paläozoikums im späten Perm[5] (90% der Arten in den Ozeanen ausgelöscht) sowie am Ende der Trias u. der Kreidezeit[6] (Untergang der Dinosaurier).

Bei der Untersuchung der chem. Zusammensetzung der F. bedient sich die *Paläo(bio)chemie[7] nicht nur der u.a. in der zerstörungsfreien *Werkstoffprüfung verwendeten Meth. der *physikalischen Analyse, sondern auch biochem. Verfahren. Untersuchungsgebiete des auch organ. *Geochemie genannten Arbeitsgebietes sind die in Sedimentgesteinen, Harzen, Erdöl, Bitumina u. Kohlen aufgefundenen *Kerogene u.a. *Chemofossilien (molekulare F.)* wie Paläoproteine, Kohlenhydrate, Porphyrine, Fettsäuren, Alkane, Polyterpene, Steroide u. Hopanoide[8]. Aus der Struktur einzelner fossiler Verb. sollen die Strukturen ihrer Vorläufer-Mol. im lebenden Organismus rekonstruiert werden u., falls möglich, die Reaktionen beschrieben werden, denen die Substanz im Sediment unterworfen war (Meth. s. *Lit.*[8]). Chem. F., deren Kohlenstoff-Gerüst mehr od. weniger erhalten geblieben ist, können als *biolog. Marker*[9] dienen, an denen sich der Beitrag einzelner Lebensformen zu einem fossilen Brennstoff od. einer anderen Ablagerung erkennen läßt. – *E* fossils – *F* fossiles – *I* fossili – *S* fósiles

Lit.: [1] Neues Jahrb. Geol. Pal., Abh., **195**, 308–318 (1995). [2] Spektrum Wiss. **1993**, Nr. 1, 55–62. [3] Science **268** (5207), 52–58 (1995). [4] Nature **381** (6578), 146ff. (1996). [5] Nature (London) **367** (6460), 231–236 (1994). [6] Earth Sci. Rev. **36**, 1–26 (1994). [7] Chem. Unserer Zeit **14**, 115–123 (1980). [8] Spektrum Wiss. **1984**, Nr. 10, 54–65. [9] Kenneth, The Biomarkers Guide: Interpreting Molecular Fossils in Petroleum and Ancient Sediments, New York: Prentice Hall 1992.
allg.: Aufschluß **40**, 237–242 (1989) ▪ Benton (Hrsg.), The Fossil Record 2, London: Chapman & Hall 1993 ▪ Bild. Wiss. **1992**, Nr. 3, 78–85 ▪ Clarkson, Invertebrate Paleontology and Evolution (2.), London: Allen & Unwin 1986 ▪ Elredge, Fossils, The Evolution and Extinction of Species, London: Aurum Press 1991 ▪ Lehmann u. Hillmer, Wirbellose Tiere der Vorzeit (4.), Stuttgart: Enke 1996 ▪ McKerrow (Hrsg.), Ökologie der Fossilien (2.), Stuttgart: Franckh-Kosmos 1992 ▪ Osawa u. Honjo (Hrsg.), Evolution of Life: Fossils, Molecules and Culture, Tokyo: Springer 1991 ▪ Pflug (Hrsg.), Fossilien: Bilder frühen Lebens, Heidelberg: Spektrum Wiss. Verlagsges. 1989 ▪ s.a. Paläontologie, Geologie, Stratigraphie, Erdzeitalter. – *Zeitschriften:* Fossilien, Korb: Goldschneck-Verl. (für Hobbypaläontologen; seit 1984).

Fossilisation s. Mineralisation.

Fosthiazat.

Common name für *S-sec*-Butyl-*O*-ethyl-(2-oxo-3-thiazolidinyl)phosphonothioat. $C_9H_{18}NO_3PS_2$, M_R 283,34, Sdp. 198 °C (66,5 Pa), LD_{50} (Ratte oral) 50 mg/kg, von Ishihara 1991 eingeführtes *Nematizid. – *E* = *F* fosthiazate – *I* = *S* fostiazato
Lit.: Pesticide Manual. – [CAS 98886-44-3]

Fostriecin.

$C_{19}H_{27}O_9P$, M_R 430,39, $[\alpha]_D$ +33° (Puffer pH 7), von *Streptomyces pulveraceus* produziertes Polyenlacton, das gegen Hefen u. Tumorzellen (bes. Leukämie) wirkt. F. ist ein spezif. Inhibitor der Topoisomerase II, bindet nicht an DNA u. bewirkt keine Strangbrüche. – *E* fostriecins – *F* fostriécines – *I* fostriecina – *S* fostriecinas
Lit.: J. Antibiot. **36**, 1595, 1601 (1983); **39**, 1465 (1986) ▪ Biochem. Pharmacol. **37**, 4063 (1988) ▪ Fundam. Appl. Toxicol. **15**, 258 (1990) ▪ Tetrahedron Lett. **29**, 753–756 (1988). – [CAS 87810-56-8]

Foto... s. Photo...

Fougère (französ.: Farn). Fachsprachliche Bez. aus der Parfümerie für eine würzig-moosige Duftnote, deren Basis *Eichenmoos, *Cumarin, reichlich Lavendel u. Bergamott bilden. – *E* fougere – *F* fougère – *I* felce – *S* helecho
Lit.: Appell, The Formulation and Preparation of Cosmetics, Fragrances and Flavors, S. 283, 296, 312, 321 f., Weymouth: Micelle Press 1994 ▪ Janistyn (3.) **2**, 411 f. ▪ Poucher, Perfumes, Cosmetics and Soaps (9. Aufl.), Bd. 2, S. 90 f., London: Chapman and Hall 1992.

Foulard s. Färben u. Klotzen.

Fouling. 1. Engl. Bez. für nachteilige Veränderungen von *Farben, *Lacken u. dgl. auf Metall, Holz usw. unter dem Einfluß von Bakterien, Kleinpilzen od. Meeresorganismen. Gegenmaßnahmen bestehen in der Verw. von *Antifoulingfarben. – 2. Engl. Bez. für die Bildung von festen Ablagerungen in *Wärmeaustauschern. Über die verschiedenen Mechanismen des F. s. z. B. *Lit.*[1].
Als F. bezeichnet wird auch die Bildung von meist teerförmigen Ablagerungen auf Katalysatoren, die bei Reaktionen organ. Verb. bei höheren Temp. entstehen. Sie lassen sich durch Verbrennung od. Red. mit H_2 entfernen. – *E* fouling – *S* impurificación
Lit.: [1] Ullmann (5.) **B 3**, 2–101 ff.
allg. (*zu 1.*): Encycl. Polym. Sci. Eng. **3**, 656 ▪ s. a. Antifoulingfarben. – (*zu 2.*): s. Katalyse.

Fourcault-Verfahren s. Glas.

Fourier, Jean Baptist Joseph Baron de (1768–1830), Physiker u. Mathematiker. Stellte eine analyt. Theorie zur Wärmeausbreitung auf; führte den Begriff der physikal. Dimension ein.
Lit.: Krafft, S. 126 f.

Fourier-Reihe. Da die Menge der Funktionen

$$\cos\frac{\pi k x}{a} \quad u. \quad \sin\frac{\pi k x}{a}$$

ein vollständiges Orthogonalsyst. bildet, kann man eine beliebige Funktion f (x) im Intervall $-a \leq x \leq a$ nach diesen Funktionen entwickeln:

$$f(x) = A_0 + \sum_{k=1}^{\infty} \left(A_k \cos\frac{\pi k x}{a} + B_k \sin\frac{\pi k x}{a} \right).$$

Diese Entwicklung bezeichnet man als F.-R., die Koeffizienten A_0, A_k u. B_k heißen Fourier-Koeffizienten. – *E* Fourier series – *F* série de Fourier – *I* serie di Fourier – *S* serie de Fourier

Fourier-Transformation (Abk. FT). Mathemat. Transformation einer Funktion f(x) der Variablen x in eine Funktion F(u) der Variablen u gemäß

$$F(u) = \alpha \cdot \int_{-\infty}^{\infty} f(x) \cdot e^{i\beta u x} dx$$

mit $i = \sqrt{-1}$. Der Vorfaktor α kann $\alpha = 1$ gesetzt sein; oft werden $\alpha = \frac{1}{2\pi}$ od. $\alpha = \frac{1}{\sqrt{2\pi}}$ verwendet. Im Exponenten wird üblicherweise $\beta = -2\pi$ verwendet ($\beta = \pm 1$ ist auch möglich). Die Einheit der Variablen u ist das Inverse der Einheit der Variablen x. Die inverse F.-T. ist definiert als

$$f(x) = \alpha \cdot \int_{-\infty}^{\infty} F(u) \cdot e^{\pm i\beta x u} du$$

Funktionen f(x) u. F(u), die diese Gleichungen erfüllen, werden *Fourier-Paare* genannt. Die Ausgangsgleichung läßt sich in einen Real- u. Imaginärteil umschreiben

$$F_1(u) + i \cdot F_2(u) = \alpha \cdot \left(\int_{-\infty}^{\infty} f(x)\cos(2\pi\beta ux)dx + i \cdot \int_{-\infty}^{\infty} f(x)\sin(2\pi\beta ux)dx \right)$$

F.-T.-Technik wird eingesetzt, um physikal. Situationen mathemat. zu beschreiben, die sonst nur sehr umständlich zu handhaben wären, z. B.
– Punktmassen in der Mechanik
– Punktladungen in der Elektrostatik
– magnet. Dipole
– Atome u. Mol. in Krist.
– punktförmige Lichtquellen od. schmale Spalte in der Optik od. Astronomie
– Teilchen in der Quantenmechanik
In der *Spektroskopie werden z. B. Michelson-Interferometer (Abb. s. dort) eingesetzt; das Meßsignal entsteht als Interferogramm durch Überlagerung der beiden Teilstrahlen

$$s(x) = 2 \cdot \int_{-\infty}^{\infty} A^2(\nu) \cdot (1 + \cos(2\pi\nu x)) d\nu$$

wobei $A(\nu)$ die Lichtamplitude bei der Frequenz ν u. x die Fahrstrecke des variablen Spiegels ist. Das entsprechende Spektrum berechnet sich durch

$$S(\nu) = \int_{-\infty}^{\infty} s(x)\cos(2\pi\nu x)dx$$

Diese mathemat. Berechnung wird bei vielen Spektrometern direkt durch einen eingebauten spezif. Prozessor durchgeführt. Neben dem Einsatz im sichtbaren Spektralgebiet wird diese Technik bes. im Infrarot u. fernen Infrarot (FTIR bei *IR-Spektroskopie) angewendet. – *E* Fourier transformation – *F* transformation Fourier – *I* trasformazione di Fourier – *S* transformación de Fourier
Lit.: Bloomfield, Fourier Analysis, Bd. 6, S. 651–660, in Encycl. of Phys. Science and Technology, San Diego: Academic Press 1992.

Fourneau, Ernest François Auguste (1872–1949), Prof. für Pharmazeut. Chemie, Inst. Pasteur, Paris. *Arbeitsgebiete:* Entwicklung von Pharmaka wie Ephedrin, Alkaloide, Barbiturate, Arsen-Verb., Sulfonamide, Antihistamine, Antimalariamittel sowie des Lokalanästhetikums Stovain.
Lit.: Nachmansohn, Die große Ära der Wissenschaft in Deutschland 1900–1933, S. 206f., Stuttgart: Wiss. Verlagsges. 1988 ▪ Pötsch, S. 151 ▪ Poggendorff **7 b/3,** 1459ff.

Fowler, William (geb. 1911), Prof. für Physik am California Institute of Technology, Pasadena (California). *Arbeitsgebiete:* Anw. der Kernphysik auf Fragen der Sternentwicklung, Entstehung insbes. der schweren chem. Elemente, nukleare Energieerzeugung durch Kernreaktionen in den Sternen. 1983 erhielt er zusammen mit S. Chandrasekhar den Nobelpreis für Physik.
Lit.: Who's Who in America, S. 1223.

Fox-Gleichung. Vielverwendete Gleichung zur Beschreibung der Abhängigkeit der *Glasübergangstemperatur T_G eines weichgemachten Polymeren vom Masseanteil w_S des Weichmachers bzw. w_P des reinen Polymeren:

$$\frac{1}{T_G} = \frac{w_S}{T_{G,S}} + \frac{w_P}{T_{G,P}}$$

Darin ist $T_{G,S}$ die Glasübergangstemp. des reinen Weichmachers, $T_{G,P}$ die Glasübergangstemp. des reinen Polymeren. Die F.-G. stellt einen Grenzfall der *Couchman-Gleichung dar. – *E* Fox equation – *F* équation de Fox – *I* equazione di Fox – *S* ecuación de Fox
Lit.: Elias (5.) **1,** 856; **2,** 618.

FOZ s. Octan-Zahl.

FP. Abk. für *Flammpunkt.

Fr. Chem. Symbol für *Francium.

Fracht. Mengenbez. für Abwasserinhaltsstoffe. Die F. ist das Produkt aus Abwassermenge pro Zeiteinheit u. Konz.; angegeben wird sie als Gewichtseinheit pro Zeiteinheit z. B. kg *BSB$_5$/d. – *E* load, loading – *F* fret, charge – *I* carico – *S* carga

Fraenkel-Conrat, Heinz (geb. 1910), Prof. am Virus Laboratory, Berkeley Univ. (California). *Arbeitsgebiete:* Proteine, Enzyme, Schlangengifte, Hormone, Zerlegung u. Wiederaufbau von Viren.
Lit.: Who's Who in the World, S. 513.

Fragarin (Pelargonidin-3-galactosid). $C_{21}H_{21}O_{10}$, M_R 433,39, orangerote Krist. mit 4 Mol Wasser. *Anthocyan aus der Erdbeere (Fragaria), wo es mit *Callistephin,* dem analogen Glucopyranosid, vorkommt; Strukturformel (Pelargonidin) s. Anthocyanidine. – *E* fragarin – *F* fragarine – *I* = *S* fragarina
Lit.: Beilstein E IV **17,** 3856 ▪ Karrer, Nr. 1707.

Fragilin s. Salicylalkohol.

Fragment-Code s. Markush-Formeln.

Fragmentierung. Bez. für einen bes. von *Grob untersuchten, in der organ. Chemie häufigen Reaktionstyp – insbes. als sog. *heterolyt.* F. – solcher Mol., die neben Kohlenstoff Heteroatome wie Halogene, O, N, P, S enthalten. Allg. Formulierung der F.:

$$a - b - c - d - X \rightarrow (a-b)^+ + c = d + X^-$$

Die austretende Gruppe X^- bezeichnet man als *Nucleofug*, das Fragment (a–b)$^+$ als *Elektrofug*, u. c = d ist ein neutrales, ungesätt. Fragment. Die F. können in mehreren Stufen od. als *konzertierte Reaktionen ablaufen, an der bestimmte stereochem. Voraussetzungen (*frangomere Effekte*) gebunden sind. Auch der Zerfall eines *Radikals gemäß

$$[X - Y - Z]^\cdot \rightarrow X = Y + \,^\cdot Z$$

od. eines *Radikal-Ions nach

$$[Y - Z]^{-\cdot} \rightarrow Y^- + \,^\cdot Z$$

wird als F. bezeichnet. Je nach Substitution kann die F. zu Olefinen, Alkinen, Nitrilen, Iminen etc. führen. Präparativ wichtige Beisp. für F. sind die Synth. von Dehydrobenzol aus diazotierter Anthranilsäure od. die Glykol-Spaltung mit Bleitetraacetat, techn. wichtige F. sind die Gewinnung von Aceton aus Butyraldehyd od. von Benzin durch Kracken von Erdöl usw. Sonderfälle der F. sind die *Eliminierung u. die Umkehrung der *Cycloaddition (*Cycloreversion*). – *E* = *F* fragmentation – *I* frammentazione – *S* fragmentación
Lit.: Angew. Chem. **88,** 621–627 (1976); **90,** 161–179 (1978) ▪ Org. Photochem. **5,** 227–420 (1981) ▪ Patai, The Chemistry of Double-Bonded Functional Groups, Suppl. A/2, S. 653–724, New York: Wiley 1977 ▪ Pure Appl. Chem. **50,** 449–462 (1978) ▪ s. a. Eliminierung, Reaktionsmechanismen.

Fragmin. *Protein (M_R 42000) des Schleimpilzes *Physarum polycephalum*, das *Actin bindet, Actin-Filamente aufbrechen u. am Weiterpolymerisieren hindern kann. Diese Aktivitäten des F. werden durch eine spezielle *Protein-Kinase reguliert, die das Actin des Actin-F.-Komplexes phosphoryliert (Actin-F.-Kinase [1]). Funktion u. Struktur des F. werden ähnlich bei *Villin, *Gelsolin u. *Severin angetroffen. – *E* fragmin – *F* fragmine – *I* = *S* fragmina
Lit.: [1] Adv. Enzyme Regul. **35**, 199–227 (1995).

Fragmin®. Ampullen u. Fertigspritzen mit *Heparin-Natriumsalz als *Antikoagulans bei Hämodialyse u. -filtration, zur Thromboseprophylaxe bei Operationen. *B.:* Kabi.

Fraktale. Von B. B. Mandelbrot (*Lit.*[1]) geprägter Begriff aus der Mathematik. F. sind geometr. Strukturen, in denen sich das gleiche Motiv in immer kleinerem Maßstab wiederholt; man redet von „*Selbstähnlichkeit*". Viele natürliche Strukturen wie Wolken, Küstenlinien od. Blutgefäßsyst. haben offensichtlich fraktalen Aufbau. In der Chemie findet das Konzept der F. z.B. Anw. bei Wachstumsprozessen wie dem Kristallwachstum od. in der heterogenen Katalyse. Zwischen F. u. *Chaos besteht ein enger Zusammenhang (s. z.B. *Lit.*[2]). – *E* fractals – *F* fractales – *I* frattali – *S* fractales
Lit.: [1] Mandelbrot, The Fractal Geometry of Nature, San Francisco: Freeman 1983. [2] Chaos u. Fraktale, Heidelberg: Spektrum der Wissenschaft 1989.
allg.: Amann et al., Fractals, Quasicrystals, Chaos, Knots and Algebraic Quantum Mechanics, Dordrecht: Kluwer 1988 ▪ Barnsley, Fractals Everywhere, New York: Academic Press 1988 ▪ Falconer, The Geometry of Fractal Sets, Cambridge: Cambridge University Press 1985 ▪ Hanan u. Prusinkiewicz, L-systems, Fractals and Plants, New York: Springer 1989 ▪ Jürgens u. Saupe, Visualisierung in Mathematik u. Naturwissenschaften, Berlin: Springer 1989 ▪ Kaye, A Random Walk Through Fractal Dimensions, Weinheim: VCH Verlagsges. 1989 ▪ Lauwerier, Fraktale, Hückelhoven: Wittig 1989 ▪ Peitgen u. Richter, The Beauty of Fractals, Berlin: Springer 1986 ▪ Peitgen u. Saupe, The Science of Fractal Images, Berlin: Springer 1988 ▪ Phys. Unserer Zeit **17**, 151–155 (1986).

Fraktionierung. Bez. für die stufenweise Trennung eines Stoffgemisches in seine Bestandteile (*Fraktionen*) durch Krist., Fällung, Auflsg., *Destillation, *Adsorption, *Extraktion, *Sedimentation, *Elektrophorese u.a. *Trennverfahren. In der *makromolekularen Chemie versteht man unter F. die Zerlegung von Polymeren unterschiedlichen *Polymerisationsgrades in Fraktionen einheitlicher Molmassen, s. *Lit.* – *E* fractionation – *F* fractionnement – *I* frazionamento – *S* fraccionamiento
Lit.: Encycl. Polym. Sci. Technol. **7**, 231–260 ▪ Schwedt, Analytische Chemie, S. 293–296, Stuttgart: Thieme 1995.

Fraktionssammler. Automat. od. halbautomat. arbeitende Geräte zum Auffangen von Fraktionen, die bei der *Fraktionierung eines Stoffgemisches anfallen. F. bestehen aus einem Trägerteil mit Sammelgefäßen (z.B. Reagenzgläser) u. einem Steuerteil, der durch elektr. od. auch pneumat. Impulse die Sammelgefäße nacheinander in bestimmten Bahnen zu der Fraktionsauffangstelle bewegt, wo sie für eine bestimmte, einstellbare Zeit od. bis zum Auffangen eines vorgewählten Fraktionsvol. verweilen. – *E* fraction collector – *F* collecteurs de fractions – *I* collettore delle frazioni – *S* colectores de fracciones

Fraktographie. Fachsprachliche Bez. aus der *Werkstoffprüfung für die durch *Mikroskopie erfolgende Untersuchung des Bruchverhaltens von Werkstoffen, Mineralien etc. Die von E. *Stahl eingeführte *Thermofraktographie gehört nicht hierher. – *E* fractography – *F* fractographie – *I* frattografia – *S* fractografía
Lit.: Brandt (Hrsg.), Fractography of Glass, New York: Plenum Press 1994 ▪ Powell et al., A Fractography Atlas of Casting Alloys, Ohio: Batelle Press 1992.

FRAM. (Abk. für engl. *f*erroelectric *r*andom *a*ccess *m*emory). Neuentwickeltes Speicherglied für elektr. Datenverarbeitung, bei dem die Ferroelektrizität (s. Ferroelektrika) eingesetzt wird. Blei-Zirkon-Titanat, das für Dünnschicht-FRAMs verwendet wird, hat eine hohe elektr., chem. u. therm. Stabilität. Die *Curie-Temperatur liegt bei 380 °C. Man erwartet 10^{15} Umpolungen (s. *Lit.*). – *E* ferroelectric random access memory
Lit.: Phys. Unserer Zeit **20**, 33 (1989).

Frameshift-Mutation (Leserastermutation). Änderung der Codonfolge (s. Codon) eines Gens durch *Insertion od. Verlust von *Nucleotiden (s.a. Leseraster u. Mutation). – *E* frame shift mutation

Framycetin. Internat. Freiname für das hier unter *Neomycin B behandelte, gegen Entzündungen wirksame Antibiotikum. – *E* framycetin – *F* framycétine – *I* = *S* framicetina

Francium (chem. Symbol Fr). Schwerstes Element der 1. Hauptgruppe des *Periodensystems. Sehr seltenes *Alkalimetall, Ordnungszahl 87, radioaktiv. Man kennt 30 Isotope ^{201}Fr–^{230}Fr mit HWZ von 0,09 µs (215) bis 21,8 min (223). Fr besitzt von allen bekannten Elementen das höchste Äquivalentgew. u. den größten Atom- u. Ionenradius (2,82 bzw. 1,82 Å). Das geschätzte Normalpotential beträgt –3,09 V; Fr ist damit auch das am stärksten elektropos. Element. Der Schmp. des Metalls liegt bei 20 °C u. der Sdp. bei ca. 660 °C. Es bildet wie das Kalium ein schwer lösl. Perchlorat, $FrClO_4$, u. Hexachloroplatinat, Fr_2PtCl_6. Die Eigenschaften von Fr lassen sich wegen seiner Seltenheit u. Unbeständigkeit nur durch Tracerexperimente u. Extrapolation ermitteln; die kurze HWZ macht die präparative Herst. von festen Verb. in wägbaren Mengen unmöglich. Die Menge des in der Natur in Uran-Mineralien als Abzweigungsprodukt der radioaktiven Actinium-Zerfallsreihe (*Radioaktivität) vorhandenen Fr beträgt insgesamt nur etwa 30 g. Künstlich ist ^{227}Fr durch Kernreaktionen, z.B. Protonenbestrahlung von Thorium u. Neutronenbestrahlung (Reaktoren) von Radium, in winzigen Spuren erhältlich.
Geschichtliches: Das zuvor Eka-Cäsium genannte Element wurde 1939 von der französ. Forscherin M. Perey (1910–1975) in der natürlichen Actinium-Zerfallsreihe entdeckt u. 1947 von ihr Frankreich zu Ehren Francium genannt. – *E* = *F* francium – *I* = *S* francio
Lit.: Chem.-Ztg. **101**, 482–486 (1977) ▪ C. R. Acad. Sci., Ser. B **286**, 253 (1978) ▪ Gmelin, Syst.-Nr. 25 A, Fr, 1983 ▪ Hart et al., The Chemistry of Lithium, Sodium, Potassium, Rubi-

dium, Cesium, and Francium, Oxford: Pergamon 1975 ▪ Hollemann-Wiberg (101.), S. 1149–1189. – *[HS 2844 40; CAS 7440-73-5]*

Franck, Burchard (geb. 1926), Prof. für Organ. Chemie, Univ. Münster. *Arbeitsgebiete:* Strukturbestimmung u. Biosynth. von Naturstoffen, insbes. von *Sedum-* u. Mutterkorn-Alkaloiden, Mutterkorn-Farbstoffen, Mykotoxinen u. Porphyrinen, Massenspektrometrie, Isotopentechnik.
Lit.: Kürschner (16.), S. 869 ▪ Nachr. Chem. Tech. Lab. **28**, 732 (1980) ▪ Wer ist wer, S. 344.

Franck, Ernst Ulrich (geb. 1920), Prof. für Physikal. Chemie, TU Karlsruhe. *Arbeitsgebiete:* Flüssigkeiten bei hohen Drucken u. Temp., Phasengleichgew., krit. Phänomene, zwischenmol. Wechselwirkungen, Transportvorgänge, Salzschmelzen, fluide Metalle, Verbrennung u. Flammen bei sehr hohen Drucken.
Lit.: Kürschner (16.), S. 870 ▪ Nachr. Chem. Tech. Lab. **40**, Nr. 10, 1168 (1992) ▪ Wer ist wer, S. 344.

Franck, James (1882–1964), Prof. für Experimentelle Physik, Göttingen, Baltimore, Chicago. *Arbeitsgebiete:* Quantenphysikal. Gesetzmäßigkeiten bei Gasentladungen, Bestimmung der Dissoziationsenergie aus spektroskop. Daten, Atom- u. Mol.-Spektren, Energieumsätze bei der Photosynthese. Entdeckte 1913 mit G. Hertz die grundlegenden Gesetzmäßigkeiten beim Stoß von Elektron u. Atom u. erhielt mit G. *Hertz gemeinsam 1925 den Nobelpreis für Physik.
Lit.: Krafft, S. 56 ▪ Nachr. Chem. Tech. **10**, 118 (1962) ▪ Naturwissenschaften **49**, 361 ff. (1962); **51**, 421 ff., 550 f. (1964) ▪ Neufeldt, S. 133, 357.

Franck, Ulrich Frohwalt (1915–1996), Prof. für Physikal. Chemie, Dr., TU Aachen. *Arbeitsgebiete:* Physikal. Chemie, Biophysik, Elektrochemie, Korrosion, elektrochem. Oszillatoren, Transporteigenschaften von synthet. Membranen, Hyperfiltration, dissipative chem. Strukturen.
Lit.: Kürschner (16.), S. 870 ▪ Nachr. Chem. Tech. Lab. **28**, 112 (1980); **44**, Nr. 9, 919 (1996).

Franck-Condon-Prinzip s. Molekülspektren u. Übergangswahrscheinlichkeit.

Frangomerer Effekt s. Fragmentierung.

Frangula s. Faulbaum.

Franguline.

Frangulin A

Frangulin B

Die F. sind Glykoside des *Emodins (1,3,8-Trihydroxy-6-methylanthrachinon), das 3-(α-L-Rhamnopyranosyl)emodin wird *F. A* ($C_{21}H_{20}O_9$, M_R 416,38, orange Krist., Schmp. 228 °C) u. das (D-Apio-β-D-furanosyl)emodin *F. B* ($C_{20}H_{18}O_9$, M_R 402,36, orange Krist., Schmp. 196 °C) genannt. Die Isomere kommen nebeneinander in Wurzeln, Rinden u. Samen von *Rhamnus frangula* (Faulbeerbaum) u. *Cascara segrada* vor (s. a. Kaskararinde). – *E* frangulins – *F* frangulines – *I* franguline – *S* frangulinas
Lit.: Beilstein E V **17/6**, 267 ▪ Karrer, Nr. 1266 ▪ R.D.K. (4.), S. 356, 816 ▪ Sci. Pharm. **55**, 275 (1987) ▪ Tetrahedron Lett. **1972**, 5013 ▪ Z. Naturforsch. Tl. B **27**, 959 (1972). – *[CAS 521-62-0 (F.A); 14101-04-3 (F.B)]*

Frank, Adolph (1834–1916), Chem. Technologe, Vater von Albert R. *Frank. *Arbeitsgebiete:* Erschließung der Kalisalzlager von Staßfurt u. Leopoldshall zunächst für die landwirtschaftliche Düngung, Brom-Gewinnung aus Abraumsalzen, Verw. von Kieselgur zur Wasserfiltration, Einführung der Braunfärbung von Bierflaschen zum Schutz des Inhalts gegen Lichteinwirkung, Herst. u. Verwertung von Kalkstickstoff (s. Calciumcyanamid) zusammen mit *Caro.
Lit.: Chem.-Ztg. **90**, 356 f. (1966) ▪ Neufeldt, S. 51, 96 ▪ Pötsch, S. 152 f.

Frank, Albert R. (1872–1965), Industrieller u. Chemiker, Sohn von Adolph *Frank. *Arbeitsgebiete:* Entwicklung der Kalkstickstoff-Ind., Calciumcarbid, Acetylen, Ruß, Ammoniak, Salpetersäure, Dicyandiamid.
Lit.: Nachr. Chem. Tech. **10**, 265 (1962).

Frank, Ilya Mikhailovich (1908–1990), Prof. für Physik, Univ. Moskau, Vereinigtes Inst. für Kernforschung, Dubna. *Arbeitsgebiete:* Neutronenphysik, Kernphysik, Elementarteilchen, Deutung der *Čerenkov-Strahlung (hierfür Physik-Nobelpreis 1958 zusammen mit Čerenkov u. I. E. *Tamm).
Lit.: Neufeldt, S. 186, 360.

Frank-Caro-Verfahren s. Calciumcyanamid.

Franke, Werner Wilhelm (geb. 1940), Prof. für Biologie, Univ. Heidelberg, Fakultät für Biologie, geschäftsführender Direktor des Inst. für Zell- u. Tumorbiologie am Deutschen Krebsforschungszentrum, Heidelberg. *Arbeitsgebiete:* Zellbiologie, Molekularbiologie, Genetik.
Lit.: Kürschner (16.), S. 878 ▪ Wer ist wer, S. 348.

Frankfurter Schwarz s. Rebenschwarz.

Frankland, Edward (1825–1899), Prof. für Chemie, London. *Arbeitsgebiete:* Fettsäuren, Nitrile, Zink-, Zinn- u. a. metallorgan. Verb., Valenzlehre, Radikale, Entdecker der Spektrallinie des Heliums im Sonnenlicht (zusammen mit Lockyer).
Lit.: Krafft, S. 224 ▪ Neufeldt, S. 38, 43 ▪ Pötsch, S. 153.

Franklinit s. Spinelle.

Fransenmicelle. Die F. stellt ein Modell zur Beschreibung der Morphologie teilkrist. Polymerer dar, bei dem angenommen wird, daß eine einzelne Polymerkette durch mehrere krist. Bereiche des Materials läuft.

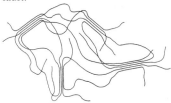

Abb.: Fransenmicelle (nach Elias, s. *Lit.*).

Franzbranntwein

Das Modell der F. erklärt sowohl das gleichzeitige Auftreten krist. Reflexe u. amorpher Halos, die Reflexverbreiterung u. die sichelförmigen Reflexe in den Röntgendiagrammen als auch den endlichen Schmelzbereich teilkrist. Polymerer, deren opt. Doppelbrechung nach Verstreckung u. die Heterogenitäten dieser Materialien in bezug auf chem. u. physikal. Prozesse. – *E* fransen micelles, fringed micelles – *I* micelle di Fransen – *S* micelas a franjas
Lit.: Elias (5.) **1**, 748 f.; **2**, 60.

Franzbranntwein. Alkoholreiche Flüssigkeit, die ursprünglich durch Dest. von billigen Weinen, Weintrestern u. sonstigen Weinabfällen gewonnen wurde (sog. *französ. Branntwein*). Dieser F. ist als geringwertiger Weinbrand (s. Branntwein bei *Spirituosen) zu bezeichnen. Heute stellt man den F. meist durch Vermischen von verd. Alkohol mit aromat. Tinkturen her; er wird als Körperpflegemittel, zu Einreibungen u. dgl. verwendet. – *E* French brandy – *F* eau-de-vie de vin – *I* brandy francese – *S* alcohol para fricciones – *[HS 3004 90]*

Frasch-Verfahren s. Schwefel.

Fraßgifte s. Insektizide.

Fraßschutzmittel s. Insektenabwehrmittel, Repellentien u. Wildverbißmittel.

Fraueneis s. Gips.

Frauenmantel. Krautige, kleinwüchsige Pflanzen der Gattung *Alchemilla* (z. B. *A. xanthochlora* syn. *A. vulgaris*, Rosaceae), die in Europa, Nordamerika u. Asien verbreitet sind. Das Kraut wird volksmedizin. in Tees aufgrund des *Gerbstoff-Gehalts (6–8%) als *Adstringens verwendet. Die im Namen angedeutete, auch heute noch in *Phytopharmaka anzutreffende Verw. bei gynäkolog. Beschwerden hat keine nachweisliche Grundlage. – *E* ladies mantle – *F* feuilles d'alchemille – *I* alchimilla
Lit.: Bundesanzeiger Nr. 173 vom 18.09.1986 ▪ DAB **6**, Ergänzungsbuch ▪ Wichtl (2.), S. 181 ff. – *[HS 1211 90]*

Fraunhofer, Joseph von (1787–1826), Optiker u. Prof. für Physik, München. *Arbeitsgebiete:* Herst. u. Eigenschaften von Gläsern, Optik, Spektralanalyse, Resonanzabsorption, Erfinder des Beugungsgitters, Entdecker der nach ihm benannten Linien im Sonnenspektrum.
Lit.: Krafft, S. 128 f. ▪ Neufeldt, S. 11 ▪ Pötsch, S. 154 ▪ Rollwagen, Joseph von Fraunhofer, München: Oldenbourg 1976 ▪ Roth, Joseph von Fraunhofer, Stuttgart: Wiss. Verlagsges. 1976.

Fraunhofer-Gesellschaft zur Förderung der angewandten Forschung e. V. (FhG). Die 1949 gegr. FhG mit Sitz in 80636 München, Leonrodstr. 54, ist die führende Organisation für angewandte Forschung in der BRD. Sie betreibt Auftragsforschung für die Ind., Dienstleistungsunternehmen, staatliche Auftraggeber u. die EU. Forschungsgebiete: Werkstofftechnik, Bauteilverhalten; Produktionstechnik, Fertigungstechnologie; Informations- u. Kommunikationstechnik; Mikroelektronik, Mikrosystemtechnik; Sensorsyst., Prüftechnik; Verfahrenstechnik; Energie- u. Bautechnik; Umwelt- u. Gesundheitsforschung; techn.-ökonom. Studien, Informationsvermittlung. Die FhG unterhält 47 Forschungseinrichtungen, beschäftigt ca. 8000 Mitarbeiter u. verfügt über einen Etat von 1,11 Mrd. DM (1995). – *Publikationen:* FhG-Berichte, Jahresbericht. – INTERNET-Adresse: http://www.fhg.de
Lit.: Bundesbericht Forschung 1996, S. 426–436, Bonn: BMBF.

Fraunhofersche Linien s. Spektroskopie.

Fraxiparin®. Injektionslösung mit niedermol. *Heparin-Calciumsalz zur Thromboembolie-Prophylaxe bei Operationen. *B.:* Sanofi Winthrop.

Fredericamycin A (NSC 601617).

$C_{30}H_{21}NO_9$, M_R 539,50, rotes Pulver, Schmp. >350 °C. Sehr wirksames cytotox. Antitumor-Antibiotikum mit zusätzlicher Wirkung gegen Gram-pos. Bakterien u. Pilze. F. A wurde zusammen mit den Nebenkomponenten F. B u. F. C aus Kulturen von *Streptomyces griseus* isoliert. Die Struktur von F. A enthält ein ungewöhnliches spirocycl. Cyclopentendion-System. Die Antitumoraktivität von F. A ist vermutlich auf die Bildung freier Radikale zurückzuführen, die DNA-Strangbruch bewirken (ESR-Untersuchungen). Das wasserlösl. Kalium-Salz von F. A wird als Krebstherapeutikum entwickelt. Im Gegensatz zu anderen neoplast. Substanzen zeigte F. A keine Mutagenität im Ames-Test. – *E* fredericamycin A – *F* frédéricamycine A – *I* = *S* fredericamicina A
Lit.: Merck-Index (12.), Nr. 429. – *Biosynth.:* Biochemistry **24**, 478 (1985). – *Pharmakologie:* J. Antibiot. **34**, 1389–1401, 1402–1407 (1981); **41**, 976 (1988). – *Synth.:* J. Am. Chem. Soc. **116**, 11275 (1994); **117**, 11839 (1995) ▪ Stud. Nat. Prod. Chem. **16**, 27–74 (1995). – *[HS 2941 90; CAS 80455-68-1 (F.A); 80450-64-2 (F.B); 80450-65-3 (F.C)]*

Freedom Chemical. s. Diamalt.

Free-Wilson-Analyse s. Hansch-Analyse.

Freibergit s. Fahlerze.

Freiberufliche Chemiker s. Chemiker, GDCh.

Freie Elektronen s. Elektronen.

Freie-Elektronen-Laser (FE-Laser). Beim FE-Laser werden freie, d. h. nicht an Atome gebundene Elektronen als Lasermedium eingesetzt. Hierzu wird ein Elektronenstrahl auf Energien von einigen MeV bis GeV beschleunigt, wobei die Elektronen fast Lichtgeschw. erreichen. Durch Undulatoren werden die Elektronen zu transversalen Schwingungen angeregt, was zu einer Lichtabstrahlung führt, deren Energie aus der kinet. Energie der Elektronen stammt. Undulatoren sind im einfachsten Fall aus stat. Magnetfeldern aufgebaut, mit wechselnden Sektoren senkrecht zur Elektronenstrahlrichtung. Für den Beobachter im Labor besitzt die in Flugrichtung der Elektronen abgestrahlte elektromagnet. Welle aufgrund relativist. Effekte eine kleinere Wellenlänge als die Periodenlänge des Un-

dulators. Ähnlich wie man bei einem herkömmlichen *Laser stimulierte Emission erreicht, wird auch hier durch Rückkopplung in einem opt. Resonator mittels stimulierter *Compton-Streuung ein intensives, kohärentes Strahlungsfeld aufgebaut. FE-Laser sind gepulst, da die Elektronenbeschleunigung gepulst arbeitet. Bezüglich Energieumwandlung hat man einen Wirkungsgrad von 35% erreicht. Das Bes. des FE-Lasers ist, daß er Zugang zu Wellenlängenbereichen erlaubt, die durch herkömmliche Laser bisher nur unvollständig abgedeckt sind. Bei fester Periodenlänge der Undulatoren hängt die Wellenlänge des Laserlichtes nur von der Geschw. der Elektronen ab u. läßt sich durch Variation der Geschw. abstimmen. Existierende FE-Laser: Santa Barbara, Elektronenenergie einige MeV → λ = 100 – 500 µm; Los Alamos einige 100 MeV → λ = 10 –100 nm. Projektiert in Stanford 0,5 – 10 µm bei einer Leistung bis zu 2 MW u. Vanderbilt University 0,2 – 10 µm. Der erste FE-Laser hat in Deutschland am 1.12.1996 an der TH Darmstadt seinen Betrieb aufgenommen. Er liefert Pulse von 2 ps Länge mit einem zeitlichen Abstand von 100 ns u. einer Impulsleistung von 50 kW; die Wellenlänge ist zwischen 2,5 u. 7,5 µm durchstimmbar[1]. Ferner ist angestrebt, kohärente Röntgenstrahlung im Ångström-Bereich zu erzeugen[2].
Anw.: Festkörper-Spektroskopie, nichtlineare Wechselwirkung, Einfluß von Submillimeterstrahlung auf biolog. Gewebe (DNS im IR), Mol.-Spektroskopie, Isotopentrennung, Materialbearbeitung, Halbleiter-Spektroskopie. – *E* free electron laser – *F* laser à électrons libres – *I* laser a elettroni liberi – *S* láser de electrones libres

Lit.: [1] Phys. Bl. **53**, 8 (1997). [2] Phys. Bl. **51**, 283 u. 286 (1995). *allg.:* Freund u. Paker, Lasers, Free Electron, Encycl. of Physical Science and Technology, Bd. 8, S. 523–544, San Diego: Academic Press 1992 ▪ Laser + Optoelektr. **20** (3), 47 (1988); **20** (6), 40 (1988) ▪ Marshall, Free-Electron Lasers, New York: MacMillan Publ. Comp. 1985 ▪ Phys. Bl. **44**, 34 (1988) ▪ Sci. Am. **260**, 56 (1989).

Freie Elektronenpaare s. einsame Elektronenpaare.

Freie Energie. Unter der nach IUPAC als *Helmholtz-Energie* mit dem Symbol A zu bezeichnenden f. E. versteht man die aus dem 2. *Hauptsatz der Thermodynamik abgeleitete *Zustandsfunktion,* den die Zusammenhang zwischen innerer Energie (U), Temp. (T) u. *Entropie (S) herstellt: A = U – TS. Die Beziehung gilt für den (selten verwirklichten) Fall konstanten Vol. (V); wird dagegen der Druck (P) konstant gehalten, so lautet die Gleichung: A + PV = H – TS = G, wobei H die *Enthalpie u. G die davon bedeutete *freie Enthalpie* (zu Ehren von J. W. *Gibbs *Gibbssche f. E.,* nach IUPAC *Gibbs-Energie* genannt) bedeuten. Da bei einer Vielzahl von chem. Prozessen Arbeit gegen äußeren Druck (unter Vol.-Zunahme) od. von äußerem Druck (bei Vol.-Abnahme) geleistet wird, kommt der freien Enthalpie G (bzw. der Änderung ΔG bei chem. *Reaktionen) erhebliche prakt. Bedeutung zu, s. die *Beisp.* bei *Übergangszustand (mit ΔG$^{\neq}$ = Gibbs-*Aktivierungsenergie bzw. ΔF$^{\neq}$). Gelegentlich spricht man – z. B. bei der *Hammett- u. der *Taft-Gleichung – von einer sog. *linearen Freie Energie-Beziehung* (*E* linear free energy relation). – *E* free energy – *F* énergie libre – *I* energia libera – *S* energía libre

Lit.: Atkins, Physikalische Chemie, Weinheim: VCH Verlagsges. 1996 ▪ IUPAC, Größen, Einheiten u. Symbole in der Physikalischen Chemie, Weinheim: VCH Verlagsges. 1996 ▪ Semenov u. Bogdanov, Energie u. chemischer Prozeß, Leipzig: Grundstoff-Ind. 1981.

Freie Enthalpie. Wenig gebräuchliche u. nach IUPAC durch *Gibbs-Energie* zu ersetzende Bez. für die sog. Gibbssche freie Energie (G), s. freie Energie. – *E* free enthalpy – *F* enthalpie libre – *I* entalpia libera – *S* entalpía libre

Freie internationale Kurzbezeichnungen s. Freinamen.

Freie Radikale. Die meisten Chemiker verstehen unter f. R. Mol. od. Mol.-Bruchstücke, bei denen nicht alle *Elektronen gepaart vorliegen, die einen von Null verschiedenen *Spin besitzen u. damit paramagnet. sind (*Lit.*[1]). Diese Definition wäre aber nicht ganz unproblematisch. Hiernach wäre Methylen (CH_2), das einen *Triplett-Grundzustand besitzt als f. R. od. besser als freies Diradikal aufzufassen, C_2 mit einem *Singulett-Grundzustand hingegen nicht. Da bei C_2 der erste angeregte Zustand, wiederum ein Triplett-Zustand, aber nur um 7 kJ mol^{-1} über dem Grundzustand liegt, ist die Beschränkung des Begriffs f. R. auf Mol. mit ungepaarten Elektronen sicher etwas kritisch. Spektroskopiker verwenden häufig eine heurist. Definition, wonach alle Spezies als f. R. bezeichnet werden, die unter normalen Laborbedingungen in der Gasphase eine kurze Lebensdauer besitzen (s. z. B. *Lit.*[2,3]). Hiernach zählen prakt. alle reaktiven Zwischenstufen, z. B. Carbene wie HCF, zu den f. R., stabile Mol. in Nicht-Singulett-Grundzuständen wie NO od. O_2 hingegen nicht. Zusammenfassend läßt sich festhalten, daß es keine eindeutige, allg. akzeptierte Definition des Begriffes f. R. gibt.

Das erste zweifelsfrei nachgewiesene f. R. im Sinne der ersten Definition ist das Triphenylmethyl-Radikal, $(C_6H_5)_3C$, das 1900 von *Gomberg (*Lit.*[4]) durch Reaktion von Triphenylmethylchlorid mit feinverteiltem Silber hergestellt wurde; in inerten Lsm. ist es an seiner gelben Farbe erkennbar. Die Existenz f. R. im Sinne der „Spektroskopiker-Definition" wurde von *Paneth (1929) bewiesen; bei den f. R. handelte es sich hierbei um Methyl-Radikale (CH_3), die durch therm. Zersetzung von Bleitetramethyl, $Pb(CH_3)_4$, erzeugt wurden.

Herst.: Beiden genannten Definitionen genügende kurzlebige Spezies lassen sich hauptsächlich folgendermaßen erzeugen: 1. durch homolyt. Bindungsbruch A–B → A + B, z. B. H_3C–CH_3 → 2 CH_3; der Bindungsbruch kann hierbei therm. od. durch Bestrahlen mit energiereicher Strahlung wie UV-Strahlung (auch radiolyt., s. Radiolyse) erfolgen; – 2. durch Reaktion mit anderen f. R.; – 3. durch Einelektronen-Übertragung (Oxid. od. Red., s. Redox-Prozesse).

Zur Untersuchung von f. R. werden spektroskop. Meth. herangezogen (s. Spektroskopie), z. B. *EPR-Spektroskopie (für Mol. mit nichtverschwindendem Gesamtelektronenspin), Laser-*IR-Spektroskopie, *Mikrowellenspektroskopie u. Photoelektronenspektroskopie (s. Elektronenspektroskopie), letztere v. a. – aber nicht

ausschließlich – für Radikal-Kationen. Ein chem. Nachw. erfolgt durch *Abfangexperimente*, bei denen reaktive f. R. mittels sog. *Radikal-Fänger* („spin traps") in langlebige Spezies, z.B. *Nitroxyl- od. *Phenoxy-Radikale umgewandelt werden. In der Biologie ist Vitamin E ein wichtiger Radikal-Fänger.
F. R. spielen als reaktive Zwischenstufen bei vielen Reaktionen eine wichtige Rolle, z.B. bei Reaktionen in der Atmosphäre, in *Flammen, *Ketten-Reaktionen in der präparativen Chemie, bei der *radikalischen Polymerisation od. in der *Strahlenchemie. Eine wichtige Reaktion, bei der f. R. beteiligt sind, ist z.B. die in der Stratosphäre ablaufende Reaktion $Cl + O_3 \rightarrow ClO + O_2$, die zum Abbau von *Ozon (O_3) beiträgt. F. R. sind hierbei zweifelsfrei Cl u. ClO. – *E* free radicals – *F* radicaux libres – *I* radicali liberi – *S* radicales libres
Lit.: [1] Houben-Weyl **E 19 a**. [2] Herzberg, Einführung in die Molekülspektroskopie. Die Spektren u. Strukturen von einfachen freien Radikalen. Darmstadt: Steinkopff 1973. [3] Carrington, Microwave Spectroscopy of Free Radicals, London: Academic Press 1974. [4] Ber. Dtsch. Chem. Ges. **33**, 3150 (1900).
allg.: Alfassi, Chemical Kinetics of Small Organic Free Radicals, 4 Bd., Boca Raton: CRC Press 1988 ▪ Fischer u. Heimgartner, Organic Free Radicals, Berlin: Springer 1988 ▪ Giese, Radicals in Organic Synthesis, Oxford: Pergamon 1986 ▪ Leffler, An Introduction to Free Radicals, New York: Wiley 1993.

Freie Reaktionsenthalpie. Als f. R. bezeichnet man die thermodyn. Größe

$$\Delta_r G = \left(\frac{\partial G}{\partial \xi}\right)_{p,T} = \sum_i \nu_i \mu_i,$$

wobei G die Freie Enthalpie od. Gibbs-Energie, ξ die *Reaktionslaufzahl, ν_i u. μ_i die stöchiometr. Faktoren bzw. *chemischen Potentiale der an der Reaktion beteiligten Stoffe sind, p u. T sind Druck u. Temperatur. Wenn $\Delta_r G$ neg. ist, dann läuft die Reaktion freiwillig ab; man redet auch von einer *exergonischen* Reaktion. Reaktionen mit pos. $\Delta_r G$ heißen zuweilen *endergonische* Reaktionen; sie müssen durch Zufuhr freier Enthalpie erzwungen werden. – *E* free enthalpy of reaction – *F* enthalpie libre de réaction – *I* entalpia libera di reazione – *S* entalpía libre de reacción

Freier Spektralbereich s. Etalon.

Freie Weglänge s. Diffusion u. Gasgesetze.

Freifluß-Viskosimeter s. Viskosimetrie.

Freiheitsgrad. Allg. die Bez. für die Anzahl unabhängiger Größen (Variablen, Koordinaten) in einem physikal. u./od. chem. System. Z.B. besitzt ein Massenpunkt drei F. der Translation (entlang der 3 Raumrichtungen), ein beliebiger Körper 3 F. der Rotation (um die 3 Raumachsen). Häufig gebraucht bei der Diskussion von Molwärmen u. im Zusammenhang mit der *Gibbsschen Phasenregel*. – *E* degree of freedom – *F* degré de liberté, variance – *I* grado di libertà – *S* grado de libertad

Freinamen. Unter F. versteht man allg. Warennamen, die nicht für einen einzelnen Hersteller od. Vertreiber geschützt sind u. daher nicht als *Marken od. *Handelsnamen zu verwenden sind (*Beisp.*: übliche *Trivialnamen wie Alizarin, Carbolineum, Eosin etc.). In einem ganzen Geschäftszweig übliche Bildzeichen nennt man entsprechend *Freizeichen* (*Beisp.*: Gütesiegel, s. RAL). F. u. Freizeichen dürfen weder Markenrechte verletzen noch geschützten Warennamen u. -zeichen ähneln. Viele F. waren früher geschützt, bis der Inhaber sie freigab od. ihr Schutz ablief (*Beisp.*: *Nylon, *Vaseline). Bes. für die Wirkstoffe der *Arzneimittel, *Pflanzenschutzmittel u. *Schädlingsbekämpfungsmittel werden F. von nat. u. internat. Fachorganisationen festgelegt; *Beisp.*: die *ISO legt für Pestizide *Common Names fest; die *WHO vergibt für Arzneimittel „internat. Freinamen" (= freie intern. Kurzbez.; *E* International Nonproprietary Names = INN), die erst als *vorgeschlagene* (proposed, „pINN") u. nach krit. Prüfung als *empfohlene* (recommended, „rINN") WHO-F. in der Zeitschrift WHO Chronicle mit systemat. Synonymen, Bruttoformeln u. CARNO erscheinen. Für WHO-F. werden folgende Merkmale empfohlen: Verständlichkeit, Eignung für die Hauptsprachen, Kürze, Unverwechselbarkeit, Bezug zu pharmazeut. Stoffklasse u. chem. Struktur, aber keine anatom., physiolog., patholog., therapeut. Hinweise. Für viele pharmakolog. Leitstrukturen u. chem. Gruppen werden bestimmte Silben empfohlen; *Beisp.*: Meprobamat = 2-*Methyl*-2-*propyl*-1,3-propandiol-di-car*bamat* („-bamat" = Tranquilizer des 1,3-Propandiol-dicarbamat-Typs). Auch F. für Reagenzien, die mit Pharmaka Salze, Ester u. a. Derivate bilden, werden so konstruiert; *Beisp.*: Edisilat, Mesilat. Für die Bez. F. wird häufig das engl. Synonym *Generic Names* verwendet. Davon abgeleitet ist die Bez. *Generika* od. *Generics* für altbekannte, frei verfügbare Arzneimittel, die nicht unter Markennamen, sondern unter F. verkauft werden. Auf Generika spezialisierte Firmen bieten diese billiger an, weil Kosten für Forschung, Patentschutz etc. entfallen. – *E* nonproprietary names – *F* dénominations communes – *I* denominazioni comuni – *S* denominaciones comunes, nombres genéricos
Lit.: Gardner's Chemical Synonyms and Trade Names (Hrsg.: Ash u. Ash), Aldershot/GB: Gower 1994 ▪ Index Nominum (Hrsg.: Jaspersen), Zürich: Schweiz. Apoth.-Verein (2-jährlich) ▪ International Nonproprietary Names (INN) for Pharmaceutical Substances, Cumulative List, Genf: WHO (regelm. Neuaufl.) ▪ Negwer, Organic-chemical Drugs and their Synonyms (3 Bd.), Berlin: Akademie-Verl. 1987 ▪ s. a. Arzneimittel, Pharmakologie, Pharmakopöen.

Freiverkäufliche Arzneimittel. Bez. für nach dem Arzneimittelgesetz nicht apothekenpflichtige, d.h. auch in Drogerien, Reformhäusern, ggf. auch in zoolog. Fachgeschäften u. im Lebensmittel-Einzelhandel verkäufliche *Arzneimittel; von den 8888 Präp. der Roten Liste 1996 sind 372 f. A., deren Verkehr auf der Basis der §§ 44–46 des AMG (s. Arzneimittel) durch Verordnungen geregelt ist (s. BGBl. I, S. 2150 vom 24.11.88 u. S. 254 vom 17.02.89, zuletzt geändert am 14.10.93, BGBl. I, S. 1671). – *E* free for sale pharmaceuticals – *F* médicaments en vente libre – *I* farmaci di libero smercio – *S* fármacos de venta libre
Lit.: Fresenius et al., Freiverkäufliche Arzneimittel, Stuttgart: Wiss. Verlagsges. 1991.

Freiwilliges ökologisches Jahr (FÖJ). Das FÖJ ist eine dem freiwilligen sozialen Jahr entsprechende Leistung des Einzelnen für die Gesellschaft. Es bietet die Mög-

lichkeit, Persönlichkeit sowie Umweltbewußtsein zu entwickeln u. für Natur u. Umwelt zu handeln. Es wird ganztägig als überwiegend prakt. Hilfstätigkeit in geeigneten Stellen u. Einrichtungen (Einsatzstellen) geleistet, die im Bereich des Natur- u. Umweltschutzes tätig sind.
Lit.: Gesetz zur Förderung des freiwilligen ökologischen Jahres vom 17.12.1993 (BGBl. I, S. 2118).

Freka® cid. Salbe u. Puderspray mit *Polyvidon-Iod zur Desinfektion von Haut u. Wunden. *B.:* Fresenius.

Fremdrost. Im Gegensatz zum *Flugrost handelt es sich hier um *Rost-Ablagerungen, die sich nicht als Folge eines örtlichen Rostvorgangs auf dem betroffenen Werkstück bilden, sondern von anderer, strömungstechn. vorgelagerter Stelle eingetragen werden (eingeschlossen ist hier auch die Windrichtung). Häufig anzutreffen in Rohrleitungen aus *nichtrostenden Stählen, in die F. aus Anlagen aus un- od. niedriglegiertem *Stahl eingeschleppt wird. F. kann zu örtlicher *Korrosion führen. – *E* extraneous rust – *F* rouille exogène – *I* ruggine estranea – *S* herrumbre de origen externo
Lit.: Lexikon der Korrosion, S. 35, Düsseldorf: Mannesmann 1970.

Fremdwasser. Bez. für das in die Kanalisation eindringende *Grundwasser, unerlaubt in diese eingeleitetes Drän- od. Regenwasser sowie einem Schmutzwasserkanal zufließendes Oberflächenwasser. – *E* imported water, extraneous water – *F* eaux d'importation – *I* acqua estranea – *S* agua extrãna, importada

Fremys Salz (Kaliumnitrosodisulfonat).

M_R 268,34. In festem Zustand gelbe Krist. (dimer), in Lsg. violett (monomer u. radikal.). Mit dem *Nitroxyl-Radikal F. S. lassen sich Phenole u. sek. Arylamine zu Chinonen oxidieren. – *E* Fremy's salt – *F* sel de Frémy – *I* sale di Fremy – *S* sal de Fremy
Lit.: Brauer (3.) **1**, 502ff. ■ Chem. Rev. **71**, 229–246 (1971). – [HS 2842 90; CAS 14293-70-0]

Frenkel, Jakob Iljitsch (1894–1952), Prof. für Physik, Leningrad. *Arbeitsgebiete:* Kristallbau, Theorie der Fehlstellenleitung, statist. Theorie der Zwischengitterplätze (*Frenkel-Defekt*), kinet. Theorie der Flüssigkeiten.
Lit.: Strube et al., S. 142f., 163.

Frenkel-Defekt. Eigenfehlstelle in einem Krist., die dadurch entsteht, daß ein Atom von einem Gitterplatz zu einem Zwischengitterplatz wandert. In reinen Alkali-Halogeniden sind F.-D. die häufigsten Fehlstellen. – *E* Frenkel defect – *F* défaut de Frenkel – *I* difetto di Frenkel – *S* defecto de Frenkel

Frenolon®. Dragees mit dem Phenothiazin-Neuroleptikum *Metofenazat-Difumarat. *B.:* Thiemann.

Frenopect®. Tabl., Kapseln u. Inhalier-Lsg., Saft, Suppositorien u. Ampullen mit *Ambroxol-Hydrochlorid zur Sekretlösung bei Erkrankungen der Atemwege. *B.:* Hefa-Pharma.

Frequenz (Symbol: ν). Von latein.: frequentia = Häufigkeit abgeleitete Bez. für die Anzahl der *Schwingungen pro Zeiteinheit (gemessen in Hertz od. s^{-1}). Die F. ist nach $\nu = c/\lambda$ (c = Lichtgeschw.) umgekehrt proportional der Wellenlänge λ. In der *Spektroskopie wird anstelle der F. meist die *Wellenzahl (cm^{-1}) angegeben, vgl. die Abb. bei Anregung, IR- u. UV-Spektroskopie. – *E* frequency – *F* fréquence – *I* frequenza – *S* frecuencia

Frequenzfaktor. Nach der Theorie des *Übergangszustandes ergibt sich für die Temp.-Abhängigkeit der Reaktionsgeschwindigkeitskonstanten einer chem. Reaktion (s. Kinetik):

$$k(T) = \frac{kT}{h} \cdot \exp(\Delta S_0^{\neq}/R) \cdot \exp(-\Delta H_0^{\neq}/RT).$$

Hierbei sind k die Boltzmann-Konstante (s. Boltzmannsches Energieverteilungsgesetz), T die abs. Temp., h die *Plancksche Konstante, R die *Gaskonstante, $\Delta S_0^{\neq}$ die Standard-Aktivierungsentropie u. $\Delta H_0^{\neq}$ die Standard-Aktivierungsenthalpie (näheres s. Übergangszustand). Das Produkt der beiden ersten Faktoren hat die Dimension einer Frequenz (s^{-1}) u. wird daher F. genannt; die Größe kT/h, die nur von der abs. Temp., nicht aber von der speziellen Reaktion abhängt, bezeichnet man als *universellen F*; s. a. Aktivierungsenergie u. Übergangszustand. – *E* frequency factor – *F* facteur de fréquence – *I* fattore di frequenza – *S* factor de frecuencia

Frequenzmischung. Erzeugung der Summen- u. Differenzfrequenz aus den Frequenzen von zwei einlaufenden Wellen. Je nach Frequenzbereich werden nichtlineare Pin-*Dioden od. nichtlineare Krist. eingesetzt. Wichtig für die Erzeugung kurzwelliger *Laser-Strahlung u. für den Aufbau einer Frequenzkette, mit der die Frequenz von sichtbarem Licht in Anbindung an die *Atomuhr gemessen werden kann (*Frequenzverdopplung). – *E* frequency mixing – *F* mixage de fréquences – *I* miscelazione di frequenza – *S* mezcla de frecuencias

Frequenzverdopplung. Bei großer elektr. Feldstärke ist in einem *Dielektrikum die Polarisation P nicht mehr nur linear von der Feldstärke E abhängig, sondern schreibt sich in einem Medium mit nichtlinearer Suszeptibilität χ als

$$P = \varepsilon_0 \cdot [\chi_1 \cdot E + \chi_2 \cdot E^2 + \chi_3 \cdot E^3 + \ldots],$$

χ_k ist hierbei die Suszeptibilität k-ter Ordnung, im allg. ein Tensor k-ter Stufe. Eine einlaufende Lichtwelle $E_i = E_0 \cdot \cos(\omega \cdot t - k \cdot x)$ erzeugt aufgrund des zweiten Termes eine Polarisation $P \sim \cos^2(\omega \cdot t - k \cdot x)$, woraus für einen festen x-Wert z.B. x = 0 mit $\cos^2(\omega \cdot t) = [1 + \cos(2 \cdot \omega \cdot t)]/2$ eine Polarisation mit der doppelten Frequenz entsteht. Diese Polarisation strahlt eine Welle mit der Frequenz $2 \cdot \omega$ ab. Wichtig ist, daß erzeugende u. verdoppelte Lichtwelle die gleiche Phasengeschw. besitzen (Phasenanpassung), da sonst durch neg. Interferenz die Intensität der frequenzverdoppelten Welle wieder verringert wird. Dies wird durch richtige Anpassung der Polarisation der einlaufenden Welle relativ zu den Hauptachsen des

Krist. erreicht. Übliche Krist. zur F. sind KDP u. LiNbO$_3$. In jüngster Zeit wird sehr erfolgreich mit β-BaB$_2$O$_4$ (Beta-Barium-Borat, BBO) gearbeitet. Die Abb. zeigt den Wellenlängenbereich u. die Effizienz dieses Krist. (s. *Lit.*[1]).

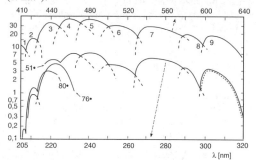

Abb. 1: Pulsenergie E der fundamentalen (oberen Kurve) u. frequenzverdoppelten (unteren Kurve) Welle in einem BBO-Kristall mit verschiedenen Schnittwinkeln. Die Zahlen bezeichnen die verschiedenen Laserfarbstoffe (*Farbstoff-Laser): 1: DPS, 2: Furan, 3: Coumarin 120, 4: Coumarin 47, 5: Coumarin 102, 6: Coumarin 307, 7: Coumarin 153, 8: Rhodamin 6 G, 9: Rhodamin B.

Der dritte Term $\chi_3 \cdot E^3$ führt in analoger Weise über $\cos^3(\omega \cdot t) \to \cos(3 \cdot \omega \cdot t)$; erzeugt also die dritte harmon. der einlaufenden Welle (Frequenzverdreifachung). Techn. realisiert wird es in Gasen, da hier χ_2 gleich Null ist.
Strahlt man zwei Wellen unterschiedlicher Frequenz ω_1 u. ω_2 ein, so erzeugt der quadrat. Term $\chi_2 \cdot E^2$ die Mischfrequenzen $\omega_1 + \omega_2$ u. den Betrag von $(\omega_1 - \omega_2)$; genannt Frequenzmischung.
Anw.: In der *Spektroskopie: Mit frequenzverdoppeltem Licht u. *Farbstoff-Lasern kann man heute den Wellenlängenbereich zwischen 195 u. 400 nm lückenlos abdecken[2]. – *E* second harmonic generation – *F* doublage de fréquence – *I* raddoppiamento di frequenza – *S* duplicación de frecuencia
Lit.: [1]Laser + Optoelektronik **19**, 296 (1987). [2]Laser + Optoelektronik **19**, 302 (1987).
allg.: Demtröder, Laser Spectroscopy, Berlin: Springer 1981 ■ Hecht u. Zajac, Optics Reading: Addison Wesley 1974.

Frequenzverdreifachung. Erzeugung der dritten harmon. einer elektromagnet. Welle, s. Frequenzverdopplung. – *E* third harmonic generation – *F* triplage de fréquence – *I* triplicazione di frequenza – *S* triplicación de frecuencia

Fresenius. Kurzbez. für die 1912 gegründete Fresenius AG, Chem.-Pharm. Ind., 61343 Bad Homburg. *Produktion:* Arzneispezialitäten, Diagnostika, Infusionslösungen, medizin. Geräte für Dialyse u. Intensivmedizin, enterale Ernährung. *Daten* (1994): Ca. 2000 Beschäftigte, ca. 1,2 Mrd. DM Umsatz.

Fresenius, Carl Remigius (1818–1897), Prof. für Chemie, Physik u. Technologie am Landwirtschafts-Inst. Hof Geisberg bei Wiesbaden. *Arbeitsgebiete:* Analyt. Chemie, insbes. Trennungsmeth. mit H$_2$S, Gründer der später nach ihm benannten Zeitschrift für analyt. Chemie.
Lit.: Pötsch, S. 155 f.

Fresenius, Heinrich (1847–1920), Sohn von Carl Remigius *Fresenius, leitete nach dem Tode seines Vaters zusammen mit seinem Bruder Wilhelm das Fresenius-Labor. *Arbeitsgebiete:* Analyt. Chemie, Bestimmungsmeth. für Nickel u. Cobalt aus ammoniakal. Lsg., Meth. zur Arsen-Bestimmung in Erzen, Nachw. von Metallen in Fetten u. Ölen.
Lit.: Pötsch, S. 156.

Fresenius, Wilhelm (1856–1936), Sohn von Carl Remigius *Fresenius, leitete nach dem Tode seines Vaters zusammen mit seinem Bruder Heinrich das Fresenius-Labor. *Arbeitsgebiet:* Lebensmittelanalyse.
Lit.: Chem. Rundsch. **19**, 621 (1966).

Fresenius, Wilhelm (geb. 1913), Prof. für Chemie, Mitinhaber des Inst. Fresenius. *Arbeitsgebiete:* Chem.-analyt. Untersuchung von Metallen, Gasen, Tensiden, Lebensmitteln u. Wasser.
Lit.: Kürschner (16.), S. 891 ■ Neufeldt, S. 33, 394.

Fresenius-Jander. Kurzbez. für das von W. *Fresenius (geb. 1913) u. G. *Jander (bis 1961) herausgegebene „Handbuch der Analytischen Chemie", das einen umfassenden Überblick über alle Bereiche der anorgan. analyt. Chemie geben soll. Das Werk erscheint bei Springer (Berlin) seit 1940.

Fresko. Von italien. fresco = frisch abgeleitete Bez. für eine seit der Antike verbreitete Technik der Wandmalerei. Dabei werden die mineral. Pigmente auf den frischen, noch feuchten Kalkmörtel-Putz aufgetragen u. gehen mit diesem beim Trocknen (Abbinden mit dem CO$_2$ der Luft) eine wetterfeste Bindung ein. – *E* fresco – *F* fresque – *I* affresco – *S* pinturas al fresco

Freßzellen s. Makrophagen.

Freudenberg. Kurzbez. für die Unternehmensgruppe Freudenberg & Co., 69465 Weinheim, mit den inländ. *Tochter- u. Beteiligungsges.:* F. Dichtungs- u. Schwingungstechnik KG (100%), F. Faservliesstoffe KG (100%), F. Spinnvliesstoffe KG (100%), F. Bausysteme KG (100%), F. Leder KG (100%), F. Schuh KG (100%), F. Anlagen- u. Werkzeugtechnik KG (100%), F. Technische Dienste KG (100%), F. Kaufmännische Dienste KG (100%), F. Informatik KG (100%), Contrad Tack KG (100%), Klüber Lubrication München KG (100%), Vileda GmbH (100%), Simrax GmbH (60%) sowie Schuh- u. Lederfabriken. *Daten* (1995): 25700 Beschäftigte, 1,4 Mrd. DM Eigenkapital, 5,0 Mrd. DM Umsatz. *Produktion:* Techn. Produkte auf Gummi- u. Kunststoffbasis (Dichtungen, Formteile, Gummi-Metallkomponenten), Vliesstoffe aller Art, Bodenbeläge, Leder, Kunstleder, Schmierstoffe.

Freudenberg, Karl (1886–1983), Prof. für Organ. Chemie, Univ. Heidelberg. *Arbeitsgebiete:* Tannine, Polysaccharide, Cellulose, Stärke, Inulin, Lignin, Einschlußverb. (Schardinger-Dextrine), Stereochemie.
Lit.: Angew. Chem. **68**, 81 ff. (1956) ■ Kürschner (12.), S. 787 ■ Nachr. Chem. Tech. Lab. **29**, 169 f. (1981) ■ Neufeldt, S. 145 ■ Österreich. Chem.-Ztg. **67**, 33 ff. (1966) ■ Pötsch, S. 156.

Freundlich, Herbert Max Finley (1880–1941), Prof. für Physikal. Chemie u. Elektrochemie am KWI University College, London, Minneapolis (Minnesota). *Arbeitsgebiete:* Kolloidchemie, Oberflächenchemie,

Kapillarchemie, Adsorptionsgleichgew. an Grenzflächen (*Freundlichsche Adsorptionsisotherme*).
Lit.: Nachmansohn, Die große Ära der Wissenschaft in Deutschland 1900–1933, S. 187, 194, 196, 198, Stuttgart: Wiss. Verlagsges. 1988 ▪ Pötsch, S. 157.

Freundsche Säure s. Naphthylaminsulfonsäuren.

Fricke-Dosimeter. Von R. Fricke entwickeltes chem. Dosimeter (s. Dosimetrie) für ionisierende Strahlen, das auf Oxid. von Fe^{2+} (*Ammoniumeisen(II)-sulfat) zu Fe^{3+} in wäss., schwefelsaurer Lsg. beruht, wobei die Umsetzung ein Maß für die Dosis der Strahlen darstellt. Durch die *ionisierende Strahlung werden im Wasser reaktive Teilchen erzeugt, die letztlich mit Fe^{2+} reagieren. – *E* Fricke dosimeter – *F* dosimètre de Fricke – *I* dosimetro di Fricke – *S* dosímetro de Fricke
Lit.: s. Dosimetrie.

Friedel, Charles (1832–1899), Prof. für Chemie, Sorbonne, Paris. *Arbeitsgebiete:* Ketone, Silicium, Titan, Synth. des Glycerins, katalysierte organ. Synth., s. Friedel-Crafts-Reaktion.
Lit.: Neufeldt, S. 54, 68 ▪ Pötsch, S. 157.

Friedelan(e).

Pachysandiol A

Systemat. Name für das Grundgerüst einer Gruppe pentacycl. Triterpene, die auch als *D:A-Friedooleanane* bezeichnet werden. F. sind Bestandteile vieler Pflanzen (*Catha, Euonymus, Castanopsis, Prionostemma* etc.), in denen sie vorwiegend in hydroxylierter Form vorkommen, z. B. $2\alpha,3\beta$-Friedelandiol {*Pachysandiol A*, $C_{30}H_{52}O_2$, M_R 444,74, Schmp. 291 °C, Krist., $[\alpha]_D +14\,°C$ (CHCl₃)} aus *Pachysandra terminalis.* – *E* friedelanes – *F* friedélanes – *I* friedelano – *S* friedelanos
Lit.: J. Prakt. Chem. **322**, 695 (1980) ▪ Phytochemistry **19**, 1989 (1980) ▪ Tetrahedron Lett. **29**, 6971 (1988) ▪ s. a. Friedelin. – [CAS 559-73-9 (F.); 17946-96-2 ($2\alpha,3\beta$-Friedelandiol)]

Friedel-Crafts-Reaktion. Mit dem Namen von *Friedel u. *Crafts sind im weitesten Sinne Reaktionen verknüpft, die Substitution, Addition, Eliminierung, Isomerisierung u. Polymerisation von Säurehalogeniden, Säureanhydriden od. Protonensäuren unter dem Einfluß von Lewis-Säuren beschreiben, wobei auch die Herst. wichtiger industrieller Produkte im Anwendungsbereich dieser synthet. so wichtigen Reaktionen liegt (s. z. B. Ethylbenzol). Im engeren Sinne werden als F.-C.-R. die *Friedel-Crafts-Alkylierung* u. die *Friedel-Crafts-Acylierung* angesehen, die bes. von *Olah mechanist. eingehend untersucht wurden.
Bei der Friedel-Crafts-Alkylierung von *aromatischen Verbindungen wird ein aromat. Wasserstoff unter dem Einfluß eines Friedel-Crafts-Katalysators durch einen Alkyl-Rest ausgetauscht, wobei als Alkylierungsmittel Alkylhalogenide, Alkene, Alkine, Alkohole u. a. Verw. finden. Als Friedel-Crafts-Katalysatoren lassen sich *Lewis-Säuren ($AlCl_3$, $SbCl_5$, $FeCl_3$, $SnCl_4$, BF_3, $ZnCl_2$), Protonensäuren wie H_2F_2, H_2SO_4, H_3PO_4 u. a. einsetzen.

Ein Charakteristikum der Friedel-Crafts-Alkylierung, die mechanist. nach dem elektrophilen Substitutionsmuster abläuft[1], ist, daß mehrfache Alkylierungen leicht möglich sind, da die Einführung eines Alkyl-Restes in die aromat. Verb. deren Reaktivität gegenüber dem alkylierenden Reagens erhöht. Des weiteren tendieren verzweigt substituierte Alkyl-Reste dazu, während des Alkylierungsprozesses umzulagern u. es muß in Betracht gezogen werden, daß die Friedel-Crafts-Katalysatoren auch die Rückreaktion, d. h. die *Desalkylierung katalysieren. Die F.-C.-Alkylierung gehört damit zu den reversiblen elektrophilen Substitutionsreaktionen.
Die Alkylierung von verzweigten Alkanen mit Alkenen unter F.-C.-Bedingungen ist ein techn. bedeutsamer Prozeß, der zur Herst. von *Kraftstoffen mit hoher *Octan-Zahl dient.
Bei der Friedel-Crafts-Acylierung wird ein aromat. Keton durch Reaktion der aromat. Verb. mit einem Acylierungsmittel unter dem Einfluß eines Friedel-Crafts-Katalysators gebildet. Als Acylierungsreagenzien kommen Säurechloride, Säureanhydride, Ester, Carbonsäuren selbst u. a. in Frage. Die gebräuchlichsten Katalysatoren, die in molaren Mengen eingesetzt werden müssen, da das gebildete Keton ein Mol des Katalysators bindet, sind $AlCl_3$ u. BF_3. Die F.-C.-Acylierung, die mechanist. ebenfalls im Sinne einer elektrophilen Substitution abläuft[2,3], ist im Gegensatz zur Alkylierung irreversibel u. a. Mehrfachacylierungen treten nicht auf, da der gebildete Acylaromat für weitere Acylierungen desaktiviert ist.

X = Halogen, O—C—R, OR, OH
           ‖
           O

Die F.-C.-Acylierung kann zur Synth. cycl. Ketone ausgenutzt werden, wenn aromat. Verb. mit einer geeignet substituierten Seitenkette den F.-C.-Bedingungen unterworfen werden; auf diese Weise lassen sich z. B. *Tetralone, *Chromone, *Xanthone u. a. herstellen. – *E* Friedel-Crafts reaction – *F* réaction de Friedel-Crafts – *I* reazione di Friedel-Crafts – *S* reacción de Friedel-Crafts
Lit.: [1] Taylor, in Bamford u. Tipper, Comprehensive Chemical Kinetics, Bd. 13, S. 139–158, New York: American Elsevier 1972. [2] Taylor, in Bamford u. Tipper, Comprehensive Chemical Kinetics, Bd. 13, S. 166–185, New York: American Elsevier 1972. [3] Angew. Chem. **86**, 12–21 (1974).
allg.: Angew. Chem. **92**, 147–169 (1980) ▪ Chem. Ind. (London) **1974**, 727–731 ▪ Hassner-Stumer, S. 131 ▪ Houben-Weyl **5/1 a**, S. 501 ff.; **5/1 b**, S. 490 ff.; **7/2 a**, S. 15 ff. ▪ Kirk-Othmer

(3.) **11**, 269–300; (4.) **11**, 1042 ff. ■ Laue-Plagens, S. 124 f. ■ March (4.), S. 534–542 ■ Olah, Friedel-Crafts and Related Reactions, Bd. 1–4, New York: Wiley 1963–1965 ■ Olah, Friedel-Crafts-Chemistry, New York: Wiley 1973 ■ Rev. Heteroatom Chem. **12**, 179–209 (1995) ■ Roberts u. Khalaf, Friedel-Crafts-Alkylation-Chemistry, New York: Marcel Dekker 1984 ■ Trost-Fleming **2**, 707 ff.; **3**, 293 ff. ■ Ullmann (5.) **A 1**, 186, 189.

Friedelin (*D:A*-Friedooleanan-3-on, 3-Friedelanon).

$C_{30}H_{50}O$, M_R 426,73, Nadeln, Schmp. 263 °C, $[\alpha]_D$ –27,8° (CHCl$_3$), gut lösl. in Chloroform, schwer lösl. in Ethanol. Pentacycl. Triterpen, weit verbreitet in höheren Pflanzen u. Flechten, kann aus dem *Kork der Korkeiche *Quercus suber* (Hauptbestandteil) durch Extraktion mit heißem Alkohol gewonnen werden. – *E* friedelin – *F* friédéline – *I* = *S* friedelina
Lit.: ApSimon **6**, 86, 112–132 (Synth.) ■ Beilstein E IV **7**, 1168 ■ Pharm. Unserer Zeit **16**, 166, 179 (1987) (Review). – [CAS 559-74-0]

Friedländer, Paul (1857–1923), Prof. für Organ. Chemie, TH Darmstadt. *Arbeitsgebiete:* Thioindigo, Identität von antikem Purpur u. Dibromindigo, Farbstoffsynth., Keto-Enol-Tautomerie, Hrsg. des 13-bändigen patentanalyt. Werkes „Die Fortschritte der Teerfarbenfabrikation u. verwandter Industriezweige".
Lit.: Pötsch, S. 157 f. ■ Strube et al., S. 179.

Friedo... Nach IUPAC-Regel F-4.9 nicht mehr empfohlenes, wegen Fehlens brauchbarer Alternativen aber in der Lit. übliches, bei *Triterpenen angewendetes Präfix zur Kennzeichnung bestimmter Methyl-Gruppen-Wanderungen verbunden mit Konfigurationsänderungen des Gerüstes; *Beisp.:* D:A-Friedooleanan = *Friedelan. – *E* = *F* = *I* = *S* friedo

Fries, Jakob (geb. 1928), Dr. rer. nat., ehem. Mitglied der Geschäftsleitung von *Merck, Darmstadt, Zuständigkeit: Zentrale Forschung u. Entwicklung Chemie, zentrale Analytik, Pigmente.
Lit.: Kürschner (15.), S. 1298.

Fries-Umlagerung. Von K. Fries (1875–1962) entdeckte Reaktion, bei der Phenolester mit Hilfe eines Friedel-Crafts-Katalysators in Hydroxyphenyl-ketone umgelagert werden können. In Abhängigkeit von den gewählten Reaktionsbedingungen entstehen unterschiedliche Anteile von *ortho*- u. *para*-Produkt. Mit Trifluormethansulfonsäure als Katalysator ist die F.-U. von Benzoesäure-arylestern reversibel[1].

Eine Variante der F.-U. ist die photochem. Fries-Umlagerung, die über radikal. Zwischenstufen verläuft.

Auch hier werden *ortho*- u. *para*-Umlagerung nebeneinander beobachtet. – *E* Fries rearrangement – *F* réarrangement de Fries – *I* trasposizione di Fries – *S* trasposición de Fries, reagrupamiento de Fries
Lit.: [1] Chem. Ber. **115**, 1089 (1982).
allg.: Chem. Rev. **67**, 599–609 (1967) ■ Hassner-Stumer, S. 133 ■ Houben-Weyl **7/2a**, 379 ■ Laue-Plagens, S. 137 f. ■ Olah, Friedel-Crafts and Related Reactions, Vol. 3, S. 499–533, New York: Wiley 1964 ■ Org. Prep. Proced. **24**, 369–435 (1992) ■ Ullmann (5.) **A 1**, 209 ff. ■ s. a. Ketone u. Phenole.

Frigantin®. Auftauflüssigkeiten zum Enteisen der Flugzeugverkehrsflächen von Flughäfen auf der Basis von Glycolen. *B.:* BASF.

Frigen®. Fluorchlorkohlenwasserstoffe als Kältemittel, Kunststoffverschäumungsmittel, Lsm. für die techn. Reinigung, Spülmittel für Sauerstoff-Anlagen, Extraktions- u. Verdünnungsmittel. *B.:* Solvay.

Friktionslagermetall. Kupfer-Leg. (Zinn-*Bronzen) zur Herst. von Lagerschalen für Gleitlager. Anw. sowohl als Einstoffsyst. als auch bei Mehrstoffsyst. (s. Gleitlagerwerkstoffe). Als F. werden die Gußzinn-Bronze mit 10% Sn od. Mehrstoff-Zinn-Bronzen mit 9% Sn sowie max. 12% Pb u. Zn bezeichnet. – *E* friction metal – *F* métaux frottement – *I* metallo antifrizione – *S* metal de fricción
Lit.: s. Gleitlagerwerkstoffe u. Bronzen.

Frisch von, Karl (1886–1982), Prof. für Zoologie in Rostock, Breslau u. München. *Arbeitsgebiete:* Sinnesleistungen u. Kommunikationsmittel der Bienen, Nachw. der Wegfindung der Bienen nach polarisiertem Sonnenlicht. 1973 erhielt er zusammen mit K. *Lorenz u. N. *Tinbergen den Nobelpreis für Medizin od. Physiologie für die Entdeckung im Bereich der Organisation u. Auslösung von individuellen u. sozialen Verhaltensmustern.

Frischen. Maßnahme der Eisen-*Metallurgie, durch die aus nicht schmiedbarem, hoch C-haltigem *Roheisen schmiedbarer *Stahl mit max. 2% C erzeugt wird. *Prozesse:* Durch das F. werden die Begleitelemente Si, Mn, C u. P (in dieser Reihenfolge) durch Red. des FeO oxidiert, das aufgrund der Zufuhr von Sauerstoff in der Schmelze gebildet wird. Die Energiebilanz aller Oxidationsreaktionen ist exotherm u. hält die Schmelze trotz der mit sinkendem C-Gehalt ansteigenden Schmelztemp. flüssig. Die gebildeten Oxide gehen entweder in die *Schlacke (Si- u. Mn-Oxide), als Gase ab (CO) od. werden durch bas. Zuschlag (CaO) als Schlacke abgebunden. S wird parallel zu den Oxidationsvorgängen von Mn od. Ca abgebunden u. geht ebenfalls in die Schlacke.

Folgeprozesse: Nach dem F. verbleibt ein Teil des eingeleiteten Sauerstoffs als FeO in der Schmelze u. wird wegen nachteiliger Auswirkungen durch Zusatz von *Ferromangan als MnO in der Schlacke abgebunden (*Desoxidation). Dies reicht allerdings nicht aus, einen Stahl beruhigt erstarren zu lassen. Aus diesem Grund wird *Ferrosilicium eingesetzt, damit Si den Rest-Sauerstoff in der Schmelze aufgrund seiner größeren Affinität abbindet (*beruhigter Stahl). In der Folge wird das Entgasen von CO (Kochen) beim Abkühlen der Schmelze unterbunden.
Verf.: Etwa zwei Drittel des Stahls werden nach Blasstahl-Verf. erzeugt, bei denen Luft od. Sauerstoff durch Düsen in Konverter eingeblasen werden. Die ursprünglichen *Bessemer- u. *Thomas-Verfahren wurden abgelöst durch die effizienteren Sauerstoffblas-Verf. wie LD- u. *OBM-Verfahren. Etwa ein Viertel des Stahls wird als *Elektrostahl nach Verf. erzeugt, in denen das F. durchgeführt werden kann od. die auf bereits gefrischte Stähle zurückgreifen (s. Elektrothermie). Ein geringer Anteil von Stahl wird noch nach dem *Siemens-Martin-Verfahren erzeugt (*Herdfrisch-Verf.*), wobei dieser Anteil wegen des vergleichsweise hohen Energieverbrauchs des Verf. allerdings weiter rückläufig ist. – *E* refine – *F* affiner – *I* affinazione – *S* afinar
Lit.: Lexikon Werkstofftechnik, S. 342, Frankfurt: VDI 1993.

Frischzellentherapie s. Organotherapie.

Frisierhilfsmittel s. Haarbehandlung.

Frisium®. Tabl. mit *Clobazam gegen Angst-, Spannungs- u. nervöse Erschöpfungszustände. *B.:* Hoechst.

Fritierfette. Bez. für Speisefette zur Herst. von Pommes frites u. dgl., die wegen der anzuwendenden hohen Temp. bes. chem. u. physiolog. Anforderungen genügen müssen. – *E* frying fats – *F* graisses à frire – *I* grassi per friggere – *S* manteca para freír
Lit.: Bundesgesundheitsblatt **34**, 69 (1991) ▪ Lang, Ernährungsphysiologische Eigenschaften von Fritierfetten, Darmstadt: Steinkopff 1978.

Fritsche, Wolfgang (geb. 1928), Dr. rer. nat. Dipl. Chem., Frankfurt. *Arbeitsgebiete:* Reaktion von Farbstoffen mit Gasen, ehem. Hauptgeschäftsführer der GDCh (1972–1992), 1976–1988 Generalsekretär der Förderaktion Europ. Chem. Ges., deren Vorsitzender 1989–1992. Verdiensturkunde der Chines. Chem. Ges., Beijing u. Ehrenurkunde für große Verdienste um die Ges. Österreich. Chemiker, 1992.
Lit.: Nachr. Chem. Tech. **20**, 6 (1972) ▪ Wer ist wer, S. 363.

Fritten. Aus porösem Material (*Sinterglas, Metall-, Keramik-, Kunststoffsinter) hergestellte Platten, die als *Filter insbes. für die *Filtration mit aggressiven Medien dienen. Die F. werden mit verschiedenen mittleren Porengrößen hergestellt. – *E* frits – *F* frittes – *I* fritte – *S* fritados

Fritz, Hans (geb. 1935), Prof. für Klin. Chemie, Univ. München. *Arbeitsgebiete:* Proteinasen u. Proteaseninhibitoren, Kallikrein-Kinin-Systeme.
Lit.: Kürschner (16.), S. 916.

Fritz, Heinz Peter (geb. 1930), Prof. für Anorgan. Chemie, Dr. rer. nat., Mitvorstand des Anorgan.-chem. Inst., TU München. *Arbeitsgebiete:* elektr. leitende Polymere (Batteriebau, Katalyse), Solarzellen-Materialien.
Lit.: Kürschner (16.), S. 916 ▪ Wer ist wer, S. 363.

Fröhdes Reagenz. Lsg. von Natrium- od. Ammoniummolybdat in konz. Schwefelsäure zum Nachw. von *Alkaloiden, welche häufig characterist. Farbreaktion geben. – *E* Fröhde's reagent – *F* réactif de Fröhde – *I* reagente di Fröhde – *S* reactivo de Fröhde

Fromherz, Peter (geb. 1942), Prof. für Experimentalphysik, Univ. Ulm. *Arbeitsgebiete:* Struktur von Lipid- u. Tensid-Aggregaten, Selbstorganisation von Ionenkanälen, Fluoreszenzsonden in Membranen, Signalausbreitung in Nervenzellen, Mol.-Organisation in DNA, Neurochip.
Lit.: Kürschner (16.) S. 924.

Front. Die während der *Chromatographie sichtbare vordere Linie der mobilen Phase (Feucht-Trocken-Grenze, *Fließmittel-Front, vgl. Abb. 2 bei *Dünnschichtchromatographie). – *E* = *F* front – *I* fronte – *S* frente

Frontalin {(1*S*)-1,5-Dimethyl-6,8-dioxabicyclo[3.2.1]-octan}.

$C_8H_{14}O_2$, M_R 142,20, Öl, Sdp. 100 °C (15,9 kPa), $[\alpha]_D^{23}$ –55,5° (Diethylether). F. ist eines der *Aggregations-*Pheromone von Kiefernborkenkäfern der Gattung *Dendroctonus.* Dieser Lockstoff sorgt dafür, daß eine effektive Besiedelung eines zunächst von einem Tier als Brutstätte ausgesuchten Baumes erfolgt, indem F. das optimale Geschlechterverhältnis steuert. Männchen von *D. brevicomis* besitzen reines (*S*)-(–)Frontalin, das Pheromon aus *D. frontalis* (Southern Pine Beetle) ist eine 85:15-Mischung der (1*S*,5*R*)- u. (1*R*,5*S*)-Enantiomeren. In der Forstwirtschaft wird synthet. F. erfolgreich in Pheromon-Fallen eingesetzt, wodurch die Schädigung von Kiefern-Monokulturen deutlich verringert werden konnte. – *E* frontalin – *F* frontaline – *I* = *S* frontalina
Lit.: ApSimon **4**, 4, 68, 152 ▪ Beilstein E V **19/1**, 228 ▪ Can. J. Chem. **68**, 782 (1990) ▪ Chem. Unserer Zeit **19**, 11 (1985) ▪ J. Chem. Ecol. **8**, 873–881, 1399–1409 (1982); **14**, 113–122, 1217–1225 (1988) ▪ Justus Liebigs Ann. Chem. **1989**, 9–18; **1990**, 123f.; **1992**, 1191f. ▪ Nachr. Chem. Tech. Lab. **33**, 392–396 (1985) (Synth.-Review); **37**, 480 (1989) ▪ Tetrahedron **44**, 6633–6644 (1988) ▪ Tetrahedron Lett. **31**, 1039f. (1989) (Synth.) ▪ s. a. Brevicomin, Pheromone. – [CAS 28401-39-0 ((1*S*,5*R*)-F.); 57917-96-1 ((1*R*,5*S*)-F.)]

Frontendoctan-Zahl (Abk.: FOZ) s. Octan-Zahl.

Frontorbitale s. Grenzorbitale.

Froschdosis s. FD.

Froschgifte s. Amphibiengifte, Krötengifte u. Tiergifte.

Frostschutzmittel s. Gefrierschutzmittel.

Frostschutz-Protein s. Gefrierschutz-Naturstoffe.

Frottee. Fachsprachliche Bez. für ein *Gewebe, das in Leinwandbindung hergestellt u. nachträglich aufgerauht ist, im Unterschied zu *Frottiergeweben,* bei denen eine der beiden Ketten den schlingenartigen Schuß aufnimmt. – *E* terry towelling – *F* tissu éponge – *I* tessuto spugna – *S* tejido de rizo, rizo

Frowein GmbH + Co. Sitz in 72461 Albstadt, Am Reislebach 83. *Produktion:* Präparate u. Apparate zur Schädlingsbekämpfung.

FRP. 1. Kurzz. (engl.) für fiber reinforced plastics; s. Faserverstärkung. – 2. s. Activin.

Fru s. D-Fructose.

Frubiase® Calcium. Trink-Ampullen mit *Calciumgluconat u. -lactat; F.C. forte zusätzlich mit *Ergocalciferol. *B.:* Boehringer Ingelheim.

Frubienzym®. Lingual-Tabl. mit *Lysozym u. *Cetylpyridiniumchlorid bei infektiösen Prozessen im Mund- u. Rachenbereich. *B.:* Boehringer Ingelheim.

Frubilurgyl®. Gurgel-Lsg. u. Rachenspray mit *Chlorhexidin-Digluconat gegen Mund- u. Rachenentzündungen. *B.:* Boehringer Ingelheim.

Fruchtaromen (Fruchtessenzen). Sammelbez. für alkohol. od. alkoholfreie Flüssigkeiten, die die Aromen von Früchten (*Obst) enthalten od. wiedergeben. Es handelt sich hauptsächlich um Alkohole, Aldehyde, Ketone, niedere u. mittlere Fettsäuren, sowie deren – früher *Fruchtether* genannte – Ester mit niederen Alkoholen. Im Unterschied zu den *etherischen Ölen enthalten F. kaum Kohlenwasserstoffe. Sie werden meist synthet., teilw. auch durch Verw. natürlicher Fruchtauszüge (*Fruchtöle* u. Terpen-freie ether. Öle) od. eingedickter *Fruchtsäfte hergestellt. Man verwendet die F. zur Aromatisierung von Arzneimitteln, zur Herst. von Fruchteis, sauren Fruchtbonbons (Drops), Backwaren, Getränken, Likören, Parfüms u. dgl. *Beisp.:* *Apfelaroma, *Birnenaroma. – *E* fruit essences – *F* arômes de fruits – *I* essenze di frutta – *S* esencias de fruta

Fruchtessenzen s. Fruchtaromen.

Fruchtether s. Fruchtaromen.

Fruchtfliegen s. *Drosophila melanogaster*.

Fruchtnektar s. Fruchtsäfte.

Fruchtöle s. Fruchtaromen.

Fruchtsäfte. F. „ist der mittels mechan. Verf. aus Früchten gewonnene gärfähige, aber nicht gegorene Saft, der die charakterist. Farbe, das Aroma u. den charakterist. Geschmack der Säfte u. Früchte besitzt, von denen er stammt." (Fruchtsaft-VO vom 17.2.1986 in der Fassung vom 11.7.1990). Auch das Erzeugnis, das aus F.-Konzentrat durch Zusatz der dem Saft durch Konzentrierung entzogenen Menge an Wasser hergestellt wird, gilt als F. Durch Zusatz von *Aromen, die bei der Konz. des ursprünglichen F. od. von Säften derselben Frucht aufgefangen wurden, wird das Aroma des F. wiederhergestellt. Die Herst. von F. aus Konzentrat hat v. a. bei Orangensäften Bedeutung. Sie werden im Erzeugerland konzentriert u. im Verbraucherland wieder rückverdünnt. Während bei F. der Fruchtanteil bei 100% liegt, ist er in Fruchtnektaren durch den gesetzlich erlaubten Zusatz von Wasser erniedrigt. Den vergleichsweise geringsten F.-Anteil weisen F.-Getränke auf: (Mindestsaftgehalt bei Kern-

obst od. Traubensaft 30%, bei Citrussaft 6%, bei anderen Säften 10%).

Tab.: Fruchtsaft-Produktion.

Bezeichnung	Menge 1992 [Mio. L]
Fruchtsäfte	
– Citrus	1053
– Kernobst	680
– Trauben	65
– Sonstige	191

Die für die F.-Herst. wichtigsten Früchte sind *Äpfel, *Johannisbeeren, *Kirschen, *Orangen u. *Weintrauben. F. aus Beeren- u. Steinobstsorten, die aufgrund ihres hohen Säuregehaltes zum unmittelbaren Genuß nicht geeignet sind, werden durch Zusatz von Zucker u. Wasser genießbar gemacht. So erhaltene Produkte rechnen zu den Fruchtnektaren u. werden als Süßmoste bezeichnet. Die bei der Herst. von F. zulässigen Verf. u. Zusatzstoffe werden durch die Fruchtsaft-VO in der Fassung vom 11.7.1990 (BGBl. I S. 1400) geregelt. Gemäß dieser VO dürfen bestimmten F. Zucker zur Korrektur eines natürlichen Mangels an Zucker bzw. zur Erzielung eines süßen Geschmacks zugesetzt werden.

Herst.: Die Herst. von F. umfaßt das Vorbereiten der Früchte, die Entsaftung, die Saftbehandlung u. die Haltbarmachung. Bei der Vorbereitung wird das Obst gewaschen, sortiert u. entsteint, entstielt bzw. abgebeert. Die anschließende Zerkleinerung erfolgt entweder durch Obstmühlen od. durch Erhitzen (Thermobreak bei ca. 80 °C) bzw. durch Gefrieren (<–5 °C). Dabei werden Saftausbeuten zwischen 79–80% erzielt. Durch Verf. wie z. B. den enzymat. Pektin-Abbau kann die Saftausbeute sogar bis auf 90% gesteigert werden. Die an die Zerkleinerung anschließende Entsaftung erfolgt hauptsächlich durch Auspressen, jedoch werden auch andere Verf. wie die Vakuumfiltration od. die Extraktion angewendet. Eine neuere Meth., die sich bes. für weiche Früchte eignet, ist die enzymat. Verflüssigung des Fruchtgewebes. Am Beginn der Saftbehandlung steht eine Vorklärung. Sie erfolgt teils enzymat., teils durch Zusatz von *Gelatine od. Polypyrrolidin. Die beiden genannten Stoffe entfernen die *Polyphenole, die ansonsten von *Phenol-Oxidasen zu gerbstoffartigen Verb. oxidiert werden u. so Farbe, Aroma u. Geschmack der F. neg. beeinflussen. Im F. enthaltene Proteine werden durch Adsorption an Betonit entfernt. Die eigentliche Klärung erfolgt dann durch Filtration über poröse Schichten wie z. B. *Cellulose od. *Kieselgur od. durch Zentrifugation. Bei F., die als trübe Produkte hergestellt werden, werden Polygalacturonase-Präparate zugesetzt, die die Trübstoffe partiell abbauen u. dadurch stabilisieren. F. können verschiedenen Arten des mikrobiellen Verderbs unterliegen: Sie können unter Bildung von Ethanol u. CO_2 vergären, sie können verschimmeln u. es können in ihnen Säuren, z. B. Essig- u. Milchsäure, gebildet werden. Zu den Verderbniserregern in F. zählen *Hefen, *Schimmelpilze u. *Bakterien[1]. Zur Vermeidung solcher Prozesse werden F. haltbar gemacht. Die üblichen Verf. hierzu sind *Pasteurisierung, Konzentrierung, Ge-

frierkonservierung, Trocknung u. Lagerung unter *Inertgas. Der Zusatz von Konservierungsstoffen (z. B. Kaliumsorbat, Schwefeldioxid) ist nur für F. u. F.-Konzentrate erlaubt, die gewerblich weiterverarbeitet werden.
Ein wichtiges Ziel der F.-Analytik[2] ist es, Verfälschungen von reinen Säften mit billigeren Produkten (z. B. Apfelsaft mit Birnensaft) nachzuweisen. Die übliche Analytik benutzt hierzu als Bewertungsmaßstab die Richtwerte u. Schwankungsbreiten bestimmter Kennzahlen (*RSK-Werte), die für eine Vielzahl von F. aufgestellt worden sind[3]. Da die Schwankungsbreiten der RSK-Werte jedoch häufig über 100% liegen u. die RSK-Werte keine rechtsverbindlichen Werte darstellen, werden zunehmend andere Meth. zum Nachw. einer Verfälschung herangezogen. Als geeignet erwies sich der Nachw. von Pflanzenphenolen, die für bestimmte Obstsorten typ. sind u. mittels HPLC schnell u. exakt bestimmt werden können[4,5]. So kann der Nachw. von Grapefruitsaft zu Orangensaft über die Identifizierung von *Naringin, einem in Grapefruits vorkommenden Bitterstoff, erfolgen. – *E* fruit juices – *F* jus de fruits – *I* succhi di frutta – *S* zumos de frutas
Lit.: [1]Flüssiges Obst **53**, 320–323 (1986). [2]Linskens & Jackson, Analysis of Non-Alcoholic Beverages, Berlin: Springer 1988. [3]Verband der Dtsch. Fruchtsaftindustrie (Hrsg.), RSK-Werte, Schönborn: Verl. Flüssiges Obst 1987. [4]Industr. Obst Gemüsewert. **70**, 11 f. (1985). [5]Z. Lebensm. Unters. Forsch. **188**, 107–114 (1989).
allg.: Belitz-Grosch (4.), S. 767–770 ■ Chem. Mikrobiol. Technol. Lebensm. **11**, 81–88 (1987) ■ Lüthi u. Vetsch, Mikroskopische Beurteilung von Wein u. Fruchtsäften, Schwäbisch Hall: Heller Verlag 1979 ■ Morton & MacLeod, Food Flavours. Part B. The Flavour of Beverages, New York: Elsevier Science Publisher 1986 ■ Nelson u. Tressler, Fruit and Vegetable Juice Processing Technology, Westpoint: Avi 1980 ■ Schobinger et al. (Hrsg.), Frucht- u. Gemüsesäfte (2.), Stuttgart: Ulmer 1987 ■ Tanner & Brunner, Getränkeanalytik (2.), Schwäbisch Hall: Heller 1987 ■ Z. Lebensm. Unters. Forsch. **181**, 395–399 u. 461–466 (1985). – *Organisationen:* Verband der Deutschen Fruchtsaftindustrie e.V., Konstantinerstr. 3, 53179 Bonn. – [HS 2009 11 – 2009 90]

Fruchtsäuren. Sammelbegriff für vielfach in Früchten (s. Obst) vorkommende organ. Säuren, die neben der Aromabildung u. der antimikrobiellen Wirkung noch eine Reihe anderer erwünschter Effekte in Lebensmitteln haben u. diesen deshalb zugesetzt werden. Die F. sind meist Hydroxycarbonsäuren wie *Citronensäure, *Milchsäure, *Äpfelsäure, *Weinsäure, *Gluconsäure od. Dicarbonsäuren wie *Fumarsäure od. *Bernsteinsäure. Die F. werden heute meist biotechnolog. gewonnen, wie z. B. die Citronensäure aus *Melasse durch *Fermentation mit *Aspergillus niger* od. die Gluconsäure durch enzymat. Oxid. von Glucose (*Aspergillus niger* od. *Gluconobacter suboxidans*). Citronensäure wird z.B. in Getränken, Bonbons, Eiscreme u. Gelees verwendet. Sie dient der Unterdrückung der Bräunung von Obst u. Gemüse u. ebenso wie Weinsäure als Synergist für *Antioxidantien. Weinsäure findet außerdem breite Anw. zur Säuerung von Limonaden u. als Kutterhilfsmittel. Milchsäure wird z.B. in der Fleischwaren- u. Fischkonserven-Ind. eingesetzt.[1] – *E* fruit acids – *F* acides de fruits – *I* acidi di frutto – *S* ácidos de frutas

Lit.: [1]Buchta, Lactic acid, in: Biotechnology (Hrsg.: Rehm, Reed), Vol. 3, Weinheim: Verl. Chemie 1983.
allg.: Duffy, Chemicals by Enzymatic and Microbial Processes, Park Ridge: Noyes 1980 ■ Genußsäuren u. ihre Salze, Schriftenreihe „Lebensmittelchemie u. Lebensmittelqualität" Bd. 14, Hamburg: Behrs 1989 ■ Lawrence, Food Acid Manufacture, Park Ridge: Noyes 1974. – [HS 2918 19, 2918 14, 2918 12]

Fruchtsaftgetränke s. Fruchtsäfte.

Fruchtschädigend (entwicklungsschädigend). *Gefährlichkeitsmerkmal, das seit der 2. Novelle des *Chemikaliengesetzes vom 1. 8. 1994 ein Unterbegriff zu *fortpflanzungsgefährdend bzw. reproduktionstox. ist. Nach § 4 Nr. 13 der *Gefahrstoffverordnung ist ein Stoff od. eine Zubereitung f., wenn sie bei Einatmen, Verschlucken od. Aufnahme über die Haut nichtvererbbare Schäden der Nachkommenschaft hervorrufen od. deren Häufigkeit erhöhen kann; Kennzeichnung als giftig od. gesundheitsschädlich, *R-Satz 61 od. 63. Zu den f. Wirkungen gehören Embryo- od. fetotox. Wirkungen, Wachstums- u. Entwicklungsstörungen, Aborte, Mißbildungen (s. Teratogene) u. Beeinträchtigungen der geistigen u. phys. Entwicklung. Solche Wirkungen werden auch durch Rauchen u. Alkoholkonsum während der Schwangerschaft verursacht. – *E* embryotoxic – *F* embryotoxique – *I* embriotossico – *S* nocivo para el embrión

Lit.: NVwZ 1995, Nr. 2, 127–134 ■ s. a. Gefahrstoffverordnung.

Fruchtschiefer s. Kontaktmetamorphose.

Fruchtzucker s. D-Fructose.

Fruct. Abk. von *Fructus = Frucht.

Fructane s. Polyfructosane.

Fructofuranose (Kurzz. Fru*f*) s. Fructose.

Fructokinase (ATP:D-Fructose-6-phosphotransferase, EC 2.7.1.4). Zu den *Kinasen (vgl. Hexokinase) gehörendes *Enzym, das die Reaktion D-*Fructose + ATP → D-Fructose-6-phosphat + ADP katalysiert (ATP, ADP: *Adenosin-5′-tri- bzw. -diphosphat). Die früher auch als F. bezeichnete, in pflanzlichen u. tier. Organismen (z. B. Leber, Darmwand) vorkommende *Ketohexokinase* (ATP:D-Fructose-1-phosphotransferase, EC 2.7.1.3) katalysiert dagegen die Reaktion D-Fructose + ATP → D-Fructose-1-phosphat + ADP. – *E* = *F* fructokinase – *I* fruttochinasi – *S* fructoquinasa – [HS 3507 90]

Fructopyranose (Kurzz. Fru*p*) s. Fructose.

Fructosane s. Polyfructosane.

D-Fructose (D-*arabino*-2-Hexulose, Lävulose, Fruchtzucker).

Offenkettige D-Fructose (D-Fru)

β-D-Fructopyranose (β-D-Fru*p*)

β-D-Fructofuranose (β-D-Fru*f*)

α-D-Fructopyranose (α-D-Fru*p*)

α-D-Fructofuranose (α-D-Fru*f*)

D-Fructose-1,6-bisphosphat

$C_6H_{12}O_6$, M_R 180,16. Farb- u. geruchlose, sehr süß schmeckende Prismen od. Nadeln, D. 1,60, Schmp. 106 °C (Zers.), in Wasser sehr leicht, in Aceton gut, in Alkoholen mäßig u. in Ether, Benzol, Chloroform schwer löslich. Fehlingsche Lsg. wird von F. reduziert. F. ist eine Ketose, u. zwar eine *Ketohexose* (*Hexulose*), die in Krist. als β-Fructopyranose, im Gleichgew. in wäss. Lsg. (genauer: in Deuteriumoxid) zu 57% als β-Fructopyranose, zu 3% als α-Fructopyranose, zu 31% als β-Fructofuranose u. zu 9% als α-Fructofuranose vorliegt (s. Abb.). Die *Mutarotation in wäss. Lsg. wird der Umwandlung der pyranosiden in die furanoside Form zugeschrieben; der Anteil der offenkettigen Ketoform (s. Abb.) am Gleichgew. beträgt weniger als 1%. Da die natürliche Form zu D-*Glycerinaldehyd abgebaut werden kann, rechnet sie zur D-Reihe, ungeachtet der Tatsache, daß sie in wäss. Lsg. die Ebene des polarisierten Lichts (vgl. optische Aktivität) nach links dreht (daher der Name Lävulose von latein.: laevus = links; im Gegensatz zu Dextrose für: D-*Glucose, von latein.: dexter = rechts). Racem. F., (D,L-F., sog. α-*Acrose*) läßt sich durch Formaldehyd-Polymerisation gewinnen (*Formose*); D. 1,665, Schmp. 130 °C.

Vork.: D-F. kommt im Pflanzenreich in freier Form (neben D-Glucose in Honig, Äpfeln, Pflaumen) u. gebunden in *Di-, *Oligo- u.*Polysacchariden vor; wichtigste Quellen sind *Saccharose u. *Inulin. Im menschlichen Organismus findet sich D-F. nur spurenweise im Blut, im Sperma u. im Fruchtwasser. Zur Gewinnung von D-Fructose geht man von Inulin aus, das durch Säuren od. Enzyme gespalten wird, wobei hauptsächlich D-F. anfällt. Die Herst. aus Saccharose, die durch *Invertase zu *Invertzucker gespalten wird, ist wegen der aufwendigen Abtrennung der D-Glucose ein weniger günstiger Weg, wenn nicht deren enzymat. Abbau bzw. enzymat. Umwandlung (mit einer *Isomerase) angewendet wird. Wirtschaftlich attraktiv ist dagegen die D-F.-Gewinnung aus Stärke, die enzymat. in *Glucosesirup (*Stärkesirup*) umgewandelt wird. Dieser liefert unter Einwirkung der Isomerase in guter Ausbeute D-F. („Isoglucose") in Form des sog. *Isosirups*, der heute schon viele Aufgaben als Süßungsmittel übernimmt, die früher dem Zucker vorbehalten waren. In reiner Form besitzt D-F. techn. keine Bedeutung. Dagegen findet sie als *Zuckeraustauschstoff in Pharmazie u. Diätetik, bes. bei *Diabetes, Verwendung. Durch *Fructokinase od. *Hexokinase zu D-Fructose-6-phosphat bzw. durch *Ketohexokinase* (EC 2.7.1.3) zu D-Fructose-1-phosphat phosphoryliert, findet sie – im letzteren Fall nach weiterer Umwandlung – Eingang in die *Glykolyse u. wird so dem Stoffwechsel des Diabetikers nutzbar gemacht. – $E = F$ D-fructose – *I* D-fruttosio – *S* D-fructosa

Lit.: Annu. Rev. Nutrit. **11**, 21–39 (1991) ▪ Beilstein E IV **1**, 4401–4411 ▪ FASEB J. **4**, 2652–2660 (1990). – [HS 170250; CAS 57-48-7]

D-Fructose-1,6-bisphosphat (FBP, Harden-Young-Ester).

Als freie Säure $C_6H_{14}O_{12}P_2$, M_R 340,12. Der 1,6-Bisphosphorsäureester der *D-Fructose (in der Abb. in der bei physiolog. pH-Wert vorliegenden dissoziierten Form u. als α-Anomeres der D-Fructofuranose) ist ein wichtiges Zwischenprodukt der *Glykolyse sowie der *Gluconeogenese. FBP entsteht in der Glykolyse aus D-Fructose-6-phosphat durch Phospho-Gruppenübertragung aus *Adenosin-5′-triphosphat (ATP) in Anwesenheit der *6-Phosphofructo-1-kinase* (EC 2.7.1.11). An diesem Magnesium-abhängigen Enzym (M_R in Hefe 755000, in Muskel 340000, in Leber 400000) greifen eine ganze Reihe alloster. (s. Allosterie) Effektoren an. Bei einer Sättigung der Zelle an Glykolyse-Produkten (im weiteren Sinn) hemmen z. B. ATP, *Phosphoenolpyruvat u. Citrat (s. Citronensäure-Cyclus) diesen Schritt des Zucker-Abbaus, während *Adenosin-5′-monophosphat, *Adenosin-5′-diphosphat u. anorgan. Phosphat – bei ansteigenden Konz. Signale für Energiebedarf – sowie *Adenosin-3′,5′-monophosphat als Aktivatoren wirken. Außerdem findet eine Regulation durch β-D-*Fructose-2,6-bisphosphat statt. Der glykolyt. Abbau von FBP vollzieht sich unter der Katalyse von *Aldolase zu D-Glycerinaldehyd-3-phosphat u. Dihydroxyacetonphosphat, zwei *Triose-Phosphaten, aus denen es bei gluconeogenet. Aufbau in Umkehrung dieser Reaktion auch wieder entsteht. Die irreversible 6-Phosphofructo-1-kinase-Reaktion der Glykolyse wird jedoch in der Gluconeogenese nicht einfach umgekehrt, sondern durch enzymat. Hydrolyse (durch *Fructose-1,6-bisphosphatase*, EC 3.1.3.11, Magnesium-Ionen als Cofaktor) des Phosphat-Restes in 1-Stellung umgangen *ohne* begleitende Rückbildung von ATP. Auch diese Reaktion unterliegt der Regulation durch Metaboliten sowie durch β-D-Fructose-2,6-bisphosphat. FBP ist ein alloster. Aktivator bakterieller *Lactat-Dehydrogenasen. – $E = F$ D-fructose-1,6-bisphosphate – *I* D-fruttosio-1,6-bisfosfato – *S* D-fructosa-1,6-bisfosfato

Lit.: Beilstein E IV **1**, 4424f. – [HS 294000; CAS 488-69-7]

β-D-Fructose-2,6-bisphosphat.

Als freie Säure $C_6H_{14}O_{12}P_2$, M_R 340,12. Der β-2,6-Bisphosphorsäureester der β-D-Fructofuranose (s. D-Fructose; in der Abb. in der bei physiolog. pH-Wert vorliegenden dissoziierten Form) ist ein alloster. Aktivator (s. Allosterie) der in der *Glykolyse wichtigen *6-Phosphofructo-1-kinase* (EC 2.7.1.11; s. D-Fructose-1,6-bisphosphat) in Leber u. Muskel, kommt aber auch in Pflanzen vor u. aktiviert dort auch *Diphosphat:D-Fructose-6-phosphat-1-Phosphotransferase* (EC 2.7.1.90) sowie deren Umwandlung in eine 6-Phosphofructo-1-kinase. Gleichzeitig wird durch F-2,6-BP in der *Gluconeogenese das Enzym *Fructose-1,6-bisphosphatase* (EC 3.1.3.11; s. D-Fructose-1,6-bisphosphat) gehemmt. F-2,6-BP bildet sich durch Phosphat-Gruppenübertragung von *Adenosin-5′-triphosphat auf D-Fructose-6-phosphat. Sein Abbau erfolgt durch Hydrolyse zu D-Fructose-6-phosphat u. anorgan. Phosphat. Interessanterweise sind die diese Reaktionen bewerkstelligenden Enzym-Aktivitäten der *6-Phosphofructo-2-kinase* (EC 2.7.1.105) u. der *Fructose-2,6-bisphosphatase* (EC 3.1.3.46) in ein u. demselben Protein beheimatet, einem nahezu einzigartigen bifunktionellen Enzym, auch *Tandem-Enzym* genannt. Dieses wird bei niedrigem Blutzucker phosphoryliert u. katalysiert dann bevorzugt den Abbau des Effektors F-2,6-BP. Erhöhte Konz. an D-Fructose-6-phosphat begünstigen durch alloster. Effekte am Tandem-Enzym die Synth. von F-2,6-BP. – *E* = *F* β-D-fructose-2,6-bisphosphate – *I* β-D-fruttosio-2,6-bisfosfato – *S* D-fructosa-2,6-bisfosfato

Lit.: Protein Sci. **4**, 1023–1037 (1995).

Fructosebisphosphatasen s. D-Fructose-1,6-bisphosphat u. β-D-*Fructose-2,6-bisphosphat.

Fructosediphosphate. Zweifach phosphorylierte Fructose-Derivate, die nicht die Diphosphat-Gruppierung $-P_2O_7^{3-}$ enthalten, werden nach Empfehlungen der *IUPAC/*IUBMB als Fructosebisphosphate bezeichnet. – *E* fructose diphosphates – *F* fructose-diphosphates – *I* fruttosiodifosfati – *S* difosfatos de fructosa, fructosa-difosfatos – [HS 294000]

Fructosephosphate s. Glykolyse.

β-Fructosidase s. Invertase.

Fructoside. Bez. für *Glykoside der *Fructose.

Fructus (latein. = Frucht). Fachausdruck der Apotheker u. Drogisten für offizinell genutzte getrocknete Samen (*Semen) u. *Früchte von Pflanzen, die ggf. in Einzelstichwörtern behandelt sind.

Beisp.: F. Capsici = Span. Pfeffer, *Paprika, F. Carvi = *Kümmel, F. Juniperi = *Wacholder, F. Rhamni catharticae = *Kreuzdorn, F. Sennae = Sennesfrüchte.

Lit.: s. Drogen u. Pharmazeutische Biologie.

Früchte (von latein.: fructus). Sammelbez. für die den *Samen als Nährgewebe umhüllenden Organe der *Pflanzen. Dabei ist nicht nur an die eßbaren F. (insbes. an das *Obst, aber auch an *Hülsenfrüchte, *Getreide, *Nüsse, *Gewürze) zu denken, sondern auch an offizinell genutzte *Drogen (s. Fructus, Semen). Fruchtbildung, -reifung u. -abfall werden durch *Pflanzenhormone (z. B. *Cytokinine, *Gibberelline u. a. *Pflanzenwuchsstoffe; *Lit.*[1]) reguliert. – *E* = *F* fruits – *I* frutti – *S* frutos

Lit.: [1] Sitte et al., Strasburger Lehrbuch der Botanik, S. 384–398, Berlin: Springer 1991.

allg.: s. Obst.

Frühjahrslorchel s. Gyromitrin.

Frullanolid.

(−)-Frullanolid   (+)-Frullanolid

(+)-F.: $C_{15}H_{20}O_2$, M_R 232,32, Nadeln, Schmp. 75–76 °C, lösl. in Aceton, Ether, unlösl. in H_2O. (−)-F.: Schmp. 76,5–77 °C, $[\alpha]_D$ −113° (c 0,2/CHCl$_3$). Allergenes Sesquiterpenlacton aus epiphyt., auf Waldbäumen wachsenden Lebermoosarten der Gattung *Frullania*, dessen beide Enantiomere für die bei Waldarbeitern auftretende Kontaktdermatitis mitverantwortlich sind. Die allergene Wirkung beruht auf dem α-Methylen-γ-butyrolacton-Ring. – *E* = *F* = *I* frullanolide – *S* frullanolida

Lit.: Bull. Chem. Soc. Jpn. **66**, 2298 (1993) ▪ Phytochemistry **37**, 1337 (1994) ▪ Tetrahedron **49**, 4761 (1993). – [CAS 40776-40-7 ((+)-F); 27579-97-1 ((−)-F.)]

Frumin® AL. Insektizides Saatgutbeizmittel auf der Bais von *Disulfoton gegen saugende Insekten an Baumwolle. *B.:* Sandoz.

Frumkin-Effekt s. elektrochemische Doppelschicht.

Fruvit®. Fungizid auf der Basis von *Propineb u. *Oxadixyl. *B.:* Bayer.

Fruxime. Riechstoff mit voller exot. Tropenfruchtnote mit guter Stabilität in Seife, Schaumbad, Wäscheweich u. Aerosolen; kann in einer Vielzahl von Parfümtypen eingesetzt werden. *B.:* Dragoco.

F-Säuren (Furan-Fettsäuren). Gruppe von Furancarbonsäuren, die zuerst in den Neutrallipiden der Leber u. Testes von Fischen entdeckt wurden. Der Gehalt an veresterten F-S. in Dorschlebertran u. a. Fischölen beträgt ca. 1%. Die in den Fischölen u. Säugerlipiden vorhandenen F-S. stammen v. a. aus der Nahrung, z. B. aus Algen[1]. In geringen Anteilen kommen Ester der F-S. in den Membranlipiden tier. u. pflanzlicher Zellen vor; im Blut wurden v. a. Cholesterinester der F-S. gefunden. Zwischenstufe der Biosynth. von F-S. ist das 13-Hydroperoxid der Linolsäure, das durch eine spezif. 13-Lipoxygenase in F-S. umgewandet wird. Abbauprodukte von F-S., sog. Urofuransäuren, kommen im Urin von Säugern vor[2]. Es wurden auch gesätt. F-S., sog. Tetrahydrofuran(THF)-Fettsäuren, in Tieren u. Pflanzen gefunden[2,3]. Nach einer Verletzung des Pflanzengewebes werden F-S. u. deren unbeständige En-Dion-Folgeprodukte wahrscheinlich als Abwehrstoffe gegen phytopathogene Pilze gebildet[1].

$H_3C-(CH_2)_m$ ... $(CH_2)_n-COOH$
R   CH$_3$ **1**

↓ Oxidation durch Lipoxygenase

$H_3C-(CH_2)_m$ ... $(CH_2)_n-COOH$

R = H, CH$_3$
m = 2-4
n = 6-12

Tab.: Daten von F-Säuren.

F-Säure	Summenformel	M_R	CAS
R=CH$_3$, n=8, m=2	$C_{18}H_{30}O_3$	294,43	57818-38-9
R=H, n=8, m=4	$C_{19}H_{32}O_3$	308,46	57818-39-0
R=CH$_3$, n=10, m=2	$C_{20}H_{34}O_3$	322,49	57818-41-4

– *E* F-acids, furan fatty acids – *F* acides F, acides gras du furane – *I* acidi F, acidi grassi del furano – *S* ácidos F, ácidos grasos del furano

Lit.: [1] J. Lipid Mediators **7**, 199 (1993); Lipids **23**, 1032 (1988). [2] Justus Liebigs Ann. Chem. **1985**, 1168; **1986**, 127; **1989**, 449. [3] Aust. J. Chem. **33**, 891 (1980); **43**, 895 (1990).

FSH s. Follitropin.

FSH-releasing protein s. Activin.

FSI. Abk. für *Fluorosulfonylisocyanat.

FSME-Bulin. Injektionslösung mit Human-*Immunglobulin, standardisiert mit FSME-Virus-Antikörpern zur passiven *Immunisierung gegen durch Zecken übertragene Frühsommer-Meningoenzephalitis (FSME). *B.:* Immuno.

FSME-Immun®. Suspension mit FSME-Virus-Antigen zur aktiven *Immunisierung gegen die durch Zecken übertragbare FSME. *B.:* Immuno.

ft. Abk. für *Foot (Feet).

FT. Abk. für *Fourier-Transformation.

FT-IR s. IR-Spektroskopie.

Fuberidazol.

Common name für 2-(2-Furyl)benzimidazol, $C_{11}H_8N_2O$, M_R 184,20, Schmp. 286°C, LD_{50} (Ratte oral) 1100 mg/kg (WHO), von Bayer 1965 eingeführtes system. *Saatgut-Behandlungsmittel gegen *Fusarium* spp. im Getreideanbau, normalerweise in Kombination mit anderen *Fungiziden. – $E=F$ fuberidazole – I fuberidazolo – S fuberidazol

Lit.: Farm ▪ Perkow ▪ Pesticide Manual. – [HS 2934 90; CAS 3878-19-1]

Fubfenprox.

Common name für 1-{2-[4-(Bromdifluormethoxy)-phenyl]-2-methylpropoxymethyl}-3-phenoxybenzol. $C_{24}H_{23}BrF_2O_3$, M_R 477,35, Sdp. 291,2°C, LD_{50} (Ratte oral) 132 mg/kg, von Mitsui Toatsu 1993 eingeführtes *Akarizid gegen Spinnmilben im Ei-, Larven-, Nymphen- u. adulten Stadium, zum Einsatz im Obst-, Wein- u. Zierpflanzenanbau. – $E=F=I=S$ fubfenprox

Lit.: Perkow. – [CAS 111872-58-3]

Fucan s. Fucose.

Fuchs, Johann Nepomuk von (1774–1856), Prof. für Chemie u. Mineralogie, München. *Arbeitsgebiete:* Isomorphismus der Erdalkalicarbonate u. -sulfate, stöchiometr. Gesetzmäßigkeiten bei Mineralien, Wasserglas, Zemente, Gläser, Zeolithe, Triphylin, Porzellan, Baumaterialien sowie viele weitere Grenzgebiete zwischen Chemie u. Mineralogie.
Lit.: Pötsch, S. 159.

Fuchsin [(Methylfuchsin, 3-Methylparafuchsin, 4-[(4-Aminophenyl)-(4-imino-2,5-cyclohexadien-1-yliden)-methyl]-2-methylanilin, Basic Violett 14, C. I. 42510].

$C_{20}H_{19}N_3$, M_R 301,39. Nach landläufiger, aber irriger Meinung ist F. ident. mit *Rosanilin*, doch handelt es sich bei diesem um das Carbinol, aus dem F. durch Dehydratisierung (als Hydrochlorid) hervorgehen kann. Techn. F. besteht hauptsächlich aus den Hydrochloriden von *Parafuchsin (C. I. 42 500), Fuchsin u. denen der 3,3'-Dimethyl- u. der 3,3'3''-Trimethyl-Homologen des Parafuchsins (vgl. Triarylmethan-Farbstoffe) sowie aus geringen Mengen von Acridin-Farbstoffen. Dieses F. bildet spröde, grüngelb metallglänzende, rot durchscheinende Krist., oberhalb 200 °C Zers., in Wasser etwas, in Alkohol besser, in Ether nicht löslich. Gegen chem. Einflüsse ist F. sehr empfindlich; mit Säuren entstehen gelbe od. gelbbraune Färbungen, Alkalien geben braune Niederschläge, u. Oxidationsmittel entfärben F. ebenso wie etwa Zink u. Salzsäure (Red. zur *Leukobase*).

Herst.: F. wird durch Oxid. eines Gemisches von *o*- u. *p*-Toluidin, Anilin, Nitrobenzol u. Nitrotoluol in Ggw. von Zinkchlorid, Eisen(II)-chlorid u. Eisen(III)-oxid gewonnen u. nach Auflösen in konz. Salzsäure als Hydrochlorid auskristallisiert.

Verw.: Wegen seiner geringen Lichtechtheit wird F. zur Färbung von Textilien kaum noch, wohl aber für Druckfarben u. zur Anfärbung biolog. Präp. verwendet. Ein Gemisch von F. u. Malachitgrün gibt mit Chrysoidin lichtechte Schwarzfärbungen mit modifizierten Polyacrylnitril-Fasern. *Fuchsin/Schweflige Säure* dient als *Schiffs Reagenz zum Nachw. von Aldehyden. Außerdem ist F. Ausgangsprodukt für andere Triarylmethan-Farbstoffe; direkte Sulfonierung führt zu *Säurefuchsin.

Geschichte (vgl. *Lit.*[1]): F. wurde 1858 von dem Lyoner Chemiker Verguin zum Patent angemeldet u. nach der blaurot blühenden Zierpflanze Fuchsie benannt; in England erhielt der von Nathanson gefundene Farbstoff den Namen *Magenta* nach der 1859 bei dem gleichnamigen norditalien. Ort geschlagenen Schlacht, in der Österreich von Frankreich besiegt wurde. – $E=F$ fuchsine – $I=S$ fucsina
Lit.: [1] Endeavour **33**, 149–155 (1974).
allg.: Beilstein E IV **13**, 2290 ▪ Ullmann (4.) **23**, 395; (5.) **A 3**, 87 ▪ Winnacker-Küchler (3.) **4**, 241–244, 359–362. – [HS 2925 20; CAS 632-99-5]

Fuchsin/Schweflige Säure s. Schiffs Reagenz.

Fuchsit s. Muscovit.

Fucidine®. Creme, Gel u. Puder mit *Fusidinsäure, Gaze, Salbe, Filmtabl. u. Infusionsflüssigkeit mit deren Natriumsalz; F. plus zusätzlich mit *Hydrocortison-17-butyrat gegen infektiöse Hauterkrankungen u. system. Infektionen. *B.:* Thomae.

Fucithalmic®. Augentropfen mit dem Steroid-Antibiotikum *Fusidinsäure zur Therapie bakterieller Infektionen u. Gerstenkorn. *B.:* Basotherm/Thomae.

Fuc(o)... Von latein.: fucus u. griech.: phykos = Tang abgeleitete Vorsilbe zur Kennzeichnung von aus Tangen (z. B. *Fucus vesiculosus* = *Blasentang) isolierten od. von diesen abgeleiteten Verb., *Beisp.:* *Fucose, *Fucoidin, *Fucoserraten, Fucoxanthin, Fucosterin (Fucosterole), Fucolipide. – $E=F=I=S$ fuc(o)...

Fucoidin (Fucosidan, Fucoidan).

M_R ca. 100000 bis 150000, hygroskop. Pulver, $[\alpha]_D$ −118° (H_2O), bildet Kolloide. Polysaccharid aus Braunalgen (bes. Fucus-Arten, vgl. Algen), in deren Trockenmasse es zu 5−20% enthalten ist. F. besteht hauptsächlich aus sulfatierter L-*Fucose in 1,2-α-glykosid. Bindung. Daneben sind kleinere Mengen Galactose, Xylose, u. Uronsäuren vorhanden. Durch Säurehydrolyse erhält man L-Fucose. F. schützt die Algen vor Austrocknung. F. u. verwandte sulfatierte Polysaccharide besitzen antikoagulative u. fibrinolyt. Wirkung [1] sowie antivirale Aktivität auch gegen AIDS-Viren [2] u. Wirkung gegen Krebszellen [3]. − *E* fucoidan − *F* fucoïdine − *I* = *S* fucoidina

Lit.: [1] Kitasato Arch. Exp. Med. **60**, 105−121 (1987). [2] Hydrobiologia **1987**, 151, 497; Jpn. J. Exp. Med. **58**, 145−151 (1988). [3] Hydrobiologia **1987**, 491−496; Int. J. Cancer **39**, 82−88 (1987). *allg.: Reviews:* Doner et al. in: Whistler (Hrsg.), Industrial Gums (2.), S. 115, New York: Academic Press 1973 ▪ Percival, The Carbohydrates (2.) 2 B, S. 551, New York: Academic Press 1970. − [*CAS 9072-19-9*]

Fucomucine s. Mucine.

Fucose (6-Desoxygalactose, Galactomethylose).

$C_6H_{12}O_5$, M_R 164,16, $[\alpha]_D^{20} \pm 153\,°C \rightarrow \pm 76°$ (H_2O), lösl. in Wasser u. Ethanol. Die D-(+)-F. (*Rhodeose*, Schmp. 144 °C) kommt in verschiedenen Höheren Pflanzen u. Baumharzen vor, die wichtigere L-(−)-F. (Schmp. 140 °C) ist u. a. Bestandteil von Polysacchariden mariner Braunalgen (bes. *Fucus*-Arten, vgl. Blasentang u. Fucoidin), sie findet sich in Glykoproteinen von Blutgruppensubstanzen u. Milch sowie im *Intrinsic Factor sowie in *Glykosaminoglykanen. In Fucan, einem Extrakt aus *Fucus vesiculosus* vom M_R ca. 78000 ist (L)-F. zu 65% enthalten. Synth. von (+)-F. aus D-Galactose. Gewinnung von (−)-F. durch Hydrolyse von Fucoidin u. Fucan. − *E* = *F* fucose − *I* fucosio − *S* fucosa

Lit.: Adv. Carbohydr. Chem. Biochem. **39**, 279−345 (1981); **42**, 15 (1984) ▪ Beilstein E IV **1**, 4265 f. ▪ Carbohydr. Res. **126**, 165 (1984) ▪ Chem. Pharm. Bull. **27**, 2838 (1979) ▪ J. Am. Chem. Soc. **107**, 1246 (1985) ▪ J. Carbohydr. Chem. **7**, 277 (1988) ▪ Karrer, Nr. 592, 593 ▪ Kirk-Othmer (3.) **4**, 537 f. ▪ Ullmann (5.) **A 5**, 37. − [*HS 294000; CAS 2438-80-4 ((−)-F.); 3615-37-0 ((+)-F.)*]

Fucoserraten (3-*trans*-5-*cis*-1,3,5-Octatrien).

C_8H_{12}, M_R 108,18, Sdp. 56 °C (5,3 kPa); Sexuallockstoff weiblicher Gameten der Braunalgen *Fucus serratus* u. *F. vesiculosus*; s. a. Algenpheromone. − *E* fucoserratene − *F* fucoserraténe − *I* fucoserratene − *S* fucoserrateno

Lit.: Angew. Chem. **94**, 659−670 (1982) (Review). − [*CAS 40087-61-4*]

Fucoxanthin s. Peridinin.

Fucus vesiculosus s. Blasentang u. vgl. Fuc(o)...

Füllfederhaltertinten s. Tinten.

Füllkörper. Die in der chem. Technik viel gebrauchten F. dienen der Oberflächenvergrößerung von *Kolonnen-Packungen, um bei *Destillationen, *Rektifikationen u. a. Verf. *Stoffübergänge* u. *Wärmeaustausch* zu optimieren. Anfänglich waren F. einfaches Haufwerk aus z. B. Quarzbrocken, Koksstücken, Steinbrocken, Glasscherben etc., auch Lattenpakete u. Reisighorden waren gebräuchlich. Die Erkenntnis, nach der die erreichbaren Stoff- od. Wärmeaustauschwirkungen weitgehend von der Feinheit der Aufteilung der miteinander in Kontakt zu bringenden gasf. u. flüssigen Komponenten bestimmt wird, führte zur Entwicklung geometr. definierter Füllkörper. Der erste F. mit großer prakt. Bedeutung u. breiter Anw. war der nach seinem Erfinder benannte *Raschig-Ring* (etwa 1912), ein Hohlzylinder mit annähernd gleichen Durchmessern u. Seitenlängen (Abb. 1).

Abb. 1: Raschig-Ring.

In Kolonnen ordnen sich F. von der Art der *Raschig-Ringe* beim Einfüllen labyrinth. u. schaffen dadurch günstige Bedingungen für eine stetige Ablenkung, Neuaufteilung u. Ausbreitung durchströmender Gase od. Dämpfe u. für die über *Flüssigkeitsverteiler herabrieselnde Flüssigkeit. In der Folge der Raschigschen Erfindung wurden von verschiedenen Seiten weitere F. entwickelt u. z. T. nach Erfindern od. Marken-Inhabern benannt, deren Leistung generell od. für bestimmte Austauschprozesse günstiger sind (Abb. 2, Beisp. s. *Lit.*[1]).

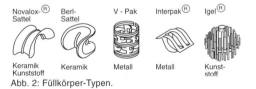

Abb. 2: Füllkörper-Typen.

Bes. erwähnt sei hier der sog. *Pall-Ring* (1952 entwickelt, Abb. 3 [1]).

Abb. 3: Pall-Ringe.

Durch definierte Wandausschnitte aus der Ringwand, die in das Innere des Ringraumes gebogen sind, entsteht eine definierte innere Oberfläche, die Füllung wird gegenüber dem *Raschig-Ring* wesentlich höher belastbar, hat niedrigere Druckverluste u. höhere Stoffaustauschwirkung. Als Werkstoffe für F. werden säurefestes Steinzeug, Porzellan, Glas, Metalle u. Kunststoffe verwendet; hauptsächlich für Labor-F. sind auch *Drahtspiralen* u. *Maschendrahtringe* gebräuchlich [1] (Abb. 4).

Abb. 4: Drahtspiralen u. Maschendrahtringe.

Jüngste Generation der F. sind die sog. *Gitterfüllkörper*, deren Oberflächen in schmalen Streifen in räumlich gleichmäßiger Verteilung angeordnet sind, wodurch bei niedrigerem Druckverlust [1] eine optimierte Benetzung auch bei geringen Flüssigkeitsmengen erzielt wird (Abb. 5).

Abb. 5: Gitterfüllkörper.

Der Größenbereich der F. beträgt ca. 2–15 mm für Labor-F. u. bis zu 350 mm für techn. Zwecke. In den Dest.-Kolonnen fest installierte Vorrichtungen wie Drahtgestrickpackungen (*Sulzer-Packungen* u. ä.) bezeichnet man nicht als F., sondern als Kolonnen-Einbauten.

Verw.: Für Dest., Kondensationen, *Absorption von Dämpfen u. Nebeln aus Gasen, für die *Trennung u. Zerlegung von flüssigen od. gasf. Stoffgemischen, für chem. Reaktionen an Oberflächen, für Katalysen, für *Extraktionen verschiedener Bestandteile aus Flüssigkeiten usw. Die F. spielen eine wichtige Rolle bei der Herst. von Ammoniak, Salpetersäure, Schwefelsäure, Nitriersäure, bei der Benzol-Gewinnung aus Kokereigas, bei der Synth. von Benzin, Buna, Ölen, Kunststoffen, Zellwolle, bei der biolog. u. chem. Aufbereitung von Trinkwasser, Reinigung von Kesselspeisewasser, bei der Reinigung durch Abscheiden von Staub od. Schmutz, beim Entgasen, Entnebeln u. Entölen, bei der Abscheidung von Flüssigkeitströpfchen usw. – *E* packings – *F* corps de remplissage – *I* corpi di riempimento – *S* cuerpos de relleno, materiales de relleno

Lit.: [1] Techn. Informationen der Firma VFF Vereinigte Füllkörper-Fabriken GmbH u. Co., 56235 Ransbach-Baumbach. *allg.*: Kirk-Othmer (3.) **7**, 878–881; (4.) **8**, 341–348 ▪ Ullmann (4.) **2**, 528–533; (5.) **B 3**, 4–84 ▪ Winnacker-Küchler (4.) **1**, 197 ff. ▪ s. a. Destillation, Kolonnen, Rektifikation.

Füllmassen s. Kitte.

Füllmittel s. Füllstoffe.

Füllstoffe (Füllmittel). Neben *Streckungsmittel* od. *Extender* gebrauchte allg. Bez. für – meist relativ billige – Stoffe, die man z. B. Werkstoffen, Kleb- u. Anstrichstoffen, Papier, Kunststoffen u. dgl. beimischt, um deren Vol. u./od. Gew. zu erhöhen, aber auch oft, um die techn. Verwendbarkeit zu verbessern. Auch bei Kautschuk u. synthet. Elastomeren kann man durch geeignete Zusätze (hier oft *Verstärker* (2.) genannt) die Qualität verbessern, so z. B. die Härte, Festigkeit, Elastizität u. Dehnung, was u. a. für die Schuh- u. Fahrzeug-Ind. von Bedeutung ist. F. dienen auch zur Einstellung der Verkaufsform u./od. der Konz. eines Waschmittels. Die Pigmenten zugefügten F. sind in bestimmten Fällen selbst Farbmittel; bei Papier übernehmen sie zudem die Funktion der Beschwerung. Auch bei Tabl. kommen F. zur Anw., während sie bei Zahnkavitäten andere Aufgaben (als Dentalmaterial) erfüllen. Vielgebrauchte F. sind Carbonate, insbes. Calciumcarbonat, aber auch Silicate (Talk, Ton, Glimmer), Kieselerde, Calcium- u. Bariumsulfat, Aluminiumhydroxid, Glasfasern u. -kugeln sowie Holzmehl, Cellulose-Pulver u. Ruße. – *E* fillers, extenders – *F* charges – *I* materiali di riporto – *S* sustancias de relleno, (agentes de) carga

Lit.: Encycl. Polym. Sci. Technol. **7**, 53–73 ▪ Kirk-Othmer (3.) **10**, 198–215; (4.) **10**, 745–761 ▪ Ullmann (4.) **18**, 647–660; (5.) **A 20**, 494 ff., 513 f. ▪ Winnacker-Küchler (4.) **3**, 26 f., 50 f., 88, 311, 323 f., 350, 396 ff.; **6**, 587 ff.

Fünfer, Ewald (1908–1994), Prof. für Techn. Physik, Dr. rer. nat., Dr.-Ing. e.h., TH München, wissenschaftliches Mitglied der Max-Planck-Ges. u. ehem. Direktor am Max-Planck-Inst. für Plasmaphysik. *Arbeitsgebiete:* Plasmaphysik, Kurzzeitphysik, kernphysikal. Meßtechnik, Hochvakuumentladungen, Szintillationsmessungen.

Lit.: Kürschner (16.) S. 936.

Fugazität (Symbol f). Begriff aus der physikal. Chemie. Da bei realen Gasen nicht mehr die Gleichung idealer Gase $p \cdot V = n \cdot R \cdot T$ gilt (*Gasgesetze), man aber zur Berechnung von Druckabhängigkeiten anderer Größen keine zu komplizierten Ausdrücke erhalten möchte, verwendet man einen „korrigierten Druck": $f = \gamma \cdot p$; γ wird Fugazitätskoeff. genannt u. wird im Grenzfall $p \to 0$ gleich 1. Die F. verhalten sich zu Drücken sinngemäß wie die *Aktivitäten zu Konz.; in der *Duhem-Marguesschen Gleichung ersetzen sie die *Partialdrücke. – *E* fugacity – *F* fugacité – *I* fugacità – *S* fugacidad

Lit.: Atkins, Physikalische Chemie, Weinheim: VCH Verlagsges. 1996 ▪ Barrow, Physikalische Chemie, Braunschweig: Vieweg 1984 ▪ s. a. Gase.

Fugerel®. Tabl. mit *Flutamid gegen Prostatageschwulst. *B.:* Essex Pharma GmbH.

Fugoa N®. Tabl. mit (±)-Norephedrin-Hydrochlorid gegen Übergewicht. *B.:* Scheurich.

Fugu. Japan. Kugelfisch, enthält das *Fischgift *Tetrodotoxin.

Fugu-Gift s. Tetrodotoxin.

Fujimycin s. FK506.

Fujiphilin s. FK506.

Fujita-Ban-Analyse s. Hansch-Analyse.

Fukui, Kenichi (geb. 1918), Prof. für Chemie, Kyoto Univ. (bis 1982), Präsident des Kyoto-Inst. für Tech-

nologie (bis 1988), Direktor des Inst. für Grundlagen-Chemie. *Arbeitsgebiete:* Theorie chem. Reaktionen, Quantenchemie verschiedener Substanzen. 1981 Nobelpreis für Chemie zusammen mit Roald *Hoffmann.
Lit.: Nachr. Chem. Tech. Lab. **36**, 549f. (1988) ▪ Pötsch, S. 160 ▪ Who's Who in the World, S. 528.

Fulgide (von latein.: fulgere = glänzen, strahlen).

Bez. für zumeist intensiv gefärbte Dialkylidenbernsteinsäureanhydrid-Derivate, die häufig *Photochromie zeigen. – *E* = *F* fulgides – *I* fulgidi
Lit.: Kirk-Othmer (4.) **6**, 328f. ▪ Z. Chem. **18**, 386 (1978); **19**, 219 (1979).

Fulgurite (Blitzröhren). Petrograph. Bez. für hohle, bis mehrere Meter lange u. wenige cm breite, oft verzweigte Röhren. Diese entstehen, wenn der Blitz in Quarzsande einschlägt u. dabei lokale Schmelzung mit Bildung von SiO_2-Gläsern (sog. *Lechatelierit,* H. 5,5–7,0, D. 2,2) verursacht. – *E* = *F* fulgurites – *I* fulguriti – *S* fulguritas
Lit.: Ramdohr-Strunz, S. 528.

Fuligorubin (Fuligorubin A).

$C_{20}H_{23}NO_5$, M_R 357,41, rote Krist., Schmp. 150 °C (als Dihydrat), opt. aktiv, *Tetramsäure-Derivat aus Plasmodien des gelben Schleimpilzes *Fuligo septica* („gelbe Lohblüte", Myxomycetes). F. liegt in *Fuligo* als stabiler Calcium-Komplex vor. Es wird angenommen, daß F. Photorezeptoreigenschaften besitzt u. eine Rolle bei der Phototaxis u. Sporulation des Schleimpilzes spielt. – *E* fuligorubin A – *F* fuligorubine A – *I* fuligorubina A – *S* fuligorrubina A
Lit.: Angew. Chem. **99**, 597f. (1987) (Isolierung) ▪ Tetrahedron Lett. **48**, 1145 (1992) (Synth.). – *[CAS 108343-55-1]*

Fullerene. Eine Klasse von Kohlenstoff-Modif., deren geschlossene Käfig-Mol. aus Fünf- u. Sechsringen bestehen. Stabile F. enthalten stets zwölf Fünfringe, die allseitig von Sechsringen umgeben sind (*E isolated pentagon rule, IPR*); vgl. Corannulen. Als kleinster Vertreter erfüllt C_{60} mit 12 Fünf- u. 20 Sechsringen diese Kriterien, ein hochsymmetr. Mol. (I_h-Symmetrie, s. Schoenflies-System), das die Gestalt eines Fußballs besitzt. Der nächste stabile Vertreter der F., C_{70} (12 Fünfringe, 25 Sechsringe, D_{5h}-Symmetrie), unterscheidet sich von C_{60} durch fünf zusätzliche C_2-Bausteine, die dem Mol. eine längliche Gestalt („american football") verleihen. Für C_{76} sind zwei Isomere mit 12 allseitig von Sechsringen umgebenen Fünfringen denkbar, von denen eines Tetraedersymmetrie (T_d) aufweist, das andere infolge seiner D_2-Symmetrie als Enantiomerenpaar auftreten sollte. Durch ^{13}C-*NMR-Spektroskopie (19 Signale gleicher Intensität) konnte das D_2-Isomer von C_{76} mit einer spiraligen Anordnung der Fünf- u. Sechsringe als das erste Beisp. einer chiralen Modif. eines chem. Elementes nachgewiesen werden [1] (die Abb. zeigt eines der beiden Enantiomeren).

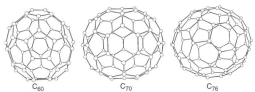

Abb.: Die Abb. zeigt C_{60} entlang einer der sechs fünfzähligen Drehachsen, die gleichzeitig S_{10}-Achsen sind. Die fünfzählige Achse von C_{70} liegt waagerecht in der Papierebene, die fünf zusätzlichen C_2-Einheiten (verglichen mit C_{60}) spannen fünf zusätzliche Sechsringe auf u. liegen bezüglich der fünfzähligen Achse in der Mittellot-Ebene des Moleküls. Das C_{76}-Mol. zeigt weder Spiegelebenen noch ein Symmetriezentrum, die Abb. läßt den spiraligen Verlauf der Bänder von Fünf- u. Sechsringen erkennen.

C_{78} ist ein Gemisch zweier Isomeren, von denen eines D_3-, das andere C_{2v}-Symmetrie aufweist. Auch für die F. C_{82}, C_{84}, C_{90}, C_{94}, C_{96} u. höhere sind Isomerengemische zu erwarten. z. T. bereits gefunden worden. Elektronenmikroskop. Aufnahmen bestätigen die Vermutung, daß auch ineinandergeschachtelte F.-Käfige existieren [2].

Eigenschaften: C_{60} kristallisiert in einem kub. flächenzentrierten Gitter, in welchem die Mol. bei 20 °C aufgrund ihrer sphär. Gestalt frei rotieren. Die hohle Molekülgestalt bedingt die mit 1,68 g/cm^3 relativ geringe Dichte (vgl. 2,1–2,3 g/cm^3 für *Graphit u. 3,51 g/cm^3 für *Diamant). Das dunkelbraune Pulver läßt sich bei 400 °C sublimieren u. löst sich mit weinroter Farbe in organ. Lsm.; die Lsg. zeigt ein ^{13}C-NMR-Signal (s. NMR-Spektroskopie) bei 143,2 ppm. C_{60} u. C_{70} lassen sich elektrochem. in Toluol/Acetonitril bis zum Hexaanion, durch Umsetzung mit Rubidium in flüssigem Ammoniak zum Pentaanion reduzieren. Umsetzung von C_{60} mit Alkalimetallen in zugeschmolzenen Ampullen ergibt definierte Alkalimetall-*Fulleride* M_nC_{60} (M = Li, Na, K, Rb, Cs; n = 2, 3, 4, 6). Die Fulleride M_3C_{60} sind bei tiefen Temp. Supraleiter, die Sprungtemp. beträgt für K_3C_{60} 19,3 K [3] u. für Rb_3C_{60} 29,8 K [4]. Die C–C-Bindungen an den Nahtstellen je zweier Sechsringe sind reaktiv u. addieren z. B. Lithium-Organyle, bilden mit Brommalonsäurediethylether in Ggw. von Natriumhydrid glatt das Cyclopropan-Derivat, addieren prim. u. sek. aliphat. Amine, eignen sich als Dienophil für die (4+2)-Cycloaddition, addieren Alkyl- u.a. Radikale od. koordinieren an 16 Valenzelektronen-Metallkomplex-Fragmente. Auch Epoxidierung gelingt mit O_2 in Benzol unter Bestrahlung. Beim Erhitzen mit Edelgasen unter hohem Druck können Edelgas-Atome einzeln im Inneren des Käfigs eingeschlossen werden. Mit Helium wird so ca. 1% He@C_{60} neben unverändertem C_{60} gebildet (das Zeichen @ bezeichnet die endohedrale Anordnung des He-Atoms). Endohedrale Metall-Atome im F.-Käfig erhält man durch F.-Synth. in Ggw. geeigneter Metall-Verbindungen. So konnte La@C_{82} nicht nur massenspektrometr. nachgewiesen, sondern auch isoliert, durch Hochdruck-Flüssigkeitschromatographie gereinigt u. elektrochem. untersucht werden [5].

Entdeckung: Nachdem bereits 1984 gezeigt worden war, daß Graphit-Dampf im Vak. ausschließlich Kohlenstoff-Cluster C_{2n} mit gerader Atomzahl (n = 15–85) ergibt, konnten *Kroto* u. *Smalley* 1985 durch *Massenspektrometrie zeigen, daß die Verdampfung von Graphit mit *Laser-Pulsen in einer Helium-Unterdruckatmosphäre als dominierendes Produkt C_{60} neben signifikanten Mengen an C_{70} ergibt [6]. Die Entdecker, die 1996 mit dem Nobelpreis für Chemie ausgezeichnet wurden, leiteten daraus auf Anhieb die korrekte Struktur ab u. prägten den Namen *Buckminsterfulleren* nach dem Architekten Buckminster Fuller, dessen geodät. Domen aus regelmäßigen Fünf- u. Sechsecken das C_{60}-Mol. unverkennbar ähnelt. Ein zweiter Durchbruch von noch größerer Tragweite war die Laborsynth. von F. durch *Krätschmer* u. *Huffman* 1990 [7] durch Graphit-Verdampfung in Helium-Unterdruckatmosphäre. Der gebildete Krätschmer-Huffmann(KH)-Fullerenruß zeigte die vorhergesagten IR-Signale von C_{60} als scharfe, aus den breiten Untergrundabsorptionen herausragende Banden. Buckminsterfulleren, C_{60}, sowie geringe Mengen an C_{70} konnten mit Benzol aus diesem Ruß extrahiert u. durch Verdampfung des Lsm. isoliert werden. Varianten dieses Prozesses der Rußbildung mit anschließender Extraktion u. chromatograph. Reinigung bilden seitdem die Grundlage der Herst. von Fullerenen. – *E* fullerenes – *F* fullerènes – *I* fullereni – *S* fulerenos

Lit.: [1] Nature (London) **353**, 149 (1991). [2] J. Phys. Chem. **91**, 3466f. (1987). [3] Nature (London) **351**, 632ff. (1991). [4] J. Am. Chem. Soc. **113**, 8537f. (1991). [5] J. Am. Chem. Soc. **113**, 11006 (1993). [6] Nature (London) **318**, 162f. (1985). [7] Nature (London) **347**, 354–358 (1990).
allg.: Acc. Chem. Res. **29**, 77–84 (1996) ▪ Angew. Chem. **104**, 113–133 (1992) ▪ Chem. Unserer Zeit **28**, 79–87 (1994) ▪ Hammond u. Kuck (Hrsg.), Fullerenes: Synthesis, Properties, and Chemistry of Large Carbon Clusters (ACS Symp. Ser. Nr. 481), Washington D.C.: ACS 1992 ▪ Hirsch, The Chemistry of the Fullerenes, Stuttgart: Thieme 1994 ▪ Fowler u. Monolopoulos, An Atlas of Fullerenes, Oxford: Oxford University Press 1995.

Fuller-Erden. Von engl.: fuller = Walker abgeleitete Bez. für *Bleicherden (Walkerden). – *E* fullers' earth – *F* terre décolorante a foulon – *I* terra decolorante – *S* tierra de blanqueo, tierra de batán
Lit.: Kirk-Othmer (3.) **6**, 193; **17**, 809; (4.) **6**, 384 ▪ Winnacker-Küchler (4.) **3**, 52. – *[HS 250820; CAS 8031-18-3]*

Fulleride s. Fullerene.

Fulminate (von latein.: fulmen = Blitz). Bez. für die sehr explosiven u. zersetzlichen Salze der *Knallsäure (HCNO) der allg. Formel $M^+ \ ^-C \equiv N \rightarrow O$ mit M = Ag, Na; die Alkalifulminate lagern sich beim Erwärmen in *Cyanate um. Zu den organ. Derivaten RCNO der Knallsäure s. Nitriloxide. Leider wird nach CAS u. IUPAC auch M^+–O–N^+=C$^-$ u. RONC als F. bezeichnet, die eigentlich Isofulminate sind. – *E* = *F* fulminates – *I* fulminati – *S* fulminatos
Lit.: Beilstein E IV **1**, 3416f. ▪ Gmelin, Syst.-Nr. 14, C, Tl. Dl, 1971, S. 297–299 ▪ Golub et al., Chemistry of Pseudohalides, Amsterdam: Elsevier, 1986. – *[HS 283800]*

Fulvalene. Von R. Brown[1] in Erweiterung der Bez. *Fulven geprägter Name für cycl. Kohlenwasserstoffe, die zwei über eine Doppelbindung verknüpfte, max. ungesätt. Cyclopolyen-Syst. enthalten. Durch Angabe von Präfixen kann die Größe des Cyclopolyens angegeben werden (s. Beisp.). Durch Kombination zweier nicht benzoider Hückel-Aromaten lassen sich F. herstellen, die durch ylid. Strukturen beschrieben werden können (z. B. *Calicen* u. *Sesquifulvalen*).

Fulvalen (Pentafulvalen)   Tripentafulvalen (Calicen)   Pentaheptafulvalen (Sesquifulvalen)

Tetrathiafulvalen

Die techn. unbedeutenden F. sind meist unbeständige, sehr reaktive u. infolge der kongugierten Doppelbindungen farbige Verbindungen. Von techn. Interesse dagegen sind die Tetrathiafulvalene, die als Bausteine für organ. Supraleiter (s. Supraleitung) im Gespräch sind[2,3]. – *E* fulvalenes – *F* fulvalènes – *I* fulvaleni – *S* fulvalenos
Lit.: [1] Trans. Faraday Soc. **45**, 296–300 (1949). [2] Spektrum Wissenschaft **38**, (1982). [3] Angew. Chem. **97**, 968 (1985).
allg.: s. Fulvene.

Fulvate, Fulvin-, Fulvosäuren s. Huminsäuren.

Fulvene. Von latein.: fulvus = rotgelb abgeleiteter Name für eine von Thiele (1900) synthet. erschlossene Gruppe von Cyclopentadien-, Cycloheptatrien-Derivaten (etc.) mit *exocyclischer Doppelbindung; hierzu gehören prinzipiell auch die *Fulvalene sowie die *Pentalene, *Azulene u. a. kondensierte Systeme. Der Grundkörper *Fulven*, ein leicht flüchtiges, gelbes Öl [C_6H_6, M_R 78,11, D. 0,8241, Sdp. 8 °C (7,3 kPa)], ist ein Isomeres des Benzols, aus dem es in geringen Mengen durch UV-Bestrahlung neben *Benzvalen entsteht. 6,6-Disubstituierte F. sind durch *Knoevenagel-Kondensation aus Cyclopentadien u. Ketonen zugänglich.

Fulvene (Pentafulven)

Triafulvene (Methylencyclopropen)   Heptafulvene

Durch Kombination zweier nicht benzoider Hückel-Aromaten lassen sich F. herstellen, die durch ylid. Strukturen beschrieben werden können [s. Fulvalene (*Calicen*) u. *Sesquifulvalen*]. – *E* fulvenes – *F* fulvènes – *I* fulveni – *S* fulvenos
Lit.: Houben-Weyl **5/2 c**, 467f. – *[CAS 497-20-1 (Fulven)]*

Fuman®. Mischung nichtionogener u. anion. Tenside zum Entschlichten u. Entfetten von Webstuhlflecken.
B.: Henkel.

Fumarase (Fumarat-Hydratase, EC 4.2.1.2). In den meisten lebenden Zellen vorkommendes *Enzym (eine *Lyase, od. genauer eine *Hydratase od. Hydrolyase), welches innerhalb des *Citronensäure-Cyclus spezif. die Umwandlung von *Fumarsäure in L-*Äpfelsäure katalysiert. F. ist aus 4 ident. Untereinheiten (Mensch: 467 Aminosäure-Reste, M_R 50 000) aufgebaut. F. ist unabhängig von *Cofaktoren, kommt in mehreren Isoenzym-Formen (s. Enzyme) vor u. enthält keine *Disulfid-Brücken. – $E = F$ fumarase – I fumarasi – S fumarasa

Fumarate. Bez. für Salze u. Ester der *Fumarsäure.

Fumarat-Hydratase s. Fumarase.

Fumarolen. Nach Rittmann (s. *Lit.*) Bez. für alle vulkan. Gas- u. Dampfexhalationen, die im Verlauf eines vulkan. Ereignisses aus Spalten u. Löchern ausströmen u. deren Temp. wesentlich höher ist als die der Luft. Man unterscheidet *heiße* u. *kühle* F.; heiße F. mit Temp. zwischen 1000 u. 250 °C treten nur in Kratern u. Spalten von tätigen od. kurz zuvor tätig gewesenen *Vulkanen auf. In der Umgebung ihrer Austrittstellen kommt es zur *Sublimation von Schwefel, von Chloriden der Alkalien (NaCl, KCl) u. des Eisens (FeCl₃), unterhalb von etwa 650 °C von Sulfaten der Alkalien u. des Calciums. FeCl₃ wird durch Wasserdampf oft zu schwarzen Kriställchen von *Hämatit umgesetzt. *Solfataren* sind Schwefelwasserstoff-haltige, kühle F. mit Temp. zwischen 250 u. 100 °C. Sie setzen v. a. elementaren Schwefel ab, wie in der Solfatara von Puzzuoli bei Neapel. Bor-haltige F., als *Soffionen* bezeichnet, setzen Borsäure H₃BO₃ als weiße Schüppchen des Minerals *Sassolin ab. Lokal kommt es dabei zur Bildung von Bor-Lagerstätten, die aber nur noch gelegentlich genutzt werden. Untermeer. F. sind die sog. Schwarzen Raucher (s. Lagerstätten), die 1977 erstmalig in 2600 m Meerestiefe am Boden der Ostpazif. Schwelle beobachtet wurden. – $E = F$ fumaroles – I fumarole – S fumarolas

Lit.: ¹ Spektrum Wiss. **1983**, Nr. 6, 74–87; **1986**, Nr. 3, 78–87. *allg.*: Matthes, Mineralogie (4.), S. 266 f., Berlin: Springer 1993 ▪ Rittmann, Vulkane u. ihre Tätigkeit (3.), S. 82 f., 108 f., Stuttgart: Enke 1981.

Fumarsäure [(*E*)- od. *trans*-Butendisäure].

$C_4H_4O_4$, M_R 116,07. Monokline, prismat., farblose Nadeln od. Blättchen, die bei 200 °C sublimieren, D. 1,625, Schmp. 287 °C (zugeschmolzenes Röhrchen), mäßig lösl. in siedendem Wasser u. Alkohol, kaum lösl. in den meisten organ. Lösemitteln. F. gehört zu den *Fruchtsäuren u. kommt in einer Reihe von Pflanzen vor, z. B. im Erdrauch (*Fumaria officinalis*), im Isländ. Moos sowie in Pilzen u. Flechten. Im *Citronensäure-Cyclus tritt sie bei der Dehydrierung von Bernsteinsäure als Zwischenprodukt auf. F. ist stereoisomer mit *Maleinsäure, aus der sie durch Isomerisierung hergestellt werden kann; die industrielle Herst. geschieht auch durch Fermentation aus Zucker od. Stärke. Die Salze u. Ester werden als Fumarate bezeichnet.

Verw.: F. wird zu mehr als 40% seiner Produktion in Polyestern für den Einsatz in der Papier-Ind. verwendet, 10–20% dienen zur Herst. von DL-Äpfelsäure. F. wird in der Lebensmittel-Ind. als Säuerungsmittel u. Geschmacksstoff verwendet sowie zur Herst. von Arzneimitteln. – E fumaric acid – F acide fumarique – I acido fumarico – S ácido fumárico

Lit.: Beilstein E IV **2**, 2202 ▪ Hager (5.) **8**, 310 ▪ Merck-Index (12.), Nr. 4309 ▪ Ullmann **12**, 189 f.; (4.) **16**, 412 f.; (5.) **A 8**, 534; **A 16**, 59 ▪ Weissermel-Arpe (4.), S. 402 ▪ s. a. Fruchtsäuren. – [*HS 291719; CAS 110-17-8*]

Fumexol®. Entschäumer für die Textilveredlung. *B.*: Pfersee.

Fumigantien (Räucher-, Begasungsmittel). Von latein. fumigare = beräuchern abgeleitete Bez. für feste, flüssige od. gasf. verdampfbare Stoffe zur *Bodendesinfektion u. zum *Vorratsschutz, d. h. zum Ausräuchern von Ungeziefer in Vorratsräumen, Schiffen, Gewächshäusern usw. Geeignete Stoffe sind: Blausäure, Zn-, Ca-, Al-Phosphide, Methylbromid, Ethylenoxid. – $E = F$ fumigants – I fumiganti – S fumigantes

Lit.: Kirk-Othmer (3.) **13**, 465–469; (4.) **14**, 576–580 ▪ Ullmann (4.) **13**, 245 f.; **17**, 235 f.; (5.) **A 14**, 302 f.; **A 17**, 128 ff.

Fumigatin (3-Hydroxy-2-methoxy-5-methyl-1,4-benzochinon).

$C_8H_8O_4$, M_R 168,15, kastanienbraune Nadeln od. Platten, Schmp. 114–116 °C (subl.), lösl. in Chloroform, Ether, Alkohol, prakt. unlösl. in Wasser. Tox., antibiot. wirksamer Metabolit aus Kulturen des Schimmelpilzes *Aspergillus fumigatus*. – E fumigatin – F fumigatine – $I = S$ fumigatina

Lit.: Beilstein E III **8**, 3374 ▪ Chem. Pharm. Bull. **36**, 178–189 (1988) ▪ Cole u. Cox, Hdb. of Toxic Fungal Metabolites, S. 773, New York: Academic Press 1981 ▪ Thomson, Naturally Occurring Quinones III, S. 14 f., London: Chapman & Hall 1987 ▪ Turner **1**, 92 ff., 97; **2**, 59, 65. – [*CAS 484-89-9*]

Fumitremorgene (Fumitremorgene A–N, Fumitremorgine, Tryptoquivaline).

Fumitremorgen A

Fumitremorgen B (Lanosulin)

Fumitremorgen C (SM-Q)

Gruppe neurotox. *Indol-Alkaloide aus *Aspergillus*- u. *Penicillium*-Arten, u. a. *A. fumigatus*, *A. clavatus* u. *P. lanosum*. F. zählen zu den *Mykotoxinen, die tremorgene Effekte (Zittern auslösen) auf Tiere haben (Name). Andere Verb. mit dieser Eigenschaft sind z. B. die *Penitreme, *Paspalitreme u. *Janthitreme. Alle hier beschriebenen F. leiten sich biosynthet. von Tryptophan ab.

Tab.: Daten von Fumitremorgenen.

Toxin	Summenformel	M_R	Schmp. [°C]	$[\alpha]_d$	CAS
F. A	$C_{32}H_{41}N_3O_7$	579,69	206–209	+61° (Aceton)	12626-18-5
F. B	$C_{27}H_{33}N_3O_5$	479,58	211–212	+24° (CHCl$_3$)	12626-17-4
F. C	$C_{22}H_{25}N_3O_3$	379,46	125–130		118974-02-0

F. A u. B rufen in Dosen von 1 mg/Tier (i.p.) bei Mäusen Tremor hervor, 5 mg/Tier führen in 70% zum Tode. Weidetiere sind von diesen Toxinen betroffen. *Penicillium piscarium*, von Gras isoliert, produziert F. B, *Aspergillus fumigatus* aus verschimmelten Mais-Silagen Verruculogen, F. A u. F. B. Chem. verwandte Stoffe ohne tremorgene Effekte sind z. B. *Cyclopiazonsäure u. *Tenuazonsäure. – *E* fumitremorgins – *F* fumitremorgènes, fumitremorgines – *I* fumitremorgeni – *S* fumitremorgenos, fumitremorginas

Lit.: Chem. Pharm. Bull. **37**, 23–32 (1989) ▪ Cole u. Cox, Hdb. of Toxic Fungal Metabolites, S. 355–509, New York: Academic Press 1981 ▪ Steyn u. Vleggar, Mycotoxins and Phycotoxins, S. 399–408, 501–512, Amsterdam: Elsevier 1986 ▪ Tetrahedron **44**, 359–377, 1991–2000 (1988); **45**, 1941–1944 (1989) ▪ Tetrahedron Lett. **1975**, 27; **1976**, 2861; **27**, 2391, 6217, 6361 (1986); **28**, 1131 (1987); **29**, 1323 (1988) ▪ Turner **2**, 410–413, 535ff. ▪ Zechmeister **48**, 54–60. – *[CAS 11100-25-7]*

Fundamentalkonstanten. Satz von physikal. Naturkonstanten, die in mathemat. Formeln zur quant. Beschreibung dienen. Sie sind z. T. untereinander verknüpft. Da in den letzten Jahren erhebliche Verbesserungen in der Meßgenauigkeit einiger Konstanten erreicht wurden, legte 1986 die CODATA Task Group on Fundamental Constants einen verbesserten Satz von F. vor. Unter anderem sind hierin die in der Tab. auf S. 1437 aufgeführten F. enthalten.
Die Zahlen in Klammern geben die einfache Standardabweichung in Einheiten der letzten beiden Stellen an. – *E* fundamental physical constants – *F* constantes physiques fondamentales – *I* costante fondamentale – *S* constantes físicas fundamentales

Lit.: IUPAC, Größen, Einheiten u. Symbole in der Physikalischen Chemie, Weinheim: VCH Verlagsges. 1996 ▪ J. Phys. Chem. Ref. Data **17**, 1795 (1988) ▪ Phys. Bl. **43**, 397 (1987).

Fungata®. Eine Oral-Kapsel mit dem *Antimykotikum *Fluconazol zur Therapie von Vaginalcandidosen. *B.:* Mack, Illertingen.

Fungicidin s. Nystatin.

Fungi imperfecti (Deuteromycota). Bez. für eine große Gruppe von *Pilzen, die die Fähigkeit zur sexuellen Fortpflanzung verloren haben. Da die Pilz-*Taxonomie bislang vorwiegend aufgrund der Beschaffenheit der Fortpflanzungsorgane erfolgt, ist bei den F. i., zu denen etwa 30% der bekannten Pilze gehören, keine exakte taxonom. Zuordnung in die bestehenden Klassen der Pilze mit einem „perfekten" Entwicklungscyclus möglich. Man hat sie daher als F. i. in einer zusätzlichen *Form-Klasse* zusammengefaßt.

F. i. vermehren sich durch asexuelle Sporen od. durch Fragmentierung des Mycels (s. a. Fadenpilze). Die Klassifizierung erfolgt nach Nebenfruchtformen u. a. Merkmalen. Zu den F. i. gehören eine Reihe biotechnolog. relevanter Pilze, wie *Penicillium*, *Aspergillus* od. *Cephalosporium*. – *E* = *F* = *S* fungi imperfecti – *I* funghi imperfetti

Lit.: Weber, Allgemeine Mykologie, Jena: Fischer 1993.

Fungistatika s. Fungizide.

Fungitex®. Phenol-Verb.-freie Antimikrobika zur Schimmel- u. Verrottungsschutzausrüstung von Textilien. *B.:* Ciba-Geigy.

Fungizide (von latein.: fungus = Pilz u. *...zid). Bez. für solche *Mikrobizide, die *Pilze u. deren *Sporen abtöten od. ihr Wachstum hemmen. Im letzteren Fall ist auch die Bez. *Fungistatika* (von *...statikum) gebräuchlich, doch läßt sich keine strenge Unterscheidung zwischen F. u. Fungistatika treffen: eine Reihe von Präp. wirken unter bestimmten Bedingungen als F., unter anderen dagegen als Fungistatika. Während die gegen Hautpilze u. -flechten gerichteten *medizin. Präp.* meist als *Antimykotika bezeichnet werden, versteht man unter F. hauptsächlich Verb., die im *Pflanzenschutz angewendet werden, sowie auch Chemikalien, die das Wachstum von Schadpilzen auf Lebensmitteln, Textilien, Wänden, Papier, Holz, Leim, Farben, Schmiermitteln u. selbst Treibstoffen etc. verhindern sollen. Hier ist insbes. an die *Schimmelpilze zu denken, die durch Ausscheidung ihrer *Mykotoxine (z. B. *Aflatoxin) *Lebensmittelvergiftungen hervorrufen können.
Bei den als *Pflanzenschutzmittel eingesetzten F. unterscheidet man je nach Befalls- u. Anwendungsort zwischen *Blatt-F., Boden-F.* u. *Beizmitteln* (Saatgutbehandlungsmitteln), wobei es sich jedoch durchaus um ein u. denselben fungiziden Wirkstoff handeln kann. Die Blatt-F. werden als Spritz- od. Stäubemittel auf die oberird. grünen Teile der Pflanze verteilt, die Boden-F. flüssig, als Pulver od. Granulat in den Boden eingebracht. Beizmittel haben die Aufgabe, die in od. auf den Samen, Knollen od. Zwiebeln lebenden Erreger abzutöten u. die junge Pflanze vor Auflaufkrankheiten zu schützen. Das Beizgut wird dabei mit fungiziden Zubereitungen getaucht od. benetzt (Naß-Beizmittel), mit Pulvern (Trockenbeizmittel) od. wäss. Suspensionen (Slurry-Beizmittel) in Mischern überzogen od. mit echten Lsg. fungizider Wirkstoffe besprüht (Feucht-Beizmittel). Wie die anderen Pflanzenschutzmittel gelangen auch die F. in der Regel in aufbereiteter Form in den Handel, d. h. sie enthalten Zusätze, die eine auf die jeweilige Anw. ausgerichtete optimale Verteilung u. Entfaltung des Wirkstoffs ermöglichen sollen (*Formulierung). Bei der *Wirkung* von F. unterscheidet man zwischen *systemischen* u. *nicht-system.*, sowie zwischen *protektiven, kurativen* u. *eradikativen* Verbindungen. Protektive F. verhindern, eine Infektion, kurative F. können während der Inkubationszeit eine Weiterinfektion verhindern u. eradikative F. führen auch nach dem Sichtbarwerden von Symptomen noch zu einem Heilungserfolg.
Die *Wirkstoffe* lassen sich in anorgan., Metall-organ. u. organ. Verb. unterteilen. Zu den *anorgan. F.* gehören

Tab.: Daten zu ausgewählten Fundamentalkonstanten.

Größe	Formelzeichen	Zahlenwert	Einheit (dezimale Vielfache)	relative Unsicherheit
Lichtgeschwindigkeit im Vakuum	c_0	299 792 458	ms^{-1}	Null
magnetische Feldkonstante	μ_0	$4\pi \times 10^{-7}$ = 12,566370614...	NA^{-2} $10^{-7} NA^{-2}$	Null
elektrische Feldkonstante, $1/\mu_0 c_0^2$	ε_0	8,854187817...	$10^{-12} F\, m^{-1}$	Null
Gravitationskonstante	G	6,67259(85)	$10^{-11}\, m^3\, kg^{-1}\, s^{-2}$	$1{,}28 \times 10^{-4}$
Plancksches Wirkungsquantum, Planck-Konstante	h	6,6260755(40)	10^{-34} J s	$6{,}0 \times 10^{-7}$
$h/2\pi$	$\hbar$	1,05457266(63)	10^{-34} J s	$6{,}0 \times 10^{-7}$
Elementarladung	e	1,60217733(49)	10^{-19} C	$3{,}0 \times 10^{-7}$
Flußquant, $h/2e$	Φ_0	2,06783461(61)	10^{-15} Wb	$3{,}0 \times 10^{-7}$
Josephson-Frequenz-Spannungs-Quotient	$2e/h$	4,8359767(14)	10^{14} Hz V^{-1}	$3{,}0 \times 10^{-7}$
quantisierter Hall-Leitwert	e^2/h	3,87404614(17)	10^{-5} S	$4{,}5 \times 10^{-8}$
quantisierter Hall-Widerstand, $h/e^2 = \frac{1}{2}\mu_0 c_0/\alpha$	R_H	25 812,8056(12)	Ω	$4{,}5 \times 10^{-8}$
Bohr-Magneton, $e\hbar/2m_e$	μ_B	9,2740154(31)	$10^{-24}\, J\, T^{-1}$	$3{,}4 \times 10^{-7}$
Kernmagneton, $e\hbar/2m_p$	μ_N	5,0507866(17)	$10^{-27}\, J\, T^{-1}$	$3{,}4 \times 10^{-7}$
Sommerfeld-Feinstrukturkonstante, $\frac{1}{2}\mu_0 c_0 e^2/h$	α	7,29735308(33)	10^{-3}	$4{,}5 \times 10^{-8}$
	α^{-1}	137,0359895(61)		$4{,}5 \times 10^{-8}$
Rydberg-Konstante, $\frac{1}{2}m_e c_0 \alpha^2/h$	R_∞	10 973 731,534(13)	m^{-1}	$1{,}2 \times 10^{-9}$
Bohr-Radius, $\alpha/4\pi R_\infty$	a_0	0,529177249(24)	10^{-10} m	$4{,}5 \times 10^{-8}$
Ruhemasse des Elektrons	m_e	9,1093897(54)	10^{-31} kg	$5{,}9 \times 10^{-7}$
		5,48579903(13)	$10^{-4}\, u$	$2{,}3 \times 10^{-8}$
		0,51099906(15)	MeV	$3{,}0 \times 10^{-7}$
Verhältnis Ruhemasse des Elektrons zu der des Protons	m_e/m_p	5,44617013(11)	10^{-4}	$2{,}0 \times 10^{-8}$
Compton-Wellenlänge des Elektrons, $h/m_e c_0$	λ_C	2,42631058(22)	10^{-12} m	$8{,}9 \times 10^{-8}$
(klassischer) Radius des Elektrons, $\alpha^2 a_0$	r_e	2,81794092(38)	10^{-15} m	$1{,}3 \times 10^{-7}$
magnetisches Moment des Elektrons	μ_e	928,47701(31)	$10^{-26}\, J\, T^{-1}$	$3{,}4 \times 10^{-7}$
g-Faktor des Elektrons	g_e	2,002319304386(20)		1×10^{-11}
Ruhemasse des Protons	m_p	1,6726231(10)	10^{-27} kg	$5{,}9 \times 10^{-7}$
		1,007276470(12)	u	$1{,}2 \times 10^{-8}$
		938,27231(28)	MeV	$3{,}0 \times 10^{-7}$
Verhältnis Ruhemasse des Protons zu der des Elektrons	m_p/m_e	1 836,152701(37)		$2{,}0 \times 10^{-8}$
Compton-Wellenlänge des Protons, $h/m_p c_0$	$\lambda_{C,p}$	1,32141002(12)	10^{-15} m	$8{,}9 \times 10^{-8}$
magnetisches Moment des Protons	μ_p	1,41060761(47)	$10^{-26}\, J\, T^{-1}$	$3{,}4 \times 10^{-7}$
gyromagnetisches Verhältnis des Protons	π_p	26 752,2128(81)	$10^4\, s^{-1}\, T^{-1}$	$3{,}0 \times 10^{-7}$
Ruhemasse des Neutrons	m_n	1,6749286(10)	10^{-27} kg	$5{,}9 \times 10^{-7}$
		1,008664904(14)	u	$1{,}4 \times 10^{-8}$
		939,56563(28)	MeV	$3{,}0 \times 10^{-7}$
Verhältnis Ruhemasse des Neutrons zu der des Elektrons	m_n/m_e	1 838,683662(40)		$2{,}2 \times 10^{-8}$
Verhältnis Ruhemasse des Neutrons zu der des Protons	m_n/m_p	1,001378404(9)		9×10^{-9}
Compton-Wellenlänge des Neutrons, $h/m_n c_0$	$\lambda_{C,n}$	1,31959110(12)	10^{-15} m	$8{,}9 \times 10^{-8}$
magnetisches Moment des Neutrons	μ_n	0,96623707(40)	$10^{-26}\, J\, T^{-1}$	$4{,}1 \times 10^{-7}$
Avogadro-Konstante	N_A, L	6,0221367(36)	$10^{23}\, mol^{-1}$	$5{,}9 \times 10^{-7}$
Atommassenkonstante, $m_u = \frac{1}{12}m(^{12}C)$	m_u	1,6605402(10)	10^{-27} kg	$5{,}9 \times 10^{-7}$
		931,49432(28)	MeV	$3{,}0 \times 10^{-7}$
Faraday-Konstante	F	96 485,309(29)	$C\, mol^{-1}$	$3{,}0 \times 10^{-7}$
universelle Gaskonstante	R, R_0	8,314510(70)	$J\, mol^{-1}\, K^{-1}$	$8{,}4 \times 10^{-6}$
Boltzmann-Konstante, R/N_A	k	1,380658(12)	$10^{-23}\, J\, K^{-1}$	$8{,}5 \times 10^{-6}$
Stefan-Boltzmann-Konstante, $(\pi^2/60)\, k^4/\hbar^3 c_0^2$	σ	5,67051(19)	$10^{-8}\, W\, m^{-2}\, K^{-4}$	34×10^{-6}
Elektronvolt, (e/C) J	eV	1,60217733(49)	10^{-19} J	$3{,}0 \times 10^{-7}$
atomare Masseneinheit, $1\,u = m_u = \frac{1}{12}m(^{12}C)$	u	1,6605402(10)	10^{-27} kg	$5{,}9 \times 10^{-7}$

die im allg. in Einzelstichwörtern behandelten Kupferkalkbrühe (Bordeauxbrühe), Kupfersodabrühe (Burgunderbrühe), Kupferoxichlorid, Calciumpolysulfide (Schwefelkalkbrühe, Kaliforn. Brühe), fein gemahlener u. Kolloidschwefel (Netzschwefel). Bei den *Metall-organ. F.* sind die Kupfer-. u. Zinn-organ. Verb. sowie die *Dithiocarbamate von Zink, Mangan, Kupfer u. Eisen zu nennen; Quecksilber-Verb. dürfen in der BRD als Pflanzenschutzmittel nicht mehr angewendet werden. Die meisten F. sind jedoch den *organ.* Verb. zuzurechnen u. gehören verschiedenen Substanzklassen mit unterschiedlichen Wirkungsschwerpunkten an: Aldehyde, Ketone u. Chinone, Amine, Amidine, Guanidine, Hydrazo- u. Azo-Verb., aromat. Carbon-

säurenitrile, -ester, -amide u. -imide, Benzimidazole, Chinoxaline, Imidazole u. Triazole, Pyrimidine, Triazine, halogenierte u. nitrierte Alkohole u. Phenole, Perhalogenalkylmercaptan-Derivate, Phosphor- u. Phosphonsäureester, Tetrahydro-1,3,5-thiadiazin-thione, Thio- u. Isothiocyanate, Antibiotika u. pflanzliche Wirkstoffe. – $E = F$ fungicides – I fungicidi – S fungicidas
Lit.: Farm ▪ Perkow ▪ Ullmann (4.) **12**, 1–14; **25**, 147 ▪ Wegler, Chemie der Pflanzenschutz- und Schädlingsbekämpfungsmittel, Bd. 2 (1970), Bd. 3 (1976), Bd. 4 (1977), Bd. 6 (1981), Berlin: Springer.

Fungizid-ratiopharm®. Vaginaltabl., Creme u. Pumpspray mit *Clotrimazol gegen Dermatomykosen. *B.:* Ratiopharm.

Funk, Casimir (1884–1967), Prof. für Biochemie, New York. *Arbeitsgebiete:* Ernährung, Vitamine, Hormone, Krebs, Mikroanalyse; er wies nach, daß die Erkrankung *Beri-Beri durch einseitige Ernährung mit geschältem Reis auf einen Mangel an Vitamin B_1 zurückzuführen ist.
Lit.: Krafft, S. 355 ▪ Neufeldt, S. 126 ▪ Pötsch, S. 160 ▪ Poggendorff **7 b/3**, 1522f.

Funke, Klaus (geb. 1944), Prof. für Physikal. Chemie, Univ. Münster. *Arbeitsgebiete:* Transport u. Relaxation in krist., glasförmigen, geschmolzenen u. polymeren Ionenleitern; elektron. Transporteigenschaften; Elektrochemie u. Spektroskopie.
Lit.: Kürschner (16.), S. 943 ▪ Wer ist wer, S. 374.

Funkenerosion. Wichtigstes Verf. der elektroerosiv abtragenden Fertigung, s. Elektroerosion. Das als Anode geschaltete Werkstück befindet sich in einem Behälter mit flüssigem *Dielektrikum (z.B. Petroleum) ohne Kontakt mit der von oben hereinragenden Werkzeug-Kathode. Beim erosiven Bohren ist die Kathode zylinderförmig ausgebildet, beim erosiven Schleifen als rotierende Scheibe. Der Abtrag erfolgt durch Funkenüberschlag zwischen den Elektroden. Das Werkstück wird dabei mikroskop. kraterförmig abgetragen. Die entsprechenden Anlagen sind aufgrund des Werkstückabtrags u. des Werkzeugabbrands mit automat. Vorschub eingerichtet. Das Werkzeug ist ein Negativ des fertigen Werkstücks. Vorteile des Verf. sind neben der Möglichkeit der Bearbeitung harter Werkstoffe der automat. Arbeitsablauf u. das Fehlen einer mechan. Beanspruchung. Anw. zur Herst. von Bohrungen, Gewinden, Durchbrüchen u. Gravuren für Preßformen u. Gesenke. – E spark machining – F usinage par étincelage – I erosione per scintillio – S mecanizado electroerosivo o por descarga eléctrica
Lit.: DIN 8580 (06/1974).

Funkenspektren s. Emissionsspektroskopie.

Funktionelle Farbstoffe. Als f. F. bezeichnet man *Farbstoffe, deren spezif. Anw. nicht auf ihren ästhet. Farbeigenschaften beruhen, sondern eine spezif., wohl definierte Funktion erfüllen. Eingesetzt werden f. F. in der Elektronik, der Photoreprographie, der Laserspektroskopie, in der analyt. Chemie u. Biochemie, sowie in der medizin. Diagnostik u. Therapie. So werden z. B. bei der opt. Datenspeicherung (opt. Diskette) Materialien eingesetzt, die einen Farbstoff enthalten, der das Laserlicht absorbiert u. die Strahlungsenergie in therm. Energie umwandelt. Diese Energie führt zum Schmelzen od. Ablösen einer Polymerschicht u. führt zu einem sehr kleinen „Loch", das von einem zweiten energieärmeren Laser abgelesen werden kann. Der Wärmeeffekt bei der Laserbestrahlung eines im IR absorbierenden f. F. wird z.B. auch bei der Laser-unterstützten Bypass-Chirurgie einer Arterientransplantation ausgenutzt. – E speciality dye – F colorants fonctionnels – I coloranti funzionali – S colorantes funcionales
Lit.: Chem. Unserer Zeit **1**, 21–31 (1993).

Funktionelle Gruppen. Organ. Kohlenwasserstoffe sind in der Regel reaktionsträge u. oft nur an den Stellen, die *polare* Atom-Bindungen besitzen, angreifbar. Solche Stellen bezeichnet man daher als f. G., da sie die Reaktivität einer Stoffklasse bestimmen. Sie dienen auch, neben der Einteilung der Verb. in Kohlenstoff-Gerüste, als Kriterium, um die organ. Chemie zu systematisieren[1,2]. Die wichtigsten f. G. mit ihren zugehörigen Stoffklassen sind in der Tab. aufgeführt:

Tab.: Ausgewählte funktionelle Gruppen.

Funktionelle Gruppe		Stoffklassen
$-\overset{\|}{\underset{\|}{C}}-H$	–	Alkane (Paraffine)
$\overset{\diagdown}{\diagup}C=C\overset{\diagup}{\diagdown}$	C,C-Doppelbindung	Alkene (Olefine)
$-C\equiv C-$	C,C-Dreifachbindung	Alkine
$-\overset{\|}{\underset{\|}{C}}-X$ X = F, Cl, Br, I	Halogen-Gruppe	Fluor-, Chlor-, Brom-, Iodkohlenwasserstoffe
$-\overset{\|}{\underset{\|}{C}}-OH$	Hydroxy-Gruppe	Alkohole, Phenole
$-\overset{\|}{\underset{\|}{C}}-OR$	Alkoxy-Gruppe	Ether
$-\overset{\|}{\underset{\|}{C}}-SH$	Thiol-Gruppe	Thiole (Mercaptane)
$-\overset{\|}{\underset{\|}{C}}-NH_2$	Amino-Gruppe	Amine
$\overset{\diagdown}{\diagup}C=O$	Carbonyl-Gruppe	Aldehyde, Ketone
$\overset{\diagdown}{\diagup}C=S$	Thiocarbonyl-Gruppe	Thioaldehyde, Thioketone
$\overset{\diagdown}{\diagup}C=NH$	Imino-Gruppe	Imine (Azomethine, Schiff'sche Basen)
$-\overset{O}{\underset{\|}{\overset{\|}{C}}}-OH$	Carboxyl-Gruppe	Carbonsäuren
$-\overset{O}{\underset{\|}{\overset{\|}{C}}}-OR$	Alkoxycarbonyl-Gruppe	Ester
$-\overset{O}{\underset{\|}{\overset{\|}{C}}}-NH_2$	Carboxamid-Gruppe	Amide
$-C\equiv N$	Nitril-Gruppe	Nitrile (Cyanide)

– E functional groups – F groupe(ment)s fonctionels
– I gruppi funzionali – S grupos funcionales

Lit.: [1] *Beilstein's Handbuch der Organischen Chemie. [2] *Houben-Weyl, Methoden der Organischen Chemie. *allg.:* Katritzky et al., **1–10** ▪ Larock, Comprehensive Organic Transformations, New York: VCH Publishers 1989 ▪ Patai, The Chemistry of Functional Groups, New York: Wiley (seit 1964).

Funktionskunststoffe. Im Gegensatz zu den *Standard-, *Techno- u. *Hochleistungs-Kunststoffen dienen die F. nur einem einzigen Anwendungszweck. Poly(ethylen-*co*-vinylalkohol) mit hohem Anteil an Vinylalkohol-Bausteinen ist ein Beisp., das alleine als Barrierefolie für Gase u. Aromastoffe in der Verpackungs-Ind. eingesetzt wird. Andere F. dienen z. B. als *Resists, in der Optoelektronik od. als piezoelektr. Materialien. – *E* functional plastics – *F* matières synthétiques monoemploi – *I* plastiche funzionali – *S* plástico funcional
Lit.: Elias (5.) **2**, 433.

Furacin® Sol. Salbe mit *Nitrofural gegen Wundinfektionen u. Verbrennungen. *B.:* Procter & Gamble Pharmaceuticals.

Furadantin®. Tabl., Saft, Kapseln u. Tropfen mit *Nitrofurantoin gegen Harnweginfekte. *B.:* Procter & Gamble Pharmaceuticals.

Furalaxyl.

Common name für Methyl-*N*-(2-furoyl)-*N*-(2,6-xylyl)-DL-alaninat, $C_{17}H_{19}NO_4$, M_R 301,34, Schmp. 70–84 °C, LD_{50} (Ratte oral) 940 mg/kg (WHO), von Ciba-Geigy entwickeltes system. *Fungizid mit protektiver u. kurativer Wirkung gegen Oomyceten wie Falscher Mehltau im Zierpflanzen- u. Gemüseanbau. – *E* = *F* furalaxyl – *I* = *S* furalaxil
Lit.: Farm ▪ Perkow ▪ Pesticide Manual. – [CAS 57646-30-7]

Furan (von latein.: furfur = Kleie).

C_4H_4O, M_R 68,08. Chloroform-artig riechende, farblose, leicht entflammbare, wasserklare Flüssigkeit, D. 0,944, Schmp. –86 °C, Sdp. 31 °C, unlösl. in Wasser, leicht lösl. in organ. Lsm., wird durch Säuren zersetzt, durch Alkalien kaum angegriffen. Das Einatmen der Dämpfe kann zu Narkose führen. Hohe Konz. reizen die Augen, die Atemwege u. die Lunge bis hin zu Kehlkopf- u. Lungenödem. Kontakt mit der Flüssigkeit führt zu starker Reizung der Augen, weniger der Haut. Die Flüssigkeit wird auch über die Haut aufgenommen. Der aromat. Charakter des F. ist kaum ausgeprägt: es reagiert leicht als Dien u. läßt sich zu dem techn. wichtigen Lsm. *Tetrahydrofuran hydrieren. Der qual. Nachw. kann mit Hilfe der *Fichtenspan-Reaktion* erfolgen, bei der ein mit Salzsäure befeuchteter Fichtenspan durch F. intensiv grün gefärbt wird. Die techn. Herst. erfolgt aus *Furfural durch Abspaltung von Kohlenmonoxid bzw. durch Decarboxylierung von *2-Furancarbonsäure. Im allg. kommt F. mit Hydrochinon stabilisiert in den Handel. F. bildet das Grundgerüst in vielen Sauerstoff-haltigen heterocycl. Verb.; *Beisp.:* *Furocumarine, *Griseofulvin, *Usninsäure u. a.

Viele F.-Derivate kommen in *Aromen (s. Fleischaroma) u. *Riechstoffen vor od. wirken als Pheromone, andere sind Bestandteile von Arzneimitteln (z. B. *Nitrofurane). Furane sind nützliche Synthesebausteine in der organ. Chemie. Techn. Bedeutung besitzen die *Furan-Harze. – *E* furan – *F* furane – *I* = *S* furano
Lit.: Beilstein E V **17/1**, 291 ▪ Chem. Ber. **125**, 2803 (1992) ▪ Hommel, Nr. 703 ▪ Merck-Index (12.), Nr. 4316 ▪ Paquette **4**, 2600 ▪ Ullmann **7**, 715ff.; (4.) **12**, 15–22; (5.) **A 12**, 119. – [HS 2932 19; CAS 110-00-9; G 3]

2-Furancarbonsäure (Brenzschleimsäure).

$C_5H_4O_3$, M_R 112,08. Farblose Krist., Schmp. 133–134 °C, Sdp. 232 °C, in siedendem Wasser u. organ. Lsm. gut löslich. F. kommt in geringen Mengen im Organismus vor.
Herst.: Aus *Furfural durch *Cannizzaro-Reaktion od. durch *Brenzen aus Schleimsäure. – *E* 2-furancarboxylic acid, 2-furoic acid – *F* acide 2-furancarboxylique, acide 2-furoïque – *I* acido-2-furancarbossilico – *S* ácido 2-furancarboxílico, ácido 2-furoico
Lit.: Beilstein E V **18/6**, 102 ▪ Merck-Index (12.), Nr. 4329. – [HS 2932 19; CAS 88-14-2]

Furandion s. Tetronsäure.

Furan-Harze. Sammelbez. für *Polymere, die Furan-Ringe in der Hauptkette enthalten u. aus *Furfurylalkohol mit *Furfural, Formaldehyd, Ketonen u./od. Phenol als Comonomere hergestellt werden. Handelsübliche F.-H. werden durch säurekatalysierte Polykondensation von Furfurylalkohol mit sich selbst od. mit den genannten Comonomeren hergestellt.

Sie sind braune bis schwarze viskose Flüssigkeiten, die lösl. sind in Alkoholen, Ketonen, Estern u. Aromaten. Unter dem Einfluß von stark sauren Katalysatoren sind sie zu Produkten mit hohem Eigenschaftsniveau vernetzbar.
Verw.: Als Bindemittel für Formsande im Gießereiwesen; verstärkt mit Glasfasern als Konstruktionsmaterialien mit hoher Korrosions-, Hitze- u. Flammbeständigkeit für Behälter, Rohrleitungen u. Reaktoren; als chemikalienbeständige Kitte u. bei niedriger Temp. härtende Klebstoffe. – *E* furan resins – *F* résines furaniques – *I* resine furaniche – *S* resinas furánicas
Lit.: Elias (5.) **2**, 186 ▪ Encycl. Polym. Sci. Eng. **7**, 454–473 ▪ s. a. Furan.

Furano... Bez. für einen 2,3- od. 3,4-Furandiyl-Rest, der ein kondensiertes Ringsyst. überbrückt (IUPAC-Regel R-9.2.1.5); *Beisp.:* 9,10-Dihydro-9,10-[3,4]furanoanthracen; s. dagegen Furo... – *E* = *F* = *I* = *S* furano...

Furanosen. Bez. für solche Zucker (*Monosaccharide), die in der Ringform des Furans vorliegen, vgl. die Abb. der *furanosiden* Form bei Fructose, s. a. Aldosen u. Kohlenhydrate. – *E* furanoses – *F* furanosones – *I* furanosi – *S* furanosas

Furanoside s. Furanosen.

Furathiocarb.

Common name für Butyl-(2,3-dihydro-2,2-dimethylbenzofuran-7-yl)-*N,N*-dimethyl-*N,N'*-thiodicarbamat, $C_{18}H_{26}N_2O_5S$, M_R 382,47, Sdp. 160 °C (1 Pa), LD_{50} (Ratte oral) 53–110 mg/kg, von Ciba Geigy entwickeltes system. *Insektizid mit Kontakt- u. Fraßgiftwirkung, vorwiegend als Boden-Insektizid u. zur Saatgutbehandlung im Mais-, Getreide-, Zuckerrüben-, Sonnenblumen- u. Gemüseanbau. – $E = F$ furathiocarb – $I = S$ furatiocarb

Lit.: Farm ▪ Perkow ▪ Pesticide Manual. – *[CAS 65907-30-4]*

Furazan s. Oxadiazole.

Furazolidon.

Internat. Freiname für 3-(5-Nitrofurfurylidenamino)-2-oxazolidinon, $C_8H_7N_3O_5$, M_R 225,16, gelbe Krist., Schmp. 256–257 °C. F. wird als top. *Chemotherapeutikum u. zur Behandlung von Protozoen (Trichomonaden) eingesetzt. Es wurde 1955, 1956 u. 1960 von Norwich patentiert u. ist von Jenapharm (Nifuran Ovula®) im Handel. – $E = F = I$ furazolidone – S furazolidona

Lit.: Beilstein EV **27/10**, 29f. ▪ Hager (5.) **8**, 311f. – *[HS 2934 90; CAS 67-45-8]*

Furfural (Furfurol, α-Furfurylaldehyd).

$C_5H_4O_2$, M_R 96,09. Farblose Flüssigkeit, die sich leicht braun färbt, D. 1,159, Schmp. –36 °C, Sdp. 162 °C, FP. 60 °C c. c. F. bewirkt bereits bei Konz. von weniger als 0,1 Vol.-% starke Schleimhautsekretion, höhere Konz. führen zu Entzündungen der Atemwege u. zu Lungenödem. Die Flüssigkeit wird auch über die Haut aufgenommen; F. gilt als Stoff mit begründetem Verdacht auf krebserzeugendes Potential (Gruppe III B, MAK-Werte-Liste 1996); LD_{50} (Ratte oral) 65 mg/kg, wassergefährdender Stoff, WGK 2. F. ist lösl. in Wasser, Alkohol u. Ether, die Löslichkeit in gesätt. aliphat. Kohlenwasserstoffen bei 20 °C ist sehr begrenzt.

Herst.: F. entsteht bei der Einwirkung von verd. Mineralsäuren auf Pentosen u. wurde erstmalig 1831 von Döbereiner durch Dest. von Kleie (=furfur) mit verd. Schwefelsäure erhalten. Techn. geht man von Haferspelzen, Maiskolben, Reis- u. Erdnußschalen, Schilf u. a. aus, deren Pentosane mit 5% Schwefelsäure unter 0,4 MPa (4 bar) zu Pentosen hydrolysiert werden, die dann in F. überführt werden. F. disproportioniert leicht unter Bildung von *Furfurylalkohol u. *2-Furancarbonsäure (Cannizzaro-Reaktion). F. findet Verw. als Selektivlsm. bei der Ölraffination u. für chem. Synth., z. B. zur Herst. von *Tetrahydrofuran, *Furfurylalkohol usw., sowie bei der Fabrikation von *Furan-Harzen. – E furfurol – $F = S$ furfural, furfurol – I furfurale

Lit.: Beilstein EV **17/9**, 292 ▪ Brauer, Gefahrstoff-Sensorik, Landsberg: Ecomed Verlagsges. 1988 ▪ Hommel, Nr. 98 ▪ Merck-Index (12.), Nr. 4324 ▪ Ullmann **3**, 487 ff.; (4.) **12**, 15 f.; **20**, 247; (5.) **A 12**, 122. – *[HS 2932 12; CAS 98-01-1; G 3]*

Furfurol s. Furfural.

Furfuryl... (2-Furylmethyl..., 2-Furanylmethyl...). Bez. für die Atomgruppierung

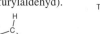

in systemat. Namen, vgl. dagegen Furyl... – $E = F$ furfuryl... – $I = S$ furfuril...

2-Furfurylaldehyd s. Furfural.

Furfurylalkohol (2-Furanmethanol).

$C_5H_6O_2$, M_R 98,10. Farblose bis gelbliche, charakterist. riechende Flüssigkeit, D. 1,13, Schmp. –31 °C, Sdp. 170–171 °C. Die Dämpfe führen zu Reizung der Augen, der Atemwege, der Lunge u. der Haut. Kontakt mit der Flüssigkeit bewirkt starke Reizung der Augen u. der Haut, kann auch über die Haut aufgenommen werden, MAK 10 ppm (MAK-Werte-Liste 1996), wassergefährdender Stoff, WGK 1. F. ist lösl. in Wasser, Alkohol, Ketonen usw., löst Cellulosenitrat, manche Farbstoffe, Kunstharze usw. F. wird durch Hydrierung von *Furfural in der Gasphase od. in flüssiger Phase erhalten u. findet zur Herst. von *Furan-Harzen u. Netzmitteln sowie als Lsm. Verwendung. – E furfuryl alcohol – F alcool furfurylique – I alcool furfurilico – S alcohol furfurílico

Lit.: Beilstein EV **17/3**, 338 ▪ Brauer, Gefahrstoff-Sensorik, Landsberg: Ecomed 1988 ▪ Hommel, Nr. 850 ▪ Luftanalysen: Analytische Methoden zur Prüfung gesundheitsschädlicher Arbeitsstoffe Bd. 1, Weinheim: Verl. Chemie 1976–1996 ▪ Merck-Index (12.), Nr. 4325 ▪ Ullmann **7**, 715 ff.; (4.) **12**, 18 f.; (5.) **A 12**, 125. – *[HS 2932 13; CAS 98-00-0; G 6.1]*

Furfurylamin (2-Furanmethylamin).

C_5H_7NO, M_R 97,12. Farblose Flüssigkeit, D. 1,10, Sdp. 146 °C, FP. 46 °C c. c. Die Dämpfe reizen stark die Augen u. die Atemwege (unter Umständen Kehlkopfödem) sowie die Haut. Kontakt mit der Flüssigkeit ruft starke Reizung u. Verätzung der Augen sowie der Haut hervor. F. wird zur Synth. von Farbstoffen, Kunstharzen, Arzneimitteln, Kautschuk-Chemikalien verwendet. – $E = F$ furfurylamine – I furfurilammina – S furfurilamina

Lit.: Beilstein EV **18/9**, 541 ▪ Hommel, Nr. 763. – *[HS 2932 19; CAS 617-89-0; G 3]*

α-Furil [Di-(2-furyl)-ethandion].

$C_{10}H_6O_4$, M_R 190,16, Schmp. 163–165 °C, gelbe Kristalle. Ein dem *Benzil entsprechendes 1,2-*Diketon, lösl. in Chloroform; sein Dioxim ($C_{10}H_8N_2O_4$, M_R

220,18, Schmp. 166–168 °C) findet als Reagenz für die spektrophotometr. Bestimmung von Au(II), Co(II), Cu(II), Ni(II), Pd(II), Re(VII) u. U(VI) Verwendung. – *E* α-furil – *F* = *I* α-furile – *S* α-furilo
Lit.: Beilstein E III/IV **19**, 2007 ▪ Merck-Index (12.), Nr. 4328 (Dioxim). – [HS 2932 19; CAS 492-94-4]

Furin (Prohormon-Convertase, EC 3.4.21.75). Endopeptidase (*Proteinase), die viele sekretor. Proteine aus ihren Vorstufen freisetzt, z.B. *Serumalbumin, *Komplement-Komponente C3 u. den Von-Willebrand-Faktor. Dabei spaltet F. selektiv die Peptid-Bindung, die Carboxy-seitig auf zwei bas. Aminosäure-Reste folgt. Außerdem wird durch F. auch das *Glykoprotein gp160 des HIV-1-Virus durch Spaltung aktiviert, was zur Infektiosität von *AIDS beiträgt. – *E* furin – *F* furine – *I* = *S* furina
Lit.: Nature (London) **360**, 358 ff. (1992).

Furnaceruße. Von engl.: furnace = Ofen abgeleitete Bez. für die techn. wichtigste *Ruß-Sorte. Zur Herst. werden in einem geschlossenen Ofen-Syst. hochsiedende aromatenreiche Öle mit heißen *Brenngasen in eine Hochtemperaturzone eingespritzt; die *Pyrolyse findet bei Temp. bis 1800 °C u. Fließgeschw. bis 800 m/s statt. Durch plötzliches Abschrecken in Wärmeaustauschern auf <900 °C kann die Reaktion abgebrochen u. die Teilchengröße beeinflußt werden. Die F. werden vorwiegend in der Gummi-Ind. u. als *Pigmente verwendet. – *E* furnace black – *F* noir furnace – *I* fuliggini di forno – *S* negro de horno
Lit.: Kirk-Othmer (3.) **4**, 644–650; (4.) **4**, 1042–1053 ▪ Ullmann (5.) **A 5**, 144–148 ▪ Winnacker-Küchler (4.) **3**, 315 ff. – [HS 2803 00]

Furnidur®. Weichmacherfreie PVC-Kalanderfolie für Möbeloberflächen usw. *B.:* Kalle Pentaplast.

Furniere s. Holzfurniere.

Furnierleime. Hochwertige Leimsorten, mit denen in der Holz- u. Möbel-Ind. *Holzfurniere warm od. kalt unter hohem Druck verleimt werden. Als F. zum Einsatz kommen *Casein-Leime, Polyvinylacetat-Leime, Harnstoffharz-Leime u. Harnstoff-Formaldehyd- (*Harnstoffharze) bzw. Phenol-Formaldehyd-Harze. – *E* veneer glues – *F* colle de placage – *I* colle per impiallacciare – *S* colas para chapas de madera
Lit.: Ullmann (4.) **12**, 712.

Furo... Anellierungspräfix für einen *Furan-Ring, der mit einem weiteren heterocycl. Ringgerüst verschmolzen ist; *Beisp.:* Furo[2,3-*h*][1]benzopyran (s. Furocumarine); s. dagegen Furano... – *E* = *F* = *I* = *S* furo...

Furochromone s. Furocumarine u. Chromone.

Furocumarine (Furocoumarine).

R¹ = R² = H: Psoralen
R¹ = OCH₃, R² = H: Bergapten
R¹ = H, R² = OCH₃: Xanthotoxin

R¹ = R² = H: Angelicin
R¹ = R² = OCH₃: Pimpinellin

Bez. für in Pflanzen natürlich vorkommende Cumarine mit ankondensiertem Furan-Ring. Diese Annellierung kann an C-6 u. C-7 od. an C-7 u. C-8 erfolgen. Im ersten Fall kommt man zu *Psoralen (7*H*-*Furo[3,2-g]benzopyran-7-on*) als Grundsubstanz, im zweiten zu Angelicin (2*H*-*Furo[2,3-h]benzopyran-2-on*). Zu den F. vom Psoralen-Typ zählen z.B. *Bergapten u. *Xanthotoxin, der Angelicin-Typ ist z.B. im *Pimpinellin vertreten. Auch in den *Aflatoxinen ist diese Struktur enthalten.

Vork.: Die F. sind bes. häufig in Doldenblütlern (Apiaceae) wie *Ammi* (Knorpelmöhre), *Pimpinella* (Bibernelle), *Angelika* (Engelswurz) u. *Heracleum* (Bärenklau) sowie Schmetterlingsblütlern u. Rautengewächsen enthalten. Sie haben für Höhere Pflanzen Bedeutung als Phytoalexine.

Wirkung: Viele F., z.B. Psoralen, Xanthotoxin u.a., rufen auf der Haut Pigmentierung hervor, wenn diese intensiver Sonnenbestrahlung ausgesetzt wird. Jedoch sind sie als bräunender Zusatz in Sonnenschutzmitteln unbrauchbar, da sie empfindlichste Haut Photodermatitiden (*Berloque-Dermatitis*) hervorrufen. Dieser Effekt kann z.B. auftreten, wenn die Haut mit Duftwässern parfümiert wurde, deren pflanzliche Grundstoffe noch F. enthalten. Heute stehen jedoch in der Parfüm-Ind. F.-freie *Citrusöle bereit. Die phototox. Wirkung der F. hat sich beispielsweise häufig bei Hautkontakten mit dem Pflanzensaft des Riesen-Bärenklau u. Wiesenbärenklau gezeigt. Bei Berührung mit nasser Haut (deshalb auch *Badedermatitis*) werden F. aus der Pflanze gelöst u. wirken als *Haptene. Bei Sonneneinstrahlung binden photoaktivierte F. an Proteine sowie Pyrimidine der DNA u. wirken somit antimitotisch. Hierauf beruht wahrscheinlich die PUVA (Psoralen u. UVA-Strahlen)-Therapie der *Psoriasis u. *Vitiligo. Eine Übersicht über das Wirkungsspektrum bietet Lit.[1].
Mit F. eng verwandt sind die Furochromone (vgl. Cumarin u. Chromone), unter denen sich einige wichtige Cardiaka u. Broncholytika finden, z.B. *Khellin (vgl. die Abb. dort). Synth. aus Umbelliferon u. 4-Chlor-1,3-dioxolan-2-on[2]. Biosynthet. leiten sich F. von den Cumarinen ab. – *E* furocoumarins – *F* furocoumarines – *I* furocumarine – *S* furocumarinas
Lit.: [1]Mitt. Geb. Lebensmittelunters. Hyg. **79**, 130–143 (1988); NATO ASI Ser., Ser. A **85**, 259–272, 277–293 (1985); Ser. E **77**, 145–155 (1984); Pharm. Unserer Zeit **10**, 18–28 (1981). [2] J. Am. Chem. Soc. **110**, 7419 (1988).
allg.: Beilstein E V **19/4**, 445–458; **19/6**, 4–50, 310–334 ▪ Fitzpatrick, Psoralens, Proc. Int. Congr.: Psoralens 1988, Paris: Libbey 1989 ▪ Hager (5.) **5**, 665 f. ▪ Karrer, Nr. 1367–1392 ▪ Nat. Prod. Rep. **12**, 477–505 (1995) ▪ Photomed. Photobiol. **10**, 1–46 (1988) ▪ Zechmeister **35**, 199–430.

Furosemid.

Internat. Freiname für 4-Chlor-2-furfurylamino-5-sulfamoyl-benzoesäure, $C_{12}H_{11}ClN_2O_5S$, M_R 330,74, Schmp. 206 °C (aus wäss. C_2H_5OH), auch 210 °C angegeben; λ_{max} (CH_3OH) 233, 273, 337 nm ($A_{1cm}^{1\%}$ = 1390, 671, 159); (0,1 M HCl) 235, 274, 340 nm ($A_{1cm}^{1\%}$ =

1430, 638, 169); (0,1 M NaOH) 270, 355 nm ($A_{1cm}^{1\%}$ = 586, 131); pK_a 3,9; LD_{50} (weibliche Ratte oral) 2600 mg/kg. F. ist das wichtigste Schleifen-*Diuretikum. Es wurde 1962 von Hoechst (Lasix®) patentiert u. ist auch als Generikum im Handel. – $E=I$ furosemide – F furosémide – S furosemida
Lit.: ASP ▪ Beilstein E V **18/9**, 555 ▪ DAB **1996** u. Komm. ▪ Florey **18**, 153–194 ▪ Hager (5.) **8**, 312 ff. – *[HS 2935 00; CAS 54-31-9]*

Furoxane s. Oxadiazole.

Furoyl... (Furancarbonyl..., Furanylcarbonyl..., Furylcarbonyl...). Bez. für die von Furancarbonsäuren abgeleiteten Atomgruppierungen (IUPAC-Regeln C-404.1, R-9.1.28a); *Beisp.:* 2-Furoyl....

– $E=F$ furoyl... – $I=S$ furoil...

Fursultiamin.

Internat. Freiname für Thiamin(tetrahydrofurfuryl)disulfid, $C_{17}H_{26}N_4O_3S_2$, M_R 398,54, farblose Prismen, Schmp. 132 °C (Zers.); LD_{50} (Ratte oral) 2200, (Ratte i.p.) 540 mg/kg. F. ist ein lipidlösl. Provitamin des *Thiamins u. wurde 1962 von Takeda patentiert. – $E=F$ fursultiamine – $I=S$ fursultiamina
Lit.: Beilstein E V **25/12**, 167 ▪ Hager (5.) **8**, 315 f. – *[HS 2934 90; CAS 804-30-8]*

Furyl... (Furanyl...). Bez. für einen Furan-Rest (IUPAC-Regeln C-2.11, C-5.11, R-9.1.25.1); *Beisp.:* 2-Furyl...

Vgl. dagegen Furfuryl... – $E=F$ furyl... – $I=S$ furil...

Fusafungin. Internat. Freiname für das Peptid-Antibiotikum $C_{29}H_{51}N_3O_8$, M_R 569,74 (nach empir. Summenformel), Schmp. 125–129 °C; stabil bis 180 °C. F. wird aus *Fusarium lateritium* u. a. *Fusarium*-Arten gewonnen. Es stellt ein Gemisch aus *Enniatin A, B u. C u. möglicherweise weiteren Komponenten dar. F ist von Servier (Locabiosol®) im Handel. – $E=F$ fusafungine – $I=S$ fusafungina
Lit.: Hager (5.) **8**, 316 f. – *[HS 2941 90; CAS 1393-87-9]*

Fusain. Fossile *Holzkohle, durch natürliche Brände entstanden, z. B. zu finden in Kohleflözen des Karbons, ca. 400 Mio. a alt. – F fusain, fusite – I carbone di legna fossile – S fusaína
Lit.: Walter u. Breckle, Ökologie der Erde (2.), Bd. 1, S. 80, Stuttgart: G. Fischer 1991.

Fusarientoxine, Fusarinsäure s. Welkstoffe.

Fused Silica. Amorph geschmolzenes Siliciumdioxid aus *Kieselgel od. hydrolysiertem Siliciumtetrachlorid, dient wegen seiner Reinheit zur Herst. von bes. inerten Kapillartrennsäulen in der *Gaschromatographie.

Fuselöle. Bez. für eine Fraktion von hauptsächlich *höheren Alkoholen*, die bei der alkohol. *Gärung der Hefe in Mengen von etwa 0,2–0,6% (bezogen auf Ethanol) entstehen. Es handelt sich in der Hauptsache um 1-*Propanol, 2-Methyl-1-propanol, 2-Methyl-1-butanol u. 3-Methyl-1-butanol. Sie können z. T. aus *Aminosäuren in der *Maische stammen (*Valin, *Isoleucin u. *Leucin) od. als Nebenprodukte, bei deren Biosynth. durch Decarboxylierung u. Red. aus den jeweiligen 2-Oxocarbonsäure-Vorstufen entstehen. Als schwerer flüchtige Verb. reichern sie sich bei der Dest. am Boden der Dest.-Kolonne an u. werden dort als wäss. Suspension (= Lutterwasser) abgezogen. Hochgereinigtes Ethanol sollte keine F. mehr enthalten, während in verschiedenen *Spirituosen (Weinbrand, Whisky usw.) geringe Mengen an F. als aromagebende Komponenten erwünscht sind. Auch das Weinaroma wird durch F. beeinflußt, s. a. Wein. – E fusel oils – F huiles de fusel – I fuseloli – S aceites de fusel
Lit.: Narziß, Abriß der Bierbrauerei (5.), Stuttgart: Enke 1986 ▪ Nykänen u. Suomalainen, Handbuch der Aromaforschung, Berlin: Akademie-Verl. 1983. – *[HS 3824 90]*

Fusid®. Tabl. u. Ampullen mit *Furosemid zur Ödemausschwemmung. *B.:* Gry Pharma.

Fusidinsäure.

1962[1] aus Kulturfiltraten von *Fusidium coccineum* isoliertes Steroid-Antibiotikum (tetracycl. Triterpenoid; $C_{31}H_{48}O_6$, M_R 516,72; Schmp. 192–193 °C, $[\alpha]_D^{20}$ –9 °C (c = 1/CHCl$_3$; weiße Krist., lösl. u. a. in Alkoholen, Aceton, Chloroform, wenig lösl. in Wasser). F. zeigt bakteriostat. Wirkung bei Gram-pos. Erregern u. wird allein od. in Kombination mit anderen *Antibiotika v. a. gegen multiresistente Staphylococcen eingesetzt (Blutvergiftung, Knochenabszeß, Hautinfektionen, Wundversorgung). F. hemmt die Translokation bei der Protein-Synth. am *Ribosom von Pro- u. *Eukaryonten (d. h. die Verschiebung der mRNA um die Länge eines *Codons). F. zeigt anti-*HIV-Aktivität. – E fusidic acid – F acide fusidique – I acido fusidico – S ácido fusídico
Lit.: [1] Nature (London) **193**, 987 (1962).
allg.: J. Antimicrob. Agents Chemother. **20**, 467 (1987); **23**, 155 (1989); (Suppl. B) **25**, 1 (1990). – *[HS 2941 90; CAS 6990-06-3]*

Fusin (LESTR). Neuentdecktes Membran-Protein menschlicher T-*Lymphocyten, aber auch anderer Zelltypen, das – neben dem CD4-Antigen – als *Corezeptor für den Eintritt des HIV-1-Virus (AIDS-Virus) in die Zelle nötig ist. Aufgrund der Aminosäure-Sequenz besteht zu vermuten, daß F. zu den *G-Protein-gekoppelten Rezeptoren mit 7 Membran-durchspannenden α-Helices gehört. F. ist mit dem CXC-Chemokin-Rezeptor 4 ident., der das *Chemokin u. Lymphocyten-

Attraktans SDF-1 bindet [1]. Auf *Makrophagen fungiert statt F. der strukturähnliche Chemokin-Rezeptor CCR-5 als Corezeptor für HIV-1SDF-1 [2]. – *E* fusin – *F* fusine – *I* = *S* fusina
Lit.: [1] Nature (London) **382**, 829–835 (1996). [2] Nature (London) **382**, 668 f., 722–725 (1996).
allg.: Science **272**, 809 f., 872–877 (1996).

Fusion. Von latein. fusio = gießen, schmelzen, Verschmelzung von Materie. Details s. Kernfusion u. Elektrofusion. – *E* = *F* fusion – *I* fusione – *S* fusión

Fusionsname s. Anellierungsname.

Fusionsprotein. 1. Bez. für ein *Protein, das durch Verbindung der Protein-codierenden Teile zweier od. mehrerer *Gene entstanden ist, die im richtigen *Leseraster miteinander verbunden u. als Hybrid- od. Fusionsgen in einer geeigneten Wirtszelle exprimiert wurden. Voraussetzung für die Expression eines F. ist die Konstruktion geeigneter *Klonierungsvektoren, die auch als Fusionsvektoren bezeichnet werden. Gentechn. hergestellte Proteine werden fast immer als F. gewonnen, insbes. um die Expressionsrate wesentlich zu erhöhen.
Anw.: Die Fusion mit *Signalpeptiden der Wirtszelle, z. B. über eine *Methionin-Brücke, um bei der Herst. von artfremden Proteinen mit Hilfe von rekombinierten Mikroorganismen eine Ausscheidung des gewünschten Produktes ins Medium zu erzwingen. So kann das Produkt leichter u. in höherer Ausbeute isoliert werden. Die Abspaltung des Signalpeptids erfolgt anschließend z. B. durch gezielte chem. Spaltung der Methionin-Brücke. – 2. Die Fusion mit stark geladenen Aminosäuren zur besseren Abtrennung u. Reinigung. Das zu exprimierende Gen kann z. B. mit 5 *Codons für *Arginin verlängert werden. Das resultierende stark pos. geladene F. läßt sich dann leicht über *Ionenaustauschchromatographie abtrennen u. die Arginin-Reste mit einer Exopeptidase (s. Peptidasen) entfernen.
3. In der Zellbiologie werden Proteine, die bei der Verschmelzung von *Vesikeln bzw. *Viren u. *Membranen beteiligt sind, als F. od. *fusogene Proteine* bezeichnet [1], vgl. Exocytose. – *E* fusion protein – *F* protéine de fusion – *I* proteina di fusione – *S* proteína de fusión
Lit.: [1] Science **258**, 917–924 (1992).
allg.: Glick u. Pasternak, Molekulare Biotechnologie, S. 104–109, Heidelberg: Spektrum Akadem. Verl. 1995.

Fusionspunkt (Abk. F.). Synonym für *Schmelzpunkt.

Fusionsreaktor. *Kernreaktor zur Erzeugung von Energie durch *Kernfusion.

Fußbodenbeläge s. Bodenbeläge.

Fußbodenlacke. Hochglänzende, rasch u. hart auftrocknende *Lacke, die trittfest, wasser- u. laugenbeständig sein sollen. Geeignet sind Kopallacke u. säureretrocknende Kunstharzlacke od. deren Gemische; zur Färbung dienen Ocker, Oxidrot u. dgl. – *E* floor lacquers – *F* vernis pour plancher – *I* vernici da pavimenti – *S* barnices para pavimentos
Lit.: Gatz (Hrsg.), Lexikon der Anstrichtechnik, 4. Aufl., Bd. 2, S. 56 ff., München: Callwey 1988 ▪ Kirk-Othmer (3.) **16**, 756.

Fußbodenpflegemittel. Bez. für *Putz- u. Pflegemittel zur Erhaltung u. Reinigung von Fußböden u. *Bodenbelägen. Früher, als Fußböden noch hauptsächlich aus Holz (mit *Fußbodenlack bzw. *Parkettversiegelungsmitteln beschichteten Dielen bzw. Parkett), *Linoleum od. Steinfliesen bestanden, genügten zur Bodenpflege die Bohnerwachse. Mit der zunehmenden Verw. von Lsm.-empfindlichen Kunststoffen als Bodenbeläge hat sich die Art der F. zu den Selbstglanz-Emulsionen verlagert. F. sollen einen Schutz vor Feuchtigkeit u. Verschleiß geben u. einen Oberflächenglanz erzeugen; sie vermindern die Schmutzaufnahme u. verbessern in der Regel die Rutschfestigkeit der Böden. Moderne F. kommen als Emulsionen u. als Ölware in flüssiger od. pastöser Form in den Handel. Als flüssige Phase wird Wasser od. Lsm. verwendet. Selbstglanzpflegemittel sind lösungsmittelfrei. Bei *Selbstglanzemulsionen* handelt es sich um flüssige Produkte, die nach dem Auftrag ohne Polieren glänzen. Man unterscheidet von diesen noch die Selbstglanzpflegemittel mit Reinigungswirkung (sog. *Wischpflegemittel*). Die Mittel werden als Konzentrate od. in wäss. Verdünnungen angewandt. Hauptbestandteile (vgl. Selbstglanzpflegemittel) sind polymere Filmbildner, z. B. Acrylate sowie *Wachse (Naturwachse, Paraffine, Polyethylene, Mikrowachse, Montanwachs-Derivate). Diese Bestandteile werden durch Emulgatoren in die flüssige Phase eingebracht. Bei Mitteln mit Reinigungswirkung sind außerdem *Tenside enthalten. *Bohnerwachsmassen* gibt es in pastöser u. flüssiger Form. Die wachsartigen Stoffe entsprechen den bei Selbstglanzmitteln genannten. Hauptlsm. ist Testbenzin. Die Konsistenz wird so eingestellt, daß eine Paste od. eine Flüssigkeit entsteht. Die Wachse können aber auch im wäss. Medium emulgiert sein. Neuere Entwicklungen gehen in Richtung *Mehrzweck*-*Polituren, d. h. zu Mitteln, mit denen sowohl Fußböden als auch Möbel, Glas, Metall u. Keramik gepflegt werden können. – *E* floor polishes – *F* encaustiques – *I* sostanze per pulire, lucidi – *S* productos para limpiar y conservar suelos
Lit.: Encycl. Polym. Sci. Eng. **7**, 247–256 ▪ Kirk-Othmer (3.) **18**, 323 f. ▪ Ullmann (4.) **20**, 151; (5.) **A 7**, 143. – [HS 3405 20, 3405 40]

Fußnägel s. Fingernägel.

Fußpflege(mittel) s. Haut(pflegemittel).

Fußschutz. Geeignete Schutzschuhe nach DIN 4843 sind immer dann zur Verfügung zu stellen u. zu benutzen, wenn mit Fußverletzungen durch Stoßen, Einklemmen, umfallende, herabfallende od. abrollende Gegenstände, durch Hineintreten in spitze u. scharfe Gegenstände od. durch heiße Stoffe, heiße od. ätzende Flüssigkeiten zu rechnen ist. Schutzschuhe gibt es im Hinblick auf die jeweilige Gefährdung in den unterschiedlichsten Ausführungen. Anhand der Kennzeichnung können für den jeweiligen Einsatzbereich geeignete Schuhe ausgewählt werden.
Die Kennzeichnung besteht aus dem Namen u. Zeichen des Herst., der Typenbez. od. Artikelnummer des Herst., dem Herst.-Datum, der Nummer der europ. Norm, nach der der Schuh gefertigt wurde, dem Kennzeichnungssymbol, dem Land, in dem der Herst. od.

sein in der EG niedergelassener Bevollmächtigter seinen Sitz hat. Außerdem sind diese Schuhe mit dem EG-Konformitätszeichen zu versehen. Baumustergeprüfte Schuhe haben zusätzlich eine Kennummer der Prüfstelle. – *E* protection of feet – *F* protection du pied – *I* protezione del piede – *S* protección del pie

Lit.: Regeln für den Einsatz von Fußschutz (ZH 1/702), Ausgabe 04.1994 ■ UVV „Allgemeine Vorschriften" (VBG 1) in der Fassung vom 1.4.1992. – *B.* für Unfallverhütungsvorschriften: Carl Heymanns Verl. KG, Luxemburger Straße 449, 50939 Köln od. Jedermann-Verl., Postfach 10 31 40, 69021 Heidelberg. – *B.* für ZH 1-Schriften: Jedermann-Verl., Postfach 10 31 40, 69021 Heidelberg.

Futterhefen, Futterkalk s. Futtermittelzusatzstoffe.

Futtermittel. Unter F. versteht man nach dem Futtermittelgesetz vom 2.8.1995 (BGBl. I, S. 991 u. Futtermittel-VO in der Fassung vom 29.11.1994, BGBl. I, S. 3548) Einzelstoffe od. Stoffmischungen ggf. mit Zusatzstoffen, „die dazu bestimmt sind, in unverändertem, zubereitetem, bearbeitetem od. verarbeitetem Zustand an Tiere verfüttert zu werden; ausgenommen sind Stoffe, die überwiegend dazu bestimmt sind, zu anderen Zwecken als zur Tierernährung verfüttert zu werden." Da für die Tierernährung im Prinzip die gleichen *Stoffwechsel-Gesetzmäßigkeiten gelten wie für die menschliche *Ernährung, ist, um ein optimales Verhältnis der essentiellen Nährstoffe zu erreichen, ggf. eine Supplementierung der F. mit bestimmten *Futtermittelzusatzstoffen erforderlich. – *E* animal feeds – *F* aliments pour bétail – *I* foraggio – *S* alimentos para animales

Futtermittelzusatzstoffe (Futterzusätze). Nach dem *Futtermittel-Gesetz versteht man unter F. solche „Stoffe, die dazu bestimmt sind, Futtermitteln zur Beeinflussung ihrer Beschaffenheit od. zur Erzielung bestimmter Eigenschaften od. Wirkungen, insbes. zur Beeinflussung von Aussehen, Geruch, Geschmack, Konsistenz od. Haltbarkeit, zu sonstigen technolog. Zwecken od. aus ernährungsphysiolog. od. diätet. Gründen, zugesetzt zu werden", ferner solche Stoffe, die zur Verhütung bestimmter, verbreitet auftretender Krankheiten von Tieren bestimmt sind. F. sind also: *Vitamine, *Aminosäuren, *Harnstoff, wachstumsfördernde u. die Futterverwertung verbessernde Stoffe, *Antioxidantien, *Enzyme, *Pigmente, Geschmacks- u. Geruchskorrigenzien, Preßhilfsmittel u. *Emulgatoren, *Konservierungsmittel, *Kokzidiostatika sowie einzelne veterinärmedizin. Arzneimittel zur Prophylaxe u. Therapie (Arzneimittelgesetz). *Nicht* zugelassen sind stoffwechselaktive Arzneimittel wie Hormone u. *Tranquilizer. Angesichts der Vielfalt der F.

– u. der Verlockung zu Überdosierung u. Mißbrauch – ist es kaum verwunderlich, daß immer wieder *Rückstands-Probleme auftauchen, s. die Mitteilungen u. Forschungsberichte der DFG-Kommission zur Prüfung von Rückständen in Lebensmitteln. *Mineralstoffe u. *Spurenelemente, die zwar keine eigentlichen Wirkstoffe im Sinne von F., sondern essentielle Nahrungsbestandteile sind, müssen häufig ebenfalls – z.B. in Form von *Futterkalk* u. *Futterphosphaten* – zugesetzt werden. Auf Erdöl-Basis gezüchtete *Futterhefen* können zur Eiweiß-Supplementierung ebenso geeignet sein wie *single cell protein. Neben den allg. gibt es tierspezif. F. wie *Eierlegepulver,* die bes. Calciumphosphat u. -carbonat, Spurenelemente u. ggf. Gewürze, Vitamin E u. a. enthalten. – *E* feed supplements – *F* additifs alimentaires pour bétail – *I* additivi da foraggio – *S* aditivos forrajeros

Futterzusätze s. Futtermittelzusatzstoffe.

Fuzzy Logic (von *E*: unscharfe Logik). Während bei der herkömmlichen digitalen Datenverarbeitung exakte Zahlenwerte verarbeitet werden, werden bei F. L. Entscheidungen aufgrund unscharfer („ein bißchen mehr", „etwas nach rechts"...) Angaben gefällt. Bereits in vielen techn. Bereichen hat sich F. L. für Regelkreise bewährt, bes. wenn es sich um komplexe Probleme handelt mit vielen Parametern, deren Einfluß nicht exakt angegeben werden kann. Durch die Kombination der Prinzipien von F. L. u. denen von neuronalen Netzen lassen sich kostengünstig lernfähige Syst. entwickeln, die mit unpräzisen Informationen arbeiten können [1].

Der Begriff F. L. wurde 1965 von Lotti A. Zadek eingeführt. Ausgangspunkt war, daß der menschliche Denk- u. Entscheidungsprozeß eher von vagen als von exakten Werten ausgeht. – *E* fuzzy logic

Lit.: [1] Spektrum Wiss. **1995**, Nr. 6, 34–41.
allg.: Gupta u. Kiszka, Fuzzy Logic and Fuzzy Systems, Encycl. of Physical Science and Technology, Bd. 7, S. 5–17, San Diego: Academic Press 1992 ■ Kruse, Gebhardt u. Klawonn, Fuzzy-Systeme, Stuttgart: Teubner 1995 ■ Nauck, Klawonn u. Kruse, Neuronale Netze u. Fuzzy-Systeme, Wiesbaden: Vieweg 1994 ■ Patyra u. Mlynek, Fuzzy Logic, Chichester: Wiley 1996 ■ Spektrum Wiss. **1993**, Nr. 3, 93ff.

FVMQ. Kurzz. für Fluorsilicon-Kautschuk, s. Polyfluorsilicone.

FVT s. Blitzpyrolyse.

Fyre-Bloc. Hochreine, staubfreie Antimonoxid-Verb. als Synergist für Flammschutzsyst. u. für chem. Synth. von McGean-Rohco. *B.:* Erbslöh.

F-Zentrum. Bestimmter Typ eines *Farbzentrums.

G

γ (gamma). 3. Buchstabe des *griechischen Alphabets. Bei Elementen u. Verb. kann γ eine Modif. od. einen Typ bezeichnen; *Beisp.:* γ-Schwefel, γ-Aluminiumoxid, γ- od. *Gamma-Globuline, γ-HCH (s. Lindan). Bez. für das 3. Atom einer an eine charakterist. Gruppe gebundenen C-Kette (auch in Ringen); *Beisp.:* γ(=4)-*Aminobuttersäure, γ(=4)-Pyron, γ(=3)-Brompropylamin; nur noch für allg. Begriffe u. Trivialnamen üblich; *Beisp.:* γ-*Lactame, γ-*Lactone, γ-*Carbolin. In der Physik ist γ Zeichen für energiereiche Photonen (*Gammastrahlen). „Gamma" (γ) ist ein veraltetes Synonym für Mikrogramm (µg = 10^{-6} g). Symbol für viele mathemat. u. physikal. Größen; *Beisp.:* Aktivitäts-Koeff. (molar: γ_c; molal: γ_m), *Oberflächenspannung, Quotient der molaren *spezifischen Wärmekapazitäten C_p/C_v.

Γ (Gamma). Großschreibform von *γ, in der physikal. Chemie Symbol für Oberflächenkonzentration.

g. Einheitensymbol für Gramm sowie Symbol für die Fallbeschleunigung der Körper (Normalfallbeschleunigung: g = 9,80655 m/s²); s. Gravitation. Kurzz. für *gauche u. den sog. g- od. *Landé-Faktor (vgl. Elektron u. EPR-Spektroskopie).

G. Als Vorsatzzeichen vor physikal. Einheiten Symbol für *Giga (=10^9), in Physik u. physikal. Chemie Symbol für Gibbs-Energie (= Gibbssche freie Enthalpie, s. freie Energie), Galvanispannung, Newtonsche Gravitationskonstante, elektr. Leitwert, Schubmodul, *Gauss (s. a. magnetische Werkstoffe), *G-Wert. In der Ein-Buchstaben-Notation der IUPAC/IUB für Aminosäuren steht G für Glycin (Gly), in derjenigen für Nucleoside für Guanosin (Guo).

Ga. Chem. Symbol für *Gallium.

GA. 1. US-Code für den *Kampfstoff *Tabun. – 2. s. Fettsäureglucamide.

GABA s. Aminobuttersäuren, GABA-Rezeptoren.

Gabaculin ((*S*)-5-Amino-1,3-cyclohexadiencarbonsäure).

$C_7H_9NO_2$, M_R 139,15, amorphes Pulver [(*S*)-Form], Krist. (Racemat), Schmp. 196–197 °C, $[\alpha]_D$ –454° [H_2O, (*S*)-Form]. G. ist ein GABA-Transferase-Inhibitor aus *Streptomyces toyocaensis* mit antibiot. Wirkung. G. bildet zunächst eine Schiffsche Base mit dem Transaminase-Enzym. Diese wird rasch aromatisiert, um ein stabiles *meta*-Antranilsäure-Derivat zu bilden, das das Enzym nicht mehr abspalten kann (irreversible Blockierung). – *E* = *F* gabaculine – *I* = *S* gabaculina

Lit.: J. Org. Chem. **49**, 1448 (1984) ▪ Sandler u. Smith, Design of Enzyme Inhibitors as Drugs, S. 266f., Oxford: University Press 1989 ▪ Tetrahedron Lett. **25**, 281 (1984); **27**, 1411 (1986) (Bibliographie). – [CAS 59556-29-5 ((*S*)-G.); 59556-18-2 (racem. G.)]

GABAerg. Von GABA (4-*Aminobuttersäure) u. griech.: ergon = Werk, Tätigkeit abgeleitetes Adjektiv, das Beziehungen zu GABA ausdrücken soll. Als G. bezeichnet man diejenigen Nervenfasern bzw. *Synapsen, in denen GABA gebildet bzw. als *Neurotransmitter freigesetzt wird. Es sind dies inhibitor. Neuronen des Zentralnervensystems. – *E* GABAergic – *F* GABA-ergique – *I* GABA-ergico – *S* GABA-érgico

Gabapentin.

Internat. Freiname für 1-(Aminomethyl)cyclohexylessigsäure, $C_9H_{17}NO_2$, M_R 171,24, Schmp. 162–166 °C. Es wurde als γ-*Aminobuttersäure-(GABA-)Analoges 1976/77 von Gödecke u. Warner-Lambert patentiert u. ist von Parke-Davis (Neurontin®) als *Antiepileptikum zur Zusatzbehandlung einfacher u. komplexer Anfälle im Handel. – *E* gabapentin – *F* gabapentine – *I* gabapentina – *S* gabapentín

Lit.: Ann. Pharmacother. **28**, 1188–1196 (1994) ▪ Merck-Index (12.), Nr. 4343 ▪ Pharm. Ztg. **141**, 1396–1404 (1996). – [HS 292249; CAS 60142-96-3]

GABA-Rezeptoren. *Rezeptoren des Gehirns u. Rückenmarks, die durch den inhibitor. *Neurotransmitter GABA (4-*Aminobuttersäure) erregt werden. Mit Hilfe selektiver Antagonisten unterscheidet man $GABA_A$- u. $GABA_B$-Rezeptoren. Der $GABA_A$-R. (Antagonist: *Bicucullin*) bewirkt die Öffnung von Chlorid-*Ionenkanälen (ionotroper Rezeptor). Daraufhin kommt es zur Hyperpolarisation der postsynapt. Membran, u. deren Erregungsschwelle wird heraufgesetzt. Der $GABA_A$-R. ist ein pentameres Protein aus 5 verschiedenen Klassen von Untereinheiten in wechselnder Kombination. Aus dem Hydrophobizitätsprofil der Aminosäure-Sequenzen schließt man auf jeweils 4 membrandurchspannende Abschnitte, die im Zusammenspiel der Untereinheiten eine Pore von 6 Å im Durchmesser bilden. Es besteht Sequenzähnlichkeit zum Glycin- u. zum nicotin. *Acetylcholin-Rezeptor. Der $GABA_A$-Rezeptor wird durch die pharmakolog. als Tranquilizer bzw. Hypnotika wirksamen *1,4-Benzodiazepin(e) u. *Barbiturate moduliert. Präsynapt. (verhindern Transmitter-Ausschüttung) u. postsynapt. in-

hibitor. $GABA_B$-R. befinden sich u. a. im Rückenmark; ihr Agonist *Baclofen wirkt als Muskelrelaxans. $GABA_B$-R. sind keine Ionenkanäle, sondern koppeln über *G-Proteine an ihre Effektoren (metabotrope Rezeptoren). – *E* GABA receptors – *F* récepteurs à GABA – *I* recettori GABA – *S* receptores de GABA
Lit.: Doble u. Martin, The Gaba A/Benzodiazepine Receptor as a Target for Psychoactive Drugs, Berlin: Springer 1996 ▪ J. Med. Chem. 37, 2489–2505 (1994) ▪ Neurosci. Res. 17, 91–99 (1993) ▪ Trends Neurosci. 17, 517–525 (1994).

Gabbros. Meist massige, mittel- bis dunkelgraue, bläuliche, manchmal fast schwarz, kleinkörnig gesprenkelte, grobkörnig-fleckige od. auch großkörnige, verwitterungsbeständige, zu den Tiefengesteinen (Plutoniten) gehörende bas. *magmatische Gesteine aus Plagioklas (*Feldspäte; Anorthit-Gehalt >50%, im Unterschied dazu bei *Diorit <50%, Hauptunterscheidungskriterium!), Klino-*Pyroxen (Augit) mit od. ohne *Olivin, Ortho-Pyroxen u. Nebengemengteile. *Hornblende-G.* führt mehr *Hornblende als Klinopyroxen, bei *Norit* überwiegt Orthopyroxen gegenüber Klinopyroxen. *Anorthosite* (Plagioklasite) sind meist helle(re), blaugraue bis bräunliche od. rosafarbige Plutonite, die zu 90–100% aus Plagioklas (An-Gehalte 20–90%) bestehen. Sehr Olivin-reiche, Pyroxen-arme G. (*Troktolithe*) zeigen ein spezielles grünlich-weiß-fleckiges Aussehen („*Forellenstein*"). In gemäßigtem Klima sind G. u. Norite mäßig verwitterungsbeständig.
Vork.: Odenwald, Harz (auch Norit), Bayer. Wald, Schottland, Skandinavien, Transvaal/Südafrika (auch Norit), Grönland. *Anorthosite* in Rogaland/Norwegen, Adirondacks/USA, Labrador u. Quebec/Kanada u. in den Hochländern des Mondes (*Mondgestein).
Verw.: Als Bau- u. Werkstein, wegen der hohen Druckfestigkeit für Bahnschotter u. als Straßenbaustoff; gut polierbare G. als Grabstein u. für Fassadenverblendungen. – *E* gabbro – *F* gab(b)ro – *I* gabbro – *S* gabro
Lit.: Matthes, Mineralogie (4.), S. 179 f., Berlin: Springer 1993 ▪ Schröcke-Weiner, S. 165 ▪ Wimmenauer, Petrographie der magmatischen u. metamorphen Gesteine, S. 97–106, Stuttgart: Enke 1985.

Gabelklemmen. Aus Metall gefertigte Klemmen, mit u. ohne Feststellschraube, die zur Arretierung von Kegelschliffverb. (s. Schliffe) dienen. – *E* forked clamps – *I* morsetti a forcella – *S* pinzas de horquilla

Gábor, Dennis (1900–1979), Prof. für Angewandte Elektronenphysik, London u. CBS Lab., Stamford (Connecticut). *Arbeitsgebiete:* Oszillographen, Gasentladung, Optik, Farbfernsehen, Erfindung u. Theorie der Holographie; hierfür Nobelpreis für Physik 1971.
Lit.: Poggendorf 7 b/3, 1532 ff. ▪ Strube et al., S. 200.

Gabriel-Colman-Umlagerung s. Gabriel-Synthese.

Gabriel-Synthese. Von S. Gabriel[1] (1851 bis 1924) aufgefundenes u. zur Herst. von *Aminen* u. *Aminosäuren* herangezogenes Syntheseprinzip. Das Kalium-Salz des *Phthalimids wird mit Alkylhalogeniden od. halogenierten Estern umgesetzt u. das entstehende Phthalimid-Derivat sauer od. alkal. bzw. mit Aminen od. Hydrazin gespalten, z. B. nach:

Mit R = Essigsäure-Rest tritt unter Umständen eine Umlagerungsreaktion (zu einer 1,4-Dihydroxyisochinolin-3-carbonsäure, *Gabriel-Colman-Umlagerung*) in Konkurrenz zur G.-Synthese. – *E* Gabriel synthesis – *F* synthèse de Gabriel – *I* sintesi di Gabriel – *S* síntesis de Gabriel
Lit.: [1] Ber. Dtsch. Chem. Ges. 59, A7 (1926).
allg.: Acc. Chem. Res. 24, 285–289 (1991) ▪ Angew. Chem. 80, 986–996 (1968) ▪ Hassner-Stumer, S. 139 ▪ Laue-Plagens, S. 141 f. ▪ Organikum, S. 213.

Gadodiamid.

Internat. Freiname für [Diethylentriamin-N,N,N',N'',N''-pentaessigsäure-N,N''-bis(methylamid)ato(3-)]gadolinum (Gd-DTPA-BMA), $C_{16}H_{26}GdN_5O_8$, M_R 573,66; LD_{50} (Maus i.v.) 8031 mg/kg. G. ist ein nicht-ion. paramagnet. Gadolinium(III)-Komplex, dessen Lsg. niedrige Osmolalität aufweisen. G. wurde 1986/1987 von Salutar patentiert u. ist von Nycomed (Omniscan®) als Kontrastmittel für die Kernresonanz-*Tomographie des zentralen Nervensyst. im Handel. – *E* = *F* gadodiamide – *I* gadodiamite – *S* gadodiamida
Lit.: Acta Radiol. 37, 223–228 (1996) ▪ Eur. J. Drug Metab. Pharmacokin. 20, 307–313 (1995) ▪ Merck Index (12.), Nr. 4345 ▪ s. a. Tomographie. – *[HS 2846 90; CAS 131410-48-5]*

Gadolinit, $Y_2FeBe_2[O/SiO_4]_2$. Schwarzes, grünschwarzes od. braunes, fettartig glänzendes, monoklines Mineral, Kristallklasse $2/m$-C_{2h}; zur Struktur s. *Lit.*[1]. Meist derb, seltener eingewachsene, oft unvollkommene Krist., Bruch muschelig od. splittrig, H. 6,5, D. 4,0–4,7. G. enthält neben Yttrium (*G.-Y*) meist auch Ce (bei Ce>Y: *G.-Ce*), La, Nd, Er, Yb u. Th; durch Th radioaktiv u. dann oft durch Gitterzerstörung infolge Selbstbestrahlung isotropisiert (*metamikt*), wird beim Erhitzen unter Aufglühen wieder anisotrop[2].
Vork.: In *Graniten u. Granit-*Pegmatiten, z. B. Colorado, Arizona u. Texas/USA, Norwegen (in Iveland bis 500 kg schwere Krist.), Schweden; auf alpinen Klüften. – *E* = *F* = *I* gadolinite – *S* gadolinita
Lit.: [1] Am. Mineral. 69, 948–953 (1984). [2] Phys. Chem. Miner. 19, 343–356 (1993).
allg.: Anthony et al., Handbook of Mineralogy, Bd. II, Tl. 1, S. 273 f., Tucson (Arizona): Mineral Data Publishing 1995 ▪ Ramdohr-Strunz, S. 685 f. – *[HS 2530 90; CAS 12196-15-5]*

Gadolinium (chem. Symbol: Gd). Metall. Element der *Seltenerdmetalle, M_R 157,25, Ordnungszahl 64 (*Lanthanoid). Natürliche Isotope (in Klammern Angabe des Anteils im natürlichen Isotopengemisch): 152

(0,20%), 154 (2,15%), 155 (14,78%), 156 (20,59%), 157 (15,71%), 158 (24,78%), 160 (21,79%). Außerdem gibt es künstliche radioaktive Isotope 145–161 mit HWZ zwischen 3,7 min u. $1{,}1 \times 10^{14}$ a. Reines Gd ist ein silberweißes, schwach gelbliches, schmiedbares, duktiles Metall, D. 7,895 (unterhalb 1260 °C) od. 7,8 (ab 1260 °C), Schmp. 1312 °C, Sdp. über 3000 °C. Gd oxidiert an feuchter Luft, reagiert langsam mit Wasser u. löst sich in verd. Mineralsäuren. Es hat den größten Absorptionsquerschnitt für therm. Neutronen unter allen Elementen, ferner zeigt es Supraleitfähigkeit u. ist unterhalb von 16 °C ferromagnetisch. In seinen Verb. ist Gd 3-wertig; die Salze sind farblos. Die oberste, 16 km dicke Erdkruste enthält rund 0,00064% Gd in Form von Verb.; Gd ist somit häufiger als z. B. Antimon, Platin, Iod, Silber, Gold od. Helium.
Herst.: Durch Red. des wasserfreien Fluorids mit Calcium.
Verw.: In der Kerntechnik, zur Herst. von Gd-Y-Granaten für die Mikrowellentechnik od. von Gd-Ga-Granaten (GGG) für Magnetblasenspeicher (s. *Lit.*[1]) sowie als Leg.-Metall (unter 1%) zur Verbesserung der Werkstoffeigenschaften von Eisen u. Chrom. Zur Verw. als Katalysator der thermodynam. Wasserzersetzung vgl. *Lit.*[2]. Gd-Verb. werden als Kontrastmittel in der Kernspin-Tomographie verwendet (*Gadodiamid, *Gadopentetsäure, *Gadoteridol).
Geschichte: Gd wurde 1880 von Marignac entdeckt u. nach dem finn. Chemiker Gadolin benannt, der 1794 die Yttererde *Gadolinit in der Nähe von Stockholm entdeckt u. untersucht hatte. – $E = F$ gadolinium – $I = S$ gadolinio
Lit.: [1] Chem. Ind. (Düsseldorf) **32**, 160 f. (1980). [2] J. Solid State Chem. **29**, 191 (1979).
allg.: s. Seltenerdmetalle – *[HS 2805 30; CAS 7440-54-2]*

Gadopentetsäure.

Internat. Freiname für *N,N*-Bis{2-[bis(carboxymethyl)amino]ethyl}glycingadolinat, $C_{14}H_{20}GdN_3O_{10}$, M_R 547,58, LD_{50} (Ratte i.v.) 10 mmol/kg. Verwendet wird das Dimeglumin-Salz als paramagnet. Kontrastmittel bei der NMR-*Tomographie. G. wurde 1983 u. 1987 von Schering (Magnevist®) patentiert. – E gadopentetic acid – F acide gadopentétique – I acido gadopentetico – S ácido gadopentético
Lit.: ASP ■ Hager (5.) **8**, 320 f. – *[HS 2929 90; CAS 80529-93-7 (G.); 86050-77-3 (Dimeglumin-Salz)]*

Gadoteridol.

Internat. Freiname für (±)-[10-(2-Hydroxypropyl)-1,4,7,10-tetraazacyclodecan-1,4,7-triacetato(3–)gadolinium, $C_{17}H_{29}GdN_4O_7$, M_R 558,69, Schmp. >225 °C. G. ist ein nicht-ion. paramagnet. Gadolinium(III)-Komplex, dessen Lsg. niedrige Osmolalität aufweisen. G. wurde 1988/1989 von Squibb patentiert u. ist von Byk Gulden (ProHance®) als Kontrastmittel für die Kernresonanz-*Tomographie des zentralen Nervensyst. im Handel. – $E = S$ gadoteridol – F gadotéridol – I gadoteridolo
Lit.: Landes, Gadoteridol als intravenöses Kontrastmittel in der Kernspintomographie, Diss. München 1994 ■ Merck Index (12.), Nr. 4348 ■ s. a. Tomographie. – *[CAS 120066-54-8]*

Gänge. Plattenförmige bis flachlinsige, meist steilgestellte Körper, die überwiegend diskordant (winklig) zu den Strukturen (s. Gefüge) ihres Nebengesteins (z. B. zur Schichtung od. Schieferung) liegen. Die Grenze zum Nebengestein wird *Salband* genannt. Die G.-Wände können parallel od. in verschiedener Weise gekrümmt, geknickt od. sonst unregelmäßig verlaufen. Verzweigungen, Versetzungen u. Änderungen der Richtung od. der Breite sind häufig. Die Ausmaße variieren von Millimetern bis zu über 1 km in der Breite („Mächtigkeit") u. von Zentimetern bis zu über 100 km in der Länge. Die Füllung der G. kann aus Mineralien (*Mineralgänge*), *Erzen (*Erzgänge*) einschließlich ihrer *Gangarten* (s. Erz) od. *Gesteinen (s. Gang-gesteine) bestehen. *Sheets* (engl. Bez.) sind flachliegende G., die diskordant zu den Strukturen ihres Nebengesteins verlaufen. *Sills* od. *Lager-G.* sind meist flachliegende G., die parallel (konkordant) zu den Strukturen ihres Nebengesteins liegen. Vertikale, schichtartig gestapelte vulkan. G., die als *Sheeted-Dike-Komplexe* bezeichnet werden, sind wichtige Bestandteile der ozean. Erdkruste (s. Erde). – E dikes – F sel de fermentation – I filoni – S filones, diques
Lit.: Press u. Siever, Allgemeine Geologie, S. 80 ff., Heidelberg: Spektrum Akadem. Verl. 1995 ■ Wimmenauer, Petrographie der magmatischen u. metamorphen Gesteine, S. 35 f., 108, Stuttgart: Enke 1985.

Gärsalz. Früher gebräuchliche Bez. für Salzgemische aus Ammoniumphosphat, Ammoniumcarbonat u. dgl., die zur Vermeidung von Gärstockungen infolge Mangels an Stickstoff- u./od. Phosphat-Verb. den Gärflüssigkeiten, z. B. Beerenmosten, zugesetzt werden können, um die Versorgung der Hefezellen sicherzustellen. – E fermentation salt – I sale per la fermentazione – S sal de fermentación

Gärung. Seit alters her gebräuchliche, heute aber vorwiegend auf *ungesteuerte Prozesse* beschränkte Bez. für den (aeroben od. anaeroben) *biologischen Abbau von organ. Materie mittels Mikroorganismen od. Enzymen; *Beisp.:* die unter *Ethanol behandelte *alkoholische Gärung*. Die G. ist oft von der Bildung geruchsintensiver Gase begleitet; *Beisp.:* Kläranlagen, *Fäulnis, Herst. von *Kompost, *Silage, *Sauerkraut etc. Gerichtete u. *gesteuerte G.-Prozesse* werden heute als *Fermentation od. angewandte *Mikrobiologie – Oberbegriff ist die *Biotechnologie – industriell genutzt. Die zellfreie G. wurde 1897 von E. *Buchner unter Verw. von Hefepreßsaft entdeckt[1]. – $E = F$ fermentation – I fermentazione – S fermentación
Lit.: [1] Ber. Dtsch. Chem. Ges. **31**, 568–574 (1898).

Gärungsgleichung s. Ethanol.

Gärungsstoffwechsel. Im Gegensatz zur *Atmung werden in dieser Form des Stoffwechsels unter anaeroben Bedingungen Stoffwechsel-Endprodukte gebildet, die weiter oxidiert werden können. Die verschiedenen Gärungstypen werden nach ihren Ausscheidungsprodukten eingeteilt: z.B. alkohol., Wasserstoff-, Methan-, Milchsäure- u. Aceton/Butanol-Gärung. Zahlreiche Gärungsverf. werden zur industriellen Stoffproduktion genutzt. – *E* anaerobic metabolism – *F* fermentation – *I* fermentazione – *S* fermentación

Lit.: Fritsche, Mikrobiologie, S. 168–181, 404–413, Jena: Fischer 1990 ▪ Präve et al. (4.), S. 129–137, 587 ff. ▪ Schlegel (7.).

GAFGARD® 233. Mischung aus *N*-Vinylpyrrolidon u. Acrylat-Monomeren für Strahlenhärtung zu abriebfesten Filmen mit guter opt. Klarheit. *B.:* ISP.

Gafquat®. Quarternisierte Copolymere aus Vinylpyrrolidon u. Dimethylaminoethylmethacrylat, Filmbildner mit nicht klebenden Eigenschaften als Konditionierungsmittel mit kation. Charakter für Haarpflegemittel sowie als Antistatikmittel für Haar- u. Hautpflegemittel sowie für Glasreiniger u. Weichspüler. *B.:* ISP.

GAFQUAT® HS-100. Copolymer aus Vinylpyrrolidon u. Methacrylamidopropyl-Trimethylammoniumchlorid. Bildet klare, glänzende Filme, hydrolysestabil bei pH 3–12. Konditioniermittel in Dauerwell-Lotionen u. Haarpflegeprodukten u. Filmbildner in Hairstylingprodukten. *B.:* ISP.

Gagat [Jet(t)]. Dichte, sehr feste, tiefschwarze, polierbare *Braunkohle, die z. B. im Schwarzen Jura von Süddeutschland u. Yorkshire sowie in der Kreide Spaniens in bituminösen Mergeln u. Schiefern eingeschwemmt vorkommt. Die G.-Stücke stammen aus alten Holzstücken, die nachträglich *Bitumina aufgenommen haben. Infolge seines dunklen Glanzes, seiner Schnitzbarkeit u. Polierbarkeit wird G. in einzelnen Gegenden (z. B. Yorkshire) zu Schmuck verarbeitet. Der Name leitet sich von dem Fluß Gages in Kleinasien her. – *E* jet – *F* jais, jayet – *I* giaietto – *S* azabache

Lit.: Muller, Jet, London: Butterworth 1986. – [HS 2530 90]

Gahnit s. Spinelle.

Gajdusek, Daniel Carleton (geb. 1923), Prof. für Medizin u. Virologie am Inst. of Health, Bethesda (Maryland). *Arbeitsgebiete:* Genetik u. Biochemie des Alterns, chron. neurolog. degenerative Erkrankungen, Immunschwäche-Erkrankungen, biolog. u. kulturelle Evolution des Menschen. Er erbrachte durch Erforschung von Slow-virus-Infektionen, bes. der Kurukrankheit auf Neuguinea, den Nachw., daß Krankheitserreger sich jahrelang im menschlichen Körper aufhalten können, ohne Symptome hervorzurufen. 1976 erhielt er zusammen mit B. S. *Blumberg den Nobelpreis für Physiologie od. Medizin für die Entdeckung von neuen Mechanismen bei der Entstehung u. Verbreitung von Infektionskrankheiten.

Lit.: Who's Who in America, S. 1288.

gal. Abk. für *Gallone.

Gal. 1. Seit 1.1.1979 nicht mehr zulässige, von *Gali*lei abgeleitete Bez. für die Beschleunigungseinheit (= 1 cm/s^2). – 2. Kurzz. für *Galactose.

Galactane. *Polysaccharide (*Glykane*), die vorwiegend aus *Galactose bestehen. *Beisp.:* *Agarose, *Carrageen, viele *Polyosen, z. B. aus Lärchenholz. – *E* galactans – *F* galactanes – *I* galattani – *S* galactanos

Galactarsäure. Systemat. Bez. für *Schleimsäure.

Galactit s. Dulcit.

galacto-. Kursiv gesetztes Präfix zur Kennzeichnung einer bestimmten Konfiguration bei *Kohlenhydraten, vgl. die Abb. bei Aldohexosen. – *E* = *F* = *S* galacto – *I* galatto-

Galact(o)... [Galakt(o)...]. Von griech.: gala = Milch abgeleitete Vorsilbe, die sich entweder auf *Milch od. auf *Galactose bezieht; *Beisp.:* Galactolipide u. Galactocerebroside (s. Glykolipide), Galaxie (= Milchstraße). – *E* = *F* = *S* galacto – *I* galatt(o)...

Galacto(gluco)mannan s. Mannane.

Galactomethylose s. D-Fucose.

Galactosamin (Chondrosamin, 2-Amino-2-desoxy-D-galactose, Kurzz.: GalN; in der Abb. als Pyranose gezeigt).

$C_6H_{13}NO_5$, M_R 179,17. G. ist ein *Aminozucker, der in *N-acetylierter Form (*N-Acetylgalactosamin*, Kurzz.: GalNAc) als Baustein der *Chondroitinsulfate weitverbreiteter Bestandteil von Knorpel (griech.: chondros, daher Name Chondrosamin), Bindegewebe u. Sehnen ist; auch vertreten in *Glykoproteinen u. -lipiden (vgl. Ganglioside). In Ratten u. anderen Tieren kann G.-Hydrochlorid eine *Hepatitis hervorrufen, die große Ähnlichkeit mit der Virus-bedingten Hepatitis beim Menschen hat[1]; andererseits schützt es die Tiere gegen *Phalloidin-Vergiftungen. – *E* = *F* galactosamine – *I* galattosammina – *S* galactosamina

Lit.: [1] Biospektrum **1995** (5), 46–52.
allg.: Beilstein E IV 4, 2024. – [HS 2940 00; CAS 1772-03-8]

Galactose (Kurzz.: Gal).

α-D-Galactopyranose (α-D-Gal*p*)   offenkettige D-Galactose   β-D-Galactopyranose (β-D-Gal*p*)

$C_6H_{12}O_6$, M_R 180,16. Mit *Glucose epimere Aldohexose, die in α- u. β-Konfiguration vorliegen kann. Anomeren-reine α- od. β-Galactopyranose kann kristallin erhalten werden, Schmp. bei beiden 167 °C (Monohydrat: Schmp. 118–120 °C). Leicht lösl. in heißem Wasser, schwer lösl. in Alkohol u. Ether; auf den in der Abb. dargestellten Gleichgew. beruht die *Mutarotation der G. in wäss. Lösung. G. kommt in der Natur oft in der D-Form vor, jedoch liegen der *Agarose neben D-G. auch Derivate der L-G., deren Mol. ein Spiegelbild der oben gezeigten Strukturen ist, zugrunde. D-G. wird von Hefen meist nur langsam vergoren; sie läßt sich durch enzymat. Analyse (mit Hilfe von *Galactose-Dehydrogenase*, EC 1.1.1.48) bestimmen. D-G. ist Bestandteil verschiedener Oligo- u. Polysaccharide, Glykoproteine u. -lipide sowie anderer *Galactoside*, wie z. B. des Disaccharids *Lactose, aus dem sie durch saure Hydrolyse od. enzymat. Spaltung mittels *Galactosidasen gewonnen werden kann, ferner von *Raffinose, Melibiose, *Stachyose, Galactanen, *Guar-Mehl, *Gummi arabicum u. (neben D-Galacturonsäure u. ihrem Methylester) Pektinstoffen. D-G. findet sich in Verbindung mit D-*Glucosamin in fast allen Glykoproteinen; im Großhirn enthalten die wichtigen *Cerebroside u. *Ganglioside chem. gebundene D-Galactose. In den Milchdrüsen (daher Name von griech.: gala, Genitiv galaktos = Milch) wird D-G. in reversibler Reaktion in Form von Uridin-5′-diphosphat(UDP)-D-galactose (vgl. Uridinphosphate) aus UDP-D-Glucose gebildet durch UDP-Glucose-4-epimerase (EC 5.1.3.2) u. mit einem weiteren D-Glucose-Mol. unter Freiwerden von UDP zu Lactose verknüpft. Gesteigertes D-G.-Auftreten im Harn (*Galactosurie*) u. im Blut (*Galactosämie*) geht meist mit Leberschäden einher (Galactose-Intoleranz Typ I). – $E = F$ galactose – I galattosio – S galactosa

Lit.: Beilstein E IV **1**, 4336. – *[HS 294000; CAS 59-23-4 (D-Form); 15572-79-9 (L-Form)]*

Galactosidasen. Sammelbez. für bes. *Disaccharide spaltende Galactosid-Hydrolasen, bei denen man unterscheidet: α-G. (α-D-Galactosid-Galactohydrolase, EC 3.2.1.22, früher: *Melibiase;* M_R 26000) aus untergäriger Bierhefe spaltet α-D-Galactoside wie z. B. Raffinose u. Melibiose. α-G. wird durch D-*Glucose gehemmt. β-G. (β-D-Galactosid-Galactohydrolase, EC 3.2.1.23, früher: *Lactase;* M_R 540000, 4 ident. Untereinheiten) aus tier. Sekreten, Milchzucker-Hefen, Mandeln, Bakterien u. Schimmelpilzen spaltet Lactose spezif. in D-*Galactose u. D-Glucose. Das Gen für β-G. ist mit anderen dem Lactose-Abbau dienenden Genen zum *Lactose-Operon* (*lac*-Operon) zusammengefaßt u. wird durch β-Galactoside induziert. β-G. wurde 1889 von Beijerinck entdeckt. – $E = F$ galactosidases – I galattosidasi – S galactosidasas

Galactoside. *Glykoside der *Galactose.

Galacturonsäure.

α-D-Galactopyranuronsäure

$C_6H_{10}O_7$, M_R 194,14. Farblose Nadeln, Schmp. 159 °C (kristallwasserhaltig), lösl. in Wasser, etwas lösl. in heißem Alkohol, prakt. unlösl. in Ether. Die *Uronsäure α-D-G. ist der Grundbaustein der *Pektine, aus denen sie durch enzymat. Hydrolyse erhalten werden kann. – E galacturonic acid – F acide galacturonique – I acido galatturonico – S ácido galacturónico

Lit.: Beilstein E IV **3**, 2000–2004. – *[HS 291890; CAS 685-73-4]*

Galaktometer. *Aräometer für Milch.

Galalith. Früherer Markenname für den ersten (1897) von Krische u. Spitteler entwickelten *Casein-Kunststoff, auch als *Kunsthorn* bezeichnet.
Lit.: s. Casein-Kunststoffe.

Galanga(öl) s. Galgantwurzel.

Galangin s. Flavone.

Galanin.

Gly-Trp-Thr-Leu-Asn-Ser-Ala-Gly-Tyr-Leu-Leu-Gly-Pro-His-Ala-Val-Gly-Asn-His-Arg-Ser-Phe-Ser-Asp-Lys-Asn-Gly-Leu-Thr-Ser

Abb.: Aminosäure-Sequenz des Galanins (Mensch).

$C_{139}H_{210}N_{42}O_{43}$, M_R 3157,45. *Neuropeptid aus 30 Aminosäuren (Mensch), das im Gehirn u. peripheren Nervensyst. vorkommt, die Sekretion von *Lutropin stimuliert u. die von *Acetylcholin, *Prolactin u. *Somatotropin inhibiert. Im Gehirn bewirkt G. die Fettaufnahme u. beeinträchtigt die Wahrnehmung. Im *Pankreas hemmt G. die Sekretion von *Insulin, *Somatostatin u. *pankreastisches Polypeptid, im Magen-, Darm- u. Genitalbereich löst es Kontraktion der glatten Muskulatur aus. Zur Rolle des G. im Ovulationscyclus s. *Lit.*[1]. Der G.-Rezeptor (M_R 53000) gehört zur 7-Transmembran-Helix-Familie u. koppelt über *G-Proteine an die intrazellulären Effektoren. – E galanin – F galanine – $I = S$ galanina

Lit.: [1] Trends Endocrinol. Metab. **7**, 301–306 (1996). *allg.*: Cell. Mol. Neurobiol. **15**, 653–673 (1995) ■ Diabetes **41**, 82–87 (1992) ■ Int. J. Biochem. Cell. Biol. **27**, 337–349 (1995) ■ Life Sci. **58**, 2185–2199 (1996).

Galanthamin (Galantamin, Lycorimin, Lycoremin, Jilkon, Nivalin). Alkaloid aus Schneeglöckchen (*Galanthus woronowii, G. nivalis* etc.) u. a. Amaryllidaceen (Formel u. Daten von G. s. Amaryllidaceen-Alkaloide) mit starker analget. Wirkung (mit Morphin vergleichbar) sowie Cholinesterase-inhibitor. Wirkung, das bei Poliomyelitis u. verschiedenen Erkrankungen des Nervensyst. angewandt wurde. G. ist in Japan zur Bekämpfung der Alzheimerschen Krankheit u. verwandter Demenzen seit 1996 zugelassen[1]. Das Hydrobromid wird *Nivalin* genannt. Der O-Methylether von G. kommt in *Chlidanthus fragrans* vor, *N*-Demethyl-G. in den Zwiebeln von *Crinum asiaticum*. – $E = F$ galanthamine – I galantammina – S galantamina

Lit.: [1] Drug News 10/1996.
allg.: Beilstein E V **27/9**, 277 ■ Chem. Ind. (London) **1956**, 177 ■ Hager (5.) **8**, 321 ■ Sax (8.), Nr. GBA 000 ■ Thomson, The Chemistry of Natural Products, S. 317 f., Glasgow: Blackie 1985 ■ Ullmann (5.) **A 1**, 383. – *Biosynth.*: Tetrahedron Lett. **1974**, 2261. – *Synth.*: J. Heterocycl. Chem. **25**, 1809–1811 (1988); **32**, 195 (1995) ■ J. Org. Chem. **49**, 157 (1984) ■ Syn-Form **1983**, 283–294 ■ Tetrahedron **45**, 3329–3345 (1989). – *[HS 293990]*

Galaxy®. Herbizid auf der Basis von *Bentazon u. *Acifluorfen gegen breitblättrige Unkräuter in Soja u. Erdnuß. – *B.*: BASF.

Galbanum (Gummi galbanum). Von *Ferula*-Arten (Doldengewächse, Apiaceae) aus Persien (harte Sorte), Turkestan (weich) od. als Levante-G. gelieferte Massen. Vorgezogen wird der pers.: Schmp. ca. 100 °C, Zusammensetzung ca. 27% *Gummi, ca. 63% alkohollösl. Harze (*Umbelliferon, Galbanoresinotannol u. deren Ether) sowie Makrolide u. Sesquiterpene. G.

wird für hyperämisierende Pflaster gebraucht. Das aus G. gewonnene *Galbanumöl*, D. 0,874, enthält vorwiegend *Pinene neben *Myrcen, *Cadinen u. α-Cadinol u. ist parfümist. verwertbar, auch zur Seifenparfümierung. – *E* = *F* galbanum – *I* galbano – *S* gálbano
Lit.: Hager (4.) **4**, 984 ff. ▪ Helv. Chim. Acta **61**, 2671–2680, 2874–2880 (1978). – *[HS 1301 90]*

Galectine. Im Tierreich weit verbreitete *Lektine, die spezif. β-Galactoside binden. G. kommen cytosol. u. extrazellulär vor u. sind an verschiedenen Phänomenen beteiligt wie *Apoptose [1], *Differenzierung, Morphogenese (Gestalt–Entwicklung) u. Tumor-Metastase. Zu *Concanavalin A besteht Ähnlichkeit in der Raumstruktur, nicht jedoch in der Aminosäure-Sequenz. – *E* galectins – *F* galectines – *I* galectine – *S* galectinas
Lit.: [1] Nature (London) **378**, 736–739 (1995). *allg.:* J. Biochem. **119**, 1–8 (1996) ▪ J. Biol. Chem. **269**, 20 807–20 810 (1994).

Galegin s. Geißraute.

Galenik. Von *Galenos abgeleitete, heute seltener gebräuchliche Bez. für die – vom *Apotheker vorgenommene – Herst. von *Galenika* [galen. Präparat(ion)en, heute: *Arzneiformen] u. für die Untersuchung von deren Wechselwirkung mit dem Organismus (heute: *Pharmakodynamik u. -kinetik = *Biopharmazie). – *E* galenism – *F* galénique – *I* galenismo – *S* galénica
Lit.: s. pharmazeutische Technologie u. Textstichwörter.

Galenika s. Galenik.

Galenit s. Bleiglanz.

Galenobismutit s. Bismut.

Galenol®. Selbstemulgierende Fettalkohole, z. B. *Cetylstearylalkohol mit Alkylsulfaten od. Ethoxylaten, zur Verw. in O/W-Emulsionen in Pharmazie u. Kosmetik. *B.:* Condea.

Galenos (Galenus, 129–199 n. Chr.). Berühmtester Arzt griech. Abstammung (aus Pergamon, Kleinasien) der röm. Kaiserzeit. Er gilt heute als Repräsentant der wissenschaftlichen Medizin der Antike. Zu seinen Verdiensten zählt, daß er das in Vergessenheit geratene Hippokrat. Syst. wieder aufgriff, reformierte u. modernisierte. Seine Schriften waren bis in das Mittelalter hinein maßgebend. Er beschrieb u. a. auch die Zubereitung von Extrakten, Destillaten, Tinkturen usw. (*galen. Präp.*), s. Arzneiformen.
Lit.: Krafft, S. 131 f. ▪ Pötsch, S. 162 ▪ Sarton, Galen of Pergamon, Lawrence: Univ. of Kansas Press 1954.

Galgantwurzel. Zerschnittene, getrocknete, würzig riechende u. brennend schmeckende, bis 10 cm lange u. 2 cm dicke Wurzelstöcke von *Alpinia officinarum* Hance (Zingiberaceae, Ingwergewächse), in Ostasien beheimatet. G. enthält ca. 0,5% ether. Öl: *Galanga-Öl*, gelblich-grün, D. 0,921 mit Sesquiterpenkohlenwasserstoffen u. -alkoholen sowie Scharfstoffe vom Diarylheptanoid-Typ.
Verw.: *Stomachikum u. Aromatikum, zur Bereitung von Likören, Essig u. dgl., Würzstoff. – *E* galangal root – *F* rhizome de galanga – *I* galanga – *S* raíz de galanga

Lit.: Bundesanzeiger 173/18.09.86 u. 50/13.03.90 ▪ Hager (4.) **2**, 1232 ff. ▪ Melchior u. Kastner, Gewürze, S. 162 ff., Berlin: Parey 1974 ▪ Wichtl (2.), S. 186 f. – *[HS 1211 90]*

Galläpfel s. Gallen.

Gallamintriethiodid.

$$\left[\begin{array}{c} O-(CH_2)_2-\overset{+}{N}(C_2H_5)_3 \\ O-(CH_2)_2-\overset{+}{N}(C_2H_5)_3 \\ O-(CH_2)_2-\overset{+}{N}(C_2H_5)_3 \end{array} \right] 3 I^-$$

Internat. Freiname für 1,2,3-Tris-[2-(triethylammonio)-ethoxy]-benzol-triiodid, $C_{30}H_{60}I_3N_3O_3$, M_R 891,54, Schmp. 152–153°C. G. wurde als Skelettmuskel-Relaxans bei Narkosen 1951 von Rhône Poulenc patentiert. – *E* gallamine triethiodide – *F* triéthiodure de gallamine – *I* gallamina triiodoetilato – *S* trietioduro de galamina
Lit.: Br. J. Pharmacol. **66**, 78 (1979) ▪ Proc. R. Soc. London, Ser. B **211**, 181 (1981). – *[HS 2923 90; CAS 65-29-2]*

Gallate s. Gallussäureester.

Galle. Bez. für das exokrine Sekret der Leber. Die Leberzellen sondern kontinuierlich etwa 600 bis 700 mL Gallenflüssigkeit (Leber-G.) pro Tag ab, die in einem Syst. von Gallenkanälchen u. Gallengängen der Gallenblase, einem unterhalb der Leber gelegenen Schleimhautsack mit muskulärer Wand, zugeführt wird. Die hier gesammelte G. wird durch Wasser- u. Elektrolyt-Resorption konzentriert (Blasen-G.) u. im Laufe des Verdauungsvorganges durch hormonell gesteuerte Kontraktionen der Gallenblase in den Darm abgegeben. Die Hauptbestandteile der G. sind Wasser (86,7%), *Gallensäuren (9,1%), *Gallenfarbstoffe (3%), *Cholesterin (0,3%) sowie Fettsäuren, Proteine u. anorgan. Substanzen.

Die Funktion der Gallenflüssigkeit im Rahmen der Fettverdauung besteht in der Emulgation wasserunlösl. Nahrungsbestandteile im Darmtrakt u. in der Überführung wasserunlösl. Verb. in die resorbierbaren *Choleinsäuren. Zudem halten die Gallensäuren das Cholesterin in Lsg. u. erleichtern dessen Ausscheidung. Veränderung der Gallenzusammensetzung kann zur Bildung von *Gallensteinen führen. Mit der G. werden noch weitere Stoffwechselprodukte (z. B. *Bilirubin), Medikamente u. Gifte sowie Schwermetalle ausgeschieden. – *E* bile, gall – *F* bile, fiel – *I* bile – *S* bilis
Lit.: Löffler u. Petrides, Physiologische Chemie, S. 747 ff., Heidelberg: Springer 1988 ▪ Schmid u. Thews, Physiologie des Menschen, S. 827–831, Heidelberg: Springer 1995.

Gallein [4′,5′-Dihydroxyfluorescein, Pyrogallo(l)phthalein].

$C_{20}H_{12}O_7$, M_R 364,31. Rotbraunes (mit 1,5 Mol H_2O) od. rotes (wasserfrei) Kristallpulver mit gelbgrünem Schimmer, in Wasser nicht, in Alkalien, Alkohol u. Aceton löslich. Mit Laugen bildet G. blaue, mit konz. Schwefelsäure rotgelbe Lösungen. G. wird als Säure-

Basen-Indikator (pH 3,8 braungelb, pH 6,6 rosa) u. zum Phosphat-Nachw. im Harn verwendet (gibt mit Monophosphaten gelbe, mit Diphosphaten rote, mit Triphosphaten violette Färbung). – *E* gallein – *F* galléine – *I* galleina – *S* galeína
Lit.: Beilstein E III/IV **19**, 3147 ▪ Merck-Index (12.), Nr. 4362 ▪ Ullmann **18**, 714; (4.) **23**, 415. – *[CAS 2103-64-2]*

Gallen (latein.: gallae). Bez. für spezif. geformte Gewebswucherungen bei Pflanzen u. Tieren, die meist von anderen Organismen (*Parasiten) verursacht werden.
1. *Pflanzen-G.* können durch pflanzliche (z. B. Schlauch- u. Rostpilze) od. eine Vielzahl tier. Erreger (z. B. Gallmücken, Gallwespen, Blattwespen, Blattläuse, Rüsselkäfer, Schmetterlinge, Gallmilben u. Nematoden) hervorgerufen werden. Die G.-Entstehung ist noch ungenügend erforscht; Auslöser sind z. B. der Speichel von G.-erzeugenden Insekten, wahrscheinlich auch deren abgelegte Eier, schlüpfende u. vom Pflanzengewebe sich ernährende Larven u. deren Stoffwechselprodukte. G. dienen der Entwicklung u. dem Schutz, aber auch der Nährstoffgewinnung sie bewohnender Einzelindividuen od. Gruppen von Organismen. Die von bestimmten Eichen-Arten stammenden *Galläpfel* enthalten – neben *Gallus- u. *Ellagsäure, Zuckern (z. B. als *Purpurogallin-Glykoside), Stärke, Harz, Gummen u. ether. Ölen – bis zu 70% *Gerbstoffe (*Tannine). Sie werden deshalb zu deren Gewinnung, zur Herst. von Tinten, in der Färberei sowie als G.-Tinktur für Schleimhautpinselungen u. gegen Frostbeulen verwendet.
2. *Tier-G.* entstehen z. B. bei Haarsternen (Stachelhäuter) nach Befall mit parasit. Würmern (Annelida: Myzostomida). – *E* galls – *F* galles – *I* bile – *S* bilis
Lit.: Nultsch, Allgemeine Botanik, 10. Aufl., Stuttgart: Thieme 1996 ▪ Ohnesorge, Tiere als Pflanzenschädlinge, 2. Aufl., Stuttgart: Thieme 1991. – *[HS 1404 90]*

Gallenfarbstoffe. Sammelbez. für *Bilirubin, dessen Vorstufen u. Abbauprodukte, soweit sie die *Galle anfärben. Die G. sind offenkettige *Tetrapyrrole u. entstehen im *retikulo-endothelialen System aus den *Porphyrinen, die bei Abbau der *Erythrocyten frei werden. Aus den G. entstehen im Darm durch bakteriell-enzymat. Abbau die *Fäkalpigmente, die für die Farbe des *Kots verantwortlich sind; als Folge patholog. Veränderungen tritt Bilirubin vermehrt im Blutserum u. Harn auf, z. B. bei *Hepatitis u. Ikterus (Gelbsucht). *Biliverdin ist ein Zwischenprodukt bei der Bildung von Bilirubin. Es ist der G. der Vögel, Reptilien u. Fische, kommt aber auch, begleitet von anderen Farbstoffen ähnlichen Aufbaus, in Pflanzen vor (*Phytochrom; in Algen: *Phycobiline u. Biliproteine). – *E* bile pigments – *F* pigments biliaires – *I* pigmenti biliari – *S* pigmentos biliares

Gallensäuren.

Als Salze in der *Galle in Konz. von 30 g/L vorkommende, überwiegend mit Glycin (*Glykocholsäure) od. Taurin (*Taurocholsäure) konjugierte, substituierte Cholansäuren. In der *Leber werden die G. *Cholsäure u. *Chenodesoxycholsäure, im *Darm *Desoxycholsäure, *Lithocholsäure u. a. gebildet; gemeinsame Vorstufe ist das *Cholesterin. Die Bedeutung der G. – etwa 10 – 15 g zirkulieren ständig zwischen Leber u. Darm – liegt einmal in der Bildung der Glyko- u. Taurocholsäure (bzw. der entsprechenden Desoxycholsäure-Derivate), die auf Neutralfette emulgierend wirken, zum anderen in der Bildung der *Choleinsäuren zur Solubilisierung von verschiedenen lipophilen Stoffwechselprodukten u. Fremdstoffen. Außerdem aktivieren sie *Lipasen. Die aus Schweine- od. Rindergalle isolierbaren G. dienen zur Synth. von pharmazeut. wichtigen Steroidhormonen. Zur Biosynth. der G. s. *Lit.*[1]. – *E* bile acids – *F* acides biliaires – *I* acidi biliari – *S* ácidos biliares
Lit.: [1] Biochemistry U.S.A. **31**, 4737 – 4749 (1992). *allg.:* Nachr. Chem. Tech. Lab. **43**, 1047 – 1055 (1995).

Gallenseifen s. Seifen (Ochsengallenseifen).

Gallensteine (Cholelithe). Konkrement-Bildungen in der Gallenblase od. den Gallengängen (s. a. Galle). Die meisten G. (80%) sind *Cholesterin-Steine od. bestehen aus einem Gemisch aus zum größten Teil Cholesterin u. Calcium-Salzen, *Gallensäuren, Gallenpigmenten, Fettsäuren u. Phospholipiden. 20% der G. sind Pigment-Steine u. bestehen aus Calciumbilirubinat ohne größeren Cholesterin-Anteil.
Die Entstehung von G. wird durch Veränderungen in der Zusammensetzung der Gallenflüssigkeit begünstigt. Ihre Größe reicht vom feinen Gallengries bis zum einzelnen, die ganze Gallenblase ausfüllenden Stein. G. können zu Entzündungen der Gallenblase u. durch Verschluß des abführenden Ganges zu Gallenstau u. Koliken führen. G.-Leiden werden chirurg. durch Entfernung der Gallenblase od. medikamentös durch Auflösung mit *Chenodesoxycholsäure od. *Ursodesoxycholsäure (*Litholyse*) behandelt. Zudem bietet sich die Möglichkeit der Steinzertrümmerung von außen durch die Stoßwellenlithotripsie. – *E* gallstones – *F* lithiase biliaire – *I* calcolo biliare – *S* cálculos biliares
Lit.: Gross et al., Die Innere Medizin, S. 632 – 638, Stuttgart: Schattauer 1994 ▪ Wolpers, Gallenblasensteine, Basel: Karger 1987.

Gallerten s. Lyogele unter Gele.

Galliant s. Granate.

Gallit. $CuGaS_2$, M_R 197,39, einziges bisher bekanntes prim. Gallium-Mineral, mit 35,4% Ga. Winzige tetragonale, pseudokub. Krist., meist jedoch als Krusten, Entmischungskörper in *Zinkblende. Grauschwarz metallglänzend, Strich grauschwarz, H. 3,5, D. 4,4. Vork. in der Tsumeb-Mine/Namibia, Kipushi/Zaire, mehrorts in Bulgarien, auf Kuba. – *E* = *F* = *I* gallite – *S* galita
Lit.: Anthony et al., Handbook of Mineralogy, Bd. I, S. 173, Tucson (Arizona): Mineral Data Publishing 1990 ▪ Ramdohr, Die Erzmineralien u. ihre Verwachsungen, S. 581 f., Berlin: Akademie-Verl. 1975.

Gallium (chem. Symbol: Ga). Metall. Element, Ordnungszahl 31, M_R 69,72. Natürliches Ga besteht aus den Isotopen 69 (60,1%) u. 71 (39,922%); daneben kennt man zahlreiche künstliche Isotope ^{63}Ga–^{76}Ga mit HWZ zwischen 31 s u. 78,1 h. Ga ist ein glänzend weißes, weiches (H. 1,5), dehnbares Metall. D. (fest) 5,904, D. (flüssig) 6,095, Schmp. 29,78 °C (Gallium schmilzt in der menschlichen Hand), Sdp. ca. 2400 °C (aber auch 1983 °C od. 2225 °C angegeben). Flüssiges Ga zeigt Silberglanz, ist an der Luft beständig u. verbrennt erst in reinem Sauerstoff unter hohem Druck. Von Wasser wird es kaum angegriffen, wohl aber von Halogenen u. Königswasser. Ga steht im Periodensyst. in der 13. Gruppe, unter Aluminium u. über Indium u. Thallium; es zeigt in seinen Verb. große Ähnlichkeit mit den entsprechenden Al-Verbindungen. In seinen Verb. ist Ga vorwiegend 3-wertig, sehr selten auch 1- od. 2-wertig; die Salze sind farblos. Es bildet leicht binäre, techn. wichtige Verb. mit Antimon, Arsen u. Phosphor.

Vork.: Etwa 0,0015% der obersten, 16 km dicken, festen Erdkruste dürfte aus Ga bestehen; es entspricht in seiner Häufigkeit etwa dem Blei. Da Ga einen ähnlichen Ionenradius wie das verwandte Al besitzt, dringt es leicht in die Kristallgitter von Al-Verb. (Bauxit, Tonerden usw.) ein; Zinkblenden enthalten bis zu 0,02% Ga. Spuren von Ga finden sich auch im Mansfelder Kupferschiefer. Das G.-reichste Mineral ist der *Gallit. Der westafrikan. *Germanit enthält bis zu 1% Ga. Als einziges oxidiertes Ga-Mineral ist der Söhngeit [Ga(OH)$_3$] bekannt[1]. Die Bestimmung von Ga kann komplexometr. z. B. mit EDTA u. photometr. mit Xylenolorange, Chinalizarin, Rhodamin B, Morin, Kupferron, Oxin od. Aluminon erfolgen[2]. Spuren von Ga lassen sich durch Neutronenaktivierungsanalyse nachweisen[3].

Herst.: Früher wurde Ga aus den Verhüttungsrückständen des Kupferschiefers gewonnen, heute als Nebenprodukt der Zink- u. Aluminium-Industrie. Bauxit enthält unterschiedliche Mengen Ga: 0,003–0,01%. aus dem nach dem Bayer-Verf. (s. Aluminium) anfallenden Natriumaluminat läßt sich elektrolyt. auf verschiedenen Wegen (Alusuisse-, Alcoa-, Pechiney-Prozeß) Gallium gewinnen. Zur Herst. von hochreinem Ga s. Lit.[4] u. zur Laboratoriums-Herst. s. Lit.[5].

Verw.: Der weitaus größte Teil der Ga-Produktion dient zur Herst. von *Gallium-Verbindungen des Typs GaAs (s. Galliumarsenid), die als *Halbleiter Bedeutung erlangt haben. In Verbindung mit Gd, Fe, Y, Li u. Mg entstehen magnet. Werkstoffe. Das intermetall. V$_3$Ga ist ein Supraleiter, Sprungtemp. 16,8 K. Mit Thermometern aus schwer schmelzbarem Quarzglas u. Ga-Füllung lassen sich Temp. zwischen –15 °C u. 1200 °C messen, denn infolge Unterkühlungserscheinungen bleibt Ga bis weit unter seinem Schmelzpunkt flüssig. Weitere Anw. als ungiftige Sperrflüssigkeit bei höheren Temp., in Schmelzleg., als Wärmeaustauscher in Kernreaktoren, zu Lampenfüllungen anstelle von Quecksilber (Kathode aus flüssigem Al-Ga gibt ein an blauen u. roten Strahlen reiches Licht), in der Spektroskopie usw. Die Weltjahresproduktion an Ga betrug Mitte der 80er Jahre ca. 60 t. Zu den Bemühungen, *Neutrinos mit Hilfe von 30 t (!) Ga nachzuweisen, s. Lit.[6].

Geschichte: 1871 prophezeite Mendelejeff nach Aufstellung seines *Periodensystems, es müsse ein Aluminium-ähnliches Element (Eka-Aluminium) vom annähernden Atomgew. 68, der D. 5,9 u. einem auffallend niedrigen Schmp. geben. Das prophezeite Element wurde 4 a später von Lecoq de *Boisbaudran in pyrenäischen Zinkblenden entdeckt u. nach seinem Vaterland als Gallium bezeichnet; er hatte seine Existenz allerdings bereits 1863 aufgrund spektroskop. Untersuchungen an Bor-Aluminium-Verb. vermutet. – $E = F$ gallium – I gallio – S galio

Lit.: [1]Ramdohr-Strunz, S. 556. [2]Fries-Getrost, S. 150–153. [3]Townshend, Encyclopedia of Analytical Science, S. 1748–1751, London: Academic Press 1995. [4]Chem.-Ztg. **97**, 331–336 (1973). [5]Brauer (3.) **2**, 844 ff. [6]Angew. Chem. **104**, 1310–1324 (1992).
allg.: Downs, Chemistry of Gallium, Indium, and Thallium, London: Blackie 1993 ▪ Herrmann-Brauer **2**, 99–118 ▪ Kirk-Othmer (4.) **12**, 299, 367 ▪ Ullmann (5.) **A 12**, 163–167 ▪ Winnacker-Küchler (4.) **4**, 480 f. – *[HS 8112 99; CAS 7440-55-3]*

Galliumarsenid. GaAs, M_R 144,64, dunkelgraue Krist., Schmp. 1237 °C, die wegen ihres Gehalts an *Arsen giftig u. krebserregend sind. Hochreines GaAs läßt sich durch Abscheidung aus der Gasphase, als *Whisker[1] od. aus As/Ga-Schmelzen gewinnen; zur Herst. dünner GaAs-Filme aus niedermol. III/V-Komplexen als einziger Quelle s. Lit.[2].
Verw.: GaAs gehört, ebenso wie andere Verb. mit 5-wertigen Elementen [z. B. Galliumnitrid (GaN), Galliumphosphid (GaP), Galliumantimonid (GaSb)], zur Gruppe der $A^{III}B^V$-*Halbleiter; sie werden in der Elektronik-Ind., bes. in der *Optoelektronik, vielseitig verwendet, z. B. für Dioden, Transistoren im GHz-Bereich, Mikrowellengeräte, Photoelemente, Solarzellen, *LED (*Elektrolumineszenz)[3], Infrarotfenster u. Feststofflaser. – E gallium arsenide – F arséniure de gallium – I arsenuro di gallio – S arseniuro de galio

Lit.: [1]Angew. Chemie **83**, 922 (1971). [2]Angew. Chemie **101**, 1235–1243 (1989). [3]Adv. Mater. **8**, 689 (1996).
allg.: Gallium Arsenide and Related Compounds (Conference Series), Bristol: Inst. Physics (seit 1966) ▪ Kirk-Othmer (4.) **12**, 311 ▪ Rees, CVD of Nonmetallic Materials, Weinheim: VCH Verlagsges. 1996 ▪ Stringfellow, Organometallic Vapor-Phase Epitaxy Theory and Practice, New York: Academic Press 1989 ▪ Ullmann (5.) **A 8**, 615 f.; **A 12**, 166; **A 23**, 546 ▪ Winnacker-Küchler (4.) **3**, 459 ff. ▪ s. a. Gallium, Halbleiter, Optoelektronik. – *[HS 285100; CAS 1303-00-0; G 6.1]*

Gallium-Verbindungen. Abgesehen von den Halbleitern des *Galliumarsenid-Typs sind die Verb. des *Galliums ohne größere techn. Bedeutung; eine Ausnahme macht GaCl$_3$ als Friedel-Crafts-Katalysator, (vgl. Friedel-Crafts-Reaktion). Auch Gallium-organ. Verb.[1] besitzen [bis auf Trimethylgallium, Ga(CH$_3$)$_3$, als Ga-Carrier z. B. bei der Herst. von Leuchtdioden[2]] nur theoret. Interesse. Galliumoxid (Ga$_2$O$_3$) wird zur Herst. von Gd-Ga-Granat-Einkrist. für Magnetblasenspeicher benutzt; es kann aus Abfällen für die Herst. zurückgewonnen werden. – E gallium compounds – F composés de gallium – I composti di gallio – S compuestos de galio

Lit.: [1]Gmelin, Organogallium Compounds, 1987. [2]Encycl. Gaz., S. 627–630.
allg.: Brauer (3.) **2**, 846–863 ▪ s. a. Gallium u. Galliumarsenid.

Gallocyanin.

$C_{15}H_{12}N_2O_5$, M_R 300,27. Grüne, krist. Paste, als salzsaures Salz grünes Pulver, in Wasser violett lösl., färbt Chrom-gebeizte Wolle u. Baumwolle blauviolett, licht-, seife- u. säureecht. Der Phenoxazin-Farbstoff G. gibt mit $BaCl_2$ einen lichtechten, trübvioletten Lack u. ist heute nur noch als Beizenfarbstoff von Bedeutung. Der Methylester ist ein Reagenz auf Bi(III)- u. Fe(III)-Ionen. – *E* = *F* gallocyanine – *I* gallocianina – *S* galocianina

Lit.: Beilstein E II **27**, 489; E IV **27**, 5849 (G.-Chelate) ▪ Coll. Czech. Chem. Commun. **43**, 235–249 (1977) ▪ Snell-Hilton **6**, 385 ▪ Ullmann (4.) **13**, 191; (5.) **A 3**, 228; **A 24**, 570, 573 ▪ Winnacker-Küchler (3.) **4**, 256. – *[HS 3204 12; CAS 1562-85-2]*

Gallone (Abk.: gal). Flüssigkeits- od. Hohlmaß, das bes. in Großbritannien u. USA verbreitet ist. Ein (engl.) Imperial Gallon faßt 4,54609, ein US-Gallon 3,785412 (Flüssigkeiten) bzw. 4,404884 L (trockene Produkte). – *E* = *F* gallon – *I* gallone – *S* galón

Gallopamil.

Internat. Freiname für 5-[(3,4-Dimethoxyphenethyl)-methyl-amino]-2-isopropyl-2-(3,4,5-trimethoxyphenyl)-valeronitril, $C_{28}H_{40}N_2O_5$, M_R 484,64, gelbes viskoses Öl, Sdp. 240–245 °C (0–26,6 Pa), n_D^{25} 1,5402. Verwendet wird das Hydrochlorid, das als Racemat vorliegt, Schmp. 145–148 °C, λ_{max} (CH_3OH) 278 nm ($A_{1cm}^{1\%}$=67); L-Form: Schmp. 160,5–161,5 °C, $[\alpha]_D^{25}$ +11,7° (c 5,02/C_2H_5OH); D-Form: Schmp. 160,5–161,5 °C, $[\alpha]_D^{23}$ –11,7° (c 5,04/C_2H_5OH). G. wurde 1962 u. 1966 als *Calcium-Antagonist von Knoll (Procorum®) patentiert. – *E* = *I* gallopamile – *F* gallopamil – *S* galopamilo

Lit.: Hager (5.) **8**, 323 ff. – *[HS 2926 90; CAS 16662-47-8 (G.)]*

Gallophenine. Gruppe von Chromier- u. *Beizenfarbstoffen, *Phenoxazin-Farbstoffe. – *E* gallophenins – *F* gallophénines – *I* gallofenine – *S* galofeninas

Gallotannin s. Gerbstoffe u. Tannin.

Gallussäure (3,4,5-Trihydroxybenzoesäure).

$C_7H_6O_5$, M_R 170,12, Nadeln mit 1 Mol Kristallwasser, Schmp. 253 °C (Zers.), lichtempfindlich, wenig lösl. in kaltem, leicht lösl. in warmem Wasser, Alkohol, Aceton u. Glycerin, prakt. unlösl. in Benzol, Chloroform u. Petrolether. G. bildet blauschwarze Niederschläge mit Eisen-Salzen (*Eisengallustinten). Alkalisalze von G. werden leicht von Sauerstoff unter Braunfärbung oxidiert. G. verringert die mutagene Wirkung von Nitrosaminen[1].

Vork.: In Eichenrinde, Galläpfeln (woraus sie 1786 von Scheele isoliert wurde), Divi-Divi, Granatwurzeln, Sumach, Tee in Form von *Tanninen, in denen G. häufig als *Depsid (*m-Digallussäure, m-Galloylgallussäure,* Formel s. Tannine) vorliegt, das durch partielle Hydrolyse od. Spaltung mit dem Enzym Tannase (aus Schimmelpilzen) krist. erhalten werden kann.

Verw.: Zur Herst. von Eisengallustinten, Antioxidantien (s. Gallussäureester), Sonnenschutzmitteln u. Farbstoffen (Anthragallol, Gallocyanin, Rufigallussäure usw.), ferner als Reduktionsmittel u. in Antidiarrhoika. Zu Metabolismus u. Biosynth. der G. s. *Lit.*[2]. – *E* gallic acid – *F* acide gallique – *I* acido gallico – *S* ácido gálico

Lit.: [1]Biol. Plant. **28**, 386–390 (1986); Folia Microbiol. **32**, 55–62 (1987). [2]J. Chem. Soc., Perkin Trans. 1 **1982**, 2515–2524; Phytochemistry **21**, 1049–1062 (1982); Recent Adv. Phytochem. **20**, 163–200 (1986); Zechmeister **41**, 1–46. *allg.:* Beilstein E IV **10**, 1993 ▪ Hager (5.) **4**, 27 f., 257 f., 727 f. ▪ Karrer, Nr. 903 ▪ Phytochemistry **26**, 1147 (1987); **27**, 3004 (1988); **29**, 267 (1990) ▪ Ullmann (5.) **A 13**, 525; **B 2**, 23-6 ▪ Zechmeister **35**, 73–119 ▪ s. a. Turgorine. – *[HS 2918 29; CAS 149-91-7]*

Gallussäureester (Gallate). Die Ester der *Gallussäure mit aliphat. Alkoholen sind meist farblose, krist. Substanzen, die in Wasser unlösl. od. schwer lösl., in Alkoholen u. Ether meist gut u. zu einem gewissen Grade auch in Fetten lösl. sind. Sie sind als Antioxidantien in Kosmetika, einige von ihnen (Dodecyl-, Octyl- u. Propylester) auch als Zusatzstoffe in Lebensmitteln einsetzbar[1]. Die wichtigsten G. sind: *Methylgallat* ($C_8H_8O_5$, M_R 184,15, Schmp. 157 °C), das in Blättern des Blasenbaumes (*Koelreuteria paniculata,* Sapindaceae) vorkommt, es wirkt antibiot. u. ist in vitro ein hochwirksamer spezif. Hemmstoff von Herpes simplex[2]; *Propylgallat* ($C_{10}H_{12}O_5$, M_R 212,20, Schmp. 150 °C); *Octylgallat* ($C_{15}H_{22}O_5$, M_R 282,34, Schmp. 100–102 °C) u. *Dodecylgallat* (Laurylgallat, $C_{19}H_{30}O_5$, M_R 338,44, Schmp. 97 °C). – *E* gallic acid esters, gallates – *F* esters de l'acide gallique, gallates – *I* esteri dell' acido gallico, gallati – *S* galatos, ésteres del ácido gálico

Lit.: [1]J. Hortic. Sci. **64**, 617 (1989). [2]Biosci. Rep. **8**, 95–102 (1988).
allg.: s. Gallussäure. – *[HS 2918 29; CAS 99-24-1 (Methylgallat); 121-79-9 (Propylgallat); 1034-01-0 (Octylgallat); 1166-52-5 (Dodecylgallat)]*

Gallwitz, Dieter (geb. 1937), Prof. für Biochemie, Direktor am MPI für Biophysikal. Chemie in Göttingen. *Arbeitsgebiete:* Genstruktur u. -expression, Nucleotidbindende Proteine, Regulation der Zellproliferation.
Lit.: Kürschner (15.), S. 1221.

Galmei. Techn. Sammelname für carbonat. u. silicat. Zinkerze aller Art, mit einem od. mehreren der folgenden Minerale: *Smithsonit, *Hydrozinkit (Zinkblüte), *Hemimorphit (Kieselzinkerz), *Willemit. Oft durch Verwitterungsrückstände verunreinigt u. dann gelb, braun od. rot gefärbt. Lokal wichtiges Zinkerz. *Name:* s. bei Lüschen (*Lit.*). – *E* galmei – *F* smithsonite – *I* calmania, giallamina, zelamina – *S* calamina, smithsonita

Lit.: Lüschen, Die Namen der Steine, 2. Aufl., S. 221 f., Thun: Ott 1979 ▪ Ramdohr-Strunz, S. 572.

Galmei-Pflanzen. Pflanzen, die gegenüber Zink-Salzen eine hohe *Toleranz aufweisen u. deshalb auf Zinkreichen Böden gedeihen, z. B. das Galmei-Veilchen (*Viola calaminaria*) u. die Galmei-Grasnelke (*Armeria maritima* ssp. *calaminaria*); s. a. Metallophyten. – *E* calamine plants – *F* plantes de calamine – *I* piante di calamina – *S* plantas de calaminz
Lit.: Schlee (2.), S. 191–197.

GalN, GalNAc s. Galactosamin.

GALVALINE®. Behandlungsverf. zur Entgiftung cyanid. Galvanoabwässer. *B.:* Degussa.

Galvani, Luigi (1737–1798), Arzt in Bologna. Entdecker der als „tier. Elektrizität" gedeuteten Bildung *galvanischer Elemente durch Reizung von motor. Nerven an Froschpräparaten.
Lit.: Krafft, S. 135 f.

Galvani-Potential s. Galvani-Spannung.

Galvanische Bäder s. Galvanotechnik.

Galvanische Elemente (galvan. Zellen). Anordnungen von *Elektroden, die über einen *Elektrolyten voneinander getrennt so aufgebaut sind, daß sie aufgrund einer elektrochem. Reaktion elektr. Energie liefern. Man unterscheidet *Primärelemente*, die so konstruiert sind, daß sie nur einmal entladen werden (s. Batterien, Taschenbatterien) u. *sek.* bzw. *Speicherzellen*, die wiederaufladbar sind (s. Akkumulatoren). Die stromerzeugenden Reaktionen sind generell Redoxreaktionen in *Redoxsystemen, deren *elektromotorischen Kräfte (EMK) durch die *Normalpotentiale der beteiligten chem. Elemente (vgl. elektrochemische Spannungsreihe) vorgegeben sind. Da sich (prinzipiell) bei umgekehrter Stromrichtung alle elektrochem. Reaktionen umkehren lassen, beruht die Unterscheidung zwischen Primärelementen (nicht regenerierbar) u. den regenerierbaren Sekundärelementen lediglich auf den Ausführungsformen der einzelnen g. E.: Viele heute als Primärelemente klassifizierte g. E. können vielleicht in Zukunft so konstruiert werden, daß sie sich auch als *Sammler* eignen.

Die Primärelemente bestehen aus zwei elektrochem. *Elektroden (Metalle od. Kohle), die in Elektrolytlsg. eintauchen. Beispielsweise ist bei dem *Daniell-Element* (Abb. 1) eine in eine Zinksulfat-Lsg. tauchende Zink- mit einer in Kupfersulfat-Lsg. tauchenden Kupfer-Platte zusammengeschaltet, u. die beiden Elektrolytlsg. sind dabei durch ein poröses Diaphragma (*Separator*) getrennt.
Man nennt das Syst. Metall/Elektrolyt eine *Halbzelle* (*Halbelement*) u. das durch Hintereinanderschaltung der Halbzellen entstehende g. E. auch *galvan. Kette*; als Schreibweise z. B. für das abgebildete Daniell-Element hat sich eingebürgert:

$$Zn/Zn^{2+}//Cu^{2+}/Cu.$$

Bei leitender Verbindung beider Elektroden durch einen äußeren Draht fließt der Elektronenstrom gemäß dem vorhandenen Potentialgefälle vom höheren ($Zn \rightarrow Zn^{2+} = -0,76$ Volt) zum tieferen ($Cu \rightarrow Cu^{2+} = +0,34$ Volt) Potentialniveau, was bedeutet, daß das Zink die Kupfer-Ionen zu metall. Kupfer reduziert, wobei eine Arbeitsmenge verfügbar wird, die dem Pro-

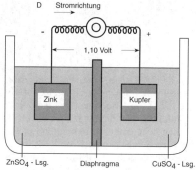

Abb. 1: Daniell-Element.

dukt aus Potentialdifferenz (1,10 Volt) u. fließender Elektrizitätsmenge (Volt · Coulomb = Joule) entspricht (Näheres s. Spannungsreihe). Die einem g. E. entnommene elektr. Arbeit ist im wesentlichen gleich dem Äquivalent der Reaktionswärme, die der gleiche Prozeß abgeben würde, wenn er von selbst u. irreversibel (etwa im Reagenzglas) vor sich ginge. Übrigens ist der Vorgang im Daniell-Element umkehrbar, weshalb es als Vorläufer des *Akkumulators betrachtet werden kann. Eine Variante stellt das *Meidinger-Element* dar, bei dem ein Absinken der Kupfer-Ionenkonz. durch Nachlieferung aus einem Vorratsgefäß mit CuSO$_4$ vermieden wird.

Neben dem Daniell-Element ist eine Reihe konstanter Elemente entwickelt worden, z. B. Bunsen-, Chromsäure-, Lalande-, Leclanché- u. a. Elemente, wobei allein das als Trockenelement gebaute *Leclanché-Element* größere techn. Bedeutung erlangen konnte (s. Taschenbatterien). Bei einem *Trockenelement* ist der Elektrolyt immobilisiert (z. B. mittels Sorption der Lsg. durch Weizenmehl, Sägespäne, Asbest, Gips usw.), während in den *Naßelementen* (auch als *Füllelemente* bezeichnet) der Elektrolyt in flüssiger Form vorliegt. Bei den sog. *Flüssigkeitselementen* steht der gleiche Elektrolyt mit beiden Elektroden in Kontakt, die übrigen g. E. (d. h. diejenigen mit unterschiedlichen Elektrolyten an den beiden Elektroden) sind *Volta-Elemente*. In den sog. *Hochtemp.-Elementen* können sowohl der Elektrolyt als auch die Elektroden als Schmelze od. als Festkörper (s. Akkumulator) vorliegen. *Konzentrationselemente* sind Volta-Elemente, bei denen die Elektroden zwar in Lsg. der gleichen Substanz, jedoch von unterschiedlicher Konz. eintauchen; werden die anod. u. kathod. Bereiche derartiger Konzentrationselemente durch unterschiedliche Belüftung gebildet, so spricht man von *Evans-Elementen*. Diese rechnen ebenso wie sog. *Kontakt-* u. *Lokalelemente* (s. die Abb. dort) zu den *Korrosionselementen* [DIN 50900 Tl. 2 (01/1984)]; man spricht übrigens im Zusammenhang mit der *Korrosion nicht selten von *galvan. Korrosion*, wenn man die *Kontaktkorrosion* meint.

Normalelemente dienen als Norm für die EMK u. ermöglichen die genaue Messung unbekannter Spannungen; ihre EMK muß genau definiert, vollkommen reproduzierbar u. darf nur wenig von der Temp. abhängig sein. Das bekannteste Normalelement ist das sog. *Weston-Normalelement.* Es besteht aus zwei Elektroden 2. Art (s. Elektroden), nämlich einer Quecksilber(I)-sulfat-Elektrode (pos. Pol) u. einer Elektrode aus 12,5%igem Cadmiumamalgam; als Elektrolyt enthält es gesätt. Cadmiumsulfat-Lsg. (s. Abb. 2).

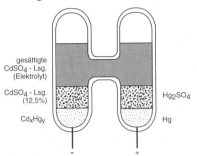

Abb. 2: Weston-Normal-Element.

Nach internat. Vereinbarung beträgt seine Spannung bei 20 °C 1,01865 Volt bei einem Innenwiderstand von 200 Ω bis 1200 Ω. Die Temperaturabhängigkeit der Leerlaufspannung U(t) bei der Temp. t wird mit einer Potenzreihe 4-ter Ordnung beschrieben:
$U(t) = U(t=20\,°C) - 39,83 \cdot \Delta t + 0,93 \cdot \Delta t^2 - 0,009 \cdot \Delta t^3 + 6 \cdot 10^{-5} \cdot \Delta t^4$ mit $\Delta t = t - 20\,°C$ (s. *Lit.*[1]). Für spezielle Zwecke, z. B. für Antriebsaggregate, hat sich die Kombination verschiedenartiger g. E. zu sog. Hybridsyst. bewährt.

Geschichte: Die Bez. g. E. erfolgte zu Ehren des italien. Physikers Luigi *Galvani, der u. a. elektr. Erscheinungen untersuchte (Froschschenkelversuch, 1789). Zu den ersten g. E. zählen das Daniell-Element von 1836 (bestehend aus Kupfer- u. Zink-Elektroden in Schwefelsäure), das Grove-Element (mit einer Platin-Kathode in Salpetersäure u. einer Zink-Anode in einem anderen Behälter, der Schwefelsäure enthält) sowie Bunsens Verbesserung (Graphit-Kathode). Zamboni versuchte 1812 Mangan-Dioxid in einer nahezu trockenen Voltaischen Reihe mit dünnen Scheiben aus Silber u. Gold einzusetzen; das Funktionieren dieses Elementes hing allerdings stark von der Luftfeuchtigkeit ab. 1866 konstruierte G. Leclanche eine nasse Zelle mit einer Zink-Anode u. einer Kathode aus natürlichem Manganoxid, das mit Graphit gemischt wurde, um höhere Ströme liefern zu können. 1888 wurde von Gassner eine Trockenzelle mit einer befeuchteten Kathode aus angeschwollener Gipsstärke konstruiert. 1859 untersuchte R. G. Planté systemat. verschiedene Metalle u. entdeckte, daß Blei Ladungen über mehrere Tage speichern konnte. Zunächst mußte die Planté-Zelle durch Primärzellen aufgeladen werden; nachdem 1857 Siemens den Dynamo entwickelte, brachte dies den prakt. Durchbruch der Planté-Zellen, die somit zum Vorläufer der heutigen Blei-Säure-Batterien wurden.

Standard-Zellen wurden so konstruiert, daß sie eine stabile, vorhersehbare Spannung liefern, z.B. 1872 von Clark (Quecksilber/Zink u. Quecksilbersulfat) u. 1892 von Weston (Quecksilber/Cadmium u. Cadmiumsulfat). – *E* galvanic cells – *F* éléments galvaniques – *I* elementi galvanici – *S* pilas galvánicas

Lit.: [1] Metrologia **10**, 79 (1974); Froehlich, Das Normalelement, Wiesbaden: Akadem. Verlagsges. 1978.

allg.: Bergmann u. Schaefer, Lehrbuch der Experimentalphysik (9.), Bd. 2, S. 717–751, Berlin: de Gruyter 1987 ▪ Dryhurst, Electrochemistry, Encycl. of Physical Science and Technology, Bd. 5, S. 587–618, San Diego: Academic Press 1992 ▪ Prentice, Electrochemical Engineering, Encycl. of Physical Science and Technology, Bd. 5, S. 569–585, San Diego: Academic Press 1992.

Galvanische Korrosion s. galvanische Elemente.

Galvaniseur. *Chemie-Beruf mit dreijähriger Ausbildungsdauer. G. veredeln Metall- u. Kunststoffoberflächen u. erreichen damit Schutz u. Verschönerung sowie Verbesserung der Leitfähigkeit der Elektrizität. Sie verchromen, verkupfern, vergolden, versilbern Gegenstände aus anderen Metallen, beherrschen die elektrochem. Vorgänge im galvan. Bad, setzen die Bänder fachgerecht an u. überwachen den techn. Vorgang. Galvanisieren, Eloxieren, Zaponieren (Überziehen mit farblosem, hoch belastbarem Lack) u. auch das nachträgliche Polieren gehören zu ihren Aufgaben, die den sachgerechten Umgang mit Chemikalien erfordern. Im Handwerk heißen sie Galvaniseur u. Metallschleifer, weil sie dort die Werkstücke vor der Behandlung im galvan. Bad selbst schleifen u. polieren.
Lit.: Blätter zur Berufskunde, 1 – I A 307, Bielefeld: Bertelsmann.

Galvanisieren. Elektrolyt. Herst. metall. Überzüge auf verschiedenartigem Material als Arbeitsgang aus der *Galvanotechnik. – *E* galvanizing – *F* galvanisation – *I* galvanizzare – *S* galvanizado

Galvani-Spannung (Galvani-Potential). Bez. für die für sich allein nicht meßbare Spannung, die sich an einer Phasengrenze zweier Leiter (z. B. Metalle, Halbleiter) bildet. Bei *Elektroden, die in Elektrolyt-Lsg. eine *elektrochemische Doppelschicht ausbilden, ist die G.-S. entgegengesetzt gleich der Differenz der *chemischen Potentiale der beteiligten Ionen. Zur G.-S. in *Dispersionen u. *Emulsionen s. Zeta-Potential. – *E* Galvani potential – *F* potentiel Galvani – *I* potenziale galvanico – *S* potencial Galvani

Galvanode®. Anoden für die Verchromung u. a. Anw. in der galvan. Industrie. *B.:* Heraeus Elektrochemie GmbH.

Galvanoplastik, Galvanostegie s. Galvanotechnik.

Galvanotechnik. Unter G. im engeren Sinne versteht man die elektrochem. Oberflächenbehandlung von Werkstoffen, d. h. die elektrolyt. Abscheidung von metall. (seltener auch nichtmetall.) *dünnen Schichten zum Zwecke der Verschönerung, des Schutzes vor *Korrosion, der Erzeugung von *Verbundwerkstoffen mit verbesserten Eigenschaften u. dgl. (Verbum: *galvanisieren*). Zur Normung s. die Sachgruppen 483 A, 509, 510 u. 513 des DIN-Katalogs. Die G. umfaßt die beiden Hauptgebiete Galvanostegie u. Galvanoplastik. Die *Galvanoplastik* dient der Herst. od. Reproduktion von Artikeln durch elektrolyt. Abscheidung. Dazu wird von der Urform zunächst ein Abdruck (Negativ, Hohlform) aus Gips, Wachs, Guttapercha, Silikonkautschuk, niedrigschmelzenden Metall-Leg. usw. hergestellt. Der Abguß wird oberflächlich elektr. leitend gemacht (durch chem. Niederschlagung od. Aufdampfung von Metallen) u. dann als Minuspol in der Gal-

Galvanotechniker

vanisierflüssigkeit mit dem abzuscheidenden Metall (z. B. Cu, Ni, Ag etc.; Pluspol) überzogen. Nach Beendigung der *Elektrolyse läßt sich die gebildete Metallschicht von der Form abheben u. ggf. mit Füllmaterial zur Verstärkung ausgießen. Verw. zur Herst. von Druckträgern im Hochdruck (s. Druckverfahren), zum Kopieren von Kunstgegenständen, Herst. von Schallplattenmatrizen u. a. techn. Gießformen.

Dagegen ist die ungleich wichtigere, auch als *Elektroplattierung* bekannte *Galvanostegie* ein Verf. der *Beschichtung von Gegenständen mit zumeist sehr dünnen, schützenden u. verschönernden Überzügen von Silber, Gold, Nickel, Chrom, Kupfer u. dgl. auf weniger wertvollen Unterlagen (z. B. aus Eisen) mit Hilfe des elektr. Stroms. Nähere Einzelheiten s. in Kirk-Othmer (*Lit.*) u. bei den jeweiligen Metallen bzw. ihren spezif. G.-Verf.; *Beisp.:* *Versilbern, *Vergolden, *Verchromen usw. Hier wird auch auf die sog. *stromlosen* (*E* electroless), d. h. mit chem. Reduktionsmitteln arbeitenden Verf. eingegangen. Wenn der zu plattierende Gegenstand elektr. nichtleitend ist, muß er – wie oben u. bei *Kunststoffgalvanisierung beschrieben – leitend gemacht werden. Die *Metallisierung der Artikel kann auch im Vak. (*Ionenplattierung*) od. aus Schmelzen erfolgen. Zur G. im weitesten Sinne gehören auch vorbereitende u. a. Verf., wie z. B. das chem. u. elektrolyt. Entfetten, *Beizen, *Polieren (insbes. das sog. *Elektropolieren*) u. *Färben, die chem. Abscheidung von Metall- u. Oxid-Schichten u. dgl. Zur Erzielung eines gut haftenden galvan. Niederschlags müssen die zu galvanisierenden Werkstücke vor dem Einbringen ins Galvanisierbad gründlich gereinigt u. mit den Mitteln der *Metallentfettung behandelt werden. Die galvan. Bäder teilt man in saure u. alkal. Bäder ein. Die sauren Bäder enthalten Sulfate, Chloride, Fluoroborate u. Sulfamate der abzuscheidenden Metalle, während die alkal. Bäder auf Basis von Hydroxobzw. Cyano-Komplexen od. Diphosphaten aufgebaut sind. Bei der weiter entwickelten *Glanzgalvanisierung* erhält man infolge Verw. bes. Zusätze, die eine einebnende Wirkung aufweisen (*Glanzzusätze*), sofort einen glänzenden galvan. Überzug, der nachheriges Polieren vielfach überflüssig macht. Bes. Fortschritte wurden durch den Einsatz von *Fluor-Tensiden als Additive, die Entwicklung Cyanid-frei arbeitender Verf. u. insbes. die Reinigung der *Abwässer erreicht. Die Aufarbeitung verbrauchter Galvanisierbäder u. die Entfernung von Metall-, Salz- u. Säurerückständen aus dem Abwasser dient nicht nur der Rückgewinnung wertvoller Rohstoffe (*Recycling), sondern auch der Gewässerreinhaltung u. damit dem *Umweltschutz. In vielen Betrieben, wie z. B. in den Galvanisierungsanlagen der Automobil-, Uhren-, Stahlrohrmöbel- u. Haushaltsartikel-Ind. wird der ganze Galvanisierungsprozeß (Entfetten, Spülen, Verkupfern, Glanzvernickeln bzw. Verchromen) vollautomat. durchgeführt. Von großer Bedeutung ist die G. bei der Herst. von *gedruckten Schaltungen* für die Elektronik-Ind. (Rechner, Computer, Sende- u. Empfangsgeräte, „Unterhaltungselektronik"). Für Geräte, Hilfsmittel, Chemikalien etc. s. *Lit.*[1]. – *E* electrodeposition – *F* électrodéposition, galvanoplastie – *I* galvanotecnica – *S* galvanotécnica

Lit.: [1] ACHEMA-Jahrb. **1995**.
allg.: Adžić, in Gerischer (Hrsg.), Advances in Electrochemistry and Electrochemical Engineering, Bd. 13, Kapitel 4, New York: Wiley 1984 ▪ Adžić u. Yeager, Electrochemistry, Encycl. of Appl. Physics, Bd. 5, S. 223–257, Weinheim: VCH Verlagsges. 1993 ▪ Canning Handbook on Electroplating, London: Chapman & Hall 1978 ▪ Chem. Unserer Zeit **23**, 151 (1989) ▪ Duffy, Electroplating Technology, Park Ridge: Noyes 1981 ▪ Gaida, Einführung in die Galvanotechnik, Saulgau: Leuze 1980 ▪ Ginberg et al., Optimierung technologischer Prozesse in der Galvanotechnik, Berlin: Verl. Technik 1979 ▪ Kirk-Othmer **8**, 36–74; **13**, 249–284; (3.) **8**, 738–750, 826–869 ▪ Spur u. Stöferle, Handbuch der Fertigungstechnik (Bd. 1), München: Hanser 1980 ▪ Tabellen u. Betriebsdaten für die Galvanotechnik, Saulgau: Leuze 1981 ▪ Ullmann **7**, 790–848; **E**, 433–436; (4.) **12**, 137–204 ▪ Winnacker-Küchler (3.) **6**, 629–641 ▪ Zahlreiche einschlägige Titel erscheinen bei Leuze (Saulgau) ▪ s. a. Beschichtung, Elektrochemie, Elektrolyse. – *Zeitschriften u. Serien:* Finishing Industries, Watford (England): Wheatland Journals Ltd. ▪ Galvanotechnik, Saulgau: Leuze ▪ Jahrbuch für Oberflächentechnik, Berlin: Metall-Verl. ▪ Metal Finishing, Hackensack (USA): Metals and Plastic Publ. ▪ Metal Finishing Abstracts, Hampton Hill (England): Finishing Publ. Ltd. ▪ Metalloberfläche, München: Hanser ▪ Oberfläche – Surface, Zurück: Forster ▪ Plating and Surface Finishing, Newark (USA): AES ▪ Surface Technology, Lausanne: Elsevier. – *Organisationen:* American Electroplaters' Soc., Newark (USA) ▪ Deutsche Ges. für Galvanotechnik, 40213 Düsseldorf ▪ Fachverband Galvanotechnik im Zentralverband der Elektrotechn. Ind., 60591 Frankfurt ▪ Institute of Metal Finishing, London: Internat. Vereinigung für Galvanotechnik, 178, Goswell Road, London ECI ▪ Österreich. Ges. für Oberflächentechnik, Wien ▪ Schweizer. Ges. für Galvanotechnik, Zürich.

Galvanotechniker. *Chemieberuf mit zweijähriger Ausbildung an einer Technikerfachschule. Aufgabe des Galvanotechnikers ist die Veredelung von Metalloberflächen, auch das Überziehen von Nichtmetallen wie etwa Porzellan od. Kunststoff mit Metallschichten. Dabei dient das Galvanisieren der dekorativen Veredelung u. dem Korrosionsschutz des Materials. G. sind im Betrieb in der Fertigungsplanung, Arbeitsvorbereitung, Terminplanung u. Überwachung der Anlagen tätig. Qualitätskontrolle u. Überwachung der Abwasserbehandlung im Rahmen des Umweltschutzes sowie Einsatz als Außendienstmitarbeiter im Vertrieb stellen weitere Aufgaben dar.

Lit.: Blätter zur Berufskunde, 2 – I R 27, Bielefeld: Bertelsmann.

Galvanotropismus s. ...tropismus.

Gambi(e)r s. Catechu.

Gambierinsäuren. Antifung. wirksame Polyether-Toxine aus der marinen Alge *Gambierdiscus toxicus* (Dinoflagellaten). G. sind strukturverwandt mit den *Brevetoxinen, *Ciguatoxin u. *Maitotoxin. Sie sind stark cytotoxisch. G. sind amorphe Feststoffe.

Tab.: Struktur und Daten der Gambierinsäuren.

	Summenformel	M_R	CAS
G. A	$C_{59}H_{92}O_{16}$	1057,37	138434-64-7
G. B	$C_{60}H_{94}O_{16}$	1071,40	141363-65-7
G. C	$C_{65}H_{100}O_{19}$	1185,50	138458-89-6
G. D	$C_{66}H_{102}O_{19}$	1199,52	141363-66-8

– *E* gambieric acids
Lit. (Struktur u. Wirkung): J. Am. Chem. Soc. **114**, 1102 (1992) ▪ J. Antibiot. **46**, 520 (1993) ▪ J. Org. Chem. **57**, 5448 (1992).

Gambo-Faser (Cambo-Faser). Eine der Jute ähnliche Naturfaser, die aus Kenaf, einer einjährigen Pflanze, gewonnen wird u. beträchtliche Mengen an *Lignin enthält.

Gameten(hormone) s. Gamone.

Gamma s. γ, Γ (vor g).

Gamma-Globuline (γ-Globuline). Ältere Bez. für die bei der Elektrophorese der *Serumproteine in der γ-Fraktion der *Globuline wandernden *Immunglobuline. – *E* gamma globulins – *F* gamma-globulines – *I* gamma globuline – *S* gamma-globulinas

Gammagraphie (Gammaradiographie). Bez. für die zerstörungsfreie *Werkstoffprüfung mit Hilfe von *Gammastrahlen radioaktiver Präp. (z. B. ^{60}Co, ^{192}Ir, ^{170}Tm, ^{169}Yb), die auch starkwandige Werkstücke durchdringen. – *E* gammagraphy – *F* gammagraphie – *I* gammagrafia – *S* gamagrafía
Lit.: s. Gammastrahlen u. Radiographie.

Gammaquanten s. Gammastrahlen.

Gammaradiographie s. Gammagraphie.

Gammasäure s. Buchstabensäuren.

Gammastrahlen. Hochenerget. elektromagnet. Strahlung mit einer Wellenlänge λ kleiner als Atomdimensionen: $\lambda < a_0 = 5 \cdot 10^{-11}$ m. Das Gebiet der G. schließt sich zu kleinen Wellenlängen hin an das Gebiet der *Röntgenstrahlung an. Da bei G. der Teilchencharakter gegenüber dem Wellencharakter der Strahlung überwiegt, wird sie durch *Gammaquanten* beschrieben, deren Energie $E_\gamma = h \cdot c/\lambda$ (h = *Plancksches Wirkungsquantum, c = Lichtgeschw.) größer als 10 keV ist. G. entstehen durch *Einfangreaktion* u. bei radioaktiven Zerfallsprozessen, bei denen angeregte Kernzustände gebildet werden (z. B. β^--Zerfall von ^{60}Co in ^{60}Ni, s. Abb.) oder durch Vernichtungsstrahlung, die entsteht, indem ein *Elementarteilchen auf sein entsprechendes *Antiteilchen trifft (z. B. Elektron + Positron, das ggf. durch einen β^+-Zerfall entstanden ist: $e^- + e^+ \to 2\gamma$ mit $E_\gamma = 0{,}511$ MeV).

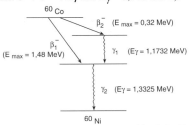

Abb.: Entstehung von Gammastrahlen beim Zerfall von ^{60}Co.

Techn. wird G. durch *Röntgenröhren erzeugt, die mit entsprechend hoher Beschleunigungsspannung betrieben werden u. durch Teilchenbeschleuniger (Betatron, *Synchrotron). Details s. *Lit.*[1]. Auf Grund des geringen Wechselwirkungsquerschnittes mit Materie wird G. beim Durchgang durch Materie nur gering geschwächt. G. können mit dem Atomkern, den Hüllenelektronen u. dem atomaren elektromagnet. Feld wechselwirken (s. Tab.).

Tab.: Wechselwirkungen von Gammastrahlen mit Atomkern, Hüllenelektronen u. dem atomaren, elektromagnetischen Feld.

Partner der Wechselwirkung	Art der Wechselwirkung		
	λ konstant	λ verändert	Absorption
Hüllenelektron	Rayleigh- u. Thomson-Streuung	Compton-Streuung	Photoeffekt
Atomkern	Rayleigh- u. Thomson-Streuung; Mößbauer-Effekt	Anregung von Kernzuständen; Compton-Streuung	Kernphotoeffekt Photospaltung
Coulomb-Feld zwischen Hülle u. Kern	Delbrück-Streuung an schweren Kernen		Paarbildung

Die dominierenden Effekte sind hierbei *Photoeffekt, *Compton-Streuung u. Paarbildung. Wegen des geringen Querschnittes spielt die Wechselwirkung von G. mit dem Atomkern nur eine untergeordnete Rolle; sie liefert aber wichtige Information über die Struktur der Atomkerne (s. *Lit.*[2]).

Verw.: In der Krebstherapie, (s. *Lit.*[3]), zur Sterilisation von pharmazeut. Präp. u. medizin. Instrumenten, von Nahrungsmitteln (nicht in der BRD zugelassen) u. a. Waren, von Klärschlamm[4], zur Analyse u. *Werkstoffprüfung (z. B. in der *Gammagraphie), ferner zur Strukturverbesserung von Kunststoffen, Beschichtungen von Lacken u. Klebstoffen wie zur Auslösung von radiationschem. Reaktionen, von denen das Dow-Prozeß zur Herst. von Ethylbromid der bekannteste ist; hier spielt als Ausbeutebeziehung der *G-Wert eine Rolle. Bei der *Gammastrahlen-Spektroskopie* (Aufnahme des Energiespektrums der G.) läßt man G. auf geeignete Materialien auftreffen u. *Sekundärelektronen auslösen, deren Energie durch ihre Ablenkbarkeit in einem homogenen Magnetfeld bestimmt wird. Eine breitere Anw. hat die Meth. in der Chemie[5] u. in der Astronomie[6] gefunden. Das europ. G.-Spektrometer EUROBALL ist aus 270 Ge-Detektoren aufgebaut[7]. Von dieser Meth. zu unterscheiden ist die *Gammastrahlen-Resonanzspektroskopie*, s. Mößbauer-Spektroskopie. – *E* gamma rays – *F* rayons gamma – *I* raggi gamma – *S* rayos gamma

Lit.: [1] Kohlrausch, Praktische Physik, Bd. 2, S. 485 ff., Stuttgart: Teubner 1985. [2] Musiol et al., Kern- u. Elementarteilchenphysik, Weinheim: VCH Verlagsges. 1988. [3] Krieger u. Petzold, Strahlenphysik, Dosimetrie u. Strahlenschutz, Bd. 2, Stuttgart: Teubner 1989. [4] Umschau, **76**, 752 f. (1976). [5] Krull u. Thomson, Analytical Chemistry, Encycl. of Physical Science and Technology, Bd. 1, S. 667–706, San Diego: Academic Press 1992. [6] Spektrum Wiss. **1993**, Nr. 7, 66; Phys. Unserer Zeit **26**, 262 (1995); Phys. Bl. **48**, 919 (1992). [7] Phys. Bl. **49**, 1016 (1993).

Gammastrahlen-Resonanzspektroskopie

allg.: s. ionisierende Strahlung, Radioaktivität, Spektroskopie, Strahlenchemie.

Gammastrahlen-Resonanzspektroskopie s. Mößbauerspektroskopie.

Gamma(strahlen)-Spektroskopie s. Gammastrahlen.

Gamone (Gametenhormone, Befruchtungshormone). Gruppenbez. für (manchmal zu den *Pheromonen gerechnete) pflanzliche *Sexuallockstoffe, die von den *Gameten* (den Geschlechtszellen, von griech.: gamein = heiraten) abgegeben werden, um die Partnerzelle durch *Chemotaxis anzulocken u. so die Befruchtung herbeizuführen. Die G. der Eizellen werden als *Gynogamone*, die der Samenzellen als *Androgamone* bezeichnet. G. spielen bes. bei Pflanzen mit selbständig beweglichen Gameten eine Rolle, z.B. bei niederen *Pilzen, *Moosen, *Farnen u. vielen *Algen. Chem. handelt es sich bei den G. häufig um mehrfach ungesätt. Kohlenwasserstoffe [Beisp.: Ectocarpin, ein 1'-Butenyl-2,5-cycloheptadien, u. *Multifiden, ein 3-(1'-Butenyl)-4-vinylcyclopenten], aber auch um *Sesquiterpene (Beisp.: *Sirenin) u. Proteine. – $E = F$ gamones – I gamoni – S gamonas

Lit.: Nultsch, Allgemeine Botanik, 10. Aufl., Stuttgart: Thieme 1996 ▪ Strasburger, Lehrbuch der Botanik, 33. Aufl., Stuttgart: G. Fischer 1991.

Gamow, George Anthony (1904–1968), Prof. für Theoret. Physik, Univ. Washington u. Colorado. *Arbeitsgebiete:* Atomphysik, Entwicklung des sog. Tropfenmodelles (*Atombau), Theorien zur Entstehung des Weltraums u. der Materie, Astrophysik usw.

Lit.: Poggendorff **7 b/3**, 1540 ff.

Gamskugeln s. Ziegensteine.

Ganciclovir.

Internat. Freiname für 2-Amino-1,9-dihydro-9-[2-hydroxy-1-(hydroxymethyl)ethoxymethyl]-6H-purin-6-on, $C_9H_{13}N_5O_4$, M_R 255,23, Schmp. 250°C (Zers.), LD_{50} (Maus i.p.) 1000–2000 mg/kg. Verwendet wird das Natrium-Salz. Es wurde als *Guanosin-analoger *Nucleosid-*Antimetabolit 1982 von Syntex patentiert u. ist als *Virostatikum von Syntex/Roche (Cymeven® Trockensubstanz zur Infusion) im Handel. – $E = F = I = S$ ganciclovir

Lit.: ASP ▪ Merck-Index (12.), Nr. 4374. – *[CAS 82410-32-0 (G.); 107910-75-8 (Natriumsalz)]*

Gangart s. Erz.

Ganggesteine (hypabyssische Gesteine). Bez. für *magmatische Gesteine, die hinsichtlich ihres Bildungsortes, d.h. des Ortes ihrer *Kristallisation, eine Zwischenstellung zwischen den in größerer Tiefe in der Erdkruste (s. Erde) erstarrten Plutoniten u. den an der Erdoberfläche als Laven ausgeflossenen od. als Lockerprodukte (s. pyroklastische Gesteine) ausgeworfenen *Vulkaniten (einschließlich der zugehörigen, mit dem Oberflächenvulkanismus zusammenhängenden subvulkan. Gesteine) einnehmen. Man unterscheidet *leukokrate* (helle) u. *mesotype* bis *melanokrate* (s. magmatische Gesteine) G.; zu den ersteren zählen die feinkörnigen, den *Graniten stofflich äquivalenten *Aplite* u. die *Pegmatite, von denen jedoch ein Teil nicht gangförmig, sondern stockförmig auftritt. Die dunklen G. werden als *Lamprophyre bezeichnet. Manche gangartig auftretenden Plutonite werden wegen ihres oft porphyrartigen *Gefüges als Granitporphyr, Granodioritporphyr, Syenitporphyr, Gabbroporphyrit usw. bezeichnet. Zu den G. der *Gabbro-Familie werden oft die *Diabase u. *Dolerite gerechnet. – E dike rocks, hypabyssal rocks – F roches filoniennes – I ganghe, rocce in ganga, rocce filoniane – S rocas filonianas

Lit.: s. magmatische Gesteine, Lamprophyre, Pegmatite.

Ganghöhe s. flüssige Kristalle.

Ganglienblocker (Ganglioplegika). Bez. für eine uneinheitliche Gruppe von chem. Stoffen, die sich durch spezif. Hemmung od. Blockierung der ganglionären Impulsübertragung an den *Synapsen des vegetativen Nervensyst. infolge der Herabsetzung der Empfindlichkeit gegenüber *Acetylcholin auszeichnen. U. a. kommt dadurch auch ein erheblich herabgesetzter Blutdruck zustande, da die körpereigene, aktive Blutdruckregulation blockiert ist. Daher lassen sich G. zur kontrollierten Blutdruck-Senkung als *Antihypertonika bei schweren Hypertonien u. als Muskelrelaxantien bei chirurg. Eingriffen verwenden. Zu den G. gehören zahlreiche *Alkaloide wie *Nicotin, *Spartein, *Coniin, *Lobelin, *Anabasin, *Cytisin, 4-*Aminobuttersäure (u. ähnliche *Neurotransmitter), *Curareartige Cholin-Derivate u. andere Methonium-Verb. wie Tetraalkylammonium-Salze u. einige *Phenothiazin-Derivate. – E ganglion blocking agents – F ganglioplégiques – I gangioplegici – S ganglioplégicos

Ganglioplegika s. Ganglienblocker.

Ganglioside. *Glykolipide, die als Bausteine von Zell-Membranen im Nervengewebe auftreten (daher Name von *Ganglion* = Nervenknoten u. ...osid von *Glykosid). Ähnlich wie *Cerebroside aufgebaut, im Unterschied zu jenen aber mehrere Monosaccharid-Einheiten pro Mol. enthaltend, gehören sie wie die *Sphingomyeline zu den *Sphingolipiden (*Sphingosin-haltigen *Lipiden), ohne jedoch – wie eben die Sphingomyeline – Phosphor-Gehalt aufzuweisen. Das etwas häufiger anzutreffende G. G_{M1} hat beispielsweise folgenden Aufbau:

Einzelne G. sind Rezeptoren für Toxine, z. B. für Cholera- u. Tetanus-Toxin. G. machen normalerweise 0,1 % der *Hirnsubstanz aus, doch kann es bei bestimmten genet. bedingten Enzym-Defekten (*Erbkrankheiten*) zu abnormen Speicherungen in den Nervenzellen kommen[1]. G. kommen auch in anderen Körperorganen (*Milz) u. in der *Erythrocyten-Membran vor.
Zur Rolle der G. bei der Gedächtnisbildung s. *Lit.*[2]; zur Analyse durch Dünnschichtchromatographie s. *Lit.*[3]. – $E = F$ gangliosides – I gangliosidi – S gangliosidos

Lit.: [1] Biochim. Biophys. Acta **1096**, 87–94 (1991). [2] Naturwissenschaften **81**, 7–20 (1994). [3] J. Chromatogr. A **720**, 3–25 (1996)
allg.: Am. J. Physiol. **262**, C1342–C1355 (1992) ▪ Drugs **47**, 567–585 (1994).

Gangrän (feuchter Brand, griech.: gaggraina = fressendes Geschwür). Abgestorbenes Körpergewebe (*Nekrose*), z. B. an Zehen u. Fingerspitzen infolge von Durchblutungsstörungen z. B. bei *Arteriosklerose, mit Infektion u. Zers. durch Fäulnisbakterien. Durch Umwandlung des *Hämoglobins kommt es zur bräunlich-schwarzen Farbveränderung. Von dieser G. im engeren Sinne unterscheidet man die sog. trockene G., bei der die Nekrose nach Gefäßverschluß eintrocknet u. mumifiziert. – E gangrene – F gangrène – I gangrena, cancrena – S gangrena

Ganister. Spezielle Quarzsandsteine (Quarzarenite, s. Sandsteine), die an Ort u. Stelle (*in situ*) aus fossilen Böden durch Auslaugung der weniger stabilen Minerale durch saure Porenwässer entstanden sind. G., z. B. der Tuscarora-*Quarzit in Pennsylvania/USA, wird zur Herst. von feuerfesten Steinen (Silicasteinen) verwendet. – $E = F = S$ ganister – I ganistro, roccia silicea
Lit.: Tucker, Einführung in die Sedimentpetrologie, S. 53, 95, 216, Stuttgart: Enke 1985. – [*HS 2506 21*]

Ganoderma. Zur Pilzgattung *Ganoderma* (Aphyllophorales, Basidiomycetes) gehören etwa 50 Arten, die vorwiegend in den Tropen vorkommen. Die bedeutendste Art ist der auch in gemäßigten Klimazonen häufige Lackporling (*G. lucidum*, chin.: „ling-zhi", jap.: „reishi"). Getrocknete, pulverisierte Fruchtkörper bzw. Extrakte werden in der traditionellen japan. u. chines. Medizin zur Förderung der Vitalität sowie als Laxantien, Diuretika u. zur Behandlung von Bronchitis u. Asthma gegeben. In Japan wird *G. lucidum* deshalb kultiviert. Einen Überblick über die vielfältigen pharmakolog. Wirkungen gibt *Lit.*[1]. Bisher wurden über 80 meist hochoxidierte bitter schmeckende Triterpene (mehrheitlich vom Lanostan-Typ, z. B. Ganodersäuren wie *Ganodersäure B*, $C_{30}H_{44}O_7$, M_R 516,68, amorphes Pulver) isoliert, die im Tierversuch sehr unterschiedliche pharmakolog. Wirkung zeigen u. z. T. cytotox. sind.

Ganodersäure B

– $E = F = I = S$ ganoderma

Lit.: [1] Orient. Med. **10**, 26 (1986); Phytother. Res. **1**, 17 (1987); Planta Med. **55**, 385 (1989).
allg.: Agric. Biol. Chem. **49**, 1547, 1793 (1985); **50**, 809, 2887 (1986); **51**, 619, 1149 (1987); **52**, 367 (1988) ▪ Chem. Pharm. Bull. **34**, 3025 (1986) ▪ Dtsch. Apoth. Ztg. **128**, 789 (1988) ▪ J. Nat. Prod. **51**, 54 (1988) ▪ Phytochemistry **29**, 3767 (1990); **32**, 766 (1993); **35**, 1305 (1994). – [*CAS 81907-61-1 (Ganodersäure B)*]

Ganor®. Tabl. u. Trockensubstanz zur Injektion mit *Famotidin gegen Magen- u. Zwölffingerdarm-Geschwüre. *B.:* Thomae.

GANTREZ® AN. Copolymeres aus Methylvinylether u. Maleinsäureanhydrid; Verdickungsmittel, Schutzkolloid, Klebstoffadditiv, Suspendierhilfsmittel, Filmbildner u. Dispergiermittel. Verdicker für Alkohole u. Glykole. *B.:* ISP.

GANTREZ® E. Monoalkylester von Poly-(Methylvinylether/Maleinsäure), Serie mit unterschiedlichen Ester-Gruppen; bildet nicht klebende, harte, glänzende Filme; Verw. für Haarsprays, Pflegemittel, Cremes u. Lotionen. *B.:* ISP.

Ganzstoff s. Papier.

GAP s. GTPase-aktivierende Proteine.

GAPDH. Abk. für *Glycerinaldehyd-3-phosphat-Dehydrogenase.

Gap junctions. Aus dem Engl. übernommener Begriff für Verbindungsstellen zwischen zwei aneinander haftenden *Zellen der meisten tier. Gewebe-Arten, an denen deren Plasmamembranen nur 3 Å voneinander entfernt sind, wobei ihr *Cytoplasma über zahlreiche Poren in direkten Kontakt miteinander tritt. Die g. j. ermöglichen den Durchtritt von Ionen, Nähr- u. Botenstoffen, nicht jedoch von Makromol., bewirken eine chem. u. elektr. Kopplung u. sind somit an der Koordination des Stoffwechsels räumlich benachbarter Zellen beteiligt. Die Poren bestehen aus je zwei ungefähr zylindr. Strukturen, den *Connexonen* od. Halbkanälen, die mit einem Ende in der Plasmamembran jeweils einer Zelle eingebettet sind u. mit dem anderen Ende in den interzellulären Raum ragen u. dort mit einem anderen Connexon verbunden sind. Ein Connexon besteht aus 6 ident. Mol. eines *Proteins, *Connexin* genannt (M_R je nach Tierart u. Gewebe 26000–56000), die röhrenförmig angeordnet sind u. einen Kanal von 15 bis 20 Å Innendurchmesser bilden. Erhöhung der intrazellulären Konz. von freien Calcium-Ionen od. Erniedrigung des cytosol. pH-Werts führt zu Konformations-Änderungen des Connexins, durch die das Connexon in der Lage ist, den Kanal zu schließen u. so ggf. die Zelle vom Einfluß verletzter od. sterbender Nachbarzellen abzuschließen.
Auch z. B. die Augenlinsen-Zellen der Säugetiere sind durch g. j. miteinander gekoppelt, was für die Versorgung der tiefer im Innern der Linse liegenden Zellen mit Nahrungsstoffen wichtig ist. Zur Bedeutung der g. j. in Drüsengewebe s. *Lit.*[1], in der Gefäßmuskulatur s. *Lit.*[2], im Nervensyst. s. *Lit.*[3]. – $E = F = I = S$ gap junctions

Lit.: [1] Eur. J. Endocrinol. **135**, 251–264 (1996). [2] Circulation Res. **79**, 631–646 (1996). [3] Spray u. Dermietzel, Gap Junctions in the Nervous System, Berlin: Springer 1996.
allg.: Alberts et al., Molekularbiologie der Zelle, 3. Aufl., S. 1131–1134, Weinheim: VCH Verlagsges. 1995 ▪ Annu. Rev.

Biochem. **65**, 475–502 (1996) ▪ Bioessays **18**, 709–730 (1996) ▪ Cell **84**, 381–388 (1996) ▪ J. Bioenerg. Biomembr. **28**, 297–385 (1996).

Gardenin s. Crocin.

Gareis, Hansgeorg (1929–1995), Prof. Dr. rer. nat., ehem. Mitglied des Vorstands der Hoechst AG, Frankfurt/Main, Bereiche Pharma, Folien, Honorarprof. an der Univ. Frankfurt.

Garfield, Eugene (geb. 1925), Dr., Begründer des Inst. Scientific Information (*ISI), Philadelphia. *Arbeitsgebiete:* Dokumentation u. Information in den Naturwissenschaften, Entwicklung der *Citation Indexe u. a. mit Hilfe der Datenverarbeitung hergestellter Dokumentationshilfsmittel, Schnellinformationsdienste (*Current Contents u. a.), Referateorgane in der Chemie etc.
Lit.: Encycl. Library Inform. Sci. **12**, 89–97 (1974) ▪ Garfield, Essays of an Information Scientist (3 Bd.), Philadelphia: ISI 1977, 1980 ▪ Who's Who in America, S. 1304.

Garipan®. Weichmachungsmittel für die Textil-Ind.; enthält Fettsäure-Kondensationsprodukte. *B.:* Dr. Th. Böhme KG.

Garmastan®. Salbe mit *Guajazulen u. *Sorbit zum Schutz vor Brustdrüsen-Infektionen. *B.:* Protina.

Garn. Durch *Spinnen aus einzelnen *Fasern (Natur- u./od. Chemiefasern, s. a. Filament u. Spinnfasern) hergestellter, einfacher, mehr od. weniger gedrehter Textilfaden, ggf. mit *Texturierung. Man kann die G. einteilen nach der Art des Rohmaterials (z. B. Woll-G., Baumwoll-G.), nach dem Grad der Drehung (doppelt u. mehrfach gedrehtes G. = *Zwirn), nach der Feinheit (früher im *Denier-, heute im *Tex-Syst.), nach der Verw. (Strick-G., Häkel-G., Kett-G. u. a.) u. sonstigen Kriterien (Effekt-G., z. B. mit Noppen). – *E* yarn – *F* filé – *I* filo, filato – *S* hilo, hilado
Lit.: DIN 60 900, Tl. 1, 2, 4, 5 (07/1988), Tl. 6 (11/1988) ▪ Kirk-Othmer (3.) **22**, 815 ff. ▪ Oxtoby, Spun Yarn Technology, London: Butterworth 1987.

Garnierit. $(Ni,Mg)_3[(OH)_8/Si_4O_{10}]$, monoklines, apfel- bis smaragdgrünes, meist durch Limonit (s. Brauneisenerz) verunreinigtes Mineral, wichtiges Nickelerz (Nickel-*Serpentin). Keine Krist., bildet dichte *amorphe Aggregate mit stalaktit., schaligen, nierigen Formen, erdige Massen u. eingesprengte Körner. Bruch muschelig, scharfkantig, H. 2–4, D. 2,2–2,7. Nickel-Gehalte schwankend, bis zu 30%.
Vork.: G. entsteht bei trop. *Verwitterung von ultrabas. *magmatischen Gesteinen u. von Serpentiniten (s. Serpentin) in *Lateriten, z. B. in Nickelaterit-Lagerstätten in Neukaledonien, in Neuseeland, im Ural, auf Kuba, in Südostasien u. Greenvale/Australien. – *E* = *I* garnierite – *F* garniérite – *S* garnierita
Lit.: Evans, Erzlagerstättenkunde, S. 274 f., Stuttgart: Enke 1992 ▪ Ramdohr-Strunz, S. 763 ▪ Schröcke-Weiner, S. 846. – [HS 260400; CAS 12198-10-6]

Gartendünger s. Düngemittel u. Düngung.

Gartenkresse s. Kressen.

Gas s. Erdgas, Gase, Stadtgas u. Kampfstoffe.

Gasanalyse. Bez. für die Untersuchung der chem. Zusammensetzung von *Gasen, deren Grundlagen von Cavendish, Priestley u. Scheele erarbeitet wurden. Man unterscheidet zwischen qual. G., bei der nur die Art der in der Probe enthaltenen Gase ermittelt wird u. der quant. G., bei der zusätzlich die Menge dieser Gase in Vol.-% bestimmt wird. Für die qual. G. stehen heute *Vorproben mit *Prüfröhrchen (vgl. a. Gasspürgeräte) u. a. Schnellverf. zur Verfügung. Für verschiedene Verwendungszwecke wie Bestimmung von *Luftverunreinigungen, der Zusammensetzung von Generatorgas, Mischgas, Wassergas, Naturgas, Gichtgas, Gasmischungen bei physiol. Untersuchungen (Atmung, Assimilation) usw. werden zunehmend Automaten angeboten, die durch Säulenschaltung mehrerer spezieller Säulen nach dem gaschromatograph. Prinzip die jeweiligen Gase auftrennen u. mit verschiedenen *Detektoren bestimmen. Daneben sind v. a. spektroskop. Verf. von Interesse, da sie eine hohe Selektivität u. Empfindlichkeit aufweisen, über kurze Ansprechzeiten verfügen u. oft eine kontinuierliche, zerstörungsfreie G. erlauben. V. a. hat sich hier die sog. *nichtdispersive *IR-Spektroskopie* (NDIR) bewährt, mit der heute die wichtigsten Gaskombinationen wie CO/CO_2, CO_2/H_2O, CO/SO_2 od. CO/Kohlenwasserstoff routinemäßig quant. erfaßt werden. Große Fortschritte konnten dabei durch die Verw. von *Lasern erzielt werden. Die Anw. der IR-Spektroskopie erstreckt sich von der Motordiagnose u. Analyse der Autoabgase über die Prozeßsteuerung u. Luftüberwachung bis zur Kontrolle der Atemluft von Patienten auf Intensivstationen. Weitere spektroskop. G.-Meth. sind die *Atomabsorptionsspektroskopie u. die *Flammenspektroskopie (für H_2S, SO_2). Selbstverständlich ist in vielen Fällen die – ggf. mit der Massenspektroskopie gekoppelte – *Gaschromatographie die Meth. der Wahl.
Für die gewerbehygien. Überwachung von Arbeitsräumen bes. geeignet sind die mit *Prüfröhrchen* funktionierenden *Gasspürgeräte. Kleinste Methan-Mengen kann man mit Hilfe des Gasinterferometers feststellen u. Rauchgasanalysen lassen sich durch elektr. Messung der Wärmeleitfähigkeit des Gasgemisches ausführen. Auch die Änderung der elektr. Leitfähigkeit von Elektrolytflüssigkeit beim Durchgang der Untersuchungsgase läßt sich zur Konstruktion kontinuierlich arbeitender Geräte ausnutzen. Mit solchen automatisierten Geräten, die z. B. zur Überwachung des SO_2-Gehalts der Atmosphäre eingesetzt werden können, lassen sich außer SO_2 auch andere anorgan. Gase wie H_2S, NH_3, CO_2, H_2O sowie organ. Dämpfe von Phosgen, Blausäure, Schwefelkohlenstoff, Formaldehyd etc. erfassen. Auf anderen Prinzipien aufgebaute Geräte sind: Thermomagnet. Sauerstoff-Messer, ionenselektive Elektroden u. a. elektro-chem. Meßzellen, Heizeffektmesser, *Chemilumineszenz-Geräte zum Nachw. von Stickstoffoxiden, Ozon etc.; eine Gegenüberstellung von Gasen u. spezif. Meßmeth. findet sich in Winnacker-Küchler [1]. – *E* gas analysis – *F* analyse des gaz – *I* analisi del gas – *S* análisis de gases
Lit.: [1] Winnacker-Küchler **2**, 440.
allg.: Berg u. Böhmer, Analyse u. Überwachung von Gasatmosphären der thermisch-chemischen Behandlung, Leipzig: Dtsch. Verl. für Grundstoffind. 1988 ▪ Staab, Industrielle Gasanalyse, Wien: Oldenbourg 1994.

Gasbehälter s. Gasometer.

Gasbeton. Früher übliche, auch heute noch vielfach verwendete Bez. für *Porenbeton.
Lit.: s. Beton, Porenbeton.

Gasbrenner s. Brenner u. Gebläsebrenner.

Gaschromatographie (GC). Bez. für eine *Chromatographie zur Trennung von Stoffgemischen, die gasf. vorliegen od. sich unzersetzt verdampfen lassen, wobei als mobile Phase ein Gas dient. Charakterist. für die G. ist die geringe *Viskosität der mobilen Phase, wodurch große Geschw. möglich werden. Gleichzeitig sind die Diffusionsvorgänge in der Gasphase u. dem dünnen Trennfilm so schnell, daß rascher Austausch zwischen den Phasen stattfindet. Daher arbeitet die G. meist erheblich schneller als die übrigen chromatograph. Verfahren. Eine G.-Analyse beginnt mit dem Aufbringen eines Gases, einer verdampfbaren Flüssigkeit od. eines verdampfbaren Feststoffes auf die thermostatisierte Trennsäule. Mit Hilfe des Trägergases (He, N_2 od. H_2) werden die Substanzen durch die Säule transportiert, wo die chromatograph. Trennung stattfindet. Die getrennten Substanzen erreichen nacheinander das Säulenende u. werden durch einen *Detektor mit Hilfe der Auswerteinheit als *Peaks angezeigt. Die Auswertung geschieht über die Retentionszeit (Zeit von der Einspritzung bis zum Substanzmaximum, entspricht dem R_f-Wert z. B. bei der *Dünnschichtchromatographie). Die quant. Auswertung geschieht über die Flächenermittlung durch Integratoren. Mit Hilfe der elektron. Datenverarbeitung hat die *Automation auch beim gaschromatograph. Prozeß Einzug gehalten.

Aus dem geschilderten Ablauf der G.-Analyse ergibt sich der prinzipielle Aufbau eines Gaschromatographen. Er benötigt ein je nach Probenart gestaltetes Aufgabesystem. Kapillarsäulen benötigen infolge ihrer geringen Belastbarkeit spezielle Injektoren wie On Column- od. Split-Injektoren. Der Säulenofen ermöglicht neben isothermer Arbeitsweise mehrstufige Temp.-Gradienten, die in ihrer Wirkung dem Lsm.-Gradienten in der *Flüssigkeitschromatographie gleichkommen. Neben einer Reihe unspezif. *Detektoren werden auch Koppelungen der G. mit *FT-IR- u. Massenspektrometern (massenselektiver Detektor, Ion Trap Detektor) eingesetzt, die über die jeweiligen Spektren weitere Informationen über die getrennten Substanzen zulassen. Eine weitere Entwicklung in diese Richtung ist der Atomemissionsdetektor, der den elementspezif. Nachw. der getrennten Substanzen erlaubt. Für die G.-Analyse müssen die zu trennenden Stoffe einen ausreichenden Dampfdruck besitzen. Die erforderliche *Flüchtigkeit kann oft durch *Derivatisierung, z. B. *Silylierung, erreicht werden. Neben unzersetzt verdampfbaren Substanzen können auch Feststoffe, die sich definiert zersetzen lassen, untersucht werden. Das Verf. der *Pyrolyse-G. (PGC) wird insbes. bei Polymeren angewandt. Hierbei werden die Proben zunächst pyrolisiert. Die durch G. erhaltenen Pyrogramme lassen sich dann Rückschlüsse auf die Struktur des Polymers zu. Wird die Pyrolyse *Curie-Temperatur gesteuert vorgenommen, so spricht man von Curiepunkt-Pyrolyse-Gaschromatographie. Als weitere spezielle Technik der G. sei die Head-Space-Technik (Kopfraum-Analyse) erwähnt, bei der aus Gemischen von Stoffen unterschiedlicher *Flüchtigkeit mit Hilfe der automat. Dampf(Kopf)raum-Technik die leichtflüchtigen Komponenten ohne Störung der Matrix analysiert werden können.

Man unterscheidet bei der G. die Gas-Flüssigkeits-Verteilungschromatographie (GLC, von *E* Gas Liquid Chromatography) von der Adsorptions-G. (GFC, für Gas-Fest-Chromatographie, bzw. GSC, von *E* Gas Solid Chromatography). Im ersten Fall benutzt man wenig flüchtige Flüssigkeiten (Trenn-Flüssigkeiten) wie Paraffine, Siliconöle, Apiezonfett, Wachse, polymere Ester u. Ether u. a., die auf ein indifferentes Trägermaterial aus Kieselgur, Tonerde, Celite, Schamottemehl, Glas, PTFE-Pulver etc., aufgebracht sind. Dieses benetzte Trägermaterial wird in Rohre von einigen Millimetern Durchmesser u. einigen Metern Länge gefüllt. Derartige Säulen können auch im Handel als Fertigsäulen bezogen werden. Bei der ausschließlich für analyt. Zwecke eingesetzten Kapillar-G. (manchmal auch HR-GC = High Resolution-GC od. GC^2) unterscheidet man zwei Arten von Kapillarsäulen (auch Golay-Säulen nach ihrem Erfinder): Die Dünnfilmkapillarsäule = Wall Coated Open Tubular Columns (WCOT-Columns) u. die Dünnschichtkapillarsäulen = Support Coated Open Tubular Columns (SCOT-Säulen). Im ersten Fall befindet sich die Trennflüssigkeit als Film von $0,1-3$ μm auf der Innenwand einer Kapillaren von $0,1-0,5$ mm Innendurchmesser. Die zweite Sorte enthält eine dünne Schicht imprägnierten Trägermaterials. Besteht die Schicht aus Adsorptionsmaterial wie Aluminiumoxid, Molekularsieb od. Kieselgel, spricht man auch von Porous Layer Open Tubular Columns (PLOT-Columns). In beiden Fällen haben die Kapillaren im Gegensatz zu gepackten Säulen einen offenen Längskanal, wodurch Säulenlängen von über 200 m möglich werden. Als Säulenmaterial wird für die Prozeß-G. Edelstahl eingesetzt. Die Glaskapillaren werden weitgehend durch Fused Silica-Säulen ersetzt. Bei *Fused Silica handelt es sich um amorph geschmolzenes SiO_2, woraus sich sehr dünnwandige flexible Kapillaren von großer Inertheit herstellen lassen. Zum Schutze vor chem. u. mechan. Einflüssen erhalten diese Kapillaren einen temperaturfesten Polyimid-Außenlack. Der Trennfilm wird durch Molmassenerhöhung u. chem. Bindung an der Innenwand nachträglich immobilisiert, wodurch Säulenbluten vermindert wird. Derartige Säulen vertragen größere Probenvol. u. können zum Entfernen von Kontaminationen mit Lsm. gespült werden. Kapillarsäulen erreichen infolge ihrer Länge eine hohe Trennstufen- od. Bodenzahl (ein Maß für die Trennleistung, vgl. Destillation) u. werden daher zum Trennen komplexer Gemische u. für die Spurenanalytik eingesetzt. Ihr Nachteil ist ihre geringe Belastbarkeit mit Probe. Ein weiteres Kriterium für die Trennleistung von G.-Säulen ist die theoret. Trennstufenhöhe (HETP, Height Equivalent to a Theoretical Plate). Weitere Kennziffern für die Beurteilung [1] u. Einteilung stationärer Phasen sind die Retentionsindices (RI) nach Kováts [2] u. die mit Hilfe bestimmter Testsubstanzen ermittelten Rohrschneider [3]- bzw. McReynolds [4]-Konstanten.

Die Anwendungsbreite der G. reicht von der Analyse von Gasen (z. B. auch mit tragbaren Geräten) bis hin zur Analyse nichtflüchtiger Stoffe nach Derivatisierung u. nach definierter Pyrolyse, wobei mit der Kapillar-G. die höchsten Trennleistungen in der Chromatographie insgesamt erreicht werden. – *E* gas chromatography – *F* chromatographie en phase gazeuze – *I* gascromatografia – *S* cromatografía de gases, cromatografía en fase gaseosa

Lit.: [1] Pure Appl. Chem. **58**, 1291 (1986). [2] Helv. Chim. Acta **42**, 2709 (1959). [3] J. Chromatogr. **22**, 6 (1966). [4] J. Chromatogr. Sci. **8**, 686 (1970).
allg.: Ettre et al., Grundbegriffe u. Gleichungen der Gaschromatographie, Heidelberg: Hüthig 1996 ▪ Gottwald, GC für Anwender, Weinheim: VCH Verlagsges. 1995 ▪ Modern Practice of Gas Chromatography, New York: Wiley 1995.

Gasdichte (Dampfdichte). Die G. im strengen Wortsinne bezeichnet die in g/L = g/dm^3 (bzw. kg/m^3) gemessene *Dichte (bzw. sog. *Normdichte*) eines *Gases im *Normzustand* (T_n = 273,15 K u. P_n = 101,325 kPa); Beisp. s. Dichte. In einer etwas ungenauen Verw. des Begriffes versteht man in der Technik unter G. oft das Dichte*verhältnis* d_v eines trockenen Gases (Meßgas) zur Dichte trockener Luft im Normzustand (1,2928 g/L); *Beisp.:* Wasserstoff (0,0695), Stickstoff (0,9667), Sauerstoff (1,1051), Kohlendioxid (1,5289), Chlor (2,4861). Gase mit $d_v > 1$ sind also schwerer als Luft. Zur Messung der auch zur *Atomgewichts- u. *Molmassenbestimmung herangezogen G. bedient man sich verschiedener Meth.: 1. *Effusiometer nach Bunsen-Schilling: Nacheinander od. gleichzeitig werden Luft u. Meßgas in 1 od. 2 Behälter gefüllt, auf Überdruck gebracht u. die Zeiten gemessen, die zum Ausströmen durch feine Düsen gebraucht werden. – 2. *Auftriebmeth.:* Mit einem empfindlichen Waagesyst. wird der Auftrieb einer im Gas befindlichen, hohlen geschlossenen Glaskugel gemessen. – 3. *Gassäulenmeth.:* Luft u. Meßgas durchströmen langsam 2 lange senkrechte Rohre; mit einem Differentialmanometer wird der Unterschied der stat. Drücke gemessen, die diese Gassäulen durch ihr Gew. erzeugen. – 4. *Schleuderdruckmeth.:* Luft u. Meßgas werden in 2 von einem Elektromotor angetriebenen Flügelradgebläsen herumgewirbelt, u. das Verhältnis der Schleuderdrücke beider Gase wird mit einem Quotientenmanometer gemessen (für Geräte zur G.-Bestimmung s. Lit.[1]). – *E* gas density – *F* densité du gaz – *I* densità del gas – *S* densidad del gas

Lit.: [1] ACHEMA-Jahrb. **1989**.
allg.: Kohlrausch, Praktische Physik, Bd. 1, S. 381 f., Stuttgart: Teubner 1985 ▪ DIN 1871 (05/1980) ▪ DIN 51 870, Tl. 1 u. 2 (04/1981).

Gasdichtigkeit s. Lecksuche u. Verpackungsmittel.

Gasdynamik s. Gase.

Gase. Summar. Bez. für Stoffe, die sich im *Gaszustand* befinden, d. h. einem *Aggregatzustand der Materie, in dem sich die Mol. infolge *Brownscher Molekularbewegung frei im Raum bewegen können, weshalb die betreffenden Stoffe keine feste Gestalt besitzen, d. h. sie füllen den ihnen zur Verfügung stehenden Raum gleichmäßig aus, soweit man vom Einfluß der Schwerkraft absehen kann. Dabei wird auf die Gefäßwände allseitig ein *Druck ausgeübt, der bei gegebener Stoffmenge um so größer wird, je kleiner das Vol. u. je höher die Temp. ist. Bei vermindertem Druck, d. h. im *Vakuum, sind in der Raumeinheit sehr viel weniger Teilchen vorhanden. Deren *mittlere freie Weglänge* (vgl. Diffusion) ist deshalb sehr viel größer, weil die Gelegenheit, mit anderen Teilchen zusammenzustoßen (*Stoßprozeß) viel kleiner ist. Näheres zu den nicht nur für die Thermodynamik der G. (*kinet. Gastheorie*), sondern auch für die Reaktionsfähigkeit bedeutsamen Eigenschaften s. bei Gasgesetze. Die *zwischenmolekulare Kräfte, die noch in den *Flüssigkeiten den Zusammenhang u. damit die Vol.-Beständigkeit bewirken, treten in G. gegenüber der Bewegungsenergie (*kinet. Energie*) der Mol. sehr stark od. gar vollständig zurück. Daher ist die *Diffusion der Mol. kaum behindert (vgl. Gasgesetze); minimale Differenzen nutzt man in der *Isotopentrennung durch *Atmolyse. Überführt man einen bei 20 °C u. atmosphär. Druck flüssigen od. festen Stoff in den Gaszustand, dann nennt man das G. üblicherweise *Dampf. Teilw. spricht man erst oberhalb der *krit. Temp.* (s. kritische Größen) von einem G., da sich ein Stoff dann auch bei höchsten Drücken nicht mehr kondensieren läßt (*ideales G.*, s. Gasgesetze). Dementsprechend wird die Bez. „G." auf Materie angewendet, die unter den herrschenden Verhältnissen nicht kondensieren kann. „Dampf" ist demnach eine beliebige Substanz im gasf. Zustand, die unter den herrschenden Verhältnissen kondensieren kann, vgl. DIN 28 400 Tl. 1 (07/1979). G. im *überkrit. Zustand* finden Anw. in der *Destraktion u. in einer speziellen Variante der *Gaschromatographie (Fluid-Chromatographie).

In der physikal. Chemie unterscheidet man zwischen *idealen G.*, auf die sich das *allg.* *Gasgesetz weitgehend anwenden läßt, u. *realen G.*, die z. T. erhebliche Abweichungen vom Idealverhalten zeigen, weshalb ihre Zustandsgleichungen komplizierter sind; Näheres s. bei Gasgesetze. Darüber hinaus bezeichnete man früher als *permanente G.* solche G. wie Wasserstoff, Sauerstoff, Stickstoff, Helium usw., die bei den damals erreichten Tieftemp. nicht verflüssigt werden konnten, weshalb man annahm, diese würden nur im Gaszustand auftreten. Die Bez. „permanente G." wird allerdings auch heute noch gelegentlich verwendet, doch versteht man darunter jetzt solche G., die bei „gewöhnlicher" Temp. nicht verflüssigt werden können. Unter diesen befinden sich eine Reihe von wichtigen *Industriegasen. Bei einem G. od. einem Dampf kann es sich sowohl um Stoffgemische (z. B. Luft, Stadtgas, Dampf über Flüssig-Gemischen od. Lsg. usw.) wie auch um reine chem. Verb. (z. B. Kohlendioxid, Schwefeldioxid, Methan usw.) od. Elemente (z. B. Stickstoff, Sauerstoff, Chlor, Helium usw.) handeln.

Die ird. *Atmosphäre besteht aus G., die dem Menschen, tier. u. pflanzlichen Organismen das Leben ermöglichen: Im *Stoffwechsel dienen G. der Energiegewinnung (O_2 od. CO_2), sind aber auch Verbrennungs- od. Ausscheidungsprodukte (CO_2 od. O_2); bezüglich der Gaszusammensetzung s. Atmosphäre. In der Technik gehören zu den G. außer Luft viele wichtige Energieträger, Treib- u. Brennstoffe sowie unentbehrliche Ausgangsstoffe für chem. Synth.; z. B. die techn. G. (*Industriegase*) wie Ethylen, Acetylen, Wasserstoff,

Sauerstoff, Stickstoff, Kohlendioxid u. Kohlenmonoxid, Ammoniak, Schwefeldioxid, Stadtgas, Erdgas, Generatorgas, Wassergas sowie an Begriffe wie *Flüssig-, *Inert-, *Druck-, *Brenn-, *Treib- u. *Schutzgase. Für einige Anw., z. B. für Gaschromatographie u. *Gasanalyse, braucht man *Reinstgase* mit mind. 99,99%iger Reinheit (Reinst- u. techn. Gase s. *Lit.*[1]); die beiden erwähnten Meth. sind die wichtigsten zur Trennung von Gasgemischen bei kleinen Mengen, während bei großen Mengen *Adsorption u. Membran-Verf. nützlich sind[2]. Viele chem. Reaktionen finden bevorzugt od. ausschließlich in der Gasphase statt, z. B. die Synth. von Ammoniak od. Generator-, Synth.- bzw. Wassergas. Bei diesen *Gasphasenreaktionen* liegen fast ausschließlich *chemische Gleichgewichte vor, so daß eine optimale Reaktionsführung sowohl für wissenschaftliche als auch für techn. Problemstellungen experimentell ermittelt od. errechnet werden muß. Die theoret. Behandlung der *radikal.* Gasphasenreaktion legt meist den *Rice-Herzfeld-Mechanismus zugrunde, die der *monomol.* Reaktion den *RRKM-Mechanismus. Die Untersuchung der Gasphasenreaktion (*Gaskinetik*) spielt auch bei der Untersuchung von G.-*Explosionen u. bei der Beurteilung von *Luftverunreinigungen eine große Rolle. Wegen der Abwesenheit von Lsm. können in der Gasphase nicht nur die *Aciditäten u. *Basizitäten von *Ionen exakt bestimmt werden (mittels Ionen-Zyklotron-Resonanz-Spektroskopie, s. *Lit.*[3]), sondern auch ihre Struktur (durch Stoßaktivierungs-Massenspektroskopie). Die Schwächung der zwischenmol. Kräfte in der Gasphase ist die Voraussetzung zur Ermittlung von Mol.-Strukturen mittels *Elektronenbeugung, *Photoelektronen- od. *IR-Spektroskopie. Weit verbreitet u. techn. wichtig sind auch Reaktionen zwischen G. u. Feststoffen od. Flüssigkeiten, bei denen die *Strömung der G. (*Gasdynamik*) eine wichtige Rolle spielt. Diese beeinflußt sowohl die Adsorption der G. an Feststoffen als auch die *Absorption der G. in Flüssigkeiten; hier spielen die Bunsenschen u. Ostwaldschen *Absorptionskoeffizienten hinein. Zu den techn. wichtigsten G.-Festkörper- bzw. G.-Flüssigkeits-Reaktionen gehören die *Katalyse, die Gasphasen-*Polymerisation der Olefine, viele *Transport-Reaktionen, manche Meth. der *Gasreinigung u. a.

Mit Lagerung, Transport u. Handhabung der G. sind zahlreiche spezielle Probleme, insbes. der *Arbeitssicherheit, verbunden. Hinzuweisen ist bes. auf die als gefährliche Arbeitsstoffe geltenden G., für die *MAK-Werte od. *TRK erlassen werden. Hier sind insbes. die Unfallverhütungsvorschriften, das Regelwerk G. (*Lit.*) u. die GGVS zu beachten. Für den Umgang mit G. – auch verflüssigten – im Labor sind die Hinweise in *Lit.*[4] sehr nützlich. Zu Lagerung bzw. Transport bieten sich verschiedene Techniken an: 1. Lagerung unter *Normaldruck*. Dies ist nur wirtschaftlich, wenn große Hohlräume billig zur Verfügung stehen; *Beisp.*: *Gasometer od. unterird. Hohlräume von verlassenen Ölgebieten od. Salzbergwerken u. dgl. – 2. Lagerung unter *Überdruck* in druckfesten Stahlflaschen (*Bomben), Tanks usw., *Beisp.*: Stahlflaschen, gefüllt mit zusammengepreßtem O_2, CO_2, C_2H_2, Propan u. dgl. Hier stehen die Flascheninhalte unter sehr starkem Druck (Gefahr von Explosionen); die druckfesten Flaschen, Tanks usw. erfordern relativ großes Leergew. u. hohe Transportkosten. Die Bomben der Druckgase müssen mit einem charakterist. farbigen Anstrich u. mit unterschiedlichen Ventilen versehen sein; *Beisp.*: (Farbkennzeichnung/Gewinderichtung): *Rot/Links:* H_2, C_3H_8, CO, H_2S; *Blau/Rechts:* O_2; *Grün/Rechts:* N_2; *Gelb/-:* C_2H_2; *Grau/Rechts:* CO_2, F_2, Cl_2, BF_3, Edelgase. – 3. Lagerung u. Transport *verflüssigter* Gase. Hier werden die G. in stark abgekühltem, verflüssigtem Zustand in großen, doppelwandigen, *Dewar-Gefäßen ähnlichen Behältern aufbewahrt (die Zwischenräume zwischen der Doppelwand sind z. B. mit Kieselgur gefüllt u. auf 20 Pa evakuiert). Infolge der guten Wärmeisolierung bleibt der Inhalt kalt u. flüssig, der Druck ist gering (150 – 300 Pa), die Explosionsgefahr viel geringer als bei Stahlflaschen, die Transportkosten ermäßigen sich sehr stark. So kann z. B. ein 5 t-Lkw 3,5 t flüssigen Sauerstoff befördern, während für die Beförderung der gleichen Menge Drucksauerstoff (in Stahlflaschen nach Verf. 2) 420 Flaschen im Gesamtgew. von 35 t (also 7 Lkw) nötig wären. – 4. Transport durch *Pipelines; *Beisp.*: Ethylen, Erdgas u. a. Eine weitere Speicherungsart, speziell von Wasserstoff, besteht darin, ihn in Metallen zu lösen (*Hydride). *Hydrid-Speicher werden z. Z. intensiv untersucht, da sie sich als Kraftstoff-Speicher für Wasserstoff-verbrennende Fahrzeuge anbieten. Dem Vorteil der geringeren Explosionsgefahr (z. B. nach einem Verkehrsunfall) steht als große Gew. u. die, verglichen zu Benzin, geringe Energiedichte gegenüber.

Bei der techn. Verw. von G. legt man zur Berechnung von Gasvol. u. Drücken den sog. *Normzustand* zugrunde mit der Normtemp. 0 °C u. dem Normdruck 101,3 kPa (früher 760 Torr = 1 at). Auch in wissenschaftlichen Abhandlungen beziehen sich die Angaben über G. meist auf diesen Normzustand. Zur Umrechnung der beim Druck p (in Pa) u. der Temp. T (in Kelvin) gemessenen Vol. V in Normvol. (V_0) benutzt man die aus den Gasgesetzen umgeformte Gleichung [vgl. DIN 51851 (04/1980)]:

$$V_0 = \frac{p \cdot V \cdot 273{,}15}{101{,}3 \cdot T} \quad \text{bzw.} \quad V_0 = \frac{(p - p_D) \cdot V \cdot 273{,}15}{101{,}3 \cdot T}$$

Die rechte Gleichung berücksichtigt noch den evtl. *Partialdruck p_D einer als Sperrflüssigkeit dienenden Flüssigkeit, die sich in den Gasbüretten befindet. So müssen beispielsweise vom (mit *Barometer gemessenen) Luftdruck p die jeweiligen Wasserdampfdrücke p_D abgezogen werden, wenn das G. über Wasser (bei Temp. zwischen 0 u. 25 °C = 273 u. 298 K) aufgefangen wurde (s. Tab.).

Tab.: Umrechnung der beim Druck p u. der Temperatur T gemessenen Volumina von Gasen in Normvolumina.

Temp. [°C]	0	2	4	6	8	10	12
p_D [Torr]	4,6	5,3	6,1	7,0	8,0	9,2	10,5
p_D [kPa]	0,61	0,71	0,81	0,93	1,07	1,23	1,40
Temp. [°C]	14	16	18	20	22	24	25
p_D [Torr]	12,0	13,6	15,5	17,5	19,8	22,4	23,8
p_D [kPa]	1,60	1,81	2,07	2,33	2,64	2,99	3,17

Eine Tab. über Wasserdampfdruck zwischen –35 °C u. 50 °C s. *Lit.*[5]. Wurden also bei einem Barometerdruck von 98,7 kPa u. bei 25 °C 300 mL eines Gases über Wasser aufgefangen, so ergibt die „Reduzierung" auf Normalbedingungen, daß das G. bei 101,3 kPa u. 0 °C nur 259 mL Raum einnehmen würde. Andere Sperrflüssigkeiten haben einen anderen Dampfdruck: Z. B. beträgt dieser bei einer gesätt. Kochsalz-Lsg. von 18 °C nur 1,56, bei einer 40%igen Kalilauge nur 1,45 kPa, u. beim Quecksilber ist er so gering, daß man ihn zumeist vernachlässigen kann. Aus den reduzierten G.-Vol. kann man leicht deren Gew. berechnen; es nimmt nämlich 1 *Mol eines jeden G. bei 0 °C u. 101,3 kPa genau den Raum von 22,4136 L (*Molvol.*) ein. Wenn also im obigen Beisp. etwa Stickstoff gemessen worden wäre, so müßten 259 mL Stickstoff rund 0,324 g wiegen, denn rund 22,4 L Stickstoff würden 28,01 g wiegen. Die Wärmeausdehnung der G. wird durch den *therm. (kub.) Ausdehnungs-Koeff.* (s. ausdehnen) beschrieben, der bei idealen G. den Wert 1/273,15 hat.

Geschichte: Die Bez. „G." zur Bez. von Materie im Gaszustand findet sich erstmals in dem Buch Doctrina inaudita (1644) des fläm. Chemikers van Helmont; dort heißt es u. a.: „G. ist ein nichtcoagulierbarer Spiritus, wie er aus dem gärenden Wein u. bei der Einwirkung von Königswasser auf Metalle entweicht." Wahrscheinlich ist der Ausdruck G. von Helmont durch Verstümmelung des altholländ. Wortes ghoast (Geist) od. des griech. „chaos" gebildet worden. Nach anderen Quellen soll schon Paracelsus die Luft als G. bezeichnet haben. – *E* = *S* gases – *F* gaz – *I* gas

Lit.: [1] Achema-Jahrb. **1995**. [2] Spektrum Wiss. **1995**, Nr. 8, 84 f.; Lee, Membranes, Synthetic, Applications, Encycl. of Physical Science and Technology, Bd. 9, S. 607–649, San Diego: Academic Press 1992. [3] Krull u. Thompson, Analytical Chemistry, Encycl. of Physical Science and Technology, Bd. 1, S. 667–706, San Diego: Academic Press 1992; Spektrum Wiss. **1981**, Nr. 1, 26–34. [4] Brauer (3.) **1**, 90–107. [5] Kohlrausch, Praktische Physik, Bd. 3, S. 93, Stuttgart: Teubner 1986.

allg.: Bowers, Gas Phase Ion Chemistry (2 Bd.), New York: Academic Press 1979 ▪ The Bulk Storage and Handling of Flammable Gases and Liquids, London: Oyez Publ. 1980 ▪ Cunningham u. Williams, Diffusion in Gases and Porous Media, New York: Plenum 1980 ▪ Dyer, Gas Chemistry in Nuclear Reactors and Large Industrial Plants, London: Heyden 1980 ▪ Dymond u. Smith, The Second Virial Coefficients of Pure Gases and Mixtures, Oxford: Clarendon Press 1981 ▪ Gase hoher Reinheit, Düsseldorf: Messer Griesheim ▪ Gas- u. Flammenreaktionen, Frankfurt: DECHEMA 1977 ▪ Gerrard, Gas Solubilities, Oxford: Pergamon 1980 ▪ Grundlagen der Gasanwendung, Leipzig: Grundstoffind. 1980 ▪ Handbook of Compressed Gases, New York: Van Nostrand Reinhold 1981 ▪ Hartwig, Heavy Gas and Risk Assessment, Dordrecht: Reidel 1980 ▪ Houben-Weyl **1/2**, 217–273 ▪ Keenan, Gas Tables – Metric Units, New York: Wiley 1979 ▪ Keenan et al., Gas Tables, New York: Wiley 1980 ▪ Kirk-Othmer **10**, 329–442; **21**, 196–240; (3.) **1**, 53–96 ▪ Klimontovich, Kinetic Theory of Multiphase Systems, New York: Hemisphere Publ. 1982 ▪ Kondratiev u. Nikitin, Gas-Phase Reactions, Berlin: Springer 1980 ▪ *Landolt-Börnstein 4/4 C 1 u. 2 ▪ Lecksuche an Chemieanlagen (DECHEMA-Monogr. 89) Weinheim: Verl. Chemie 1980 ▪ Murray u. Goldman, Handbook of High Resolution Infrared Laboratory Spectra of Gases of Atmospheric Interest, Boca Raton: CRC Press 1981 ▪ Pirumov u. Roslyakov, Gas Flow in Nozzles, Berlin: Springer 1986 ▪ Regelwerk Gas des DVGW (mehrbändig), Berlin: Beuth ▪ Schneider et al., Extraction with Supercritical Gases, Weinheim: Verl. Chemie 1980 ▪ Sir J. Jeans, An Introduction to the Kinetic Theory of Gases, Cambridge: University Press 1982 ▪ Thain, Monitoring Toxic Gases in the Atmosphere for Hygiene and Pollution Control, Oxford: Pergamon 1980 ▪ Unfallverhütungsvorschrift „Verdichter", „Gase" (VBG 16, 61), Heidelberg: BG Chemie 1979, 1974 ▪ Winnacker-Küchler (3.) **2**, 409–510 ▪ Winter, Sicherheitstechnische Kriterien bei baulichen Einrichtungen auf Deponien hinsichtlich der Gefährdung durch Gase, Berlin: Schmidt 1980. ▪ weitere *Lit.* s. in Führer durch die technische Literatur, Hannover: Weidemann (jährlich) u. in Scientific and Technical Books and Serials in Print, London: Bowker (jährlich) ▪ s. a. Festkörper, Flüssigkeiten, Aggregatzustände. – *Zeitschriften u. Serien:* Gas Kinetics and Energy Transfer, London: Royal Soc. Chem. (seit 1975) ▪ Solubility Data Series, Oxford: Pergamon (seit 1979). – *[G 2]*

Gaselektroden. 1. Nebenentladung, die auf Grund ihrer hohen Konz. an freien Elektronen u. Ionen als Kathode od. Anode für eine Hauptentladung dient. – 2. Elektrochem. *Elektroden, bei denen Gase durch den reversiblen Übergang in ihre Ionen die Größe des elektr. Potentials bestimmen. *Beisp.:* An der sog. Wasserstoff-Elektrode, die aus einem (katalyt. wirkenden) in eine saure Lsg. eintauchenden, von einem in die Lsg. eingeleiteten Strom von Wasserstoff umspülten Platin-Blech besteht, wird Wasserstoff je nach der Stromrichtung wie ein Metall abgeschieden od. in Ionen übergeführt. Eine solche Elektrode, die von Wasserstoff unter 1 bar (= 0,1 MPa) Druck umspült wird u. in eine Lsg. der Wasserstoff-Ionen-*Aktivität 1 taucht, heißt *Normalwasserstoff-Elektrode*. Gegen sie mißt man alle Spannungen von Halbelementen (*Halbzellen, vgl. galvanische Elemente) u. schreibt ihr als *Bezugselektrode deshalb das Potential 0 zu. Einen einfachen Aufbau, der auch für Demonstrationsversuche geeignet ist, beschreibt Reimann in *Lit.*[1]. Spannungswerte von Referenzelektroden in wäss. Elektrolyten bezogen auf die Standard H_2-Elektrode s. *Lit.*[2]. Modernere, etwas anders gebaute G. sind zur Bestimmung von SO_2, NH_3, O_2, NO_2 etc. geeignet; in jedem Fall sind die Potentiale vom Partialdruck des Gases u. der Aktivität der Ionen in der Lsg. abhängig. Derartige G. rechnet man zu den *ionenselektiven Elektroden* od. *Sensoren*. Galvan. Elemente mit G. bezeichnet man als *Gaselemente* od. *Gasketten*. – *E* gas electrodes – *F* électrodes à gaz – *I* elettrodi a gas – *S* electrodos de gas

Lit.: [1] Chem. Unserer Zeit **23**, 100 (1989). [2] Kohlrausch, Prakt. Physik, Bd. 3, Tab. 187, Stuttgart: Teubner 1986.

allg.: Hibbert u. James, Lexikon Elektrochemie, Weinheim: VCH Verlagsges. 1987 ▪ s. a. Bezugselektroden, Elektroanalyse u. Elektroden.

Gaselemente s. Gaselektroden.

Gasentladung (elektr. Entladung). Gase sind im allg. schlechte *elektrische Leiter, da sie keine freien Ladungsträger wie Elektronen od. Ionen besitzen. Werden die Ladungsträger durch Strahlung od. hohe Temp. einer *Elektrode erzeugt, erreicht man bei Anlegung eines elektr. Feldes einen Stromfluß; die G. wird als *stationär* bezeichnet, wenn der Verlust an Ladungsträgern durch Rekombination u. Wandstöße pro Zeiteinheit durch die Erzeugung neuer Ladungsträger aufgehoben wird.

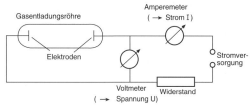

Abb. 1.: Gasentladungsröhre.

Ein häufiger Aufbau ist der einer Gasentladungsröhre (s. Abb. 1). Auch bei niedriger Spannung zwischen den Elektroden beginnt schon ein geringer Strom zu fließen (Bereich A in Abb. 2). Da diese Entladung, bei Stromdichten von 10^{-6} bis 10^{-4} A/cm^2, ohne Lichterzeugung u. ohne Geräusche (Knistern) abläuft, bezeichnet man sie als *stille* bzw. *Dunkelentladung*; sie wird auch *Townsend-Entladung* genannt. In dieser Betriebsart kann bei gleichbleibender Spannung U der Entladungsstrom I erhöht werden, indem durch äußere Einwirkung weitere Ladungsträger erzeugt werden, was z. B. beim Geiger-Müller-Zählrohr durch ionisierende Strahlung [s. (Alpha)-Radioaktivität, Beta-Strahlen bzw. Gamma-Strahlen] erfolgt. Ein weiteres Beisp. ist die *Photozelle. Die stille Entladung wird auch zur Erzeugung von *Ozon eingesetzt.

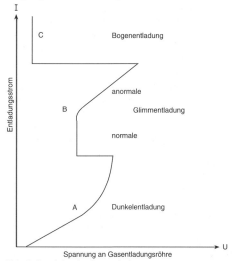

Abb. 2: Bereiche der Gasentladung.

Wird die angelegte Spannung u. damit das elektr. Feld in der Röhre erhöht, so werden die freien Ladungsträger (Elektronen) stärker beschleunigt u. erhalten zwischen den Stößen mit den Gaspartikeln immer größere kinet. Energie. Sobald diese Energie ausreicht, die Gaspartikel zu ionisieren, setzt eine lawinenartige Vermehrung von freien Ladungsträgern ein; die G. springt in die *Glimmentladung um (Bereich B in Abb. 2), wobei die *elektrische Leitfähigkeit stark ansteigt. Bei diesem Übergang fließt trotz geringerer Spannung ein größerer Strom, was entgegengesetzt zum Verhalten eines Ohmschen Leiters ist (s. Ohmsches Gesetz: Strom u. Spannung sind zueinander proportional). Damit die G.-Röhre nicht durch einen zu hohen Strom zerstört wird, ist in den Kreis zur elektr. Stromversorgung ein Vorschaltwiderstand aufgenommen. Beim Zünden der Glimmentladung erhöht sich auf Grund des größeren Stromes der Spannungsabfall an dem Widerstand u. verringert dadurch die Spannung U, die über der G.-Röhre liegt. Die Zündspannung, bei der die G. von der Dunkelentladung zur Glimmentladung überspringt, hängt von dem Gasdruck, der Gasart, dem Elektrodenmaterial u. der Geometrie der G.-Röhre ab. Da nach Zündung der Glimmentladung durch die Ionen, die auf die Kathode treffen, ausreichend neue Elektronen freigesetzt werden, also keine freien Ladungsträger von außen erzeugt werden müssen, spricht man von einer *selbständigen G.*; im Gegensatz zur *unselbstständigen G.*, die z. B. beim Geiger-Müller-Zählrohr vorliegt. Der Bereich der *normalen Glimmentladung* mit rund 10^{-1} A/cm^2 ist durch eine konstante Entladungsspannung U gekennzeichnet. Wird die Stromdichte weiter erhöht, erreicht man den Bereich der *anormalen Glimmentladung*, in dem bei steigendem Strom auch die Entladungsspannung wieder wächst. Bei noch größeren Stromstärken wird durch die auftreffenden Ionen das Kathodenmaterial stark aufgeheizt; dies vergrößert die Elektronenemission der Kathode (Glühemission) u. dadurch den Entladungsstrom. Die G. springt in die *Bogenentladung* (Bereich C in Abb. 2) über u. erreicht Stromdichten von 1 bis 1000 A/cm^2. Die Bogenentladung brennt wieder bei konstanter Spannung; sie läßt sich erst durch Verringerung der Spannung U unter die Löschspannung beenden. Mit einer geheizten Kathode ist es möglich, Bogenentladung zu erreichen, ohne vorher die Bereiche der Dunkel- u. Glimmentladung zu durchlaufen.

Verw.: In *Leuchtstoffröhren* nutzt man die Glimmentladung zur Erzeugung von tageslichtähnlichem od. mehr od. weniger gefärbtem (vgl. Edelgase u. Leuchtstoffe) Licht für Beleuchtungszwecke. In der *Spektroskopie u. in der präparativen Photochemie dienen Gasentladungslampen mit Gas- bzw. Metall-Füllungen (Na, Cd, Hg, H$_2$, D$_2$, Edelgase) in Nieder-, Mittel-, Hoch- u. Höchstdruckausführungen zur Erzeugung mono- od. polychromat. Strahlung; eine verwandte Anw. ist die in Röhrenblitzgeräten, s. Blitzlicht. In jedem der oben erwähnten G.-Fälle bildet sich im Gasraum ein *Plasma aus, u. dementsprechend lassen sich auch – als Arbeitsgebiet der *Plasmachemie – G. für chem. Reaktionen einsetzen, vgl. die Beisp. bei Yates u. Burleson[1], Suhr[2] u. bei Plasmachemie. Unter Glimmentladung sind selbst Polymerisationen möglich[3], u. eine techn. Anw. ist auch die sog. *Glimmnitrierung. – *E* gas discharge – *F* décharge dans les gaz – *I* scarica di gas – *S* descarga de gas

Lit.: [1] Chem. Tech. **3**, 31–35 (1973). [2] Chem. Labor Betr. **29**, 132–136 (1978). [3] Plaste Kautsch. **24**, 321–325 (1977).

allg.: Bergmann u. Schaefer, Lehrbuch der Experimentalphysik, Bd. 5, Vielteilchensysteme, S. 136, Berlin: de Gruyter 1992 ■ Chapman, Glow Discharge Processes: Sputtering and Plasma Etching, New York: Wiley 1980 ■ DIN 1326-1 (10/1991) ■ Houben-Weyl **4/5 b**, 1559–1591 ■ Ouellette, Low-Temperature Plasma Technology Applications (Electrotechnology 5), Ann Arbor: Ann Arbor Sci. Publ. 1980 ■ Top. Curr. Chem. **90**, 1–57, 59–109 (1980) ■ s. a. Gase, Plasmachemie u. a. Textstichwörter.

Gasflammkohle s. Kohle.

Gasflaschen s. Bomben.

Gasgesetze. Summar. Bez. für die Gesetzmäßigkeiten, die den *Zustand od. die *Zustandsänderungen – d. h. die gegenseitigen Abhängigkeiten der Zustandsgrößen eines *Gases wie Druck, Vol. u. Temp. – beschreiben. Die damit verbundenen Zustandsfunktionen sind über die *Hauptsätze der *Thermodynamik miteinander verknüpft. Die G., die auf alle Gase u. *Dämpfe anwendbar sein sollen, gehen von folgenden Voraussetzungen aus: Die Edelgase u. die Metall-Dämpfe sind einatomig, hingegen sind bei Wasserstoff, Sauerstoff, Stickstoff, Chlor usw. immer zwei Atome paarweise zu Mol. vereinigt. Daher wiegt z. B. 1 Mol Sauerstoff nicht etwa 16, sondern 32 g, 1 Mol Helium dagegen 4 g. Gleiche, auf Normbedingungen (s. Gase) umgerechnete Vol. verschiedener Gase enthalten die gleiche Anzahl von Gasmol., u. zwar enthält 1 *Mol eines jeden beliebigen Gases (z. B. 32 g Sauerstoff, 16 g Methan, 44 g Kohlendioxid) die *Avogadrosche Zahl ($6,0221367 \cdot 10^{23}$) an Mol., die bei 0 °C u. 101,3 kPa Druck (Normzustand) stets den Raum von etwa 22,414 L (*Molvol.*) erfüllen. Neben diesem *Avogadroschen, dem *Boyle-Mariotte'schen u. dem *Daltonschen Gesetz über die *Partialdrücke gehört zu den G. das *Gay-Lussacsche Gesetz* (1802): Bei gleichbleibendem Druck (z. B. unter Atmosphärendruck) vergrößert sich das Vol., das ein beliebiges Gas bei 0 °C ausfüllt, je Grad Temp.-Erhöhung um den 273,15ten Teil des Ausgangsvolumens. Den Wert 1/273,15 nennt man den *therm. kub. Ausdehnungskoeff.* (s. ausdehnen) α der Gase. Bezeichnet man das Ausgangsvol. eines Gases mit V_0, so dehnt sich dieses bei einer Temp.-Zunahme von t Grad auf das neue Vol. V aus nach der Gleichung:

$$V = V_0 + \frac{1}{273,15} V_0 t \quad \text{od.} \quad V = V_0 (1 + \alpha t).$$

Wenn man z. B. 1 L Luft von 0 °C auf 273,15 °C erwärmt, so erhält man (immer unter gleichem äußerem Luftdruck) 2 L Luft von der halben D.; bei der Erwärmung auf 1000 °C dehnt sich 1 L Luft (od. ein beliebiges anderes Gas) auf $\left(1 + \frac{1000}{273,15}\right)$ = rund 4,6 L aus.

Diesen Zusammenhang macht man sich bei der Verw. der *Gasthermometer* (*Thermometer) zunutze. Da Druck u. Vol. bei Gasen einander nach dem Boyle-Mariotte'schen Gesetz umgekehrt proportional sind, so folgt, daß der Druck eines Gases steigen muß, wenn man das Gas erwärmt u. so einschließt, daß es nicht entweichen kann. Bei dieser Erwärmung unter konstantem Vol. ruft jede Temp.-Erhöhung um 1 °C bei jedem Gas eine Drucksteigerung um α = 1/273,15 des Druckes hervor, der dem Gase vorher zukam. Erwärmt man z. B. Luft in einem starkwandigen, gut verschlossenen Gefäß von 0 °C auf 273,15 °C, so wird der Druck verdoppelt, bei Erwärmung auf 546,3 °C verdreifacht usw. Beträgt der Druck eines Gases bei 0 °C p_0, so steigt er nach Erwärmung auf t°C (unter konstant gehaltenem Vol.) auf

$$p = p_0 + \frac{1}{273,15} p_0 t \quad \text{od.} \quad p = p_0 (1 + \alpha t).$$

Diese Gesetzmäßigkeiten drückt auch das *Charles'sche od. Amontonssche Gesetz aus. Die oben erwähnten Gesetze lassen sich zur *Zustandsgleichung der idealen Gase (*vereinigtes G.*) zusammenfassen: Es betrage der Druck eines Mols eines Gases von 0 °C p_0 (hier 100 kPa) u. sein Vol. V_0 (*Molvol.*); verändert man nun seine Temp. auf t_0, seinen Druck auf p, so muß sich auch sein Vol. auf den neuen Wert V erhöhen. Um den Wert V zu ermitteln, denkt man sich, das Gas wäre zunächst unter konstantem Druck p_0 auf t erwärmt worden. Es hätte dann nach Gay-Lussac das Vol. $V_1 = V_0 (1+\alpha t)$ erhalten. Denkt man sich das Gas nunmehr ohne Änderung seiner zuletzt angenommenen Temp. auf den neuen Druck p gebracht, so müßte das Vol. V_1 in V übergehen; es wäre dann nach dem Boyle-Mariotte'schen Gesetz $V : V_1 = p_0 : p$. Setzt man in diese Gleichung den obigen Wert für V_1 ein, so erhält man

$$V \cdot V_0 (1 + \alpha t) = p_0 : p \quad \text{od.} \quad p V = p_0 \cdot V_0 \left(\frac{273,15 + t}{273,15}\right).$$

Setzt man in diese Gleichung für $273,15 + t$ die für die abs. Temp. übliche Abk. T ein, so ergibt sich: $pV = \frac{p_0 \cdot V_0}{273,15} \cdot T$. Der Wert $\frac{p_0 \cdot V_0}{273,15}$ ist die sog. allg. *Gaskonstante, sie hat den Wert R = 8,31451 J/mol · K. Damit vereinfacht sich die letzte Gleichung zum *allg. G. $p \cdot V = R \cdot T$*, der Zustandsgleichung der idealen Gase in der Form für 1 Mol; für n Mole muß nR statt R stehen ($pV=nRT$).

Die zugeführte Wärme kann als *spezifische Wärmekapazität ausgedrückt werden. Diese setzt sich als kinet. Energie aus Anteilen für die *Translation, die *Rotation u. (bei höheren Temp.) auch für *Schwingungen der Gasteilchen zusammen u. zwar mit Beiträgen von R/2 je Freiheitsgrad; Näheres s. bei Molwärme. Neben den erwähnten G. gibt es noch zahlreiche weitere Gesetzmäßigkeiten, die das Verhalten von Gasen u. Dämpfen beschreiben, ohne zu den eigentlichen G. gerechnet zu werden; *Beisp.*: *Henrysches u. *Raoultsches Gesetz, die *Clausius-Clapeyron'sche u. *Duhem-Marguleessche Gleichung usw.

Die G. können nur dann streng erfüllt werden, wenn zwischen den Mol. keine zwischenmol. Kräfte wie die *London- od. *Van der Waals-Kräfte wirksam sind u. ihr Eigenvol. vernachlässigbar gering ist, d. h. sie nur als Massepunkte betrachtet werden können. Diese Voraussetzungen sind niemals gegeben, weshalb die *realen Gase* in ihrem Verhalten mehr od. weniger stark von dem der *idealen Gase* abweichen. Sie nähern sich dem Zustand des idealen Gases um so mehr, je geringer ihre D. ist, da dann die zwischenmol. Kräfte u. das Eigenvol. weniger stören. Ebenso ist dies oberhalb der *krit. Temp.* (s. kritische Größen) der Fall, wo die Bewegungsenergie der Mol. so groß geworden ist, daß sich auch bei hohen Drücken keine hinreichend starken Anziehungskräfte zwischen ihnen mehr auswirken können. Es gibt viele Ansätze, um die G., insbes. die Zustandsgleichung der idealen Gase, auf die realen Gase durch die Einführung geeigneter Korrekturglieder anwendbar zu machen. Ein Weg hierbei ist, das Verhältnis $\frac{p \cdot V}{n \cdot R \cdot T}$, das *Realfaktor* bzw. *Virial* genannt wird, zu betrachten. Während bei idealen Gasen dieses Verhältnis konstant gleich eins ist, ist es bei realen Gasen temp.- u. druckabhängig; folglich wird als eine

Potenzreihe die sog. *Virialgleichung* angesetzt:

$$\frac{p \cdot V}{n \cdot R \cdot T} = 1 + B(T) \cdot p + C(T) \cdot p^2 + \ldots \quad \text{bzw.}$$

$$\frac{p \cdot V}{n \cdot R \cdot T} = 1 + B(T) \cdot \frac{n}{V} + C(T) \cdot \left(\frac{n}{V}\right)^2 + \ldots$$

Die Größen B(T), C(T) usw. werden als zweiter bzw. dritter Virialkoeff. bezeichnet; sie sind gasspezifisch. Eine Vereinfachung der Virialgleichung stellt die in der Praxis viel verwendete Van-der-Waalssche Zustandsgleichung dar:

$$\left(p + \frac{\alpha}{V^2}\right) \cdot (V - b) = RT$$

Dabei stellt der Ausdruck α/V^2 ein Korrekturglied dar, das den Wechselwirkungen zwischen den Mol. Rechnung trägt (*Binnendruck*), u. (V–b) repräsentiert das um das *Covol.* der Mol. verminderte echte Gasvolumen. Das Covol. b ergibt sich als das vierfache Eigenvol. der Gasteilchen. Die *Van der Waals-Konstanten a* u. *b* sind von der Gasart abhängig. Unter der Annahme, daß die Eigenvol. vernachlässigbar klein seien, kann man die *Van der Waals-Gleichung* mit der Vereinfachung $B = b - a/RT$ in die Form $pV = RT + Bp$ überführen. Für jedes reale Gas existiert eine sog. *Boyle-Temp.* T_B, oberhalb derer es sich auch bis zu ziemlich hohen Drücken fast ideal verhält, d. h. weitgehend das Boyle-Mariottesche Gesetz erfüllt; im Boyle-Punkt ist der 2. Virialkoeff. B = Null. Oberhalb der Boyle-Temp. wirkt sich die *Kohäsion* nicht mehr aus; diese Tendenz ist allerdings nicht ident. mit dem krit. Zustand (beispielsweise ist im Falle des Kohlendioxids die krit. Temp. 31,013 °C, die Boyle-Temp. 500 °C). Dagegen stehen Boyle-Temp. u. van der Waals-Konstanten in einer einfachen Beziehung ($T_i = 2 T_B = 2\alpha/Rb$) zur sog. *Inversionstemp.* (T_i), die bei der Verflüssigung realer Gase – unter Ausnutzung des *Joule-Thomson-Effektes – eine ausschlaggebende Rolle spielt. Übrigens ersetzt man, um die Zustandsgleichung idealer Gase auf reale Gase anwendbar zu machen, im allg. den Druck (p) durch die *Fugazität (f)*. Ein einleuchtendes, experimentell u. mathemat. gut begründetes Bild vom Wesen der Gase, das ihr in den G. zum Ausdruck gebrachtes makroskop. Verhalten aus Vorstellungen über das Verhalten der einzelnen Atome bzw. Mol. zu erklären versucht, liefert die sog. *kinet. Gastheorie*, die von Daniel Bernoulli (1738) begründet, von Krönig (1854), *Clausius (1857), J. *Maxwell, *Boltzmann, *Planck, A. *Einstein u. a. weitergeführt u. durch die Einführung der *Quantenmechanik modernisiert wurde. Die hier nur in ihren Grundzügen behandelte kinet. Gastheorie geht davon aus, daß die Gase aus regellosen Schwärmen von sehr rasch bewegten Mol. bzw. Atomen bestehen, für deren Bewegung die Gesetze der Mechanik gelten. Die Geschw. ist bei verschiedenen Gasen bei gleicher Temp. um so größer, je leichter die betreffenden Mol. sind, d. h. je kleiner die Molmasse des betreffenden Gases ist. Die *kinet. Energie* eines einzelnen Mol. von der Masse m u. der Geschw. v entspricht dem Wert $\frac{1}{2} m v^2$. Da nun bei verschiedenen Gasen gleicher Temp. die mittlere (durchschnittliche) kinet. Gesamtenergie übereinstimmt, müssen sich die mittleren Geschwindigkeitsquadrate umgekehrt wie die Molmassen verhalten. So beträgt die mittlere Geschw. der Gasmol. (bzw. Atome) bei 0 °C von Wasserstoff 1693, Helium 1204, Wasserdampf 567, Neon 535, Stickstoff 454, Sauerstoff 425, Chlor 286 u. Quecksilber 170 m/s. Diese Mol.-Geschw. sind lediglich Durchschnittswerte. Für die Geschwindigkeitsverteilung hat J. Maxwell ein nach ihm benanntes Gesetz aufgestellt (*Maxwell-Verteilung*, in bildlicher Darst. eine Glockenkurve; Beisp. s. Tab. 1, für Sauerstoff). Das Maxwellsche Verteilungsgesetz findet seine Analogie im *Boltzmannschen Energieverteilungsgesetz.

Tab. 1: Geschwindigkeitsverteilung nach Maxwell (Beisp.: Sauerstoff).

Geschwindigkeitsbereiche [m/s]	Molekül-Anteile [%]
0–100	1,4
100–200	8,1
200–300	16,7
300–400	21,5
400–500	20,3
500–600	15,1
600–700	9,2
über 700	7,7

Da *Wärme im Sinne der kinet. Gastheorie nichts anderes ist als Bewegungsenergie der Mol., so nimmt mit steigender Temp. auch die Durchschnittsgeschw. der Mol. zu, wie die Tab. 2 der mittleren Geschw. (in m/s) von Gasmol. bei verschiedenen Temp. zeigt.

Tab.: Mittlere Geschwindigkeit von Gasmolekülen bei verschiedenen Temperaturen [m/s].

Moleküle	0 °C	100 °C	200 °C
Wasserstoff	1693	1957	2230
Ammoniak	583	681	767
Wasserdampf	567	662	746
Sauerstoff	425	498	560
Kohlendioxid	363	424	477

Je höher die Temp., desto wuchtiger prallen die Mol. auf die Gefäßwände; infolgedessen steigt der Druck bei konstant gehaltenem Volumen. Preßt man ein Gas bei gleichbleibender Temp. (*isotherm.) zusammen, so erhöht sich die Anzahl der Mol. je mL, es prallen daher mehr Mol. auf die Wände, u. der Druck nimmt ebenfalls zu. Die Durchschnittsgeschw. der Gasmol. steigt proportional der Wurzel aus der *absoluten Temperatur, u. entsprechend hören die Gasbewegungen bei Annäherung an den abs. Nullpunkt auf. Hält man ein abgeschlossenes Gasvol. lange Zeit bei gleicher Temp., so bleibt auch die mittlere Geschw. der Mol. völlig unverändert.

Tatsächlich breiten sich die Gase unter ird. Bedingungen wesentlich langsamer aus, als die oben angegebenen Geschw. erwarten lassen. Dies ist auf die ungeheure Zahl von Zusammenstößen (*Stoßprozesse) zurückzuführen, die die Mol. immer wieder erleiden. Selbst ein im Hochvak. befindlicher Raum enthält immer noch je mL etwa 10^{11} Mol., zwischen denen viele Zusammenstöße stattfinden können. Mol. gleicher Größe (Stoß- od. *Wirkungsquerschnitt) u. Masse dürften unter Normalbedingungen bei Mol.-Geschw. von 100–500 m/s rund 10 Mrd. Zusammenstöße erleiden (man sagt auch, ihre *Stoßzahl* beträgt ca. 10^{10}),

Gasgleichungen

so daß ihre *mittlere freie Weglänge* (das ist die zwischen 2 Zusammenstößen liegende Durchschnittsstrecke) nur etwa 0,1 µm beträgt.

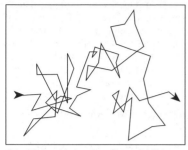

Abb.: Zickzackbahn eines Gasmoleküls.

Selbst unter Drücken von nur 1 Pa erreicht die mittlere freie Weglänge erst etwa 1 cm, bei 0,1 Pa Druck steigt sie auf etwa 10 cm an. Die Zickzackbahn eines einzelnen Gasmol. ist in der Abb. veranschaulicht, die die für die *Diffusion der Gase verantwortliche *Brownsche Molekularbewegung darstellt. – *E* gas laws – *F* lois des gaz – *I* leggi dei gas – *S* leyes de los gases
Lit.: s. Gase u. Thermodynamik.

Gasgleichungen s. Gasgesetze.

Gasglühkörper. Techn. Bez. für die früher in der Straßenbeleuchtung benutzten, von *Auer von Welsbach erfundenen *Glühstrümpfe*, die unter dem Einfluß einer Gasflamme ein gleißend helles Licht aussenden (*Auerlicht*). Die aus Baumwolle od. Ramiefasern hergestellten Glühstrümpfe wurden mit einem Lsm.-Gemisch aus Th- u. Ce-Nitrat durchtränkt, woraus nach dem Glühen der „Strümpfe" ein lockeres Gerüst der entsprechenden Oxide (99,1% Th, 0,9% Ce) entstand. Beim Auerlicht handelt es sich um *Thermolumineszenz-Emission, die als *Candolumineszenz auch analyt. Verw. findet. – *E* gas mantle – *F* manchon à incandescence – *I* corpo di gas a incandescenza – *S* mechas para gas del alumbrado
Lit.: s. Thermolumineszenz.

Gasgravimetrie. Bestimmungsmeth. der *Gasanalyse, bei der ein Gas durch Adsorption an einem geeigneten Adsorbens gravimetr. bestimmt wird.

Gashydrate s. Clathrate.

Gasketten s. Gaselektroden.

Gaskinetik s. Gase.

Gaskohle. Eine fette *Steinkohle mit 28–35% flüchtigen Bestandteilen, die sich bes. zur Gewinnung von *Koks (*Gaskoks*) eignet; zur Zusammensetzung s. Kohle. – *E* gas coal – *F* charbon à gaz – *I* carbone da gas – *S* carbón de (o para) gas

Gaskonstante (Symbol R). Eine durch $R = p_0 \cdot V_0/T$ darstellbare Konstante aus der *Zustandsgleichung der *Gase (s. Gasgesetze); als allg. G. hat sie den Wert 8,314510 J mol^{-1} K^{-1}. Die allg. G. ist auch aus $R = k \cdot N_A$ (k = Boltzmann-Konstante, N_A = *Avogadrosche Zahl) berechenbar. – *E* gas constant – *F* constante des gaz – *I* constante dei gas – *S* constante de los gases

Gaskrieg s. Kampfstoffe.

Gas-Lagerung s. Gase u. Gasometer.

Gas-Laser. *Laser, deren aktives Medium durch ein Gas gebildet wird. Meist wird in deren Gasen eine *Gasentladung gezündet, um energet. höher liegende Niveaus stärker zu besetzen als ein niedrigeres Niveau, zu dem ein Dipolübergang existiert (Besetzungsinversion). Der typ. Aufbau eines G.-L. ist in der Abb. gezeigt.

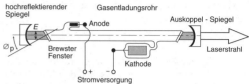

Abb.: Aufbau eines Gas-Lasers.

Ein Glas- od. Quarzrohr, in dem in Längsrichtung eine Gasentladung brennt, befindet sich zwischen den Spiegeln eines Laserresonators. Um die Stoßrate zwischen den freien Elektronen u. den Gasteilchen u. damit die Besetzung im angeregten Zustand zu erhöhen, ist oft noch in Längsrichtung ein Magnetfeld überlagert, das die Elektronen auf schraubenförmige Bahnen zwingt. Die Detailausführung richtet sich nach der Gas-Art u. dem gewünschten Einsatz des Lasers (die Anregung bei *Excimer- u. *chemischen Lasern ist deutlich verschieden von Abb. 1). In der Tab. sind einige Daten der wichtigsten G.-L. aufgeführt, Details siehe entsprechendes Stichwort.

Tab.: Daten der wichtigsten Gas-Laser.

Gasart	Wellenlänge	Pulsdauer [1]	Leistung [2]
CH_3F	496 µm	cw	100 mW
		40 ns	1 MW
*chemischer Laser, z. B. HF	1,3 µm	cw	7 kW
		20 ns	1 MW
CO_2	10,6 µm, 9–11 µm	cw	100 kW
		100 ps–0,1 s	100 W–1 TW
CO	5–7 µm	cw	20 W
*Edelgas-Ionen-Laser Ar$^+$, Kr$^+$, Xe$^+$	400–800 nm	cw	25 W
*Excimer-Laser	170–352 nm	15–300 ns	20 MW
He–Ne	543 nm, 632,8 nm, 1,152 µm, 3,39 µm	cw	50 mW
He–Cd	325 nm, 441,6 nm	cw	150 mW
H_2	116–160 nm	0,5 ns	5 kW
HCN	311 µm, 337 µm	cw	40 mW
		40 ns	1 MW
Metalldampf Kupfer, Gold	325–653 nm	cw	15 mW
		100 ns	5 W
N_2	337,1 nm	0,1–10 ns	1 MW

[1] cw bedeutet kontinuierlich (*E* continuous wave)
[2] marktübliche Geräte; Laborgeräte können deutlich darüber liegen

Da die Durchstimmbarkeit von G.-L. auf einige GHz (Excimer-Laser: 1 nm = 160 cm^{-1}) begrenzt ist, besteht ihr Einsatz in der *Spektroskopie oft darin, *Farbstoff-Laser zu pumpen. – *E* gas lasers – *F* lasers à gaz – *I* laser a gas – *S* láseres de gas

Lit.: Beck, Englisch u. Gürs, Tables of Laser Lines in Gases and Vapors, Berlin: Springer 1978 ▪ Duley, Lasers, Gas, Encycl. of Physical Science and Technology, Bd. 8, S. 545–554, San Diego: Academic Press 1991 ▪ Weber (Hrsg.), Handbook of Laser Science and Technology, Vol. II, Boca Raton: CRC-Press 1982.

Gasmasken. Atemanschluß an ein *Atemschutzgerät.

Gas-Nitrierung. Thermochem. Behandlung in einem *Stickstoff-abgebenden Gas zum Anreichern der Randschicht eines Bauteils aus Eisen-Werkstoffen mit Stickstoff [1], s. a. Nitrierung u. Glimm-Nitrierung. G.-N. erfolgt durch Auslagerung von Nitrierstählen [2] für ca. 50 h in gasf. Ammoniak bei 500–600 °C. Erreicht wird in einer ca. 0,4 mm dicken Randzone eine *Rockwell-Härte von 67 HRC durch Bildung einer Diffusionsschicht mit Nitrid-Ausscheidungen. Angewendet wird die G.-N. für Bauteile mit sehr hohen Anforderungen an Verschleiß- u. Schwingfestigkeit bei gleichzeitig guten Festigkeits- u. Zähigkeitseigenschaften. – *E* ammonia nitriding – *F* nitruration gazeuse – *I* nitrurazione a gas – *S* nitruración en atmósfera de gas
Lit.: [1] DIN EN 10052 (01/1994). [2] Verein Dtsch. Eisenhüttenl. (Hrsg.), Werkstoffkunde der gebräuchlichen Stähle, Tl. 2, S. 55, Düsseldorf: Verl. Stahleisen 1977.
allg.: Gräfen (Hrsg), Lexikon Werkstofftechnik, S. 700, Düsseldorf: VDI 1993.

Gasodorierung. Bez. für den Zusatz geruchsintensiver, als *Warn-* od. *Alarmstoffe wirkender Substanzen (*Stinkstoffe*) zu ansonsten geruchlosen Gasen (Leuchtgas, Erdgas), um undichte Stellen im Röhrensyst. leichter zu bemerken (*Lecksuche) u. Gasvergiftungen (Kohlenmonoxid!) zu verhindern. An ein *Odoriermittel* werden folgende Anforderungen gestellt: Der Geruch soll intensiv u. unangenehm sein, es soll in den angewendeten Konz. keine Gesundheitsschäden u. Metallkorrosionen verursachen, gut brennbar sein u. keine giftigen, korrosiven Verbrennungsgase liefern. Bes. geeignete Markierungsmittel sind Mercaptane u. a. organ. Schwefel-Verb.; *Beisp.:* Diethyl-, Dimethylsulfid, insbes. Tetrahydrothiophen. Die G. wird etwa seit 1880 angewendet; sie hat mit der immer stärkeren Ausbreitung des *Erdgases steigende Bedeutung erlangt. – *E* gas odorization – *F* odorisation des gaz – *I* odorazione del gas – *S* odorización de gases

Gasöl. Bei der Dest. des Erdöls (vgl. dort Abb. 3) anfallende Fraktion mit Sdp. 225–350 °C. – [HS 271000]

Gasohol. Aus amerikan.: *gas*oline u. alc*ohol* zusammengezogene Bez. für *Benzin-*Ethanol-Gemische unterschiedlicher Zusammensetzung, die als *Motorkraftstoffe für Otto-Motoren geeignet u. in den USA u. Brasilien (*Pro-alcool*, s. a. *Lit.*[1]) versuchsweise im Einsatz sind. Das Ethanol (Anteil: 10–20%) entstammt meist pflanzlichen Rohstoffen u. Abfällen (*Fermentation). Aus Gründen der Luftreinhaltung wird in den USA der Verw. von *Methanol – das aus fossilen Brennstoffen hergestellt wird – diskutiert, da so ein Zusatz den Smog in Ballungsräumen verringern würde. – *E* = *F* = *I* = *S* gasohol
Lit.: [1] Annu. Rev. Energy **10**, 135–164 (1983).
allg.: Cheremisinoff, Gasohol for Energy Production, Ann Arbor: Ann Arbor Sci. 1979 ▪ Hunt, The Gasohol Handbook, New York: Industrial Press 1981 ▪ Kirk-Othmer (3.) **11**, 482 ff., 680 ff.; (4.) **12**, 177 f., 359 f.

Gasol. Von „*gas*förmige *Ol*efine" abgeleitete Bez. für eine bei der *Fischer-Tropsch-Synthese anfallende Fraktion, die hauptsächlich *Propan u. *Butan enthielt.

Gasoline. Amerikan. Bez. für *Benzin.

Gasometer (Gasbehälter). 1. *Laboratoriums-G.* werden heute kaum mehr benutzt, da die üblichen Laborgase in handlichen Behältern in jeder notwendigen Menge vom Fachhandel zur Verfügung gestellt werden.
2. *Techn. G.:* In den Gasfabriken wird das gereinigte *Stadtgas („Leuchtgas") in großen G. (bis 600000 m³ Fassungsvermögen) gesammelt u. von da aus den Verbrauchern in Rohrleitungen zugeführt. Durch die Gasspeicherung in G. kann der Unterschied zwischen der gleichmäßigen Gaserzeugung u. dem im Lauf eines Tages od. einer Woche stark schwankenden Gasverbrauch ausgeglichen werden. *Glocken-G.* sind heute weniger gebräuchlich; statt dessen bevorzugt man sog. *Scheiben-G.*, in denen sich eine am Rand mit Teer u. dgl. abgedichtete Scheibe je nach Füllzustand auf- u. abbewegt. Für kleinere Mengen von *Druckgasen sind auch kugelförmige *Hochdruck-G.* üblich. *Erdgas wird heute meist unterird. in Kavernen u. als *Flüssiggas gespeichert. – *E* gasometer – *F* gazomètre – *I* gassometro – *S* gasómetro

Gasphase s. Aggregatzustände, Gase u. Phasen.

Gasphasenabscheidung. Bei diesem Verf. zur Erzeugung *dünner Schichten, auch CVD (von engl. chemical vapor deposition) genannt, laufen chem. Prozesse ab, im Gegensatz zum *PVD-Verfahren. Die Temp. liegen bei diesem Prozess zwischen 200 °C u. 2000 °C. Je nach der Art der Energiezufuhr spricht man von therm., plasma-, photonen- od. laser-aktivierter Gasphasenabscheidung. Die einzelnen Gas-Komponenten werden mit einem inerten Trägergas, im allg. Argon, bei Drücken zwischen 1 u. 100 kPa durch eine Reaktionskammer geleitet, in der die chem. Reaktion stattfindet u. sich die dabei gebildeten Festkörper-Komponenten als dünne Schicht abscheiden. Die flüchtigen Nebenprodukte werden mit dem Trägergas abgeführt. Mit der G. lassen sich Substrate (vorausgesetzt, sie sind bei den Temp. stabil) mit zahlreichen Metallen, Halbleitern, Karbiden, Nitriden, Boriden, Siliciden u. Oxiden beschichten. Die Anw. liegt u. a. in der Herst. von Verschleißschutzschichten (TiN, TiC, W_2C), *Korrosionsschutz-Schichten (z. B. NbC, BN, TiB_2, Al_2O_3, Ta u. Silicide), sowie von hochreinem Silicium bzw. GaAs in der *Halbleiter-Technologie. – *E* chemical vapor deposition – *F* dépôt chimique en phase vapeur – *I* deposizione a fase gassosa – *S* deposición química en fase vapor
Lit.: Haefer, Oberflächen- u. Dünnschicht-Technologie, Tl. 1 Berlin: Springer 1987.

Gasphasenoxidation. Bez. für das Verbrennen organ. Inhaltsstoffe in einer Flamme. Sind die Inhaltsstoffe im Abgas enthalten, spricht man von Abgasverbrennung od. *thermischer Gasreinigung. Durch Abwasserverbrennung werden vorwiegend industrielle Prozeßabwässer entsorgt, die aufgrund biolog. schwer abbaubarer Inhaltsstoffe od. hoher Salzgehalte für die

Gasphasenpolymerisation

*biologische Abwasserbehandlung kaum zugänglich sind. Die in der Regel heizwertarmen Abwässer müssen vor der G. aufkonzentriert werden. Das Abwasser, das nach dem *Eindampfen bis 70% Trockensubstanz enthält, wird über Flammenverdampfungsbrenner aufgegeben u. im überhitzten Dampf zerstäubt. Nach Möglichkeit wird das Salz schmelzflüssig ausgetragen. Die Rauchgasbehandlung (s. Abluftreinigung) erfolgt in der Regel mittels *Naßwäscher u. *Elektrofilter. Problemat. bei Entwicklung u. Betrieb der G. ist die Alkalinität des Salzes, dem kein feuerfestes Auskleidungsmaterial auf Dauer widersteht. – *E* gas phase oxidation – *F* oxydation des phases gazeuses – *I* ossidazione nella fase gassosa – *S* oxidación en la fase gaseosa
Lit.: Ullmann (5.) **B 8**, 136–142.

Gasphasenpolymerisation. Die G. ist ein Spezialverf. zur *Polymerisation gasf. *Monomerer, insbes. von Ethylen u. Propylen. Es beruht auf der Adsorption von Monomeren an wachsenden Makroradikalen od. -ionen, die durch UV-Licht, Wärme od. an rieselfähigen Trägern fixierten Initiatoren gebildet werden. Das resultierende Polymere fällt in fester Form an. Die G. wird optimal im Wirbelbettverf. mit Durchmischung durch den Monomergasstrom durchgeführt. Das nicht umgesetzte Monomere wird im Kreislauf geführt u. übernimmt den Abtransport der Reaktionswärme. – *E* gas phase polymerization – *F* polymérisation en phase gazeuse – *I* polimerizzazione in fase gassosa – *S* polimerización en fase gaseosa
Lit.: Compr. Polym. Sci. **4**, 21 f. ■ Houben-Weyl **E 20**, 343–362, 716 ff., 738 f.

Gasprüfröhrchen s. Gasspürgeräte u. Prüfröhrchen.

Gasreinigung. Unter G. sind die Verf. zu verstehen, die der Isolierung, Aufbereitung u. *Reinigung techn. *Gase dienen, gleichzeitig aber auch – im Rahmen des *Immissions-Verringerung u. damit des *Umweltschutzes – der *Luftreinhaltung*. Die Meth. der *Abgas-Reinigung variieren mit der Art des Gases, seiner Verw. u. den einschlägigen Reinheitskriterien u. -vorschriften. Zur Anw. kommen die verschiedenen Verf. der Entstaubung (s. dort), die Abscheidung von Bestandteilen wie Ruß, Teer, H_2S, SO_2 u.a. Schwefel-Verb. (Entschwefelung, s. dort), Wasser, CO_2, HCN u.a. *Luftverunreinigungen nach Meth. wie Naß- u. Trocken-*Absorption, *Kondensation u. *Adsorption. Im Labormaßstab geschieht die G. in *Waschflaschen u. dgl. sowie durch Reaktion an Katalysatoren (*Beisp.:* *Oxisorb), im techn. Maßstab in Reinigungsanlagen mit Rieseltürmen, Kolonnen, Feldwäschern, Tellerwäschern, Ströder-Wäschern u.a., sowohl mit *Waschflüssigkeit* wie Wasser, Alkanolaminen, Lactamen, Methanol u.a. Lsm. als auch mit sog. *Gasreinigungsmassen* wie *Lamingsche, *Lauta- u. Luxmasse; die letzteren kommen bes. in der Reinigung von Kokereigasen u. dgl. für *Stadtgas zum Einsatz. Die Entfernung von Flüssigkeitstropfen aus Gasen u. Dämpfen rechnet man meist ebenso wie die *Gastrocknung* zur Gasreinigung. Näheres s. bei den zu reinigenden Gasen bzw. den zu entfernenden Stoffen. – *E* gas cleaning, gas purification – *F* purification des gaz – *I* purificazione del gas – *S* purificación de gases

Lit.: Kirk-Othmer **10**, 329–352; (3.) **1**, 544–563; **11**, 621–629 ■ McKetta **6**, 292–310 ■ Ullmann (5.) **A 12**, 183 ff.; **A 13**, 376 ff. ■ s. a. Absorption, Adsorption, Entschwefelung, Entstaubung u. Luftverunreinigung.

Gasruß. Bez. für eine *Ruß-Sorte mit Teilchengröße 10–30 nm, die für die Verw. in Lacken, Druckfarben u. Kunststoffen geeignet ist.
Herst.: Durch gemeinsame, unvollständige Verbrennung von Aromaten-haltigen Ölen u. Trägergas (z. B. Kokereigas), wobei die Flammen eine langsam rotierende, wassergekühlte Walze berühren. An ihr scheidet sich der G. ab, so daß er mit Schabern abgekratzt werden kann. Der Herst.-Prozeß ähnelt dem des Channelrußes (*Kanalruß). – *E* roller-process channel black, gas black – *F* noir de fumée, noir de gaz – *I* fuligine di gas – *S* hollín de gas, negro de gas
Lit.: Kirk-Othmer (3.) **4**, 653; (4.) **4**, 1055 ■ Ullmann (5.) **A 5**, 148 ff. ■ Winnacker-Küchler (4.) **3**, 318 f. – [HS 2803 00]

Gasschmelzschweißen (Gasschweißen). Fügeverf.[1], bei dem ein örtlich begrenzter Schmelzfluß der beiden unlösbar zu verbindenden Teile vorliegt u. bei dem die erforderliche Energie aus der Verbrennung eines Brenngas-Sauerstoff-Gemisches (*Schweißgas*) bereitgestellt wird. Der Begriff kennzeichnet die Abgrenzung gegen Schweiß-Verf. mit anderen Energiequellen, wie Lichtbogenschweißen, Elektronenstrahlschweißen, aluminotherm. Schweißen (s. Aluminothermie), Widerstandsschweißen u. Laserschweißen; s. a. Schweißen u. autogenes Schweißen. – *E* autogeneous welding – *F* soudure autogène – *I* saldatura autogena – *S* soldeo autógeno o con gas o con soplete
Lit.: [1] DIN 8522 (09/1980).
allg.: Ruge, Handbuch der Schweißtechnik, 2. Aufl., Bd. 2, S. 1, Berlin: Springer 1980.

Gasschweißen. Abk. für *Gasschmelzschweißen.

Gassen, Hans Günter (geb. 1938), Prof. für Biochemie, TH Darmstadt, Leiter des Inst. für Biochemie u. der Arbeitsgemeinschaft Angewandte Gentechnik.
Arbeitsgebiete: Nucleinsäure- u. Protease-Chemie, Protein-Biosynth., Protease-Inhibitoren, Blut-Hirn-Schranke, techn. Enzyme. Autor von ca. 150 Publikationen sowie mehrerer Sachbücher.
Lit.: Kürschner (16.), S. 968 ■ Wer ist wer, S. 382.

Gassensoren. *Sensoren, mit denen sich die Konz. u. die Art von *Gasen detektieren läßt. Ihren schemat. Aufbau zeigt Abb. 1, wobei bei den meisten G. das vorgeschaltete Filter entfällt.

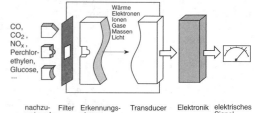

Abb. 1: Schemat. Aufbau von Gassensoren.

Die Einteilung von G. wird oft nach der Art des Transduktionsprinzips vorgenommen:
• *Spannungen:* Hier liegt die zu messende Substanz als Ionen vor od. es werden auf einer chem. aktiven Ober-

fläche Ionen gebildet, die im angrenzenden *Elektrolyt beweglich sind (s. ionenselektive Elektroden). Ist der im Sensor verwendete Elektrolyt ein Festkörper, so spricht man von Festelektrolyt-Sensor (FES). Als wichtigster Vertreter ist die Lambda-Sonde (s. Katalysatoren) zu nennen, bei der je nach Sauerstoff-Konz. eine unterschiedliche Differenz der Elektrodenpotentiale bestimmt wird. Die Abb. 2 zeigt den Aufbau einer Lambda-Sonde, wie sie in Verbrennungsmotoren zur Regulierung des Luft-Benzin-Gemisches eingesetzt wird. Die Konz. von unverbranntem Sauerstoff in dem heißen Abgasstrom wird durch die äußere Elektrode des Yttrium-stabilisierten Zirkoniumdioxid bestimmt, während die innere Elektrode die Konz. des Luftsauerstoffs als Referenzwert bestimmt. Sauerstoff reagiert hierbei in dem Festelektrolyt zu Sauerstoff-Ionen; die gemessene Spannung hängt logarithm. vom Sauerstoff-Partialdruck ab.

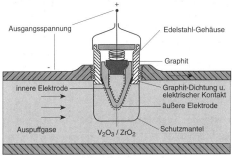

Abb. 2: Aufbau einer Lambda-Sonde.

- *Ströme:* Amperometr. G. sind sowohl mit Fest- als auch mit Flüssigkeitselektrolyten möglich.
- *Leitfähigkeiten:* Je nach Kontaktgeometrie wird die elektr. Leitfähigkeit einer sensitiven Schicht als Funktion der Konz. des Analyten in der Gasphase bestimmt. Als sensitive Schicht lassen sich u. a. Metalloxide u. leitfähige Polymere einsetzen.
- *Kapazitäten:* Je nach Einlagerung eines Analytmol. in die sensitive Beschichtung ändert sich die *Dielektrizitätskonstante, die über die Kapazitätsänderung z. B. eines Interdigitalkondensators als charakterist. Größe erfaßt werden kann.
- *Impedanzen:* Bei vielen Syst. (Metalloxid-Sensoren) erhält man zusätzliche Information über die Auswertung der Wechselstrom-Leitfähigkeit.
- *Adsorptionswärmen:* In kalorimetr. Sensoren lassen sich die Adsorptionswärmen von Analytmol. z. B. in polymeren Beschichtungen ausnutzen.
- *Reaktionswärmen:* Kommt es zu charakterist. Reaktionen der Analytmol. in der sensitiven Schicht, z. B. bei edelmetalldotiertem Metalloxid, so kann diese mit einer kalorimetr. Messung ausgewertet werden.
- *Opt. Konstanten als Reaktion der Frequenz:* Die Einlagerung eines Analytmol. in die Beschichtung, z. B. eines Polymers, führt zur Änderung opt. Konstanten, wie der Dicke od. der Absorption. Eine frequenzabhängige Auswertung (*Lock-In-Verstärker) erhöht die Empfindlichkeit.
- *Massen:* Bei der Ad- od. Absorption eines Analytmol. an bzw. in der sensitiven Schicht ändert sich die Masse der Beschichtung (Polymer, Käfigverb., Phthalocyanin). Die Massenänderung wird mit volumen- od. oberflächenakustischen Bauelementen bestimmt.
- *Wärmetönung:* Hierbei wird die Konz. brennbarer Gase über die Temperaturwirkung bestimmt, die stattfindet, indem auf einem *Katalysator kleiner Abmessung das Gas verbrannt wird. Diese G. dienen in erster Linie zur Warnung vor explosionsfähigen od. giftigen Gasen in der Luft. Es gibt Wärmetönungssensoren in miniaturisierter Form. – *E* gas sensors – *F* capteurs du gaz – *I* sensori di gas – *S* sensores de gas

Lit.: Göpel, Hess u. Zemel (Hrsg.), Sensors, Weinheim: VCH Verlagsges. 1996 ■ Moseley, Norris u. Williams, Techniques and Mechanisms in Gas Sensing, Bristol: Adam Hilger 1991 ■ Phys. Unserer Zeit **26**, 82 (1995) ■ Sberveglieri, Gas Sensors – Principles, Operation and Developments, Dordrecht: Kluver Academic Publ. 1992 ■ Spektrum Wiss. **1994**, Nr. 1, 97–105.

Gasser, Herbert Spencer (1888–1963), Prof. für Physiologie, Saint Louis, Ithaca (New York) u. New York. Direktor des Rockefeller Inst. for Medical Research. *Arbeitsgebiete:* Nervenfasern u. ihre physiolog. Funktionen. 1944 erhielt er zusammen mit *Erlanger den Nobelpreis für Medizin od. Physiologie für den Nachw., daß die Weiterleitung spezif. Nervenimpulse durch verschiedene Typen von Nervenfasern erfolgt.

Gasspeicher s. Gasometer.

Gasspürgeräte (Gasprüfgeräte, Gastester). Geräte, die zum Fremdgas- u. Giftgasnachw., zur Abgaskontrolle, zur *Lecksuche etc. in Laboratorien, chem. Betrieben, im Bergbau usw. verwendet werden u. meist aus einer Handpumpe bestehen, mit der das Prüfgas in ein *Prüfröhrchen gesaugt wird, in dem sich eine spezif. chem. Reaktion abspielt; Näheres zur Technik s. *Lit.*[1]. Andere G. arbeiten nach Wärmeleitfähigkeits- od. IR-Absorptionsprinzipien (s. a. Gasanalyse). Die G. können tragbar od. auch (als *Gaswarngeräte*) fest installiert sein. – *E* gas testers – *F* détecteurs de gaz – *I* indicatori di gas – *S* detectores de gas

Lit.: [1] Analyt.-Taschenb. **1**, 205–216; **3**, 317; Prüfröhrchen-Taschenbuch, Lübeck: Dräger 1991; Schwedt, Analytische Chemie, S. 408, Stuttgart: Thieme 1995.

Gasteer s. Steinkohlenteer.

Gasthermometer s. Thermometer.

Gast(moleküle) s. Clathrate u. Einschluß-Verbindungen.

Gastrax®. Kapseln mit dem H_2-Rezeptor-Antagonist *Nizatidin zur Therapie von Ulcera duodeni. *B.:* Asche.

Gastricsin s. Pepsine.

Gastrin.

Glp-Gly-Pro-Trp-Leu-Glu-Glu-Glu-Glu-Ala-Tyr-Gly-Trp-Met-Asp-Phe-NH_2

Abb.: Aminosäure-Sequenz des Gastrin-17 (little gastrin; Glp = *Pyroglutaminsäure). Der Tyrosin-Rest ist zu 33% sulfatiert.

$C_{97}H_{124}N_{20}O_{31}S$, M_R 2098,23 (Sulfat-Ester: $C_{94}H_{121}N_{19}O_{34}S_2$, M_R 2125,22). Zu den gastro-intestinalen Hormonen gerechnetes, aber auch im Gehirn vorkommendes, dem *Cholecystokinin u. dem *Caerulein in Struktur u. Funktion verwandtes Peptid-Hormon aus 17 Aminosäure-Resten. Daneben kennt man noch am Amino-Ende erweiterte Formen mit 34 (big gastrin) u. 51 Aminosäure-Resten. Der Vorläufer (101 Aminosäure-Reste) des G. wird in der Magenschleimhaut, dem Dünndarm u. den Langerhansschen Inseln des *Pankreas gebildet.

Physiologie: G. regt die Salzsäure-Sekretion der Magenschleimhaut u. die Enzym-Abgabe des Pankreas an. Darüber hinaus stimuliert es die Kontraktion glatter Muskeln sowie die Blutzirkulation u. Wassersekretion im Magen-Darm-Bereich. Die einzelnen G.-Formen unterscheiden sich in ihrem Aktivitätsgrad, reagieren aber sonst gleich. Die 5 C-terminalen Aminosäuren sind für die Wirkung entscheidend. Ein synthet. Pentapeptid mit G.-ähnlicher Wirkung (*Pentagastrin*: Boc-β-Ala-Trp-Met-Asp-Phe-NH$_2$) wird zur Magenfunktionsprüfung benutzt. Die Sekretion von G. wird angeregt durch hohen pH-Wert, mechan. Reiz (Nahrungsbrei) u. Vagusreiz (Acetylcholin), außerdem durch *Neuromedin B, *G.-Releasing-(Poly-)Peptid 10* (Neuromedin C) u. das diesen verwandte Krötenpeptid *Bombesin. Hemmend wirken niedriger pH-Wert, Cholecystokinin u. das ebenfalls im Magen, Darm u. Pankreas vorkommende *Somatostatin. *Glucagon, *Secretin u. *vasoaktives intestinales Polypeptid üben wahrscheinlich indirekt über eine Erhöhung der Somatostatin-Konz. eine Hemmwirkung auf die G.-Freisetzung aus. In einer zweiten Phase (ab ca. 40 min nach einem Mahl) fördert Secretin die G.-Ausschüttung. Ein direkter Zusammenhang zwischen G.-Sekretion u. der Entwicklung von Magengeschwüren konnte nur im Fall des Zollinger-Ellison-Syndroms (pankreat. Tumoren als Ursache) nachgewiesen werden. – E gastrin – F gastrine – $I = S$ gastrina

Lit.: Walsh, Gastrin, New York: Raven Press 1993 ▪ Trends Endocrinol. Metab. **4**, 51–57 (1993).

Gastritis (griech.: gaster = Magen). Entzündung der Schleimhaut des *Magens. Nach dem Verlauf unterscheidet man die akute von der chron. Gastritis. Die Erkrankung äußert sich oft in Druckgefühl in der Magengegend, Appetitlosigkeit, Übelkeit u. ggf. Erbrechen. Geht die G. mit Zerstörung der oberen Schleimhautschichten einher, kann sie zu Blutungen führen. Als Ursachen kennt man Alkohol, Medikamente (z. B. *Acetylsalicylsäure), die Aufnahme von ätzenden Flüssigkeiten sowie Bakterien od. deren *Toxine. In der Behandlung kommen u. a. *Antacida u. *Histamin-Antagonisten zum Einsatz. – $E = S$ gastritis – $F = I$ gastrite

Lit.: Gross et al., Die Innere Medizin, S. 504 ff., Stuttgart: Schattauer 1994.

Gastrocknung s. Trockenmittel u. Trocknen.

Gastrointestinaltrakt s. Verdauung.

Gastronerton®. Injektionslösung, Kapseln, Suppositorien, Lsg. u. Tabl. mit dem *Dopamin-2-Antagonisten *Metoclopramid-Hydrochlorid gegen Motilitätsstörungen des Magen-Darm-Trakts. *B.:* Dolorgiet.

Gastrosil®. Injektionslösung, Retardkapseln, Suppositorien, Lsg. u. Tabl. mit dem *Dopamin-2-Antagonisten *Metoclopramid-Hydrochlorid gegen Motilitätsstörungen des Magen-Darm-Trakts. *B.:* Dolorgiet.

Gastrotranquil®. Retardkapseln, Lsg. u. Tabl. mit dem *Dopamin-2-Antagonisten *Metoclopramid-Hydrochlorid gegen Motilitätsstörungen des Magen-Darm-Trakts. *B.:* Azupharma.

Gastrozepin®. Injektionslösung u. Tabl. mit dem M$_1$-Rezeptoren-Blocker *Pirenzepin-Dihydrochlorid zur Therapie von Magen-Darm-Ulcera. *B.:* Thomae.

Gasverflüssigung s. flüssige Luft, Flüssiggase u. Gase.

Gaswarngeräte s. Gasspürgeräte.

Gaszentrifuge s. Isotopentrennung.

Gaszerlegung. Bez. für die Auftrennung eines verflüssigten Gasgemisches in seine Komponenten durch fraktionierte Verdampfung. Nach diesem durch *Linde schon 1905 praktizierten Prinzip sind eine Reihe von Verf.-Techniken entwickelt worden, sowohl was die Kältetechnik als auch die Meth. der Komponententrennung betrifft. Die wichtigste G. ist die *Luftzerlegung* in Sauerstoff u. Stickstoff (s. flüssige Luft); weitere Beisp. für G.-Prozesse finden sich bei der Herst. von Wasserstoff aus Raffineriegas, von Ethylen aus Ethan, Propan od. Naphtha etc. – E gas separation – F séparation de gaz – I separazione di gas – S separación de gases

Lit.: Ullmann (5.) **A 12**, 269 ▪ s. a. Gase.

Gaszustand s. Aggregatzustände, Gase u. Gasgesetze.

Gates, Marshall D. (geb. 1915), Prof. für Organ. Chemie, Univ. Rochester (New York). *Arbeitsgebiete:* Morphin-Synth., Kondensation von Alkylalkoholen mit Hydroxychinonen, Opium-Alkaloide usw.

Lit.: Neufeldt, S. 235 ▪ Who's Who in America, S. 1313.

Gatsch (Fischer-Gatsch). Bei der *Fischer-Tropsch-Synthese zu ca. 8% anfallendes *Kohlenwasserstoff-Gemisch vom Sdp. 320–450 °C, bei dem etwa 27% der Mol. 16–19, 31% 19–22, 24% 22–25, 17% 25–27 u. 1% über 28 Kohlenstoff-Atome in vorwiegend geradlinigen Ketten enthalten. Der Name ist wahrscheinlich wegen der breiigen Beschaffenheit in Analogie zu Matsch gebildet worden. Durch Oxid. von G. erhielt man früher feste, gesätt. *Fettsäuren, die man auf Seifen, Fettalkohle u. techn. Fette weiterverarbeitete. – E slack wax – F cire synthétique – I gatsch, parafina sintetica – S gatsch, parafina sintética

GATT. Abk. für das seit 1948 bestehende *G*eneral *A*greement on *T*ariffs and *T*rade (allg. Zoll- u. Handelsabkommen), ein multilaterales Vertragswerk mit dem Ziel, Zolltarife u. a. Handelshemmnisse systemat. abzubauen u. zwischenstaatliche handelspolit. Gegensätze auszugleichen bzw. zu beseitigen. Durch die neuen Abkommen der Uruguay-Runde haben die z. Z. 118 Mitgliedsländer wesentliche Grundlagen für eine zukunftsweisende Verbesserung des Welthandels geschaffen. Dazu zählt vor allem die Überleitung des GATT in eine ständige Inst. als WTO (World Trade Organization) mit Sitz in 154, rue de Lausanne, CH-1211 Genf. – INTERNET-Adresse: http://www.unicc.org/wto

Lit.: Frenckel u. Bender, GATT u. die neue Welthandelsordnung, Wiesbaden: Gabler Betriebswirtschaft Verl. 1996.

Gattermann, Ludwig (1860–1920), Prof. für Chemie, Göttingen, Heidelberg u. Freiburg. *Arbeitsgebiete:* Einführung des Azotometers u. Bombenofens, Chlorstickstoff, Silicium- u. Bor-Verb., Ausbau der Sandmeyerschen Diazo-Reaktion, Synth. von Aldehyden u. Pyridin-Derivaten. Im Jahre 1894 erschien sein bekanntes Buch „Die Praxis des organischen Chemikers" in 1. Aufl.; die neueren Aufl. des auch heute noch benutzten Werkes wurden von H. u. Th. *Wieland bearbeitet.
Lit.: Neufeldt, S. 100 ▪ Pötsch, S. 162.

Gattermannsche Aldehyd-Synthese. Herst. aromat. Aldehyde aus aktivierten Aromaten mit Hilfe eines Gemisches aus Kohlenoxid u. Salzsäure, das sich bei Anwesenheit von Kupfer(I)-chlorid u. Aluminiumchlorid ebenso wie (unbeständiges) Formylchlorid verhält.

Später wurden verschiedene Modif. dieser sog. *Gattermann-Koch-Synth.* ausgearbeitet: Man benutzt anstelle von CO flüssige, wasserfreie Blausäure in Kombination mit AlCl$_3$ od. ZnCl$_2$, als Lsm. verwendet man z. B. Chlorbenzol, 1,2-Dichlorbenzol u. Tetrachlorethan, die Reaktionstemp. wurde von 40 °C auf 60–100 °C erhöht u. die Blausäure durch Na- od. Zn-Cyanid ersetzt. Man leitet heute z. B. einfach Chlorwasserstoff in eine Suspension von NaCN u. AlCl$_3$ bei Überschuß an Kohlenwasserstoff-Komponente. – *E* Gattermann aldehyde synthesis – *F* réaction de Gattermann – *I* sintesi aldeidica di Gattermann – *S* síntesis de aldehídos de Gattermann
Lit.: Hassner-Stumer, S. 144 ▪ Laue-Plagens, S. 144f. ▪ Organikum, S. 343 ▪ s. a. Friedel-Crafts-Reaktion, Formylierung u. Aldehyde.

Gauche (Abk.: g).

gauche- od. synclinale-Konformation von Butan

anti- od. antiperiplanare-Konformation von Butan

Aus dem Französ. (= schief, links) übernommene, als Präfix kursiv gesetzte Bez. für eine bestimmte, systemat. als *synclinal* zu bezeichnende Mol.-Konformation mit einem Torsionswinkel Θ (H$_3$C–C–C–CH$_3$) von ±60° zwischen den Bezugsgruppen, vgl. die Abb. bei Konformation. Für Butan als Beisp. für ein X–CH$_2$–CH$_2$–Y-Syst., bei dem g.-Konformation auftreten kann[1], überwiegt die anti (antiperiplanare)-Konformation über die g.-Konformation. Ausnahmen ergeben sich, wenn X od. Y kleine, elektroneg. Atome sind, wie z. B. Fluor od. Sauerstoff, wo die g.-Konformation dominant ist. Die Bevorzugung der g.-Konformation in diesen Fällen wird dem sog. g.-Effekt zugeschrieben, der besagt, daß diejenige Konformation bevorzugt ist, die ein Maximum an g.-Wechselwirkungen zwischen Elektronenpaaren od. polaren Bindungen ermöglicht[2,3]. Bei Kettenmol. u. Kinken benutzt man die g.-Terminologie ebenfalls[4]. – *E* = *F* = *I* = *S* gauche

Lit.: [1] J. Chem. Educ. **56**, 431–437 (1979). [2] Acc. Chem. Res. **5**, 102–111 (1972). [3] J. Chem. Educ. **56**, 438 (1979). [4] Naturwissenschaften **68**, 82–88 (1981).
allg.: s. Konformation.

Gaucho®. Insektizid auf Basis von Imidacloprid für Saatgutbehandlung in Rüben, Getreide, Mais, Sonnenblume usw. *B.:* Bayer.

Gaufrieren (Gaufrage, von französ.: gaufrier = Waffeleisen). Einprägen von Mustern in Papier, Folien, Leder od. Textilien mit Hilfe von Gaufrier-*Kalandern (Präge-Kalander). G. führt bei entsprechend. Gewebsausrüstung zu wasch- u. bügelechten Oberflächenmustern. – *E* embossing – *F* gaufrage – *I* goffraggio – *S* gofrado, estampado en relieve

Gauge (Abk.: gg). Bez. bei Wirkwaren (z. B. Strümpfen) für die Anzahl der Maschen je 1,5 inch (38,1 mm). – *E* = *I* gauge – *F* jauge – *S* galga

Gaultheriaöl, Gaultherin s. Salicylsäureester u. Wintergrünöl.

Gauss (Gauß). Nach Carl Friedrich Gauß (Mathematiker u. Astronom, 1777–1855) benannte, nicht SI-konforme u. heute durch das *Tesla (1 T = 10^4 G od. Gs) ersetzte Einheit für die magnet. Induktion (Flußdichte). – *E* = *F* = *I* = *S* gauss
Lit.: Bühler, C. F. Gauss, Berlin: Springer 1981.

Gauß-Funktion. Mathemat. Funktion der Form exp($-\alpha r^2$), wobei α ein Parameter u. r die Variable sind. Aufgrund seiner Gestalt nennt man den zugehörigen Graphen „Gaußsche Glockenkurve". Die G.-F. spielt eine wichtige Rolle in Chemie u. Physik, so in der Fehlerrechnung, bei der Auswertung von Mol.-Spektren od. als Basisfunktion in der *Quantenchemie (s. a. Basissatz). – *E* Gauss differential equation – *F* fonction de Gauß – *I* funzione di Gauß – *S* función de Gauss

Gaussian. Weltweit häufig verwendetes Programmsyst. für quantenchem. Rechnungen, u. a. zur Bestimmung von *Gleichgewichtsgeometrien, Bildungsenthalpien, spektroskop. Eigenschaften (z. B. Schwingungsfrequenzen, Infrarot- u. Ramanintensitäten, chem. Verschiebungen), Reaktionswegen u. Reaktionsenergien. In der aktuellen Version Gaussian 94 enthaltene Verf. sind bei den Einzelstichwörtern *CAS-SCF, *Configuration Interaction, *Coupled Cluster, *Dichtefunktionaltheorie, *Hartree-Fock-Verfahren, *MCSCF-Verfahren od. *Pseudopotential beschrieben; s. a. ab initio u. Quantenchemie. – *E* = *I* = *S* Gaussian – *F* gaussien
Lit.: Foresman u. Frisch, Exploring Chemistry with Electronic Structure Methods, Pittsburgh: Gaussian 1996 ▪ Frisch, Frisch u. Foresman, Gaussian 94, User's Reference Guide, Pittsburgh: Gaussian 1994.

Gaußsche Doppelwägung s. Waagen.

Gauß-Verteilung. In der *Fehlerrechnung Bez. für die nach Gauß berechenbare *Verteilung von Fehlern um den Mittelwert; die G.-V.-Kurve ist eine *Glockenkurve*. – *E* Gaussian distribution – *F* distribution d'erreurs de Gauss – *I* distribuzione di Gauß – *S* distribución de errores de Gauss
Lit.: s. Fehlerrechnung.

Gautschen. In der *Papier-Herst. bedeutet G. das erste Auspressen der nassen Papierbahn in der sog. *Gautschpresse* (zwei auf einer Langsieb-Papiermaschine befindliche Walzen). Mit diesem Verf. lassen sich auch verschiedene nasse Papierbahnen vereinigen, wodurch die Herst. gezielter Papierqualitäten (Rohstoffe, Farben, z. B. für Karton) möglich wird, s. a. Papier. – *E* couch(paper) – *F* couchage – *I* pressare la pasta – *S* desaguar, sacar el papal de la tela

Gaviscon®. Tabl. mit *Alginsäure u. *Aluminiumhydroxid, Suspension mit Natrium-Alginat u. Algeldrat gegen Sodbrennen. *B.:* Boehringer Ingelheim.

Gay-Lussac, Joseph Louis (1778–1850), Prof. für Physik u. Chemie, Paris. *Arbeitsgebiete:* Ausdehnung der Gase (1802), Dampfdichte-Bestimmung, Untersuchung von Luftproben aus verschiedenen Höhen, Herst. von Kalium, Natrium, Iod, Bor u. Cyan-Verb., alkohol. Gärung, organ. Elementaranalyse, Schwefelsäure-Fabrikation (Gay-Lussac-Turm), maßanalyt. Bestimmungsverfahren. Mit Alexander von Humboldt bestimmte er 1805 das richtige Verhältnis von Wasserstoff u. Sauerstoff im Wasser u. kam 1808 zu der Feststellung, daß die Vol. der miteinander reagierenden Gase in einem einfachen ganzzahligen Verhältnis zueinander stehen.
Lit.: Krafft, S. 137 f. ▪ Neufeldt, S. 2, 8, 11, 23, 379 ▪ Pötsch, S. 163 f.

Gay-Lussacsche Gärungsgleichung s. Ethanol.

Gay-Lussacsche Gesetze s. Gasgesetze.

Gay-Lussac-Volumeter s. Aräometer.

Gaze. Leichte u. lose, netzartige Stoffe; Name nach der ägypt. Stadt Gaza od. nach arab.: kazz = (Roh-)-Seide.

GB. US-Code für den *Kampfstoff *Sarin.

GBF. Abk. für *Gesellschaft für Biotechnologische Forschung mbH.

GBHA. Abk. für *Glyoxal-bis(2-hydroxyanil).

GBM. Abk. für *Gesellschaft für Biochemie und Molekularbiologie.

GC. Abk. für *Gaschromatographie, auch in den Kombinationen GC/IR u. GC/MS.

γ-Conicein s. Conium-Alkaloide.

G-CSF s. Filgrastim.

Gd. Chem. Zeichen für *Gadolinium.

GD. US-Code für den *Kampfstoff *Soman.

GDCh. Abk. für *Gesellschaft Deutscher Chemiker.

GDP s. Guanosinphosphate.

Ge. Chem. Zeichen für *Germanium.

Gebänderte Eisensteine (*E* banded iron formations, Abk. BIF). Bez. für die weltweit auftretenden präkambr. (s. Erdzeitalter) Bändereisenerze, nach *Lit.*[1] als chem. *Sedimente mit 15 Gew.-% od. mehr Eisen sedimentären Ursprungs definiert. BIF's sind gewöhnlich feinlagig mit starken Farbkontrasten zwischen alternierenden Lagen: dunkelgraue bis schwarze Lagen aus *Hämatit u./od. *Magnetit, rötliche Lagen aus feinschuppigem Hämatit od. Gemengen aus *Quarz mit eingestäubtem Hämatit od. weiße bis farblose Lagen aus Quarz (= Chert, s. Kieselgesteine). Die meisten BIF's sind durch *Metamorphose überprägt worden. Erzminerale sind Magnetit, Hämatit, *Siderit, *Greenalith u. Minnesotait $Fe_3[(OH)_2/Si_4O_{10}]$; Hauptgangart (*Erz) ist Quarz neben örtlich wenig *Calcit. Magnetit ist häufig in Martit (Hämatit) umgewandelt.
Nomenklatur: Zur Unterscheidung verschiedener *Fazies-Typen innerhalb der BIF's s. *Lit.*[1]. Neben der allg. Bez. BIF findet man auch die Namen *Jaspilit* (bes. für BIF's in Australien), *Itabirit* (= *metamorphes Gestein der Oxid-Facies von Eisen-Formationen, z. B. in Brasilien) u. *Taconit* (Magnetit-dominierte BIF's, in denen auch Fe-Silicate, Carbonate u. Quarz auftreten, z. B. in den USA). Wichtigste übergeordnete Typen sind der *Algoma*-Typ (Alter vorwiegend 3000–2500 Mio. a, Vork. als linsenförmige Erzkörper v. a. in archaischen Grünstein-Gürteln; ist auf untermeer. Vulkanismus mit Stoffzufuhr durch Exhalationen zurückzuführen; nach *Lit.*[2] ersetzt durch die Bez. SVOP-IF = *s*hallow-*v*olcanic *p*latform *i*ron *f*ormation) u. der *Superior*-Typ (Alter vorwiegend 2600–1800 Mio. a, Vork. als über mehrere 100 bis 1000 km sich erstreckende Erzlager, entstanden durch vom Festland ins Meer gelangte Eisen-reiche Verwitterungs-Lsg.; nach *Lit.*[2] in erweiterter Bedeutung ersetzt durch die Bez. MECS-IF = *m*etazoan-poor, *e*xtensive, *c*hemical-sediment-rich *s*helf-sea *i*ron formation).
Entstehung: Die BIF's bildeten sich nur während des Präkambriums, als die Erdatmosphäre noch einen hohen Anteil an CO_2 enthielt. Ihre Entstehung wird lebhaft diskutiert, s. z. B. *Lit.*[3] (am Beisp. Nigeria), *Lit.*[4] (Beisp. Australien), *Lit.*[5] (mit Aspekten der *Plattentektonik), *Lit.*[6] (Rolle von Mikroorganismen wie Bakterien, Algen u. Biomatten bei der Entstehung von BIF's) u. *Lit.*[7] (Seltenerdelement-Gehalte u. Isotope von C, O, S u. Nd in BIF's).
Vork.: Auf den präkambr. Schilden, z. B. Brasilien („Eisernes Viereck"), Venezuela, Mesabi Range/Minnesota/USA, Labrador/Kanada, Gunflint Range, Algoma u. Temagami/Ontario/Kanada, entlang der Westküste Afrikas (Mauretanien, Liberia, Muro/Nigeria, Gabun), Krivoi Rog/Ukraine, Orissa/Indien, Hamersley Range/Australien.
Bedeutung: Größte Eisenerz-Reserve der Welt. – *E* banded ironstones – *F* jaspilites, quartzites ferrugineux – *I* siderite laminare – *S* mineral de hierro laminado
Lit.: [1]Econ. Geol. **49**, 235–293 (1954). [2]Ore Geol. Rev. **5**, 1–12 (1989). [3]Aufschluß **43**, 321–339 (1992). [4]Precambrian Res. **60**, 243–286 (1993). [5]Econ. Geol. **89**, 1384–1397 (1994). [6]Can. Mineral. **33**, 1321–1333 (1995). [7]Mineral. Deposita **31**, 123–133 (1996).
allg.: Füchtbauer (Hrsg.), Sedimente u. Sedimentgesteine (Sediment-Petrologie Tl. II) (4.), S. 590–596, Stuttgart: Schweizerbart 1988 ▪ s. a. Lagerstätten.

Geber. Name eines Alchemisten des 13. Jh., entstanden aus der latinisierten Übersetzung des Namens Dschâbir, dessen Werke G. allerdings nicht lediglich ins latein. übersetzt hat, sondern dessen Inhalte auf eigenem Erfahrungsschatz beruhen. Er beschreibt erstmalig Mineralsäuren (scharfe Wässer), die zur Ab-

scheidung der Metalle aus ihren Erzen verwendet werden. Durch Auflösen von Salmiak in Scheidewasser gewann er „Königswasser". Sein Hauptwerk „Summa Perfectionis Magisterii" umfaßt 100 Kapitel, die die Lehre der Metall-Veredlung zum Thema haben.
Lit.: Pötsch, S. 164.

Gebißpflegemittel s. Zahnpflegemittel.

Gebläsebrenner (Gebläselampe). Die meist vereinfacht nur *Gebläse* genannten G. sind *Brenner (s. Daniellscher Hahn), bei denen durch dem Gas zugeführte Luft (od. mit Sauerstoff angereicherte Luft) Flammtemp. von 1700–1800 °C erreicht werden können. Bei Einspeisung von Wasserstoff u. Sauerstoff (Knallgas-G.) läßt sich die Temp. auf 3100–3300 °C steigern. – *E* blowpipe – *F* chalumeau – *I* fiaccola per saldare – *S* soplete

Gebläsesand. *Sand von verschiedener Körnung (meist von 0,5–1,5 mm $\emptyset$) zum *Sandstrahlen.

Geblasene Öle (Blasöle). Bez. für fette Öle (s. Fette u. Öle), die durch Einblasen von 100–150 °C heißer Luft infolge teilw. Autoxid. dickflüssig, gut trocknend u. wetterbeständig werden.
Verw.: Ebenso wie andere *Dicköle für *trocknende Öle. – *E* blown oils – *F* huiles soufflées – *I* oli soffiati – *S* aceites soplados
Lit.: Ullmann (4.) **23**, 447; (5.) **A 9**, 66.

Geblasenes Bitumen s. Asphalte.

Gebrannte Magnesia s. Magnesiumoxid.

Gebrannter Kalk s. Calciumoxid.

Gebrannte Siena s. Terra di Siena (vgl. a. Eisenoxid-Pigmente).

Gebrauchsadditive. Die G. stellen neben den Verarbeitungsadditiven eine wichtige Untergruppe der *Additive dar. Die G. modifizieren die anwendungstechn. Eigenschaften von Polymeren z. B. durch Stabilisierung gegen therm., oxidativen od. biolog. Abbau, weiterhin durch z. B. Änderung der mechan., elektron. od. ästhet. Eigenschaften. Beisp. für g. sind Stabilisatoren (Antioxidantien, Metall-Desaktivatoren, Lichtschutzmittel, Flammschutzmittel, Biostabilisatoren), Modifikatoren (Farbstoffe, Farbpigmente, Ruße, Füllstoffe, Fasern, Weichmacher, Harze), Blähmittel, Schlagfestmacher od. Antistatika. – *E* additives for use – *F* additifs de fonctionnement – *I* additivi in uso – *S* aditivos de uso
Lit.: Gaechter (Hrsg.), Taschenbuch der Kunststoff-Additive, 3. Aufl., München: Hanser 1990 ▪ Kunststoffe **86**, 940–1006 (1996) ▪ Lutz, Thermoplastic Polymer Additives, New York: Dekker 1988.

Gebrauchsmuster. Bez. für ein Arbeitsgerät, das unter der Voraussetzung von Neuheit, Fortschritt u. Erfindungshöhe in seiner neuen Gestaltung, Anordnung od. Vorrichtung durch Eintragung (ohne sachliche Prüfung) in die Gebrauchsmusterrolle des *Deutschen Patentamtes geschützt werden kann. In der BRD läuft der G.-Schutz nach 3 Jahren ab, wenn er nicht um weitere 3 Jahre verlängert wird. Der Antrag auf G.-Schutz muß dem Dtsch. Patentamt in schriftlicher Form u. unter Beifügung einer Beschreibung, einer Zeichnung od. eines Modells vorgelegt werden. Im internat. Rahmen wird der in nur wenigen Staaten übliche Schutz der G. durch die sog. Pariser Übereinkunft geregelt. Jährlich werden in der BRD ca. 50 000 G.-Anmeldungen vorgenommen, denen ca. 20 000 Eintragungen u. 10 000 Verlängerungen gegenüberstehen. – *E* utility model – *F* modèle d'utilité – *I* modello per l' uso – *S* modelo de utilidad
Lit.: Hubmann, Gewerblicher Rechtsschutz, München: Beck Jurist. Verl. 1996 ▪ Reichel, Gebrauchsmuster u. Patente, Praxisnah, Renningen-Malmsheim: Expert 1995 ▪ s. a. Patente.

GE-Cellulose s. Cellulose-Ionenaustauscher.

Gedächtniszellen s. Immunsystem.

Gediegen. Bergmannsbez. für Mineralien, die chem. Elemente im freien, ungebundenen Zustand sind, z. B. Gold, Silber, Kupfer, Platin, Arsen, Schwefel. – *E* native, free, pure – *F* natif, vierge, pur – *I* verdine, di prima fusione, puro – *S* nativo, puro, virgen

Gedrit s. Amphibole.

Geduran®. Stationäre Phasen für die präparative Chromatographie. *B.:* Merck.

GEF s. kleine GTP-bindende Proteine.

Gefährdungsanalyse. Der Arbeitgeber ist verpflichtet, eine Beurteilung der für die Beschäftigten mit ihrer Arbeit verbundenen Gefährdungen vorzunehmen, um entsprechende Arbeitsschutzmaßnahmen durchführen zu können. Eine Gefährdung kann sich ergeben durch die Gestaltung u. die Einrichtung der Arbeitsstätte u. des Arbeitsplatzes, durch physikal., chem. u. biolog. Einwirkungen, durch die Gestaltung, die Auswahl u. den Einsatz von Arbeitsmitteln, insbes. von Arbeitsstoffen, Maschinen, Geräten u. Anlagen sowie den Umgang damit, durch die Gestaltung von Arbeits- u. Fertigungsverfahren, Arbeitsabläufen u. Arbeitszeit u. durch unzureichende Qualifikation u. Unterweisung der Beschäftigten. – *E* analysis of hazards at workplace – *F* analyse de risque – *I* analisi del pericolo al posto di lavoro – *S* análisis de los peligros en el lugar de trabajo
Lit.: Richtlinie 89/391/EWG des Rates vom 12. 6. 1989 über die Durchführung von Maßnahmen zur Verbesserung der Sicherheit u. des Gesundheitsschutzes der Arbeitnehmer bei der Arbeit (ABl. EG Nr. L 138, S. 1).

Gefährliche Arbeiten. Der Begriff kommt in vielen Regel- u. Vorschriftenwerken zur Arbeitssicherheit vor im Hinblick darauf, bestimmte Personengruppen von g. A. auszuschließen bzw. Voraussetzungen aufzuzeigen, die zur Durchführung dieser Arbeiten erfüllt sein müssen.
In der Durchführungsanweisung zu § 36 Abs. 1 der UVV „Allgemeine Vorschriften" (VBG 1) werden als g. A. beispielhaft aufgeführt: Schweißen in engen Räumen, Befahren von Behältern od. engen Räumen, Befahren von Silos, Feuerarbeiten in brand- od. explosionsgefährdeten Bereichen od. an geschlossenen Hohlkörpern, Druckproben od. Dichtigkeitsprüfungen an Behältern, Sprengarbeiten od. Arbeiten in gasgefährdeten Bereichen. Auch Arbeiten an unter Spannung stehenden Teilen elektr. Anlagen u. Betriebsmittel (In-

Gefährliche Arbeitsstoffe

standhaltungs- u. Änderungsarbeiten) zählen ebenfalls als gefährliche Arbeiten.
G. A. dürfen nur geeigneten Personen, denen die möglichen Gefahren bekannt u. die mit ihrer Abwendung vertraut sind, übertragen werden. Führt eine einzelne Person eine g. A. aus, so hat der Unternehmer eine Überwachung sicherzustellen. – *E* dangerous works – *F* travaux dangereux – *I* lavori pericolosi – *S* trabajos peligrosos

Lit.: UVV „Allgemeine Vorschriften" (VBG 1) in der Fassung vom 1.4.1992. – *B.* für Unfallverhütungsvorschriften: Carl Heymanns Verl. KG, Luxemburger Straße 449, 50939 Köln od. Jedermann-Verl., Postfach 10 31 40, 69021 Heidelberg.

Gefährliche Arbeitsstoffe s. Gefahrstoffe.

Gefährliche Güter. Ebenso wie der Umgang mit *Gefahrstoffen unterliegt auch der *Transport von g. G. gesetzlichen Bestimmungen. Das Gesetz über die Beförderung g. G. definiert g. G. als „Stoffe u. Gegenstände, von denen aufgrund ihrer Natur, ihrer Eigenschaften od. ihres Zustandes im Zusammenhang mit der Beförderung Gefahren für die öffentliche Sicherheit od. Ordnung, insbes. für die Allgemeinheit, für wichtige Gemeingüter, für Leben u. Gesundheit von Menschen sowie für Tiere u. a. Sachen ausgehen können." Spezielle Bestimmungen auf nat. wie auch auf internat. Ebene regeln die Beförderung von g. G. auf dem Land-, Luft- u. Wasserwege, in der BRD z. B. die Gefahrgutverordnung-Eisenbahn (*GGVE) für den Bahntransport u. die VO über die Beförderung g. G. auf der Straße (*GefahrgutVO Straße*, GGVS) bzw. mit Seeschiffen (GGV-See). Die in Übereinstimmung mit den internat. *Transportbestimmungen (ADR, RID, ADNR, IMDG-Code, IATA-DGR usw.) formulierten Regelungen teilen die g. G. in bestimmte *Gefahrenklassen* (Näheres s. dort) ein, geben Hinweise für die Art des *Verpackungsmittels bzw. der Transport-*Behälter u. der Kennzeichnung mit *Gefahrensymbolen (die im übrigen auch für *Gefahrstoffe verwendet werden). – *E* dangerous goods – *F* marchandises dangereuses – *I* merci pericolose – *S* mercancías peligrosas

Lit.: Gesetz über die Beförderung gefährlicher Güter vom 06.08.1975 (BGBl. I, S. 2121), zuletzt geändert durch Artikel 12 Abs. 82 des Postneuordnungsgesetzes vom 14.09.1994 (BGBl. I, S. 2325) ▪ VO über die innerstaatliche u. grenzüberschreitende Beförderung gefährlicher Güter auf der Straße (GefahrgutVO Straße – GGVS) vom 23.08.1979 (BGBl. I, S. 1509), in der Neufassung vom 08.07.1995 (BGBl. I, S. 1025) ▪ VO über die Beförderung gefährlicher Güter mit der Eisenbahn (GefahrgutVO Eisenbahn – GGVE vom 23.08.1979 (BGBl. I, S. 1502), in der Neufassung vom 27.12.1993 (BGBl. I, S. 2378) ▪ VO über die Beförderung gefährlicher Güter mit Seeschiffen (GefahrgutVO See – GGVSee) vom 05.07.1978 (BGBl. I, S. 1017), in der Neufassung vom 24.08.1995 (BGBl. I, S. 1077) ▪ s. Arbeitssicherheit u. Transportbestimmungen sowie die benachbarten Stichwörter.

Gefährliche Stoffe s. Gefahrstoffe.

Gefährlichkeitsmerkmale. In der *Gefahrstoffverordnung (s. a. Chemikaliengesetz) werden für *Stoffe u. *Zubereitungen 15 G. definiert; es sind die Merkmale explosionsgefährlich, *brandfördernd, hochentzündlich, leichtentzündlich, *entzündlich, sehr giftig, *giftig, *gesundheitsschädlich, ätzend, *reizend, sensibilisierend, krebserzeugend, *fortpflanzungsgefährdend (*reproduktionstoxisch), *erbgutverändernd u.

*umweltgefährlich (s. a. Gefahrstoffe) Die G.-VO ist außer Kraft gesetzt. – *E* hazard characteristics – *F* catégories de risques – *I* segni di pericolosità – *S* distintivos de peligrosidad

Lit.: Verordnung zum Schutz vor gefährlichen Stoffen (Gefahrstoffverordnung – GefStoffV) vom 26.10.1993 (BGBl. I, S. 1782, bes. S. 2049), zuletzt geändert durch VO vom 19.9.1994 (BGBl. I, S. 2257).

Gefäße s. Behälter.

Gefahrenklassen (offizielle Bez.: Gefahrklassen). Die Bedingungen für Beförderung, Lagerung u. allg. Umgang mit *gefährlichen Gütern richten sich nach deren Einteilung in die G. 1–9 (bzw. I–VII in der bis 1977 gültigen VO). Diese Einteilung ist für die meisten nat. u. internat. *Transportbestimmungen gleichlautend, in der BRD z. B. für GGVS (GefahrgutVO Straße) u. *GGVE. Die nachstehende Einteilung stellt die neue Numerierung der G. gegenüber der alten (in Klammern) gegenüber: *Klasse 1a (1a):* Explosive Stoffe u. Gegenstände mit Explosivstoff; *Klasse 1b (1b):* Mit explosiven Stoffen geladene Gegenstände; *Klasse 1c (1c):* Zündwaren, Feuerwerkskörper u. ä. Güter; *Klasse 2 (1d):* Verdichtete, verflüssigte od. unter Druck gelöste Gase; *Klasse 3 (IIIa):* Entzündbare flüssige Stoffe; *Klasse 4.1 (IIIb):* Entzündbare feste Stoffe; *Klasse 4.2 (II):* Selbstentzündliche Stoffe; *Klasse 4.3 (Ie):* Stoffe, die in Berührung mit Wasser entzündliche Gase entwickeln; *Klasse 5.1 (IIIc):* Entzündend (oxidierend) wirkende Stoffe; *Klasse 5.2 (VII):* Organ. Peroxide; *Klasse 6.1 (IVa):* Giftige Stoffe; *Klasse 6.2 (VI):* Ekelerregende u. ansteckungsgefährliche Stoffe; *Klasse 7 (IVb):* Radioaktive Stoffe; *Klasse 8 (V):* Ätzende Stoffe, Klasse 9 (–):* Sonstige gefährliche Stoffe u. Gegenstände; vgl. a. brennbare Flüssigkeiten.

Die hier im Chemie Lexikon nach bestem Wissen u. Gewissen gemachten Angaben der G. finden sich jeweils am Ende des Literaturteils, ggf. hinter der Codenummer des Zolltarifs, in eckige Klammern eingeschlossen u. durch *G* gekennzeichnet; *Beisp.:* *Fluor, *Fluorwasserstoff, *Formaldehyd. Dort sind auch die *Gefahrensymbole abgebildet, die zur Kennzeichnung der *Gefahrstoffe u. der *gefährlichen Güter verwendet werden. Fahrzeuge mit gefährlichen Ladungen tragen darüber hinaus noch orangefarbene *Warntafeln* (30 × 40 cm). Bei Tankbeförderungen wird auf den Warntafeln der transportierte Stoff charakterisiert: Die obere, zwei- od. dreistellige Zahl (sog. *Kemler-Nummer*) kennzeichnet die bes. Gefahr; *Beisp.:* 30 = entzündbare Flüssigkeit, 33 = sehr leicht entzündbare Flüssigkeit, 336 = sehr leicht entzündbare u. giftige Flüssigkeit. Die untere, vierstellige Zahl (sog. *UN-Nummer*) kennzeichnet den einzelnen Stoff; *Beisp.:* 1202 = flüssiger Kohlenwasserstoff mit FP. 55–100 °C (z. B. Dieselkraftstoff od. leichtes Heizöl), 1203 = flüssiger Kohlenwasserstoff mit FP. <21 °C (z. B. Benzin), 1230 = Methanol. Näheres hierzu s. in GGVS u. GGVE (*Lit.*[1,2]). Der *Hazchem-Code* (von *E* *haz*ardous *chem*icals = gefährliche Chemikalien) ist ein in England entwickeltes Kennzeichnungssyst. für die zweckmäßigsten Gegenmaßnahmen bei Unfällen mit gefährlichen Gütern. – *E* hazard classification – *F* catégories de dangerosité – *I* categorie di pericolo – *S* clasificación de mercancías peligrosas, clases de peligros

Lit.: [1] Chem. Ind. (Düsseldorf) **31**, 212–227 (1979); **33**, 195–199 (1981). [2] Hommel.
allg.: Kühn-Birett, Gefahrgutschlüssel, Landsberg/Lech: ecomed 1989 ▪ Ridder, Der Gefahrgutfahrer, Landsberg/Lech: ecomed 1988 ▪ s. Arbeitssicherheit, Transportbestimmungen u. einzelne Stoffklassen.

Gefahrensymbole. G. dienen der Kennzeichnung gefährlicher Stoffe u. Zubereitungen (*Gefahrstoffe) sowie gefährlicher Güter. Die Kennzeichnung wird durch die *Gefahrstoffverordnung (GefStoffV) bzw. Transportvorschriften geregelt. G. mit den dazugehörenden Gefahrenbez. enthält Anhang I der GefStoffV. Die G. sind auf der Verpackung in schwarzem Aufdruck auf orange-gelben Untergrund in bestimmten Mindestabmessungen anzubringen. Zweck der Kennzeichnung von Stoffen u. Zubereitungen ist es, der Öffentlichkeit u. den Personen, die hiermit umgehen, wesentliche Informationen über gefährliche Eigenschaften u. Möglichkeiten zur Verminderung von Gefahren zu vermitteln. Auf die Hauptgefahren wird durch ein od. mehrere Gefahrensymbole u. Gefahrenbez. hingewiesen. Für krebserzeugende, *erbgutverändernde u. *fruchtschädigende Gefahrstoffe wird das Gefahrensymbol „giftig" (Totenkopf) verwendet. Gefahrstoffe mit Verdacht auf krebserzeugende, erbgutverändernde u. fruchtschädigende Wirkung werden mit dem Gefahrensymbol „gesundheitsschädlich" (Andreaskreuz) gekennzeichnet.

Tab.: Gefahrensymbole.

Für den Transport *gefährlicher Güter werden zusätzliche Gefahrensymbole entsprechend der *Gefahrenklasse verwendet (*Transportbestimmungen). Gefahrenkennzeichen nach dem Transportrecht (Gefahrzettel nach GGVS/ADR u. GGVE/RID) haben die Form eines auf die Spitze gestellten Quadrats, s. die Abb. rechts oben. – *E* hazard symbols – *F* symboles de dangerosité – *I* simboli di pericolo – *S* símbolos de peligrosidad

Lit.: Kühn-Birett, Gefahrgut-Schlüssel, Landsberg/Lech: ecomed 1989 ▪ Ridder, Der Gefahrgutfahrer, Landsberg/Lech: ecomed 1988 ▪ Weinmann u. Thomas, Gefahrstoffverordnung mit Chemikaliengesetz, Köln: Heymann ab 1986.

Gefahrklassen s. Gefahrenklassen.

Gefahrstoffe. Der für den Bereich des Umgangs relevante Begriff des G. ist weiter als „gefährliche Stoffe u. Zubereitungen" gefaßt u. umfaßt

Abb.: Gefahrzettel in verkleinerter Darst. nach GGVS/ADR u. GGVE/RID.

– Stoffe u. Zubereitungen, die gemäß § 3a Abs. 1 *Chemikaliengesetz mind. eines der nachfolgenden *Gefährlichkeitsmerkmale erfüllen (explosionsgefährlich, brandfördernd, hochentzündlich, leichtentzündlich, entzündlich, sehr giftig, giftig, gesundheitsschädlich, ätzend, reizend, sensibilisierend, krebserzeugend, fortpflanzungsgefährdend, erbgutverändernd od. umweltgefährlich) sowie Stoffe u. Zubereitungen, die sonstige chron. schädigende Eigenschaften besitzen,
– Stoffe, Zubereitungen u. Erzeugnisse, die explosionsfähig sind,
– Stoffe, Zubereitungen u. Erzeugnisse, aus denen beim Umgang gefährliche Stoffe od. Zubereitungen entstehen od. freigesetzt werden können,
– Stoffe, Zubereitungen u. Erzeugnisse, die Krankheitserreger übertragen können.

Zu beachten ist hier allerdings, daß das Chemikaliengesetz gegenüber spezialgesetzlichen Regelungen zurücktritt. Im rechtstechn. Sinne sind deshalb Lebensmittel, Tabak-Erzeugnisse, Futtermittel, Arzneimittel, Abwasser, Abfälle u. Altöl keine Gefahrstoffe. Die im Laufe der letzten hundert Jahre hergestellten u. verwendeten Chemikalien werden auf 100 000 geschätzt. Gegenwärtig sollen rund 45 000 chem. Verb. mit mehr als einer Mio. Zubereitungen auf dem Markt sein. Jährlich kommen über 200 neue Verb. hinzu. Die Zahl der gefährlichen Stoffe u. Zubereitungen ist wesentlich geringer. Man schätzt, daß von 100 000 Stoffen etwa 15 000 gefährliche Eigenschaften haben. Das Gesetz zum Schutz vor gefährlichen Stoffen vom 16.09.1980 (Chemikaliengesetz) verpflichtet zur Prüfung u. Anmeldung von neuen Stoffen u. zur Einstufung, Verpackung u. Kennzeichnung gefährlicher Stoffe u. Zubereitungen u. will durch Verbote u. Beschränkungen sowie durch bes. giftrechtliche u. arbeitsschutzrechtliche Regelungen den Menschen u. die Umwelt vor schädlichen Einwirkungen gefährlicher Stoffe schützen. Die Einstufung eines Stoffes, d.h. die Zuordnung zu einem Gefährlichkeitsmerkmal, ist die Voraussetzung für die Anwendbarkeit der Schutzvorschriften sowie Verpackungs- u. Kennzeichnungsvorschriften, Verwendungsbeschränkungen od. betriebliche Schutzmaßnahmen. Das Inverkehrbringen u. der Umgang mit G. wird durch die *Gefahrstoffverordnung (GefStoffV) geregelt. Die GefStoffV schreibt u. a. auch die Kennzeichnung mit *Gefahrensymbol u. Gefahrenbez., Bez. für bes. Gefahren u. Sicherheitsratschläge (sog. R- u. S-Sätze) sowie Schutzmaßnahmen für den Umgang mit G. vor. In der durch Ergänzungen auf dem neuesten Stand gehaltenen Stoffliste der GefStoffV sind als gefährlich eingestufte Stoffe u. Zubereitungen erfaßt.

Zur Ermittlung der Gefährdungssituation am Arbeitsplatz durch G. gehören neben der Kenntnis der Stoffeigenschaften u. Wirkungen Angaben über Art u. Menge der in der Luft am Arbeitsplatz od. in Körperflüssigkeiten (Blut, Harn) auftretenden gefährlichen Stoffe. Die GefStoffV verpflichtet den Arbeitgeber dazu, in den Fällen, in denen das Auftreten gefährlicher Stoffe am Arbeitsplatz nicht sicher auszuschließen ist, die Einhaltung von Grenzwerten zu überwachen (Meßverpflichtung). Dazu gehören die *MAK-Werte, die *Technischen Richtkonzentrationen (TRK) sowie die *Biologischen Arbeitsstofftoleranzwerte (BAT). Die Überprüfung der Konz. gefährlicher Arbeitsstoffe in der Luft am Arbeitsplatz erfolgt im Rahmen der Arbeitsbereichsüberwachung (s. Arbeitsschutz). Dabei wird auch die Gesamtwirkung verschiedener gefährlicher Stoffe beurteilt.

Beim Umgang mit G. sind ferner zu beachten die *Technischen Regeln für Gefahrstoffe, die *Unfallverhütungsvorschriften sowie Richtlinien u. Merkblätter der gewerblichen Berufsgenossenschaften (s. a. Arbeitssicherheit, Arbeitsschutz, Erste Hilfe, Gefahrensymbole u. a. Textstichwörter). Bes. geregelt ist der Transport *gefährlicher Güter.

Die EG hat den Schutz der Arbeitnehmer vor gefährlichen Arbeitsstoffen in der Rahmenrichtlinie vom 27. 11. 1980 (s. *Lit.*) zum Schutz der Arbeitnehmer vor der Gefährdung durch chem., physikal. u. biolog. Arbeitsstoffe bei der Arbeit sowie hierzu ergangenen Änderungs- u. Einzelrichtlinien behandelt. Ergänzend wird auf umweltrechtliche Bestimmungen verwiesen, wie z. B. § 7 a *Wasserhaushaltsgesetz. – *E* hazardous substances – *F* substances dangereuses – *I* prodotti di pericolo, sostanze di pericolo – *S* sustancias peligrosas

Lit.: DFG, Maximale Arbeitsplatzkonzentrationen u. Biologische Arbeitsstofftoleranzwerte, Weinheim: VCH Verlagsges. jährlich ▪ GefStoffV vom 26. 10. 1993 (BGBl. I, S. 1782), zuletzt geändert durch die Zweite VO zur Änderung der GefStoffV vom 19.09. 1994 (BGBl. I, S. 2557) ▪ Chemikaliengesetz – ChemG in der Fassung vom 25.07. 1994 (BGBl. I, S. 1703), zuletzt geändert durch Gesetz vom 02.08.1994 (BGBl. I, S. 1963) ▪ Landmann u. Rohmer, Umweltrecht, München: Beck 1991 ▪ Richtlinie 80/1107/EWG des Rates vom 27. 11. 1980 zum Schutz der Arbeitnehmer vor der Gefährdung durch chem., physikal. u. biolog. Arbeitsstoffe bei der Arbeit (ABl. der EG Nr. L 327/8, S. 179) ▪ Richtlinien und Merkblätter der BG Chemie (Bezugsquelle für Richtlinien u. Merkblätter des BG Chemie: Carl Heymanns Verl. KG, Luxemburger Straße 449, 50939 Köln od. Jedermann-Verl., Postfach 103140, 69021 Heidelberg).

Gefahrstoffkataster. Die Verpflichtung zur Führung eines G. ist in § 16 Abs. 3a der *Gefahrstoffverordnung (GefStoffV) enthalten. Das G. ermöglicht einen raschen Überblick über die möglichen Gefährdungen am Arbeitsplatz.

Das Verzeichnis muß mindestens folgende Angaben enthalten:
– Bez. des Gefahrstoffes
– Einstufung des Gefahrstoffes od. Angabe der gefährlichen Eigenschaften
– Mengenbereiche des Gefahrstoffes im Betrieb
– Arbeitsbereiche, in denen mit dem Gefahrstoff umgegangen wird.

Das Verzeichnis ist bei wesentlichen Änderungen fortzuschreiben u. mind. einmal jährlich zu überprüfen. Es ist kurzfristig verfügbar aufzubewahren u. der zuständigen Behörde auf Verlangen vorzulegen. Das G. muß nicht geführt werden, wenn im Hinblick auf die gefährlichen Eigenschaften u. die verwendete Menge keine Gefahr für die Beschäftigten besteht. – *E* inventory of hazardous substances – *F* registre des substances dangereuses – *I* classificazione delle sostanze pericolose – *S* inventario de sustancias peligrosas

Lit.: Gefahrstoffverordnung (GefStoffV) vom 26.10.1993 (BGBl. I, S. 1782), zuletzt geändert durch die Zweite VO zur Änderung der GefStoffV vom 19.9.1994 (BGBl. I, S. 2557).

Gefahrstoffverordnung (VO zum Schutz vor gefährlichen Stoffen, GefStoffV). Zweck der G. ist es, den Menschen vor arbeitsbedingten u. sonstigen Gesundheitsgefahren u. die Umwelt vor stoffbedingten Schädigungen zu schützen. Die G. soll von *Gefahrstoffen verursachte Gefahren erkennbar machen, sie abwenden u. ihrer Entstehung vorbeugen.

Grundlagen: Die G. von 1986 wurde hauptsächlich aufgrund von Bestimmungen des *Chemikaliengesetzes erlassen. Die wichtigsten inhaltlichen Grundlagen waren die Arbeitsstoff-VO von 1982 sowie die Gift-VO der Bundesländer, die außer Kraft getreten sind. Weiterhin einbezogen wurden Bestimmungen des Jugendarbeitsschutzgesetzes, des Mutterschutzgesetzes, des Heimarbeitsgesetzes u.a. gesetzlicher Vorschriften. Eine Reihe von EG-Richtlinien wurde hier erstmalig in dtsch. Recht überführt. Die G. tritt gegenüber spezialgesetzlichen Regelungen zurück (z.B. Arzneimittelgesetz, Pflanzenschutzgesetz).

Inhalt: Die G. ist z. Z. in 9 Abschnitte unterteilt u. hat 6 Anhänge (s. Tab. auf S. 1479), in denen umfassend insbes. das Inverkehrbringen u. der Umgang mit Chemikalien geregelt sind.

2. Abschnitt: Definition der *Gefährlichkeitsmerkmale u. Einstufungen von Stoffen u. Zubereitungen in Umsetzung der EG-Richtlinie 67/548/EWG [1].

3. Abschnitt: Grundpflichten des Herstellers od. *Einführers beim Inverkehrbringen gefährlicher Stoffe od. Zubereitungen, im wesentlichen hinsichtlich Einstufung, *Kennzeichnung, Verpackung u. *Sicherheitsdatenblatt. Die Anhänge I–III regeln insbes. die Kennzeichnung.

4. Abschnitt: Mit wenigen Ausnahmen (z.B. Abfallentsorgung) Verbot der Herst. u. Verw. von 20 Stoffen bzw. Stoffgruppen [z. B. *Asbest, *Arsen, *Quecksilber u. *Cadmium u. ihre Verb., *Benzol, *Antifoulingfarben, *Bleicarbonate (s. a. Bleiweiß), *Zinnorganische Verbindungen, *Pentachlorphenol u. seine Verb., Teeröle (s. Teer), *DDT, *PCB, *PCT], die Einzelheiten sind im Anhang IV aufgeführt. Außerdem

Tab.: Abschnitte u. Anhänge der Gefahrstoffverordnung.

Abschnitte
1. Zweck, Anwendungsbereich u. Begriffsbestimmungen
2. Einstufung
3. Kennzeichnung u. Verpackung beim Inverkehrbringen
4. Verbote u. Beschränkungen
5. allg. Umgangsvorschriften für Gefahrstoffe
6. zusätzliche Vorschriften für den Umgang mit krebserzeugenden u. erbgutverändernden Gefahrstoffen
7. behördliche Anordnungen u. Entscheidungen
8. Straftaten u. Ordnungswidrigkeiten
9. Schlußvorschriften

Anhänge
I. allg. Bestimmungen für gefährliche Stoffe u. Zubereitungen
II. Bestimmungen für gefährliche Zubereitungen
III. zusätzliche Kennzeichnungsvorschriften für bestimmte Stoffe, Zubereitungen u. Erzeugnisse
IV. Herstellungs- u. Verwendungsverbote
V. bes. Vorschriften für bestimmte Gefahrstoffe u. Tätigkeiten
VI. Liste der Vorsorgeuntersuchungen

verbietet u. beschränkt Abschnitt 4 die Beschäftigung von Arbeitnehmern mit 14 bes. gefährlichen krebserzeugenden Gefahrstoffen bzw. -gruppen u. die Beschäftigung von Jugendlichen, werdenden od. stillenden Müttern sowie gebärfähigen Arbeitnehmerinnen mit bestimmten Stoffen bzw. unter bestimmten Bedingungen. Weitere Regelungen betreffen Heimarbeit, Begasungen u. Schädlingsbekämpfung. Vorschriften dazu finden sich in Anhang V.
5. Abschnitt: Pflichten des Arbeitgebers wie Gefahren-Ermittlungspflichten, allg. Schutzpflichten, Überwachungspflichten, Schutzmaßnahmen, Betriebsanweisungen, Unterrichtung der Arbeitnehmer in bes. Fällen, Hygienemaßnahmen, Verpackung u. Kennzeichnung beim Umgang mit Gefahrstoffen, Aufbewahrung u. Lagerung von Gefahrstoffen, Sicherheitstechnik, Maßnahmen bei Betriebsstörungen u. Unfällen, Vorsorgeuntersuchungen (auch in Anhang VI) u. ihre Dokumentation.
6. Abschnitt: Definitionen zu krebserzeugenden u. erbgutverändernden Stoffen u. Zubereitungen sowie zusätzliche Vorschriften für den Umgang einschließlich Anzeigepflichten gegenüber der zuständigen Behörde.
9. Abschnitt: Etablierung des Ausschusses für Gefahrstoffe beim Bundesministerium für Arbeit u. Sozialordnung, der sich aus 41 Vertretern aus Wissenschaft, Behörden, *Berufsgenossenschaften, Verbrauchern, Gewerkschaften u. Ind. zusammensetzt u. die *Technischen Regeln für Gefahrstoffe (TRGS) festlegt. – *F* ordonnance sur les produits dangereux – *I* direttiva CEE in materia delle sostanze pericolose – *S* reglamento de sustancias peligrosas

Lit.: [1] Richtlinie 67/548/EWG des Rates vom 16.8.1967 zur Angleichung der Rechts- u. Verwaltungsvorschriften für die Einstufung, Verpackung u. Kennzeichnung gefährlicher Stoffe (ABl. der EG Nr. 196, S. 1, 1967), zuletzt geändert durch die Richtlinie 92/32/EWG (ABl. der EG, Nr. L 154, S. 1, 1992). *allg.:* Bender, Das Gefahrstoffbuch, Weinheim: VCH Verlagsges. 1996 ▪ Staub – Reinhalt. Luft **50**, 365–368 (1990) ▪ Verordnung zum Schutz vor gefährlichen Stoffen (Gefahrstoffverordnung – GefStoffV) vom 26.10.1993 (BGBl. I, S. 1782, ber. 2049), zuletzt geändert durch VO vom 12.6.1996 (BGBl. I, S. 818) ▪ Vogl et al., Handbuch des Umweltschutzes, Bd. 1, Tl. II, 1.1.3, Landsberg: ecomed 1992.

Geflushte Pigmente s. Flushing-Verfahren.

Gefrieren s. erstarren.

Gefriermahlung s. Kaltmahlung.

Gefrierpunkt s. Erstarrungspunkt.

Gefrierpunktserniedrigung s. Molmassenbestimmung.

Gefrierschutzmittel. Bez. für Substanzen, die zur Senkung des Gefrierpunktes (*Erstarrungspunkt) Verw. finden. Ihre weiteste Verbreitung finden sie im Winterbetrieb von wassergekühlten Automotoren. Diese hier auch *Frostschutzmittel* genannten G. sollen mögl. billig u. wirksam sein, das Kühlermetall nicht angreifen u. bei 90 °C (optimale Kühlwassertemp. des laufenden Motors) noch nicht in größerem Umfang verdunsten. Bes. beliebte Auto-G. sind hochsiedende, wasserlösl., schwer entflammbare organ. Flüssigkeiten wie *Glykole, z. B. *Ethylenglykol. Die *Korrosion kann bei Glykol-haltigen G. durch Zugabe eines Gemisches von prim. u. sek. Natriumphosphat (od. Kaliumphosphat) weitestgehend vermieden werden. Man mischt z. B. zu je 100 kg Ethylenglykol 400 g KH_2PO_4, 475 g Na_2HPO_4 u. 4 L Wasser. Nach anderen Angaben wirken auch Zusätze von Borax korrosionsschützend. Eine 10-, 20-, 30-, 40- bzw. 50%ige Glykol-Wassermischung gefriert bei –4 °C, –9 °C, –15 °C, –24 °C bzw. –36 °C. Weiterhin werden in G. Sorbit, Natriumlactat, Glycerin, Propylenglykol, 2-Propanol u. a. Substanzen verwendet, die auch in *Kühlmitteln benutzt werden. Ähnliche Zusammensetzung haben die außerdem als *Beschlagverhinderungsmittel wirkenden G. für Autofenster, nach dem Verdunsten dieser Stoffe hinterbleibt ein dünner Film (aus Glykol u. dgl.), dessen Gefrierpunkt weit unter 0 °C liegt.
Im Baugewerbe versteht man unter G. Substanzen, die dem (Beton-) Anmachwasser zugesetzt werden, um dessen Gefrierpunkt herabzusetzen, so daß man auch bei Frost bauen kann. Die meisten G. dieser Art enthielten früher Calciumchlorid od. auch Magnesiumchlorid, $AlCl_3$, NaCl, Soda, einzeln od. gemischt; wegen möglicher Korrosionsgefahr darf heute die Betonmischung (Zement u. Zuschlag) Calciumchlorid nicht mehr enthalten. Bei Obstbäumen können im Winter die Sonnen- u. Schattenseiten des Stammes Temperaturunterschiede von 20 °C aufweisen (bewirkt schädliche Frostrisse im Holz). Diese nachteiligen Temperaturunterschiede vermindert man durch weiße Kalkanstriche, die das Sonnenlicht reflektieren u. damit die Temperaturdifferenz zwischen der Nord- u. Südseite des Stammes von ca. 20 °C auf nur 12 °C herabsetzen. Von G. im übertragenen Sinne spricht man auch bei Substanzen, die die *Kältetoleranz* lebender Organismen bewirken, wie z. B. bestimmte Proteine u. Glykoproteine od. Glykole in der Körperflüssigkeit von Fischen (vgl. dort) polarer Meeresgebiete, in überwinternden Hornissen-Arten od. a. Arthropoden. – *E* antifreezes – *F* antigels – *I* antigeli, anticongelanti – *S* anticongelantes

Lit.: Kirk-Othmer (3.) **3**, 79–95; (4.) **3**, 347–367 ▪ Ullmann (4.) **12**, 205–210; (5.) **A 3**, 23–31. – [HS 382000]

Gefrierschutz-Naturstoffe (Anti-Frost-Peptide u. -Glykopeptide). Beim Gefrieren von Körperflüssigkeiten kann es zu vielfältigen Schäden kommen: von Funktionsstörungen von Enzymen bis zum Austreten gelöster Substanzen durch undichte Membranen. Um sich vor den Folgen von Kälteeinwirkung zu schützen, werden von Tieren u. Pflanzen verschiedene Schutzsubstanzen synthetisiert. Um diesen Prozeß in Gang zu setzen, sind je nach Organismus unterschiedlich tiefe Temp. nötig. Klimatisiert man z. B. Alfalfa zwei Tage bei 4 °C, steigt die Kälteresistenz der Pflanze von 6 auf 40%. Dabei verdreifacht sich der Protein-Gehalt des Pflanzensaftes, der Gehalt an RNA verdoppelt sich. Ähnliches gilt für andere Getreidearten wie Weizen u. Roggen, aber auch für Citrusbäume, Leguminosen u. verschiedene Gemüsearten. G.-N. werden auch in Seefischen wie Winterflundern, Kabeljau sowie überwinternden Insekten u. Bakterien gebildet. In polaren Fischen ist die Konz. an Gefrierschutz-Glykoproteinen prakt. das ganze Jahr über konstant. Die Sequenz der bisher untersuchten Proteine aus dieser Reihe ist streng period., sie bestehen aus einer sich wiederholenden Tripeptid-Sequenz (Alanin-Alanin-Threonin) mit einer Disaccharid-Kette (Galactosyl-N-acetyl-galactosamin) an jedem Threonin-Rest. Die molare Masse liegt im Bereich von 10500 bis 27000. Die Wirksamkeit der G.-N. zur Gefrierpunktserniedrigung des Wassers ist bemerkenswert u. beruht wahrscheinlich auf einer Hemmung der Eiskeimbildung in der unterkühlten Körperflüssigkeit. Die Unterkühlung, die durch Anti-Frost-Proteine erreicht werden kann, ist aufgrund ihrer hohen molaren Massen begrenzt. Deshalb ist die Anwesenheit wasserlösl., niedermol. Substanzen notwendig. Es kommt infolge Frosteinwirkung zu einer erhöhten Konz. von Zuckern, Glykogenmetaboliten, Aminosäuren u. Glycerin; vgl. a. Hitzeschock-Proteine. – *E* antifreeze proteins – *F* produits naturels anticongelants – *I* prodotti naturali anticongelanti – *S* productos naturales resistentes a la helada, proteínas resistentes a la congelación

Lit.: Chem. Rev. **96**, 601–617 (1996) ■ Chem. Unserer Zeit **12**, 100 (1978); **20**, 146–155 (1986); **24**, 116 (1990) ■ Food Technol. **47**, 82–90 (1993) ■ Pharm. Unserer Zeit **22**, 25 (1993).

Gefriertrocknung (Lyophilisation). Bez. für das *Trocknen eines tiefgefrorenen Materials im Hochvak. durch *Ausfrieren des Lsm., das dann in gefrorenem Zustand verdampft (*Sublimations-Trocknung*). Die manchmal auch *Dehydratisierung genannte G. ist heute ein weit verbreitetes Verf. zur schonenden Trocknung u. *Konservierung empfindlicher Güter, wie z. B. bei der Herst. von *Instant-Produkten u. a. Lebensmitteln, Pharmazeutika, biolog. u. medizin. Material (Blutplasma, Seren, Viren etc.). Gefriergetrocknetes Material ist sehr porös u. behält sein ursprüngliches Vol. bei. Stoffwechsel- u. Enzym-Funktionen kommen zum Stillstand, Bakterien u. Viren bleiben jedoch als Trockenpräp. nach jahrelanger Lagerung vermehrungsfähig u. krankheitserregend. Fleisch verliert durch G. etwa 45% seines Gew.; Vitamin-Gehalt, Farbe u. Geschmack werden kaum verändert. Die bei tiefen Temp. schwerflüchtigen Aromastoffe bleiben in gefriergetrocknetem Material zu 95–98% erhalten. In der Chemie wird die G. u. a. als Meth. zur Stabilisierung u. Konservierung, häufiger noch zur Isolierung von unbeständigen Verb. durch Einfrieren u. Trocknen der Lsg. benutzt. Die Anw. der Meth. auf Substanzen, die in flüssigem NH_3 gelöst sind, erlaubt die Herst. beständiger *freier Radikale in konz. Form, da die sehr niedrige Temp. des festen NH_3 stabilisierend wirkt u. nach dem Verdampfen des Lsm. infolge Fehlens eines Reaktionsmediums keine *Rekombination eintreten kann. Auch aus Lsg. in festem CO_2 kann eine G. vorgenommen werden. – *E* freeze drying, lyophilization – *F* dessication par le froid, lyophilisation – *I* criossiccazione, liofilizzazione – *S* liofilización, criodesecación, secado por congelación

Lit.: Kirk-Othmer **7**, 368–370; (3.) **8**, 109 f. ■ Schormüller, S. 262 f. ■ Ullmann (5.) **A 11**, 523; **A 17**, 85; **B 2**, 4–29; **B 3**, 11–22; 19–33 ■ s. a. Kältetechnik, Konservierung, Trocknen.

GefStoffV. Abk. für *Gefahrstoffverordnung.

Gefüge. 1. In der *Metallurgie* Bez. für die Anordnung u. Größe der Kristallite eines Werkstoffes, z. B. eines Metalles od. einer Legierung. Der Begriff umfaßt Anzahl der Phasen, Korngröße u. Orientierung der Körner; da Korngrenzen sowie Eigenspannungen eng mit den Gitterfehlern verknüpft sind, werden sie ebenfalls dem G. zugerechnet. Das G. ist in hohem Maße von der Vorbehandlung des Werkstoffes abhängig. Es läßt sich durch Schleifen, Polieren u. Ätzen sichtbar machen. In der *Petrographie* bezeichnet G. die Raumlage der die Gesteine aufbauenden Mineralien. Im gleichen Sinn verwendet man den übertragenen Begriff auch in der *Medizin* im Hinblick auf den Knochenbau. Weist die räumliche Anordnung der Kristallite bzw. der Gesteine eine Orientierung in bestimmter Richtung auf, so spricht man (im Dtsch.) von der *Textur (des Gefüges).

2. In der *Petrographie beschreibt das G. das gesamte Erscheinungsbild eines Gesteins, so wie es durch Größe, Form, Ausbildung u. die gegenseitige räumliche Anordnung der Komponenten gegeben ist. Die G.-Merkmale von Gesteinen umfassen die Begriffe Struktur, Textur u. Absonderung, die allerdings nicht scharf gegeneinander abzugrenzen sind.

Struktur: Die Struktur wird beschrieben durch: *Grad der Kristallinität:* glasig (hyalin, z. B. *Obsidian), teilw. (hypokrist., z. B. manche *Basalte) od. vollständig krist. (holokrist., z. B. *Granite); *Korngestalt:* idiomorph (d. h. mit ausgebildeten Kristallflächen) hypidiomorph (mit teilw. ausgebildeten Kristallflächen) od. xenomorph (d. h. ohne Kristallflächen); *Kornform:* z. B. rundlich, tafelig, leistenförmig, stengelig; *Korngröße:* grobkörnig (über 5 mm), mittelkörnig (1–5 mm), feinkörnig (<1 mm), dicht (andere Einteilungen bei *Sedimenten u. *Sedimentgesteinen); *Korngrößenverteilung:* z. B. gleichkörnig od. porphyr. [relativ größere bis große Körner (Einsprenglinge, Phänokrist.) in einer feinkörnigen, dichten od. glasigen Grundmasse]; *Kornbindung:* Lockergesteine bis Festgesteine.

Textur: Die Textur wird beschrieben durch: die *Art der Raumerfüllung (Porosität):* kompakt, blasig, zellig, schaumig (z. B. *Bimsstein), miarolith. (*Miarolen); *homogene od. inhomogene Ausbildung* der Gesteine; *Fehlen od. Vorhandensein einer G.-Regelung:* z. B. richtungsloses G., Fließ-G. (Fluidaltextur, durch par-

allele Orientierung bestimmter Minerale während des Fließens von *Lava), Schichtung (vertikale Gliederung in Sedimenten u. Sedimentgesteinen infolge Wechsel der Zusammensetzung u./od. Korngröße), Schieferung (bedingt durch Einregelung bes. von *Glimmern, *Chloriten, *Tonminerale u. *Amphibolen); Faltung.
Absonderung: Formen der Absonderung können z. B. *Bankung* (z. B. bei *Kalken) u. *Klüftung* (z. B. Granitquader, Basaltsäulen) sein. Weitere spezielle G.-Merkmale sind bei den einzelnen Gesteinsgruppen erläutert. Die Wissenschaft, die sich mit den G. der Gesteine befaßt, ist die *Strukturgeologie*; s. a. Geologie, Tektonik. – *E* fabric, texture, structure – *F* texture, structure – *I* tessuto, struttura – *S* textura, estructura
Lit. (zu 2.): Adams, MacKenzie u. Guilford, Atlas der Sedimentgesteine in Dünnschliffen, Stuttgart: Enke 1986 ▪ Allen, Sedimentary Structures, Their Character and Physical Basis (Developments in Sedimentology 30), Amsterdam: Elsevier 1984 ▪ Dietrich u. Skinner, Die Gesteine u. ihre Mineralien, S. 132–135, 210–221, 278–283, Thun: Ott 1984 ▪ MacKenzie, Donaldson u. Guilford, Atlas der magmatischen Gesteine in Dünnschliffen, Stuttgart: Enke 1989 ▪ Wallbrecher, Tektonische u. gefügeanalytische Arbeitsweisen, Stuttgart: Enke 1986 ▪ Yardley, MacKenzie u. Guilford, Atlas metamorpher Gesteine u. ihr Gefüge in Dünnschliffen, Stuttgart: Enke 1992 ▪ s. a. Tektonik, Geologie u. die einzelnen Gesteinsgruppen.

Gegenfarben s. Farbe.

Gegenionen. Allg. Bez. für Ionen des entgegengesetzten Ladungsvorzeichens, die die Ladung von bestimmten Ionen ausgleichen; insbes. verbindet man mit dem Begriff G. freie Ionen (Ionenwolken), die sich innerhalb einer Elektrolyt-Lsg. in der Umgebung eines Ions von entgegengesetzter Ladung ansammeln, gleichgültig, ob dieses selbst frei beweglich od. an einer Grenzfläche adsorbiert ist.

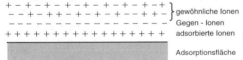

Abb.: Anreicherung von Gegenionen.

Wenn eine bestimmte Ionenart von einer Grenzfläche stärker adsorbiert wird als die übrigen Ionen der Lsg., entsteht an dieser eine entsprechend elektr. aufgeladene Schicht. Deren Ladung bewirkt ihrerseits eine Anreicherung von G. in der an die Adsorptionsschicht unmittelbar angrenzenden Lösungsschicht, vgl. die Abb. hier u. bei Zeta-Potential. – *E* gegenions, counterions – *F* contre-ions – *I* contro-ioni – *S* contraiones

Gegenstromdestillation s. Destillation u. Rektifikation.

Gegenstromelektrolyse s. Elektrolyse.

Gegenstromionophorese s. Elektrolyse.

Gegenstromprinzip. Kontinuierliches Verf.-Prinzip, bei dem die beteiligten Stoffe in entgegengesetzter Richtung aneinander vorbeigeführt werden. Dabei sind die Stoffe entweder räumlich getrennt (Wärmeaustauscher, Kühler, Verdampfer etc.) od. in direktem Kontakt (z. B. Extraktions-, Rektifikations- u. Trocknungsprozesse, Windsichten u. Elutriation, *Gegenstromverteilung, Waschtürme). Die Anw. des G. bezweckt die optimale Ausnutzung eines gegebenen Temp.- od. Konz.-Gefälles. In vielen Fällen kann sich aber ein Vorgehen nach dem gegenteiligen *Gleichstromprinzip als günstiger erweisen. – *E* countercurrent principle – *F* principe du contre-courant – *I* principio della controcorrente – *S* principio de la contracorriente

Gegenstromverteilung. Spezialverf. der *Flüssig-Flüssig-Extraktion zur quant. Trennung von Substanzen mit geringen Löslichkeitsunterschieden unter Ausnutzung des *Gegenstromprinzips. Man verwendet zwei begrenzt mischbare, gegeneinander gesätt. Lsm., wobei gewöhnlich das schwere Lsm. als kontinuierliche u. das leichtere als disperse Phase verwendet wird. Die Bestandteile eines Substanzgemisches verteilen sich entsprechend ihren Löslichkeiten in einem durch den *Nernstschen Verteilungssatz u. den sog. *Verteilungs-Koeffizient (eine Stoffkonstante) vorgegebenen Mengenverhältnissen zwischen den beiden Flüssigkeiten. Die Phasen werden relativ zur Apparatur im Gegenstrom bewegt. Es sind Apparaturen für schubweise wie auch für kontinuierliche Arbeitsweise in Gebrauch. Bei schubweiser Arbeitsweise werden die beiden Phasen in Kontaktzellen durch Schütteln ins Gleichgew. gesetzt (Craig-Verteilung), u. je nach dem gewählten Verf. werden dann eine od. beide Phasen zu benachbarten Kontaktzellen weitergeleitet. Bei gleichförmig arbeitenden Apparaturen strömen eine od. beide Phasen kontinuierlich, wobei jedoch die Verteilung an keiner Stelle ein vollständiges Gleichgew. erreicht; s. a. Extraktions-Verf. u. a. Trennverfahren (*Beisp.:* *HPLC). – *E* countercurrent distribution – *F* distribution par contre-courant – *I* distribuzione a controcorrente – *S* distribución por contracorriente
Lit.: Ullmann (5.) **B** 3, 6-1 ff. ▪ s. a. Flüssig-Flüssig-Extraktion, Trennverfahren, Verteilung.

Gehalt s. Konzentration.

Geheimtinten (Zaubertinten). Bez. für Flüssigkeiten, die beim Schreiben eine unsichtbare Schrift hinterlassen, die vom Empfänger durch bes. Verf. (vorsichtiges Erwärmen, Überpinseln mit bestimmten Flüssigkeiten, Ultraviolettbestrahlung) sichtbar gemacht wird. *Beisp.:* Man schreibt mit farblosen Lsg. von Oxidationsmitteln (z. B. Salpeter, Kaliumchlorat, Natriumchlorat); erwärmt man das Papier vorsichtig, so begünstigt das eingetrocknete Oxidationsmittel die Papierverkohlung an den beschriebenen Stellen, u. die Schrift wird sichtbar. Schreibt man mit einer 2–5%igen Cobaltchlorid-Lsg., so wird beim Erwärmen der (nahezu) unsichtbaren, eingetrockneten Schrift eine deutlich blaue Schrift sichtbar, weil das Cobaltchlorid ($CoCl_2 \cdot 6H_2O$) in tiefblaues $CoCl_2 \cdot H_2O$ übergeht. Diese *sympathetische Tinte* wurde von Jakob Waitz im Jahre 1705 erstmals angewendet. Wenn eine farblose od. annähernd farblose Lsg. mit einer anderen eine farbige Verb. gibt, kann man sie zu G. verwenden. Schreibt man z. B. mit farbloser Gerbsäure-Lsg., so kann der Empfänger die unsichtbare Schrift „entwickeln", wenn er eine Lsg. von Eisen(III)-chlorid darüberpinselt od. das Papier kurz in diese Lsg. eintaucht. Es entsteht dann an den Stellen, wo Gerbsäure u. $FeCl_3$ in Reaktion treten können, dunkles Eisen(III)-

tannat. – *E* invisible inks – *F* encres sympathiques – *I* inchiostri simpatici – *S* tintas simpáticas, tintas invisibles

Gehirn (Cerebrum, Encephalon). Abschnitt des zentralen Nervensyst. von Mensch u. Tieren, der innerhalb der Schädelhöhle gelegen ist. Bei wirbellosen Tieren kommen in verschiedenen Tierstämmen (Insekten, Weichtiere, Würmer) G.-Bildungen vor, die aus Zusammenballungen von Nervenzellgruppen im Kopfbereich bestehen. Das G. der Wirbeltiere liegt in der knöchernen Schädelhöhle u. ist umgeben von Hüllen aus *Bindegewebe, den drei Hirnhäuten (*Meningen*). Das Hirngewebe wird unmittelbar bedeckt von der gefäßreichen weichen Hirnhaut, über der die zarte, sog. Spinnwebhaut liegt. Zwischen beiden befindet sich ein mit Gehirnflüssigkeit (*Liquor cerebrospinalis*) gefüllter Raum. Die äußerste harte Hirnhaut aus straffem Bindegewebe liegt der Schädelhöhle innen an. Das G. des Menschen wiegt 1300–1600 g (Elephant 5000 g, Schimpanse 400 g, Pferd 700 g).

Anatom. gliedert man das G. in verschiedene Bereiche, die sich auch in ihren Funktionen wesentlich voneinander unterscheiden. Das *verlängerte Mark* schließt sich nach oben an das Rückenmark an u. setzt sich über den Bereich der *Brücke* in das *Mittelhirn* fort. Hier liegen Gebiete, die für die Regulation von Atmung, Herzfrequenz, Blutdruck u. a. vegetativer Funktionen wesentlich sind. Dem verlängerten Mark liegt nach hinten das *Kleinhirn* an, das ein wichtiges Koordinationsorgan für Bewegungsabläufe ist u. im Zusammenspiel mit höheren motor. Zentren, dem Lagesinn u. dem Labyrinthorgan des Innenohres für die Erhaltung des Gleichgew. sorgt. An das Mittelhirn schließt sich nach oben das *Zwischenhirn* mit seinen verschiedenen Anteilen an. Der *Thalamus* bildet eine bedeutende Durchgangsstelle für alle zum Großhirn ziehenden Bahnen, die Erregungen aus den Sinnessyst. führen. Der unterhalb des Thalamus gelegene *Hypothalamus* mit der *Hypophyse ist das Steuerungszentrum für vegetative Funktionen wie Schlafen, Nahrungsaufnahme u. Sexualfunktionen sowie Teilen der inneren Sekretion (s. a. Hormone). Im Zwischenhirn liegen weiterhin wichtige Steuerungsgebiete für die unwillkürliche Motorik, die zusammen mit unter der Großhirnrinde gelegenen Kerngebieten für das flüssige Ablaufen von willkürlich eingeleiteten Bewegungen, von Ausdrucksbewegungen u. von automat. Bewegungsabläufen sorgen.

Das in zwei Halbkugeln (*Hemisphären*) geteilte Großhirn bedeckt mit seiner in Lappen (Stirn-, Scheitel-, Schläfen- u. Hinterhauptslappen) gegliederten *Hirnrinde* (*Cortex*) mantelartig die übrigen Gehirnanteile. Die Hirnrinde ist zur Oberflächenvergrößerung in Windungen u. Furchen gefaltet. An das Großhirn sind integrative Funktionen wie z. B. Verarbeitung von Sinneseindrücken, willkürliche Motorik, Bewußtsein, Gedächtnis, Sprechen u. Schreiben gebunden. Eine funktionell verknüpfte Gruppe von stammesgeschichtlich älteren Kernen u. Rindenbereichen wird als *limbisches System* bezeichnet u. steht im Zusammenhang mit Emotionen, vegetativen Reaktionen sowie Gedächtnisleistungen. Die verschiedenen Abschnitte des G. stehen mit dem Körper u. den Sinnesorganen über die an der Hirnbasis ein- bzw. austretenden *Hirnnerven* in Verbindung.

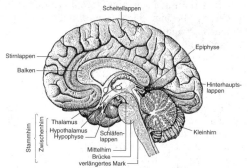

Abb.: Seitlicher Schnitt durch das menschliche Gehirn.

In der Embryonalentwicklung wird das G. zusammen mit dem Rückenmark als Platte an der Oberfläche des Keimes angelegt, die sich in die Tiefe absenkt u. zum Rohr (*Neuralrohr*) schließt. Die Wände dieses Rohres verdicken sich u. bilden die *Hirnsubstanz. Der Hohlraum, der mit Gehirnflüssigkeit gefüllt ist, wird im Rückenmark zum fast verschwindenden Zentralkanal u. bildet im G. die *Hirnkammern* (*Ventrikel*). Diese haben über Öffnungen Anschluß an den Raum zwischen den Hirnhäuten, so daß die Gehirnflüssigkeit zirkulieren kann.

Im wesentlichen besteht das G. aus zwei Zelltypen, den ca. 10^{13} *Gliazellen*, denen hauptsächlich Stütz- u. Ernährungsfunktionen zugeschrieben werden u. den ca. 10^{12} *Nervenzellen* (Neurone), die mehrere tausend verschiedene Typen bilden. In verschiedenen Hirnabschnitten sind die Zellen in unterschiedlicher Architektur organisiert. So bilden sie im verlängerten Mark u. im Mittelhirn ein Netzwerk (*retikuläres System*), im Zwischenhirn konzentrieren sie sich zu sog. *Nervenkernen* od. *Ganglien* u. in Großhirn u. Kleinhirn grenzen sie sich als oberflächlich gelegene Rinde von einem *Mark*-Anteil aus Nervenfasern ab. Die Fortsätze der Nervenzellen (*Nervenfasern*) verbinden einzelne Nervenzellen untereinander u., in *Faserbündeln* (Tractus) zusammengefaßt, die verschiedenen Hirnabschnitte. Faserbündel, die die weitgehend symmetr. Gehirnhälften der beiden Seiten verbinden, werden als *Kommissuren* bezeichnet. Die größte dieser Kommissuren ist der oberhalb des Zwischenhirnes gelegene *Balken*.

Das koordinierte Zusammenspiel seiner verschiedenen Abschnitte macht das G. zum übergeordneten Kontrollorgan der Körperfunktionen u. der Kommunikation mit der Außenwelt. Die Art u. Weise der Gehirnfunktionen ist Gebiet diverser Bereiche der Hirnforschung wie Neuroanatomie u. -physiologie, *Neurochemie etc. bis zur Verhaltensforschung mit ihren verschiedenen konzeptuellen u. method. Ansätzen. – *E* brain – *F* cerveau – *I* cervello – *S* cerebro

Lit.: Eccles, Das Gehirn des Menschen, München, Zürich: Piper 1979 ■ Kandel u. Schwartz, Principles of Neural Science, Amsterdam: Elsevier 1991 ■ Nieuwenhuys et al., The Human Central Nervous System: A Synopsis and Atlas, New York: Springer 1988 ■ Schmidt, Neuro- u. Sinnesphysiologie, Heidelberg: Springer 1995.

Gehirn-Spectrin s. Fodrin.

Gehlenit s. Melilith.

Gehörschutz. Kann durch techn. od. organisator. Maßnahmen der Lärm nicht unter 85 dB(A) abgesenkt werden, so müssen persönliche Schallschutzmittel zur Verfügung gestellt werden u. bei Erreichen od. Überschreiten eines Beurteilungspegels von 90 dB(A) von den Beschäftigten benutzt werden.
Zur Verringerung der Schalleinwirkung werden verwendet:
- Gehörschutzstöpsel (sie werden im Gehörgang od. in der Ohrmulde getragen)
- Kapselgehörschützer (sie werden über das Ohr gesetzt)
- Gehörschutzhelme (sie schützen zusätzlich einen Teil des Kopfes gegen Schall)
- Schallschutzanzüge (sie werden bei Schallpegeln ab etwa 130 dB(A) verwendet, da bei Schallpegeln in dieser Höhe der gesamte Körper gefährdet ist.

Bei der Auswahl der Gehörschutzmittel sind der Schallpegel u. die Frequenz der Geräusche zu berücksichtigen. Hinweise für die Auswahl u. den Einsatz enthalten z.B. die Lärmschutz-Arbeits- u. Informationsblätter. – *E* hearing protector – *F* audio-protection – *I* protettore acustico – *S* protector del oído
Lit.: Lärmschutz-Arbeits- u. Informationsblätter, herausgegeben vom Berufsgenossenschaftlichen Institut für Arbeitssicherheit (BIA) des Hauptverbandes der gewerblichen Berufsgenossenschaften ■ Regeln für den Einsatz von Gehörschützern (ZH 1/705) Ausgabe 10.1993; Fassung 1995 ■ UVV „Allgemeine Vorschriften" (VBG 1) in der Fassung vom 1.4.1992 ■ UVV „Lärm" (VBG 121) in der Fassung vom 1.10.1990. – B. Carl Heymanns Verl. KG, Luxemburger Straße 449, 50939 Köln od. Jedermann-Verl., Postfach 103140, 69021 Heidelberg (*Unfallverhütungsvorschriften*), Jedermann-Verl., Postfach 103140, 69021 Heidelberg (*ZH 1-Schriften*); Carl Heymanns Verl. KG, Luxemburger Straße 449, 50939 Köln (*BIA-Schriften*).

Geigenharz s. Kolophonium.

Geiger, Hans Wilhelm (1882–1945), Prof. für Physik, Kiel, Tübingen u. Berlin. *Arbeitsgebiete:* Radioaktivität, Compton-Effekt, Reichweitengesetz, Streuung von α-Teilchen an dünnen Metallfolien, Konstruktion des nach ihm benannten Zählrohrs (zusammen mit Walther Müller, 1905–1979).
Lit.: Krafft, S. 303 ■ Neufeldt, S. 119, 125, 163.

Geiger-Müller-Zähler s. Zählrohre.

Geiger-Nutallsches Gesetz. Mit dem G.-N.G. wird bei einem α-Strahler der Zusammenhang zwischen der *Zerfallskonstante λ u. der Energie E der α-Teilchen beschrieben: $\log (\lambda/s^{-1}) = A + B \cdot \log (E/MeV)$. Die Konstante A hat für alle drei α-Zerfallsreihen den gleichen Wert, während B von Reihe zu Reihe Unterschiede von ~ 5% aufweist. Das G.-N.G. basiert auf dem *Tunneleffekt. α-Teilchen mit hoher Energie durchtunneln den Potentialwall nahe dem Maximum, wo sie sich nur eine kurze Strecke im klass. verbotenen Bereich aufhalten. Die Tunnelwahrscheinlichkeit u. damit die Zerfallskonstante sind hierbei größer als für niederenerget. α-Teilchen, die den Potentialwall im Sockelbereich durchtunneln. Der Zusammenhang zwischen Zerfallskonstante λ u. der Halbwertszeit $t_{1/2}$ lautet:

$$t_{1/2} = \ln 2 \cdot \frac{1}{\lambda}.$$

– *E* Geiger Nutall's law – *F* loi de Geiger-Nutall – *I* legge di Geiger-Nutall – *S* ley de Geiger-Nutall
Lit.: Musiol et al., Kern- u. Elementarteilchenphysik, Weinheim: VCH Verlagsges. 1988.

Geiger-Zählrohr s. Zählrohre.

Geikielith s. Ilmenit.

Geiparvarin.

$C_{19}H_{18}O_5$, M_R 326,35, Krist., Schmp. 157–158 °C (*E*-Form). Antitumor-Wirkstoff aus den Blättern von *Geijera parviflora*. Die synthet. Z-Form ist ein Feststoff vom Schmp. 149–150 °C. – *E* geiparvarin – *F* geiparvarine – *I* = *S* geiparvarina
Lit.: Beilstein E V 18/1, 409 ■ J. Chem. Soc., Perkin Trans. 1 **1984**, 535 ■ J. Med. Chem. **32**, 284–288 (1989) ■ J. Org. Chem. **46**, 577 (1981); **50**, 3997 (1985) ■ Synth. Commun. **20**, 3063 (1990) ■ Tetrahedron **44**, 1267 (1988) ■ Tetrahedron Lett. **25**, 2987 (1984); **28**, 675 (1987); **32**, 683 (1991). – *[CAS 36413-91-9]*

Geißelalgen, Geißeltierchen s. Flagellaten.

Geißler Röhren. Gasentladungsröhren (*Gasentladung), die für spektroskop. Zwecke mit spektralreinem Gas od. Dampf gefüllt wurden. – *E* Geißler tubes – *F* tubes de Geissler – *I* tubi di Geißler – *S* tubos Geissler

Geissoschizin.

$C_{21}H_{24}N_2O_3$, M_R 352,43, Krist., Schmp. 194–196 °C, $[\alpha]_D$ +115° (C_2H_5OH), lösl. in Alkohol, Chloroform, Ether, prakt. unlösl. in Wasser. *Indol- bzw. *Chinolizidin-Alkaloid aus *Rhazya stricta, Bonafousia tetrastachya* u. *Rauwolfia volkensii* (Apocynaceae, Immergrüngewächse). Der Methylether von G. ($C_{22}H_{26}N_2O_3$, M_R 366,46, Prismen, Schmp. 190–192 °C) ist aus *Uncaria rhynchophylla* isoliert worden. Das 19-Z- u. *E*-Isomer von G. wurde synthetisiert[1]. G. bzw. das 4,21-Dehydrogeissoschizin, eine Vorstufe des Cathenamins, beanspruchen eine Schlüsselrolle in der Biosynth. monoterpenoider Indol-Alkaloide[2]. – *E* = *F* geissoschizine – *I* = *S* geissoschizina
Lit.: [1] Justus Liebigs Ann. Chem. **1986**, 1262; Tetrahedron **52**, 6803 (1996). [2] J. Chem. Soc., Chem. Commun. **1979**, 1016. *allg.*: Beilstein E V 25/8, 107 ■ Chem. Ber. **109**, 3825, 3837 (1976) ■ J. Am. Chem. Soc. **111**, 300–308 (1989) ■ J. Org. Chem. **54**, 1166–1174 (1989). – *[HS 293990; CAS 18397-07-4]*

Geißraute. Ein auch *Geißklee* genannter Schmetterlingsblütler (*Galega officinalis* L., Fabaceae) aus Süd- u. Osteuropa, enthält die schwach blutzuckersenkende Base *Galegin*

[(3-Methyl-2-butenyl)-guanidin], $C_6H_{13}N_3$, M_R 127,19, u. das Glykosid *Galuteolin*, Gerb- u. Bitterstoffe, Saponin usw.
Verw.: Volksmedizin. gegen Zuckerkrankheit; eine Verw. ist wegen der unsicheren Wirkung abzulehnen. – *E* galega, goat's rue – *F* galéga, lavanèse, rue des chèvres – *I* citiso – *S* ruda cabruna, galega
Lit.: Bundesanzeiger 180/24.09.93 ▪ Hager (4.) **4**, 1082 ff. ▪ Wichtl (2.), S. 189 f. – *[HS 1211 90]*

Geisterzellen s. Hämolyse.

Geko®. Aktiv-Bentonit, gewonnen durch alkal. Aktivierung von Calcium-Bentoniten. Verw. als Formstoff in Leichtmetall-, Grau- u. Stahlgießereien. **B.:** Süd-Chemie.

Gekoppelte Reaktionen s. Reaktionen.

Gekrätz. Sammelbegriff für *Edelmetall-haltige Abfälle unterschiedlicher Art u. Herkunft, aus denen die Metalle über entsprechende Aufarbeitungsverf. wieder einer Nutzung zugeführt werden. Der Begriff G. beschreibt insbes. ein von der Oberfläche schmelzflüssiger Metalle abgeschöpftes Gemisch aus Metall, Metalloxiden u. Schlacke. – *E* scrap – *F* crasses – *I* calia – *S* escorias

Gekreuzte Atomstrahlen bzw. **Molekularstrahlen** s. Atomstrahlen bzw. Molekülstrahlen.

Gekreuzt-konjugiert. Bez. für eine bestimmte Art der *Konjugation bei ungesätt. Verbindungen. Dabei treten zwei der ungesätt. Reste *nicht* miteinander in Konjugation, jede einzelne aber ist mit der dritten konjugiert. Ein illustratives Beisp. ist 3-Methylen-penta-1,4-dien, für das eine *MO-Betrachtung zeigt, daß die Pentadien-Doppelbindungen größeren, die 3-Methylen-Doppelbindung kleineren Doppelbindungscharakter als vergleichsweise die Doppelbindungen im 1,3-Butadien besitzen.

$$\overset{1}{H_2C}=\overset{2}{CH}-\overset{3}{\underset{\underset{CH_2}{\|}}{C}}-\overset{4}{CH}=\overset{5}{CH_2} \qquad H_2C=CH-CH=CH_2$$

G.-k. ungesätt. Verb. sind in der organ. Chemie zahlreich anzutreffen, so z.B. bei *Hexaphenylethan (*Dimere des Triphenylmethyl-Radikals*) *Dienonen, Diarylketonen u. Bis-vinylethern. Naturstoffe wie z. B. die *Filix- od. *Usninsäuren enthalten *Chromophore mit *chinoidem od. *indigoidem Syst. bei denen g.-k. Doppelbindungssyst. enthalten sind. – *E* cross conjugated – *F* conjugation croisée – *I* coniugazione incrociata – *S* conjugación cruzada
Lit.: J. Chem. Educ. **45**, 633–637 (1968) ▪ March (4.), S. 33 f. ▪ s. a. Konjugation.

Gel s. Gele.

Gela. Kurzbez. für die Firma Gela Vertriebsges. mbH. *Daten* (1995): 12 Mio. DM Umsatz. *Produktion:* Dispersionen (spezielle Vulkanisationspasten), Textilhilfsmittel u. Lohnvermahlungen.

Gelafundin®. Infusionslsg. mit Polymerisat abgebauter succinylierter *Gelatine, Natriumchlorid u. Calciumchlorid zur Verw. als kolloidaler Volumenersatz. **B.:** Braun Melsungen.

Gelatinase s. Pepsine.

Gelatine (von latein.: gelatum = Gefrorenes). G. ist ein *Polypeptid (M_R: ca. 15 000 –> 250 000 g/mol), das vornehmlich durch Hydrolyse des in Haut u. Knochen (s. Ossein) von Tieren enthaltenen *Collagens unter sauren (Typ A-G.) od. alkal. (Typ B-G.) Bedingungen gewonnen wird. Die Weltproduktion an G. beläuft sich auf ca. 125 000 t/a. G. enthält bis auf Tryptophan alle essentiellen *Aminosäuren u. ist als reines, verdauliches Eiweiß sehr gut als Nahrungsmittelkomponente geeignet. Die Aminosäuren-Zusammensetzung der G. entspricht weitgehend der des Collagens, aus dem sie gewonnen wurde, u. variiert in Abhängigkeit von dessen Provenienz.
In Wasser, bes. in der Wärme, quillt G. zunächst stark auf u. löst sich dann darin unter Bildung einer viskosen Lsg., die bei einer G.-Konz. von mind. ca. 1 Gew.-% unterhalb ca. 35 °C gallertartig erstarrt. G. besitzt einen *isoelektrischen Punkt, der im pH-Bereich von 7,5–9,3 (Typ A-G.) bzw. 4,7–5,2 (Typ B-G.) liegt. G. ist unlösl. in Ethanol, Ethern u. Ketonen, lösl. in Ethylenglykol, Glycerin, Formamid u. Essigsäure. G. kann durch Reaktion v. a. der Amino-Gruppen mit mono- od. polyfunktionellen Reagenzien, u.a. mit Acylierungsmitteln, Aldehyden, Epoxiden, Halogen-Verb., Cyanamid od. aktivierten ungesätt. Verb. chem. modifiziert u. in ihren Eigenschaften breit variiert werden.
Verw.: In der Nahrungsmittel- bzw. Getränke-Ind. – hier darf nur bes. reine G. eingesetzt werden (zur Reinheitsprüfung: s. *Lit.*[1]) – vorwiegend Typ A-G. zur Herst. von u. a. Sülzen, Geleespeisen, Puddings, Speiseeis u. Joghurts bzw. zur Klärung von Weinen u. Fruchtsäften; in der Pharmazie u. Medizin zur Herst. von weichen u. harten Kapseln, von Suppositorien, als Bindemittel für Tabl., Stabilisator für Emulsionen u. Blutplasma-Extender, in vernetzter Form zur Herst. von sterilen, hämastatot. Schwämmen für chirurg. Zwecke; in der Kosmetik als Bestandteil von Salben, Pasten u. Cremes; in der Photo-Ind. als sog. Photo-G. bzw. Photohilfs-G. zur Herst. von Halogensilber-Emulsionen bzw. als Schutzschicht-G.; zur *Mikroverkapselung von Farbstofflsg. für moderne Durchschreibpapiere. – *E* gelatin – *F* gélatine – *I* = *S* gelatina
Lit.: [1] DAB **8**, 239–241; Chem. Rundsch. **30** (20), 16 (1977). *allg.:* Hager **7**, 211 ff. ▪ Kirk-Othmer (3.) **11**, 711–719 ▪ Ullmann (4.) **12**, 211–220 ▪ Ward u. Courts, The Science and Technology of Gelatin, London: Academic Press 1977. – *[HS 3503 00; CAS 9000-70-8]*

Gelatine Dynamit s. Sprenggelatine.

Gelatinekapseln, -schwamm s. Gelatine.

Gelbbleierz s. Wulfenit.

Gelbbrennen. Bezogen auf Cu-Leg. ist *Brennen (im Gegensatz zum *Abbrennen von Stahl) allg. das *Beizen mit stark oxidierenden Säuren (Mischungen aus konz. Salpeter- u. Schwefelsäure) zum Erzielen einer glänzenden Oberfläche nach vorausgegangenen *Fertigungsverfahren. G. im engeren Sinne wird bei Werkstücken aus *Messing durchgeführt, wobei dem genannten Säure-Gemisch zusätzlich glanzfördernde Substanzen zugesetzt werden. G. zählt als chem. Abtragen zur Hauptgruppe *Trennen* der Fertigungsver-

fahren[1]. – *E* bright pickling – *F* décapage brillant – *I* decapaggio brillante – *S* decapado de cobre y sus aleaciones
Lit.: [1] DIN 8580 (06/1974).

Gelbcalcium s. Ferrocyanide.

Gelb der Alten Meister s. Stannate.

Gelbeisenerz s. Jarosit.

Gelbe Rüben s. Möhren.

Gelber Ultramarin s. Bariumchromat u. Chrom-Pigmente.

Gelbes Blutlaugensalz s. Blutlaugensalze.

Gelbguß. Veraltete (Handwerks-)Bez. für gelbfarbige CuZn-*Gußlegierungen (*Messing) mit 20–40% Zn. Anw. für Gehäuse, Armaturen, Beschläge u. dekorative Teile mit dauerhaft metall. blanker Oberfläche. – *E* yellow brass – *I* ottone – *S* cobre amarillo, latón (rico en cinc)
Lit.: Lueger Lexikon, 4. Aufl., Bd. 3, Werkstoffe u. Werkstoffprüfung, S. 250, 445, Stuttgart: DVA 1961.

Gelbholz s. Morin.

Gelbkali s. Blutlaugensalze.

Gelbkörperhormon s. Progesteron.

Gelbkörperreifungshormon s. Lutropin.

Gelbkreuz s. Kampfstoffe u. Bis(2-chlorethyl)sulfid.

Gelbnatron s. Ferrocyanide.

Gelböl s. DNOC.

Gelborange S [E 110, C.I. Food Yellow 3, C.I. 15 985, 6-Hydroxy-5-(4-sulfophenylazo)-2-naphthalinsulfonsäure-Dinatriumsalz].

$C_{16}H_{10}N_2Na_2O_7S_2$, M_R 452,36. Dient als gelber Lebensmittelfarbstoff. G. steht unter dem Verdacht, Allergien auszulösen. – *E* Sunset yellow – *F* jaune-orange – *I* giallo arancio S – *S* amarillo anaranjado
Lit.: Beilstein E IV **16**, 430 ▪ Blaue Liste, S. 120. – [CAS 2783-94-0]

Gelbsucht s. Hepatitis u. Bilirubin.

Gelbtombak. In Abhängigkeit von der metall. Färbung (s. Buntmetalle) wurden CuZn-Knetleg. (*Messing) unterschieden in *Rottombak* (CuZn 10), *Hellrottombak* (CuZn 20), G. (CuZn 28) u. *Halbtombak* (CuZn 33, veraltet: *Lötmessing*). G. wurde für Kondensatorsiedeinstrumente verwendet. – *E* (yellow) pinchbeck – *I* tombacco giallo – *S* tumbaga amarilla
Lit.: DIN 17660 (12/1983) ▪ Lueger Lexikon, 4. Aufl., Bd. 3, Werkstoffe u. Werkstoffprüfung, S. 250, 446, Stuttgart: DVA 1961.

Gelbwurz s. Curcuma.

Gelchromatographie. Bez. für eine als *Säulenchromatographie durchgeführte *Flüssigkeitschromatographie, für die auch Bez. wie *Gel-Permeations-* (GPC), *Ausschluß-* (AC), *Molekularsieb-Chromatographie, Gelfiltration* (GFC), *Geldiffusion*, in der englischsprachigen Lit. auch *Flüssigkeits-Ausschluß-Chromatographie* (liquid exclusion chromatography, LEC) in Gebrauch sind; eine bes. Form der letzteren ist die Flußfeld-Fließ-Fraktionierung (*FFF). Bei der G., die auch als *HPLC betrieben werden kann, besteht die stationäre Phase aus Perlen mit einem heteroporösen gequollenen Netzwerk, dessen Porengrößenverteilung über mehrere Größenordnungen variiert, so daß die Fraktionierung nach Mol.-Größe (*Molekularsieb-Effekt) erfolgt, was die rasche Bestimmung der mol. Größenverteilung von Polymeren gestattet. Zum Einfluß des Quellungsmittels s. die Tab. bei Heitz, *Lit.*[1]. Häufig benutzte Materialien sind *Dextran, *Agarose u. a. modifizierte Polysaccharide (deren bekannteste Marken Sephadex® u. Sepharose® sind), *Kieselgele, Polyethylenglykoldimethylacrylat, mit Divinylbenzol vernetzte Styrolgele, *poröses Glas (z.B. controlled pore glass, CPG), *Polyacrylamide.

Abb.: Prinzip der Gelchromatographie.

Eine flüssige Phase mit dem gelösten Polymeren wird durch das *Gel gegeben. Kleinere Mol. des Gelösten können in alle Poren eindringen (diffundieren), ihnen steht das gesamte Vol. der mobilen Phase in der Trennsäule zur Verfügung u. sie werden daher länger in der Säule zurückgehalten als die größeren Moleküle. Solche Mol., die größer sind als die größten Poren des gequollenen Gels, können die Gelkörner nicht durchdringen u. wandern an diesen vorbei; sie verlassen die Säule zuerst. Die Mol. erscheinen daher im Eluat in der Reihenfolge abnehmender Mol.-Größe. Da die Mol.-Größe im allg. der Molmasse proportional ist, bietet die G. die Möglichkeit zu Trennung u. Reinigung von Substanzen verschiedener Molmassen u. zur *Molmassenbestimmung. Umgekehrt kann man mit Polymeren definierter Mol.-Größe die Porengröße u. Porengrößenverteilung von Gelen in gequollenem Zustand bestimmen, was auf andere Weise schwierig ist[2]. – *E* gel chromatography – *F* chromatographie sur gels – *I* cromatografia su gel – *S* cromatografía en gel
Lit.: [1] Kontakte (Merck) **2**, 29 (1977). [2] Angew. Chem. **92**, 25 (1980).
allg.: Dubin, FACSS Symposium on Size-Exclusion Chromatography, Amsterdam: Elsevier 1993 ▪ Henke, Preparative Gel Chromatography on Sephadex LH-20, Heidelberg: Hüthig 1995 ▪ Potschka (Hrsg.), Strategies in Size Exclusion Chromatography, Washington DC: Am. Chem. Soc. 1996.

Geldanamycin.

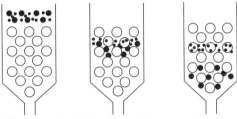

Trivialname für ein Benzochinon-*Ansamycin mit 19gliedrigem Makrolactam-Ring (vgl. Makrolide), $C_{29}H_{39}N_2O_9$, M_R 559,64, das aus *Streptomyces hygroscopicus geldanus* gewonnen wird. – *E* geldanamycin – *F* geldanamycine – *I* = *S* geldanamicina

Lit.: s. Ansamycine u. Makrolide. – *[HS 2941 90; CAS 30562-34-6]*

Geldiffusion s. Gelchromatographie.

Gele. Von *Gelatine abgeleitete Bez. aus der *Kolloidchemie für formbeständige, leicht deformierbare, an Flüssigkeiten u. Gasen reiche disperse Syst. aus mind. zwei Komponenten, die zumeist aus einem festen, kolloid zerteilten Stoff mit langen od. stark verzweigten Teilchen (z. B. Gelatine, Kieselsäure, Montmorillonit, Bentonite, Polysaccharide, Pektine u. a., oft als *Verdickungsmittel bezeichnete *Geliermittel*) u. einer Flüssigkeit (meist Wasser) als Dispersionsmittel bestehen. Dabei ist die feste Substanz kohärent, d. h. sie bildet im Dispersionsmittel ein räumliches Netzwerk, wobei die Teilchen durch Neben- od. Hauptvalenzen an verschiedenen Punkten (Haftpunkte) aneinanderhaften. Sind die Zwischenräume zwischen den Teilchen mit Flüssigkeit ausgefüllt, so liegt ein *Lyogel (Gallerte)* vor, das sich durch Energiezufuhr verflüssigen läßt, z. B. durch *Rühren (Erscheinung der *Thixotropie). Zu den vielfältigen Strukturen der Polysaccharid- bzw. Protein-Gele s. *Lit.*[1]. Besteht das Dispersionsmittel aus Wasser, so spricht man von *Hydrogelen. Formbeständige Hydrogele entstehen z. B. schon aus 0,2% Agar u. 99,8% Wasser od. 0,6% Gelatine u. 99,4% Wasser. Auch aus *Solen können sich G. bilden, u. zwar durch einen *Flockung od. *Ausflockung genannten Vorgang. *Xerogele* sind G., die ihre Flüssigkeit auf irgendeine Weise (durch Verdampfen, Abpressen od. Absaugen) verloren haben, wobei sich auch die räumliche Anordnung des Netzes verändert, so daß die Abstände zwischen den Strukturelementen nur noch Dimensionen von Atomabständen besitzen (*Beisp.:* eingetrocknete Gelatine, Leim, Agar-Agar). Bei Xerogelen handelt es sich um einen Grenzzustand zum Festkörper; typ. Xerogele im chem. Laboratorium sind die *Kieselgele. Durch *Quellung (bei Zugabe des Dispersionsmittels) können die Xero- wieder in Lyogele übergehen. Demgegenüber sind *Aerogele G. mit Luft als Dispersionsmittel; beim Übergang vom Lyogel zum Aerogel (z. B. beim Austrocknen eines Kieselsäure-Gels) bleibt das räumliche Netz in seiner ursprünglichen Anordnung erhalten. G. können auch „altern", wobei spontan u. ohne Einwirkung äußerer Kräfte eine Entquellung eintreten kann, z. B. bei *Nahrungsmittel-Gelen. Bei dieser sog. *Synärese* tritt Dispersionsmittel aus einem G. aus, ohne daß dessen Struktur zusammenbricht. Weiter kann sich die *Alterung darin ausdrücken, daß die ursprünglich amorphen G. allmählich krist. werden. Natürliche G. werden oft *Schleime* (*Mucilagines) genannt, z. B. die Polysaccharid-Gele u. die sog. *Phycokolloide* aus Algen-Inhaltsstoffen, die Mannose, Fucose, Glucose, Fructose u. Galactose enthalten; *Beisp.:* Agar-Agar, Carrageen, Alginate, Alginsäure, Phyllophoran, Furcellaran. In pharmazeut. u. kosmet. *Cremes können G. aus *Metallseifen als Gerüstbildner u. Co-Emulgatoren verwendet werden, u. in lipophilen *Salben dienen *Lipogele* u. *Oleogele* (aus Wachsen, Fetten u. fetten Ölen) sowie *Carbogele* (aus Paraffin od. Vaseline) als *Salbengrundlagen.

Verw.: In verschiedenen *Arzneiformen, als Träger für die *Elektrophorese von Proteinen, für die *Gelchromatographie u. a. Laboratoriumsanw.; in der Ind. regelt man mit *Verdickungsmitteln* die Viskosität z. B. bei *Anstrichstoffen, u. im Haushalt benutzt man Gelbildner (*Geliermittel* als *Zusatzstoffe) zur Herst. von Suppen, Soßen, Puddings u. Gelees. – *E* = *F* gels – *I* geli – *S* geles

Lit.: [1] Angew. Chem. **89**, 228–239 (1977); **91**, 634–646 (1979).
allg.: Harris (Hrsg.), Food Gels, Amsterdam: Elsevier 1990 ▪ Whistler u. BeMiller, Industrial Gums (3.), S. 21 ff., San Diego: Academic Press 1993 ▪ s. Kolloidchemie.

Gelée Royale (Weiselfuttersaft). Von Ammenbienen zur Aufzucht von Königinnenlarven aus Kopfdrüsensekret u. Honigmageninhalt bereiteter Nahrungsbrei. G. R. enthält ca. 24% Wasser, 31% Eiweiß, 15% Kohlenhydrate, 15% etherlösl. Bestandteile sowie 2% Asche. Weiterhin sind Spurenelemente wie Eisen, Mangan, Nickel, Kobalt u. a. sowie verschiedene Vitamine enthalten. Synthet. hergestelltes G. R. hält zwar die Larven am Leben, führt jedoch nicht zur Bildung von Königinnen. G. R. unterscheidet sich vom Aufzuchtfutter für Arbeitsbienen durch eine höhere Konz. an *Neopterin (vgl. Pteridine), *Biopterin u. *Pantothensäure. Eine pharmakol. Wirkung von G. R. für den Menschen wird kontrovers diskutiert. Trotzdem wird es in verschiedenen Darreichungsformen zur Linderung von Altersbeschwerden angeboten. G. R. ist nicht mit der sog. *Königinnensubstanz zu verwechseln.[1] – *E* royal jelly – *F* gelée royale – *I* gelatina reale – *S* jalea real

Lit.: [1] Naturwiss. Rundsch. **26**, 95–102 (1973).
allg.: Ann. Bee J. **116**, 560, 565 (1976); **123**, 39 (1983) ▪ Bull. Soc. Pharm. Lille **38**, 181–203 (1982) ▪ Helv. Chim. Acta **64**, 1407–1412 (1981) ▪ Janistyn **1**, 410f. ▪ Merck-Index (12.), Nr. 8434. – *[HS 041000]*

Gelees. Unter G. versteht man umgangssprachlich in erster Linie die *Obstgelees* aus linear kolloidalen *Pektinen von *Früchten, die durch längeres Kochen u. Säure-Zusatz aus der ursprünglichen Lsg. in *Gele übergeführt werden. Zur G.-Herst. kocht man un- reifes *Obst mit Wasser auf, filtriert u. dickt den ablaufenden Pektin-haltigen Saft unter Zusatz gleicher Gewichtsanteile (konservierend wirkenden) Zuckers 1–2 h lang ein. Bei Pektin-armen Früchten, wie Kirschen, Pflaumen, Birnen usw., erhält man schon etwa innerhalb 15 min ein G., wenn man eine Citronenscheibe (enthält Säure) u. (nach 10 bis 12 min Kochen) die vorgeschriebene Menge Pektin-Extrakte als Geliermittel zu dem Saft gibt. Man kann auch den schon Pektin enthaltenden *Gelierzucker* verwenden. Den rechtlichen Bestimmungen entsprechend, müssen Obstgelees aus dem Saft nur *einer* Obstart unter Verw. von 50–70% Zucker u. geringer Mengen Wein-, Milch- od. Citronensäure u. Pektin hergestellt werden. Zu den G. zählen aber auch die aus *Gelatine, *Alginaten, *Agar, *Carrageen u. ä. erhaltenen Gele in *Aspik od. Sülze. – *E* jellies – *F* gelées – *I* gelatine – *S* jaleas

Geleffekt (Trommsdorff-Norrish- od. Norrish-Trommsdorff-Effekt). Der G. tritt bei bis zu hohen Umsätzen durchgeführten *radikalischen Polymerisationen auf u. führt zu einem starken Anstieg der Polymerisationsgeschwindigkeit. Ursache hierfür ist die zunehmende Diffusions-Behinderung der Polymer-Radikale in der immer viskoseren Reaktionsmischung: Während im Idealfall einer radikal. Polymerisation die Polymerisationsgeschw. näherungsweise proportional der Monomerkonz. ist (u. somit mit steigendem Umsatz fallen sollte), werden bei hochviskosen Polymerisationsmischungen die Kettenabbruch-Reaktionen wie Rekombination (I) u. Disproportionierung (II) diffusionskontrolliert.

$$(I)\ R^1-CH_2-\overset{X}{\underset{\bullet}{C}}H\ +\ R^2-CH_2-\overset{X}{\underset{\bullet}{C}}H\ \longrightarrow\ R^1-CH_2-\overset{X}{C}H-\overset{X}{C}H-CH_2-R^2$$

$$(II)\ R^1-CH_2-\overset{X}{\underset{\bullet}{C}}H\ +\ R^2-CH_2-\overset{X}{\underset{\bullet}{C}}H\ \longrightarrow\ R^1-CH=CH-X\ +\ R^2-CH_2-CH_2-X$$

Es verschwinden damit relativ weniger Polymer-Radikale, während sich die Neubildung von Radikalen durch den Initiatorzerfall unvermindert fortsetzt. Auch die Wachstumsreaktion wird zunächst nicht behindert, weil die kleinen Monomermol. durch die Viskosität der Mischung in ihrer Beweglichkeit nur wenig eingeschränkt werden. Erst bei sehr hohen Umsätzen, wenn die Reaktionsmasse z. B. glasartig erstarrt ist, wird sogar die Diffusion der Monomermol. behindert. Erst hier sinkt die Polymerisationsgeschw. wieder ab (*Glas-Effekt*). Verhindern kann man den G., der insbes. größere Reaktionsansätze leicht unkontrollierbar werden läßt, durch Zusatz von Lsm. (Herabsetzen der Viskosität) od. Kettenüberträgern (Verminderung des Polymerisationsgrades). – *E* gel effect – *F* effet gélifiant – *I* effetto gel – *S* efecto gel
Lit.: Elias (5.) **1**, 470; **2**, 81 ▪ Odian (3.), S. 286 ff.

Gelelektrophorese s. Elektrophorese.

Gelfiltration s. Gelchromatographie.

Gel-Fix®. Transparente Polyesterfolien als Gelträger in der Elektrophorese; auch G.-F. Haftfolien für PAGE u. Agarose sowie G.-F. für Deckfolien. *B.:* Serva.

Geliermittel s. Gele u. Verdickungsmittel.

Gelierzucker s. Gelees.

Gelita®. Gelatine für die Lebensmittel-, Pharma- u. Photo-Ind. sowie weitere Protein-Spezialitäten. *B.:* Deutsche Gelatine-Fabriken Stoess AG.

Gell-Mann, Murray (geb. 1929), Prof. für Physik, Univ. California, Caltech. *Arbeitsgebiete:* Elementarteilchenphysik, Parität, Theorie neutraler K-Mesonen u. der schwachen Wechselwirkung, Entwicklung des sog. Strangeness-Konzepts, des Quark-Modells u. einer Systematik der Elementarteilchen. Nobelpreis für Physik 1969 für seine Beiträge u. Entdeckungen zur Klassifizierung der Elementarteilchen u. deren Wechselwirkung.
Lit.: Neufeldt, S. 361 ▪ Nobel Prize Lectures Physics 1963–1970, Amsterdam: Elsevier 1972 ▪ Who's Who in America, S. 1324.

Gelman Sciences Inc. Ann Arbor, Mich. 48 106, USA. *Produktion:* Geräte u. Zubehör für Membranfiltration. *Daten* (1995): 827 Beschäftigte, 86,2 Mio. $ Umsatz.

Gelomyrtol®. Kapseln mit Myrtol gegen Bronchitiden, Silicose u. Lungengangrän. *B.:* Pohl-Boskamp.

Gelonida® G. Schmerztabl. mit *Paracetamol u. *Codein-Phosphat, G. NA Suppositorien u. Saft zusätzlich mit *Acetylsalicylsäure gegen Grippe, Erkältungskrankheiten, Rheumatismus, Neuralgien u. allg. Schmerzen. *B.:* Gödecke.

Gelonin. *Glykoprotein (M_R 30 000) aus den Samen der ind. Pflanze *Gelonium multiflorum* mit *Glykosidase-Aktivität (EC 3.2.2.22), das als starker Hemmstoff der *Protein-Biosynth. wirkt, indem es die *N*-glykosid. Bindung eines speziellen Adenosin-Restes der ribosomalen 28-S-Ribonucleinsäure spaltet. Da G., ähnlich wie die A-Kette des *Ricins, von intakten Zellen nicht aufgenommen wird, wird versucht, es durch Koppelung an geeignete Trägermol. spezif. gegen bestimmte Zellarten anzuwenden (z. B. durch Koppelung an Antikörper als *Immuntoxine gegen Virusinfektionen u. Krebs od. an Autoantigene zur spezif. Unterdrückung von Autoimmun-Reaktionen; s. Autoimmunität) – *E* gelonin – *F* gélonine – *I* = *S* gelonina
Lit.: J. Interferon Cytokine Res. **15**, 547–555 (1995) ▪ J. Mol. Biol. **250**, 368–380 (1995).

Gel-Permeations-Chromatographie s. Gelchromatographie.

Gelpunkt s. Vernetzung.

Gelsemicin s. Gelsemin.

Gelsemin.

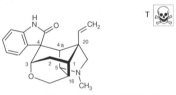

$C_{20}H_{22}N_2O_2$, M_R 322,41, Krist., Schmp. 178 °C, $[\alpha]_D$ +13° ($CHCl_3$), lösl. in organ. Lsm. u. verd. Säure, wenig lösl. in Wasser. *Indol-Alkaloid aus den Wurzeln des amerikan. Wilden Jasmins, Kletterstrauch (*Gelsemium sempervirens*, *E* yellow jasmine) u. dem südostasiat. *G. elegans* (Loganiaceae, Strychnosgewächse). G. ist das giftige Hauptalkaloid von Gelsemium neben den strukturverwandten *Gelsemicin, Gelsevirin* u. *Gelsedin* sowie dem Indol-Chinolizidin-Alkaloid *Sempervirin.
Wirkung: G. wirkt zunächst stimulierend, dann dämpfend auf das ZNS. Hohe Dosen verlangsamen die Herztätigkeit u. senken den Blutdruck. G. regt Darm, Atemzentrum u. Uterus an, erweitert die Bronchien. Der Tod tritt durch Atemlähmung ein. Das Bewußtsein bleibt sehr lange erhalten. Das Vergiftungsbild erinnert an den *Botulismus[1]. LD_{50} (Maus i.v.) 133 mg/kg; (Maus oral) 1200 g/kg. Die toxischsten Alkaloide aus *G. elegans* sind *Gelsemicin* ($C_{20}H_{26}N_2O_4$, M_R 358,44) u. *Gelsenicin* ($C_{19}H_{22}N_2O_3$, M_R 326,40, Schmp. 169–171 °C)

mit einer LD$_{50}$ (Maus i.p.) von 0,18 mg/kg[2]. Allerdings ist die Wirkung auf den Menschen individuell sehr verschieden, wie eine histor. Massenvergiftung mit G. durch mit Gelsemiumrinde versetzten Schnaps gezeigt hat. Zur Biosynth. s. *Lit.*[3]. – *E* gelsemine – *F* gelsémine – *I* gelsemio – *S* gelsemina

Lit.: [1] R.D.K. (4.), S. 368. [2] J. Org. Chem. **59**, 4381 (1994); J. Chem. Soc., Perkin Trans. 1 **1994**, 1573; Sax (8.), Nr. GCK 000. [3] J. Chem. Soc., Perkin Trans. 1 **1979**, 2308; **1989**, 1075. *allg.*: Beilstein E III/IV 27, 7526f. (G.), 7838 (Gelsemicin) ▪ J. Am. Chem. Soc. **112**, 5220 (1990) ▪ J. Org. Chem. **54**, 279–290 (1989) (Teilsynth.). ▪ Manske **33**, 83–140 ▪ Nat. Prod. Rep. **9**, 424 ▪ Tetrahedron Lett. **30**, 1177 (1989). – *[HS 2939 90; CAS 509-15-9 (G.); 6887-28-1 (Gelsemicin)]*

Gelseminsäure s. Scopoletin.

Gelsenicin s. Gelsemin.

Gelsolin. Protein (M$_R$ 82000) aus Wirbeltier-Geweben, das in Ggw. von Calcium-Ionen F-*Actin-Filamente auseinandertrennt, an die schneller wachsenden Enden (stumpfen Enden) von F-Actin bindet u. diese blockiert. Die langsamer wachsenden spitzen Enden stehen mit höheren Konz. an monomerem G-Actin im Gleichgew. als die stumpfen. Durch diese, im Engl. *severing* bzw. *capping* genannten Aktivitäten wird daher die Konz. des Monomeren erhöht, Actin-*Gele* werden *solubi*lisiert (daher Name). Andererseits fördert G. auch die Zusammenlagerung von Actin, indem es zwei G-Actin-Mol. gleichzeitig bindet u. dadurch einen Polymerisations-Keim bildet. Die physiolog. Funktion ist noch unklar. Die Aminosäure-Sequenz weist Ähnlichkeiten zu Actin u. a. Actin-bindenden Proteinen auf. – *E* gelsolin – *F* gelsoline – *I* = *S* gelsolina

Lit.: Nature (London) **364**, 685–692 (1993).

Gelusil®. Tabl. u. Suspension mit Magnesium-aluminium-silicathydrat, G.-Lac zusätzlich mit fettfreiem Milchpulver gegen Magenübersäuerung. *B.*: Warner, Wellcome.

gem-. Abk. für *geminal* (von latein.: gemini = Zwillinge). In den Namen von organ. Verb. bedeutet das Präfix *gem-* (kursiv gesetzt u. bei alphabet. Namenssortierung übergangen), daß am selben Kohlenstoff-Atom zwei gleichartige Substituenten fixiert sind; Beisp.: die *gem*-Dimethyl-Gruppen an C-7 des *Camphers, an C-1 des *Carotins od. an C-4 des *Lanosterins. Vgl. dagegen *vic*-. – *E* = *F* = *I* = *S* gem-

Gemälde s. Konservierung u. Kunstwerkprüfung.

Gemcitabin.

Internat. Freiname für 2′-Desoxy-2′,2′-difluorcytidin, C$_9$H$_{11}$F$_2$N$_3$O$_4$, M$_R$ 263,20; LD$_{10}$ (Ratte i.v.) 200 mg/m^2 Körperoberfläche. Verwendet wird das Monohydrochlorid, Schmp. 287–292 °C (Zers.). Es wurde als *Cytidin-analoger *Nucleosid-*Antimetabolit 1984/89 von Lilly patentiert u. ist von Lilly (Gemzar®) zur Behandlung von Pankreaskarzinomen im Handel. – *E* = *F* gemcitabine – *I* = *S* gemcitabina

Lit.: Merck-Index (12.), Nr. 4392 ▪ Synthesis **1992**, 565 ff. – *[CAS 95058-81-4 (G.); 122111-03-9 (Hydrochlorid)]*

Gemeinlastprinzip. Umweltrechtliches Pendant zum *Verursacherprinzip. Es besagt, daß die Kosten des *Umweltschutzes über den Staatshaushalt finanziert u. prim. über das Steuersyst. verteilt werden. Maßnahmen zur Beseitigung konkreter Umweltbeeinträchtigungen od. -schäden werden von staatlichen Stellen getroffen. Das G. hat dort seine Berechtigung, wo bestimmte schädliche Umweltfolgen nur schwer od. gar nicht bestimmten Verursachern zugerechnet werden können od. es um die Beseitigung akuter Notstände geht. In Japan wird das G. auch angewandt, um Industriebetriebe aus Gründen der internat. Wettbewerbsfähigkeit zu schonen. – *E* principle of common burden – *F* principe de la charge générale – *I* ripartizione pubblica degli oneri – *S* principio del repartimiento de gastos en la colectividad

Lit.: Z. Umweltpolitik Umweltrecht **9**, 213–229 (1986).

Gemeinsame Forschungsstelle der EG s. GFS.

Gemeinsamer Markt s. Einheitliche Europäische Akte.

Gemenge. Bez. für heterogene *Gemische. Die kompakten G. aus Feststoffen werden *Haufwerke* genannt. Nach dem Dispersionsgrad (Verteilungszustand der Stoffe) unterscheidet man: 1. *Grobdisperse (heterogene) G.*: Bestandteile sind zumindest mikroskop. unterscheidbar ($>10^{-7}$ m) u. mechan. zu trennen, z. B. Gesteine, Suspensionen, Emulsionen, Schäume, Nebel, Rauch. – 2. *Kolloiddisperse G.*: Teilchen nur ultramikroskop. (Tyndall-Effekt) zu unterscheiden ($10^{-7} – 10^{-9}$ m), z. B. Leim, Gelatine, lebendes Plasma. – *E* heterogeneous mixtures – *F* mélanges – *I* miscele – *S* mezclas heterógeneas

Gemeprost.

Internat. Freiname für Methyl-(2E,13E,15R)-11α,15-dihydroxy-16,16-dimethyl-9-oxo-2,13-prostadien-1-oat, C$_{23}$H$_{38}$O$_5$, M$_R$ 394,61. Es wurde als Strukturanaloges von *Prostaglandin E$_1$ 1977 von Ono patentiert u. ist von Nourypharma (Cergem® Vaginalzäpfchen) als wehenförderndes Mittel im Handel. – *E* = *I* = *S* gemeprost – *F* gémeprost

Lit.: Merck Index (12.), Nr. 4393. – *[HS 2918 90; CAS 64318-79-2]*

Gemfibrozil.

Internat. Freiname für 5-(2,5-Dimethylphenoxy)-2,2-dimethyl-valeriansäure, C$_{15}$H$_{22}$O$_3$, M$_R$ 250,34, Schmp. 61–63 °C; Sdp. 158–159 °C (2,66 Pa), λ$_{max}$ (CH$_3$OH) 219, 275 nm (A$_{1cm}^{1\%}$=443, 80); LD$_{50}$ (Maus oral) 3162 mg/kg. G. wurde als *Lipidsenker 1969 u. 1972 von Parke, Davis (Gevilon®) patentiert. – *E* = *F* = *I* gemfibrozil – *S* gemfibrozilo

Lit.: Hager (5.) **8**, 334 ff. – *[HS 2918 90; CAS 25812-30-0]*

Gemini-Tenside. Bez. für meist ion. *Tenside, die je zwei hydrophobe u. hydrophile Gruppen im Mol. enthalten. G.-T. zeichnen sich durch ungewöhnlich hohe Grenzflächenaktivität aus. – *E* gemine surfactants

Lit.: Rosen, Proc. 4th World Surfactants Congress, Barcelona, 3.–6. Juni 1996, Bd. 2, S. 416–423.

Gemische (Mischungen). Bez. für Aggregate (*Aggregation) aus zwei od. mehr chem. verschiedenen Substanzen. Die physikal. Eigenschaften der G. ändern sich mit dem Mischungsverhältnis. G. fester Stoffe können *Eutektika, solche mischbarer Flüssigkeiten *Azeotrope bilden. G. lassen sich durch physikal. *Trennverfahren (z. B. Dest., Zentrifugieren, Filtration, Flotation, Sieben usw.) in ihre Komponenten zerlegen. Man unterscheidet *homogene G.* u. *heterogene G.*; letztere bestehen aus mind. zwei *Phasen (vgl. binäre Systeme) u. werden als *Gemenge* bezeichnet. In den homogenen G. können die Komponenten in beliebigen Mengenverhältnissen vorliegen; es bestehen keine Grenzflächen zwischen den Komponenten, u. diese sind mol.-dispers untereinander verteilt. Ein bekanntes Beisp. für ein homogenes Gas-G. ist die Luft; homogene Flüssigkeits-G. sind z. B. die alkohol. Getränke u. viele andere *Lösungen, homogene Festkörper-G. sind *Mischkristalle, *Legierungen u. *Racemate. In der Technik erfolgt das *Mischen auf unterschiedliche Weise mit speziellen, für die jeweilige Aufgabenstellung entwickelten Geräten. Bei der Herst. von Flüssigkeits-G. kann die *Mischungsregel von Nutzen sein. Die Unterscheidung zwischen G. u. den *chemischen Verbindungen wurde erstmals von *Boyle klar durchgeführt. – *E* = *F* mixtures – *I* miscugli – *S* mezclas, mixturas

Lit.: s. Mischen, Trennverfahren u. a. Textstichwörter.

Gemischte... Gruppenbez. für chem. Strukturen aus mind. 3 Baueinheiten, die nicht, wie bei ihnen sonst üblich, symmetr. aufgebaut sind; bekannte Beisp.: *G. Ether* ($H_3C-O-CH=CH_2$, Methylvinylether), *g.* *Anhydride* (*Heteropolysäuren) u. *g.* *Säureanhydride* ($F_3C-CO-O-CO-CH_3$, s. a. Peptid-Synthese), *g. Oxide* (Mennige, Pb_3O_4, s. Oxide), *g.-funktionelle Derivate mehrbasiger Säuren* (H_2N-SO_2-OH, *Amidoschwefelsäure). – *E* mixed... – *F* ...mixtes – *I* ...misto – *S* ...mixtos

Gemmen. Von latein.: gemmae = Knospen (auch Augen, Edelsteine) abgeleitete Bez. für 1. Schmucksteine, in die ein vertieftes Bild eingeschnitten ist; ein Stein mit einem erhabenen Bild wird *Kamee* genannt. Von G. abgeleitet ist *Gem(m)ologie* als Bez. für die Edelsteinkunde.
2. Im botan. Sinne z. B. *G. Betulae* = Birkenknospen, *G. Populi* = Pappelknospen. – *E* gem (auch = Edelstein), cameo – *F* = *I* gemme – *S* gemas

Gem(m)ologie s. Edelsteine u. Schmucksteine.

Gemüse. Unter G. versteht man im allg. alle einjährigen Pflanzen bzw. Teile davon, die roh od. verarbeitet der menschlichen Ernährung dienen. Man unterscheidet zwischen Wurzel-G. (z. B. *Möhre, Rettich, Schwarzwurzel), Zwiebel-G. (z. B. Gemüsezwiebel, *Fenchel, *Porree), Knollen-G. (z. B. *Kartoffel, Kohlrabi, Rote Rübe, *Batate), Stengel-G. (*Spargel, Bambussprosse), Blattstiel-G. (Bleichsellerie, *Rhabarber), Blatt-G. (z. B. Rotkohl, Kopfsalat, Chicoreé), Blüten-G. (z. B. *Artischocken, Blumenkohl) u. Frucht-G. (z. B. *Tomate, Zucchini, *Gurke, *Paprika). Zu den G. zählen auch die Pilze sowie unreife *Erbsen u. *Bohnen. Auch einige *Algen wie z. B. Meertang u. Zuckertang werden in einigen Ländern, so z. B. Japan u. Schottland als G. verzehrt. Typ. für Frisch-G. ist ihr hoher Wassergehalt (meist 85–95%), während Fette (0,1–0,3%), Stickstoff-Verb. (1–5%), Rohfaser (ca. 1%) u. *Mineralstoffe (ca. 1%) nur in geringen Mengen vorkommen. Der Kohlenhydrat-Anteil liegt je nach G.-Art zwischen 3 u. 20%. Dabei besitzen v. a. Wurzel-G. recht große Mengen an verdaulichen Kohlenhydraten, so z. B. die Kartoffel (18,9%, davon 14,1% Stärke), die Batate (26,6%, davon 19,6% Stärke) u. Schwarzwurzeln (16,3%). Ernährungsphysiolog. ist G. wegen seines Gehaltes an *Vitaminen (verschiedene Vitamine der B-Gruppe, Vitamin C, β-*Carotin), *Ballaststoffen (Cellulose, Pektine) u. *Mineralstoffen, insbes. Kalium, wertvoll. Mit einem Energiegehalt von durchschnittlich 20–50 kcal/100 g (84–210 kJ/100 g) zählen G. zu den energiearmen Lebensmitteln.

Die Protein-Fraktion von G., die 30–80% des Gesamt-Stickstoffes ausmacht, besteht zum größten Teil aus Enzymen, die bei der Verarbeitung des G. teils pos., teils neg. in Erscheinung treten. So sind sie einerseits an der Ausbildung typ. Aromastoffe beteiligt, andererseits führen sie zu Fehlaromen u. Verfärbungen. Neben den proteinogenen Aminosäuren enthalten G. zahlreiche Nichtprotein-Aminosäuren wie z. B. *Homoserin, *5-Hydroxy-L-lysin u. Aminoadipinsäure. Im Vgl. zu Obst enthält G. nur relativ geringe Mengen (0,2–0,4%) an freien Säuren, was sich auch in einem relativ hohen pH-Wert (5,5–6,5) äußert. Die Hauptsäuren sind *Äpfel- u. *Citronensäure. In einigen G.-Arten (*Sauerampfer, Rhabarber, Mangold, *Spinat) kommt Oxalsäure in größeren Mengen vor. Bei vielen G.-Arten wird die Aromabildung erst nach Zerstörung der Zellen (z. B. beim Zerkleinern) od. durch enzymat. Vorgänge ausgelöst. So enthalten die Zwiebel-G. verschiedene Cysteinsulfoxide, die nach dem Zerkleinern durch das Enzym Alliinase gespalten werden, wodurch die charakterist. aromawirksamen Substanzen (z. B. *Allicin im Knoblauch) entstehen. Eine Vielzahl von G., insbes. Kohlarten, enthält *Glucosinolate. Beim Zerkleinern der G. werden diese durch *Myrosinase (eine Thiol-Glucosidase) zu den entsprechenden *Isothiocyanaten (*Senfölen) abgebaut. So wird in Weißem *Senf 4-Hydroxybenzylisothiocyanat gebildet, in Schwarzem Senf wird Allylisothiocyanat gebildet. Allylisothiocyanat prägt auch das scharfe Prinzip von Radieschen, *Rettich u. Meerrettich. Die Glucosinolate können beim enzymat. Abbau u. a. *Rhodanid liefern. Da Rhodanid die Aufnahme von *Iod in die Schilddrüse hemmt, kann der Verzehr großer Kohlmengen bei gleichzeitigem Iod-Mangel zur *Kropf-Bildung führen. G. (z. B. Spinat, Feldsalat, Kopfsalat, *Kresse) enthalten z. T. erhebliche Mengen an Nitrat (>1 g/kg Frisch-G.). Hierfür sind u. a. bestimmte Anbaubedingungen, wie Lichtmangel, niedrige Temp. u. überhöhtes Nährstoffangebot verantwortlich. Treibhaus-G. zeigt bes. hohe Nitrat-Gehalte. Nach neueren Untersuchungen stammen mehr als 50% der wöchentlich aufgenommenen Nitrat-Menge aus dem Verzehr von Gemüse. Da Nitrat nach Aufnahme durch den Menschen zur Bildung der *carcinogenen *Nitrosamine führen kann, ist es notwendig den Nitrat-Gehalt der Nahrung zu verringern. Abgesehen von einigen Kohlarten u. Knollen-G. (Kartoffel, Sellerie) ist frisches G. unter normalen Bedingungen nur wenige Tage haltbar u. wird daher zu G.-Produkten verarbeitet, die eine beträchtlich längere Haltbarkeit haben. Dabei hat die Haltbarmachung durch Hitzesterilisation die größte Bedeutung. Einige G.-Arten wie z. B. Bohnen, Erbsen, Rosenkohl u. Karotten eignen sich sehr gut für das Einfrieren. Weitere G.-Produkte sind Trocken-G., Gärungs-G. (z. B. *Sauerkraut, saure Gurken, *Oliven), Essig-G., G.-Säfte u. G.-Mark. Salz-G. sind Produkte, die durch Zusatz von Salz haltbar gemacht werden u. für die industrielle Weiterverarbeitung bestimmt sind. – *E* vegetables – *F* légumes – *I* verdura – *S* verduras

Lit.: Baltes, Lebensmittelchemie (2. Aufl.), Berlin: Springer 1989 ▪ Gassner et al., Mikroskopische Untersuchung pflanzlicher Lebensmittel, 5. Aufl., Stuttgart: Fischer 1988 ▪ Franke, Nutzpflanzenkunde, 5. Aufl., Stuttgart: Thieme 1992.

Gemzar®. Trockensubstanz zur Injektion mit dem *Cytostatikum *Gemcitabin gegen metastasierendes Prostatakarzinom. *B.:* Lilly.

...gen (von griech.: ...genes = verursachend, verursacht). Suffix in wissenschaftlichen Bez., das eine „etwas erzeugende" od. „aus etwas erzeugte" Eigenschaft andeuten soll; *Beisp.:* Pyrogene (machen Fieber), Collagen (Leimbildner), Hydrogen (Wasserbildner), exogen (von außen eingeführt). – *E* ...gen – *F* ...gène – *I* = *S* ...geno

Gen (Erbanlage, Erbfaktor). Von W. Johannsen (dän. Botaniker, 1857–1929) 1909 geprägter u. von griech.: genos = Geschlecht, Gattung, Nachkommenschaft abgeleiteter Begriff für die Erbanlage der Lebewesen. Im Sinne der klass. *Genetik Bez. für die von Mendel postulierten konstanten, untereinander frei kombinierbaren Erbträger als kleinste Einheiten der Vererbung (s. Mendelsche Gesetze), die durch die Fähigkeit zur Mutationsauslösung, zur ident. Reproduktion u. zur *Mutation gekennzeichnet sind. *Desoxyribonucleinsäure (DNA) wurde 1944 von Avery als Träger der genet. Information erkannt. Über die Erkenntnisse der modernen Molekularbiologie wurde die Mendelsche G.-Definition präzisiert: Beadle u. Tatum formulierten nach Experimenten mit dem Pilz *Neurospora crassa* ihre „Ein-Gen-Ein-Protein-Hypothese". Da manche Proteine aus mehreren Untereinheiten bestehen, wurde sie zur „Ein-Gen-Ein-Polypeptid-Hypothese" modifiziert. Im Sinne der modernen Molekularbiologie ist ein G. jeweils eine Basenfolge auf einem DNA-Mol. (DNA-Sequenz) od. die Basenfolge eines *RNA-Mol. (RNA-Viren, s. Retroviren), das für eine einzige Polypeptid-Kette (Strukturgen) od. für eine spezif. Sorte von tRNA od. rRNA od. für eine bestimmte DNA-Sequenz, die von einem Regulator-Protein erkannt bzw. besetzt wird, codiert. Ein G. ist somit eine *Nucleotid-Sequenz (DNA od. RNA), die die Information für ein Produkt od. eine Funktion enthält (Transkriptionseinheit). In einigen kompakt organisierten *Genomen* (Gesamtzahl der G. eines Organismus) (z. B. Viren, tier. Mitochondrien) finden sich auch überlappende G. (es wird hier von einem G. mehr als ein Polypeptid codiert).

Betrachtet man das G. als Funktionseinheit, wird häufig auch synonym der Terminus *Cistron* verwendet. Das Cistron-Konzept wurde 1955 von Benzer mit Hilfe des cis-trans-Tests (*Komplementation) entwickelt, mit dem benachbarte Cistrone als kleinste Funktionseinheiten voneinander abgegrenzt werden („cis" u. „trans" bezieht sich auf die Lage mutierter *Genloci zueinander auf zwei homologen *Chromosomen). Für die Begriffe repetitive G., nomad. G., promiskuitive G., pseudo-G., Antisense-G., Super-G. komplexe G., chimäre G. s. aktuelle Lehrbücher der Genetik.

G. sind linear angeordnet u. nehmen im Erbmaterial eine bestimmte Position ein, die als *Genlocus bezeichnet wird. Ihre relative Anordnung zueinander wird zur Erstellung von *Genkarten genutzt. Ausnahmen bei der Lagekonstanz der G. bilden die *Transposons („springenden G."), die ihre Position innerhalb des Genoms verändern können.

Die Größe der G. liegt zwischen 21 u. ca. 2 000 000 Basenpaaren; recht häufig findet man G. mit 300 bis 3000 Basenpaaren. Die Anzahl der im Genom für Produkte codierenden G. (Struktur-G.) liegt bei Viren häufig bei <50 G., bei *Escherichia coli* bei ca. 3500, bei *Drosophila melanogaster* >5000 G., beim Menschen werden ca. 50 000–100 000 G. geschätzt. In *Eukaryonten ist die für ein Protein codierende Nucleotid-Sequenz (*Exon) häufig von nicht codierenden Bereichen (*Introns) unterbrochen. Beim Vorgang der *Transkription werden diese Bereiche aus der entstehenden *mRNA herausgeschnitten. In *Prokaryonten kann das Transkripton mehrere codierende Einheiten (Cistrone) als polycistron. *Operon umfassen. Eine Veränderung im G. durch chem. od. physikal. Einwirkungen (z. B. chem. Agenzien od. Strahlung), führt zur *Mutation. Die Gesamtheit aller Erbanlagen eines Individuums wird als sein *Genotyp bezeichnet. Die unterschiedliche Ausprägung der Erbanlagen in Individuen führt zu verschiedenen *Phänotypen. – *E* = *I* gene – *F* gène – *S* gen

Lit.: Alberts et al., Molekularbiologie der Zelle (2.), S. 703 ff., Weinheim: VCH Verlagsges. 1990 ▪ Glick u. Pasternak, Molekulare Biotechnologie, Heidelberg: Spektrum Akadem. Verl. 1995 ▪ Knippers (6.), S. 283 ff. ▪ Stryer (5.) ▪ Watson et al., rekombinierte DNA (2.), Heidelberg: Spektrum Akadem. Verl. 1993.

Genagen®. Fettsäurealkanolamidpolyglykolether (G. CA-050) als grenzflächenaktiver Waschrohstoff bzw. Ölsäurepolyglycolester (G. O–150) als nichtion. Sammler für die Erzflotation. *B.:* Hoechst.

Genakor®. Kautschuk- u. Kunststoffauskleidungen als Oberflächenschutz für Apparate, Behälter, Armaturen u. Rohrleitungen. *B.:* Kalle Pentaplast.

Genamin®. Tensid-Rohstoffe auf der Basis von Fettaminen, deren Polyglycolethern u. quartären Ammonium-Verbindungen. *B.:* Hoechst.

Genaminox®. Alkyldimethylaminoxid als nichtion. Tensid von Hoechst.

Genantin®. Antikorrosive Marken-Frostschutzmittel für Autokühler u. Motoren aus Gußeisen, Messing u. Leichtmetall. *B.:* Hoechst.

Genapol®. Wasch-, Netz- u. Dispergiermittel auf der Basis von Alkylpolyglykolethern u. Ethylenoxid-Propylenoxid-Blockpolymeren bzw. kosmet. Rohstoffe auf der Basis von Alkylpolyglykolethersulfat, Alkylsulfat u. Fettsäureglykolestern, auch mit seiden- od. perlglanzgebenden Zusätzen. *B.:* Hoechst.

Genauigkeit. Beim *Messen versteht man unter G. stets die Differenz zwischen einem Ergebnis (od. einem Mittelwert) u. dem wahren Wert der zu bestimmenden Größe, unter *Präzision* dagegen die Abweichungen unter den Ergebnissen, d.h. deren Streuung. G. gibt also den Grad der *Näherung*, die Präzision den Grad der *Reproduzierbarkeit* bei Bestimmungen u. Messungen an. – *E* accuracy – *F* exactitude – *I* precisione – *S* exactitud

Lit.: Analyt.-Taschenb. 7, 1–54; 9, 1–22; 11, 4–59 ■ Dammann u. Donnevert, Qualitätssicherung in der analytischen Chemie, Weinheim: VCH Verlagsges. 1992 ■ Schwedt, Analytische Chemie, S. 25, Stuttgart: Thieme 1995.

Genbank. 1. Eine Sammlung von *Zellkulturen, *Samen, *Sperma, Ova u.a. mit dem Ziel, von *Organismen ein repräsentatives bzw. vollständiges Genom zu konservieren.
2. Eine Sammlung rekombinanter *Klone, die in ihrer Gesamtheit möglichst alle *Gene eines bestimmten Organismus in Form von zufällig klonierten *DNA-Fragmenten enthält. Man unterscheidet zwei Arten: Die genom. G. und die cDNA-Genbank.
Eine *genom. G.* ist eine Population bakterieller Transformanten (z.B. *Escherichia coli*) od. von *Phagen, in der jede DNA-Sequenz eines Genoms in Form von klonierten DNA-Fragmenten vertreten ist. Zur Erstellung einer genom. G. wird die DNA eines Organismus durch limitierte Einwirkung von *Restriktionsenzymen (z.B. mit dem häufig schneidenden MboI) in Fragmente mit der Länge von ca. 40 000 Basenpaaren zerlegt. Nach Einfügung in einen geeigneten *Klonierungsvektor (häufig *Cosmide) lassen sich diese Genabschnitte in *E. coli* vermehren. Eine genom. G. wird häufig von *prokaryontischen Organismen angelegt, da diese Organismen über keine polyadenylierte *mRNA verfügen u. daher eine direkte Gewinnung von cDNA nicht möglich ist. *cDNA-Genbanken* (s. dort) enthalten die mRNA-Sequenzen einer Zelle in Form von doppelsträngigen DNA-Kopien. Sie werden im allg. von *eukaryontischen polyadenylierten mRNA-Populationen in *E. coli* angelegt. – *E* gene bank – *F* banque génomique – *I* banca di geni – *S* banco de genes

Lit.: Nicholl, Gentechnische Methoden, Heidelberg: Spektrum Akadem. Verl. 1995 ■ Sambrock et al., Molecular Cloning – Laboratory Manual, New York: Cold Spring Harbor Laboratory Press 1989 ■ Watson et al., Rekombinierte DNA (2.), Heidelberg: Spektrum Akadem. Verl. 1993 ■ Winnacker, Gene u. Klone. Eine Einführung in die Gentechnologie, Weinheim: VCH Verlagsges. 1990.

Gendiagnostik. Einsatz von Gen-analyt. Meth., um erblich bedingte Krankheiten nachzuweisen. Mit Hilfe von *DNA-, *RNA- od. Oligonucleotid-*Gensonden lassen sich so Krankheiten wie z.B. die *Sichelzellenanämie, *Hämophilie u. cyst. Fibrose diagnostizieren. In der *pränatalen Diagnostik kann hiermit u.a. auch das Geschlecht eines Embryos bestimmt werden. Über die zu erwartenden Erkenntnisse aus der funktionalen Genomanalyse des Menschen (*Human Genom Projekt) werden in den kommenden Jahren sicherlich eine Reihe weiterer erblich bedingter Krankheiten direkt nachweisbar. – *E* genetic testing, gene monitoring – *F* diagnostic genetique – *I* diagnostica genetica – *S* diagnóstico génico

Lit.: Baumann-Hölzle et al. (Hrsg.), Genetische Testmöglichkeiten. Ethische u. rechtliche Fragen, Frankfurt/M.: Campus 1990 ■ Glick u. Pasternak, Molekulare Biotechnologie, S. 208–222, Heidelberg: Spektrum Adadem. Verl. 1995.

Gendosis. Anzahl der Kopien eines bestimmten Gens im Genom. Die G. ist z.B. abhängig von der Ploidiestufe eines Organismus. Normalerweise liegen die *Gene im haploiden einmal, im diploiden Organismus doppelt vor (zu haploid u. diploid s. Chromosomen). Höher ist häufig die G. einzelner Gene in Zellorganellen wie z.B. *Mitochondrien u. *Chloroplasten. Mit einer erhöhten G. (*Amplifikation) kann auch die gesteigerte Produktion eines heterologen Proteins verknüpft sein. Mit gentechn. Meth. lassen sich entsprechende Amplifikationen erreichen, z.B. durch Einbau des entsprechenden Gens in ein Multicopyplasmid (*Plasmid, das in hoher Kopienzahl in der Wirtszelle vorliegt). Man spricht auch vom G.-Effekt. – *E* gene dosage – *F* dosage génique – *I* dose genetica – *S* dosis génica

Lit.: Rehm-Reed (2.) **2**, 595.

Genealogisches Recherchieren durch Magnetbandspeicherung s. GREMAS.

Genehmigungsbedürftige Anlagen. Eine Vielzahl gesetzlicher Regelungen bestimmt, daß zu Errichtung u. Betrieb von Anlagen eine behördliche Genehmigung erforderlich ist.
Im Sinne § 4 des *Bundes-Immissionsschutzgesetzes* ist eine Genehmigung erforderlich für Anlagen, die aufgrund ihrer Beschaffenheit od. ihres Betriebes in bes. Maße geeignet sind, schädliche Umwelteinwirkungen – z.B. Luftverunreinigungen od. Geräusche – hervorzurufen od. in anderer Weise die Allgemeinheit od. die Nachbarschaft zu gefährden, erheblich zu benachteiligen od. erheblich zu belästigen, sowie für ortsfeste Abfallentsorgungsanlagen zur Lagerung od. Behandlung von Abfällen. G.A. sind in der 4. BImSchV [1] abschließend aufgezählt. Es handelt sich hierbei z.B. um Kraftwerke, Heizkraftwerke, Feuerungsanlagen ab einer bestimmten Wärmeleistung, Anlagen der chem. Ind., bestimmte Lager, Abfallentsorgungsanlagen u. Tiergroßhaltungen [2].
Nach § 18c des *Wasserhaushaltsgesetzes* [3] ist für die Errichtung einer Abwasserbehandlungsanlage für mehr als 3 t/d *BSB$_5$ od. mehr als 1500 m^3/h Abwasser eine behördliche Zulassung erforderlich, die nur erteilt werden kann, wenn das Zulassungsverf. dem *UVP-Gesetz entspricht. Nach § 19a sind bestimmte Rohrleitungen zum Befördern wassergefährdender Stoffe genehmigungsbedürftig. Rahmenregelungen zum Umgang mit wassergefährdenden Stoffen, z.B. zu Eignungsfeststellungen, finden sich in § 19g–l;

diese Regelungen werden ergänzt durch Länderverordnungen (*VAwS).
In § 7 des *Atomgesetzes* [4] (s. Kernenergie) ist bestimmt, daß die Errichtung u. der Betrieb ortsfester Anlagen zur Erzeugung, Bearbeitung, Verarbeitung od. Spaltung von Kernbrennstoffen od. zur Aufarbeitung bestrahlter Kernbrennstoffe sowie die wesentliche Änderung von Anlage od. Betrieb der Genehmigung bedarf [2].
Gemäß § 8 des *Gentechnikgesetzes* [5] dürfen gentechn. Arbeiten nur in gentechn. Anlagen durchgeführt werden, deren Errichtung u. Betrieb eine Anlagengenehmigung erfordert; Einzelheiten dazu sind z. B. in § 13 dieses Gesetzes festgelegt. – *E* plants requiring approval – *F* installations soumises à une autorisation préalable – *I* impianti bisognosi ad autorizzazione – *S* instalaciones sujetas a autorización previa

Lit.: [1] s. Bundes-Immissionsschutzgesetz. [2] Römpp Lexikon Umwelt, S. 61–64. [3] Wasserhaushaltsgesetz – WHG in der Fassung der Bekanntmachung vom 23. 9. 1986 (BGBl. I, S. 1529, ber. S. 1654), zuletzt geändert durch Gesetz vom 27. 6. 1994 (BGBl. I, S. 1440). [4] Atomgesetz – AtG in der Fassung der Bekanntmachung vom 15. 7. 1985 (BGBl. I, S. 1565), zuletzt geändert durch Gesetz vom 19. 7. 1994 (BGBl. I, S. 1618). [5] Gentechnikgesetz – GenTG in der Fassung der Bekanntmachung vom 16. 12. 1993 (BGBl. I, S. 2066), geändert durch Gesetz vom 24. 6. 1994 (BGBl. I, S. 1416).

Genehmigungsbehörden. Behörden, die zuständig sind für die Genehmigung zum Bau u. Betrieb von Anlagen (s. genehmigungsbedürftige Anlagen), für abfallrechtliche Transportgenehmigungen u. Bestätigung von Entsorgungsnachweisen, für Anzeigen, Erlaubnisse u. Bauartzulassungen nach *VbF sowie für die Zulassung u. Registrierung von Chemikalien (s. Chemikaliengesetz), *Arzneimitteln, *Pflanzenschutzmitteln od. *Lebensmittelzusatzstoffen. G. bestehen auf Bundes-, Landes-, Landkreis- sowie kommunaler Ebene, z. B. Umweltämter, Regierungspräsidien, Umweltabteilungen in Kommunalämtern. Ihre Zuständigkeiten sind gesetzlich bzw. in den Zuständigkeitsverordnungen der Länder festgelegt. – *E* permitting authority – *F* autorité de l'autorisation – *I* autorità per i permessi – *S* autoridad de previa autorización

Lit.: s. genehmigungsbedürftige Anlagen.

Genehmigungsverfahren. Den Ablauf eines G. regelt dasjenige Gesetz, das die Genehmigungserfordernis begründet, u. die ihm nachgeordneten Rechtsverordnungen. Z. B. befaßt sich das *Bundes-Immissionsschutzgesetz mit dem G. für die nach diesem Gesetz *genehmigungsbedürftigen Anlagen. BImSchG § 10 Absatz 10 ermächtigt die Bundesregierung, das G. durch Rechtsverordnung zu regeln. Davon Gebrauch machend wurde die VO über das G. (9. BImSchV) erlassen. Dort wie auch in Teilen des BImSchG sind u. a. Anwendungsbereich, Antrag u. erforderliche Unterlagen, die Beziehung zu anderen G., die Beteiligung Dritter, die Erörterungstermine, die Genehmigung [1] sowie Teilgenehmigung, Vorbescheid u. vieles mehr vorgeschrieben. Die Genehmigung nach BImSchG hat Konzentrationswirkung u. schließt Regelungen nach Baurecht, *Wasserhaushaltsgesetz, *Kreislaufwirtschafts- und Abfallgesetz u. a. ein. – *E* approval procedure – *F* procédure de l'autorisation – *I* procedura di concessione – *S* trámite de autorización

Lit.: [1] Römpp Lexikon Umwelt, S. 61–64, 240, 559 f., 699 f. *allg.:* s. Bundes-Immissionsschutzgesetz, Chemikaliengesetz u. genehmigungsbedürftige Anlagen.

Gen-Elute®-Agarose-Spinsäulen. Marke von Supelco für Probenvorbereitungs-Spinsäulen, die zur schnellen u. effizienten Aufbereitung funktioneller DNA aus Agarose u. Acrylamid-Gelen eingesetzt werden.

General Agreement on Tariffs and Trade s. GATT.

General Electric. Kurzbez. für den 1892 gegr. amerikan. Elektrokonzern General Electric Company, Fairfield, Conn., USA, der über Tochter- u. Beteiligungsges. auch auf dem Chemiesektor tätig ist. *Daten* (1995): 219 000 Beschäftigte, 70 Mrd. $ Umsatz. *Produktion* (im Chemie-Bereich): Industriediamanten, Uran, Sondermetalle, Polycarbonatharze, -filme u. -folien, Phenolharz-Formmassen u. -Lacke, Klebstoffe, Isoliermaterial, Silicone.

Generationszeit (Verdopplungszeit). Im allg. Bez. für den Zeitintervall zwischen zwei aufeinander folgenden Zellteilungen. G. in der Biologie ist die Zeit, die unter definierten Wachstumsbedingungen benötigt wird, um die Zellzahl od. die Biomasse einer Kultur zu verdoppeln. Bei einigen Mikroorganismen beträgt die G. nur 15–20 min (*Escherichia coli, Bacillus* sp.), im allg. jedoch mehrere h (*Saccharomyces cerevisiae* 2,0 h, *Aspergillus nidulans* 3,2 h, *Penicillium chrysogenum* 5,65 h). Die mittlere G. einer Kultur ist der reziproke Wert ($1/v$) der Teilungsrate (v):

$$g = \frac{t}{n} = \frac{1}{v} = \frac{(t-t_0) \cdot \lg 2}{\lg N - \lg N_0}$$

(g = Generationszeit; t_0 = Zeit 0; t = Zeit t; n = Anzahl der Teilungen zur Zeit t; N = Zahl der Zellen zur Zeit t; N_0 = Zahl der Zellen zur Zeit t_0). n wird meist als Anzahl der Verdoppelungen pro h angegeben u. ist von den Fermentationsbedingungen (Nährlsg., pH-Wert, Temp., Atmosphäre, Belüftungsrate u. a.) abhängig. – *E* generation time, doubling time – *F* temps de génération – *I* intervallo fra due generazioni successivi – *S* tiempo de duplicación

Lit.: Dellweg, Biotechnologie, S. 59ff., Weinheim: VCH Verlagsges. 1987 ▪ Präve et al. (4.), S. 204 ▪ Schlegel (7.), S. 191–220.

Generatorgas. Im allg. versteht man unter *Luftgas* od. G. das bei der *Kohlevergasung mit Luft, im Gemisch mit Wasserdampf entstehende techn. Gasgemisch, das in den 20er bis 40er Jahren als *Brenngas u. Zumischkomponente von Stadtgas Bedeutung hatte. G. ist ein *Schwachgas* mit einem mittleren Heizwert von 5 MJ/m³, das üblicherweise aus 29,0% CO, 55% N_2, 10,5% H_2 u. 5,5% CO_2 besteht. Es wurde nach dem *Wirbelschicht-Verfahren in dem von F. *Winkler entwickelten Generator erzeugt. Als Brennstoff sind alle nichtbackenden Kohlen einsetzbar.
Der aufsteigende Luftstrom wird so geregelt, daß der Kohlenstoff im wesentlichen nur zu Kohlenoxid oxidiert werden kann; falls in der unteren, luftreicheren Schicht Kohlendioxid entsteht, wird dieses weiter oben in überschüssiger Kohle wieder zu Kohlenoxid reduziert nach der Gleichung: $CO_2 + C \rightarrow 2\,CO$ (*Bou-

douard-Gleichgewicht). Die zylindr. Generatoren der im 2. Weltkrieg mit Holz betriebenen Fahrzeuge („Holzvergaser") erzeugten aus 1 kg Holz 1,9 m³ G. von ca. 4 MJ/m³, das mit Luft wie Benzindampf-Luft-Gemische explodierte. Für chem. Synth. ist G. wegen des hohen Stickstoff-Anteils nicht geeignet; für diese benutzt man *Wassergas u. v. a. *Synthesegas, die in modernen Winkler-Generatoren od. nach anderen Verf. der Kohlevergasung hergestellt werden. – *E* generator gas – *F* gaz de gazéificateur, gaz de gazogène – *I* gas povero (di generatore) – *S* gas de gasógeno – [HS 2705 00]

Generator-Verfahren. Älteres Verf. zur *Essigsäure-Produktion in kontinuierlichen Oberflächenfermentationen mit *Acetobacter*-Arten mit immobilisierten *Biokatalysatoren. Es handelt sich hier um eine unvollständige Oxid. von verd. *Ethanol-Lösung. In hölzernen Gefäßen von 20–60 m³ werden auf einer lockeren Trägerschicht (Buchenspäne) Mikroorganismen aufgebracht, die vergorene Frucht-, Wein- od. Stärke-Maischen zu Essigsäure (Alkohol-Essig) vergären. Die *Maische wird über eine Sprühvorrichtung aufgetragen, rieselt über die bewachsenen Späne in ein Sammelbecken im unteren Teil u. kann gekühlt erneut über die Buchenspäne geführt werden. Gleichzeitig wird im Gegenstrom Luft eingeblasen. Die Ausbeuten betragen bis zu 14 kg Essigsäure je m³ u. Tag. – *E* (trickling) generator process – *F* procédé du générateur – *I* processo del generatore – *S* procedimiento del generador
Lit.: Dellweg, Biotechnologie, S. 108 ff., Weinheim: VCH Verlagsges. 1987 ▪ Rehm-Reed (1.) **3**, 387–407.

Generic Names. Engl. Bez. (= allg., generelle Namen) für nicht als Marken geschützte chem. Kurznamen, bes. *Freinamen (INN) u. *Common Names. – *E* generic names – *F* dénominations communes – *I* denominazioni comuni – *S* denominaciones comunes, nombres genéricos

Generika. Arzneimittel, die unter Freinamen (*Generic Names), also ohne geschützte Marken vertrieben werden. – *E* generics, generic drugs – *I* farmaci generici – *S* drogas genéricas

Generol®. Marke der Henkel Corp. USA für Emulgatoren auf der Basis von raffinierten Phytosterinen, sowie ethoxylierte Phytosterine. *B.:* Henkel.
Lit.: Parfüm. Kosmet. **75**, Nr. 11, 755–761 (1994).

Genetic Engineering s. Gentechnologie.

Genetik (Vererbungslehre). Teilgebiet der Biologie, das man in die klass. u. mol. G. unterteilt. Die *klass. G.* behandelt die Phänomenologie u. Physiologie der Vererbung auf der Basis von formalen Gesetzmäßigkeiten, wie z. B. die *Mendelschen Gesetze. Sie beinhaltet die Struktur u. Funktion der *Gene, die Ausprägung von Genen in Individuen od. *Populationen, die Erhaltung (Genkonservierung) u. Weitergabe von Erbanlagen während des Wachstums u. der Vermehrung. Die Kartierung von Erbanlagen (*Genkarte) erfolgt hier über die Kreuzung zwischen phänotyp. Individuen. Ein Anwendungsaspekt der klass. G. ist die Züchtung, bei der über Kreuzungen einzelne Eigenschaften von Individuen in der nachfolgenden Generation verändert werden.

In der *mol. G.* beschäftigt man sich mit den mol. Strukturen (*DNA, *RNA u. a.) zur Speicherung, Weitergabe u. Umsetzung genet. Information. Die Meth. der mol. G. bilden die Grundlage der angewandten G. u. ermöglichen auch die gezielte Veränderung von Lebewesen u. anderen mobilen genet. Elementen, wie z. B. *Viren (s. Gentechnologie).
Nach den bearbeiteten Organismen läßt sich die G. unterteilen in botan., zoolog., mikrobielle (z. B. Bakterien-, Pilz-, Viren-G.) G. u. Humangenetik. Weiter unterscheidet man: mol. G., Cyto-, biochem., Individual-, Populations- u. Evolutionsgenetik. – *E* genetics – *F* génétique – *I* genetica – *S* genética
Lit.: Gottschalk, Allgemeine Genetik (4.), Stuttgart: Thieme 1994 ▪ Knippers (6.) ▪ Strickberger, Genetik, München: Hanser 1988 ▪ Watson et al., Rekombinierte DNA (2.), Heidelberg: Spektrum Akadem. Verl. 1993.

Genetischer Code. Bez. für die Regeln, aus Basen-Sequenzen (*Nucleobasen) der *Nucleinsäuren die Reihenfolge der *Aminosäuren in einem translatierten *Polypeptid abzuleiten (s. Transkription u. Translation). Eine nicht überlappende Folge von drei Nucleotiden in der *DNA u. nach der *Transkription in der *mRNA steht für eine Aminosäure im Genprodukt (Protein), das im Sinne einer Funktionseinheit auch *Cistron* (s. Gen) genannt wird. Diese Dreierfolge in der mRNA, die als Triplett od. *Codon bezeichnet wird, stellt die Einheit des g. C. dar. Die Nucleotid-Sequenzen bestehen aus den 4 Buchstaben *Adenin (A), *Guanin (G), *Cytosin (C) u. in der *RNA *Uracil (U) bzw. in der *DNA *Thymin (T). Aus den vier Basen der mRNA A, G, C u. U ergeben sich 64 mögliche Triplettkombinationen ($4^3 = 64$), die für 20 proteinogene L-Aminosäuren codieren. Die drei sog. Nonsense-Tripletts (*Nonsense-Codons) UAA, UAG u. UGA (ochre, amber bzw. opal) führen zum Kettenabbruch u. werden als *Terminator- od. *Stop-Codons bezeichnet. Somit stehen 61 Tripletts für die Codierung der 20 proteinogenen L-Aminosäuren zur Verfügung.
Viele Triplett-Codons sind redundant, d. h. für die meisten Aminosäuren mit Ausnahme von Met u. Trp können 2 od. 4, für Arg, Leu u. Ser sogar 6 verschiedene Codons genutzt werden (Degeneration des g. C.). Synonyme Codes variieren häufig nur in der 3. Base, die als *Wobble-Base* bezeichnet wird. Manche ähnliche Aminosäuren besitzen auch ähnliche Codons, so daß bei *Mutationen in der codierenden Sequenz kein od. nur der Austausch gegenüber einer ähnlichen Aminosäure resultiert. Somit kann die Funktionsfähigkeit des entstehenden Proteins u. U. erhalten bleiben. Es gibt in den Organismen große Unterschiede in der Häufigkeit, mit der synonyme Codons benutzt werden (Codon-Gebrauch), sie kann auch innerhalb eines Organismus z. B. zwischen stark u. schwach exprimierten Genen variieren.
AUG, seltener GUG u. UUG, sind bei der Initiierung der Protein-Synth. beteiligt, codieren innerhalb der Polypeptid-Sequenz jedoch die entsprechenden Aminosäuren (s. Abb. auf S. 1494). Methionin (bei *Prokaryonten *N*-Formylmethionin, f-Met) wird somit immer als erste Aminosäure eingebaut, jedoch meistens später wieder abgespalten.

Genetischer Fingerabdruck

erste Position (5'-Ende)	zweite Position				dritte Position (3'-Ende)
	U	C	A	G	
U	Phe	Ser	Tyr	Cys	U
	Phe	Ser	Tyr	Cys	C
	Leu	Ser	Stop (ochre)	Stop (opal)	A
	Leu	Ser	Stop (amber)	Trp	G
C	Leu	Pro	His	Arg	U
	Leu	Pro	His	Arg	C
	Leu	Pro	Gln	Arg	A
	Leu	Pro	Gln	Arg	G
A	Ile	Thr	Asn	Ser	U
	Ile	Thr	Asn	Ser	C
	Ile	Thr	Lys	Arg	A
	Met	Thr	Lys	Arg	G
G	Val	Ala	Asp	Gly	U
	Val	Ala	Asp	Gly	C
	Val	Ala	Glu	Gly	A
	Val	Ala	Glu	Gly	G

Abb.: Der genet. Code; Triplett-Codons für die 20 proteinogenen L-Aminosäuren.

Bis vor wenigen Jahren galt das „Dogma" der Universalität des g. C., d.h. jedes der 61 möglichen Tripletts codiert bei jedem Organismus die gleiche Aminosäure. Ende der 70er Jahre wurden jedoch bei *Mitochondrien Abweichungen bekannt. Die Sequenz UGA, üblicherweise ein Stop-Codon, codiert in der mitochondrialen mRNA bei einigen Pilzen, *Drosophila melanogaster* u. verschiedenen Säugetieren die Aminosäure *Tryptophan, UAA bei *Drosophila* u. Säugern *Methionin, AUA (sonst Isoleucin) steht für Methionin od. als Insertionscodon, AGA u. AGG (sonst *Arginin) wirken in Säuger-Mitochondrien als Stop-Codons. Die Ursache für die Abweichungen dürfte in einem verstärkten „Wobble"-Effekt zu suchen sein, da Mitochondrien nur über ca. 20 *tRNA-Arten verfügen (im Gegensatz zu den mehr als 40 tRNAs für die normale Translation). Inzwischen wurden einige wenige Abweichungen auch im Kern-Genom beobachtet (bei einer *Mycoplasma*-Art steht UGA für Tryptophan, bei einem Ciliaten UAA für *Glutamin).
– *E* genetic code – *F* code génétique – *I* codice genetico – *S* código genético
Lit.: Rehm-Reed (2.) **2**, 240–248 ▪ Strickberger, Genetik, München: Hanser 1988 ▪ Stryer (5.), S. 93–116 ▪ Watson et al., Rekombinierte DNA (2.), S. 31–44, Heidelberg: Spektrum Akadem. Verl. 1993.

Genetischer Fingerabdruck s. Desoxyribonucleinsäuren.

Genetischer Marker s. Genmarker.

Geneucol®. Egalisiermittel für die Textil-Ind. (Polyacrylnitril-, Polyamid-Fasern u.a.) auf der Basis quartärer Ammonium-Verbindungen. *B.*: Dr. Th. Böhme KG.

Genever. Ein mit *Gin verwandter *Branntwein* (s. Spirituosen), der aus einer *Maische von Getreide (z.B. Roggen) u. reichlich Darrmalz gebrannt wird, wobei man entweder während der letzten Dest. zur Aromatisierung Wacholderbeeren zugibt od. ihn unter Verw. von G.-Destillat (aus Maische von Getreide, Darrmalz u. Wacholderbeeren gewonnen) mit *Sprit od. Kornsprit herstellt; Alkoholgehalt mind. 38% vol. Name von französ. geniêvre, wahrscheinlich von latein.: juniperus = Wacholder abgeleitet. – *E* Hollands (gin) – *F* geniêvre – *I* ginevra – *S* ginebra – [HS 2208 50]

Genexpression. Im engeren Sinne die Übertragung einer genet. Information (ausgehend von *DNA od. *RNA bei RNA-*Viren) in ein Genprodukt (Polypeptid od. Protein). Die G. verläuft bei *Eukaryonten u. *Prokaryo(n)ten unterschiedlich. Durch die *Kompartimentierung der eukaryont. Zelle sind die Prozesse der G. hier in distinkte Räume (Zellkern, *Cytoplasma) getrennt. Bei Prokaryonten erfolgt die Regulation der G. vorwiegend auf der Ebene der *Transkription, bei Eukaryonten dagegen liegen komplexere Syst. vor. Im weiteren Sinne ist die G. eine Bez. für die Ausprägung der genet. Information zum *Phänotyp eines Organismus.

Für die G. in ein (cytoplasmat.) Genprodukt sind verschiedene Einzelschritte erforderlich: – 1. die Transkription der DNA-Nucleotidsequenz in eine RNA-Kopie, – 2. die Prozessierung od. Reifung dieser *mRNA, – 3. der Transport der mRNA in das Cytoplasma, u. – 4. dessen Übersetzung (*Translation) in die Aminosäure-Abfolge des Proteins (Genprodukt). Ein Schlüsselenzym ist die DNA-abhängige RNA-Polymerase, die für die G. die jeweilige Startsequenz auf der DNA-Matrize erkennt (s. Promotoren) u. in RNA umschreibt.

Mit gentechn. Meth. können Gene von höheren Organismen auch z.B. in Bakterien- od. Insektenzellen exprimiert werden (heterologe G.). Hierzu sind spezielle Expressionsvektoren notwendig, in denen das gewünschte Fremdgen unter der Kontrolle wirtsspezif. genregulator. Sequenzen steht. Macht das Fremdprotein einen großen Teil des gesamten Protein-Gehaltes der Wirtszelle aus, spricht man von *Überexpression*. –
E gene expression – *F* expression génique – *I* espressione genetica – *S* expresión génica
Lit.: Lewin, Gene IV, S. 113ff., Oxford: Oxford Univ. Press 1990 ▪ Nicholl, Gentechnische Methoden, S. 16ff., Heidelberg: Spektrum Akadem. Verl. 1995 ▪ Rehm-Reed (2.) **2**, 233–256, 346ff., 519–528 ▪ Watson et al., Rekombinierte DNA (2.), S. 139–159, Heidelberg: Spektrum Akadem. Verl. 1993.

Gen-Farming. Bez. für die Verw. von *transgenen Organismen (z.B. Nutztiere) als Bioreaktoren für die Herst. von Genprodukten. Nach der Isolierung u. Klonierung kann ein Gen mittels Techniken des Gentransfers in Eizellen von Nutztieren übertragen werden. Diese Tiere können das Genprodukt z.B. in der Milch (Rind, Schaf, Ziege etc.) od. den Eiern (Huhn, Ente etc.) anhäufen. – *E* gene farming, molecular farming – *F* élevage de gènes – *I* gen-farming – *S* cultivo genético

Genfer Nomenklatur s. Nomenklatur.

...genin (von *...gen). Suffix in den Namen von *Aglykonen, die auch allg. als *Genine* bezeichnet werden; bedeutet, daß eine Verb. aus einem *Glykosid durch Abspaltung der Zuckerkomponente(n) hervorgegangen ist; *Beisp.* s. Digitalis-Glykoside. – *E* ...genin – *I* = *S* ...genina

Genistein. Name für verschiedene Naturstoffe: 1. 5,7-Dihydroxy-3-(4-hydroxyphenyl)-4*H*-1-benzopyran-4-on, 4',5,7-Trihydroxyisoflavon, auch Differenol A, Prunetol, Sophoricol genannt.

$C_{15}H_{10}O_5$, M_R 270,24, krist., Schmp. 301–302 °C (Zers.). Sekundärmetabolit aus Pflanzen (Leguminosen, Papilionoiden, Rosaceen etc.; häufig in glykosylierter Form), wurde jedoch auch in Kulturen von Mikroorganismen (*Actinomyceten, *Aspergillus, Mycobacterien u. a.) gefunden. Ob G. ein *Biotransformations-Produkt aus den häufig für die Kultivierung von *Mikroorganismen benutzen pflanzlichen Nährstoffen ist, wurde nicht in jedem Fall bewiesen. Es wurden schwach estrogene u. antibakterielle Wirkungen beschrieben. G. ist ein *Calmodulin-Antagonist u. Enzyminhibitor (*Tyrosin-Kinasen, *DOPA-Carboxylase u. a.) u. besitzt fraßabschreckende Wirkung gegen Insekten.
2. 11β-Spartein[(−)-Form] s. Spartein.
– *E* = *F* = *I* genistein – *S* genisteín
Lit.: Chem. Ind. (London) **1995**, 412–415 ▪ Prog. Chem. Org. Nat. Prod. **43**, 1 ff. (1983). – [CAS 446-72-0]

Genitron®. Gruppe von organ. Verb., die bei höherer Temp. Gase abspalten u. daher als Treibmittel für Gummi- u. Kunststoffartikel verwendet werden. *B.:* Bayer.

Genkarte. Diagramm, das die Position von *Genen (s. Genlocus) bzw. Schnittstellen von *Restriktionsendonucleasen im Genom od. *Chromosom angibt. Man unterscheidet lineare (*Eukaryonten) u. circuläre G. (einige *Viren u. *Plasmide). Die Kartierung von Genen bzw. DNA-Sequenzen kann durch klass.-genet. u. mol.-genet. Meth. [z. B. cytogenet. Analyse, Kopplungsanalyse, (in situ-) *Hybridisierung, *chromosome walking, *Pulsfeld-Gelelektrophorese] erfolgen. Für eine Reihe von Organismen, wie z. B. *Escherichia coli, Bacillus subtilis, Saccharomyces cerevisiae aber auch für *Drosophila melanogaster wurden detaillierte G. erstellt. – *E* gene map – *F* carte génétique – *I* carta genetica – *S* mapa genético
Lit.: Glick u. Pasternak, Molekulare Biotechnologie, S. 415–433, Heidelberg: Spektrum Akadem. Verl. 1995 ▪ Knippers (6.), S. 87 ff., 100 f., 200 ff. ▪ Rehm-Reed (2.) **2**, 141–187.

Genlocus (Plural Genloci; Genort). Durch den G. wird die Lage eines *Gens (bzw. einer *DNA-Sequenz od. *Mutation) auf dem *Chromosom od. *Plasmid angegeben. Die Anordnung der G. wird häufig in Form von *Genkarten dargestellt. – *E* gene locus – *F* gène locus – *I* luogo genetico – *S* locus génico
Lit.: Glick u. Pasternak, Molekulare Biotechnologie, S. 415–425, Heidelberg: Spektrum Akadem. Verl. 1995.

Genmarker (genet. Marker). In der Genetik – 1. Bez. für Gene mit einem gut charakterisierten u. leicht erkennbaren *Phänotyp, deren Position auf einem bestimmten *Chromosom des Genoms bekannt ist. G. werden z. B. zur Erstellung von *Genkarten genutzt. – 2. Bez. für *Allele, die wegen ihrer charakterist. phänotyp. Ausprägung gut erkennbar sind. Häufig gebrauchte G. sind z. B. *Resistenzen gegen *Antibiotika od. Auxotrophien (Blockierungen von Biosynthesewegen, s. auxotrophe Organismen). G. können daher zur Selektion bestimmter Zelltypen benutzt werden, z. B. nach Kreuzungen od. Fusionen (s. Rekombination) od. nach *Transformationen in der *Gentechnologie. – *E* genetic marker – *F* marqueur génétique – *I* marcatore genetico – *S* marcador genético
Lit.: Knippers (6.), S. 98 ff., 199 ▪ Watson et al., Rekombinierte DNA (2.), S. 197 ff., Heidelberg: Spektrum Akadem. Verl. 1993.

Genodyn®. Biolog. abbaubare bzw. schwerentflammbare Hydraulikflüssigkeit auf der Basis von Wasser/Ethylenglykol für Lebensmittel-Ind., Schleusen usw. *B.:* Hoechst.

Genom s. Gen.

Genomanalyse. Unter G. versteht man die Ermittlung der Sequenzabfolge aller *DNA-Basenpaare eines Organismus. Bei der funktionellen G. stellt man Ursache-Wirkungsbeziehungen zwischen der Sequenz (Erbinformation) u. den Eigenschaften (auch krankhaften Veränderungen) eines Organismus her, um z. B. zu neuen (Gen-)Therapiemöglichkeiten zu gelangen. Die G. wird auch verwendet zur Gendiagnostik, um Erbkrankheiten zu erkennen u. in der Gerichtsmedizin u. Kriminalistik bei Abstammungsanalysen u. Täterermittlung. Die G. wird kontrovers diskutiert, bes. die schnell voranschreitende G. des Menschen (*Human-Genom-Projekt). Für Kritiker steht der Nutzen der G. in keinem Verhältnis zu den damit verbundenen Risiken u. Mißbrauch-Möglichkeiten (s. gläserner Mensch). – *E* genome analysis – *F* analyse génomique – *I* analisi genomica – *S* análisis genómico
Lit.: Spektrum Wiss. **1996**, Nr. 7, 48–55 ▪ Trent, Molekulare Medizin (1.), S. 339–352, Heidelberg: Spektrum Akadem. Verl. 1994.

Genomische Genbank s. Genbank.

Genomoll®. Weichmacher auf Phthalat-Basis für Kunststoffe (bes. PVC) u. Nitrocellulose; Bindemittel in Lacken. *B.:* Hoechst.

Genomoll® P. Phosphorsäure-tris(2-chlorethyl)-ester, Viskositätsregulierer für PUR-2-Komponenten-Hartschaum; Weichmacher mit flammhemmender Wirkung für Acetyl-, Ethyl-, Nitrocellulose, Polyvinylacetat, Polystyrol u. Polyvinylchlorid; Sekundärweichmacher für PVC. *B.:* Hoechst.

Genoplast®. Glykole zur Modifizierung von Melamin-/Phenol-Formaldehydharzen. *B.:* Hoechst.

Genort s. Genlocus.

Genotherm®. Weichmacherfreie PVC-Kalanderfolie für Verpackungen u. viele techn. Anwendungen. *B.:* Kalle Hartfolien.

Genotyp (Genotypus, von griech.: genos = Geschlecht, Art; typos = Form). Bez. für die Gesamtheit der *Gene (der *DNA-codierten genet. Informationen) eines Organismus. Der G. ist stabil u. wird mit Ausnahme seltener *Mutations-Vorgänge unverändert von einer Generation zur nächsten weitergegeben. Bei diploiden Organismen muß der G. vom *Phänotyp (äußere Merkmale) wegen der *Dominanz einzelner Gene unterschieden werden. – *E* genotype – *F* génotype – *I* = *S* genotipo
Lit.: Glick u. Pasternak, Molekulare Biotechnologie, S. 415 ff., Heidelberg: Spektrum Akadem. Verl. 1995.

Genproben s. Gensonden.

Gen-Richtlinien s. Richtlinien zum Schutz vor Gefahren durch *in vitro* neukombinierte Nucleinsäuren.

Gensequenzierung s. Sequenzanalyse u. Nucleinsäuren.

Gensonden (Sonden, DNA-Sonden, Genproben). Bez. für kurze *DNA-, *RNA-, *cDNA-Fragmente od. *Oligonucleotide, die in einzelsträngiger, markierter Form an komplementäre Sequenzen im Genom nach den Regeln der Basenpaarung binden (*Hybridisierung) u. deren qual. u. quant. Bestimmung ermöglichen. Die Sensitivität hängt von der Stärke der Hybridisierung (Paßgenauigkeit) mit der Zielsequenz u. den experimentellen Bedingungen ab. G. werden im Southern- u. Northern Blot (s. Blotting), beim Screening von *Genbanken, zur *in situ*-Hybridisierung von *Chromosomen, in *Dot-Blot- u. Squash-Blot-Analysen u. als Titriersonden zur Bestimmung von Genomgrößen verwendet.

G. lassen sich in ausreichend großen Mengen herstellen, üblicherweise durch chem. Synth. gewünschter Oligonucleotid-Sequenzen. Die Nucleotid-Folge kann auch mit Hilfe des Genprodukts nach den Regeln des *genetischen Codes abgeleitet werden. Zur Markierung der G. werden meist *radioaktive Stoffe (^{3}H, ^{125}I, ^{32}P, ^{35}S etc.) eingesetzt, der Nachw. erfolgt hier z. B. durch *Autoradiographie. Nicht radioaktive Verf. beruhen auf einer Kopplung mit dem Enzym *Luciferase, mit *Antikörpern (Antikörper-Phosphatase-Komplex) od. auf der Verw. von biotinylierter DNA (*Biotin-*Avidin bzw. *Streptavidin-Komplex).

G. werden u. a. für die *Gendiagnostik, zum Erstellen von *Genkarten, in der *Genomanalyse od. zur Bestimmung des *Genotyps eingesetzt. Bei *Mikroorganismen ist durch Konstruktion geeigneter G. ein Genus- od. Species-spezif. Nachw. möglich, um z. B. Infektionskrankheiten zu diagnostizieren od. eine taxonom. Einordnung (*Taxonomie) vorzunehmen.

Bei der Abklärung von Vaterschaftsfragen, in der Forensik u. Rechtsmedizin kommt der sog. genet. Fingerabdruck zur Anwendung. Im menschlichen Genom existieren kurze, sich wiederholende DNA-Sequenzen (sog. Minisatelliten-Regionen), die im Southern-Blotting als G. eingesetzt werden. Sie hybridisieren mit einer Vielzahl von DNA-Fragmenten, die beim einzelnen Individuum infolge von *Polymorphismus unterschiedliche Länge haben, so daß ein für jedes Individuum charakterist. Muster von Banden entsteht. – *E* gene probes – *F* sondes – *I* sonde genetiche – *S* sondas génicas

Lit.: Amersham Buchler (Hrsg.), ECL Detection of Nucleic Acids and Proteins with Light, Braunschweig: Amersham 1990 ▪ Boehringer (Hrsg.), DNA Labelling and Detection Nonradioactive – Dioxigenin Application Manual, Mannheim: Boehringer 1989 ▪ Mol. Cell Probes **1995**, 145–156 ▪ Nicholl, Gentechnische Methoden, S. 111 ff., Heidelberg: Spektrum Akadem. Verl. 1995 ▪ Sambrook et al., Molecular Cloning – A Laboratory Manual, New York: Cold Spring Harbour Laboratory Press 1989.

Gensynthese s. DNA-Synthese.

Gentamicin. Von der WHO vorgeschlagener Freiname für ein *Aminoglykosid-Antibiotikum aus Kulturen von *Micromonospora purpurea*, dessen Struktur 2-Desoxystreptamin, glykosid. verbunden mit 2 *Aminozuckern (Purpurosamin u. Garosamin) aufweist.

$R^1 = R^2 = CH_3$: G. C_1
$R^1 = CH_3; R^2 = H$: G. C_2
$R^1 = R^2 = H$: G. C_{1a}

G. liegt als ein Gemisch von G. C_1 ($C_{21}H_{43}N_5O_7$, M_R 477,60, Schmp. 94–100 °C) mit den G. C_2 ($C_{20}H_{41}N_5O_7$, M_R 463,57, Schmp. 107–124 °C) u. G. C_{1a} ($C_{19}H_{39}N_5O_7$, M_R 449,55) vor. Verwendet wird auch das Sulfat, Schmp. 218–237 °C; $[\alpha]_D^{25}$ +102°. LD$_{50}$ (Maus i.p.) 430, (Maus s.c.) 485, (Maus i.v.) 75, (Maus oral) >9050 mg Base/kg. G. wird in der Augenheilkunde, bei schweren Infektionen bes. der Harnwege u. bei Verbrennungen, oder auch in Notfallkombinationen mit β-*Lactam-Antibiotika u./od. Anaerobiermitteln eingesetzt. Schwere, aber teilw. reversible Nebenwirkungen sind die Oto- u. Nephrotoxizität. G. wurde 1963 u. 1964 von Schering patentiert u. ist als Generikum im Handel. – *E* gentamicin – *F* gentamicine – *I* = *S* gentamicina

Lit.: ASP ▪ Beilstein E V **18/10**, 623 ff. ▪ DAB **1996** u. Komm. ▪ Florey **9**, 295–340 ▪ J. Antimicrob. Chemother. **31**, 599–606 (1993); **34**, 747 (1994). – *[HS 2941 90; CAS 1403-66-3 (G. A); 25876-10-2 (G. C_1); 26098-04-4 (G. C_{1a}); 25876-11-3 (G. C_2); 1405-41-0 (Komplex-Sulfat)]*

Gentamytrex®. Augentropfen u. -salbe mit dem Aminoglykosid-Antibiotikum *Gentamicin-Sulfat gegen bakterielle Infektionen des vorderen Augenbereichs. *B.:* Mann.

Gentechnik s. Gentechnologie.

Gentechnik-Gesetz (GenTG). Gesetz zur Regelung von Fragen der Gentechnik, um Leben u. Gesundheit von Menschen u. anderen Lebewesen, sowie die Umwelt vor möglichen Gefahren gentechn. Verf. u. Produkte zu schützen u. dem Entstehen solcher Gefahren vorzubeugen. Das G.-G. schafft den rechtlichen Rahmen für die Erforschung, Entwicklung, Nutzung u. Förderung der wissenschaftlichen u. techn. Möglichkeiten der Gentechnik in Deutschland. Die Errichtung u. der Betrieb einer gentechn. Anlage, die Durchführung gentechn. Arbeiten, *gentechnische Freilandexperimente etc. bedürfen der Anmeldung od. der Genehmigung (s. genehmigungsbedürftige Anlagen). Für die Prüfung u. Bewertung sicherheitsrelevanter Fragen ist die Zentrale Kommission für die Biologische Sicherheit (*ZKBS), Geschäftsstelle: Robert-Koch-Inst., Postfach 65 02 80, 13302 Berlin, zuständig.

Gentechn. Arbeiten werden in 4 Sicherheitsstufen eingeteilt: Der *Stufe 1* sind Arbeiten zuzuordnen, bei denen nicht von einem Risiko für die menschliche Gesundheit auszugehen ist. In *Stufe 2* ist von einem geringen u. in *Stufe 3* von einem mäßigen Risiko auszugehen. In *Stufe 4* werden Arbeiten mit hohem Risiko od. dem begründeten Verdacht eines solchen Risikos

eingeordnet. – *E* genetic engineering law – *F* loi sur le génie génétique – *I* legge sull' ingegneria genetica – *S* ley sobre la ingeniería genética
Lit.: Eberbach et al., Gentechnikrecht, Heidelberg: C. F. Müller 1990 ▪ Gentechnikgesetz – GenTG vom 16.12.1993 (BGBl. I, S. 2066), geändert durch Gesetz vom 24.6.1994 (BGBl. I, S. 1416) ▪ Hasskarl, Gentechnikrecht, Textsammlung, Aulendorf: Editio Cantor 1990 ▪ Hirsch et al., Gentechnikgesetz, Kommentar, München: C. H. Beck 1991 ▪ Trent, Molekulare Medizin, S. 319–338 (1.), Heidelberg: Spektrum Akadem. Verl. 1994.

Gentechnische Freilandexperimente. Forschungsexperimente auf Freilandflächen mit genet. veränderten Organismen (z. B. Pflanzen, Mikroorganismen). G. F. sind nach dem *Gentechnik-Gesetz genehmigungspflichtig. Weltweit wurden bereits eine Vielzahl g. F. mit verschiedenen Pflanzen (Mais, Kartoffel, Tomate, Petunien, Soja, Baumwolle, Tabak, Zuckerrüben u. a.) durchgeführt. Die Risiken einer Freisetzung von genet. veränderten Organismen auf bestehende Ökosyst. wird z. Z. kontrovers diskutiert. – *E* field releases of genetically modified organisms – *F* expériences génétiques de plein champ – *S* experimentos al aire libre de la ingeniería genética

Gentechnische Schädlingsbekämpfung. Unter g. S. versteht man den Einsatz der *Gentechnologie zur Bekämpfung von Schädlingen. Häufig wird eine Nutzpflanze mit geeigneten Abwehrmechanismen gegenüber Fraßfeinden u. Pflanzenviren ausgestattet (s. gentechnische Veränderung an Pflanzen). Beisp. sind das Einbringen des *Gens für das *Bacillus thuringiensis*-Toxin in Tabakpflanzen, Baumwolle, Tomate, Kartoffel etc. zur Resistenz gegen Schadinsekten. Virusresistente Pflanzen kann man erhalten, indem man ein virales Gen, das für ein Hüllprotein codiert, in das Pflanzengenom einbaut (interne *Immunisierung). Dies ist u. a. bei Tabakpflanzen, Kartoffeln, Gurken, Papayas u. Soja gelungen. Weitere Meth. sind die Übertragung von Genen, die für *Ribozyme od. andere *Enzyme codieren u. so einen Schutz der Nutzpflanze bewirken. Bei diesen Meth. besteht die Problematik der *Resistenz-Entwicklung, doch erhofft man sich Vorteile in der *Umweltverträglichkeit u. Selektivität gegenüber bestimmten Schädlingen. – *E* pest control by genetic engineering – *F* lutte génétique antiparasite – *S* control de plagas a través de la ingeniería genética
Lit.: Dennis et al. (Hrsg.), Molecular Approaches to Crop Improvement, Wien: Springer 1991.

Gentechnische Veränderung an Pflanzen. Die g. V. a. P. mit Hilfe der *Gentechnologie zielt auf die Verbesserung der Erträge von Nutzpflanzen, die Reduzierung der Ernteverluste durch Unkräuter u. Schädlinge, die Erhöhung der Widerstandsfähigkeit der *Pflanzen gegen äußere Einflüsse (z. B. Streßfaktoren), eine Verbesserung der Lagerfähigkeit u. des Nährwertes od. auf eine direkte Assimilation von Stickstoff aus der Atmosphäre (*Stickstoff-Fixierung), um auf Stickstoff-Düngung verzichten zu können. Genet. veränderte *Agrobakterien, die mit der Fähigkeit ausgestattet sind, (fremde) genet. Informationen auf ihren Tumor-induzierenden *Plasmiden in das Genom der Pflanze zu integrieren, können bes. bei den zweikeimblättrigen Bedecktsamern wie Kartoffel, Tomate u. Tabakpflanzen eingesetzt werden. Es wurden auch direkte Meth. zum Gentransfer in Pflanzen entwickelt, da z. B. bei Getreide der Agrobakterien-vermittelte Transfer versagt: Die *Protoplastenfusion mit *Liposomen, die die fremde DNA enthalten, die *Mikroinjektion von DNA, eine *Calciumphosphat- u./od. *Polyethylenglykol-Behandlung od. die *Elektrotransformation (Elektroporation) von pflanzlichen Protoplasten in Ggw. von Fremd-DNA. Als Hauptschwierigkeit gilt hier, daß sich nur selten ganze Pflanzen aus einzelnen transformierten Zellen regenerieren lassen. Eine weitere Meth. ist der Gentransfer durch Pflanzenviren. – *E* genetic engineering of plants – *F* modification génétique de plantes – *I* modificazione delle piante tramite l'ingegneria genetica – *S* ingeniería genética de las plantas
Lit.: Bevan et al., Design and Use of Agrobacterium Transformation Vectors, in Setlov (Hrsg.), Genetic Engineering, S. 10, New York: Plenum Press 1988 ▪ Dennis et al. (Hrsg.), Molecular Approaches to Crop Improvement, Wien: Springer 1991 ▪ Hock et al., Herbizide, S. 338–343, Stuttgart: Thieme 1995.

Gentechnologie (Gentechnik, rekombinante DNA-Technik). Unter G. versteht man ein Teilgebiet der *Biotechnologie, das die Charakterisierung u. Isolierung von genet. Material, sowie die *in vitro*-Neukombination von Erbmaterial von *Pro- u. *Eukaryonten mit anschließendem Einschleusen von *DNA-Sequenzen in einen anderen Wirtsorganismus u. ident. Vermehrung (*Replikation) in diesem Wirtsorganismus umfaßt (*Klonieren). Die G. macht seit Beginn der 70er Jahre rasante Fortschritte u. hat sich heute zu einem der innovativsten Technologieschwerpunkte mit bedeutenden Auswirkungen auf die pharmazeut. Ind. u. die Landwirtschaft etc. entwickelt. Risiken der G. werden kontrovers diskutiert. Das Risiko wurde v. a. in der Schaffung u. Freisetzung neuer Erregertypen u. der möglichen Klonierung von DNA onkogener *Viren gesehen.
Meth. der G.: Zur Klonierung einer Fremd-DNA in einem Wirtsorganismus sind folgende Arbeitsschritte erforderlich (Abb. S. 1498): Isolierung od. Synth. der zu klonierenden DNA, Einbau der zu übertragenden Sequenz in einen geeigneten *Vektor (Transportvehikel), Übertragung des Vektors mit dem Insert in eine Wirtszelle (*Insertion) u. die Identifizierung des *Klons mit der Fremd-DNA.
1. *Gewinnung von DNA-Sequenzen:* Für eine Klonierung können Genom-Fragmente, synthet. DNA od. *cDNA genutzt werden, die man mit *Restriktionsendonucleasen herausschneiden kann. Hierbei entstehen je nach Enzym glatte Schnittstellen (*blunt ends) od. kurze kohäsive Einzelstrang-Enden (*sticky ends), die dann in die entsprechenden Vektoren übertragen werden können. Ist die zu klonierende DNA unbekannt, kann das gesamte Genom in Fragmenten kloniert werden (*Shotgun-Technik), d. h. man legt eine *Genbank an. Für die spätere *Genexpression ist die unterschiedliche genet. Organisation von Pro- u. Eukaryonten zu berücksichtigen: Ein eukaryont. *Gen, das durch nicht codierende Bereiche (*Introns) unterbrochen ist, kann in Prokaryonten nicht exprimiert werden, da entsprechendes Herausschneiden (Prozessieren, *Spleißen)

Gentechnologie

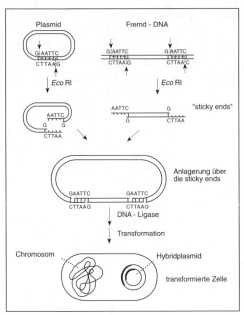

Abb.: Methode zur Herstellung rekombinierter DNA.

nicht möglich ist. Es ist hier günstiger, synthet. DNA, deren entsprechende DNA-Sequenz anhand der *Aminosäure-Sequenz rückübersetzt u. auf chem. Wege synthetisiert (*DNA-Synthese) wurde, zu benutzen. Durch Veränderungen im *Codon lassen sich außerdem gezielt *Mutationen einführen (*in vitro-Mutagenese). Eine weitere Möglichkeit ist die Nutzung von cDNA, bei der die gewünschte *mRNA *in vitro* über das Enzym *Reverse Transcriptase in die komplementäre DNA (cDNA) umgeschrieben wird.

2. *Einbau der Fremd-DNA in Vektoren:* Zur Übertragung der DNA auf den Wirtsorganismus werden *Plasmide, temperente *Phagen od. *Cosmide als Vektoren (Klonierungs-, Sequenzierungs- od. Expressionsvektoren) eingesetzt. Die Fremd-DNA wird hierbei entweder in eine Schnittstelle von Restriktionsendonucleasen eingebaut (Insertionsvektor) od. ein Stück des Vektors wird gegen ein Fragment vergleichbarer Länge der zu klonierenden DNA ausgetauscht (Substitutionsvektor). Das Verknüpfen der Restriktionsfragmente kann nun über sticky ends od. blunt ends, nach Schaffung kohäsiver Sequenzen über *Linker, erfolgen.

3. *Einschleusen der Fremd-DNA in die Wirtszelle:* Als Wirtsorganismen kommen *Mikroorganismen (*Bakterien wie *Escherichia coli, Bacillus subtilis*, *Streptomyceten u. a., *Hefen u. Hyphenpilze), aber auch pflanzliche, tier. u. humane *Zellkulturen in Frage. Bei *E. coli* kann die *Transformation direkt mit Plasmidod. Phagen-DNA in Ggw. von CaCl$_2$, das die Zellen für freie DNA permeabel macht, durchgeführt werden. Alternativ kann Phagen- u. Cosmid-DNA in leeren Phagenköpfen verpackt u. eingeschleust werden. Für Gram-pos. Bakterien (s. Gram-Färbung) einschließlich der *Actinomyceten, sowie für Hefen u. Pilze hat sich die Transformation von *Protoplasten mit Plasmid- od. Phagen-DNA od. die *Elektrotransformation

als effektiv erwiesen. Ein direktes Einschleusen von DNA (ohne Träger-DNA) erlaubt die Meth. der *Mikroinjektion von *Nucleinsäuren mittels Glaskapillaren in die Zellkerne von Gewebekultur-Zellen od. die Verw. von *Liposomen.

4. *Analyse rekombinanter Klone:* Zur Identifizierung von Wirtszellen mit Fremd-DNA-enthaltenden Vektoren wird häufig die Meth. der Markerinaktivierung benutzt. In Vektoren, die zwei selektive Markergene (z. B. Antibiotikaresistenzen) tragen, wird ein Resistenzgen, das die Schnittstelle für ein Restriktionsenzym enthält u. als Ort zum Einbau der Fremd-DNA genutzt wird, inaktiviert. Klone mit fehlender Resistenz können selektioniert werden. Zum Nachw. klonierter DNA in der Zelle dient das Southern Blotting (s. Blotting) sowie die *Kolonie-Hybridisierung mit Hilfe von *Gensonden. Eine weitere Nachweismöglichkeit besteht in der Suche nach Klonen, die das gewünschte Genprodukt exprimieren. Da die Expressionsrate gering sein kann, bedient man sich hierfür oft indirekter immunolog. Meth. mit markierten *Antikörpern.

Klonierungs- u. Expressionssyst.: Die Auswahl geeigneter Klonierungssyst. hängt sehr wesentlich von dem zu exprimierenden Protein ab (s. Genexpression). Prokaryonten-DNA wird in *E. coli* meist problemlos transkribiert u. in die entsprechenden Proteine umgesetzt. Auch kleinere Proteine, bei denen die *Glykosylierung kaum Einfluß auf die biolog. Aktivität hat, werden häufig mittels Mikroorganismen hergestellt. Komplexe Proteine mit korrektem Glykosylierungsmuster können prakt. nur in tier. Zellkulturen exprimiert werden, die die Fremdproteine auch im nativen Zustand sezernieren können. In einigen Fällen werden die in großen Mengen gebildeten Fremdproteine jedoch in unlösl. Form in der Zelle abgelagert (Inclusion Bodies), u. nur ein Bruchteil kann in aktiver Form isoliert werden.

Anw.: Die G. hat v. a. bei der (funktionalen) *Genomanalyse von Pro- u. Eukaryonten, bei der Aufklärung von Kontrollmechanismen bes. in Eukaryonten (Embryonalentwicklung u. Differenzierung), der Identifizierung u. Charakterisierung von Resistenzgenen, der Diagnose von Krankheiten, der taxonom. Einordnung von Organismen etc. enorme Fortschritte gebracht. Im Bereich der Medizin liefern gentechnolog. Meth. neue Erkenntnisse zum mol. Verständnis von Krankheiten, deren Diagnose sowie neuartige Therapieansätze (s. Gentherapie, Gensonden).

Durch die Meth. der G. lassen sich für die Humantherapie z. B. körpereigene Proteine herstellen u. als *Arzneimittel verwenden (z. B. *Insulin, menschliches Wachstumshormon, Faktor VIII, *Cytokine). Auch *Impfstoffe (z. B. gegen *Herpes, *HIV, Influenza) können mit Hilfe der G. entwickelt werden. Im *Protein Engineering* werden auf Basis von *Röntgenstrukturanalysen mol. Modelle erstellt, die durch die G. (*in vitro*-Mutagenese od. Einbau von cDNA-Sequenzen) überprüfbar sind. Das Protein Engineering bietet sich v. a. für Enzyme od. Inhibitoren an, um Umsatzraten, Substratspezifität, Stabilität etc. zu verändern.

In der Landwirtschaft wird die G. zur Züchtung von Kulturpflanzen mit gesteigerter Widerstandsfähigkeit gegen Schadorganismen od. Herbizidresistenz eingesetzt (s. gentechnische Freilandexperimente, gentechnische Schädlingsbekämpfung, gentechnische Veränderung an Pflanzen). In der Tierhaltung werden höhere Fleisch- u. Milcherträge durch Hormoneinsatz [Schweinewachstumshormon (PST) bzw. Rinder-*Somatotropin (BST)], die Förderung der Gesundheit von Tierbeständen durch den Einsatz gentechnolog. hergestellter Vakzine (z. B. Maul- u. Klauenseuche) od. Krankheitsresistenz u. die Verw. von Nutztieren zum sog. *Gen-Farming angestrebt. In der Umwelt können gentechn. veränderte Mikroorganismen zum Abbau umweltbelastender Chemikalien (*Xenobiotika, Ölverschmutzungen, Schwermetallverunreinigungen etc.) eingesetzt werden. – *E* genetic engineering – *F* génie génétique – *I* ingegneria genetica – *S* ingeniería genética

Lit.: Glick u. Pasternak, Molekulare Biotechnologie, Heidelberg: Spektrum Akadem. Verl. 1995 ▪ Ibelgaufts, Gentechnologie von A bis Z, Weinheim: VCH Verlagsges. 1993 ▪ Rehm-Reed (2.) **2** ▪ Stryer (5.) ▪ Watson et al., Rekombinierte DNA (2.), Heidelberg: Spektrum Akadem. Verl. 1993 ▪ Winnacker, Gene u. Klone, Weinheim: VCH Verlagsges. 1990.

GenTG. Abk. für *Gentechnik-Gesetz.

Gentherapie. Unter G. versteht man die Korrektur von erblich bedingten Erkrankungen mit Hilfe der *Gentechnologie durch Ersetzen eines od. mehrerer defekter *Gene, durch zusätzliches Einbringen des normalen Gens od. durch Einbringen eines Gens, das die Wirkung des defekten Gens kompensiert. Voraussetzung ist, daß die mol. Grundlage des Defekts bekannt ist. Derzeit sind ca. 4000 monogene Erbkrankheiten bekannt, die meisten sind jedoch außerordentlich selten u. nur wenige (z. B. *Sichelzellenanämie, β-*Thalassämie, Faktor VIII-Hämophilie, Lesch-Nyhan-Syndrom) erfüllen die notwendigen Voraussetzungen für eine G.; von den Ergebnissen der *Genomanalyse (s. a. Human-Genom-Projekt) werden Erkenntnisse über weitere Gendefekte des Menschen erwartet.

Für die G. sind prinzipiell zwei Vorgehensweisen möglich, die sich derzeit noch im Experimentalstadium am Tier befinden: Die somat. G. u. die Keimbahn-Gentherapie. Die *somat. G.* korrigiert einen genet. Defekt in den Körperzellen entwickelter Individuen durch Übertragen eines normal funktionierenden Gens (*in vitro* od. *in vivo*), d. h. der betreffende Organismus wird zwar geheilt, das an die Nachkommen weitergegebene Erbgut enthält aber nach wie vor den genet. Defekt. Die *in vitro*-G. kann z. B. nach folgendem Schema ablaufen: Entnahme der zu behandelnden Körperzellen (z. B. Knochenmarkszellen bei Sichelzellenanämie), gezielte genet. Veränderungen der Zellen *in vitro*, Selektion von gewünschten transformierten Zellen u. anschließende Reimplantation beim Patienten. Zur Vorbereitung einer somat. G. am Menschen werden verschiedene Tiersyst. erprobt. Eine kontrollierte Integration u. Expression der eingebrachten Gene ist noch nicht zufriedenstellend. Die somat. G. wurde in den USA 1990 erstmalig bei einer Patientin mit einer Adenosin-Desaminase-Defizienz erfolgreich angewendet.

Die *Keimbahn-G.* korrigiert einen genet. Defekt im frühen Embryonalstadium u. erfaßt damit auch die Keimzellen des Individuums, so daß die genet. Veränderung an die Nachkommen weitergegeben wird. Im Tierversuch sind der direkte Transfer od. die *Mikroinjektion von Fremd-DNA in befruchtete Eizellen bei verschiedenen Spezies (u. a. *Drosophila*, Krallenfrosch, Maus) bereits gelungen. Die Hauptschwierigkeiten liegen in der Insertionsmutagenese, der Regulation u. der gewebespezif. Expression der inserierten DNA. Die Weiterentwicklung der Keimbahntherapie setzt Experimente mit menschlichen Embryonen voraus. Versuche an menschlichen Keimzellen sind durch das *Gentechnik-Gesetz u. das *Embryonenschutzgesetz in der BRD verboten. – *E* gene therapy, gene surgery – *F* thérapie génique – *I* terapia genetica – *S* terapia génica

Lit.: Fernandes et al., Inborn Metabolic Deseases – Diagnosis and Treatment, New York: Springer 1990 ▪ Trent, Molekulare Medizin, S. 319–352, Heidelberg: Spektrum Akadem. Verl. 1994.

Gentiana. Latein. Name für *Enzian.

Gentianaviolett (Basic Violet 1). Amorphes, grünschillerndes Pulver od. goldgrünlich glänzende Stücke, besteht im wesentlichen aus einem Gemisch von Penta-, etwas Tetra- u. Hexamethylparafuchsin, s. Triarylmethan-Farbstoffe. In der Praxis wird G. auch häufig als *Methylviolett* bezeichnet (beide unter C. I. 42 535), im Ausland wird es offenbar mit *Kristallviolett (C. I. 42 555) gleichgesetzt. G. gibt nicht sehr lichtechte blauviolette Färbungen u. findet Verw. in der Herst. von Druckfarben, Kohlepapier, Farbbändern, zur *Gram-Färbung in der Bakteriologie (s. Karbol-Fuchsin-Lösung) sowie wegen seiner tox. Wirkung auf Madenwürmer (Oxyuren) in Anthelmintika. Bis 31.3.90 durfte G. beschränkt zur Herst. kosmet. Mittel eingesetzt werden. – *E* gentian violet – *F* violet de gentiane – *I* violetto genziana – *S* violeta de genciana

Lit.: Beilstein E IV, **13**, 2283 ▪ Blaue Liste, S. 167 ▪ Ullmann (5.) **A 8**, 312 ▪ Winnacker-Küchler (4.) **7**, 38 ff. ▪ s. a. Triarylmethan-Farbstoffe. – [HS 2925 20; CAS 548-62-9]

Gentianose s. Gentiobiose.

Gentiobiose (Amygdalose, 6-*O*-β-D-Glucopyranosyl-D-glucose).

$C_{12}H_{22}O_{11}$, M_R 342,30, bitter schmeckende, sehr hygroskop. Krist., Schmp. der α-Pyranose-Form 189–195 °C, Schmp. der β-Pyranose-Form 190–195 °C, $[\alpha]_D^{20}$ –0,8 → 10° (H_2O). Beide Formen zeigen Mutarotation. G. ist Bestandteil von *Gentianose* {$C_{18}H_{32}O_{16}$, M_R 504,44, Schmp. 209–211 °C, $[\alpha]_D^{20}$ +33° (H_2O)}, α-*Crocin u. *Amygdalin (s. a. cyanogene Glykoside), aus denen es durch saure Hydrolyse freigesetzt werden kann. Zur enzymat. Synth. von G. aus Curdlan (β-1,3-Glucan) s. *Lit.*[1]. – *E* = *F* gentiobiose – *I* gentiobiosio – *S* gentiobiosa

Lit.: [1] Agric. Biol. Chem. **49**, 2055–2061 (1985).

allg.: Beilstein E V **17/7**, 203 ▪ Am. Biotechnol. Lab. **5**, 38, 40–42, 44, 46, 48–50 (1987) (Chromatographie) ▪ Lett. Bot.

1987, 359–363 (Isolierung). – *[HS 294000; CAS 554-91-6; 5995-99-3 (α-Pyranose-Form); 5996-00-9 (β-Pyranose-Form); 25954-44-3 (Gentianose)]*

Gentiopikrin (Gentiopikrosid).

$C_{16}H_{20}O_9$, M_R 356,33, Nadeln, Schmp. 191 °C (Anhydrid), als Hydrat 121 °C, $[\alpha]_D$ –196° (H_2O), lösl. in Wasser u. Alkohol. G. ist ein sehr starker *Bitterstoff aus *Enzian*-Arten (Gentianaceae) u. Tausendgüldenkraut (*Centaurium*), der beschränkt Anw. als Malariamittel gefunden hat. – *E* gentiopicrin, gentiopicroside – *F* gentiopicrine, gentiopicroside – *I* = *S* gentiopicrina
Lit.: Acta Crystallogr. Sect. C **41**, 798 (1985) ▪ Beilstein E V **19/5**, 512 ▪ Karrer, Nr. 1127 ▪ Pharm. Unserer Zeit **7**, 148 (1978) ▪ Phytochemistry **23**, 908 (1984) ▪ Zechmeister **17**, 124–182 (bes. 129–132) ▪ s. a. Bitterstoffe. – *[CAS 20831-76-9]*

Gentisin (Gentiansäure, Gentianin, 1,7-Dihydroxy-3-methoxyxanthon).

$C_{14}H_{10}O_5$, M_R 258,23, gelbe Nadeln, Schmp. 273–275 °C, wenig lösl. in organ. Lsm. u. Wasser. G. ist neben weiteren Xanthonen ein Farbstoff aus der Enzianwurzel, s.a. Enzian. – *E* gentisin – *F* gentisine – *I* = *S* gentisina
Lit.: Beilstein E V **18/4**, 497 ▪ Karrer, Nr. 1675, 1675b ▪ Pharm. Unserer Zeit **7**, 148 (1978). – *[HS 293299; CAS 437-50-3]*

Gentisinsäure s. Dihydroxybenzoesäuren.

Gentner, Wolfgang (1906–1980), Prof. für Physik. Gründer (1958) u. Direktor des MPI für Kernphysik in Heidelberg. *Arbeitsgebiete:* Radioaktivität u. Kernphysik, Kernphotoeffekt, Geophysik, Altersbestimmung von Meteoriten, Mondgestein u.a. Gesteinen, Kosmochemie, Archäometrie.
Lit.: Nachmansohn, Die große Ära der Wissenschaft in Deutschland 1900–1933, S. 340 ff., Stuttgart: Wiss. Verlagsges. 1988 ▪ Z. Naturforsch., Teil A **21**, 865 f. (1966).

GEO 600. Europ. Interferometer zur Detektion von *Gravitationswellen.

Geobiochemie s. Biogeochemie.

Geobotanik s. geochemische Prospektion.

Geochemie (von griech.: ge = Erde). Bez. für ein Teilgebiet der Geowissenschaften, das die chem. Zusammensetzung u. die chem. Veränderungen der *Erde untersucht. Dieser von *Schönbein begründete Wissenszweig (zur Geschichte s. Mason u. Moore, *Lit.*) versucht, die relativen u. abs. Häufigkeiten der natürlichen *chemischen Elemente u. ihrer *Isotope in u. auf der Erde zu ermitteln u. erforscht die Gesetzmäßigkeiten der Verteilung u. Bewegung der einzelnen Elemente u. ihrer Isotope in den verschiedenen Teilbereichen der Erde (z. B. Kruste, *Hydrosphäre, *Atmosphäre), die Gesetzmäßigkeiten ihres Wanderns u. Zusammentretens zu *Mineralien sowie die chem. Vorgänge bei der Bildung von *Gesteinen, *Erzen u. *La-

gerstätten. Ein interessantes Ergebnis ist, daß die Verteilung der Elemente in einem Schwerefeld, wie es die Erde besitzt, nicht von ihrer D. u. dem Atomgew., sondern von der *Affinität der Elemente zu den hauptsächlichen Phasen kontrolliert wird, die sich bilden können. So gehören Uran u. Thorium, obwohl von hohem spezif. Gew., zu den stark elektropos. Elementen u. haben sich folglich in der Erdkruste als *Oxide od. *Silicate angereichert. V. M. *Goldschmidt führte 1923 für diese prim. geochem. Sonderung der Elemente die Begriffe *siderophil, chalkophil, lithophil* u. *atmophil* ein, um damit die jeweilige Affinität eines Elements für metall. Eisen, für Sulfid, für Silicat u. für die Atmosphäre zu kennzeichnen. Tab. 1 enthält eine dementsprechende geochem. Klassifizierung der Elemente; einige Elemente besitzen Affinitäten für mehr als eine Gruppe; atmophil sind H (z. T.), N, O (z. T.), He, Ne, Ar, Kr u. Xe.

Tab. 1.: Geochemische Klassifizierung der Elemente (Bezugsbasis: Meteorite); nach Mason u. Moore, *Lit.*, S. 54.

siderophil	chalkophil	lithophil
Fe[1] Co[1] Ni[1]	(Cu) Ag	Li Na K Rb Cs
Ru Rh Pd	Zn Cd Hg	Be Mg Ca Sr Ba
Os Ir Pt	Ga In Tl	B Al Sc Y La-Lu
Au Re[2] Mo[2]	(Ge) (Sn) Pb	Si Ti Zr Hf Th
Ge[1] Sn[1] W[3]	(As) (Sb) Bi	P V Nb Ta
C[3] Cu[1] Ga[1]	S Se Te	O Cr U
Ge[1] As[2] Sb[2]	(Fe) Mo (Os)	H F Cl Br I
	(Ru) (Rh) (Pd)	(Fe) Mn (Zn) (Ga)

[1] chalkophil u. lithophil in der Erdkruste
[2] chalkophil in der Erdkruste
[3] lithophil in der Erdkruste

Für die durchschnittliche Zusammensetzung der kontinentalen Erdkruste nimmt man heute die in Tab. 2 zusammengestellten Werte an. Bemerkenswert an den Zahlen in Tab. 2 ist, daß nur acht Elemente, nämlich O, Si, Al, Fe, Ca, Na, K, Mg, zusammen 98,59% der gesamten kontinentalen Erdkruste ausmachen (s. Tab. 2 bei Erde), dabei ist der Sauerstoff abs. vorherrschend (91,7 Vol.-%!).
Demzufolge besteht die Erdkruste fast gänzlich aus Sauerstoff-Verb., bes. aus Silicaten von Al, Ca, Mg, Na, K u. Fe. Tab. 2 zeigt ferner, daß einige Elemente, die für die *Rohstoff-Wirtschaft wichtig sind, eigentlich selten bis sehr selten sind, z. B. Cu, Zn, Cr, Sn. Erstaunlich ist andererseits die relative Häufigkeit vieler ausgefallener Elemente: Rubidium ist fast dreimal häufiger als Yttrium, 50mal häufiger als Uran u. 22 500mal häufiger als Gold; Vanadium ist weitaus häufiger als Zinn. Rb, V, Hf, In, Ga u. viele *Seltenerdmetalle haben ähnliche *Atomradien wie die wichtigsten gesteinsbildenden Elemente; sie sind daher in vielen Mineralien spurenweise eingebaut („getarnt"), bilden aber keine eigenen verbreiteten Minerale u. keine nennenswerten Anreicherungen. Nach der von Harkins (1917) aufgestellten Regel kommen die Elemente mit geraden *Ordnungszahlen häufiger vor. Über 99% der gesamten Erdmasse werden von Erdmantel u. Erdkern gestellt. Für die mittlere Zusammensetzung der gesamten Erde kommt man unter der – stark vereinfachten – Annahme, daß der Erdkern die mittlere Zusam-

Tab. 2: Mittlere Elementkonzentration von kontinentaler Kruste u. Krustengesteinen in g/t (ppm) (ohne Edelgase u. kurzlebige radioaktive Elemente); nach Mason u. Moore, *Lit.*, S. 46 f.

Ordnungszahl	Element	Krustenmittel	Ordnungszahl	Element	Krustenmittel
1	H	1400	45	Rh	0,005
3	Li	20	46	Pd	0,01
4	Be	2,8	47	Ag	0,07
5	B	10	48	Cd	0,2
6	C	200	49	In	0,1
7	N	20	50	Sn	2
8	O	466000	51	Sb	0,2
9	F	625	52	Te	0,01
11	Na	28300	53	I	0,5
12	Mg	20900	55	Cs	3
13	Al	81300	56	Ba	425
14	Si	277200	57	La	30
15	P	1050	58	Ce	60
16	S	260	59	Pr	8,2
17	Cl	130	60	Nd	28
19	K	25900	62	Sm	6,0
20	Ca	36300	63	Eu	1,2
21	Sc	22	64	Gd	5,4
22	Ti	4400	65	Tb	0,9
23	V	135	66	Dy	3,0
24	Cr	100	67	Ho	1,2
25	Mn	950	68	Er	2,8
26	Fe	50000	69	Tm	0,5
27	Co	25	70	Yb	3,4
28	Ni	75	71	Lu	0,5
29	Cu	55	72	Hf	3
30	Zn	70	73	Ta	2
31	Ga	15	74	W	1,5
32	Ge	1,5	75	Re	0,001
33	As	1,8	76	Os	0,005
34	Se	0,05	77	Ir	0,001
35	Br	2,5	78	Pt	0,01
37	Rb	90	79	Au	0,004
38	Sr	375	80	Hg	0,08
39	Y	33	81	Tl	0,5
40	Zr	165	82	Pb	13
41	Nb	20	83	Bi	0,2
42	Mo	1,5	90	Th	7,2
44	Ru	0,01	92	U	1,8

Tab. 3: Pauschalzusammensetzung der Erde nach verschiedenen Berechnungsmodellen; nach Mason u. Moore, S. 51 u. *Lit.*[1].

	Metalle	Troilit	Silicate	gesamt	gesamt (*Lit.*[1])
Fe	24,58	3,37	6,68	34,63	28,176
Ni	2,39			2,39	1,6147
Co	0,13			0,13	0,087
S		1,93		1,93	0,701
O			29,53	29,53	32,436
Si			15,20	15,20	17,221
Mg			12,70	12,70	15,866
Ca			1,13	1,13	1,607
Al			1,09	1,09	1,507
Na			0,57	0,57	0,249
Cr			0,26	0,26	0,429
Mn			0,22	0,22	0,260
P			0,10	0,10	0,124
K			0,07	0,07	0,0192
Ti			0,05	0,05	0,0710
	27,10	5,30	67,60	100,00	100,3679

mensetzung des Nickeleisens in chondrit. *Meteoriten hat u. auch deren mittleren Gehalt an *Troilit FeS enthält (5,3%) u. daß die Zusammensetzung von Mantel + Kruste dem oxid. Material (Silicate u. kleine Anteile von Phosphaten u. Oxiden) eines durchschnittlichen Chondriten (s. Meteoriten) entspricht, zu den in Tab. 3 dargestellten Ergebnissen (rechte Spalte nach *Lit.*[1]). Spezielle Arbeitsgebiete der G. sind die *geochemische Prospektion u. die *biogeochem. Prospektion* (*Biogeochemie) sowie die Erstellung von *Modellen* elementbezogener geochem. Kreisläufe u. eines geochem. Gesamtkreislaufs; dabei werden zunehmend mathemat. Techniken eingesetzt. Wichtige Teilgebiete der G. sind die *Hydrogeochemie, die Biogeochemie u. die Organ. G.* (*Paläobiochemie); letztere beschäftigt sich mit der Herkunft u. Entstehung organ. Materials u. liefert damit der *Paläontologie wesentliche Grundlagen ihrer Arbeit. Die Beschäftigung mit den stabilen Isotopen der Minerale u. mit der *Geochronologie ist Aufgabengebiet der *Isotopengeochemie*. Im Rahmen eines zunehmenden Umweltbewußtseins u. der erheblichen Belastung der *Biosphäre mit *Schadstoffen gewinnt die *Umwelt-G.* zunehmend an Bedeutung; eine Rolle spielen in diesem Zusammenhang auch die geochem. Reaktionen an den Grenzen zwischen Mineralien u. Wasser[2]; s.a. Erde. – *E* geochemistry – *F* géochimie – *I* geochimica – *S* geoquímica

Lit.: [1] Earth Planet. Sci. Lett. **134**, 515–526 (1995). [2] Hochella, Jr. u. White (Hrsg.), Mineral Water Interface Geochemistry (Reviews in Mineralogy, Bd. 23), Washington (D.C.): Mineralogical Society of America 1990.
allg.: Albarède, Introduction to Geochemical Modeling, Cambridge (U.K.): Cambridge University Press 1995 ▪ Engel u. Macko (Hrsg.), Organic Geochemistry: Principles and Applications, New York: Plenum Press 1993 ▪ Heinrichs u. Herrmann, Praktikum der Analytischen Geochemie, Berlin: Springer 1990 ▪ Mason u. Moore, Grundzüge der Geochemie, Stuttgart: Enke 1985 ▪ Möller, Anorganische Geochemie, Berlin: Springer 1986 ▪ Pieters u. Englert (Hrsg.), Remote Geochemical Analysis: Elemental and Mineralogical Composition, Cambridge (U.K.): Cambridge University Press 1993 ▪ Richardson u. McSween, Jr., Geochemistry, Pathways and Processes, Englewood Cliffs (N.J.): Prentice Hall 1989 ▪ Rösler u. Lange, Geochemical Tables, New York: Elsevier 1972 ▪ Rollinson, Using Geochemical Data: Evaluation, Presentation, Interpretation, Harlow (England): Longman Scientific & Technical 1993 ▪ Voigt, Hydrogeochemie, Berlin: Springer 1990 ▪ Wedepohl (Hrsg.), Handbook of Geochemistry (5 Bd.), Berlin: Springer 1969–1978 ▪ s. a. Biogeochemie, Geochronologie, Geologie, Erde, Lagerstätten. – *Zeitschriften u. Serien:* Chemical Geology, Amsterdam: Elsevier Science Publ. (seit 1965) ▪ Chemie der Erde (Geochemistry), Jena: G. Fischer (seit 1919) ▪ Earth and Planetary Science Letters, Amsterdam: Elsevier Science Publ. (seit 1966) ▪ Geochemistry International, New York: Scripta Technica Inc. (A Subsidiary of J. Wiley & Sons) (seit 1964) ▪ Geochimica Cosmochimica Acta, Oxford: Pergamon Press (seit 1951) ▪ Organic Geochemistry, Oxford: Pergamon Press (seit 1977).

Geochemische Prospektion. Bez. für die der *Exploration vorangehende *Prospektion, d. h. das Aufsuchen von *Lagerstätten, mit chem. Meth., z. B. durch Untersuchung von Boden-, Pflanzen- u. Wasserproben. Sog. *Indikatorelemente* geben Hinweise auf verdeckte Lagerstätten. Beispielsweise sammeln sich flüchtige Elemente wie Quecksilber u. Tellur infolge ihrer größeren Beweglichkeit über den Vork. von weniger flüchtigen Metallen wie z. B. Kupfer, Blei, Zink, Silber od. Wolfram an, mit denen sie ursprünglich verge-

Tab.: In der Geochronologie gebräuchliche Radionuklide; nach *Lit.*[1].

Nuklide	Halbwertszeit [a]	λ [a^{-1}]	Datierbereich [a]	geeignetes Material
^{238}U-^{206}Pb	$4{,}47 \cdot 10^9$	$1{,}55 \cdot 10^{-10}$	10^7–10^9	*Zirkon, Uraninit, *Monazit
^{235}U-^{207}Pb	$0{,}71 \cdot 10^9$	$9{,}72 \cdot 10^{-10}$	10^7–10^9	Zirkon, Uraninit, Monazit
^{232}Th-^{208}Pb	$1{,}39 \cdot 10^{10}$	$4{,}99 \cdot 10^{-11}$	10^7–10^9	Zirkon, Monazit
^{87}Rb-^{87}Sr	$4{,}88 \cdot 10^{10}$	$1{,}42 \cdot 10^{-11}$	10^7–10^9	*Glimmer, *magmatische u. *metamorphe Gesteine
^{147}Sm-^{143}Nd	$1{,}06 \cdot 10^{11}$	$6{,}54 \cdot 10^{-12}$	10^9	magmatische u. metamorphe Gesteine, *Meteorite
^{40}K-^{40}Ar	$1{,}31 \cdot 10^9$ (total)	$\beta\ 4{,}72 \cdot 10^{-10}$ $\kappa\ 5{,}85 \cdot 10^{-1}$	10^4–10^9	Glimmer, Hornblende, Sanidin, (*Feldspäte), *Vulkanite
^{14}C	5730	$1{,}21 \cdot 10^{-1}$	0–10^5	Holz, Holzkohle, Knochen, Schalen

sellschaftet waren. Ihr Nachw. gibt somit einen Hinweis auf Lagerstätten anderer Metalle. Die g. P. spielt u. a. auch eine große Rolle beim Auffinden von *Erdöl- u. *Erdgas-Vorkommen. In der *biogeochem. Prospektion* (*Biogeochemie) nutzt man die Tatsache aus, daß Metalle als *Spurenelemente in *Pflanzen angereichert werden können (*Geobotanik*), um Hinweise auf Mineral-Lagerstätten zu erhalten. – *E* geochemical prospection – *F* prospection géochimique – *I* prospezione geochimica – *S* prospección geoquímica
Lit.: s. Biogeochemie, Erze, Geochemie, Lagerstätten u. Prospektion. – *Zeitschrift:* Journal of Geochemical Prospection, Amsterdam: Elsevier (seit 1972).

Geochronologie. Von griech.: ge = Erde, chronos = Zeit u. logos = Wort, Lehre abgeleitete Bez. für das zwischen *Geologie, Chemie, Physik, *Paläontologie u. Biologie (s. a. Paläobiochemie) angesiedelte Forschungsgebiet, das sich mit der Zeitbestimmung für geolog. Ereignisse mittels in den *Gesteinen vorhandener Zeitmarken befaßt, also Aussagen macht zum Alter der *Erde, der Reihenfolge der *Erdzeitalter, dem Alter von *Fossilien u. damit Hinweise auf den Ablauf der *Evolution gibt. Weil bei der Bildung der *Sedimentgesteine jüngere Schichten den älteren aufliegen, kann man ganze Schichtenfolgen in eine relative Altersbeziehung zueinander bringen. Dieser Arbeitsweise bedient sich die *Lithostratigraphie*. Wenn einzelne Schichtabschnitte dazu noch durch typ. *Fossilien (im besten Falle Leitfossilien) markiert sind, dann ermöglicht die *Biostratigraphie* eine genauere Unterteilung in jüngere u. ältere Epochen. Erst durch die Messung des Zerfalls der natürlichen radioaktiven Elemente (s. Radioaktivität) in Gesteinen u. Mineralien ist es möglich, abs. geochronolog. Zeitbeträge – mit dem Jahr als Maßeinheit – zu definieren. Durch die Kombination dieser Forschungsrichtungen ist weltweit eine geolog. Zeitskala (s. Erdzeitalter) entstanden.

Die *abs. Altersbestimmung* geolog. Ereignisse erfolgt mit Hilfe *massenspektroskop.* (*Massenspektrometrie) *Isotopen-Untersuchungen*. Um Isotopen-Meth. für Fragestellungen der Geologie einsetzen zu können, müssen zunächst die Tochterprodukte radioaktiver Nuklide (s. Radionuklide) sowie die Konz. der radioaktiven Mutternuklide untersucht werden. Solche Syst. heißen *Anreicherungsuhren* (*E* accumulation clocks). Außerdem besteht die Möglichkeit, den Zerfall von kurzlebigen Radionukliden direkt zu studieren, v. a. bei der *Radiokohlenstoff-Datierung mittels des radioaktiven *Kohlenstoff-Isotops ^{14}C. Diese Meth. messen die *Zerfallsuhren* (*E* decay clocks). Bei allen Isotopen-Meth. müssen die zu untersuchenden Syst. *abgeschlossen* gewesen sein, so daß keine Zu- od. Abwanderungen von Mutter- od. Tochtersubstanzen (z. B. dem Edelgas ^{40}Ar) möglich waren. Die in der G. gebräuchlichen Radionuklide sind mit ihren HWZ, den Zerfallskonstanten λ, dem Datierbereich u. den zur Untersuchung geeigneten Materialien in der Tab. aufgelistet.

Alle Syst. außer denen des ^{14}C gehören zu den Anreicherungsuhren. Die einzelnen Meth. werden in Einzelstichwörtern erläutert; nicht aufgeführt ist die *Kernspaltspuren-Methode. – *E* geochronology – *F* géochronologie – *I* geocronologia – *S* geocronología
Lit.: [1] Mason u. Moore, Grundzüge der Geochemie, S. 194, Stuttgart: Enke 1985.
allg.: Depaolo, Neodymium Isotope Geochemistry, Berlin: Springer 1988 ▪ Dickin, Radiogenic Isotope Geology, Cambridge (U.K.): Cambridge University Press 1995 ▪ Faure, Principles of Isotope Geology (2.), New York: Wiley & Sons 1986 ▪ Geyh u. Schleicher, Absolute Age Determination, Berlin: Springer 1990 ▪ Rey, Geologische Altersbestimmung, Stuttgart: Enke 1991 ▪ s. a. Geochemie, Stratigraphie.

Geoden s. Konkretionen.

Geologie. Von griech.: ge = Erde u. logos = Wort, Lehre abgeleitete Bez. für diejenige – auf N. *Steno(nius) als Begründer zurückgeführte – Wissenschaft, die sich mit Gestalt, Aufbau u. chem. Zusammensetzung (*Geochemie) der *Erde u. der sie umgebenden Lufthülle, mit den vergangenen u. heutigen Veränderungen der Erdkruste u. den sie beeinflussenden Kräften beschäftigt. Dabei gilt das *Prinzip des Aktualismus:* Geolog. Prozesse, wie sie derzeit ablaufen u. die Oberfläche der Erde verändern, haben in vergleichbarer Weise in der geolog. Vergangenheit gewirkt; die Ggw. ist der Schlüssel zur geolog. Vergangenheit.

Teilgebiete: Allg. od. physikal. G.: Bildung u. Umbildung der *Gesteine u. des Landschaftsbildes aufgrund der von außen (exogen, z. B. Klima) u. aus dem Erdinnern (endogen, z. B. Vulkanismus, *Metamorphose) auf die Erdrinde einwirkenden Kräfte; – *histor. G.:* Entwurf eines Bildes von der Geschichte der Erde u. des Lebens (*Evolution); *Paläontologie; *Stratigraphie; *regionale G.*[1]; – *Meeres-G.; Struktur-G.*[2,3]: Beschäftigung mit der Frage, wodurch u. wie sich Gesteinspakete verbiegen, zerbrechen u. unter Druck plast. wieder verformen, hierher gehören auch *Tektonik u. *Plattentektonik; – *Wirtschafts-G.*: Bewertung von Projekten der *Exploration u. der Gewinnung mineral. *Rohstoffe mit Analyse der Rohstoffmärkte u.

Rohstoffpolitik; – *angewandte G.*[4] mit den Teilgebieten: *Lagerstättenkunde:* Bildung u. Umbildung von *Mineralien in *Lagerstätten u. die Gesetzmäßigkeiten ihres Zusammentretens zu nutzbaren Anreicherungen; *G. der Kohlenwasserstoffe:* Erkundung u. Gewinnung von Erdöl- u. Erdgas-Lagerstätten; *Ingenieur- od. Bau-G.*[5,6]: Erforschung u. Interpretation von für Bauvorhaben vorgesehenen Geländebereichen; *Hydro-G.*[7,8]: Wasser im Untergrund; *Umwelt-G.:* Beschäftigung mit den durch die Tätigkeit des Menschen in der Umwelt ausgelösten, z. T. globalen Prozessen u. Veränderungen geolog. Art, z. B. unterird. Speicher zur Lagerung von Erdöl, Erdgas u. radioaktiven Abfällen, Probleme der Schadstoff-Produktion u. Entsorgung[9]. Zur Unterstützung der geolog. Arbeit dienen geolog. Karten u. die Meth. der Fernerkundung. *Geolog. Karten*[10,11] (mit Profilschnitten u. Erläuterungstexten) dokumentieren die Verbreitung der – in verschiedenen Farben dargestellten – Gesteine (ohne *Boden) an der Erdoberfläche, ihre Beschaffenheit, ihre Fortsetzung in die Tiefe u. ihre gegenseitigen Lagerungsbeziehungen u. deren Störungen, Quellen u. Brunnen u. die Vork. von nutzbaren Stoffen. Bei der *Fernerkundung*[12,13] können mit Luftbildern, die von Flugzeugen aus aufgenommen werden, Geländeformen der Oberfläche exakt erfaßt u. analysiert werden; Aufnahmen aus Satelliten u. von Raumfähren mit hochauflösenden Mikrowellen-Radarsensoren[14] ermöglichen die Erkennung von Bauelementen u. Großstrukturen der Lithosphäre (s. Erde), Veränderungen der Erdoberfläche sowie Informationen über z. B. den Zustand der Vegetation u. Aspekte des Wasserhaushalts. *Weitere aktuelle Themen* geolog. Forschung sind z. B.: Rekonstruktion der Geologie der Kontinente, Entwicklung der Gebirgs- (Orogen)Gürtel, Eiszeiten u. Klima, Wechselwirkungen zwischen Erdkruste u. Erdmantel u. Auswirkungen von Kometen- u. *Meteoriten-Einschlägen auf die Umwelt sowie generell die Prozesse, die die Erde u. das Leben darauf geformt haben. Die Erforschung der dazu gehörenden chem. u. physikal. Prozesse gehört in die Bereiche *Geochemie u. *Geophysik;* letztere befaßt sich z. B. mit Bewegungen der Lithosphären-Platten, den Bewegungen der Gesteinsverbände tief in der Erde, dem Verhalten der Erde als riesiger Magnet u. den Ursachen von Erdbeben. Mit der Entwicklung neuer Meth. u. Arbeitsgebiete wie radiometr. Altersbestimmung, Verw. stabiler *Isotope (*Isotopen-G.*)[15] u. dem Einsatz von Computern bei der Erstellung geolog. Modelle rücken mehr u. mehr quant. Aussagen in den Vordergrund; in zunehmendem Ausmaß werden *mathemat. Meth.*[16] eingesetzt. – *E* geology – *F* géologie – *I* geologia – *S* geología

Lit.: [1]Henningsen u. Katzung, Einführung in die Geologie Deutschlands (4.), Stuttgart: Enke 1992. [2]Mattauer, Strukturgeologie, Stuttgart: Enke 1993. [3]Ramsay u. Huber, The Techniques of Modern Structural Geology, Bd. I u. II, London: Academic Press 1983, 1987. [4]Bender (Hrsg.), Angewandte Geowissenschaften, (4 Bd.), Stuttgart: Enke 1981, 1984, 1985, 1986. [5]Reuter, Klengel u. Pasek, Ingenieurgeologie (3.), Leipzig u. Stuttgart: DVG Deutscher Verl. für Grundstoffind. 1992. [6]Fecker u. Reik, Baugeologie, Stuttgart: Enke 1987. [7]Hölting, Hydrogeologie (5.), Stuttgart: Enke 1996. [8]Domenico u. Schwartz, Physical and Chemical Hydrogeology, New York: Wiley & Sons 1990. [9]Naturwissenschaften **72**, 408–418 (1985). [10]Blaschke et al., Interpretation geologischer Karten (2.), Stuttgart: Enke 1989. [11]Voßmerbäumer, Geologische Karten (2.), Stuttgart: Schweizerbart 1991. [12]Kronberg, Fernerkundung der Erde, Stuttgart: Enke 1985. [13]Lillesand u. Kiefer, Remote Sensing and Image Interpretation (3.), New York: Wiley & Sons 1994. [14]Spektrum Wiss. **1995**, Nr. 1, 86–100; **1995**, Nr. 2, 56–61. [15]Faure, Principles of Isotope Geology, New York: Wiley & Sons 1987. [16]Schlüter, Einführung in geomathematische Verfahren u. deren Programmierung, Stuttgart: Enke 1996.

allg.: Bates u. Jackson, Glossary of Geology (3.), Alexandria (Virginia): American Geological Institute 1987 ■ Gill, Chemische Grundlagen der Geowissenschaften, Stuttgart: Enke 1993 ■ Press u. Siever, Allgemeine Geologie, Heidelberg: Spektrum Akadem. Verl. 1995 ■ Stanley, Historische Geologie, Heidelberg: Spektrum Akadem. Verl. 1994 ■ s. a. Erde, Erdzeitalter, Geochemie, Geochronologie, Fossilien, Lagerstätten, Paläontologie, Plattentektonik, Rohstoffe, Stratigraphie, Tektonik. – *Zeitschriften* (Auswahl): Bulletin de la Société Géologique de France, Paris (seit 1830) ■ Economic Geology and the Bulletin of the Society of Economic Geologists, El Paso (Texas): Economic Geology Publishing Comp. ■ Geological Society of America Bulletin, Boulder (Colorado): Geological Society of America (seit 1888) ■ Geologische Rundschau, Stuttgart: Enke (seit 1910) ■ Journal of Geology, Chicago: The University of Chicago Press ■ Journal of the Geological Society, London ■ Neues Jahrbuch für Geologie u. Paläontologie, Monatshefte + Abhandlungen, Stuttgart: Schweizerbart (seit 1807; früher: Centralblatt für Geologie u. Paläontologie) ■ Zeitschrift der Deutschen Geologischen Gesellschaft, Stuttgart: Enke (seit 1849) ■ Zeitschrift für Angewandte Geologie, Berlin: Akademie-Verlag. – *Reihe:* Bundesanstalt für Geowissenschaften u. Rohstoffe (BGR), 30655 Hannover u. die Geologischen Landesämter in der BRD (Hrsg.), Geologisches Jahrbuch, Reihe A–F, Stuttgart: Schweizerbart.

Geometrische Isomerie s. Stereoisomerie.

Geoökologie s. Ökologie.

Geosmin.

$C_{12}H_{22}O$, M_R 182,31, nach Erde duftendes Öl, Sdp. 270 °C, $[\alpha]_D^{25}$ −16,5°. Aus verschiedenen *Streptomyces*-Arten u. Myxobakterien isolierte Substanz, die auch im Rübensaft[1] nachgewiesen wurde. G. ist für den charakterist. Geruch (Geruchsschwelle 0,1 ppb) frisch gepflügten Bodens verantwortlich. – *E* geosmin – *F* géosmine – *I* = *S* geosmina

Lit.: [1]J. Agric. Food Chem. **26**, 1466 (1978).
allg.: Acta Chem. Scand. Ser. B **44**, 1036 (1990) (Synth.) ■ Chem. Ind. (London) **1975**, 973 ■ J. Org. Chem. **31**, 1020 (1966); **33**, 2593 (1968) ■ Tetrahedron Lett. **1968**, 2971. – [CAS 19700-21-1]

Geothermie s. Erdwärme.

Geotropismus s. ...tropismus.

Gepefrin.

Internat. Freiname für (+)-(*S*)-3-(2-Aminopropyl)-phenol, $C_9H_{13}NO$, M_R 151,21, Schmp. 155–158 °C; $[\alpha]_D^{25}$ +31,8° (c 2/CH$_3$OH). Verwendet wird auch das Hydrogentartrat. G. wurde 1978 als *Antihypotonikum von Helopharm patentiert u. ist von Sanofi Win-

throp (Wintonin®) im Handel. – *E* gepefrine – *F* gépéfrine – *I* = *S* gepefrina
Lit.: Hager (5.) **8**, 340 f. – *[HS 2922 29; CAS 18840-47-6 (G.); 60763-48-6 (Tartrat)]*

Gephyrin. Aus Rattenhirn isoliertes, den postsynapt. Membranen der Nervenzellen innen aufsitzendes *Protein (M_R 93 000), das wahrscheinlich *Glycin-Rezeptoren (β-Untereinheit) u. GABA$_A$-Rezeptoren mit den *Mikrotubuli des Membranskeletts (s. Cytoskelett) verbrückt (daher Name von griech. gephyra = Brücke) u. so die Ansammlung dieser Rezeptoren an den Synapsen stabilisiert. Von dem auch in Rückenmark, Leber, Niere u. Lunge vorkommenden G. werden in verschiedenen Geweben verschiedene Varianten synthetisiert, die durch unterschiedliches *Spleißen der Boten-*Ribonucleinsäuren zustande kommen. In der Aminosäure-Sequenz besteht Ähnlichkeit zu Enzymen des Molybdän-Stoffwechsels bei *Escherichia coli* u. *Drosophila melanogaster* [1]. – *E* gephyrin – *F* géphyrine – *I* = *S* gefirina
Lit.: [1] Genetics **137**, 791–801 (1994).
allg.: J. Comp. Neurol. **356**, 418–432; **357**, 1–14 (1995) ▪ J. Neurosci. **15**, 4148–4156 (1995); **16**, 3166–3177 (1996) ▪ Nature (London) **366**, 745–748 (1993).

Gephyrotoxine.

Gephyrotoxin

Gephyrotoxin 223 AB

Alkaloide aus südamerikan. Pfeilgiftfröschen der Gattung *Dendrobates*. Namensgebend für diese Verb. ist *Gephyrotoxin* {$C_{19}H_{29}NO$, M_R 287,45, Schmp. 230–232 °C (Zers.), $[\alpha]_D^{25}$ +50° (C_2H_5OH)}, ein tricycl. Alkaloid, dessen N-Atom sowohl zu einem Chinolinals auch zu einem Indolizidin-Heterocyclus gehört. G. ist weniger tox. als die auch in einigen Arten dieser Frösche enthaltenen *Batrachotoxine u. *Pumiliotoxine. Daneben gibt es noch weitere strukturverwandte Alkaloide, z. B. das Indolizidin *Gephyrotoxin 223 AB*, ($C_{15}H_{29}N$, M_R 223,40). Zur Synth. von G. s. *Lit.* – *E* gephyrotoxins – *F* géphyrotoxine – *I* gefirotossine – *S* gefirotoxinas
Lit.: Reviews: Alkaloids **4**, 110 (1986) ▪ Zechmeister **41**, 283–299. – *Synth.*: Can. J. Chem. **66**, 1163–1172 (1988) ▪ Heterocycles **27**, 1575 (1988) ▪ J. Am. Chem. Soc. **111**, 1369–1408 (1989) ▪ J. Org. Chem. **54**, 1748 ff. (1989) ▪ Tetrahedron: Asymmetry **3**, 695 (1992). – *[CAS 55893-12-4]*

Geradeausdestillation s. Destillation.

Geräteglas s. Glas.

Gerätesicherheitsgesetz. Das G. [Gesetz über techn. Arbeitsmittel vom 23.10.1992 (BGBl. I, S. 1793)] verpflichtet den Herst. od. Importeur, techn. Arbeitsmittel nur dann in den Verkehr zu bringen, wenn sie den sicherheitstechn. Anforderungen, die im G. enthalten sind, u. sonstigen Voraussetzungen für ihr Inverkehrbringen entsprechen. Sind dort keine Anforderungen enthalten, so dürfen Arbeitsmittel auch dann in Verkehr gebracht werden, wenn sie nach den allg. anerkannten Regeln der Technik sowie den Unfallverhütungsvorschriften für Benutzer od. Dritte bei bestimmungsgemäßer Verw. ungefährlich sind. Der Herst. muß erklären, wie ein Gerät sicher aufgestellt od. angebracht wird. Um Gefahren zu verhüten, muß er in einer Gebrauchsanweisung angeben, welche Regeln bei der Verw. od. Instandhaltung zu beachten sind. Geräte bzw. techn. Arbeitsmittel sind nach dem Gesetz verwendungsfertige Arbeitsmittel, v. a. Werkzeuge, Arbeitsgeräte, Arbeits- u. Kraftmaschinen, Hebe- u. Fördereinrichtungen sowie Beförderungsmittel. Weiter erfaßt das Gesetz Schutzausrüstungen, Beleuchtungs-, Heizungs- u. Belüftungsanlagen, einschließlich Klimaanlagen, Haushaltsgeräte, Sport- u. Bastelgeräte sowie Spielzeug. Zur Feststellung, ob techn. Arbeitsmittel den Anforderungen aus dem Gesetz entsprechen, können Herst. od. Importeure die von ihnen hergestellten od. importierten Arbeitsmittel bei einer zugelassenen Stelle prüfen lassen. Die mit Erfolg geprüften Arbeitsmittel od. Geräte tragen dann das Prüfzeichen der jeweiligen zugelassenen Stelle. Das einheitliche Prüfzeichen besteht aus den Buchstaben „GS" (*GS-Zeichen). Die zugelassenen Prüfstellen sowie deren Prüfzeichen u. Aufgabenbereiche werden vom Bundesarbeitsminister im Bundesarbeitsblatt bekanntgegeben. Mit Inkrafttreten des zweiten Gesetzes zur Änderung des G. am 01.01.1993 ist § 24 *Gewerbeordnung aufgehoben worden. Die Bestimmungen über überwachungsbedürftige Anlagen sind in § 11 des G. übernommen worden (sie sind auch in der jährlich erscheinenden „Betriebswacht" der Zentralstelle für Unfallverhütung u. Arbeitsmedizin, Universum, Wiesbaden enthalten).
Herst. u. Importeure sind nicht verpflichtet, techn. Arbeitsmittel prüfen zu lassen. Durch Rechtsverordnung können jedoch bes. Anforderungen an Arbeitsmittel festgelegt werden, wenn eine Regelung z. B. aufgrund von Unfällen zwingend ist, aber noch keine allg. anerkannten Regeln der Technik bestehen. Für medizin.-techn. Geräte gelten bes. Vorschriften. In allg. Verwaltungsvorschriften des Bundesministeriums für Arbeit u. Sozialordnung werden insbes. die Arbeitsschutz-, Unfallverhütungsvorschriften u. techn. Normen angegeben, die die allg. Regeln der Technik bilden. Die Überwachung der Einhaltung des G. obliegt den staatlichen Gewerbeaufsichtsämtern.

Geranial s. Citral.

Geraniol [(2*E*)-3,7-Dimethyl-2,6-octadien-1-ol].

R^1	R^2	
H	CH_2OH	Geraniol
H	COOH	*Geraniumsäure
H	$CH_2-O-CO-CH_3$	Geranylacetat
CH_2OH	H	Nerol
COOH	H	*Nerolsäure
$CH_2-O-CO-CH_3$	H	Nerylacetat

$C_{10}H_{18}O$, M_R 154,25, angenehm nach Rosen duftendes Öl, Sdp. 229–230 °C, D_4^{20} 0,8894, n_D^{20} 1,4766, lösl. in organ. Lsm., unlösl. in Wasser. G. ist empfindlich gegen Aluminium- u. Kupfer-Ionen sowie Säuren. Das 2Z-Isomere *Nerol* (Sdp. 224–225 °C) u. G. kommen in freier Form u. als Ester (s. Geranylester) in vielen Pflanzen vor u. sind wichtige Bestandteile fast aller äther. Pflanzenöle, z. B. von *Palmarosaöl (zu 85% G.), *Geraniumöl (zu 40–50% G.), *Citronellöl, *Rosenöl, *Neroliöl, *Lavendelöl, *Jasminöl, Basilikumöl (s. Basilikum) u. im Öl der Strohblume *Helichrysum italicum* (30–50% Nerol). Wegen ihres Rosenduftes werden G., Nerol u. ihre Ester in der Parfüm- u. Genußmittel-Ind. verwendet; außerdem zur Synth. von Citral, Citronellol u. *Geranylestern. Die Biosynth. der Monoterpene G. u. Nerol erfolgt gemäß der *Isopren-Regel; G. stellt damit ein wichtiges Zwischenprodukt bei der Biosynth. der *Sesquiterpene, Diterpene u. *Triterpene dar. Die techn. Synth. erfolgt z. B. aus *Myrcen od. durch Isomerisierung von *Linalool. – *E* = *S* geraniol – *F* géraniol – *I* geraniolo

Lit.: Beilstein E IV **1**, 2276f. ▪ Gildemeister **3a**, 539–568 ▪ Karrer, Nr. 118f. ▪ Merck-Index (12.), Nr. 4411, 6560 ▪ Parfüm. Kosmet. **59**, 263–267 (1978); **61**, 466–469 (1980) ▪ Ullmann (5.) **A 11**, 154. – *Synth.:* ApSimon **2**, 200; **4**, 461–470; **5**, 24 ▪ Indian J. Chem., Sect. B. **20**, 340 (1981) ▪ J. Org. Chem. **40**, 269 (1975) ▪ Synthesis **1976**, 241 ▪ Tetrahedron Lett. **1977**, 1181. – [*HS 2905 22; CAS 106-24-1 (G.); 106-25-2 (Nerol)*]

Geraniumöl. *Etherisches Öl aus dem blühenden Kraut von *Pelargonium graveolens*. Hauptanbaugebiete sind China, Ägypten u. die Insel Réunion, kleinere Mengen aus Italien u. Israel, Weltproduktion 1990 ca. 250 t. Die Hauptbestandteile des farblosen, grünlichen od. bräunlichen Öls (D. zwischen 0,889 u. 0,902) sind *Geraniol u. *Citronellol, *Geranylester, *Linalool, *Menthon u. *Rosenoxid. Diese Komponenten bestimmen auch den Duft von Geraniumöl. G. ist wichtiger Duftbaustein in der Parfümherstellung. – *E* geranium oil – *F* essence de géranium – *I* olio di geranio – *S* esencia de geranio

Lit.: Bauer, Garbe u. Surburg, Common Fragrance and Flavor Materials, 2. Aufl., S. 156, Weinheim: VCH Verlagsges. 1990 ▪ Gildemeister **5**, 350–379 ▪ Perfum. Flavor **13** (5), 65 (1988); **17** (2), 46, (6), 59 (1992); **19** (1), 40 (1994) (Zusammensetzung). – [*HS 3301 21*]

Geraniumsäure [(*E*)-3,7-Dimethyl-2,6-octadiencarbonsäure]. $C_{10}H_{16}O_2$, M_R 168,24, Sdp. 85–87 °C (3 Pa), Öl aus *Lemongrasöl, in dem G. zusammen mit der stereoisomeren (2*Z*)-Form, *Nerolsäure*, enthalten ist, Formel s. Geraniol. – *E* geranic acid – *F* acide géranique – *I* acido geranico – *S* ácido geránico

Lit.: Beilstein E IV **2**, 1734 ▪ Food Cosmet. Toxicol. **17**, 785 (1979) ▪ J. Chem. Soc., Perkin Trans. 1 **1975**, 897. – [*CAS 4698-08-2 (G.); 4613-38-1 (Nerolsäure)*]

Geranylacetat s. Geranylester.

Geranylester. Ester des *Geraniols mit einfachen Carbonsäuren, die teilw. Naturstoffe sind. Sie finden Verw. in der Parfüm-Ind. als Fixateur u. Duftkomponente. Die wichtigsten sind:
a) *Geranylformiat*, $C_{11}H_{18}O_2$, M_R 182,26, farbloses, nach Rosen u. Blättern duftendes Öl, Sdp. 114 °C (2 kPa), D_4^{20} 0,927; – b) *Geranylacetat*, $C_{12}H_{20}O_2$, M_R 196,28, Sdp. 245 °C (Zers.), 128–129 °C (21 hPa), typ. Rosenduftstoff; – c) *Geranylbutyrat*, nach Rosen duftendes Öl, Sdp. 143 °C (1,7 kPa) u. *Geranylisobutyrat*; – d) *Geranylisovalerat*; – e) *Geranylpelargonat*, das nach grünen Blättern (Maiglöckchenblätter) mit wachsartiger Beinote duftet, in Parfüms geeignet für die Duftnoten Neroli, Efeu, Cyclamen, Maiglöckchen, Reseda, Rose u. dgl.; – f) *Geranylbenzoat*, D_4^{20} 0,978 bis 0,982, Sdp. 198–200 °C (2 kPa), riecht ylangylang-ähnlich, u. *Geranylcaproat*, $C_{16}H_{28}O_2$, M_R 252,40. Die G. sind teilw. hautreizend. – *E* geranyl esters – *F* esters de géranyle – *I* esteri di geranile – *S* ésteres de geranilo

Lit.: Sax (8.), Nr. DTD 000, 200, 800; GCY 000 ▪ Ullmann (5.) **A 11**, 163. – [*HS 2915 13, 2915 39, 2915 60; CAS 105-86-2 (a); 16409-44-2 (b); 63343-20-4 (c); 2345-26-8 (Geranylisobutyrat); 109-20-6 (d); 10032-02-7 (Geranylcaproat)*]

Geranylgeraniol [(*E*,*E*,*E*)-3,7,11,15-Tetramethyl-2,6,10,14-hexadecatetraen-1-ol].

H_3C–[CH_3, CH_3, CH_3, CH_3]–OH

$C_{20}H_{34}O$, M_R 290,49, lösl. in organ. Lsm.; G. ist der biogenet. Vorläufer aller Diterpene u. der *Carotinoide, es wird durch Addition zweier Isopren-Einheiten an *Geraniol biosynth. gebildet. G. kommt als Seitenkette (teilw. hydriert) der *Ubichinone, *Plastochinone, *Rhodochinone, im *Bovichinon-4, *Suillin, den K-*Vitaminen u. a. vor. Analog zu G. gibt es auch das stereoisomere *Geranyllinalool* (3,7,11,15-Tetramethyl-1,6,10,14-hexadecatetraen-3-ol). – *E* geranylgeraniol – *F* géranylgéraniol – *I* geranilgeraniolo – *S* geranilgeraniol

Lit.: Beilstein E IV **1**, 2351 ▪ J. Chem. Ecol. **14**, 1153 (1988) ▪ Karrer, Nr. 5927. – [*CAS 24034-73-9 (G.); 1113-21-9, 2211-30-5 (Geranyllinalool)*]

Gerbasol®. Tensid-Gemisch als Wasch- u. Walkmittel, bes. für Wolle. *B.*: Henkel.

Gerbdiazo. Lichthärtendes Diphenylamindiazoniumsalz-Formaldehyd-Kondensationsprodukt für die Diazokopie.

Gerberei (von althochdtsch.: garawen = bereit machen). Umwandlung der leichtverderblichen, in kaltem Wasser fäulnisfähigen, in warmem Wasser verleimbaren, hornartig u. durchscheinend auftrocknenden tier. Hautsubstanz durch vorbereitende Behandlung mit den sog. *Gerbhilfsmitteln, chem. Umsetzung mit *Gerbstoffen u. zweckentsprechende Zurichtung in widerstandsfähiges *Leder, das weich u. geschmeidig bleibt, in kaltem Wasser nicht fault u. beim Kochen mit heißem Wasser nicht verleimt. Weitaus am häufigsten werden Rindshäute auf Leder verarbeitet; am besten ist das Leder aus den Häuten junger Ochsen. Jedoch werden in zunehmendem Maße auch Schweinshäute verarbeitet, hauptsächlich auf Bekleidungsvelourleder (s. Velours), aber auch auf Schuhoberleder, Koffer etc. Der Gerber bezeichnet die Häute von großen Tieren (Rinder, Pferden) als *Häute*, die Häute von kleineren Tieren nennt er *Felle* (Schaffell, Ziegenfell, Hasenfell). Allerdings gerbt man u. a. auch Fischhäute (Kabeljau, Schellfisch), Eidechsen, Schlangen, Krokodil- u. a. Amphibienhäute, Straußen-, Antilopen-, Elefanten- u. selbst Walhäute. Die im folgenden beschriebenen Prozeduren werden sinngemäß unter Schonung der

Gerberei

Haarseite – auch bei Tierfellen angewendet, die auf *Rauchwaren* (*Pelze) verarbeitet werden.

Die rohe, vom Unterhautbindegewebe abgezogene Säugetierhaut („grüne Haut") besteht aus der Leder- u. der Oberhaut (vgl. Haut u. Abb.); sie enthalten im wesentlichen 30–35% Eiweißstoffe u. 65–70% Wasser. Die Lederhaut gibt das spätere Leder.

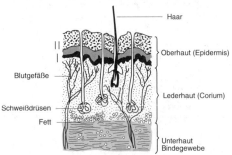

Abb.: Aufbau der Säugetierhaut.

Die Rohhäute werden durch Aufstreuen von Kochsalz auf die Fleischseite konserviert. Vor der Gerbung müssen Oberhaut u. anhaftende Reste des nicht scharf abgegrenzten Unterhautbindegewebes von der Lederhaut getrennt werden. Dazu wird das zuvor gewaschene Hautmaterial einer alkal. *Weiche* (pH 7–9) unterzogen, wobei wasserlösl. Eiweißstoffe herausgelöst u. abgebaut u. Fette emulgiert u. verseift werden. Hier u. in den folgenden Arbeitsgängen werden vorteilhaft *proteolyt. Enzyme* (z.B. Trypsin, Lipasen, Papain, Pilz- u. Bakterienproteinasen) eingesetzt. Daran schließt sich das sog. *Äschern* an. Man legt zu diesem Zweck die Häute zunächst in zementierte Gruben (od. in zeitweise rotierende Walkfässer), die ein Gemisch aus Kalkmilch u. Natriumsulfid enthalten (auf je 100 kg Haut sollen hierbei 4–10 kg CaO u. 1–3 kg Na_2S kommen), u. schichtet öfters um. Dadurch wird die weiche, wasserreiche Schicht I der Oberhaut (s. Abb.) zerstört, so daß sich die Schicht II samt den Haaren mit einem stumpfen Haarmesser od. maschinell leicht abheben läßt. Ähnlich wie in *Depilatorien wirkt das Natriumsulfid auf die S-haltigen Aminosäuren des *Keratins reduzierend; hernach kann der Ätzkalk leichter angreifen (hydrolyt. Spaltung der Präkeratine in der basalen Zellschicht der Epidermis). Streicht man die hautlockernden Chemikalien (Na_2S, NaSH, Na_2S_4) in konz. Lsg. od. Breiform (sog. *Schwöde*) auf die Fleischseite der geweichten Häute, so findet die Haarlockerung schon innerhalb 1–5 h statt. Früher hat man zum „Äschern" Holzasche verwendet, die infolge ihres Pottaschegehalts alkal. reagiert u. daher die Schicht I ebenfalls erweicht. Die Haarlockerung wird ebenfalls durch den Zusatz von *Proteasen unterstützt. Nachdem Haare u. Oberhaut durch mechan. Abschaben od. maschinell entfernt sind, löst man mit dem scharfen „Schereisen" („Scherdegen") od. mit der Walzenentfleischungsmaschine die auf der Hautunterseite anhaftenden Fleisch- u. Fettreste des Unterhautbindegewebes ab. Die so von Oberhaut u. Unterhautbindegewebe befreite, ungegerbte Lederhaut heißt *Blöße*; sie enthält in feuchtem Zustand 60–80% Wasser u. Fett, der Rest besteht zu etwa 98% aus *Colla-

gen; dieses hat bei den Blößen der meisten Säugetiere fast die gleiche Elementarzusammensetzung, nämlich 50,2% C, 25,4% O, 17,8% N, 6,4% H u. 0,2% S. Öfters wird die Blöße (od. das gegerbte Leder) mit der Bandmesserspaltmaschine in der ganzen Fläche in 2 od. mehr dünnere, zusammenhängende Flächenschichten gespalten (*Spaltleder*); hierbei sinkt die Festigkeit (infolge Zerschneidens des Gesamtfasergefüges) um 30–50% gegenüber der Festigkeit der Gesamthaut. Solches Spaltleder findet sich z.B. in Schuhoberleder (*Rindbox), Möbel- u. Kofferüberzügen. Vor dem eigentlichen Gerben löst man die vom Äschern anhaftenden Kalkreste mit etwa 1%iger Milchsäure od. verd. Essigsäure, Ameisensäure od. a. organ. Säuren heraus (*Entkälkung*). Bei leichteren, weichen, geschmeidigen Ledersorten verwendet man zur anschließenden *Beizung* wiederum proteolyt. Enzyme. Die Beizflotte soll neutral od. schwach alkal. reagieren. Für eine nachfolgende Mineralgerbung wird die Blöße durch *Pickeln sauer gestellt, wobei als *Pickel* meist anorgan. Säuren u. Kochsalz, ggf. auch mit Zusätzen von organ. Säuren u.a. dienen. *Pickelblößen* können bereits als Halbfabrikate in den Handel kommen. Die beschriebenen Vorgänge – mit Ausnahme des bereits konservierend wirkenden Pickelns – werden als *Wasserwerkstatt* bezeichnet.

Das *Gerben* der Blöße kann erfolgen 1. durch Behandlung mit pflanzlichen Stoffen (*Loh-* od. *Rotgerberei*) od. mit synthet. organ. Verb., bes. mit Aldehyden, – 2. mit mineral. Gerbmitteln, wie z.B. mit Chrom-Salzen od. Alaun, Aluminiumsulfat, Titan- od. Zirkon-Salzen (Mineralgerbung) od. – 3. durch Kombinationsgerbung, z.B. Chrom-pflanzliche Gerbung, pflanzliche Alaun-Gerbung, Formaldehyd-pflanzliche Gerbung, Alaun-, Chrom-Gerbung. Gerbung mit *pflanzlichen Gerbmitteln* wird hauptsächlich angewandt bei Schuhunterleder, Treibriemenleder, Blankleder, Rindsleder für Sattlerwaren (Riemen, Taschen, Sättel), Portefeuilleleder, Futterleder; Chrom-Gerbung kommt für Schuhoberleder, Bekleidungsleder, techn. Leder u. dgl. in Betracht. Alaun-Gerbung empfiehlt sich für Handschuhleder, Sämischgerbung für Handschuh- u. Putzleder. Der Chemismus des Gerbvorgangs ist relativ komplex. Der wesentliche Faktor dürfte in einer *Vernetzung der Kollagen-Fasern liegen, die durch die verschiedenen Gerbstoffe in unterschiedlicher Weise herbeigeführt wird. Der Gerbeffekt bei pflanzlichen u. ihnen nahestehenden organ. synthet. Verb. kommt durch *Wasserstoff-Brückenbindungen zwischen ihren phenol. Anteilen u. den Peptiden des Kollagens zustande. Soweit es sich bei diesen Agenzien um Säuren handelt, können auch salzartige Bindungen mit freien Amino-Gruppen des Kollagens entstehen. Bei der Gerbung mit Aldehyden reagieren diese mit freien Amino-Gruppen des Kollagens (speziell des Lysins), über dessen Seitenketten die Kollagen-Peptide miteinander vernetzt werden. Bei der *Chrom-Gerbung*, dem wichtigsten G.-Verf. (90% aller Leder sind Chrom-gegerbt), kommt eine Vernetzung durch Komplexbildung zwischen Chrom(III)-Salzen u. den Carboxy-Gruppen des Kollagens zustande [1]. Das Eindringen der Gerbstoffe in die Blößen wird durch deren mechan. Bewegung (*Walken) gefördert.

Bei der sog. *Einbadchrom-Gerbung* enthält die Gerbflotte gerbfertige mehrkernige Hydroxy-Verb. des Chrom(III)-sulfats, die durch stufenweise Zugabe von Alkali hergestellt werden, wobei der pH-Wert der Flotte von anfänglich 3,0 auf 4,0 steigt, was zu weiteren Teilchenvergrößerungen des Gerbstoffs u. zu dessen Fixierung im Hautgefüge führt. Gebrauchsfertige Handelspräp. sind oft so eingestellt, daß das Abstumpfen entfallen kann. Die Einbad-G. verwendet heute auch vielfach sog. selbstreduzierte Chrom-Brühen, die aus Dichromat, Schwefelsäure u. einem organ. Reduktionsmittel (Melasse, Glucose) hergestellt werden. Die bei dieser Red. entstehenden Formiat- bzw. Oxalat-Gruppierungen haben auf die Gerbung einen günstigen Einfluß.

Bei der *Zweibadchrom-Gerbung* werden die Blößen zunächst mit Dichromat-Lsg. (1. Bad) u. anschließend mit Natriumthiosulfat (2. Bad) behandelt. Man erhält dabei bes. reiß- u. stoßfeste Leder (aus Ziegenfellen z.B. *Chevreau*, aus Schaffellen das „ähnliche" *Chevrette*). Die Haut nimmt bei der Chrom-Gerbung 1,5–3% Cr_2O_3 in Form von bas. Cr(III)-Salz auf. Es entsteht dabei ein lederig auftrocknendes, geschmeidiges, festes, sehr haltbares, bakterienresistentes, gegen kaltes u. heißes Wasser beständiges Leder von schwach bläulichgrüner Farbe. Solche ungetrockneten Leder kommen häufig als Halbfabrikate (sog. *Wetblues*) in den Handel. Die Komplexbindungen in Chrom-Ledern sind wärmestabiler als die durch Pflanzengerbstoffe bewirkten Wasserstoff-Brückenbindungen zwischen den Ketten-Mol. des Kollagens. Dadurch werden die Färbemöglichkeiten gegenüber nichtchromgegerbten Ledern beträchtlich erweitert. Ein heute nur noch für die Herst. von *Glacéleder benutztes G.-Verf. ist die sog. *Weiß-* od. *Aluminium-Gerberei* mit Alaun, Eigelb, Weizenmehl u. Kochsalz.

Bei der Gerbung mit *pflanzlichen Gerbmitteln* legte man früher die Blößen in Gruben mit Wasser u. gemahlener Fichten- u. Eichenrinde, wobei das Wasser die *Gerbstoffe aus der Rinde herauslöste u. auf die Haut übertrug. Nach 2–3 Monaten war der Gerb-Lsg. (*Lohe*) erschöpft u. mußte 3–6mal nacheinander ersetzt werden, so daß der ganze Gerbprozeß 1–2 a dauerte. Heute wendet man konz. Gerbmittelextrakte bei erhöhter Temp. an u. sorgt durch Bewegung der Gerbflotte u./od. der Häute für raschere Gerbstoffaufnahme. Schnellgerb-Verf. wie das von Bayer entwickelte RFP- bzw. *C-RFP-Verf.* (von conditioniert, Rapid-Faß-Pulver) benötigen synthet. Vollgerbstoffe. Das Leder muß „gar", d.h. bis ins Innere hinein durch u. durch mit Gerbstoff verbunden sein. Je 100 kg Blöße enthält 20–30 kg Hautsubstanz u. bindet 30–35 kg Gerbstoff, wobei man 40–60 kg Leder erhält, das aus 45% Hautsubstanz, 18% Wasser, 30% gebundenem u. 4% freiem Gerbstoff besteht. Bei pflanzlich gegerbtem Leder liegt die D. zwischen 0,78 u. 1,15; der Anteil der lufterfüllten Räume am Gesamtleder-Vol. beträgt 25–40%. Die Gerbung mit pflanzlichen Gerbstoffen (Gerbstoffextrakten) wird auch heute noch bei Unterleder u. Rindspaltleder für Aktenmappen, Koffer u. Möbel (*Vachettenleder*) u. dgl. ausgeführt, während die mit fetten Ölen u. *Tranen (*Degras*) vorgenommene sog. *Sämisch-* od. *Trangerbung* speziell zur Herst. von Sämischleder angewandt wird. Die Sämischgerbung mit Seetiertranen ist eine Aldehyd-Gerbung, die durch den ungesätt. Aldehyd *Acrolein herbeigeführt wird, der beim oxidativen Zerfall von Tranfettsäuren entsteht. Schuh-Oberleder wird vor dem Trocknen mit einer halbfesten Lederschmiere (*Licker*, *Fettlicker*) eingefettet. Hierbei tritt das Fett zwischen die Hohlräume, die bei der lebenden Haut von Gewebsflüssigkeiten erfüllt waren; auf diese Weise wird das Leder geschmeidig u. wasserabstoßend. Solche gefetteten u. getrockneten Halbfabrikate werden als *Crust-Leder* bezeichnet. Beim *Juchtenleder* erfolgt die Gerbung mit Weidenrinden, die Einfettung mit Birkenteeröl, die Färbung mit Alaun u. Sandelholz. Schuhsohlen durchtränkt man vor dem Gebrauch mit heißem Leinöl. Schuhleder wird bei längerem Gebrauch infolge fortgesetzter chem. Einwirkung u. mechan. Beanspruchung ungerbt, brüchig, unelast. u. mißfarbig. Solchen Zerstörungsprozessen wird v. a. beim gröberen Arbeitsschuhwerk durch häufig wiederholtes Einfetten mit säurefreien Mineralölen, Degras, Tranen usw. entegegengewirkt (*Fettlicker*). Feinere Schuhwerke (*Boxcalf*, *Rindbox*) erhalten den gewünschten Glanz durch Auftragen u. Verreiben von Schuhcreme. Die schwarzglänzende Lackschicht auf Lackleder wurde früher durch Leinölfirnis mit Ruß erzeugt. Alle derartigen, an die G. anschließenden Verbesserungs- u. Verschönerungs-Verf. werden als *Zurichten* des Leders bezeichnet.

Geschichte: Die Kunst der Lederbereitung durch Gerben gehört zu den ältesten Gewerben der Menschheit. Schon die alten Ägypter, Römer, Griechen usw. haben die Häute der Tiere mit Gerbmitteln (Früchten, Blättern, Rinden von Eichen, Erlen, Fichten usw.) behandelt; Plinius erwähnt sogar schon die Alaun-Gerberei. Das älteste Gerb-Verf. ist die *Fettgerberei* gewesen: Die Jäger der Vorzeit haben die Fellunterseiten der erlegten Tiere mit deren Fett eingerieben. Aus solchen Ledern wurden Schuhe, Gürtel, Köcher, Schildbezüge u. dgl. hergestellt. Im Altertum u. Mittelalter standen *Lohgerbung* mit Pflanzengerbstoffen, Fettgerbung u. Alaun-Gerbung im Vordergrund. Die Chrom-Gerbung verdrängte die pflanzliche Gerbung auf dem Gebiet der Oberledergerbung u. dgl. fast völlig. – *E* tanning – *F* tannage – *I* conceria – *S* tenería, curtiduría

Lit.: [1] Chem. Unserer Zeit **14**, 13–17 (1980).
allg.: Faber, Gerbmittel-Gerbung-Nachgerbung, Bibliothek des Leders, Bd. 3, Frankfurt: Umschau 1985 ▪ Kirk-Othmer (3.) **14**, 200–231; (4.) **15**, 159–177 ▪ Ullmann (4.) **16**, 109–177; (5.) **A 15**, 259–282 ▪ Winnacker-Küchler (3.) **2**, 110–114; **5**, 528–589 ▪ s.a. Leder. – *Inst. u. Organisationen:* Institut für Gerbereichemie der TU, 64287 Darmstadt ▪ Internat. Gerber-Vereinigung, 186 High Street, GB-Lewes, East Sussex BN 71XX ▪ Verband der Textilhilfsmittel-, Lederhilfsmittel-, Gerbstoff- u. Waschrohstoff-Industrie (*TEGEWA), 60329 Frankfurt ▪ Verein für Gerberei-Chemie u. -Technik, 64287 Darmstadt ▪ Westdeutsche Gerberschule, 72719 Reutlingen.

Gerberfett s. Degras.

Gerberwolle s. Wolle.

Gerbhilfsmittel. In der *Gerberei Bez. für diejenigen Stoffe, die zur Vorbereitung der tier. Häute für den Gerbprozeß dienen, also die zum Weichen, Äschern, Entkälken u. Pickeln eingesetzten Chemikalien, die beim Beizen, zur Hautauflockerung u. Enthaarung ver-

Gerbsäuren

wendeten Proteasen sowie Stoffe zur allg. Wasserverbesserung (Enthärter), komplexaffine u. puffernde Stoffe bei der Mineral-Gerbung, Dispergiermittel usw. – *E* tanning auxiliaries – *F* produit d'aide au tannage – *I* tannio ausiliare – *S* auxiliares curtientes

Gerbsäuren s. Tannine.

Gerbstoffe. Als G. werden chem. Verb. bezeichnet, die tier. Häute gerben, also in Leder verwandeln können (vgl. Gerberei). Hierbei werden die *Collagen-Ketten der Haut vernetzt[1]. Man unterscheidet anorgan., mineral.[2] (1.) u. organ.-chem. Gerbstoffe. Diese können synthet. (2.) od. pflanzlichen Ursprungs (3.) sein. Letztere werden nochmals in zwei Gruppen eingeteilt: die hydrolysierbaren u. nichthydrolysierbaren (kondensierten) Gerbstoffe.

1. Anorgan. G. sind hauptsächlich Chrom(III)-Salze, Polyphosphate, Aluminium-, Zirkonium- u. Eisen-Salze[3].

2. Die synthet. organ. G. (*Syntane*, *E* synthetic tannins) sind meist durch Sulfonierung lösl. gemachte Aldehyd-Kondensationsprodukte aromat. Grundkörper, insbes. von Phenol, Kresol, Naphthalin u. Naphthol[4]. Dazu gehören auch die sog. *Harzgerbstoffe*, d. h. Harnstoff- od. Melamin-Formaldehyd-Kondensationsprodukte u. ä. Die synthet. G. wirken eher füllend als gerbend, weshalb sie einen erheblichen Gewichtsanteil im gegerbten Leder darstellen. *Mischgerbstoffe* aus Syntanen u. Metall-Salzen [bes. Al-Salze u. Chrom(III)sulfat] sind insbes. zur Vorgerbung schwerer Häute geeignet. Syntane hellen die Farbe des Leders etwas auf, beschleunigen die Durchgerbung, lösen bzw. emulgieren unlösl. Anteile der natürlichen Gerbstoffe u. ermöglichen verschiedene Spezialgerbeffekte. Andere synthet. G. sind Aldehyde, die nur wenig zur Gewichtserhöhung des Leders beitragen (z. B. Form- u. Glutaraldehyd), u. stärker ungesätt. Fette (*Trane*).

3. G. pflanzlichen Ursprungs sind weit verbreitet u. kommen in verschiedenen Pflanzenteilen vor, z. B. in Blättern (Tee), Samen (Kaffee), Beeren, Gallen, Hölzern usw. Im engeren Sinne sind es *Gerbsäuren* bzw. *Tannine*, sie schützen die Pflanzen gegen Fäulnis, Schädlinge od. Tierfraß. Sie lösen sich in Wasser kolloidal od. semikolloidal, schmecken adstringierend u. fällen Eiweiß-Lösungen. Mit Eisen-Salzen bilden sie dunkelblaue od. grüne Komplexe, mit Blei-Salzen u. Alkaloiden meist unlösl. Niederschläge. Die kolloiden Teilchen sind hinreichend klein, um die Haut in ihrer ganzen Dicke durchwandern zu können. Die pflanzlichen G. werden (nach Freudenberg) in zwei weitere Gruppen eingeteilt:

a) die kondensierten G. od. *Catechin-G.*[5], die sich vom Catechin ableiten u. b) die hydrolysierbaren G. od. *Gallotannine*, die sich von der *Gallussäure ableiten. Vertreter beider Gruppen enthalten zahlreiche phenol. Hydroxy-Gruppen.

Flavan-3-ole
(Catechine)
$R^1, R^2 = H$ od. OH

Flavan-3,4-diole
(Leukoanthocyanidine)

a) Die monomeren *Catechine (Flavan-3-ole) u. *Leukoanthocyanidine (Flavan-3,4-diole), von denen sich diese G. ableiten, tragen bevorzugt in 5,7,3',4',5'-Stellung phenol. Hydroxy-Gruppen, sie haben noch keinen Gerbstoffcharakter. Erst durch Selbstkondensation (säurekatalysiert od. auf enzymat. Wege) entstehen aus ihnen Gerbstoffe. Für die Farbe von fermentiertem Tee ist z. B. *Theaflavin* verantwortlich, ein Dimer aus Epicatechin u. Epigallocatechin. Wichtige G. dieser Gruppe sind in Gambi(er), *Catechu, *Quebracho (14–26%), Wattlerinde (22–48%), *Mangrovenrinde (16–50%), *Hemlockrinde (7–18%), *Eichenrinde (6–17%) u. *Tizera (2–20%) enthalten. Fichtenrinde enthält ca. 10–18% *Phenolglucoside*, die sich vom Piceatannol ableiten. Weiterhin sind an der Bildung von kondensierten G. auch *Flavonoide, *Kaffee-, *Chlorogen- u. Ferulasäure beteiligt.

b) Hydrolysierbare G. werden auch *Gallotannine, Gallus-Gerbsäuren* od. *Pyrogallol-Gerbstoffe* genannt, s. Tannine. In chines. Gallen sind pro Mol Glucose 7–10 Gallussäure-Reste enthalten, in türk. Gallen nur die durch oxidative Kupplung von 2 Mol Gallussäure gebildete Hexahydrodiphensäure. Bei der Hydrolyse entsteht hieraus die *Ellagsäure. Dieser G.-Typ ist auch in Eichen u. Edelkastanienholz (5–10%), Sumach (22–35%), *Valonea (20–50%), chines. Gallen (60–77%), oriental. Gallen (*Aleppo-Gallen*), *Myrobalanen (25-48%), *Trillo (20–50%) u. Divi-Divi (25–50%) enthalten. – *E* tanning agents – *F* matières tannantes – *I* conciarti – *S* curtientes, taninos

Lit.: [1]AQEIC Bol. Tec. **39**, 199–204, 207–213 (1988). [2]AQEIC Bol. Tec. **38**, 439f., 443–450, 453–460, 463–469 (1987). [3]Technicuir **14**, 80–84 (1980); **18**, 9–15 (1984). [4]Kirk-Othmer (3.) **15**, 719–749; Leder **33**, 142–154 (1982). [5]Zechmeister **27**, 158–260.

allg.: Dtsch. Apoth. Ztg. **134**, 3167 (1994) ▪ Pharm. Unserer Zeit **11**, 129–137 (1982) ▪ Ullmann (5.) **A 15**, 288 ▪ Z. Lebensm.-Unters. Forsch. **179**, 279–287 (1984) ▪ s. a. Leder, Gerberei, Tannine u. einzelne Gerbstoffe. – *[HS 3201 10–3201 90, 3202 10, 3202 90]*

Gercid®. Aldehyd-freies Flächendesinfektionsmittel auf der Basis mikrobizider Amphotenside u. quartärer Ammonium-Verbindungen. *B.:* Th. Goldschmidt AG.

Gercid® forte. Aldehyd-freies Flächendesinfektionsmittel auf der Basis eines kation. Biozids. *B.:* Th. Goldschmidt AG.

Geref®. Trockensubstanz mit dem Wachstumshormon-Releasing-Faktor *Sermorelin-Acetat zur Funktionsdiagnostik des Hypophysenvorderlappens bei Verdacht auf Wachstumshormon-Mangel. *B.:* Serono.

Gereinigt s. chemische Reinheit.

Gerhardt, Carl Friedrich (Charles Frédéric, 1816–1856), Prof. für Chemie, Paris u. Montpellier. *Arbeitsgebiete:* Entdeckung der organ. Säureanhydride, Begründung der Typentheorie in der organ. Chemie, Einführung des Begriffs der „homologen Reihe".
Lit.: Bugge, Das Buch der großen Chemiker, Bd. 2, S. 92–114, Weinheim: Verl. Chemie 1929 (1961) ▪ Krafft, S. 140 ▪ Neufeldt, S. 35, 42 ▪ Pötsch, S. 167.

Geriatric Pharmaton®. Kapseln mit standardisiertem *Ginseng-Extrakt, Vitaminen, Mineralstoffen, Cholinhydrogentartrat, Linol- u. Linolensäure zur

Steigerung der körperlichen u. geistigen Leistungsfähigkeit. *B.*: Pharmaton.

Geriatrie (griech.: geron = Greis, iatreia = Heilkunde). Lehre von den Krankheiten des Alters. Medizin. Teilgebiet, das sich mit Beschreibung, Vorbeugung u. Behandlung von Erkrankungen im höheren Lebensalter befaßt. – *E* geriatrics – *F* gériatrie – *I* geriatria – *S* geriatría

Geriatrika. Von griech.: geron = Greis u. iatrike = Heilkunst abgeleitete Bez. für Präp., die Altersbeschwerden beheben od. lindern sollen; entsprechende Arzneimittelnamen beginnen häufig mit Geri... (od. Gero...). Zwar gibt es medizin. u. therapeut. Maßnahmen, die auf Altersbeschwerden abzielen; auch ist die Dosierung von Arzneistoffen bei alten Patienten anders. Speziell das „Altern" verzögernde Stoffe gibt es aber nicht, sondern es kommen die üblichen Therapeutika gegen die jeweiligen Beschwerden zum Einsatz. – *E* geriatric drugs – *F* médicaments gériatriques – *I* geriatrici – *S* geriátricos

Lit.: Kruse, Medikamente in der Geriatrie, Stuttgart: Kohlhammer 1994 ▪ s. a. Altern.

Gerichtschemie s. forensische Chemie.

Gerinnung s. Blutgerinnung, Denaturieren, Fibrin u. Milch.

Gerinnungsfaktoren s. Blutgerinnung.

Gerlach, Walther (1889–1979), Prof. für Physik, Univ. Frankfurt, Tübingen, München. *Arbeitsgebiete:* Spektralanalyse, Strahlungskonstante, Ferromagnetismus, Atombau, insbes. Magnetquantenzahl (s. Stern-Gerlach-Versuch bei Atomstrahlen), Quantentheorie, Geschichte der Naturwissenschaften.

Lit.: Neufeldt, S. 143, 382 ▪ Phys. Bl. **25**, 343 ff., 412 f., 472 (1969).

GERMABEN® II, II-E. Konservierungsmittelgemisch, bestehend aus: Diazolidinylharnstoff, Methylparaben, Propylparaben u. Propylenglykol. Vollständiges Konservierungsmittelsyst. mit breitem Wirkungsspektrum gegen Gram-pos. u. -neg. Bakterien sowie gegen Hefen u. Schimmelpilze. *B.*: ISP.

Germacrane.

Germacratrien A   Germacron

Germacran ist der Trivialname für den monocycl. Kohlenwasserstoff 4,10-Dimethyl-7-isopropylcyclodecan, der das Grundgerüst einer Gruppe von Sesquiterpenen bildet, von denen bes. die *Germacrene* u. deren Lacton-Derivate, die *Germacranolide u. die *Periplanone wichtig sind. Insgesamt sind über hundert Verb. bekannt. Zu den Germacrenen gehört z. B. das 1,4,11-Germacratrien[1] (*G. A*, $C_{15}H_{24}$, M_R 204,36, $[\alpha]_D^{25}$ −3,2° ($CHCl_3$), Öl, vgl. Formel) aus *Eunicea mammosa*; das auch als Alarmpheromon der Alfalfa-Blattlaus (*Therioaphis maculata*) dient; weiterhin *Germacren B*[2] aus Efeu (*Hedera helix*) mit 7,11-exocycl. Doppelbindung. Bei *Germacren C*[3] u. *β-G. C*[4] sind alle drei Doppelbindungen in den Ring integriert. Davon abgeleitete Alkohole sind ebenfalls bekannt. Ist der Ring in α-Stellung zur Isopropyl-Gruppe hydroxyliert, können sich nach Oxid. *Germacranolide bilden. Beim *Germacron*[5] ($C_{15}H_{22}O$, M_R 218,34) ist das C-Atom in Position 8 zur Carbonyl-Gruppe oxidiert. – *E* germacranes, germacrenes – *F* germacranes, germacrènes – *I* germacrani, germacreni – *S* germacranos, germacrenos

Lit.: [1] Tetrahedron Lett. **1970**, 497. [2] Tetrahedron Lett. **1969**, 3097. [3] Scheuer I **5**, 179 ff. [4] Phytochemistry **18**, 1889 (1979). [5] Tetrahedron Lett. **24**, 3489 (1983).

allg.: Angew. Chem. **85**, 901 ff. (1973) ▪ Phytochemistry **26**, 312 (1987) ▪ Tetrahedron Lett. **1978**, 2903 ▪ Zechmeister **38**, 47 – 390. – [CAS 28387-44-2 (G. A.); 15423-57-1 (Germacren B); 6902-91-6 (Germacron)]

Germacranolide.

Pyrethrosin   Costunolid

Linderalacton

Bicycl. Sesquiterpenlactone, die sich von den *Germacranen ableiten. Meist befindet sich der Lacton-Ring in 8α,7β-Stellung (z. B. Pyrethrosin) od. in 6α,7β-Stellung (z. B. Costunolid), seltener in 4,6-Stellung wie im Linderlacton.

Tab.: Daten von Germacranoliden.

	Summenformel	M_R	Schmp. [°C]	$[\alpha]_D$	CAS
Pyrethrosin	$C_{17}H_{22}O_5$	306,36	201	−31° (c 1,73/ $CHCl_3$)	28272-18-6
Costunolid	$C_{15}H_{20}O_2$	232,32	106	−128° (c 0,45/ $CHCl_3$)	553-21-9
Linderalacton	$C_{15}H_{16}O_3$	244,29	140	−102° (c 1/ Dioxan)	728-61-0

– *E* = *F* germacronolides – *I* germacranolidi – *S* germacranólidos

Lit.: s. Germacrane.

Germacr(atri)ene, Germacron s. Germacrane.

GERMALL® 115. Imidazolidinylharnstoff. Konservierungsmittel, wirksam gegen Gram-pos. u. -neg. Bakterien. – *B.*: ISP.

GERMALL® II. Diazolidinylharnstoff. Konservierungsmittel, wirksam gegen Gram-pos. u. -neg. Bakterien. Bietet gewissen Schutz gegen Hefen u. Schimmelpilze. – *B.*: ISP.

Germalloy®. Leg. unedler Metalle zum Impfen von Gußeisen. – *B.*: AKW Trostberg AG.

Germanate. Bez. für Salze, die *Germanium im Anion enthalten; die G(IV) entstehen beim Auflösen von Germanium in Laugen sowie beim Zusammenschmelzen von Germanium(IV)-oxid mit Metalloxiden u. entsprechen in ihrer Zusammensetzung weitgehend die Silicaten. Es treten die folgenden Anionen auf: $(GeO_3)^{2-}$ (Meta-G.), $(GeO_4)^{4-}$ (Ortho-G.), ferner $(Ge_2O_5)^{2-}$, $(Ge_4O_9)^{2-}$. Die G.(II) enthalten als Anion $(GeO_2)^{2-}$. Magnesium-G. wird in Fluoreszenzbelägen verwendet, Blei-G. zeigt *optische Aktivität, ist als *Ferroelektrikum für die *Optoelektronik von Interesse u. wird als Zusatz zu Bariumtitanat-Kondensatoren verwendet. – $E = F$ germanates – I germanati – S germanatos
Lit.: Demianets et al., in Freyhardt, Organic Crystals. Germanates, Semiconductors, Berlin: Springer 1980 ▪ s. a. Germanium(-Verbindungen).

Germane, Germanide s. Germanium-Verbindungen.

Germanin®. Marke von Bayer für *Suramin-Natrium, das heute noch als Bayer 205 (Naganol®) für veterinärmedizin. Anw. im Handel ist. Mit G. wurden seit etwa 1925 außergewöhnliche Heilerfolge gegen die bes. in Afrika verbreitete *Schlafkrankheit erzielt, welche durch *Trypanosomen verursacht wird. Auch bei Tieren erwies sich G. als wirksam gegen Trypanosomen-Infektionen, ohne daß die Wirkungsweise aufgeklärt wäre. G. wurde 1917 erstmals von Dressel u. Kothe synthetisiert; es ist heute weitgehend von *Pentamidin-Präp. verdrängt, wird aber zur Therapie der *Filariasis empfohlen.
Lit.: Ehrhart-Ruschig, S. 1197 f. ▪ J. Chem. Educ. **38**, 620 (1961).

Germanit. $Cu_3(Ge,Fe)S_4$, auch: $Cu_{26}Fe_4Ge_4S_{32}$, M_R 3191,86, kub. Erzmineral mit 8–10% Germanium; violettrosa, rötlich-grau, metall. glänzend, satt violett bis matt braun anlaufend; Kristallklasse $\overline{4}3m$-T_D. H. 3, D. 4,59. Muscheliger Bruch, winzige Krist.; gewöhnlich derb als eingewachsene Körner. Vork. in Tsumeb/Namibia, Kipushi/Zaire, Jamestown/Colorado, Radka/Bulgarien. – $E = F = I$ germanite – S germanita
Lit.: Am. Mineral. **69**, 943–947 (1984) (Struktur) ▪ Anthony et al., Handbook of Mineralogy, Bd. 1, S. 179, Tucson (Arizona): Mineral Data Publishing 1990 ▪ Lapis **9**, Nr. 7/8, 23 (1984) (Tsumeb-Heft) ▪ Ramdohr, Die Erzmineralien u. ihre Verwachsungen. S. 612 ff., Berlin: Akademie-Verl. 1975 ▪ Ramdohr-Strunz, S. 436. – *[HS 261790; CAS 12198-12-8]*

Germanium. Chem. Symbol Ge, metall. Element, Ordnungszahl 32, M_R 72,59. Natürliche Isotope (in Klammern Häufigkeit): 70 (20,5%), 72 (27,4%), 73 (7,8%), 74 (36,5%), 76 (7,8%); ferner radioaktive Isotope ^{65}Ge–^{78}Ge mit HWZ zwischen 20 ms u. 287 d. Ge ist ein sehr sprödes, grauweiß glänzendes Metall, H. 6, D. 5,323 (25 °C), Schmp. 937,4 °C, Sdp. 2830 °C. G. zeigt wie Bismut eine Dichteanomalie, die Ausdehnung beim Erstarren beträgt 6%. An der Luft ist metall. Ge beständig; bei starkem Glühen im Sauerstoff-Strom oxidiert es zum Oxid GeO_2 als sandiges weißes Pulver. Ge tritt 2- u. 4-wertig auf, u. die Ge(IV)-Verb. sind entsprechend der Stellung des Ge in der 14. Gruppe des *Periodensystems am beständigsten. Von Salzsäure, Kalilauge u. verd. Schwefelsäure wird Ge nicht angegriffen, dagegen von alkal. Wasserstoffperoxid-Lsg., konz., heißer Schwefelsäure (SO_2-Entwicklung) u. konz. Salpetersäure (Bildung von Germaniumdioxidhydrat). Ge steht in seinen chem. Eigenschaften zwischen Silicium u. Zinn (s. Periodensystem) u. gilt als wenig toxisch [1].

Vork.: Ge ist ein ziemlich seltenes Element: Nur etwa 0,00056% der obersten, 16 km dicken Erdkruste bestehen aus Ge. Es findet sich in Konz. bis zu 8% in den südafrikan. Mineralen *Germanit, *Reniérit u. dem sehr seltenen Argyrodit, außerdem spurenweise in manchen Kohlen u. angereichert in deren Flugaschen sowie im Flugstaub der Zink-Verhüttung.

Nachw.: Mit Benzoin od. 1,5-Diphenylcarbazon; quant. Bestimmung gravimetr. mit Benzo[*f*]chinolin od. Oxin od. photometr. mit Phenylfluoron od. Dithiol [2]. Die Fluoreszenz mit Morin in H_3PO_4 gestattet die Bestimmung im $ng \cdot g^{-1}$-Bereich [3].

Herst.: Ge fällt in allg. als Nebenprodukt bei der Gewinnung anderer Metalle (Zn, Cu, Pb) od. als Flugasche an; es wird aus den Aufschluß-Lsg. als Germaniumsulfid od. -oxid ausgefällt u. mit konz. HCl in $GeCl_4$ überführt, das durch Dest. u. Rektifikation gereinigt u. mit deionisiertem Wasser zu GeO_2 hydrolysiert wird. Das aus dem Oxid durch Red. mit H_2 erhaltene Metall wird durch *Zonenschmelzen gereinigt; Ge kann auf diese Weise mit einer Reinheit von 1 Fremdatom auf 10^{12}–10^{14} Ge-Atome hergestellt werden.

Verw.: Ge ist ein *Halbleiter; sein elektr. Widerstand sinkt beim Erwärmen u. steigt mit zunehmender Reinheit. Man stellt aus Ge seit 1942 Dioden her, die wie Kristallgleichrichter wirken. Die wichtigste Rolle spielte das Ge in den *Transistoren, in denen es jedoch zunehmend durch Si od GaP, GaAs usw. ersetzt wird. Zur Herst. von Ge-Dioden u. Transistoren benötigt man Ge-Einkrist. mit weniger als 10^{-10} Atomteilen Fremdstoffgehalt, deren Eigenschaften durch *Dotierung modifiziert werden. Ge-Einkrist. dienen auch als Unterlage für Ga(As/P)-Halbleiter in Leuchtdioden (*LED) u. Solarzellen, u. polykrist. Ge-Si-Mischkrist., z. B. aus 75 Atom-% Si u. 25 Atom-% Ge mit hoher Phosphor- u. Bor-Dotierung, werden für Thermo-Generatoren benutzt. Ge-Einkrist. sind transparent für infrarotes Licht u. wird deshalb in Infrarot-Spektroskopen sowie in anderen opt. Geräten in Form von Ge-Linsen verwendet. Ge-Salze erhöhen die Lichtbrechung von Glas. Ein 0,35%iger Ge-Zusatz verdoppelt die Härte von Zinn. Eine 12%ige Ge-Au-Leg. schmilzt bei 359 °C u. wird von Juwelieren zum Löten verwendet. Die Walzbarkeit des Duraluminiums kann durch geringe Ge-Zusätze verbessert werden. GeO_2 dient als Katalysator bei der Herst. von nicht vergilbenden Polyesterfasern. Die Georgan. Verb. gewinnen zunehmend an Interesse, haben jedoch noch keine größere kommerzielle Verw. gefunden; einige von ihnen haben bakteriostat. Eigenschaften u. finden gewisse Anw. in der Medizin.

Geschichte: Im Jahre 1871 prophezeite Mendelejew aufgrund seines *Periodensystems, es müsse ein Element mit dem Atom-Gew. 72 u. der D. 5,5 geben, das in seinen Eigenschaften etwa zwischen Silicium u. Zinn stehe u. als Eka-Silicium bezeichnet wurde. 1886 isolierte Clemens *Winkler dieses Element, nachdem ihm bei der quant. Analyse des kurz zuvor entdeckten Silberminerals Argyrodit stets ein Fehlbetrag von ca. 7% aufgefallen war; er nannte es Germanium.

Die Weltproduktion an Ge belief sich 1948 auf 0,5 t, 1955 auf 32 t, stieg in den 60er Jahren durch den Bedarf für Transistoren auf über 100 t/a u. bewegte sich seit den 70er Jahren zwischen 30 u. 80 t/a. Jährliche Daten veröffentlicht das US Bureau of Mines. – $E = F$ germanio – $I = S$ germanio

Lit.: [1] Gerber, in Seiler u. Sigel (Hrsg.), Handbook on Toxicity of Inorganic Compounds, S. 301–305, New York: Dekker 1988. [2] Fries-Getrost, S. 154–158. [3] Townshend, Encyclopedia of Analytical Science, S. 1935–1943, London: Academic Press 1995.
allg.: Comprehensive Coordination Chemistry **3**, 183–234 (1987) ▪ Kirk-Othmer (4.) **12**, 540–555 ▪ Ullmann (5.) **A 12**, 163–167, 351–361; **A 23**, 544 ▪ Winnacker-Küchler (4.) **3**, 449–454; **4**, 486 ff. ▪ s. a. Halbleiter. – [HS 8112 30; CAS 7440-56-4]

Germanium-Verbindungen. Germanium- (Ge) bildet Ge(II)- u. (beständigere) Ge(IV)-Verb., von denen allerdings nur wenige Bedeutung besitzen. *Germaniumdioxid*, GeO_2, M_R 104,59, kommt in 3 Modif. vor: Hexagonal, D. 4,23, Schmp. 1115 °C, tetragonal, D. 6,24, Schmp. 1086 °C u. glasartig amorph, D. 3,64. Von den *Germaniumhalogeniden* sind ebenfalls Ge(II)- u. Ge(IV)-Vertreter bekannt. *Germaniumtetrachlorid* ($GeCl_4$, M_R 214,40, D. 1,874, Schmp. −49,5 °C, Sdp. 83 °C) bildet sich bei Einwirkung von HCl auf Ge-Oxide od. *Germanate od. von Cl_2 auf Ge-Metall. Es ist in den üblichen organ. Lsm. lösl., in konz. H_2SO_4 u. HCl unlösl. u. läßt sich mit H_2O zu GeO_2 hydrolysieren; es ist ein wichtiges Zwischenprodukt bei der Ge-Gewinnung.
Das gasf. *Germaniumhydrid* (GeH_4, s. *Lit.*[1]) wird in der Elektronik-Ind. zur *Epitaxie u. zum *Dotieren verwendet. Ge-Ge-Bindungen kennt man von den höheren Germaniumwasserstoffen (*Germane*), z. B. bis Ge_8H_{18}. Diese sind weniger Hydrolyse-empfindlich als die analogen Silane. Das Gegenteil gilt für viele *Germaniumorgan. Verb.*, die in großer Zahl synthetisiert worden sind, ohne daß sie bislang techn. Bedeutung erlangt hätten (*Lit.*[2]). Sehr beständig sind auch die aus den Elementen erhältlichen *Germanide*, z. B. $GeMg_2$, das in der Halbleitertechnik u. zur Herst. der Hydride Verw. findet. Das intermetall. Nb_3Ge zeigt Supraleitung bis 23 K. Gespannte Ringe aus Ge-Atomen u. Mol. mit Ge-Ge-Doppelbindungen[3] sowie Polygermane[4] sind bekannt. – *E* germanium compounds – *F* composés de germanium – *I* composti di germanio – *S* compuestos de germanio

Lit.: [1] Encycl. Gaz., S. 877–881; Hommel, Nr. 912. [2] Gmelin, Organogermanium Compounds, Part 1 (1988), Part 2 (1989), Part 3 (1990). [3] Angew. Chem. **103**, 916–944 (1991). [4] Angew. Chem. **108**, 1712–1731 (1996).
allg.: s. Germanium.

Germer s. Nieswurz.

Germizide (von latein.: germen = Keim u. *...zid). Bez. für Stoffe, die keimtötend wirken, z. B. in *Antiseptika, *Desinfektionsmitteln, *Bakteriziden u. allg. antimikrobiellen Wirkstoffen. – $E = F$ germicides – *I* germicidi – *S* germicidas

Gernebcin®. Injektionslösung mit *Tobramycin-Sulfat gegen bakterielle Infektionen. *B.:* Eli Lilly.

Gerontoplasten s. Chromoplasten.

Gerresheimer. Kurzbez. für die aus der 1888 gegr. Aktien-Ges. der Gerresheimer Glashüttenwerke, vormals Ferd. Heye, hervorgegangene Gerresheimer Glas AG, 40470 Düsseldorf. *Daten* (1994): 7535 Beschäftigte, 113,5 Mio. DM Kapital, 520 Mio. DM Umsatz. *Produktion:* Getränkeflaschen u. Verpackungsglas, Bauglas, Kunststoffbehälter, Verschlüsse u. Korken für die Getränke-Ind., Etiketten aus Schaumfolien, Röhrenglas, pharmazeut. u. medizin. Verpackungen.

Gersdorf. Bez. für österreich. *Neusilber-Leg. mit 50–60% Cu, 20–25% Zn, 20–25% Ni. – [HS 7403 23]

Gersdorffit. NiAsS; mit Co-, Fe- u. Sb-Gehalten, frisch silberweiß metallglänzendes, aber bald dunkelgrau u. matt anlaufendes, kub., auch rhomb. Erzmineral; zur Struktur s. *Lit.*[1]. Kristallklasse m3-T_h. Würfelige od. oktaedr. eingewachsene Krist., derbe u. eingesprengte Aggregate. Strich grauschwarz. Vollkommene *Spaltbarkeit, H. 5, D. 5,6–6,2; verwittert leicht mit grünem Beschlag.
Vork.: In hydrothermalen *Gängen, z. B. Cobalt u. Sudbury/Ontario (Kanada), Snowbird Mine/Montana (USA), Bou Azzer/Marokko, Schladming/Steiermark, Wolfsberg/Harz. Als Nickelerz heute ohne Bedeutung. – $E = F = I$ gersdorffite – *S* gersdorfita

Lit.: [1] Am. Mineral. **67**, 1058–1064 (1982); Mineral. Mag. **36**, 940–947 (1968).
allg.: Anthony et al., Handbook of Mineralogy, Bd. I, S. 180, Tucson (Arizona): Mineral Data Publishing 1990 ▪ Ramdohr-Strunz, Die Erzmineralien in ihre Verwachsungen, S. 890–894, Berlin: Akademie-Verl. 1975 ▪ Schröcke-Weiner, S. 258 f. – [HS 2604 00; CAS 12255-11-7]

Gerste. Weit verbreitete, einjährige *Getreide-Pflanze (*Hordeum vulgare*, Poaceae), die schon vor ca. 6000 Jahren in Asien kultiviert wurde u. hauptsächlich als Sommergetreide angebaut wird. Die Ähren tragen im allg. starre, bis über 15 cm lange Grannen u. sind 2- (vorwiegend Brau-G.) oder 3–4zeilig (Futter- u. Ind.-G.). Geschälte G. enthält ca. 70% Kohlenhydrate [davon 62% Stärke (s. die Abb. dort), 10% *Glucane, *Polyfructosane, *Saccharose, *Raffinose, *Maltose, *Fructose, *Glucose], 10–16% Eiweiß [*Hordein, *Glutelin, *Albumin, *Globulin], 2–3% *Mineralstoffe, 2% Fett (aus 57% Linol-, 30% Öl-, 1% Linolensowie gesätt. Säuren) u. die *Vitamine B_1, B_2, B_6, E, Nicotinsäure, Pantothensäure u. Folsäure.
Verw.: Wegen der starken *Amylase-Bildung beim Keimen wird G. bevorzugt zur *Malz-Bereitung – für die *Bier-Brauerei u. für Malzkaffee (s. Kaffee-Ersatz) – verwendet, außerdem industriell zur Ethanol-Gewinnung, in der Ernährung für Grütze, Gries, Graupen, als Futtermittel. – *E* barley – *F* orge – *I* orzo – *S* cebada

Lit.: Franke, Nutzpflanzenkunde, 5. Aufl., Stuttgart: Thieme 1992 ▪ s. a. Getreide. – [HS 1003 00]

Gersthofener Wachse s. Hoechst-Wachse.

Geruch (Geruchssinn). Chem. Sinn zur Wahrnehmung von gelösten u. gasf. Stoffen. Er dient der Ortung mehr od. weniger weit entfernter Reizquellen zur Nahrungssuche od. im Rahmen von sozialem Verhalten. Geruchssinnesorgane liegen daher an Körperstellen, die Luft- u. Wasserströmungen od. dem Atemstrom leicht zugänglich sind. Bei den Insekten befinden sich die G.-Organe (*G.-Sensillen*) auf den Antennen u. ermöglichen die Wahrnehmung von chem. Reizen, z. B. Sexuallockstoffen (*Pheromone) in sehr geringer Konzentration. So reicht beim Seidenspinner, einem Schmetterling, ein einziges Mol. eines vom Weibchen produzierten Lockstoffes für die Erregung einer Sinneszelle aus. Die Fische haben Riechorgane, die aus einer Riechgrube od. einer durchströmten Riechspalte bestehen. Bei höher entwickelten Wirbeltieren sind die Geruchsorgane mit den Atemwegen kombiniert. Bei ihnen liegen die Sinneszellen in einer speziellen Region der Nasenschleimhaut. Lebewesen mit relativ schwachem Geruchssinn wie z. B. der Mensch werden als *Mikrosmaten* von den *Makrosmaten* mit bes. gutem Geruchssinn (z. B. Hunde) unterschieden. Die Riechschleimhaut in der Nasenhöhle des Menschen enthält 10^7 Sinneszellen, die des Schäferhundes 2×10^8 Sinneszellen.

Die Riechsinneszellen tragen an ihrer Spitze Sinneshaare (*Zilien*), die in die das Epithel bedeckende Schleimschicht hineinragen. Die Mol. eines *Duftstoffes diffundieren durch die Schleimschicht zur Membran der Zilien. Die Duftstoff-Mol. reagieren mit Rezeptorstrukturen der Membran, was durch Vermittlung intrazellulärer Botenstoffe zu Änderungen der Membranpermeabilität u. zur Ausbildung des Rezeptorpotentials führt. Es wird vermutet, daß die einzelnen Sinneszellen auf mehrere verschiedene Duftstoffe regieren, so daß die jeweilige Qualität durch ein Erregungsmuster codiert wird. Die Erregung wird über die basalen Fortsätze der Sinneszellen, die sich in Bündeln sammeln, zum Riechlappen (Bulbus olfactorius), einem vorgeschobenen kolbenförmigen Hirnteil fortgeleitet. Von dort aus geschieht die Weiterleitung zu verschiedenen Hirnarealen, u. a. dem Hypothalamus u. dem limb. System.

Der Mensch kann mehrere tausend verschiedene Duftstoffe geruchlich unterscheiden. Eine scharfe Abgrenzung verschiedener Geruchsqualitäten ist nicht möglich. Daher werden bestimmte Qualitäten nach Ähnlichkeit in *Duftklassen* eingeteilt wie blumig, ether., Moschus-artig, Campher-artig, schweißig, faulig u. stechend. Bei der Geruchswahrnehmung unterscheidet man die *Wahrnehmungsschwelle*, bei der eben wahrgenommen wird, daß etwas riecht, von der *Erkennungsschwelle* eines Duftstoffes. Die Wahrnehmungsschwelle von z. B. Buttersäure liegt bei einer Konz. von $2,4 \times 10^9$ Mol./mL Luft. Dauerreizung durch einen bestimmten Geruchsstoff führt zu einer Abnahme der Empfindung (*Adaptation), so daß die Geruchsempfindung bei sehr langer Reizdauer vollständig verschwinden kann, allerdings ohne die Empfindlichkeit für andere Stoffe zu beeinflussen.

Geruchswahrnehmungen haben bei verschiedenen Tieren wichtige Funktionen im Rahmen des Fortpflanzungsverhaltens, des sozialen Verhaltens u. des Nahrungserwerbes. Beim Menschen ist die Bedeutung des Geruchssinnes in diesem Zusammenhang nicht so groß, aber vorhanden. So haben Geruchswahrnehmungen eine starke emotionale Komponente u. Gerüche können Schutzreflexe wie Niesen u. Würgen auslösen. Das Schmecken (s. a. Geschmack) von Speisen u. Getränken beruht neben dem Geschmackssinn ganz wesentlich auf dem Geruchssinn, da Aromastoffe meist Geruchsstoffe sind, die durch die Nase od. beim Kauen u. Schlucken durch den Rachen an das Riechepithel gelangen.

Störungen des Geruchssinnes, wie sie im Rahmen bestimmter Erkrankungen vorkommen, treten z. B. als Abschwächung der Geruchsempfindlichkeit (*Hyposmie*) od. als Auslösung von unangenehmen G.-Empfindungen durch beliebige Duftstoffe (*Dysosmie*) auf. Ein völliger Ausfall des Geruchssinnes wird als *Anosmie* bezeichnet u. kommt u. a. als Folge von Verletzungen der Geruchsnerven bei Schädelbrüchen vor. – *E* olfaction, odor, smell – *F* olfaction, odeur – *I* olfatto, odorato – *S* olfato

Lit.: Horn, Vergleichende Sinnesphysiologie, Stuttgart: Fischer 1982 ▪ Schmidt, Neuro- u. Sinnesphysiologie, Heidelberg: Springer 1995.

Geruchsbelästigung. Erhebliche Beeinträchtigung des menschlichen Wohlbefindens durch geruchsintensive Substanzen, ohne daß damit die Gesundheit beeinträchtigt sein muß. Es existieren chem. Verb., deren *Geruch weit unterhalb der analyt. Nachweisgrenze, d. h. auch in extremer Verd., wahrgenommen wird. Gerüche werden häufig von unterschiedlichen Personen unter unterschiedlichen Bedingungen in unterschiedlicher Weise empfunden, z. B. hängt die Empfindung von Kläranlagengerüchen auch von der Witterung ab [1]. Das *Bundes-Immissionsschutzgesetz nennt als Luftverunreinigungen auch Geruchsstoffe, so daß die nach der 4. BImSchV *genehmigungsbedürftigen Anlagen nach *TA Luft zu bewerten sind, nicht genehmigungspflichtige Anlagen in der Regel nur in Anlehnung an die TA Luft. Nach § 18 *Wasserhaushaltsgesetz sind dort genannte Anlagen nach den hierfür jeweils in Betracht kommenden Regeln der Technik zu errichten u. zu betreiben, was eine Vermeidung von G. einschließt. – *E* odour nuisance – *F* nuisance par une odeur – *I* disturbo olfattivo – *S* molestia por olores

Lit.: [1] Roseburg u. Fikentscher, Klinische Olfaktologie u. Gustologie, S. 50, Leipzig: J. A. Barth 1977.
allg.: Schön u. Hübner, Geruch – Messung u. Beseitigung, S. 39–56, Würzburg: Vogel 1996 ▪ VDI-Kommission Reinhaltung der Luft (Hrsg.), Geruchsstoffe, Düsseldorf: VDI 1986.

Geruchseinheit. Geruchsstoffmenge in einem m^3 Luft, die in 50% der Fälle wahrgenommen wird.

Geruchsmaskierung (Desodorierung). Bez. für ein Verf., unangenehme Gerüche durch als angenehm empfundene uftstoffe (*Desodorantien) zu überlagern. Letztere werden meist als *Aerosole in die Raumluft verteilt. – *E* masking of odours, deodorization – *F* oblitération des odeurs – *I* mascheradura dell' odore – *S* enmascaramiento de olores

Lit.: Martin u. Laffort (Hrsg.), Odors and Deodorization in the Environment, New York: VCH Publishers Inc. 1994 ▪ Summer, Methods of Air Deodorization; Amsterdam: Elsevier 1963.

Geruchsminderung. Entfernung störender Geruchskomponenten aus *Abgasen, z. B. durch *Absorption (Abgaswäscher), *Adsorption (Aktivkohlefilter), chem. Umwandlung (z. B. Neutralisation) od. Verbrennung, s. thermische Gasreinigung (z. B. Mercaptane in der Zellstoff-Ind.). Da bereits außerordentlich geringe Konz. geruchsintensiver Stoffe zu beträchtlichen *Geruchsbelästigungen führen können, ist eine totale Geruchsbeseitigung meist schwierig u. kostspielig. Der Geruchsminderungsgrad η ist die *Geruchszahlen-Differenz zwischen Roh- u. Reingas, im Verhältnis zur Geruchszahl des Rohgases. – *E* odour removal, deodorization – *F* désodorisation – *I* deodorazione – *S* desodorización

Lit.: Brauer **3**, 461 f. ▪ Römpp Lexikon Umwelt, S. 302 ▪ Schön u. Hübner, Geruchs-Messung u. Beseitigung, S. 121–214, Würzburg: Vogel 1996 ▪ Ullmann (5.) **B 7**, 524–582 ▪ Vogl et al., Handbuch des Umweltschutzes (3.), Bd. I, Teil II 271, S. 55–63, Landsberg: Ecomed 1996.

Geruchsverbesserungsmittel (Geruchsverbesserer, -abwandler od. -überdeckungsmittel). Flüchtige, meist angenehm riechende, verhältnismäßig billige *Riechstoff-Gemische, die selten als *Desodorantien wirken, sondern schon in relativ kleinen Mengen üble *Gerüche von Chemikalien, chem. techn. Präp. usw. *überdecken* sollen. Man wendet G. (in Klammern Beisp.) z. B. an bei Erdölprodukten, Schmiermitteln, Motorenöl (Citrusöle), Terpentinöl-artig riechenden Lsm. (Koniferennadelöle), Bodenpflegemitteln (Wachs- od. Honiggerüche), Druckfarben (Anis-, Nelken- u. Zimt-artige Riechnoten), Polituren, Rostschutzmitteln, Insektiziden, Lacken, Kautschuk, Kunststoffen, in Fettgewinnungsanlagen, Toiletten (Phantasienoten, Cumarin od. Eucalyptol), Gerbereien, Textilfabriken (zur Überdeckung von fischig riechenden Harnstoff-Formaldehyd-Ausrüstungen), Fischmehlfabriken etc. Im Haushalt finden *Aerosole als sog. *Raum-Sprays* od. *Luftverbesserer* Anwendung. – *E* odor masking, reodorization – *F* odoriseurs – *I* agente che migliora l' odore – *S* ambientadores, (re)odorizantes

Lit.: s. Desodorantien, Geruch u. Riechstoffe.

Geruchszahl. Das olfaktometr. gemessene Verhältnis der Volumenströme bei Verd. einer Abgasprobe bis zur Geruchsschwelle; angegeben als Vielfaches der Geruchsschwelle. – *E* odour value – *F* indice d'odeur – *I* indice dell'odorato – *S* índice de olor

Lit.: s. TA Luft.

Gerüstbildner s. Builder.

Gerüstsilicate s. Silicate.

Gerüststoffe s. Builder.

Gesättigt. Bez. für das Vorliegen eines *Zustandes, in dem normalerweise keine weitere Zufuhr von bestimmter Materie mehr möglich ist. G. *Kohlenwasserstoffe (Alkane) enthalten keine *Doppel- od. *Dreifachbindungen, so daß an sie keine weiteren Atome mehr addiert werden können. G. *Lösungen enthalten bei der vorliegenden Temp. die max. Menge an gelöster Substanz; bei weiterer Zugabe derselben Substanz setzt sich diese als Bodenkörper ab, doch können fremde Stoffe noch bis zu ihrer Sättigungskonz. gelöst werden. G. *Dampf oberhalb einer Flüssigkeit enthält im thermodynam. Gleichgew. die durch die Temp. vorgegebene Substanzmenge (*Sattdampf*). Durch *Unterkühlung kann in g. Dämpfen od. Lsg. Übersättigung eintreten; Näheres s. dort. – *E* saturated – *F* saturé – *I* saturo – *S* saturado

Gesamthärte s. Härte des Wassers.

Gesamthochschulen s. Hochschulen u. Chemie-Berufe.

Gesamtverband Kunststoffverarbeitende Industrie e. V. (GKV). Der 1949 gegr. GKV mit Sitz in 60329 Frankfurt/Main, Am Hauptbahnhof 12, ist der Dachverband der kunststoffverarbeitenden Branche in der BRD. Die Mitgliedsunternehmen des GKV werden von seinen vier Fachverbänden Techn. Teile, Industriehalbzeuge, Kunststoff-Konsumwaren sowie Verpackung u. Verpackungsfolien aus Kunststoff betreut. Dem GKV sind fünf weitere Verbände der Kunststoffverarbeitung als sog. korporative Mitglieder angeschlossen. Der Verband ist Mitglied im *BDI u. vertritt die wirtschaftspolit. Interessen seiner Mitglieder u. der gesamten Branche bei den Ministerien u. obersten Behörden von Bund u. Ländern sowie bei Spitzenorganisationen aus Politik, Wirtschaft u. Kultur. Der GKV ist Mitglied der europ. Organisation der Kunststoffverarbeiter *EUTRAPLAST. *Publikationen:* Kunststoffe, München: Carl Hanser.

Geschichte der Chemie. Im Rahmen dieses Werkes kann die G. d. C. nur in Grundzügen behandelt werden; weitere geschichtliche Notizen sind in den Stichwörtern enthalten, die die *chemischen Elemente, die *Atome, *Moleküle, die *chemische Zeichensprache behandeln, aber auch bei chem. Zeitschriften. Schließlich gestatten auch die Biographien einen Zugriff zur Geschichte, ebenso wie die „Chiuz-Geschichten" in der Zeitschrift Chemie in Unserer Zeit. Wie lückenhaft die Kenntnis der G. d. C. ist, wird schon an der Frage nach der Herkunft des Wortes *Chemie deutlich: Aus dem ägypt.: *ch'mi* bzw. dem arab. *chemi* = schwarz (vom dunklen Humusboden des Nildeltas im Gegensatz zum rötlich-gelben Wüstensand abgeleitet) entstand bei den spätgriech. Alchemisten *Chemi* = das „Schwarze Präp.", das bei der Umwandlung der Elemente eine wichtige Rolle spielen sollte. Im Zusammenhang damit stehen die griech. Begriffe *chemeia* u. *chymia*, die allerdings auch von *chymos* = Flüssigkeit abgeleitet werden. Andere Deutungen greifen auf griech.: *chyma* = Metallguß od. *ta chyta* = die Schmelzbaren zurück; man bezeichnete damit schon im 1. Jh. n. Chr. die Metalle, die ja allg. durch Schmelzbarkeit ausgezeichnet sind. Der folgende histor. Abriß kann durch die chemiegeschichtliche Forschung od. die Archäologie in Zukunft eine andere Einordnung od. zeitliche Zuschreibung (z. B. mit den Meth. der *Altersbestimmung) erfahren.

In den ältesten Zeiten der Menschheit erwarben sich die Frühmenschen durch einfaches Probieren viele prakt. wichtige Kenntnisse über die Eigenschaften, Eignungen u. Wirkungsweisen der Naturstoffe ihrer Umgebung. In der Eiszeit lernten die Bewohner die Kunst der Feuerbereitung, stellten vielerlei Gebrauchsgegenstände aus Stein, Knochen, Horn, Fellen usw. her u. erwarben die ersten Kenntnisse über das Kochen, Färben, Gerben, die Töpferei usw. So ist die Verw. anorgan. Pigmente zum Färben seit 25000 a bekannt, wie die herrlichen Höhlenmalereien von Altamira u. Lascaux zeigen. Auch lernte man schon auf primitiver Kulturstufe vielerlei Nahrungsmittel, Arzneistoffe, Genußmittel u. Gifte voneinander zu unterscheiden. So wurden z.B. alle – äußerlich sehr verschiedenen u. unauffälligen – Coffein-haltigen Pflanzen der Erde Jahrhunderte vor ihrer wissenschaftlichen Erforschung von den Eingeborenen der betreffenden Territorien als anregende Genußmittel verwendet. Die Herst. einfacher alkohol. Getränke durch Vergärung Zucker-haltiger Flüssigkeiten reicht bis in die vorgeschichtliche Zeit zurück. Durch Essiggärung dieser alkohol. Flüssigkeiten (Stehenlassen an offener Luft) erhielten die Inder, Babylonier, Ägypter u. Chinesen schon vor Jahrtausenden einen einfachen Speiseessig. Bes. Anstöße erfuhr die Technik durch die Entwicklung der Metallurgie. Wahrscheinlich ist Gold das erste Metall, das gesammelt u. bearbeitet wurde; schon die Menschen der jüngsten Steinzeit lasen die glitzernden, gelben Goldkörner aus den Flußsanden auf u. formten sie zu einfachen Schmuckgegenständen. Auch die Kenntnis des Silbers, das ja ebenso wie Gold als Edelmetall gediegen vorkommt u. keine komplizierten Verhüttungsprozesse erfordert, reicht bis in das 5. vorchristliche Jahrtausend zurück. Schon um etwa 8000 v. Chr. wurde Kupfersulfat verhüttet, u. um etwa 3500 v. Chr. stellten die Sumerer in Ur (Mesopotamien) Geräte aus Zinnbronze her. Aus der Regierungszeit der ersten ägypt. Dynastie (etwa 3400 v. Chr.) stammt die erste Blei-Statue, doch ist Blei in der Türkei bereits in Schlacken aus dem 7. Jahrtausend v. Chr. nachweisbar. Die ältesten Eisen-Werkzeuge fand man in Anatolien (3500 v. Chr.); um 2000 v. Chr. wurde Eisen in Ägypten schon ziemlich häufig verwendet. Das Messing ist seit Jahrtausenden bekannt, doch wird es erst seit etwa 2000 a gezielt hergestellt. Ein ehrwürdiges Alter hat auch die Glasbereitung: Man fand in Ägypten uralte Glastropfen, die auf 3400 v. Chr. zurückgehen; Näheres s. bei Glas. Auch die Sumerer haben zwischen 4000 u. 3000 v. Chr. bereits Glasuren (auf Tonwaren, s. Lit.[1]) u. Glas hergestellt. Erstaunlich viel Erfahrung u. Geschicklichkeit gehörte auch zur Färbung mit echtem Indigo, die von den Ägyptern vermutlich schon zur Zeit der 10. Dynastie (1700–1500 v. Chr.) ausgeübt wurde. Das Färben mit antikem Purpur geht wahrscheinlich auf die Kreter zurück; dieser Farbstoff wurde durch die Phönizier im ganzen Röm. Reich verbreitet. Alizarin-Färbungen gab es in Korinth u. Ägypten schon vor 2000 Jahren. Auf Kreta (Knossos) fand man Überreste aus der minoischen Kultur, die zeigen, daß man dort bereits um 3000–2500 v. Chr. Kupfer, Gold, Silber, Blei sowie den Purpurfarbstoff u. Mischungen zum Glasieren von Gläsern kannte. Um 400 n. Chr. erschienen in Indien die ersten Arzneimittelbücher mit Beschreibungen pflanzlicher Heilmittel. In China berichten die Annalen der älteren Han-Dynastie (140–86 v. Chr.), es seien Agenten über See gekommen, um liu-li zu verkaufen; vermutlich handelte es sich hierbei um Glas, das von Alexandrien (größter Glasexportplatz der Antike) bezogen wurde. Die Chinesen stellten Bronze schon um 2000, Eisen um 500 v. Chr. her; etwas später lernten sie auch Messing u. Zink zu gewinnen; um 600 v. Chr. wurde erstmals Porzellan verarbeitet. Die Zerlegung von Zinnober in seine Elemente war den Chinesen schon vor etwa 2000 a bekannt. Auch die Heilkunde hatte in China bereits in der Antike auf rein erfahrungsmäßiger Grundlage einen hohen Stand erreicht; so haben bereits um 1500 v. Chr. Kropfkranke die (Iod-haltigen) Schafschilddrüsen u. Aschen von Meerschwämmen verordnet bekommen.

Die Entwicklung der Techniken zur Verarbeitung von Erzen, Metallen, Glas u. ähnlichem verlief in Europa, Nordafrika, Persien, Indien, China u. Japan nicht unabhängig voneinander, da zwischen den Ländern reger Handel betrieben wurde u. bei krieger. Auseinandersetzungen der siegreichen Macht oft wohlgehütete Geheimnisse zur Herst. wertvoller Materialien in die Hände fielen[2]. Neben soliden gewerblichen u. techn. Leistungen auf empir. Grundlage entwickelten sich aber auch wissenschaftliche Spekulationen auf der Suche nach dem „Stein der Weisen", dem „Großen Elixier", mit dessen Hilfe man unedle Metalle in Gold verwandeln, Krankheiten heilen u. ein ungewöhnlich hohes Alter erlangen könne; aus dieser Zeit stammt wohl auch der Name für die Naturwissenschaft: *Alchemie* od. *Alchimie*. In Europa dauerte das alchemist. Zeitalter nahezu 1500 a, etwa vom Beginn unserer Zeitrechnung an gerechnet. Schon *Zosimos von Panopolis in Ägypten bezeichnete im 4. Jh. n. Chr. die Chemie als „die Kunst, Gold u. Silber zu machen". Die arab. Alchemie setzte etwa um 800 ein (*Geber?); die Araber übernahmen nach der Eroberung Ägyptens (640 n. Chr.) viele chem. Kenntnisse von den Einwohnern. In China stammen – nach den Forschungen von Masuki Chikashige – die ältesten alchemist. Schriften von Ko Hung (Pao Pu) aus dem 3. Jh. n. Chr. Verschiedene chines. Alchemisten, die aus (Gold-haltigen) Gesteinen nach mancherlei chem. Operationen schließlich etwas Gold abschieden, nahmen in gutem Glauben an, dieses neugeschaffen zu haben. Trotz mancher verblüffenden Ähnlichkeit mit der arab.-ägypt. Alchemie nimmt Masuki Chikashige (Oriental Alchemy, Tokyo: Uchida 1936) an, daß sich die fernöstliche Alchemie völlig selbständig entfaltet hat; sie hat sich auch nicht organ. zu einer wissenschaftlichen Chemie weiterentwickelt, wie dies in Europa der Fall war. Die ind. Alchemie läßt sich nach P. Ray etwa bis 1000–800 v. Chr. zurückverfolgen. Wann u. wo sich die *chemische Zeichensprache mit ihren Bildsymbolen entwickelt hat, läßt sich nicht feststellen. Zur Geschichte der Alchemie s. bes. Lit.[3,4,5].

Die Chemie des mittelalterlichen Abendlandes hat sich nicht nur in phantast.-myst. Alchemie erschöpft. Während des letzten Jahrtausends schufen in Mitteleuropa auch in der Blütezeit der Alchemie viele Handwerker, Bergleute, Metallurgen usw. auf der Grundlage geduldigen Ausprobierens, Vergleichens u. Beobachtens eine hochentwickelte „chem. Technologie": Sie schmolzen Glas, sie stellten kunstvoll glasierte Tonwaren her, sie förderten Gold u. Silber zutage, sie reduzierten Eisen, Kupfer, Blei, Zinn, Quecksilber u. manche andere Metalle aus ihren Verb. (*Scheidekunst*), sie erzeugten alkohol. Getränke, konservierten u. verbesserten Nahrungsmittel, gerbten Leder usw.

Im 15. u. 16. Jh. n. Chr. wurden die ersten Grundsteine für die spätere wissenschaftliche Chemie gelegt. Paracelsus (1493–1541) erkannte bereits die Unmöglichkeit, den „Stein der Weisen" zu entdecken; er forderte statt dessen, aufgrund chem. Untersuchungen Arzneimittel herzustellen u. wurde so zum Begründer der *Iatrochemie. So entdeckte er u. a. den medizin. Gebrauch des Opiums u. der Quecksilber-Präparate. Meisterwerke nüchterner Beobachtungskunst u. Erfahrungswissenschaft sind die im 16. Jh. erschienenen Werke von Biringuccio (Pirotechnia, 1540) u. G. Agricola (De re metallica, 1556); beide behandeln v. a. das wichtige Gebiet der Metallurgie. Schon im Jahre 1604 begründete Daniel Sennert im Anschluß an Beobachtungen beim Sublimieren, Verdampfen, Lösen u. Fällen die neue wissenschaftliche Atomtheorie (s. Atom); diese wurde weitergeführt durch Gassendi, Boyle (The Sceptical Chymist, 1661) u. Dalton (On the Absorption of Gases by Water, 1803). Der moderne Elementbegriff wurde von Joachim Jungius (Dissertation 1642) u. Robert Boyle begründet, während die Belegung der Elemente mit Namenssymbolen statt Zeichen auf Berzelius zurückgeht; Näheres s. bei chemische Elemente u. chemische Zeichensprache. Den Charakter einer exakten Wissenschaft erhielt die Chemie v. a. durch die Forschungen von Lavoisier (1743–1794), der in stärkerem Umfang als seine Vorgänger die Gew.- u. Vol.-Änderungen bei chem. Vorgängen mit Waagen, Meßgläsern u. a. Apparaturen (quant.) genau verfolgt u. ausgewertet hat.

Auf die Alchemie folgten u. a. die Phlogistontheorie von Becher u. Stahl, die etwa ein Jh. lang (von 1670–1770) anerkannt wurde, die Entdeckung des Sauerstoffs durch Scheele u. Priestley (1771) sowie der Gesetze von den konstanten Gew.-Verhältnissen (Wenzel 1777, J. B. Richter 1792, J. Proust 1798–1809) u. den multiplen Proportionen (Dalton 1807–1808), die richtige Deutung des Verbrennungsprozesses durch Lavoisier (1783), die Ausarbeitung der ersten, primitiven Elementaranalysen durch Lavoisier (etwa von 1788 an) u. Berzelius, die Zerlegung der alkal. Erden u. Alkalien durch den elektr. Strom (Davy 1807 bis 1808), die Isolierung der Elemente Iod (Courtois 1811), Brom (Balard 1826) u. Aluminium (Wöhler 1827), die Entdeckung der Fraunhoferschen Linien (1814–1815, s. Spektroskopie), die Formulierung des Avogadroschen Gesetzes (1811), die Entdeckung der opt. Aktivität organ. Stoffe (Biot u. Seebeck 1815), die Aufstellung von Döbereiners „Triaden" (1817, erste Anfänge des Periodensyst.), die Formulierung des Gesetzes von Dulong-Petit (1819). Die Synth. der ersten organ. Verb. durch Döbereiner (1819 Harnstoff) u. Wöhler (Oxalsäure 1824 u. Harnstoff 1827; vgl. *Lit.*[6]) widerlegte zwar den sog. *Vitalismus,* welcher die Bildung organ. Verb. einer geheimnisvollen Lebenskraft (*vis vitalis*) zuschrieb, doch hatte sie nicht die ihr später zugeschriebene Bedeutung als Nahtstelle zwischen anorganischer (s. dort) u. organ. Chemie. Weitere bemerkenswerte Forschungsergebnisse des 19. Jh. waren: Die Dampfdichtebestimmung von Dumas (1826), die Anilin-Herst. aus Indigo (Unverdorben 1826), die quant. Stickstoff-Bestimmung in organ. Verb. nach Dumas (1830), die Aufstellung des Begriffs Katalyse (Berzelius 1835), die ersten Experimente über künstliche Düngung (Kastner 1815 u. Liebig 1840), die Herst. von Nitroglycerin (Sobrero 1847) u. Nitrocellulose (Schönbein 1846), die Synth. des ersten Teerfarbstoffes (Perkin 1856), die Entdeckung der Spektroskopie durch Bunsen u. Kirchhoff (1860), die Begründung der Kolloidchemie durch Graham (1861), die Aufstellung der ringförmigen Benzol-Form (s. Benzol-Ring) durch Kekulé (1865), die ersten Synth. von Alizarin (Graebe u. Liebermann 1868) u. Indigo (Baeyer 1880), die Aufstellung des Periodensyst. durch J. L. Meyer u. Mendelejew (1869–1871), die Begründung der Stereochemie durch Van't Hoff u. Le Bel (1874, s. *Lit.*[7]), Kohlrauschs Untersuchungen über das elektr. Leitvermögen (von 1869 an), die Ionentheorie von W. Ostwald, Arrhenius u. Van't Hoff (1883–1887), die Einführung elektrotherm. Meth. in die anorgan. Chemie (Moissan 1892), die Begründung der Koordinationslehre durch Werner (1892), die erstmalige Anw. tiefster Temp. durch die Lindesche Luftverflüssigungsmaschine (1895), die Entdeckung der Edelgase in der Luft durch Ramsay (1894–1898), die ersten Beobachtungen radioaktiver Erscheinungen am Uran (Becquerel 1896) u. die Entdeckung von Radium u. Polonium in Uranpechblende (Curie 1898). Übrigens sind viele der in der 2. Hälfte des 19. Jh. entdeckten chem. Elemente nach den Heimatländern der Entdecker benannt; *Beisp.:* Francium, Gallium, Germanium, Polonium u. Scandium. Manche Bez. (Helvetium, Austrium, Masurium) sind allerdings wieder verschwunden [4].

In das 20. Jh. fielen die Entwicklung der Quantentheorie (Planck 1900, Einstein 1905, vgl. *Lit.*[8]), die Synth. des ersten Indanthren-Farbstoffes (Bohn 1901), die klass. Eiweißstudien von E. Fischer (1900–1906), die Konstruktion des Ultramikroskops (Siedentopf u. Zsigmondy 1903), die Ammoniak-Synth. durch Haber (1906–1910) u. Bosch, die Benzin-Synth. durch Hochdruckhydrierung (Bergius 1913), die Erforschung des Gitteraufbaues der Krist. mit Röntgenstrahlen (von Laue 1912, Bragg 1915, Debye-Scherrer 1915), die Zerlegung eines Elementes in Isotope (Thomson 1912), die Aufstellung des Bohrschen Atommodells (1913) u. des Moseleyschen Gesetzes (1913), die erste Kernumwandlung durch Beschießung von Stickstoff mit Alphateilchen (Rutherford 1919, s. Kernreaktionen), die Entdeckung des Neutrons (Chadwick 1932), Positrons (Anderson 1932) u. die Konstruktion des Elektronenmikroskops (von Borries u. Ruska 1932), die künstliche Erzeugung radioaktiver Stoffe (I. Curie u. Joliot 1933) sowie die Entdeckung des Schweren Wassers (Urey 1932) u. der Mesonen (Anderson 1936), die Spaltung schwerster Atomkerne mit Hilfe von Neutronen (Hahn u. Strassmann 1938), die Konstruktion der Atombombe (1940–1945), die Verw. radioaktiver Indikatoren, die Darst. mehrerer Transurane usw. Im Bereich der organ. Chemie u. der Biochemie sind seit Ende des 2. Weltkrieges bes. große Fortschritte auf den Gebieten der Hormone, Enzyme u. a. Eiweißstoffe, Nucleinsäuren, Antibiotika, Schädlingsbekämpfungsmittel, Werkstoffe, Kunststoffe, Chemiefasern u. Arzneimittel erzielt worden. Viele der wegweisenden Forschungsergebnisse sind mit *Nobelpreisen geehrt worden u. haben darüber hinaus die *chemische Industrie zu neuen Entwicklungen angeregt od. sind aus ihr hervorgegangen. Diese Wechselwirkungen werden nicht nur aus den synopt. Darst. bei Neufeldt (*Lit.*) bes. anschaulich, sondern auch aus den Aufsätzen in *Lit.*[9]. An dieser Stelle sei jedoch auch angemerkt, daß die Erkenntnisse der *Chemiker u. die Ergebnisse ihrer – zweckfreien od. zweckgebundenen – Forschung nicht immer dem Fortschritt der Menschheit dienten, sondern auch zu ihrem Nachteil gerieten od. gar zu ihrem Schaden mißbraucht wurden, was durch Schlagworte wie *chemische Waffen, *Luftverunreinigung, *Rückstands-Probleme, *Teratogene umrissen sei. Auf der anderen Seite hat aber auch die *Chemie die meisten der Voraussetzungen dafür geschaffen, daß der Mensch heute länger lebt, besser u. bequemer haust, sich prakt. u. angenehmer kleidet, ausreichend Nahrung findet u. sich schließlich weltweit nicht nur informieren, sondern auch zu Lande, zur See u. im Luftraum bewegen kann; man denke hier an *Arznei- u. *Desinfektionsmittel, *Kunst- u. *Werkstoffe, *Kunstfasern u. *Textilveredlung, *Düngemittel, *Pflanzenschutz u. *Konservierungsmittel, *Photographie, *Halbleiter, Werk- u. *Kraftstoffe. Verständlicherweise hat sich schon im Laufe früherer Jh., verstärkt aber seit der Mitte des 20. Jh., nicht nur das Selbstverständnis des Forschers, sondern auch sein Bild in der Ges. gewandelt. Festzuhalten ist aber, daß der Chemiker sicherlich ein der ersten Forscher war, der erkannt hatte, daß „risikoloser Fortschritt" ein Widerspruch in sich ist. – *E* history of chemistry – *F* histoire de la chimie – *I* storia della chimica – *S* historia de la química

Lit.: [1] Chem. Unserer Zeit **14**, 37–43 (1980). [2] Endavour **32**, 134–138 (1973). [3] Chem.-Ztg. **89**, 478 ff. (1965); **90**, 534–537 (1966). [4] Bild Wiss. **5**, 886–896 (1968). [5] Chem. Unserer Zeit **7**, 177–181 (1973). [6] Naturwissenschaften **67**, 1–6 (1980); Allg. Prakt. Chem. **23**, 272 f. (1972). [7] Angew. Chem. **86**, 604–611 (1974). [8] Angew. Chem. **82**, 1–7 (1970). [9] Chem. Ind. **29**, 573–728 (1977); Chem.-Ztg. **100**, 155–191 (1976); Umschau **57**, 17–58 (1975).
allg.: Brock, Viewegs Geschichte der Chemie, Wiesbaden: Vieweg 1996 ▪ Hägele u. Schmelz, Chemie im Spiegel der Jahrhunderte, Bd. 2, Ulm: Universitätsverl. 1994 ▪ Neufeldt, Chronologie Chemie 1800–1980, Weinheim: Verl. Chemie 1987 ▪ Opferkuch u. Schunck, Chemie im Spiegel der Jahrhunderte, Bd. 1, Ulm: Universitätsverl. 1992 ▪ Strube et al., Geschichte der Chemie: Ein Überblick von den Anfängen bis zur Gegenwart, Berlin: Dtsch. Verl. der Wissenschaften 1988 ▪ s. a. Chemie, chemische Elemente, chemische Zeichensprache, Nobelpreis, Molekül, Atom.

Geschirrspülmittel. Reinigungsmittel für Geschirr, Gläser, Bestecke u. dgl. Die hartwasserbeständigen neutralen G. für *manuelles* Geschirrspülen sind im allg. gut schäumende wäss. Lsg. von *Tensiden u. setzen schon bei niedrigen Temp. die *Grenzflächenspannung des Wassers stark herab, bewirken dadurch die *Benetzung des Geschirrs durch das Spülbad u. ein leichteres Ablösen u. Dispergieren der Fett- u. Speisereste. Durch das weitgehende Ablaufen des Wasserfilms trocknet das Geschirr ohne Nachpolieren mit Tüchern. Der Schaum auf der Spülflotte dient als Indikator für deren Fettaufnahmevermögen. G. enthalten bei einem ausgeprägten Trend zu Konzentraten 20–30% Tenside, bes. synergist. Mischungen aus *Alkansulfonaten u./od. *Fettalkoholsulfaten u. Fettalkylethersulfaten als sog. Primärtenside für die Reinigungswirkung, *Alkylpolyglucoside od. Fettsäure-*N*-methylglucamide u. *Cocoamidopropylbetaine, teilw. auch *Fettsäurealkanolamide, als Sekundärtenside zur weiteren synergist. Verstärkung des Leistungsvermögens u. zur Gewährleistung der Hautverträglichkeit.

Die für das *maschinelle* Geschirrspülen erforderlichen sog. niederalk. (überwiegend) festen Reiniger enthalten als Alkaliträger eine Mischung aus Natriumdisilicat u. Soda (das früher übliche Natriummetasilicat ist prakt. vom Markt genommen), als *Builder z. B. *Citronensäure in Verbindung mit Polycarboxylaten od. neuerdings Polyasparagaten (früher Pentanatriumtriphosphat), als Bleichsyst. Natriumperborat od. -percarbonat (früher: Natriumdichlorisocyanurat) u. TAED (s. Bleichaktivatoren) sowie zur Verstärkung des Reinigungsvermögens *Enzyme, bes. Mischungen aus Proteasen u. α-Amylasen, u. für die Benetzung des Geschirrs nichtion. (schwach schäumende) Tenside.
Beim maschinellen Reinigen wird das in Körben eingestellte Geschirr durch intensiven Kontakt mit der wäss. Reinigerlsg. bei etwa 65 °C u. pH-Werten zwischen 9 u. 11 gesäubert u. anschließend mit einer wäss. Lsg. eines nichtion. Tensids auf Fettalkohol-Basis mit Zusätzen niederer Alkohole als Lösungsvermittler u. von Citronensäure klargespült. – *E* dish washing agents – *I* detersivo per le stoviglie – *S* produtos para lavar vajilas

Lit.: Cahn (Hrsg.), Proc. 3rd World Conference on Detergents: Global Perspectives, S. 95–98, 108–110, Champaign: AOCS Press 1994 ▪ Falbe (Hrsg.), Surfactants in Consumer Products, S. 306–349, Berlin: Springer 1987 ▪ Kirk-Othmer (3.) **22**, 418 ▪ Ullmann (4.) **20**, 148 ff.; (5.) **A 7**, 140–143.

Geschlechtshormone s. Sexualhormone.

Geschlechtskrankheiten. Bestimmte Infektionskrankheiten, deren Erreger durch Geschlechtsverkehr übertragen werden u. die aufgrund ihres Verlaufes einer gesetzlichen Überwachung unterliegen. Im Gesetz zur Bekämpfung der G. sind folgende Krankheiten genannt: *Syphilis, *Gonorrhoe, Ulcus molle, Lymphogranuloma inguinale u. Granuloma venereum. – *E* venereal disease – *F* maladie vénérienne – *I* malattie veneree – *S* enfermedades venéreas

Geschlossener Flaschentest. Prüfung der biolog. Abbaubarkeit organ. Substanzen nach OECD-Richtlinie 301 D. Hierzu werden 2 bis 5 mg L^{-1} der Testsubstanz in einem mineral.-wäss. Medium mit einer relativ kleinen Zahl von Mikroorganismen aus einer gemischten Population beimpft u. der Abbau in geschlossenen Prüfgefäßen im Dunkeln bei konstanter Temp. über 28 d anhand des Sauerstoff-Verbrauchs verfolgt. Die erhaltenen Werte werden als Prozentanteil des theoret. *Sauerstoff-Bedarfs od. des chem. Sauerstoff-Bedarfs (*CSB) dokumentiert. – *E* closed bottle test

Lit.: OECD Guidelines for Testing Chemicals, Vol. 1, Paris: Organisation for Economic Cooperation and Development (OECD) 1993 ▪ SÖFW J. **121**, 1063–1075 (1995).

Geschmack (Geschmackssinn). Chem. Sinn zur Wahrnehmung u. Unterscheidung von Nahrungsstoffen. Der G.-Sinn ist ein Nahsinn u. auf die Wahrnehmung hoher Reizstoff-Konz. ausgelegt. Seine Sinnesorgane finden sich bei den meisten Organismen im Bereich der Mundöffnung. Bei den Insekten sind G.-Rezeptoren (*G.-Sensillen*) u. a. auch auf die Mundgliedmaßen, Antennen u. Beine verteilt. Bei niederen wasserlebenden Wirbeltieren (Fischen, Lurchen) treten G.-Rezeptoren in der Mundhöhle, im Schlund u. auf der gesamten Körperoberfläche auf. Bei höheren u. landlebenden Formen u. dem Menschen finden sich G.-Rezeptoren nur im Bereich der Mundhöhle. Als Rezeptoren dienen die *G.-Knospen*, die aus zusammen gruppierten Sinneszellen, Basal- u. Stützzellen bestehen u. in das Epithel der Zungenpapillen eingelassen sind.

Der adäquate Reiz sind Mol. organ. u. anorgan. wasserlösl. Substanzen. Die Aktivierung einer G.-Sinneszelle geschieht durch die Anlagerung von Mol. eines G.-Stoffes an Rezeptormoleküle. Dies führt direkt od. indirekt über intrazelluläre Botenstoffe zu einer Permeabilitätsänderung der Zellmembran für Ionen u. zur Entstehung eines *Rezeptorpotentials*. Der Sinneszelle nachgeschaltete Fasern von bestimmten Hirnnerven leiten die Erregung in Form von Nervenimpulsen weiter zum Hirnstamm. Von dort gelangt die Erregung zur weiteren zentralnervösen Verarbeitung in das Zwischenhirn u. die Hirnrinde.

Der Mensch kann 4 G.-Qualitäten unterscheiden: Süß, sauer, bitter u. salzig. Auf der Zunge können spezif. empfindliche Zonen abgegrenzt werden. Bittere Reize werden v. a. am Zungengrund, süße an der Spitze, die anderen z. T. überlagernd an den Zungenrändern empfunden. Für die einzelnen Qualitäten gibt es Schwellenbereiche für die Wahrnehmung in sehr unterschiedlicher Höhe. So werden bittere Stoffe schon bei sehr niedrigen Konz. wahrgenommen, z. B. *Chinin-Sulfat bei 0,000008 mol/L, süße wie Glucose bei 0,08 mol/L, der synthet. Süßstoff *Saccharin allerdings schon bei 0,000032 mol/L. Der Schwellenbereich für *Essigsäure liegt bei 0,0018 mol/L u. der für *Kochsalz bei 0,01 mol/L. Die Stärke der Empfindung hängt außerdem von der Größe des gereizten Zungenareals, der Temp., der Sekretion der Spüldrüsen der Zunge u. der Abnahme der Empfindungsstärke bei langdauernden Reizen (*Adaptation*) ab. Die Sinnesempfindungen beim Schmecken von Speisen u. Getränken beruhen auf dem Zusammenwirken von Geschmack, Geruchsempfinden, von Tastsinn, Temp.- u. Schmerzempfinden u. führen neben einer Prüfung der Nahrung zu einer Stimulation der Verdauungsvorgänge od., bei unangenehmen Reizen, zu Abwehrreaktionen wie z. B. Würgen od. Erbrechen. – *E* taste, gustation – *F* gout, saveur – *I* gusto – *S* gusto, sabor
Lit.: Finger u. Silver, Neurobiology of Taste and Smell, New York: Wiley 1987 ▪ Horn, Vergleichende Sinnesphysiologie, Stuttgart: Fischer 1982 ▪ Schmidt, Neuro- u. Sinnesphysiologie, Heidelberg: Springer 1995 ▪ Trends Neurosci. **11**, 491 (1988).

Geschmacksstoffe s. Geschmack.

Geschmacks(um)wandler. Substanz, die in der Lage ist, bestimmte Geschmacksrichtungen zu verändern. So kann z. B. Miraculin (ein Glykoprotein, das in den Früchten von *Synsepalum dulcificum* vorkommt u. selbst ohne Geschmack ist) sauren Lsg. eine süße Geschmacksnote verleihen: Citronensaft schmeckt wie gesüßter Citronensaft, wenn der Mund zuvor mit einer Lsg. von Miraculin gespült wurde. Auch die gleichzeitige Wirkung „süßend" u. „geschmacksmodifizierend" ist beschrieben (Curculin). In diesem Zusammenhang verdienen Extrakte aus *Gymnema silvestre* Erwähnung. Sie haben die Eigenschaft, die Fähigkeit zur Rezeption süßen Geschmacks für einige h zu löschen, die Wahrnehmung anderer Geschmacksqualitäten aber unberührt zu lassen. – *E* taste modifier – *F* transformateur de goût – *I* trasformatore del gusto – *S* modificadores del sabor
Lit.: Tends Food Sci. Technol. **3**, 85–91 (1992); **5**, 37–42 (1994).

Geschmacksverstärker. Bez. für eine Reihe von Verb., die die Eigenschaft haben, spezielle Geschmacksnoten zu verstärken, dabei jedoch selbst prakt. ohne Eigengeschmack sind. In Japan werden durch solche Verb. hervorgerufene Geschmacksempfindungen als „*Umami" (=„köstlicher Geschmack") bezeichnet. Der Verstärkungseffekt kann sich z. B. auf Phänomene wie „Fülle", „Vol.", „Körper" eines Aromaeindruckes beziehen od. aber auf die Geschw., mit der sich der Aromaeindruck aufbaut. So steigert *Maltol (3-Hydroxy-2-methyl-4-pyron) in Kohlenhydrathaltigen Lebensmitteln den Süßeindruck. Ein weiterer, wichtiger G. ist Mononatriumglutamat (*Glutamat), das den Eigengeschmack von salzigen Speisen verstärkt. Eine ähnliche, jedoch um den Faktor 10–20 stärkere Wirkung haben die beiden 5'-Mononucleotide Inosin-5'-monophosphat (IMP) u. Guanosin-5'-monophosphat (GMP). Gleichzeitig steigern sie die Wirkung von Glutamat, wirken also synergistisch. In Ostasien werden die Natrium-Salze von IMP u. GMP schon seit langem in Suppen- u. Soßenprodukten eingesetzt. Sie sind hydrolysestabil u. unter normalen Bedingungen auch thermostabil. Zur Analytik von G. s. **Lit.**[1,2]. – *E* flavor enhancer – *F* amplificateur de goût – *I* rinforzatore del gusto – *S* reforzadores del sabor
Lit.: [1] Z. Lebensm. Unters. Forsch. **171**, 292ff. (1980). [2] J. Assoc. Off. Anal. Chem. **65**, 567ff. (1982).

Gesellschaft Deutscher Chemiker (Abk. GDCh). Die 1949 gegr. Ges. ist die Nachfolgeorganisation der Deutschen Chemischen Gesellschaft (gegr. 1867) u. des Vereins Deutscher Chemiker (gegr. 1887). Sie hat sich 1990 mit der Chem. Ges. der DDR vereinigt. Die GDCh hat ihren Sitz in 60486 Frankfurt/a.M. im *Carl-Bosch-Haus; Geschäftsführer ist Prof. Dr. Dr. h. c. Tom *Dieck. Präsidenten der GDCh seit 1952 (jeweils für 2 a): Klemm, Haberland, Helferich, Wurster, Wiberg, Winnacker, R. Kuhn, Ley, Bredereck, Timm, Lynen, Hansen, Glemser, Biekert, Wilke, Sammet, Staab, Thesing, Nöth (2 · 2 a), Krauch, Quadbeck-Seeger, Winterfeldt. Im Jahre 1996 hatte die GDCh über 28 000 Mitglieder in 62 Ortsverbänden; knapp 14 000 Mitglieder waren darüber hinaus in einer od. mehreren der 21 Fachgruppen organisiert: Analyt. Chemie, Angewandte Elektrochemie, Anstrichstoffe u. Pigmente, Biochemie, Chemie-Information-Computer, Chemieunterricht, Festkörperchemie, Freiberufliche Chemiker, Geschichte der Chemie, Gewerblicher Rechtsschutz, Lebensmittelchem. Ges., Magnet. Resonanzspektroskopie, Makromol. Chemie, Medizin. Chemie, Nuklearchemie, Photochemie, Waschmittelchemie, Wasserchemie, Umweltchemie u. Ökotoxikologie sowie Liebig-Vereinigung für Organ. Chemie u. Wöhler-Vereinigung für Anorgan. Chemie.

Die Ges. bezweckt die Förderung der Chemie auf gemeinnütziger Grundlage. Sie sucht dies zu erreichen durch: 1. Gemeinsame Arbeit aller auf dem Gebiet der Chemie Tätigen im Rahmen der geltenden Gesetze u. Verordnungen; – 2. fachliche Anregungen u. Information der Mitglieder u. der Öffentlichkeit; – 3. Beratung staatlicher, polit. u. anderer öffentlicher bzw. dem Gemeinwohl verpflichteter Institutionen; – 4. Zusammenführung der auf Spezialgebieten tätigen Mitglieder u. Bildung von Fachgruppen zur Bearbeitung wichtiger Fachfragen; – 5. Förderung der berufsbezogenen Ausbildung u. Fortbildung; – 6. Unterstützung wissenschaftlicher Ausbildung, Förderung wissenschaftlicher Arbeit, Forschungsprogramme u. Stipendien; – 7. Herausgabe chem. Lit.; – 8. Berufsberatung u. Arbeitsvermittlung; – 9. Kooperation mit ausländ. wissenschaftlichen Organisationen; – 10. Auszeichung herausragender Leistungen sowie Anregung u. Mitgestaltung von Wettbewerben; – 11. Unterstützung von unverschuldet in Not geratenen Fachkolleginnen u. -kollegen od. ihren Hinterbliebenen. Über ihre Aktivitäten, u.a. auf den Gebieten Information u. Dokumentation (die GDCh ist Gesellschafter des *Fachinformationszentrums Chemie u. der VCH Verlagsges.), *Chemie-Unterricht u. *Chemie-Studium, Auszeichnungen, Arbeitsvermittlung, Öffentlichkeitsarbeit, Umweltschutz (Beratergremium für umweltrelevante Altstoffe, BUA) etc. informiert die GDCh in jährlichen Tätigkeitsberichten, die in Nachrichten aus Chemie, Technik u. Laboratorium veröffentlicht werden. *Publikationsorgane* (über VCH Verlagsges. Weinheim): Angewandte Chemie, Angewandte Chemie International Edition in English, Chemie-Ingenieur-Technik, Chemie in unserer Zeit, Chemische Berichte, Justus Liebigs Annalen der Chemie, Journal of Chemical Research, Nachrichten aus Chemie, Technik u. Laboratorium, Chemistry – A European Journal, Chemkom. – INTERNET-Adresse: http://www.gdch.de.

Gesellschaft Deutscher Naturforscher u. Ärzte e.V. Eine 1882 von L. Oken gegr. u. 1950 neugegr. wissenschaftliche Organisation mit ca. 6000 Mitgliedern u. Sitz in 53604 Bad Honnef, Hauptstr. 5. Ziel der Ges. ist die fächerübergreifende Informationsvermittlung. Die auf den 2jährlichen Versammlungen gehaltenen Vorträge aus allen Bereichen der Naturwissenschaft u. Medizin werden in den bei der Wissenschaftlichen Verlagsges., Stuttgart erscheinenden „Verhandlungen" publiziert. *Publikationsorgane:* Naturwissenschaften; Klinische Wochenschrift. – INTERNET-Adresse: http://www.PBH.UNI-BONN.de/GDNA.HTM

Gesellschaft für Anlagen- u. Reaktorsicherheit mbH (Abk. GRS). Die 1977 gegr. GRS mit Hauptsitz in 50667 Köln, Schwertnergasse 1, ist eine wissenschaftliche, von der öffentlichen Hand getragene, gemeinnützige Gesellschaft. Ihr Auftrag ist die Beurteilung u. Weiterentwicklung der techn. Sicherheit, vorrangig auf dem Gebiet der Kerntechnik. *Arbeitsgebiete:* Bewertungen der techn. u. betrieblichen Sicherheit, Forschung u. Entwicklung sowie wissenschaftliche Beratung in sicherheitstechn. Fragen. 1996 beschäftigte die GRS 570 Mitarbeiter, davon 420 Wissenschaftler. Die GRS finanziert sich ausschließlich über Aufträge. Hauptauftraggeber sind das *BMU u. das *BMBF. Seit 1992 nimmt die GRS die Führung der Aufgaben der Störfall-Kommission (SFK) u. des Techn. Ausschusses für Anlagensicherheit (TAA) wahr. *Publikationsorgane:* GRS-Berichte, Jahresbericht usw. – INTERNET-Adresse: http://www.grs.de

Gesellschaft für Biochemie und Molekularbiologie (Abk. GBM). Die 1947 als Ges. für Physiol. Chemie gegr. Ges., Umbenennung 1966 in Ges. für Biolog. Chemie (GBCH), führt den jetzigen Namen seit 1996 u. dient der Förderung der biolog. Chemie u. der mol. Biologie (*Biochemie) in Forschung u. Unterricht sowie der Pflege des wissenschaftlichen Nachwuchses. Die GBM, mit 4800 Mitgliedern, veranstaltet Tagungen, Kolloquien (Mosbacher Kolloquien), Konferenzen u. verleiht für bes. Leistungen auf dem Gebiet der biolog. Chemie die Otto-Warburg-Medaille. Geschäftsstelle der Ges. ist 60596 Frankfurt a.M., Kennedyallee 70. *Publikationsorgan:* BIOspektrum.

Gesellschaft für Biotechnologische Forschung (Abk. GBF). Die 1976 aus der 1968 gegr. Ges. für Molekularbiolog. Forschung mbH (GMBF) hervorgegangene GBF ist eine von 16 *Großforschungseinrichtungen u. Mitglied der HGF (*AGF) mit Sitz in 38124 Braunschweig, Mascheroder Weg 1. Die GBF beschäftigt 510 Mitarbeiter u. hat einen Jahresetat von 73 Mio. DM (1996). *Aufgaben:* Die GBF betreibt Biotechnologie zur Lösung biomedizin. Probleme u. Umweltbiotechnologie zum Schutz u. zur Sanierung der Umwelt. *Forschungsschwerpunkte:* Genfunktion u. Genomanalyse, Infektion u. Pathogenität, Wirkstoffe, mol. Targets, Umweltbiotechnologie, integrierte Bioverfahrenstechnik, Pharmabiotechnologie. – INTERNET-Adresse: http://www.gbf-braunschweig.de

Gesellschaft für Elektrometallurgie s. GfE.

Gesellschaft für Kernenergieverwertung in Schiffbau u. Schiffahrt mbH (Abk. GKSS). Die 1956 gegr. GKSS ist eine der 16 nat. Forschungszentren des Bundes u. Mitglied der HGF (*AGF). Die GKSS mit Sitz in 21494 Geesthacht, Max-Planck-Straße, beschäftigt 700 Mitarbeiter, Etat: 129 Mio. DM (1996). Unter Einsatz von Großgeräten werden Beiträge zur Grundlagenforschung, zu Langzeitprogrammen, Schlüsseltechnologien u. zur Vorsorgeforschung geleistet. Forschungsschwerpunkte sind: Materialforschung, Trenn- u. Umwelttechnik sowie Umweltforschung. Das Forschungsprogramm wird in Zusammenarbeit mit der Ind., Hochschulen sowie anderen Institutionen im In- u. Ausland durchgeführt. Die Forschungen erstrecken sich von grundlegenden Untersuchungen über die Entwicklung neuer Meth. u. Verf. bis zum Bau u. der Erprobung von Pilotanlagen. – INTERNET-Adresse: http://www.gks.de

Gesellschaft für Mathematik u. Datenverarbeitung mbH (Abk. GMD). 1968 gegr. *Großforschungseinrichtung der BRD mit ca. 1045 Mitarbeitern u. Hauptsitz in 53754 St. Augustin, Schloß Birlinghoven. Die GMD ist Mitglied der HGF (vgl. AGF) u. betreibt Forschung u. Entwicklung auf den Gebieten der Informatik u. Informationstechnik sowie der Fachinformation. – INTERNET-Adresse: http://www.gmd.de

Gesellschaft für Schwerionenforschung mbH (Abk. GSI). Die 1969 gegr. Ges. mit Sitz in 64220 Darmstadt, Planckstr. 1, gehört zu den 16 *Großforschungseinrichtungen u. ist Mitglied der HGF (vgl. AGF). Hauptarbeitsgebiete der GSI sind zu 80% Grundlagenuntersuchungen im Bereich der Kern- u. Atomphysik mit schweren Ionen, sowie zu 20% Anw.-bezogene Forschung in der Plasmaphysik, Materialforschung, Biophysik u. Beschleunigerentwicklung. Die Arbeiten mit dem Schwerionenbeschleuniger UNILAC, dem Schwerionensynchrotron (SIS), dem Fragmenteseparator (FRS) u. dem Experimentierspeicherring (ESR) dienen der Erforschung der Grundlagen der Materie. Die GSI hatte 1996 rund 600, davon 300 wissenschaftliche Mitarbeiter u. einen Gesamtetat von 130 Mio. DM. An der Erfüllung des breit angelegten Forschungsprogramms der GSI auf dem Gebiet der Schwerionenforschung arbeiten jährlich über 1000 externe Wissenschaftler aus 25 Ländern mit, für die die GSI die Beschleuniger u. die erforderliche Infrastruktur zur Verfügung stellt. – INTERNET-Adresse: http://www.gsi.de

Gesellschaft für Strahlen- u. Umweltforschung mbH (Abk. GSF). Die 1964 gegr. GSF, eine *Großforschungseinrichtung des Bundes u. des Freistaats Bayern u. Mitglied der HGF (*AGF), ist ein Forschungszentrum für Umwelt u. Gesundheit, das 1400 Mitarbeiter beschäftigt u. einen Etat von 210 Mio. DM hat (1996). Der Gründungsauftrag der GSF, die ihren Hauptsitz in 85764 Oberschleißheim, Ingolstädter Landstraße 1, hat, bezog sich auf die biolog.-medizin. Wirkung von Strahlung, den Strahlenschutz u. die langfristige Sicherheit vor radioaktiven Abfällen. Heute ist die Forschung der GSF auf die 3 Gruppen Umwelt-, Wirkungs- u. Gesundheitsforschung gerichtet u. deckt damit einen großen Teil der aktuellen Umweltprobleme u. der umweltbezogenen Gesundheitsgefährdungen ab. Die Priorität hat sich in der GSF immer mehr zu Problemen im Zusammenhang mit dem Auftreten von Chemikalien in der Umwelt verschoben, die im Gegensatz zu denen von Strahlung u. Radioaktivität heute noch große Informationsdefizite aufweisen. Die 21 wissenschaftlichen Inst. u. Abteilungen der GSF sind den Bereichen Ökologie, Biologie u. Gesundheit zugeordnet. – INTERNET-Adresse: http://www.gsf.de

Gesellschaft Verfahrenstechnik u. Chemieingenieurwesen mbH (Abk. GVC). 1934 gegr. Fachgliederung des *VDI mit Sitz in Graf-Recke-Str. 84, 40239 Düsseldorf, ca. 10000 Mitglieder. Aufgabe des GVC ist der techn.-wissenschaftliche Erfahrungsaustausch seiner Mitglieder in Ind. u. Hochschulen. Die GVC ist Mitglied der *Europäischen Föderation für Chemieingenieurwesen u. Hrsg. des VDI-Wärmeatlas. *Publikationsorgane:* Chemie-Ingenieur-Technik; Chemical Engineering & Technology, beide VCH Verlagsges., Weinheim.
Lit.: ACHEMA-Jahrb. **1994**, Bd. 1, A 49 – A 53.

Gesellschaft zur Förderung der Abwassertechnik e.V. (GFA). Die 1970 durch die Abwassertechn. Vereinigung gegründete Ges. publiziert Bücher u. Zeitschriften zur Abwassertechnik u. organisiert die IFAT, die Internat. Fachmesse für die Abwasser- u. Abfalltechnik. Geschäftsstelle in 53773 Hennef, Theodor Heuss-Allee 17.
Lit.: ATV Regelwerk ▪ Korrespondenz Abwasser.

Gesenkschmieden. *Schmieden ist der Sammelbegriff für ein *Fertigungsverfahren der Hauptgruppe *Druckumformen*[1]. Beim G. wird das metall. Vorprodukt zumeist oberhalb der Rekristallisationstemp. (Warmschmieden) durch zwei gegeneinander bewegte Hälften einer geteilten Hohlform umgeformt, die das Negativ des zu fertigenden Werkstücks bildet. Die erforderliche Druckkraft wird stoßartig in mehreren Schüben durch einen Hammer od. kontinuierlich steigend in einem Schub durch eine Presse aufgebracht. Für die Herst. von Massenteilen läßt sich das G. weitgehend automatisieren. Vorteilhaft beim G. ist die Entstehung eines beanspruchungsgerechten Faserverlaufs im Gefüge des Werkstücks. Mit den hohen Umformgraden ergeben sich zusätzlich die Vorteile einer Verdichtung u. Homogenisierung des Werkstoffes. – *E* drop forging – *F* estampage – *I* stampaggio – *S* forjado en estampa o en matriz
Lit.: [1] DIN 8580 (06/1974).
allg.: Lueger Lexikon, 4. Aufl., Bd. 8, Fertigungstechnik u. Arbeitsmaschinen, S. 346, Stuttgart: DVA 1968.

Gesetz der konstanten Proportionen s. Proustsches Gesetz.

Gesetz der multiplen Proportionen s. Daltonsche Gesetze.

Gesetzliche Einheiten. Menge der Einheiten, die nach dem Gesetz vom 22. 2. 1985 (BGBl. 1, S. 408) über Einheiten im Meßwesen der BRD zugelassen sind; s. a. die Ausführungsverordnung vom 13. 12. 1985 (BGBl. I, S. 2272) u. bezüglich der Definitionen u. Beziehungen der Einheiten DIN 1301 Tl. 1 (12/1985). Die g. E. mit bes. Namen sind in Tab. 1 auf S. 1520 aufgeführt. G. E. sind ferner die aus Einheiten der Tab. 1 über Potenzprodukte mit dem Zahlenfaktor 1 abgeleitete Einheiten. Außerdem sind Vorsätze u. Vorsatzzeichen (s. Tab. 2 auf S. 1520) zur Bez. dezimaler Vielfacher u. Teile der Einheiten von Tab. 1 zugelassen.
Die Vorsätze u. Vorsatzzeichen sind nicht auf die Einheiten Vollwinkel, Grad, Sekunde (Winkel), Minute (Zeit u. Winkel), Stunde, Tag, Kilogramm, Grad Celsius u. Millimeter Quecksilbersäule anzuwenden. Es darf immer nur ein Vorsatz od. Vorsatzzeichen verwendet werden.
Verantwortlich für die Realisierung der Einheiten in der BRD ist die Physikalisch Technische Bundesanstalt in Braunschweig; s. a. Basiseinheiten, Einheiten, SI. – *E* legal units – *F* unités légales – *I* unità legali – *S* unidad legal

Gesichtsmasken s. Gesichtspackungen.

Gesichtspackungen. Kosmet. Zubereitungen, die bei Gebrauch mit Wasser verrührt, warm auf die *Haut des Gesichts gebracht u. dort antrocknen gelassen werden, um diese zu erweichen, von Unreinheiten zu befreien u./od. zu straffen (*Hauptpflegemittel). Hauptbestandteile von G. sind Cremegrundlagen u. Emulgatoren, anorgan., adsorbierend wirkende Gelbildner (Bento-

Tab. 1: Gesetzliche Einheiten mit besonderem Namen.

Einheit		Größe
Name	Zeichen	
Ampere	A	elektr. Stromstärke
Ar	a	Fläche von Grundstücken u. Flurstücken
atomare Masseneinheit	u	Masse in der Atomphysik
Bar	bar	Druck
Barn	b	Wirkungsquerschnitt
Becquerel	Bq	Aktivität einer radioaktiven Substanz
Candela	cd	Lichtstärke
Coulomb	C	elektr. Ladung, Elektrizitätsmenge
Dioptrie	dpt	Brechwert von opt. Systemen
Elektronvolt	eV	Energie in der Atomphysik
Farad	F	elektr. Kapazität
Gon	gon	ebener Winkel
Grad	°	ebener Winkel
Grad Celsius	°C	Celsius-Temp.
Gramm	g	Masse
Gray	Gy	Energiedosis, spezif. Energie, Kerma, Energiedosisindex
Hektar	ha	Fläche von Grundstücken u. Flurstücken
Henry	H	Induktivität
Hertz	Hz	Frequenz
Joule	J	Energie, Arbeit, Wärmemenge
Kelvin	K	thermodynam. Temp.
Kilogramm	kg	Masse
Liter	l, L	Volumen
Lumen	lm	Lichtstrom
Lux	lx	Beleuchtungsstärke
Meter	m	Länge
metrisches Karat		Masse von Edelsteinen
Millimeter-Quecksilbersäule	mmHg	Blutdruck u. Druck anderer Körperflüssigkeiten
Minute	′	ebener Winkel
Minute	min	Zeit
Mol	mol	Stoffmenge
Millimeter-Newton	N	Kraft
Ohm	Ω	elektr. Widerstand
Pascal	Pa	Druck
Radiant	rad	ebener Winkel
Sekunde	″	ebener Winkel
Sekunde	s	Zeit
Siemens	S	elektr. Leitwert
Sievert	Sv	Äquivalentdosis
Steradiant	sr	Raumwinkel
Stunde	h	Zeit
Tag	d	Zeit
Tesla	T	magnet. Flußdichte
Tex	tex	längenbezogene Masse von textilen Fasern u. Garnen
Tonne	t	Masse
Var	var	Blindleistung in der elektr. Energietechnik
Vollwinkel		ebener Winkel
Volt	V	elektr. Potential, elektr. Spannung
Watt	W	Leistung, Energiestrom
Weber	Wb	magnet. Fluß

Tab. 2: Vorsätze u. Vorsatzzeichen zur Bezeichnung von dezimalen Vielfachen u. Teilen von Einheiten.

Faktor, mit dem die Einheit multipliziert wird	Vorsatz	Vorsatzzeichen
10^{18}	Exa	E
10^{15}	Peta	P
10^{12}	Tera	T
10^{9}	Giga	G
10^{6}	Mega	M
10^{3}	Kilo	k
10^{2}	Hekto	h
10^{1}	Deka	da
10^{-1}	Dezi	d
10^{-2}	Zenti	c
10^{-3}	Milli	m
10^{-6}	Mikro	μ
10^{-9}	Nano	n
10^{-12}	Piko	p
10^{-15}	Femto	f
10^{-18}	Atto	a

während die ggf. Latex enthaltenden *Gesichtsmasken* meist kalt aufgebracht werden u. zu einem Film erstarren, der oft abgezogen werden kann. Manche G. werden auch als Schaum angewendet, der auf der Haut auftrocknet. – *E* face packs – *F* masques faciaux – *I* maschere di bellezza

Lit.: Fey-Otte, Wörterbuch der Kosmetik, S. 100 f., Stuttgart: Wissenschaftliche Verlagsges. 1985 ▪ Janistyn 3, 650–659 ▪ s. a. Hautpflegemittel. – *[HS 3304 99]*

Gesichtspuder s. Puder.

Gesichtswässer. Bez. für Flüssigkeiten zur Reinigung u. Erfrischung der Gesichtshaut mit einem *Ethanol-Gehalt zwischen 10 u. 40%, gelegentlich auch mit 2-Propanol. G. enthält meist kleine Mengen Tenside, Glycerin u. a. Feuchthaltemittel, tonisierend wirkende, milde organ. Säuren, leicht adstringierend wirkende u. antisept. od. reizlindernde Mittel, häufig Pflanzensäfte (Hamamelis, Arnika, Kamille, Zitrone, Birke, Lattich usw.), Vitamine, Menthol, Campher, Eiweißhydrolysate usw. u. zur Parfümierung Blütenwässer u. ether. Öle. Für letztere müssen Lösungsvermittler herangezogen werden, da sie nur in höherprozentigem Alkohol lösl. sind. *Erfrischungstücher* sind Papiervliese, die mit ähnlich zusammengesetzten wäss.-alkohol. Lsg. getränkt sind od. mit nichtviskosen Emulsionen, die zugleich etwas cremend wirken u. auch Lichtschutzmittel u. dgl. enthalten können. – *E* face lotions – *F* lotions faciales – *I* lozioni toniche per il viso, tonici – *S* lociones faciales

Lit.: Fey-Otte, Wörterbuch der Kosmetik, S. 102, Stuttgart: Wissenschaftliche Verlagsges. 1985 ▪ Janistyn 3, 463–470 ▪ s. a. Hautpflegemittel. – *[HS 3303 00]*

Gespannte Verbindungen s. Ringsysteme.

Geständnismittel. Umgangssprachliche Bez. für oft auch *Wahrheitsseren* od. *-drogen* genannte Stoffe, die im Behandelten einen Zustand der Willenlosigkeit u. Gesprächigkeit hervorrufen können, in welchem er Dinge ausspricht, die er im Wachzustand verschweigen würde. Das bekannteste der für diese sog. *Narkoanalysen* gebrauchten, außerhalb der Legalität stehenden u. für sog. „Gehirnwäschen" mißbrauchten Mittel

nite u. ä.), organ. Verdickungsmittel (Cellulose-Derivate, PVAL) u. Tenside, außerdem reizlindernde, die Durchblutung anregende, bleichende, erweichende u. adstringierende Mittel. Packungen werden im allg. heiß od. warm aufgetragen u. hernach abgewaschen,

ist *Thiopental-Natrium; ferner gehören hierher *Hexo-, *Pento- u. *Amobarbital sowie die anders wirkenden *Scopolamin u. *Hyoscyamin. Ähnliche, aber weniger „zuverlässige" Wirkungen können von *Halluzinogenen, *Neuroleptika u. *Narkotika ausgehen. – *E* truth drugs – *F* sérum de vérité – *I* rimedio confessante – *S* drogas (sueros) de la verdad
Lit.: Kranz, Die Narkoanalyse als diagnostisches u. kriminalistisches Verfahren, Tübingen: Mohr 1950.

Gestaffelte Konformation s. Konformation.

Gestagene (von latein.: gestare = tragen u. *...gen; auch: Progestine, Progestogene). G. sind *Steroid-*Hormone, die im weiblichen Organismus neben *Estrogenen in den Ovarien (Eierstöcken), u. zwar im Corpus luteum (*Gelbkörper*) gebildet werden, das nach der Ovulation aus dem gesprungenen Follikel entsteht. Nach der *Konzeption werden die G. jedoch vorwiegend in der *Placenta produziert. Das wichtigste G. ist das *Progesteron, unter dessen Einfluß nach dem Follikel-Sprung die Uterus-Schleimhaut für die Aufnahme eines befruchteten Eis vorbereitet wird. Bei einer Schwangerschaft setzt Progesteron die Erregbarkeit der Uterus-Muskulatur herab, blockiert die Reifung weiterer Follikel u. ist für die Laktationsbereitschaft der Milchdrüsen wesentlich. Therapeut. finden G. bei Amenorrhoe, Sterilität u. zur Verhütung von Fehlgeburten Verwendung. V. a. aber werden sie – meist in Kombination mit Estrogenen – in *Antikonzeptionsmitteln eingesetzt. In Kosmetika dürfen G. nicht enthalten sein. Die meisten der heute benutzten G. leiten sich vom *Ethinylestradiol ab. 17α-*Hydroxyprogesteron ab, neuere auch von 19-Norprogesteron u. 19-Nortestosteron[1]. Als Antigestagen wird Mifepriston (RU486) in manchen Ländern zum Schwangerschaftsabbruch eingesetzt[2]. – *E* gestagens, progestins – *F* gestagènes, progestines – *I* progestinici – *S* gestágenos, progestinas
Lit.: [1] Drugs **51**, 188–215 (1996). [2] Annu. Rev. Pharmacol. Toxicol. **36**, 47–81 (1996). – *[HS 293792]*

Gestank s. Riechstoffe.

Gesteine. Als G. *definiert* man lose od. fest verbundene, statist. homogene (Komponenten statist. annähernd gleichmäßig verteilt) Mineralaggregate, die räumlich ausgedehnte, selbständige geolog. Körper bilden. Sie bauen wesentliche Teile der *Erde u. anderer Himmelskörper auf. G. werden charakterisiert durch ihren Mineral-Bestand, ihre chem. Zusammensetzung, ihr *Gefüge u. ihre geolog. Verbandsverhältnisse. Hydrothermale Mineral-*Gänge (z. B. *Quarz-Fluorit-Baryt-Gänge) in beliebigem Nebengestein, Quarzadern u. -knauern in *Schiefern, (*Pegmatit-artige) Quarz-*Feldspat-Nester od. Schlieren in Graniten u. die Böden werden konventionell nicht als selbständige G. qualifiziert. In der Natur vorkommende G., die in der Bauwirtschaft techn. genutzt werden, bezeichnet man als *Natursteine. Die Untersuchung der G. u. ihre Benennung u. Klassifikation ist das Aufgabengebiet der *Petrographie; die *Petrologie* untersucht die Entstehung der G. in der Natur u. im Experiment.
Einteilung: Nach den Entstehungsbedingungen werden 3 Hauptgruppen unterschieden. *Magmatische Gesteine entstehen durch Erstarrung einer Schmelze im Erdinnern (Tiefen-G., Plutonite) od. an der Erdoberfläche bzw. im Meerwasser (vulkan. Erguß-G. u. vulkan. Lockerprodukte). *Metamorphe Gesteine bilden sich durch Umkrist. von bereits existierenden G. bei erhöhten Temp. u./od. Drücken; bei Beteiligung einer Schmelze entstehen *Migmatite. *Sedimentgesteine bilden sich durch *Verwitterung u. Abtragung existierender G., Transport der Verwitterungsprodukte in fester od. gelöster Form sowie Ablagerung od. Ausfällung in einem Sedimentationsbecken. Die Bestandteile der *pyroklastischen Gesteine sind zwar ähnlich wie die der Sediment-G. transportiert u. abgelagert worden, aber durch vulkan. Prozesse entstanden.
Zusammensetzung: In ihrer überwiegenden Mehrzahl bestehen G. aus anorgan., festen, krist. *Mineralien einer (*monomineral.* G., z. B. *Quarzit, *Marmor) od. verschiedener (*polymineral.* G., z. B. *Granite) Art. Daneben können natürliche Gläser, organ. Festsubstanzen (z. B. Kohle), Flüssigkeiten (z. B. Erdöl, Wasser) u. Gase (z. B. Erdgas, Luft) wesentlich am Aufbau von G. beteiligt sein. Von den ca. 3500 derzeit bekannten Mineral-Arten sind nur etwa 250 G.-bildend, davon über 90% *Silicate u. Quarz. Die häufigsten G.-bildenden Minerale der oberen Erdkruste sind: Plagioklas (Feldspäte; ca. 42 Vol.-%), Kalifeldspat (Feldspäte; 22%), Quarz (18%), *Amphibole (5%), *Pyroxene (4%), Biotit (*Glimmer; 4%), *Olivin (1,5%), Eisen-Titan-Oxide (1%), *Apatit (0,5%); der obere Erdmantel besteht dagegen ganz überwiegend aus Olivin u. Pyroxenen. G. gleicher od. ähnlicher Zusammensetzung können einen vollständig verschiedenen Mineralbestand aufweisen u. sich auch in ihrem Gefüge deutlich unterscheiden (*Heteromorphie* von G., z. B. *Gabbro – Basalt – Amphibolit). Diese Tatsache läßt sich durch die unterschiedlichen geolog. Bildungsbedingungen von G. erklären. *Hauptminerale* eines G. sind solche, die mit mehr als 5 Vol.% an seinem Aufbau beteiligt sind. Viele G.-Namen sind schon durch die Kombination bestimmter Hauptminerale definiert; zur vollständigen Kennzeichnung genügt es dann, den Namen etwa zusätzlich vorhandener Hauptminerale voranzustellen, z. B. Biotitgranit, Olivinbasalt. Viele metamorphe G. sind nur durch Nennung aller Hauptminerale vollständig gekennzeichnet, z. B. Plagioklas-Biotit-*Gneis. *Nebenminerale* od. Nebengemengteile sind dann zu nennen, wenn sie zur Charakterisierung eines G. aus bes. Gründen notwendig sind, z. B. *Nephelin-führender Olivinbasalt. *Akzessor. Minerale* („Akzessorien") erscheinen nicht im G.-Namen; sie machen meist weniger als 1% des G. aus. Manche von ihnen, z. B. Apatit, *Zirkon, *Magnetit, sind aber in vielen, v. a. magmat. u. metamorphen G., fast regelmäßig vorhanden. – *E* rocks – *F* roches – *I* rocce – *S* rocas
Lit.: Deer, Howie u. Zussman, An Introduction to the Rock-Forming Minerals (2.), Harlow (England): Longman Scientific & Technical 1992 ▪ Dietrich u. Skinner, Die Gesteine u. ihre Mineralien, Thun: Ott 1984 ▪ MacKenzie u. Guilford, Atlas gesteinsbildender Minerale in Dünnschliffen, Stuttgart: Enke 1981 ▪ Matthes, Mineralogie (4.), Berlin: Springer 1993 ▪ Müller, Gesteinskunde (Lehrbuch u. Nachschlagewerk über Gesteine für Hochbau, Innenarchitektur, Kunst u. Restauration) (3.), Ulm: Ebner 1991 ▪ Ney, Gesteinsaufbereitung im Labor, Stuttgart: Enke 1986 ▪ Pape, Leitfaden zur Gesteinsbestim-

Gesteinsfasern

mung (5.), Stuttgart: Enke 1988 ▪ Tröger, Optische Bestimmung der gesteinsbildenden Minerale, Tl. 2, Textband, 2. Aufl., Stuttgart: Schweizerbart 1969 ▪ Tucker, Einführung in die Sedimentpetrologie, Stuttgart: Enke 1985 (mit umfangreichem Lit.-Verzeichnis für dieses Teilgebiet) ▪ Wimmenauer, Petrographie der magmatischen u. metamorphen Gesteine, Stuttgart: Enke 1985 ▪ s.a. Mineralogie, Petrographie u. die einzelnen G. u. G.-Gruppen.

Gesteinsfasern s. Mineralfasern.

Gesteinskunde s. Petrographie.

Gesteinsmehl (Steinmehl). Bez. für vermahlene *Gesteine, die als *Betonzusatzstoffe Verw. finden. G. wurde früher (in Notzeiten) auch für die sog. *Steinmehldüngung* propagiert, allerdings ohne sonderlichen Erfolg. – *E* rock meal – *F* roche pulverisée – *I* farina di roccia – *S* piedra molida, polvo de roca

Gesteinssprengstoffe s. Explosivstoffe, Sprengstoffe.

Gesteinswolle. Wolle aus Gesteinsfasern (*Mineralfasern), die als *Schall- u. *Wärmedämmstoff verwendet wird, z.B. *Basaltwolle. – *E* rock wool – *F* laine de roche – *I* lana di roccia – *S* lana mineral
Lit.: Kirk-Othmer (3.) **13**, 517; (4.) **14**, 605 ▪ Ullmann (4.) **2**, 477; (5.) **A 11**, 20.

Gestoden.

Internat. Freiname für 13-Ethyl-17β-hydroxy-18,19-dinor-4,15-pregnadien-20-in-3-on, $C_{21}H_{26}O_2$, M_R 310,44, Schmp. 198 °C. Es wurde als *Gestagen mit *Progesteron-ähnlichem Wirkprofil 1977/78 von Schering patentiert u. ist in *Antikonzeptionsmitteln von Schering (Femovan®) u. Wyeth (Minulet®) im Handel. – *E* gestodene – *F* gestodène – *I* gestodene – *S* gestodeno
Lit.: Drugs **50**, 364–395 (1995) ▪ Merck-Index (12.), Nr. 4421. – [HS 2937 92; CAS 60282-87-3]

Gestonoron caproat.

Internat. Freiname für das Progestogen 17-Hydroxy-19-nor-4-pregnen-3,20-dion-hexanoat, $C_{26}H_{38}O_4$, M_R 414,59, Schmp. 123–124 °C; $[\alpha]_D^{20}$ +13° ($CHCl_3$), λ_{max} (CH_3OH) 239 nm ($A_{1cm}^{1\%}$ =423). G. wurde 1960 von Schering (Depostat®) patentiert u. wird gegen Prostatahypertrophie angewendet. – *E* gestonorone – *F* caproate de gestonorone – *I* gestonorone – *S* caproato de gestonorona
Lit.: Beilstein EIV **8**, 2168 ▪ Hager (5.) **8**, 343 ff. – [HS 2937 22; CAS 1253-28-7]

Gestricke s. Wirken.

Gesundheitsschaden. Im Sinne des *Chemikaliengesetzes u. der ihm nachgeordneten *Gefahrstoffverordnung liegt ein schwerer G. vor, wenn eindeutige funktionelle Störungen od. morpholog. Veränderungen von toxikolog. Bedeutung auftreten. Kann ein Stoff od. eine Zubereitung einen schweren G. nach wiederholter od. längerer Exposition über einen relevanten Aufnahmeweg verursachen, ist der Stoff od. die Zubereitung als *giftig einzustufen u. der R-Satz R 48 in Kombination mit anderen R-Sätzen, die den Aufnahmeweg kennzeichnen, zu verwenden. – *E* injury to health, health damage – *F* atteinte á la santé – *I* danno alla salute – *S* daño de la salud
Lit.: s. Gefahrstoffverordnung.

Gesundheitsschädlich. Gefährlichkeitsmerkmal für Stoffe u. Zubereitungen, ersetzt mindergiftig. Im Sinne des *Chemikaliengesetzes u. der ihm nachgeordneten *Gefahrstoffverordnung sind Stoffe u. Zubereitungen g., wenn sie beim Einatmen, Verschlucken od. Aufnahme über die Haut zum Tode führen od. akute od. chron. *Gesundheitsschäden verursachen können; s. giftig. – *E* noxious, harmful – *F* nocif – *I* nocivo alla salute – *S* nocivo para la salud

Gesundheitsschädliche Stoffe. Stoffe u. Zubereitungen sind nach der *Gefahrstoffverordnung gesundheitsschädlich, wenn sie beim Einatmen, Verschlucken od. bei Aufnahme über die Haut zum Tode führen od. akute od. chron. Gesundheitsschäden verursachen können. Sie werden als gesundheitsschädlich eingestuft u. mit dem *Gefahrensymbol „Xn" u. der Gefahrenbez. „*gesundheitsschädlich" gekennzeichnet, wenn folgende Werte ermittelt wurden:
a) nach Verbringen in den Magen der Ratte eine LD_{50} von 200 mg/kg bis 2000 mg/kg Körpergew.,
b) nach Verbringen auf die Haut der Ratte od. des Kaninchens eine LD_{50} von 400 mg/kg bis 2000 mg/kg Körpergew.,
c) nach Aufnahme über die Atemwege der Ratte eine LC_{50} von 2 mg/L Luft bis 20 mg/L Luft pro 4 h.
Mindergiftige *Gefahrstoffe werden mit dem Andreaskreuz u. der Gefahrenbez. „Mindergiftig" (Xn) gekennzeichnet.

Xn ✖ gesundheitsschädlich

– *E* unhealthy substances – *F* substances nocives – *I* sostanze nocive alla salute – *S* sustancias nocivas
Lit.: s. Gefahrstoffe.

Getränke. Bei den G. unterscheidet man zwischen alkohol. u. alkoholfreien Getränken. Zu den *alkoholischen Getränken zählen *Spirituosen, *Bier, *Wein u. *Schaumwein sowie Fruchtwein u. Fruchtschaumwein. Bei der Herst. der alkohol. G. werden biotechnolog. Verf. (*Gärungen) angewendet. Zu den alkoholfreien G. zählen *Fruchtsäfte, Fruchtnektare, Fruchtsaftgetränke, *Gemüse-Säfte, *Mineral- u. Tafelwässer, *Kaffee, *Tee, *Milch u. *Kakao-Getränke. Die Herst., Kennzeichnung, Verw. von Zusatzstoffen sowie die technolog. Behandlungsmeth. für alkoholfreie G. sind im Lebensmittel- u. Bedarfsgegenständegesetz (*LMBG) sowie seinen Ausführungs-VO geregelt. Wein u. Branntwein aus Wein dagegen werden nach der EU-weit einheitlichen Weingesetzgebung beurteilt, die vom LMBG unabhängig ist u. vorwiegend auf VO der Europ. Union basiert. – *E* beverages – *F* boissons – *I* bevande, bibite – *S* bebidas

Lit.: Linskens u. Jackson, Analysis of Non-Alcoholic Beverages, Berlin: Springer 1988 ▪ Morton u. MacLeod, Food Flavour. Part B. The Flavour of Beverages, Amsterdam: Elsevier 1986 ▪ Narziß, Abriß der Bierbrauerei (5.) Stuttgart: Enke 1986 ▪ Schobinger, Frucht- u. Gemüsesäfte (2.), Stuttgart: Ulmer 1987 ▪ Siegel et al., Handlexikon der Getränke, Linz: Trauner 1988 ▪ Tanner u. Brunner, Getränkeanalytik (2.), Schwäbisch Hall: Heller 1987 ▪ Troost u. Haushofer, Sekt, Schaum- u. Perlwein, Stuttgart: Ulmer 1980 ▪ Würdig u. Woller, Chemie des Weines, Stuttgart: Ulmer 1989.

Getreide. Zu den G. rechnet man diejenigen *Gräser (Gramineae, heute: Poaceae), die wegen ihrer eßbaren *Früchte angebaut werden. Der G.-Anbau ist jahrtausendealt: Weizen (Emmer) u. Gerste – wenn auch in primitiveren Formen als heute – finden sich im Vorderen Orient schon um 9000 v. Chr.; erst in der Bronze- u. Eisenzeit kamen Roggen u. Hafer hinzu. Der Maisanbau in Mittelamerika läßt sich bis 7000 v. Chr. zurückverfolgen, u. auch der Reis in Südostasien ist seit Jahrtausenden in Kultur. Wahrscheinlich hat erst der G.-Anbau u. die damit verbundene rationale Produktion haltbarer Nahrungsmittel die Entstehung städt. Hochkulturen in der Alten u. Neuen Welt ermöglicht. Die heutigen G.-Sorten sind alle aus den ursprünglichen Wildformen hervorgegangen u. durch planmäßige Züchtung verbessert worden. Eine neue Zuchtform ist z. B. die Triticale, eine Kreuzung aus Weizen u. Roggen. Von wesentlicher Bedeutung sind Weizen, Reis, Mais, Roggen, Gerste, Hafer, Sorghum u. a. Hirse-Arten. Roggen, Weizen u. Gerste werden sowohl als *Winter-* wie auch als *Sommer-*G. angebaut, wobei das Winter-G. wegen der langen Vegetationsperiode im allg. höhere Erträge bringt. Die G.-Erträge werden außerdem durch *Düngung u. Anw. von *Halmfestigern u. *Pflanzenschutzmitteln (sowohl vor als auch nach dem *Auflaufen) gesteigert. Ein typ. Roggenschmarotzer ist das Mutterkorn (s. Ergot), dessen *Mykotoxine früher häufig zu Vergiftungen führten.

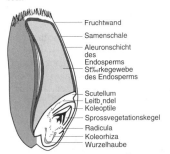

Abb. 1: Weizenkorn (nach *Lit.*[1]).

Als Nahrungsmittel ist G. zu charakterisieren durch einen relativ geringen Protein-Gehalt (10 bis 12%) u. einen hohen Anteil an Kohlenhydraten (55–75 %). Diese bestehen im wesentlichen aus *Stärke (90% u. mehr), *Dextrinen, Zuckern u. *Pentosanen. Der Protein-Anteil setzt sich hauptsächlich aus dem Eiweiß der Aleuron-Schicht u. (v. a. im Weizen) aus dem *Kleber zusammen, einem Gemisch aus *Gliadin u. den *Glutelinen, das bei der Herst. von *Brot für die Backfähigkeit des Mehls von Bedeutung ist. Weitere Bestandteile des G.-Korns sind Wasser (ca. 15%), Fette (2–5%), Mineralstoffe, D-Vitamine u. Vitamin E. Zur Verteilung dieser Inhaltsstoffe in den verschiedenen Strukturanteilen des Weizenkorns s. Abb. 1 u. 2.

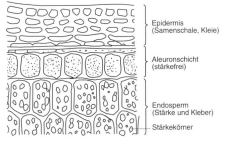

Abb. 2: Aufbau der Schale.

Fruchtwand u. Samenschale sind stark *Cellulose-haltig; beim Mahlvorgang werden sie z. T. zusammen mit der Aleuron-Schicht u. dem Keimling abgescheuert u. bilden dann die sog. *Kleie. Die prismat. dickwandigen Zellen der *Aleuron-Schicht* enthalten Reserveeiweiß (sog. Aleuron, griech.: Weizenmehl), Öltröpfchen, Enzyme u. Vitamine; in den Zellen des Mehlkörpers (*Endosperm*) befinden sich in Protein (Kleber) eingebettete *Stärke-Körner. Der im Gegensatz zu Schale u. Endosperm aus lebenden Zellen bestehende, wachstumsfähige Keimling ist reich an Eiweiß, Fett, Vitaminen, Enzymen u. Mineralstoffen; er liefert die *Getreidekeimöle. Außerdem sind in G. verschiedene Fruchtsäuren (Apfel-, Milch-, Citronen-, Bernsteinsäure u. a.) nachgewiesen worden.

Verw.: In der Hauptsache für Nahrungsmittel, wobei bes. Weizen u. Roggen zu *Mehl u. dieses wiederum zu *Brot (nur ca. 40% der Weltbevölkerung ißt Brot) u. v. a. *Back- u. *Teigwaren verarbeitet werden, während die übrigen G.-Arten meist in Form von Brei (bes. Reis, Hirse, Mais) verzehrt werden. Ein weiterer Teil wird als *Futtermittel, zur Gewinnung von Stärke u. zur Vergärung für *alkoholische Getränke verwendet; eine bes. Rolle spielt das aus Gerste gewinnbare *Malz nicht nur für die Herst. von *Bier, sondern auch von *Kaffee-Ersatzstoffen. Das bei der G.-Ernte anfallende *Stroh wird je nach Ausgangsmaterial verschiedenartig verwendet. Für Saatzwecke bestimmtes G. muß vor tier. u. pilzlichen Schädlingen geschützt werden, s. Vorratsschutz u. Beizen. – *E* cereals, grain – *F* céréales, grains – *I* cereali, grano – *S* cereales, granos

Lit.: [1] Frohne u. Jensen, Systematik des Pflanzenreichs, S. 248, Stuttgart: Fischer 1979.
allg.: Franke, Nutzpflanzenkunde, 5. Aufl., Stuttgart: Thieme 1992.

Getreidekeimöle. Beim Getreide-Korn (Abb. s. dort) beansprucht der Keim etwa 1,5% des Korngew.; er wird in der Mühle bei der sog. Hauptreinigung maschinell entfernt u. kommt nicht ins *Mehl. Aus den entsprechenden Keimlingen erhält man die sog. *Keimöle* durch hydraul. Pressung bei niedriger Temp. od. durch Extraktion, z. B. 6–8% *Weizenkeimöl, 9–12% Roggenkeimöl, 24% *Reiskeimöl u. 30–50% *Maiskeimöl. Die G. finden Verw. in Kosmetik u. Diätetik. – *E* cereal seed oils – *F* huiles de germes de céréales – *I* aioli germinali di grano – *S* aceites de germen de cereales

Getren®. Silicon-freies Trennmittel für die Kunststoff- u. Kautschukverformung. *B.:* Th. Goldschmidt AG.

Getter (Getterstoffe, Fangstoffe). Bez. für Sorptionsmittel, die Gase vorzugsweise chem. binden; der Vorgang wird als *Getterung* bezeichnet. Bei den G. handelt es sich – ähnlich wie bei den *Desoxidationsmitteln – um reine Metalle (z. B. Ba, Ca, Cs, Mg, Na, Ti, Hf, Zr) od. Leg. dieser Metalle mit Al u./od. Th. Die G. sollen in *Vakuum-Röhren (Fernsehröhren, Glühlampen, Röntgenröhren) die letzten Spuren von unerwünschten Gasen (O_2, N_2, H_2, NH_3, teilw. auch Kohlenwasserstoffe) binden. Man erhält durch Getterung Hochvak. von etwa 10^{-9} kPa. Die Getterung beruht auf der Bindung von Gas-Mol. durch Bildung von echten Lsg., durch *Sorption (bes. *Chemisorption) od. chem. Reaktion mit den Getterstoffen. Bei den Verdampfungsgettern (im allg. Erdalkalimetalle) wird der vor dem Abschmelzen eingebrachte metall. G. als Film auf die Innenseite des Glaskolbens gedampft. Bei den Schicht-G. (meist Zr u. Ti u. deren Leg.) bringt man das Metall als Schicht auf eine Trägerelektrode od. a. Röhrenteile, die die notwendigen Betriebstemp. von 200–400 °C erreichen. Bei der *Ionen-Getter-Pumpe* werden die Gase durch ein aus zwei od. mehr Elektroden bestehendes Entladungssyst. ionisiert u. dadurch stärker an die G. gebunden. – $E = F$ getters – I getter, assorbente metallico – S getter(e)s, guéteres

Lit.: ACHEMA-Jahrb. **1979**, 1492 ▪ DIN 28 400 Tl. 1 (05/1990) ▪ Kirk-Othmer **8**, 1–23 ▪ Ullmann (4.) **3**, 103.

Geuda-Steine s. Saphir.

Gevilon®. Tabl. mit *Gemfibrozil gegen schwere Hyperlipidämien. *B.:* Parke-Davis.

Gewässer. Bez. für jede Art von Wasseransammlung auf od. unter der festen Erdoberfläche, die als fließendes od. stehendes *Wasser in Zusammenhang mit dem natürlichen Kreislauf steht, einschließlich G.-Bett u. Grundwasserleiter (s. Grundwasser)[1]; s. a. *Lit.*[2] – E body of water – F eaux – I acque – S aguas

Lit.: [1] DIN 4045 Tl. 1 (12/1992). [2] Römpp Lexikon Umwelt, S. 304.

Gewässerbelastung. Einwirkung auf den *Gewässer-Zustand durch nachteilige Faktoren, z. B. Belastungsstoffe (Stoffe, die aufgrund ihrer Konz. die Gewässergüte nachteilig verändern) od. *Schadstoffe. Die einwirkenden Stoffe können geogenen, biogenen od. anthropogenen Ursprungs sein. Übermäßige G. können zur Gewässerschädigung führen. Charakterisiert wird die G. z. B. durch *Summenparameter wie *BSB, *CSB u. *TOC (s. a. Abwasser, Abwasserbehandlung, Abwasserlast, biologische Selbstreinigung). – E water pollution, impact on water – F charge polluante des eaux – I inquinamento delle acque – S carga contaminante de las aguas

Lit.: DIN 4049 Tl. 2 (04/1990).

Gewässer(be)nutzung. Zielgerichtete Inanspruchnahme eines Gewässers durch den Menschen, z. B. für Freizeit u. Erholung, Fischerei, Schiffahrt, Bewässerung od. Energiegewinnung. Im Sinne des *Wasserhaushaltsgesetzes (WHG, § 3) umfaßt G. z. B. Entnehmen u. Ableiten von *Grundwasser od. Wasser aus oberird. *Gewässern, Aufstauen u. Absenken von Gewässern, das Entnehmen fester Stoffe aus oberird. Gewässern (soweit dies auf den Zustand des Gewässers od. auf den Wasserabfluß einwirkt) u. das Einbringen u. Einleiten von Stoffen in oberird. Gewässer, Küstengewässer u. das Grundwasser. Zu den G. nach WHG gehören auch Maßnahmen, die geeignet sind, dauernd od. in einem nicht nur unerheblichen Ausmaß schädliche Veränderungen der physikal., chem. od. biolog. Beschaffenheit des Wassers herbeizuführen, nicht hingegen der Unterhalt (soweit hierbei nicht chem. Mittel eingesetzt werden) u. Ausbau oberird. Gewässer. – E utilisation of waters – F usage des eaux – I utilizzo delle acque – S utilización del agua

Lit.: Wasserhaushaltsgesetz – WHG in der Fassung der Bekanntmachung vom 23. 9. 1986 (BGBl. I, S. 1529, ber. S. 1654), zuletzt geändert durch Gesetz vom 27. 6. 1994 (BGBl. I, S. 1440) ▪ Schendel et al. (Hrsg.), Umwelt u. Betrieb, Tl. 301, Berlin: E. Schmidt 1996.

Gewässergüte. Durch physikal., chem. u. biolog. Kenngrößen sowie beschreibende Begriffe (wertneutral) angegebene Eigenschaften eines *Gewässers (Gewässerbeschaffenheit), die nach vorgegebenen Kriterien wie Schutzzielen od. Nutzungsansprüchen bewertet sind[1]. Die Einteilung der Gewässer nach dem Grad ihrer Verunreinigung kann unter biolog. Gesichtspunkten erfolgen, wobei das Auftreten typ. Lebensgemeinschaften als Maßstab dient (*Saprobiensystem). Die gängigste Einteilung geschieht nach vier Gütestufen, denen bei der kartograph. Darst. vier Farben zugeordnet sind:

Güteklasse I: unbelastet =blau
Güteklasse II: mäßig belastet =grün
Güteklasse III: stark verschmutzt =ocker
Güteklasse IV: übermäßig verschmutzt =violett

Die Klassifizierung der G. läßt sich noch weiter differenzieren, wenn die oben genannte Einteilung durch

I–II: Gering belastet (hellblau), II–III: krit. verschmutzt (gelb), III–IV: sehr stark verschmutzt (rot)

ergänzt wird. Jeder dieser Güteklassen läßt sich, neben dem Grad der Verschmutzungen, eine Saprobienstufe, ein Saprobienindex u. chem. Parameter zuordnen, die in engem Zusammenhang mit der Biologie eines Gewässers stehen. Durch die Länderarbeitsgemeinschaft Wasser (*LAWA) wird seit 1975 alle 5 Jahre eine Gewässergütekarte für die BRD herausgegeben. – E quality of waters – F qualité des eaux – I qualità delle acque – S calidad de las aguas

Lit.: [1] DIN 4049, Tl. 2 (04/1990).
allg.: BUM (Hrsg.), Die Gewässergütekarte 1995 der Bundesrepublik Deutschland (erstellt von der LAWA), Bonn: Eigenverl. 1996 ▪ Habeck-Tropfke, Abwasserbiologie (2.), Düsseldorf: Werner 1992 ▪ Hütter, Wasser u. Wasseruntersuchung, Frankfurt: Diesterweg 1988.

Gewässergütebestimmung. Verf. zur biolog., chem. u. physik. Emittlung der *Gewässergüte. Für die G. sind v. a. (*stenopotente) *Bioindikatoren (Leitformen) bedeutsam, die aufgrund ihrer Anwesenheit od. ihres Fehlens (Artenfehlbetrag s. Artendichte) bestimmte Umweltfaktoren anzeigen können; *in praxi* aber werden eindeutige Schlußfolgerungen durch komplexe Wechselwirkungen aller (also auch der unbekannten) Umweltfaktoren, sowie durch Mangel an vergleichbaren Gewässern erschwert. Wichtige Leitformen finden sich in allen großen Organismengruppen, z. B. unter Tieren [Ciliaten, Larven von Steinfliegen, Eintagsfliegen u. Zuckmücken, Würmer (*Tubifex* u. a.), Fische], Pflanzen (Algen, höhere Pflanzen), Bakterien („Abwasserpilz" *Sphaerotilus natans*, *Spirillum* spec.) u. Pilzen (*Leptomitus = Apodya*); als *Indikatoren dienen außerdem Stoffkonz. (Sauerstoff, *CSB, *BSB u. a.) u. physikal. Parameter (Temp., Trübung, Sichttiefe). Bei der biolog. G. (von Fließgewässern) wird der Saprobienindex S (s. Saprobiensystem) bestimmt, der sich als

$$S = \frac{\Sigma s \cdot h \cdot g}{\Sigma h \cdot g}$$

errechnet, wobei s der Saprobienindex der Leitform (1 = oligosaprob bis 4 = polysaprob), h die geschätzte Häufigkeit (1 = Einzelfund bis 7 = massenhaftes Vork.) u. g das sog. Indikationsgew., das den Potenztyp [1 = eurysaprob bis 5 = stenosaprob (s. stenök)] kennzeichnet (s. a. Stetigkeit). Dem Saprobienindex des Gewässers sind (Haupt-) Güteklassen zugeordnet:
S = 1 – <1,75 (oligosaprob, xenosaprob, katharob) = Güteklasse 1,
S = 1,75 – <2,5 (betamesosaprob) = Güteklasse 2,
S = 2,5 – <3,25 (alphamesosaprob) = Güteklasse 3,
S = 3,25 – 4,0 (polysaprob) = Güteklasse 4.
Für die G. von Seen werden neben Artenbestand v. a. Sichttiefe, Phytoplanktondichte, Nährstoffangebot u. Sauerstoff-Gehalt des Tiefenwassers herangezogen. – *E* determination (estimation) of the quality of waters – *F* détermination de la qualité des eaux – *I* determinazione qualitativa delle acque – *S* evaluación de la calidad de las aguas
Lit.: DIN 38410 Tl. 2 (10/1990).

Gewässerkunde s. Meerwasser u. Wasser.

Gewässerschutz. Maßnahmen zur Erhaltung u. Reinhaltung der *Gewässer einschließlich des *Grundwassers. Die Wasserreinhaltung ist der G., der sich zur Vermeidung stofflicher *Gewässerbelastungen z. B. mit Maßnahmen zur Begrenzung des Nährstoffeintrags aus der Luft u. von landwirtschaftlichen Flächen sowie mit *Abwasserbehandlung beschäftigt. Zum G. gehören auch Maßnahmen zur Restaurierung verschmutzter Gewässer (s. a. Flußkläranlage u. Eutrophierung), zur Gewässer-Renaturierung, zur Sicherung eines Mindestabflusses aus Staubecken u. zur Vergleichmäßigung von Regenwasser-Ablaufvol. (Flächen-Entsiegelung, Regenwasser-Versickerung, Erosionsschutz, Polder) sowie die Maßnahmen zum Schutz der Wassereinzugsgebiete.
Recht: Der im Grundgesetz festgelegte Auftrag an den Gesetzgeber, die natürlichen Lebensgrundlagen zu schützen, ist bezüglich des G. in mehreren Gesetzeswerken ausführlich definiert. Das *Bundesnaturschutzgesetz legt in § 2 als Ziel auch fest, Wasserflächen zu erhalten u. zu vermehren u. schreibt dazu Planungs-, Schutz-, Pflege- u. Entwicklungsmaßnahmen vor. Es schützt bestimmte Küstenabschnitte, Ufer, naturnahe Oberflächengewässer u. a. Wasser-*Biotope. Nach *Wasserhaushaltsgesetz (WHG) sind die Gewässer als Bestandteil des Naturhaushalts grundsätzlich so zu bewirtschaften, daß sie dem Wohl der Allgemeinheit u. im Einklang mit ihm auch dem Nutzen Einzelner dienen. Das WHG regelt die *Gewässerbenutzung, die Ausweisung von Wasserschutzgebieten, die Erstellung von Gewässer-Bewirtschaftungsplänen, die Bestellung von *Gewässerschutzbeauftragten für Betriebe sowie Genehmigung, Bau u. Betrieb von Abwasseranlagen u. von Anlagen zum Umgang mit *wassergefährdenden Stoffen u. von Rohrleitungen mit wassergefährdenden Stoffen [1]. Weitere Regelungen s. Grundwasser.
Zum G. tragen auch die freiwilligen Vereinbarungen u. Selbstverpflichtungen der chem. Ind. u. a. Wirtschaftszweige bei, z. B. das Programm zur Verminderung der Ammonium-Ableitung, das Sicherheitskonzept für Anlagen zum Umgang mit wassergefährdenden Stoffen u. die VCI-Vereinbarungen mit der Stadt Rotterdam zur Emissionsminderung bes. von Schwermetallen im Rheineinzugsgebiet [2]. – *E* protection of waters – *F* protection des eaux – *I* protezione delle acque – *S* protección de las aguas
Lit.: [1] Wasserhaushaltsgesetz – WHG in der Fassung der Bekanntmachung vom 23.9.1986 (BGBl. I, S. 1529, ber. S. 1654), zuletzt geändert durch Gesetz vom 27.6.1994 (BGBl. I, S. 1440). [2] Bundesverband der Deutschen Industrie e. V. (Hrsg.), Freiwillige Vereinbarungen u. Selbstverpflichtungen der Industrie im Bereich des Umweltschutzes, Köln: BDI 1996.
allg.: Habeck-Tropfke, Abwasserbiologie (2.), S. 195–214, Düsseldorf: Werner 1992 ▪ Schendel et al. (Hrsg.), Umwelt u. Betrieb, Tl. 301, Berlin: E. Schmidt 1996.

Gewässerschutzbeauftragter. Gemäß § 21 a–f *Wasserhaushaltsgesetz haben Benutzer von *Gewässern, die an einem Tag mehr als 750 Kubikmeter Abwasser einleiten dürfen, einen od. mehrere Betriebsbeauftragte für *Gewässerschutz (Gewässerschutzbeauftragte) schriftlich zu bestellen.
Der G. ist berechtigt u. verpflichtet:
1. Die Einhaltung von Vorschriften, Bedingungen u. Auflagen im Interesse des Gewässerschutzes zu überwachen, insbes. durch regelmäßige Kontrolle der Abwasseranlagen im Hinblick auf die Funktionsfähigkeit, den ordnungsgemäßen Betrieb sowie die Wartung, durch Messungen des Abwassers nach Menge u. Eigenschaften, durch Aufzeichnungen der Kontroll- u. Meßergebnisse; er hat dem Benutzer festgestellte Mängel mitzuteilen u. Maßnahmen zu ihrer Beseitigung vorzuschlagen.
2. Auf die Anw. geeigneter Abwasserbehandlungsverf. einschließlich der Verf. zur ordnungsgemäßen Verwertung od. Beseitigung der bei der *Abwasserbehandlung entstehenden Reststoffe hinzuwirken.
3. Auf die Entwicklung u. Einführung von a) innerbetrieblichen Verf. zur Vermeidung od. Verminderung des Abwasseranfalls nach Art u. Menge b) umweltfreundlichen Produktionen hinzuwirken.
4. Die Betriebsangehörigen über die in dem Betrieb verursachten *Gewässerbelastungen sowie über die Einrichtungen u. Maßnahmen zu ihrer Verhinderung unter Berücksichtigung der wasserrechtlichen Vorschriften aufzuklären.
5. Vor Investitionsentscheidungen, die für den Gewässerschutz bedeutend sein können, eine Stellungnahme abzugeben. Der G. hat ein weitgehendes Vortragsrecht u. ist durch ein Benachteiligungsverbot geschützt.
Lit.: Wasserhaushaltsgesetz – WHG vom 23.09.1986 (BGBl. I, S. 1529, ber. S. 1654) zuletzt geändert durch Gesetz vom 27.6.1994 (BGBl. I, S. 1440) ▪ Schendel et al. (Hrsg.), Umwelt u. Betrieb, Tl. 301, Berlin: E. Schmidt 1995.

Gewebe. *1. Textile G.:* Erzeugnis aus rechtwinklig gekreuzten *Fäden (*Kette* u. *Schuß*) aus Materialien wie Wolle, Baumwolle, synthet. *Fasern usw. od. aus nichttextilen Werkstoffen wie z. B. Kohle-, Metall-,

Gewebekunstleder

Glasfasern. Näheres, auch zur Verarbeitung, s. bei Textilien.
2. *Biolog. G.:* Größere, abgegrenzte Verbände von mehr od. weniger gleichartig differenzierten *Zellen bei den vielzelligen Organismen. Beisp. für *tier. G.* sind *Bindegewebe, Muskel-, Nerven-, Epithel- u. Stütz-G. mit Knochen- u. Knorpel-Gewebe. Bei *Pflanzen* wird zwischen Bildungs-G. (teilungsfähige G. wie Sproß u. Wurzeln) u. Dauer-G. unterschieden. Letzteres gliedert man in das Grund-G. (*Parenchym*), das dem Stoff- u. Wassertransport dienende Leit-G. (blattwärts leitendes *Xylem* u. wurzelwärts leitendes *Phloem*) u. das Festigungs-G. mit lebendem *Kollenchym* in krautigen Pflanzen u. totem *Sklerenchym*, z. B. in Samenschalen von Nüssen, in Holz u. Faserpflanzen. Weiter kennt man Embryonal-G., Abschluß-G., Absorptions-G. u. Exkretions-Gewebe. Die Lehre von den – im allg. durch *Gewebezüchtung kultivierbaren – biolog. G. ist die *Histologie* u. von deren Chemie die *Histochemie, deren Aufgabengebiet sich mit dem der *Cytochemie vielfach überschneidet. – *E* texture, tissue, web (1.) – *F* tissu – *I* tessuto – *S* tejido

Lit. (zu 2): Fiedler u. Lieder, Taschenatlas der Histologie, Stuttgart: Franckh 1986 ▪ Kühnel, Taschenatlas der Zytologie, Histologie u. mikroskopischen Anatomie, 8. Aufl., Stuttgart: Thieme 1992.

Gewebekunstleder s. Kunstleder.

Gewebezüchtung. Bez. für eine Arbeitstechnik der *Cytologie* u. *Histologie*, bei der *in vitro* tier. od. pflanzliche *Gewebe od. einzelne *Zellen zum Wachstum gebracht werden, indem man ihnen mit Hilfe von Nährböden bzw. -Lsg., konstant gehaltenen Temp.- u. Klimabedingungen u. ggf. (bei pflanzlichen Geweben) Belichtung optimale Lebensbedingungen verschafft. Die G. liefert Substrate für die Kultivierung von *Viren, zur Gewinnung von *Impfstoffen, *Interferonen od. a. Naturstoffen u. für die *Krebs-Forschung. Gewebe von keimfrei (asept.) od. nur in Ggw. bekannter Mikroorganismen aufgezogener Tiere dienen in der *Gnotobiotik* (von griech.: gnotos = bekannt u. bios = Leben) dem Studium einzelner Organismen. Auch in der Pflanzenzüchtung gewinnt die G. zunehmend an Bedeutung. Sie könnte darüber hinaus zur Produktion von arzneilich wichtigen Naturstoffen herangezogen werden. – *E* tissue culture – *F* culture de tissu – *I* cultura tissulare – *S* cultivo de tejido

Lit.: Lindl u. Bauer, Zell- u. Gewebekultur, 3. Aufl., Stuttgart: Fischer 1994.

Gewebsfaktor s. Blutgerinnung.

Gewebshormone. Substanzen mit Hormon-Charakter, die nicht in kompakten Drüsen, sondern in einzelnen Zellen od. Zellgruppen verschiedener *Gewebe (Haut, Schleimhäute, Nerven) entstehen u. zum größten Teil ihre Wirkung lokal entfalten. Hierher gehören z. B. Acetylcholin, Histamin, 5-Hydroxytryptamin (Serotonin), Tyramin, Renin, Angiotensin u. Bradykinin, Gastrin, Secretin u. Pankreozymin (Cholecystokinin). Näheres zur Stellung innerhalb des endokrinen Syst. s. bei Hormone. – *E* tissue hormones – *F* hormones des tissus – *I* ormoni tissulari – *S* hormonas de los tejidos

Gewebs-Plasminogen-Aktivator s. Plasminogen.

Gewerbeaufsicht s. Gewerbeordnung.

Gewerbehygiene. Die Bez. G. ist heute allg. durch den Begriff *Arbeitshygiene*, ein Teilgebiet der *Arbeitsmedizin, ersetzt. G. befaßt sich mit der Erfassung, Vermeidung u. Behebung berufsbedingter gesundheitlicher Schäden (*Berufskrankheiten) z. B. durch *Gefahrstoffe od. die Arbeitsbedingungen (s. Ergonomie); s. a. Arbeitssicherheit, Arbeitsschutz, Erste Hilfe, Toxikologie, Unfallverhütung. – *E* industrial hygiene – *F* hygiène du travail – *I* igiene industriale, igiene del lavoro – *S* higiene industrial

Gewerbeordnung (GewO). Zentrale Grundlage des Gewerberechts ist die G. von 1869 des Norddeutschen Bundes. Die GewO regelt die zur öffentlichen Sicherheit erforderlichen Einschränkungen, bes. im Hinblick auf den *Arbeitsschutz u. den Schutz der Nachbarschaft vor Gefahren, Nachteilen u. Belästigungen, die von den Anlagen des Gewerbebetriebes ausgehen können. Durch Novellierungen ist die GewO erheblich verändert worden. Wichtige Bereiche wurden ausgegliedert u. in eigenständigen Gesetzen geregelt (z. B. Güterkraftverkehrsgesetz, Handwerksordnung). Der Abschnitt, der das Recht der genehmigungsbedürftigen Anlagen u. des Immissionsschutzes regelte, ist 1974 durch das *Bundes-Immissionsschutzgesetz (BImSchG) abgelöst worden. Mit dem Übergang von der GewO zum BImSchG war eine erhebliche Einschränkung des Bestandsschutzes genehmigter Anlagen verbunden. Verblieben sind in der GewO die Bestimmungen über *überwachungsbedürftige Anlagen; Detailregelungen dazu sind in mehreren VO festgelegt. Die 4. BImSchV geht auf die VgA (VO über *genehmigungsbedürftige Anlagen) zurück, die aufgrund der GewO erlassen worden war. Die *TA Lärm, eine allg. Verwaltungsvorschrift nach der GewO, gilt vorerst nach dem BImSchG weiter. Ein wichtiger Abschnitt der GewO enthält Grundsätze für die Gewerbeaufsicht, den techn. Arbeitsschutz u. die *Arbeitssicherheit. – *E* industrial code – *F* réglementation sur les professions – *I* regolamento in materia di professioni e mestieri – *S* código industrial y del trabajo

Lit.: Gewerbeordnung in der Fassung vom 1. 1. 1987 (BGBl. I, S. 425), zuletzt geändert am 9.11.1990 (BGBl. I, S. 2442) ▪ Römpp Lexikon Umwelt, S. 308.

Gewerkschaft. 1. Im bergrechtlichen Sinne versteht man unter G. (von althochdtsch.: Gewerk = Zunft) den Zusammenschluß von zwei od. mehreren Personen (Gewerken) als Bergwerkseigentümer. Die Bez. lebt fort in Namen wie G. Brigitta u. G. Elwerath od. G. Auguste Victoria.
2. Im heute geläufigeren Sinne versteht man unter G. die Industriegewerkschaften (IG, vgl. Industriegewerkschaft Chemie-Papier-Keramik). – *E* trade union – *F* syndicat – *I* sindacato – *S* 1. sociedad minera, 2. sindicato, gremio

Gewicht(e) s. Masse u. ihre Einheiten u. Waagen.

Gewichtprozent s. Konzentration.

Gewichtsanalyse s. Gravimetrie.

Gewichtsmittel s. Massenmittel.

Gewirke s. Wirken.

GewO. Abk. für *Gewerbeordnung.

Gewöhnliche Ringe (normale Ringe). Bez. für 5- bis 7-gliedrige Ringe, die ein Minimum an Ringspannung aufweisen (s. Baeyer-Spannung). Die Stammsubstanzen dieser Ringgruppe sind Cyclopentan, Cyclohexan u. Cycloheptan (*Cycloalkane). – *E* normal rings – *F* anneaux normaux – *I* anelli comuni – *S* anillos normales

Gewürze. Im engeren Sinne sind G. Pflanzenteile verschiedener Art (Wurzeln, Wurzelstöcke, Zwiebeln, Rinden, Blätter, Kräuter, Blüten, Früchte, Samen u. Teile davon), die sich als *Aromen u. *Essenzen wegen ihres aromat. od. scharfen *Geschmacks u. *Geruchs als würzende Zugabe zur menschlichen Nahrung, zur Aromatisierung von *alkoholischen Getränken (Kräuterliköre, Magenbitter) od. zur Herst. von *Carminativa u./od. *Stomachika eignen. Der Nährwert ist gering u. kommt bei der Bewertung kaum in Betracht, doch haben G. eine wichtige Funktion, nämlich die *Speichel-Sekretion anzuregen u. damit die *Verdauung zu fördern. Außerdem sind eine Reihe von G.-Pflanzen als *Drogen liefernde Heilpflanzen z. T. schon seit alten Zeiten in der Volksmedizin in Gebrauch. Zu den bekanntesten teils einheim., teils trop. G. gehören die z. T. in Einzelstichwörtern behandelten Angelika, Anis, Basilikum, Beifuß, Bohnenkraut, Borretsch, Brunnenkresse, Chillies, Curcuma, Dill, Dost, Estragon, Fenchel, Galgant, Gewürznelke, Ingwer, Kalmus, Kapern, Kardamom, Kerbel, Knoblauch, Koriander, Kümmel, Liebstöckel, Lorbeer, Macis, Majoran, Melisse, Meerrettich, Mohn, Muskatnuß, Oregano, Paprika, Pastinak, Petersilie, Pfeffer, Pfefferminz, Piment, Pimpinelle, Porree, Quendel, Rosmarin, Safran, Salbei, Sauerampfer, Schnittlauch, Sellerie, Senf, Sesam, Sternanis, Thymian, Vanille, Wacholder, Waldmeister, Weinraute, Ysop, Zimt, Zitrone, Zitronenmelisse, Zwiebel sowie einige Würzpilze wie z. B. Trüffeln u. Mousseron; eine spezielle G.-Mischung ist *Curry.
Über die wichtigsten trop. G. s. *Lit.*[1]. Vom Handel werden heute nicht nur die erwähnten G. (*Würzmittel, Würzstoffe*), sondern auch deren Mischungen für verschiedene Verwendungszwecke angeboten (Gulasch-, Suppen-, Wild-, Fisch-, Geflügel-, Grill-G. usw.). Zu deren Herst. werden außer naturreinen G. in großem Umfang Extrakte bzw. isolierte Bestandteile aus Gewürzpflanzen od. auch synthet. Produkte verwendet. *Oleoresine* od. *Gewürzextrakte* sind Lsg. von würzenden Bestandteilen aus Gewürzdrogen (z. B. Anis-, Koriander-, Fenchel-, Kümmelsamen, Gewürznelken, Ingwerwurzeln u. dgl.), die durch Infusion, Perkolation, Dest., Extraktion unter Verw. von meist 70%igem Alkohol u. a. organ. Lsm. gewonnen werden. Zum Aroma der G. tragen nur die *etherischen Öle, nicht jedoch die Phenole u. *Flavonoide bei[2]. Im Verbrauch steht der Pfeffer an erster Stelle. – *E* spices, seasonings – *F* épices, condiments, aromates – *I* spezie, condimenti – *S* especias, condimentos, aromas

Lit.: [1] Herrmann, Exotische Lebensmittel, S. 129–140, Berlin: Springer 1987. [2] Nachr. Chem. Tech. Lab. **26**, 206 ff. (1978).
allg.: Belitz-Grosch (4.), S. 880–887 ▪ Brücher, Tropische Nutzpflanzen, S. 421–444, Berlin: Springer 1977 ▪ Gerhardt, Gewürze in der Lebensmittelindustrie, Hamburg: Behr 1994 ▪ Melchior u. Kastner, Gewürze, Berlin: Parey 1974 ▪ Schormüller, Handbuch der Lebensmittelchemie, Bd. 6, S. 426–610, Berlin: Springer 1970 ▪ s. a. Aromen, Geruch u. Geschmack.

Geyserit s. Kieselgesteine.

GFA. Abk. für *Gesellschaft zur Förderung der Abwassertechnik e. V.

g-Faktor s. Elektronen u. EPR-Spektroskopie.

GFAP s. saures fibrilläres Glia-Protein.

GFC. Abk. 1. für Gas-Fest-Chromatographie (s. Gaschromatographie), – 2. für Gel-Filtrations-Chromatographie (s. Gelchromatographie).

GfE. Kurzbez. für die Firma GfE Ges. für Elektrometallurgie mbH, 90013 Nürnberg. *Produktion:* Legierungsmetalle, insbes. Ferrolegierungen, Wasserstoff-Speichersysteme.

GFK. Kurzz. (nach DIN 7728, Tl. 2, 03/1980) für *glasfaserverstärkte Kunststoffe; s. a. Faserverstärkung.

GFP. 1. In der ehem. DDR gebräuchliches Kurzz. für glasfaserverstärkte Plaste; s. glasfaserverstärkte Kunststoffe. – 2. Abk. für *grün fluoreszierendes Protein.

GFS. Abk. für *Gemeinsame Forschungsstelle* der EG, in der eine eigenständige Gemeinschaftsforschung mit eigenem Forschungspersonal betrieben wird. Verwaltungssitz ist B-1049 Bruxelles, Rue de la Loi 200. Mit einem gegenwärtigen Personalbestand von 2000 Mitarbeitern (1996) umfaßt die GFS insgesamt 8 Inst., die sich auf die 5 Standorte Ispra/Italien, Geel/Belgien, Petten/Niederlande, Karlsruhe/BRD u. Sevilla/Spanien verteilen. Die GFS ist auch Träger des Kernfusionsprojektes *JET der EG.

GG. Abk. für *Grauguß.

GGG. Abk. für Gadolinium-Gallium-Granat, s. Gadolinium u. Granate.

GGVE, GGVS, GGVSee. Abk. für Gefahrgutverordnung Eisenbahn bzw. Straße bzw. See, s. gefährliche Güter u. Transportbestimmungen.

GH. Abk. für Gesamthärte, s. Härte des Wassers.

Ghatti gummi. Pflanzen-*Gummi aus Absonderungen der Stämme von *Anogeissus latifolia* (Familie Combretaceae) in Indien u. Sri Lanka. G. g. ist ein verzweigtes *Polysaccharid aus L-*Arabinose, D-*Galactose, D-*Mannose, *D-Xylose u. *D-Glucuronsäure im Verhältnis 10 : 6 : 2 : 1 : 2. Das Rückgrat der Polysaccharid-Ketten besteht aus 1,6-verknüpften β-D-Galactopyranosyl-Einheiten, die Seitenketten sind über L-Arabinofuranose-Reste mit der Hauptkette verbunden. G. g. wird techn. als *Verdickungsmittel u. in der Pharmazie u. Nahrungsmittel-Ind. als *Emulgator für O/W-Emulsionen verwendet. – *E* ghatti gum, gum ghatti, Indian gum – *F* gomme de ghatti – *I* gomma ghatti, gomma indiana – *S* ghatti
Lit.: Davidson, Handbook of Water-Soluble Gums and Resins, New York: McGraw Hill 1980 ▪ Neukan u. Pilnik, Gelier- u. Verdickungsmittel in Lebensmitteln, Zürich: Forster 1980 ▪ Whistler u. BeMiller, Industrial Gums (3.), New York: Academic Press 1988 ▪ s. a. Gummi. – *[HS 130239; CAS 9000-28-6]*

Ghiorso, Albert (geb. 1915), Prof. für Kernchemie, Lawrence Radiation Laboratory, Berkeley (California). *Arbeitsgebiete:* Kernreaktionen mit schweren Ionen, Kerneigenschaften schwerer Elemente, Neu-

tronenzählung, radioaktiver Zerfall, Mitentdecker zahlreicher Transurane.
Lit.: Neufeldt, S. 215, 218, 228, 248, 258, 263, 273, 285.

GHWP s. GWP.

Giaever, Ivar (geb. 1929), Dr. rer. nat., General Electric Comp., Schenectady (New York). *Arbeitsgebiete:* Halbleiter, Cooper-Paare bei Supraleitern, Biophysik, Gewebekulturen, Immunologie, Supraleitfähigkeit, Tunneleffekt; hierfür 1973 (zusammen mit *Esaki u. *Josephson) Nobelpreis für Physik.
Lit.: Neufeldt, S. 266, 362 ▪ Who's Who in America, S. 1340.

Giauque, William Francis (1895–1982), Prof. für Chemie, Univ. California. *Arbeitsgebiete:* Entdeckung der Sauerstoff-Isotope 17 u. 18; chem. Thermodynamik, Verhalten der Stoffe bei extrem tiefen Temp.; 1949 Nobelpreis für Chemie.
Lit.: Neufeldt, S.167, 367 ▪ Pötsch, S. 168 ▪ Poggendorff **7 b/3**, 1609–1613.

Gibberelline.

Die G. sind eine Gruppe von *Pflanzenwuchsstoffen (Phytohormone, *Pflanzenhormone). Seit 1938 in Japan erstmals in G. aus dem Kulturfiltrat des japan. Pilzes *Gibberella fujikuroi* isoliert wurde, sind heute über 70 verschiedene G. bekannt geworden. Ihre Struktur geht auf Gibberellan (C_{20}) zurück, ein tetracycl. *Diterpenoid. Die Biosynth. der G. verläuft ausgehend von Geranylgeranyldiphosphat über Kauren. *Kauranoide kommen zusammen mit den G. in den Pflanzen vor. Kauren wird stufenweise oxidiert. Durch Ringkontraktion unter Protonen-Verlust am C-Atom 6 entsteht Gibberellin A_{12} Aldehyd (C_{19}), der noch zur Säure oxidiert wird. Das wichtigste der (durch Zusatzbuchstaben unterschiedenen) G. ist *Gibberellinsäure od. G. A_3. Die G. sind sehr weit verbreitet. Man findet sie nicht nur in vielen höheren Pflanzen, sondern auch in Farnen, Moosen, Pilzen, Algen u. Bakterien in Konz. zwischen einigen µg u. mehreren mg/kg Pflanzenmaterial. Ähnlich wie die *Cytokinine greifen die G. in vielfältiger Weise in die Wachstumsregulation der Pflanzen ein; allg. kann man sagen, daß sie zahlreiche pflanzliche Wachstums- u. Entwicklungsprozesse stimulieren, bzw. wachstumsverzögernde u./od. beendende Prozesse regulieren. Dies geschieht im Zusammenspiel mit äußeren Einflüssen wie Licht u. Temp., aber auch mit anderen Phytohormonen, z.B. den *Auxinen u. *Abscisinsäure. Liegen G. im Überschuß vor, sei es durch eine Störung dieses Gleichgew. od. durch äußere Applikation, kommt es zu übermäßigem Längenwachstum. Die G. befinden sich in den Pflanzen überwiegend in rasch wachsendem Gewebe, z.B. in Blättern, Sproßteilen u. Wurzeln, allerdings in unterschiedlicher Form u. Konzentration.
Wirkung: Die Wirkungen von G. sind vielfältig: Sie beeinflussen die Samenkeimung, das Längenwachstum durch Anregung von Wachstum u. Teilung der Zellen, sie können als Blühhormone wirken, sie beeinflussen auch die Bildung von Früchten. Bei Verw. im Weinbau werden die Trauben bestimmter Sorten größer. G. hemmen den Chlorophyll-Abbau. Mit G. behandelte Gerste keimt schneller u. das daraus gewonnene Malz hat eine höhere Enzymaktivität beim Brauen. Zur Steuerung des G.-Effekts lassen sich ggf. künstliche G.-Antagonisten verwenden, z.B. Chlorcholinchlorid, das als gegensinniger Wachstumsregulator bei Pflanzen bekannt ist. – *E* gibberellins – *F* gibberellines – *I* gibberelline – *S* gibberelinas
Lit.: Beilstein E V **18/9**, 67–355 ▪ Crozier (Hrsg.), Biochem. Physiol. Gibberellins, Bd. 1 u. 2, New York: Praeger 1983 ▪ Merck-Index (12.), Nr. 4427 ▪ Turner **I**, 240–248; **II**, 280–288 ▪ Ullmann (4.) **8**, 524. – *Biosynth.:* Sponsel, in Davies, Plant Hormones, S. 43–75, Dordrecht: Nijhoff 1987 ▪ Spray et al., in Bopp, Plant Growth Substances 1985, S. 55–64, Berlin: Springer 1986 ▪ Sponsel, in Bopp, Plant Growth Substances 1985, S. 74–82, Berlin: Springer 1986 ▪ ACS Symp. Ser. **325**, 25–43 (1987). – *Synth.:* Danheiser, in Lindberg, Strategies Tactics in Organic Synthesis, S. 21–70, Orlando: Academic Press 1984 ▪ J. Chem. Soc., Perkin Trans. 1 **1986**, 309. – *Wirkung:* Metraux, in Davies, Plant Hormones, Their Role in Plant Growth Dev., S. 164–193, Dordrecht: Nijhoff 1987 ▪ Semin. Ser.-Soc. Exp. Biol. **23**, 17–41 (1984).

Gibberellinsäure (Gibberellin A_3).

$C_{19}H_{22}O_6$, M_R 346,38, farblose Krist., Schmp. 233–235°C, $[\alpha]_D^{19}$ +86° (CH_3OH), lösl. in Methanol, Ethanol, Aceton, schwer lösl. in Ether u. Wasser. G. gehört zu den wichtigsten u. am besten untersuchten *Diterpenoiden u. wurde ursprünglich aus dem japan. Reis-schädigenden Pilz *Gibberella fujikuroi* isoliert, der ein übermäßiges Wachstum der jungen Reissetzlinge verursacht. Für diese Wirkung sind als Pflanzenwuchsstoffe (Phytohormone, *Pflanzenhormone) G. u. andere *Gibberelline verantwortlich. Inzwischen wurde G. auch aus vielen anderen Pflanzen isoliert, denen es als Wachstumsregulator dient. G. ist ein experimentelles Mutagen. – *E* gibberellic acid – *F* acide gibbérellique – *I* acido gibberellico – *S* ácido gibberélico
Lit.: Beilstein E V **18/9**, 269 ▪ Perkow ▪ Pesticide Manual. – *Synth.:* Danheiser, in Lindberg (Hrsg.), Strategies Tactics in Organic Synthesis, Bd. 1, S. 22–70, New York: Academic Press 1984 ▪ J. Am. Chem. Soc. **100**, 8034 (1978) ▪ Merck-Index (12.) Nr. 4426 ▪ Tetrahedron Lett. **30**, 971–974 (1989). – *[HS 2932 99; CAS 77-06-5]*

Gibbs, Josiah Willard (1839–1903), Prof. für Theoret. Physik, Yale Univ., New Haven. *Arbeitsgebiete:* Thermodynamik, therm. Dissoziation, Oberflächenspannung, chem. Potential, Statistik, Gleichgewichtssyst., *Phasengesetz.
Lit.: Bumstead, The Scientific Papers of Gibbs, New York: Dover 1962 ▪ J. Chem. Educ. **32**, 267f. (1955) ▪ Krafft, S. 142f. ▪ Neufeldt, S. 67 ▪ Pötsch, S. 168.

Gibbs, Oliver Wolcott (1822–1908), Prof. für Chemie, Harvard Univ., Cambridge (Massachusetts). *Arbeitsgebiete:* Thermodynamik, Cobaltiake, Platin, komplexe Säuren usw., Trennungsverf. für Seltene Erden, elektrochem. Trennungen von Kupfer u. Nickel.
Lit.: Pötsch, S. 168.

Gibbs-Duhemsche Gleichung. Die G.-D.-G. stellt einen Zusammenhang zwischen den partiellen molaren Größen der verschiedenen Komponenten in einer Mischung her (bei konstanten Werten für Druck u. Temp.):
$$\sum_i n_i \, dA_i = 0 \quad \text{od.} \quad \sum_i x_i \, dA_i = 0$$
Hierbei sind n_i u. x_i die Molzahlen bzw. Molenbrüche der Komponenten i, A_i ist die zugehörige zu betrachtende partielle molare Größe, z. B. das *chemische Potential. – *E* Gibbs-Duhem equation – *F* équation de Gibbs-Duhèm – *I* equazione di Gibbs-Duhem – *S* ecuación de Gibbs-Duhem

Gibbs-Energie (Symbol: G). Von der IUPAC empfohlene Bez. für die *Gibbssche freie Energie* od. die freie Enthalpie, s. freie Energie. – *E* Gibbs energy – *F* énergie de Gibbs – *I* energia di Gibbs – *S* energía de Gibbs

Gibbs-Helmholtzsche Gleichung. Wichtige Gleichung aus der chem. *Thermodynamik. Sie verknüpft die Reaktionsgrößen $\Delta_r G$ (*freie Reaktionsenthalpie), $\Delta_r H$ (*Reaktionsenthalpie) u. $\Delta_r S$ (*Reaktionsentropie) gemäß $\Delta_r G = \Delta_r H - T\Delta_r S$; T ist hierbei die abs. Temperatur. – *E* Gibbs-Helmholtz equation – *F* équation de Gibbs-Helmholtz – *I* equazione di Gibbs-Helmholtz – *S* ecuación de Gibbs-Helmholtz

Gibbsit s. Aluminiumhydroxide.

Gibbssche freie Energie vgl. Gibbs-Energie.

Gibbssche Phasenregel (Gibbssches Phasengesetz). Von J. W. Gibbs 1874 aufgestellte Regel, die die Zahl der *Freiheitsgrade eines sich im Gleichgew. befindlichen thermodynam. Syst., in dem keine chem. Reaktionen ablaufen, angibt. Die Zahl der Freiheitsgrade F erhält man als die Differenz aus der Anzahl der gegebenen Variablen (V) u. der Anzahl der Gleichgewichtsbedingungen (B). Wegen $\sum_{i=1}^{K} x_i = 1$ (x_i: *Molenbruch der Komponente i bei K Komponenten) ist nur die Angabe von $K-1$ Molenbrüchen pro Phase P erforderlich. Zusammen mit Druck u. Temp. hat man somit zunächst $V = P(K+1)$ unabhängige Variablen. Im Gleichgew. sind aber Druck, Temp. u. das chem. Potential einer jeden Komponente in allen Phasen gleich. Dies ergibt $B = (K+2)(P-1)$ Gleichgewichtsbedingungen, womit die Zahl der Freiheitsgrade auf $F = K - P + 2$ reduziert wird.
Beisp.: Wasser, Eis u. Wasserdampf bilden ein Einkomponentensyst. (K = 1). Liegt z. B. nur die Dampfphase (P = 1) vor, so kann man Druck u. Temp. über kleine Bereiche ändern, ohne das Einphasensyst. zu verlassen (*divariantes Gleichgew.*, F = 2). Existieren zwei Phasen (P = 2) im Gleichgew. nebeneinander, z. B. Wasser u. Wasserdampf, so ist bei Änderung z. B. des Drucks die Änderung der Temp. festgelegt (*univariantes Gleichgew.*; F = 1, s. Clausius-Clapeyronsche Gleichung). Liegen alle drei Phasen im Gleichgew. vor (P = 3), so spricht man vom Tripelpunkt (für Wasser bei 273,16 K u. 611 Pa). Hier beträgt F = 0; es liegt ein *non- od. invariantes Gleichgew.* vor, s. a. Abb. Phasendiagramm bei Phasen. Löst man im Wasser ein Salz, so erhöht sich sowohl die Anzahl der Komponenten als auch die Anzahl der Freiheitsgrade um 1, denn die Anzahl der Phasen bleibt unverändert. – *E* phase rule, phase law – *F* règle des phases, loi des phases – *I* regola delle fasi di Gibbs – *S* regla de las fases de Gibbs
Lit.: s. Thermodynamik.

Gicht. 1. In der Hüttentechnik die Bez. für alle Bereiche von Schachtöfen, die oberhalb der Beschickungsöffnung liegen. Im einzelnen die Funkenkammer, der Kamin, die Gichtbühne, die Hebevorrichtung für die Gichtverschlüsse u. die Leitungen für das Gichtgas (s. Giftmehl). Hüttenmänn. wird die Bez. G. auch verwendet für die Beschickung selbst (Eisen, Koks, Kalkstein), für die Beschickungsöffnung u. für die Gichtbühne.
2. Erbliche Störung des *Purin-Stoffwechsels mit Vermehrung der *Harnsäure im Körper u. dadurch erhöhtem Harnsäure-Spiegel im Blut (*Hyperurikämie*). Durch Überschreiten der pH-abhängigen Löslichkeitsgrenze kommt es zu Niederschlägen von Salzen der Harnsäure (z. B. Natriumurat) in u. um die Gelenke der Extremitäten u. in der Niere. Dies führt zu wiederkehrenden Anfällen einer charakterist. akuten Gelenkentzündung (*Arthritis), zur Störung der Nierenfunktion u. Nierensteinen sowie zu knotenförmigen Ablagerungen von Natriumurat u. a. an den Fingern, Ellenbögen u. Ohrmuscheln. Die Ursache der Stoffwechselstörung ist nicht genau bekannt. Zum einen kann die G. auf einer Störung der Harnsäure-Ausscheidung durch die Niere, zum anderen auf einer Überproduktion von Harnsäure beruhen. Eine Purinreiche Ernährung kann G. auslösen. Hyperurikämien können auch als Folge verschiedener anderer Krankheiten sowie als Nebenwirkung bestimmter Medikamente (z. B. *Diuretika) auftreten. Die akute Phase der G.-Arthritis wird mit *Colchicin od. nichtsteroidalen *Antiphlogistika behandelt. Zur Dauerbehandlung werden spezielle Gichtmittel eingesetzt, die entweder die Harnsäure-Ausscheidung steigern (*Urikosurika* wie *Probenezid u. *Sulfinpyrazon) od. durch eine Hemmung der *Xanthin-Oxidase eine übermäßige Harnsäure-Produktion verhindern (*Urikostatika* wie *Allopurinol). – *E* 1. furnace mouth, 2. gout – *F* 1. gueulard, 2. goutte – *I* 1. bocca dell' altoforno, 2. gotta, podagra – *S* 1. boca del alto horno, 2. gota
Lit. (zu 1.): Lueger Lexikon, 4. Aufl., Bd. 5, Hüttentechnik, S. 231, Stuttgart: DVA 1963 ▪ Meyers Lexikon der Technik u. der exakten Naturwissenschaften, Bd. 2, S. 1147, Mannheim: Bibliograph. Inst. 1970. – (zu 2.): Mertz, Hyperurikämie u. Gicht, Stuttgart: Thieme 1993.

Gichtgase s. Hochofen.

Gichtmittel s. Gicht.

Giemsa-Färbung. Von dem Hamburger Apotheker u. Chemiker G. Giemsa (1867–1948) entwickelte Anfärbemeth. für die Mikroskopie. Die G.-F. wird mit einer in der Hauptsache Azur II-Eosin enthaltenden Lsg. (*Giemsa-Lsg.*) ausgeführt. Sie dient zur Färbung von Blutausstrichen in der Hämatologie u. Parasitologie u. ist bes. geeignet zum Nachw. von Blutparasiten u. Protozoen. – *E* Giemsa staining – *F* coloration de Giemsa – *I* colorazione di Giemsa – *S* tinción de Giemsa
Lit.: Romeis, Mikroskopische Technik, München: Urban u. Schwarzenberg 1989 ▪ s. Mikroskopie.

Gierer, Alfred (geb. 1929), Direktor am Max-Planck-Inst. für Entwicklungsbiologie, Tübingen; Prof. für Biophysik. *Arbeitsgebiete:* Biolog. Gestaltbildung, Entwicklung des Nervensyst., wissenschaftstheoret. Fragen.
Lit.: Kürschner (16.), S. 1018 ▪ Wer ist wer, S. 402.

Giese, Bernd (geb. 1940), Prof. für Organ. Chemie, TH Darmstadt, Univ. Basel. *Arbeitsgebiete:* Synth. mit Radikalen, Chemie der Kohlenhydrate, Selektivität reaktiver Zwischenstufen.
Lit.: Kürschner (16.), S. 1020 ▪ Wer ist wer, S. 403.

Gießen. Von der *Gießerei durchgeführtes *Fertigungsverfahren der Hauptgruppe *Urformen* (Formschaffen) [1]. Werkstoffe werden in flüssigem od. breiigem Zustand in eine vorbereitete Hohlform (*Gießform) gegossen, die das Negativ des abzugießenden Gußstücks bildet. Die Werkstoffe verfestigen sich in der Gießform u. bilden diese als Positiv ab. Die Verfestigung kann als Änderung des Aggregatzustandes ablaufen (Metalle: Erstarrung einer *Schmelze) od. als chem.-physikal. Umwandlung (Kunststoffe: Aushärtung, *Polymerisation). Wenn druckloses G. zur Formfüllung nicht ausreicht, kann das Füllen unter Druck (*Druckguß, Spritzguß) od. durch Nutzen der Fliehkraft (*Schleuderguß) ggf. mit zusätzlicher Evakuierung der Gießform (Vakuumguß) erfolgen. Durch G. werden sowohl Vorprodukte (z. B. Blöcke in der Eisen-*Metallurgie) erzeugt, die zu *Halbzeug weiterverarbeitet werden, als auch Fertigprodukte, die nur noch einer geringen Nachbearbeitung bedürfen. – *E* casting – *F* coulée – *I* colata – *S* fundición
Lit.: [1] DIN 8580 (06/1974).

Gießerei. Bez. für einen Arbeitsbereich der Metallherstellenden u. -verarbeitenden Ind., der sich mit dem *Gießen metall. Werkstoffe in *Gießformen befaßt. Die G. besteht aus der Modellfertigung, der Formerei, der Kernfertigung u. dem Schmelzbetrieb. Die in der G. hergestellten Gußstücke sind im allg. Fertigprodukte u. bedürfen keiner od. nur geringer Nachbearbeitung vor ihrem Einsatz. Die gießtechn. Herst. von Vorprodukten für eine Weiterverarbeitung zu *Halbzeug erfolgt dagegen in Metallschmelzbetrieben. – *E* foundry – *F* fonderie – *I* fonderia – *S* fundición
Lit.: Lueger Lexikon, 4. Aufl., Bd. 8, Fertigungstechnik u. Arbeitsmaschinen, S. 364, Stuttgart: DVA 1968 ▪ Ullmann (5.) **A 12,** 35; **A 25,** 109. – *Organisationen:* Deutscher Gießereiverband, 40239 Düsseldorf ▪ Fachvereinigung Metallguß, 40239 Düsseldorf ▪ Gesamtverband Deutscher Metallgießereien, 40239 Düsseldorf ▪ Industrieverband Gießerei-Chemie, 60329 Frankfurt ▪ Verein Deutscher Gießereifachleute, 40239 Düsseldorf.

Gießereihilfsmittel. Sammelbez. für alle Stoffe, die für das Handhaben der zu vergießenden Werkstoffe in der *Gießerei benötigt werden. Nicht eingeschlossen sind Anlagen, Geräte u. Werkzeuge. – *E* foundry auxiliary products – *F* matériaux auxiliaires pour fonderie – *I* prodotti ausiliari per fonderia – *S* productos auxiliares para fundición
Lit.: Ullmann (5.) **A 12,** 35.

Gießfieber (Metalldampffieber). Durch Einatmung von Metalldämpfen (meist Zink od. Kupfer) hervorgerufene Erkrankung mit hohem *Fieber ohne Schädigung der Lunge. – *E* metal fume fever – *F* fièvre par intoxication avec vapeurs metalliques – *I* febbre da vapori metallici – *S* fiebre por intoxicación con vapores metálicos

Gießform (Gußform). Bez. für die in der *Gießerei verwendeten Hohlformen, die das Negativ des zu erzeugenden Gußstücks abformen u. die vom eingefüllten Werkstoff nach dessen Verfestigung vollständig u. konturgetreu als Positiv wiedergegeben werden, s. Gießen. Das Negativ wird hergestellt durch Abformen des Modells (Holz, Metall, Gips od. Kunststoff) in der G., das aus mehreren Teilen zusammengesetzt sein kann u. das im allg. zum Abguß aus der G. entnommen wird.
Man unterscheidet Guß in verlorener G. u. Guß in G. für mehrfache Anw.: Bei *verlorener G.* wird diese mit dem Abguß zerstört. Bei hohen Anforderungen an das Gußstück werden Genauguß-Verf. angewendet, bei denen das Modell bes. detailgetreu wiedergegeben wird. *Präzisionsguß* (Feinguß) arbeitet mit verlorenen Formen u. Modellen; – *G. für Mehrfachanw.* (*Kokille*) ist die Voraussetzung für *Druckguß, *Schleuderguß u. Verbundguß.
Während alle bisher genannten Verf. diskontinuierlich arbeiten, ist *Strangguß ein kontinuierliches Verf., bei dem Halbzeug großer Länge mit gleichbleibendem Querschnitt in einer beidseitig offenen G. (*Kokille) abgegossen wird. – *E* mould – *F* moule – *I* forma da fonderia – *S* molde de fundición
Lit.: s. Gießerei.

Gießharze. Flüssige od. durch mäßige Erwärmung verflüssigbare (*Kunst)*Harze, die in offene Formen gegossen u. in diesen ohne Anw. von Druck gehärtet werden können. Zu den G. gehören *Reaktionsharze wie *Epoxid-, *Formaldehyd-, *Isocyanat-, (Meth)acrylat- u. *ungesättigte Polyesterharze. – *E* cast resins – *F* résines coulées, résines de coulée – *I* resine da fusione – *S* resinas coladas
Lit.: Ullmann (4.) **15,** 485.

GIFAP. Abk. für Groupment International des Associations Nationales de Fabricants de Produits Agrochimiques, Avenue Albert Lancaster 79a, 1180 Bruxelles, Belgien; Internat. Dachverband der nat. Verbände der Pflanzenschutzmittel-erzeugenden Industrie. Dtsch. Mitglied ist der Industrieverband Agrar e. V. (IVA) [früher Industrieverband Pflanzenschutz e. V. (IPS)]. Die GIFAP wurde 1960 gegründet u. vertritt über ihre mehr als 30 Mitgliedsverbände mehr als 950 Firmen in 44 Ländern, die zusammen 90% der weltweit angewandten Pflanzenschutzmittel produzieren (Stand 1.1.1988).
Lit.: GIFAP-Broschüre „The Role of GIFAP".

Gif-Barton-Katalyse s. radikalische Reaktionen.

Gifte. Unter G. versteht man Stoffe, die im lebenden Organismus schon in verhältnismäßig kleinen Mengen Funktionsstörungen hervorrufen. Die Stoffe sind meist körperfremd. Dabei ist die Gefahr, daß ein Stoff als G. wirkt, in hohem Maße von der *Dosis abhängig, was schon Paracelsus mit den Worten ausdrückte: „Was ist das nit gift ist? alle ding sind gift und nichts on gift; alein die dosis macht das ein ding kein gift ist. als ein exempel: ein ietliche speis und ein ietlich getrank, so es uber sein dosis eingenomen wird, so ist es gift" [1].

Wirkungsweisen: Der von der *Toxikologie (= Giftkunde) untersuchte Wirkungsmechanismus der G. beruht z. T. auf Zerstörung der Zellstruktur, Störung od. Unterbindung von Enzym-Aktivitäten, auf *Antimetabolit-Wirkung u. dgl. mehr. Die G. gelangen in der Regel von außen in den Körper. Es gibt aber auch Stoffwechsel-G., die im Organismus selbst erzeugt werden, da die G. – ähnlich wie *Arzneimittel u. a. Fremdstoffe – dem *biologischen Abbau unterliegen. Hat man früher angenommen, daß hierbei ausschließlich eine *Entgiftung stattfinde, so weiß man heute, daß durch die sog. *Konjugation oft genug das – sinngemäß *Giftung* genannte – Gegenteil eintritt.

Chem. Einteilung: Als G. können einzelne Elemente, anorgan. u. organ. Verb. wirken. Zu den anorgan. G. gehören z. B. folgende Stoffe bzw. Stoffgruppen: Quecksilber u. Quecksilber-Verb., Blei u. Blei-Verb., Thallium u. Thallium-Verb., Chrom-Verb., Arsen u. Arsen-Verb., weißer bzw. gelber Phosphor, Blausäure u. Cyanide, starke Säuren u. Basen, Fluoride, Chlor-Gas, Chlorate, Brom, Iod, Phosgen, Kaliumiodid, Schwefelwasserstoff, Schwefeldioxid, Kohlenoxid, Nitrite u. Barium-Salze. Bekanntere organ. G. sind z. B. Methanol, Ether, Chloroform, Schwefelkohlenstoff, Nitroglycerin, Barbiturate, Fluoressigsäure, manche *Pflanzenschutz- u. *Schädlingsbekämpfungsmittel, bes. die *Phosphorsäureester mit Hemmwirkung auf *Acetylcholin-Esterase. Den erwähnten G. „aus der Retorte" – von denen viele heute wegen ihres ubiquitären Auftretens als *Umweltgifte apostrophiert werden – sind die natürlichen G. an *Toxizität weit überlegen, s. die Tabelle. Hier ist zu denken an die *Toxine aus Bakterien u. a. Mikroorganismen (z. B. die *Mykotoxine), die *Tiergifte, die Pilzgifte (s. Giftpilz u. Mykotoxine) u. die *Pflanzengifte, unter denen sich bes. viele Glykoside u. Alkaloide befinden. Pflanzlichen od. tier. Ursprungs sind auch die *Pfeilgifte [2]. Tieren dienen ihre G. (*Toxine*) sowohl als Angriffs- wie als Verteidigungswaffen [3]. Laufend werden neue G. in Bakterien, tier. od. pflanzlichen Organismen entdeckt; dank der Vervollkommnung v. a. der physikal. Untersuchungsmeth. ist heute auch bei den sehr kleinen Substanzmengen die Konstitution dieser G. meist bald aufgeklärt. Im allg. sind tier. G. in kleinerer Dosis (in der Tab. als MLD = minimale letale Dosis in mg/kg Maus) wirksamer als pflanzliche, doch

Tab.: Daten zu ausgewählten Giften.

Giftstoff	Stoffklasse	Herkunft	MLD [mg/kg]	LD_{50} [mg/kg]	Tierart, Applikation
Botulinustoxin	Peptid	Bakterien	0,0000003		Maus, oral
Palytoxin	Polyketid	Hohltiere		0,00045	Maus, i.v.
2,3,7,8-TCDD	chlorierter Aromat	synthetisch		0,0006	Meerschweinchen, oral
				5	Hamster, oral
Natriumfluoracetat	Salz	synthetisch	ca. 2		Mensch, oral
Ricin	Peptid	Pflanze	0,001		Maus, i.p.
Tetrodotoxin	Polyalkohol	Fisch		0,01	Maus, i.p.
α-Amanitin	Peptid	Pilz		0,1	Maus, i.p.
Digitoxin	Steroidglykosid	Pflanze		0,18	Katze, oral
α-Bungarotoxin	Peptid	Schlange		0,21	Maus, s.c.
Muscarin	Alkaloid	Pilz		0,23	Maus, i.v.
Cobratoxin	Peptid	Schlange	0,3		Maus, oral
Aconitin	Alkaloid	Pflanze		1	Maus, oral
Parathion (E 605)	Phosphorsäureester	synthetisch		4–13	Ratte, oral
Aflatoxin B_1	Furocumarin	Pilz		9,5	Maus, i.p.
Cisplatin	anorgan. Komplex	synthetisch		9,7	Meerschweinchen, i.p.
Natriumcyanid	anorgan. Salz	Pflanze; synthetisch		15	Ratte, oral
Arsentrioxid	anorgan. Salz	Mineralien		15	Ratte, oral
Thalliumacetat	anorgan. Salz	synthetisch	18,5		Hund, oral
Heroin	Alkaloid	synthetisch		22	Maus, i.v.
Demeton-*S*-methyl	Phosphorsäureester	synthetisch		ca. 30	Ratte, oral
Ecstasy (MDMA)	Phenylethylamin	synthetisch		49	Ratte, i.p.
				97	Maus, i.p.
Nicotin	Alkaloid	Pflanze		50–60	Ratte, oral
Quecksilber(II)-Salze	anorgan. Salz	Mineralien; synthetisch		100 [Hg(II)]	Maus, oral
DDT	chlorierter Aromat	synthetisch		100	Maus, oral
Coffein	Heterocyclus	Pflanze		127	Maus, oral
Morphin-Hydrochlorid	Alkaloid	Pflanze		500	Maus, s.c.
Phenobarbital-Natrium	cycl. Ureid	synthetisch		660	Ratte, oral
PCB	chlorierter Aromat	synthetisch		>1000	Maus, oral
Eisen(II)sulfat	anorgan. Salz	Mineral		1,520	Maus, oral
Natriumchlorid	anorgan. Salz	Mineral		3,750	Ratte, oral
Ethanol	Alkohol	synthetisch		10,000	Ratte, oral

Gifte

werden beide von *Bakterien-Toxinen weit in den Schatten gestellt.

Giftaufnahme durch den Körper: Die G. können in Form von Gasen, reinen Flüssigkeiten od. Lsg., Pulvern od. kompakten Festkörpern durch die Atemwege, den Verdauungstrakt, durch die Hautoberfläche, durch Wunden u. dgl. in den Körper gelangen. Bes. Vergiftungsgefahren bestehen in Chemiebetrieben u. Laboratorien, beim Arbeiten mit „verbleiten" Kraftstoffen, mit Reinigungsmitteln (Natriumhydrogensulfat, Chlorkalk, Salmiakgeist), organ. Lsm. beim Chemisch-Reinigen, Desinfektionsmitteln, Beizmitteln (Quecksilber-Verb.), Schädlingsbekämpfungsmitteln, bei der Aufnahme von verdorbenen Nahrungsmitteln (*Lebensmittelvergiftung) od. von *Giftpilzen, bei Stich od. Biß von Gifttieren – hier kann *Anaphylaxie hinzutreten. Hochkonz. G. sind wesentlich gefährlicher als die gleichen abs. Giftmengen in verd. Zustand. Gelöste Stoffe wirken in der Regel schneller als feste, u. ein feines Pulver ist (infolge der leichteren Lösungsmöglichkeit) schädlicher als ein größerer Giftbrocken von gleichem Gewicht. Vollkommen unlösl. Stoffe sind auch ungiftig; deshalb kann man z.B. das unlösl. Bariumsulfat als Röntgenkontrastmittel unbedenklich einnehmen, während lösl. Barium-Salze giftig sind. Freilich ist bei einzelnen wasserunlösl. Stoffen zu bedenken, daß sie eventuell von der Magensäure z. T. gelöst werden können u. dann Giftwirkung hervorrufen. Die Empfindlichkeit gegen bestimmte G. kann enorme Schwankungen aufweisen; so erkrankt z. B. eine überempfindliche Versuchsperson schon nach der Einnahme von 0,0006 g Arsenik, während geübte „Arsenikesser" etwa die tausendfache Menge ohne Schaden vertragen (s. a. Mithridatismus). In ähnlicher Weise kann man durch Gewöhnung od. *Sucht größere Mengen von Alkohol, Nicotin, Morphin, Cocain u. dgl. vertragen. Angeborene Überempfindlichkeit (*Idiosynkrasie*, *Allergie) beobachtet man nicht selten gegenüber Iod, Brom, Chinin u. einigen anderen Giften. Bei den *Vergiftungen unterscheidet man zwischen akutem u. chron. Verlauf. Die akute Vergiftung wird durch einmalige große Giftdosen hervorgerufen, sie zeigt daher einen heftigen, katastrophenartigen Charakter. Die chron. Vergiftung ist eine Folgeerscheinung von vielen niedrig dosierten Giftaufnahmen, die sich auf lange Zeiträume verteilen (*Kumulationsgifte*, *Summationsgifte*). Beide Vergiftungsweisen zeigen meist verschiedene Krankheitsbilder. Viele Mikroorganismen werden mühelos mit Umweltgiften fertig.

Giftwirkungen: Nach der Art od. dem Ort der Schädigung teilt man die G. ein in *Ätz-G.* (rufen lokale Verätzungen der betroffenen Körperstellen hervor, *Beisp.:* Säuren u. Basen), *Blut-G.* (diese schädigen die Blutbildungsstellen, die roten Blutkörperchen od. den Blutfarbstoff, *Beisp.:* Benzol, Arsenwasserstoff, Oxalsäure, Phenol, Nitrobenzol, Anilin, Kohlenmonoxid, Blausäure usw.), *Atem-G.* (schädigen die Lunge; alle aggressiven Gase wie z. B. Chlor), *Magen-Darm-G.* (Fluoride, Chlorate, Phosphor, Arsenik, Brechweinstein, Kupfer-, Quecksilber-, Blei-, Thallium-Salze usw.), *Leber-G.* (diese rufen Schädigungen der Leber hervor, *Beisp.:* Phosphor, Tetrachlormethan, Trichlorethen, Chloroform u. a. organ. Chlor-Verb., organ. Arsen-Verb., viele Pilzgifte usw.), *Nieren-G.* (Quecksilberchlorid, Glykol, Pyrogallol, Oxalsäure, Terpentinöl), *Herz-G.* (Fluoride, Barium-Salze, Oxalsäure, Nicotin, Chinin, Aconitin, G. aus *Digitalis, Strophanthus,* Maiglöckchen, Meerzwiebel, Oleander, Krötengifte), *Nerven-G.* (Schwefelwasserstoff, Distickstoffoxid, Schwefelkohlenstoff, Kohlenwasserstoffe, Alkohole, Ether, Ester, Trichlorethylen, Haschisch, Cocain, Atropin, Nicotin, Morphin, Coffein, Strychnin, Nervengase, Trikresylphosphat u. a.). Weitere G.-Gruppen sind die Enzym-G., Augen-G., Haut-G., Nasen-G. u. Uterus-Gifte. Nach der Anw. unterscheidet man z. B. Pfeil-G., Fisch-G., *Kampfstoffe, Schädlingsbekämpfungsmittel. Schließlich ist auch an die G.-Wirkung mancher Genußmittel u. *Rauschgifte zu denken. Über Lebensmittelvergiftungen, auch durch Rückstände von *Pestiziden s. *Lit.*

Vergiftungen: Die Zahl der Sterbefälle durch G. lag in den 80er Jahren bei 5–7 Fälle/100 000 Einwohner (BRD), meist Selbstmorde durch *Hypnotika u. *Sedativa[4]. Pro Jahr werden 5–30 Giftmorde aufgedeckt. Giftunfälle verlaufen selten tödlich. Die Giftberatungsstellen verzeichnen jeweils mehrere Tausend Beratungen pro Jahr, dabei stehen Vergiftungen bei Kindern obenan, die v. a. durch Schädlingsbekämpfungsmittel, Arzneimittel u. Pflanzen verursacht werden. Bei den Pflanzen kommen Anfragen zu *Eiben, Mahonien, *Goldregen u. Vogelbeeren am häufigsten vor[5]. Bei giftbedingten Berufskrankheiten sind v. a. Silicosen u. Asbestosen zu nennen[4]. Anschriften von Giftinformationszentren finden sich z. B. in der *Roten Liste, in der *Gefahrstoffverordnung u. der Giftliste (s. *Lit.*).

Behandlung von Vergiftungen: Wenn man die Art des G. kennt, kann man in vielen Fällen sofort ein spezif. Gegengift (*Antidot) anwenden, welches das G. z. B. neutralisiert (Essig od. Zitronensaft gegen Laugen-Vergiftungen, Magnesiumoxid gegen Säure-Vergiftungen) od. in einen unlösl. u. darum ungefährlichen Niederschlag überführt (Einnehmen von Schlämmkreide bei Oxalsäure-Vergiftungen, von Natriumsulfat-Lsg. bei Blei-, Barium-Vergiftungen, von Kupfersulfat-Lsg. bei Phosphor-Vergiftungen, Einspritzung von Natrium- od. Calciumthiosulfat-Lsg. bei innerlichen Vergiftungen mit Arsen, Antimon, Bismut, Quecksilber, Blei, Thallium usw.) od. oxidiert (Kaliumpermanganat in die Wunde gegen Schlangengift) od. antagonist. wirkt (Weckamine gegen Schlafmittelvergiftungen, Antitoxine gegen Bakterientoxine). Vielfach kann man auch Schwermetall-Ionen durch Chelatisierung (z. B. mit Ethylendiamintetraessigsäure-Natriumsalz) zur rascheren Ausscheidung bringen. Herrscher früherer Zeiten bauten zum Schutz gegen Arsen-Vergiftungen auf sog. *Ziegensteine, u. im Mittelalter wurde der *Theriak als Gegenmittel empfohlen. In den allermeisten Fällen ist eine schnelle Entgiftung durch Magen-, Darm- u. Nierenentleerung od. Hämoperfusion angezeigt. Bei Vergiftungen ist eine rasche Analyse des G.-Stoffes lebenswichtig, wobei Meth. der *forensischen Chemie zur Anw. kommen; in speziellen Fällen kann die IR-spektroskop. od. gaschromatograph. Analyse der vom Verunglückten

ausgeatmeten Luft gute Dienste leisten. Für den vorbeugenden Schutz ist das Unschädlichmachen giftiger Chemikalien u. Pflanzenschutzmittel, z. B. durch Komplexierung, wichtig.
Zum Giftrecht s. giftig. – *E* poisons, toxicants – *F* poisons – *I* veleni – *S* venenos, tóxicos

Lit.: [1]Theophrast von Hohenheim, Drite Defension, in Sudhoff (Hrsg.), Sämtliche Werke, Bd. I/11, 138, München: Oldenbourg 1928. [2]Neuwinger, Afrikan. Arzneipflanzen u. Jagdgifte, Stuttgart: Wissenschaftliche Verlagsges. 1994. [3]Habermehl, Gifttiere u. ihre Waffen, Berlin: Springer 1994. [4]Gloxhuber, Toxikologie, Stuttgart: Thieme 1994. [5]Dtsch. Apoth. Ztg. **125**, 1834 ff. (1985).
allg.: Bresinsky u. Besl, Giftpilze, Stuttgart: Wissenschaftliche Verlagsges. 1985 ▪ Daunderer, Klinische Toxikologie: Giftinformation (11 Bd.), Landsberg: ecomed 1986–1995 ▪ Frohne u. Pfänder, Giftpflanzen, Stuttgart: Wissenschaftliche Verlagsges. 1996 ▪ Giftliste ▪ Hager (5.) **3** ▪ Heinemeyer et al., Giftinformation in der BRD, München: MMV 1991 ▪ Hörath, Giftige Stoffe – GefStoffV, Stuttgart: Wissenschaftliche Verlagsges. 1991 ▪ Lexikon des Mittelalters, S. 1446 f., München: Artemis 1989 ▪ Mebs, Gifttiere, Stuttgart: Wissenschaftliche Verlagsges. 1992 ▪ Seeger u. Neumann, Giftlexikon, Stuttgart: Wissenschaftliche Verlagsges. 1994 ▪ Teuscher u. Lindequist, Biogene Gifte, Stuttgart: Fischer 1994 ▪ Ullmann (4.) **6**, 65–154 ▪ s. a. Toxikologie, Toxine, Unfallverhütung u. die einzelnen Gifte.

Giftefeu s. Sumach.

Giftgetreide. Mit *Rodentiziden imprägnierte u. als Köder ausgelegte Getreide-Körner (Roggen, Weizen, Hafer) zur Bekämpfung von Nagetieren. Zum Schutz vor Verwechslungen muß Giftgetreide eingefärbt werden. – *E* poisoned cereals – *F* céréal empoisonné – *I* grano avvelenato – *S* trigo envenenado, cereal envenado

Giftig. *Gefährlichkeitsmerkmal für Stoffe u. Zubereitungen. Im Sinne des *Chemikaliengesetzes u. der ihm nachgeordneten *Gefahrstoffverordnung werden Stoffe u. Zubereitungen als g. eingestuft, wenn sie in geringer Menge bei Einatmen, Verschlucken od. Aufnahme über die Haut zum Tode führen od. akute od. chron. Gesundheitsschäden verursachen können. Die *Toxizität von Stoffen od. Zubereitungen hängt u. a. von ihrem Aufnahmeweg u. der applizierten Dosis ab. In Abhängigkeit davon hat der Gesetzgeber die Gefährlichkeitsmerkmale sehr giftig, giftig u. *gesundheitsschädlich (früher mindergiftig) definiert (Tab. unten).
– *E* poisonous, toxic – *F* toxique – *I* velenoso – *S* venenoso, tóxico

Lit.: Gefahrstoffverordnung, Anhang I, Nr. 1, 1.3.2.1–1.3.2.3 (z. B. in Kühn u. Birett, Merkblätter gefährliche Arbeitsstoffe, Bd. 2, III, 2.2.1, S. 8–12, Landsberg: Ecomed 1994).

Giftmehl. Alte Bez. für niedergeschlagenes *Arsenik. Bestandteil der Rauchgase (s. a. Hüttenrauch) metallurg. Öfen (bes. der Anlagen für das *Rösten von Erzen). Neben G. enthält Hüttenrauch noch Oxide des Schwefels, Metalloxide u. Feinstaub der Beschickung (Flugstaub, Gichtstaub) u. ist stark umweltgefährdend. Hüttenrauch wird in den heutigen Anlagen der Hüttentechnik aufgrund der nachgeschalteten Reinigungsanlagen nicht mehr freigesetzt. Die von diesen Anlagen separierten Reststoffe (z. B. Schwefelsäure) werden z. T. wieder in den industriellen Kreislauf zurückgeführt. – *E* arsenic trioxide – *F* anhydride arsénieux – *I* triossido d'arsenico – *S* trióxido de arsénico

Tab.: Wichtige Definitionen der Gefahrenbez. sehr giftig, giftig u. gesundheitsschädlich.

Gefahrenbezeichnung	sehr giftig	giftig	gesundheitsschädlich
Gefahrensymbol	T+ ☠	T ☠	Xn ✗
Verschlucken (R-Satz)	28	25	22
LD_{50} (Ratte oral) [mg/kg]	≦25	>25–200	>200–2000
krit. Dosis (Ratte oral), 100% Überlebensrate, jedoch offensichtliche Vergiftungserscheinungen [mg/kg]	–	5	50
LD_0 (Ratte oral), nach der Fest-Dosis-Meth. [mg/kg]	–	–	500
Berührung mit der Haut (R-Satz)	27	24	21
LD_{50} (Ratte od. Kaninchen dermal) [mg/kg]	≦50	>50–400	>400–2000
Einatmen (R-Satz)	26	23	20
LC_{50} (Ratte inhalativ) für Aerosole od. Stäube [mg/L/4h]	≦0,25	>0,25–1	>1–5
LC_{50} (Ratte inhalativ) für Gase od. Dämpfe [mg/L/4h]	≦0,5	>0,5–2	>2–20
sonstige Gefahren (R-Sätze)	39 ernste Gefahr irreversiblen Schadens	39 ernste Gefahr irreversiblen Schadens 48 Gefahr ernster Gesundheitsschäden bei längerer Exposition	40 irreversibler Schaden möglich 48 Gefahr ernster Gesundheitsschäden bei längerer Exposition

Lit.: Lueger Lexikon, 4. Aufl., Bd. 5., Hüttentechnik, S. 289, Stuttgart: DVA 1963.

Giftölsyndrom s. Olivenölsyndrom, spanisches.

Giftpflanzen s. Pflanzen(gifte).

Giftpilze. Bez. für Höhere Pilze aus der Gruppe der Ständerpilze (Basidiomyceten), die in rohem u./od. zubereitetem Zustand giftig sind. Die Gifte der G. besitzen sehr unterschiedliche Strukturen u. Wirkungen. So wirken z. B. der grüne u. der weiße Knollenblätterpilz (*Amanita phalloides, A. verna*) sowie der Nadelholzhäubling (*Galerina marginata*) durch ihren Gehalt an *Amanitinen infolge Hemmung von Enzymaktivitäten (RNA-Polymerase II) im Zellkern tödlich[1]. Die gleichfalls in Knollenblätterpilzen enthaltenen *Phallotoxine u. *Virotoxine sind weniger giftig. Als spezif. Gegenmittel werden *Silybin[2] u. *Antamanid diskutiert. Die Giftwirkung der verwandten Wulstlinge Panther- u. Fliegenpilz (*Amanita pantherina, A. muscaria*) beruht auf ihrem Gehalt an *Ibotensäure u. *Muscimol. Der *Fliegenpilz enthält auch *Muscarin, das beim Verzehr roher Pilze Rauschwirkungen hervorrufen kann. Rauschzustände durch *Psilocybin sind durch den Verzehr sog. mexikan. Rauschpilze (*Psilocybe*) bekannt[3]. Ibotensäure ist auch in verschiedenen Rißpilzen (*Inocybe*) u. Trichterlingen (*Clitocybe*) enthalten. Im japan. Giftpilz *C. acromelalga* wurden die Gifte *Clitidin u. *Acromelsäuren nachgewiesen. Giftig wirken ferner die Frühjahrslorchel (*Gyromitra esculenta*; Giftstoff: *Gyromitrin) u. einige Rötlinge (*Entoloma*)[4] sowie der Giftchampignon (Karbolegerling; *Agaricus xanthoderma*; Inhaltsstoffe: Agaricon, *Xanthodermin)[5]. Der orangefuchsige Schleierling (*Cortinarius orellanus*) u. verwandte Hautköpfe können infolge des enthaltenen *Orellanin tödlich giftig wirken. *Coprinus*-Arten (Tintlinge) können zusammen mit Alkohol zu Disulfiram-ähnlichen Vergiftungen führen (Giftstoff: *Coprin). Manche Pilze enthalten Inhaltsstoffe mit mutagenen Eigenschaften, z. B. scharfe Milchlinge (*Velleral), der weiße Rasling (*Lyophyllin), der Tannenreizker (*Necatoron) od. der Samtfußkrempling (*Leucomentin), so daß von ihrem Verzehr abgeraten werden muß. Manche Pilze sind in rohem Zustand zwar giftig (z. B. Hallimasch, Perlpilz od. Hexenröhrling), gekocht aber gute Speisepilze, andere sind nicht eigentlich giftig, aber wegen ihres äußerst bitteren Geschmacks ungenießbar (z. B. Gallenröhrling). Einige G. verursachen beim Verzehr gastrointestinale od. allerg. Vergiftungen mit teilw. schwerer Symptomatik. Über die Strukturen der Inhaltsstoffe ist noch wenig bekannt, z. B. Tigerritterling, Riesenrötling, Satansröhrling, Kahler Krempling, Schöne Koralle. Zu den G. im weiteren Sinne gehören die vorwiegend von Kleinpilzen als Stoffwechselprodukte ausgeschiedenen *Mykotoxine, die zur Ungenießbarkeit der meist von *Schimmelpilzen od. *Hefen befallenen Lebens- u. Futtermittel u. zu *Lebensmittelvergiftungen führen können. – *E* toadstools – *F* champignons vénéneux – *I* funghi velenosi – *S* hongos venenosos

Lit.: [1] Naturwiss. Rundsch. **33**, 370–378 (1980). [2] Vogel, in Faulstich et al., Amanita Toxins and Poisoning, S. 180–189, Baden-Baden: Witzstrock 1980. [3] Findlay (Hrsg.), Fungi, Folklore, Fiction & Facts, Richmond: Kingprint 1982; Schmidbauer (Hrsg.) et al., Handbuch der Rauschdrogen, S. 140–146, 346–357, München: Nymphenburger 1988. [4] Chem. Labor Betr. **20**, 255–260 (1969). [5] Angew. Chem. **97**, 1063 (1985). *allg.:* Bresinsky u. Besl, Giftpilze, Stuttgart: Wissenschaftliche Verlagsges. 1985 ▪ Dähncke u. Dähncke, 700 Pilze in Farbfotos, Aarau: AT 1980 ▪ Dtsch. Apoth. Ztg. **135**, 3347–3382 (1995) ▪ Faulstich et al., Amanita Toxins and Poisoning, Baden-Baden: Witzstrock 1980 ▪ Michael, Henning u. Kreisel, Handbuch für Pilzfreunde, 2. Aufl., Bd. 1–6, Stuttgart: Fischer 1988 ▪ s. a. Pilze u. die einzelnen Pilzgifte.

Giftung s. Gifte.

Giga... (Symbol: G). Von griech.: gigas = Riese abgeleiteter Vorsatz zur Bez. des Milliardenfachen (10^9-fachen) einer physikal. Einheit. – $E = F = I = S$ giga...

Gigantokörnig s. Korngröße.

Giglis Reagenz. Reagenz zum *Blutnachw.* mit essigsaurer Lsg. von *Benzidin u. H_2O_2. – *E* Gigli reagent – *F* réactif de Gigli – *I* reagente di Gigli – *S* reactivo de Gigli

Gilbert, Walter (geb. 1932), Prof., Carl M. Loeb Univ., Harvard Univ., Cambridge (Massachusetts). *Arbeitsgebiete:* Sequenzanalyse von DNA, genet. Code, Gentechnologie; dafür Nobelpreis für Chemie 1980 zusammen mit Berg u. *Sanger.
Lit.: Neufeldt, S. 263, 308, 370 ▪ Pötsch, S. 169 ▪ Who's Who in America, S. 1350.

Gilding Brass (Gilding Metal). Veraltete Bez. für eine Kupfer-Zink-Leg. (*Messing) mit 5% Zink (CuZn 5). Diese Leg. weist eine kupferrote Färbung auf (s. Buntmetalle) u. wird für Münzen, Medaillen, Schmuck, Kunsthandwerksartikel u. Patronenhülsen verwendet. – *E* gilding brass – *I* ottone dorato – *S* aleación 95/5
Lit.: Ullmann (5.) **A 7**, 536.

Gilead-Balsam s. Balsame.

Gillespie-Modell. Auf Vorschläge von Sidgwick u. Powell (*Lit.*[1]) zurückgehendes, von Nyholm u. Gillespie (*Lit.*[2]) entwickeltes Modell zur qual. Beschreibung der elektron. u. geometr. Struktur von Molekülen. Es ist v. a. unter dem Namen „*Valence Shell Electron Pair Repulsion*-Modell" (abgekürzt *VSEPR-Modell) bekanntgeworden u. besagt in seiner ursprünglichen Form, daß die *Elektronenpaare in der Valenzschale eines Mol. eine derartige räumliche Anordnung annehmen, daß ihre gegenseitige elektrostat. Abstoßung möglichst gering ist. Neben diesen elektrostat. Argumenten wurde später auch das *Pauli-Prinzip zur Rechtfertigung des G.-M. herangezogen. Für die Stärke der abstoßenden Wechselwirkung zwischen den Elektronenpaaren wird folgende Reihenfolge angenommen: einsames Elektronenpaar/einsames Elektronenpaar > einsames Elektronenpaar/bindendes Elektronenpaar > bindendes Elektronenpaar/bindendes Elektronenpaar. Unter mehreren möglichen Strukturen mit 90°-Wechselwirkungen ist nach dem G.-M. diejenige energet. am günstigsten, die die kleinste Zahl von solchen Wechselwirkungen mit einsamen Elektronenpaaren aufweist. Das G.-M. funktioniert bei Strukturvorhersagen oft überraschend gut; es kommen allerdings auch Ausnahmen vor. – *E* Gillespie model – *F* modèle de Gillespie – *I* modello di Gillespie – *S* modelo de Gillespie

Lit.: [1] Proc. Roy. Soc. A **176**, 153 (1940). [2] Q. Rev. Chem. Soc. **11**, 339 (1957).
allg.: Dickerson et al., Prinzipien der Chemie, 2. Aufl., S. 479–491, Berlin: de Gruyter 1988 ▪ Gillespie, Molekülgeometrie, Weinheim: Verl. Chemie 1975 ▪ Kutzelnigg, Einführung in die Theoretische Chemie, Bd. 2, Die chemische Bindung, Weinheim: Verl. Chemie 1978.

Gilsonit. Nach dem Entdecker S. Gilson benannte *Asphalt-Sorte (Uintait)*, D. 1,05–1,15, H. 2, Schmp. ca. 140–160 °C, Strich braun. G. enthält ca. 85% C, 10% H, 2,5% N, 1,5% O u. ist zu 99,8% in CCl_4 löslich.
Vork.: Utah u. Colorado (USA).
Verw.: Als Dichtungsmaterial, in Druckfarben u. Anstrichmitteln u. zur Herst. von *Graphit. – *E* = *F* = *I* gilsonite – *S* gilsonita
Lit.: Kirk-Othmer (3.) **11**, 802–806 ▪ s.a. Asphalte. – *[HS 271490; CAS 12002-43-6]*

Gilurytmal®. Dragees u. Ampullen mit *Ajmalin gegen Herzrhythmusstörungen. *B.:* Giulini Pharma.

Gin. Ein *Genever-ähnlicher *Branntwein* (s. Spirituosen), der unter Verw. von Destillaten aus Wacholderbeeren u. Gewürzen hergestellt ist; Alkoholgehalt mind. 38% vol, bei Dry Gin mind. 40% vol. – *E* gin – *F* genièvre – *I* gin – *S* ginebra – *[HS 220850]*

Gingerol, 6-Gingerol [5-Hydroxy-1-(4-hydroxy-3-methoxyphenyl)-3-decanon].

$C_{17}H_{26}O_4$, M_R 294,39, scharf schmeckendes gelbes Öl, D_4^{20} 1,0713, n_D^{20} 1,5212, $[\alpha]_D$ +26,5° ($CHCl_3$), (*S*-Form) $[\alpha]_D$ –25,1° (*R*-Form), lösl. in organ. Lsm., Scharfstoff des Ingwers, Zingiber officinale, dem Racemat fehlt der typ. Ingwerduft. Das demethylierte G. (*Noringerol*, $C_{16}H_{24}O_4$, M_R 280,36) wirkt als 5-Lipoxygenase-Hemmer[1]. – *E* = *S* gingerol – *F* gingérol – *I* gingerolo
Lit.: [1] Chem. Pharm. Bull. **38**, 842 (1990).
allg.: Beilstein EIV **8**, 2768 ▪ J. Chem. Soc., Perkin Trans. 1 **1980**, 2637 (Biosynth.) ▪ J. Org. Chem. **58**, 2181 (1993) (Synth.). – *[CAS 39886-76-5 ((S)-G.); 72749-01-0 ((R)-G.); 122858-51-9 (Noringerol)]*

Gingicain® D. Zahnmedizin. Spray zur Anästhesie u. Desinfektion mit *Tetracain, *Benzalkoniumchlorid u. Apafluran als Treibmittel. *B.:* Hoechst.

Ginkgo-Extrakt. Ein aus den Blättern des in Japan u. China beheimateten „fossilen" Baumes *Ginkgo biloba* hergestellter Extrakt, der Glucoside von *Flavonen, bes. Quercetin- u. Isoquercetin-glykosid, Kaempferol-3-rhamnosid, Luteolin-glykosid u. Sitosterol-glykosid (vgl. a. Flavonoide), *Bilobalide u. *Ginkgolide enthält. G.-E. fördert die Hirndurchblutung, wirkt Blutzuckerspiegel-erhöhend u. steigert den Energiestoffwechsel im Gehirn[1]. Im Tierversuch konnte G.-E. die Überlebensrate von an Hypoxie leidenden Ratten erheblich steigern. Krankheitsbilder wie Hypoglucämie u. Ischämie können mit G.-E. günstig beeinflußt werden. Dies wird durch den gefäßerweiternden Effekt von G.-E. unterstützt. G.-E. wird heute in der Medizin zur Behandlung von Durchblutungsstörungen des Gehirns u. der Peripherie eingesetzt (Tebonin®). Die wirksamen Substanzen sind alkylierte Phenole {z.B. *Ginkgol*, 3-((Z)-8-Pentadecenyl)phenol, $C_{21}H_{34}O$, M_R 302,50} u. Phenolcarbonsäuren {z.B. *Ginkgolsäure*, 2-Hydroxy-6-((Z)-8-pentadecenyl)benzoesäure, $C_{22}H_{34}O_3$, M_R 346,51, Krist., Schmp. 230–233 °C, *Ginkgolide u. *Bilobalid}. – *E* ginkgo extract – *F* extrait de ginkgo bilobé – *I* estratto di ginkgo – *S* extracto de ginkgo
Lit.: [1] Fortschr. Med. **107**, 90 (1989); Life Sci. **39**, 2327–2334 (1986); Münch. Med. Wochenschr. **131**, 10–15 (Suppl.) (1989).
allg.: Die Offizin **1989**, 111 ff. ▪ Dtsch. Apoth. Ztg. **129**, 2421–2431 (1989) ▪ Pharm. Unserer Zeit **21**, 253–275 (1992). – *[CAS 501-26-8 (Ginkgol); 22910-60-7 (Ginkgolsäure)]*

Ginkgolide.

R^1	R^2	R^3	Ginkgolid
OH	H	H	G. A
OH	OH	H	G. B
OH	OH	OH	G. C
OH	H	OH	G. J
OH	OH	OH	G. M

Bitter schmeckende hexacycl. Diterpene aus *Ginkgo biloba* mit zahlreichen pharmakolog. Wirkungen[1].

Tab.: Physikal.-chem. Daten der Ginkgolide.

Name	Summenformel	M_R	$[\alpha]_D$ (Dioxan)	CAS
G. A	$C_{20}H_{24}O_9$	408,41	–39°	15291-75-5
G. B	$C_{20}H_{24}O_{10}$	424,40	–63°	15291-77-7
G. C	$C_{20}H_{24}O_{11}$	440,40	–19°	15291-76-6
G. J	$C_{20}H_{24}O_{10}$	424,40	–2,5°	107438-79-9
G. M	$C_{20}H_{24}O_{10}$	424,40	–39°	15291-78-8

Zur Biosynth. der G. s. *Lit.*[2]. Die G. sind *PAF-Antagonisten[3]. Bei G. A u. G. B wurden cerebroprotektive Effekte festgestellt[4]. – *E* = *F* ginkgolides – *I* ginkgolidi – *S* ginkgólidos
Lit.: [1] Justus Liebigs Ann. Chem. **1993**, 287, 1023. [2] Diss. ETH, Zürich, Nr. 10951 (1994); J. Am. Chem. Soc. **93**, 3544, 3546 (1971). [3] Drugs of the Future **12**, 7, 643 (1987). [4] Eur. J. Pharm. Sci. **3**, 39 (1995).
allg.: Braquet, Ginkgolides – Chemistry, Pharmacology, Biology and Clinical Perspectives, Barcelona: Prous Science Publications 1988 ▪ Hager (5.) **5**, 269–295. – *Synth.:* Chem. Soc. Rev. **17**, 111–133 (1988) ▪ Nicolaou u. Sorensen, Classics in Total Synthesis, S. 451–464, Weinheim: VCH Verlagsges. 1996 ▪ Tetrahedron Lett. **29**, 26, 3201, 3205 f. (1988) ▪ s.a. Ginkgo-Extrakt u. Bilobalid.

Ginorit s. Calciumborat.

Ginsburg, David (1920–1988), Prof. für Chemie, Technion Israel Inst. of Technology, Haifa. *Arbeitsgebiete:* Chemie der Naturstoffe (Totalsynth. von Morphin), Arzneimittel, Aromatizität, Konformationsanalyse usw.
Lit.: Nachr. Chem. Tech. Lab. **31**, 662 (1983).

Ginseng. Von chines. „Menschwurzel" nach der manchmal eigenartigen Form der Wurzel. Staudenartige, anemonenähnliche Araliacee *Panax ginseng*

Ginsenoside

C. A. Meyer, die in den Gebirgswäldern Ostasiens wild wächst u. auch angebaut wird. Die Wurzel enthält u. a. Steroid-Derivate, sie gilt in der chines. Medizin [1] als lebensverlängerndes, aphrodisierendes Tonikum, das auch bei Magenschwäche Verw. findet. Zu den bisher isolierten Inhaltsstoffen gehören Sitosterin u. mehr als 10 Triterpenglykoside *Ginsenoside*. Die Ginsenoide sind eine Gruppe von Glykosiden tetracycl. *Triterpene (*Sapogenine) aus der Ginsengwurzel (*Panax ginseng*): 24-Dammaren-3,12,20-triol ($C_{30}H_{52}O_3$, M_R 460,74), die $(3\alpha,12\beta,20S)$-Form heißt *Betulafolientriol* (Schmp. 236–238 °C) u. die diastereomere $(3\beta,12\beta,20S)$-Form *Protopanaxadiol* (Schmp. 199–200 °C). *Protopanaxatriol* (nicht krist.), besitzt eine zusätzliche 6α-Hydroxy-Gruppe. Die Zucker-Komponenten in diesen Glykosiden sind die D-Glucopyranose, L-Arabinopyranose, L-Arabinofuranose, die D-Xylofuranose u. D-Xylopyranose sowie die L-Rhamnopyranose. Den Ginsenosiden werden antiischäm., immunstimulierende, antithrombot. (*PAF-antagonist.), hypoglycäm. u. Cholesterin-senkende Eigenschaften nachgesagt.

R^1	R^2	R^3		
H	OH	H	Betulafolientriol	$(3\alpha,12\beta,20S)$
OH	H	H	Protopanaxadiol	$(3\beta,12\beta,20S)$
OH	H	OH	Protopanaxatriol	$(3\beta,6\alpha,12\beta,20S)$

Nach neuen Untersuchungen regt der G.-Extrakt ganz allg. den Eiweiß- u. Nucleinsäure-Stoffwechsel an. Des weiteren fand man u. a. ein für den G.-Geruch verantwortliches ether. Öl, in dem eine Reihe von Sesquiterpenen charakterisiert wurden[2]; in der volkstümlichen Medizin wird es manchmal als *Panacen* bezeichnet[3].

Verw.: Als Roborans u. *Geriatrikum. Es sei allerdings darauf hingewiesen, daß wegen des hohen Preises von echtem G. viele sogenannte G.-Präp. gar keine wirksamen G.-Inhaltsstoffe enthalten[4]. – $E = F = I = S$ ginseng

Lit.: [1] J. Ethnopharmacol. **36**, 27–38 (1992). [2] Bull. Chem. Soc. Jpn. **48**, 2078 ff. (1975). [3] Dtsch. Apoth. Ztg. **116**, 1–7 (1976). [4] Planta Med. **61**, 459–465 (1995). *allg.:* Biochim. Biophys. Acta **990**, 315–320 (1989) ▪ Chem. Ind. (London) **1995**, 723 ▪ DAB 1996 u. Komm. ▪ Dtsch. Apoth. Ztg. **127**, 433–441 (1987) ▪ Fortschr. Med. **106**, 16 (1988) ▪ Hager (5.) **6**, 12–34 ▪ Proc. Natl. Acad. Sci. USA **92**, 8739 (1995) ▪ Steinegger u. Hänsel, Pharmakognosie, S. 615–622, Berlin: Springer 1992 ▪ Wichtl (2.), S. 135 ff. ▪ Zechmeister **46**, 1–76. – [HS 1211 20; CAS 6892-79-1 (Betulafolientiol); 7755-01-3 (Protopanaxadiol); 1453-93-6 (Protopanaxatriol)]

Ginsenoside s. Ginseng.

Gips (Selenit). $CaSO_4 \cdot 2H_2O$, Mineral u. gleichnamiges Gestein. *1. Mineral:* Die oft großen, monoklinen Krist. (Kristallklasse $2/m - C_{2h}$) sind tafelig, prismat., stengelig od. nadelig ausgebildet u. öfters zu rosettenförmigen od. rasenartigen Aggregaten vereinigt. Abb. a–d zeigt häufige Formen u. *Zwillinge.

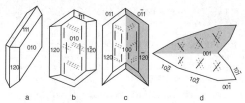

Abb.: Gips – a: tafeliger *Einkristall; b: nach der c-Achse (Vertikalachse) gestreckter Krist.; c: sog. Schwalbenschwanz-Zwilling; d: sog. Montmartre-Zwilling; Flächensymbole s. Kristallmorphologie; nach Matthes, *Lit.*, S. 101.

Sehr vollkommene *Spaltbarkeit mit Perlmutterglanz nach der Fläche (010), beruhend auf der *Struktur*[1,2]; weitere Spaltbarkeiten sind in der Abb. angedeutet. Derbe, feinkörnige bis spätige Massen; in Spalten als *Fasergips;* spätig-blättrig durchsichtig als *Marienglas* od. *Fraueneis;* als *Alabaster rein weiß u. feinkörnig, H. 2 (mit dem Fingernagel ritzbar), D. 2,3. Durchsichtig bis durchscheinend; farblos, weiß, gelblich, bräunlich, rötlich; durch Bitumen-Einschlüsse grau bis braun, auch schwarz. Glas-, Seiden- u. Perlmutterglanz.

Vork.: G. entsteht stets aus Lsg. niedriger Temperatur. In Salzlagerstätten (s. Evaporite); in Salzwüsten; in *Oxidationszonen von Erzvork., z. B. Naica/Mexiko; in *Tonen u. *Mergeln als *Konkretionen u. Einzelkrist.; in Wüstenböden, meist unter Einschluß von Sandkörnern u. dann als „*Sandkrist.*", „*Gipsrosen*", „*Wüstenrosen*" od. „*Sandrosen*" bezeichnet.

2. Gestein. G. bildet als *Sedimentgestein oft große, meist weiße, reine Massen. Er entsteht als Eindampfungsprodukt (s. Evaporite) u. durch Wasseraufnahme aus *Anhydrit; infolge der damit verbundenen Volumenvergrößerung entsteht oft eine stark gewellte, verbogene Schichtung („Gekrösegips", „Schlangengips"). Häufig bilden G. u. Anhydrit den „*Gipshut*" über Salzstöcken.

Vork.: G.-Gesteine sind zusammen mit Anhydrit weltweit verbreitet. In der BRD z. B. im Harzvorland (Osterode, Stadtoldendorf), in Franken (Raum Iphofen), Baden-Württemberg, Thüringen u. Sachsen-Anhalt. Wichtige Förderländer sind: USA, Kanada, China, Spanien, Frankreich, Rußland, Mexiko u. Großbritannien. *Rezente G.-Bildung* wird z. B. in Sabkhas (Salzmarschen) entlang der Trucial-Küste im Pers. Golf beobachtet. *Künstlicher,* z. T. als Substitutionsrohstoff für Natur-G. verwendeter[2] G. entsteht als *Reststoff* bei techn. Prozessen, so als *Phosphat-G.* bei der Herst. von Phosphorsäure u. als *Rauchgas-G.* bei der Entschwefelung der Verbrennungsgase (Rauchgase) fossiler *Brennstoffe v. a. in Kraftwerken.

Verw.: Beim Erhitzen („Brennen") auf 120–130 °C geht G. in das *Halbhydrat* $CaSO_4 \cdot 1/2 H_2O$ (als Mineral *Bassanit* genannt) über; dieses wird als Modell-, Stuck- od. Putz-G. verwendet; aus *Putz-G.* werden G.-Bauelemente (G.-Bausteine, G.-Platten, G.-Kartonplatten) hergestellt. Nach Brennen bei über 190 °C („totgebrannter" G.) als *Abbindeverzögerer* in der Zement-Industrie. Zur Herst. von *Spezialgips:* Modell- u. Formgips für die keram. Ind., für Metall- u. Formgießereien, für Gummi- u. Kunststoffwerke sowie für Hart- u. Dentalgips. Zur Namensgebung u. Geschichte

s. *Lit.*[3]. – *E* gypsum – *F* gypse – *I* gesso – *S* selenita, aljez
Lit.: [1] Acta Crystallogr. Sect. B **30**, 921–929 (1974); Sect. B **38**, 1074 ff. (1982). [2] Chem. Unserer Zeit **19**, 137–143 (1985). [3] Lüschen, Die Namen der Steine (2.), S. 225 f., Thun: Ott 1979.
allg.: Deer et al. (2.), S. 612–616 ▪ Harben u. Bates, Industrial Minerals, Geology and World Deposits, London: Industrial Minerals Division of Metal Bulletin Plc 1990 ▪ Matthes, Mineralogie (5.), S. 100 f., Berlin: Springer 1996 ▪ Lapis **19**, Nr. 1, 7–11 (1994) („Steckbrief") ▪ Pohl, Lagerstättenlehre (4.), S. 264 ff., Stuttgart: Schweizerbart 1992 ▪ Ramdohr-Strunz, S. 611 ff. ▪ Ullmann (5.) **A 4**, 555–584 ▪ Wirtschaftsvereinigung Bergbau e.V. (Bonn), Das Bergbau-Handbuch, S. 284 f., Essen: Glückauf 1994 ▪ s. a. Evaporite. – *Zeitschrift:* Zement-Kalk-Gips ZKG International, Wiesbaden: Bauverl. GmbH (monatlich). – *[HS 2520 10, 2520 20; CAS 13397-24-5]*

Girard-Reagenzien. Von A. Girard u. Sandulesco[1] entwickelte Reagenzien, die Carbonyl-Verb. in wasserlösl. Derivate (*Hydrazone*) überführen. Diese lassen sich von wasserunlösl. Begleitstoffen abtrennen u. geben nach Hydrolyse die Carbonyl-Verb. in isolierter Form frei. Man unterscheidet: *Girards Reagenz D:* N,N-Dimethylglycinhydrazid-Hydrochlorid, $(H_3C)_2N-CH_2-CO-NH-NH_2 \cdot HCl$, $C_4H_{12}ClN_3O$, M_R 153,61, Schmp. 182–185 °C (Zers.); *Girards Reagenz P:* 1-(Hydrazinocarbonylmethyl)-pyridinium-chlorid, $[C_5H_5N^+-CH_2-CO-NH-NH_2]Cl^-$, $C_7H_{10}ClN_3O$, M_R 187,63, Schmp. 198–204 °C (Zers.); *Girards Reagenz T:* N-(Hydrazinocarbonylmethyl)-trimethylammonium-chlorid, $[(H_3C)_3\overset{+}{N}-CH_2-CO-NH-NH_2]Cl^-$, $C_5H_{14}ClN_3$, M_R 167,65, Schmp. 188–192 °C (Zers.); sehr hygroskop., wasserlösl. Krist., in unpolaren organ. Lsm. nicht löslich. – *G.-R. zum Nachw. von Farbstoffen in Wein u. dgl.:* Man schüttelt 10 mL Wein mit 10 mL kaltgesätt. Quecksilberchlorid-Lsg., gibt 1 mL Kalilauge (D. 1,27) dazu u. schüttelt nochmals. Nach Absetzen des Niederschlages filtriert man durch ein angefeuchtetes, dichtes Filter u. versetzt das klare Filtrat mit Essigsäure. Naturwein gibt ein farbloses Filtrat, bei gefärbten Weinen Rotfärbung. – *E* Girard reagents – *F* réactifs de Girard – *I* reagenti di Girard – *S* reactivos de Girard
Lit.: [1] Helv. Chim. Acta **19**, 1095 (1936).
allg.: Beilstein E III **4**, 1133 ▪ Chem. Rev. **62**, 205–221 (1962) ▪ Endokrinologie **48**, 70 ff. (1965) ▪ J. Chem. Educ. **45**, 435 ff. (1968) ▪ Merck-Index (12.), Nr. 4436 ▪ Synthetica **1**, 207; **2**, 200 f.

Gist-Brocades. Kurzbez. für das niederländ. Chemieunternehmen, Gist-Brocades, Royal N.V., Wateringseweg 1, P.O. Box 1, Delft, das 1967 durch Zusammenschluß der N.V. Koninklike Pharmazeut. Fabrieken v/h Brocades-Steheman mit der Koninklijke Nederlandsche Gist – en Spiritusfabriek N.V. gegr. wurde. *Produktion:* Pharmazeut. Produkte, Lebensmittel-Enzyme, Backzutaten, Entwicklung von biotechnolog. Verfahren.

Gitoformat. Internat. Freiname für das herzwirksame 3′,3″,3‴,4‴,16-Pentaformiat des *Gitoxins* (Formel s. Digitalis-Glykoside, $C_{46}H_{64}O_{19}$, M_R 921,00. – *E = F* gitoformate – *I = S* gitoformato
Lit.: Beilstein EV **18**/4, 389 ▪ Hager (5.) **8**, 345 f. – *[HS 2938 90; CAS 7685-23-6]*

Gitoxigenin, Gitoxin s. Digitalis-Glykoside.

Gittalun®️ Trinktabletten. Brausetabl. mit *Doxylamin-Succinat gegen unruhigen Schlaf. *B.:* Thomae.

Gitter s. 1. Kristallgitter, Kristallbaufehler u. 2. Spektroskopie.

Gitterenergie. Bez. für die molare Bindungsenergie in einem Ionenkristall. Die G. wird bei der Bildung eines Mols einer krist. Substanz aus den sich in unendlich großer Entfernung befindlichen Ionen freigesetzt; sie hat daher neg. Vorzeichen. Werte für die G. sind über den *Born-Haber-Kreisprozeß aus anderen, kalorimetr. od. spektroskop. bestimmbaren, energet. Größen erhältlich. Einige Beisp. sind in der Tab. angegeben.

Tab.: Über den Born-Haber-Kreisprozeß bestimmte Gitterenergien U (in kJ mol^{-1}) einiger Salze, s. *Lit.*[1].

Salz	U	Salz	U
AgF	967	LiNO$_3$	848
AgCl	915	NaNO$_3$	756
AgBr	904	KNO$_3$	687
AgI	889	RbNO$_3$	658
BaF$_2$	2352	CsNO$_3$	625
BaCl$_2$	2056	Li$_2$SO$_4$	2142
BaBr$_2$	1985	Na$_2$SO$_4$	1938
BaI$_2$	1877	K$_2$SO$_4$	1796
LiF	1036	Rb$_2$SO$_4$	1746
LiCl	853	Cs$_2$SO$_4$	1658
LiBr	807	Ca$_3$(PO$_4$)$_2$	10479
LiI	757	CaCO$_3$	2810

Um die G. modellmäßig zu berechnen, muß man die Wechselwirkungspotentiale zwischen den den Krist. aufbauenden Ionen kennen. Hierfür wird häufig der bei *chemische Bindung (S. 675) beschriebene Ansatz verwendet, der einen langreichweitigen anziehenden Term (*Coulomb-Anziehung zwischen den beiden Ionen) u. einen abstoßenden Term (Born-Mayer-Potential) beinhaltet; letzterer wird wirksam, wenn sich die Elektronenhüllen der beiden Ionen zu überlappen beginnen. Mit diesem Ansatz erhält man für die G. in der Gleichgewichtslage, die dem Energieminimum des Kristallgitters entspricht:

$$U = N_A \frac{e^2 z_+ z_-}{4\pi\varepsilon_0 a} M \cdot \left(1 - \frac{2\alpha}{a}\right).$$

Hierbei sind N_A die *Avogadro-Konstante, e die *Elementarladung, z_+ u. z_- die Ladungszahlen der Ionen, ε_0 die elektr. Feldkonstante, a die *Gitterkonstante des jeweiligen Kristallgitters, M die für einen speziellen Gittertyp charakterist. *Madelung-Konstante u. α der Exponentialparameter im Born-Mayer-Potential. Letzterer wird üblicherweise an Kompressibilitätsdaten angepaßt. Zahlenwerte für festes NaCl sind M = 1,747565, a = 282 pm u. α = 32,1 pm. Damit ergibt sich eine G. von 763 kJmol^{-1}, in guter Übereinstimmung mit dem thermochem. ermittelten Wert von 786 kJmol^{-1} (*Lit.*[1]). – *E* lattice energy – *F* énergie de réseau – *I* energia reticolare – *S* energía reticular
Lit.: [1] Handbook **70**, D 100–112.
allg.: Barrow, Physikalische Chemie, 6. Aufl., S. 130–135, Wien: Bohmann 1984 ▪ Kittel, Einführung in die Festkörperphysik, 10. Aufl., München: Oldenbourg 1993 ▪ Wedler, Lehrbuch der Physikalischen Chemie, 3. Aufl., S. 585–589, Weinheim: Verl. Chemie 1987.

Gitterfehler s. Kristallbaufehler, Aktivstoffe, Zwischengitteratome u. Zwischengitterplätze.

Gitterfüllkörper s. Füllkörper.

Gitterkonstante. 1. Begriff aus der *Kristallographie; Maß für die Größe einer Elementarzelle. Je nach Gittertyp (kub., tetragonal, triklin usw.) kann eine Elementarstelle bis zu 3 verschiedene G. besitzen; Näheres s. Kristallstrukturen. – 2. In der *Optik tritt die G. beim Beugungsgitter auf, einer regelmäßigen Anordnung beugender Elemente (s. a. Beugung). Die G. ist der Abstand zwischen zwei sich entsprechenden Punkten auf benachbarten Beugungselementen. – *E* lattice constant – *F* constante réticulaire – *I* costante reticolare – *S* constante reticular

Gitterpolymere (dreidimensionale Polymere). Als G. bezeichnet man dreidimensionale polymere Strukturen wie z. B. *Diamant, *Quarz u. eine Reihe weiterer, vorwiegend kovalent aufgebauter anorgan. Verb., die ausschließlich im festen Zustand vorliegen. Sie werden daher auch als einaggregative Stoffe bezeichnet. – *E* three-dimensional polymers – *F* polymères en réseau – *I* polimeri reticolari – *S* polímero de red
Lit.: Elias (5.) **1**, 46.

Gityl® 6. Tabl. mit *Bromazepam gegen Angstneurosen. *B.:* Krewel.

Giulini Chemie. Kurzbez. für die 1977 aus der Firma Gebrüder Giulini hervorgegangene Firma Giulini Chemie GmbH, 67029 Ludwigshafen, über die BM Chemie, Ludwigshafen, eine 100%ige Tochter der Israel Chemicals Ltd. *Daten* (1996): 700 Beschäftigte, 30 Mio. DM Kapital, ca. 220 Mio. DM Umsatz. *Produktion:* Al-Hydroxid u. a. Aluminium-Verb., Phosphate, Füllstoffe, Dental-, Medizinal- u. Spezial-Gipse, Lebensmittelzusätze, pharmazeut. Rohstoffe, Wasserbehandlungsmittel, Spezialprodukte für die Papier-, Leder-, Textil-, Bau-, Keramik- u. Kosmetik- u. Schuh-Industrie.

Giulini Pharma. Kurzbez. für die Giulini Pharma GmbH, 30173 Hannover. *Produktion:* Arzneimittelspezialitäten, vorwiegend für den Herz-Kreislauf-Sektor.

GKSS. Abk. für *Gesellschaft für Kernenergieverwertung in Schiffbau u. Schiffahrt mbH.

GKV. Abk. für *Gesamtverband Kunststoffverarbeitende Industrie e.V.

Gla. Kurzz. für 4-Carboxy-L-glutaminsäure, s. Glutaminsäure.

Glacéleder. Dünnes, weiches Handschuh-*Leder aus Lamm-, Zickel-, Schaf-, Reh-, Hirschfellen u. dgl. Die Glacégerbung kann durch Walken der Hautblößen mit „Glacégare" (Gemisch aus Alaun od. Al-Sulfat mit Kochsalz, Eigelb u. Weizenmehl) erfolgen; nach Auftrocknen u. 4wöchigem Lagern Auswaschen mit verd. Milchsäure- od. Ammoniak-Lsg., Nachbehandlung mit Nachgare. – *E* glacé kid – *F* cuir glacé – *I* pelle lucida, pelle glacé – *S* cabritilla, cuero glacé
Lit.: Faber, Gerbmittel–Gerbung–Nachgerbung, Bibliothek des Leders, Bd. 3, S. 185, 293, Frankfurt: Umschau 1985 ▪ Ullmann (4.) **16**, 114 f. ▪ s. a. Gerberei.

Gläser s. Glas u. Glaszustand.

Gläserner Mensch. Kritiker befürchten den Mißbrauch von Informationen aus der humanen *Genomanalyse, durch der der einzelne Mensch in allen seinen genet. Merkmalen erfaßbar wird. Über die Genomanalyse bzw. pränatale u. postnatale Gendiagonstik könnten Veranlagungen des Einzelnen, ohne daß sie zur Ausprägung kommen müssen, sichtbar werden u. im Extremfall als Einstellungskriterien im Berufsleben, als Grundlage für Versicherungen u. a. verwendet werden. – *E* transparent man – *F* homme transparent – *I* uomo trasparente – *S* hombre transparente
Lit.: Roloff, Die Vision vom gläsernen Menschen, Rhein. Merkur vom 21. 3. 1989 ▪ Spektrum Wiss., **1996**, Nr. 7, 48–55 ▪ Trent, Molekulare Medizin (1.), Heidelberg: Spektrum Akadem. Verl. 1994.

Glafenin.

Internat. Freiname für den antineuralg. wirkenden N-(7-Chlor-4-chinolyl)-anthranilsäure-(2,3-dihydroxypropyl)-ester, $C_{19}H_{17}ClN_2O_4$, M_R 372,81, schwach gelbe Prismen, Schmp. 169–170 °C, auch 165 °C angegeben; λ_{max} (CH_3OH) 228, 256, 358 nm ($A^{1\%}_{1cm}$ = 1163, 467, 522); LD_{50} (Maus oral) >2000 mg/kg. G. wurde als *Analgetikum 1964 u. 1966 von Roussel-UCLAF patentiert. – *E* glafenine – *F* glafénine – *I* = *S* glafenina
Lit.: Beilstein E V **22/10**, 269 ▪ Florey **21**, 197–232 ▪ Hager (5.) **8**, 346 f. – *[HS 2933 40; CAS 3820-67-5]*

GLAG-Theorie s. Supraleitung.

Glandulae (latein. = Drüsen). In der Apotheker- u. Drogistensprache Bez. für offizinell genutzte *Drogen aus Drüsen; *Beisp.:* G. Lupuli = Hopfendrüsen(haare), G. thyreoideae sicc. pulv. = Iod-haltiges Produkt aus den Schilddrüsen von Schafen.

Glanz. Physikal. Bez. für die photometr. bestimmbare Verhältniszahl aus dem gerichtet u. dem diffus reflektierten Anteil des auf eine Fläche fallenden Lichtstromes. Umgangssprachlich bezeichnet man als G. die aus diesem Verhältnis resultierende Eigenschaft einer Licht reflektierenden Fläche, je nach Beleuchtungs- u. Beobachtungsrichtung unterschiedliche Helligkeitseindrücke hervorzurufen. Die Herst. glänzender Oberflächen ist z. B. bei *Glas, *Anstrichstoffen, *Leder, *Kunststoffen od. *Metallen von Bedeutung. – *E* brightness, gloss, lustre – *F* brillance, lustre – *I* brillanza, luminosità – *S* brillo, lustre

Glanzbaryt. Sehr feinpulverige Sorte von Blanc fixe.

Glanzbrennen s. Brennen.

Glanze s. Erz.

Glanzgalvanisierung s. Galvanotechnik.

Glanzgold. 1. Keram. Farbe[1] für eine dekorative Anw. in der Glas-, Keramik-, Porzellan- u. Email-Industrie. Die weitgehend empir. hergestellte Farbmischung wird auf die zu dekorierende silicat. Oberfläche aufgetragen u. bei Temp. zwischen 500 u. 850 °C eingebrannt. Das ausgebrannte *Gold (Dicke ca. 0,1 µm) kommt mit Hochglanz aus dem Ofen. – 2. Bevorzugt auf Ni, Ag u. Cu u. ihren Leg. galvan. abgeschiedene, hochglänzende Gold-Schicht [2]. Die Goldsalz-haltigen Elektrolyte enthalten spezielle Glanzzusätze (s. Goldbad DCS). – 3. G. ist auch als Begriff für die *Blattvergoldung* auf Kunstgegenständen (Gemälde, Holzschnitzereien) gebräuchlich; s. a. vergolden. – *E* bright gold – *F* or blanc – *I* = *S* oro brillante

Lit.: [1] Ullmann (4.) **14**, 10. [2] Dettner u. Elze, Handbuch der Galvanotechnik, Bd. 2, S. 417, München: Hanser 1968.

Glanzkohlenstoff s. Graphit.

Glanzkupfer. Hochglänzende, elektrolyt. abgeschiedene *Kupfer-Überzüge auf metall. Werkstücken. Die *Glanz-Wirkung kann zum einen aus ästhet. Gründen erwünscht sein, zum anderen lassen sich auf derartigen Überzügen ohne zusätzlichen Polierschritt weitere Metalle (z. B. Ni, Cr) abscheiden. Voraussetzungen für den Glanzeffekt sind eine Einebnung der zu beschichtenden Oberfläche u. Glanzauswirkungen der verwendeten *Elektrolyte. Beides wird erreicht durch spezielle Elektrolyt-Zusätze, die den Glanz erhöhen, Polierfähigkeit sowie Makro- u. Mikrostreuung verbessern u. eine Einebnung von Oberflächenrauhheiten der Werkstückoberfläche bewirken. – *E* copper glance – *I* rame brillante – *S* cobre brillante

Lit.: Dettner u. Elze, Handbuch der Galvanotechnik, Bd. 2, S. 44 ff., 66 ff., München: Hanser 1968.

Glanzmittel. Sammelbez. für eine sehr heterogen zusammengesetzte Gruppe von Stoffen, die auf die Oberfläche der unterschiedlichsten Materialien aufgebracht werden, um auf diesen einen *Glanz zu erzeugen od. zu verstärken. – *E* gloss products – *F* produits brillanteurs, brillanteurs – *I* prodotti lucidi – *S* abrillantadores

Glanzpigmente. Nach DIN 55 944 (04/1990) Bez. für solche *Pigmente, deren opt. Wirkung auf der gerichteten *Reflexion an überwiegend flächig ausgebildeten u. ausgerichteten metall. (*Metalleffektpigment) od. stark lichtbrechenden transparenten Pigmentteilchen (*Perlglanzpigment) od. auf dem Phänomen der *Interferenz (*Interferenzpigment) beruht. – *E* lustrous pigments – *F* pigments brillants – *I* pigmenti lucidi – *S* pigmentos brillantes

Lit.: s. Anstrichstoffe u. die Textstichwörter.

Glanzsilber. Hochglänzende, elektrolyt. abgeschiedene *Silber-Überzüge auf metall. Werkstücken. Bei Silber kann durch bes. Zusätze zum Elektrolyten neben der *Glanz-Wirkung auch die Härte des Überzugs gesteigert werden. Dies ist für verschiedene Industriezweige von Bedeutung; s. a. Glanzkupfer. – *E* silver glance – *I* argento brillante – *S* plata brillante

Lit.: Dettner u. Elze, Handbuch der Galvanotechnik, Bd. 2, S. 406 ff., München: Hanser 1968.

Glanzwachs s. Fußbodenpflegemittel u. Selbstglanzpflegemittel.

Glanzwinkel s. Kristallstrukturanalyse.

Glanzzusätze s. Galvanotechnik u. einzelne Verf. zur Metallisierung von Gegenständen (vergolden, verzinken, verkupfern u. a.).

Glas. Unter G. versteht man allg. Stoffe im amorphen, nichtkrist. Festzustand. Der *Glaszustand läßt sich physikal.-chem. als eingefrorene unterkühlte Flüssigkeit bzw. Schmelze auffassen. Bei hinreichend großer Abkühlgeschw. einer Schmelze od. bei der Kondensation von Mol. aus der Dampfphase auf extrem gekühlte Substrate läßt sich prakt. jeder Stoff metastabil in den Glaszustand überführen. Im engeren Sinne wird G. definiert als anorgan. (zu den *organischen Gläsern, wie *Acrylglas, *Zellglas etc. s. die entsprechenden Textstichwörter), meist oxid. Schmelzprodukt, das durch einen Einfriervorgang ohne Auskrist. der Schmelzphasenkomponenten in den festen Zustand überführt wird. Die Temp. des Einfriervorgangs wird dabei zur Charakterisierung der G. herangezogen u. äußert sich z. B. als Änderung der therm. Ausdehnung bei der Abkühlung od. Erwärmung eines Glases. Die Temp., bei der diese Änderung auftritt, wird als *Glastemp.* od. *Transformationstemp.* T_g bezeichnet, wenn die Erwärmung mit einer Aufheizgeschw. von 5 K/min erfolgt an einer Glasprobe, die vorher aus der Schmelze mit 1 K/min angekühlt wurde (schemat. Darst. vgl. Abb. 1).

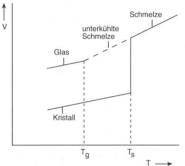

Abb. 1: Temperaturverlauf des Volumens V im schmelzflüssigen, glasigen u. kristallinen Zustand. T_g = Glas- bzw. Transformationstemp., T_s = Schmelztemp.; nach *Lit.*[1], S. 1689.

Bei der Transformationstemp. T_g haben die G. eine *Viskosität von ca. 10^{12} Pa s u. sind damit als „fest" anzusehen, d. h. sie verhalten sich unterhalb T_g wie *spröd-elast. (Hooksche) Körper.* Oberhalb T_g erweicht G. mit zunehmender Temp. je nach Zusammensetzung mehr od. weniger stark u. nimmt erst bei hohen Temp. Flüssigkeitsverhalten mit niedrigen Viskositäten ($<10^2$ Pa s) an.

Techn. Glas besteht aus abgekühlten Schmelzen von Siliciumdioxid (SiO_2), Calciumoxid (CaO), Natriumoxid (Na_2O) mit z. T. größeren Mengen von Bortrioxid (B_2O_3), Aluminiumoxid (Al_2O_3), Bleioxid (PbO), Magnesiumoxid (MgO), Bariumoxid (BaO), Kaliumoxid (K_2O) u. a. Zusätzen. Eine Übersicht über die Zusammensetzung einiger industriell hergestellter Glasarten gibt Tab. 1.

Mengenmäßig am bedeutendsten sind die Kalk-Natron-Silicat-G. zur Herst. von Massenartikeln aus *Flachglas* (Fensterscheiben, Autoscheiben etc.) u. *Hohlglas* (Behälterglas, Wirtschaftsglas, Glühlampenglas etc.). Die eigentlichen *Glasbildner* sind Siliciumdioxid, Bortrioxid u. auch Phosphorpentoxid (es gibt sogar reine *Phosphat-Gläser u. andere Silicat-

Tab. 1: Chemische Zusammensetzung einiger industriell hergestellter Gläser in Gew.%; nach Lit.[1], S. 1689.

Glasart	SiO_2	B_2O_3	Al_2O_3	PbO	CaO	MgO	BaO	Na_2O	K_2O
Flachglas (Fensterglas)	72	–	0,3	–	9	4	–	14	–
Behälterglas (Flaschenglas)	73	–	1,5	–	10	0,1	–	14	0,6
Wirtschaftsglas	75	–	1,5	–	8	–	–	14,5	0,5
Glühlampenglas	73	–	1	–	5	4	–	17	–
Fernsehkolbenglas	67	–	4	–	–	–	13	8	8
Laborgeräteglas	81	13	2	–	–	–	–	4	–
Bleikristallglas	60	1	–	24	–	–	1	1	13
Faserglas (E-Glas)	54	10	14	–	17,5	4,5	–	–	–

freie G.). Die Alkalioxide dienen als *Flußmittel u. werden in Form von Carbonaten, Nitraten od. Sulfaten eingesetzt. Durch die Erdalkalioxide wird Stabilität u. Beständigkeit erzielt, das Bleioxid ergibt außerdem einen hohen Brechungsindex (*Bleikrist., opt. G.*). Werden nur Siliciumdioxid u. Alkalioxide zusammengeschmolzen, erhält man wasserlösl. *Wasserglas. Hauptrohstoffe für die Herst. von G. sind Quarz(sand), Soda u. Kalkstein, Marmor od. Kalkmergel. Die Korngröße soll möglichst einheitlich sein u. im Größenbereich von 0,5–0,05 mm liegen zur Erzielung möglichst homogener Gemenge. Einen weiteren wichtigen Rohstoff bildet *Altglas. G. gehört zu den Werkstoffen, die nahezu unbegrenzt wiederverwendet werden können. In der Produktion anfallender G.-Abfall wird seit jeher in den Herstellungsprozeß zurückgeführt. Der Zusatz bestimmter Mengen gemahlener Scherben zum Rohstoffgemenge optimiert das Schmelzverhalten. Seit etwa 1973 wurde in der BRD ein nahezu flächendeckendes Syst. von Altglassammelstellen aufgebaut. Seitdem erhöhte sich die Menge des in den Produktionsprozeß rückgeführten Altglases von 0,15 Mio. t in 1974 über 1,8 Mio. t 1990 (alte BRD) auf ca. 2,8 Mio. t in 1995. Die *Recycling-Quote (Recyclingmenge bezogen auf den Behälterglas-Inlandsabsatz) stieg von 6,5% in 1974 über 50% in 1988 auf ca. 75% in 1995 [2,3]. Hiermit werden nicht nur erhebliche Beiträge zur Entlastung der bekanntlich krit. Situation der *Müll-Entsorgung geleistet, sondern auch die Rohstoff-Ressourcen werden geschont u. Energie eingespart, da für die Verarbeitung von Altglas ca. 40% weniger Energie verbraucht wird als bei der Produktion von G. aus den Rohstoffen. Verfahrensverbesserungen in der Altglasaufbereitung (Glasvermahlung) verspre-

chen mit höheren Reinheitsgraden den steigenden Anforderungen an das aufbereitete Altglas gerecht zu werden [4].

Die Anforderungen an die Reinheit der Rohstoffe sind unterschiedlich je nach den Qualitätsanforderungen der herzustellenden Glasart. So sind z. B. die Gehalte an Eisenoxid gemäß Tab. 2 limitiert.

Tab. 2: Maximal tolerierbarer Fe_2O_3-Gehalt einiger Glasarten (Lit.[5], S. 28; Lit.[6], S. 660).

Glasart	Fe_2O_3 [Gew.%]
grünes Flaschenglas	0,50–1,0
Flachglas	0,03–0,07
Wirtschaftsglas	0,025
Bleikristall	0,014
optische Gläser	0,001 (=10 ppm)
optische Glasfaser	10^{-7} (=1 ppb)

Herst.: Die Herst. von G. erfolgt in mehreren Stufen. Eine schemat. Übersicht über den technolog. Ablauf der G.-Herst. gibt Abb. 2.

Die Rohstoffe werden rezepturgerecht dosiert u. intensiv gemischt dem Schmelzprozeß zugeführt. Das „Einlegen" der aufbereiteten Rohstoffgemenge erfolgt bei den diskontinuierlich betriebenen *Hafenöfen* bzw. *Büttenöfen* (Fassungsvermögen 50–400 L pro Hafen, Ofenfüllung 8–12 Häfen) manuell u. bei den überwiegend kontinuierlich laufenden *Wannenöfen* (Fassungsvermögen bis >1000 t, bis zu 30 m Länge bei bis zu 11 m Breite u. bis zu 1,6 m Tiefe) durch Einlegemaschinen. Schemazeichnungen eines Büttenofens u. einer Hohlglas-Schmelzwanne (ölbeheizte Querbrennerwanne) finden sich in Lit.[7]. Die Schmelz-Häfen u. -Wannen sind aus *Feuerfestmaterialien hergestellt

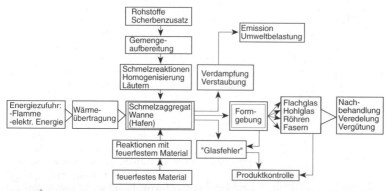

Abb. 2: Übersicht über den technologischen Ablauf der Glas-Herstellung; nach Lit.[5], S. 22.

bzw. mit Feuerfest-Steinen ausgekleidet. Die Auswahl dieser Materialien wird bestimmt durch die jeweilige Gemengeart bzw. Glassorte, um unerwünschte Reaktionen mit dem Wandmaterial zu vermeiden, die zu „Glasfehlern" führen können. Während heute die Hafen- bzw. Büttenöfen nur noch zur Herst. von Farb- u. Spezialgläsern sowie in den kunsthandwerklichen Glasbläsereien betrieben werden, dienen die Wannenöfen zur Produktion der Hohlglas- u. Flachglas-Massenprodukte. Die Beheizung der Schmelzöfen erfolgt üblicherweise mittels Heizöl, Erdgas u./od. elektr. Strom. Der Brennstoffverbrauch der dtsch. G.-Ind. (BRD) der Jahre 1970 bis 1990 ist in Tab. 3 dargestellt. Wie ersichtlich, wurde das Heizöl als Energieträger immer mehr von den sauberen u. leichter zu handhabenden Energieformen Gas u. Strom verdrängt.

Tab. 3: Brennstoffverbrauch der deutschen Glasindustrie (alte BRD); nach Lit.[7], S. 123; Lit.[8], S. N 69.

Jahr	Heizölverbrauch [10^3 t]	Gasverbrauch [10^6 m^3]	Stromverbrauch [10^6 kWh]
1970	1068	868	1470
1980	664	853	2180
1990	343	971	3154

Der Brennstoffverbrauch, bezogen auf die Menge erschmolzenen G., ist abhängig von der Ofengröße, seiner Belastung u. der herzustellenden Glasart. In Tab. 4 ist der spezif. Wärmeverbrauch in kJ/kg G. für verschiedene Ofenkonstruktionen aufgeführt.

Tab. 4: Spezifischer Wärmeverbrauch verschiedener Glasschmelzöfen; nach Lit.[7], S. 123.

Ofen	Wärmeverbrauch [kJ/kg Glas]
Flachglaswanne (Floatglas)	5 500– 7 000
Gußglaswanne	5 500– 6 500
Weißhohlglaswanne	4 500– 5 500
Tageswanne	12 500–20 000
Hafenofen	14 500–30 000

Durch Wärmerückführungs- u. Rückgewinnungssyst. wird versucht, eine möglichst optimale Energieausnutzung zu erzielen. Auch die Abgasreinigung der Glasschmelzöfen wurde intensiv bearbeitet. Während die Probleme der *Entstaubung bereits seit 1986 als weitestgehend gelöst gelten können, sind zur Minderung der NO$_x$-*Emission einige Verf. noch in der Erprobungsphase. Einen Überblick über die neueste Lit. zum Stand der Entwicklung gibt Lit.[9].
Der Schmelzvorgang verläuft in verschiedenen Phasen, in denen chem. Reaktionen u. physikal. Vorgänge z. T. nebeneinander ablaufen. Mit steigender Temp. erfolgen Festkörperreaktionen im Bereich der Kornkontakte mit CO_2-Entwicklung, Entweichen von H_2O aus der Rohstoff-Feuchte od. gebundenem Hydrat-Wasser, Bildung carbonat. Schmelzen, die die Quarzkörner umhüllen, Zersetzungsreaktionen mit Gasbildung (CO_2, bei Anwesenheit von Sulfaten auch SO_2), Lösungsreaktionen der carbonat. Schmelzen mit den Quarzkörnern unter Bildung der silicat. Schmelzen u. weiterer CO_2-Abspaltung. Bei Temp. von ca. 800–1100 °C ist die Bildung der Silicat-Schmelzen im wesentlichen abgeschlossen; diese Phase wird als *Rauhschmelze* bezeichnet.
Ihr schließt sich die Phase der *Läuterung* u. *Homogenisierung* an. Die stark schlierige u. blasenhaltige Glasschmelze wird weiter erhitzt, ggf. mechan. durch Rührorgane u./od. durch Gaseinleitung durch den Wannenboden (sog. *bubbling*) zusätzlich durchmischt u. mit *Läuterungsmitteln* behandelt. Der Zusatz von ca. 0,2 Gew.% von z. B. Na_2SO_4, As_2O_5, bei hochschmelzenden Borosilicat-G. auch NaCl, bewirkt bei Temp. von >1200 bis 1550 °C eine Entgasung u. zusätzliche Durchmischung der Schmelze. Früher wurden während dieser Phase auf der Oberfläche der Schmelze schwimmende grobe Verunreinigungen mechan. entfernt (histor. Begriff „*Abfeimen*").
Auf die *Läuterung* u. *Homogenisierung* folgt die Phase des *Abstehens*, die streng genommen nicht mehr zur Glasbildung gehört, jedoch im Schmelzofen stattfindet u. daher dem Schmelzvorgang zugerechnet wird. Hierbei kühlt die Glasschmelze auf die für die Weiterverarbeitung, die *Formgebung*, erforderliche Temp. von ca. 1200–900 °C ab. Die Schmelzleistung der Glasschmelzaggregate ist abhängig von ihrer Konstruktion u. Größe sowie von der herzustellenden G.-Art bzw. von den zur Erzielung der geforderten Qualitäten notwendigen Verweilzeiten in den einzelnen Schmelzphasen, insbes. bei der *Läuterung*. Die Leistungen reichen von ca. 1–8 t/d bei Hafen- u. Büttenöfen bis zu ca. 900 t/d bei Wannenöfen.
Formgebung: Die formgebende Weiterverarbeitung der Glasschmelze erfolgt für *Flachglas* durch Gießen, Walzen, Ziehen od. Floaten. Beim heutigen *Gußglas-Verf.* wird die Glasschmelze auf ein Walzenpaar gegossen u. das sich bildende Band dem Kühlofen zugeführt. Durch Einlegen von Drahtgewebe erhält man *Drahtglas*, bei Verw. entsprechender Form- u. Prägewalzen wird *Ornamentglas* erzielt. In Lit.[7] ist die Herst. von Gußglas nach dem Fließ-Verf. bildlich dargestellt.
Mit dem Guß-Verf. wird auch farbiges *Dallglas hergestellt in einer Palette von mehr als 100 Farben. Es dient z. B. zur Gestaltung von Kirchenfenstern.
Verf. zum *Ziehen* von Flachglas wurden erst zu Beginn des 20. Jh. erfunden. Das nach seinem Erfinder, dem Belgier E. Fourcault, benannte erste Verf. dieser Art wird seit etwa 1914 betrieben. Beim *Fourcault-Verf.* wird die Glasmasse durch eine in die Schmelze eintauchende Schlitzdüse in Bandform senkrecht nach oben gezogen. Bei dem etwas später vom Amerikaner Colburn entwickelten *Libby-Owens-Verf.* (etwa seit 1917) wird das G. ohne Düse direkt aus der Wanne gezogen u. nach Umlenkung waagerecht weitergeführt. Das etwa 1928 eingeführte *Pittsburgh-Verf.* stellte eine Weiterentwicklung beider vorerwähnter Verf. dar mit merklich höheren Leistungen. Durch diese Zieh-Verf. wurde die Massenproduktion preiswerten Flachglases, z. B. für Fensterscheiben, möglich.
Für die Herst. von *Spiegelglas* mit seinem hohen Anspruch an Planparallelität u. Oberflächenbeschaffenheit mußte bis vor ca. 35 Jahren der eigentlichen Flachglas-Herst. noch das aufwendige Schleifen u. Polieren nachgeschaltet werden.

Bei dem in der zweiten Hälfte der 50er Jahre in England entwickelten *Floatglas-(Pilkington-)Verf.* wird die Glasschmelze auf ein Bett flüssigen Zinns aufgegossen u. ausgezogen. Schemat. Darst. von *Fourcault-* u. *Floatglas-*Verf. finden sich in *Lit.*[7]. Durch Oberflächenspannungseffekte erzielt man beim Floatglas-Verf. eine hervorragende Oberflächenbeschaffenheit bei guter Planparallelität. Zur Vermeidung der Bildung störender Zinnoxide auf der Badoberfläche wird unter reduzierendem Schutzgas (meist 90% N_2 u. 10% H_2) gearbeitet. Abb. 3 zeigt schemat. die Vorteile des Floatglas-Verf. gegenüber der vorher üblichen Spiegelglas-Herstellung.

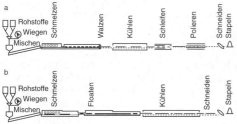

Abb. 3: Spiegelglas-Herstellung; nach *Lit.*[5], S. 199. a) Walzverf. mit kontinuierlichem Schleifen u. Polieren (Twin-Verf.); b) Floatverfahren.

Die Zinn-Bäder haben Dimensionen von 4–8 m Breite u. bis zu 60 m Länge. Die Anlagen werden vollautomat. u. ausgezogen. Die Leistungen bis zu ca. 3000 m^2/h betrieben. Seit seiner Einführung hat das *Floatglas-Verf.* auch zur Herst. von Fensterglas etc. die bislang üblichen *Libby-Owens-* u. *Pittsburgh-Verf.* prakt. völlig abgelöst; lediglich Flachglasplatten unter 1 mm Dicke werden teilw. noch nach dem *Fourcault-Verf.* hergestellt.

Für *Hohlglas* erfolgt die *Formgebung* durch Blasen, Pressen od. Schleudern. Die Technik des *Glasblasens* mittels *Glasmacherpfeife* (*Glasbläserpfeife*) ist seit über 2000 Jahren bekannt u. wird heute noch angewendet zur Herst. hochwertiger Wirtschaftsgläser (z.B. „mundgeblasene Kelchgläser"), komplizierter Apparaturen für Technik u. Medizin, G.-Hohlkörpern in geringen Stückzahlen sowie in den kunsthandwerklichen Glasbläsereien. Für Hohlglasartikel in großen Stückzahlen werden überwiegend vollautomat. laufende Anlagen eingesetzt. Der Formvorgang läuft dabei meist in zwei Stufen ab: In der ersten Stufe wird die erforderliche Menge der Glasschmelze in die Vorform eingespeist u. ein „*Külbel*" (vorgeformtes Hohlglasteil) gebildet u. nach Übergabe in die Fertigform ausgeformt. Bildliche Darst. eines Blas-Blas- sowie eines Preß-Blas-Verf. finden sich in *Lit.*[7]. Bei dem *Schleuder-Verf.* wird die Glasschmelze durch Fliehkraft bei hohen Drehzahlen an die Formwand gepreßt, z.B. zur Herst. der asymmetr. Trichter von Fernseh-Bildröhren.

Dem nach der eigentlichen Formgebung erfolgenden *Abkühlvorgang* kommt für alle Verf. u. G.-Arten bes. Bedeutung zu: Kühlt das Glas zu langsam ab, kann *Entglasung* erfolgen (Eintrübung infolge Bildung feiner Kristallite aus z.B. *Cristobalit*, *Wollastonit* u. Natriumdisilicat). Bei zu schneller Abkühlung können unerwünschte Spannungen entstehen.

Durch gezielte Erzeugung von Druckspannungen in der Oberfläche u. Zugspannungen im Glas-Inneren (*Vorspannen*) kann die mechan. Widerstandsfähigkeit des Glases merklich erhöht werden. Beim Überschreiten der erhöhten Belastungsgrenze zerbrechen diese G. in eine Vielzahl kleiner u. kleinster Teilchen (*Sicherheitsglas*). Dieses Phänomen ist in Form der *Bologneser Flasche* bereits seit langem bekannt (dickwandige kugelförmige Glasflasche, nach dem Blasen durch Eintauchen in Öl abgeschreckt, recht stabil z.B. gegen Hammerschläge, zerspringt beim Anritzen in feinste Teilchen). Das *Vorspannen* läßt sich mit therm. u. chem. Meth. erzielen (vgl. Tab. 5).

Tab. 5: Thermische u. chemische Verfahren zum Vorspannen von Gläsern; nach *Lit.*[6], S. 663.

therm. Vorspannen (überwiegend für Flachglas)	chem. Vorspannen (für Flachglas u. Hohlglas)
Abschrecken in Luft Abschrecken in Flüssigkeiten	Oberflächenveränderung oberhalb T_g (Erniedrigung des therm. Ausdehnungskoeffizienten der Oberfläche) – Beschichtung mit Glas geringerer thermischer Ausdehnung – Ionen-Austausch – Ionen-Austausch/Kristallisation – Entalkalisierung – Oberflächenveränderung unterhalb T_g („ion stuffing") Ionen-Austausch Elektrolyse

Durch künstlich erzeugte Sprünge in der Glasoberfläche u. nachträgliches Überschmelzen lassen sich dekorative Oberflächenstrukturen erzeugen (*Craquelée-*, *Eis-Glas*).

Das *Vorspannen* gehört wie das nachträgliche Verformen (z.B. Biegen u. Wölben für Autoscheiben) sowie die *Beschichtung* u. das *Vergüten* zum Gesamtgebiet der *Glasbearbeitung* u. *-veredelung*. In Tab. 6 sind einige Meth. der G.-Beschichtung aufgeführt.

Tab. 6: Verfahren zur Beschichtung von Glasoberflächen; nach *Lit.*[6], S. 664.

Additive Verfahren	Subtraktive Verfahren
Vakuumbeschichtung – Aufdampfen – Kathodenzerstäubung („Sputtern") Beschichtung durch Gasphasenreaktion – „Chemical Vapor Depositon" (CVD) – Sprüh-Verf. Beschichtung durch flüssige Medien – Tauch-Verfahren (Sol-Gel-Verf.) – stromlose Metallisierung	Ionen-Austausch – Reaktion mit wäss. Lsg. – Reaktion mit Salz-Schmelzen – Reaktion mit aggressiven Gasen Elektrotransport – Salz-Schmelzen – Metall-Schmelzen Ionen-Implantation

Weitere Glasarten u. ihre Verw.: Aus der großen Fülle verschiedener G.-Arten sollen im Folgenden einige weitere näher behandelt werden. *Farbgläser* werden erzeugt durch geringfügige Zusätze von Metalloxiden, wobei der Einbau der Metall-Ionen in das Glasgefüge die Farbwirkung hervorruft (vgl. Tab. 7).

Tab. 7: Glasfärbung durch Metall-Ionen; nach *Lit.*[11], S. 34.

Kupfer	(Cu^{2+}):	schwach blau
Chrom	(Cr^{3+}):	grün
	(Cr^{6+}):	gelb
Mangan	(Mn^{3+}):	violett
Eisen	(Fe^{3+}):	gelb-braun
	(Fe^{2+}):	blau-grün
Kobalt	(Co^{2+}):	intensiv blau, in Boratgläsern rosa
	(Co^{3+}):	grün
Nickel	(Ni^{2+}):	je nach Glasmatrix grau-braun, gelb, grün blau bis violett
Vanadium	(V^{3+}):	in Silicatglas grün, in Boratglas braun
Titan	(Ti^{3+}):	violett (reduzierend geschmolzen)
Neodym	(Nd^{3+}):	rot-violett
Praseodym	(Pr^{3+}):	schwach grün

Die *Entfärbung* eines durch Rohstoffverunreinigung hervorgerufenen unerwünschten Grüntons (Fe^{2+}/Fe^{3+}) kann erzielt werden durch Zusatz von Mangandioxid (*Glasmacherseife*). Dabei wird zunächst das Fe^{2+} zu Fe^{3+} oxidiert unter Red. des Mn^{4+} zu Mn^{3+}, dessen violette Färbung als Komplementärfarbe die Gelbfärbung des Fe^{3+} aufhebt. Intensiv gelbe, orange u. rote Färbungen können erzielt werden durch Red. zugesetzter Edelmetall-Salze u. dadurch ausgeschiedene Edelmetalle in kolloider Verteilung („*Anlaufgläser*", am bekanntesten das *Goldrubinglas*). Auch durch Oberflächenbeschichtung lassen sich Farbgläser erzeugen (z. B. *Sonnenschutzgläser*).

Mattglas wird erzeugt durch *Sandstrahlen der Glasoberfläche od. chem. durch Anätzen mit *Flußsäure.

Milchglas (Opalglas, Opakglas, Trübglas) erhält man durch Zusatz von *Trübungsmitteln zur Glasmasse; heute werden hierfür meist Aluminiumphosphate in Kombination mit Bariumcarbonat eingesetzt.

Unter *Geräteglas* versteht man die große Gruppe der *Borosilicat-Gläser, die sich durch gute Temperaturwechsel- u. Chemikalien-Beständigkeit auszeichnen. Wesentliche Impulse für die Entwicklung dieser G. gingen von F. O. *Schott aus, der gemeinsam mit *Abbe u. *Zeiss im Jahre 1884 das Jenaer Glaswerk Schott & Gen. gründete (seit 1952 als Schott-Glaswerke in Mainz ansässig). Außer zur Herst. von Glasgeräten für Labor, Technik u. Produktion in Chemie, Pharmazie u. Medizin haben die Borosilicat-Gläser breite Anw. gefunden für hitzefeste Haushaltsartikel (z. B. Duran®, früher bekannt unter der allg. Bez. „*Jenaer Glas*"). Dem Geräteglas kann auch reines SiO_2-G. (*Quarzglas, Kieselglas) zugeordnet werden, das sich durch bes. hohe Temp.-Wechselbeständigkeit u. chem. Widerstandsfähigkeit sowie gute Durchlässigkeit für *UV-Licht auszeichnet.

*Glaskeramik entsteht durch gezielte Kristallit-Bildung (Entglasung) in geeigneten Glassyst. (Näheres s. Glaskeramik).

Unter *Kristallglas* versteht man G.-Arten mit erhöhtem Lichtbrechungsvermögen, hervorgerufen durch BaO, ZnO od. PbO anstelle von CaO sowie K_2O anstelle von Na_2O in der Glasmasse. Es werden folgende Typen unterschieden (gemäß Euronormung): 1. „*Kristallglas*": Gehalt an PbO, BaO, ZnO od. K_2O allein od. zusammen min. 10%, D. mind. 2,45 u. Brechungsindex n_D (gemessen für die gelbe Natrium-Linie) mind. 1,520; – 2. „*Preßbleikristall*": Gehalt an PbO mind. 18%, D. mind. 2,70 u. n_D mind. 1,520 (nur in der BRD zugelassen); – 3. „*Bleikristall*": Gehalt an PbO mind. 24%, D. mind. 2,90 u. n_D mind. 1,545; – 4. „*Hochbleikristall*": Gehalt an PbO mind. 30%, D. mind. 3,00 u. n_D mind. 1,545. Verw. für hochwertige Haushaltsartikel sowie für Bijouterie- u. Schmuckwaren (z. B. *Straß* als Edelsteinimitat).

*Optische Gläser werden grob eingeteilt in *Flint- u. *Krongläser, wobei unabhängig von ihrer chem. Zusammensetzung charakterisiert wird nach den opt. Eigenschaften Brechungsindex n_d (gemessen für die gelbe Helium-Linie) sowie *Dispersion $n_F - n_C$ (Brechungsunterschied für die blaue u. rote Wasserstofflinie), ausgedrückt durch die *Abbe*sche Zahl $\frac{n_d - 1}{n_F - n_C}$.

Die Flintgläser mit relativ hoher Dispersion weisen dabei *Abbe*sche Zahlen von etwa 20 bis zu 50 auf, u. die Krongläser mit relativ niedriger Dispersion liegen bei Abbeschen Zahlen von 50 bis ca. 90. Den einzelnen Glastypen sind bestimmte Kennbuchstaben zugeordnet (vgl. Abb. 4).

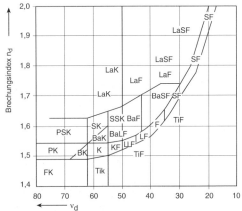

Abb. 4: n_d/v_d-Diagramm für Flint- u. Krongläser; nach *Lit.*[7], S. 108. FK Fluorkrone, PK Phosphatkrone, PSK Phosphatschwerkrone, BK Borkrone, BaLK Barytleichtkrone, K Krone, ZK Zinkkrone, BaK Barytkrone, SK Schwerkrone, KF Kronflinte, BaLF Barytleichtflinte, SSK Schwerstkrone, LaK Lanthankrone, LLF Doppelleichtflinte, BaF Barytflinte, LF Leichtflinte, F Flinte, BaSF Barytschwerflinte, LaF Lanthanflinte, LaSF Lanthanschwerflinte, SF Schwerflinte, TiF Tiefflinte, TiK Tiefkrone, KzFS Kurzflintsondergläser.

In Tab. 8 sind die Zusammensetzungen einiger Kronglas- u. Flintgläser aufgeführt.

Tab. 8: Zusammensetzung einiger optischer Gläser (ca. %; genaue Analysendaten nicht vollständig verfügbar); nach *Lit.*[7], S. 150.

	Fluorkron	Borkron	Lanthankron	Schwerflint
SiO_2	54,8	69,6	–	35,1
B_2O_3	18,7	6,7	37	–
K_2O	20,3	20,5	–	2,8
CaO	–	2,9	–	0,1
BaO	–	–	14	–
PbO	–	–	–	61,8
Al_2O_3	0,3	3	–	0,1
SrO	–	–	6	–
La_2O_3	–	–	20	–
ThO_2	–	–	20	–

Auch für die opt. G. stammen grundlegende Entwicklungsarbeiten von F. O. Schott (s. oben).
An die Reinheit der Rohstoffe sowie an die Herstell-Verf. werden bei opt. G. bes. hohe Anforderungen gestellt. Oft wird außerdem durch *Entspiegeln* vergütet. Dabei werden überwiegend durch Bedampfen im Vak. dünne Beläge fluorid. od. oxid. *Interferenz-Schichten aufgebracht, ggf. als Mehrfach-Schichten. Verw. für Brillengläser, *Linsen, *Prismen u. dgl. in opt. Geräten, Kameras, Mikroskopen etc.
Zu den opt. Spezialgläsern gehören die phototropen Brillengläser, bei denen sich die Lichtdurchlässigkeit im sichtbaren Spektralbereich vermindert bei Bestrahlung mit UV- od. kurzwelligem sichtbaren Licht; nach Beendigung der Belichtung geht sie nach kurzer Zeit wieder auf den Ausgangswert zurück (vgl. Abb. 5).

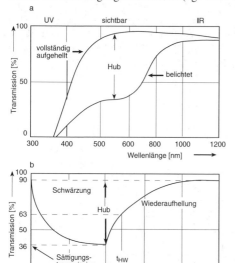

Abb. 5: Phototropes Brillenglas: a) Spektrale Durchlässigkeit im belichteten u. aufgehellten Zustand; b) Schwärzung u. Wiederaufhellung; nach *Lit.*[10], S. 133.

Dieser Effekt wird hervorgerufen durch Silberhalogenid-haltige glasige od. krist. Ausscheidungen submikroskop. Größe (Durchmesser ca. 5–30 nm, Konz. ca. 1:2000).
Für die *Kerntechnik* wurden *Strahlenschutzgläser* mit bes. gutem Absorptionsvermögen für radioaktive Strahlung entwickelt (hoch-PbO-haltig). Gegen die Neigung zur Verfärbung unter Einwirkung von α- od. β-Strahlung werden sie mit ca. 0,5% Ceroxid stabilisiert.
Mit *E-Glas* werden alkalifreie Borosilicat-G. bezeichnet, die wegen der Abwesenheit von Alkalimetall-Ionen eine bes. niedrige elektr. Leitfähigkeit besitzen. Verw. für elektrotechn. Zwecke sowie zur Herst. von *Glasfasern. Einschmelzgläser* erfordern einen möglichst gleichen Wärmeausdehnungskoeff. wie das einzuschmelzende Metall bzw. die *Einschmelzlegierungen*. Verw. in Glühlampen, Blitzlampen, *Glaselektroden u. vielen weiteren Anw. in Elektrotechnik u. Elektronik.
Glaslote (s. dort) sind bes. leicht schmelzende Gläser u. dienen zum Verbinden von Glasteilen.
Schaumglas (s. dort) wird erzeugt durch Einblasen von Gasen in die Glasschmelze u./od. Zusatz geeigneter gasabspaltender *Blähmittel u. wird verwendet als *Dämmstoff gegen Kälte, Wärme u. Schall.
Unter *Verbundglas* werden „Mehrscheiben-*Sicherheitsgläser" verstanden, aufgebaut aus zwei od. mehr Scheiben (in der Regel aus *Floatglas*), verbunden durch zähelast. Zwischenschichten aus Kunststoff (s. Sicherheitsglas).
Neuerdings wird G. auch verwendet als Einschlußmaterial zur Entsorgung u. Endlagerung *radioaktiver Abfälle. Hierfür wurden der *AMV-Prozeß* sowie das *Pamela-Verf.* entwickelt, bei denen hochradioaktive Spalt- u. Abfallprodukte in Borosilicat-G. bestimmter Zusammensetzung eingeglast u. endlagerfähig konfektioniert werden (vgl. *Lit.*[11]).
Geschichte: Das älteste heute bekannte G.-Rezept stammt aus dem 7. Jh. v. Chr. Doch wurden die ersten G. wahrscheinlich schon um 3400 v. Chr. von den Ägyptern hergestellt. Primitive Glasuren gab es in Ägypten u. Mesopotamien schon im 5. Jahrtausend v. Chr. Die Glasfabrikation in großem Stil setzte in Ägypten etwa um 1370 v. Chr. ein. Alexandria war im Altertum lange Zeit das Zentrum des mittelmeer. Glashandels. Auch die Sumerer im Bereich des heutigen Irak stellten schon um 4000–3000 v. Chr. glasierte Tonwaren u. wahrscheinlich auch Gläser her; sichere Funde von Cobalt-Gläsern gehen hier auf das 17. Jh. v. Chr. zurück. Von Ägypten kam die Kunst der Glasbereitung etwa um 200 v. Chr. zu den Phöniziern od. Syrern bei Sidon, welche die *Glasmacherpfeife* entwickelten.
Im Mittelalter waren bes. Byzanz u. Venedig (13. Jh.) Zentren der Glaserkunst. In Deutschland erstanden in den böhm. u. bayr. Wäldern schon im 10. Jh. n. Chr. viele Glashütten, in denen ein schwer schmelzbares, etwas grünliches G. erschmolzen wurde. Viele Wald- u. Ortsnamen erinnern noch heute an dieses alte Gewerbe, so z. B. Glaswald, Altglashütten, Glashalde, Glasendorf, Gläsendorf, Glasberg, Glashütte usw. Diese alten Glaswerkstätten wurden hauptsächlich in waldreichen Gebirgsgegenden erstellt, weil man damals noch keine billigen Soda-Gewinnungsverf. kannte u. an Stelle der Soda die aus niedergebrannten Waldbäumen erhaltene Pottasche (K_2CO_3) zusammen mit Quarzsand u. Kalk zu Glas schmolz. Da Holz nicht viel Pottasche liefert, blieb der Preis des G. im Mittelalter ziemlich hoch; man verwendete G. damals fast nur zu Kirchenfenstern, Schmuckgegenständen, Trinkgeräten od. Salben- bzw. Arzneiflaschen. Zu einem preiswerten Massenprodukt wurde das G. erst, als man zu Beginn des 19. Jh. das Le-Blanc-Verf. zur Herst. von Soda erfunden hatte. Heute sind die kleinen Glashütten meist verschwunden; an deren Stelle traten große Glasfabriken an wichtigen Verkehrsstraßen in der Nähe von Kalk- u. Sandlagern, da die Transportkosten für die Hauptrohstoffe einen erheblichen Kostenfaktor darstellen.

Wirtschaft: Von der G.-Ind. der BRD wurden 1994 mit 70 470 Beschäftigten ein Umsatz von knapp 14 Mrd. DM erzielt mit einem Produktionsvol. im Wert von ca. 13,8 Mrd. DM (Einzelheiten vgl. Tab. 9 u. 10).

Tab. 9: Glas- u. Mineralfaser-Industrie der BRD in Zahlen für 1993 u. 1994; nach *Lit.*[12].

Erhebungsmerkmal	1993	1994	Veränderung in %
Anzahl der Unternehmen	366	362	–1,1
Anzahl der Beschäftigten	74 273	70 470	–5,1
Umsatz in Mio. DM	13 117	13 880	+5,2
Produktionswert in Mio. DM	13 199	13 839	+4,8

Tab. 10: Glas- u. Mineralfaser-Produktion in der BRD nach Haupterzeugnisgruppen in Mio. DM für 1993 u. 1994; nach *Lit.*[12].

Haupterzeugnisgruppen	1993	1994	Veränderung in %
Behälterglas	2 821	3 005	+6,5
Flachglas[1)]	1 071	1 219	+13,8
Gebrauchs- u. Spezialglas	1 071	1 310	+22,3
Glasbearbeitung u. -veredelung[2)]	4 879	5 005	+2,6
Kristall- u. Wirtschaftsglas	1 151	1 169	+1,6
Mineralfasern	2 206	2 121	–3,9
Insgesamt	13 199	13 839	+4,8

[1)] Nur die zum direkten Absatz bestimmte Basisglasproduktion, ohne Veredelung zu Flachglasprodukten, aber einschließlich Spezialflachglas.

[2)] Einschließlich der Flachglasveredelung (Isolierglas, Sicherheitsglas, Spiegel usw.)

– *E* glass – *F* verre – *I* vetro – *S* vidrio

Lit.: [1] Enzyklopädie Naturwissenschaft u. Technik, München: Verl. Moderne Ind. 1980. [2] Glastechn. Ber. Glass Sci. Technol. **67**, Nr. 6, N 59 – N 63 (1994). [3] Jahresbericht 1995, S. 16, Düsseldorf: Bundesverband Glasindustrie u. Mineralfaserindustrie 1996. [4] Glastechn. Ber. Glass Sci. Technol. **68**, Nr. 5, N 63 – N 69 (1995). [5] Schaeffer, Allgemeine Technologie des Glases, Erlangen: Institut für Werkstoffeigenschaften III, Universität Erlangen-Nürnberg 1985. [6] Radex-Rundsch. **1988**, Nr. 4, 657 – 668. [7] Winnacker-Küchler (4.) **3**, 98 – 158. [8] Glastechn. Ber. **59**, Nr. 12, 333 – 343 (1986). [9] Glastechn. Ber. Glass Sci. Technol. **69**, Nr. 1, N 18 (1996). [10] Pfaender, Schott-Glas-Lexikon, München: mvg Moderne Verl. GmbH 1980. [11] Winnacker-Küchler (4.) **3**, 517 f. [12] Glastechn. Ber. Glass Sci. Technol. **68**, Nr. 9, N 198 (1995).
allg.: Kirk-Othmer (3.) **11**, 807 – 880; (4.) **12**, 555 – 626 ▪ Nölle, Technik der Glasherstellung (3. Aufl.), Leipzig: Dtsch. Verl. für Grundstoffind. 1994 ▪ Scholze, Glas: Struktur, Natur, Eigenschaften (3. Aufl.), Berlin: Springer 1988 ▪ Ullmann (4.) **12**, 317 – 366; (5.) A **12**, 365 – 432. – *Zeitschriften:* Glastechnische Berichte, seit 1994 Glastechn. Ber. Glass Sci. Technol., Frankfurt: Deutsche Glastechnische Gesellschaft ▪ Glass Technology, Sheffield: Society of Glass Technology ▪ Journal of Non-Cristalline Solids, Amsterdam: North-Holland/Elseviers ▪ Physics and Chemistry of Glasses, Sheffield: Society of Glass Technology. – *Organisationen:* Berufsgenossenschaft der Keramischen u. Glasindustrie, 97070 Würzburg ▪ Bundesverband Glasindustrie, 40210 Düsseldorf ▪ Deutsche Glastechnische Gesellschaft (DGG) 60325 Frankfurt ▪ Fachverband Glasrecycling (FGR), 50674 Köln ▪ Forschungsgemeinschaft für Technisches Glas, 97877 Wertheim ▪ Hüttentechnische Vereinigung der Deutschen Glasindustrie (HVG), 60325 Frankfurt ▪ Union Scientifique Continentale du Verre (USCV), 10 bd. Defontaine, B-6000 Charleroi.

Glasätzen s. Ätzen, Glas u. Glasarbeiten.

Glasätztinten s. Glastinten.

Glasarbeiten. Die meisten Laborgeräte bestehen aus *Glas. Die Kenntnis der wichtigsten Grundzüge der Glasbehandlung u. -bearbeitung ist für den Chemiker u. verwandte Berufe sehr erwünscht. Im folgenden sollen deshalb in Auslese die wichtigsten G., die man ggf. ohne Inanspruchnahme eines Glasbläsers vornehmen kann, kurz besprochen werden. Nützliche Hinweise liefern auch die bei *Experimentierbücher u. *Laboratorium aufgeführten Werke.
Reinigung von Glas: Reagenzgläser, Bechergläser, Erlenmeyerkolben, Glasröhren usw. werden heute in den Laboratorien meist mit automat. arbeitenden Spülmaschinen gereinigt, wobei darauf zu achten ist, daß durch Vorspülen mit Wasser, Säuren u. Laugen bzw. mit geeigneten Lsm. feste Rückstände entfernt werden. Anorgan. Stoffe lassen sich oft schon mit heißem Wasser, ggf. unter Verw. der Gläserbürste, verd. od. konz. Salzsäure, käuflichen Scheuermitteln, Geschirrspülmitteln usw. herauslösen. In Wasser unlösl. organ. Rückstände können oft mit organ. Lsm., *Chromschwefelsäure, im Handel erhältlichen festen bzw. flüssigen Reinigungsmitteln u. a. entfernt werden. Zum Trocknen werden die zum Schluß mit dest. Wasser ausgespülten Geräte auf einen Trockenständer (Mündung nach unten) gestellt. Rascheres Trocknen wird durch Wärmeanw. (Trockenschrank, Vorsicht bei geeichten Geräten), durch Ausspülen mit Aceton, Ethanol usw. bzw. durch Ausblasen mit Druckluft erreicht.
Glasschneiden: Man verwendet bei Glasplatten Glasschneider aus gehärtetem Stahl od. Ind.-Diamanten (Carbonados) usw., Glasstäbe u. Glasröhren ritzt man an der zu durchtrennenden Stelle mit einer scharfen Dreikantfeile od. einem Glasmesser durch einen einfachen Strich kräftig an u. bricht sie unter Zug. Die Bruchstellen schmilzt man glatt.
Glasblasen: Gewöhnliches Glas kann man schon in einer *Bunsenbrenner-Flamme erweichen, schmelzen u. verformen; noch bequemer ist das Arbeiten mit dem *Gebläsebrenner. Um ein späteres Springen des Glases zu vermeiden, muß man dieses möglichst langsam erwärmen u. möglichst langsam abkühlen lassen.
Mattieren von Glas: Man streicht auf Glasplatten mit dem Pinsel eine Mischung aus 100 g Bariumsulfat, 10 g Ammoniumfluorid u. 12 g Flußsäure u. läßt eintrocknen. Vorsicht! Flußsäure-Dämpfe sind giftig! Ähnlich wirken die *Glasätztinten* (s. Glastinten).
Glasbeschriftung: Sie kann durch Einritzen der Schriftzeichen mit dem Diamantschreibstift, Beschriften einer Mattstelle mit Bleistift od. durch Anw. von *Glastinten, Glasschreibstiften (aus Wachs, Talg u. einem fettlöslichen Farbstoff) od. von wasserfesten Filzschreibern erfolgen.
Glasklebstoffe: Zum Verkleben u. Verkitten glatter Oberflächen (z. B. Glas auf Glas, Glas auf Metall usw.) eignen sich u. a. *Epoxidharze, Methacrylatharze, *Picein, *Schellack u. eine Reihe von speziellen *Kitten.
Glas-Metall-Verschmelzungen: Von den gebräuchlichen Metallen läßt sich Platin in gewöhnliches Glas einschmelzen; außerdem sind spezielle *Einschmelzgläser* u. *Einschmelz-*Legierungen (s. a. Glas) ent-

wickelt worden. – *E* glassworking – *F* travail du verre – *I* lavorazioni del vetro – *S* trabajo de vidrio
Lit.: vgl. Glas.

Glasbildner s. Glas(zustand).

Glasbläserpfeife s. Glasmacherpfeife.

Glasblasen s. Glas(arbeiten).

Glaseffekt s. Geleffekt.

Glaselektrode. Bez. für eine Indikatorelektrode in der elektrochem. Meßtechnik. Nach DIN 19261 (03/1971) ist die G. eine *Elektrode, die aus einem doppelten Zweiphasensyst. mit *Glas als gemeinsamer Phase besteht. Die Abb. zeigt den prinzipiellen Aufbau einer Glaselektrode.

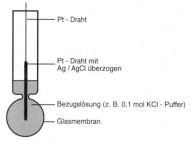

Abb.: Aufbau der Glaselektrode.

Die Glasphase, an deren *Grenzflächen sich die von den Ionenaktivitäten abhängigen Spannungen ausbilden, wird abweichend vom sonstigen Gebrauch in der Elektrochemie auch als *Glasmembran* bezeichnet. Am häufigsten wird die G. in der pH-Meßtechnik verwendet. Die Wirkungsweise einer solchen G. zur pH-Messung beruht darauf, daß es Gläser gibt, die gegenüber wäss. Lsg. ein Potential ausbilden, das gemäß der *Nernstschen Gleichung von der Aktivität der Wasserstoff-Ionen in der Lsg. abhängig ist. Dieses Grenzflächenpotential entsteht durch einen Ionenaustauschprozeß zwischen den Alkali-Ionen des Glases u. den Protonen der Lsg. in der sich ausbildenden *Gel-Schicht der Glasmembran; Näheres s. *Lit.*[1]. Das Galvanipotential (*galvanische Elemente) der G. wird durch den Unterschied der *elektrochemischen Potentiale der Wasserstoff-Ionen in der Bezugslösung (meist ein *Puffer) im Inneren der Elektrode u. der zu untersuchenden Lsg. bestimmt. Die Gesamt-EMK (*elektromotorische Kraft) einer pH-Wertmeßkette ist

$$\text{EMK} = \text{EMK}' + \frac{RT}{F}\ln a_{H^+_{Lsg.}}$$

u. damit direkt proportional zum pH-Wert. In EMK' sind alle konstanten Potentiale zusammengefaßt (Bezugselektrodenpotential, Potential der Metallelektrode im Innern der G. u. a.). Die G. läßt sich für pH-Bestimmungen in Lsg. verwenden, deren pH-Wert zwischen 2 u. 12 liegt; außerhalb dieses Bereiches ist das Anzeigepotential nicht mehr direkt proportional der Wasserstoff-Ionen-Konz. der Meß-Lsg., da *Säure-* od. *Alkalifehler* auftreten können. Diese haben ihre Ursache in der chem. Zusammensetzung des Elektrodenglases. Der Säurefehler täuscht einen höheren, der Alkalifehler einen niedrigeren pH-Wert vor. Durch Änderung der Glaszusammensetzung kann man allerdings erreichen, daß der Alkalifehler in den Vordergrund tritt: Auf dieser Meth. basieren die *ionenselektiven Elektroden. Innerhalb ihres Anwendungsbereiches hat die G. prakt. alle anderen auf den pH-Wert ansprechenden Meßinstrumente verdrängt. Die Anw. der G. ist bes. in *Redoxsystemen vorteilhaft, in denen die Verw. der *Wasserstoff-* u. der *Chinhydron-Elektrode* nicht möglich ist. Für die meisten Verw. im Labor ist die G. u. die Bezugselektrode in einem Glaskörper zusammengefaßt (*Einstabmeßkette*), dessen Ausführung den vielfältigen Anwendungsmöglichkeiten angepaßt ist (vgl. *Lit.*[2]). Die G. ist unempfindlich gegenüber oxidierenden u. reduzierenden Substanzen, Schwer- u. Edelmetall-Ionen u. zeigt keine Beeinflussung durch Elektrodengifte (z. B. As, S, CN⁻ u. hochmol. organ. Substanzen). – *E* glass electrode – *F* électrode en verre – *I* elettrodo di vetro – *S* electrodo de vidrio

Lit.: [1] Lernen u. Leisten, Beilage zu Chem. Labor Betr. **1977**, 41–46. [2] Chem. Labor Betr. **29**, 173 ff. (1978).
allg.: Cammann, Das Arbeiten mit ionenselektiven Elektroden, 2. Aufl., Berlin: Springer 1977 ▪ Eisenmann, Glass Electrodes for Hydrogen and other Cations, New York: Dekker 1967.

Glaser, Donald Arthur (geb. 1926), Prof. für Physik, Univ. of Michigan u. Berkeley. *Arbeitsgebiete:* Kosm. Strahlung, Elementarteilchenphysik, schwache Wechselwirkung, Erfindung der *Blasenkammer (hierfür 1960 Physik-Nobelpreis), automatisierte Züchtung von Zellen u. Mikroorganismen zur Auffindung seltener Mutanten.

Lit.: Chem.-Ztg. **101**, 555 (1977) ▪ Krafft, S. 355 ▪ Neufeldt, S. 234, 360 ▪ Who's Who in America, S. 1368.

Glaserit (Aphthitalit). K₃Na[SO₄]₂, farbloses, weißes od. durch Einschlüsse verschieden gefärbtes, glasglänzendes, wasserlösl. Mineral, als tafelige trigonale Krist. od. Krusten; Kristallklasse $\bar{3}$m-D$_{3d}$, Struktur s. *Lit.*[1,2]; H. 3, D. 2,7, schmeckt bitter-salzig.

Vork.: In *Fumarolen (Vesuv u. Ätna); in ozean. Salzlagern (s. Evaporite), z. B. Volkenroda/Thüringen, Staßfurt u. Westeregeln/Sachsen-Anhalt; in Absätzen von Binnenseen, z. B. Searles Lake/Californien. – *E* glaserite – *F* glasérite – *I* glaserite – *S* glaserita
Lit.: [1] Neues Jahrb. Mineral., Abhandl. **127**, 187–196 (1976). [2] Bull. Minéral. **104**, 536–547 (1981).
allg.: Rösler, Lehrbuch der Mineralogie (4.), S. 669, Leipzig: VEB Dtsch. Verl. für Grundstoffind. 1988. – *[CAS 13932-19-9]*

Glaserkitt s. Kitte.

Glaser-Kupplung s. Kupp(e)lung.

Glasfarben s. Glas.

Glasfasern. Sammelbegriff für *Fasern aus *Glas, die techn. Verw. finden. Zwar sind G. schon vor ca. 5000 Jahren zu Schmuckzwecken hergestellt worden, doch ist die industrielle Fertigung erst seit etwa 1910 in Gang gekommen, seit man die wärmeisolierenden Eigenschaften von *Glaswolle* erkannt hatte. Die Ind. ist heute in der Lage, G. von weniger als 3 μm Stärke herzustellen. Für die verschiedenen Verwendungszwecke wurden zahlreiche Typen entwickelt, so z. B. *Glasfilamente* prakt. unbegrenzter Länge u. *Glasstapelfasern* mit begrenzter Länge, aus denen Garn, Spinnfäden, Zwirn, Kordel hergestellt werden; *Roving* sind eine bestimmte Anzahl parallel zu einem Strang zusammengefaßter Spinnfäden. Mit G. wird gestrickt, gewirkt u.

gewebt u. sie können zu Vliesstoffen verarbeitet werden; s. die Textilglas-Definitionen der DIN 61850 (05/1976). Man kann die G. nach ihrer Dicke wie folgt einteilen: 0,1–3 µm (dünn), 3–12 µm (schwach), 12–35 µm (stark), 35–100 µm (elast.), 100–300 µm (dick); die Angabe kann auch in *tex erfolgen. Die G. können aus verschiedenen Spezialgläsern bestehen, die nach DIN 1259 Tl. 1 (09/1986) als E-, A-, E-CR-, C-, D-, R-, S- u. M-Glas je nach Verwendungszweck in unterschiedlicher Zusammensetzung spezifiziert u. zur Gruppe *Faserglas* zusammengefaßt sind. Es werden auch G. aus Siliciumdioxid produziert (*Silica-Fasern*, s. Lit.[1]). Die Herst. kann nach Düsenblas-, Schleuder- u. Düsenzieh-Verf. erfolgen. Die G. werden dann mit Schlichte- u. Schmälzmitteln umgeben, um Bruch durch Aneinanderreiben zu verhindern. Die Herst. von *Lichtleitfasern od. *Wellenleitern* erfordert bes. reine Rohstoffe u. exakte Produktionstechniken, damit das Glas möglichst homogen wird, um Energieverluste durch Lichtabsorption zu vermeiden. Die sog. *Stufenindexfaser* besteht aus einem Kern aus opt. hochbrechendem Glas, der mit einem Mantel aus Glas niedriger Brechkraft umgeben ist, an dem die Totalreflexion stattfindet (s. Abb.). Bei der sog. *Gradientenfaser* zeigt der Kern im Querschnitt einen parabol. Verlauf des Brechungsindex. Solche G. werden nach dem Stab/Rohr- od. dem Doppeltiegel-Verf. hergestellt.

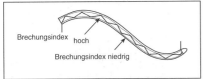

Abb.: Aufbau der Stufenindexfaser.

Zur Herst. von 1 km G. werden 1,23 kg Quarz u. 390 kg synthet. Silicumdioxid eingesetzt. Aufgrund der Biegsamkeit der G. kann man mit solchen Lichtleitkabeln „um die Ecke sehen", was sich insbes. in der medizin. Diagnostik (Magen-, Herzsonden) als sehr wertvolle Eigenschaft erwiesen hat.
Verw.: Schon seit über 70 Jahren stellt man den als „Engelshaar" od. „Feenhaar" bekannten Christbaumschmuck im Kleingewerbe her; es werden dabei von erhitzten Glasstäben dünne, haarähnliche G. mechan. abgezogen. Heute benutzt man die fabrikmäßig hergestellten G. hauptsächlich in *Schall- u. *Wärmedämmstoffen. 1 L der als Wärmeisolierstoff verwendeten G. enthält nur etwa 40 mL Glas, die restlichen 960 mL sind Luft, u. diese ist als ein sehr schlechter Wärmeleiter ein vorzüglicher Wärmeisolator. G. eignen sich in Form von Matten, Glasgeweben, Glaswolle od. als lose Fasern zur Wärme- u. Schallisolierung von Wänden, Fußböden, Kesseln, Rohrleitungen, Kühlräumen, Öfen, Herden usw. Beim Umgang mit Glaswolle sollte man zumindest die Hände (mit Lederhandschuhen) schützen. Die kurzen, feinsten G. lassen sich verspinnen u. in Spezialwebereien zu Bändern, Schnüren, Litzen, Schläuchen usw. verarbeiten, die man im Austausch gegen *Asbest u. *Glimmer in der elektrotechn. Ind. zur Isolierung verwendet. Allerdings ist die Frage, ob feinste G. nicht – ähnlich wie *Asbest-Fasern – Krebs auslösen können, noch nicht befriedigend beantwortet. Infolge ihrer Unbrennbarkeit kann man G. auch zu Feuerschutzkleidungen verarbeiten. Durch Al-Bedampfung im Vak. wird die Wirkung noch verbessert (Erhöhung der Strahlungsreflexion). G. eignen sich auch zur *Faserverstärkung, d. h. als Beimischung zu Kunstharzpreßmassen, Schleif- u. Trennscheiben, Faserplatten, Zementplatten, Gipsplatten, Beton, Dachpappen, Dichtungsmitteln u. als Zusatz zu Auto- od. Flugzeugreifen sowie (häufig in Form sog. *Prepregs) zur Kunststoff-Verstärkung (s. glasfaserverstärkte Kunststoffe).
Glasfaserpapiere sind papierähnliche Folien aus feinen G., die für *Filtration, *Chromatographie u. *Elektrophorese verwendet werden (Vorteile: Beständig gegen Chemikalien u. Mikroorganismen). Zusätze von G. zu Dokumenten-, Landkarten-, Zeichen- u. Photopapier erhöhen deren Dimensionsstabilität u. Alterungsbeständigkeit. Bei der Herst. *glasseidenverstärkten Papiers* bringt man während der Papierblatt-Bildung auf der Papiermaschine (od. zwischen 2 Papierbahnen bei der Kaschierung) parallele od. sich kreuzende Glasfäden ein, wobei die Glasseide als Festigkeitsträger wirkt. Man erhält so z. B. nichtplatzende Papiersäcke, hochwertige Klebebänder u. dgl. – *E* glass fibers, fiberglass – *F* fibres de verre – *I* fibre di vetro – *S* fibras de vidrio

Lit.: [1] Melliand Textilber. Int. Text. Rep. **70**, 629 ff. (1989). *allg.:* Encycl. Polym. Sci. Eng. **6**, 726 f.; **7**, 1–15 ▪ Kirk-Othmer (3.) **6**, 692 ff.; **10**, 127–147, 160 f.; (4.) **7**, 6 ff.; **10**, 521–538; **12** 607 f. ▪ McKetta **2**, 114 f. ▪ Ullmann (4.) **11**, 361–374; **12**, 356 ff.; (5.) **A 11**, 11–64 ▪ Winnacker-Küchler (4.) **3**, 151–155 ▪ s. a. Chemiefasern, Faseroptik, Glas, glasfaserverstärkte Kunststoffe. – *[HS 7019 11, 7019 12, 7019 19]*

Glasfaseroptik s. Faseroptik.

Glasfaserpapier s. Glasfasern.

Glasfaserverstärkte Kunststoffe. Kurzz. GFK (nach DIN 7728, Tl. 2, 03/1980), in der ehem. DDR *GFP für glasfaserverstärkte Plaste. GFK sind *Verbundwerkstoffe aus einer Kombination von einer Matrix aus *Polymeren u. als Verstärker wirkenden Glasfasern. Die zur *Faserverstärkung verwendeten Glasmaterialien, insbes. solche aus E- u. S-Glas (s. Glas u. Glasfasern) liegen in den GFK als Fasern, Garne, Rovings (Glasseidenstränge), Vliese, Gewebe od. Matten vor. Polymere Matrixsyst. für GFK sind sowohl *Duroplaste (Epoxidharze, ungesätt. Polyesterharze, Phenol- u. Furanharze) als auch *Thermoplaste (Polyamide, Polycarbonate, Polyacetale, Polyphenylenoxide u. -sulfide, Polypropylene u. Styrolcopolymere). Das Gew.-Verhältnis Verstärkerstoff: Polymermatrix liegt im allg. im Bereich von 10:90–65:35, wobei die Festigkeitseigenschaften der GFK in der Regel bis zu einem Verstärkergehalt von ca. 40 Gew.-% zunehmen.
Die Herst. der GFK erfolgt vorwiegend in Preßverf.; weitere wichtige Fertigungsverf. sind Handlaminier-, Faserspritz-, kontinuierliche Imprägnier-, Wickel- u. Schleuderverfahren. Vielfach geht man auch von sog. *Prepregs, mit Harzen vorimprägnierte Glasfasermaterialien, aus, die unter Anw. von Druck in der Wärme gehärtet werden. Die GFK zeichnen sich gegenüber den nicht verstärkten Matrixpolymeren durch erhöhte Zug-, Biege- u. Druckfestigkeit, Schlagzähigkeit, Formbeständigkeit u. Stabilität gegenüber dem Ein-

fluß von Wärme, Säuren, Salze, Gase od. Lsm. aus. Ihre bes. Vorteile gegenüber Metallen, die sie in vielen Fällen aufgrund ihrer hohen mechan. Eigenschaften substituieren können, sind ihre relativ niedrigen spezif. Gewichte. Die hohen Festigkeitswerte werden allerdings nur erreicht, wenn eine einwandfreie Haftung zwischen Glasfasern u. Polymer erzielt wird. Dazu ist in vielen Fällen eine Vorbehandlung mit Schlichten od. Haftmitteln (Silane od. Titanate; *Lit.*[1]) erforderlich. Die GFK lassen sich im ausgehärteten Zustand leicht bearbeiten (z. B. durch Sägen, Drehen, Fräsen, Schleifen, Stanzen od. Bohren) zu ganzen Booten, Autokarosserien, Flugzeugteilen, Großbehältern, Heizöltanks, Rohrleitungen, Fässern u. vielen anderen großen u. kleinen Artikeln. – *E* fiberglass reinforced plastics – *F* produits renforcés en fibre de verre – *I* prodotti sintetici rinforzati con fibre di vetro – *S* plástico reforzado con fibra de vidrio

Lit.: [1] Becker u. Braun, Kunststoff Handbuch, 2. Aufl., Bd. 10, Duroplaste, S. 169 ff., München: Hanser 1988.
allg.: Bartz, Glasfaserverstärkte Kunststoffe, Grafenau: expert 1981 ▪ Kostikov (Hrsg.), Fibre Science and Technology, London: Chapman & Hall 1995 ▪ Lubin, Handbook of Composites, New York: Van Nostrand Reinhold Co. 1982 ▪ Schwartz, Composite Materials Handbook, New York: McGraw-Hill Book Comp. 1984 ▪ s. a. Glas, Glasfasern, Faserverstärkung u. Verbundwerkstoffe.

Glasfilamente s. Glasfasern.

Glasfiltertiegel s. Filter.

Glasfritten s. Filter u. Fritten.

Glasgewebe s. Glasfasern.

Glashaus-Effekt s. Treibhaus-Effekt.

Glashow, Sheldon Lee (geb. 1932), Prof. für Physik, Univ. Berkeley, Harvard University. *Arbeitsgebiete:* Theoret. Elementarteilchenphysik. 1979 erhielt er zusammen mit A. *Salam u. S. Weinberg den Nobelpreis für Physik für seine Beiträge zur Theorie der vereinigten schwachen u. elektromagnet. Wechselwirkung der Elementarteilchen.
Lit.: Who's Who in America, S. 1369.

Glasieren. 1. Das Überziehen von *Keramik-Artikeln mit schützenden u. dekorierenden Schmelzschichten, s. Glasur, Keramik. – 2. In der Kochkunst das Überziehen von Früchten mit einer „glasigen" Zuckerschicht durch Kochen in konz. Zucker-Lsg. u. anschließendes Trocknen, das Überziehen von Backwaren mit Zuckerguß od. auch das Überziehen von Fleischgerichten mit „Fleischglacé" u. von kalten Gerichten mit Gelee. – *E* 1. varnish, 2. frost – *I* 1. smaltatura, 2. glassatura – *S* 1. vidriar, 2. glasear

Glaskeramik (Vitrokerame). Bez. für polykrist. Festkörper, die durch *Keramisierung*, d. h. *gesteuerte Entglasung* (*Kristallisation), von Gläsern hergestellt werden. Sie entstehen durch Wärmebehandlung eines geeigneten *Glases, in welchem dadurch Krist. erzeugt werden. Zur Auslösung der Krist. kommt auch Strahlung in Frage. Diese *glaskeram. Werkstoffe* enthalten ebenso wie *keramische Werkstoffe noch einen gewissen Anteil an Glasphase. Glaskeram. Gegenstände werden nach glastechn. Verf. geformt u. besitzen nach der Wärmebehandlung die Eigenschaften u. Verarbeitbarkeit spezieller Keramiken; hervorstechende Merkmale sind nicht nur sehr kleine Ausdehnungs-Koeff., wie sie z. B. für Teleskop- od. *Laser-Spiegel erwünscht sind, sondern auch höchste Temperaturwechselbeständigkeiten.
Verw.: Herdplatten, Geschirr, Hochspannungsisolatoren, Laborausstattungen (*Pyroceram), Knochenersatz, zum Einschluß radioaktiver Abfälle etc. *Email läßt sich ähnlich wie Glas keramisieren, s. Nucerite®. *Nicht* zu den G. gehören die *Oxidkeramiken, unter *Sinterglaskeramik* könnte man Keramik aus *Sinterglas verstehen. – *E* glass-ceramics – *F* vitrocérame, vitrocéramique – *I* vetro ceramico – *S* vitrocerámica, cerámica vítrea, vidrio ceramificado

Lit.: Kirk-Othmer (3.) **11**, 881–893; (4.) **12**, 627–643 ▪ Pfaender, Schott-Glaslexikon, S. 147 ff., München: mvg Moderne Verl. GmbH 1980 ▪ Ullmann (4.) **12**, 361–366; (5.) **A 12**, 433–448 ▪ Winnacker-Küchler (4.) **3**, 155 ▪ s. a. Glas, Keramik.

Glaskleben s. Glasarbeiten.

Glaskörper s. Auge.

Glaskopf. Spezielle Ausbildungsform bestimmter Minerale aus der Klasse der Oxide u. Hydroxide, s. Brauneisenerz u. Goethit (*Brauner G.*), Hämatit (*Roter G.*) u. Pyrolusit (*Schwarzer G.*). – *E* glaskopf – *F* tête de verre – *I* ematite – *S* psilomelan

Glaskugeln. G. von 5–300 μm Durchmesser können als Füll- u. Verstärkungsmaterial in Kunststoffen u. Lacken eingesetzt werden. Für hochreflektierende Schichten, wie z. B. bei *Reflexfolien, Verkehrszeichen u. Kfz-Kennzeichen, werden meist Spezialgläser mit Brechungsindices bis über 2 eingesetzt. – *E* glass beads – *F* sphères de verre – *I* sfere di vetro, palle di vetro – *S* bolas de vidrio, esferas de vidrio

Lit.: Kirk-Othmer (3.) **10**, 208, 212; (4.) **10**, 753, 759 ▪ Kittel, Lehrbuch der Lacke u. Beschichtungen, Bd. 2, S. 446 f., Berlin: Colomb 1974.

Glas-Laser. Sammelbegriff für *Festkörperlaser, deren opt. aktive Substanzen (Atome, Ionen) in Glas eingebaut wurden. *Beisp.:* Nd/Glas-Laser (*Neodym-Laser). – *E* glass laser – *F* laser à verre – *I* laser al vetro – *S* láser de vidrio

Glaslote (Lötgläser). Bez. für leicht schmelzende Gläser mit niedriger *Viskosität u. kleiner *Oberflächenspannung bei Verschmelzungstemp. zwischen 400 u. 700 °C; ein G. vom Schmp. 450 °C hat z. B. folgende Zusammensetzung: 70–92% PbO, 2–15% (ZnO, BaO, SrO), 0,6–15% B_2O_3 u. 0–15% (SiO_2, Al_2O_3, TiO_2). Man unterscheidet therm. entglasbare (kristallisierende) u. relativ entglasungsfeste Glaslote. G. dienen dazu, spezielle Glasteile mit anderen Gläsern, mit Metallen od. keram. Werkstoffen zu verbinden, ohne daß die Glasteile sich verformen u./od. hohen Temp. ausgesetzt werden. Die G. werden z. B. eingesetzt in der Vak.-Elektronik (zur Verbindung von Glas-, Glimmer-, Metall- u. Keramikbauteilen), zum Kitten von Glasküvetten, Farbfernsehbildröhren usw. – *E* solder glasses – *F* verre de soudure – *I* vetri d' apporto, vetri per saldare – *S* vidrios para soldar

Lit.: Kirk-Othmer (3.) **11**, 865; (4.) **12**, 608 ▪ Pfaender, Schott-Glaslexikon, S. 114 ff., München: mvg Moderne Verl. GmbH 1980 ▪ Ullmann (4.) **12**, 360 f. ▪ Winnacker-Küchler (4.) **3**, 156.

Glasmacherpfeife (Glasbläserpfeife). Ca. 1,5 m langes Stahlrohr mit hölzernem Griff u. Mundstück zum Glasblasen (Anfertigung von *Glas-Hohlkörpern). Die G. soll um 200 v. Chr. erfunden worden sein, wahrscheinlich von Syrern od. Phöniziern in Sidon. – *E* blowing iron, blowpipe – *F* canne d'acier du verrier – *I* canna da soffio vetrario – *S* caña de soplador
Lit.: s. Glas.

Glasmacherseife s. Glas.

Glasmattenverstärkte Kunststoffe, Thermoplaste s. glasfaserverstärkte Kunststoffe.

Glasopal s. Hyalit.

Glaspapier. Starkes Papier, das mit Leim bestrichen u. mit feinem od. gröber zermahlenem *Glas-Pulver bestreut ist. Es wird zum Schleifen u. Glätten von Holz usw. verwendet. – *E* glass paper – *F* papier verré, papier de verre – *I* carta vetrata – *S* papel de vidrio, papel de lisa

Glasroving s. Glasfasern.

Glasschliffe s. Schliffe.

Glasschneiden s. Glasarbeiten.

Glasschreibstifte s. Glasarbeiten.

Glasstapelfasern s. Glasfasern.

Glastemperatur s. Glasübergangstemperatur.

Glastinten. Bez. für *Tinten zum Beschriften von *Glas. G. enthielten früher meist *Wasserglas u. ein Mineralpulver ($BaSO_4$ u. dgl.), heute dagegen meist *Flußsäure. Mit derartigen G. aus Flußsäure, Bariumsulfat u. Fluoriden (*Glasätztinten*, z.B. *Diamanttinte*) kann man weiße Schrift erzielen. – *E* glass marking inks – *F* encres à verre – *I* inchiostri per il vetro – *S* tintas para vidrio

Glastränen (Bologneser Tränen). Mit fadenförmigem Stiel ausgezogene, durch rasches Abkühlen (z.B. durch Eintauchen in Öl) abgeschreckte Glastropfen, die beim Abbrechen des Stiels in feine Körnchen zerplatzen, s. Glas. – *E* glass tears – *F* gouttes de verre, larmes de verre, larmes bataviques – *I* lacrime di vetro – *S* gotas de vidrio

Glasübergangstemperatur. Die G., Kurzz. Tg (andere Bez. Glas- od. Glasumwandlungstemperatur), ist phänomenolog. durch die Umwandlung einer mehr od. weniger harten, amorphen glasartigen od. teikrist. Polymerprobe in eine gummiartige bis zähflüssige „Schmelze" gekennzeichnet. Die G. wird daher oft mit der Einfrier- od. Erweichungstemp. gleichgesetzt, was allerdings aufgrund kinet. Effekte nicht präzise stimmt. Ursächlich für das Phänomen der G. ist das Einfrieren od. Auftauen der *Brownschen Molekularbewegungen längerer Kettensegmente (20–50 Kettenatome) der Polymeren. Vielfach handelt es sich dabei um trans/gauche-Umwandlungen, die kooperativ über größere Bereiche verlaufen. Die Makrokonformation ändert sich dagegen bei der G. nicht. Beim Erreichen der G. tritt eine drast. Änderung der Viskosität u. anderer physikal. Kenngrößen, wie der Härte, des Moduls u. der thermodynam. Zustandsgrößen Vol., Enthalpie u. Entropie, der Polymeren ein. Unabhängig von der jeweiligen Substanz beträgt die Viskosität einer Probe bei der G. etwa 10^{12} Pa·s. Bestimmt werden kann die G. u. a. über therm. dilatometr., dielektr., dynam.-mechan. od. refraktometr. Messungen bzw. mit Hilfe der NMR-Spektroskopie. Die G. ist abhängig u. a. von der chem. Struktur der Polymeren, deren Molmasse, der Flexibilität der Polymerketten u. vom Druck, dem das Polymersyst. ausgesetzt wird. Trotz vielfach quase-thermodynam. Behandlung der G. darf nicht übersehen werden, daß der Glasübergang kinet. kontrolliert wird. Dies hat auch zur Folge, daß sich die unter verschiedenen (stat. od. dynam.) Bedingungen u. mit unterschiedlichen Meth. bestimmten G. teilw. deutlich unterscheiden.
Die G. kann in vielen Fällen als ein gutes Kriterium für die Mischbarkeit verschiedener Polymerer herangezogen werden. Mischungen von miteinander kompatiblen Polymeren weisen wie auch statist. Copolymere in der Regel nur eine G. auf, die zwischen denen der reinen *Homopolymeren liegt. *Blockcopolymere mit inkompatiblen Blöcken u. Blends von inkompatiblen Polymeren weisen dagegen mehr als eine G. auf. Weiterhin zeigt sich, bei den meisten Polymeren, daß G. u. die Schmelztemp. T_m gut miteinander korrelieren. Beide Temp. vermitteln wichtige Anhaltspunkte über die Formbeständigkeit der Polymeren beim Erwärmen u. damit Aussagen, in welchem Temp.-Bereich die Polymeren einsetzbar sind. – *E* glass-transition temperature – *F* température de transition vitreuse – *I* temperatura transitoria del vetro – *S* temperatura de transición vítrea
Lit.: Compr. Polym. Sci. **2**, 311–362 ▪ Elias (5.) **1**, 845 ff.; **2**, 411 ▪ Encycl. Polym. Sci. Eng. **7**, 531–544 ▪ Odian (3.), S. 29.

Glasumwandlungsintervall, -temperatur s. Glasübergangstemperatur.

Glasur. Bez. für *Glas, das aus Quarz, Tonerde, Alkalien, Erdalkalien u. niedrig schmelzenden Oxiden als Flußmittel besteht. Die G. befindet sich als dünner, glänzender od. matter, glasartiger, durchscheinender, durchsichtiger od. undurchsichtiger, farbloser od. farbiger, undurchlässiger, sehr harter Überzug auf Porzellan od. a. *keramischen Werkstoffen. G. sollen den Gegenständen ein schönes, glänzendes, sauberes Aussehen verleihen u. sie für Flüssigkeiten u. Gase undurchlässig machen. G. der verschiedensten Art werden u. a. in Dachziegel, Ofenplatten, Wandplatten, kunstgewerbliche Gegenstände usw. eingebrannt; für Geschirr verwendete G. sollen frei von *Blei, *Cadmium u. a. ggf. *gefährlichen Stoffen, abriebfest u. beständig gegen Säuren u. die – meist alkal. – Spül- u. Reinigungsmittel sein. Beim *Glasieren* (1.) werden die Gegenstände entweder vorgebrannt, dann durch eine feine, wäss. Aufschwemmung der pulverisierten G.-Bestandteile gezogen u. anschließend im Glatt- od. Garbrand 24–40 h lang auf 1225 °C (Segerkegel 8) bis 1450 °C (Segerkegel 16) erhitzt, od. die vorgesinterte G. wird durch Spritzen, Tauchen, Übergießen, Aufpinseln, Sieb- od. Offsetdruck od. a. Verf. aufgebracht. Als Dispersionsmittel beim Applizieren der G. kommen Wasser od. organ. ölige Medien (Dekorationshilfsmittel) in Frage. Die *Salzglasur* wird durch Zusatz von NaCl während des Brennens erzeugt. In einigen

Fällen wird die G. auch vor dem Brennen aufgebracht. Die Ausdehnungskoeff. von G. u. Scherben müssen aufeinander abgestimmt sein. Netzartige, feine Sprünge in der G. sind beim sog. *Craquelée* bezweckt, u. *Laufglasuren* erzeugen, da sie beim Brennen fließen, erwünschte unregelmäßige Muster. Farbige G. erhält man durch Zusatz von Metalloxiden wie z. B. Cobaltoxid (blau), Chromoxid, Kupferoxid (grün), Manganoxid, Eisenoxid (braun) bzw. Leg. u. dgl. Durch Beimischung von SnO_2 od. ZrO_2 erhält man weiße, undurchsichtige Glasuren. Solche, hier als *Dekorfarben* verwendeten *keramischen Pigmente können als *Auf-* od. *Unterglasurfarben* aufgebracht werden. Eine metall. glänzende G. erhält man durch Red. der Metalloxide. Häufig bezeichnet man die mit keram. Pigmenten erzeugbaren Effekte auch als *Lüster. G. wurden von den Ägyptern schon vor ca. 7000 Jahren hergestellt; auch die Assyrer, Babylonier, Perser usw. waren vor Jahrtausenden mit dieser Kunst vertraut. – *E* glaze – *F* glaçure – *I* smalto – *S* barnizado, vidriado
Lit.: Ullmann (4.) **13**, 722 ff.; (5.) **A 6**, 31 ff. ▪ Winnacker-Küchler (4.) **3**, 184 f. ▪ s. a. Keramik u. Pigmente.

Glasurit. Kurzbez. für die 1888 gegründete, seit 1925 zur BASF gehörende, 1972 in der heutigen BASF Lacke + Farben AG aufgegangene Glasurit-Werke Max Winkelmann GmbH, Hamburg. G. ist eine Marke für ein umfangreiches Sortiment von Farben u. Lacken.

Glasvergütung s. Glas u. Vergüten.

Glaswolle s. Glasfasern.

Glaszustand. Fester Aggregatzustand ohne Fernordnung, aber mit mehr od. weniger ausgeprägter Nahordnung. Glasbildner durchlaufen beim Abkühlen einen unterhalb ihres Schmelzpunktes liegenden *Umwandlungspunkt. Dieser ist die sog. *Glasübergangstemperatur (od. Glaspunkt) T_g, bei der die Schmelze so zähflüssig wird, daß man sie prakt. als amorphen *Festkörper betrachten kann. Als *Glasbildner* geeignet sind entweder Substanzen mit langen Mol. od. Ketten, wie z. B. Selen u. viele organ. Polymere, od. Substanzen wie Siliciumdioxid, deren Kristallformen eine offene Struktur mit niedriger Koordinationszahl besitzen, vgl. die Abb. bei Silicate. Charakterist. für die Glasbildner ist, daß sie Flüssigkeiten bilden, bei denen erst mit hoher Aktivierungsenergie viskoses Fließen erzwungen werden kann, was im ersten Falle durch die Verknäuelung der linearen Mol., im zweiten Fall durch die zwischenmol. Bindung (z. B. kovalent od. durch Wasserstoff-Brücken) bedingt ist. *Beisp.* (in Klammern T_g): Ethanol (95 K), Polystyrol (350 K), Siliciumdioxid (1500 K), Boroxid (470 K), Phosphorpentoxid, Berylliumfluorid, Arsen(III)-sulfid, Schwefel, Selen, Phosphor, Chalkogenide allg., Nitrate usw. Neben diesen „klass." Glasbildnern haben die zu *organischen Gläsern* verarbeiteten Kunststoffe an Bedeutung gewonnen, u. auch *Metalle od. *Legierungen können in den G. versetzt werden, s. *Lit.*[1]. Bei anderen Substanzen, die unter bestimmten Bedingungen Gläser bilden, spricht man von „glasartig erstarrten Medien" (*E* rigid media), die eine *Matrix für reaktive Spezies darstellen können. Heute betrachtet man die Gläser als „Festkörper mit großem Fehlordnungsgrad". Beim Erwärmen ändern die Gläser in der Nähe des *Erweichungspunktes viele physikal. Eigenschaften ganz sprunghaft, so z. B. die spezif. Wärme, den Ausdehnungskoeff., die Leitfähigkeit usw. Bei weiterem Erwärmen gehen diese Eigenschaften stetig in die der eigentlichen Flüssigkeit über; dagegen weichen die physikal. Eigenschaften unterhalb T_g nur unwesentlich von denjenigen ab, die man bei den gleichen Stoffen im krist. Zustand beobachtet. Im *Quarz(*Glas) ist jedes Si tetraedr. von 4 Sauerstoff-Atomen umgeben. Diese Tetraeder haben Ecken gemeinsam, so daß ein zusammenhängendes Netzwerk entsteht. Während nun in den krist. Abarten des Siliciumdioxids (Quarz, Tridymit, Cristobalit) die SiO_4-Tetraeder regelmäßig angeordnet sind, herrscht beim Quarzglas ein regelloses Durcheinander, d. h. das Kristallgitter erscheint beim Glas in ein unregelmäßiges, mit Fehlstellen behaftetes räumliches Netzwerk verzerrt (*Netzwerkhypothese* von Zachariasen u. Warren). Nach anderer Auffassung sollten die Gläser jedoch mikrokrist. Bauelemente enthalten, d. h. ähnlich wie die Metalle aus Kristalliten der entsprechenden Verb. zusammengesetzt sein (*Kristallittheorie* von Lebedev). Beiden Auffassungen wird die Theorie von der *mikroheterogenen Struktur* der Gläser gerecht. Diese geht von einem Kristallitaufbau aus, wobei man sich vorstellt, daß die Zentren dieser Teilchen im Hinblick auf den Ordnungszustand der Bauelemente dem Krist. am meisten ähneln. Mit Annäherung an die Peripherie des Mikrokristallits nimmt der Ordnungsgrad des Gitters immer mehr ab. Die einzelnen Krist. bestehen aus wenig mehr as 10 Baugruppen u. sind untereinander durch weitgehend ungeordnete Zwischenschichten verbunden. Bei der Herst. von gewöhnlichen Fensterglas (aus Quarz, Alkali- u. Erdalkalioxiden) finden nach der Netzwerkhypothese folgende Vorgänge statt: In den raumvernetzten SiO_4-Tetraedern von Quarz werden Bindungen über gemeinsame O-Atome gelöst, wobei sich z. B. Na_2O anlagert:

$$-Si-O-Si- \;+\; Na_2O \;\longrightarrow\; 2\;-Si-ONa$$

Hierbei gehören die 3 übrigen an Si-Atome gebundenen O-Atome 3 verschiedenen anderen Tetraedern an, od. es werden weitere O-Atombindungen durch Na_2O gelöst. Treten an die Stelle von Na-Ionen Ca^{2+}-Ionen (od. Pb^{2+}-Ionen), so können die SiO_4-Tetraeder über Ca^{2+}-Brücken vernetzt werden. Silicatglas wäre demnach also ein unregelmäßiges Netzwerk von SiO_4-Tetraedern, die durch mehrwertige Metall-Ionen zusammengehalten werden u. zwischen welchen die beweglichen, einwertigen Alkali-Ionen willkürlich angeordnet sitzen. Nach der Auffassung von Cahn u. Charles[2] erfolgt durch Zusatz von Fremd-Ionen (*Flußmittel* wie Na_2O od. *Stabilisatoren* wie CaO) zu Glasbildnern beim Abkühlen der Schmelze eine Auftrennung in zwei od. mehr innig vermischte Flüssigkeiten von deutlich unterschiedlicher Zus. Werden diese unterschiedlichen Flüssigkeiten schließlich zu einem starren Glas verfestigt, so hat die Art ihrer Verteilung ineinander einen wesentlichen Einfluß auf dessen Eigenschaften, wie z. B. mechan. Festigkeit, elektr. Leitfähigkeit, chem. Widerstandsfähigkeit u. Lichtdurchlässigkeit. Gläser zeigen die mechan. Eigenschaften von isotropen Festkörpern; sie sind metastabil, denn sie befinden sich nicht im thermodynam. Gleichgew., weshalb sie im Laufe der Zeit Krist. bilden können. Die Lebensdauer eines Glases ist von seiner Widerstandsfähigkeit gegen die *Kristallisation abhängig; diese *Entglasung* od. *Devitrifikation* führt man bei der Erzeugung der sog. *Glaskeramiken absichtlich herbei. Über den mol. Ablauf beim Bruch von Glas u. welche Bedeutung Wasser dabei spielt s. *Lit.*[3]. Bei kinet. Untersuchungen können Gläser vorteilhaft eingesetzt werden. Beispielsweise lassen sich *Radikale mit UV- od. EPR-Spektroskopie dann lange genug beobachten, wenn sie in einer *Lsm.-*Matrix* (im „eingefrorenen Zustand") an der Diffusion u. damit an der Weiterreaktion gehindert sind. Zur Herst. derartiger glasartig erstarrter Medien sind bestimmte Lsm.-Gemische od. Polymere bes. geeignet; zur Untersuchung *solvatisierter Elektronen in solchen Gläsern s. *Lit.*[4]. – *E* vitreous state, glassy state – *F* état vitreux – *I* stato vetroso – *S* estado vítreo

Lit.: [1] Kirk-Othmer (3.) **11**, 893–910. [2] Phys. Chem. Glasses **6**, 181–191 (1965). [3] Sci. Am. **257**, 78 (12/1987). [4] Prog. React. Kinet. **9**, 93–194 (1978).
allg.: Bergmann u. Schäfer, Lehrbuch der Experimentalphysik, Bd. 5, Vielteilchensysteme, S. 519–531, Berlin: Gruyter 1992 ■ Stierstadt, Physik der Materie, S. 258–265, Weinheim: VCH Verlagsges. 1989 ■ s. a. Glas.

Glattes Ende s. blunt ends.

Glauber, Johann Rudolph (1604–1670), als zweiter Vorname wird statt Rudolph auch Georg (s. *Lit.* [1]), als Todesjahr statt 1670 auch 1668 angegeben. Apotheker, Chemiker u. Technologe. *Arbeitsgebiete:* Ausarbeitung verschiedener Verf. zur Herst. von Mineralsäuren u. Salzen (Glaubersalz), trockene Holzdest., Herst. von Antimonchlorid, Arsenchlorid, Chlorethyl, Chlorwasserstoff, Studien über Affinität, Mineralfarben, Aceton, Acrolein, Benzol, Strychnin, Weinstein, Glasfärbe-Meth. usw. G. führte Experimente zur Verbesserung gefährlicher Arzneimittel durch Säuren- u. Laugen-Behandlung durch u. befaßte sich bereits 200 Jahre vor Liebig theoret. u. experimentell mit künstlicher Düngung u. Saatgutbehizung. G. soll der „erste Chemiker gewesen sein, der vom Verkauf der in seinem Laboratorium hergestellten Produkte leben konnte" (s. *Lit.* [2]) u. zählt zu den bedeutendsten Vertretern der angewandten u. techn. Chemie des 17. Jahrhunderts.

Lit.: [1] Pharm. Unserer Zeit **1**, 29 (1972). [2] Chem. Eng. News **47**, 98 (1969).
allg.: Pötsch, S. 170 ■ Strube, **2** 41 f. ■ Strube et al., S. 53.

Glauberit. $Na_2Ca[SO_4]_2 = Na_2SO_4 \cdot CaSO_4$, monoklines, salzig schmeckendes, in Wasser unter *Gips-Abscheidung lösl. Mineral, Kristallklasse $2/m$-C_{2h}; zur Struktur s. *Lit.*[1,2]. Tafelige, prismat. od. dipyramidale Krist., nierige od. schalige Massen. H. 2,5–3, D. 2,7–2,8. Glas u. Perlglanz. Grau, gelblich, auch rot, oft durchsichtig.
Vork.: In *Evaporiten; in Sedimenten arider Gebiete (z. B. Atacama-Wüste/Chile); als *Fumarolen-Absatz; in Nitrat-Lagern. *Beisp.:* in vielen dtsch. Kalisalz-Gruben, z. B. Staßfurt/Sachsen-Anhalt; ferner Hallein, Hallstatt u. Bad Ischl/Österreich. Wurde zur Sodagewinnung benutzt. – *E* glauberite – *F* glaubérite – *I* glauberite – *S* glauberita

Lit.: [1] Z. Kristallogr. **122**, 175–184 (1965). [2] Am. Mineral. **52**, 1272–1277 (1967).
allg.: Ramdohr-Strunz, S. 596 ■ Schröcke-Weiner, S. 572. – [HS 2530 90; CAS 13767-89-0]

Glaubersalz s. Natriumsulfat.

Glaucin (Boldindimethylether, Glauvent, 1,2,9,10-Tetramethoxyaporphin).

$R^1 = H, R^2 = OCH_3$: Glaucin
$R^1 = OH, R^2 = H$: *Isocorydin

$C_{21}H_{25}NO_4$, M_R 355,43, Krist., Schmp. 120–121 °C, $[\alpha]_D$ +116° (C_2H_5OH) [(S)-Form], lösl. in Aceton, Alkohol, Chloroform, Essigester, unlösl. in Wasser u. Benzol. Im Pflanzenreich weit verbreitetes Alkaloid, z. B. in Annonaceae, Berberidaceae (Berberitzengewächse), Euphorbiaceae (Wolfsmilchgewächse), Fumariaceae (Erdrauchgewächse), Lauraceae, Magnoliaceae, Menispermaceae, Papaveraceae (Mohngewächse), Ranunculaceae, Rhamnaceae (Kreuzdorngewächse) u. Monimiaceae, mit breitem pharmakolog. Wirkungsspektrum: es wirkt antithrombot., analget., entzündungshemmend, fungizid, es erzeugt Krämpfe u. Bewußtlosigkeit sowie Atemlähmung u. Bluthochdruck in Versuchstieren. Als Antitussivum hat es eine ähnliche Wirkung wie *Codein. Die enantiomere (R)-Form u. das Racemat sind synthet. zugänglich. – *E* = *F* glaucine – *I* = *S* glaucina

Lit.: Beilstein EV **21/6**, 122 ■ Br. J. Pharmacol. **106**, 387 (1992); **110**, 943 (1993); **114**, 1419 (1995) ■ Chem. Pharm. Bull. **41**, 481 (1993) ■ Sax (8.), Nr. TDI 475 ■ Tetrahedron **50**, 2107 (1994). – [CAS 475-81-0]

Glauko... (von griech.: glaukos = blau). Bezeichnet als Vorsilbe eine Grün- bis Blaufärbung des betreffenden Stoffs, auch in Fügungen wie Glaukom (Grüner Star). – *E* = *F* = *I* = *S* glauco...

Glaukom s. Auge.

Glaukonit. Intensiv grünes, zu den *Tonmineralen gehörendes, monoklines wasserhaltiges Kalium-Eisen-Aluminium-Silicat mit 2–15% K_2O u. einem hohen Fe^{3+}/Fe^{2+}-Verhältnis, steht in enger Beziehung zu den *Illiten u. *Glimmern. Meist als bällchenförmige (Größe 30–150 μm), unregelmäßige od. diskusartige Aggregate submikroskop. kleiner, pseudohexagonaler od. leistenförmiger Blättchen. Oberfläche im allg. matt. H. 2–2,5, D. 2,4–2,95. Entsprechend der Entstehung in marinen, fossilreichen Gesteinen relativ hohe Gehalte an C, N u. P (an *Apatit gebunden) sowie an B u. V. Untersuchung von G. mit *Mößbauer-Spektroskopie s. *Lit.*[1], zum Prozeß der *Glaukonitisierung* s. *Lit.*[2]
Vork.: In küstennahen marinen *Sanden, Sandsteinen u. *Mergeln; in der BRD z. B. in den Essener Grünsanden u. in Glaukonit-Sandsteinen des Kreide-Syst.

(s. Erdzeitalter), z. B. Soest/Westfalen u. Regensburg. *Verw.:* Als Farberde (Veroneser Grün); Grünsande als Filtermaterial u. lokal als Düngemittel. – *E* = *F* = *I* glauconite – *S* glauconita
Lit.: [1] Clays Clay Miner. **35**, 170–176, 363–372 (1987). [2] Contrib. Mineral. Petrol. **117**, 253–262 (1994).
allg.: Deer et al. (2.), S. 296 f. ▪ Heim, Tone u. Tonminerale, S. 64 f., Stuttgart: Enke 1990 ▪ Jasmund u. Lagaly (Hrsg.), Tonminerale u. Tone, S. 43 f., 447 f., Darmstadt: Steinkopff 1993. – *[HS 3824 90; CAS 1317-57-3]*

Glaukophan s. Amphibole.

Glaukophangestein, -schiefer s. Hochdruckmetamorphose.

Glauvent s. Glaucin.

Glaxo Wellcome. Kurzbez. für das 1995 aus den brit. Pharmazieunternehmen Glaxo u. Wellcome entstandene Unternehmen. Hauptsitz: Berkeley Avenue, Greenford, Middlesex, UB6 ONN, Großbritannien. G. W. ist einer der weltweit größten Pharmazie-Konzerne; der Marktanteil an verschreibungspflichtigen Medikamenten beträgt ca. 5% (1995). *Vertretung* in Deutschland: Glaxo Wellcome GmbH, 20354 Hamburg. *Daten* (1995): 58 000 Beschäftigte, 8 Mrd. £ Umsatz. *Forschung* u. *Produktion:* Magen/Darm, Atemwege, Infektionskrankheiten, Zentrales Nervensyst., Anästhesie, Onkologie, Herz-Kreislauf, Haut.

Glc. Kurzz. für *Glucose.

GLC s. Gaschromatographie.

Glei, Gley s. Boden.

Gleichgewicht. Allg. Bez. für denjenigen Zustand eines Körpers od. Syst., bei dem sich Wirkung u. Gegenwirkung aufheben; entsprechend spricht man bei Störungen dieses Zustands von *Nicht-* od. *Ungleichgew.*, vgl. a. irreversibel. Spezialfälle sind z. B. die *chemischen Gleichgewichte, *stationäre Zustände, die G. *thermodynamischer Systeme od. der *elektrolytischen Dissoziation, das *Säure-Basen-Gleichgewicht im tier. Organismus usw. Unter bestimmten Bedingungen können sich auch Pseudo-G. einstellen, die man als *metastabile Zustände bezeichnet. In der Mechanik unterscheidet man zwischen stabilem (s. Stabilität), labilem u. indifferentem G. (z. B. eine Kugel auf einer genau waagerechten Fläche). – *E* equilibrium – *F* équilibre – *I* = *S* equilibrio

Gleichgewichtsgeometrie (Gleichgewichtsstruktur). Geometr. Anordnung der als Punktladungen betrachteten Atomkerne in einer – physikal. nicht realisierbaren – rotations- u. schwingungslosen Situation (aufgrund der Heisenbergschen *Unschärfebeziehung hat ein Mol. im energet. tiefsten Zustand eine endliche Nullpunktsschwingungsenergie). Im Rahmen der *Born-Oppenheimer-Näherung, die die Grundlage für den Strukturbegriff der Chemiker liefert, entspricht die G. der Geometrie eines Energieminimums einer *Potential-Kurve (zweiatomiges Mol.) od. -hyperfläche (mehratomiges Mol.). Mit Verf. der *Quantenchemie (s. a. ab initio u. theoretische Chemie) läßt sich die G. eines Mol. leicht bestimmen, insbes. wenn wenigstens die ersten Ableitungen der Gesamtenergie nach den Kernkoordinaten analyt. berechnet werden können;

dies trifft für die meisten Standardverf. zu. Die Bestimmung einer G. aus experimentellen Daten ist auch bei kleinen Mol. schwierig u. bisher nur in wenigen Fällen zufriedenstellend gelungen. Hierzu werden die für verschiedene Schwingungszustände ermittelten *Rotationskonstanten auf den schwingungslosen Zustand extrapoliert. Aus diesen Gleichgew.-Rotationskonstanten lassen sich dann die Geometrieparameter der G. berechnen, wobei allerdings meistens Daten für verschiedene *Isotope erforderlich sind.

Tab.: Gleichgewichtsgeometrien einiger linearer u. nichtlinearer dreiatomiger Moleküle vom Typ ABC bzw. AB_2.*

Mol.	lineare Mol. R_e^{AB}	R_e^{BC}	Mol.	nichtlineare Mol. R_e^{AB}	α_e(∡ BAB)
HCN	106,6	115,3	H_3^+	87,3	60
HCP	106,6	154,0	H_2O	95,7	105
NH_2^+	103,4	109,7	H_2S	133,6	92
OCO	116,0	116,0	O_3	127,2	117
NNO	112,7	118,5	SO_2	143,1	119
N_3^-	118,5	118,5	NO_2	119,3	134

* Gleichgewichtskernabstände in pm, Gleichgewichtsbindungswinkel in °.

In der Tab. sind experimentelle Werte für die G.-Parameter einiger dreiatomiger Mol. aufgeführt. – *E* equilibrium geometry – *F* géométrie d'équilibre – *I* geometria d'equilibrio – *S* geometría de equilibrio

Gleichgewichtskernabstand s. Kernabstand u. Gleichgewichtsgeometrie.

Gleichgewichtskonstante s. chemische Gleichgewichte u. Massenwirkungsgesetz.

Gleichgewichts-Polymerisation (reversible Polymerisation). Die G.-P. ist eine *Polymerisation, die nur bis zu einem Gleichgew. zwischen *Monomer u. *Polymer erfolgt. Auch wenn viele Stufenreaktionen wie die *Polykondensation u. *Polyaddition durch Gleichgew. bestimmt werden, ist der Begriff der G.-P. im engeren Sinne auf über Kettenmechanismen erfolgende, z. B. radikal. od. ion. Polymerisationen beschränkt. Gleichgew. mit feststellbarem Monomeranteil werden beispielsweise bei der anion. Polymerisation von α-Methylstyrol sowie bei ringöffnenden Polymerisationen von *Tetrahydrofuran, 1,3-Dioxolan u. Trioxan beobachtet, wenn nahe der *Ceiling-Temperatur gearbeitet wird. – *E* equilibrium polymerization, reversible polymerization – *F* polymérisation autour du point d'équilibre – *I* polimerizzazione d'equilibrio – *S* polimerización de equilibrio
Lit.: Odian (3.), S. 68, 283, 505, 549, 589 ▪ s. a. Ceiling-Temperatur.

Gleichgewichtsstruktur s. Gleichgewichtsgeometrie.

Gleichstromprinzip. Meth. zum Wärme- od. Substanzaustausch zwischen zwei in möglichst innigem Kontakt in *gleicher* Richtung aneinander entlangbewegten Medien. Sind diese mischbar, so werden sie beim reinen Wärmeaustausch durch eine gut wärmeleitende Wand getrennt. Gegenteil: *Gegenstromprinzip. Es sei darauf hingewiesen, daß in der Lit. häufig auch das Einstrom-Verf. bei der *Gegenstromverteilung zu den Gleichstrom-Verf. gezählt wird, da hier die beiden Medien strenggenommen nicht gegeneinander bewegt werden, wenn das eine der beiden die stationäre Phase ist. Das G. findet u. a. Anw. in der Trocknungstechnik u. bei der Gleichstrom-*Destillation. – *E* parallel flow principle – *F* principe du flux continu – *I* principio di corrente continua – *S* principio de la corriente continua

Gleichungen s. chemische Zeichensprache.

Gleitgelen®. Emulsion mit dickflüssigem *Paraffin u. mittelkettigen *Triglyceriden gegen Trockenheit der Scheide beim Intimverkehr. *B.:* Wolff.

Gleitlagerwerkstoffe. Gleitlager sind eine Untergruppe des Maschinenelementes Lager. Hinsichtlich einer allg. Erörterung der Werkstoffe s. Lagerwerkstoffe. Gleitlager müssen sowohl tragfähig sein, als auch die tribolog. Beanspruchung dauerhaft schadensfrei aufnehmen.
Anforderungen für den *laufenden Betrieb*: Schwingfestigkeit (Aufnahme der schwingenden mechan. Belastung); Gleiteigenschaften (minimaler Reibwert); Verschleißbeständigkeit (minimaler Abrieb); Einbettungsfähigkeit (Einbetten von eingetragenen Verschleiß- u. Fremdpartikeln); Benetzungsfähigkeit (der *Schmierstoff wird bei jedem Anlaufvorgang von der rotierenden Welle in den Spalt gezogen).
Anforderungen für *bes. Betriebszustände*: Einlaufverhalten (bei Inbetriebnahme werden durch Abrieb u. *Elastizität Gestalt- u. Fertigungsunzulänglichkeiten im Syst. Welle/Lager ausgeglichen); Notlauffähigkeit (die Betriebsfähigkeit wird bei Unterbrechung der Schmierung hinreichend lange gewährleistet).
Da die Forderungen z. T. einander widersprechen, setzt die Wahl der geeigneten G. häufig die Anw. von Verbundsystemen voraus. Es bietet sich daher an, G. entsprechend der Anzahl der Systempartner zu ordnen.
Einstofflager: Lagerwerkstoffe für Einstoffsyst. sind sowohl mechan. als auch tribolog. gefordert. Verwendet werden Zinn-*Bronzen [1], *Rotguß [1], Zinn-Mehrstoffbronzen [2], bleihaltige *Messinge u. *Sondermessinge [3], Blei- u. Blei-Zinn-Bronzen [4]. Für Sonderanw. (z. B. für schmierungsfreie Anw.) bieten sich: Poröse Sintermetalle (Eisen, Bronze) [5] mit Metall- od. *Graphit-Füllung bzw. für eine Öltränkung, Polymere (PA, PE, POM, PTFE, PVDF) [6], auch mit Metall-, Glasfaser-, Graphit- u. Mo-Disulfid-Füllung, Keramik (Aluminiumoxid) u. Kohle [7]/Graphit. – *Zweistofflager:* Tragfähige Stützschale aus unlegiertem *Stahl, *Gußeisen, Bronze, Messing od. Rotguß mit einer ca. 1 mm dicken Schicht aus ausgegossenem bzw. schleudergegossenem Lagermetall (Weißmetall [8] auf Zinnod. Blei-Basis od. Blei-Lagermetall). Schichthaftung über Diffusion od. mechan. Verklammerung. – *Dreistofflager:* Stützschale aus unlegiertem Stahl od. Gußeisen; ca. 1 mm dicker Ausguß von Blei- od. Aluminium-Bronze; ca. 20 µm dicke galvan. abgeschiedene Weißmetall-Schicht. – *E* materials for sliding bearings – *F* materiaux pour coussinets – *I* materiali per cuscinetti di scivolamento – *S* materiales para cojinetes deslizantes

Lit.: [1] DIN 1705 (11/1981). [2] DIN 17662 (12/1983). [3] DIN 17660 (12/1983); DIN 1709 (11/1981). [4] DIN 1716 (11/1981). [5] DIN ISO 5755 (08/1995). [6] DIN ISO 6691 (10/1990). [7] DIN 1850 Tl. 4 (08/1970). [8] DIN ISO 4381 (11/1992).

Gleitmittel. Zusatzstoffe für gefüllte plast. Massen (Preßmassen u. Spritzgußmassen), um die Füllstoffe leichter gleitend u. die Preßmassen damit leichter verformbar zu machen. Hierzu sind *Metallseifen u. *Siloxan-Kombinationen geeignet. Infolge seiner Unlöslichkeit in Kunststoffen wandert ein Teil des G. bei der Verarbeitung an die Oberfläche u. wirkt als *Trennmittel, z. B. in Hart-PVC. Als G. werden auch Stoffe bezeichnet, die bei Anstrichstoffen die Reibung zwischen den Pigmentteilchen u. unerwünschtes Kleben vermindern (Metallseifen, Wachs- u. Paraffin-Dispersionen, sulfatierte Öle) bzw. bei Lacken zur Steigerung der Oberflächenglätte u. der mechan. Festigkeit dienen (PE-Wachse, Siliconöle). In der Textil-Ind. benutzt man Faden-G., in der Medizin wirken manche Paraffinöle als G. in Laxantien, u. auch als Tabletten-Hilfsstoffe werden G. verwendet. In strömenden Flüssigkeiten, z. B. Wasser, wirken geringe Mengen langkettiger Polymere als G., indem sie den Reibungswiderstand herabsetzen. – *E* lubricants, slipping agents – *F* lubrifiants – *I* lubrificante – *S* lubricantes, lubrificantes, agentes deslizadores

Lit.: Encycl. Polym. Sci. Technol. **8**, 325–338 ■ Kirk-Othmer (3.) **14**, 477–526; (4.) **15**, 463–517 ■ Ullmann (4.) **15**, 268 ff.; (5.) **A 15**, 423–518.

Gleitringdichtung. In der *Biotechnologie, Chemie, Raum- u. Luftfahrt-Ind. u. im Pumpenbau eingesetzte Dichtungsart für die Abdichtung von rotierenden Wellen zum Reaktor/Gehäuse. Dabei drückt eine radiale od. axiale Kraft eines rotierenden Gleitrings auf einen feststehenden Gegenring od. umgekehrt. Zwischen den Gleitringen befindet sich ein flüssiger od. gasf. Schmierfilm. Durch die Installation zweier Gleitringpaare kann der Zwischenraum unter Überdruck als zusätzliches Dichtelement mit Sperrflüssigkeit (Glycerin od. steriles Kondensat) gefüllt werden. – *E* mechanical seal – *F* garniture étanche à anneau glissant, garniture mécanique d'étanchéité – *I* guarnizione per anello di guida – *S* retén frontal

Lit.: Burgmann, ABC der Gleitringdichtung, Wolfratshausen: Eigenverl. 1988.

Glemser, Oskar Max (geb. 1911), Prof. für Anorgan. Chemie, Univ. Göttingen. *Arbeitsgebiete:* Hydroxide u. Oxidhydrate von Metallen, binäre Metallfluoride, Schwefel-Stickstoff-Fluor-Verb., Isopolyanionen.
Lit.: Kürschner (16.), S. 1038 ■ Nachr. Chem. Tech. **18**, 290 (1970) ■ Pötsch, S. 171 ■ Wer ist wer, S. 410.

Gley s. Boden.

Gliadin. Ein *Prolamin aus Weizen (M_R ca. 27 500) u. Roggen, reich an Glutamin (ca. 43%), wo es zusammen mit den *Glutelinen den Kleber (Gluten) bildet, worauf auch der Name (griech.: glia = Leim) hindeutet, s. a. Getreide. – *E* gliadin – *F* gliadine – *I* = *S* gliadina – *[CAS 9007-90-3]*

Glial cell line-derived neurotrophic factor s. neurotrophe Faktoren.

Glial fibrillary acidic protein s. saures fibrilläres Glia-Protein.

Glianimon®. Ampullen u. Tabl. mit *Benperidol gegen Unruhe- u. Erregungszustände, Psychosen u. Delirien. *B.:* Bayer Pharma Deutschland.

Glibenclamid.

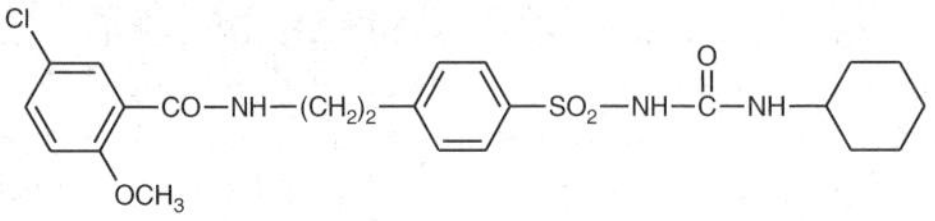

Internat. Freiname für 1-{4-[2-(5-Chlor-2-methoxybenzamido)-ethyl]-phenylsulfonyl}-3-cyclohexylharnstoff, $C_{23}H_{28}ClN_3O_5S$, M_R 494,01, Schmp. 169–170 °C, auch 172–174 °C angegeben, pK_a 5,3; LD_{50} (Maus oral u. s.c.) >20, (Maus i.p.) >12,5 g/kg. G. wurde als orales *Antidiabetikum vom *Sulfonylharnstoff-Typ gegen Altersdiabetes 1966 von Boehringer Mannheim u. 1967 u. 1968 von Hoechst (Euglukon®) patentiert u. ist als Generikum im Handel. – *E* = *F* = *I* glibenclamide – *S* glibenclamida
Lit.: ASP ▪ DAB 1996 u. Komm. ▪ Florey **10**, 337–355 ▪ Hager (5.) **8**, 347 ff. – *[HS 2935 00; CAS 10238-21-8]*

Glibornurid.

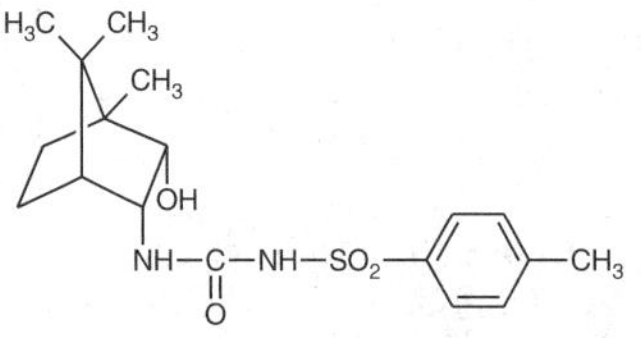

Internat. Freiname für 1-[(1*R*)-2-*endo*-Hydroxy-3-*endo*-bornyl]-3-(*p*-tolylsulfonyl)-harnstoff, $C_{18}H_{26}N_2O_4S$, M_R 366,48, Schmp. 192–195 °C, auch 195–198 °C angegeben; $[\alpha]_D^{20}$ +63,8°. G. wurde als orales *Antidiabetikum vom *Sulfonylharnstoff-Typ gegen Altersdiabetes 1968, 1969 u. 1972 von Hoffmann-La Roche (Glutril®) patentiert u. ist auch von Grünenthal (Gluborid®) im Handel. – *E* = *F* = *I* glibornuride – *S* glibornurida
Lit.: ASP ▪ Hager (5.) **8**, 350 f. – *[HS 2935 00; CAS 26944-48-9]*

Gliclazid.

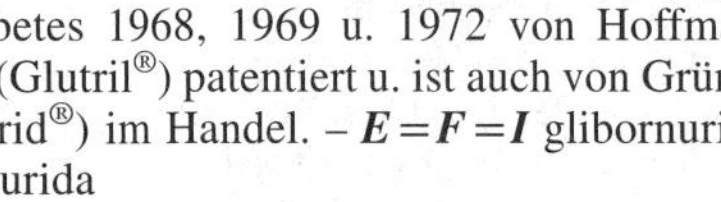

Internat. Freiname für 1-(Hexahydrocyclopenta[*c*]pyrrol-2-yl)-3-(*p*-tolylsulfonyl)-harnstoff, $C_{15}H_{21}N_3O_3S$, M_R 323,41, Schmp. 180–182 °C, pK_a 5,8; LD_{50} (Maus oral) >3 g/kg. G. wurde als orales *Antidiabetikum vom *Sulfonylharnstoff-Typ gegen Altersdiabetes 1968 u. 1970 von Science Union patentiert u. ist von Servier (Diamicron®) im Handel. – *E* = *F* = *I* gliclazide – *S* glicazida
Lit.: ASP ▪ Hager (5.) **8**, 351 f. – *[HS 2935 00; CAS 21187-98-4]*

Glidobactine. Antitumor-Antibiotika aus dem gleitenden Bakterium *Polyangium brachysporum*, z.B. G. A: $C_{27}H_{44}N_4O_6$, M_R 520,67, Schmp. 259–261 °C, $[\alpha]_D^{24}$ –111° (CH_3OH), LD_{50} (Maus p.o.) 8,1 mg/kg. Man unterscheidet G. A–H, sie stellen makrocycl. Lactame aus drei Aminosäuren dar, die durch eine Fettsäure-Seitenkette substituiert sind. – *E* glido-

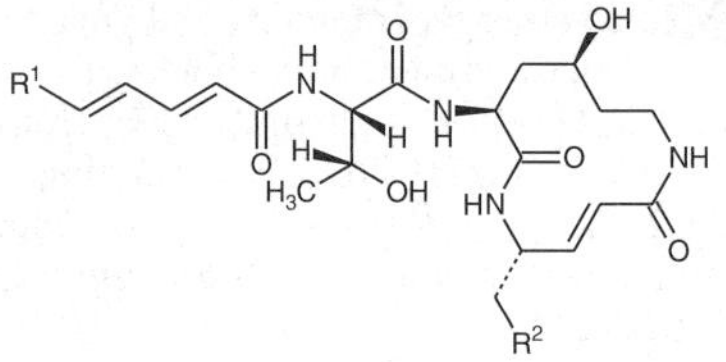

$R^1 = (CH_2)_6-CH_3$; $R^2 = H$: G. A
$R^1 = (CH_2)_4-CH-C_2H_5$; $R^2 = H$: G. D
$\quad\quad\quad\quad\quad\quad$ OH
$R^1 = CH_2-CH-C_5H_{11}$; $R^2 = H$: G. E
$\quad\quad\quad\quad$ OH
$R^1 = (CH_2)_4-CH_3$; $R^2 = H$: G. F
$R^1 = (CH_2)_6-CH_3$; $R^2 = OH$: G. G

bactins – *F* glidobactines – *I* glidobactine – *S* glidobactinas
Lit.: J. Antibiotics **41**, 1331–1350, 1358–1365, 1812–1822, 1906–1909 (1988). – *[CAS 108351-50-4 (G.A.)]*

Glimepirid.

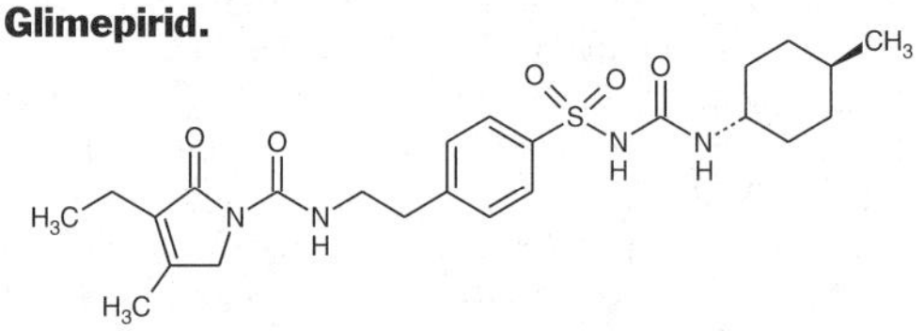

Internat. Freiname für 3-Ethyl-4-methyl-*N*-{4-[3-(*trans*-4-methylcyclohexyl)ureidosulfonyl]phenethyl}-2-oxo-3-pyrrolin-1-carboxamid, $C_{24}H_{34}N_4O_5S$, M_R 490,62, Schmp. 207 °C. Es gehört zu den *Sulfonylharnstoffen, wurde 1981/83 von Höchst patentiert u. soll als orales *Antidiabetikum von Höchst (vorgesehener Handelsname Amaryl®) in den Handel gebracht werden. – *E* = *I* glimepiride – *F* glimépiride – *S* glimepirida
Lit.: Arzneim.-Forsch. **43**, 856 ff. (1993) ▪ Merck-Index (12.), Nr. 4449. – *[HS 2935 00; CAS 93479-97-1]*

Glimmentladung. Selbständige, kontinuierliche *Gasentladung, bei der aus der Kathode durch beschleunigte Ionen od. durch Lichtquanten Elektronen ausgelöst werden. Im Gegensatz zur Bogenentladung spielt therm. Emission hier keine Rolle.
Die verschiedenen Erscheinungsformen der G. sind abhängig von der Art des Gases, dem Druck, der Geometrie der Entladungsröhre u. dem Abstand der Elektroden. Unmittelbar über der Kathode befindet sich der *Astonsche Dunkelraum* (Abb.), gefolgt von der *Kathodenglimmhaut* u. dem Kathodendunkelraum (*Hittorfscher Dunkelraum*), an den sich das zur Kathode hin scharf begrenzte *neg. Glimmlicht* anschließt. Dieses geht unscharf in den *Faradayschen Dunkelraum* über, auf den dann die *pos. Säule* folgt. Die pos. Säule emittiert von allen Zonen am meisten Licht u. kann je nach Betriebsart mehrere Hell-Dunkel-Zonen aufweisen. Ihr folgt der *Anodendunkelraum* u. direkt auf der Anode wieder ein Glimmlicht.
Der Innenwiderstand der einzelnen Zonen ist sehr unterschiedlich. Der größte Teil der Spannung fällt nahe der Kathode ab (Kathodenfall), wobei die elektr. Feldstärke einige 100 V/cm beträgt. Der Spannungsabfall nahe der Anode ist deutlich kleiner u. der über dem räumlich größten Teil sehr gering (elektr. Feldstärke

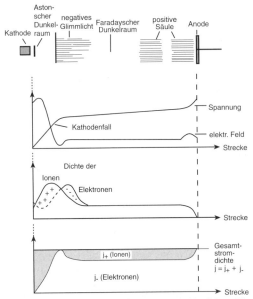

Abb.: Glimmentladung. Räumliche Verteilung der lichtemittierenden Zonen, räumlicher Verlauf der Spannung, elektrischen Feldstärke, Dichte der Ladungsträger u. deren Stromdichten.

≈ 10 V/cm). Ein Elektron, das z. B. durch ein auftreffendes Ion an der Kathode ausgelöst wurde, wird, nachdem es die Raumladung dicht über der Kathode verlassen hat, zunächst stark beschleunigt; auf Grund seiner geringen Energie kann es in diesem Bereich nur wenige Teilchen ionisieren. Erst bei größerem Abstand von der Kathode ist seine kinet. Energie größer als die Ionisationsenergie u. durch Stoßionisation vervielfacht sich die Dichte der Elektronen. Hier bildet sich ferner durch entstandene Ionen eine pos. Raumladung. Während die Elektronen durch das schwächere elektr. Feld nur gering in Richtung Anode beschleunigt werden, durchlaufen die Ionen in Richtung Kathode eine große Potentialdifferenz u. treffen mit hoher Energie (~ 100 eV) auf die Kathode, wo sie neue Elektronen auslösen. Die unterschiedliche kinet. Energie der Elektronen ist für die verschiedenen Lichterscheinungen verantwortlich. Unmittelbar nach dem Austritt aus der Kathode reichen ihre Energien nicht aus, um Gasteilchen elektron. anzuregen (Astonscher Dunkelraum); diese Anregung geschieht erst, nachdem sie einige Elektronenvolt kinet. Energie aufgenommen haben (Kathodenglimmlicht). Im darauffolgenden Bereich ist die Energie der Elektronen zu groß geworden (Maximum der Anregungsfunktion ist überschritten), u. es wird nur noch sehr wenig Licht emittiert (Hittorfscher Dunkelraum). Sobald die Energie der Elektronen ausreicht, Gasteilchen zu ionisieren, geschieht dies mit hoher Effizienz. Da das elektr. Feld hier aber schon sehr gering ist, kann der durch Ionisation erfolgte Energieverlust nicht wieder aufgeholt werden. Mit zunehmendem Abstand von der Kathode verringert sich die Geschw. der Elektronen, reicht aber immer noch aus, Gasteilchen anzuregen. An der scharfen Grenze des neg. Glimmlichtes zur Kathode hin, finden die Anregungen mit hoher Energie statt, weiter zur Anode hin dann die mit geringerer Energie, wobei die Anzahl der genügend schnellen Elektronen sinkt u. die Lichtemission abnimmt (Faradayscher Dunkelraum). Die Elektronen werden zur Anode hin beschleunigt u. erhalten auch bei der geringen elektr. Feldstärke wieder kinet. Energie, die im Bereich der pos. Säule erneut ausreicht, Gasteilchen elektron. anzuregen. Die pos. Säule ist nicht notwendig, um eine stabile G. brennen zu lassen; sie kann aber der räumlich größte Teil der G. sein, was bes. bei den Röhren der Leuchtreklame ausgenutzt wird.

Da in der G. elektron. angeregte Atome u. Mol. sowie atomare u. mol. Ionen gebildet werden, wird sie zur *Spektroskopie dieser Syst. eingesetzt. Eine sehr erfolgreiche Meth. der *Laser-Spektroskopie zur Untersuchung von Ionen besteht darin, durch ein zusätzliches elektr. Wechselfeld die Geschw. der Ionen zu modulieren (*E* velocity modulation). Auf Grund der Dopplerverschiebung (s. Doppler-Effekt) ist die Resonanz der Ionen mit einem schmalbandigen Laser dann ebenfalls moduliert, was durch den transmittierten Laserstrahl gemessen wird (*Lit.*[1]). – *E* glow discharge – *F* décharge électrique à faible luminescence – *I* scarica con bagliore – *S* descarga eléctrica a débil luminiscencia, descarga de efluvios, descarga luminosa

Lit.: [1] Phys. Rev. Lett. **50**, 727 (1983).
allg.: s. Gasentladung.

Glimmer. Zu den Phyllo-*Silicaten (Blattsilicaten) gehörende, nach *einer* Fläche ausgezeichnet in dünne, elast. biegsame Blättchen spaltbare Tonerde-Silicate der allg. Formel

$$W(X,Y)_{2-3}[(OH,F)_2/Z_4O_{10}];$$

mit W = K, Na od. Ca, seltener auch Ba, Rb u. Cs; (X,Y) = je zwei Ionen von Al, Mg u./od. Fe od. Li, seltener auch Mn, Cr u. Ti; Z = gewöhnlich Si u. Al, aber auch Fe od. Ti. Wichtigste G. mit chem. Formeln, D. u. Farben s. die Tab. auf S. 1556; am häufigsten sind *Muscovit* (*Kali-G.*) u. *Biotit* (*Magnesiaeisen-G.*). Die G. krist. überwiegend monoklin (Kristallklasse 2/m-C_{2h}) als tafelige bis kurzsäulige, meist sechsseitige (pseudohexagonale), z. T. „*G.-Bücher*" bildende Krist. od. als unregelmäßig begrenzte, auf Spaltflächen perlmuttartig glänzende Blättchen od. Schuppen.

Setzt man eine spitze Nadel auf ein G.-Blättchen, so entsteht beim Draufschlagen ein sechsstrahliger Stern als Schlagfigur. H. 2–3. Viele G. zeigen *Pleochroismus.

Struktur u. chem. Zusammensetzung: Die Grundeinheit der G.-Struktur ist ein sandwichartiges Schichtpaket, das zwischen zwei mit den Spitzen gegeneinander zeigenden [(Si,Al)O_4]-Tetraederlagen mit hexagonaler Symmetrie eine Oktaederlage mit den (X,Y)-Kationen enthält (*Dreischicht-Silicat*), s. die Abbildung auf S. 1556.

Die „freien" Sauerstoffe an den Spitzen der an den Basisflächen über gemeinsame Ecken-Sauerstoffe zu Sechserringen verknüpften Tetraeder sind gleichzeitig Bestandteile der Oktaederschicht; die Zentren der hexagonalen Lücken in der Lage dieser „freien" Sauerstoffe sind von Hydroxid- od. Fluorid-Ionen besetzt. Die W-Plätze sind in [12]er-Koordination mit den basalen Sauerstoff-Ionen der Tetraeder-Schichten ver-

Tab.: Daten der wichtigsten Glimmer.

Name	chem. Formel	Farbe	D.	CAS
Muscovit	$KAl_2[(OH,F)_2/AlSi_3O_{10}]$	weiß bis silbriggrau, rötlich, grünlich	2,78–2,88	1318-94-1
Paragonit	$NaAl_2[(OH)_2/AlSi_3O_{10}]$	weiß, gelblich, apfelgrün	2,85	12026-53-8
*Phlogopit	$KMg_3[(OH,F)_2/AlSi_3O_{10}]$	gelblich, rötlichbraun, grau, grün	2,75–2,9	61076-94-6
Biotit	$K(Mg,Fe)_3[(OH,F)_2/AlSi_3O_{10}]$	hell- bis schwarzbraun, bräunlichgrün	2,8–3,2	1302-27-8
Lepidolith	$K(Li,Al)_{2-3}[(OH,F)_2/AlSi_3O_{10}]$	weiß bis rosarot, pfirsichblütenfarben	2,8–2,9	114705-28-1
Margarit	$CaAl_2[(OH)_2/Al_2Si_2O_{10}]$	graurosa, blaßgelb, blaßgrün	3,0–3,1	1318-86-1

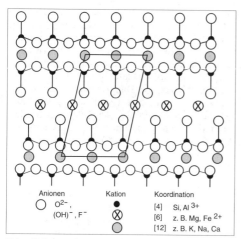

Anionen: ○ O^{2-}, $(OH)^-$, F^-
Kation: ● [4] Si, Al^{3+}; ⊗ [6] z. B. Mg, Fe^{2+}; ◐ [12] z. B. K, Na, Ca
Koordination

Abb.: Schemat. Lage der Atome in der Glimmer-Struktur. Schnitt senkrecht zu den Schichten, parallel zur a-c-Ebene. Eine einzelne Stapeleinheit ist herausgehoben (nach Ernst, Lit.[1]).

knüpft. Diese Stapelfolgen der Baueinheiten der G. führen am häufigsten zu ein- od. zwei Schichtpakete enthaltenden monoklinen Elementarzellen (als *1 M-od. 2 M_1-Polytypen* bezeichnet, z. B. Muscovit-2 M_1), einer alternativen zweischichtigen monoklinen Zelle (2 M_2) od. einer dreischichtigen trigonalen Elementarzelle (3 T); dazu u. zu weiteren G.-Polytypen s. Lit.[2]. Der lokale elektrostat. Ausgleich erfordert entweder die vollständige Besetzung der Oktaederpositionen (X,Y) mit drei zweiwertigen od. eine Zweidrittel-Besetzung mit zwei dreiwertigen Kationen. Dementsprechend kann man die G. in *trioktaedr.* (z. B. Biotit, Phlogopit) u. *dioktaedr.* G. (z. B. Muscovit, Paragonit u. der zu den sog. *Spröd-G.* gehörende Margarit) unterteilen. Neben Al, Mg, Fe^{2+} u. Fe^{3+} können sich in den Oktaedern auch Li (bei *Lepidolith*), Ti, V (bei *Roscoelith*), Cr (beim smaragdgrünen *Fuchsit*), Mn, Co, Ni, Cu u. Zn befinden. Ein Li-haltiger G. ist auch der in Zinn-*Greisen u. in *Pegmatiten vorkommende, graue bis gelblichbraune od. blaßviolette *Zinnwaldit*, $K_2Fe_{3-1}^{2+}Li_{1-3}(Al,Fe^{3+})_2[(F,OH)_4/Al_{3-1}Si_{5-7}O_{20}]$.
Während der *Verwitterung der G. wird ein Teil der Alkalien unter Aufweitung der c-Gitterdimension (Quellung) durch Wasser-Mol. ersetzt, Fe^{2+} geht z. T. in Fe^{3+} über; es entstehen die sog. *Hydroglimmer*. Aus Muscovit bildet sich z. B. *Illit (Hydromuscovit).
Vork.: Muscovit u. Biotit weit verbreitet in *magmatischen (z. B. *Granite, Pegmatite) u. *metamorphen Gesteinen (z. B. *Gneise u. die u. a. in den Alpen vorkommenden, silbriggrauen od. dunkelbraunen bis schwärz-

lichen *Glimmerschiefer*). Lepidolith in Pegmatiten (z. B. Brasilien, Namibia, Südafrika). Phlogopit ist noch bei 850–>1000 °C stabil; er kann auch im oberen Erdmantel (*Erde) entstehen u. findet sich daher z. B. in *Kimberliten u. *Peridotiten, aber auch in *Marmoren u. *Kalksilicatgesteinen.
Synth.: G. kann durch langsames Erstarrenlassen einer Schmelze aus 31–33% SiO_2, 31–33% MgO, 11–12% Al_2O_3 u. 22–26% K_2SiF_6 künstlich dargestellt werden. Von techn. Bedeutung ist die Herst. von *Fluorphlogopit* (z. B. für Glaskeramiken) aus Kalium-Fluorsilicat, Kali-*Feldspäten, Aluminium- u. Magnesiumoxiden u. Quarzsand in der Elektroschmelze.
Verw.: Die Verw. heller u. durchsichtiger G.-Tafeln war bereits in der Antike gebräuchlich. Aus Pegmatiten gewonnener tafeliger Muscovit (z. B. Indien, Madagaskar, Simbabwe, Brasilien, Rußland) u. Phlogopit (von Madagaskar, Kanada u. Finnland) als Tafel-G. od. *Blatt-G.* sowie als G.-Abfälle od. *Mikanit* (Preß-G.) wegen der sehr geringen elektr. Leitfähigkeit u. der hohen Beständigkeit bei Hitzeschock in der Elektrotechnik (u. a. als Isolatoren) u. in der Elektronik-Ind.; G.-Abfälle u. G.-Schiefer als *trocken gemahlener G.* für Dachpappe, in der Feuerschutz-Ind., in Fugenzementen für Fasergipsplatten u. als Zusatz für Bohrspülungen, als *naß gemahlener G.* für Farben, Edelputze u. als Füllstoff in Plastikwaren. Verbundpigmente aus G. u. Titandioxid als Perlglanzpigmente. Lithium-G. früher zur Gewinnung von Lithium. – $E = F = I = S$ mica
Lit.: [1] Ernst, Bausteine der Erde, S. 101, Stuttgart: Enke 1977. [2] Am. Mineral. **80**, 715–724 (1995).
allg.: Bailey (Hrsg.), Micas (Reviews in Mineralogy, Vol. 13), Washington (D.C.): Mineralogical Society of America 1983 ▪ Deer et al., S. 279–317 ▪ Harben u. Bates, Industrial Minerals, Geology and World Occurrence, S. 167–174, London: Industrial Minerals Division of Metal Bulletin Plc 1990 ▪ Matthes, Mineralogie (5.), S. 144 ff., Berlin: Springer 1996 ▪ Ullmann (5.) **A 16**, 551–562.

Glimmerschiefer s. Glimmer.

Glimm-Nitrierung (Ionitrierung, Glimmofen- u. Plasmanitrierung). Thermochem. Behandlung in einem *Stickstoff-haltigen Plasma zum Anreichern der Randschicht eines Bauteils aus Eisen-Werkstoffen (bes. Nitrierstählen) mit Stickstoff, s. Gas-Nitrierung u. Nitrierung. Das zu nitrierende Werkstück wird in einer evakuierten Kammer mit Stickstoff-Wasserstoff- od. Stickstoff-Wasserstoff-Kohlenwasserstoff-Gemisch eingesetzt u. in einem Gleichspannungskreis neg. geschaltet; die Kammerwand ist pos. geschaltet. Bei Anlegen einer Spannung um 100 V kommt es zu einer stabilen *Glimmentladung nahe der Werkstückober-

fläche in Verbindung mit der Bildung eines Gas-Plasmas. Die Stickstoff-Ionen treffen mit hoher Geschw. auf die Werkstückoberfläche, erwärmen sie auf Nitrier-Temp. (350–650 °C) u. diffundieren in den Werkstoff ein. G.-N. ist ein variabler Prozeß (Auslagerdauer, Temp.) u. apparatetechn. relativ einfach durchführbar. – *E* glow discharge nitriding – *F* nitruration par décharge luminiscente – *I* nitrurazione a bagliore – *S* nitruración por descarga luminescente
Lit.: Ullmann (5.) **A 16**, 422 ▪ s. a. Gas-Nitrierung.

Glimmofen-Nitrierung s. Glimm-Nitrierung.

Gliotoxin (Aspergillin).

$C_{13}H_{14}N_2O_4S_2$, M_R 326,39, monokline Krist., Schmp. 221 °C, opt. aktiv $[\alpha]_D^{25}$ –290° (c 0,078/C_2H_5OH), lösl. in Ethanol. Epidithiodioxopiperazin-*Antibiotikum aus *Gliocladium fimbriatum* sowie *Aspergillus*- u. *Penicillium*-Arten. G. besitzt immunmodulator., antivirale u. antifung. Eigenschaften. Es wurden bereits eine Reihe strukturverwandter G. isoliert. Wegen starker Toxizität wird G. therapeut. nicht genutzt; es ist als Saatbeizmittel anwendbar. – *E* gliotoxin – *F* gliotoxine – *I* gliotossina – *S* gliotoxina
Lit.: Beilstein E III/IV **27**, 8902 ▪ Cole et al., Handbook of Toxic Fungal Metabolites, S. 571 ff., 575 ff., New York: Academic Press 1981 ▪ Prog. Biochem. Pharmacol. **22**, 66, 1988. – [HS 2941 90; CAS 67-99-2]

Glipizid.

Von der WHO vorgeschlagener Freiname für 1-Cyclohexyl-3-{4-[2-(5-methylpyrazin-2-carbonylamino)-ethyl]-phenylsulfonyl}-harnstoff, $C_{21}H_{27}N_5O_4S$, M_R 445,54, Schmp. 208–209 °C (aus C_2H_5OH), auch 200–203 °C angegeben; LD_{50} (Maus oral) >3, (Maus i.p.) 1,2 g/kg. G. wurde als orales *Antidiabetikum vom *Sulfonylharnstoff-Typ gegen Altersdiabetes 1970 u. 1972 von Carlo Erba patentiert u. ist von Pfizer (Glibenese®) im Handel. – *E* = *F* = *I* glipizide – *S* glipizida
Lit.: ASP ▪ DAB **1996** u. Komm. ▪ Hager (5.) **8**, 352 f. – [HS 2935 00; CAS 29094-61-9]

Gliquidon.

Internat. Freiname für 1-Cyclohexyl-3-{4-[2-(7-methoxy-4,4-dimethyl-1,3-dioxo-1,2,3,4-tetrahydro-2-isochinolyl)-ethyl]-phenylsulfonyl}-harnstoff, $C_{27}H_{33}N_3O_6S$, M_R 527,64, Schmp. 180–182 °C; LD_{50} (Maus oral) >2000 mg/kg. G. wurde als orales *Antidiabetikum vom *Sulfonylharnstoff-Typ gegen Altersdiabetes 1973 von Boehringer Ingelheim u. 1972 von Thomae patentiert u. ist von Yamanouchi (Glurenorm®) im Handel. – *E* = *F* = *I* gliquidone – *S* gliquidona

Lit.: ASP ▪ Beilstein E V **25/4**, 199 ▪ Hager (5.) **8**, 353 f. – [HS 2935 00; CAS 33342-05-1]

Glisoxepid.

Internat. Freiname für 1-(1-Azepanyl)-3-{4-[2-(5-methyl-3-isoxazolcarbonylamino)ethyl]-phenylsulfonyl}-harnstoff, $C_{20}H_{27}N_5O_5S$, M_R 449,52, Schmp. 189 °C; LD_{50} (Maus oral) >10 000, (Maus i.v.) 283 mg/kg. G. wurde als orales *Antidiabetikum vom *Sulfonylharnstoff-Typ gegen Altersdiabetes 1969 u. 1972 von Bayer (Pro-Diaban®) patentiert. – *E* = *I* glisoxepide – *F* glisoxépide – *S* glisoxepida
Lit.: ASP ▪ Beilstein E V **27/15**, 31 ▪ Hager (5.) **8**, 354 f. – [HS 2935 00; CAS 25046-79-1]

Glissoviscal®. Viskositätsindex-Verbesserer auf Basis Butadien/Copolymeren zur Herst. von Schmierölen mit Mehrbereichsqualität. *B.:* BASF.

Gln. Neben Q u. Glu(NH_2) Abk. für L-*Glutamin.

Le Gloahec-Herter-Verfahren s. Alginsäure.

Globar s. IR-Spektroskopie.

Globigerinenschlamm. Fast ausschließlich aus mikroskop. kleinen, kugeligen Kalkschalen der *Foraminiferen-Gattung *Globigerina* (Meeresbewohner) bestehendes *Sediment, das schätzungsweise ein Drittel des gesamten Meeresbodens (also rund 120 Mio. km²) bedeckt. – *E* globigerina ooze – *F* boue de globigérines – *I* fango a globigerine, fanghiglia a globigerine – *S* lodo de globigerinas

Globine. Zu den *Albuminen gehörende Protein-Bestandteile des *Hämoglobins, *Myoglobins u. a. Chromoproteine, die sich beim Hämoglobin des Erwachsenen aus 2 α- (141 Aminosäure-Reste) u. 2 β-Ketten (146 Aminosäure-Reste) zusammensetzen. Fötale Globine besitzen dagegen im frühen Stadium die Zusammensetzung $\varepsilon_2\zeta_2$ bzw. später $\alpha_2\gamma_2$. G. kann bei niederer Temp. u. Säureeinwirkung aus Hämoglobin freigesetzt u. in Ggw. von Alkalien u. reduzierenden Substanzen wieder mit *Häm zu Hämoglobin vereinigt werden. – *E* globin – *F* globine – *I* globina – *S* globinas
Lit.: Alberts et al., Molekularbiologie der Zelle, 3. Aufl., S. 456 f., Weinheim: VCH Verlagsges. 1995.

Globuläre Proteine (Sphäroproteine). Bez. für *Proteine, deren Mol. annähernd kugelförmig u. die im Gegensatz zu den *Skleroproteinen in Wasser od. Salzlösung lösl. sind. Zu ihnen gehören z. B. die *Protamine, *Histone, *Albumine u. *Globuline. – *E* globular proteins – *F* protéines globulaires – *I* proteine globulari – *S* proteínas globulares

Globularin s. Catalpol.

Globuli s. Suppositorien.

Globuline. Bez. für eine Gruppe von weit verbreiteten Proteinen mit meist kugeliger Gestalt (latein.: globulus = Kügelchen, s. globuläre proteine), die in den meisten Zellen, ferner im Blut (vgl. Serumproteine), Eiern, Milch, Pflanzensamen etc. enthalten sind. Die G. sind im Gegensatz zu den *Albuminen in reinem Wasser unlösl., in verd. Lsg. von Neutralsalzen (z. B. in 10%iger Kochsalz-Lsg.) u. Alkalien leicht lösl.; durch 20–50%ige Sättigung mit Ammoniumsulfat kann man sie aus ihren Lsg. ausfällen (*Euglobuline* bei 28–33%, *Pseudoglobuline* bei 33–50%). Nach ihrer elektrophoret. Wanderungsgeschw. teilt man die *Serum-G.* ein in α- (wandern nach den Albuminen am schnellsten zur Anode; *Beisp.:* *Protease-Inhibitoren), β- (*Beisp.:* *Blutgerinnungs-Faktor VIII) u. γ-G. (*Beisp.:* *Immunglobuline). α-G. werden – ebenfalls elektrophoret. – weiter in $α_1$- u. $α_2$-G. unterschieden. Die M_R der aus Blutplasma isolierten Serum-G. liegen zwischen 44 000 u. 20 Mio.; daneben lassen sich noch sog. *Mikroglobuline* isolieren. Die G. enthalten hauptsächlich Leucin, Glutaminsäure, Glycin, Lysin, Arginin u. Tyrosin. Zu den G. gehören u. a. das *Myosin (Hauptbestandteil des Muskeleiweißes) *Fibrin u. das Thyroglobulin. Ein pflanzliches G. ist z. B. das in *Hülsenfrüchten, insbes. Wicken-Arten, vorkommende *Vicilin. – *E* globulins – *F* globulines – *I* globuline – *S* globulinas – *[HS 3002 10, 3504 00]*

γ-Globuline s. Immunglobuline.

Glockenbodenkolonnen s. Destillation.

Glockenbronze. Nicht genormte, wegen des hohen Sn-Gehalts teure Kupfer-*Gußlegierung mit 20–25% Sn (Guß-Zinnbronze) für den Glockenguß. G. zeichnet sich aus durch geringe Dämpfung u. hohen Elastizitätsmodul (s. Glockenwerkstoffe). – *E* bell bronze – *F* bronze à cloches – *I* bronzo da campane – *S* bronce de campanas
Lit.: s. Bronze. – *[HS 7403 22]*

Glockengut s. Glockenwerkstoffe.

Glockenkurve s. Gasgesetze (Maxwell-Verteilung) u. Gauß-Verteilung.

Glockenmessing. Kupfer-*Gußlegierung mit 37–40% Zn u. 1% Sn (Guß-Sondermessing) für den Glockenguß (s. Glockenwerkstoffe). – *E* bell brass – *F* laiton à cloches – *I* ottone da campane – *S* latón de campanas
Lit.: s. Messing. – *[HS 7403 21]*

Glockenspeise s. Glockenwerkstoffe.

Glockenwerkstoffe (Glockengut, Glockenspeise). Der klass. G. ist *Glockenbronze, im engeren Sinne eine CuSn-Leg. mit 22% Sn. Große Glocken werden wegen der verspröderden Wirkung des Sn bevorzugt mit Sn-Gehalten an der unteren Grenze gegossen. Glockenbronze hat ein bes. Klangbild, teilw. bedingt durch niedrige Dämpfung u. hohen Elastizitätsmodul. Durch Zusatz größerer Anteile anderer Elemente kann es zu unerwünschten Klangveränderungen kommen. Aus wirtschaftlichen Erwägungen wurde versucht, die wegen des hohen Sn-Gehalts recht teure Leg. durch preiswertere Werkstoffe zu ersetzen, im 17. Jh. durch *Spiegeleisen u. seit Mitte des 19. Jh. durch Stahlguß. Bes. nach den Weltkriegen wurden Glocken aus Stahlguß (Bochumer Gußstahlglocken) od. aus CuZn-Leg. (s. Glockenmessing) hergestellt; Glocken aus Stahlguß kosten nur etwa 50% der Glocken aus CuSn 22. Der Klang von Stahlguß-Glocken soll nicht stets von dem der Bronze-Glocken zu unterscheiden sein, da die Ausführungsform der Glocke von größerer Bedeutung ist als der Glockenwerkstoff. Als interessante Alternative steht des weiteren auch Guß-Siliciumbronze zur Verfügung, die bei geringerem Preis über ähnliche Eigenschaften verfügt wie Glockenbronze. – *E* bell alloys – *F* alliages de cloche – *I* materiali da campane – *S* bronce de campana
Lit.: Brockhaus Enzyklopädie (19. Aufl.), Bd. 8, S. 599, Mannheim: F. A. Brockhaus 1994.

Gloeosporon.

$C_{18}H_{30}O_5$, M_R 326,43, Krist., Schmp. 108–110 °C. Endogener Keimungshemmer (Autoinhibitor) gegenüber verschiedenen Niederen Pilzen, aus *Colletotrichum gloeosporioides* isoliert, strukturell verwandt mit *Colletotiol* u. *Grahamimycin*. – *E* = *F* = *I* gloeosporone – *S* gloeosporona
Lit.: Helv. Chim. Acta **70**, 281 (1987) ▪ J. Am. Chem. Soc. **110**, 6210–6218 (1988) (Synth.). ▪ Justus Liebigs Ann. Chem. **1989**, 1233 ▪ Tetrahedron Lett. **24**, 5059 (1983); **27**, 6133 (1986); **28**, 3747 (1987). – *[CAS 88936-02-1]*

Glomerin [1,2-Dimethyl-4(1*H*)-chinazolinon].

$C_{10}H_{10}N_2O$, M_R 174,20, gelbe Nadeln, Schmp. 209–211 °C. *Chinazolin-Alkaloid, das im Abwehrsekret von *Glomeris marginata* (Saftkugler, Familie der Doppelfüßer, Arthropoda) enthalten ist. Die Biosynth. läuft über Anthranilsäure (s. Aminobenzoesäuren). – *E* = *F* glomerine – *I* = *S* glomerina
Lit.: Heterocycles **9**, 1585 (1978); **14**, 1469 (1980) (Synth.) ▪ Zechmeister **46**, 202, 208 f. – *[CAS 7471-65-0]*

Glossarien s. Wörterbücher.

Glove bag s. glove box.

Glove box. Engl. Bez. – eigentlich „Handschuh-Kasten" – für einen meist mit einer Sichtglasscheibe versehenen, luftdichten Kasten, in dem man mit Hilfe von eingeschweißten Gummihandschuhen von außen hantieren u. z. B. chem. Reaktionen unter *Schutzgas-Atmosphäre vornehmen kann. Eine einfachere Vorrichtung ist der sog. *glove bag*, ein Polyethylen-Beutel mit 2 eingelassenen Handschuhen, Gaseinlaß u. Produktschleuse. – *E* glove box – *F* boîte à gants – *I* cassetto per guantiera – *S* caja de manipulación con guantes
Lit.: ACHEMA-Jahrb. **1988**, 1935.07.

Glp. Neben Pyr Kurzz. für *Pyroglutaminsäure.

GLP. Abk. 1. für *Good Laboratory Practices; – 2. für *Glucagon-artige Peptide.

Glu. Abk. für L-*Glutaminsäure.

Gluadin®. Protein-Hydrolysat aus pflanzlichen Proteinen, z. B. aus Weizen, Mandeln; für Haut- u. Haarpflegepräp., Sonnenkosmetika, Bade- u. Duschpräparate. *B.:* Henkel.

Glucagon (von *Glucose u. griech.: agein = führen, bringen).

His-Ser-Gln-Gly-Thr-Phe-Thr-Ser-Asp-Tyr-
Ser-Lys-Tyr-Leu-Asp-Ser-Arg-Arg-Ala-Gln-
Asp-Phe-Val-Gln-Trp-Leu-Met-Asn-Thr

G. ist ein Polypeptid-*Hormon aus den α_2-Zellen des *Pankreas aus 29 Aminosäuren (M_R 3482,8), das jedoch auch in Magen, Darm u. Speicheldrüsen gebildet wird. G. zeigt Struktur-Homologie zum Dünndarm-Hormon *Secretin, dessen Sequenz von 27 Aminosäure-Resten in 14 Positionen mit der des G. ident. ist; demgegenüber ist das ebenfalls aus dem Pankreas stammende *Insulin anders aufgebaut. Die Bestimmung von G. im Serum (normalerweise <50 pg/mL) kann durch *Radioimmunoassay erfolgen.

Physiologie: G. bewirkt hauptsächlich eine Zunahme des Blutzucker-Gehalts (daher Name), indem es die D-Glucose-Ausschüttung der Leber fördert. Durch Bindung an spezif. membranständige *Rezeptoren, Stimulierung der *Adenylat-Cyclase über ein *G-Protein (G_s) wird die Bildung von *Adenosin-3',5'-monophosphat ausgelöst, welches als Aktivator einer *Protein-Kinase über mehrere weitere Stufen einer Aktivierungskaskade die *Glykogen-Reserven mobilisiert, aber auch die *Gluconeogenese verstärkt durch Erhöhung von *Proteolyse* (Protein-Abbau) u. somit Bereitstellung von Aminosäuren als Vorstufen. Außerdem wird durch G. im Fettgewebe die *Lipolyse* (Fett-Abbau) gesteigert. G. ist damit ein Antagonist des (durch Speicherung von D-Glucose als Glykogen) Blutzucker-senkenden, Proteine u. Fette aufbauenden Insulins. Infolge dieser antagonist. Wirkung ist die G.-Ausschüttung bei Insulin-Mangel, insbes. bei *Diabetes, erhöht. Die Sekretion *beider* Hormone wird durch *Somatostatin inhibiert; die Ausschüttung von G. durch das Pankreas wird durch hohe D-Glucose-Spiegel inhibiert. G. besitzt wie manche andere Polypeptid-Hormone eine *amphipathische Helix, die es ihm ermöglicht, *Phospholipide zu solubilisieren, u. wahrscheinlich auch bei der Bindung an den auf der Zelloberfläche befindlichen G.-Rezeptor [1] eine Rolle spielt. Ein extrazelluläres Abbauprodukt des G. ist das *Miniglucagon* [G.(19–29), $C_{61}H_{89}N_{15}O_{18}S$, M_R 1352,53], das eigene Hormon-Eigenschaften besitzt u. antagonist. zu G. wirkt [2]. Therapeut. wird G. zur Behandlung von Hypoglykämie herangezogen, z. B. auch beim hypoglykäm. Schock von Diabetikern nach Insulin-Überdosierung. G. wurde 1923 (von Murlin) erstmals beschrieben, 1957 in seiner Struktur aufgeklärt u. 1967 synthetisiert. – *E = F* glucagon – *I* glucagone – *S* glucagón

Lit.: [1] Biochim. Biophys. Acta **1241**, 45–57 (1995). [2] Biochimie **76**, 295–299 (1994).
allg.: Diabetes Care **18**, 715–730 (1995) ▪ Lefebvre, Glucagon III, Berlin: Springer 1996. – [HS 293799; CAS 9007-92-5]

Glucagon-artige Peptide (GLP).

His-Ala-Glu-Gly-Thr-Phe-Thr-Ser-Asp-Val-Ser-Ser-Tyr-
Leu-Glu-Gly-Gln-Ala-Ala-Lys-Glu-Phe-Ile-Ala-Trp-Leu-
Val-Lys-Gly-Arg-NH$_2$

Abb.: GLP-1 (Mensch).

Polypeptide, die dem *Glucagon in der Aminosäure-Sequenz ähnlich sind u. vom selben Vorläufer (*Proglucagon*) abstammen. Aus diesem werden sie durch *Proteolyse freigesetzt. GLP-1 ($C_{149}H_{226}N_{40}O_{45}$, M_R 3297,67) wird bei Nahrungsaufnahme vom Darm ins Blut abgegeben u. unterstützt im *Pankreas die Sekretion von *Insulin. Weiter verlangsamt es die Entleerung des Magens u. die Abgabe von Magensäure. GLP-1 kommt auch im Gehirn (*Hypothalamus) vor, wo es wahrscheinlich Sättigungsgefühl verursacht [1]. GLP-2 kommt nur bei Säugern vor; über seine Funktion ist weniger bekannt. – *E* glucagon-like peptides – *F* peptides de type glucagonique – *I* peptidi glucagono-simili – *S* péptidos glucagono-similes

Lit.: [1] Nature (London) **379**, 69–72 (1996).
allg.: Diabete Metab. **21**, 311–318 (1995) ▪ Endocrine Rev. **16**, 390–410 (1995).

Glucanasen s. Glucan-Hydrolasen.

Glucane. Sammelbez. für auch Polyglucosane genannte, zumeist natürlich vorkommende, lineare u. verzweigte Polymere der *Glucose; *Beisp.:* *Cellulose, *Amylose u. *Lichenin aus Pflanzen u. Flechten als lineare, *Dextran, *Amylopektin u. *Glykogen als verzweigte Vertreter. – *E* glucans – *F* glucanes – *I* glucani – *S* glucanos

Glucan-Hydrolasen (Glucanasen). Zu den *Hydrolasen (genauer zu den *Glykosidasen) gehörende *Enzyme, die *Glucane, d. h. aus *Glucose-Einheiten aufgebaute *Polysaccharide, hydrolyt. spalten. α-1,4-G. s. Amylasen. β-G., zu denen auch die *Cellulasen zählen, kommen in vielfältiger Spezifität u. a. in Hefe-Arten vor, wo sie zum großen Teil als *Ektoenzyme zum Umbau der aus β-Glucanen bestehenden Zellwand dienen. Man unterscheidet auch Endo- u. Exo-G., je nachdem, ob im Innern oder am Ende einer Glucan-Kette gespalten wird. – *E = F* glucanohydrolases – *I* glucanoidrolasi – *S* glucanohidrolasas

Glucarate s. Glucarsäure.

Glucarsäure.

COOH
H—C—OH
HO—C—H   D-Glucarsäure
H—C—OH
H—C—OH
COOH

$C_6H_{10}O_8$, M_R 210,14. Farblose Nadeln, Schmp. 126 °C, leicht lösl. in Wasser u. Alkohol, wenig lösl. in Ether, die wäss. Lsg. zeigt Mutarotation.
Herst.: Als *Aldarsäure durch Oxid. von *Glucose, Saccharose od. Stärke mit konz. Salpetersäure. Die techn. G. wird meist als Zuckersäure, ihre Salze u. Ester (*Glucarate*) als Saccharate bezeichnet. G. wird gelegentlich als Komplexierungsmittel eingesetzt, ihr 4-Lacton auch als starker *Glucuronidase-Inhibitor. – *E* glucaric acid – *F* acide glucarique – *I* acido glucarico – *S* ácido glucárico

Lit.: Beilstein E IV **3**, 1291. – [HS 291819; CAS 87-73-0]

Gluc-DH®. Marke für Glucose-Dehydrogenase, Enzym zur Glucose-Bestimmung im Blut. *B.:* Merck.

Gluceptate s. Glucoheptonsäure.

D-Glucit s. D-Sorbit.

gluco-. Kursiv gesetztes Präfix zur Kennzeichnung einer bestimmten Konfiguration bei *Kohlenhydraten; vgl. die Abb. Aldohexosen. – $E = F = I = S$ gluco-

Gluc(o)... Vorsilbe, die sich in der Regel auf Glucose bezieht (s. die folgenden Stichwörter); wird manchmal unrichtig auch an Stelle von *Glyk(o)... verwendet. – $E = F = I = S$ gluco...

Glucoamylase s. Amylasen.

Glucoaubrietin s. Glucosinolate.

Glucobay®. Tabl. mit dem *Antidiabetikum *Acarbose zur Unterstützung der Diät. *B.:* Bayer Pharma Deutschland.

Glucobrassicin s. Glucosinolate.

Glucocapparin s. Glucosinolate u. Kapern.

Glucocortico(stero)ide s. Corticosteroide.

Glucoheptonate s. Glucoheptonsäure.

Glucoheptonsäure (D-*glycero*-D-*gulo*-Heptonsäure).

```
        COOH
         |
    H — C — OH
         |
    H — C — OH
         |
   HO — C — H      D-Glucoheptonsäure
         |
    H — C — OH
         |
    H — C — OH
         |
        CH₂OH
```

$C_7H_{14}O_8$, M_R 226,18. G. wird erhalten durch Addition von Blausäure an Glucose u. nachfolgende Hydrolyse des Cyanhydrins. Beim Eindampfen der Lsg. kristallisiert ein Lacton vom Schmp. 145–148 °C. Stabiler als die freie Säure sind ihre Salze, die Glucoheptonate (*Gluceptate*), die in pharmazeut. Präp. verwendet werden. – *E* glucoheptonic acid – *F* acide glucoheptonique – *I* acido glucoeptonico – *S* ácido glucoheptónico – *[HS 2918 19]*

Glucokinase. Häufig gebrauchte, aber inkorrekte Bez. für das in der Leber vorkommende *Isoenzym IV der *Hexokinase (EC 2.7.1.1), das unter Verbrauch von *Adenosin-5′-triphosphat (ATP) die Phosphorylierung von D-*Glucose zu D-Glucose-6-phosphat bei gleichzeitiger Entstehung von *Adenosin-5′-diphosphat katalysiert u. damit für die Einschleusung des Blutzuckers in den Abbau durch die *Glykolyse wichtig ist. Bei hohen Konz. werden auch andere *Hexosen phosphoryliert; vgl. a. D-Glucose-6-phosphat. G. wirkt wahrscheinlich als Glucose-Sensor bei der Regulation der *Insulin-Ausschüttung in den β-Zellen des *Pankreas[1]. Dementsprechend kann Fehlfunktion der G. für Insulin-unabhängigen *Diabetes empfänglich machen. Echte, d.h. für D-Glucose hochspezif. G. (EC 2.7.1.2) finden sich in Wirbellosen u. Mikroorganismen. – *E* = *F* glucokinase – *I* glucochinasi – *S* glucoquinasa, glucokinasa

Lit.: [1] Nachr. Chem. Tech. Lab. **43**, 42f. (1995).
allg.: Annu. Rev. Physiol. **58**, 171–186 (1996) ■ Cárdenas, Glucokinase. Its Regulation and Role in Liver Metabolism, Berlin: Springer 1995 ■ FASEB J. **8**, 414–419 (1994) ■ J. Biol. Chem. **269**, 21 925–21 928 (1994).

Gluconasturtiin s. Glucosinolate.

Gluconate s. D-Gluconsäure.

Gluconeogenese. Enzymgesteuerte Neubildung von *Kohlenhydraten im Organismus durch Umkehr der *Glykolyse, in einigen Reaktionsschritten jedoch von dieser abweichend (Genaueres u. Formelschema s. Glykolyse). Die G. verbraucht chem. Energie in Form von *Adenosin-5′-triphosphat. Sie dient der Aufrechterhaltung des Blutzucker-Spiegels bei Erschöpfung der Kohlenhydrat-Reserven u. bewirkt in Leber u. Niere, in bestimmten Pflanzen u. in Mikroorganismen, die in Abwesenheit von D-Glucose wachsen, die Umwandlung von *Brenztraubensäure (od. besser: *Pyruvat*), D- od. L-Milchsäure (*D- od. L-Lactat*), Glycerin od. von bestimmten Aminosäuren zu D-*Glucose od. *Glykogen. D-Glucose wird einerseits zur Biosynth. von *Glykokonjugaten u. strukturellen Polysacchariden, andererseits als Brennstoff für Gehirnzellen u. *Erythrocyten benötigt. In den letztgenannten Zellen, die ihren Energiebedarf ganz, u. in Muskelzellen, die ihn zeitweise nur aus der Glykolyse abdecken, fällt Lactat als Stoffwechselprodukt an, das in der Leber gluconeogenet. wieder abgebaut wird. Auf ähnliche Weise wird nach Phosphorylierung Glycerin, das in Fettzellen bei Verbrauch der Reservefette entsteht, u. nach oxidativer Desaminierung L-*Alanin, das in Muskelzellen aus Pyruvat u. *Aminosäuren gebildet wird, durch die G. verwertet. Die Regulation der G. ist mit der der Glykolyse verbunden u. wird dort besprochen. – *E* gluconeogenesis – *F* gluconéogenèse – *I* gluconeogenesi – *S* gluconeogénesis

Lit.: Stryer 1996, S. 599–609.

D-Gluconolacton s. Gluconsäure-5-lacton.

D-Gluconsäure (Dextronsäure; Kurzz.: D-GlcA).

D-Gluconsäure-4-lacton   D-Gluconsäure

D-Gluconsäure-5-lacton

$C_6H_{12}O_7$, M_R 196,16. Sirup-artige Flüssigkeit, in reinem Zustand jedoch farblose Krist., Schmp. 131 °C, in Wasser leicht, in Alkohol u. Ether wenig löslich. In wäss. Lsg. bildet sich ein Gleichgew. der D-G.-4- u. -5-lactone (ältere Bez.: D-G.-γ- bzw. -δ-lactone), aus dem D-*Gluconsäure-5-lacton krist. erhalten werden kann. D-G. wird zu den sog. *Fruchtsäuren gerechnet. Sie wird als milde Säure in Metallbeizmitteln, Textilhilfsmitteln (zur Entwicklung von Küpenfarbstoff-Estern, Seidenbeschwerung, Appreturfabrikation), als Limonadenzusatz u. als Calcium-Salz zu therapeut. Zwecken in *Calcium-Präparaten verwendet. Die Herst. erfolgt hauptsächlich durch mikrobielle Oxid. von D-*Glucose (bes. mit *Aspergillus niger*) im

Submers-Verf. u. liefert über 95% Ausbeute. Die Ester u. Salze der G. heißen *Gluconate*, so z. B. *Calciumgluconat, Eisengluconat (blutbildendes Mittel), Titangluconat (Gerbmittel für weißes Leder), Alkaligluconate (zur Schmelzkäse-Herst.) usw.; sie sind auch gute Komplexbildner, z. B. für Calcium- u. Eisen-Ionen in Kesselwasser. Natürlicherweise kommt D-G. als Zwischenprodukt des Kohlenhydrat-Stoffwechsels vor. Ihre Entstehung aus D-Glucose ist Grundlage der enzymat. Bestimmung der Letzteren mit Hilfe von *Glucose-Oxidase. – *E* D-gluconic acid – *F* acide D-gluconique – *I* acido D-gluconico – *S* ácido D-glucónico

Lit.: Beilstein E IV **3**, 1255. – [HS 2918 16; CAS 526-95-4]

Gluconsäure-5-lacton (Gluconsäure-δ-lacton, Gluconolacton; Formel der D-Form s. bei D-Gluconsäure – die L-Form hat dazu spiegelbildliche Struktur). $C_6H_{10}O_6$, M_R 178,14. Farblose, süß schmeckende Krist., Zers. bei 153 °C, leicht lösl. in Wasser (hydrolysiert zu *Gluconsäure), schwer lösl. in Alkohol. G. entsteht als Zwischenprodukt bei der enzymat. Blutzucker-Bestimmung mit *Glucose-Oxidase.
Verw.: In Reinigungsmitteln, zur Verhütung von Milchstein u. Bierstein, zur Herst. von Wasserfarben (verhindert das Durchschlagen von Rostflecken bei der Anw. auf Metall-Oberflächen, wirkt chelatisierend), in der Lebensmittel-Ind. als Säureträger für Backpulver u. als Pökel- u. Umrötungsmittel für Wurstwaren. – *E* gluconic acid 5-lactone – *F* 5-lactone d'acide gluconique – *I* 5-lattone dell' acido gluconico – *S* 5-lactona de ácido glucónico

Lit.: Beilstein E V **18/5**, 11 f. – [HS 2932 29; CAS 90-80-2]

Glucophage® retard. Tabl. mit *Metformin-Hydrochlorid gegen Diabetes. *B.*: Lipha Arzneimittel GmbH.

Glucopon®. Alkylpolyglykoside als Komponente zur Formulierung von Spül-, Wasch- u. Reinigungsmitteln mit hoher biolog. Abbaubarkeit u. ökotoxikolog. Verträglichkeit. *B.*: Henkel.

Glucorapiferin s. Goitrin.

D-Glucosamin (Chitosamin, 2-Amino-2-desoxy-D-glucose, Kurzz.: D-GlcN; gezeigt ist die Pyranose-Form).

$C_6H_{13}NO_5$, M_R 179,17. Farblose Krist., als α-D-G. Schmp. 88 °C, als β-D-G. Schmp. 110 °C. In Wasser leicht lösl., bildet mit Salzsäure ein gut kristallisierendes, leichtlösl. Salz, reduziert wie die nahe verwandte D-*Glucose *Fehlingsche Lösung. Ebenso wie andere *Aminozucker kommt D-G. nur gebunden, meist als *N*-Acetyl-D-G. (empfohlenes Kurzz. D-GlcNAc; Abk. auch NAG) vor, so z. B. in Mucoproteinen, *Glykosaminoglykanen wie *Chondroitinsulfaten u. *Hyaluronsäure, in *Chitin sowie in *Murein, einer bakteriellen Zellwandsubstanz. Außerdem ist D-G. Bestandteil einiger Aminoglykosid-Antibiotika, z. B. *Gentamicin. Das schon 1878 von Ledderhose als erstes tier. Kohlenhydrat durch Kochen von Hummerschalen (enthalten Chitin) mit Salzsäure hergestellte D-G. wird zur Steigerung der Wirksamkeit von Antibiotika, z. B. Tetracyclin verwendet. – *E* = *F* D-glucosamine – *I* = *S* D-glucosammina

Lit.: Beilstein E IV **1**, 2017 – 2021. – [HS 2932 99; CAS 66-84-2]

D-Glucose (Dextrose, Traubenzucker, veraltet Glykose, Kurzz.: D-Glc).

α-D-Glucopyranose (α-D-Glc*p*)   offenkettige D-Glucose   β-D-Glucopyranose (β-D-Glc*p*)

$C_6H_{12}O_6$, M_R 180,16. Farb- u. geruchlose, süß schmeckende Krist., D. 1,56. α-D-G.-Monohydrat (Hydratdextrose) hat Schmp. 83–86 °C, wasserfrei Schmp. 146 °C (Zers.), β-D-G. Schmp. 150 °C. In Wasser ist G. sehr leicht, in Ether, Aceton u. Essigester nicht lösl.; die rechtsdrehende wäss. Lsg. der D-G. zeigt *Mutarotation, die auf die Bildung der beiden *Anomeren, α- u. β-D-G. zurückzuführen ist (s. Abb.), die sich in der Konfiguration am Kohlenstoff-Atom 1 unterscheiden. Neben der offenkettigen Form u. der *pyranosiden* 6-Ring-Formen (in der Abb. in *Haworth-Projektion dargestellt) kommen bei Zuckern noch *furanoside* 5-Ring-Formen vor, bei G. allerdings in untergeordnetem Maße. Ähnliche Konfigurationsüberlegungen sind jedoch auch bei vielen anderen Zuckern u. Aminozuckern anzustellen, z. B. bei *Mannose u. *Galactose, die sich als *Epimere* der G. von ihr in der Konfiguration (nur) eines Kohlenstoff-Atoms unterscheiden, das zudem auch nicht glykosid. (hier: Position 1) ist. Die Zuordnung als „D"-G. hat nichts mit dem opt. Drehsinn zu tun, sondern zeigt die Strukturverwandtschaft zu D-*Glycerinaldehyd. Die offenkettige D-G. ist oben in der *Fischer-Projektion* gezeigt: Dabei sind die senkrecht gezeichneten, der Kohlenstoff-Kette folgenden Bindungen als unter die Zeichenebene führend zu denken, die waagerecht angebrachten Substituenten dagegen als nach oberhalb weisend. Dasjenige asymmetr. Kohlenstoff-Atom mit der höchsten Positionszahl (hier: 5), das als deren unterstes angeschrieben sein muß, entscheidet über die Zugehörigkeit zur D- od. L-Reihe, je nachdem ob die betreffende Hydroxy-Gruppe nach rechts od. nach links zeigt. Das L-G.-Mol. ist übrigens das genaue Spiegelbild der D-Form, α-L-Glucopyranose hat zu α-D-Glucopyranose spiegelbildliche Struktur usw. Normalerweise liegt G. als Glucopyranose vor, u. die Aldehyd-Gruppe (daher gehört G. zu den *Aldosen, genauer: *Aldohexosen*) der offenkettigen Form tritt nur bei bestimmten Reaktionen in Funktion, z. B. wenn *Fehlingsche Lösung durch G. reduziert wird.

Vork.: D-G. ist in fast allen süßen Früchten (meist mit D-*Fructose zu *Saccharose verbunden) verbreitet, bes. auch in Weintrauben, woher sich der Name *Traubenzucker* ableitet. Sie nimmt auch am Aufbau der Di- u. Polysaccharide (z. B. *Saccharose, *Cellobiose, *Trehalose, *Dextrine, Holz-*Polyosen, *Glykogen,

*Stärke u. *Cellulose) teil u. kann aus diesen durch Hydrolyse mit Hilfe von Säuren od. Enzymen (z. B. Amylasen) gewonnen werden. Zu den wirtschaftlichen Aspekten der G.-Gewinnung aus Cellulose u. a. natürlichen Quellen, vgl. Amylasen, Glucosesirup, Holzverzuckerung, Invertzucker. Außerdem ist D-G. am Aufbau physiol. wichtiger *Glykolipide (insbes. der *Ganglioside) u. *Glykoproteine beteiligt; phosphorylierte Derivate der D-G. sind wichtige Stoffwechsel-Zwischenprodukte – man kann sagen, daß D-G. unter Berücksichtigung des Vork. in *Polysacchariden (*Glucanen: bes. Cellulose u. Stärke) u. in *Glykosiden (genauer: Glucosiden) die meistverbreitete organ. Verb. auf der Erde ist. Durch Mikroorganismen kann D-G. zu Ethanol, Essig-, Milch-, Buttersäure vergoren werden, u. mit Aminosäuren geht sie beim Erwärmen eine *Maillard-Reaktion ein, was z. B. für die Ausbildung von *Brot- u. a. *Aromen von Bedeutung ist.

Physiologie: Das menschliche Blut enthält normalerweise stets etwa 0,08–0,11% D-G. (Blutzucker) gelöst. V. a. das Gehirn ist auf eine dauernde Zufuhr dieses Brennstoffs über das Blut angewiesen. Eine Überschreitung dieses Zuckergehalts führt zu *Hyperglykämie, verbunden mit *Glucosurie* (Auftreten von D-G. im Harn), eine Unterschreitung zu *Hypoglykämie; die Konstanthaltung der Blutzucker-Konz. wird durch Regelmechanismen ermöglicht, an denen Insulin, *Glucagon u. der Chrom-haltige *Glucose-Toleranzfaktor* (s. Insulin) beteiligt sind. Bei Störungen dieser *Regulation kann es durch ein Unterangebot von Insulin zu *Diabetes (*Zuckerkrankheit*) kommen. Die etwa vom 45. Lebensjahr an verminderte Durchlässigkeit der *Blut-Hirn-Schranke für D-G. wird beim Menschen für einige der typ. Alterserscheinungen verantwortlich gemacht. Außerdem kann G. in nichtenzymat. Reaktion Proteine zu nicht abbaubaren Produkten quervernetzen (*Glykation) u. mag damit am irreversiblen Vorgang des *Alterns beteiligt sein. Zum Transport in die Zellen s. Glucose-Transporter.

Stoffwechsel[1]*:* D-G. steht im Mittelpunkt des Kohlenhydrat-Stoffwechsels. Als solche aufgenommene od. im Verdauungs-Apparat durch enzymat. Spaltung entstehende D-G. wird in komplexen Reaktionsketten (*Glykolyse) unter Energie-Gewinn zu kleineren Mol. abgebaut – stellvertretend sei die *Brenztraubensäure genannt, die über *Acetyl-CoA in den *Citronensäure-Cyclus eintreten kann – od. aber (*Pentosephosphat-Weg) unter gleichzeitiger Bereitstellung von Reduktions-Äquivalenten für biosynthet. Zwecke in Derivate anderer Zucker umgewandelt, z. B. in solche der für die Synth. von *Nucleinsäuren wichtige D-*Ribose. Alternativ kann D-G. in Leber u. Muskel als Reservestoff *Glykogen (in Pflanzen: *Stärke) gespeichert werden, der in Zeiten der Kohlenhydrat-Knappheit, angezeigt durch niedere Blutzuckerspiegel, zur Verfügung steht. Der Abbau des Reservestoffs in der Leber wird durch Glucagon initiiert, umgekehrt hemmen hohe D-G.-Spiegel die Ausschüttung von Glucagon aus den α_2-Zellen des *Pankreas. Auch Brenztraubensäure kann zum Aufbau von (Blut-)G. dienen über einen *Gluconeogenese genannten Prozeß. Bei der Verknüpfung von D-G.-Einheiten, z. B. an Glykoproteine, u. bei der Glykogen-Biosynth., tritt *Uridin-5′-diphosphat-D-Glucose* als an Kohlenstoff-Atom 1 aktivierte Form der D-G. auf. Ein *Antimetabolit der D-G. ist *5-Thio-D-glucose.

Nachw.: Der Nachw. von G. erfolgt in der Regel mit der Fehling. Lsg., *Nylanders Reagenz, dem *Trommer-Test od. *Benedicts Reagenz. Angesichts der weiten Verbreitung des Diabetes sind zahlreiche Schnellnachw.-Meth. (*Diagnostika) zur Bestimmung von Blutzucker u. G. im *Harn entwickelt worden, z. B.: Reaktion von G. mit *o*-Toluidin in Eisessig-Lsg. (photometrierbarer grüner Farbstoff); D-G. auf enzymat. Wege mit *Hexokinase/Glucose-6-phosphat-Dehydrogenase (aus $NADP^+$ gebildetes NADPH läßt sich photometr. bestimmen); auch ohne Phosphorylierung direkt mit Glucose-Dehydrogenase (Red. von NAD^+ zu NADH, das photometr. gemessen wird; zu den Abk. s. Nicotinamid-Adenin-Dinucleotid; od. mit Glucose-Oxidase/Peroxidase (zugesetzte Redox-Indikatoren werden durch entstehendes Wasserstoffperoxid zu Farbstoffen oxidiert). Die letztgenannte Meth. ist bes. für Test-Stäbchen u. -Streifen geeignet u. läßt sich auch in der Harn-Untersuchung anwenden. Die enzymat. Meth. verlaufen über D-*Gluconsäure-5-lacton u. D-*Gluconsäure bzw. deren 6-Phospho-Derivate. Zur quant. D-G.-Bestimmung im Harn kann auch die polarimetr. Messung der opt. Aktivität herangezogen werden.

Verw.: D-G. kommt in reinem, krist. Zustand als sog. Dextrose sowie in 5–50%iger Lsg. als Glucose-Präp. in Ampullen in den Handel. Intravenöse Einspritzungen werden z. B. bei Herzmuskelentzündungen, Erschöpfungserscheinungen, Verdauungsbeschwerden, zur parenteralen Ernährung usw. angewendet, wobei häufig auch Invertzucker-Lsg. benutzt werden. D-G. kann auch Bakterienwachstum hemmen (dies bewirkt z. B. ein Zusatz von 10–35 g D-G. zu 100 g Nährlsg.), daher setzt man sie verschiedenen Wundsalben zu. Größere Mengen von G. werden für chem. Synth. (z. B. von Sorbit, Gluconsäure, Ascorbinsäure, Glutaminsäure u. Glutamat, Methylglucosid) u. techn. Zwecke verbraucht, s. a. alkohol. Gärung unter Ethanol. Ein erheblicher Teil geht in Form von Glucose-Sirup in die Herst. von Süßwaren, insbes. *Zuckerwaren, wobei zunehmend *Isosirup* (enzymat. isomerisierter *Glucosesirup) eingesetzt wird.

Geschichte: Lowitz berichtete 1792 über einen Zucker aus Weintrauben („Traubenzucker"), der vom Zuckerrohr-Zucker verschieden sei. Kirchhoff erhielt diesen Zucker 1811 durch Stärkehydrolyse, Braçonnot 1819 durch Hydrolyse von Cellulose-Produkten, u. 1838 kam man überein, diesen Zucker G. zu nennen. – $E = F$ D-glucose – I D-glucosio – S D-glucosa

Lit.: [1] J. Biol. Chem. **265**, 10 173–10 176 (1990). allg.: Stryer 1996, S. 491, 509ff., 523, 579f., 599f., 604f., 607f., 613f., 619f., 810f., 813f., 819f. – *[HS 1702 30; CAS 492-62-6]*

α-D-**Glucose-1,6-bisphosphat.**

Als freie Säure $C_6H_{14}O_{12}P_2$, M_R 340,12. Phosphat-Gruppen-Donor für eine Reihe von enzymat. Phosphat-Gruppen-Umlagerungen (*Phosphomutase*-Reaktionen), z. B. Phosphoglucomutase (EC 5.4.2.2; α-D-Glucose-1-phosphat ⇌ D-Glucose-6-phosphat). – *E* α-D-glucose 1,6-bisphosphate – *F* α-D-glucose-1,6-bisphosphate – *I* α-D-glucosio-1,6-bisfosfato – *S* α-D-glucosa-1,6-bisfosfato – [HS 294000]

Glucose-Dehydrogenase (EC 1.1.1.47, 1.1.1.118, 1.1.1.119). In Wirbeltierlebern u. einigen *Bacillus*-Arten vorkommende substratspezif. *Dehydrogenase, die in Ggw. von *Nicotinamid-Adenin-Dinucleotid (NAD; hier: oxidierte Form NAD^+) od. -Dinucleotid-Phosphat (NADP; hier: oxidierte Form $NADP^+$) als Hydrid-Akzeptoren D-*Glucose über D-Gluconsäure-5-lacton (-4-lacton bei EC 1.1.1.119) in D-Gluconsäure überführt. Da die entsprechenden Hydrierungsprodukte NADH bzw. NADPH photometr. bestimmt werden können, läßt sich die Reaktion zur D-Glucose-Bestimmung in Körperflüssigkeiten u. in der Lebensmittelanalytik nutzen. Eine G. aus dem Schimmelpilz *Aspergillus* (ein Flavo- u. Glykoprotein, EC 1.1.99.10) benutzt verschiedene andere Hydrid-Akzeptoren. – *E* glucose dehydrogenase – *F* glucose-déshydrogénase – *I* glucosio-deidrogenasi – *S* glucosa-deshidrogenasa – [CAS 9028-53-9]

Glucose-Isomerase (D-Glucose-Ketoisomerase, E.C. 5.3.1.5). G.-I. katalysiert die Isomerisierung von D-Glucose zu D-Fructose (s. Isomerasen). Das Enzym, das sein Temp.-Optimum bei 90°C, u. sein pH-Optimum bei pH = 6,5 – 8,5 besitzt, ist eigentlich eine *Xylose-Isomerase. Es setzt auch Glucose um, wenn die Reaktion auch langsamer verläuft u. bei ihrer techn. Anw. höhere Enzymkonz. erforderlich sind. G.-I. wird von 6 Streptomycesarten (z.B. *Streptomyces murinus* [1], *Actinomyces missouriensis*, *Arthrobacter* sp. u. *Bacillus coagulans*) produziert. Von allen *Biokatalysatoren wird G.-I. mengenmäßig am meisten immobilisiert eingesetzt (auf SiO_2 od. Al_2O_3) [2,3]. Da sie ein intrazelluläres Enzym ist u. ihre Gewinnung teuer ist, wird die Isomerisierung oftmals nicht mit dem immobilisierten Enzym, sondern mit ganzen, immobilisierten Zellen durchgeführt. Glucose wird aus Stärke gewonnen u. dann mit G.-I. in Fructose umgewandelt. Das dabei gebildete Produkt kommt als sog. Isosirup in den Handel u. enthält neben Glucose u. geringen Mengen anderer Zucker etwa 50% Fructose. – *F* isomérase-glucose – *I* glucosio-isomerasi – *S* isomerasas de la glucosa

Lit.: [1] Stärke **40**, 307–313 (1988). [2] Hartmeier, Immobilisierte Biokatalysatoren, Berlin: Springer 1986. [3] Stärke **41**, 155–159 (1989).

Glucose-Oxidase (β-D-Glucose:Sauerstoff-1-Oxidoreduktase, Glucose-Oxyhydrase, *Notatin*, EC 1.1.3.4). Eine aus Schimmelpilzen (*Penicillium notatum*) erhältliche Oxidoreduktase mit *Flavin-Adenin-Dinucleotid als *prosthetischer Gruppe (M_R ca. 150 000; dimeres *Glykoprotein mit 16% Kohlenhydrat), die selektiv die folgende Reaktion bewirkt:

β-D-Glucose + O_2 → D-Gluconsäure-5-lacton + H_2O_2;

letzteres kann mittels zugesetzter Peroxidase zur Oxid. eines Redox-Indikators benutzt werden, womit sich die Reaktion zur Bestimmung von D-*Glucose in biolog. Material eignet. – *E* glucose oxidase – *F* glucose-oxydase – *I* glucosio-ossidasi – *S* glucosa-oxidasa – [HS 350790; CAS 9001-37-0]

α-D-Glucose-1-phosphat (Cori-Ester). Als freie Säure $C_6H_{13}O_9P$, M_R 260,14 [Formel s. Glucose-1,6-bisphosphat (ohne Phosphat-Gruppe an C_6)]. Im Pflanzen- u. Tierreich weit verbreitete Verb., die als Vorstufe zum Aufbau von *Glucanen wie *Stärke u. *Glykogen dient (über *Uridin-5′-diphosphat-D-Glucose* als weitere, aktivierte Vorstufe) u. auch als erstes Abbauprodukt bei der Utilisierung dieser Reserve-Kohlenhydrate auftritt (s. Glykogen, Phosphorylase). α-D-G.-1-p. wird durch *Phosphoglucomutase* (EC 5.4.2.2 bzw. 5.4.2.5; α-D-*Glucose-1,6-bisphosphat bzw. D-Glucose als Cofaktor) in D-*Glucose-6-phosphat umgewandelt. – *E* α-D-glucose-1-phosphate – *F* α-D-glucose-1-phosphate – *I* α-D-glucosio-1-fosfato – *S* α-D-glucosa-1-fosfato

Lit.: Beilstein E V **17**, 246 f. ■ Stryer 1996, S. 614 f., 618 f. – [HS 294000; CAS 59-56-3]

D-Glucose-6-phosphat (Robison-Ester). Als freie Säure $C_6H_{13}O_9P$, M_R 260,14 [Formel s. Glucose-1,6-bisphosphat (ohne Phosphat-Gruppe an C_1)]. Zwischenprodukt der *Glykolyse, wobei es aus D-*Glucose durch Übertragung eines Phosphat-Restes aus *Adenosin-5′-triphosphat gebildet wird (katalysiert durch *Glucokinase od. *Hexokinase) u. sich unter dem Einfluß der *Glucosephosphat-Isomerase* (EC 5.3.1.9) in D-Fructose-6-phosphat umlagert, sowie der *Gluconeogenese, bei der es umgekehrt aus D-Fructose-6-phosphat durch dasselbe Enzym entsteht, zu D-Glucose aber durch hydrolyt. Phosphat-Abspaltung umgesetzt wird. Das hierbei beteiligte Enzym *Glucose-6-phosphatase* (EC 3.1.3.9) ist in der Leber neben Glucokinase aktiv – das Ausmaß der jeweils ablaufenden Reaktion wird durch die Konz. von D-Glucose u. D-G.-6-p. sowie bei längerem Fasten durch hormonell bedingte Unterdrückung der Biosynth. von Glucokinase gesteuert. Bei der Verwertung von *Glykogen entsteht D-G.-6-p. aus α-D-*Glucose-1-phosphat.

Der *Pentosephosphat-Weg benützt D-G.-6-p. als Ausgangsverb. u. setzt es mit Hilfe von *Glucose-6-phosphat-Dehydrogenase* [Zwischenferment, G-6-PD, EC 1.1.1.49, *Nicotinamid-Adenin-Dinucleotid-Phosphat (NADP; reduzierte Form: NADPH) als Coenzym] zu D-Gluconsäure-5-lacton-6-phosphat um. Diese Reaktion ist in *Erythrocyten der einzige Weg der Erzeugung von NADPH; Mutationen der G-6-PD führen daher zu induzierbaren *Anämien wie dem *Favismus*, der bei Genuß bestimmter *Bohnen-Arten auftreten kann. Interessanterweise scheint ein Schutzeffekt gegen *Malaria mit dem genet. bedingten Mangel dieses Enzyms einherzugehen [1]. In Verb. mit Hexokinase wird G-6-PD zur enzymat. D-Glucose-Bestimmung benutzt. – *E* D-glucose 6-phosphate – *F* D-glucose-6-phosphate – *I* D-glucosio-6-fosfato – *S* D-glucosa-6-fosfato

Lit.: [1] Nature (London) **376**, 246–249 (1995); Bioessays **18**, 631–637 (1996).
allg.: Beilstein E IV **1**, 4381 f. ■ Stryer 1996, S. 510 f., 589–599, 808.

Glucose-6-phosphatase s. D-Glucose-6-phosphat.

Glucose-6-phosphat-Dehydrogenase s. D-Glucose-6-phosphat.

Glucose-Sirup (Stärkesirup, Stärkeverzuckerungssirup). Es handelt sich dabei um eine raffinierte, wäss. Lsg. von *D-Glucose, *Maltose u. höheren Polymeren der Glucose (Oligosaccharide, *Dextrine). Nach der Zuckerarten-VO muß G.-S. mind. 20% Glucose im Trockengew. enthalten. G.-S. wird aus *Stärke (v. a. Maisstärke) durch saure Hydrolyse od. enzymat. Abbau gebildet. Die säurekatalysierte Hydrolyse von Stärke wird von Nebenreaktionen begleitet. Die größte Bedeutung haben dabei die Reversion, d. h. der reversible Aufbau höherer Saccharide sowie die irreversible Zers. der Glucose durch Dehydratation. Bei der Dehydratation werden 5-Hydroxymethylfurfural sowie andere für die *Maillard-Reaktion typ. Verb. gebildet. Im G.-S., der durch partiellen Stärkeabbau entsteht, stören diese Nebenprodukte nur wenig. Als empir. Maß für den Hydrolysegrad dient der DE-Wert (DE = dextrose equivalents), der den prozentualen Gehalt der Trockensubstanz an reduzierenden Zuckern, berechnet als Glucose angibt. Bei hoch verzuckerten G.-S. liegt der DE-Wert zwischen 58 u. 68. Oberhalb von 68 DE nimmt der Anteil an Reversionsprodukten deutlich zu. Zusätzlich kann eine teilw. Krist. der Glucose erfolgen. Bei der enzymat. Stärkeverzuckerung werden α- u. β-*Amylasen, Glucoamylasen u. Pullulanasen eingesetzt. Die enzymat. Verzuckerung verläuft zweistufig. Zuerst wird die Stärke mit Säuren u./od. α-Amylasen verflüssigt. Dadurch werden die Stärkekörner für den späteren Enzym-Angriff bei der Verzuckerung besser zugänglich. Die bei der Verzuckerung gewonnenen Rohprodukte werden filtriert, entfärbt u. entmineralisiert. Die Intensität des Süßgeschmackes von G.-S. hängt vom Verzuckerungsgrad ab u. liegt bei 20–25% der von Saccharose.

In der Lebensmittel-Ind. findet G.-S. vielfältige Anwendung. So wird er zur Feuchtigkeitsstabilisierung, Weichmachung u. Frischhaltung von Lebkuchen, *Marzipan u. Geleezuckerwaren eingesetzt. Bei Speiseeis verhindert G.-S. die Ausbildung grober Eis- u. Lactose-Kristalle. G.-S. verhindert in Hartkaramellen die Saccharose-Krist. u. wirkt als Weichhaltemittel in Weichkaramellen, Fondantmassen, Gummisüßwaren u. Kaugummi. Bei der Tiefkühllagerung von Fisch u. Geflügel haben Filme aus G.-S. einen antioxidativen Effekt. Zur Herst. Fructose-haltiger G.-S. (Isosirup) s. Glucose-Isomerase. – *E* glucose syrup – *F* sirop de glucose – *I* sciroppo di glucosio – *S* jarabe de glucosa
Lit.: Belitz-Grosch, (4.), S. 790 ▪ Chem. Unserer Zeit **14**, 61–70 (1980) ▪ Tegge, Stärke u. Stärkederivate, S. 244, Hamburg: Behrs' 1984. – [HS 1702 30, 1702 40, 1702 60]

Glucose-Toleranzfaktor s. Insulin.

Glucose-Transporter (GLUT). Familie von Membran-*Glykoproteinen (ca. 500 Aminosäure-Reste), die bei Säugern die Aufnahme von D-*Glucose in Zellen ermöglichen u. dadurch zur Regulation der Glucose-Konz. des Bluts beitragen. Es wurden bis jetzt 7 verschiedene Formen (GLUT1–GLUT7) gefunden, die sich in ihrer Organverteilung u. *Affinität zu D-Glucose u. a. Hexosen unterscheiden.

Struktur u. Mechanismus: Aufgrund ihrer Struktur bilden die GLUT eine eigene Familie; zwölf Transmembransegmente werden angenommen. Die GLUT bewirken den passiven *Transport nach dem Prinzip der erleichterten Diffusion (erleichterter Transport). Dabei wird wahrscheinlich D-Glucose an einer von außen zugänglichen Stelle des Transporters gebunden. Durch eine Änderung in der Konformation (räumlichen Struktur) des Makromol. schließt sich dann die Schleuse für den Ligand auf der Außenseite u. öffnet sich nach innen. Nachdem die Glucose in die Zelle abgegeben wurde, fällt der GLUT in die anfängliche Konformation zurück.

In Niere u. Darm findet jedoch zusätzlich aktiver Transport von D-Glucose statt, wobei die Energie von einem gekoppelten Einstrom von Natrium-Ionen, für die ein Konz.-Gefälle besteht, geliefert wird. Der daran beteiligte Na^+/D-Glucose-Cotransporter hat keine Ähnlichkeit mit den GLUT. In einigen Bakterien wird D-Glucose (u. a. *Glykosen) während des Transports phosphoryliert, wobei *Phosphoenolpyruvat als Phosphat-Gruppen-Donor dient (*Phosphoenolpyruvat-Glykose-Phosphotransferase-Syst.*).

Regulation: Die Expression (Produktion) der für D-Glucose hochaffinen GLUT1, GLUT3 u. GLUT4 wird außer durch *Hormone auch durch D-Glucose selbst gesteuert (Rückkopplung). Das Hormon *Insulin sorgt durch den Transport in Membran-*Vesikeln für die Bereitstellung des GLUT4 in der Zellmembran von Muskel- u. Fettzellen u. bewirkt dadurch eine Steigerung der Glucose-Aufnahme dieser Zellen sowie eine Senkung der Blut-Glucose. *Cytochalasin B dagegen hemmt die Aktivität des Transporters. ACTH, Glucagon, Glucocorticoide (s. Corticosteroide), Isoproterenol u. Somatotropin vereiteln die Insulin-Wirkung teilweise. Bei Insulin-unabhängigem *Diabetes mellitus (Typ II) u. beim Fasten ist die Anzahl der Insulin-responsiven GLUT4 in den Zellmembranen der peripheren Gewebe reduziert. – *E* glucose transporters – *F* transporteurs du glucose – *I* trasportatori del glucosio – *S* transportadores de glucosa
Lit.: Am. J. Physiol. **33**, G451–G553 (1996) ▪ Annu. Rev. Nutrit. **16**, 235–256 (1996) ▪ Semin. Cell Develop. Biol. **7**, 229–307 (1996).

Glucosidasen. Untergruppe der *Glykosidasen, die in reifenden Früchten, Hefe u. a. Mikroorganismen u. in der Dünndarm-Schleimhaut vorkommen u. als *Hydrolasen Glucose aus Di-, Oligosacchariden u. Glykosiden (genauer: Glucosiden) spalten. Man unterscheidet die früher *Maltase* genannten α-1,4-G. (EC 3.2.1.20), die α-Glucoside wie z. B. Maltose, Saccharose, Melizitose u. Turanose spalten, von den β-1,4-G. (EC 3.2.1.21), die Cellobiose, Gentiobiose u. a. β-Glucoside hydrolysieren u. daher früher *Cellobiase* u. *Gentiobiase* genannt wurden. Ein Gemisch von β-G. ist das *Amygdalin spaltende *Emulsin. Aus verschiedenen Mikroorganismen lassen sich α-G.-Inhibitoren (*Acarbose) isolieren, die die Kohlenhydrat-Verwertung im Darm hemmen, was für die Behandlung des Diabetes von Interesse sein kann[1]. – *E* = *F* glucosidases – *I* glucosidasi – *S* glucosidasas
Lit.: [1] Am. J. Health-Syst. Pharm. **53**, 2277–2290 (1996).

Glucoside. *Glykoside der *Glucose.

Glucosinalbin s. Glucosinolate.

Glucosinolate (Senföl-Glucoside). Inhaltsstoffe von Kreuzblütlern (Brassicaceae) wie Raps, Kohlarten, Senf, Rettich etc., die in der Lebensmitteltechnologie erhebliche toxikolog. Probleme bereiten. Die G. sind biogenet. Vorläufer der ebenfalls oft tox. *Senföle; zur Entfernung von G. aus Lebensmitteln, z. B. durch Kochen, enzymat. Spaltung mit Myrosinase (EC 3.2.3.1) u. Extraktion mit wäss. Medien, s. Lit.[1] u. Goitrin. Durch Neuzüchtungen konnte der Gesamtglucosinolat-Gehalt von Raps in den sog. Doppel-Null-Sorten auf <1% verringert werden. In Pflanzen wirken sie oft-

Tab.: Struktur u. Daten von Glucosinolaten.

Reste R:

1 CH_2—⟨⟩—OCH_3
2 CH_2—(indol)
3 CH_3
4 CH_2—CH_2—⟨⟩
5 CH_2—⟨⟩—OH
6 CH_2—CH(OH)—CH=CH_2
7 CH_2—CH=CH_2

	Summenformel	M_R	CAS
1	$C_{15}H_{21}NO_{10}S_2$	439,46	499-27-4
2	$C_{16}H_{20}N_2O_9S_2$	448,47	4356-52-9
3	$C_8H_{15}NO_9S_2$	333,34	497-77-8
4	$C_{15}H_{21}NO_9S_2$	423,46	499-30-9
5	$C_{14}H_{19}NO_{10}S_2$	425,44	19253-84-0
6	$C_{11}H_{19}NO_{10}S_2$	389,40	585-95-5
7	$C_{10}H_{17}NO_9S_2$	359,38	534-69-0

mals als Phytoalexine[2]. *Progoitrin* [Glucorapiferin, (R)-2-Hydroxy-3-butenylglucosinolat] kommt im Raps (*Brassica napus*) u. a. *Brassica*-Arten vor. Das (S)-Epimer *Epiprogoitrin*, als Kalium-Salz ein amorpher Feststoff, $[\alpha]_D^{25}$ −14,8° (c 1,7/H_2O), ist das Hauptglucosinolat aus den Samen von Meerkohl (*Crambe* spp.), z. B. *C. maritima* (weißer Meerkohl) u. *C. hispanica* (span. Meerkohl). *Glucosinalbin* (4-Hydroxybenzyl-glucosinolat) kommt in *Brassica*-Samen vor. Das Salz mit *Sinapin heißt *Sinalbin*, $C_{30}H_{42}N_2O_{15}S_2$, M_R 734,79, Krist. ·5H_2O; Schmp. 83–84 °C, 139 °C (wasserfrei), $[\alpha]_D$ −8,2° (in H_2O); es kommt in den Samen von weißem Senf (*Sinapis alba*) u. a. Kreuzblütlern vor. *Glucoaubrietin* ist in *Aubrieta*-Arten enthalten. *Glucobrassicin* (3-Indolylmethyl-glucosinolat) u. *Neoglucobrassicin* (N-Methoxy-glucobrassicin) kommen in Rettich (*Raphanus*) u. *Brassica*-Arten vor. *Glucocapparin* (Methyl-glucosinolat), krist. als Kalium-Salz in Nadeln, Schmp. 207–209 °C, $[\alpha]_D^{22}$ −28° (c 1,9/H_2O); es ist in der Familie der Kaperngewächse (Capparidaceae) weit verbreitet, z. B. in der Spinnenpflanze (*Cleome spinosa*) u. in dem am Mittelmeer beheimateten Kapernstrauch (*Capparis spinosa*) u. ist Ge-

schmackstoff der Blütenknospen (Kapern). *Gluconasturtiin* (2-Phenylethyl-glucosinolat), als Kalium-Salz krist., Schmp. 171 °C, $[\alpha]_D^{20}$ −20,7° (c 1,0/H_2O); aus der Brunnenkresse (*Nasturtium officinale*) u. *Barbarea vulgaris* (Barbarakraut). *Sinigrin* (Allylglucosinolat) kommt in Form des als *Sinigrin* bezeichneten Kalium-Salzes, $C_{10}H_{16}KNO_9S_2$, M_R 397,46, farblose Krist., Schmp. 125–127 °C, $[\alpha]_D^{28}$ −17° (c 0,2/H_2O), in den Samen von schwarzem Senf (*Brassica nigra*) sowie in Kohlarten, Meerrettich (*Alliaria petiolata*) u. a. Kreuzblütlern vor. Zum Nachw. von Allylisothiocyanat in Speisesenf s. Meth. nach § 35 LMBG 52.06-4. Verw. von Sinigrin als Referenzsubstanz in der Glucosinolat-Analytik.

Wirkung: Bei der Metabolisierung von G. entsteht außer den entsprechenden Senfölen auch Isothiocyanat, welches die Anreicherung von Iod u. somit die Bildung der Schilddrüsenhormone hemmt; G. können daher zu Schilddrüsenüberfunktion u. Kropfbildung führen, s. a. Goitrin. Bei Geflügel beobachtet man Wachstumsstörungen u. den Verlust von Federn. Zur Biosynth. s. Lit.[3]. – *E = F* glucosinolates – *I* glucosinolati – *S* glucosinolatos

Lit.: [1] Br. J. Nutr. **72**, 455–466 (1994). [2] ACS Symp. Ser. **380**, 155–181 (1988); New Phytol. **127**, 617–633 (1994). [3] J. Plant. Physiol. **102**, 609, 1307 (1993); **144**, 17 (1994).
allg.: ACS Symp. Ser. **380**, 143–154 (1988) (Biosynth.); **546**, 181–196 (1994) ■ Biol. Plant **34**, 451 ff. (1992) (Sinigrin) ■ Karrer, Nr. 2316, 3198 ■ Nat. Prod. Rep. **10**, 327–348 (1993); **12**, 101–133 (1995) ■ Wathelet (Hrsg.), Glucosinolates, Bd. 13, Glucosinolates, Analyt. Aspects, Dordrecht: Martinus Nijhoff 1987 (Analytik). – [HS 2938 90 (Sinalbin); 2938 90 (Sinigrin); CAS 19237-18-4 (Epiprogoitrin); 20196-67-2 (Sinalbin); 3952-98-5 (Sinigrin)]

Glucosurie s. Glucose.

β-Glucuronidase (EC 3.2.1.31). Zu den Hydrolasen zählendes Enzym in Leber, Milz, Bakterien u. Mandeln. Weißes, wasserlösl. Pulver, spaltet *β-Glucuronide*, d. h. *Glykoside, die sich von *Glucuronsäure ableiten, z. B. mit Bilirubin, Pregnandiol, Estradiol, Borneol u. Menthol. β-G. ist wichtig für den Steroidhormon-Stoffwechsel, den Abbau von *Glykosaminoglykanen (Dermatan-, *Keratansulfat) u. dient zur Bestimmung von Steroiden in Harn u. Blut; durch das 4-Lacton der *Glucarsäure wird sie gehemmt. Bei Defekt der β-G. kommt es zu Mucopolysaccharidose Typ VII mit Skelettdeformitäten, Hornhauttrübung u. evtl. eingeschränkter Intelligenz. – *E = F* β-glucuronidase – *I* β-glucuronidasi – *S* β-glucoronidasa – [HS 3507 90; CAS 9001-45-0]

Glucuronide s. Glucuronsäure.

Glucur(on)olacton s. Glucuronsäure-γ-lacton.

D-Glucuronsäure (Kurzz. D-GlcUA).

$C_6H_{10}O_7$, M_R 194,14. In Wasser u. Alkohol lösl. Nadeln, Schmp. 167 °C, die entstehen, wenn man D-*Glucose an der prim. Alkohol-Gruppe (Position 6) oxidiert. In der Abb. ist die Pyranose-Form gezeigt. D-G.

D-Glucuronsäure-γ-lacton

gehört zu den *Uronsäuren u. wird in der Leber durch Oxid. von D-Glucose – zuvor aktiviert als Uridin-5′-diphosphat(UDP)-D-Glucose (s. Uridinphosphate) – gebildet; sie verbindet sich dort – ebenfalls an UDP gebunden – mit Phenol, Kresol, Indoxyl u. dgl. zu D-*Glucuroniden* (Hydroxy-Gruppe in Position 1 substituiert). Diese Produkte (Phenolglucuronsäure, Indoxylglucuronsäure usw.) werden täglich etwa in Mengen von 0,3–0,4 g ausgeschieden. Offenbar ist dies eine *Entgiftungsreaktion*, um die bes. im Dünndarm häufig entstehenden giftigen Phenole besser wasserlösl. zu machen u. dann zu eliminieren. Auch Steroidhormone werden so ausgeschieden (s. a. Glucuronidase), doch können durch Glucuronidierung auch *Carcinogene im Organismus gebildet werden (*Giftung*). D-G. ist ein Baustein der *Glykosaminoglykane wie *Hyaluronsäure, *Teichuronsäure u. *Chondroitinsulfate u. bei den meisten Tieren (außer Primaten) Ausgangsprodukt für die Biosynth. der L-*Ascorbinsäure. Sie findet sich ferner in *Gummi arabicum. – *E* glucuronic acid – *F* acide glucuronique – *I* acido glucuronico – *S* ácido glucorónico

Lit.: Annu. Rev. Pharmacol. Toxicol. **32**, 25–49 (1992) ▪ Trends Pharmacol. Sci. **13**, 302ff. (1992). – *[HS 2932 99]*

D-Glucuronsäure-γ-lacton (Freinamen: Glucurolacton, Glucuron, Glucurono-6,3-lacton, Dicuron).

Furanose-Form

$C_6H_8O_6$, M_R 176,13, Krist., Schmp. 176–180 °C, $[\alpha]_D^{20}$ +20° (H$_2$O), leicht lösl. in Wasser, wenig lösl. in Alkohol. Das in vielen Pflanzenschleimen u. in tier. Faser- u. Bindegewebe vorkommende G. dient als entgiftendes Therapeutikum bei Hepatitis, Ischias u. Arthrose. Es vermindert die Toxizität von Sulfonamiden. – *E* D-glucurono-6,3-lactone – *F* glucorono-γ-lactone – *I* γ-lattone dell' acido glucuronico – *S* glucuromo-γ-lactona

Lit.: Beilstein E V **18/5**, 34 ▪ Carbohydr. Res. **101**, 255 (1982) ▪ Hager (5.) **8**, 358. – *[HS 2932 29; CAS 32449-92-6]*

Glühbirnen s. Glühlampen.

Glühdrähte s. Glühlampen, vgl. a. Aufwachsverfahren.

Glühemission s. Glühen.

Glühen. Bez. für eine bei höherer Temp. vorgenommene Wärmebehandlung. Im Falle von Eisen u. Stahl, bei denen bestimmte Werkstoff-Eigenschaften erreicht werden sollen, wird das Werkstück auf die sog. *Glühtemp.* gebracht, bei dieser einige Zeit gehalten (*Glühdauer*) u. schließlich (meist langsam) abgekühlt. Verschiedene G.-Meth. sind nach DIN 17014 Tl. 1 (08/1988) genormt: Blank-G. (Zunderfrei-G.), Dunkel-G., Diffusions-G., Grobkorn-G. (Hoch-G.), Lösungs-G., Normal-G., Rekrist.-G., Spannungsarm-G., Stabil-G., Weich-G., Zwischen-G.; zu den G.-Verf. gehören auch das *Nitridieren (Aufsticken), das *Tempern u. a. Verf. zur *Härtung von Stahl, nicht jedoch das *Anlassen. Die beim G. von Metallen auftretende sog. *Glühemission*, d. h. der Austritt von freien *Elektronen (*Glühelektronen*) aus der Metalloberfläche, wird z. B. bei den Glühkathoden von Röntgenröhren (s. Röntgenstrahlen) u. Gleichrichtern genutzt. Im Laboratorium spricht man von G., wenn man Stoffe in der Flamme eines *Bunsen-, *Teclu- od. *Gebläsebrenners in Tiegeln, Schiffchen, *Glühröhrchen od. in der Öse eines Platin-Drahtes derart erhitzt, daß sie Licht aussenden (s. Glut). Das G. wird z. B. ausgeführt bei der Zerlegung von Carbonaten, Oxiden, Hydroxiden, Sulfaten usw., bei der aluminotherm. Metall-Herst., bei der Trocknung u. Reinigung von analyt. Niederschlägen in der Gewichtsanalyse, zur Bestimmung des *Glührückstandes bzw. *Glühverlustes usw. – *E* annealing – *F* recuit – *I* incandescenza – *S* recocido

Lit.: s. Härtung von Stahl.

Glühlampen (Glühbirnen). Auf der Emission von *Temperaturstrahlung* beruhende Lichtquellen (*Lampen), die eine einfach od. mehrfach gewendelten Wolfram-Draht als Leuchtkörper enthalten, der durch elektr. Strom auf 2500–3000 °C, d. h. Weißglut (s. Glut) erhitzt wird (*Metallfadenlampen*). Der *Glühdraht* ist durch einen evakuierten Glaskolben, der ein indifferentes Füllgas wie z. B. Ar/N$_2$ enthält, gegen die Außenluft geschützt. Die Lebensdauer von G. ist durch die Verdampfung des Wolfram-Fadens begrenzt, die ihrerseits von der Betriebstemp. abhängt. Diese Verdampfung wird in *Halogen-Lampen weitestgehend reduziert. *Leuchtstoff-Röhren, *Natrium- u. *Quecksilberdampf-Lampen beruhen auf dem Prinzip der *Gasentladung.

Geschichte: Die erste G. mit Kohlefaden-Glühkörper wurde zwar bereits 1854 von Heinrich Göbel gebaut, doch stammen die ersten wirtschaftlich brauchbaren G. von Edison 1879. Um 1900 wurden die Kohlefäden durch Osmium- u. Tantal-, später durch Wolfram-Fäden ersetzt. *Langmuir reduzierte die Wolfram-Verdampfung durch Argon-Stickstoff-Füllung des Kolbens u. durch Einführung der Doppelwendel. – *E* incandescent lamps – *F* lampes à incandescence – *I* lampada a incandescenza – *S* lámparas de incandescencia

Lit.: Ullmann (4.) **16**, 226–232; (5.) **A15**, 123f. – *[HS 8539 10–8539 90]*

Glühphosphat s. Calciumphosphate (d) u. Schmelzphosphate.

Glühröhrchen. Dickwandige, einseitig geschlossene reagenzglasförmige Röhren (Durchmesser ca. 8 mm, Länge ca. 70 mm) aus schwer schmelzbarem Glas, in dem man feste Substanzen trocken erhitzen kann, z. B. als *Vorprobe bei der qual. Analyse. – *E* small combustion tubes – *F* tubes à combustion – *I* tubetto a bagliore – *S* tubitos de combustión

Glührückstand. Bez. für die nach dem *Glühen des *Abdampfrückstandes od. eines trockenen Festkörpers zurückbleibenden Stoffe, s. a. Glühverlust. – *E* ignition residue – *F* résidu de calcination – *I* residuo dopo l' incandescenza – *S* residuo de calcinación

Glühstrümpfe s. Gasglühkörper.

Glühverlust. Bez. für die Gew.-Differenz zwischen *Abdampf- u. *Glührückstand bzw. zwischen Trockengew. u. Gew. des Glührückstandes, je nachdem, ob man von flüssigen od. festen Stoffen ausgeht. – *E* loss on ignition – *F* perte par calcination – *I* perdita dovuta alla ricottura – *S* pérdida por calcinación

Glühwein s. Wein.

Glühwürmchen s. Biolumineszenz u. Luciferine.

Glufosinat-ammonium.

$$\left[H_3C-\overset{O^-}{\underset{\underset{O}{\|}}{P}}-CH_2-CH_2-\overset{NH_2}{\underset{}{C}H}-COOH \right] \cdot NH_4^+ \quad Xn$$

Common name für Ammonium-DL-homoalanin-4-yl(methyl)-phosphinat, $C_5H_{15}N_2O_4P$, M_R 198,16, Schmp. 215 °C, LD_{50} (Ratte oral) 1625 mg/kg (WHO), von Hoechst entwickeltes nicht-selektives breit wirksames Kontakt-*Herbizid zur totalen u. semitotalen Bekämpfung von Unkräutern u. Ungräsern. – *E* = *F* glufosinate-ammonium – *I* glufosinato-ammonio – *S* glufosinato-amonio

Lit.: Perkow ▪ Pesticide Manual. – *[CAS 77182-82-2]*

Glukoreduct®. Tabl. mit dem *Antidiabetikum *Glibenclamid zur Unterstützung der Diät. *B.:* Sanofi Winthrop.

Glukovital®. Tabl. mit dem *Antidiabetikum *Glibenclamid zur Unterstützung der Diät. *B.:* Wolff.

Gluma®. Haftvermittler zwischen Zahn u. Composite-Füllungsmaterial. *B.:* Heraeus Kulzer GmbH.

Gluonen s. Elementarteilchen.

Glut. Bez. für den Zustand eines festen od. flüssigen Stoffes, bei dem Wärme- u. Lichtstrahlung emittiert wird (s. Glühen); die G. gehört neben *Rauch u. *Flammen zur äußeren Erscheinungsform der *Verbrennung. Bei Festkörpern beginnt die Grauglut bei ca. 400 °C (sie schließt an die *Anlaßfarben an). Man kann weiter unterscheiden: *Schwache Rot-G.* (>500 °C, sog. Drapersches Gesetz), *Dunkelrot-G.* (525–700 °C), *Kirschrot-* bis *Hellrot-G.* (850–950 °C), *Gelb-G.* (1100 °C), *Weiß-G.* (>1300 °C), *volle Weißglut* (1500 °C). – *E* glow, incandescence – *F* incandescence – *I* incandescenza – *S* incandescencia

Glutamat-Decarboxylase (GAD). *Enzym für die Biosynth. des *Neurotransmitters 4-*Aminobuttersäure (GABA, vgl. auch GABA-Rezeptoren) im Gehirn, wo es in zwei *Isoenzym-Formen vorkommt (GAD1 od. GAD-67 bzw. GAD2 od. GAD-65, M_R pro Untereinheit 67 000 bzw. 65 000; Homodimere; weiteres Vork. in Niere u. Bauchspeicheldrüse (GAD2, aber nicht ident. mit GAD2 des Hirns). Als *Coenzym dient *Pyridoxal-5′-phosphat (PLP). Die Aminosäuren GABA, *Asparaginsäure u. *Glutaminsäure sowie *Adenosin-5′-triphosphat hemmen das Enzym, indem sie die Bindung des Coenzyms unterdrücken; PLP u. anorgan. Phosphat wirken entgegengesetzt. Bei GAD1-Gendefekt kommt es zu frühkindlichen Anfällen mit PLP-Abhängigkeit. Bei der Entwicklung des Insulin-abhängigen Diabetes mellitus bilden sich Autoantikörper (s. Autoimmunität) gegen GAD, was in der Bauchspeicheldrüse zur Zerstörung der *Insulin-sezernierenden β-Zellen führt. Eine andere Autoimmunreaktion gegen GAD führt zu fortschreitender Muskelversteifung mit Spasmen (stiff man syndrome). – *E* glutamate decarboxylase – *F* glutamate décarboxylase – *I* glutamatodecarbossilasi – *S* glutamato descarboxilasa

Lit.: Nature (London) **347**, 151–156 (1990); **366**, 15 ff., 69–75 (1993) ▪ Trends Pharmacol. Sci. **14**, 107 ff. (1993).

Glutamat-Dehydrogenase s. Glutaminsäure.

Glutamate (Glutaminate). Gruppenbez. für die Ester u. Salze der *Glutaminsäure, bei letzteren sind das Magnesium-Salz, das Calcium-Salz u. das Kalium-Salz als Kochsalzersatz für *diätetische Lebensmittel von Bedeutung. Mononatriumglutamat (Kurzbez.: Glutamat) wirkt als *Geschmacksverstärker bei salzigen Lebensmitteln wie Fleisch u. Gemüse (Einsatzkonz. 0,1–0,3%). Es wird zum Aromatisieren von Fleischerzeugnissen, Suppen u. Würzen eingesetzt. Seine größte Wirksamkeit entfaltet Natrium-G. bei pH 5,5–6,5. Nach widersprüchlichen Lit.-Angaben soll es nach reichlichem Genuß von Natrium-G. od. durch Konservierungsstoffe aus exot. Lebensmitteln zu einer Erkrankung kommen können, die (engl.) als „Chinese Restaurant Syndrome" bezeichnet wird (s. Umami). Zu den Glutamat-Transaminasen (GOT, GTP) bzw. -Dehydrogenase (GLDH) s. Glutaminsäure. – *E* = *F* glutamates – *I* glutamati – *S* glutamatos – *[HS 2922 42]*

Glutamat-Rezeptoren (exzitator. Aminosäure-Rezeptoren). L-*Glutaminsäure (L-Glutamat, da bei physiolog. pH-Wert dissoziiert; Abk.: Glu) als einer der hauptsächlichen exzitator. *Neurotransmitter des Gehirns wird von sehr unterschiedlichen *Rezeptoren gebunden, die in den Zell-*Membranen des Zentralnervensyst. an der synapt. Übertragung (vgl. Synapsen) u. Modulation von Nervenimpulsen beteiligt sind. Nach der Art der Weiterverarbeitung des Signals (Effektor-Kopplung) unterscheidet man *ionotrope* G.-R., die als *Ionenkanäle fungieren, u. *metabotrope*, die *G-Proteine aktivieren. Die ersteren werden pharmakolog. in NMDA-, AMPA- u. Kainat-Rezeptoren unterteilt.

NMDA-Rezeptor: Postsynapt. Rezeptor, der pharmakolog. dadurch charakterisiert ist, daß er außer durch Glu durch den *Agonisten *N-Methyl-D-aspartat (NMDA) selektiv aktiviert wird. *Glycin wirkt synergist., indem es die Erregbarkeit der postsynapt. Zelle verlängert. Der NMDA-R. stellt einen sowohl Liganden- als auch Spannungs-abhängigen Ionenkanal dar, der sich nur öffnet, wenn der Neurotransmitter/Agonist bindet u. zugleich die Membran – evtl. durch einen gleichzeitig an einer anderen Synapse derselben Zelle ankommenden Reiz – stark depolarisiert ist. Es wird vermutet, daß dann ein *Langzeit-Potenzierungs-*Effekt (*E* long-term potentiation, Abk.: LTP) für darauffolgende Signale ausgelöst wird u. daß dies eine Basis für assoziatives Lernen darstellt. Wahrscheinlich sorgt Glutamat (od. andere *retrograde Botenstoffe* [1]) für eine pos. Rückkopplung, indem es präsynapt. G.-R. aktiviert. In der Folge kommt es zur weiteren Ausschüttung von Glutamat. Auch der gegenteilige Effekt, *Langzeit-Depression* (*E* long-term depression, Abk.: LTD), ist bekannt [2].

AMPA-Rezeptor (Quisqualat-Rezeptor): Der AMPA-Rezeptor ist dadurch charakterisiert, daß AMPA (L-α-Amino-3-hydroxy-5-methylisoxazol-4-propionsäure) u. Quisqualat (anion. Form der *Quisqualinsäure) als Agonisten für Glu durch Öffnung eines Kationenkanals depolarisierend (das elektr. Membranpotential erniedrigend) wirken.
Kainat-Rezeptor: Reagiert auf *Kainsäure als Agonist u. zeigt gewisse Gemeinsamkeiten mit dem AMPA-Rezeptor (daher zusammengefaßt als Nicht-NMDA-Rezeptoren); so wirken z. B. dieselben Chinoxalin-Derivate als Antagonisten.
Metabotroper G.-R.[3]: Neben den ionotropen G.-R. kennt man auch den über ein G-Protein funktionell pos. an *Phospholipase C od. neg. an *Adenylat-Cyclase gekoppelten metabotropen G.-R., der von *trans*-1-Aminocyclopentan-1,3-dicarbonsäure aktiviert wird. Der metabotrope G.-R. gehört strukturell zur Familie der 7-Transmembran-Helix-Rezeptoren. Von ihm sind z.Z. 8 genet. bedingte Unterformen bekannt (mGlu1–mGlu8), die nach Aminosäure-Sequenz u. pharmakolog. Profil den Klassen I–III zugeordnet werden. – *E* glutamate receptors – *F* récepteurs à glutamate – *I* recettori glutammici – *S* receptores de glutamato
Lit.: [1] Brain Res. Rev. **21**, 185–194 (1995). [2] Science **274**, 594–597 (1996). [3] Prog. Neuro-Psychopharmacol. Biol. Psychiatry **20**, 761–789 (1996).
allg.: Annu. Rev. Biophys. Biomol. Struct. **23**, 319–348 (1994).

L-Glutamin [L-Glutaminsäure-5-amid; Kurzz. Gln od. Glu(NH$_2$) od. Q].

$$H_2N-\overset{5}{CO}-\underset{\gamma}{CH_2}-\overset{3}{CH_2}-\overset{NH_2}{\underset{H}{\overset{2}{C}}}-\overset{1}{COOH}$$

$C_5H_{10}N_2O_3$, M_R 146,15. Gln bildet farblose Krist., Schmp. 187 °C, DL-Gln Schmp. 186 °C (nach anderen Angaben Schmp. 173–174,5 °C), D-Gln Schmp. 186–188 °C; in Wasser mäßig lösl., unlösl. in Methanol, Benzol u. Chloroform. Gln kommt gebunden in den meisten *Proteinen, in freier Form in vielen Pflanzensamen während der Keimung vor u. spielt eine zentrale Rolle im Stickstoff-Metabolismus. Es wird im Säugetier-Organismus aus L-*Glutaminsäure u. dem durch *Desaminierung von Aminosäuren freiwerdenden Ammoniak gebildet u. sorgt so für dessen Ausscheidung (*Ammoniak-Entgiftung*); Näheres s. Glutaminsäure. Bei Pflanzen wirkt Gln neben *Asparagin als Stickstoff-Speichersubstanz. Gln läßt sich auf fermentativem Wege herstellen.
Verw.: In der Mikrobiologie, in der Medizin gegen Epilepsie, Alkoholismus u. Magengeschwüre. In Peptiden zur parenteralen Ernährung. – *E* = *F* glutamine – *I* glutammina – *S* glutamina
Lit.: Beilstein E IV **4**, 3037 f. ▪ Br. J. Surg. **83**, 305–312 (1996) ▪ FASEB J. **7**, 1468–1474 (1993); **10**, 829–837 (1996). – [HS 2924 10; CAS 56-85-9]

Glutaminate s. Glutamate.

Glutaminsäure (2-Aminoglutarsäure; Kurzz. der L-Form ist Glu od. E; ist unbestimmt, ob es sich um L-Glutamin oder Glu handelt, wird dies durch Glx od. Z kenntlich gemacht). $C_5H_9NO_4$, M_R 147,13. Farblose Krist., D-Glu Schmp. 213 °C (Zers.), DL-Glu Schmp. 224–225 °C (Zers.), Glu [L-(+)-G., früher *d*-G.] Schmp. 247–249 °C (Zers.); in Wasser wenig, in

$$HOOC-\underset{\gamma}{\overset{5}{CH_2}}-\overset{4}{CH_2}-\overset{3}{CH_2}-\overset{NH_2}{\underset{H}{\overset{2}{C}}}-\overset{1}{COOH}$$

L-Glutaminsäure (Glu).

Ethanol schwer lösl., unlösl. in Ether, Aceton u. Eisessig. G. cyclisiert beim Erhitzen zu 5-Oxopyrrolidin-2-carbonsäure (*Pyroglutaminsäure) u. kann außer *Peptiden auch *Isopeptide bilden. Die Salze u. Ester der G. heißen *Glutamate, das 5-Amid *Glutamin, das 1-Amid Isoglutamin.
Nachw.: L-G. durch enzymat. Umwandlung mit oxidiertem *Nicotinamid-Adenin-Dinucleotid (NAD$^+$, reduzierte Form: NADH) in 2-Oxoglutarsäure.
Vork.: Glu ist als *Proteine bildende (*proteinogene*) *Aminosäure in der Natur weit verbreitet. 1866 erstmals von Ritthausen aus Eiweißstoffen isoliert, ist Glu in fast allen Proteinen, bes. aber in Weizen-*Gliadin, Mais u. Soja-Protein, Melasse, Spargel, Fibrin, Keratin, Ei- u. Milch-Eiweiß (*Casein) verbreitet. Beispielsweise enthält Casein 23,6%, *Pepsin 19,8%, Fleisch-Protein 14,6% u. Weizen-Protein 31,4% Glu; das menschliche Blut-Plasma enthält ca. 8 mg/mL Glu (u. etwa zehnmal soviel Glutamin). Der Name Glutamin bzw. G. leitet sich von *Gluten (Protein des Weizenklebers) her, aus dem Glu zuerst gewonnen wurde.
Biochemie: Glu ist zwar keine der *essentiellen Aminosäuren, spielt jedoch im Stoffwechsel eine wichtige Rolle. Die Biosynth. erfolgt unter Katalyse von *Glutamat-Dehydrogenase*[1], EC 1.4.1.2 bzw. 1.4.1.4, mit NADH bzw. dessen 2′-Phosphat als Coenzym aus Ammonium-Salzen u. 2-Oxoglutarsäure, einem Zwischenprodukt des *Citronensäure-Cyclus. Glu ist damit eine der wenigen Aminosäuren, die durch reduktive Aminierung entstehen können – die übrigen benötigen zur Bildung eine Transaminierung, bei der häufig Glu der Amino-Gruppenspender ist. Über die Red. zum 5-Semialdehyd bildet Glu die Vorstufe der Aminosäuren L-*Ornithin (→ L-*Arginin) u. L-*Prolin. In Pflanzen u. Bakterien dient Glu zur Biosynth. von *Häm u. *Chlorophyll über *5-Amino-4-oxovaleriansäure[2]. Wegen ihrer 5-Carboxyl-Gruppe ist Glu zur Ausbildung von Isopeptiden wie z. B. dem *Glutathion befähigt.
Protein-gebundene Glu wird in bestimmten Fällen zur *4-Carboxy-L-glutaminsäure* (Kurzz.: Gla) carboxyliert. Die beteiligte *Carboxylase verwendet *Vitamin K als *Coenzym. Die Gla-Seitenketten verleihen den Proteinen die Fähigkeit, Ca^{2+}-Ionen zu komplexieren. *Beisp.* für Gla-Proteine: *Osteocalcin, *Prothrombin.
Die Bildung des 5-Amids L-Glutamin (durch *Glutamin-Synthetase*, EC 6.3.1.2; unter begleitender Hydrolyse von *Adenosin-5′-triphosphat) aus Glu dient der *Assimilation* u. *Entgiftung* von *Ammoniak* (bei physiolog. pH-Wert als NH$_4^+$ gelöst). L-Glutamin ist dann in der Lage, seine 5-ständige Stickstoff-Funktion durch Transamidierung in andere Verb. (in *Carbamoylphosphat → Pyrimidine, in Purine, in Aminosäuren, Aminozucker usw.) einzubringen bzw. in der Niere (durch Glutaminase, EC 3.5.1.2) Ammoniak wieder abspalten, der dort ggf. zur Abpufferung saurer Harnbestandteile von Nutzen ist. Die Ausscheidung

von Ammoniak erfolgt entweder direkt als solcher (bei Fischen: *Ammonotelier*), als Harnsäure (bei Vögeln, Reptilien u. den meisten Insekten: *Urikotelier*) od. als Harnstoff (bei Säugetieren, Amphibien u. Knorpelfischen: *Ureotelier*). Die Harnstoff-Bildung (s. Harnstoff-Cyclus) in der Leber entfernt jedoch neben NH_4^+ auch HCO_3^- in stöchiometr. Mengen; überschüssiger Ammoniak wird, wie oben erwähnt, in L-Glutamin gebunden zur Niere transportiert u. dort ausgeschieden. Auch im Gehirn-Stoffwechsel, bei dem Glu durch Transport von Kalium-Ionen beteiligt ist, kommt der Ammoniak-Entgiftung unter L-Glutamin-Bildung große Bedeutung zu, da letzteres die *Blut-Hirn-Schranke passieren kann, was der Glu selbst nicht möglich ist.

Neurotransmission: Im Zentralnervensyst. wird Glu zu der als inhibitor. *Neurotransmitter wirkenden 4-*Aminobuttersäure (GABA) decarboxyliert (*Glutamat-Decarboxylase), während Glu selbst im Gehirn als einer der hauptsächlichen exzitator. Neurotransmitter fungiert (s. Glutamat-Rezeptoren), andererseits unter gewissen Bedingungen aber auch tox. auf Nervenzellen wirkt. Zur Beendigung der glutamatergen Transmission wird Glu durch hochaffine *Glutamat-Transporter*[3] ins Innere der Nerven- od. Glia-Zellen aufgenommen; ähnliche hoch- u. niederaffine Transporter sorgen übrigens in Dünndarm u. Niere für die Resorption bzw. Rückresorption von Glu.

Diagnostik: Von diagnost. Bedeutung für *Hepatitis u. a. Lebererkrankungen sowie für Herzinfarkt ist die Bestimmung der Aktivitäten der Enzyme *Glutamat-Dehydrogenase*, *Glutamat-Oxalacetat-Transaminase* (EC 2.6.1.1) u. *Glutamat-Pyruvat-Transaminase* (EC 2.6.1.19) im Serum. Abweichungen von der Normalkonz. der *γ-Glutamyltransferase* (EC 2.3.2.2) zeigt Pankreatitiden od. Leber-Gallenwegs-Erkrankungen an.

Herst.: Durch Hydrolyse von Glutamin, von Gluten u. a. Proteinen, heute jedoch – v. a. in Japan – durch *Fermentation aus z. B. D-Glucose u. Ammoniak od. aus Methanol, wobei Glu überwiegend als *Natrium-L-glutamat erhalten wird.

Verw.: Glu wird in der *enzymatischen Analyse, in Form des Natrium-Salzes in beträchtlichen Mengen als Aromastoff für Fleisch-Erzeugnisse u. Geschmacksverstärker in Suppenkonzentraten u. ä. sowie in der Pharmazie in Form von Tabl., Dragees, Ampullen, Nährlsg. u. Granulaten als Präp. gegen Neurosen, vegetative Dystonien, Hyperammonämie, Erschöpfungszustände, Konzentrationsschwäche usw. verwendet. – *E* glutamic acid – *F* acide glutamique – *I* acido glutammico – *S* ácido glutámico

Lit.: [1] Comp. Biochem. Physiol. B – Comp. Biochem. **106**, 767–792 (1993). [2] Trends Biochem. Sci. **17**, 215–218 (1992). [3] FASEB J. **7**, 1450–1459 (1993); Nature (London) **360**, 464–474, 768 (1992). – *[HS 2922 42; CAS 6893-26-1 (D-Form); 56-86-0 (L-Form)]*

Glutamin-Synthetase s. Glutaminsäure.

γ-Glutamyl-Naturstoffe. Insbes. in Pilzen u. Pflanzen kommt eine größere Zahl von Sekundärmetaboliten vor, die einen γ-Glutamyl-Rest tragen, z. B. *Agaritin, *Coprin, *Connatin, *Lascivol, *Xanthodermin. Weshalb diese Aminosäuren bevorzugt derartige Konjugate bildet, ist bisher nicht bekannt. – *E* γ-glutamyl natural products – *F* substances naturelles de glutamyle – *I* prodotti naturali di γ-glutamile – *S* productos naturales de glutamilo

Lit.: Zechmeister **39**, 173–300.

γ-Glutamyltransferase s. Glutaminsäure, Glutathion.

Glutaral. Internat. Freiname für *Glutaraldehyd als Desinfizienz u. Antihidrotikum.

Glutaraldehyd (Glutardialdehyd, 1,5-Pentandial). $OHC-CH_2-CH_2-CH_2-CHO$, $C_5H_8O_2$, M_R 100,12. Farblose Flüssigkeit mit scharfem, unangenehmem Geruch, Schmp. <–14 °C, Sdp. 187–189 °C (Zers.), mit Wasserdampf flüchtig. Die Dämpfe reizen die Augen, die Atemwege u. die Haut. Kontakt mit der Flüssigkeit führt zu Reizung der Augen u. der Haut. G. wird auch über die Haut aufgenommen u. kann auch auf diesem Weg allg. Vergiftungen hervorrufen, MAK 0,1 ppm (MAK-Werte-Liste 1996), LD_{50} (Ratte oral) 134 mg/kg, wassergefährdender Stoff, WGK 2. G. reduziert Fehlingsche Lsg. u. geht bei Ggw. von Wasser in eine polymere, glasige Form über, aus der sich bei Vakuumdest. das Monomere zurückbildet. Aufgrund der Reaktivität seiner beiden Aldehyd-Gruppen ist G. bei chem. Synth., z. B. von Ringverb. u. Heterocyclen, ein wichtiges Ausgangsmaterial. G. wirkt bakterizid u. dient daher zur Konservierung u. Desinfektion von Geräten u. Instrumenten in der kosmet. Ind. u. in der Medizin, außerdem wirkt es in starker Verdünnung (5 ppm) gegen korrosionsverursachende Bakterien (*Desulfovibrio desulfuricans*) u. wird daher in Ölfeldern als Korrosionsschutzmittel verwendet. Ferner findet G. Verw. als Fixativ biolog. Gewebe in der Elektronen- u. Lichtmikroskopie u. als Härter für Gelatine, da es mit Proteinen durch Quervernetzung reagiert. Als Gerbmittel gibt G. weiche, widerstandsfähige Leder. Es reagiert leicht mit Polyhydroxy-Verb. (z. B. Cellulose-Derivate, PVAL u. PVAC) u. wird daher als Hydrophobierungsmittel für Papier, Tapeten, Textilien u. dgl. eingesetzt. – *E* glutaraldehyde – *F* glutaraldéhyde – *I* glutaraldeide – *S* glutaraldehido

Lit.: Beilstein E IV **1**, 3659 ▪ Gesundheitsschädliche Arbeitsstoffe: toxikologisch arbeitsmedizinische Begründung von MAK-Werten, Weinheim: Verl. Chemie 1972–1996 ▪ Hager (5.) **3**, 640 ▪ Hommel, Nr. 553 ▪ Merck-Index (12.), Nr. 4480 ▪ Paquette **4**, 2607 ▪ Ullmann (4.) **16**, 122, 143; (5.) **A 1**, 156. – *[HS 2912 19; CAS 111-30-8; G 6.1]*

Glutardialdehyd s. Glutaraldehyd.

Glutaredoxin s. Glutathion.

Glutarsäure (Pentandisäure). $HOOC-CH_2-CH_2-CH_2-COOH$, $C_5H_8O_4$, M_R 132,12. Große, farblose, monokline Krist., D. 1,43, Schmp. 97 °C, Sdp. 303 °C, lösl. in Ethanol, Ether, Chloroform u. Benzol. G. kommt im Rübensaft u. im Waschwasser von roher Schafwolle vor. Sie ist techn. durch oxidative Ringöffnung von Cyclopentanon mit 50% Salpetersäure in Ggw. von Vanadin(V)-oxid zugänglich; Zwischenprodukt für organ. Synthesen. – *E* glutaric acid – *F* acide glutarique – *I* acido glutarico – *S* ácido glutárico

Lit.: Beilstein E IV **2**, 1934 ▪ Merck-Index (12.), Nr. 4481 ▪ Ullmann (4.) **10**, 136 f.; (5.) **A 8**, 530. – *[HS 2917 19; CAS 110-94-1]*

Glutarsäureanhydrid (Tetrahydropyran-2,6-dion).

$C_5H_6O_3$, M_R 114,10. Farblose Krist., Schmp. 56,5 °C, Sdp. 150 °C (13 hPa). G. wird zur organ. Synth., zur Herst. von Weichmachern u. Polymeren, als Zusatz zu Säurehärtern für Epoxidharze verwendet. – *E* glutaric anhydride – *F* anhydride glutarique – *I* anidride glutarica – *S* anhídrido glutárico
Lit.: Beilstein E V **17/11**, 9. – *[HS 2917 19; CAS 108-55-4]*

Glutathion (Glutathion-SH, GSH, L-γ-Glutamyl-L-cysteinylglycin).

$C_{10}H_{17}N_3O_6S$, M_R 307,32. Tripeptid, das 1921 von Hopkins u. Kendall aus Muskeln u. Hefezellen isoliert u. später auch synthetisiert wurde. In der Natur kommt nur die L,L-Form vor: Farblose Krist., Schmp. 195 °C, in Wasser u. Dimethylformamid löslich.
Biosynth.: GSH wird in der Leber durch enzymat. Verknüpfung von L-*Glutaminsäure mit L-Cystein (durch das Enzym γ-Glutamylcystein-Synthetase; EC 6.3.2.2) u. darauffolgende Kondensation mit Glycin (durch Glutathion-Synthetase; EC 6.3.2.3) synthetisiert. Bei beiden Schritten wird die notwendige Energie durch gekoppelte Hydrolyse von *Adenosin-5′-triphosphat bereitgestellt.
Biolog. Bedeutung: GSH geht durch reversible Oxid. in das Disulfid GSSG über u. stellt dadurch ein Puffersyst. für den Redox-Zustand der Zelle dar. Peroxide u. Radikale werden unter Katalyse der Selen-haltigen *Glutathion-Peroxidase* (EC 1.11.1.9) reduziert. Essentielle Thiol-Gruppen von Proteinen werden durch GSH geschützt od. durch Red. wiederhergestellt:

Protein -S—S -Protein + 2 GSH ⇌ (Protein-disulfid-Reduktase EC 1.8.4.2) 2 Protein-SH + GSSG

Durch die NAD(P)H-abhängige, Flavin-haltige *Glutathion-Reduktase*[1] (EC 1.6.4.2; 2 ident. Untereinheiten, M_R je nach Quelle 100 000 – 125 000) wird GSH in reduziertem Zustand gehalten u. oxidativem Stress vorgebeugt. GSH kann auch durch L-*Ascorbinsäure regeneriert werden[1]:

2 GSSG + L-Ascorbinsäure ⇌ (Glutathion-Dehydrogenase EC 1.8.5.1) 2 GSH + Dehydro- L-ascorbinsäure

Durch Übertragung von γ-L-Glutamyl-Resten auf Aminosäuren u. bestimmte Dipeptide [katalysiert durch *γ-Glutamyl-Transferase* (EC 2.3.2.2)] bewirkt GSH den Transport von Aminosäuren u. niedermol. Peptiden durch Zellmembranen. Die *Entgiftung elektrophiler Fremdstoffe durch Eliminierung als – meist wasserlösl., nichttox. – *S*-substituierte Acetylcystein-Derivate (sog. *Mercaptursäuren*) wird durch *Glutathion-S-Transferasen*[2] (Abk. GST, EC 2.5.1.18) eingeleitet. Diese katalysieren die *nucleophile Reaktion der SH-Gruppe des G. mit einer ganzen Anzahl von Verb., die elektrophile Zentren tragen. Obwohl diese Reaktion einerseits der Entgiftung zahlreicher *Xenobiotika dient, wirken andererseits manche GSH-Konjugate entweder direkt od. nach Abbau zum L-Cysteinyl-Derivat (d. h. Abspaltung von L-Glutaminsäure u. Glycin) toxisch. GSH ist auch bei der D-Lactat-Synth. aus Methylglyoxal mittels der *Glyoxalasen* I u. II (EC 4.4.1.5 bzw. 3.1.2.6; Zwischenstufe: *S*-D-Lactoyl-glutathion) beteiligt[3] u. überträgt Wasserstoff auf *Glutaredoxin*, ein Protein (M_R 12 000), das anstelle von *Thioredoxin an der Red. der *Nucleotide zu den *Desoxynucleotiden als Wasserstoff-Donor beteiligt sein kann. In *Trypanosomen (Erregern der *Schlafkrankheit u. Verwandten) findet man statt GSH das *Spermidin-haltige *Trypanothion*[4]. – *E* glutathione – *F* glutathion – *I* glutatione – *S* glutatión
Lit.: [1] J. Biol. Chem. **269**, 7397–9400 (1994). [2] Adv. Enzymol. Rel. Areas Mol. Biol. **69**, 1–44 (1994); Crit. Rev. Biochem. Mol. Biol. **30**, 445–600 (1995). [3] Biochem. J. **269**, 1–11 (1990). [4] Annu. Rev. Microbiol. **46**, 695–729 (1992).
allg.: Curr. Topics Cell. Regul. **34**, 189–208 (1996) ▪ Ohlenschläger, Das Glutathionsystem, Heidelberg: Verl. für Medizin 1991 ▪ Packer, Biothiols, Part B: Glutathion and Thioredoxin. Thiols in Signal Transduction and Gene Regulation, San Diego: Academic Press 1995 ▪ Viña, Glutathione: Metabolism and Physiological Functions, Boca Raton: CRC Press 1990. – *[HS 2930 90; CAS 70-18-8]*

Gluteline. Bez. für oft auch *Glutenine* genannte, Wasser- u. Alkohol-unlösl., *globuläre Proteine, die viel L-Glutamin u. L-Prolin enthalten u. zu etwa gleichen Teilen mit den *Prolaminen den *Kleber (*Gluten) des *Getreides bilden. – *E* glutelins – *F* glutélines – *I* gluteline – *S* glutelinas

Gluten (von latein. = Leim). Bez. für das *Kleber-Eiweiß der Brot- *Getreide, das die Backfähigkeit von Weizen- u. Roggenmehl bewirkt. – *E* = *F* = *S* gluten – *I* glutine

Glutenine s. Gluteline.

Glutethimid.

Internat. Freiname für (±)-2-Ethyl-2-phenylglutarimid (3-Ethyl-3-phenyl-2,6-piperidindion), $C_{13}H_{15}NO_2$, M_R 217,27, Schmp. 84 °C, 102,5–103 °C (D-Form), 102–103 °C (L-Form); $[\alpha]_D^{20}$ (CH_3OH) +176° (D-Form), –181° (L-Form); pK_{a1} 4,5, pK_{a2} 9,2; λ_{max} (CH_3OH) 251, 257 u. 263 nm. G. wurde 1954 als *Sedativum u. *Hypnotikum von Ciba patentiert u. ist in Anlage II der *BMVVO gelistet. – *E* glutethimide – *F* glutéthimide – *I* glutetimide – *S* glutetimida
Lit.: ASP ▪ Beilstein E V **21/11**, 234 f. ▪ DAB **1996** u. Komm. ▪ Florey **5**, 139–187 ▪ Hager (5.) **8**, 364 ff. – *[HS 2925 19; CAS 77-21-4]*

Glutin. Aus dem *Collagen des tier. Bindegewebes u. durch Kochen von Knochen erhältliches leimartiges *Protein-Gemisch (daher Name von latein.: gluten = Leim) von ähnlicher Zusammensetzung, jedoch geringerer Reinheit als *Gelatine. G. wird als Leim verwendet. – *E* glutin – *F* glutine – *I* = *S* glutina

Glutinleime s. Glutin u. Leime.

Glutofix®. Wasserlösl. Celluloseether als Klebstoffe für Papier, Stoffe, Leder, Holz, Tabakblätter usw. *B.:* Kalle Nalo.

Glutolin®. Wasserlösl. Celluloseether auf der Basis von Methylcellulose als Tapetenkleister, auch mit Kunstharz verstärkt, u. für wischfeste Innenanstriche. **B.:** Kalle Nalo.

Glx. Neben Z Kurzz. für L-*Glutaminsäure od. L-*Glutamin, falls keine Unterscheidung getroffen werden kann.

Gly. Neben G Abk. für *Glycin in Peptid-Formeln.

Glyceride (Acylglycerine).

$$\begin{array}{l} CH_2-O-CO-R^1 \\ CH-O-CO-R^2 \\ CH_2-O-CO-R^3 \end{array}$$
Triacylglycerin

Bez. für die Ester des *Glycerins. Bei normalen G. sind drei gleichartige Säure-Reste mit einem Glycerin-Mol. verestert, bei den gemischten G. sind die Säure-Reste verschieden, wobei man nach Anzahl der Acyl-Gruppen zwischen oft mit Trivialnamen wie *Monoolein, Diacetin, Tristearin* belegten u. ggf. einzeln behandelten *Mono-, *Di- u. *Triglyceriden unterscheidet. Die wichtigsten natürlich vorkommenden G. sind die aus *Fettsäure-G. bestehenden Fette u. fetten Öle. Für techn. Zwecke, z. B. in Kosmetika, sind synthet. G. oft besser geeignet[1]. Zur *Polymorphie vgl. *Lit.*[1], zur Chiralität von G. s. *Lit.*[2]. Bezüglich Phospho-G. s. Glycerinphosphate. Die Biosynth. der G. verläuft über Glycerinphosphat, das entweder durch Phosphorylierung von Glycerin od. durch Red. von Dihydroxyacetonphosphat gebildet wird, u. die CoA-Derivate der Fettsäuren. Die Zusammensetzung der G. in Ölpflanzen läßt sich heute gentechn. steuern (vgl. Fettsäuren). – *E* glycerides – *F* glycérides – *I* gliceridi – *S* glicéridos

Lit.: [1] Riechst., Aromen, Kosmet. **28**, 8–12, 112–118 (1978); Parfüm. Kosmet. **58**, 353–364 (1977). [2] Top. Lipid Chem. **1972**, 3.
allg.: Aebi et al., S. 167–172 ■ Aliphatic Relat. Nat. Prod. Chem. **1981**, 194–223; **1983**, 209–249 ■ Janistyn **1**, 429–440 ■ Karrer, Nr. 3134 ■ Kuksis (Hrsg.), Handbook of Lipid Research, Vol. 1, New York: Plenum Press 1978 ■ Nat. Prod. Rep. **1**, 483–497 (1984) ■ s. a. Fette und Öle.

Glycerin (Glycerol, 1,2,3-Propantriol, Ölsüß).

$$\begin{array}{l} H_2C-OH \\ HC-OH \\ H_2C-OH \end{array}$$

$C_3H_8O_3$, M_R 92,09. Farblose, klare, schwerbewegliche, geruchlose süß schmeckende hygroskop. Flüssigkeit, D. 1,261, Schmp. 18,2 °C, Sdp. 290 °C (Zers.), 182 °C (3 hPa). Kontakt mit der unverd. Flüssigkeit kann leichte Reizung der Haut verursachen. Aufnahmen von bis zu 50 ml beim Erwachsenen gelten als harmlos[1]. Bei Verschlucken größerer Mengen kann es zu einem Rauschzustand mit Kopfschmerzen, Cyanose, Nierenschmerzen u. blutigen Durchfällen kommen, MAK-Wert 10 mg/m³ (US-Wert), WGK 0 (Hommel). G. ist mit Wasser u. Alkohol in jedem Verhältnis mischbar, dagegen wenig lösl. in Ether, unlösl. in Benzin, Benzol, Petrolether, Chloroform u. fetten Ölen.

Nachw.: Beim Erhitzen mit Kaliumhydrogensulfat entsteht unter Dunkelfärbung das stechend riechende *Acrolein; zur quant. Bestimmung eignet sich die Oxid. mit Perjodat. Eine enzymat. Analyse ist mit Hilfe der G.-Dehydrogenase möglich.

Vork.: G. ist in den tier. u. pflanzlichen *Fetten u. fetten Ölen außerordentlich verbreitet; alle diese Stoffe sind gemischte *Glyceride von Fettsäuren. Aus Kokosnußöl erhält man z. B. 17%, aus Palmöl 11%, aus Talg 10%, aus Sojaöl 10% u. aus Fischöl 9% Glycerin. Kleine Mengen von freiem G. entstehen auch als Zwischenprodukt bei der alkohol. Gärung von Zuckerhaltigen Lsg.; daher enthält auch der Wein kleinere Mengen Glycerin. Des weiteren kommt G. in den *Lecithinen, *Phospholipiden, *Teichonsäuren u. einigen *Glykolipiden (Glykosyldiacylglycerine) gebunden vor. In die Berechnung des physiolog. Brennwertes geht G. mit 17 kJ (4 kcal) pro Gramm ein. Hornissen überleben tiefe Temp. von −14 °C, arkt. Laufkäfer gar noch −85 °C, weil ihr Blut G. als „Gefrierschutzmittel" enthält (*Lit.*[2,3]).

Herst.: G. war ursprünglich nur ein Nebenprodukt der Fettverseifung. Als in den vierziger Jahren bes. in USA die synthet. Waschmittel vordrangen, wurde die Seifenherst. auf Fettsäure-Basis eingeschränkt u. G. stand bei gleichzeitig steigendem Bedarf nicht mehr ausreichend zur Verfügung. In dieser Zeit wurden die ersten Syntheseverf. für G. entwickelt. Die meisten techn. Verf. gehen von Propen aus, das über die Zwischenstufen Allylchlorid, Epichlorhydrin zu G. verarbeitet wird. Ein weiteres techn. Verf. ist die Hydroxylierung von Allylalkohol mit Wasserstoffperoxid am WO_3-Kontakt über die Stufe des Glycids; näheres zur Synth. s. *Lit.*[4,5]. Inzwischen ist aber in einigen Ländern das Maximum der G.-Produktion auf petrochem. Basis schon durchlaufen. Die G.-Gesamtproduktion betrug 1991 in Westeuropa 199 000 t.

Verw.: G. dient heute nur noch zu ca. 4% zur Herst. von *Glycerintrinitrat (*Nitroglycerin*), hauptsächlich jedoch von Kunststoffen wie Alkydharzen, Polyurethan-Schäumen usw., zur Tabakbefeuchtung, in der Nahrungsmittel- (E 422, in der BRD allg. zugelassener Zusatzstoff) u. Kosmetik-Ind. (z. B. Cremes, Zahnpasten), als Druckübertragungs-, Feuchthalte-, Beschlagverhinderungs- u. Gefrierschutzmittel etc. Kleinere Mengen benötigt man als Heiz- u. Kühlflüssigkeit, zur Füllung von Gasmeßuhren, für die Synth. von Farbstoffen (z. B. Alizarinblau) u. Pharmazeutika, als Weichmacher bei der Fabrikation von Kautschukwaren (Reifen), bei der Herst. von Kitten (z. B. mit Bleioxid), Schmier- u. Abdichtungsmitteln, zur Fettsynth., als Lösungs-, Aufhellungs- u. Konservierungsmittel bei mikroskop. Reagenzien, zur Extraktion von Blütenduftstoffen sowie in der Pharmazie u. Medizin[6]. G. ist ein gutes Lsm. für viele organ. u. auch anorgan. Stoffe, so z. B. für Salze (Soda, Borax, Zinkchlorid, Kaliumiodid, Kupfersulfat), Hydroxide der Alkali- u. Erdalkalimetalle, Alkaloide usw.

Geschichte: G. wurde 1779 von Scheele bei der Verseifung von Olivenöl mit Bleioxid entdeckt. Chevreul zeigte 1813, daß die Fette Glycerinester von Fettsäuren darstellen u. gab dem G. 1823 seinen Namen von griech.: glykys = süß. – *E* glycerol – *F* glycérol, glycérine – *I* glicerina – *S* glicerol, glicerina

Lit.: [1] Moeschlin, Klinik u. Therapie der Vergiftungen, S. 331, Stuttgart: Thieme 1986. [2] Umschau **71**, 100 (1971). [3] Chem. Unserer Zeit **12**, 100 (1978). [4] Kirk-Othmer (4.) **12**, 681. [5] Weissermel-Arpe (4.), S. 324 f. [6] Hager (5.) **8**, 366; **2**, 487, 901, 961. *allg.:* Beilstein E IV **1**, 2751 ff. ▪ Fat. Sci. Technol. **89**, Nr. 8, 297 (1987) ▪ Hommel, Nr. 100 ▪ Merck-Index (12.), Nr. 4493 ▪ Römpp Lexikon Lebensmittelchemie, S. 352 ▪ Ullmann **4**, 27 ff.; E, 105 f.; (4.) **12**, 367–376; (5.) A **12**, 477. – *[HS 152000; CAS 56-81-5]*

Glycerinacetate.

```
H₂C—OH              H₂C—O—CO—CH₃
 |                    |
HC—OH               HC—OH
 |                    |
H₂C—O—CO—CH₃       H₂C—O—CO—CH₃
    a                    b

H₂C—O—CO—CH₃       H₂C—O—CO—CH₃
 |                    |
HC—O—CO—CH₃        HC—O—CO—CH₃
 |                    |
H₂C—OH              H₂C—O—CO—CH₃
    c                    d
```

Bez. für die Essigsäureester des *Glycerins, die durch Erhitzen von Glycerin mit Essigsäure entstehen. Man unterscheidet Mono-, Di- u. Triacetate.
(a) *Glycerinmonoacetat* (Acetin, 3-Acetoxy-1,2-propandiol), $C_5H_{10}O_4$, M_R 134,13. Farblose, ölige, hygroskop. Flüssigkeit, D. 1,206, Sdp. 158 °C (220 hPa), leicht lösl. in Wasser u. Alkohol. Wird zur Gerbmittel- u. Dynamitbereitung, als Weichmacher zur Herst. von Flaschenkapseln aus Celluloseacetat, als Lsm. u. in der Lebensmittel-Ind. verwendet.
Glycerindiacetat (Diacetin), techn. ein Gemisch aus 1,3-Glycerindiacetat (b) u. 1,2-Glycerindiacetat (c), $C_7H_{12}O_5$, M_R 176,17. Hygroskop., farblose Flüssigkeit, D. 1,18, Sdp. 259 °C, mischbar mit Wasser u. Benzol. Verw. als Weichmacher, Lsm. für Cellulose-Derivate, Alkydharze, Schellack, Aromen, Essenzen.
(d) *Glycerintriacetat* (Triacetin, 1,2,3-Triacetoxypropan, E 1518), $C_9H_{14}O_6$, M_R 218,21. Farblose Flüssigkeit, D. 1,1562, Sdp. 258–260 °C; mischbar mit Alkohol, Ether u. Benzol. Glycerintriacetat, wie auch die Glycerindi- u. -monoacetate sind Synth.-Produkte u. kommen in der Natur nicht vor. Verwendet werden sie als Lsm. od. Trägerstoffe für Aromen sowie bei der Herst. von Kaumassen. In der BRD sind die G. für diese Verw.-Zwecke zugelassen (Aromen-VO, ZZulV.) Für techn. Zwecke stellt man aus Monostearin (*Glycerinmonostearat) oft das 1-Acetat od. das 1,2-Diacetat her (*Acetostearin, Diacetostearin*). – *E* glycerol acetates, acetins – *F* acétates de glycérol, acétines – *I* acetati di glicerina – *S* acetatos de glicerol, acetinas

Lit.: Beilstein E IV **2**, 251–253 ▪ Hommel, Nr. 486 ▪ Kirk-Othmer **10**, 630; (3.) **11**, 631; (4.) **12**, 693 ▪ Römpp Lexikon Lebensmittelchemie, S. 352 ▪ Ullmann (4.) **12**, 373 ▪ s. a. Glyceride. – *[HS 291539; CAS 26446-35-5 (a); 102-76-1 (d); 25395-31-7 (b u. c)]*

Glycerinaldehyd
(Glyceraldehyd 2,3-Dihydroxypropionaldehyd).

```
   CHO
    |
   HC—OH
    |
   H₂C—OH
```

$C_3H_6O_3$, M_R 90,08. Die opt. aktive Formen erhält man als Sirupe, die D,L-Form bildet beständigere, farblose Krist., D. 1,455, Schmp. 145 °C (dimer), in Wasser gut, in Alkohol u. Ether wenig lösl., reduziert Fehlingsche Lösung. G. entsteht durch partielle Oxid. von Glycerin, z. B. mit Wasserstoffperoxid in Ggw. von Eisen(II)-Salzen od. mit alkal. Brom-Lsg. (Natriumhypobromit). Hierbei werden sowohl die prim. als auch die sek. Alkohol-Gruppe angegriffen unter Bildung von G. u. *Dihydroxyaceton. Beide stehen miteinander im Gleichgew. u. sind in Ggw. von wasserfreiem Pyridin ineinander überführbar (Lobry de Bruyn-van Eckenstein-Umlagerung). Das Gemisch der beiden Oxidationsprodukte, in dem G. überwiegt, nennt man Glycerose. Durch Aldol-Addition der beiden Partner kann Fructose entstehen, wie auch umgekehrt beide Verb. (als Phosphate) bei der *Glykolyse nebeneinander entstehen. G. ist die einfachste *Aldose; der räumliche Aufbau um das mittlere C-Atom herum ist das Bezugssyst. für die Zuordnung opt. aktiver Verb. zur D- od. L-Konfiguration, s. Konfiguration u. Enantiomerie. G. hat kaum techn. Bedeutung, allenfalls als Mittel zur *Hautbräunung. – *E* glyceraldehyde – *F* aldéhyde glycérique – *I* gliceraldeide – *S* gliceraldehído, aldehído glicérico

Lit.: Beilstein E IV **1**, 4114 ▪ Merck-Index (12.), Nr. 4490. – *[HS 291230]*

Glycerinaldehyd-3-phosphat-Dehydrogenase
(EC 1.2.1.12 u. 1.2.1.13; Abk. GAPDH). Enzym der *Glykolyse u. *Gluconeogenese, das die reversible Umwandlung von D-Glycerinaldehyd-3-phosphat in *1,3-Diphospho-D-glycerat* (D-Glyceroylphosphat-3-phosphat) unter Verbrauch von anorgan. Phosphat u. gleichzeitiger Red. von *Nicotinamid-Adenin-Dinucleotid(-Phosphat) [NAD(P); oxidierte Form: NAD(P)⁺, reduzierte Form: NAD(P)H] katalysiert. Die NADP-abhängige Form ist pflanzlichen Ursprungs u. am Calvin-Cyclus (der Dunkelreaktion der *Photosynthese) beteiligt. Aus Spinat-Chloroplasten wurde sie als Multienzym-Komplex mit vier anderen Enzymen isoliert. In *Erythrocyten wurde durch *Immunfluoreszenz-Meth. gezeigt, daß das Enzym zum größten Teil an die Plasmamembran gebunden ist.
Mechanismus: D-Glycerinaldehyd-3-phosphat wird als Thiohalbacetal an der Thiol-Gruppe einer L-Cystein-Seitenkette des Enzyms gebunden u. durch Hydrid-Übertragung auf NAD(P)⁺ zum Thiolester des D-Glycerinsäure-3-phosphats oxidiert. Letzteres wird durch den nucleophilen Angriff eines Phosphat-Ions als gemischtes Säureanhydrid (mit Phosphorsäure) freigesetzt.
Weitere Funktionen[1]: In neuerer Zeit wurde gefunden, daß menschliche bzw. Säugetier-GAPDH (4 ident. Untereinheiten, M_R je 36000) in ihrer monomeren Form weitere, unerwartete Funktionen erfüllt, nämlich bei der Reparatur der *Desoxyribonucleinsäuren (DNA) als Uracil-DNA-Glykosylase, bei der Kontrolle der *Immunglobulin-M-Biosynth. auf der Ebene der *Translation als *immunoglobulin-producing stimulatory factor II α*, weiter bei der *Endocytose als Tubulin- u. Membran-bindendes Protein u. schließlich bei der DNA-*Replikation als Bestandteil der DNA-*Polymerase α. – *E* glyceraldehyde-3-phosphate dehydrogenase – *F* glycéraldéhyde-3-phosphate-déshydrogénase – *I* gliceraldeide-3-fosfatodeidrogenasi – *S* gliceraldehído-3-fosfato-deshidrogenasa

Lit.: [1] Life Sci. **58**, 2271–2277 (1996). – *[HS 350790]*

Glycerinester s. Glyceride.

Glycerinmonoacetat s. Glycerinacetate.

Glycerinmonooleat (GMO, α-Monoolein).

$H_2C-O-CO-R$
$HC-OH$
H_2C-OH

R = $C_{17}H_{33}$: Glycerinmonooleat
R = $C_{17}H_{32}$(OH) : Glycerinmonoricinoleat
R = $C_{17}H_{35}$: Glycerinmonostearat

$C_{21}H_{40}O_4$, M_R 356,55, farblose bis cremefarbene Paste, Schmp. 36 °C. G. ist unlösl., jedoch gelbildend in kaltem u. warmem Wasser, warm lösl. in Glycerin, Ethanol, Fetten u. Kohlenwasserstoffen. Die Handelsprodukte unter diesen Bez. stellen Mischungen aus Glycerinmonooleat u. -dioleat mit geringen Anteilen an Palmitin-, Stearin- u. Linolglyceriden sowie Triglyceriden, freiem Glycerin u. freien Fettsäuren dar; molekulardestillierte G. weisen Monoglycerid-Gehalte über 90% auf.
Verw.: Zur Herst. von W/O-Emulsionen in der Nahrungs-, Kosmetik- u. Pharma-Industrie. – *E* glycerol mono oleate – *F* mono-oléate de glycérine – *I* glicerinmonoooleato – *S* monooleato de glicerol
Lit.: Beilstein E IV **2**, 1657 f. ▪ vgl. a. Fette u. Öle. – *[HS 2916 15; CAS 111-03-5]*

Glycerinmonoricinoleat (α-Monoricinolein). $C_{21}H_{40}O_5$, M_R 372,55 (Formel s. Glycerinmonooleat). Farblose bis cremefarbige Paste, in Wasser dispergierbar, lösl. in Alkoholen, Ethylacetat, unlösl. in Mineralölen. Handelsprodukte unter dieser Bez. enthalten noch Glycerindiricinoleat u. geringe Anteile an Stearinsäureglyceriden sowie Triglyceriden, freiem Glycerin u. freien Fettsäuren; molekulardestillierte G. weisen Monoglycerid-Gehalte über 90% auf.
Verw.: Emulgator in kosmet. Präp., Textil-, Papier- u. Lederhilfsmitteln. – *E* glycerol monoricinoleate – *F* mono-ricinoléate de glycérine – *I* glicerinmonoricinoleato – *S* monorricinooleato de glicerol
Lit.: Beilstein E IV **3**, 1026 f. ▪ vgl. a. Fette u. Öle. – *[HS 2918 19; CAS 1323-38-2]*

Glycerinmonostearat (GMS, α-Monostearin). $C_{21}H_{42}O_4$, M_R 358,55 (Formel s. Glycerinmonooleat). Farblose bis cremefarbige wachsähnliche Masse, Schmp. 77–79 °C, prakt. unlösl. in kaltem Wasser, warm lösl. in Ethanol, Fetten u. Kohlenwasserstoffen. Handelsprodukte unter diesen Bez. stellen Mischungen aus Glycerinmono- u. -distearat bzw. -palmitat mit unterschiedlichem Monoglycerid-Gehalt dar u. enthalten geringe Anteile an Triglyceriden, freiem Glycerin u. freien Fettsäuren; mol. destillierte G. weisen Monoglycerid-Gehalte über 90% auf. Man unterscheidet zwischen selbstemulgierendem u. nichtselbstemulgierendem G., wobei ersteres als Hilfsemulgator Alkalisalze von Speisefettsäuren enthält.
Verw.: In der Nahrungsmittel-Ind., Kosmetik u. Pharmazie als Emulgator u. Stabilisator; Weichmacher für Kautschuk u. Kunststoffe. – *E* glycerol monostearate – *F* mono-stéarate de glycérine – *I* glicerinmonostearato – *S* monoestearato de glicerol
Lit.: Beilstein E IV **2**, 1225 ▪ vgl. a. Fette u. Öle. – *[HS 3404 90; CAS 31566-31-1]*

Glycerinphosphate (Glycerophosphate).

sn-Glycerin-1-phosphat   Glycerin-2-phosphat

sn-Glycerin-3-phosphat

Als freie Säuren (*Glycerinphosphorsäuren*) $C_3H_9O_6P$, M_R 172,07. sn-Glycerin-1-phosphat u. sn-Glycerin-3-phosphat sind enantiomer zueinander. Das Präfix *sn* bei Glycerin-Derivaten steht für „stereospezif. numeriert" u. verlangt, daß die 2-Hydroxy-Gruppe in der (oben verwendeten) *Fischer-Projektion* (vgl. D-Glucose) nach links weist [1]. Sirupöse, opt. aktive Massen, lösl. in Wasser, Methanol u. Ethanol, unlösl. in Ether. Glycerin-2-phosphat ist nicht opt. aktiv. Die Säuren sind etwa so stark wie *Phosphorsäure. Von sn-Glycerin-3-phosphat, das durch Red. von Dihydroxyacetonphosphat, einem Zwischenprodukt der *Glykolyse, entsteht [Glycerin-3-phosphat-2-Dehydrogenase (NAD$^+$), EC 1.1.1.8], leiten sich Phosphatidsäuren (durch Veresterung der 1- u. 2-Position mit Fettsäuren) u. *Phospholipide (durch zusätzliche Veresterung der Phosphat-Gruppe mit Aminoalkoholen) wie *Lecithine u. *Kephaline ab. Es ist also ein wichtiger Baustein im *Lipid-Stoffwechsel u. kommt (verestert) u. a. im Eidotter, Roggen, im Hirn-Lecithin, in Pflanzenkeimlingen usw. ziemlich häufig vor. Die Handelsware ist gewöhnlich ein Gemisch der salzförmigen G., da die korrespondierenden Säuren leicht in Glycerin u. Phosphorsäure zerfallen.

Das arzneilich meistverwendete G. ist das Calcium-sn-glycerin-3-phosphat, zur *Phosphatase-Bestimmung dagegen das entsprechende Natrium-Salz. – *E* glycerophosphates – *F* glycérophosphates – *I* glicerofosfati – *S* glicerofosfatos
Lit.: [1] Eur. J. Biochem. **79**, 11–21 (1977).
allg.: Beilstein E IV **1**, 2763, 2765. – *[HS 2919 00; CAS 27082-31-1]*

Glycerinphosphorsäuren s. Glycerinphosphate.

Glycerinsäure (2,3-Dihydroxypropionsäure).

COOH
HC–OH
H_2C–OH

$C_3H_6O_4$, M_R 106,08. Ölige, farblose Flüssigkeit, opt. aktiv, in Wasser u. Alkohol lösl., in Ether unlösl., zersetzt sich beim Erwärmen auf 140 °C; das Calcium-Salz ist leicht, das Blei-Salz schwer löslich. G. entsteht bei der Oxid. von Glycerin mit Salpetersäure. Ein Phosphorsäure-Derivat der G. (*Phosphoglycerinsäure) ist ein wichtiges Stoffwechselprodukt bei der *Glykolyse u. verwandten Reaktionen. – *E* glyceric acid – *F* acide glycérique – *I* acido glicerico – *S* ácido glicérico
Lit.: Beilstein E IV **3**, 1050 ▪ Merck-Index (12.), Nr. 4492 ▪ Ullmann (4.) **13**, 154; A **13**, 508, 511. – *[HS 2918 19; CAS 473-81-4]*

Glycerinseife s. Seifen (*Transparentseifen*).

Glycerintriacetat s. Glycerinacetate.

Glycerintributyrat s. Tributyrin.

Glycerintrinitrat. Fachsprachliche Bez. für den seit altersher – aber wegen des Fehlens von C-gebundenen Nitro-Gruppierungen fälschlich – als *Nitroglycerin* bezeichneten Trisalpetersäureester des *Glycerins.

$$\begin{array}{c} H_2C-O-NO_2 \\ | \\ HC-O-NO_2 \\ | \\ H_2C-O-NO_2 \end{array}$$

$C_3H_5N_3O_9$, M_R 227,09. Ölige, geruchlose, meist schwachgelbe (in reinstem Zustand farblose), brennend schmeckende Flüssigkeit, D. 1,59, tritt in fester Form in zwei Modif. auf: die labile Form bildet trikline Krist., Schmp. 2,8 °C, die stabile Form rhomb. Krist., Schmp. 13,5 °C, Sdp. 256 °C (Explosion), 125 °C (2,7 hPa). G. ist in den meisten organ. Lsm. lösl., wenig dagegen in Wasser, unlösl. in Schwefelkohlenstoff u. Petrolether. Das Einatmen der Dämpfe kann Kopfschmerzen hervorrufen; schon nach der Einnahme von 1 mg G. beobachtet man einige min später Gesichtsröte, Hitzegefühl, Kopfschmerz u. Pulsbeschleunigung, MAK 0,05 ppm (nur für Arbeitsplätze ohne Hautkontakt; MAK-Werte-Liste 1996); LD_{50} (Ratte oral) 105 mg/kg. In sehr kleinen Dosen wirkt G. wie auch andere *Nitrate als Vasodilatator bei Asthma, Angina pectoris, Herzinsuffizienz (*Lit.*[1]) u. Arterienverkalkung günstig.

Reines G. ist bei gewöhnlicher Temp. unzersetzt haltbar. Bei rascher, plötzlicher Erhitzung (Verpuffungspunkt 223–225 °C) bei Erschütterung, Schlag od. Stoß erfolgt jedoch heftige *Explosion (Schlagempfindlichkeit 0,2 J), wobei Zers. nach folgender summar. Gleichung eintritt:

$4 C_3H_5(NO_3)_3 \rightarrow 12 CO_2 + 10 H_2O + 6 N_2 + O_2$;

Kenndaten s. bei Explosivstoffe.
Herst.: Aus Glycerin u. *Nitriersäure.
Verw.: Als Sprengstoffbestandteil, G. bildet zus. mit *Ethylenglykoldinitrat die Grundsubstanz der gelatinösen gewerblichen *Sprengstoffe, s. a. Dynamit, Schießstoffe, Explosivstoffe, Sprenggelatine. G. hat heute in seiner Bedeutung als Sprengstoff stark abgenommen. Mit Nitrocellulose u. Stabilisatoren kombiniert ist G. auch wichtiger Bestandteil von Treibmitteln, Pulvern u. Raketenfesttreibstoffen. G. darf beim Herstellen od. Behandeln von kosmet. Mitteln nicht verwendet werden (Kosmet-VO Anlage 1, Nr. 253). Das G. wurde erstmals 1846 von dem Turiner Chemiker *Sobrero hergestellt. – *E* glycerol trinitrate – *F* trinitrate de glycérine – *I* glicerintrinitrato – *S* trinitrato de glicerina

Lit.: [1] Mutschler, Arzneimittelwirkungen, S. 418 f., Stuttgart: Wissenschaftliche Verlagsges. 1991.
allg.: Beilstein E IV **1**, 2762 ▪ Hager (5.) **8**, 369 ▪ Kirk-Othmer **8**, 602–604, 632–634; (3.) **9**, 572–577 ▪ Köhler, Explosivstoffe, S. 217, Weinheim: VCH Verlagsges. 1995 ▪ s. a. Explosivstoffe, Sprengstoffe. – *[HS 292090; CAS 55-63-0; G 1a]*

Glycerintri-oleat, -palmitat, -stearat s. Triolein, Tripalmitin, Tristearin.

glycero-. Auf *D- od. *L- folgende, kursive Bez. für das höchstbezifferte von 5 Stereozentren in einer C-Kette bei *Kohlenhydraten; *Beisp.*: 5-Amino-3,5-didesoxy-D-*glycero*-D-*galacto*-2-nonulosonsäure (= *Neuraminsäure). – *E* glycero- – *F* glycéro- – *I* = *S* glicero-

Glycerol s. Glycerin.

Glycerolipide s. Lipide.

Glycerophosphate s. Glycerinphosphate.

Glycerose s. Glycerinaldehyd.

Glycidol (2,3-Epoxy-1-propanol, Glycid, Oxiranmethanol).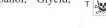

$C_3H_6O_2$, M_R 74,08. Farblose, klare, geruchfreie, nicht süß schmeckende Flüssigkeit, D. 1,114, Schmp. –54 °C, Sdp. 163 °C (teilw. Zers.), FP. 71 °C. G. ist mit Wasser, niederen Alkoholen, Ketonen, Ethern unbegrenzt mischbar, lösl. in Benzol, Toluol, unlösl. in Benzin. Die Dämpfe reizen sehr stark die Augen, die Atemwege u. die Lunge sowie die Haut. Kontakt mit der Flüssigkeit ruft sehr starke Reizung der Augen u. der Haut hervor, die Flüssigkeit wird auch über die Haut aufgenommen. G. wirkt zunächst erregend, dann lähmend auf das Zentralnervensystem, Nierenschäden möglich; MAK 50 ppm (MAK-Werte-Liste 1996); LD_{50} (Ratte oral) 420 mg/kg, wassergefährdender Stoff, WGK 1 (Selbsteinst.). G. wird beim Kochen mit reinem Wasser erst nach einigen Stunden zu *Glycerin hydrolysiert, kann bei Anwesenheit von Katalysatoren ggf. heftig exotherm polymerisieren; es wirkt fungizid, bakterizid u. insektizid.

Herst.: Durch Umsetzung von Epichlorhydrin mit Kaliumacetat od. von Monohalogenhydrinen des Glycerins mit alkohol. Alkali. Durch *Darzens-Reaktion, Veresterung u. Veretherung sind eine Vielzahl von nützlichen Produkten zugänglich, die die reaktive Epoxy-Gruppe enthalten (Glycidester, Glycidether).
Verw.: Zur Herst. von Tensiden, Kunstharz-Monomeren [*Beisp.*: Glycidyl(meth)acrylate] u. Arzneimitteln, als Modifizierungskomponente für verschiedene Kunstharze u. Textilien, als Konservierungs- u. Sterilisationsmittel u. Stabilisator für Halogenkohlenwasserstoffe, G.-Ether als Reaktivverdünner. – *E* = *F* glycidol – *I* glicidolo – *S* glicidol

Lit.: Beilstein E V **17**/3, 9 ▪ Chem. Rev. **91**, 437 (1991) ▪ Hager (5.) **3**, 641 ▪ Hommel, Nr. 765 ▪ Kleemann u. Wagner, Glycidol, Heidelberg: Hüthig 1981 ▪ Merck-Index (12.), Nr. 4499 ▪ Paquette **4**, 2609. – *[HS 291090; CAS 556-52-5; G 6.1]*

Glycidsäuren. Bez. für Oxirancarbonsäuren, die als Zwischenstufen bei der *Darzens-Reaktion auftreten. G. *decarboxylieren leicht in Ggw. von Mineralsäuren unter Bildung von Aldehyden.

– *E* glycidic acid – *F* acides glycidiques – *I* acidi glicidici – *S* ácidos glicídicos
Lit.: s. Textstichwörter.

Glycilax®. Abführsuppositorien mit *Glycerin. *B.*: Engelhard.

Glycin (Aminoessigsäure; Kurzz.: G od. Gly; veraltet Glykokoll).

H_2N-CH_2-COOH

$C_2H_5NO_2$, M_R 75,07. Einfachste Protein-bildende, nicht-*essentielle *Aminosäure, farblose, süß schmeckende (daher Name von griech.: glykys = süß), monokline Prismen, D. 1,16 g/cm³, Schmp. 233 °C (Zers.), in Wasser sehr leicht, in Alkohol u. Ether nicht löslich. G. kommt in den meisten Proteinen vor, fehlt aber in denen der Milch u. vielen *Albuminen. Es ist ein weitverbreiteter *Neurotransmitter (s. Glycin-Rezeptor) u. wirkt als Neuromodulator synergist. mit *N-Methyl-D-aspartat (NMDA, s. Glutamat-Rezeptoren). G. überträgt im Stoffwechsel der Einkohlenstoffkörper unter Decarboxylierung u. Ammoniak-Eliminierung eine Methylen-Gruppe auf *Tetrahydrofolsäure; durch *Transaminierung geht es in Glyoxylsäure über. Daneben spielt es z. B. bei der Biosynth. von *Porphyrinen, *Purinen u. *Kreatin eine Rolle; natürliche Derivate sind auch *Hippursäure u. *Sarkosin. G., sein Hydrochlorid u. sein Natrium-Salz lassen sich auch in Ggw. anderer Aminosäuren durch die Farbreaktion mit Chlorameisensäuremethylester in wasserfreiem Pyridin quant. bestimmen; die entstandene rote Lsg. wird in Butanol bei 420 nm gemessen. Konjugation von G. mit *Cholsäure führt zu *Glykocholsäure. Durch Substitutionsreaktionen am Stickstoff-Atom des G. entstehen *Betaine, die z. B. in der Textilhilfsmittel-Ind. u. der Galvanotechnik Verw. finden. G. wurde schon 1819 von Braçonnot durch Kochen von Leim (daher der ältere Name *Glykokoll = Leimsüß*) mit verd. Schwefelsäure hergestellt; heute synthetisiert man es aus Chloressigsäure u. Ammoniak od. hydrolysiert Gelatine u. Seidenfibroin.

Verw.: Als Puffersubstanz, als diätet. Supplementstoff bei Magenübersäuerung, bei verschiedenen muskulären Dysfunktionen, als Geschmacksstoff für süßsaure Lebensmittel, in Getränken u. Süßstoff-Tabletten. Eine Reihe von G.-Derivaten sind *Ferroelektrika. – *E* = *F* glycine – *I* = *S* glicina
Lit.: Beilstein E IV **4**, 2349–2354. – [HS 2922 49; CAS 56-40-6]

Glycinanhydrid s. 2,5-Piperazindion.

Glycin-Rezeptor. Im Zentralnervensyst. (Rückenmark, Hirnstamm u. a. Gebiete) vorkommender postsynapt. Chlorid-Ionen-Kanal, der durch den *Neurotransmitter *Glycin geöffnet wird. Durch die entstehende Hyperpolarisation der *Membran wird die neuronale Aktivität inhibiert. Wie 4-*Aminobuttersäure (GABA, s. GABA-Rezeptoren) u. im Gegensatz zu *Glutaminsäure ist Glycin daher eine inhibitor. *Aminosäure. Der G.-R. weist in der Aminosäure-Sequenz Ähnlichkeiten mit dem GABA$_A$-Rezeptor auf, ebenso mit dem nicotin. *Acetylcholin-Rezeptor, dem Serotonin-Rezeptor 5 HT$_3$ u. den ionotropen *Glutamat-Rezeptoren. Er besteht aus insgesamt 5 Polypeptid-Ketten, nämlich aus α- u. den mit diesen verwandten β-Untereinheiten (M_R 48 000 bzw. 58 000; beide mit 4 Membran-durchspannenden Bereichen) u. ist mit dem der Membran innen aufsitzenden Protein *Gephyrin assoziiert; die Untereinheit α, die die Ligandenbindungsstelle trägt, kommt in mehreren Varianten ($α_1 – α_4$) vor. Im Gegensatz zur modulator. Glycin-Bindungsstelle am NMDA-Rezeptor (s. Glutamat-Rezeptoren) wirkt am G.-R. *Strychnin als *Antagonist. – *E* glycine receptor – *F* récepteur de la glycine – *I* recettore della glicina – *S* receptor de glicina
Lit.: Ann. N. Y. Acad. Sci. **733**, 155–162 (1994) ▪ Bioessays **16**, 735–744 (1994) ▪ Curr. Opin. Neurobiol. **5**, 318–323 (1995) ▪ J. Physiol. (Paris) **88**, 243–248 (1994).

Glycobiarsol.

Internat. Freiname für das amöbizid wirksame *Arsen-Präparat [4-(2-Hydroxyacetamino)-phenyl]-arsonato-bismutoxid, $C_8H_9AsBiNO_6$, M_R 499,06, gelbliches bis pinkfarbenes Pulver, Zers. beim Erhitzen, $λ_{max}$ (0,1 M HCl) 254 nm ($A^{1\%}_{1cm}$=423). – *E* = *F* glycobiarsol – *I* glicobiarsolo – *S* glicobiarsol
Lit.: Hager (5.) **8**, 373 f. – [HS 2931 00; CAS 116-49-4]

Glycopyrroniumbromid.

Racemat

Internat. Freiname für (±)-(*R**)-3-[(*S**)-Cyclopentyl-hydroxyphenylacetoxy]-1,1-dimethylpyrrolidinium-bromid, $C_{19}H_{28}BrNO_3$, M_R 398,34, Schmp. 193,2–194,5 °C; $λ_{max}$ 258 nm [$A^{1\%}_{1cm}$=7,8 (0,05 M H_2SO_4), 6 (CH_3OH), 6,3 (H_2O; HCl)]; LD$_{50}$ (Ratte oral) 1150, (Ratte i.p.) 196 mg/kg. Das *Anticholinergikum u. *Spasmolytikum wurde 1960 von A. H. Robins patentiert u. ist als Generikum im Handel. – *E* glycopyrronium bromide – *F* bromure de glycopyrronium – *I* glicopirronio bromuro – *S* bromuro de glicopirronio
Lit.: Beilstein E V **21/1**, 15 ▪ Hager (5.) **8**, 374 f. – [HS 2933 90; CAS 596-51-0]

Glycylpressin®. Injektionslsg. mit *Terlipressin-Acetat gegen Ösophagus- u. Uterus-Blutungen. *B.*: Ferring.

Glycyrrhetinsäure (3β-Hydroxy-11-oxoolean-12-en-30-säure, Freinamen: Enoxolon, Bioson).

R = H : Glycyrrhetinsäure

R = : Glycyrrhizin

Glycyrrhizin

$C_{30}H_{46}O_4$, M_R 470,69. Neben der natürlich vorkommenden 18β-Form (Nadeln, Schmp. 300–304 °C) existiert auch eine 18α-Form (Plättchen, Schmp. 330–335 °C), lösl. in Alkohol, Chloroform. Die aus Süßholz (*Glycyrrhiza glabra*, Fabaceae) isolierbare G. ist das Aglykon von *Glycyrrhizin. Sie ist medizin. verwendbar als entzündungshemmendes Mittel, das 3-Hemisuccinat dient als Ulcustherapeutikum (*Carbenoxolon); LD_{50} (Maus p.o.) 560 mg/kg. Bezüglich Nebenwirkungen vgl. Glycyrrhizin. – *E* glycyrrhet(in)ic acid – *F* acide glycyrrhétinique – *I* acido gliretinico – *S* ácido gliciretico

Lit.: Beilstein E IV **10**, 3775 ▪ Chem. Pharm. Bull. **36**, 3264 (1988); **42**, 1016 (1994) ▪ Karrer, Nr. 2006 ▪ Pharm. Unserer Zeit **16**, 166 (1987); **21**, 157 (1992) ▪ s.a. Glycyrrhizin. – [HS 291890; CAS 471-53-4]

Glycyrrhizin [Süßholzzucker, Glycyrrhizinsäure, Glycyrrhetinsäureglykosid, 2β-Glucuronido-α-glucuronid der *Glycyrrhetinsäure (Formel s. dort)]. $C_{42}H_{62}O_{16}$, M_R 822,94, sehr süß schmeckende Krist., die sich in heißem Wasser u. Alkohol lösen, werden durch Kochen mit verd. Schwefelsäure in 2 Mol. Glucuronsäure u. 1 Mol. *Glycyrrhetinsäure gespalten. G. findet sich (bis 14%) als Kalium- u. Calcium-Salz in der Wurzel der in Europa u. im Vorderen Orient angebauten Süßholzpflanze (*Glycyrrhiza glabra*, *Gl. glandulifera* u. *Gl. typica*, Schmetterlingsblütler). G. ist ein *Süßstoff mit der 50fachen Süßkraft der Saccharose u. ausgeprägtem *Lakritz-Geschmack; es wird in Tabakwaren u. Medikamenten verwendet. G. wirkt entzündungshemmend u. dient in Form von Süßholzsaft (Sirupus liquiritiae) als Hustenmittel u. Expektorans. G., das in erheblichen Mengen in Lakritz enthalten ist, u. *Glycyrrhetinsäure besitzen in ihrer räumlichen Konfiguration Ähnlichkeit mit Steroiden wie Hydrocortison u. Prednison, worauf wahrscheinlich ihre Toxizität zurückzuführen ist. Sie erzeugen durch Blockade der 5β-Reduktase Pseudoaldosteronismus. Die tägliche Dosis sollte 100 mg G. nicht übersteigen [1]. – *E* glycyrrhizine, glycyrrhizinic acid – *F* glycyrrhizine, acide glycyrrhizique – *I* gliciriezina – *S* gliciricina, ácido glicirícico

Lit.: [1] Pharm. Unserer Zeit **21**, 157 (1992).
allg.: Beilstein E III/IV **18**, 5156 ▪ Fitoterapia **55**, 279 (1984) ▪ Food Chem. Toxikol. **26**, 435 (1988); **31**, 303 (1993) ▪ Pharm. Unserer Zeit **12**, 49–54 (1983); **16**, 176 (1987) ▪ Sax (8.), Nr. GIE 100, GIG 000. – [HS 293890; CAS 1405-86-3]

Glyezin®. Sortiment von anion. u. nichtion. Farbstofflöse- u. Fixierhilfsmitteln im Textildruck auf der Basis Thiodiglykol, ethoxylierter Alkohol, Salz einer aromat. Sulfonsäure u. Ester einer anorgan. Säure. *B.:* BASF.

Glykane (Glycane). Polymerisierte Zucker werden gemeinhin als *Polysaccharide, wegen der charakterist. glykosid. Bindungen zwischen den Zuckerresten systemat. aber als G. bezeichnet (die korrekte Bezeichnung „Polyglykane" ist ungebräuchlich). Homopolymere mit einem einzigen Typ von Grundbausteinen heißen Homoglykane, solche mit zwei od. mehr verschiedenen Typen von Zuckerresten Heteroglykane („Co-Polyglykane" wird nicht verwendet). – *E* glycans – *I* glicani – *S* glucanos

Lit.: Elias (5.) **1**, 330ff.; **2**, 275ff.

Glykation. Nichtenzymat. Reaktion von *Glucose u. a. reduzierenden Zuckern mit *Proteinen zu *Glykoproteinen. Die G. verläuft bei *Aldosen meist unter Kondensation mit freien Amino-Gruppen des Proteins zur *Schiffschen Base u. anschließender *Amadori-Umlagerung zum 1-Desoxyketosyl-Derivat des Proteins (vgl. Maillard-Reaktion).

Abb.: Glykation durch D-Glucose.

Im weiteren Verlauf kommt es unter *Dehydratisierung u. unter *Vernetzung von Proteinen zu *advanced glycation end products* (AGE). Die G. spielt eine Rolle beim Altern [1], bei diabet. Komplikationen der Blutgefäße (Ansammlung von AGE wegen des chron. erhöhten Blutglucose-Spiegels beim Diabetes [2]), bei *Arteriosklerose (G. von *Lipoproteinen), bei der *Alzheimerschen Krankheit [3], bei grauem Star u. bei Veränderungen am *Collagen u. *Laminin der *extrazellulären Matrix. – *E* = *F* glycation – *I* glicazione – *S* glicación

Lit.: [1] Ann. N. Y. Acad. Sci. **663**, 63–70 (1992). [2] Clin. Investig. Med. **18**, 275–281 (1995). [3] Nature (London) **370**, 247f. (1994).

Glyk(o)... (griech.: süß). Vorsilbe, die sich auf Zucker allg. od. *Glycin bezieht; *Beisp.:* Glykogen, Glykosid, Glykocholsäure. – *E* = *F* glyc(o)... – *I* = *S* glic(o)...

Glykocholsäure.

$C_{26}H_{43}NO_6$, M_R 465,63. Peptid-artiges Konjugat aus *Cholsäure u. *Glycin. Weitaus die meiste Cholsäure der tier. *Galle ist in Form von G. an Glycin (bei Hunden als *Taurocholsäure an Taurin) gebunden; zur Funktion s. Gallensäuren. G. bildet feine, farblose Nadeln, Zers. bei 165–168 °C (wasserfrei), Löslichkeit in Wasser 0,33 g/L, wird durch Säuren u. Alkalien zu Cholsäure u. Glycin hydrolysiert. – *E* glycocholic acid – *F* acide glycocholique – *I* acido glicocolico – *S* ácido glicocólico

Lit.: Beilstein E IV **10**, 2077. – [HS 292429; CAS 475-31-0]

Glykogen. $(C_6H_{10}O_5)_n$, M_R bis 16 Millionen. G. ist ein α-D-1,4-*Glucan* mit Verzweigungen über α-1,6-Bindungen, also ein *Polysaccharid, das nur aus D-*Glucose-Einheiten aufgebaut ist, die aber (im Gegensatz etwa zu *Cellulose) α-glykosid. miteinander verbunden sind. Das als *Reservestoff bes. in *Leber, aber auch in anderen tier. Zellen vorkommende G. ist ein weißes, geschmackfreies Pulver, das in kaltem Wasser zunächst aufquillt u. dann eine opaleszierende, kolloidale Lsg. bildet. Diese Lsg. reduziert Fehlingsche Lsg. nicht u. färbt sich mit Iod braun od. violettbraun bis violettrot (Unterschied zu *Stärke). Beim Erwärmen mit verd. Säuren zerfällt G. vollständig in D-Glucose, u. von *Amylase wird es zu Maltose u. D-Glucose abgebaut. Dagegen wird es beim Kochen von Leber mit Kalilauge nicht angegriffen u. deshalb auf diesem Weg gewonnen. In seiner Struktur ist G. dem Pflanzen-Glucan *Amylopektin ähnlich, das jedoch weniger stark verzweigt ist. Es zählt mit diesem zu den größten bekannten Mol.; es kann aus bis zu 100 000 D-Glucose-Einheiten bestehen.

Man unterscheidet elektronenopt. zwischen β-G.-Partikeln, die mit einem Durchmesser von 10–40 nm in allen G.-haltigen Zellen vorkommen, u. nur in der Leber zu findenden α-Partikeln, die als rosettenförmige Aggregate der β-Teilchen erscheinen, mit einem Durchmesser von 100–200 nm.

Vork.: G. findet sich bes. reichlich in der Leber (*Leberstärke*) u. in *Muskeln, aber auch in den Zellen der *Hefen u. a. Pilzen. Hundelebern können bis zu 20% ihres Frischgew. an G. enthalten. Im Bereich von 0,1–10% ist die Molmasse des Leber-G. eine lineare Funktion der Konz. im Gewebe, d. h. daß mehr od. weniger immer die gleiche Zahl von G.-Mol. vorhanden ist; Speicherung u. Abbau bestehen in Vergrößerung u. Verkleinerung der Moleküle. G. dient im tier. Organismus in ähnlicher Weise als schwerlösl., deponierbarer Reservestoff (*tier. Stärke*) wie die Stärke in der Pflanze. Bei der Aufnahme größerer Mengen von Kohlenhydraten enthält (beim Menschen) das vom *Darm zur Leber fließende Pfortader-Blut etwa 0,4% D-Glucose. Dagegen findet man in dem Blut, das von der Leber abfließt, normalerweise nur etwa 0,1% D-Glucose: die restliche wird von der Leber unter dem Einfluß von Gluco-*Corticosteroiden durch Enzyme in G. umgewandelt (s. unten). Das G. der Leber ist ein ausgesprochenes Reserve-Kohlenhydrat, während sich das Muskel-G. in dauerndem Auf- u. Abbau befindet. In der ruhenden u. noch mehr in der tätigen Zelle findet ein fortgesetzter Zuckerverbrauch statt; der „Nachschub" erfolgt durch „Verzuckerung" des in der Leber u. den Muskeln aufgespeicherten Glykogens. Durch die Regulation von G.-Synth. u. -Abbau (s. unten) wird ein konstantes Blutglucose-Niveau aufrechterhalten.

Biosynth.: Die D-Glucose-Bausteine werden in der aktivierten Form der Uridindiphosphat-D-glucose [diese wiederum aus α-D-Glucose-1-phosphat u. Uridin-5′-triphosphat (s. Uridinphosphate) unter Abspaltung von anorgan. Diphosphat synthetisiert] der Synth. zugeführt. Bei der Polymerisation durch das Enzym *Glykogen-Synthase* (EC 2.4.1.11) wird Uridin-5′-diphosphat frei. Ein sog. *branching enzyme* (EC 2.4.1.18) führt die Verzweigungsstellen in das Polymer ein. Das Hormon *Insulin steigert die G.-Synth.-Rate der Leber auf noch nicht vollständig bekannte Weise. G.-Synthase wird durch eine von *Adenosin-3′-5′-monophosphat (cAMP) abhängige u. dadurch letztlich von *Adrenalin u. *Glucagon aktivierte *Protein-Kinase inaktiviert. Der Aufbau der β-Partikel erfordert die Anwesenheit eines Startmol. (*primer*), an das die Glucose-Einheiten angeknüpft werden können. Als solches dient das Protein *Glykogenin*[1] (M_R 36 000), eine Untereinheit der G.-Synthase, an deren Tyr-194 durch eine Glucosyltransferase ein Glucose-Rest gebunden wird. Die Kettenverlängerung um zusätzliche 5–7 Glucose-Reste erfolgt autokatalyt. durch Glykogenin (EC 2.4.1.186). Die weitere Vergrößerung wird durch G.-Synthase katalysiert, die zunächst noch an Glykogenin gebunden sein muß. Die reifen G.-Teilchen enthalten je eine Glykogenin-Kette kovalent gebunden u. sind somit eigentlich als *Proteoglykane anzusprechen.

Abbau: Der auch als *Glykogenolyse* bezeichnete Abbau von G. erfolgt im ersten Schritt durch *Phosphorylase. Sie katalysiert den nucleophilen Angriff von Phosphat am Kohlenstoff-Atom 1 des endständigen Glucose-Restes an den nicht reduzierenden Enden von G. u. spaltet denselben als α-D-*Glucose-1-phosphat ab, das nach Umsetzung zu D-*Glucose-6-phosphat auf dem Weg der *Glykolyse für den *Stoffwechsel nutzbar gemacht od. als freie D-Glucose (Blutzucker) mit dem Blut transportiert werden kann. Auch Phosphorylase ist das Ziel einer hormonell (durch Adrenalin u. Glucagon) initiierten Regulationskaskade, an der cAMP als *second messenger* beteiligt ist. Weitere Enzyme wirken beim Abbau der Verzweigungsständigen D-Glucose-Einheiten mit, nämlich eine Transferase sowie eine α-1,6-Glucosidase. Die Regulation des G.-Abbaus kann, durch genet. Defekte bedingt, ganz od. teilw. ausfallen; es kommt dann zu verschiedenen G.-Speicherkrankheiten (*Glykogenosen*), die meist während der Kindheit zum Tode führen.

Geschichte: G. wurde 1857 erstmals von Bernhard aus Leber isoliert; die von *Staudinger 1937 vermutete kugelig-ellipsoide Form des G.-Mol. konnte durch direkte elektronenmikroskop. Beobachtung bestätigt werden. – *E* glycogen – *F* glycogène – *I* glicogeno – *S* glicógeno

Lit.: [1] Eur. J. Biochem. **200**, 625–631 (1991).
allg.: Int. J. Biochem. **23**, 1335–1352 (1991) ■ Physiol. Rev. **72**, 1019–1035 (1992) ■ Stryer 1996, S. 613–634 ■ Voet-Voet, S. 457–481. – [HS 3913 90; CAS 9005-79-2]

Glykogenin s. Glykogen.

Glykogeno(ly)se s. Glykogen.

Glykogen-Phosphorylase s. Phosphorylase.

Glykogen-Synthase s. Glykogen.

Glykokoll s. Glycin.

Glykokonjugate. Sammelbez. für Verb. von *Kohlenhydraten mit anderen biochem. Verbindungsklassen, also z. B. für *Glykoproteine, *Proteoglykane, *Glykolipide, *Lipopolysaccharide. G. sind meist an die Zellmembran gebunden u. wirken dort bei der Anheftung von Mikroben, Viren u. Organismus-eigenen Zellen (s. Zell-Adhäsionsmoleküle) mit. Ihre Strukturanalyse kann durch Massenspektrometrie u. NMR-Spektroskopie erfolgen. – *E* glycoconjugates – *F* glycoconjugués – *I* glicoconiugati – *S* glicoconjugados

Lit.: Roberts u. Mecham, Cell Surface and Extracellular Glycoconjugates: Structure and Function, San Diego: Academic Press 1993.

Glykol s. Ethylenglykol.

Glykolaldehyd (Hydroxyacetaldehyd). HO–CH$_2$–CHO, C$_2$H$_4$O$_2$, M$_R$ 60,05. Farblose, sirupöse Flüssigkeit von süßlichem Geschmack, die bei 96–97 °C siedet u. leicht polymerisiert. Außerdem existiert eine krist. dimere Form vom Schmp. 96 °C, die in Wasser leicht lösl. ist u. allmählich in die monomere Form übergeht. G. ist der einfachste Hydroxyaldehyd, er reduziert ammoniakal. Silbernitrat- u. Fehlingsche Lösung. G. dient als Verknüpfungsreagenz bei Proteinen. – *E* glycol(l)ic aldehyde – *F* aldéhyde glycolique – *I* glicolaldeide – *S* aldehído glicólico
Lit.: Beilstein E IV **1**, 3955 ▪ Proc. Natl. Acad. Sci. U.S.A. **80**, 3590 (1983). – *[HS 2912 30; CAS 23147-58-2 (dimer)]*

Glykolate. Salze u. Ester der *Glykolsäure.

Glykole. Von der Stammverb. *Glykol* (*Ethylenglykol) abgeleitete Gattungsbez. für *Diole, deren Hydroxy-Gruppen *vicinal* angeordnet sind u. die daher auch *vic*-Diole od. 1,2-Diole genannt werden (s. a. Pinakole).

Tab.: Physikal. Eigenschaften einiger techn. wichtiger Glykole u. oligomerer Glykolether.

Glykol	Schmp. [°C]	Sdp. [°C]	Hauptverwendungszweck
*Ethylenglykol	–11,5	198	Gefrierschutzmittel, Polyester-Synthese
*Diethylenglykol	–6,5	246	Zwischenprodukt für Polyester u. Polyurethan-Synthese
*Triethylenglykol	–4,3	288	Trockenmittel
Propylenglykol	–40	232	Kunststoffverarbeitung

Die niedermol. G. sind süßlich schmeckende, in Wasser leicht, in Ether schwerer lösl. Stoffe, deren Sdp. wesentlich höher als bei den einfachen Alkoholen liegen. Zu ihrer Herst. geht man im Laboratorium von Alkenen aus, die dihydroxyliert werden (vgl. Hydroxylierung); in der Technik stützt man sich meist auf die Epoxide als Zwischenprodukte.
Neben den üblichen Reaktionen der *Alkohole, die z. B. zu *Glykolethern u. -estern führen, zeigen G. noch einige typ. Reaktionsweisen. So bilden G. mit Borsäure cycl. Ester u. mit Aceton cycl. Acetale (*Acetonide, *1,3-Dioxolan), wenn die OH-Gruppen in einer für die Bildung dieser fünfgliedrigen Ringe günstigen Konfiguration angeordnet sind.

Eine weitere charakterist. Reaktion der G. ist die *Glykol-Spaltung* mit Periodsäure od. Bleitetraacetat (vgl. Bleiacetate) zu zwei Carbonyl-Verbindungen.

Die G.-Spaltung ist eine Alternative zur direkten Spaltung einer Doppelbindung durch *Ozonolyse u. kann wie diese zur Bestimmung ihrer Lage im Mol. genutzt werden.

Verw.: Als Lsm., mineralölfreie Schmiermittel, in Brems- u. Hydraulik-Flüssigkeiten, als Zusatz zu Gefrierschutzmitteln, in organ. Synth., zur Herst. von Lsm., Waschrohstoffen, Textilhilfsmitteln, wegen der Hygroskopizität als Feuchthalte- u. Beschlagverhinderungsmittel u. zur Gastrocknung, als Ester-Komponente in Polymeren etc.; verschiedene G. wirken stark desinfizierend, z. B. Ethylen- u. Propylenglykol. Das bekannteste u. techn. wichtigste G. ist *Ethylenglykol, das meist kurz als G. bezeichnet wird. Zum G.-Weinskandal s. Diethylenglykol, weitere G.: *Triethylenglykol, *Dipropylenglykol usw. – *E* = *F* glycols – *I* glicoli – *S* glicoles
Lit.: Kirk-Othmer (3.) **11**, 933 – 971 ▪ Laue-Plagens, S. 150 ▪ March (4.), S. 1174 f. ▪ Snell-Ettre **13**, 533 ff. ▪ Weissermel-Arpe (4.), S. 165 ff. – *[HS 2905 31, 2905 32, 2905 39]*

Glykolester. Bez. für *Ester, die sich von *Glykolen durch Veresterung einer od. beider Hydroxy-Gruppen ableiten;

Ethylenglykoldiacetat

s. dagegen Glykolate. Die G. mit niederen Fettsäuren sind noch wasserlösl., die mit höheren nicht mehr. Sie finden Verw. als Emulgatoren, Grundstoffe für Pharmazie u. Kosmetik, z. B. Ethylenglykoldistearat als Trübungsmittel, das Shampoos u. Schaumbädern Perlmuttglanz verleiht. Für nichtion. od. kation. Tensid-Mischungen eignet sich Ethylenglykoldibehenat als Perlglanzgeber. – *E* glycol esters – *F* esters des glycols – *I* esteri di glicoli
Lit.: s. Glykole u. Ester. – *[HS 2915 39]*

Glykolether. Gruppenbez. für *Ether, die sich von *Glykolen ableiten; dabei können eine od. beide Hydroxy-Gruppen ersetzt sein [R^1–O–(CH$_2$)$_n$–O–R^2, wobei n im allg. gleich 2 ist]. Zu den G. rechnet man auch die *Di- u. *Triethylenglykole mit ihren Mono- u. Diethern, ferner die *Polyethylenglykole od. *Polyether. Die Dimethylether sind auch als *Glyme* (analog Diglyme) im Handel. Da G. vielverwendete techn. Lsm. [DIN 55 999 (Entwurf 12/1991)], insbes. für Lacke, Farbstoffe u. Druckfarben, Stempelfarben, Kugelschreiberpasten usw. sind, haben sich Trivialbez. für sie eingebürgert wie Ethylglykol, Diglykol, Butylglykol etc., wobei es sich im allg. um Derivate des *Ethylenglykols od. *Diethylenglykols (s. die Tab. dort) handelt, zu deren Herst. man meist von Ethylenoxid ausgeht (s. a. Ethoxylierung). Enthält der G. noch freie Hydroxy-Gruppen, so sind durch deren Veresterung weitere als Lsm. brauchbare Derivate zugänglich, z. B. Ethylglykolacetat. Einige G. sind als *Repellentien gegen *Fliegen nützlich, andere im Laboratorium als inerte Lsm. für Grignard-Reaktionen, Polymerisationen u. Reaktionen mit Alkalimetallen. – *E* glycol ethers – *F* éthers des glycols – *I* eteri glicolici – *S* éteres glicólicos

Lit.: s. Textstichwörter. – [*HS* 2909 41 – 2909 49]

Glykolipide (von: *Glykosyllipide*). Bez. für *Lipide, die als hydrophilen Mol.-Bestandteil *Kohlenhydrate besitzen. Im Vgl. mit den ebenfalls zu den *Glykokonjugaten gehörenden *Lipopolysacchariden Gramneg. Bakterien sind G. jedoch wesentlich kleinere Moleküle. Pro Lipid-Mol. sind meist höchstens ca. 10, in einigen Fällen jedoch bis zu 30 Monosaccharid-Einheiten gebunden. Als lipophilen Teil enthalten die im Nervengewebe der Säugetiere auftretenden G. *Ceramide u. sind daher präziser durch die Bez. *Glykosphingolipide* od. *Glykosphingoside* charakterisiert. Hier unterscheidet man wieder die *Cerebroside, die nur eine Monosaccharid-Einheit tragen (meist D-Glucose od. D-Galactose), die *Sulfatide mit ihren Sulfatveresterten Monosacchariden u. die *Ganglioside, die mit (oft verzweigten) Oligosaccharid-Ketten behaftet sind. Die Glykosphingolipide befinden sich als *Membranlipide* an der Oberfläche der Zellmembran, wo sie – ähnlich wie *Glykoproteine – anderen Zellen u. bakteriellen *Toxinen als Erkennungsmerkmale u. Bindungspartner (*Rezeptoren) dienen[1]. Die spezif. Art der Glykosylierung ändert sich im Lauf der Fötal-Entwicklung u. bei Entstehung von Tumoren. Zu geringen Anteilen finden sich G. auch in der Membran des *Golgi-Apparates, wo sie wahrscheinlich synthetisiert werden. Daß viele Bakterien spezif. bestimmte Gewebe infizieren, erklärt sich daraus, daß diese Gewebe jeweils ihr spezielles Repertoire an G. synthetisieren u. an der Oberfläche zur Schau stellen.
Bakterielle od. pflanzliche G. sind die zu den *Glykoglycerolipiden* gehörenden sog. *Glykosyldiacylglycerine* od. *Glykosyldiglyceride*, d. h. *Glycerin-Derivate, die einen Zucker- u. zwei Fettsäure-Reste enthalten. Zu dieser Gruppe zählen u. a. die *Monogalactosyldiacylglycerine* (1,2-Diacyl-3-β-D-galactosyl-*sn*-glycerine), die fast die Hälfte der Lipide der für die *Photosynthese in *Chloroplasten wichtigen *Thylakoidmembranen* ausmachen u. damit die häufigsten polaren Lipide in der Natur sind. Auch Monoacylglycerine kommen als Glykoside vor. Komplexe *Phosphatidylinosit-haltige G. dienen bestimmten Proteinen als Verankerung in Membranen, s. Glykosylphosphatidylinosit-Anker. – *E* glycolipids – *F* glycolipides – *I* glicolipidi – *S* glicolípidos

Lit.:[1] J. Biochem. **118**, 1091 – 1103 (1995).
allg.: Voet-Voet, S. 671 – 677.

Glykolsäure (Hydroxyessigsäure). HO–CH$_2$–COOH, C$_2$H$_4$O$_3$, M_R 76,05. Farblose Krist., Schmp. 80 °C, in Wasser, Alkohol, Aceton, Ether lösl., pH einer 10%igen wäss. Lsg. 1,7. G. kommt in Pflanzen, z. B. in unreifen Weintrauben, in Zuckerrüben u. im Zuckerrohr vor. Staub u. Dämpfe reizen stark bis hin zu Verätzung der Augen, Atemwege u. die Haut. Kontakt mit der Flüssigkeit führt zur Verätzung der Augen u. der Haut; bei Aufnahme durch den Mund starke Reizwirkung im Verdauungskanal durch Verätzung.
Herst.: Techn. wird G. durch Verseifen von Monochloressigsäure mit Natronlauge od. Soda-Lsg. gewonnen, kann auch durch Carbonylierung von Formaldehyd in saurem Medium gewonnen werden (industrielle Nutzung steht noch aus)[1]. Unter Einwirkung von Salpetersäure geht G. in Oxalsäure über, aus der sie andererseits durch elektrolyt. Red. hergestellt werden kann.
Verw.: In der Textil-Ind. gelegentlich zum Avivieren, als Katalysator bei Knitterfestausrüstungen usw.; in der Leder-Ind. zum Entkalken der Häute, bei der Chrom-Gerbung u. zum Färben von Leder, zum Entrosten von Rohrleitungen (20%ige wäss. Lsg.), zur Chelatisierung von Ca- u. Fe-Ionen, allg. als milde organ. Säure sowie als Ausgangsprodukt für die Herst. von Estern *(Glykolaten)*, die als Lsm. für Nitro- u. Einbrennlacke geeignet sind; *Beisp.:* G.-butylester. – *E* glycolic acid – *F* acide glycolique – *I* acido glicolico – *S* ácido glicólico

Lit.:[1] Weissermel-Arpe (4.), S. 44.
allg.: Beilstein E IV **3**, 571 – 574 ▪ Hommel, Nr. 592 ▪ Kirk-Othmer **10**, 632 – 638; (3.) **13**, 90 – 95 ▪ Ullmann (4.) **13**, 154 f. – [*HS* 2918 19; *CAS* 79-14-1]

Glykolyse. Hierunter versteht man den wichtigsten Abbauweg der ggf. aus den Reservestoffen *Glykogen od. *Stärke als α-D-*Glucose-1-phosphat freigesetzten D-*Glucose zu 2 Mol *Pyruvat. Dieser katabol. *Stoffwechsel-Weg liefert chem. Energie in Form von *Adenosin-5′-triphosphat (ATP). Die gleichfalls entstehende reduzierte Form des *Nicotinamid-Adenin-Dinucleotids, das NADH, wird bei Bakterien sowie unter anaeroben Bedingungen z. B. im Muskel wieder oxidiert unter begleitender Red. von Pyruvat zu D- od. L-Lactat (Salzform der D- bzw. L-Milchsäure). In den *Mitochondrien der *Eukaryonten kann NADH andererseits in der *Atmungskette verwertet werden, während Pyruvat dort im *Citronensäure-Cyclus unter weiterem Gewinn von ATP u. NADH zu Kohlendioxid oxidiert wird. Die einzelnen Reaktionsschritte der G. u. ihrer „Umkehrung", der *Gluconeogenese, sind der Abb. auf S. 1580 zu entnehmen.
Aus energet. Gründen u. zum Zwecke der gezielten Regulation (s. unten) besitzt die Gluconeogenese bei 3 Reaktionsschritten eigene Mechanismen u. Enzymsyst. (rechts in der Abb.). Die wichtigsten Zwischen- u. Endprodukte dieser Stoffwechselwege sind in Einzelstichwörtern behandelt. Nach den an der Aufklärung beteiligten Forschern wird die G. auch *Embden-Meyerhof-Parnas(EMP)-Weg*, nach dem Zwischenprodukt D-*Fructose-1,6-bisphosphat (früher: Fructosediphosphat, FDP) auch *FDP-Weg* genannt. Ein weiterer Weg des Zucker-Abbaus ist der *Pentosephosphat-Weg.
Regulation[1]: G. u. Gluconeogenese laufen im Cytoplasma ab (außer bei Trypanosomatiden, schmarotzenden Mikroorganismen, die Schlafkrankheit erregen können u. bei denen die G. teilw. in *Glykosomen*, zu den Microbodies gerechneten vesikulären Organellen, stattfindet[2]). Würden G. u. Gluconeogenese in der Leber ungehindert nebeneinander ablaufen, so wäre ein

Glykopeptide

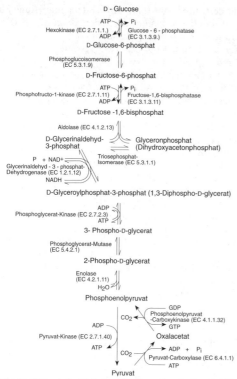

Abb.: Reaktionen der Glykolyse (Pfeile nach unten) u. der Gluconeogenese (nach oben weisende Pfeile). Die auf der rechten Seite angegebenen Enzyme sind speziell für die Gluconeogenese zuständig. P_i: anorgan. Phosphat.

sinnloser ATP-Verbrauch die Folge. Daher ist eine abgestimmte Regulation der beiden Stoffwechselwege erforderlich, damit der eine abgeschaltet wird, während der andere aktiviert ist. Eine Regulation erfolgt erstens durch das Ausmaß, in dem ihnen ihre jeweiligen Substrate zur Verfügung stehen. Außerdem paßt sich der Organismus durch geregelte Neusynth. von Enzymen veränderten Stoffwechselsituationen an. Schließlich erfolgt eine Kurzzeit-Regulation hormonbedingt durch Phosphorylierung-Dephosphorylierung von Enzymen u. die dadurch bedingte Änderung ihrer Aktivitäten sowie durch alloster. Effektoren (s. Allosterie). Einschlägige Hormone sind *Insulin, *Glucagon u. *Catecholamine. Während die beiden Letzteren die Gluconeogenese stimulieren u. die G. inhibieren (u. zwar sowohl über *Adenosin-3′,5′-monophosphat als auch Ca^{2+} als *second messenger), übt Insulin einen gegenläufigen Effekt aus. Wichtige Schlüsselenzyme für alloster. Regulation sind *Pyruvat-Kinase, 6-Phosphofructo-1-kinase, u. Fructose-1,6-bisphosphatase (s. D-Fructose-1,6-bisphosphat). Ein bedeutender alloster. Effektor ist neben ATP u. *Adenosin-5′-diphosphat β-D-*Fructose-2,6-bisphosphat. – *E* glycolysis – *F* glycolyse – *I* glicolisi – *S* glicólisis.

Lit.: [1] Annu. Rev. Physiol. **54**, 885–909 (1992); Biochem. J. **303**, 1–14 (1994). [2] J. Bioenerg. Biomembr. **26**, 205–219 (1994).
allg.: Stryer **1996**, S. 507–533 ▪ Voet-Voet, S. 420–456.

Glykopeptide s. Glykoproteine.

Glykophorine. Bez. (von Glyko... u. griech.: pherein = tragen) für eine Gruppe von *Glykoproteinen aus der *Cytoplasma-Membran von *Erythrocyten, die *N*-Acetylneuraminsäure (s. Acylneuraminsäuren) enthalten. G. A (schwer zu dissoziierendes Dimer; Monomer: M_R 31 000) besteht zu 60% aus Kohlenhydraten, die aus der Membran-Außenseite herausragen u. als Oberflächen-*Antigene u. Bindungsstellen für *Lectine u. Krankheitserreger dienen, sowie aus 131 Aminosäure-Resten. Es bindet an *Bande 4.1 u. verankert somit das *Cytoskelett in der Zellmembran, wenngleich die genaue Funktion noch unbekannt ist. Die G. B u. C (M_R 23 000 bzw. 19 000) sind in geringerer Menge in der Erythrocytenmembran vorhanden. – *E* glycophorins – *F* glycophorines – *I* glicoforine – *S* glicoforinas

Glykophyten s. Halophyten.

Glykoproteine (veraltet: Glykoproteide; kleinere G. werden auch als Glykopeptide bezeichnet). Aus *glyk(o)... u. *Proteine zusammengesetzte Bez. für eine große Gruppe im Tier- u. Pflanzenreich weit verbreiteter Verb., die im selben Mol. *Kohlenhydrate u. Protein enthalten. Mit *Lipoproteinen, *Metallproteinen u. a. zusammen gehören sie zu den *konjugierten Proteinen* (früher Proteide genannt; vgl. Konjugate), mit den *Proteoglykanen, *Glykolipiden u. Lipopolysacchariden werden sie als *Glykokonjugate* zusammengefaßt. Die Zucker-Komponenten, die mit wenigen Ausnahmen weniger als 50% des Gesamt-G. ausmachen, sind über (durch *Glykosidasen spaltbare) *O*-, *N*- od. esterglykosid. Bindungen mit dem Peptid-Anteil verknüpft. Sie beeinflussen die physiko-chem. Eigenschaften der Gesamt-Mol., indem sie Konformations-Stabilität u. Beständigkeit gegen *Proteinase-Verdauung (*Proteolyse*) sowie elektr. Ladung u. Wasserbindungs-Kapazität erhöhen. Die meist verzweigten *Oligosaccharide setzen sich aus Kern-Oligosacchariden einiger weniger Typen, den peripheren Oligosacchariden (meist sich wiederholende β-D-Galactose- u. *N*-Acetyl-β-D-glucosamin-Resten) u. den terminalen Monosaccharid-Resten zusammen, welche variieren u. den größten Teil zur Spezifität der G. beitragen. Auch unterscheiden sich die terminalen Reste der einzelnen G. je nach Gewebe u. Entwicklungsstadium der Zelle. Als Bausteine der Kohlenhydrate (*Monosaccharide) finden sich in G. Hexosen (Galactose, Mannose, seltener Glucose), *N*-Acetyl-D-hexosamine, *N*-Acylneuraminsäuren, L-Fucose u. andere. Ebenfalls aus Kohlenhydraten u. Proteinen zusammengesetzt, aber in anderen Verhältnissen zueinander u. mit anderen biochem. Funktionen, sind die höhermol. Proteoglykane als eigene Stoffklasse anzusehen.
Biosynth.: Die G. werden durch *posttranslationale Modifizierung* im *endoplasmatischen Retikulum u. im *Golgi-Apparat hergestellt, d. h. durch Anhängen der Zucker-Reste nach der Biosynth. der Polypeptid-Kette (*Translation) durch spezif. Glykosyltransferasen, von denen je nach Zelltyp verschiedene synthetisiert (exprimiert) werden. Als Zwischenträger für Oligosaccharide dient in manchen Fällen *Dolichylphosphat*.

Vork.: Zu den G. gehören fast alle *Serumproteine, viele *Plasmaproteine (z. B. α-*Fetoprotein), die *Blutgruppensubstanzen, viele *Enzyme, *Rezeptoren u. *Proteohormone, die *Antikörper, *Chalone, *Mucine, *Lektine u. viele andere. Als Membran- od. Oberflächenproteine spielen manche G. für die Pathogenität von Viren u. a. Erregern eine Rolle (s. z. B. gp120, Hämagglutinine). Hier wie bei anderen rezeptorspezif. zellulären Wechselwirkungen, aber auch bei Protein-*Transport-Prozessen (z. B. im Golgi-Apparat, wo die neusynthetisierten G. nach ihren Zucker-Ketten sortiert u. diese modifiziert werden), sind die Kohlenhydrat-Komponenten für Erkennungsprozesse auf mol. Ebene verantwortlich (s. z. B. Zell-Adhäsionsmoleküle). G. kommen auch in Virushüllen vor sowie bei Bakterien, wenngleich seltener; Beisp. sind das Zell-Oberflächen-G. u. das *Flagellin der Halobakterien (salzliebenden Bakterien). – *E* glycoproteins – *F* glycoprotéines – *I* glicoproteine – *S* glicoproteínas
Lit.: Eur. J. Biochem. **209**, 483–501 (1992) ▪ Hounsell, Glycoprotein Analysis in Biomedicine, Totowa: Humana Press 1993 ▪ Montreuil et al., Glycoproteins, 2 Tl., Amsterdam: Elsevier 1994 ▪ Trends Biochem. Sci **21**, 308–311 (1996).

Glykoprotein-Hormone. Familie von *Glykoproteinen mit *Hormon-Charakter, nämlich die *gonadotropen Hormone *Chorio(n)gonadotrop(h)in, *Follitropin, *Lutropin u. *Urogonadotropin sowie das *Thyrotropin, die untereinander enge Strukturverwandtschaft aufweisen. – *E* glycoprotein hormones – *F* hormones glycoprotéiques – *I* ormoni glicoproteici – *S* hormonas glicoproteicas
Lit.: Biochem. J. **287**, 665–679 (1992) ▪ Glycobiology **5**, 3–10 (1995).

Glykorol®. Monoethylenglykol zur Veresterung, Nitrierung u. für Elektrolyt-Kondensatoren. *B.:* Hoechst.

Glykosafe®. Hydraul. Flüssigkeiten für Motorlager auf der Basis von Glykolen. *B.:* BASF.

Glykosaminoglykane (Mucopolysaccharide). Neg. geladene *Polysaccharide (*Glykane*), welche aus 1,4-verknüpften Einheiten von Disacchariden bestehen, in denen 1 Mol. einer sog. Uronsäure (z. B. D-*Glucuronsäure, L-Iduronsäure) mit der 3-Stellung eines *N*-acetylierten Aminozuckers (*Glykosamins*) glykosid. verbunden ist. Nach der Natur dieses Aminozuckers unterscheidet man D-Glucosamino- u. D-Galactosaminoglykane. Häufig ist auch noch Schwefelsäure an Sauerstoff- od. Stickstoff-Atome gebunden, so daß die G. meist stark sauer reagieren.
Vork.: Mit Ausnahme der *Hyaluronsäure sind die G. im Gewebe zu mehreren Ketten an ein Kern-Protein (*core protein*) gebunden u. bilden somit *Proteoglykane. Diese sind wie die meisten *Glykokonjugate als Oberflächenmol. an mol. u. interzellulären Anhaftungs- u. Erkennungsprozessen beteiligt. Als Gerüstsubstanzen kommen sie in der Haut, Bindegeweben wie Knorpel vor (z. B. *Chondroitinsulfate, *Keratansulfat u. Hyaluronsäure), weiter in Körperschleimen (daher: Mucopolysaccharide von latein.: mucus = Schleim; s. a. Mucine) u. im *Schweiß. Das G. *Heparin wirkt als Antikoagulans (Blutgerinnungs-Hemmer), u. das G. des *Mureins ist ein wesentlicher Bestandteil der Bakterienzellwand. G. werden durch verschiedene spezielle *Glykosidasen (*Mucopolysaccharidasen*), z. B. *Hyaluronidase* (EC 3.2.1.35 u. 3.2.1.36) u. *Lysozym* [*Murami(ni)dase*; EC 3.2.1.17], abgebaut. Bei bestimmten genet. bedingten Enzymdefekten kommt es zu *Mucopolysaccharidosen*, bei denen nicht abbaubare G. in den *Lysosomen verschiedener Gewebe gespeichert werden. – *E* glycosaminoglycans – *F* glycosaminoglycanes – *I* glicosamminoglicani – *S* glicosaminoglicanos
Lit.: Biochem. J. **289**, 313–330 (1993) ▪ FASEB J. **6**, 2639–2645 (1992) ▪ Sames, Role of Proteoglycans and Glycosaminoglycans in Aging, Basel: Karger 1994.

Glykose. 1. Synonym für *Monosaccharid. – 2. Veraltet für *Glucose.

Glykosidasen (EC 3.2). Früher *Carbohydrasen* genannte *Enzyme, die *Glykoside – in *Oligo- u. *Polysacchariden, *Glykolipiden, *Glykoproteinen u. dgl. – spalten; sie werden systemat. zu den Hydrolasen gerechnet. Da ihre Wirkungsweise auf gruppenspezif. auf die Art der gebundenen Zucker u. der glykosid. Bindung ausgerichtet ist, kann man allg. auch von *O*- u. *N*-G., von α- u. β-G. (die α- bzw. β-glykosid. Bindungen spalten) wie den α- u. β-*Glucosidasen, α- u. β-*Galactosidasen, β-*Glucuronidasen usw. sprechen, od. man unterscheidet nach Trivialnamen: *Amylasen, *Maltasen, *Neuraminidasen u. die meisten Disaccharidasen (s. Disaccharide) sind α-G.; *Cellulasen, *Invertase, Lactase (s. Galactosidasen) u. Lysozyme sind β-Glykosidasen. Je nachdem, ob Spaltung im Innern od. am Ende der Polysaccharid-Kette erfolgt, unterscheidet man *Endo-* bzw. *Exoglykosidasen* od. -*glykanasen*. Die Gruppenspezifität der Endoglykosidasen kann zur Charakterisierung von Glykoproteinen ausgenützt werden. Zu einer Einteilung der G. aufgrund ihrer Struktur s. *Lit.*[1]. – *E = F* glycosidases – *I* glicosidasi – *S* glicosidasas
Lit.: [1] http://expasy.hcuge.ch/cgi-bin/lists?glycosid.txt.

Glykoside. Sammelbez. für eine umfangreiche Gruppe von Pflanzenstoffen u. synthet. Verb., die durch Kochen mit Wasser od. verd. Säuren od. unter der Einwirkung von *Glykosidasen in ein od. mehrere Kohlenhydrate (Mono- od. Oligosaccharide) u. in ein od. mehrere *Aglykone* (d. h. Nichtzucker) gespalten werden. In den G. ist das Aglykon (auch Genin genannt) durch ein Sauerstoff-Atom in einer hier *glykosid. Bindung* genannten *Ether-Bindung an ein Halbacetal-C-Atom zum Vollacetal gebunden. Bedingt durch die Ringstruktur der Monosaccharide (*Pyranose-* od. *Furanose*-Form, vgl. die Abb. bei Glucose u. Fructose), ist dieses C-Atom asymmetr.; man unterscheidet die beiden möglichen diastereomeren G. als α- u. β-anomere G. (zur Konfigurationsbez. vgl. Glucose). Als *Beisp.* für die (weitaus häufigste) β-glykosid. Verknüpfung s. die Abb. bei Cellulose u. bei Digitalis-Glykoside; eine α-glykosid. Verknüpfung zeigt die Abb. bei Stärke.
Die Namen der G. werden nach IUPAC-Regel 2-Carb-33 durch Anhängen der Silbe ...*id* (anstelle von ...e) an den Namen der des entsprechenden Zuckers gebildet. Ist der Kohlenhydrat-Rest eines G. eine Glucose, so nennt man das Derivat ein *Glucosid;* analog sind die *Fructoside* G. mit Fructose, *Galactoside* G. mit Ga-

lactose als Zucker-Komponenten. Man kennt auch G., in denen die Zucker-Reste über Schwefel gebunden sind; zu diesen *S*-G. gehören insbes. die meist von den *Senfölen abgeleiteten *Glucosinolate. Ist die Zucker-Komponente ein *Oligosaccharid, so können dessen Monosaccharide in 1,3-, 1,4- od. 1,6-Stellung miteinander verknüpft sein. Von bes. biolog. u. pharmazeut. Interesse sind die G. von *Aminozuckern, d. h. *Aminoglykoside* (z. B. Aminoglykosid-Antibiotika); *N*-G. gehen die *Amadori-Umlagerung ein. Bes. biolog. Bedeutung besitzen *N*-G., in denen der Kohlenhydrat-Rest D-Ribose od. 2-Desoxy-D-ribose ist; hier ist als Aglykon das Derivat einer Stickstoff-Base (gewöhnlich ein Pyrimidin od. Purin) durch eine C–N-Bindung an den Zucker gekoppelt. Diese G. sind besser bekannt unter Bez. wie *Ribonucleoside* u. *Desoxyribonucleoside* (s. Nucleoside); sie sind sowohl Bausteine der *Nucleinsäuren als auch – in Form der sog. *Zuckernucleotide* – Zwischenprodukte der Kohlenhydrat-Biosynthese. Die Zahl der natürlichen G. wird noch sehr viel größer, wenn man diesen die *Glykolipide, *Glykoproteine u. *Proteoglykane hinzurechnet. Das Kohlenhydrat der *O*-G. ist meist ein *Monosaccharid, wie z. B. Glucose (am häufigsten) od. Galactose, Mannose, Fructose u. a. Hexosen od. die Pentosen Arabinose, Xylose, Ribose; daneben kommen auch Zucker vor, die ausschließlich in G. gefunden werden, so z. B. Digitalose, Cymarose usw. Als Aglykone treten meist Hydroxy-Verb. auf (Phenole, Phenolalkohole, Phenolsäuren, Steroide). Bei der Einteilung der G. in *S*-G., *N*-G. u. *O*-G. unterteilt man die letzte u. größte Gruppe in: einfache Alkohol- u. Phenol-G., Benzopyran-G. u. verwandte Verb. (z. B. *Anthocyane, *Cumarin- u. *Flavon-G.), Lignan-G., Anthra-G. u. Dianthron-G., Di- u. Triterpen-G. (z. B. *Saponine), *Steroid-G. (z. B. Digitonin, Bufadienolid-G. u. Cardenolid- = *Digitalis-Glykoside), *cyanogene Glykoside, Aminoglykoside. In Pflanzen scheint den G. sehr unterschiedliche biolog. Bedeutung zuzukommen; z. T. wirken sie wohl als Zucker-Depots, in anderen Fällen können sie hochempfindliche Pflanzenfarbstoffe stabilisieren od. schädliche Stoffwechselprodukte (Phenole) entgiften. Viele Pflanzensamen u. Baumrinden werden durch antisept. wirkende G. vor Fäulnis geschützt. Am häufigsten trifft man G. in den Blättern, etwas weniger häufig in den Samen, Wurzeln u. Rinden der Kreuzblütler, Rachenblütler, Rosengewächse, Nelkengewächse u. Heidekrautgewächse an. Viele Riechstoffe (Benzaldehyd, Cumarin, Vanillin usw.), Bitterstoffe, Blütenfarben u. sonstige Pflanzenfarbstoffe (Indigo, Krapp) treten in der Natur als G. auf. Allg. lassen sich G. als feste, meist gut krist., oft bitter schmeckende, in Alkohol, Aceton u. heißem Wasser gut lösl. Verb. charakterisieren. Zur Strukturuntersuchung spaltet man gewöhnlich den Zucker-Anteil ab u. bestimmt das Aglykon, ihre Analytik wird durch massenspektroskop. Verf. erleichtert. – *E* = *F* glycosides – *I* glicosidi, glucosidi – *S* glicósidos, glicosidos

Lit.: ACS Symp. Ser. **380**, 130–142, 403–416 (1988); **560**, (1994) (ganzer Bd.) ▪ Adv. Carbohydr. Chem. Biochem. **33**, 111–188 (1976); **50**, 21–123 (1994) ▪ Angew. Chem. **98**, 213–236 (1986) ▪ Angew. Chem., Int. Ed. Engl. **34**, 1 ff. (1995)

▪ Atta-ur-Rahman (Hrsg.), Studies in Natural Products Chemistry, Bd. 14, S. 201–266, Amsterdam: Elsevier 1994 ▪ Bochkov u. Zaikov, Chemistry of the O-Glycosidic Bond, Oxford: Pergamon 1979 ▪ Boons, in Contemp. Org. Synth. **3**, 173–200 (1996) ▪ Carbohydr. Chem. **16**, 17–50 (1985); **17**, 15–43 (1985) ▪ Chem. Rev. **93**, 1503–1531 (1993); **96**, 443–473, 683–720 (1996) ▪ Curr. Opt. Struct. Biol. **2**, 674 (1992); **3**, 694 (1993) ▪ Drug Discovery Today **1**, 331–342 (1996) ▪ Erdmann et al., Cardiac Glycosides 1785–1985, Darmstadt: Steinkopff 1986 ▪ Glycoconjugate J. **13**, 5–17 (1996) ▪ Houben-Weyl **E 14a/3**, 621–1080 ▪ Kontakte (Merck Darmstadt) **1992**, 3–10 ▪ Modern Synth. Meth. **1995**, 283–330 ▪ Nachr. Chem. Tech. Lab. **35**, 930–935 (1987); **40**, 828–834 (1992) ▪ Ogura et al., Carbohydrates, 1992 (ganzer Bd.) ▪ Piras u. Pontis, Biochemistry of the Glycosidic Linkage, New York: Academic Press 1972 ▪ Pure Appl. Chem. **67**, 1647–1662 (1995) ▪ Rodd's Chem. Carbon Compd. **2**, 509–554 (1994) ▪ Synthesis **1994**, 1–20 ▪ Tetrahedron **52**, 1095–1121 (1996) ▪ Tetrahedron, Org. Chem. Ser. **12**, 252–311 (1995) ▪ Zechmeister **25**, 150–174. – *[HS 2938 10, 2938 90]*

Glykosidierung, glykosidische Bindung s. Glykoside.

Glykosomen s. Glykolyse.

Glykosphingolipide s. Glykolipide, Sphingolipide.

Glykosphingoside s. Cerebroside, Glykolipide u. Sphingolipide.

Glykosurie s. Diabetes, D-Glucose u. Harn.

Glykosylierung. Ausbildung einer glykosid. Bindung (Ether-Bindung) zwischen dem acetal. (= glykosid.) C-Atom eines Zucker-Mol. u. der Hydroxy-Gruppe eines zweiten Mol. (z. B. Aglykon, Zucker, Proteine) unter Bildung eines Vollacetals (*Glykosid). Für eine *chem.* G. sind eine Reihe von Meth. bekannt, die z. T. hohe stereochem. Ausbeuten (α- bzw. β-Glykoside) ermöglichen. Die *enzymat.* G. erfolgt durch *Glykosyltransferasen (Transglykosylierung), die die Übertragung von aktivierten Zuckern (Nucleosiddiphosphatzucker) auf Aglykone katalysieren. Von bes. Bedeutung sind u. a. die G. von Proteinen zu *Glykoproteinen, die G. von Zuckern u. Zuckerketten u. die G. von Lipiden zu *Glykolipiden. – *E* = *F* glycosylation – *I* glucosilazione – *S* glucosilación

Lit.: Angew. Chem. **99**, 297–311 (1987); **102**, 851–968 (1990); **108**, 1482–1523 (1996) ▪ Römpp Lexikon Biotechnologie, S. 343 f. ▪ Stryer (5.), S. 345–362.

Glykosylphosphatidylinosit-Anker (GPI-Anker). Bestimmte Membran-assoziierte *Proteine haften in der Lipid-Doppelschicht der Membran mit Hilfe eines GPI-Ankers. Dabei ist an die 6-Position des Phosphatidylinosits ein Oligosaccharid gebunden, an das wiederum über eine Phosphodiester-Brücke Ethanolamin geknüpft ist. Die Verknüpfung mit dem Protein erfolgt im *endoplasmatischen Retikulum: Im Anschluß an die Biosynth. der Proteine, die geeignete C-terminale Membran-gebundene Signalsequenzen haben, wird deren *Signalpeptid durch nucleophilen Angriff des Ethanolamins des (ebenfalls mit Hilfe zweier Fettsäure-Reste in die Membran eintauchenden) GPI-Lipids abgespalten (Transamidierung). Das Protein ist dann mit dem neuen C-Terminus kovalent an dem in der Membran verankerten Lipid verbunden. *Beisp.:* Parasit. im Blut lebende Trypanosomen (Schlafkrankheits-Erreger) tragen Hüllen aus GPI-verankerten Proteinen, die enzymat. abgespalten werden können, um einem Angriff durch das *Immunsystem des Wirts zu entgehen. – *E* glycosylphosphatidylinositol anchor – *F* ancre de glycosylphosphatidylinositol – *I* ancora glicosifosfatidilinositica – *S* ancla de glicosilfosfatidilinositol

Lit.: Alberts et al., Molekularbiologie der Zelle, 3. Aufl., S. 697f., Weinheim: VCH Verlagsges. 1995 ▪ Annu. Rev. Biochem. **62**, 121–138 (1993) ▪ Trends Biochem. Sci. **20**, 367–371 (1995).

Glykosyltransferasen (Transglykosidasen, EC 2.4). Enzyme, die Glykosyl-Reste übertragen. Die meisten G. transferieren in biosynthet. Reaktionen *Monosaccharid-Einheiten von *Oligosacchariden od. aktivierten Nucleosid-5′-diphosphat-Verb. auf die Akzeptormol., wobei Oligo- u. *Polysaccharide, *Glykoproteine, *Glykolipide u.a. *Glykokonjugate gebildet werden. Die G. werden auch im Labor als Katalysatoren für Kohlenhydrat-Synth. genutzt[1]. – *E* = *F* glycosyltransferases – *I* glicosiltransferasi – *S* glicosiltransferasas

Lit.: [1] Nachr. Chem. Tech. Lab. **40**, 828–834 (1992). *allg.:* Biochim. Biophys. Acta **1154**, 283–325 (1993).

Glyme® s. Glykolether.

Glymidin.

Internat. Freiname für *N*-[5-(2-Methoxy-ethoxy)-pyrimidin-2-yl]-benzolsulfonamid, $C_{13}H_{15}N_3O_4S$, M_R 309,34, Schmp. 152–154 °C; λ_{max} (H$_2$O) 231, 280, 309 nm ($A_{1cm}^{1\%}$ = 501, 68, 81); verwendet wird das Natrium-Salz, Schmp. 221–226 °C; LD$_{50}$ (Maus oral) 5,3, (Maus i.v.) 1,48 g/kg. G. wurde als orales *Antidiabetikum vom *Sulfonylharnstoff-Typ gegen Altersdiabetes 1962 u. 1966 von Schering patentiert. – *E* glymidine sodium – *F* glymidine – *I* = *S* glimidina

Lit.: ASP ▪ Beilstein EV **25/12**, 549 ▪ Hager (5.) **8**, 376f. – [HS 2935 00; CAS 339-44-6 (G.); 3459-20-9 (Natrium-Salz)]

Glyoxal (Oxalaldehyd, Ethandial).
OHC–CHO, $C_2H_2O_2$, M_R 58,04. Gelbe Krist., D. 1,14, Schmp. 15 °C, Sdp. 50 °C, in wasserfreien Lsm. löslich. G. polymerisiert leicht zu farblosem Polyglyoxal, aus dem durch Erhitzen mit Phosphor(V)-oxid die monomere Form erhalten werden kann. Die Dämpfe reizen die Augen u. die Haut, Kontakt mit der Flüssigkeit führt zu Reizung der Augen u. der Haut. Allgemeinwirkungen bei hohen Konz. u. bei Aufnahme durch den Mund äußern sich in Nierenfunktionsstörungen u. in Pankreasschäden; LD$_{50}$ (Ratte oral) 7070 mg/kg, wassergefährdender Stoff, WGK 2 (Selbsteinst.).
G. als der einfachste Dialdehyd entsteht z.B. bei der Oxid. von Ethanol od. Acetaldehyd mit Salpetersäure; techn. erzeugt man G. durch Dampfphasen-Oxid. von *Ethylenglykol mit Luft in Ggw. von Ag- od. Cu-Katalysatoren. G. ist in reiner Form instabil. Es kommt daher als 30–40% wäss. Lsg. od. als festes Hydrat mit einem Glyoxal-Gehalt von 80% zur Anwendung. G. wird wegen der Reaktionsfähigkeit seiner beiden Aldehyd-Gruppen gegenüber polyfunktionellen Verb. mit Hydroxy- od. Amino-Gruppen insbes. für Kondensations- u. Vernetzungsreaktionen mit z.B. Harnstoff- od. Harnstoff-Derivaten, mit Stärke, Cellulose, Baumwolle, Casein od. Tierleim sowie auf den Gebieten der Textil- u. Papierveredlung eingesetzt. Weitere Verw. findet G. z.B. zur Synth. von Heterocyclen u. Pharmazeutika. G. wurde erstmals von Debus 1856 hergestellt; Name aus Glykol u. Oxalsäure gebildet. – *E* = *F* glyoxal – *I* gliossale – *S* glioxal

Lit.: Beilstein E IV **1**, 3625 ▪ Giftliste ▪ Hommel, Nr. 555 ▪ Paquette **4**, 2616 ▪ Ullmann **8**, 249–252, (4.) **12**, 377–380; (5.) A **12**, 491 ▪ Weissermel-Arpe (4.), S. 169f. – [HS 291219; CAS 107-22-2]

Glyoxalasen s. Glutathion.

Glyoxal-bis(2-hydroxyanil) [2,2′-(Ethandiylidendinitrilo)-diphenol, GBHA].

$C_{14}H_{12}N_2O_2$, M_R 240,26. In reinem Zustand gelbliches bis bräunliches Pulver od. Schüppchen, schwerlösl. in Wasser, lösl. in Ethanol, Methanol, Chloroform, Ether; Schmp. ca. 205 °C (Zers.).
Verw.: Aufgrund seiner Chelatisierungseigenschaften als selektives Reagenz für Ca, Sc u.U. – *E* glyoxal-bis(2-hydroxyanil) – *F* glyoxal-bis(2-hydroxyanile) – *I* gliossal-bis(2-idrossianile) – *S* glioxal-bis(2-hidroxianilo)

Lit.: Anal. Chem. **44**, 1822 (1972) ▪ Fries-Getrost, S. 96–98, 312, 364f. ▪ Hager (5.) **2**, 128 ▪ Z. Anal. Chem. Fresenius **284**, 43 (1977). – [HS 2925 20; CAS 1149-16-2]

Glyoxalin s. Imidazol.

Glyoxylatsäure-Cyclus s. Isocitronensäure.

Glyoxylsäure (Oxoessigsäure).
OHC–COOH, $C_2H_2O_3$, M_R 74,04. Das Semihydrat bildet farblose Krist., Schmp. 70–75 °C, 98 °C (wasserfrei), 52–53 °C (Monohydrat), leicht lösl. in Wasser (stark hygroskop.), wenig lösl. in Alkohol, Ether, Benzol. G., die einfachste Aldehydcarbonsäure, ist in der Natur weit verbreitet, sie tritt bes. in unreifen Früchten (Stachelbeeren, Johannisbeeren, Rhabarber), u. jungen grünen Blättern auf.
Herst.: Durch Oxid. von Glyoxal; durch Ozonolyse von Maleinsäuredimethylester mit nachfolgender Hydrierung des Ozonids u. Hydrolyse des Glyoxylsäuremethylesters.
Verw.: Zur Desaminierung u. Transaminierung von Purinen u. Aminosäuren, zur Synth. von Allantoin, Vanillin, Antibiotika, Pflanzenschutzmitteln, Komplexbildnern u.a. – *E* glyoxylic acid – *F* acide glyoxylique – *I* acido gliossilico – *S* ácido glioxílico

Lit.: Beilstein E IV **3**, 1489 ▪ Merck-Index (12.), Nr. 4521 ▪ Paquette **4**, 2620 ▪ Ullmann **8**, 252; (4.) **12**, 381f.; (5.) A **12**, 495. – [HS 2918 30; CAS 298-12-4; G 8]

Glyoxysomen s. Microbodies.

Glyphosat.

Common name für *N*-(Phosphonomethyl)glycin, $C_3H_8NO_5P$, M_R 169,07, Schmp. 200 °C, LD$_{50}$ (Ratte oral) 4320 mg/kg (WHO), von Monsanto 1971 einge-

führtes nicht-selektives system. Blatt-*Herbizid, das in Form seines Isopropylamin-Salzes zur totalen u. semitotalen Bekämpfung von Ungräsern u. Unkräutern, einschließlich tiefwurzelnder mehrjähriger Arten, auf allen Ackerbaukulturen, im Obst- u. Weinbau verwendet wird. – $E = F$ glyphosate – $I = S$ glifosato
Lit.: Aldrichimica Acta **21**, 15 (1988) ▪ Farm ▪ Perkow ▪ Pesticide Manual. – *[HS 2922 50; CAS 1071-83-6]*

Glyptal®. Alkydharze, insbes. Phthalat- bzw. Maleinatharze, als Rohstoffe für Lacke; auch mit Fettsäuren modifiziert. *B.:* Bakelite AG.

Glyptale (Glyptal-Harze). Gruppenbez. für zu den *Alkydharzen gehörende *Polyester aus Glycerin u. Phthalsäure, die heute wegen ihrer unbefriedigenden Eigenschaften (Sprödigkeit, schlechte Löslichkeit) nur noch in untergeordneten Mengen produziert werden. – $E = F$ glyptals – I gliptali – S gliptales
Lit.: Beilstein E II **9**, 958 ▪ Ullmann (4.) **19**, 75 ▪ s. a. Alkydharze. – *[HS 3907 50]*

Glyptal-Harze s. Glyptale.

Glysantin®. Kühlerschutzmittel auf der Basis von Ethylenglykol für Kühlsyst. von Kraftfahrzeugen. *B.:* BASF.

Glythermin®. Wärmeträgerflüssigkeiten für Heizungs-, Kälte- u. Solaranlagen auf der Basis von Glykolen. *B.:* BASF.

GMD. Abk. für *Gesellschaft für Mathematik u. Datenverarbeitung mbH.

Gmelin, Christian Gottlob (1792–1860), Prof. für Chemie u. Pharmazie, Univ. Tübingen. *Arbeitsgebiete:* Entdeckung der roten Flammenfärbung bei Anwesenheit von Lithium-Ionen, Untersuchung der blauen Flammenfärbung von Itternit u. Strukturvergleich zwischen Itternit u. Lapis Lazuli. 1827 künstliche Synth. von Lapis Lazuli als Ultramarin, das aufgrund seiner Verw. für die Zeugdruckerei u. die Papierfärbung erhebliche Bedeutung erlangte.
Lit.: Chem.-Ztg. **66**, 476 f. (1942) ▪ Pötsch, S. 171 f.

Gmelin, Johann Friedrich (1748–1804), Prof. für Philosophie, Medizin, Chemie, Botanik u. Mineralogie in Göttingen. Richtete als einer der ersten Chemiedozenten um 1783 ein Unterrichtslabor für Studenten ein. Zeichnete sich durch die Abfassung zahlreicher Lehrbücher über Pharmazie u. Mineralogie aus.
Lit.: Pötsch, S. 172.

Gmelin, Leopold (1788–1853), Prof. für Chemie, Univ. Heidelberg, zählt zu den Begründern der physiolog. Chemie, entdeckte das Vork. von Kaliumrhodanid im menschlichen Speichel u. wies Cholin in der Galle sowie Hämatin im Blut nach. Er synthetisierte das rote Blutlaugensalz, Kaliumhexacyanoferrat(III) durch Einwirkung von Chlor auf gelbes Blutlaugensalz, Kaliumhexacyanoferrat(II). G. führte den Begriff Ester ein. Abfassung des heute *Gmelin-Handbook of Inorganic and Organometallic Chemistry genannten Werkes.
Lit.: Chem. Unserer Zeit **8**, 129–134 (1974) ▪ Pötsch, S. 172.

Gmelin-Datenbank. Die G.-D. wurde vom *Gmelin-Institut ab Mitte der 80er Jahre mit Unterstützung des Bundesministeriums für Forschung u. Technologie aufgebaut u. ist seit Ende 1991 über *STN International online zugänglich. Ebenso ist eine inhouse-Version verfügbar. Die G.-D. enthielt Ende 1995 Daten zu 1 Mio. anorgan. u. Metall-organ. Stoffe. Die Information zu etwa 120 suchbaren Sachverhalten (Struktur, Synth. u. Reaktionen, chem. u. physikal. Eigenschaften) ist in Form numer. Daten abgelegt, die mit Zitaten u. Textbausteinen verknüpft sind. Als Quellen dienen die Bände des *Gmelin Handbook of Inorganic and Organometallic Chemistry der Jahre 1924 bis 1975. Dazu kommen 112 ausgewählte Zeitschriften der folgenden Jahrgänge bis zur Ggw. aus den Bereichen der anorgan., Metall-organ. u. physikal. Chemie.

Gmelin-Durrer. Kurzbez. für das ursprünglich von *Durrer verfaßte Werk „Die Metallurgie des Eisens", in 4. Aufl. vom *Gmelin-Institut im Rahmen des *Gmelin Handbook of Inorganic and Organometallic Chemistry erarbeitet. Die Reihe umfaßt z. Z. (1996) 12 Bd. mit je 2 Tl. (Text u. Abb.-Bd.), die schwerpunktmäßig den Hochofenprozeß u. die Stahlerzeugung behandeln u. im Springer-Verl., Berlin erschienen sind.

Gmelin Handbook of Inorganic and Organometallic Chemistry. Dieses traditionsreichste *Handbuch innerhalb der reinen u. angewandten Naturwissenschaften ist das umfangreichste u. bedeutendste anorgan.-chem. Sammelwerk der Welt u. eines der wichtigsten Arbeitsmittel der chem.*Dokumentation. In den Jahren 1817–1819 erschien im Verl. Franz Varrentrapp, Frankfurt/Main, die 1. Aufl. des Hdb. unter dem Namen „Handbuch der theoretischen Chemie", wobei nach dem damaligen Sprachgebrauch theoret. für akadem. steht. Verfasser der drei Bände war der Heidelberger Chemie-Prof. Leopold *Gmelin. Bis zur 1870 abgeschlossenen 4. Aufl. behandelte Gmelins Hdb. auch die organ. Chemie. Diese erhielt 1881 mit *Beilsteins Handbuch der Organischen Chemie ein eigenes Handbuch. Von der 5. Aufl. an wurde die Bez. „Handbuch der Anorganischen Chemie" eingeführt. Seit 1922 ist die 8. Aufl. in Bearbeitung, die seit 1982 ausschließlich in engl. Sprache erscheint. Innerhalb der 8. Aufl. erfolgt die Aktualisierung durch Supplement-Bände. Seit 1971 wird auch die Metall-organ. Chemie beschrieben. Den gegenwärtigen Titel führt das Handbuch seit Herbst 1990.
In dem im folgenden kurz als „Gmelin" bezeichneten Hdb. wird das in zahlreichen, weltweit erscheinenden, Publikationen jedweder Form verstreute Material, in größere Zusammenhänge eingeordnet, vom heutigen Wissensstand krit. beurteilt u. übersichtlich dargestellt. Gebiete mit einer unübersehbaren Menge an oft widersprüchlichen Informationen werden nach dem Prinzip der wissenschaftlichen Vollständigkeit u. nicht mehr unbedingt nach archivar. Vollständigkeit abgehandelt. Der Gmelin erscheint in vielen, einzeln käuflichen Bänden, die einem Element u. seinen Verb. nach dem *Gmelin-System zugeordnet sind. Die zu einer Verb. (einem Stoff, einem Syst.) gehörenden Sachverhalte sind in der Regel nach drei Schwerpunkten gegliedert: Bildung u. Darst., physikal. Eigenschaften, chem. Verhalten. Die häufig sehr weitgehende weitere Untergliederung ist unbegrenzt u. ergibt sich alleine

aus dem Wissensstand (offene Datenstruktur). Daher kann ein Band nur eine Verb. od. gar einen Sachverhalt zu einer Verb. od. aber auch weit über tausend Verb. beschreiben. Mit dem Ziel das Hdb. so nahe wie möglich an die Ggw. heranzuführen, wird der Gmelin mit offenem Literaturschluß geführt. Innerhalb der 8. Aufl. sind zum Stand Ende 1995 insgesamt 724 Bände mit rund 230 000 Textseiten erschienen, eingeschlossen insgesamt 36 Registerbände. Der Gmelin wird vom Springer Verl. Berlin verlegt u. wird z.Z. ausschließlich in gedruckter Form verbreitet. Bestrebungen, ihn neben der *Gmelin-Datenbank auch im Volltext in einer elektron. Form zur Verfügung zu stellen, sind im Gange.

Lit.: Gmelin newsletter, Heidelberg: Springer (halbjährlich) ▪ Jahrbuch der Max-Planck-Gesellschaft, Göttingen: Vandenhoeck & Ruprecht.

Gmelin Handbuch der anorganischen Chemie s. Gmelin Handbook of Inorganic and Organometallic Chemistry.

Gmelin-Institut. Kurzbez. für „Gmelin-Institut für Anorganische Chemie u. Grenzgebiete der Max-Planck-Gesellschaft zur Förderung der Wissenschaften" mit Sitz im *Carl-Bosch-Haus, 60486 Frankfurt/a.M., Varrentrappstr. 40–42. Das nach Leopold *Gmelin benannte Inst. bearbeitet die Lit. auf dem Gebiet der anorgan. u. Metall-organ. Chemie sowie der angrenzenden Gebiete u. gibt das *Gmelin Handbook of Inorganic and Organometallic Chemistry heraus. Seit Ende 1991 ist die *Gmelin-Datenbank über *STN International online zugänglich. Hdb. u. Datenbank sollen einander ergänzen u. gemeinsam ein zeitlich u. sachlich vollständiges Informationssyst. bilden. Das aus dem von der Deutschen Chemischen Gesellschaft 1922 geschaffenen Arbeitskreis hervorgegangene G.-I. gehört seit 1946 der Kaiser-Wilhelm-, seit 1948 der Max-Planck-Ges. an. Die Inst.-Leitung lag bis 1935 bei R. J. *Meyer, von 1936–1967 bei *Pietsch, von 1969–1979 in den Händen von *Becke-Goehring u. seit Mitte 1979 in denen von *Fluck. Das G.-I. beschäftigte Ende 1996 116 Mitarbeiter, davon 85 Wissenschaftler.

Lit.: Gmelin-Inst., Berichte u. Mitteilungen der Max-Planck-Gesellschaft ▪ Jahrbuch der Max-Planck-Gesellschaft ▪ Nachr. Chem. Tech. Lab. **42**, 717ff. (1994).

Gmelinit. $Na_8[Al_8Si_{16}O_{48}] \cdot 22H_2O$, zu den *Zeolithen der *Chabasit-Gruppe gehörendes hexagonales Mineral, Kristallklasse 6/mmm-D_{6h}; Struktur mit Doppelsechserringen aus $[(Al,Si)O_4]$-Tetraedern; zur Struktur von Na-, Ca- u. K-reichen G. s. *Lit.*[1]. Bipyramidale hexagonale Krist.; weiß, grünlichweiß, rötlichweiß, rosa. Durchsichtig bis durchscheinend mit Glasglanz, H. 4,5, D. 2,1. Oft mit *Chabasit verwachsen.

Vork.: In Hohlräumen basalt. Gesteine, z.B. Maroldsweisach/Bayern, Nordirland, Vicenza/Italien, Bekiady/Madagaskar, Insel Flinders/Australien. – *E* = *I* gmelinite – *F* gmélinite – *S* gmelinita

Lit.: [1] Neues Jahrb. Mineral., Monatsh., **1990**, Nr. 11, 504–516.
allg.: Anthony et al., Handbook of Mineralogy, Bd. 2, Tl. I, S. 294, Tucson (Arizona): Mineral Data Publishing 1995 ▪ Gottardi-Galli, Natural Zeolites, S. 168–174, Berlin: Springer 1985 ▪ s. a. Zeolithe. – [*CAS 12251-35-3*]

Gmelin-System. Die auch „Gmelin-Prinzip der letzten Stelle" genannte Klassifikation regelt die Anordnung der beschriebenen Stoffe im *Gmelin Handbook of Inorganic and Organometallic Chemistry. Sie weist jedem Stoff, sofern nur seine chem. Zusammensetzung bekannt ist, einen eindeutigen Platz zu u. dient der Vermeidung von Doppelbeschreibungen unter weniger klar u. einfach zu definierenden Gesichtspunkten. Nach diesem Prinzip sind den chem. Elementen Laufzahlen (Syst.-Nr.) zugeteilt, die eine aus sachlichen Gründen bewußt vom Periodensyst. abweichende Anordnung bewirken; die Anordnung ist dadurch charakterisiert, daß die Elemente, die Anionen bilden, gegenüber denjenigen, die Kationen bilden, kleinere Laufzahlen haben. Die Bände für das Element mit der Syst.-Nr. n enthalten nach dem Prinzip sämtliche Verb. u. Kombinationen dieses Elements mit allen Elementen der Syst.-Nr. 1 bis n – 1. *Beisp.*: Der Band mit der Syst.-Nr. 32 (Zink) enthält die Beschreibungen aller bekannten Verb. des Zinks mit den Elementen 1 (Edelgase) bis 31 (Radium). Also ist die Verb. Zinkchlorid (Syst.-Nr. Chlor 6) in den Zink-Bänden beschrieben, die Verb. Zinkchromat jedoch in den Bänden über Chrom (Syst.-Nr.: 52 für Chrom, 3 für Sauerstoff). Eine Erweiterung des Syst. wurde für die Reihen über Koordinationsverb. u. Metall-organ. Verb. vorgenommen; dabei wurden mit wenigen Ausnahmen Koordinationsverb. als diejenigen Verb. mit neutralen u. chelatisierenden Liganden definiert, Metall-organ. Verb. als diejenigen mit Metall-Kohlenstoff-Bindungen. Koordinationsverb. sind nach den Liganden angeordnet; zuerst Komplexe mit Metall-Sauerstoff- dann mit Metall-Stickstoff-Bindungen etc., mit den jeweiligen Klassen an zumeist organ. Liganden. Metall-organ. Verb. sind nach der Anzahl der Metallzentren, der Anzahl der Metall-Kohlenstoff-Bindungen zum Liganden u. schließlich nach vorhandenen Metall-Heteroatom-Bindungen geordnet. Alle bis Ende 1992 beschriebenen Verb. können schnell über den Formula Index lokalisiert werden. Der Index u. der Complete Catalog (mit generellen Angaben) erlauben zudem ein einfaches Auffinden der Information, die aus sachlichen Gründen nicht nach der strengen Systematik angeordnet werden konnte.

Gmelin-Test. Von L. *Gmelin entdeckte, zum Nachw. von *Bilirubin im Harn benutzte Reaktion. Ein Gemisch aus 100 mL 25%iger Salpetersäure u. 6 Tropfen roter rauchender Salpetersäure gibt mit Flüssigkeiten, die Gallenfarbstoffe enthalten, charakterist. Farbschichten, die in Richtung auf die Säurephase hin grün, blau, violett, rot u. rotgelb aussehen; es handelt sich hierbei um farbige Oxidationsprodukte des Bilirubins. – *E* Gmelin's test – *F* test de Gmelin – *I* test di Gmelin – *S* ensayo de Gmelin

Lit.: Angew. Chem. **53**, 397–403 (1940) ▪ Zechmeister **29**, 64 ff.

GMO. 1. Abk. für *Glycerinmonooleat. – 2. Abk. für genetically modified organisms, mittels *Gentechnologie genet. modifizierte Organismen.

GMP. 1. Abk. für *Good Manufacturing Practices. – 2. Abk. für Guanosin-5′-monophosphat, s. Guanosinphosphate.

GMS vgl. Glycerinmonostearat.

Gneis. Bez. für mittel- bis grobkörnige, deutlich bis undeutlich geschieferte, körnig-flasrige, lagige, plattige, seltener auch stengelige, überwiegend mittelgradig *metamorphe Gesteine recht verschiedener Zusammensetzung. Die *Bänderung* ergibt sich aus der Wechsellagerung heller Streifen mit *Feldspäten (mind. 20 Vol.-% Anteil an der G.-Zusammensetzung) u. *Quarz mit meist schiefrig-flaserig geregelten dunkleren Streifen aus *Glimmern (Biotit u./od. Muscovit) ± u.a. *Granat, *Staurolith, *Kyanit, *Sillimanit, *Cordierit u. *Hornblende. *Benennung* nach dem Mineralbestand, z.B. Biotit-G., Cordierit-Granat-G., nach dem *Gefüge, z.B. Augen-G. (mit linsenförmig ausgebildeten Feldspäten), Flaser-G., Bänder-G., Platten-G., od. nach dem Ausgangsgestein: *Orthogneise* sind aus (sauren) *magmatischen Gesteinen hervorgegangen, *Paragneise* aus *Sedimentgesteinen.
Vork.: Verbreitet, z.B. Erzgebirge, Fichtelgebirge, Bayerischer Wald u. Böhmerwald, Odenwald u. Spessart, Schwarzwald, Alpen u. Skandinavien.
Verw.: Als Schotter, Bausteine, gut spaltende Varietäten u.a. als Wandplatten, Grabsteine. – $E = F$ gneiss – $I = S$ gneis
Lit.: Dietrich u. Skinner, Die Gesteine u. ihre Mineralien, S. 305 ff., Thun: Ott 1984 ▪ Matthes, Mineralogie, (5.), S. 364 ff., 421 f., Berlin: Springer 1996 ▪ Wimmenauer, Petrographie der magmatischen u. metamorphen Gesteine, S. 234, Stuttgart: Enke 1985 ▪ s.a. metamorphe Gesteine. – *[HS 2516 90]*

Gnoscopin s. (–)-α-Narcotin.

Gnotobiotik s. Gewebezüchtung.

GnRF, GnRH s. Gonadoliberin.

GNRP s. kleine GTP-bindende Proteine.

Goapulver s. Chrysarobin.

Gobelins s. Teppiche.

Godamed®. Tabl. mit *Acetylsalicylsäure u. *Glycin gegen Rheuma, Schmerzen u. Fieber, zur Thromboseprophylaxe. *B.:* Pfleger.

Goebel, Werner (geb. 1939), Prof. für Mikrobiologie, Univ. Würzburg. *Arbeitsgebiete:* Bakterielle Plasmide, Replikation u. Funktionen, Pathogenitätsmechanismen von extra- u. intrazellulären pathogenen Bakterien, Genetik von Halobakterien.
Lit.: Kürschner (16.), S. 1048 ▪ Wer ist wer, S. 414.

Gödecke. Kurzbez. für die 1866 gegr. Arzneimittelfirma Gödecke Aktienges., 10562 Berlin, eine Tochterges. von Warner Lambert GmbH. Produktion u. Vertrieb chem. u. kosmet. Produkte sowie von Nährmitteln u. Süßwaren. *Daten* (1994): 1531 Beschäftigte, 509 Mio. DM Umsatz.

Goehring, Margot s. Becke-Goehring.

Goeppert-Mayer, Maria (1906–1972), Prof. für Theoret. Physik, Univ. Chicago, Baltimore u. Argonne-Forschungslaboratorium. *Arbeitsgebiete:* Theoret. Physik, Aufbau der Materie, Schalentheorie des Atomkerns, Mag. Zahlen. Für diese Arbeiten erhielt sie 1963 zusammen mit *Jensen u. *Wigner den Nobelpreis für Physik.

Lit.: Neufeldt, S. 224, 360 ▪ Nobel Prize Lectures, Physics 1963–1970, Amsterdam: Elsevier 1972.

Goethit (Nadeleisenerz). α-FeO(OH), rhomb. Mineral, Kristallklasse mmm-D_{2h}. Prismat., nadelige od. haarförmige, stark glänzende, längsgestreifte Krist.; in strahligen u. faserigen Aggregaten. Vollkommene *Spaltbarkeit, H. 5–5,5, D. 4,3–3,8. Farbe schwarzbraun bis lichtgelb („Gelbeisenerz"), Strich braun bis braungelb. G. bildet *Pseudomorphosen nach verschiedenen Eisen-Mineralien, z.B. nach *Pyrit u. *Siderit. Theoret. 62% Fe, aber meist, wenn als Gel gefällt, durch Mn, Si, P, Al, V u.a. Elemente verunreinigt, zur Umwandlung von G. in *Hämatit s. *Lit.*[1].
Vork.: Typ. Produkt der Verwitterungszone (s. Verwitterung) u. der Erdoberfläche. Hauptbestandteil von *Brauneisenerz (*Limonit*). Gute Krist. in *Quarz-Drusen in vulkan. Gesteinen, z.B. Freisen/Saarland u. Atlas/Marokko; s.a. Brauneisenerz, Eisenhydroxide u. Rost. *Name* (1806) nach J. W. von Goethe. – $E = F = I$ goethite – S goethita
Lit.: [1] Mineral. Mag. **51**, 437–451 (1987).
allg.: Deer et al. (2.), S. 578 f., 582 ▪ Lapis **16**, Nr. 9, 8 ff. (1991) („Steckbrief") ▪ Ramdohr-Strunz, S. 552 f. – *[HS 2601 11; CAS 1310-14-1]*

Goitrin (5-Vinyloxazolidin-2-thion).

(S)-(-)-Form

C_5H_7NOS, M_R 129,18, farblose Prismen, Schmp. 50 °C, $[\alpha]_D$ –70,5° (c 2/CH_3OH), in Samen u. Blättern vieler Kreuzblütler (Brassicaceae), z.B. Raps (*Brassica napus*), als Vorläufer Progoitrin enthalten. Dieses auch *Glucorapiferin* genannte *Glucosinolat bildet, nachdem der Glucose-Rest abgespalten wurde, durch spontane Cyclisierung Goitrin. Zerquetschter Weißkohl enthält im Herbst ca. 20 mg/kg G., im Frühjahr nur 1 mg/kg.
Wirkung: G. reduziert die Aktivität der 5'-Monodeiodinase in der Schilddrüse u. in der Leber, dadurch entsteht eine zu niedrige Konz. an Triiodthyronin (T_3) u. Thyroxin (T_4) mit Schilddrüsenüberfunktion u. Kropfbildung („Kohlkropf") bzw. Vergrößerung der Leber. – E goitrin – F goitrine – $I = S$ goitrina
Lit.: Beilstein E V **27**/10, 212 f. ▪ Hager (5.) **4**, 540, 558 ▪ J. Heterocycl. Chem. **27**, 811 f. (1990) ▪ Phytochemistry **26**, 669 (1987) ▪ Sax (8.), Nr. VQA 100 ▪ Tetrahedron: Asymmetry **5**, 1157 (1994). – *[HS 2934 90; CAS 500-12-9]*

Gold (chem. Symbol: Au, von latein.: aurum = Gold; dtsch. Bez. über indogerman.: Ghel = gelblich, schimmernd, blank, von Sanskrit: jval). Metall. Element der 1. Nebengruppe des *Periodensystems, M_R 196,9665, Ordnungszahl 79. Natürliches Au besteht ausschließlich aus dem Isotop 197; künstliche Isotope 185–203 mit HWZ 3,9 s bis 183 d. Von diesen hat [198]Au (HWZ: 2,7 d) in der medizin. *Radiographie u. als *Radiopharmaka Bedeutung erlangt. G. ist ein gelbes, lebhaft glänzendes, sehr dehnbares, beständiges *Edelmetall, D. 19,32, Schmp. 1064 °C, Sdp. 3080 °C. G. steht in derselben Gruppe wie Silber u. Kupfer, mit denen es noch am ehesten Verwandtschaft aufweist. G. u. Kupfer sind die einzigen farbigen Metalle. Man kann G. in einem Reinheitsgrad von mind. 99,9999% herstellen; seine Härte ist mit H. 2,5–3 ziemlich gering. G. ist das dehnbarste unter allen Metallen. Au krist. in der Regel in kub.-flächenzentrierten Kristallgittern; über die hydrothermale Züchtung von Au-Krist. bis zu 1 cm Länge aus konz. wäss. Iodwasserstoffsäure s. Lit.[1]. G. bildet mit Platin, Palladium, Silber u. Kupfer leicht Mischkrist., s. a. Gold-Legierungen. Seine *elektrische Leitfähigkeit beträgt etwa 67%, die Wärmeleitfähigkeit 70% von der des Silbers. Reines G. ist außerordentlich widerstandsfähig gegen Luft, Wasser, Sauerstoff, Schwefel, Schwefelwasserstoff, geschmolzene Alkalien, verd. od. konz. Schwefelsäure, Salzsäure, Salpetersäure, Phosphorsäure u. die meisten Salz-Lsg.; dagegen löst es sich in Chlorwasser (wenn in fein verteilter Form vorliegend) od. in *Königswasser unter Chlorid-Bildung. Von Quecksilber wird G. unter Bildung von *Goldamalgam gelöst (amalgamiert, s. Amalgame); wäss. Lsg. von Kaliumcyanid od. Natriumcyanid lösen es zu einem Komplex auf (z.B. $Na[Au(CN)_2]$, Ausnutzung bei der sog. Cyanid-Laugerei s. unten). Leg. mit Silber u. Kupfer werden bei hohem G.-Gehalt von Salpetersäure od. H_2S u. lösl. Sulfiden nicht angegriffen; sinkt aber der G.-Gehalt unter 25%, so wird das Silber durch Salpetersäure herausgelöst, u. Schwefelwasserstoff erzeugt allmählich eine Schwärzung unter Bildung von Silbersulfid bzw. Kupfersulfid. Letztere können bei Schmuckträgern Hautschwärzung hervorrufen. In seinen Verb. tritt G. in den Wertigkeiten −1, +1, +2, +3 u. +5 auf, vgl. Lit.[2]; die stabilsten u. daher häufigsten *Gold-Verbindungen sind die des Au^I u. Au^{III}.

Nachw.: Qual. kann Au in Lsg. durch Bildung von *Cassiusschem Goldpurpur mit einer schwach sauren Zinn(II)-Salz-Lsg., quant. z.B. mit *Dithizon, *Rhodamin B od. *3,3′-Dimethylbenzidin bestimmt werden. G. läßt sich nach PbO-Zusatz durch einen reduzierenden Aufschluß mit dem dabei entstehenden Blei aus einer Probe extrahieren u. nach Auflösung in Königswasser mit verschiedenen Meth. sehr empfindlich nachweisen, z.B. Atomabsorptions-Spektrometrie, Fluoreszenzmessung von $AuCl_4^-$ mit Rhodamin B od. Atomemissions-Spektrometrie. Spezielle massenspektrometr. Meth. gestatten die Bestimmung geringer Au-Konz. ohne aufwendige Probenvorbereitung[3]. Die Analyse von G. in Erzen nennt man seit alters her *Dokimasie.

Vork.: G. gehört zu den seltensten Elementen unseres Lebensraumes; sein Anteil an der festen Erdkruste beträgt etwa 4 mg/t (4 ppb); im Meerwasser ist Au in Konz. um 0,01 mg/m³ enthalten. Die größten dg. G.-Mengen sind wahrscheinlich in der Oxid-Schale in Form von Goldtellurid, Goldselenid u. gediegen angereichert. Aus diesen tieferen Bezirken kam G. wiederholt mit hydrothermalen Lsg. (s. Hydrothermalsynthese) in höhere Gesteinszonen, wo sich nach manchen Umwandlungen bes. im Quarzgestein allerlei Gänge, Adern usw. bildeten. Hier ist das G. oft begleitet von Pyrit, Arsenkies, Kupfer- u. Silbererzen. In südafrikan. Lagerstätten hat man Hinweise auf G.-Ausscheidungen durch Pflanzen u. Mikroorganismen gefunden[4]. Das meiste G. kommt gediegen vor (meist sind die G.-Flitter mikroskop. klein), u. zwar ist es fast immer mit Silber legiert. Daneben findet man in der Natur auch einige G.-Minerale (v. a. Telluride), beispielsweise Calaverit $(AuTe_2)$, *Sylvanit $(AgAuTe_4)$, *Nagyagit $[AuTe_2 \cdot 6Pb(S, Te)]$. Das in Siebenbürgen u. am Altai gefundene Elektrum ist ein lichtes G. mit 15–30% Silber. Das ursprüngliche, in Mengen von 1–25 g je t Gestein in Quarzgänge von Gebirgen unregelmäßig eingesprengte, metall. Berggold kommt bei der Verwitterung in die Flußsande u. heißt dann Seifengold. Ein kleiner Teil des G. erreicht auf diesem Weg auch das Meer. Beim Berggold lohnt sich der Abbau, wenn die t Gestein mind. 5 g G. enthält; dagegen werden in Kalifornien u. Alaska schon Goldseifen mit 0,1 g G. je m³ verarbeitet.

Das größte G.-Lager der Welt findet sich am Witwatersrand in Südafrika 1000–3000 m unter der Erde in stark verkitteten, fossilen *Seifen aus dem Präkambrium; von wirtschaftlicher Bedeutung sind auch die Lagerstätten von Kalifornien, Colorado, Alaska, Kanada, Australien, dem Ural-Gebiet sowie in jüngerer Zeit von Brasilien, den Philippinen u. Papua Neuguinea. Die europ. G.-Lager sind heute weitgehend erschöpft.

Herst.: Aus dem Auflesen von glänzenden, mit bloßem Auge sichtbaren G.-Körnchen aus Flußsanden entwickelte sich das Goldwaschen, bei dem man ebenso wie bei der heute gebräuchlichen Schwerkraftaufbereitung die hohe Dichte der G.-Körner 19,3 g/cm³ zur Abtrennung von der leichteren Gangart (D. 2,5–3) nutzt. Hierbei werden das G.-haltige Gestein u. die G.-haltigen Sande in Wasser aufgeschlämmt, u. aus den Suspensionen setzen sich die schweren G.-Körnchen u. -flitter schneller ab als die leichten Begleitstoffe. Bei der Amalgamierung (Amalgamation, s. Amalgame u. Goldamalgam) lassen sich auch unsichtbar kleine G.-Körnchen in Quecksilber auflösen u. nachher abscheiden. Aus dem gebildeten G.-Amalgam wird das Quecksilber bei ca. 600 °C abdestilliert u. in den Prozeß zurückgeführt. Noch ergiebiger arbeitet die heute allg. praktizierte, meist mit der Schwerkraftaufbereitung kombinierte hydrometallurg. Cyanid-Laugerei, bei der das G. mittels einer alkal. Kalium- od. Natriumcyanid-Lsg. ausgelaugt wird:

$$4 Au + 8 NaCN + O_2 + 2 H_2O \rightarrow 4 Na[Au(CN)_2] + 4 NaOH$$

Die gebildeten komplexen *Cyanide werden an Zn od. Al zersetzt, z.B.:

$$2 Na[Au(CN)_2] + Zn \rightarrow Na_2Zn(CN)_4 + 2 Au.$$

Neuerdings ist die Zn-Zementation weitgehend durch die Adsorption des Au an Aktivkohle im sog. CIP (Carbon in Pulp)-Prozeß verdrängt worden.

Aus salzsauren Lsg. $(HAuCl_4)$ mit NH_3 gefälltes G. wird fachsprachlich als Knallgold bezeichnet. Erhebliche G.-Mengen erhält man – neben anderen Edelmetallen – auch aus dem Anodenschlamm bei der elektrolyt. Raffination von Cu, Ag u. dgl., sowie durch die Rückgewinnung aus Altgold u. Schrott in Scheideanstalten nach hüttenmänn. Verf. (Treibarbeit) u./od. chem. Auslaugungsverfahren. Über die G.-Gewinnung aus Rückständen s. Lit.[5], über die elektrolyt. Reinigung s. Lit.[6]. 1995 lag die Bergwerksproduktion von G. weltweit bei 2025,3 t. Davon stammten 520,2 t aus Südafrika, 327,6 t aus den USA, 252,9 t aus Australien,

226,5 t aus GUS-Ländern, 148,8 t aus Kanada, 136,4 t aus China, 74,2 t aus Indonesien, 63,4 t aus Brasilien, 54,6 t aus Papua-Neuguinea, 52,1 t aus Ghana, 51,4 t aus Peru, 44,5 t aus Chile, 28,5 t von den Philippinen, 26,1 t aus Simbabwe, 17,1 t aus Venezuela u. 0,9 t aus Argentinien. Seit dem Altertum wurden damit bis einschließlich 1995 weltweit ca. 117000 t G. gewonnen, die ökonom. gewinnbaren G.-Vorräte wurden 1991 auf 75000 t geschätzt. Einer Schätzung des G.-Institutes in Washington zufolge wird für 1999 eine Bergwerksproduktion von ca. 2300 t G. erwartet.

Verw.: Das meiste G. (rund 30% der jährlichen Erzeugung) wird in Form von Goldmünzen u. Goldbarren gehortet. In den Tresoren goldreicher Staaten (bes. USA) sind große Mengen Au festgelegt. Au war jahrhundertelang das wichtigste internat. Währungsmetall. Von 1934–1968 garantierten die USA gesetzlich einen fixen Goldpreis (35 $ je Troy-*Ounce), doch ist seit 1978 G. kein offizieller Bestandteil nat. Währungsreserven mehr.

Die techn. Verwendungsweisen des Au sind begrenzt, u. für die meisten Verw. gibt es Austauschstoffe, so daß der Besitz von Au keine techn. Notwendigkeit darstellt. Für Schmuck (rund 75% der industriellen Verw.) u. Gebrauchsgegenstände wird G. wegen seiner geringen Härte mit Silber, Kupfer od. auch Platin-Metallen legiert. Zur Angabe des *Feingehaltes in Au-Leg. s. Gold-Legierungen. Billige Schmuckgegenstände werden oft elektrochem. od. durch *Plattieren (Doublé) vergoldet. Aufgrund seiner *Duktilität kann man G. z. B. zu *Blattgold* von 0,1 µm Dicke auswalzen od. ausschlagen; solche dünnen Goldfolien lassen grünes Licht durchtreten; sie werden auch heute oft noch zwischen *Goldschlägerhäutchen* (Häutchen von Ochsenblinddarm) ausgeschlagen. Aus 1 g G. läßt sich ein 3 km langes Drähtchen ziehen. Ein beachtlicher Teil (ca. 10%) des Au-Verbrauches geht in die Elektrotechnik u. Elektronik [7]. Die in der *Galvanotechnik üblichen Meth. des *Vergoldens haben in letzter Zeit durch die Anforderungen der Raumfahrt u. der Elektrizität eine starke Verbesserung erfahren. Zahnärzte verarbeiten verschiedene zusammengesetzte G.-Legierungen. G. dient weiterhin zur Herst. von Thermoelementen, elektr. Kontakten, Ultrarot-Reflektoren für Satelliten, als Blattgold für dekorative Zwecke usw. Das prächtig rot gefärbte Goldrubinglas (*Rubinglas*) enthält wie der Cassiussche Goldpurpur kolloidales Au. Einlagerung von Au-Atomen in Platin-Schichten verbessern deren katalyt. Eigenschaften wesentlich [8]. Dünne G.-Auflagen auf Metallen verhüten Korrosion u. Gasdiffusion, auf Glas dienen sie zur Herst. von Sonnenschutzgläsern. G. ist als Färbemittel für Kosmetika u., eingeschränkt, auch für Lebensmittel zugelassen. Weiteres zur Verw. s. bei Gold-Legierungen u. -Verbindungen. In der Photographie benötigte man früher kleine Mengen an Au-Salzen zur Empfindlichkeitssteigerung u. für die G.-Tonbäder.

Geschichte: Da Au zumeist gediegen vorkommt, lebhaft glänzt u. leicht verformt werden kann, ist es schon in vorgeschichtlicher Zeit aufgesammelt u. zu den mannigfaltigsten Zwecken verwendet worden; zur Geschichte der G.-Metallurgie s. *Lit.*[9]. Die ältesten, in größerer Zahl erhaltenen Objekte aus G. stammen aus den Königsgräbern von Ur (Mesopotamien, 2500 v. Chr.), doch ist die G.-Verarbeitung seit etwa 4000 v. Chr. bekannt. Bei den Germanen wurde G.-Schmuck seit der Bronzezeit hergestellt. Die Griechen unternahmen schon um 1350 v. Chr. einen Kolonialzug zur Erbeutung von Au an die Küsten des Schwarzen Meeres, der zur Argonautensage Anlaß gab. Die ersten G.-Münzen wurden etwa 650 v. Chr. in oriental. Ländern geprägt; die ältesten röm. G.-Münzen stammen aus dem Jahre 269 v. Chr. Die älteste, wertbeständige Münze des Mittelalters ist der 1252 erstmals geprägte Florentiner Gulden (Fiorino d'oro), der etwa 2,6 g wog. Bei der G.-Gewinnung wird die Amalgamation erstmals im 11. Jh. erwähnt. Im Mittelalter lieferten Böhmen, die Karpatenländer u. Kärnten bescheidene G.-Mengen. Zur gleichen Zeit bemühten sich Alchemisten u. Betrüger um die Umwandlung unedler Metalle in G. (*Transmutation*). Nach der Entdeckung Amerikas führten die Spanier größere G.-Beträge von Peru ein. Einen hekt. Aufschwung nahm die G.-Suche in der 2. Hälfte des 19. Jh. mit der Entdeckung neuer Lagerstätten (Goldrausch). 1887 wurde die Cyanid-Laugerei von den Schotten MacArthur u. Forrest erfunden u. seit 1890 allg. praktiziert. Die jährliche G.-Produktion auf der ganzen Erde um 1500 wird auf nur 6 t geschätzt, bis 1700 stieg sie auf 11, 1830 auf 25 u. 1900 auf 390 t. – *E* gold – *F* or – *I* = *S* oro

Lit.: [1] Naturwissenschaften **55**, 336ff. (1968). [2] Hollemann-Wiberg (101.), S. 1351–1364. [3] Townshend, Encyclopedia of Analytical Science, S. 1959–1966, London: Academic Press 1995. [4] New Sci. **67**, 365 (1975). [5] Brauer (3.) **2**, 1010ff. [6] Chem. Rundsch. **34**, Nr. 14 Beilage, 19ff. (1981). [7] Metall **41**, 34–41 (1987). [8] Phys. Rev. Lett. **45**, 1601 (1980). [9] Angew. Chem. **84**, 668–678 (1972).

allg.: Gmelin, Syst.-Nr. 62, Au, 1950–1954; Goldorganic Compounds, 1980 ■ Kirk-Othmer (4.) **12**, 738–767 ■ Snell-Ettre **14**, 1–51 ■ Ullmann (5.) **A 12**, 499–533 ■ Winnacker-Küchler (4.) **4**, 544–548, 554f., 561ff., 566 ■ s. a. Edelmetalle, Gold-Verbindungen. – *Zeitschrift:* Gold Bulletin and Gold Patent Digest, Genf: World Gold Council (vierteljährlich). – [HS 7108 12; CAS 7440-57-5]

Goldamalgam. Bei der *Gold-Gewinnung anfallendes Gold-reiches Zwischenprodukt. Man unterscheidet zwei Verf.: 1. Gold wird gewonnen bei der frühzeitig entwickelten Meth. der Gold-Gewinnung durch Amalgamierung. Die Gold-haltigen Konglomerate werden vermahlen u. mit Wasser über geneigte Cu-Bleche geleitet, deren Oberfläche mit *Quecksilber bedeckt ist [1]. Das Gold wird als G. abgebunden, mechan. getrennt u. in Retorten auf 600 °C erhitzt. Der gewonnene Gold-Schwamm wird zu Barren verarbeitet, das abdestillierte Quecksilber wieder in den Prozeß rückgeführt. – 2. Alternativ wird G. nach der Schwerkraftaufbereitung der Gold-haltigen Konglomerate von Eisen-Verb. durch Amalgamierung als G. in einer rotierenden Tonne aus *Gußeisen mit Stahlkugeln separiert u. anschließend in einem *Hydrozyklon abgetrennt [2]. Die weitere Verarbeitung erfolgt wie 1. durch Abdestillieren des Quecksilbers. – *E* amalgamated gold – *F* or amalgame – *I* oro amalgamato – *S* amalgama de oro, auramalgama

Lit.: [1] Ullmann (5.) **A 12**, 506. [2] Ullmann (4.) **12**, 387.

Goldbad DCS. Bez. für *Elektrolyte zum Abscheiden von *Gold auf Ni, Ag, Cu u. *Legierungen. Zumeist al-

kal. cyanid. Elektrolyt mit dekorativen od./u. funktionellen Zusätzen (s. Glanzgold). Anw. für Schmuckwaren, elektr. Kontakte, gedruckte Schaltungen, Halbleitertechnik u. Reflektoren. – *E* gold electrolyte – *F* electrolyte d'or – *I* elettroliti d'oro – *S* oro electrolítico
Lit.: Dettner u. Elze, Handbuch der Galvanotechnik, Bd. 2, S. 415, München: Hanser 1968.

Goldberyll s. Beryll.

Goldbronze s. Bronze-Pigmente.

Goldeffekt s. Photographie (photograph. Emulsionen).

GOLDEN VLIESS P 80. Wasser-freies Lanolin mit max. 1 ppm Gesamtpestizid-Gehalt von Westbrook. *B.:* Deutsche Lanolin Gesellschaft.

Goldgeist® forte. Präp. gegen Kopf- u. Filzläuse mit *Chlorocresol, *Piperonylbutoxid u. *Pyrethrum-Extrakt. *B.:* Eduard Gerlach GmbH, D-32312 Lübbecke.

Gold-Legierungen. Mit den techn. wichtigsten Legierungselementen Ag, Cu, Ni, Pd u. Pt bildet *Gold im gesamten Legierungsbereich eine ununterbrochene Reihe von *Mischkristallen. Der Gold-Gehalt in diesen Leg. wird bei Schmuck-Leg. als *Feingehalt ausgedrückt.
Schmuck-Ind.: Im Dreistoffsyst. Au-Ag-Cu tritt eine Mischungslücke auf, die für die Aushärtung von G.-L. verantwortlich ist. Dieses Syst. ist die Grundlage der *Farbgold*-Leg. mit Farben von hochrot bis grüngelb bei Feingehalten bis 750/1000 (18 kt). *Weißgold*-Leg. mit Feingehalten 585/1000 (14 kt) u. 750/1000 (18 kt) sind Leg. mit max. 20% Pd, max. 18% Ni, max. 10% Cu, max. 6% Zn u. max. 30% Ag als Ersatz für das teurere *Platin. Vielfach werden G.-L. als Verbundsysteme verwendet (s. Doublé).
Technik: Aushärtbare G.-L. mit 30–50% Pt werden für höchstbeanspruchte Spinndüsen verwendet, zur Herst. der Bohrungen s. Funkenerosion. In Ausnahmefällen werden Dichtungen aus G.-L. eingesetzt, wenn extrem aggressive Betriebsbedingungen vorliegen (*Beisp.:* Au-Ag-Pd zu gleichen Tl. als *Pallacid* für starke Mineralsäuren). In der Elektrotechnik u. Elektronik werden Au-Ni- u. Au-Ag-Leg. verwendet, da ihre Neigung zur Bildung isolierender Deckschichten gering ist. Hinsichtlich der Anw. von G.-L. beim Löten s. Goldlote. – *E* gold alloys – *F* alliages d'or – *I* leghe d'oro – *S* aleaciones de oro
Lit.: Ullmann (5.) **A 12**, 499.

Goldlote. G. werden techn. als Weich- u. Hartlote in verschiedenen industriellen Bereichen verwendet. 1. Als *Weichlote* werden niedrigschmelzende eutekt. *Gold-Legierungen der Syst. AuSn, AuSi u. AuGe in der Elektronik (Transistortechnik) mit niedriger Arbeitstemp. bei gleichzeitig hoher Verbindungsfestigkeit eingesetzt[1]. – 2. Als *Hartlote* zum vakuumdichten Fügen von hochbeständigen Eisen- u. Nickel-Leg. im Vakuumofen od. unter Schutzgas werden Gold-Leg. der Syst. AuCu, AuAgCu, AuNi, AuCuNi, AuPd, AuNiZn od. auch Feingold verwendet, wenn Schweißen wegen therm. Verzugs nicht möglich ist[2]. Die wichtigste Verbindungstechnik bei der Herst. von Goldschmuck ist das Hartlöten. Die Farbgold-Lote (s. Gold-Legierun-

gen) enthalten als Legierungselemente Ag, Cd, Cu u. Zn, wobei die Zusätze auf die abgestuften Arbeitstemp. abgestimmt sind. – *E* gold solder – *F* soudure d'or – *I* saldatura ad oro – *S* soldadura de orfebre
Lit.: [1] Ullmann (5.) **A 12**, 528. [2] Ullmann (4.) **12**, 401.

Goldmanit s. Granate.

Goldmann. Kurzbez. für S. Goldmann GmbH & Co. KG, 33609 Bielefeld. *Produktion:* Organ. u. anorgan. Chemikalien, Farbstoffe, Kunststoffe u. Kerzenfarben.

Goldocker. Goldfarbener *Ocker.

Goldorfe (*Leuciscus idus melanotus*). Ein zur Bestimmung der *Fischgiftigkeit verwendeter Weißfisch (Karpfenartiger, Cyprinidae), Zuchtform des in mitteleurop. Gewässern vorkommenden Alands. – *E* golden orfe – *F* ides mélanotes – *I* leucisco – *S* idus
Lit.: Lexikon der Biologie, Bd. 8, S. 423, Freiburg: Herder 1988.

Gold-Präparate s. Gold-Verbindungen.

Goldpurpur s. Cassiusscher Goldpurpur.

Goldregen. Aus Südeuropa stammender, zu den Schmetterlingsblütlern zählender Zierstrauch *Laburnum anagyroides* Medicus (Fabaceae) mit goldgelben, herabhängenden Blütentrauben. G. ist wegen seines Gehaltes an *Chinolizidin-Alkaloiden sehr giftig. Hauptalkaloid ist Cytisin, das in erster Linie für die tox. Wirkung verantwortlich ist (s. dort). Als tödliche Menge für Kinder gelten 3–4 Hülsen od. 15–20 Samen od. 10 Blüten[1]. – *E* laburnum – *F* faux-ébenier, aubours, cytise à grappes – *I* citiso, maggiociondolo – *S* citiso, ébano de Europa
Lit.: [1] Dtsch. Apoth. Ztg. **132**, 303 ff. (1992).
allg.: Dtsch. Apoth. Ztg. **122**, 1475 f. (1982) ▪ Hager (5.) **5**, 623–630 ▪ s. a. Cytisin.

Goldrubinglas s. Glas u. Gold.

Goldrute. Weltweit mit Ausnahme der Tropen verbreitete, bis 1 m hohe Pflanze *Solidago virgaurea* L. (Asteraceae), deren getrocknete Stengel, Blätter u. gelbe Blüten offizinell sind; sie wirken wegen ihres Gehaltes an *Flavonoiden (Quercitrin, Isoquercitrin, Astragalin, Rutin) diuretisch. – *E* golden rod – *F* grande verge dorée, solidago verge d'or – *I* verga di oro – *S* vara de oro, virgaurea
Lit.: Bundesanzeiger 193/15.10.87 ▪ Hager (5.) **6**, 752–765. – [HS 1211 90]

Goldschlägerhäutchen s. Gold.

Goldschmidt. Kurzbez. für die 1847 gegr. Th. Goldschmidt AG, 45116 Essen, zu <30% im Familienbesitz. *Tochter- u. Beteiligungsges.:* Elektro-Thermit GmbH (100%), Keramchemie (100%) sowie Vertriebsges. weltweit. *Daten* (1994, in Klammern Daten der Gruppe): 1724 (5732) Beschäftigte, 65 Mio. DM Kapital, 556,5 (1357,9) Mio. DM Umsatz. *Produktion:* PU-Additive, Silicone, Additive für die Lack- u. Druckfarben-Ind., Produkte für die Faser- u. Textilveredelung, Produkte für die Kosmetik- u. Nahrungsmittel-Ind., Zusätze für Wasch- u. Reinigungsmittel, Säure/Schwefel-Verb., Metall, Glasvergütung.

Goldschmidt, Hans (1861–1923), Prof. Dr., Industrieller. *Arbeitsgebiete:* Erfindung der *Aluminothermie (*Goldschmidtsches Thermit-Verfahren), ei-

nes Verf. zur Weißblechentzinnung u. Entwicklung von Brandbomben.
Lit.: Ber. Dtsch. Chem. Ges. **56**, A 77 (1923) ▪ Neufeldt, S. 96 ▪ Pötsch, S. 172.

Goldschmidt, Stefan (1889–1971), Prof. für Organ. Chemie, TH Karlsruhe u. Univ. München. *Arbeitsgebiete:* Freie organ. Radikale an C, N, O, Einwirkung von Hypochloriten u. Hypobromiten auf Proteine, Vitamin-C-Synth., Harnstoff-Formaldehyd-Kondensationsprodukte, Peptid-Synth., Elektrolysen in nichtwäss. Medien, Stereochemie.
Lit.: Chem. Ber. **108**, XLV–LII (1975) ▪ Nachmansohn, Die große Ära der Wissenschaft in Deutschland 1900–1933, S. 213, Stuttgart: Wissenschaftliche Verlagsges. 1988 ▪ Nachr. Chem. Tech. **7**, 95 (1959) ▪ Pötsch, S. 173.

Goldschmidt, Theo (1883–1965), Prof. Dr., Th. Goldschmidt AG. *Arbeitsgebiete:* Entwicklung von Ind.-Produkten, z. B. Mennige, Lagermetalle, Emulgatoren, Zündsteine, Zwischengußthermit usw.
Lit.: Chem.-Ing.-Tech. **25**, 113 f. (1953) ▪ Chem.-Ztg. **87**, 169 (1963).

Goldschmidt, Victor Moritz (1888–1947), Prof. für Mineralogie u. Kristallographie, Göttingen u. Oslo. *Arbeitsgebiete:* Bestimmung von Atom- u. Ionenradien, Mischkrist.-Bildung, relative Häufigkeit der Seltenen Erden, geochem. Verteilungsgesetze der Elemente, schichtenförmiger Aufbau der Erdkugel, Eklogitschale u. a.
Lit.: Krafft, S. 353 ▪ Neufeldt, S. 155.

Goldschmidtsches Thermit-Verfahren. Von H. *Goldschmidt entwickelte, auf der Hauptversammlung der Dtsch. Elektrochem. Ges. 1898 vorgestellte u. nach ihm benannte (*Thermit-)Reaktion, „die darin besteht, daß reduzierend wirkende Metalle auf eine Metall-Verb. derart einwirken, daß das Gemenge, an einer Stelle zur Entzündung gebracht, von selbst unter Erzeugung hoher Temp. weiterbrennt". In seiner techn. Gesamtheit als *Aluminothermie bezeichnet, wird das G. T.-V. u. a. zur Herst. von *Ferro-Legierungen angewendet. – *E* aluminothermic process – *I* processo termite di Goldschmidt – *S* procedimiento de Goldschmidt-Thermit
Lit.: Ullmann (5.) A **1**, 447.

Goldschwefel s. Antimonsulfide.

Goldstein, Joseph Leonard (geb. 1940), Prof. für mol. Genetik., Univ. of Texas, Dallas. *Arbeitsgebiete:* Fett-Stoffwechselstörung, Cholesterin-Stoffwechsel. 1985 erhielt er zusammen mit M. S. *Brown den Nobelpreis für Physiologie od. Medizin für die Erforschung des Cholesterin-Stoffwechsels u. der Arteriosklerose.
Lit.: Neufeldt, S. 278, 298 ▪ Who's Who in America, S. 1397.

Goldtopas s. Amethyst.

Golduhr (chemische) s. Zeitreaktionen.

Gold-Verbindungen. Von den Verb. des *Goldes sind nur die des Au^{3+} von techn. Interesse. Die wichtigste G.-V. ist die *Tetrachlorogold(III)-säure*, $H[AuCl_4]$, M_R 339,84, die Ausgangsmaterial für fast alle anderen G.-V. ist. Das Tetrahydrat bildet zitronengelbe, lange, an feuchter Luft zerfließliche Kristallnadeln mit etwa 48% Au, die sich in Wasser u. Alkohol sehr leicht lösen u. die Haut unter Blasenbildung anätzen, bei Lichteinwirkung treten violettbraune Flecken auf. $HAuCl_4$ entsteht, wenn man die braunrote Gold(III)-chlorid-Lsg. mit Salzsäure versetzt od. wenn man Gold in Königswasser löst u. mit Salzsäure eindampft. Es wird in der Medizin als Ätzmittel sowie in der Photographie (Goldtonbäder) u. in der *Galvanotechnik (Vergoldung) verwendet. Das Goldchlorid des Handels ist meist $HAuCl_4$, das gelbe „Goldsalz" dagegen Natriumgoldchlorid, $Na[AuCl_4] \cdot 2H_2O$.

Gold(III)-chlorid, $AuCl_3$, M_R 303,33, dunkelorangerote Nadeln, D. 3,9, Schmp. 254 °C (Zers.), lösl. in Wasser, Alkohol u. Ether. Wasser zersetzt $AuCl_3$ zu Trichlorohydroxogold(III)-säure, $H[Au(OH)Cl_3]$. Herst. aus $HAuCl_4$ u. $SOCl_2$ od. aus Cl_2 u. feinverteiltem Gold. Legiert man Gold mit der äquimolaren Menge Cäsium, so erhält man Cäsiumaurid als ein neue Verb. Cs^+Au^-, welche in der Schmelze Cs^+- u. Au^--Ionen enthält u. im Krist. ein Ionengitter analog dem CsCl-Gitter ausbildet. Im Dampf findet man CsAu-Einheiten. Ammoniakate von Auriden liegen in Lsg. von Au u. K, Rb od. Cs in flüssigem Ammoniak vor, mit *Kryptanden erhält man isolierbare Alkaliauride als *Kryptate.
Von bes. Bedeutung sind die komplexen Goldcyanide, *Kalium-* bzw. *Natriumdicyanoaurat(I)*, (K- bzw. $Na[Au(CN)_2]$), die beim *Vergolden u. in der Cyanid-Laugerei eine Rolle spielen; MAK der Kalium-G.-V. 5 mg/m³. Wegen ihrer katalyt. Eigenschaften haben *Gold-organische Verb.* Beachtung gefunden, s. *Lit.*[1]. In den medizin. verwendeten Gold-Präp. sind anorgan. Gold-Salze, *Aurothioglucose od. metall. Gold enthalten, die hauptsächlich in *Antirheumatika eingesetzt werden (sog. *Chrysotherapie*), s. *Lit.*[2]. In kosmet. Mitteln ist die Anw. von Au-Salzen verboten. – *E* gold compounds – *F* composés d'or – *I* composti di oro – *S* compuestos de oro

Lit.: [1] Angew. Chem. **82**, 120–133 (1970); **88**, 830–843 (1976). [2] Chem. Soc. Rev. **9**, 217–240 (1980); Fortschr. Arzneimittelforsch. **24**, 210–216 (1980); Science **212**, 420 (1981); Struct. Bonding (Berlin) **29**, 171–214 (1976).
allg.: Brauer (3.) **2**, 1012–1021 ▪ Gmelin, Au, Organogold Compounds, seit 1980 ▪ Kirk-Othmer (4.) **12**, 759–767 ▪ Negwer (6.), S. 1307 ▪ s. a. Gold. – [HS 2843 30]

Golgi, Camillo (1844–1926), Prof. für Histologie in Siena u. Pavia. *Arbeitsgebiete:* Malariaforschung, Nervensyst., Feinbau der Zelle. 1906 erhielt er zusammen mit *Ramón y Cajal den Nobelpreis für Medizin od. Physiologie für seine Arbeit über den Bau des Nervensystems.

Golgi-Apparat (Dictyosomen). In allen *eukaryontischen *Zellen nachweisbares Zellorganell, das aus einem Stapel scheibchenförmiger geschlossener *Membranen (Zisternen) besteht, von deren Rändern kleine Bläschen (Golgi-Vesikeln) abgeschnürt werden. Am einen Ende (*cis-Golgi*) der Stapel, wo die Scheibchen labyrinthartig miteinander in Verbindung stehen können (*Cis-Golgi-Netzwerk*), trifft ein Vesikel-Strom vom *endoplasmatischen Retikulum (ER) ein, der dort synthetisierte *Proteine, *Glykoproteine u. *Lipide enthält, u. verschmilzt mit den Zisternen. Die hier abgeschnürten Vesikeln vereinigen sich wiederum mit den *medialen* Zisternen, von diesen wandern Bläschen zum *trans-Golgi*, der sich in ein Röhrensyst. (*Trans-Golgi-Netzwerk*, TGN) verzweigt.

Abb.: Schnitt durch den Golgi-Apparat; nach Alberts et al., *Lit.*, S. 710.

Funktion: Die Funktionen des nach *Golgi benannten Organells sind sehr vielfältiger Art: Synth., Sammlung, Umhüllung durch Membranen u. vesikulärer Transport von Sekreten u. Membranbestandteilen, die an anderen Zellorten, z. B. ER als Vorstufen synthetisiert werden (*Kohlenhydrate, Proteine, Glykoproteine, *Neurotransmitter, *etherische Öle, Lipide). Glykoproteine werden im G.-A. durch Anbau u. Abspaltung von Zucker-Resten modifiziert, wobei in den verschiedenen Abschnitten (cis – medial – trans) unterschiedliche Reaktionen katalysiert werden. Vom TGN findet – abhängig von sog. *Signalsequenzen* der Glykoproteine – ein Vesikel-Transport zu verschiedenen anderen Organellen (z. B. Lysosomen) statt. Durch Verschmelzung der Golgi-Vesikeln mit der Plasmamembran, die die Zelle umgibt, liefert der G.-A. das Material zu ihrem Aufbau, zur Synth. von pflanzlichen Zellwänden u. der tier. *extrazellulären Matrix (Procollagen, Schleimsubstanzen usw.). Zu Aufbau u. Erhaltung der Golgi-Struktur s. *Lit.*[1]. – *E* Golgi apparatus – *F* appareil de Golgi – *I* apparato di Golgi – *S* aparato de Golgi

Lit.: [1] Semin. Cell Develop. Biol. **7**, 505–516 (1996). *allg.:* Alberts et al., Molekularbiologie der Zelle, 3. Aufl., S. 707–729, Weinheim: VCH Verlagsges. 1995 ▪ Cell **68**, 829–840 (1992).

Goltix®. Herbizid auf Basis von *Metamitron für Rübenkulturen. ***B.:*** Bayer.

Gomberg, Moses (1866–1947), Prof. für Organ. Chemie, Univ. Ann Arbor (Michigan). *Arbeitsgebiete:* Synth. von Arylalkyl-Verb. wie Tetraphenylmethan, Entdeckung der ersten freien Radikals (Triphenylmethyl, 1900), Synth. von Biarylen mittels der Diazo-Reaktion (Gomberg-Synth.).

Lit.: J. Am. Chem. Soc. **69**, 2921–2925 (1947) ▪ Neufeldt, S. 105 ▪ Pötsch, S. 174.

Gomphidsäure.

$C_{18}H_{12}O_9$, M_R 372,29, orangerote Krist., Schmp. 300–302 °C (Zers.). *Pulvinsäure-Derivat aus dem „Kuhmaul" (*Gomphidius glutinosus*, Basidiomyceten). G. verursacht zusammen mit *Xerocomsäure die chromgelbe Farbe der Stielbasis. – *E* gomphidic acid – *F* acide gomphidique – *I* acido gomfidico – *S* ácido gonfídico

Lit.: Beilstein E V **18/9**, 411 ▪ Tetrahedron Lett. **27**, 403 (1986) (Synth.) ▪ Zechmeister **51**, 43, 44, 47. – *[CAS 25328-77-2]*

Gompper, Rudolf (geb. 1926), Prof. für Organ. Chemie, Univ. München. *Arbeitsgebiete:* Stabilisierung von cycl. (4 n) π-Syst. durch Donor-Akzeptorresis, neue Donor- u. Akzeptorsyst. für organ. Metalle, stabile Nicht-Kekulé-Syst. für organ. Ferromagnete, polare π-Syst. für die nichtlineare Optik.

Lit.: Kürschner (16.), S. 1072 ▪ Wer ist wer, S. 423.

Gonadoliberin [gonadotrop(h)in *r*eleasing *h*ormone, gonadotrop(h)in *r*eleasing *f*actor, Abk. GnRH, GnRF]. $C_{55}H_{75}N_{17}O_{13}$, M_R 1182,31, Decapeptid der Zusammensetzung

Pyr-His-Trp-Ser-Tyr-Gly-Leu-Arg-Pro-Gly-NH$_2$ (Pyr = Pyroglutamyl).

G. ist ident. mit *Folliberin* u. *Luliberin*, von der WHO empfohlener Freiname: *Gonadorelin*. G. ist ein *Releasing-Hormon des *Hypothalamus, das die Freisetzung der *gonadotropen Hormone *Follitropin u. *Lutropin im *Hypophysen-Vorderlappen bewirkt. Es ist synthet. zugänglich, doch kennt man bereits 150mal wirksamere Analoga. Die Ausschüttung von GnRH u. somit die Ovulation wird bei stillenden Müttern durch *Prolactin gehemmt. – *E* gonadoliberin – *F* gonadolibérine – *I* = *S* gonadoliberina

Lit.: Biochem. Cell Biol. **74**, 1–7 (1996). – *[HS 2933 29]*

Gonadorelin s. Gonadoliberin.

Gonadotrope Hormone (*Gonadotropine*, nach WHO: *Gonadotrophine*). Bez. für eine Gruppe von Proteinod. (meist) *Glykoprotein-Hormonen, deren Wirkung geschlechtsunspezif. auf die Entwicklung u. Funktion der Geschlechtsdrüsen (Gonaden) gerichtet ist. Die chem. Konstitution der entweder von der *Hypophyse od. der *Placenta gebildeten Hormone ist meistens bekannt. Bei den aus dem *Hypophysen-Vorderlappen* (HVL) stammenden g. H. unterscheidet man: Das *Follitropin (Follikel-stimulierendes Hormon, FSH, Prolan A, Gonadotropin A), das *Lutropin (luteinisierendes Hormon, LH, Prolan B, Gonadotropin B), das *Prolactin (luteotropes Hormon, LTH, Luteo-, Lacto-, Mammotropin, Lactogen) u. das Menopausen- od. *Urogonadotropin (human menopausal gonadotropin, hMG). Die beiden erstgenannten g. H. werden durch *Gonadoliberin freigesetzt. Als *HVL-Hormon-ähnliches* Hormon gilt das von der Placenta gebildete u. im Harn auftretende *Chorio(n)gonadotrop(h)in (human chorionic gonadotropin, hCG). Das aus dem Serum trächtiger Stuten gewonnene, früher therapeut. genutzte *Serumgonadotropin (Stutengonadotropin, pregnant-mare serum gonadotropin, PMSG, equine chorionic gonadotropin, eCG) gehört ebenfalls hierher, weil es in seiner Wirkung dem Follitropin entspricht. Die g. H. Choriongonadotropin, Follitropin, Lutropin bestehen aus je einer α-Kette, die bei ihnen untereinander sowie bei *Thyrotropin ident. ist, u. einer β-Kette, die hormonspezif. ist. – *E* gonadotropic hormones – *F* hormones gonadotropes – *I* ormoni gonadotropi – *S* hormonas gonadotropas

Gonadotrop(h)ine

Lit.: Bellet u. Bidart, Structure-Function Relationship of Gonadotropins, New York: Raven Press 1990 ▪ Trends Endocrinol. Metab. **2**, 181–187 (1991); **7**, 272–276 (1996). – [HS 2937 10]

Gonadotrop(h)ine s. gonadotrope Hormone.

Gonadotrop(h)in releasing factor, gonadotrop(h)in releasing hormone s. Gonadoliberin.

Gonan. Nach IUPAC-Regel 3S-2.1 systemat. Name für das Kohlenwasserstoff-Grundgerüst der *Steroide (Perhydrocyclopenta[*a*]phenanthren) ohne anguläre Methyl-Gruppen an C-10 u. C-13. – *E* = *F* gonane – *I* = *S* gonano

Gongmetall (Tamtam-Metall). In China entwickelte Kupfer-*Gußlegierung mit 22–26% Sn, max. 4% Pb sowie max. 2% Ni u. Zn (Guß-Mehrstoffzinn-*Bronze). Diese Leg. wird durch Hämmern (Kalttreiben) zu Klangkörpern verarbeitet. – *E* gong metal – *F* métal à gong – *I* metallo gong – *S* metal de tantán o gong
Lit.: s. Bronzen.

Goniometer s. Kristallstrukturanalyse.

Gonorrhoe (Tripper). Durch das Gram-neg. Bakterium *Neisseria gonorrhoeae* (Gonokokken) hervorgerufene entzündliche Erkrankung meist des Genitaltraktes. Die gegenüber Umwelteinflüssen sehr empfindlichen Erreger werden in der Regel durch Geschlechtsverkehr übertragen. So kommt es bei Männern zu einer Harnröhrenentzündung mit eitrigem Ausfluß, bei Frauen zur Entzündung des Gebärmutterhalses. Unbehandelt kann die Entzündung sich weiter ausbreiten u. befällt dann Prostata u. Nebenhoden bzw. die Eierstöcke. Unter Umständen kann es über eine Ausbreitung der Erreger mit dem Blut zum Befall der Gelenke od. des Herzens kommen. Bei Neugeborenen mit an G. erkrankten Müttern kam es früher häufig zum Befall der Augenbindehaut, was heute durch das vorbeugende Einträufeln einer 1%igen Silbernitrat-Lsg. vermieden wird. Die Behandlung der G. erfolgt in der Regel mit Penicillin. Die Erkrankung ist in der ganzen Welt verbreitet u. hat in der BRD eine Häufigkeit von 1:1000 Einwohnern. Sie gehört zu den *Geschlechtskrankheiten im Sinne des Gesetzes. – *E* gonorrhea – *F* gonorrhée – *I* blenorragia, gonorrea – *S* gonorrea
Lit.: Brandis et al., Lehrbuch der Medizinischen Mikrobiologie, S. 381–385, Stuttgart: Fischer 1995.

Gonyaulax s. Saxitoxin.

Gonyaulin [(Dimethylsulfonio)cyclopropancarboxylat].

(+)-(*R*,*R*)
(abs. Konfig.)

$C_6H_{10}O_2S$, M_R 146,20, $[\alpha]_D$ +214° (CH_3OH). G. wurde aus dem Dinoflagellaten *Gonyaulax polyedra* isoliert (10 mg/1 g feuchte Zellen). Es verkürzt die Periode des biolumineszenten circad. Rhythmus dieses Organismus. – *E* gonyauline
Lit.: Experientia **47**, 103 (1991) ▪ J. Chem. Soc., Perkin Trans. 1 **1990**, 3219 ▪ Tetrahedron Lett. **33**, 2821 (1992). – [CAS 125559-51-5]

Gonyautoxine (GTX).

R^1 = H, R^2 = H : Saxitoxin
R^1 = OH, R^2 = H : Neosaxitoxin
R^1 = H, R^2 = O—SO_3H : Gonyautoxin II

Perhydro-Purine, mit *Saxitoxin strukturverwandte Neurotoxine aus einzelligen Meeresalgen (Dinoflagellaten), insbes. *Gonyaulax tamarensis, G. catenella* u. *G. acatenella*. Die G. gelangen über die Nahrungskette in den Menschen, da einige eßbare Muscheln (*Saxidomus, Cardium*) die Algen aufnehmen u. die Toxine anreichern, ohne Schaden zu nehmen. Bes. bei einer massenhaften Algenblüte („red tide") besteht Vergiftungsgefahr („paralytic shellfish poisoning, PSP"). Die rote Farbe der Algenteppiche rührt vom *Carotinoid *Peridinin her, das auch von *Gonyaulax* gebildet wird. Diese Erscheinung wurde bereits im Alten Testament erwähnt[1]. Die wichtigsten Verb. sind: *G.* I ($C_{10}H_{17}N_7O_9S$, M_R 411,35) u. das C-11 epimere *G.* IV, *G.* II ($C_{10}H_{17}N_7O_8S$, M_R 395,35) u. das C-11 epimere *G.* III sowie Saxitoxin. Die neurotox. Wirkung von G. beruht auf einer Blockade von Natrium-Ionenkanälen der Nervenzellmembranen. Eine Menge von 1–10 mg ist für den Menschen tödlich. – *E* gonyautoxins – *F* gonyautoxines – *I* gonyautossine – *S* gonyautoxinas
Lit.: [1] 2. Buch Mose (Exodus) 7, Vers 14–25.
allg.: Habermehl, Gifttiere u. ihre Waffen, 5. Aufl., S. 16–22, Heidelberg: Springer 1994 ▪ Naturwiss. Rundsch. **42**, 113 (1989) ▪ Scheuer I, **1**, S. 1–42; **4**, S. 12 ▪ Shimizu, in Tu (Hrsg.), Marine Toxins and Venoms (Hdb. of Natural Toxins Bd. III), S. 63–82, New York: Dekker 1988 ▪ Tetrahedron **40**, 539 (1984) ▪ Tetrahedron Lett. **25**, 3537 (1984) ▪ Zechmeister **45**, 235–264 ▪ s. a. PSP, Gymnodinium breve-Toxine, Brevetoxin u. Surugatoxin. – [CAS 60748-39-2 (G.I); 60508-89-6 (G.II); 64296-26-0 (G.III); 60537-65-7 (G.IV)]

Gooch-Tiegel. Von dem amerikan. Chemiker F. A. Gooch entwickelter kleiner Porzellantiegel mit porösem Boden, der früher bei analyt. Arbeiten oft als *Filter verwendet wurde. – *E* Gooch crucible – *F* creuset Gooch – *I* crogiolo Gooch – *S* crisol de Gooch

Good Agricultural Practice (engl. = gute landwirtschaftliche Praxis). Bez. für eine am Standard fortschrittlicher Landwirte gemessene Form der Bodennutzung, die ein ökonom. ausgewogenes Verhältnis zwischen qual. u. quant. hochwertigem Ertrag u. den Schutz der menschlichen Gesundheit unter ökolog. Gesichtspunkten erfaßt. Bei der Anw. von Pflanzenschutzmitteln gehört hierzu, daß Bekämpfungszeitpunkt u. Aufwandmenge auf das Ziel abgestimmt sind, hochwertiges u. für den Verbraucher gesundes Erntegut zu produzieren. Die entsprechenden Bekämpfungsmaßnahmen können bezüglich Häufigkeit, Dosierung u. Zeitpunkt v. a. aufgrund klimat. Verhältnisse regional sehr unterschiedlich sein u. müssen in jedem Fall so ausgeführt werden, daß sich etwa verbleibende Rückstände im Rahmen der zulässigen Höchstwerte bewegen.
Lit.: IPS-Kodex ▪ VCI, Umwelt u. Chemie von A–Z, Freiburg: Herder 1987.

Good Laboratory Practices (GLP). Engl. Bez. für ein internat. (OECD u. EG) vereinbartes Verf. zur Durchführung von Analysen, Tests u. Untersuchungen von Chemikalien zur Beurteilung ihres Gefährdungspotentials gegenüber dem Menschen od. der Umwelt. Das Verf. legt Standards fest für Organisation u. Personal, Räumlichkeiten, Geräte, Reagenzien, Prüf- u. Referenzsubstanzen, Arbeitsanweisungen, Ergebnisberichte u. Archivierung. Es soll die internat. Anerkennung von Prüfergebnissen erleichtern.
Lit.: Gesetz zum Schutz vor gefährlichen Stoffen (Chemikaliengesetz – ChemG) in der Fassung vom 25.07.1994 (BGB. I, S. 1703), zuletzt geändert durch Gesetz vom 02.08.1994 (BGBl. I, S. 1963).

Good Manufacturing Practices (GMP). Von der WHO erstmals 1968 erlassene Empfehlungen für die „sachgerechte Herstellungspraxis" von *Arzneimitteln. Die Richtlinien betreffen: Absicherung aller Arbeitsgänge, Vermeidung von Verwechslungen, Vermeidung von Verunreinigungen, Produktionshygiene, Qualitätskontrolle u. Dokumentation von Herst. u. Kontrolle. Die später erlassenen GMP-Richtlinien[1] der EG sind inzwischen Allgemeingut nicht nur der *pharmazeutischen Industrie geworden, sondern werden auch in der *Kosmetika-Ind. beachtet. In Anlehnung an die GMP sind inzwischen auch GSP (*Good Storage Practices*), erarbeitet worden. In der Riechstoff-Ind. spricht man von einem „Code of Good Practice". Die GMP-Richtlinien, denen verwandte GLP- u. GCP-Empfehlungen (s. vorstehendes Stichwort) zur Seite stehen, haben auch ihren Niederschlag gefunden in nat. Arzneimittel- u. *Gefahrstoffverordnungen, in VO zur *Arbeitssicherheit, zum *Umweltschutz etc.
Lit.: [1] Pharm. Ind. **53**, 714–721 (1991).
allg.: Auterhoff (Hrsg.), EC Guide to GMP for Medicinal Products, Aulendorf: ECV Editio Cantor 1993 ▪ Oeser u. Sander, Pharma-Betriebsverordnung, Stuttgart: Wissenschaftliche Verlagsges. 1994.

Good-Puffer s. Puffer.

Goodrich. Kurzbez. für die 1870 gegr. amerikan. Firma B.F. Goodrich Company, Akron, Ohio 44313, USA. *Produktion:* Polymere, spezielle Chemikalien u. techn. Komponenten für die Luftfahrt-Industrie. *Daten* (1995): 13400 Beschäftigte, 1818,3 Mio. $ Umsatz.

Goodrite®. Wasserlösl. Polyacrylat-Harze zur Wasserenthärtung sowie als Antioxidantien u. Antiozonantien. *B.:* Goodrich.

Good Storage Practices s. Good Manufacturing Practices.

Goodyear, Charles (1800–1860). Nach vielen persönlichen u. finanziellen Rückschlägen gelang ihm 1840 nach mehreren gescheiterten Anläufen die Entwicklung eines beständigen u. auch in der Kälte elast. Gummis durch therm. Behandlung, der sog. Vulkanisation.
Lit.: Pötsch, S. 174.

Goserelin.
5-oxoPro-His-Trp-Ser-Tyr-D-Ser(t-Bu)-Leu-Arg-Pro-
NH–NH–CO–NH$_2$
Internat. Freiname für 5-Oxo-L-prolyl-L-histidyl-L-tryptophyl-L-seryl-L-tyrosyl-O-*tert*-butyl-D-seryl-L-leucyl-L-arginyl-L-prolin-(N'-carbamoylhydrazid), $C_{59}H_{84}N_{18}O_{14}$, M_R 1269,43. Verwendet wird das Acetat. Es wurde als synthet. *Gonadoliberin-Analoges 1977/78 von ICI patentiert u. ist von Zeneca (Zoladex®) zur Behandlung des Prostata-Karzinoms im Handel. – *E* goserelin – *F* goséréline – *I* goserelina – *S* goserelín
Lit.: ASP ▪ Drugs **41**, 254–288 (1991) ▪ Merck-Index (12.), Nr. 4547. – [CAS 65807-02-5]

Goshenit s. Beryll.

Gossypetin (3,3',4',5,7,8-Hexahydroxyflavon, Formel s. Flavone). $C_{15}H_{10}O_8$, M_R 318,24, Zers. 300–310 °C. Farbstoff aus gelben Malven u. Baumwollblüten. G. entsteht durch Hydrolyse von *Gossypin*, seinem 8-Glucosid, $C_{21}H_{20}O_{13}$, M_R 480,38, goldgelbe Nadeln, Schmp. 228–230 °C (Zers.). – *E* gossypetin – *F* gossypétine – *I* gossipetina – *S* gosipetina
Lit.: Beilstein E V **18/5**, 657 ▪ Karrer, Nr. 1558, 1560 ▪ Phytochemistry **27**, 1491 (1988) ▪ Schweppe, S. 332, 391. – [CAS 489-35-0 (G.); 652-78-8 (Gossypin)]

Gossypin s. Gossypetin.

Gossypol (1,1',6,6',7,7'-Hexahydroxy-5,5'-diisopropyl-3,3'-dimethyl-[2,2'-binaphthalin]-8,8'-dicarbaldehyd, Thespesin).

$C_{30}H_{30}O_8$, M_R 518,56, kanariengelbe Krist., Schmp. 181–184 °C {+-Form, $[\alpha]_D$ +445° (CHCl$_3$)} bzw. 199 od. 214 °C (Racemat). Atropisomeres aromat. *Triterpen, das natürlich in der (+)-Form od. als Racemat als gelbes Hauptpigment der Baumwollsamen sowohl in *Baumwollsamenöl als auch in der Wurzelrinde (ca. 1,2%) des Baumwollstrauches (*Gossypium*) enthalten ist. G. ist schwach giftig u. befindet sich infolge Hemmung der Lactat-Dehydrogenase u. damit auch der Spermatogenese als Antikonzeptionsmittel („Pille für den Mann") in Brasilien in klin. Entwicklung, daneben wurden Wirkungen gegen Herpes genitalis beschrieben[1]. – *E* = *F* gossypol – *I* gossipolo – *S* gosipol
Lit.: [1] Drugs **38**, 333 (1989); **48**, 851 (1994); Neuro-Oncol. **19**, 25 (1994).
allg.: Beilstein E V **19/3**, 730 ▪ Chem. Ztg. **113**, 5–11, 97–104 (1989) ▪ Helv. Chim. Acta **72**, 353 (1989) (Synth.) ▪ Karrer, Nr. 411 ▪ Markman et al., Gossypol and its Derivatives, Jerusalem: IPST 1968 (Review) ▪ Phytochemistry **33**, 335 (1993) (Biosynth.) ▪ Ullmann (5.) **A 10**, 182, 224. – [CAS 303-45-7 (Racemat); 20300-26-9 ((+)-G.); 90141-22-3 ((–)-G.)]

Gottesurteilsbohnen s. Calabarbohnen.

Gottschalk, Gerhard (geb. 1935), Prof. für Mikrobiologie, Univ. Göttingen. *Arbeitsgebiete:* Energiestoffwechsel der anaeroben Bakterien, insbes. der Methan-Bakterien; Veredelung nachwachsender Rohstoffe durch anaerobe mikrobielle Prozesse. Mitglied der Akademie der Wissenschaften zu Göttingen.
Lit.: Kürschner (16.), S. 1079 ▪ Wer ist wer, S. 426.

Gouachefarben. Aus dem Französ. über italien.: guazzo = Sprühregen abgeleitete Bez. für Farbmittel, die einen höheren Gehalt an Bindemittel aufweisen als

die lasierenden *Aquarellfarben u. die deshalb besser decken (*Deckfarben). Die Farben sind vielfach mit Zinkweiß aufgehellt; man kann mit ihnen auch auf dunklem Grund (Papier, Karton, Seide, Leder) malen. G. werden beim Trocknen nicht heller, sondern eher dunkler u. matt. – *E* Gouache colo(u)rs – *F* couleurs à la gouache – *I* colori guazzo – *S* colores a la aguada
Lit.: Ullmann (4.) **15**, 175; (5.) **A 3**, 148.

Goudron. Aus dem Französ. (*Teer) übernommene Bez. für künstlichen *Asphalt.

Goudsmit, Samuel Abraham (1902–1978), Prof. für Atomphysik, Univ. Michigan, MIT, Cambridge u. Brookhaven. *Arbeitsgebiete:* Atombau, Feinstruktur opt. Spektren, Entdeckung des Elektronenspins, Entwicklung des Radar.
Lit.: Krafft, S. 268 ▪ Neufeldt, S. 153.

Goulardsches Wasser (Bleiwasser). Eine 2%ige wäss. Lsg. von Blei(II)-acetat.

Gouy-Doppelschicht s. elektrochemische Doppelschicht.

Gowerssche Lösung. Lsg. mit 211 mmol Na_2SO_4 u. 2,36 mmol Essigsäure pro L zur Verdünnung von Blutproben bei der Erythrocyten-Zählung durch Trübungsmessung. – *E* Gowers' liquid – *F* solution de Gowers – *I* soluzione di Gower – *S* líquido de Gowers

gp120. *Glykoprotein von M_R 120000, Bestandteil der Hülle des Immunschwächevirus HIV, das als Erreger von *AIDS gilt. gp120 bindet an das CD4-Antigen der Helfer-T-*Lymphocyten, ist in dieser Eigenschaft an der Infektion der Zelle durch das Virus beteiligt u. wirkt dabei synergist. mit den *Chemokin-Rezeptoren *Fusin od. CCR-5 [1]. Außerdem behindert gp120 *in vitro* die Bildung von *Myelin bei Oligodendrocyten durch Bindung an das in der Membran dieser Zellen enthaltene Galactocerebrosid (s. Cerebroside, $R^3 = \beta$-D-Galactopyranosyl) [2]. Der Effekt könnte für die beobachtete Demyelinisierung des Gehirns bei AIDS verantwortlich sein.
Lit.: [1] Curr. Biol. **6**, 1051 ff. (1996); Nature (London) **384**, 117 f., 179–187 (1996); Science **274**, 502, 602 ff. (1996). [2] Persp. Drug Discovery Design **5**, 17–29 (1996).

GPC s. Gelchromatographie.

GPI-Anker s. Glykosylphosphatidylinosit-Anker.

G-Proteine (Guaninnucleotid-bindende Proteine, GTP-bindende Proteine). Von Gilman u. Rodbell entdeckte (1994 Nobelpreis für Medizin) *Proteine aus normalerweise drei verschiedenen Untereinheiten (α, β u. γ, M_R 40000, 35000 bzw. 8000), die *Guanosintriphosphatase*(GTPase)-Aktivität (in der α-Untereinheit) besitzen, d. h. die Hydrolyse von Guanosin-5'-triphosphat (GTP, s. Guanosinphosphate) zu Guanosin-5'-diphosphat (GDP) u. anorgan. Phosphat katalysieren. Man kennt verschiedene heterotrimere G-P., die durch kleine Buchstaben unterschieden werden, z. B. G_s, G_i (stimulator. bzw. inhibitor. für *Adenylat-Cyclase), G_o u. G_q (aktivieren *Phospholipase C), G_t (das *Transducin des *Sehprozesses) u. G_{olf} (bei der Geruchswahrnehmung). Zu monomeren G-P. s. kleine GTP-bindende Proteine. Zum Vork. der G-P. in Pflanzen s. *Lit.*[1].

Funktion: G-P. leiten extrazelluläre Signale, wie sie z. B. von *Hormonen, *Neurotransmittern u. Sinnesreizen an den entsprechenden *Rezeptoren (z. B. *Acetylcholin-Rezeptoren, β-*Adrenozeptoren, *Rhodopsin, Geruchsrezeptoren) angeliefert werden, ins Innere der Zelle weiter (*Signaltransduktion). Im allg. verläuft dies nach folgendem Mechanismus: Im Ruhezustand ist GDP an der Guaninnucleotid-Bindungsstelle der α-Untereinheit gebunden. Unter dem Einfluß eines aktivierten Rezeptors wird dieses gegen GTP ausgetauscht, u. der Komplex $\alpha\beta\gamma \cdot$ GTP dissoziiert in das lösl. $\alpha \cdot$ GTP sowie das membrangebundene $\beta\gamma$. Sowohl der Komplex $\alpha \cdot$ GTP als auch $\beta\gamma$ können Signale an Effektoren weiterleiten. $\alpha \cdot$ *GTP-Weg:* Durch Wechselwirkung mit einem Enzym (z. B. Adenylat-Cyclase, Phospholipase C) od. einem *Ionenkanal werden diese aktiviert od. inhibiert bzw. geöffnet od. geschlossen. Dadurch verändern sich die Konz. von *second messengers wie z. B. *Adenosin-3',5'-monophosphat, Guanosin-3',5'-monophosphat (s. Guanosinphosphate), *Diacylglycerinen, Inosit-1,4,5-trisphosphat (s. Inositphosphate) od. *Calcium-Ionen, was wiederum vielfältige regulative Auswirkungen auf *Stoffwechsel, Nervenleitung, *Transkription u. Zellcyclus zur Folge hat. Durch Hydrolyse des GTP wird α schließlich wieder inaktiviert, u. $\alpha \cdot$ GDP rekombiniert mit $\beta\gamma$. – $\beta\gamma$-*Weg*[2]*:* Der membrangebundene $\beta\gamma$-Komplex hat einerseits die Fähigkeit, spezif. Rezeptor-Kinasen (GRKs, z. B. Rhodopsin-Kinase, β-adrenerge Rezeptor-Kinase) zu binden u. zum Rezeptor zu dirigieren; die daraus erwachsende *Phosphorylierung des Rezeptors führt zu dessen Desensibilisierung durch *Arrestine. Andererseits findet in einigen Fällen auch eine Wechselwirkung des $\beta\gamma$-Komplexes mit der *Pleckstrin-Homologie-Domäne* bestimmter Proteine statt. Ähnlich wie bei Aktivierung von Rezeptor-Tyrosin-Kinasen (s. Rezeptoren) kann dadurch der Signalweg über das *Ras-Protein u. *Mitogen-aktivierte Protein-Kinasen beschritten werden[3]. Zur Modulation von *Calcium-Kanälen durch $\beta\gamma$-Untereinheiten s. *Lit.*[4]. Durch Rekombination mit $\alpha \cdot$ GDP wird $\beta\gamma$ schließlich wieder inaktiviert.
Pathologie: Durch Pertussis-(Keuchhusten-) u. Cholera-*Toxin werden jeweils bestimmte G-P. ADP-ribosyliert (s. ADP-Ribosylierung) u. damit inaktiviert. Mutation von G-Proteinen od. deren Effektoren kann zu *Onkogenen u. damit zu *Krebs führen, da dann evtl. andauernde Signale von Wachstumshormonen vorgetäuscht werden u. die Zellen sich unkontrolliert vermehren. Die unter dem Einfluß von *adrenergen u. *cholinergen Agonisten stattfindende GTP-Bindung an G-P. in der Großhirnrinde von Ratten wird durch Lithium-Salze inhibiert, was deren therapeut. Effekte bei der man.-depressiven Krankheit erklären könnte. Bei fortgesetzter Ethanol-Einwirkung (z. B. bei *Lymphocyten von Alkoholikern) verringert sich die G_s-Aktivität u. die rezeptor-stimulierte cAMP-Produktion. – *E* G proteins – *F* protéines G – *I* proteine G – *S* proteínas G
Lit.: [1] J. Exp. Botany **47**, 983–992 (1996). [2] Trends Biochem. Sci. **20**, 151–156 (1995). [3] Nature (London) **376**, 781–784 (1995). [4] Nature (London) **380**, 258–262; **381**, 172 (1996).

allg.: Alberts et al., Molekularbiologie der Zelle, 3. Aufl., S. 869–875, 888–891, Weinheim: VCH Verlagsges. 1995 ▪ Cancer Surv. **27**, 177–198 (1996) ▪ Curr. Biol. **4**, 547–550 (1994) ▪ Curr. Opin. Cell Biol. **8**, 189–196 (1996) ▪ Iyengar, Heterotrimeric G Proteins, San Diego: Academic Press 1994 ▪ Nature (London) **379**, 297–299, 311–319 (1996) ▪ Structure **4**, 357–361 (1996) ▪ Trends Biochem. Sci. **21**, 41–44 (1996).

Gr. Abk. für *grain.

Grace. Kurzbez. für den 1854 gegr. amerikan. Konzern W. R. Grace and Co., Boca Raton, FL 33486, USA. *Daten* (1995): 34 000 Beschäftigte, 4,4 Mrd. $ Umsatz. *Produktion:* Organ. u. anorgan. Grundchemikalien, Katalysatoren, Düngemittel u. a. Agrikulturchemikalien, Schädlingsbekämpfungsmittel, Reinigungsmittel, Verpackungs- u. a. Folien, Erdöl-, Erdgas- u. Kohleexploration.

Grad (*der* od. *das* G., von latein.: gradus = Schritt). *Einheit eines Winkels, einer Temp.-Skale od. allg. einer Größe, stets im Vgl. mit einer Bezugsgröße (z. B. Füllungsgrad, *Baumé-Grad, Schwärzungsgrad, Härtegrad etc.). In den meisten Fällen wird G. durch das Gradzeichen „°" dargestellt; bei Temp.-Angaben müssen die Abk. der jeweiligen *Temperaturskalen hinzugefügt werden, wobei das Gradzeichen neben dem Buchstaben stehen muß, von dem Zahlenwert jedoch räumlich zu trennen ist; *Beisp.:* 212 °F = 100 °C = 80 °R = 373,15 K (bis zum 2. 7. 1975 konnte auch °K geschrieben werden). Im Chemie Lexikon sind Temp. immer in „°" der *Celsius-Temperatur-Skale angegeben. Zur Angabe von Temp.-Differenzen durfte bis zum 30. 12. 1974 grd als Abkürzung benutzt werden; *Beisp.:* 1 Cl = 4,1868 J · grd^{-1}; vgl. a. absolute Temperatur, Kelvin u. Temperaturskalen. – *E* degree – *F* degré – *I* = *S* grado

Lit.: DIN 1301-1 (12/1993); 1345 (12/1993); 5485 (08/1986).

Gradation s. Photographie.

Gradient. Bez. für den Grad der Änderung irgendeiner Größe (z. B. Dichte, Temp., Druck, Höhe, Konz., elektr. Feld) mit z. B. dem Vol. od. der Längeneinheit. – *E* = *F* gradient – *I* = *S* gradiente

Gradientencopolymere. Bez. für *Copolymere, z. B. aus 2 *Monomeren A u. B, in deren Einzelketten ein Gradient der Verteilung der Monomerbausteine entlang den Ketten besteht. So ist das eine Kettenende reich an A- u. das andere reich an B-Bausteinen. – *E* graded copolymers, tapered copolymers – *F* copolymères gradués – *I* copolimeri di gradiente – *S* copolímeros graduados, copolímeros en gradiente
Lit.: Elias (5.) **1**, S. 33.

Gradientencopolymerisation. Bez. für eine *Copolymerisation, bei der *Gradientencopolymere gebildet werden. – *E* gradient copolymerization – *I* copolimerizzazione di gradiente – *S* copolimerización en gradiente
Lit.: Elias (5.) **1**, 33.

Gradientenelution. Bez. für die *Elution von adsorbierten Stoffen mit Lsm.-Gemischen *kontinuierlich* wechselnder Zusammensetzung, d. h. von 100% des einen bis 100% des anderen Lsm. ohne Mischungslücke; *Beisp.:* *Dünnschichtchromatographie. Zur Gewinnung solcher G.-Lsm. sind Geräte im Eigenbau od. zweckmäßig konstruierte Handelsapparate geeignet. – *E* gradient elution – *F* élution par gradient – *I* eluzione per gradiente – *S* elución por gradiente
Lit.: s. Chromatographie.

Gradientenfaser s. Glasfasern.

Gradieren s. Einengen.

Gradierwerke. Früher hat man schwache Solen (wenig konz. Kochsalz-Lsg.) über hohe, freie Reisigwände aus Schwarzdorn herunterrieseln lassen, wobei das Wasser z. T. verdunstete u. unten eine konzentriertere Lsg. ankam, die man eindampfte (*Gradieren* = *Einengen). Die schwerlösl. Bestandteile der Lsg. (Gips, Calciumhydrogencarbonat, Magnesiumcarbonat, Eisen-Verb.) schieden sich auf den Reisigdornen in Form von graugelben Krusten (*Dornstein*) aus. Heute arbeitet G. nur noch in einigen Kurorten, um der Atmosphäre etwas Salz zuzuführen. – *E* graduation works – *F* bâtiments de graduation – *I* stabilimenti di gradazione – *S* evaporadores de graduación

Graduieren s. Kalibrieren.

Graebe, Carl (1841–1927), Prof. für Chemie, Königsberg, Genf. *Arbeitsgebiete:* Konstitutionsbestimmung von Anthracen, Synth. von Acridin, Fluoren, Chrysen, Carbazol, Chinolin-Derivaten, Farbstoffen usw., Geschichte der organ. Chemie. Nach der Strukturaufklärung des Alizarins gelang die Synth. über Dibromanthrachinon. Damit war 1869 erstmalig ein Naturfarbstoff synthetisiert worden. BASF kaufte das Patent 1969.
Lit.: Angew. Chem. **1927**, 217f. ▪ BASF Schriftenreihe **14**, 28–42 (1977) ▪ Ber. Dtsch. Chem. Ges. **61**, A 9 (1928) ▪ Krafft, S. 38 ▪ Neufeldt, S. 331, 400 ▪ Pötsch, S. 176 ▪ Woran die Übernahme der Alizarin-Synthese von Graebe durch Hoechst scheiterte (Dok. Hoechster Arch. 1), Frankfurt: Farbwerke Hoechst 1964.

Grän s. Gran.

Gräser. Unsystemat. Bez. für eine weit verbreitete, mehrere tausend Arten umfassende *Pflanzen-Gruppe. Die G. haben meist krautige Stengel (Halme), die durch Knoten gegliedert u. ansonsten hohl sind. Zu den G. zählen sowohl die für den Menschen als Nutzpflanzen bes. wichtigen *Süß-G.*, d. h. *Getreide, Bambus u. Zuckerrohr (Familie der Poaceae), als auch die *Ried-* od. *Sauer-G.* (Familie der Cyperaceae), zu denen u. a. Papyrus (s. Papier) u. manche *Faserpflanzen (z. B. Espartogras) gehören. Umgangssprachlich versteht man unter Gras auch den *Rasen u. die auf Weiden kultivierten G., die für die Tierhaltung als *Futtermittel – im frischen, getrockneten (*Heu*) u. durch *Silage konservierten Zustand – wichtig sind. Der Geruch frisch geschnittenen u. getrockneten Grases rührt von *Cumarin-Derivaten her. Die *Pollen vieler blühender G. verursachen *Allergien. – *E* grass – *F* herbes, graminées – *I* erbe – *S* hierbas, gramíneas
Lit.: Christiansen u. Hancke, Gräser, 4. Aufl., München: BLV 1993 ▪ Klapp u. Opitz von Boberfeld, Taschenbuch der Gräser, 12. Aufl., Berlin: Blackwell 1990.

Gräßmann, Adolf (geb. 1938), Prof. für Molekularbiologie, FU Berlin. *Arbeitsgebiete:* Gentransfer *in vivo* u. *in vitro*, Regulation der Genexpression, virale Carcinogenese, homologe Rekombination.
Lit.: Kürschner (16.), S. 1087 ▪ Wer ist wer, S. 428.

Graft(co)polymere s. Pfropfcopolymere.

Graham, Thomas (1805–1869), Prof. für Chemie, Univ. London u. Glasgow. *Arbeitsgebiete:* Gasabsorption durch Flüssigkeiten, Löslichkeit von Salzen, Übersättigungserscheinungen, Gasdiffusion, Adsorption von gelösten Salzen an Aktivkohle, Alkoholate, Phosphate, Arsenate, Reaktionswärmen, Dialyse u. Osmose. G. zählt zu den Begründern der Kolloidchemie.
Lit.: Neufeldt, S. 52 ▪ Pötsch, S. 176.

Grahamsches Gesetz s. Diffusion.

Grahamsches Salz. Ein nach *Graham benanntes, durch Schmelzen von NaH_2PO_4 hergestelltes, polymeres Natriummetaphosphat (s. Natriummeta...), für das andere Polymerisationsgrade angegeben werden als für die verwandten *Kurrolschen* u. *Maddrellschen Salze*; Näheres s. bei kondensierte Phosphate u./od. Polyphosphate. – *E* Graham's salt – *F* sel de Graham – *I* sale di Graham – *S* sal de Graham – *[HS 2835 39]*

Grain (abgekürzt gr). Amerikan. u. brit. Apothekergew., das im *Avoirdupois- u. im *Troy-Syst. denselben Zahlenwert hat (1 gr = 64,8 mg) u. damit etwa dem *Gran entspricht.

Gram-Färbung. Von dem dän. Bakteriologen u. Pathologen H. C. J. Gram (1853–1938) entwickeltes Differentialfärbe-Verf., nach dem Bakterienabstriche zunächst mit sog. Karbol-*Gentianaviolett (*Karbol-Fuchsin-Lösung) gefärbt, hierauf mit *Lugolsche Lösung gebeizt u. mit 96%igem Alkohol entfärbt. Anschließend wird mit verd. Karbol-Fuchsin-Lsg. nachgefärbt. Eine große Gruppe von *Bakterien (Staphylokokken, Streptokokken, Milzbrand-, Starrkrampf-, Milchsäure-, Diphtherie-, Schweinerotlauf-, Heubakterien usw.) erscheint dann dunkelblau bis blauschwarz; diese heißen *Gram-pos.* Bakterien, weil sie den Karbol-Gentianaviolett-Farbstoff so fest binden, daß er durch spätere Iod- u. Alkohol-Behandlung nicht mehr entfernt wird.
Eine andere Gruppe von Bakterien (Gonokokken, Meningokokken, Coli-, Typhus-, Ruhr- u. Pestbakterien, Vibrionen, Spirochäten usw.) erscheint dagegen am Schluß des obigen Färbungsprozesses rot; diese *Gram-neg.* Bakterien haben den Karbol-Gentiana-Farbstoff bei der Iod- u. Alkohol-Behandlung wieder abgegeben; sie wurden nachher durch das Karbolfuchsin rot gefärbt. Dem unterschiedlichen färber. Verhalten Gram-neg. u. Gram-pos. Bakterien liegen Strukturunterschiede der Bakterienzellwand u. dadurch bedingte Permeabilitätsunterschiede bei der Aufnahme bzw. Abgabe von Farbstoffen zugrunde. Die G.-F. ist nicht nur ein wichtiges systemat. Merkmal, sondern die durch sie aufgezeigten taxonom. Unterschiede lassen sich auch mit anderen unterschiedlichen Eigenschaften der beiden Bakteriengruppen korrelieren. – *E* Gram's staining method – *F* coloration de Gram – *I* colorazione di Gram – *S* tinción de Gram
Lit.: Burkhardt, Mikrobiologische Diagnostik, Stuttgart: Thieme 1992 ▪ s.a. Mikroskopie.

Gramicidine. Gruppe von Peptid-Antibiotika aus der Kulturflüssigkeit von *Bacillus brevis* (z.T. auch synthet. hergestellt), die nur gegen Gram-pos. Bakterien wirksam sind. Die offenkettigen G. (A, B, C, hergestellt durch Fraktionierung von G. D) bestehen aus

$$CHO\ HO-CH_2-CH_2-NH-\overset{15}{Trp}-D\text{-}Leu-Trp-D\text{-}Leu-Y^{11}$$
$$\overset{1}{X}-Gly-Ala-D\text{-}Leu-Ala-D\text{-}Val-Val-D\text{-}Val-Trp-D\text{-}Leu$$

	X	Y
Valin - Gramicidin A	Val	Trp
Isoleucin - Gramicidin A	Ile	Trp
Valin - Gramicidin B	Val	Phe
Isoleucin - Gramicidin B	Ile	Phe
Valin - Gramicidin C	Val	Tyr
Isoleucin - Gramicidin C	Ile	Tyr

L - Val → L - Orn → L - Leu → D - Phe → L - Pro
↑   ↓
L - Pro ← D - Phe ← L - Leu ← L - Orn ← L - Val
Gramicidin S

15 Aminosäuren (*Pentadecapeptide*) u. unterscheiden sich nur durch verschiedene Aminosäuren in den Positionen 1 u. 11; *Beisp.:* G.A ($C_{99}H_{140}N_{20}O_{17}$, M_R 1882,32) besteht aus je 2 L-Valin u. D-Valin, 2 L-Alanin, je 4 D-Leucin u. L-Tryptophan u. 1 Glycin., vgl. *Lit.*[1], auffällig ist der Gehalt an D-Aminosäuren. Dagegen ist G. S (Name von *Soviet G.,* da es 1942 in der UdSSR erstmals isoliert wurde) ein Cyclopeptid, $C_{60}H_{92}N_{12}O_{10}$, M_R 1141,46, das aus zwei ident. Pentapeptiden besteht. Zur Biosynth. des G. S s. *Lit.*[2]. Gemeinsam mit den *Tyrocidinen bilden die G. die Komponenten des Antibiotikums *Tyrothricin (Verhältnis 80:20). Die Wirkung der G. beruht auf der Zerstörung von Protonen-Gradienten (z.B. bei der oxidativen Phosphorylierung), indem sich aus 2 G.-Mol. Dimere helicaler Strukt. ausbilden, so einen Kanal durch die Zellmembran bilden u. spezif. Kationen (Na^+ u. K^+) hindurchschleusen können (Ionophorese)[3]. – *E* gramicidins – *F* gramicidines – *I* gramicidine – *S* gramicidinas
Lit.: [1] Chem. Unserer Zeit **8**, 33–43 (1974). [2] Chem. Unserer Zeit **14**, 105–114 (1980). [3] Annu. Rev. Physiol. **46**, 531–548 (1984); Science **241**, 182, 188 (1988).
allg.: ApSimon **4**, 266 ▪ Beilstein E V **26/19**, 649 ▪ Bull. Chem. Soc. Jpn. **61**, 3925–3929 (1988) ▪ Curr. Top. Membr. Transp. **33**, 15–33, 35–50, 91–111, 113–130 (1988) ▪ Florey **8**, 179–218 ▪ Hager (5.) **8**, 382 f. ▪ Izumiya et al., Synthetic Aspects of Biologically Active Cyclic Peptides – Gramicidin S and Tyrocidines, New York: Wiley 1980 ▪ J. Am. Chem. Soc. **115**, 10492 (1993) ▪ J. Bioenerg. Biomembr. **19**, 655–676 (1987) ▪ Karrer, Nr. 2442 (G. S) ▪ Nachr. Chem. Tech. Lab. **36**, 984 (1988) ▪ Q. Rev. Biophys. **20**, 173–200 (1987) ▪ Sax (8.), Nr. GJO 000–025 ▪ Ullmann (5.) **A 2**, 498 ff., 527 ▪ s.a. Cyclopeptide, Peptid-Antibiotika. – *[HS 2941 90; CAS 11029-61-1 (G.A); 11041-38-6 (G.B); 9062-61-7 (G.C); 113-73-5 ($G.S_1$); 92278-12-1 ($G.S_2$); 92278-13-2 ($G.S_3$)]*

Gramin [3-(Dimethylaminomethyl)-indol, Donaxin].

$C_{11}H_{14}N_2$, M_R 174,25, Krist., Schmp. 139 °C, in Wasser unlösl., in Alkohol, Ether u. Chloroform löslich. Erstes aus *Gräsern (Gramineae, Name) isoliertes Alkaloid; zur Biosynth. s. *Lit.*[1]. G. wirkt als Antioxidans[2]. – *E* = *F* gramine – *I* = *S* gramina
Lit.: [1] Phytochemistry **14**, 471 (1975); Tetrahedron Lett. **1971**, 4047. [2] Plaste Kautsch. **24**, 401–404 (1977).
allg.: Beilstein E III/IV **22**, 4302; E V **22/10**, 25 f. ▪ Hager (5.) **4**, 440; **9**, 1112 ▪ J. Antibiotics **47**, 724 (1994). – *[HS 2933 90; CAS 87-52-5]*

Graminizide (von latein. graminea = Gräser u. *...zid). Bez. für Herbizide zur Bekämpfung von Gräsern.

Gramm (Abk. g). Bez. für den tausendsten Teil der *Einheit *Kilogramm. – *E* gram (US), gramme (GB) – *F* gramme – *I* grammo – *S* gramo
Lit.: Umschau **76**, 705f. (1976).

Grammäquivalent. Veraltete Bez. für die in Gramm ausgedrückte Masse eines *Äquivalents (Val), s. a. Äquivalentgewicht.

Grammatit s. Tremolit.

Gramm-Atom, Gramm-Molekül s. Mol.

Gram-negativ s. Gram-Färbung.

Gram-positiv s. Gram-Färbung.

Gran. Von latein.: granum = Korn abgeleitete Bez. für eine veraltete Gew.-Einheit, die nicht nur je nach Anw.-Bereich, sondern auch je nach Land bzw. Region unterschiedliche Werte hatte; als *Apothekergewicht war 1 G. = 60,9 mg, als Angabe zum *Feingehalt von Edelmetallen (hier meist *Grän* genannt) entsprach 1 G. in der BRD, Dänemark, Norwegen u. Polen 811,999 mg, in anderen Staaten 51,8–58,18 mg; vgl. a. Grain. – *E* graen, grain – *F* grain – *I* = *S* grano

Grana s. Chloroplasten.

Granadilla s. Passionsfrüchte.

Granalien s. Granulate.

Granatapfel. In Asien heim., in subtrop. Ländern kultivierter, leuchtend rot blühender Strauch od. Baum *Punica granatum* (Punicaceae), der schon im Altertum angebaut wurde. Die apfelgroßen, von lederartiger gelblich-roter Schale umgebenen Früchte enthalten zahlreiche Samen, deren fleischig-wäss. Umhüllung einen tiefroten, süß-säuerlichen erfrischenden Saft (Grenadine) liefert. Dieser enthält 12–13% Zucker (hauptsächlich *Invertzucker), 0,37–1,0% Säuren (bes. Citronensäure), 0,3–1,2% Eiweiß, 0,45–0,7% *Mineralstoffe, ca. 2,8% Rohfaser u. 8–15 mg/100 g *Ascorbinsäure. Der rote Farbstoff ist Delphinidin-3,5-diglucosid. Die Rinde des G. enthält die an *Gerbstoffe gebundenen *Alkaloide Iso-, Methyliso- u. Pseudo-*Pelletierin; sie wurde früher als Bandwurmmittel verwendet, ist jedoch wegen ihrer Giftigkeit heute kaum mehr in Gebrauch. – *E* pomegranate – *F* grenadier – *I* mela granata, melagrana – *S* granada
Lit.: Brücher, Tropische Nutzpflanzen, S. 412 f., Berlin: Springer 1977 ▪ Franke, Nutzpflanzenkunde, 5. Aufl., Stuttgart: Thieme 1992 ▪ Pahlow, Das große Buch der Heilpflanzen, S. 384, 446, München: Gräfe & Unzer 1987. – [HS 081090]

Granate. Zu den Neso-*Silicaten (Inselsilicaten) gehörende, mit Ausnahme des tetragonalen Henritermierits (s. Tab.) kub.-holoedr. in der Kristallklasse m3m – O_h kristallisierende Mineralgruppe mit der allg. Formel $X_3Y_2[ZO_4]_3$; X = zweiwertige Kationen: Ca, Mg, Fe, Mn; Y = z. B. Al, Fe^{3+}, Mn^{3+}, Cr^{3+}, V^{3+}, Seltene Erden, auch Ti^{4+}; Z=Si, Al, Fe^{3+}, Ga^{3+} (z. T.), Ti^{4+} od. vier [OH] anstelle von [ZO_4].
1995 waren 16 verschiedene G. von der International Mineralogical Association als Selbständige Minerale anerkannt; sie sind in der Tab. zusammen mit den G. Melanit (Ti-reiche Varietät von Andradit, mit <15 Gew.-% TiO_2) u. Yamatoit (bildet in der Natur stets *Mischkristalle mit *Goldmanit*) mit ihren chem. Formeln, ihrer D., ihrer Lichtbrechung n (*Refraktion; Ca-reiche G. können Sektoren mit *Doppelbrechung u. orthorhomb. u./od. trikliner Symmetrie zeigen) u. ihren Farben zusammengestellt. Die in der Natur häufigsten, kursiv gedruckten G. werden in 2 Gruppen eingeteilt: *Pyralspite* (*Py*rop, *Al*mandin, *Sp*essartin) u. *Ugrandite* (*U*warowit, *Gr*ossular, *And*radit); innerhalb dieser Gruppen besteht weitgehende, zwischen beiden Gruppen dagegen nur eingeschränkte *Mischbarkeit. Die meisten natürlich vorkommenden G. sind keine reinen Endglieder, sondern Mischkrist. aus zwei od. mehreren dieser Endglieder. Man verwendet daher oft Bez. wie Almandin-reicher od. Almandin-betonter G. od. Pyrop-Almandin-Granat. Zu den in der Tab. aufgelisteten G. kommen noch einige durch Einbau von Spuren von z. B. Vanadium od. Chrom schön gefärbte u. dann als Edelsteine verschliffene, mit eigenen (Han-

Tab.: Natürlich vorkommende Minerale der Granat-Gruppe (nach extraLapis, *Lit.*, S. 19).

Mineral	Chemische Formel	D (g/cm³)	n	Farbe
Pyrop (Magnesiumton-G.)	$Mg_3Al_2[SiO_4]_3$	3.58	1,714	blutrot, schwarzrot
Almandin (Eisenton-G.)	$Fe_3^{2+}Al_2[SiO_4]_3$	4,32	1,830	bräunlichrot, schwarzrot
Spessartin (Manganton-G.)	$Mn_3^{2+}Al_2[SiO_4]_3$	4,19	1,800	braunrot, dunkelrot, orange
Calderit	$Mn_3^{2+}Fe_2^{3+}[SiO_4]_3$	4,46	1,985	dunkelgelb, rötlichgelb
Knorringit	$Mg_3Cr_2[SiO_4]_3$	3,83	1,875	grün, blaugrün
Majorit	$Mg_3Fe^{2+}(Si,Al)[SiO_4]_3$	3,76	–	purpurrot, gelbbraun
Grossular (Kalkton-G.)	$Ca_3Al_2[SiO_4]_3$	3,59	1,734	farblos, gelb, braun, rosa/rot
Hibschit	$Ca_3Al_2[(SiO_4)_{1,5-3}(OH)_{6-4}]$	3,20	1,686	farblos, weiß
Katoit (Hydro-Grossular)	$Ca_3Al_2[(SiO_4)_{1-1,5}(OH)_{8-6}]$	2,76	–	milchigweiß, farblos
Andradit (Kalkeisen-G.)	$Ca_3Fe_2^{3+}[SiO_4]_3$	3,86	1,887	braun, grüngelb, schwarz
Melanit	$Ca_3(Fe^{3+},Ti)_2[Si,Fe^{3+})O_4]_3$	–	–	braunschwarz, schwarz
Schorlomit	$Ca_3(Ti,Fe^{3+})_2[(Si,Fe^{3+})O_4]_3$	3,76	–	braun- bis pechschwarz
Morimotoit	$Ca_3Fe^{2+}Ti[SiO_4]_3$	3,75	–	schwarz
Uwarowit (Kalkchrom-G.)	$Ca_3Cr^2[SiO_4]_3$	3,82	1,865	smaragdgrün
Yamatoit	$Mn_3^{2+}V_2[SiO_4]_3$	–	–	honiggelb, grün, dunkelrot
Goldmanit	$Ca_3V_2[SiO_4]_3$	3,74	–	dunkelgrün, bräunlichgrün
Kimzeyit	$Ca_3Zr_2[(Si,Al)O_4]_3$	3,85	–	dunkelbraun
Henritermierit	$Ca_3(Mn^{3+},Al)_2[(SiO_4)_2(OH)_4]$	3,34	–	orangebraun

dels-)Namen belegte Varietäten, z. B. *Tsavorit* (Tsavolith, ein durch etwas V u. Cr dunkel- bis smaragdgrüner Grossular vom Tsavo-Nationalpark/Kenia), *Rhodolith* (bes. schön rosafarbige bis rote Pyrop-Almandin-Mischkrist., wichtigste Vork. in Kenia, Madagaskar, Sambia, Tansania, Brasilien), *Demantoid* (durch Spuren von Cr schön gelbgrün gefärbter Andradit, z. B. aus dem Ural/Rußland u. dem Val Malenco/Italien), *Hessonit* (früher auch: Kaneelstein, Zimtstein; ein durch Fe^{3+} gelb bis rotbraun gefärbter Grossular, schleifwürdig v. a. von Sri Lanka u. Asbestos/Kanada) u. *Malaya-G.* (rötlich-orange Pyrop-Almandin-Mischkrist. von Kenia).
Struktur, Eigenschaften: Die Struktur von G. besteht aus abwechselnden inselartigen $[ZO_4]$-Tetraedern u. $[YO_6]$-Oktaedern, die über gemeinsame Ecken zu einem dreidimensionalen Gerüst verknüpft sind. Innerhalb dieses Gerüsts befinden sich die X-Ionen in Hohlräumen, die als verzerrte Würfel („dreieckige Dodekaeder") beschrieben werden können. Häufigste Krist.-Formen sind das *Rhombendodekaeder* (12 Flächen, vgl. Kristallmorphologie) u. das *Ikositetraeder* (24 Flächen, s. die Abb. bei Leucit). Oft tritt G. auch derb bis dicht od. als gerundete Körner auf. Farben s. Tab.; durchsichtig bis undurchsichtig, Glas- bis Fettglanz, Bruch muschelig bis splittrig, keine Spaltbarkeit, H. 6,5–7,5, schwer lösl. in Flußsäure.
Vork.: In verschiedener geolog. Umgebung, bevorzugt in *metamorphen Gesteinen; in *Seifen. *Almandin* in krist. Schiefern (z. B. Ötztal u. Zillertal/Tirol), Graniten u. *Pegmatiten; *Spessartin* in metamorphen Gesteinen u. Pegmatiten [z. B. Kunene/Namibia, Madagaskar, Californien, Pakistan u. Aschaffenburg/Spessart (Name!)]; *Grossular* in Kalksilikat-*Felsen, *Marmoren u. *Skarnen (z. B. Auerbach/Bergstraße, Sibirien, Mexiko); *Andradit* in Fe-reichen Skarnen (z. B. Drammen/Norwegen, Banat/Rumänien, Sibirien) u. im kosm. Staub; *Pyrop* bzw. Chrom-Pyrop in Gesteinen aus dem Erdmantel [*Peridotite, *Kimberlite, *Eklogite u. daraus entstandenen *Serpentin-Gesteinen (z. B. Zöblitz/Sachsen)] u. in Seifen (z. B. die böhm. Pyrop-G.); *Uwarowit* z. B. in Outokumpu/Finnland u. im Ural/Rußland; *Majorit* nur in *Meteoriten.
Verw.: Almandin-Körner u. G.-Sand als Schleifmaterial in der glas- u. holzverarbeitenden Ind.; schön gefärbte u. klare G. als *Edelsteine. Synthet., mit Seltenerd-Ionen (z. B. Nd, Er, Ho, Tm) dotierte G. (eigentlich Doppeloxide mit G.-Struktur), z. B. *Yttrium-Aluminium-G.* (YAG, $Y_3Al_2[AlO_4]_3$), *Gadolinium-Gallium-G.* (GGG, $Gd_3Ga_2[AlO_4]_3$) als magneto-opt. Krist., als *Detektoren in Computertomographen u. als *Festkörper-Laser für die Materialbearbeitung (Schneiden, Schweißen, Bohren usw.) u. in der Medizin; *Terbium-Gallium-G.* (TGG, $Tb_3Ga_2[GaO_4]_3$) u. *Yttrium-Eisen-G.*, $Y_3Fe_5O_{12}$, als opt. *Isolatoren. GGG bes. in den 70er Jahren als Substratmaterial für magnet. Blasenspeicher in der Computertechnik. YAG u. GGG („Galliant") als Imitationen für *Diamanten. – *E* garnets – *F* grénats – *I* granati – *S* granates
Lit.: Am. Mineral. **56**, 791–825 (1971) (Kristallchemie) ▪ Deer et al. (2.), S. 31–45 ▪ Deer, Howie u. Zussman, Rock-Forming Minerals (2.), Bd. 1A, Orthosilicates, S. 468–698, London: Longman 1982 ▪ Eppler, Praktische Gemmologie (5.), S. 208–229, Stuttgart: Rühle-Diebener 1994 ▪ extraLapis 1995, Nr. 9 (Granat) ▪ Mineral. Rec. **24**, Nr. 1, 61–68 (1993) ▪ Ramdohr-Strunz, S. 666–669 ▪ s. a. Edelsteine u. Schmucksteine. – *[HS 25132 0, 2513 21, 2513 29; CAS 1302-62-1 (Almandin); 15078-96-3 (Andradit); 1302-57-4 (Grossular); 1302-68-7 (Pyrop); 12252-51-6 (Spessartin)]*

Granaticin (Granaticin A, Litmomycin, Granatomycin C).

$C_{22}H_{20}O_{10}$, M_R 444,39, granatrote Krist., Schmp. 223–225 °C, Antitumor-Antibiotikum aus *Streptomyces olivaceus*, hemmt den Initiationsschritt der RNA-Biosynthese. G. hat Indikator-Eigenschaften: rot im Sauren, blau im Alkalischen. LD_{50} (Maus s.c.) 250 mg/kg. Aus *Streptomyces violaceoruber* wurde das L-Rhodinosid von G. isoliert: *G. B*, $C_{28}H_{30}O_{12}$, M_R 558,54, rotes Pulver. – *E* granaticin – *F* granaticine – *I = S* granaticina
Lit.: Angew. Chem. **101**, 147 (1989) (Biosynth.) ▪ Beilstein E V **19/10**, 689 ▪ J. Chem. Soc; Chem. Commun. **1989**, 354 (Synth.) ▪ J. Am. Chem. Soc. **107**, 4577 (1985) (Synth.) ▪ J. Antibiot. **41**, 512, 570 (1988) ▪ Merck-Index (12.), Nr. 4555 ▪ Sax (8.), Nr. GJS 000 (Toxikologie). – *[CAS 19879-06-2 (G. A); 19879-03-9 (G. B)]*

Grande Paroisse. Kurzbez. für die französ. Firma Société Chimique de la Grande Paroisse S. A., 22 place de Vosges, Cedex 93, F-92033 Paris La Defense 5, an der die Elf Atochem zu 80% beteiligt ist. *Produktion:* Düngemittel, diverse Chemikalien. *Daten* (1992): 2830 Beschäftigte, 4 071 628 Mio. FF Umsatz.

Grandisol {(1*R*,2*S*)-2-Isopropenyl-1-methylcyclobutanethanol}.

$C_{10}H_{18}O$, M_R 154,25, Öl, Sdp. 50–60 °C (133,3 Pa), $[\alpha]_D^{22}$ 22,1° (Hexan). Sexualpheromon der Männchen des Baumwollkapselkäfers (*Anthonomus grandis*). G. ist auch das Aggregationspheromon von Rüsselkäfern der Gattung *Pissodes*. – *E = F = I = S* grandisol
Lit.: ApSimon **4**, 80, 120; **9**, 303–312 ▪ J. Chem. Ecol. **21**, 1043–1063 (1995) ▪ J. Org. Chem. **60**, 7256–7266 (1995) ▪ Tetrahedron **52**, 1279, 3879 (1996) ▪ Ullmann (5.) A **9**, 432 ▪ Zechmeister **37**, 18–29. – *[CAS 26532-22-9]*

Grand mal s. Epilepsie.

Grand Marnier. Franz. Fruchtaromalikör (s. Spirituosen), der (mit Cognac verschnitten) in zwei Arten hergestellt wird: Cordon rouge in herber u. Cordon jaune in süßer Nuance mit einem Alkoholgehalt von jeweils 40% vol.

Granine. Familie von sulfatierten, sauren *Glykoproteinen, die intrazellulär bei der regulierten Sekretion verschiedener Peptid-*Hormone u. *Neuropeptide u. extrazellulär als Hormon-Vorstufen (Prohormone) eine wichtige Rolle spielen. Die wichtigsten bis jetzt gefundenen Mitglieder sind *Chromogranin A* (CgA, M_R 75 000–85 000), *Chromogranin B* (*Secretogranin I*, M_R 100 000–120 000) u. *Secretogranin II* (SgII,

M_R 84 000–87 000), die in Drüsen- u. Nervenzellen gebildet werden. Sie helfen sekretor. Produkte im Trans-Golgi-Netzwerk (s. Golgi-Apparat) sortieren u. aggregieren u. werden zusammen mit diesen in sekretor. *Vesikeln gespeichert u. cosezerniert.
CgA ist eine Vorstufe für *Vasostatin, β-Granin, Chromostatin, Parastatin* u. *Pankreastatin [1]. SgII, das auch für neuroendokrine Tumoren als *Tumormarker dient, ist der Vorläufer des Neuropeptids *Secretoneurin*, welches im Striatum (Streifenhügel) des Rattenhirns *Dopamin freisetzt [2]. – *E* granins – *F* granines – *I* granine – *S* graninas
Lit.: [1] Clin. Investig. Med. **18**, 47–65 (1995); Regul. Peptides **58**, 65–88 (1995). [2] Prog. Neurobiol. **46**, 49–70 (1995). *allg.:* Biochimie **76**, 277–282 (1994) ▪ Cell Struct. Funct. **20**, 415–420 (1995) ▪ Curr. Biol. **5**, 242–245 (1995).

Granisetron.

Internat. Freiname für 1-Methyl-*N*-(*endo*-9-methyl-9-azabicyclo[3.3.1]non-3-yl)-1*H*-indazol-3-carboxamid, $C_{18}H_{24}N_4O$, M_R 312,41. Verwendet wird das Monohydrochlorid, Schmp. 290–292 °C. Es wurde als *Serotonin-(5 HT$_3$-)Rezeptorantagonist 1986 von Beecham patentiert u. ist von Bristol-Myers-Squibb/SKB (Kevatril®) als *Antiemetikum bei *Cytostatika-Therapie im Handel. – *E* = *F* granisetron – *I* granisetrone – *S* granisetrón
Lit.: Anticancer Drugs **2**, 343–355 (1991) ▪ Merck-Index (12.), Nr. 4557. – [CAS 109889-09-0 (G.); 107007-99-8 (Hydrochlorid)]

Granit, Ragnar Arthur (1900–1991), Prof. für Neurophysiologie, Karolinska Institutet Stockholm u. Univ. Oxford. *Arbeitsgebiete:* Physiologie u. Neurophysiologie des Sehvorgangs, Gehirnphysiologie, Wechselwirkung des Gamma-Syst. der Muskelspindel. 1967 Nobelpreis für Physiologie od. Medizin zusammen mit *Hartline u. *Wald.
Lit.: Naturwiss. Rundsch. **20**, 544 (1967) ▪ Nobel Prize Lectures Physiology or Medicine 1963–1970, Amsterdam: Elsevier 1972 ▪ The Excitement and Fascination of Science, Bd. 2, S. 227–240, Palo Alto: Annu. Rev. 1978.

Granite. Helle, mittel- bis grobkörnige, meist massige holokristalline (vollständig kristallisierte), zu den Plutoniten gehörende, saure (72% SiO_2) *magmatische Gesteine, die vorwiegend aus *Quarz (20–60% der hellen Minerale) u. *Feldspäten bestehen, wobei Alkalifeldspäte (Orthoklas u./od. Mikroklin) zwischen 90 u. 35% (bei *Alkalifeldspat-G.* >90%) u. Na-reiche Plagioklase (s. Feldspäte) zwischen 10 u. 65% des Gesamtfeldspat-Gehaltes ausmachen; der dem G. ähnliche *Granodiorit* führt 65–90% Plagioklas. Bei den dunklen Mineralen (5–20% des Mineralbestandes) überwiegt der braune bis schwarzbraune *Biotit; daneben treten der silberartig glänzende Glimmer Muscovit (z. B. im *Zweiglimmer-G.*) u. auch *Hornblende (*Hornblende-G.*) auf. Akzessor. Gemengteile (*Gesteine) sind u. a. *Zirkon, *Apatit, *Titanit, *Fluorit, *Turmalin u. *Magnetit. Farbe weiß, grau, gelblich, rötlichgelb od. rosa, seltener auch rot (G. aus Schweden) od. bläulich („Kösseine-G." aus dem Fichtelgebirge). Einige G.-Varietäten sind: *Porphyr. G.* (mit bis mehrere cm großen Feldspat-Einsprenglingen, z. B. die „Kristall-G." des Fichtelgebirges); *Alkali-G.* (mit Na- od. Fe-reichen *Amphibolen wie Riebeckit od. *Pyroxenen wie Ägirin) u. der bräunlichrote *Rapakiwi-G.* [1] (mit bis zu 3 cm großen, lachsbis fleischfarbigen, rundlichen Kalifeldspat-Krist.; z. B. aus Finnland).

Erstarrungsformen, Verwitterung: G.-Schmelzen erstarren in Krustentiefen von 8–5 km zu oft großvolumigen Tiefengesteinskörpern („Granitplutone": Batholithe, Lakkolithe, Stöcke; s. magmatische Gesteine). Bei der Abkühlung entstehen drei ungefähr senkrecht aufeinanderstehende Kluftscharen. Dieses Kluftsyst. erleichtert die Gewinnung von G.-Quadern. Bei *Verwitterung erfolgt oft ein Zerfall in kantengerundete Blöcke („*Wollsäcke*"); Endstadien können *Sand u. Grus u. vollständig in *Ton umgewandelte Feldspäte sein; die Quarzkörner widerstehen jedem Angriff.

Vork.: G. u. Granodiorit sind die am weitesten verbreiteten Plutonite; sie bilden die größten Intrusivkörper der Erde. In riesigen Batholithen im Westen Nordamerikas (z. B. Californien, Idaho, Sierra Nevada). In Mitteleuropa in den Mittelgebirgen (Erzgebirge, Fichtelgebirge, Bayerischer Wald, Schwarzwald, Harz); ferner in Skandinavien, Großbritannien, Frankreich, Italien, Polen.

Entstehung: Zur Entstehung u. Krist. granit. Schmelzen s. Matthes (*Lit.*). Nach der Entstehung unterscheidet man: *I*-Typ-G. (magmat. Ausgangsmaterial), *S*-Typ-G. (sedimentäres, meist durch *Metamorphose überprägtes Ausgangsmaterial), *A*-Typ-G.[2] (anorogene, d. h. nicht an Gebirgsbildungen gebundene G.) u. *M*-Typ-G. (Entstehung aus Material des Erdmantels). Zur Klassifikation der G. s. a. *Lit.*[3].

Verw.[4]: Granit. Gesteine, zu denen in der Naturstein-Ind. auch zahlreiche andere Gesteinsarten mit jeweils bes. Handelsnamen gerechnet werden (vgl. *Lit.*[4] u. Müller, *Lit.*), werden zu über 80% als *Baumaterial* genutzt: Mauersteine, Rand- u. Pflastersteine, Bodenplatten, Straßenschotter, klassiert als Beton- od. Asphalt-Zuschlag; polierte Platten für Fassaden- u. Wandverkleidungen u. Treppen. Knapp 20% in der *Denkmal- u. Grabmal-Fertigung*. Wichtigste Verarbeitungsländer sind Italien, Japan u. Taiwan. Bis 1994 stieg der weltweite Verkauf exportfähiger Rohblöcke[3] auf über 1,5 Mio. m³. – *E* = *F* granites – *I* graniti – *S* granitos
Lit.: [1] Mineralogy and Petrology **52**, 129–185 (1995). [2] Contrib. Mineral. Petrol. **95**, 407–419 (1987). [3] Earth Sci. Rev. **12**, 1–34 (1976). [4] Erzmetall **49**, 286–299 (1996). *allg.:* Dietrich u. Skinner, Die Gesteine u. ihre Mineralien, S. 146–155, Thun: Ott 1984 ▪ MacKenzie et al., Atlas der magmatischen Gesteine in Dünnschliffen, S. 4, 9, 49–60, 114f., Stuttgart: Enke 1989 ▪ Matthes, Mineralogie (5.), S. 197f., 250–258, Berlin: Springer 1996 ▪ Müller, Gesteinskunde (3.), S. 66–72, Ulm: Ebner 1991 ▪ Pitcher, The Nature and Origin of Granite, London: Blackie Academic & Professional 1993 ▪ Wimmenauer, Petrographie der magmatischen u. metamorphen Gesteine, S. 57–81, Stuttgart: Enke 1985 ▪ s. a. magmatische Gesteine, Petrographie. – [HS 2516 11, 2516 12]

Granodine®. Produkte zur Erzeugung von Konversionsschichten auf Eisen, Stahl, Zink od. Aluminium u. Verbundteilen aus diesen Metallen zur Verbesserung des Korrosionsschutzes u. der Haftung von Beschichtungsstoffen. Die Produkte bilden korrosionstechn. bevorzugte Phasen aus z. B. Phosphophyllit od. Mn-Hopeit. Die dichten geschlossenen Phosphat-Überzüge dienen als hervorragender Haftgrund für organ. Beschichtungen, insbes. für kathod. Elektrotauchlacke. *B.:* Henkel.
Lit.: Metalloberfläche 42, Nr. 6, 301–304 (1988).

Granodiorit s. Granite.

Granodraw®. Produkte zur Erzeugung von Zinkphosphat-Schichten für die spanlose Kaltumformung von Eisen-Werkstoffen. *B.:* Henkel.

Granofin®. Nichtion. Lederhilfsmittel auf Polyaldehyd-Basis zur Gerbung u. Färbung. *B.:* Hoechst.

Granufin®. Staubfreie, rieselfähige Pigmentgranulate von Brockhues.

Granuform®. Freifließender, nicht staubender Paraformaldehyd zur Herst. von Phenol-, Harnstoff- u. Melamin-Harzen sowie zur Verbesserung der Rieselfähigkeit von Düngemittel-Harnstoff. *B.:* Degussa.

Granulate. Von latein.: granulum = Körnchen abgeleitete Bez. für Anhäufungen von Granulatkörnchen. Ein Granulatkorn (*Granalie*) ist ein asymmetr. Aggregat aus Pulverpartikeln (ganzen Krist., Kristallbruchstücken od. Drogenpartikeln). Es weist – im Gegensatz zum *Pellet, aber ähnlich wie ein *Agglomerat – keine harmon. geometr. Form auf; die Form einer Kugel, eines Stäbchens, eines Zylinders usw. ist nur ungefähr u. andeutungsweise erhalten. Die Oberfläche ist in der Regel uneben u. zackig, die Masse in vielen Fällen mehr od. weniger porös. Unter *Granulieren* versteht man das Überführen von Pulverteilchen in Granulatkörner, was z. B. zur *Konfektionierung* der *Arzneiformen in der pharmazeut. Ind., für die Düngemittel-Ind. u. die Kunststoff-Ind. wichtig ist. Techn. Ausführungen machen häufig von *Wirbelschichtverfahren – man spricht heute oft vom *Prillen – Gebrauch. Als Kriterium für den Gebrauchswert von G. können die Bestimmung der Schüttdichte nach DIN-ISO 697 (01/1987) u. die Bestimmung des Schüttwinkels nach DIN-ISO 4325 (12/1983) herangezogen werden. Bei NE-Metallen versteht man unter *Granalien* nach DIN 17600 Tl. 4 (Entwurf 07/1987) unregelmäßig geformte Teilchen zwischen 2 u. 50 mm Größe, hergestellt durch Granulieren, Verdüsen, Zerkleinern. – *E* granulates – *F* granulés – *I* granulati – *S* granulados
Lit.: Ullmann (4.) **2**, 313; (5.) **B 2**, 3–34 ▪ Winnacker-Küchler (4.) **1**, 46, 385ff.

Granulieren s. Granulate.

Granulit. Vorwiegend fein- bis mittelkörniges, überwiegend helles („Weißstein"), hochgradig *metamorphes Gestein mit mind. 20 Vol.% *Feldspäten u. häufig platten- bis diskenförmig verformten *Quarz als Hauptbestandteilen in einem geregelten Kornmosaik. Typ. sind ferner (OH)-freie dunkle Minerale (Mafiten) wie *Pyroxene (bes. Hypersthen, bis hin zum dunklen *Pyroxen-G.*) u. *Granat; Nebengemengteile können *Kyanit (Disthen) od. *Sillimanit sein; kein Muscovit (*Glimmer)! Äußeres Erscheinungsbild in erster Näherung dem von *Gneisen ähnlich. Vork. im Sächs. Granulitgebirge, Böhmen, Österreich, Schottland u. a. Verw. für Pflaster-, Mauer-, Bord- u. Feldsteine, Schotter. – *E* = *F* = *I* granulite – *S* granulita
Lit.: Matthes, Mineralogie (5.), S. 364f., 396ff., Berlin: Springer 1996 ▪ Neues Jahrb. Mineral., Monatsh. **1972**, 139–152 ▪ Wimmenauer, Petrographie der magmatischen u. metamorphen Gesteine, S. 234, 267f., Stuttgart: Enke 1985 ▪ s. a. metamorphe Gesteine.

Granulocyten s. Leukocyten.

Granulometrie. Sammelbez. für Meth. zur Untersuchung des Aufbaus körniger Materialien, z. B. *Korngrößen-Analysen durch *Sedimentationsanalyse, *Sieben, *Windsichten etc. – *E* granulometry – *F* granulométrie – *I* granulometria – *S* granulometría
Lit.: Chem. Tech. (Berlin) **33**, 130–134 (1981) ▪ Höfli, Zerkleinerungs- u. Klassiermaschinen, Berlin: Springer 1986.

Granulopent®. Körniges Trockenmittel aus P_2O_5 in 3–6 mm Korngröße. *B.:* Roth.

Granzyme. Gruppe von Serin-Proteinasen (s. Serin-Proteasen; M_R 27000–60000) unterschiedlicher Spezifität, die neben *Perforin von cytotox. T-*Lymphocyten u. *natürlichen Killerzellen in cytoplasmat. Granula gespeichert u. ausgeschieden werden, um Zielzellen (Virus-befallene Zellen od. Krebs-Zellen) zu töten. Dabei wirken Perforin u. die G. synergist., indem erstere sich zu Poren in der Membran zusammenlagern u. den Protein-spaltenden G. das Eindringen in die Zelle gestatten. In der Zelle aktivieren die G. bestimmte andere Proteasen durch proteolyt. Spaltung ihrer Vorstufen, wodurch die Selbsttötung der Zelle (*Apoptose) bewirkt wird. – *E* = *F* granzymes – *I* granzimi – *S* granzimas
Lit.: Cell Death Different. **3**, 269–274 (1996) ▪ Curr. Biol. **6**, 897–899 (1996) ▪ Immunol. Rev. **146**, 21–31 (1995) ▪ Immunol. Today **16**, 202–206 (1995).

Grapefruit. Aus dem Engl. übernommene Bez. für eine im Dtsch. meist als *Pampelmuse* bezeichnete *Citrusfrucht eines 5–7 m hohen, in den Südstaaten der USA, Israel, Südafrika kultivierten Baumes (*Citrus paradisi*). Aus den Schalen der bis zu 6 kg, bei *Shaddock-Pampelmusen* sogar bis 10 kg schweren Früchte gewinnt man ca. 0,6% *G.-Öl*, ein *Citral-artig riechendes, blaßgelbes bis orangegelbes ether. Öl, D. 0,845–0,860, lösl. in 1 Vol. 87%igem Alkohol, enthält ca. 90% *Limonen, ferner *Nootkaton u. a. oxygenierte *Terpene. Das Öl findet in Getränken u. deren Trockenpulvern, Süßspeisen u. in der Kosmetik Verwendung. Aus dem Fruchtfleisch der G. preßt man den in Getränken beliebten *G.-Saft*, wobei 1000 kg G. ca. 400 L Saft geben. Je 100 g des G.-Saftes enthalten ca. 0,4 g Eiweiß, 0,1 g Fette, 9,8 g Kohlenhydrate, ca. 1,5 g Citronensäure, 0,08 g Apfelsäure u. 45 mg Vitamin C; Nährstoffgehalt ca. 167 kJ (40 kcal). Für den leicht bitteren Geschmack ist hauptsächlich das Glykosid *Naringin verantwortlich; weitere Bitterstoffe der G. sind *Neohesperidin u. Ponciren. Mit Hilfe von Naringinase läßt sich G.-Saft entbittern. Schließlich wird die G. auch noch zur Gewinnung des *G.-Kernöls*

ausgenutzt, das bes. reich an *Linolensäure ist. Die in Indonesien heim., etwas dickerschalige, eigentliche *Pampelmuse* (Citrus grandis) wird im allg. als die Stammpflanze der G. angesehen. – *E* grapefruit – *F* pamplemousse, grape-fruit – *I* grape fruit, pompelmo – *S* toronja, pomelo
Lit.: Franke, Nutzpflanzenkunde, 5. Aufl., Stuttgart: Thieme 1992 ■ s. a. Fruchtsäfte. – [HS 0805 40]

Graphit (von griech.: graphein = schreiben). Hexagonal od. rhomboedr. krist., graue bis grauschwarze, undurchsichtige, metall. glänzende, stabile Modif. des *Kohlenstoffs, der außerdem als metastabiler kub. krist. *Diamant, als *Karbin u. *Kohle auftritt. Natürlicher G. kommt selten ganz rein vor u. kann daher beim Verbrennen bis zu 20% Asche hinterlassen, D. 2,1–2,3, in reinstem Zustand 2,265. G.-Krist. sind selten, meist bildet er schuppige, erdige Massen. G. ist sehr schwer zu verbrennen; man kann ihn in nicht oxidierender Atmosphäre bis 2500 °C, an Luft jedoch nur bis ca. 400 °C als Werkstoff verwenden; MAK 6 mg/m³. Unter Normaldruck hat G. keinen Schmp.; er wird >2500 °C plast. verformbar u. subl. bei ca. 3750 °C. Der *Tripelpunkt aus dem Kohlenstoff-Diagramm liegt für G.-Diamant-Flüssigkeit bei 3830–3930 °C u. einem Druck von 12 MPa; über die Reaktionsbedingungen für die techn. Umwandlung von G. in Diamanten s. dort. Im Vak. oberhalb ca. 3300 °C verdampft G. als C_2 (*Lit.*[1]). Da G. Metallglanz sowie eine beachtliche Wärme- u. Elektrizitätsleitfähigkeit besitzt, kann man ihn auch als „metall." Kohlenstoff-Modif. bezeichnen.
Im Vgl. zu dem Diamanten ist G. auffallend weich. Er hat die Härte 1, fühlt sich daher bei der Berührung weich, fettig an, gibt auf Papier einen schwarzen Strich [daher Verw. als sog. *Reißblei (Wasserblei) u. in Bleistiften] u. eignet sich ausgezeichnet zu Schmiermitteln. Diese merkwürdige Eigenschaft erklärt sich aus dem bes. Bau des Kristallgitters, der von Debye, Scherrer, Mark, Otto u. Grimm (seit 1917) aufgeklärt wurde (s. Abb.). Danach gehen von jedem Kohlenstoff-Atom (z. B. dem Atom A) in einer Ebene drei *Sigma-Bindungen zu den benachbarten Atomen B, C u. D; es entstehen auf diese Weise ähnliche Sechsecke wie bei der *Benzol-Formel. Da jedes Kohlenstoff-Atom so nur drei seiner vier Außenelektronen betätigt, steht das vierte Valenzelektron für die Bildung einer zusätzlichen, nichtlokalisierten *Pi-Bindung zu Verfügung. Die π-Elektronen zeigen metall. Beweglichkeit, sie bilden ein *Elektronengas, ähnlich wie Elektronen in *kondensierten Ringsystemen, in denen die Elektronen-*Delokalisierung eine Voraussetzung für die *Aromatizität des Syst. ist. Dies erkennt man an der tiefschwarzen Farbe u. dem therm. u. elektr. Leitvermögen des G. im Gegensatz zum Diamanten, in dem alle σ-Elektronen in Bindungen mit Nachbar-C-Atomen „beschäftigt" sind. Zwischen den Schichten, deren Abstände (z. B. A–E) mit 335,4 pm viel größer sind als die Abstände A–B (142,10 pm), sind nur relativ schwache *van-der-Waals-Kräfte (s. a. chemische Bindung) wirksam. Daher lassen sich die Schichtebenen (I, II, III) relativ leicht gegeneinander verschieben, was die oben genannten Eigenschaften erklärt. Auf diese *Anisotropie (vgl. *Lit.*[2]) ist auch zurückzuführen, daß G. senkrecht zu den Schichtebenen elektr. nahezu ein *Isolator, parallel aber ein guter Leiter ist.

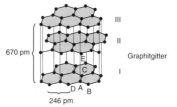

Abb.: Kristallgitter des Graphits.

Im hexagonalen G. ist die dritte Schicht – wie in der Abb. dargestellt – genau über der ersten angeordnet (Schichtfolge A; B; A; B; ...); im rhomboedr. G. liegt erst die vierte Schicht über der ersten (Schichtfolge A; B; C; A; ...). Dieses Kristallgitter wird bei natürlichem G. häufig angetroffen u. kann durch Wärmebehandlung in das hexagonale Gitter umgewandelt werden. Die chem. Reaktionen des G. – er ist etwas leichter angreifbar als Diamant – hängen ebenfalls überwiegend mit der Schichtstruktur zusammen: In die Zwischenräume der Schichtebenen können Fremdatome u. sogar Verb. eingelagert werden (*Interkalation*), bei der Einwirkung starker Oxidationsmittel, z. B. Sauerstoff. Näheres zu derartigen *nichtstöchiometrischen Verbindungen s. bei Graphit-Verbindungen. Chlor greift G. u. Kohle nicht merklich an, Fluor erst oberhalb 500 °C, Laugen in wäss. Lsg. gar nicht, u. Wasserstoff bildet mit G. nur bei sehr hohen Temp. geringe Mengen von Methan u. Acetylen; allerdings treten auch während mechan. Zermahlungsprozesse chem. Reaktionen mit H_2 (auch N_2) ein, vgl. *Lit.*[3]. Das einzige Lsm. für G. ist geschmolzenes Eisen: Im *Gußeisen: scheidet sich G. als *Lamellen-* od. *Kugelgraphit* z. T. aus u. bewirkt die graue Farbe beim Grauguß.
Vork.: G. findet sich bes. in Gebieten starker Metamorphose, wo Erstarrungsgesteine (insbes. *Gneis) an Schichtgesteine angrenzen. Wahrscheinlich wurden die Kohlen in den Schichtgesteinen durch eindringendes Magma sehr stark unter Luftabschluß erhitzt u. dabei in G. übergeführt. Wichtige G.-Lager – man unterscheidet hierbei den mikrokrist. *Pudergraphit* von dem großkrist. *Flinz-* od. *Flockengraphit* – sind bei Passau (Kropfmühl), in der Steiermark, Madagaskar, Sri Lanka, Mexiko, Nord- u. Südkorea, ČSSR, der ehem. UdSSR, China, Norwegen u. USA. Wegen des großen Bedarfs wird G. auch in erheblichem Umfang synthet. hergestellt. Die sog. *Kunstkohle* wird aus *Petrolkoks (Erdölrückständen) unter Zugabe eines Bindemittels (Steinkohlenteerpeche) durch Formpressen u. Brennen (800–1300 °C) fabriziert u. kann bei Bedarf *graphitiert* werden. Die Herst. dieses *Elektrographits* erfolgt in speziellen Öfen, deren Konstruktion auf E. G. *Acheson zurückgeht. Einen nuklearreinen G. erhält man aus dem Asphaltit *Gilsonit. Neuere Techniken erlauben die Herst. von Kohlenstoff in Form von Folien u. Membranen, als Schaumkohlenstoff, aufgedampfte Schichten (*Pyrokohlenstoff*), glasartiger Kohlenstoff u. Fasern (s. Kohlenstoff-Fasern); durch Zers. von Kohlenwasserstoffen bei 800 °C an glatten Oberflächen entstandener *Glanzkohlenstoff* besteht aus

winzigen (Durchmesser ca. $2 \cdot 10^{-7}$ cm) verzerrten G.-Kriställchen. Näheres zu den verschiedenen G.-Herstellungsverf. s. bei Kirk-Othmer, Ullmann u. Winnacker-Küchler (*Lit.*).

Verw.: In erheblichen Mengen als Elektrodenmaterial für Lichtbogenöfen, wäss. u. Schmelzfluß-Elektrolysen bei der Erzeugung von Metallen (Stahl, Aluminium, Natrium, Leg.), Korund, Chlor, Alkalien etc., als leitendes Material in der Elektro-Ind. (Kohlebürsten, Bogenlampen), für spektroskop. Elektroden u. Pulver, für Gießformen u. Ofenauskleidungen bes. in der *Metallurgie, als korrosionsbeständiger Werkstoff (durch Imprägnieren mit wärmehärtenden Kunststoffen läßt sich der sonst poröse G. gasdicht machen) im Chemieapparate-Bau, auch für Dichtungen od. als Berstscheiben, für Labor-Heizbäder, als *Wärmeaustauscher usw., in Form von G.-Verb. für chem. Synth., in der *Kerntechnik als Moderator in Reaktoren – wo der *Wigner-Effekt (*Lit.*[4]) eine Rolle spielen kann –, als leichtes Konstruktionsmaterial u. zur Ablativkühlung in der Raumfahrt, auch in superharten Verbundwerkstoffen mit Tantal, für faserverstärkte Kunststoffe (s. Kohlenstoff-Fasern), als Schmiermittel, zum Leitendmachen von Textilgeweben, für Bleistiftminen, als Umkehrphase in der *HPLC u. a. mehr. – *E = F* graphite – *I* grafite – *S* grafito

Lit.: [1] J. Chem. Phys. **51**, 3231–3240 (1969). [2] Endeavour **24**, 63–68 (1965). [3] Nature (London) **215**, 388 f. (1967). [4] J. Nucl. Mater. **133/134**, 361–364 (1985).
allg.: Kirk-Othmer (3.) **4**, 556–631, 689–709; (4.) **4**, 949–1015, 1097–1117 ▪ Ullmann (4.) **14**, 596–620; (5.) **A 5**, 98–124 ▪ Winnacker-Küchler (4.) **3**, 278–305, 308 f. –
[HS 3801 10, 3801 20, 2504 10, 2504 90; CAS 7782-42-5]

GRAPHITAN®. Spezielle Effektpigmente für Kunststoffe u. Automobillacke u. Anstrichstoffe. *B.:* Ciba.

Graphitfasern s. Kohlenstoff-Fasern.

Graphitoxid, -säure s. Graphit-Verbindungen.

Graphit-Verbindungen. Aufgrund seiner Schichtgitterstruktur ist *Graphit in der Lage, spezielle Formen von *Einlagerungsverbindungen zu bilden. In diesen sog. *Zwischengitter-* od. *Interkalationsverbindungen* sind Fremdatome od. -mol. – in z. T. stöchiometr. Verhältnissen – in die Räume zwischen den Kohlenstoff-Ebenen aufgenommen worden. In solchen lamellaren Verb. bleiben die elektr. Eigenschaften des Graphits erhalten od. können sogar noch erheblich verbessert sein. In den G.-V. können die Einlagerungsschichten durch eine unterschiedliche Anzahl von C-Ebenen (sog. *Stufen*) getrennt, die Besetzungsdichten der Interkalationsschichten verschieden groß u. – je nach der Natur der eingelagerten Verb. – das Schichtgitter stark aufgeweitet sein. Zwischen Gastmol. u. Graphit-Wirtsgitter bilden sich im allg. ion. Bindungen aus; Elektronendonatoren (z. B. Metalle) reduzieren, Elektronenakzeptoren (z. B. Halogene) oxidieren den Graphit. Halogene, Alkali- u. Erdalkalimetalle, Metallhalogenide, -sulfide u. -oxide (z. B. $FeCl_3$, $AlCl_3$, SbF_5, CrO_2F_2, CrO_3, Sb_2O_4, Sb_2S_3, CuS, FeS_2, WS_2), Säuren, aber auch Edelgas-Verb. können in dem Graphitgitter aufgenommen werden. Chlor u. Brom werden mol. als X_2^- eingelagert; Iod reagiert nicht, zur Reaktion zwischen Fluor u. Graphit s. unten. Alkali-G.-V. entstehen aus den geschmolzenen od. dampfförmigen Metallen u. Graphit in den Stufen 1–4 mit der ungefähren Zusammensetzung C_8M, $C_{24}M$, $C_{36}M$, $C_{48}M$ (M=Ca, Rb, Cs). C_8M ist goldfarben, die anderen sind blau. Lithium bildet goldgelbes C_6Li; Natrium-G.-V. sind schwer herstellbar. Erdalkali- u. Seltenerdmetall-G.-V. sind gelb u. haben die Summenformel C_6M (M=Ca, Sr, Ba, Eu, Sm, Tm, Yb). *Kaliumgraphit* (C_8K) ist ein nützliches Reagenz in der organ. Synth. z. B. bei Alkylierungen u. als selektives Reduktionsmittel für aktivierte Doppelbindungen. *CrO_3-* od. *Cr_5O_8-Graphit* ist ein selektives Oxidationsmittel für prim. u. sek. Alkohole, das zu Aldehyden u. Ketonen führt (s. Lalancette-Reagenz). *Aluminiumchlorid-Graphit* ($C_{27}Al_3Cl_{10}$, tief dunkelblaue, glänzende, stark gequollene, hygroskop. Krist.) ist als selektiv wirkender Friedel-Crafts-Katalysator brauchbar, tiefblaues *Graphithydrogensulfat* ($C_{24}[HSO_4] \cdot 2,4\,H_2SO_4$) ist ein ausgezeichneter Veresterungskatalysator. G.-V. mit Metallfluoriden wie AsF_5. SbF_5 zeigen ausgezeichnete *elektrische Leitfähigkeit (sie liegt in der Größenordnung von der des Silbers), sind aber feuchtigkeitsempfindlich. „Synthet. Graphit-Metalle" entstehen aus Graphit u. starken Säuren in Ggw. von Oxidationsmitteln; man kann sie als Graphit-Nitrat, -Hydrogensulfat, -Perchlorat, -Hydrogenphosphat ansprechen. Diese G.-V., deren Dicke die des Graphits um das 80fache übersteigen kann, lassen sich unter geeigneten Bedingungen wieder in einen Graphit überführen, dessen blättrige Teilchen zu Folien u. Laminaten gepreßt werden können u. als Dichtungsmaterial, in Berstscheiben u. als *Asbest-Ersatz Verw. finden.

In einer zweiten Gruppe von G.-V. bilden die Reaktionspartner kovalente Bindungen aus. Es sind stöchiometr. G.-V., die meist ausgesprochene Nichtleiter u. ungefärbt sind, wie z. B. das aus Graphit u. Fluor bei 400 °C entstehende graue (in reinster Form durchsichtig weiße) „Kohlenstoffmonofluorid" (CF), das als korrosionsbeständiges Schmiermittel Verw. findet. Nicht vollständig fluoriertes Graphitfluorid, $CF_{0,8-0,9}$, ist schwarz, leitet den Strom, u. wird als Elektrodenmaterial in Knopfzellen eingesetzt. Die sog. *Graphitsäure* (*Graphitoxid*) entsteht als grünlich-gelbe Blättchen bei Oxid. von Graphit mit Kaliumchlorat in Schwefelsäure-Salpetersäure-Gemisch. Die zuletzt erwähnten G.-V. explodieren beim Erwärmen. Gelegentlich rechnet man auch *Kohlenoxidkalium zu den Graphit-Verbindungen. – *E* graphite compounds – *F* composés de graphite – *I* composti di grafite – *S* compuestos de grafito

Lit.: Bruce u. O'Hare (Hrsg.), Inorganic Materials, S. 216 ff., Chichester: Wiley 1992 ▪ Hollemann-Wiberg (101.), S. 845–848 ▪ Kirk-Othmer (3.) **4**, 695 ff.; (4.) **1**, 102 ff. ▪ Tanuma u. Kamimura, Graphite Intercalation Compounds, Singapore: World Scientific 1985 ▪ Ullmann (5.) **A 5**, 122 f. ▪ Watanabe, Graphite Fluorides, Amsterdam: Elsevier 1988.

Graphtol®. Marke für organ. Farbpigmente mit sehr guten Verarbeitungsechtheiten von Sandoz.

Gras s. Gräser.

GRAS. Abk. für „*G*enerally *R*ecognized *as S*afe", eine von Experten für die amerikan. *FDA erteilte Unbedenklichkeitserklärung für Lebensmittelinhalts- u.

-zusatzstoffe wie Kochsalz, Natriumglutamat, Farbstoffe, Aromen, Würzstoffe etc. – *E* generally recognized as safe
Lit.: Dev. Ind. Microbiol. **28**, 25 (1987) ▪ Poundage of Food Chemicals Generally Recognized as Safe, Washington: Nat. Res. Council 1978.

Grassan®. Sortiment von Fettungsmitteln für die Leder-Herst. u. Pelzveredelung auf der Basis sulfatierter u. sulfitierter pflanzlicher u. tier. Öle, z. T. mit nichtion. Emulgatoren. *B.:* Henkel.

Graßl, Hartmut (geb. 1940) Prof. für Allg. Meteorologie, Univ. Hamburg. Seit 1988 Direktor am MPI für Meteorologie, Hamburg. *Arbeitsgebiete:* Klimaforschung, Ozon-Zerstörungspotential emittierter Stoffe. Mitglied der Enquete-Kommission „Schutz der Erdatmosphäre" des 12. Dtsch. Bundestags von 1990–1994.

Graue Literatur. Begriff für Lit., die aus verschiedenen Gründen schwer zugänglich ist, sei es, daß die betreffende Monographie od. Zeitschrift in nur geringer Aufl. hergestellt wurde od. nur von regionaler Bedeutung u. in Bibliotheken aufgestellt ist, die nicht der *Fernleihe angeschlossen ist, od. infolge Kriegseinwirkung verloren ging. In der Regel sind die hierunter einzustufenden Arbeiten auch nicht im Buchhandel beschaffbar.

Graue Salbe s. Quecksilber.

Grauguß (GG). Noch übliche Bez. für *Gußeisen, hergeleitet von der grauen Bruchfläche des Graugusses. Die Abk. GG für G. fand auch in der Normbez. der G.-Sorten ihren Ausdruck, z. B. GGL (für G. mit Lamellengraphit [1]) u. GGG (für G. mit Kugelgraphit [2]). G. ist als Temperguß [3] sowie als verschleißfester G.[4] auch in wärmebehandelter Form verfügbar, ebenso wird G. in hochlegierten Varianten [5] erschmolzen. Einzelheiten s. Gußeisen. – *E* grey cast iron – *F* fonte grise – *I* ghisa grigia – *S* fundición gris
Lit.: [1] DIN 1691 (05/1985). [2] DIN 1693 (10/1973). [3] DIN 1692 (01/1982). [4] DIN 1695 (09/1981). [5] DIN 1694 (09/1981).

Grauspießglanz s. Antimonit.

Grauwacke. Sammelbez. für dunkelgraue bis grüngraue, meist stark verfestigte *klastische (Sediment-)Gesteine (Gesteinsfragment-Sandsteine bei Tucker, s. *Lit.*) aus *Quarz, Gesteinsbruchstücken, *Feldspäten, *Chlorit, *Glimmer u. >15% überwiegend toniger Matrix, die oft alle Merkmale von *Turbiditen zeigen. Chem. unterscheiden sich G. häufig durch $K_2O < Na_2O$ von den übrigen *Sandsteinen. Vork. z. B. Rhein. Schiefergebirge, Harz, Frankenwald, Großbritannien. Verw. als Bau-, Pflaster- u. Mühlsteine. – *E* greywacke – *F* grauwacke, grès des houillières – *I* grovacche, gravacche – *S* grauvaca
Lit.: Füchtbauer (Hrsg.), Sedimente u. Sedimentgesteine (Sediment-Petrologie Teil II) (4.), S. 99–104, Stuttgart: Schweizerbart 1988 ▪ Matthes, Mineralogie (5.), S. 320f., Berlin: Springer 1996 ▪ Tucker, Einführung in die Sedimentpetrologie, S. 54ff., Stuttgart: Enke 1985 ▪ s. a. Sedimentgesteine.

Gravimetrie (Gewichtsanalyse). Teilgebiet der *chemischen Analyse, insbes. der *quantitativen Analyse. Zur G. gehören method. alle Verf., bei denen die Quantifizierung eines Stoffes od. einer Stoffgruppe aufgrund von Wägungen erfolgt. Hierbei kann man drei Teilgebiete unterscheiden. Bei der *Fällungsanalyse* erfolgt das Ausfällen gelöster Substanzen durch die Zugabe von Fällungsmitteln. In der elektrogravimetr. Analyse, der *Elektrogravimetrie*, werden Elemente od. auch Verb. (als Oxide definierter chem. Zusammensetzung nach anod. Abscheidung) mittels elektr. Stromes auf der Elektrodenoberfläche abgeschieden. In der *Thermogravimetrie* werden Massenänderungen einer festen Probe in Abhängigkeit von der Temp. bestimmt.

Die Fällungsanalyse beruht auf dem geringen *Löslichkeitsprodukt des gebildeten *Niederschlags u. auf den Gesetzmäßigkeiten des *Massenwirkungsgesetzes. Die Fällungsbedingungen sind darauf ausgerichtet, die interessierende Verb. ausschließlich u. quant. abzuscheiden sowie hinreichend große Teilchen zu erhalten, um diese ohne Schwierigkeiten abfiltrieren od. zentrifugieren, auswaschen u. trocknen zu können. Für die gravimetr. Bestimmung muß der Niederschlag für die Auswaage (nicht schon bei der Fällung) in einer definierten Zusammensetzung, in einer sog. *Formelreinheit*, vorliegen. Aus dem Verhältnis der molaren Massen, den gravimetr. *Faktoren, wird das Analysenergebnis mit Hilfe stöchiometr. Proportionen berechnet. *Beisp.:* Bestimmung des Chlor-Gehaltes von Chloriden durch Wägen des unlösl. Silberchlorids bei Zusatz von Silbernitrat. Blei wird mit Schwefelsäure als Bleisulfat ausgefällt u. gewogen. Eisen wird zunächst mit Salpetersäure zu Eisen(III)-nitrat oxidiert, mit Ammoniak ausgefällt, durch Glühen in Fe_2O_3 umgewandelt u. gewogen.

In der Praxis ist die G. bei gestiegenen Anforderungen an die Empfindlichkeit der Bestimmungsmeth. weitgehend durch instrumentelle Meth. ersetzt worden. Einige analyt.-quant. Aufgaben werden auch heute noch durch G. gelöst, wobei von Vorteil ist, daß es sich um eine Absolutmeth. (keine Kalibrierung) handelt. Von Nachteil ist der hohe Zeitbedarf u. Arbeitsaufwand. – *E* gravimetric analysis – *F* gravimétrie – *I* gravimetria – *S* gravimetría
Lit.: Kunze, Grundlagen der quantitativen Analyse, 3. Aufl., Stuttgart: Thieme 1990 ▪ Müller, Lehr- u. Übungsbuch der anorganischen analytischen Chemie, Bd. 3, 7. Aufl., Frankfurt: Deutsch 1992 ▪ Schwedt, Analytische Chemie, S. 75–81, Stuttgart: Thieme 1995.

Gravitan®. Füll- u. Beschwerungsmittel für Textilien aller Art auf der Basis organ. Salze. *B.:* Dr. Th. Böhme KG.

Gravitation. Anziehung, die zwei Massen aufeinander ausüben. Nach dem zuerst von Sir I. *Newton formulierten Gravitationsgesetz ziehen sich zwei punktförmige Massen m_1 u. m_2, die den Abstand r zueinander haben, mit der Kraft

$$F = G \cdot \frac{m_1 \cdot m_2}{r^2}$$

an, wobei G die *Gravitationskonstante* $[G = 6{,}67259(85) \cdot 10^{-11}\ m^3 \cdot kg^{-1} \cdot s^{-2}]$ ist. Das Gravitationsgesetz ist formal mathemat. dem *Coulombsches Gesetz ähnlich; während die Coulomb-Kraft je nach Vorzeichen der Ladungen anziehend od. abstoßend ist, herrscht bei der G. immer eine anziehende Kraft.

Gravitationslinse

Die Gravitationskraft F, mit der eine Masse m auf der Erdoberfläche zum Erdmittelpunkt hin gezogen wird, schreibt man vereinfachend auch als F = m · g. Die *Fallbeschleunigung* g (auch Erdbeschleunigung genannt) ergibt sich aus der Erdmasse M u. dem Erdradius R zu:

$$g = G \cdot \frac{M}{R^2}$$

Da die Erde keine ideale Kugel ist u. auch keine homogene Masseverteilung besitzt, hängt der Wert der Fallbeschleunigung vom geograph. Ort ab. Äquator: g = 9,78 m · s^{-2}, 45ster Breitengrad: g = 9,81 m · s^{-2}, an den Polen: g = 9,83 m · s^{-2} jeweils auf Meeresniveau. Als *Normalfallbeschleunigung* hat man festgelegt: g_n = 9,80665 m · s^{-2} (*Lit.*[1]). Eine Tab. der Fallbeschleunigung an verschiedenen Orten der Erde u. von der geograph. Breite s. *Lit.*[2].

Aufgrund der G. entmischen sich Flüssigkeiten mit unterschiedlicher Dichte. Deshalb können auf der Erde bestimmte Leg. nicht hergestellt werden. Von Schmelzversuchen, die unter fast Schwerelosigkeit (Restfallbeschleunigung 10^{-3} bis 10^{-6} g, *Milligravitation* bzw. *Mikrogravitation*) durchgeführt werden, verspricht man sich Materialien mit bes. Eigenschaften. Experimente unter fast Schwerelosigkeit können in Satelliten durchgeführt werden, die sich auf einer Kreisbahn um die Erde bewegen (Zentrifugalkraft hebt Gravitationskraft auf), wie z. B. der D1-Mission, od. in Flugzeugen, die in einer Parabelflugbahn auf die Erde zufliegen (*Lit.*[3]). Auch auf der Erde sind Experimente unter Mikrogravitation möglich, indem man die Materialien frei fallen läßt. Hierzu wurde für das Zentrum für angewandte Raumfahrttechnik u. Mikrogravitation (ZARM) an der Universität Bremen ein Fallturm mit einer 110 m langen Fallröhre gebaut. Die Röhre mit einem Durchmesser von 3,5 m wird auf 1 Pa evakuiert u. ermöglicht für 4,5 s Mikrogravitation (Experimentapparatur bis 2 m Länge, 40 cm Durchmesser u. 200 kg Gew. wird in einer Kapsel untergebracht). In Zukunft wird eine Abschußvorrichtung die Kapsel senkrecht nach oben katapultieren, wodurch sich die Flugzeit auf 9 s verlängert. (*Lit.*[4]). Aufgrund der neuesten Erfolge, neutrale *Antimaterie herzustellen, wird nun der Frage nachgegangen, ob Materie u. Antimaterie in einem Gravitationsfeld in gleicher Weise beeinflußt werden. Neue Fortschritte bei der *Interferometrie mit Atomen u. *Elementarteilchen erlauben es, das von *Einstein angenommene Äquivalenzprinzip (Gleichheit von Träger u. schwerer Masse) zu überprüfen, womit die allg. *Relativitätstheorie steht od. fällt[5]. – *E = F gravitation – I gravitazione – S gravitación*

Lit.: [1] Kohlrausch, Praktische Physik, Bd. 1, Stuttgart: Teubner 1985. [2] Kohlrausch, Praktische Physik, Bd. 3, Stuttgart: Teubner 1986. [3] Phys. Unserer Zeit **16**, 101 (1985). [4] Phys. Bl. **45**, 339 (1989); **49**, 307 (1993); **50**, 350 (1994). [5] Phys. Unserer Zeit **25**, 36–43 (1994); Phys. Bl. **49**, 1013ff. (1993).

Gravitationslinse. Nach der 1913 von A. *Einstein publizierten allg. *Relativitätstheorie wird Licht (*Photonen) beim Durchlaufen eines Gravitationsfeldes um einen bestimmten Winkel abgelenkt. Eine erste experimentelle Bestätigung wurde bei der Sonnenfinsternis 1919 von Sir A. Eddington erhalten u. verhalf Einsteins Theorie dazu, weltweit anerkannt zu werden. Befindet sich auf der Verbindungslinie zwischen einem emittierenden Stern (od. einem Quasar) u. dem Beobachter auf der Erde eine Galaxie (od. ein anderer Stern mit großer Masse), so kann Licht, das von dem emittierenden Stern zunächst nicht in Richtung Erde ausgesandt wurde, durch das Gravitationsfeld der dazwischenliegenden Galaxie so abgelenkt werden, daß es zur Erde gelangt. Die Ablenkung an den Spiralarmen von Galaxien führt dazu, daß der Stern doppelt od. noch mehrfacher erscheint; man kennt heute mind. 17 derartige Objekte. Ist die Massenverteilung der ablenkenden Masse symmetr. u. liegen Beobachter, emittierender Stern u. ablenkende Masse exakt auf einer Linie, wird der emittierende Stern als Ring beobachtet (s. Abb.).

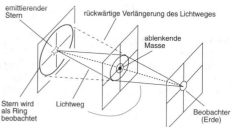

Abb.: Wirkungsweise von ablenkender Masse als Gravitationslinse, ringförmige Abbildung eines Sterns.

Die ablenkende Masse wirkt wie eine Linse (G.). Diese ringförmige Abb. eines Sterns, auch *Einstein-Ring* genannt, wurde kürzlich im Sternbild des Löwen durch Radioteleskope beobachtet. Da der Ringdurchmesser nur zwei Bogensekunden groß ist, war die Anlage des Very Large Array (VLA) Interferometer-Radioteleskops bei Socorr in New Mexico notwendig. In dieser Anlage werden 27 Schüsselantennen, die über einem Bereich von 40 km verteilt sind, aneinander gekoppelt u. ergeben eine Winkelauflösung von 0,4 Bogensekunden. Die bislang detaillierteste Aufnahme eines Galaxienhaufens, der als G. wirkt, gelang mit dem Hubble-Weltraumteleskop[1]. – *E gravitational lens – F lentille gravitationnelle – I lente gravitazionale – S lente gravitacional*

Lit.: [1] Phys. Unserer Zeit **26**, 119 (1995).

allg.: Phys. Unserer Zeit **19**, A 49 (1988) ▪ Sci. Am. **259**, 26 (1988) ▪ Spektrum Wiss. **1995**, Nr. 5, 56–67.

Gravitationswellen. Während in der Newtonschen Physik die Geometrie des Raumes eben ist (die Winkelsumme in einem Dreieck beträgt 180°) u. Licht sich grundsätzlich gerade ausbreitet, ist dies nach der allg. Relativitätstheorie von Einstein nicht der Fall (s. Gravitationslinse). Die Materie prägt dem Raum eine Krümmung auf u. der Raum diktiert der Materie die Bewegung. Bildhaft kann man sich dies so vorstellen: Eine Eisenkugel, die auf eine große gespannte Gummimembran gelegt wird, drückt diese trichterförmig ein, wobei die Tiefe des Trichters durch die Masse der Eisenkugel gegeben wird. Eine weitere kleine Kugel, die auf der Membran entlang rollt, muß sich nach der aufgeprägten Krümmung richten. So wie ein zeitlich veränderliches elektr. u. magnet. Feld zur Aussendung einer elektromagnet. Welle (z. B. Radiowellen, Licht usw.) führt, so sollte in gleicher Weise ein zeitlich veränderliches Gravitationsfeld (bildhaft: Massenverteilung der Eisenkugel auf der Gummimembran schwingt) G. erzeugen. Da Massen nur pos. Vorzeichen haben, kann keine Dipolstrahlung entstehen wie bei elektromagnet. Wellen, sondern die niedrigste Multipolstrahlung ist eine Quadropolstrahlung. Eine G. läßt auf ein Objekt eine zeitabhängige, gezeitenartige Kraft wirken, die zur Änderung des Abstandes zwischen Punkten im Raum führt. Man erhält eine Kontraktion in der einen Richtung u. eine Expansion in der anderen Richtung, u. da G. transversale Wellen sind, steht die zu beobachtende Raumdehnung senkrecht auf der Ausbreitungsrichtung der Welle (s. Abb.).

Abb.: Objekt-Kontraktion u. -Expansion durch Gravitationswellen.

Die Bewegung der Erde um die Sonne sendet kaum G. aus, da die Erdmasse u. die damit verbundene Raumdehnung zu klein ist. Auch der kugelsymmetr. Zusammenbruch eines Sternes (bildhaft: Eisenkugel auf der Gummimembran schrumpft) erzeugt keine Gravitationswellen. Da sich aber die meisten Sterne um ihre eigene Achse drehen, wird ein Zusammenbruch selten kugelsymmetr. erfolgen. Vor kurzem hat man erkannt, daß Gravitationsereignisse, wie *Supernova-Explosionen od. Verschmelzung zweier Sterne in schwarzen Löchern Eigenschwingungen erzeugen, die aufgrund der Abstrahlung von G. gedämpft werden.
In den 70er Jahren begann Prof. J. Weber an der Universität Maryland (USA) mit der experimentellen Suche nach Gravitationswellen. Die von ihm aufgebauten Detektoren waren große Aluminium-Zylinder mit einer Masse von einer Tonne, die durch G. zu Schwingungen in ihrer Längsrichtung angeregt werden sollten. Die Häufigkeit der von Weber berichteten Signale war so groß, daß sie mit den bisherigen Vorstellungen über Alter u. Aufbau der Milchstraße nicht in Einklang gebracht werden konnten. Nachgebaute u. verbesserte Apparaturen haben mittlerweile Empfindlichkeiten, so daß Amplituden (Dehnungen $\Delta L/L$) von 10^{-16} festgestellt werden können. Dies entspricht Relativbewegungen der Zylinderendflächen von weniger als einem Atomkern-Durchmesser[1]. Selbst diese Empfindlichkeit reichte nicht aus, um die nach der Theorie zu erwartenden viel kleineren Signalamplituden zu registrieren. Eine Supernova in unserer Galaxie (Milchstraße) ist ein Ereignis, das im Mittel alle 30 Jahre stattfindet u. würde auf der Erde eine Amplitude von 10^{-18} erzeugen. Die kürzliche Supernova in der großen Magellanschen Wolke, einer Nachbargalaxie der Milchstraße, sollte auf der Erde G. von 10^{-19} hervorrufen. Pulsare sollten G. mit sehr konstanter Frequenz abstrahlen[2]. Z.Z. werden *Laser-Interferometer, ähnlich einem *Michelson-Interferometer aufgebaut, bei denen die Raumdehnung durch Längenänderung eines Schenkels beobachtet werden soll. Die Empfindlichkeit wächst mit der Schenkellänge; deshalb wurde sie durch Einbau eines *Fabry-Pérot-Interferometers vergrößert, in dem das Licht bis zu 10 000 mal hin u. her läuft, od. durch Schenkellängen von 3 km [bei Hannover (GEO 600[3]) bzw. 4 km [eines in Süd-Kalifornien u. eines in Maine (USA), die elektron. gekoppelt werden, so daß sie als eine Beobachtungsstation wirken]. Die Empfindlichkeit dieser Syst. wird mit 10^{-21} abgeschätzt. – *E* gravitational waves – *F* ondes de gravitation – *I* onde gravitazionali – *S* ondas gravitacionales
Lit.: [1]Phys. Unserer Zeit **8**, 146 (1977). [2]Phys. Unserer Zeit **24**, 253 (1993). [3]Phys. Bl. **50**, 429 (1994).
allg.: Phys. Bl. **49**, 103–108 (1993) ■ Phys. Unserer Zeit **16**, 138 (1985); **17**, 142 (1986) ■ Sci. Am. **256**, Nr. 6, 50 (1987).

Gravitonen s. Elementarteilchen.

Gray (Kurzz. Gy). Nach dem engl. Physiker Harold Gray (1905–1965), er verfaßte grundlegende Arbeiten zur *Dosimetrie ionisierender Strahlen u. zur *Strahlenbiologie) benannte *Einheit für die Energie-*Dosis: 1 Gy = 1 J/kg. Die früher gebräuchliche Einheit Rad (Radiation Absorbed Dose), Kurzz. rd, rechnet sich um gemäß: 1 rd = 0,01 Gy bzw. 1 Gy = 100 rd. Die Energiedosis D gibt die Energiemenge dE an, die durch ionisierende Strahlung auf die Materiemasse dm übertragen wird: D = dE/dm. – *E* = *F* = *I* = *S* Gray
Lit.: Petzold u. Krieger, Dosimetrie u. Strahlenschutz, Stuttgart: Teubner, 1988 ■ Kohlrausch, Praktische Physik, Bd. 2, S. 654 ff., Stuttgart: Teubner 1985.

Grayanotoxine.

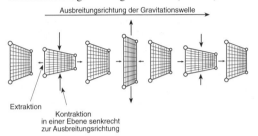

	R¹	R²	R³	
	OH	CH₃	CO—CH₃	G.I
		CH₂	H	G.II
	OH	CH₃	H	G.III

Tox. *Diterpenoide aus Blättern von Ericaceae-Arten, z.B. *Rhododendron maximum* od. *Leucothoe grayana*. Auch im Honig von *Rhododendron*-Blüten finden sich Grayanotoxine. Ca. 25 G. wurden isoliert, die größte Bedeutung besitzen G. *I, II, III*:

Tab.: Daten von Grayanotoxinen.

	G. I	G. II	G. III
Synonyme	Andromedotoxin, Rhodotoxin	Desacetylanhydroandromedotoxin	Andromedol, Desacetylandromedotoxin
Summenformel	$C_{22}H_{36}O_7$	$C_{20}H_{32}O_5$	$C_{20}H_{34}O_6$
M_R	412,52	352,47	370,49
Schmp. [°C]	267–270	197–200	218 (Zers.)
opt. Aktivität	$[\alpha]_D -8,8°$ (C_2H_5OH)	$[\alpha]_D^{28} -41,9°$	$[\alpha]_D^{15} -12°$
LD₅₀ (mg/kg)	1,3 (Maus i.p.)	26 (Maus i.p.)	0,8 (Maus i.p.)
CAS	4720-09-6	4678-44-8	4678-45-9

G. wirken – ähnlich wie *Batrachotoxin – neurotox. durch Depolarisation von Nervenzellen, indem sie Natrium-Ionenkanäle öffnen. – *E* grayanotoxins – *F* grayanatoxines – *I* grayanotossine – *S* grayanotoxinas
Lit.: Beilstein E IV **6**, 7930, 7895 ▪ Brain Res. **425**, 364–368 (1987); **448**, 308–312 (1988) ▪ J. Nat. Prod. **53**, 131 (1990) ▪ J. Org. Chem. **59**, 5532 (1994) ▪ Merck-Index (12.), Nr. 4566 ▪ Sax (8.), Nr. AOO 375.

grd. Abk. für *Grad; vorgeschriebenes Zeichen ist °.

Great Lakes. Kurzbez. für die amerikan. Firma Great Lakes Chemical Corp., P.O. Box 2200, West Lafayette, Ind. 47906. *Produktion:* Flammschutzmittel, Pharmazeutika, Brom-Verb., Kraftstoffzusätze, Antioxidantien u. Lichtschutzmittel.

Greenalith. $(Fe^{2+},Fe^{3+})_{5-6}[(OH)_8/Si_4O_{10}]$, meist mikroskop. feinschuppiges, auch kryptokrist., monoklines, zu den *Serpentinen gehörendes grünes bis gelbgrünes Mineral; zur Struktur s. *Lit.*[1]. D. 2,85–3,15. In Lagen u. *Oolith-artigen Körnern.
Vork.: In *gebänderten Eisensteinen, z.B. Mesabi Range/Minnesota/USA, Gunflint Iron Formation in Ontario/Kanada; in Glenluce/Schottland, Provinz Murcia/Spanien. – *E* = *F* = *I* greenalite – *S* greenalita
Lit.: [1] Can. Mineral. **20**, 1–18 (1982).
allg.: Anthony et al., Handbook of Mineralogy, Bd. II, Tl. 1, S. 302, Tucson (Arizona): Mineral Data Publishing 1995 ▪ Ramdohr-Strunz, S. 763. – *[CAS 1318-57-6]*

Green Gold. US-amerikan. Juwelier-*Gold-Legierung mit den Legierungselementen Ag, Cu u. Cd mit unterschiedlichen *Feingehalten. Man unterscheidet folgende Typen: Feingehalt 750/1000: 18 kt G. G. (AuAg-Leg.) u. Engl. G. G. (AuAgCd-Leg.); Feingehalt 600/1000: 15 kt G. G. (AuAgCu-Leg.); Feingehalt 585/1000: 14 kt G. G (AuAgCu-Leg.). – *E* jeweller's green gold – *F* or vert – *I* oro verde – *S* oro verde de joyería

Greenhouse Warming Potential s. GWP.

Greenockit (Cadmiumblende, β-CdS). Hexagonales Mineral, Kristallklasse 6mm-C_{6v}, isotyp (s. Isotypie) mit *Wurtzit, dimorph mit *Hawleyit*, α-CdS, enthält 77,8% Cd. Meist gelbe bis orangefarbige Pulver u. Anflüge in der *Oxidationszone von Cadmium-haltigen *Zinkblende- u. Wurtzit-*Lagerstätten; krist. selten. H. 3–3,5, D. 4,77–4,82, Strich gelb. Lösl. in Säuren mit H_2S-Geruch, Cadmium-Reaktion mit alkal. Lsg. von Phenylcarbazid. Als Cadmium-Erz ohne Bedeutung.
Vork.: Bleiberg/Kärnten, Příbram/Böhmen, Renfrew/Schottland, Llalagua/Bolivien, Paterson/New Jersey/USA; s. a. Cadmiumsulfid (gesundheitsschädliche Wirkungen). – *E* greenockite – *F* greenochite, greenockite – *I* grennockite – *S* greenockita
Lit.: Anthony et al., Handbook of Mineralogy, Bd. I, S. 194, Tucson (Arizona): Mineral Data Publishing 1990 ▪ Lapis **14**, Nr. 12, 6 ff. (1989) („Steckbrief") ▪ Ramdohr-Strunz, S. 437. – *[HS 253090; CAS 1317-58-4]*

Greenpeace e.V. Sitz in 20459 Hamburg, Vorsetzen 53. In der BRD 1980 gegr. Sektion der internat. Umweltschutzorganisation Stichting Greenpeace Council, Amsterdam, die als Dachorganisation der nat. Sektionen in z. Z. 33 Ländern tätig ist. In der BRD wird die Organisation durch die Öffentlichkeitsarbeit von ca. 85 Kontaktgruppen u. ca. 500000 Fördermitgliedern unterstützt. G. wurde 1970 in Kanada gegr., um gegen Atomwaffentests zu protestieren; heute weltweite Aktivitäten zu Umweltthemen wie z.B. Gewässer- u. Luftverschmutzung, Grundwasserschutz, Gift- u. Atommüllfragen, Artenschutz, Klimaveränderungen, Antarktis, Trop. Regenwald etc.
G. ist parteipolit. unabhängig u. gemeinnützig u. verfolgt das Ziel, den Schutz u. die Bewahrung der Natur u. des menschlichen Lebens zu fördern. Dies geschieht insbes. durch die Organisation gewaltfreier Aktionen u. Kampagnen, um das Umweltbewußtsein zu stärken u. die Zerstörung der Lebensgrundlagen von Menschen, Tieren u. Pflanzen zu verhindern. *Publikationsorgan:* Greenpeace Nachrichten (vierteljährlich). – INTERNET-Adresse: http://www.greenpeace.org.

Greensche Funktion. Begriff aus der mathemat. Physik. In der *Quantenchemie findet die G. F. u. a. Anw. in Näherungsmeth. zur direkten Berechnung von *Ionisationsenergien u. *Elektronenaffinitäten. – *E* Green's function – *F* fonction de Green – *I* funzione di Green – *S* función de Green

Greenstone Belts s. Grünstein-Gürtel.

Grége-Fäden s. Seide.

Greigit s. Eisensulfide.

Greim, Helmut (geb. 1935), Prof. für Biochemie u. Medizin, TU München, Ges. für Strahlen- u. Umweltforschung mbH, München. *Arbeitsgebiete:* Toxikologie u. Umweltmedizin; chem. Mutagenese u. Cancerogenese; tox. Wirkungsmechanismen von Chemikalien; *in-vitro* Testsysteme.
Lit.: Kürschner (16.), S. 1102 ▪ Wer ist wer, S. 433.

Greisen. Durch metasomat. (*Metasomatose) Umwandlung von *Graniten, bes. in den Dachregionen von Granit-Plutonen, durch saure, an Fluor reiche Lsg. entstandene, meist mittel- bis grobkörnige, massige od. lagig-gebänderte od. sonstwie inhomogene Gesteine aus *Quarz u. Lithium-*Glimmern (*Lepidolith u. Zinnwaldit) ± *Muscovit, die als zusätzliche, manchmal auch vorherrschende Minerale *Topas (durch Umwandlung der *Feldspäte des Granits entstanden, manchmal stengelig als sog. *Pyknit*) u. *Turmalin, seltener auch *Fluorit, *Apatit, *Wolframit u. *Kassiterit (*Zinnstein*) enthalten. Wirtschaftliche Bedeutung erhalten G. durch ihre Zinn- u./od. Wolfram-Gehalte. Lagerstätten dieses Typs wurden bis zum Beginn der 90er Jahre im sächs.-böhm. Erzgebirge (z.B. Ehrenfriedersdorf, Altenberg, Cinovec/Zinnwald) abgebaut; weitere gibt es z. B. in Cornwall/England, Panasqueira/Portugal u. Nova Scotia/Kanada. Zur Bildung von G. s. *Lit.*[1]. – *E* = *F* = *I* = *S* greisen
Lit.: [1] Econ. Geol. **76**, 832–843 (1981).
allg.: Evans, Erzlagerstättenkunde, S. 158 f., Stuttgart: Enke 1992 ▪ Matthes, Mineralogie (5.), S. 270 f., Berlin: Springer 1996 ▪ s. a. Lagerstätten.

Greiskraut s. Kreuzkraut.

GREMAS. Abk. für *G*enealogisches *Re*cherchieren durch *M*agnetband*s*peicherung. Das von Fugmann 1961 entwickelte Syst. der *Notationen erlaubt die Verschlüsselung der Strukturformeln von organ. Verb.

u. die Speicherung in elektron. Datenverarbeitungs-Anlagen. Das GREMAS-Syst. benutzt – ähnlich wie die Wiswesser Linearnotation – *Fragmentcodes* für die einzelnen Atome bzw. funktionellen Gruppen; bei der Computer-Recherche kann sowohl nach der ursprünglich eingespeicherten als auch nach strukturell verwandten Verb. gesucht werden. Das bei der *IDC praktizierte GREMAS-Verf. ist zusammen mit der sog. *topolog. Meth.* (*Lit.*[1]) ein wichtiges Verf. der Daten-*Dokumentation in der Chemie.

Lit.: [1] Angew. Chem. **82**, 605–611 (1970); J. Chem. Dok. **10**, 128–134 (1970).
allg.: Angew. Chemie **82** 598–605 (1970) ■ Ash u. Hyde, Chemical Information Systems, Chichester: Horwood 1974 ■ Chem. Unserer Zeit **6**, 44–51 (1972) ■ Pure Appl. Chem. **49** 1855–1869 (1977).

Grenadille s. Passionsfrüchte.

Grenadine s. Granatapfel.

Grenzdextrine s. Dextrine.

Grenzflächen (Phasengrenzflächen). Im allg. Sinn Bez. für Flächen, die zwei nichtmischbare *Phasen voneinander trennen; im engeren Sinne versteht man unter G. die trennenden Flächen zwischen kondensierten Phasen (flüssig-fest, flüssig-flüssig, fest-fest). Ist dagegen die eine Phase ein Gas, so spricht man meist von *Oberfläche* statt von G. der angrenzenden od. festen Phase. Eine Vielzahl physikal.-chem. Erscheinungen u. techn. Prozesse beruht darauf, daß *grenzflächenaktive u. -inaktive Stoffe ein unterschiedliches Verhalten zeigen. In der G. stehen die Mol. unter anderen Bedingungen als im Innern der Phase; es treten deshalb viele, z. T. sehr verwickelte G.-Erscheinungen auf, die häufig anhand *monomolekularer od. *dünner Schichten untersucht werden. In Ggw. von elektr. Ladungsträgern kann sich an der G. eine *elektrochemische Doppelschicht ausbilden, an der sich ein *Zeta-Potential aufbaut, was z. B. für die Stabilität von *Emulsionen, *Dispersionen usw. wichtig ist. An Gas-Metall-G. auftretende *Chemisorption spielt eine bedeutende Rolle bei vielen Prozessen der *Oberflächenchemie wie etwa der heterogenen u. *Festbett-*Katalyse u. verwandten Vorgängen. G.-Erscheinungen wie *Adsorption, *Oberflächen- u. *Grenzflächenspannung, *Kapillarität usw. sind nicht nur in der theoret. *Kolloidchemie, sondern allg. in der Technik bedeutsame Phänomene. In flüssig-flüssig-Syst. reagieren organ. Verb. oft nur sehr träge miteinander; nicht selten können jedoch die Reaktionen durch *Phasentransferkatalysatoren* beschleunigt werden. Eine bes. Rolle spielen G. im physiolog. Geschehen, z. B. die *Membranen pflanzlicher u. tier. *Zellen beim Transport von Nährstoffen, als Träger von *Rezeptoren, für Erkennungs- u. Kontrollmechanismen. – *E* = *F* interfaces – *I* interfacce – *S* interfases, superficies límite

Lit.: Adamson, Physical Chemistry of Surfaces, 5. Aufl., New York: Wiley 1990 ■ Atkins, Physikalische Chemie, 2. Aufl., S. 907–949, Weinheim: VCH Verlagsges. 1996 ■ Dörfler, Grenzflächen- u. Kolloidchemie, Weinheim: VCH Verlagsges. 1994 ■ Hunter, Foundations of Colloid Science, Bd. 1/2, Oxford: Clarendon Press 1986, 1989 ■ s. a. Kolloidchemie, Oberflächenchemie u. Tenside.

Grenzflächenaktive Stoffe. Sammelbez. für in der Regel organ. Verb., die sich aus ihrer Lsg. an *Grenzflächen (z. B. Wasser/Öl) stark anreichern u. dadurch die *Grenzflächenspannung – im Fall von flüssig/gasf. Syst., die *Oberflächenspannung – herabsetzen. Obgleich auch polare Lsm. wie etwa Alkohole, Ether, Pyridine, Alkylformamide etc. grenzflächenaktiv sind, werden im üblichen Sprachgebrauch nur solche Verb. als g. S. bezeichnet, die über mind. einen *lipophilen* Kohlenwasserstoff-Rest u. über eine, ggf. auch mehrere, hydrophile funktionale Gruppen (–COONa,–SO$_3$Na,–O–SO$_3$Na u. dgl.) verfügen (*Tenside). Auch *Polyelektrolyte zählen zu den grenzflächenaktiven Stoffen. In einer wäss. Tensid-Lsg. richten sich die hydrophilen Gruppen der Tenside so aus, daß sie mit dem Wasser in Kontakt bleiben, während sich die hydrophoben Gruppen der Wechselwirkung mit dem Wasser zu entziehen suchen, indem sie aus der Wasseroberfläche herausragen u. somit einen Paraffin-Film erzeugen. Eine Anreicherung der Wasseroberfläche mit Tensid-Mol. hat für die Oberflächenspannung Konsequenzen: Bei reinem Wasser sind alle Mol. in der Lsg. gleichmäßig von Nachbarmol. umgeben. Damit sind diese Mol. in allen Raumrichtungen gleichen Wechselwirkungen anziehender u. abstoßender Art ausgesetzt, die sich im Mittel zu Null addieren. An der Grenzfläche Wasser/Luft verändern sich diese Verhältnisse jedoch entscheidend. Ein Wassermol. ist dort nur noch innerhalb der Grenzfläche u. in Richtung auf die Flüssigkeit von Wassermol. umgeben. Die Wechselwirkungskräfte heben sich nicht mehr gegenseitig auf u. es verbleibt eine resultierende Kraft F_1, die in Richtung auf die Flüssigkeit weist.

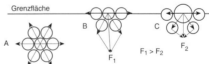

Abb.: Wechselwirkungskräfte an der Grenzfläche Wasser/Luft.

Es ist das Bestreben dieser Kraft, die Oberfläche der Flüssigkeit zu verkleinern; wann immer möglich, nimmt die Flüssigkeit Kugelform an (Wassertropfen, *Ostwald*-Reifung). In einer wäss. Lsg. von Tensiden sind die Kräfteverhältnisse in der Grenzfläche insgesamt nicht mehr so einfach darzustellen. Die Tensid-Mol. reichern sich in der Grenzfläche an u. verdrängen dabei Wassermoleküle. In das Kräftediagramm muß demnach nicht mehr die Wechselwirkung zwischen verschiedenen Wassermol., sondern zwischen Tensid- u. Wassermol. eingesetzt werden. Da diese Wechselwirkung weniger stark ist, wird die resultierende Kraft F_2 zwar nicht in ihrer Richtung, aber in ihrem Betrag geändert: Die Oberflächenspannung γ (zu der man genaugenommen die Beiträge aller Moleküle in der Grenzfläche aufsummieren müßte) wird verringert.

Die Oberflächenspannung weist für jede Flüssigkeit bei Normalbedingungen einen spezif. Wert auf u. wird in mN/m angegeben. Mit Ausnahme von Quecksilber hat Wasser von allen Flüssigkeiten den größten Wert (73 mN/m). Durch Zugabe von geeigneten Tensiden

Grenzflächenarbeit

kann die Oberflächenspannung bis auf Werte um 20 mN/m herabgesetzt werden, die Grenzflächenspannung für Wasser/Öl-Syst. auf Werte um 1 mN/m, in *Mikroemulsionen bis 10^{-3} mN/m. – *E* surface active agents, surfactants – *F* agent de surface – *I* agenti tensioattivi – *S* agente de superficie, agente tensioactivo

Lit.: vgl. Tenside, Grenzflächen u. a. Textstichwörter. – [HS 3402 11, 3402 12, 3402 13, 3402 19]

Grenzflächenarbeit s. Emulsionen, Grenzflächenspannung.

Grenzflächenpolykondensation. Bez. für eine AA/BB-*Polykondensation, die in den Grenzflächen zweier miteinander nicht mischbarer Flüssigkeiten stattfindet, von denen jede eines der beiden Ausgangsmonomeren enthält. Das entstehende Polymer kann als Faden von der Grenzfläche abgezogen u. aufgewickelt werden. Die G. wird prakt. nur als Labormeth. für die Umsetzung von Dicarbonsäuredichloriden (gelöst in einem inerten, mit Wasser nicht mischbaren organ. Lsm.) u. Diaminen od. Diolen (gelöst in Wasser, das zusätzlich die für die Neutralisation des bei der Kondensation abgespaltenen Chlorwasserstoffs benötigte Base enthält) durchgeführt. – *E* interfacial polycondensation – *F* polycondensation interfaciale – *I* policondensazione interfacciale – *S* policondensación interfacial

Lit.: Compr. Polym. Sci. **5**, 167–193 ■ Elias (5.) **1**, 225; **2**, 102.

Grenzflächenspannung (Symbol γ od. σ). Bez. für diejenige Kraft, die an 1 m einer gedachten, in der *Grenzfläche zwischen zwei *Phasen befindlichen Linie wirkt; im Fall der G. an der Phasengrenze zwischen Flüssigkeit od. Festkörper einerseits u. Gas andererseits spricht man auch von *Oberflächenspannung. Die G. hat pos. Vorzeichen, wenn sie das Bestreben hat, die Grenzfläche zu verkleinern, sie ist neg. im umgekehrten Fall. Sie ist numer. u. dimensionsgleich (mN m^{-1}, früher: dyn/cm = erg/cm^2) der Arbeit (*Grenzflächenarbeit*), die umgesetzt werden muß, um die Grenzfläche bei konstantem Vol. u. konstanter Temp. um eine Flächeneinheit zu verändern. Anschaulich kann man sich die *Grenzflächenenergie* als diejenige Energie vorstellen, die notwendig ist, um so viele Mol. aus dem Innern einer Phase in die Grenzfläche (besser in die Grenzschicht) zu bringen, daß gerade 1 m^2 neue Grenzfläche entsteht. Das kann man sich folgendermaßen verdeutlichen: Zwischen den Mol. einer Phase (z. B. einer Flüssigkeit) wirken anziehende *zwischenmolekulare Kräfte, die sich im Innern der Phase aufheben, da dort die Mol. allseitig von gleichartigen Mol. umgeben sind (vgl. die Abb. bei Oberflächenspannung). In der Grenzfläche äußert sich diese aus *Adhäsion u./od. *Kohäsion resultierende Anziehung im Sinne einer einseitig in das Phaseninnere od. von dieser weg gerichteten Kraft, je nachdem, ob die Anziehungskraft zu den Mol. der gleichen od. zu denen der angrenzenden Phase größer ist. Ihren Ausdruck findet die G. in der Kugelgestalt von *Tropfen u. *Blasen, in der *Meniskus-Bildung von Flüssigkeit in Kapillaren etc., vgl. Oberflächenspannung.
Grenzt eine Flüssigkeit-Luft-Oberfläche an eine feste Wand, so bildet sie mit dieser einen bestimmten Rand-

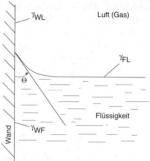

Abb.: Grenzflächenspannungen im System Flüssigkeit–Luft–feste Wand.

winkel Θ (s. Abb.). Der Winkel Θ errechnet sich aus dem Kräfteverhältnis der G. zwischen Flüssigkeit u. Luft γ_{FL}, der G. zwischen Flüssigkeit u. Wand γ_{WF} u. der zwischen Wand u. Luft γ_{WL} zu $\gamma_{WL} - \gamma_{WF} - \gamma_{FL} \cdot \cos\Theta = 0$. Die Differenz $\gamma_W = \gamma_{WL} - \gamma_{WF}$ wird *Benetzungsspannung* genannt. Je größer die Benetzung ist, desto kleiner ist der Winkel Θ u. um so höher steigt der Benetzungsrand. Dieser Zusammenhang wird beim Steighöhenverfahren ausgenutzt, um die G. γ zu messen. Für die Steighöhe h in einer Kapillare mit dem Radius r gilt in guter Näherung $\gamma = h \cdot r \cdot \rho \cdot g/2$ (g = Erdbeschleunigung, ρ = Dichte der Flüssigkeit). Weitere Meth., um G. zu messen sind: a) Wägeverf., bei denen die Kraft gemessen wird, die aufzuwenden ist, um eine benetzte Platte od. einen Drahtbügel aus einer Flüssigkeit zu ziehen; – b) Tropfenvolumenverf., bei der die Größe der Flüssigkeitstropfen bestimmt wird; – c) Spinning-Drop-Verf., bei dem die Gestalt eines Tropfens in einer schnell rotierenden Kapillaren ausgemessen wird; – d) Blasendruckverf., bei dem der Druck p bestimmt wird, unter dem sich eine Blase von einer Kapillaren mit Innenradius r ablöst, wenn diese Kapillare in die zu untersuchende Flüssigkeit knapp unter die Oberfläche getaucht wird; hierbei gilt $\gamma = p \cdot r/2$. Bezüglich Details der Meßverf. u. deren Genauigkeit s. *Lit.*[1]. Die Kenntnis der G. u. ihrer Beeinflußbarkeit ist bes. wichtig bei allen Prozessen, bei denen *Benetzung, *Adsorption u. *Adhäsion eine Rolle spielen u. bei denen *grenzflächenaktive Stoffe eingesetzt werden; *Beisp.:* *Emulsionen, *Flotation, *Waschen[2], *Schäume. – *E* interface tension – *F* tension d'interface – *I* tensione interfacciale – *S* tensión interfacial

Lit.: [1] Kohlrausch, Praktische Physik, Bd. 1, S. 230, Stuttgart: Teubner 1985. [2] Phys. Unserer Zeit **18**, 178 (1987).
allg.: s. Grenzflächen u. Oberflächenspannung.

Grenzformeln s. Mesomerie u. Resonanz.

Grenzkohlenwasserstoffe. Histor. Bez. für die (mit Wasserstoff nicht weiter sättigbaren) *Alkane.

Grenzkonzentration. Selten gebrauchte Bez. für die gelegentlich auch als *Verdünnungsgrenze* bezeichnete Konz. einer Untersuchungssubstanz, die bei einem chem. Nachweisverf. eben noch eine eindeutige Reaktion ergibt. Hierbei wird auf 1 g des nachzuweisenden Stoffes in mL bezogen; ist z. B. 1 g des Stoffes in $3 \cdot 10^5$ mL Lsg. noch nachweisbar, so ist G. = $1/(3 \cdot 10^5) \sim 10^{-5.5}$. Anstelle der G. wird oft der sog. pD-Wert (neg. dekad. Logarithmus der G.) angegeben; im *Beisp.* gilt: pD = 5,5. Von der G. ist die *Erfassungs-* od. **Nachweisgrenze* zu unterscheiden; diese u. die G. bestimmen die *Empfindlichkeit einer Nachw.-Methode. – *E* limiting concentration – *F* concentration limite – *I* concentrazione limite – *S* concentración límite

Grenzorbitale (Frontorbitale). Sammelbez. für die HOMO (*h*ighest-energy *o*ccupied *m*olecular *o*rbital) bzw. LUMO (*l*owest-energy *u*noccupied *m*olecular *o*rbital) genannten *Molekülorbitale; in qual. Diskussionen der chem. Reaktivität beschränkt man sich häufig auf diese beiden Orbitaltypen; s. a. Molekülorbitale u. MO-Theorie. – *E* frontier orbitals – *F* orbitales frontières – *I* orbitali limiti – *S* orbitales frontera
Lit.: Fleming, Grenzorbitale u. Reaktionen organischer Verbindungen, Weinheim: Verl. Chemie 1979.

Grenzsauerstoffkonzentration s. Flammschutzmittel.

Grenzstrahlen s. Röntgenstrahlung.

Grenzstrukturen s. Mesomerie u./od. Resonanz.

Grenztemperatur s. Ceiling-Temperatur (obere G.) u. Floor-Temperatur (untere G.).

Grenzviskositätszahl s. Viskosität, Viskositätszahl.

Grenzwerte. Zum Schutz von Mensch u. Umwelt vor schädlichen Auswirkungen von Chemikalien, Strahlen od. anderen *Emissionen bzw. *Immissionen werden G. festgelegt. Dies basiert grundsätzlich auf den Erkenntnissen von Paracelsus: „Alle Dinge sind Gift, allein die Dosis macht, daß ein Ding kein Gift." Dementsprechend besitzen Substanzen, für die diese Aussage zutrifft, eine *Wirkungsschwelle.* Wird diese Wirkungsschwelle nicht erreicht, sind keine Effekte zu erwarten; oberhalb dieser Wirkungsschwelle kommt es im allg. zu einem dosisabhängigen Anstieg der Wirksamkeit. Für *krebserzeugende od. *erbgutverändernde Stoffe lassen sich keine Wirkungsschwellen definieren. Grundsätzlich muß zwischen drei Arten von G. unterschieden werden:
1. Toxikolog. begründete G.: Zur Festlegung werden sämtliche Informationen über die Wirkungseigenschaften, die Dosis-Wirkungsbeziehungen u. den Wirkungsmechanismus einer Substanz zusammengestellt u. die höchste unwirksame Dosis festgelegt. Diese wird um einen Sicherheitsfaktor, häufig um den Faktor 100 erniedrigt, um unterschiedliche Empfindlichkeiten zwischen Tier u. Mensch u. interindividuelle Empfindlichkeiten innerhalb der Bevölkerung zu berücksichtigen. Solche G. sind z. B. die *Höchstmengen* für Pflanzenschutzmittel in Nahrungsmitteln od. Nahrungsmittelzusatzstoffe. Dazu gehören auch die *max. Immissionskonz.* (*MIK-Werte) der VDI-Richtlinien sowie die in *TA Lärm u. *TA Luft festgelegten Grenzwerte. Die *max. Arbeitsplatzkonz.* (*MAK) werden demgegenüber ohne Sicherheitsabstand festgelegt u. bedeuten prakt. die höchste Dosis ohne beobachtbare Wirkung (NOEL, s. ADI).
2. Richtwerte: Sie stellen die durchschnittliche Belastung eines Umweltmediums bzw. deren Perzentile dar. Sie sind also toxikolog. nicht begründet. Zu Richt-

werten für Arbeitsstoffe s. technische Richtkonzentration.
3. Vorsorgliche Minimalwerte: Für Pflanzenschutzmittel im Trinkwasser wurden G. z. T. deutlich unterhalb der Nachweisgrenze festgelegt, weil diese Substanzen im Trinkwasser nicht erwünscht sind. Das bedeutet ein Minimieren auf niedrige Konz., die weit unterhalb von Wirkungsschwellen liegen. Überschreitungen sind nicht zu tolerieren, aber toxikolog. irrelevant. Selbst bei zehn- od. mehrfacher Überschreitung bedeutet dies, daß keine gesundheitlichen Konsequenzen zu befürchten sind. – *E* threshold limit value – *F* valeurs limités – *I* valori limiti – *S* valores limite
Lit.: Umweltwiss. Schadstoff-Forsch. – Z. Umweltchem. Ökotox. **4**, 69–72 (1992).

Greven. Kurzbez. für die 1923 gegr. Firma Peter Greven Fett-Chemie GmbH & Co. KG, 53902 Bad Münstereifel. *Daten* (1994): 160 Beschäftigte, 6,5 Mio. DM Kapital, 63 Mio. DM Umsatz. *Produktion:* Metallstearate u. a. Metallseifen, Fettsäureester, Gleitmittel, Stearin, Olein, Glycerin, Gummitrennmittel, Papierhilfsmittel, Seifen u. Handreinigungsmittel.

Grevilline. Charakterist. Farbstoffe aus Höheren Pilzen der Gattung *Suillus* (Boletales), insbes. *S. grevillei* (Goldröhrling), *S. lutens* u. *S. granulatus*. Es handelt sich um orange bis rotorange Verb. vom *2H*-Pyran-2,5(*6H*)-dion-Typ, die sich durch unterschiedliche Hydroxy-Substitutionen an den Phenyl-Resten unterscheiden:

R^1	R^2	R^3	R^4	R^5	
OH	H	H	H	OH	G.A
OH	H	H	OH	OH	G.B
OH	OH	H	OH	OH	G.C
H	OH	OH	OH	OH	G.D

Tab.: Daten von Grevillinen.

Name	Summen-formel	M_R	Schmp. [°C]	CAS
G. A	$C_{18}H_{12}O_6$	324,29	197–199 (Peracetat)	41744-32-5
G. B	$C_{18}H_{12}O_7$	340,29	184–186 (Peracetat)	41744-33-6
G. C	$C_{18}H_{12}O_8$	356,29	175–178 (Peracetat)	41744-34-7
G. D	$C_{18}H_{12}O_8$	356,29	300 (Zers.)	54707-49-2

G. können leicht an ihrer violetten Farbreaktion mit konz. Schwefelsäure erkannt u. dadurch von *Pulvinsäuren unterschieden werden. Die G. werden im Pilz durch Kondensation von zwei Mol. 4-Hydroxyphenylbrenztraubensäure u. anschließende Hydroxylierungsschritte gebildet (vgl. a. Terphenylchinone). – *E* grevillins – *F* grevillines – *I* grevilline – *S* grevilinas
Lit.: Zechmeister **51**, 4–12 (Übersicht). – *Synth.:* Aust. J. Chem. **43**, 1495 (1990) ■ J. Chem. Soc., Perkin Trans. 1 **1991**, 2363 ■ Justus Liebigs Ann. Chem. **1986**, 177.

Griechisches Alphabet. Griech. Schriftzeichen werden in Chemie u. Physik als Symbole für *Größen verwendet. Einzelheiten s. jeweils am Anfang desjenigen Buchstabenkapitels, in das der Name des betreffenden griech. Buchstabens einzuordnen wäre (z. B. steht α vor a, β vor b, γ vor g usw.).

Tab.: Das griechische Alphabet.

A	α	Alpha	I	ι	Jota	P	ρ	Rho
B	β	Beta	K	κ	Kappa	Σ	σ	Sigma
Γ	γ	Gamma	Λ	λ	Lambda	T	τ	Tau
Δ	δ	Delta	M	μ	My	Υ	υ	Ypsilon
E	ε	Epsilon	N	ν	Ny	Φ	$\phi\,\varphi$	Phi
Z	ζ	Zeta	Ξ	ξ	Xi	X	χ	Chi
H	η	Eta	O	o	Omikron	Ψ	ψ	Psi
Θ	$\vartheta\,\theta$	Theta	Π	π	Pi	Ω	ω	Omega

– *E* Greek alphabet – *F* alphabet grec – *I* alfabeto greco – *S* alfabeto griego

Griechisches Feuer. Bez. für – 1. Beleuchtungsvorrichtung u./od. Brandsatz unter Verw. von *Erdöl, – 2. pyrotechn. Knallpulver aus 67% Salpeter, 11% Schwefel u. 22% Kohle, – 3. pyrotechn. *Weißfeuer (Griech. Weißfeuer). – *E* Greek fire – *F* feu grégeois – *I* fuoco greco – *S* fuegos griegos
Lit.: Prinzler, Pyrobolia. Von griechischem Feuer, Schießpulver u. Salpeter, Leipzig: Grundstoffind. 1981.

Grieson®. Plasma-Schneidgas (H_2/N_2/He/Ne) für schlackefreies Schneiden von Baustahl. *B.:* Messer Griesheim.
Lit.: gas aktuell **17**, 24–26 (1979).

Grieß. 1. Neben *Grit Bez. für grobkörnigen *Sand mit Durchmesser 0,5–1 od. 2 mm. – 2. Bei *Nichteisenmetallen Bez. nach DIN 17600 Tl. 4 (Entwurf 07/1987) für unregelmäßig geformte Teilchen gleicher Größe zwischen 0,1 u. 0,5 mm, üblicherweise hergestellt durch Hydrometallurgie, Verdampfen, Elektrolyse, Verdüsen, Zerkleinern. – 3. In der Müllerei ist G. die Bez. für die von den Schalen befreiten Getreideteilchen (Weizen, Hafer, Mais) mit Durchmesser von 0,2–1,5 mm. – *E* 1. coarse sand, 2. grit, 3. semolina – *F* 1. gravier, gros sable, arène, 3. gruau, semoule – *I* 1–2. sabbia a grana grossa, carbone minuto granelloso, 3. semolino – *S* 1. arena gruesa, 3. sémola

Grieß, Peter (1829–1888), Chemiker in Brauerei-Laboratorien von Alsopp and Sons in Burton-upon-Trent. *Arbeitsgebiete:* Entdeckung der aromat. Diazo-Verb., Diazonium-Verb. u. Azo-Verb., Farbstoffsynthesen.
Lit.: Chem. Unserer Zeit **10**, 42–47 (1976) ▪ Neufeldt, S. 47 ▪ Pötsch, S. 178.

Grieß-Ilosvay-Reaktion. Nachweisreaktion für Nitrite, die mit einem Reagenz aus Sulfanilsäure u. 1-Naphthylamin eine Rotfärbung geben. Verbesserte Kupplungsreagentien s. *Lit.* – *E* Griess Ilosvay reaction – *F* réaction de Griess-Ilosvay – *I* reazione di Grieß-Ilosvay – *S* reacción de Griess-Ilosvay
Lit.: Hütter, Wasser u. Wasseruntersuchung, 5. Aufl., S. 382 f., Frankfurt: Salle 1992.

Griff(variatoren) s. Appretur u. Textilveredlung.

Grignard, Victor Auguste François (1871–1935), Prof. für Chemie, Nancy u. Lyon. *Arbeitsgebiete:* Magnesium-organ. Verb., Entdeckung der nach ihm benannten Reaktion, für die er 1912 (zusammen mit Sabatier) den Nobelpreis für Chemie erhielt, Gewinnung von Toluol durch Crack-Verfahren.
Lit.: Neufeldt, S. 106, 364 ▪ Pötsch, S. 178.

Grignard-Reaktion. Die Addition von *Grignard-Verbindungen an Aldehyde od. Ketone wird im engeren Sinne als G.-R. bezeichnet.

$$R-Mg-X + \underset{/}{\overset{\backslash}{C}}=O \xrightarrow{Ether} \overset{O-Mg-X}{\underset{|}{-C-R}}$$

$$\xrightarrow[-X-Mg-OH]{Hydrolyse} \overset{OH}{\underset{|}{-C-R}}$$

Mit Formaldehyd bilden sich so *prim. Alkohole*, mit anderen Aldehyden *sek. Alkohole* u. mit Ketonen *tert. Alkohole*. Die außerordentliche Bedeutung der G.-R. in der organ. Synth. zeigt sich darin, daß auch heteroanaloge Carbonyl-Gruppen, Carbonsäure-Derivate, Nitrile usw. mit den Grignard-Verb. umgesetzt werden können; z. B.:

Ausgangsverb.	R^1-Mg-X	Endprodukt
Ameisensäureester $H-C(\!=\!O)OR^2$	→	sek. Alkohole R^1-CHR^2-OH
Carbonsäureester $R^2-C(\!=\!O)OR^3$	→	tert. Alkohole $R^2-CR^1R^3-OH$
Kohlendioxid $O=C=O$	→	Carbonsäuren $R^1-C(\!=\!O)OH$
Nitrile $R^2-C\equiv N$	→	Ketone $R^1-C(\!=\!O)R^2$
Epoxide (Oxirane)	→	Alkohole $R^1-C-C-OH$
Alkylhalogenide R^2-X	→	Alkane R^1-R^2

Wenn auch die meisten Substrate problemlos im Sinne der G.-R. reagieren, so müssen dennoch bei ster. gehinderten Carbonyl-Verb. u. ster. aufwendigen Grignard-Verb. eine Reihe von Nebenreaktionen beachtet werden. Die wichtigsten sind dabei die *Enolisierung* der Carbonyl-Verb., wenn ein α-ständiges Wasserstoff-Atom vorhanden ist, u. die *Grignard-Reduktion*.

Enolat-Bildung

Grignard-Reduktion

Der Mechanismus der G.-R. ist schwierig zu studieren u. noch nicht vollständig geklärt. Ein viergliedriger cycl. Übergangszustand für die Addition der Grignard-Verb. an die Carbonyl-Gruppe od. die Bildung von *Ketylen werden als plausibel erachtet. Die Ketyl-Bildung wird durch eine *Einelektronenübertragung (*Single-electron-transfer, SET)[1] verursacht u. ist nur für aromat. od. ungesätt. Aldehyde od. Ketone von Bedeutung. Die Anwesenheit von Übergangsmetallen begünstigt den SET-Mechanismus.

– *E* Grignard reaction – *F* réaction de Grignard – *I* reazione di Grignard – *S* reacción de Grignard
Lit.: [1] Bull. Soc. Chim. Fr. **1982**, II-269–II-280.
allg.: Acc. Chem. Res. **7**, 272–280 (1974) ▪ Blomberg, The Barbier-Reaction and Related One-step Processes, Berlin: Springer 1994 ▪ Bull. Soc. Chim. Fr. **1972**, 2143–2149 ▪ Chem. Rev. **75**, 521–546 (1975) ▪ Hassner-Stumer, S. 152 ▪ Houben-Weyl **13/2a**, 47–527 ▪ Kirk-Othmer (3.) **12**, 30–44; (4.) **12**, 768 ff. ▪ Laue-Plagens, S. 155 f. ▪ Organikum, S. 515 f. ▪ Patai, The Chemistry of the Carbonyl Group, S. 621–693, New York: Wiley 1966 ▪ Pure Appl. Chem. **52**, 545–569 (1980) ▪ Ullmann (5.) **A 15**, 625 f. ▪ s. a. Grignard-Verbindungen u. Magnesium-organische Verbindungen.

Grignard-Verbindungen. Bez. für wichtige Organometall-Verb. des Magnesiums. G.-V. bilden sich, wenn Alkyl- od. Arylhalogenide in wasserfreien polaren Lsm. wie Diethylether, Tetrahydrofuran u. a. mit Magnesium-Spänen zur Reaktion gebracht werden, wobei die Reaktivität der Halogenide vom Iodid zum Chlorid abnimmt. Die Struktur der G.-V. ist Gegenstand zahlreicher kontroverser Diskussionen. Gesichert scheint die kovalente Natur der Kohlenstoff-Magnesium-Bindung u. die Tatsache, daß ein im Wesentlichen vom verwendeten Lsm. abhängiges Gleichgewicht zwischen unterschiedlichen Magnesium-Verb. existiert (*Schlenk-Gleichgew.*); dabei spielt die Bildung von Etheraten u. Dimeren eine entscheidende Rolle.

Die hauptsächliche Verw. der G.-V. in der organ. Synth. liegt in ihrem *Carbanionen-Charakter begründet, der sich in der leichten nucleophilen Addition an elektrophile Substrate dokumentiert; s. Grignard-Reaktion. Eine andere Verw. ist die Bestimmung von *aktivem Wasserstoff nach *Zerewitinow* u. die Funktion als starke Base für *Aldol-Additionen. – *E* Grignard reagents – *F* réactifs de Grignard – *I* composti di Grignard – *S* reactivos de Grignard

Lit.: Bull. Soc. Chim. Fr. **1972**, 2133–2142 ▪ Chem. Unserer Zeit **25**, 108 f. (1991) ▪ Organomet. Rev. **1**, 131–156 (1966) ▪ Q. Rev. Chem. Soc. **21**, 259–289 (1967) ▪ s. a. Grignard-Reaktion u. Magnesium-organische Verbindungen.

GRILAMID®. Marke für eine Gruppe von Polyamiden. G. L: Polyamid 12 (PA12)-Kunststoffgranulate in verschiedenen Viskositäten für Metallbeschichtungspulver, Spritzguß, Extrusion u. Blasformen. Eigenschaften werden stark variiert durch Zusatz von Entformungsmitteln, Flammschutzmitteln, Kristallisationsbeschleunigern, Schlagmodifikatoren, Weichmachern, Glasfasern, Mineralien u. Kohlenstoff-Fasern sowie Farbmitteln. Monofile.
G. TR: Transparente Copolyamide verschiedener Zusammensetzung mit analogen Modifikationen. *B.:* EMS-CHEMIE AG.

GRILBOND®. Haftvermittler für Verbund von Polyesterfasern zu Gummi (Reifencord, Treibriemen u. Transportbänder). *B.:* EMS-CHEMIE AG.

GRILENE®. Polyester-Stapelfaser für Verspinnen mit Wolle od. Baumwolle für Kleidungen. *B.:* EMS-CHEMIE AG.

Grillo. Kurzbez. für die 1842 gegründete Grillo-Unternehmensgruppe u. die Grillo-Werke AG (seit 1893), 47169 Duisburg. *Daten* (Konzern 1995): ca. 1000 Beschäftigte, 17,5 Mio. DM gezeichnetes Kapital, 324 Mio. DM Umsatz. *Produktion:* Halbzeug aus Zink u. Zink-Leg., Zinkdraht, Zink-Pulver, Zinkschrot, Zink-Bänder u. -Folien, Zink- u. Aluminium-Anoden, Feinzink-Druckguß-Leg., Feuerverzinkung, Spritzverzinkung, Präzisionsteile, Oberflächenveredelung, Zinkweiss u. Zinkoxid, flüssiges Schwefeldioxid, Schwefelsäure, Zinksulfate, Entchlorungsmittel; Recycling von Abfallschwefelsäure u. Schwefelorganika, Säureteeren, anderen Schwefel-haltigen Rückständen u. *PCB-haltigen Altölen.

Grillocin®. Hochwirksames Desodorant aus der Gruppe der Zinkseifen mit Synergisten; nicht toxisch. G. wird in Deopräp. eingesetzt. *B.:* Th. Goldschmidt AG.

Grillotene®. Saccharoseester für die Herst. von Cremes, Lotionen, Babypflegepräp., Shampoos, Schaumbädern u. Haarpflegemitteln. *B.:* Th. Goldschmidt AG.

GRILON®. G. A, F u. R sind Polyamide 6 (PA6)-Kunststoffgranulate in verschiedenen Viskositätsstufen für Spritzgießen, Extrusion u. Blasformen. Eigenschaften werden stark variiert durch Zusatz von Entformungsmitteln, Flammschutzmitteln, Kristallisationsbeschleuniger, Schlagmodifikatoren, Weichmachern, Glasfasern, Magnetpulver, Mineralien u. Kohlenstoff-Fasern sowie Farbmitteln. Monofile sowie Stapelfasern für Teppich-Herst. u. für Papierfilze.
G. T ist Polyamid 66 (PA66) mit gleichen Modifikationen; G. C sind Copolyamide aus mehreren Ausgangsmonomeren für Mehrschichtfolien flexibler Verpackungen mit Barriere-Eigenschaften. *B.:* EMS-CHEMIE AG.

GRILONIT®. Marke für eine Gruppe von Epoxid-Harzen u. deren Härter bzw. Reaktiv-Verdünner: Epoxid-Harze: G. G u. L; Härter für Epoxid-Beschichtungen:

G. H; Reaktiv-Verdünner für Epoxid-Beschichtungen: G. RV. *B.:* EMS-CHEMIE AG.

GRILPET®. Hochviskoses PBT für Ummantelungen opt. Fasern. *B.:* EMS-CHEMIE AG.

GRILTEX®. Pulver verschiedener Körnungsbereiche auf Basis von Copolyamiden u. Copolyestern mit Schmelztemp. von 85°C bis 130°C zur therm. Druckfixierung von Einlagestoffen in Kleidungsstücken aus Textilien, Leder u. Pelz. Auch als Klebefaser erhältlich. *B.:* EMS-CHEMIE AG.

Grimm, Hans G. (1887–1958), Prof. für Chemie, Univ. Würzburg, München, Oppau (BASF). *Arbeitsgebiete:* Ionenradien, Isomorphie u. Ionenbau, Energieverhältnisse bei chem. Valenzen, Entdeckung neuartiger Mischkrist., Aufstellung des *Hydrid-Verschiebungssatzes, Fourieranalyse der chem. Bindung.
Lit.: Neufeldt, S. 204.

Grimmlot. Nicht genormtes Zinn-Weichlot L-SnPbZn mit 25% Pb u. 20% Zn zum Fügen von Aluminium u. seinen Leg. mit max. 2% Mg. Die Arbeitstemp. derartiger Weichlote liegen zwischen 250 u. 450°C. – *E* Grimm solder – *F* soudure de Grimm – *I* saldatura di Grimm – *S* soldadura de Grimm
Lit.: DIN EN 29453 (02/1994) ▪ s. a. Lote.

Grimmscher Hydrid-Verschiebungssatz s. Hydrid-Verschiebungssatz.

Grippe (Influenza). Akute Erkrankung der Atemwege, die durch Infektion mit dem Influenzavirus hervorgerufen wird. Sie befällt die oberen u./od. unteren Atemwege u. geht mit plötzlich einsetzenden Symptomen wie Fieber, Kopf- u. Gliederschmerzen, Husten, Halsschmerzen u. allg. Abgeschlagenheit einher. Influenzaviren gehören zu den Myxoviren (*Viren) u. werden aufgrund ihrer *Antigen-Charakteristika in A-, B- u. C-Stämme eingeteilt. Die Übertragung erfolgt durch Tröpfcheninfektion. G.-Epidemien treten in verschiedenen Intervallen mit unterschiedlicher Intensität auf. 1889, 1918, 1957 u. 1968 traten größere Seuchenzüge (Pandemien) auf, die v. a. auf Influenza-A-Viren zurückzuführen sind.
Die Behandlung erfolgt in der Regel symptomat. mit Schmerzmitteln u. *Antipyretika, gelegentlich kommen auch antivirale Chemotherapeutika wie *Amantadin u. *Ribavirin gegen das Influenza-A-Virus zum Einsatz. Zur Vorbeugung ist eine Impfung mit inaktiviertem Impfstoff möglich. Die Schutzrate erreicht dabei 50–80%, ist aber aufgrund der häufigen Antigen-Veränderungen des Virus zeitlich begrenzt. – *E* influenza, flu – *F* grippe – *I* influenza – *S* gripe, influenza
Lit.: Brandes et al., Medizinische Mikrobiologie, S. 831–835, Stuttgart: Fischer 1988 ▪ Fields, Virology, New York: Raven 1990.

Grippostad®. G. C-Kapseln mit *Paracetamol, *Ascorbinsäure, *Coffein u. *Chlorphenamin-Hydrogenmaleat, G. Heißgetränk mit Paracetamol u. Vitamin C gegen Grippe. *B.:* Stada.

Griquait s. Eklogite.

Grisebach, Hans (1926–1990), Prof. für Biochemie, Univ. Freiburg. *Arbeitsgebiete:* Enzymologie des pflanzlichen Sekundärstoffwechsels (phenol. Verb., Flavonoide), mol. Mechanismen der pflanzlichen Resistenz gegenüber Mikroorganismen.
Lit.: Kürschner (15.), S. 1413 f.

Griseofulvin.

$C_{17}H_{17}ClO_6$, M_R 352,77, farblose Krist., Schmp. 225–226 °C, $[\alpha]_D$ +370° (CHCl$_3$); lösl. in Aceton, Dimethylsulfoxid, kaum lösl. in Wasser. *Antibiotikum aus *Penicillium*. Das antifung. wirksame G. greift bei Pilzen während der *Mitose (Spindelapparat) ein. In der Humantherapie u. in der Veterinärmedizin wird G. zur oralen Behandlung von Pilzerkrankungen der Haut (Dermatomykosen) eingesetzt; im Pflanzenschutz zeigt es gute Wirkung als Blattfungizid (z.B. gegen den echten Mehltau). Im Tierversuch zeigten sich Hinweise auf cancerogene, teratogene u. neoplast. Effekte. – *E* griseofulvin – *F* griséofulvine – *I* = *S* griseofulvina
Lit.: ASP ▪ Cole et al., Handbook of Toxic Fungal Metabolites, S. 857 ff., 862 ff., New York: Academic Press 1981 ▪ DAB **1996** u. Komm. ▪ Florey **8**, 219–249; **9**, 583–600 ▪ Hager (5.) **8**, 384 ff. ▪ Rehm-Reed **4**, 483 ff. – *[HS 2941 90; CAS 126-07-8]*

Griseolsäuren (Griseolsäuren A–C).

R = OH : Griseolsäure A
R = H : Griseolsäure B
4',5'-Dihydro-griseolsäure B = Griseolsäure C

Tab.: Daten der Griseolsäuren.

G.	Summenformel	M_R	$[\alpha]_D$ (DMSO)	CAS
A	$C_{14}H_{13}N_5O_8$	379,29	+ 6,9°	79030-08-3
B	$C_{14}H_{13}N_5O_7$	363,29	–50,7°	98890-01-8
C	$C_{14}H_{15}N_5O_7$	365,30	+13,2°	100242-49-7

Bicycl. Nucleosid-Derivate, die biosynthet. durch Verknüpfung von Oxalacetat mit Adenosin entstehen. Es existieren drei Komponenten (G.A bis C), die von *Streptomyces griseoaurantiacus* produziert werden. G.A ist ist ein kompetitiver Hemmstoff der cyclo-AMP-Phosphodiesterase (K_i = 0,16 mM). Es stimuliert den Glykogen-Metabolismus der Leber, was bei der Maus zur Erhöhung des Glucose-Spiegels im Blut führt. G. sollen den Augen-Innendruck senken (Prüfung als Glaukom-Therapeutika). – *E* griseolic acids – *F* acides griséoliques – *I* acidi griseolici – *S* ácidos griseólicos
Lit.: Chem. Pharm. Bull. **35**, 1036 (1987) ▪ J. Am. Chem. Soc. **117**, 7009 (1995) (Synth.) ▪ J. Antibiot. **38**, 823, 830 (1985); **41**, 705, 1711 (1988).

Grit. In England verwendete Bez. für relativ groben, festen *Sandstein aus ungerundeten Körnern, mit kieseligem od. kalkigem Bindemittel. – *E* = S grit – *F* grès dur – *I* pietra mola a grana grossa

GRIVORY®. Copolyamide mit aromat. Monomeren, wie Terephthalsäure u./od. Isophthalsäure. G. G21: Amorphes Copolyamid mit guten Gas- u. Aroma-Barriereeigenschaften, auch als Zusatz zu PA für Folien flexibler Verpackungen. G. GV: Blend mit Homo-PA, Glasfasern u. Stabilisatoren für Substitution zahlreicher Metall-Teile. G. HTV: Semiaromat. Homopolyamide (PA 6T/6I) mit Glasfasern u./od. Mineralien, Hitzestabilisatoren. Schmelztemp.: 290 °C bis 330 °C. Anw. bei erhöhten Temperaturen. *B.:* EMS-CHEMIE AG.

Grob, Cyril A. (geb. 1917), Prof. für Organ. Chemie, Univ. Basel. *Arbeitsgebiete:* Beziehungen zwischen Struktur u. Reaktivität in organ. Verb.; Fragmentierungsreaktionen, polare Substituenteneffekte in Carbokationen u. Ammonium-Ionen.
Lit.: Kürschner (16.), S. 1115.

Grobblech. *Halbzeug aus *Stahl in Form zugeschnittener Tafeln mit einer Dicke >4,76 mm (s. a. Blech). G. wird aus Blöcken (in Kokillen vergossenem Stahl) warm heruntergewalzt, wobei im Gegensatz zum *Feinblech reversierendes Walzen (Hin- u. Herwalzen) in Walzgerüsten erfolgt. – *E* heavy plate – *F* tôle forte – *I* lamiera spessa – *S* chapa gruesa, palastro

Grobrechen. Erste Stufe im Verlauf der *mechanischen Abwasserreinigung zur Abtrennung von Grobstoffen, die an Stäben mit einem Abstand größer als 40 mm im anfließenden *Abwasser hängen bleiben. – *E* coarse screen – *F* grille grossière – *I* giglia grossa – *S* criba de mallas gruesas
Lit.: ATV, Lehr- u. Handbuch der Abwassertechnik (3.), Bd. 3, S. 73–90, Berlin: Ernst 1983.

Grobstaub. Bez. für eine Staubfraktion mit einer Teilchengröße größer als 10 µm.

GroEL, GroES s. Chaperone.

Größen. Bez. für die als Produkt aus Zahlenwerten u. *Einheiten (also genauer: als *Größenwerte*) in physikal. Beziehungen durch Formelzeichen dargestellten Begriffe, die physikal. Zustände, Vorgänge od. Körper beschreiben. G. beziehen sich also auf Merkmale u. Eigenschaften, die sich quant. erfassen lassen. *Beisp.:* Das Merkmal „lang" ermöglicht die sinnvolle Aussage, ein Gegenstand sei „halb so lang", weshalb man die Länge als G. einführen kann. Bei Farbe ist das nicht möglich, denn es ist sinnlos, von einem „halb so farbigen" Gegenstand zu sprechen. G. gleicher Art gehören zur gleichen *G.-Art* (z. B. verschiedene Längen zur G.-Art Länge). Man unterscheidet nicht nur zwischen *Grundgrößen* (*Basisgrößen*; in der Physik: Länge, Masse, Zeit, Stromstärke, Lichtstärke, Temp., Stoffmenge) u. den daraus *abgeleiteten Größen*, sondern auch zwischen *extensiven* u. *intensiven Größen* u. zwischen *ungerichteten* (richtungsunabhängigen, *Skalare*) u. *gerichteten* (richtungsabhängigen, *Vektoren*) *Größen*. – *E* quantities – *F* grandeurs – *I* grandezze – *S* magnitudes
Lit.: Analyt.-Taschenb. 2, 3–29 ∎ DIN 1313 (04/1978) ∎ IUPAC, Größen, Einheiten u. Symbole in der Physikalischen Chemie, Weinheim: VCH Verlagsges. 1996; engl. Original, Oxford: Blackwell 1993.

Grog. Bez. für Arrak-, od. Rum-*Punsch*, s. Spirituosen.

gross. Abk. von latein.: grossus = grob.

gross. p. Abk. von latein.: grossus pulverisatus = grob gepulvert.

Gross, Hans Joachim (geb. 1936), Prof. für Biochemie, Univ. Würzburg. *Arbeitsgebiete:* Viroide, Enzymologie von RNA, Struktur u. Expression menschlicher t-RNA-Gene.
Lit.: Kürschner (16.), S. 1125 ∎ Wer ist wer, S. 442.

Große Ringe. Jargonhafte Bez. für *cyclische, insbes. *alicyclische Verbindungen mit 13 u. mehr Gliedern. Im allg. werden heute solche *Ringsysteme als *makrocyclische Verbindungen bezeichnet. – *E* large rings – *F* grands cycles – *I* anelli grandi – *S* anillos grandes
Lit.: s. makrocyclische Verbindungen.

Großfeuerungsanlagen-Verordnung. 13. VO zur Durchführung des *Bundes-Immissionsschutzgesetzes (13. BImSchV). Die am 1. 7. 1983 in Kraft getretene G.-V. gilt für die Errichtung, die Beschaffenheit u. den Betrieb von Feuerungsanlagen mit einer Feuerungswärmeleistung ab 50 Megawatt (MW) für feste u. flüssige Brennstoffe bzw. ab 100 MW für gasf. Brennstoffe. Das sind in erster Linie Kraftwerksfeuerungen, Fernheizwerke u. Industriefeuerungen zur Prozeßdampf- u. Stromerzeugung. Die G.-V. schreibt eine Begrenzung der *Emissionen von Staub, Schwefeldioxid, Stickstoffoxiden, Kohlenmonoxid u. Halogen-Verb. vor (s. z. B. Entschwefelung). Die Anforderungen der G.-V. sind nach Feuerungswärmeleistungsklassen u. Brennstoffen abgestuft. Für Altanlagen (bzw. Altanlagen in den neuen Bundesländern) galten befristet weniger strenge Anforderungen bzw. Fristen für die Nachrüstung od. Stillegung. Die G.-V. ist Vorbild der EG-Richtlinie zur Begrenzung von Schadstoffemissionen von Großfeuerungsanlagen in die Luft (88/609/EWG) vom 24. 11. 1988. Diese Richtlinie legt weniger strenge Grenzwerte als die G.-V. fest u. erlaubt auch Minderanforderungen für u. a. Großbritannien u. Luxemburg.
Lit.: Römpp Lexikon Umwelt, S. 314 f. ∎ s. Bundes-Immissionsschutzgesetz.

Großforschungseinrichtungen. In der BRD gibt es 16 Großforschungseinrichtungen. Diese bilden mit ca. 23 000 Mitarbeitern u. einem Jahresbudget von etwa 3,75 Mrd. DM (1996) das größte geschlossene Forschungspotential in der BRD. Die G. sind in der HGF (vgl. AGF) zusammengeschlossen. Sie betreiben naturwissenschaftlich-techn. sowie biolog.-medizin. Forschung u. Entwicklung, die eine interdisziplinäre Zusammenarbeit u. einen konzentrierten Einsatz an personellen, finanziellen u. apparativen Mitteln erfordern. Sie leisten wesentliche Beiträge zu den staatlich geförderten Programmen auf den Gebieten Energieforschung u. -technik, physikal. Grundlagenforschung, Transport- u. Verkehrssyst., Luft- u. Raumfahrtforschung, Informationstechnologie, Meerestechnik u. Geowissenschaften, Umweltschutz u. Gesundheit, Biologie u. Medizin sowie Polarforschung. Die AGF verfolgt langfristige Forschungsziele des Staates in wissenschaftlicher Autonomie u. zeichnet

sich in ihren Forschungsprogrammen durch ein hohes Maß an Gemeinpflichtigkeit aus. Sie nimmt damit eine Position zwischen Hochschul- u. Industrieforschung ein.
Vom Einsatz der Mittel her übersteigen die Vorhaben der G. den bei Univ. üblichen Umfang. Entwicklungsarbeiten werden der Ind. überlassen, sobald sich eine kommerzielle Nutzung abzeichnet. Der Bund, vertreten durch das *BMBF, trägt in der Regel 90% der Kosten; 10% tragen die Bundesländer, in denen die Einrichtungen ihren Sitz haben. Die G. arbeiten eng mit den Hochschulen sowie den außeruniversitären Forschungseinrichtungen u. Industriefirmen des In- u. Auslandes zusammen. Zahlreiche Wissenschaftler der G. sind gleichzeitig Hochschullehrer. Dem wissenschaftlichen Nachwuchs stehen auf diese Weise die spezif. Forschungsmöglichkeiten der Großforschung offen. Mit der Ind. erfolgt die Zusammenarbeit bei Großprojekten durch Kooperationsvereinbarungen u. Kenntnisverwertungsverträge, z. T. auch in Entwicklungsgemeinschaften. Andere Formen des Technologietransfers von der Übernahme spezieller Aufträge über Beratungsverträge bis zum Personalaustausch kommen ergänzend hinzu. Die internat. Zusammenarbeit der G. mit etwa 1000 Forschungsinst. in aller Welt ist durch zahlreiche Abkommen u. Verträge auf nahezu allen Forschungsgebieten geregelt.
Lit.: Bundesbericht Forschung 1996, S. 437–456, Bonn: BMBF 1996.

Grossular s. Granate.

Groth, Wilhelm (1904–1977), Prof. für Physikal. Chemie, Univ. Bonn. *Arbeitsgebiete:* Isotopen-Anreicherung, Entwicklung von Gaszentrifugen zur Trennung von Isotopen-Gemischen u. Anreicherung von spaltbarem Kernmaterial, Gaskinetik, Photochemie u. Aeronomie.
Lit.: Ber. Bunsenges. Phys. Chem. **73**, 1 f. (1969) ▪ Nachr. Chem. Tech. **12**, 34 (1964).

Grotthus, Theodor (1785–1822), Privatgelehrter in Litauen. *Arbeitsgebiete:* Zers. des Wassers durch elektr. Strom, erste Theorie über die elektrolyt. Dissoziation, Lichtabsorption.
Lit.: Neufeldt, S. 5.

Grotthus-Drapersches Gesetz. Photochem. Reaktionen werden nur von derjenigen *Strahlung ausgelöst, die von dem betreffenden Syst. absorbiert wird, s. Photochemie.

Grotthus-Mechanismus. Von *Grotthus vorgeschlagener Mechanismus zur Erklärung des experimentellen Befundes, daß H^+- u. OH^--*Ionen in wäss. Lsg. eine wesentlich höhere *Beweglichkeit* (darunter versteht man den Quotienten aus Wanderungsgeschw. v u. elektr. Feldstärke E; u = v/E) besitzen als andere Ionen. So haben H^+-Ionen bei 298 K in Wasser eine Beweglichkeit von $3,6 \cdot 10^{-7}$ m^2 V^{-1} s^{-1}, Na$^+$-Ionen hingegen nur einen Wert von $0,5 \cdot 10^{-7}$ m^2 V^{-1} s^{-1}. Nach dem G.-M. nutzen die H^+- u. OH^--Ionen die Wasserstoff-Brückenstruktur des Wassers aus. Dadurch reicht eine kleine tatsächliche Bewegung eines H^+-Ions aus, um eine große effektive Bewegung mit dem entsprechenden Ladungstransport – über mehrere Wassermol. hin-weg – zu erreichen. – *E* Grottus mechanism – *F* mécanisme de Grotthus – *I* meccanismo di Grotthus – *S* mecanismo de Grotthus
Lit.: J. Chem. Educ. **64**, 777 (1987).

Groupment International des Associations Nationales de Fabricants de Produits Argochimiques s. GIFAP.

GRS. Abk. für *Gesellschaft für Anlagen- u. Reaktorsicherheit mbH.

Grubengas s. Methan.

Grubenholz. Fichten-, Tannen- od. Kiefernholz, z. B. 4 m lang u. bis zu 20 cm stark (Grubenlangholz), wird in den Steinkohlengruben usw. zum Abstützen der Gänge verwendet. Zur Förderung von je 1000 t Steinkohle benötigte man (1953) ca. 27–29 m^3 Grubenholz. Die Fäulnis des G. beginnt bei 87% Luftfeuchtigkeit in den Gruben; man imprägniert deshalb das G. mit *Holzschutzmitteln. – *E* pitwood – *F* bois de mine – *I* legname per miniera – *S* madera para minas, rollizos

Grubenlampe s. Davysche Sicherheitslampe.

Grubenwasser (Schachtwasser). G. ist das bei der Wasserhaltung im Bergbau zutage geförderte Wasser, das häufig salzhaltig ist. – *E* mine water, mine drainage water, mine drainage – *F* eau de mine – *I* acqua raccoltasi in una miniera – *S* agua de mina
Lit.: Geochemischer Atlas der Bundesrepublik Deutschland, Stuttgart: Schweizerbart 1985 ▪ Uhlmann, Hydrobiologie, Stuttgart: Fischer 1982.

Grudekoks s. Braunkohle.

Grudeschwarz. Durch Vermahlen von Grudekoks (s. Braunkohle) erhaltenes schwarzes Farbpulver, auch Koksschwarz genannt, das als Malerfarbe dient. – *E* Grude black – *F* noir de lignite – *I* nero di lignite – *S* negro de lignita

Gruehn, Reginald (geb. 1929), Prof. für Anorgan. u. Analyt. Chemie, Dr. rer. nat., Univ. Gießen. *Arbeitsgebiete:* Festkörperchemie (Übergangsmetalloxide u. Oxidhalogenide), Kristallstrukturanalyse (hochauflösende Transmissionselektronenmikroskopie), Massenspektrometrie (Hochtemp.-Gleichgew.), chem. Transport von Oxiden, Phosphaten u. Phosphiden der Übergangsmetalle.
Lit.: Kürschner (16.), S. 1138 ▪ Nachr. Chem. Tech. Lab. **42**, Nr. 9, 925 (1994).

Grünalgen s. Algen.

Grünau. Kurzbez. für die 1884 gegr. Grünau Illertissen GmbH, 89251 Illertissen; ein Unternehmen der Henkel-Gruppe. *Daten* (1995): ca. 630 Beschäftigte, Grundkapital 30 Mio. DM. *Produktion:* Grundstoffe sowie Hilfs- u. Veredlungsmittel für die Lebens- u. Futtermittel- sowie für die Textil-Ind., Abdichtungssyst., z. B. Wolfin IB^R sowie Erzeugnisse für den aktiven u. präventiven Brand- u. Umweltschutz.

Grünbleierz s. Pyromorphit.

Grüncef®. Tabl. u. Trockensaft mit dem *Cephalosporin-Antibiotikum *Cefadroxil. *B.:* Grünenthal.

Grüne Liste. Vom Bundesverband der diätet. Lebensmittel-Ind. e.V. herausgegebenes Verzeichnis diätet. u. diätgeeigneter Lebensmittel.

Grünenthal. Kurzbez. für die 1946 gegr., im Besitz der Familie Wirtz (vgl. Dalli-Werke) befindliche Fa. Grünenthal GmbH, 52222 Stolberg. *Produktion:* Arzneimittel, Antibiotika, Steroide. *Daten* (1994): 1400 Beschäftigte, 325 Mio. DM Umsatz.

Grünerde. Eine durch *Verwitterung von *Silicaten entstandene, von Fe(II)-Verb. grün gefärbte „Erde" aus durchschnittlich 20–30% FeO, 40–55% SiO_2, 10–18% CaO, 1–10% MgO, 6–8% Al_2O_3, 6–8% K_2O bzw. Na_2O u. 6–8% Wasser. Die G. sind schwer pulverisierbar, grobkörnig, beständig gegen Alkalien, Licht u. Witterungseinflüsse. Eine berühmte G. ist das bläulichgrüne *Veroneser-Grün* vom Monte Baldo bei Verona, das schon seit alter Zeit als Pigment für Fresko-, Aquarell-, Tempera- u. Ölmalerei verwendet wird. – *E* green earth – *F* terre verte – *I* terra verde – *S* tierra verde – [HS 2530 90]

Grüner Hafertee. Die kurz vor der Blüte geernteten oberird. Teile des Hafers (*Avena sativa* L., Gramineae) gelten volksmedizin. in Tees als *Sedativum zur Behandlung von Angst- u. Spannungszuständen. Ein Wirksamkeitsnachw. u. die Zuordnung zu bestimmten Inhaltsstoffen konnte nicht erbracht werden. – *E* green oats – *F* thé d'avoine verte – *I* tè verde dell'avena
Lit.: Bundesanzeiger 193/15.10.1987 ■ Wichtl (2.), S. 202 ff. – [HS 1211 90]

Grünerit s. Amphibole.

Grüner Punkt s. duales System.

Grünewald, Herbert (geb. 1921), Prof., Univ. Bonn, Aufsichtsratsvorsitzender der Bayer AG, Leverkusen. *Arbeitsgebiet:* Organ. Zwischenprodukte.
Lit.: Nachr. Chem. Tech. **22**, 281 f. (1974) ■ Wer ist wer, S. 449.

Grün fluoreszierendes Protein (GFP). Monomeres *Protein aus Leuchtquallen (*Aequorea*-Arten) mit M_R 27000. Die Aminosäure-Reste Serin, Tyrosin u. Glycin (Positionen 65–67) sind zu einem *Fluorophor cyclisiert (Absorption: $\lambda_{max} = 395$ nm; Emission: $\lambda_{max} = 509$ nm; zur Struktur s. Abb. u. *Lit.*[1]).

Abb.: Struktur des Fluorophors im GFP. Zur Ausbildung der Fluoreszenz sind Wechselwirkungen mit weiteren Gruppen des Proteins nötig.

In vivo wird das GFP durch *Energieübertragung von dem Calcium-aktivierten *Aequorin zu grüner *Fluoreszenz angeregt. In der Gentechnik wird das GFP als Marker für die Expression bestimmter Gene verwendet[2]. Gentechn. veränderte GFP können zur Markierung von Zellorganellen verwendet werden[3]. – *E* green fluorescent protein – *F* protéine fluorescente verte – *I* proteina fluorescente verde – *S* proteína fluorescente verde
Lit.: [1] Science **273**, 1392–1395 (1996). [2] Science **263**, 802–805 (1994). [3] Curr. Biol. **6**, 178–188 (1996).

Grünkreuzkampfstoff s. Diphosgen.

Grünmalz s. Bier.

Grünsalz. Bei der Herst. von *Titandioxid aus *Ilmenit nach *Aufschluß dessen mit Schwefelsäure (Sulfat-Verf.) entsteht neben *Dünnsäure das sog. G., ein *Eisen(II)-sulfat-heptahydrat. Pro t Titandioxid fallen ca. 4 t G. an. In den 70er Jahren wurde G., mit der Dünnsäure in Küstenregionen verklappt. Heute findet G. Verw. z. B. bei der *Abwasserbehandlung (s. Direktfällung) zur Phosphat- od. Sulfid-Fällung. Daneben wird G. bei der *Trinkwasser- (*Flockungsmittel), der *Klärschlamm- (seine oxidierte Form Eisen(III)-Chloridsulfat zur *Schlammkonditionierung) u. der *Kühlwasser-Aufbereitung (Passivierung von Messingrohren) eingesetzt; ferner dient es als Rohstoff für Eisenoxid-Pigmente, -Magnetbänder u. a., zur Chromat-Reduzierung im Zement sowie als Futter- u. Düngemittelzusatz. – *E* copperas – *F* vitriol vert – *I* sale verde – *S* sal verde
Lit.: Ullmann (5.) **B 8**, 271–274.

Grünschiefer. Sammelbez. für grün aussehende, feinkörnige, *metamorphe Gesteine, die als wesentliche Minerale *Chlorit, *Epidot, Aktinolith (*Amphibole) u. Albit (*Feldspäte) enthalten. Keine wohldefinierte individuelle Gesteinsbezeichnung. Vork. z. B. im südlichen Taunus/Hessen. – *E* greenschist – *F* ardoise memphytique – *I* diabase – *S* esquisto verde
Lit.: s. metamorphe Gesteine.

Grünspan. Gemenge von grünen bis blauen bas. Kupfer(II)-acetaten der allg. Zusammensetzung $1-3 Cu(O-CO-CH_3)_2 \cdot 1-3 Cu(OH)_2 \cdot n H_2O$, wirkt durch seinen *Kupfer-Gehalt giftig. G. wurde früher auch künstlich hergestellt (Kupfer-Platten öfters mit Essig befeuchten u. an der Luft liegen lassen) u. zur Herst. von Farben, Mehltau-Bekämpfungsmitteln u. dgl. verwendet. Im Altertum u. Mittelalter gewann man den schon von Theophrast erwähnten *Aerugo* [blaugrüne Malerfarbe von der Formel $Cu(OH)_2 \cdot (H_3C-CO-O)_2Cu$] durch Einlegen von Kupferblech u. Weintrester in irdene Töpfe; heute spielen diese Farben nur noch eine geringe Rolle. Übrigens wird G. oft fälschlicherweise mit *Patina gleichgesetzt. – *E* verdigris – *F* ver-degris, verdet – *I* verderame – *S* cardenillo, verdete
Lit.: s. Kupferacetate.

Grünstein s. Diabas.

Grünstein-Gürtel (greenstone belts). G.-G. bestehen aus *Gesteins-Abfolgen, deren Hauptbestandteile dunkle, oft durch *Metamorphose überprägte vulkan. Gesteine (*Basalte u. *Komatiite) u. zugehörige *pyroklastische Gesteine (u. a. *Tuffe) sind. Stets sind auch *Sedimentgesteine in den G.-G. enthalten; in *Kieselgesteinen (Cherts) aus G.-G. sind die ältesten Lebensspuren der *Erde gefunden worden. Die G.-G. sind im allg. eng mit *Graniten verknüpft u. finden sich überwiegend in den präkambr. (archaischen, s. Erdzeitalter) alten Schilden (z. B. Kanada, Südafrika, West-Australien) der Kontinente. Sie haben wirtschaftliche Bedeutung durch die in ihnen enthaltenen *Gold-Vork. u. *Lagerstätten mit Kupfer- u. Nickel-*Erzen. – *E* greenstone belts – *F* ceinture de roches vertes – *I* cintura di roccia verde – *S* cinturones de rocas verdes

Lit.: Condie, Archean Greenstone Belts, Amsterdam: Elsevier 1981 ▪ De Wit u. Ashwal (Hrsg.), Greenstone Belts, Oxford (U.K.); Oxford University Press 1996 ▪ Sawkins, Metal Deposits in Relation to Plate Tectonics, 2. Aufl., Berlin: Springer 1989 ▪ s. a. Lagerstätten.

Grünzweig u. Hartmann. Kurzbez. für die 1878 gegr. Firma Grünzweig u. Hartmann AG, 67005 Ludwigshafen, die zu 98% zu der französ. *Saint-Gobain-Gruppe gehört. *Daten* (1994): 1615 Beschäftigte, 160 Mio. DM Kapital, 854,7 Mio. DM Umsatz. *Produktion:* Mineralwolle für Wärme-, Kälte-, Schall- u. Brandschutz.

Grummt, Ingrid (geb. 1943), Prof. für Molekularbiologie, Univ. Würzburg; Dtsch. Kernforschungszentrum Heidelberg. *Arbeitsgebiete:* Regulation der Genexpression in Eukaryonten, mol. Mechanismen der Transkription.

Lit.: Kürschner (16.), S. 1144.

Grundanstrich. Nach DIN 55 945 (12/1988) Bez. für eine Grundbeschichtung (Grundierung) aus einer od. mehreren Schichten, die der Verbindung zwischen Untergrund u. weiteren Schichten dient. Der G. kann auch noch bes. Aufgaben (z. B. Korrosionsschutz) erfüllen; vgl. a. Haftgrundmittel. – *E* primer coat – *F* couche de fond – *I* colore di fondo – *S* capa de fondo, primera capa

Grundbaustein s. Makromoleküle.

Grundchemikalien. Meist synonym zu *Schwerchemikalien* gebrauchte Bez., s. Chemikalien.

Grunddünger s. Düngemittel.

Grundeinheiten. 1. Bez. für diejenigen physikal. *Einheiten, aus denen sich alle anderen Einheiten physikal. *Größen ableiten lassen. Galten früher Zentimeter, Gramm u. Sekunde (*CGS-System) od. Meter, Kilogramm u. Sekunde (*MKS-System) als *Basiseinheiten, so wurden 1960 die folgenden, in Einzelstichwörtern abgehandelten Einheiten internat. als G. definiert (*SI) u. 1970 in der BRD gesetzlich verankert: Ampere, Candela, Kelvin, Kilogramm, Meter, Mol u. Sekunde. – 2. Begriff aus der Strukturchemie der Makromoleküle, s. dort. – *E* base units – *F* unités fondamentales – *I* unità assolute – *S* unidades fundamentales

Lit.: s. SI u. Einheiten.

Grundemail s. Email.

Grundfarben. Im Druckereigewerbe übliche Bez. für zur Herst. von Farbmischungen verwendete Einzelfarben, beschrieben für Buchdruck in DIN 16 508 (12/1967), für Offsetdruck in DIN 16 509 (07/1965) u. für Hochdruck in DIN 16 520 (06/1961). – *E* color components – *F* couleurs de base – *I* colori di fondo – *S* tinta de base

Grundgrößen s. Größen.

Grundierfilme. Mit *Aminoplast-Harzen imprägnierte Spezialpapiere zur Beschichtung von Holzwerkstoffplatten, die durch die G. einen geeigneten Untergrund für die Behandlung mit Pigmentlacken erhalten. – *E* priming films – *I* pellicole di fondo – *S* pinturas de impregnación

Grundkonstanten s. Fundamentalkonstanten u. Konstanten.

Grundlagenforschung s. Forschung u. Forschungsförderung.

Grundoperation s. Verfahrenstechnik.

Grundstoffe. Sammelbez. für einfache od. zusammengesetzte Stoffe, die natürlicher (*Rohstoffe) od. synthet. (Grund- od. *Schwerchemikalien) Herkunft sein können, u. als *Ausgangsmaterial für weitere chem. *Synthesen dienen. Die Gewinnung der G. ist das Arbeitsgebiet der *Grundstoff-Industrie.* – *E* key chemicals, base materials – *F* matières de base – *I* materie prime – *S* materias base, materias primas

Grundumsatz. Basiswert des zur Aufrechterhaltung des Fließgleichgew. der Körperfunktionen minimal notwendigen Umsatzes an Energie, gemessen unter den Standardbedingungen morgens, nüchtern, in Ruhe (liegend), bei indifferenter Umgebungstemp. u. normaler Körpertemperatur. Der G. hängt ab von tagescycl. Schwankungen, Arbeit, Nahrungsaufnahme sowie Änderungen der Körper- u. Umgebungstemperatur. Unterschiede ergeben sich durch Alter, Geschlecht, Körpergröße u. Körpergewicht. Unter Berücksichtigung dieser Einflußgrößen werden durch Reihenuntersuchungen Sollwert-Tab. erstellt. So beträgt der G. des Erwachsenen pro h u. kg Körpergew. etwa 4 kJ (1kcal), d. h. pro 24 h u. 70 kg Körpergew. ca. 7000 kJ (1700 kcal). Bei körperlicher Arbeit wird der G. um den Leistungszuwachs auf den *Arbeitsumsatz* erhöht, der um so höher ist, je schwerer die Arbeit. So beträgt der Arbeitsumsatz eines jungen Mannes bei leichter körperlicher Arbeit 10 kJ/min, bei schwerer körperlicher Arbeit 17 kJ/min.

Gemessen wird der Energieumsatz zum einen durch die techn. aufwendige Messung der pro Zeiteinheit nach außen abgegebenen Wärme (*direkte *Kalorimetrie*). Häufiger, weil einfacher, wird das Verf. der *indirekten Kalorimetrie* angewandt. Dabei wird die Aufnahme von Sauerstoff u. Abgabe von Kohlendioxid bei der Atmung mit Gasregistrierapparaten bestimmt u. daraus der Energieumsatz berechnet. Der G. spielte vor der Einführung modernerer Meth. eine große Rolle in der klin. Diagnostik der Schilddrüsenerkrankungen, da die Regulation des Energieumsatzes durch die Schilddrüsenhormone beeinflußt wird. – *E* basal metabolism – *F* métabolisme basal – *I* metabolismo basale – *S* metabolismo basal

Lit.: Schmidt u. Thews, Physiologie des Menschen, S. 641–648, Heidelberg: Springer 1995 ▪ Stegemann, Leistungsphysiologie, Stuttgart: Thieme 1991.

Grundwasser. Wasser der Lithosphäre in Poren, Klüften u. a. Hohlräumen (= unterird. Wasser), das diese zusammenhängend ausfüllt u. dessen Bewegungsmöglichkeiten ausschließlich durch Schwerkraft bestimmt werden[1]. Zum G. gehört also nicht der Haftwasser. G. führende Schichten heißen G.-Leiter (Aquifere), die darunter liegende, wasserstauende Schicht G.-Stauer od. G.-Sohlschicht. Die Oberfläche des G. heißt G.-Spiegel; häufig wird durch menschliche Eingriffe (z. B. beim Tagebau od. durch starke Förderung) eine G.-Absenkung verursacht. Typischerweise fließt

G. mit Geschw. von einigen cm bis 10 km pro Tag. Bei Übereinanderlagerung verschiedener G.-Stauer treten mehrere G.-Spiegel (G.-Stockwerke) auf. Steht G., das von einem G.-Stauer überlagert wird, mit G. einer höheren Schicht in Verbindung, so steht es unter hydrostat. Druck (gespanntes G.); wird es angebohrt, entstehen Artesische Brunnen. Räume mit ruhendem G. u. ohne Abflußmöglichkeit heißen G.-Becken. G. tritt in Form von Quellen zutage, od. es wird von fließenden Gewässern aufgenommen. Das von Natur aus keimarme G. wird – meist nach Aufbereitung – in Landwirtschaft, Ind. u. Privathaushalt, insbes. zur *Trinkwasser-Versorgung, genutzt. Da sich G. v. a. durch Versickerung von Niederschlägen bzw. aus *Gewässern nachbildet, umfaßt der Grundwasserschutz neben Bewirtschaftungsmaßnahmen auch *Luftreinhaltung, *Gewässerschutz u. Aspekte des Landschafts- u. *Naturschutzes (s. a. Lit.[2]). – *E* groundwater, subsoil-water, underground water – *F* nappe phréatique – *I* acqua sotterranea – *S* aguas subterráneas
Lit.: [1] DIN 4049, Tl. 3 (10/1994). [2] Römpp Lexikon Umwelt, S. 317–320; Sieder et al., Wasserhaushaltsgesetz, Kommentar § 33–35 (Loseblattsammlung), München: Beck, 16. Ergänzungslieferung 1996; EU-Grundwasserrichtlinie 80/68/EWG vom 26. 1. 1980 (ABl. der EG L 20, S. 43).
allg.: Grombach et al., Handbuch der Wasserversorgungstechnik (2.), S. 138–241, 252–276, München: Oldenbourg 1993 ■ Marcinek u. Rosenkranz, Das Wasser der Erde, S. 229–254, Thun: Harri Deutsch 1989 ■ Voigt, Hydrogeochemie, Berlin: Springer 1990.

Grundwasseranreicherung. Bez. für eine Anreicherung des *Grundwassers durch Zuführung oberflächig abfließenden Wassers sowie von Abwässern, die zur Reinigung durch eine Sandschicht geleitet werden (s. Rieselfelder). – *E* recharge of ground-water, replenishment of ground-waterds – *F* enrichissement de l'eau souterraine, raveinement de la nappe – *I* arricchimento dell' acqua sotterranea – *S* enriquecimiento del agua subterránea, aumento del agua subterránea

Grundzustand. Bez. für den energieärmsten *Zustand der Atomkerne, Atome od. Mol., vgl. Atombau. Bei Mol. trifft man die folgenden Unterscheidungen: *Elektron. G., Schwingungs-* u. *Rotationsgrundzustand.* Unter Normalbedingungen befinden sich Atome u. Mol. überwiegend im elektron. Grundzustand. Bei den meisten Mol. ist dies ein *Singulett-Zustand; Ausnahmen bilden z. B. das Sauerstoff-Mol. od. das Methylen (CH_2), die einen *Triplett-Zustand als G. besitzen. Der Übergang zu angeregten Zuständen erfordert die Zufuhr von Anregungsenergie, z. B. in Form von elektromagnet. Strahlung; Näheres s. Anregung. – *E* ground state – *F* état fondamental – *I* stato fondamentale – *S* estado fundamental

Grunerit s. Amphibole.

Grunstein-Hogness-Methode s. Kolonie-Hybridisierung.

Gruppen s. funktionelle Gruppen, Gruppentheorie u. Periodensystem.

Gruppenanalyse, Gruppenreagenzien s. Reagenzien u. Trennungsgang.

Gruppensilicate s. Silicate.

Gruppentheorie. Gebiet der Mathematik, das zur Untersuchung von Symmetrieproblemen verwendet werden kann. Da die Symmetrie in der Chemie eine wichtige Rolle spielt, findet auch die G. breite Anwendung. Eine Menge von N Elementen (z. B. Symmetrieoperationen wie Drehungen od. Spiegelungen) bildet eine Gruppe der Ordnung N, wenn die folgenden Bedingungen erfüllt sind: 1. Die Menge muß die Identität (I) enthalten; bei Symmetrieoperationen bedeutet dies eine nichts bewirkende Operation; – 2. zu jedem Element g_i existiert das zugehörige inverse Element g_i^{-1}, derart, daß $g_i g_i^{-1} = I$ gilt; – 3. es gilt das Assoziativgesetz: $(g_i g_j) g_k = g_i (g_j g_k)$; – 4. die Verknüpfung (oft Produkt genannt) zweier Gruppenelemente liefert ein Element der Gruppe, d. h. $g_i g_j = g_k$, wobei g_i, g_j u. g_k Elemente der Gruppe sind.
Bei einem Mol. mit einem in der *Gleichgewichtsgeometrie festgehaltenen Kerngerüst sind die Symmetrieoperationen (Operationen, die Kerne in sich selber od. äquivalente in äquivalente Kerne überführen) die Elemente einer Punktgruppe. Zur Charakterisierung von Punktgruppen werden 2 Syst. verwendet, das *Schönflies-System od. das *Hermann-Mauguinsche-Symbol* (s. Kristallgeometrie). Letzteres, welches v. a. in der *Kristallographie verwendet wird, wird auch als *Internat. Syst.* bezeichnet. Im Schönflies-Syst. bilden z. B. die Symmetrieoperationen des H_2O-Mol., dessen Kerne in der Gleichgewichtsgeometrie ein gleichschenkliges Dreieck bilden, eine Punktgruppe der Ordnung 4 mit der Bez. C_{2v}. Die einzelnen Elemente sind die Identität, die Drehung um die Winkelhalbierende des HOH-Winkels (sog. C_2-Achse) um 180° – diese Operation heißt C_2 –, die Spiegelung an der alle 3 Kerne enthaltenden Mol.-Ebene ($\sigma_v 2$) u. die Spiegelung an der hierzu senkrechten Ebene, die die C_2-Achse enthält ($\sigma_v 1$). Die mit jeweils 2 Gruppenelementen durchführbaren Verknüpfungen werden in der *Multiplikationstab.* dargestellt (s. Tab. 1 für die Symmetrieoperationen des H_2O-Mol.).

Tab. 1: Multiplikationstabelle der Punktgruppe C_{2v}.

	I	C_2	σ_{v_1}	σ_{v_2}
I	I	C_2	σ_{v_1}	σ_{v_2}
C_2	C_2	I	σ_{v_2}	σ_{v_1}
σ_{v_1}	σ_{v_1}	σ_{v_2}	I	C_2
σ_{v_2}	σ_{v_2}	σ_{v_1}	C_2	I

Die Punktgruppe C_{2v} gehört zu den *abelschen Gruppen*, bei denen die Reihenfolge der 2 Elemente in einer Verknüpfung gleichgültig ist, d. h. es gilt: $g_i g_j = g_j g_i$ (Kommutativ-Gesetz). Ist diese Bedingung nicht erfüllt, dann liegt eine *nicht-abelsche Gruppe* vor.
Die G. spielt eine wichtige Rolle in der Atom- u. Mol.-*Spektroskopie zur Klassifizierung von Zuständen u. zur Aufstellung von *Auswahlregeln. Eine zentrale Rolle nehmen hierbei die *Darst.* von Gruppen ein, insbes. die *irreduziblen* Darstellungen. Der Zusammenhang zwischen diesen u. den Symmetrieoperationen kommt in der *Charaktertafel* zum Ausdruck; für unser obiges Beisp. ist eine solche in Tab. 2 (S. 1618) aufgeführt.

Tab. 2: Charaktertafel zur Punktgruppe C_2.[a]

	I	C_2	σ_{v_1}	σ_{v_2}
A_1	1	1	1	1
A_2	1	1	-1	-1
B_1	1	-1	1	-1
B_2	1	-1	-1	1

[a] irreduzible Darstellungen (in Mulliken-Schreibweise): A_1 (totalsymmetrisch), A_2, B_1 u. B_2.

– *E* group theory – *F* théorie des groupes – *I* teoria dei gruppi – *S* teoría de grupos
Lit.: Cotton, Chemical Applications of Group Theory, 3. Aufl., New York: Wiley 1990 ▪ Douglas u. Hollingsworth, Symmetry in Bonding and Spectra. An Introduction, New York: Academic Press 1985 ▪ Kettle, Symmetrie u. Struktur, Stuttgart: Teubner 1994 ▪ Mathiak u. Stingl, Gruppentheorie, 2. Aufl., Braunschweig: Vieweg 1969.

Gruppentransferpolymerisation. Die G. ist ein Polymerisationsverf. für α,β-ungesätt. Carbonsäureester (Acrylsäure-, Methacrylsäureester), Carbonsäureamide (Methacrylamid), Ketone (Alkylvinylketone) od. Nitrile (Acrylnitril), bei dem die Polymerisation durch *O*-Silyl-ketenacetale initiiert wird u. z.B. (im Falle des Methacrylsäuremethylesters) nach folgendem Schema verläuft.

Abb.: Gruppentransferpolymerisation.

Der Initiierungs- u. Wachstumsschritt der G. muß katalysiert werden, z.B. durch Nukleophile (Fluorid-, Bifluorid-, Cyanid-Ionen) od. Elektrophile (Zink-Halogenide). In Abwesenheit prot. Reagenzien resultieren *lebende Polymere mit *O*-Silyl-ketenacetal-Endgruppen, die mit Protonen-Donatoren (z.B. Methanol) desaktiviert werden können. Da bei der Polymerisation keine freien Silyl-Gruppen auftreten, wird auf eine direkte Übertragung (Transfer) der Silyl-Gruppe auf das anzulagernde Monomer geschlossen. – *E* group transfer polymerization – *F* polymérisation de transfer de groupe – *I* polimerizzazione dei trasferimenti di gruppo – *S* polimerización de transferencia de grupo
Lit.: Compr. Polym. Sci. **4**, 163–169 ▪ Eastmond u. Webster, Group Transfer Polymerizations, in Ebdon (Hrsg.), New Methods of Polymer Synthesis, New York: Blackie, Chapman & Hall 1991 ▪ Houben-Weyl E **20**, 153–160, 1173f.

Gruppenübertragungs-Polymerisation s. Gruppentransferpolymerisation.

Grus. Allg. Bez. für feinkörnige Abfälle u. Asche, speziell für verwittertes *Gestein von der Korngröße 5–15 mm sowie für feinzerbröckelte, spröde Stoffe, z.B. *Kohle.

Gruss, Peter (geb. 1949), Prof. für Biochemie, Direktor der Abteilung Mol. Zellbiologie, MPI für biophysikal. Chemie, Göttingen. *Arbeitsgebiete:* Genregulation, Transkriptionskontrolle bei Säugern.
Lit.: Kürschner (16.), S. 1149 ▪ Nachr. Chem. Tech. Lab. **40**, Nr. 718, 904 (1992) ▪ Wer ist wer, S. 451.

Gruyter s. de Gruyter.

G-Säure, G-Salz s. Naphtholsulfonsäuren.

GSC s. Gaschromatographie.

GSF. Abk. für *Gesellschaft für Strahlen- u. Umweltforschung mbH.

GSH. Abk. für *Glutathion-SH (reduziertes Glutathion).

GSI. Abk. für *Gesellschaft für Schwerionenforschung mbH.

GSP s. Good Manufacturing Practices.

GSSG. Abk. für oxidiertes *Glutathion.

GS-Zeichen. Das Prüfzeichen GS (= geprüfte *Sicherheit) kennzeichnet sicherheitsgerechte verwendungsfertige Arbeitseinrichtungen, v.a. Werkzeuge, Arbeitsgeräte, Arbeits- u. Kraftmaschinen, Hebe- u. Fördereinrichtungen, sowie Beförderungsmittel, Schutzausrüstungen, Beleuchtungs-, Heiz- u. Kühl- sowie Be- u. Entlüftungseinrichtungen, Haushaltsgeräte, Sport- u. Bastelgeräte sowie Spielzeug.
Die Vergabe des GS-Z. ist durch das *Gerätesicherheitsgesetz geregelt. Die Arbeitsmittel dürfen nach erfolgreichem Abschluß eines Prüfverf. bei einer zugelassenen Stelle mit dem Zeichen gekennzeichnet werden.
Prüfinhalte sind mechan., hydraul., pneumat., akust., elektr. u. elektron. Sicherheit, die Sicherheit der Betätigungsorgane, die Kennzeichnung sowie die Betriebsanleitung. Die Identifikationszeichen od. Registriernummern der Prüfstellen sind in der linken oberen Freifläche des GS-Z. od. neben dem GS-Z. abgebildet. Die widerrechtliche Benutzung des GS-Z. steht unter Strafe.
– *E* sign „tested safety" – *F* règlement sur la sécurité des équipements – *I* marchio di controllo GS (sicurezza verificata) – *S* ley de seguridad de equipamiento
Lit.: Betriebsverfassungsgesetz vom 15.1.1972 (BGBl. I, S. 13), zuletzt geändert durch Gesetz vom 24.7.1986 (BGBl. I, S. 1110) ▪ Gesetz über Betriebsärzte, Sicherheitsingenieure u. andere Fachkräfte für Arbeitssicherheit (Arbeitssicherheitsgesetz) vom 12.12.1973 (BGBl. I, S. 1885), geändert durch Jugendarbeitsschutzgesetz vom 12.4.1976 (BGBl I, S. 965) ▪ Gesetz über technische Arbeitsmittel vom 23.10.1992 (BGBl. I, S. 1793) ▪ Sicherheitsregeln für Bildschirm-Arbeitsplätze im Bürobereich ZH 1/618 (Ausgabe 10/1980) ▪ UVV „Allgemeine Vorschriften" (VBG 1) in der Fassung vom 1.4.1992 ▪ UVV „Lärm" (VBG 121) in der Fassung vom 1.4.1992 ▪ VO über Arbeitsstätten (ArbStättV) vom 20.3.1975 (BGBl. I, S. 729), zuletzt geändert durch VO vom 1.8.1983 (BGBl. I, S. 1057).
– *B.* für Unfallverhütungsvorschriften u. ZH-1-Schriften: Carl Heymanns Verl. KG, Luxemburger Straße 449, 50939 Köln od. Jedermann-Verl., Postfach 103140, 69021 Heidelberg.

G_t s. Transducin.

GTO. Abk. für *Gaussian-type orbital*. Begriff aus der *Quantenchemie. GTOs werden als Basisfunktionen (s. Basissatz) in *ab-initio-Rechnungen verwendet. – *E* Gaussian-type orbital – *F* orbitale de type gaussien

GTP. Abk. für Guanosin-5′-triphosphat, s. Guanosinphosphate.

GTPase-aktivierende Proteine (GAP). Familie regulator. *Proteine, die von *kleinen GTP-bindenden Proteinen zur Entfaltung von GTPase-Aktivität (GTP-spaltender Aktivität) benötigt werden. Am besten untersucht ist das für das *Ras-Protein spezif. GAP. Wenn Ras GTP (s. Guanosinphosphate) gebunden hat, ist es aktiv u. stimuliert eine Kaskade von Protein-Phosphorylierungen. Das Ras-GAP (M_R 120000), das an den Ras/GTP-Komplex bindet, verstärkt die dem Ras inhärente GTPase-Aktivität. Durch die Hydrolyse des GTP zu GDP (s. Guanosinphosphate) wird der mol. Schalter Ras wieder in den inaktiven Zustand versetzt. Auch α-Untereinheiten von heterotrimeren *G-Proteinen können durch GAP desaktiviert werden [1]. – *E* GTPase-activating proteins – *F* protéines activant la GTPase – *I* proteine attivanti la GTPasi – *S* proteínas activadoras de la GTPasa

Lit.: [1] Nature (London) **383**, 172–177 (1996).

GTPasen. Abk. für Guanosintriphosphatasen, s. Guanosinphosphate, G-Proteine.

GTP-bindende Proteine 1. Im weiteren Sinn alle Proteine, die GTP binden (s. Guanosinphosphate); – 2. im engeren Sinn Synonym für *G-Proteine einschließlich der *kleinen GTP-bindenden Proteine. – *E* GTP binding proteins – *F* protéines fixant le GTP – *I* proteine GTP-leganti – *S* proteínas fijadoras del GTP

Gtt od. **gtt.** Abk. für latein.: guttae = *Tropfen.

GTX. Abk. für *Gonyautoxine.

Gua. Abk. für *Guanin.

Guaifenesin. Internat. Freiname für *Guajakolglycerinether.

Guaiphesin s. Guajakolglycerinether.

Guajakharz. Harz des Holzes von *Guajacum officinale* u. *G. sanctum* (Zygophyllaceae), braune bis braungrüne Klumpen, Schmp. 85–90 °C, unlösl. in Wasser, lösl. in Ethanol, Chloroform, LD_{50} (Ratte p.o.) >5 g/kg. Es wurde früher in der Lebensmittel-Ind. als Antioxidans sowie als Reagenz auf Oxidationsmittel verwendet: Ether-Extraktion des G. ergibt „Guajakonsäure", die bei der Oxid. in „Furoguajacinblau" übergeht.

Furoguajacinblau

Diese Reaktion ist Grundlage des Hämoccult-Testes zum Nachw. von occultem Blut im Stuhl (oxy-*Hämoglobin als Oxidationsmittel). Im G. sind Guajol u. *Guajakol enthalten. – *E* guaiac, gum guaiac, resin guaiac – *F* résine de gayac – *I* resina di guaiaco – *S* resina de guayaco

Lit.: Hager (5.) **1**, 544; **2**, 699 ▪ Pharm. Unserer Zeit **22**, 14 (1993). – [HS 1301 90; CAS 8016-23-7]

Guajakol (2-Methoxyphenol, Brenzcatechinmonomethylether).

$C_7H_8O_2$, M_R 124,14, farblose bis gelbliche, stark lichtbrechende ölige Flüssigkeit, Sdp. 205 °C, D_4 1,128 od. farblose Prismen, Schmp. 28–32 °C, bzw. Nadeln, Schmp. –3 °C, von stark gewürzhaftem Geruch, schwerlösl. in Wasser, gut lösl. in organ. Lsm., gibt mit Eisenchlorid Grünfärbung, lichtempfindlich, schwach giftig [LD_{50} (Ratte p.o.) 0,7 g/kg, (Katze) 1,5 g/kg]. G. kommt in Buchenholzteer u. in Destillationsprodukten von *Guajakharz vor, es wird techn. aus Lignin od. *o*-Anisidin gewonnen. Verw. als Zwischenprodukt zur Herst. von *Guajakolglycerinether, Vanillin u. a., als Expektorans bei Husten u. Grippe. – *E* guaiacol – *F* guaïacol – *I* guaiacolo – *S* guayacol

Lit.: Beilstein E IV **6**, 5563 ▪ Food Cosmet. Toxikol. **20**, 697 (1982) ▪ Hager (5.) **9**, 735 ▪ Merck-Index (12.), Nr. 4575 ▪ Sax (8.), Nr. GKI000. – [HS 2909 50; CAS 90-05-1]

Guajakolglycerinether [3-(2-Methoxyphenoxy)-1,2-propandiol, Guaiphesin, internat. Freiname: Guaifenesin].

$C_{10}H_{14}O_4$, M_R 198,22, kleine, rhomb. Prismen, Schmp. 79 °C, Sdp. 215 °C (2,5 kPa), leicht bitterer, aromat. Geschmack. Wenig lösl. in kaltem Wasser, gut lösl. in Alkohol, Chloroform, Glycerin, Propylenglykol. Wegen seiner spasmolyt. u. expektorierenden Eigenschaften findet G. Verw. in Hustenmitteln. G. wurde 1954 von Roviralta u. Astoul, 1982 u. 1983 von Degussa patentiert. – *E* guaiacol glyceryl ether – *F* éther glycérylique du guaïacol – *I* etere guaiacolglicerinico – *S* éter glicerílico del guayacol

Lit.: Beilstein E IV **6**, 5576 ▪ DAB **1996** u. Komm. ▪ Hager (5.) **8**, 386 ff. – [HS 2909 49; CAS 93-14-1]

Guajan (Guaian).

Trivialname für 7-Isopropyl-1,4-dimethyldecahydroazulen, $C_{15}H_{28}$, M_R 208,39, ein Grundgerüst von *Sesquiterpenen, von dem sich neben ca. 100 Kohlenwasserstoffen, Ketonen u. Alkoholen ca. 60 z.T. cytotox. Lactone (*Guaianolide*), ferner *Guajazulen, *Absinthin u. a. Naturstoffe ableiten. – *E* = *F* guaiane – *I* guaiano – *S* guayano

Lit.: Angew. Chem. **85**, 895–907 (1973) ▪ Beilstein E III/IV **5**, 287 ff.; E IV **5**, 1751–1755 ▪ Synthesis **1972**, 517–525 ▪ Tetrahedron **44**, 4575–4584 (1988) ▪ Zechmeister **38**, 47–390 ▪ s. a. Sesquiterpene.

Guajava s. Guaven.

Guajazulen (7-Isopropyl-1,4-dimethylazulen, Azulon).

$C_{15}H_{18}$, M_R 198,31, intensiv blaue Krist., D. 0,973, Schmp. 31 °C, Sdp. 68 °C (1,6 kPa). Das aus Kamillenöl u. a. ether. Ölen durch Dest. od. synthet. aus dem

Guajol des Guajakholzöls erhältliche G. ist als *Antiphlogistikum pharmakolog. wirkungsgleich mit *Chamazulen, s. a. Azulen. – $E = I$ guaiazulene – F guaiazulène – S guayazuleno

Lit.: ApSimon **5**, 333 ▪ Beilstein E IV **5**, 1751 ▪ Pharm. Unserer Zeit **13**, 69 (1984) ▪ Tetrahedron Lett. **16**, 533 (1975); **25**, 587 (1984) ▪ Zechmeister **19**, 32–119 ▪ s. a. Azulene. – [HS 2902 19; CAS 489-84-9]

Guam. Insel im westlichen Pazifik, seit 1898 Territorium der USA, 549 km², 143 000 Einwohner (1993). Auf G. u. einigen Nachbarinseln trat unter der einheim. Urbevölkerung eine ungewöhnliche Nervenkrankheit häufig auf (Amyotrophe Lateralsklerose-Parkinson-Demenz-Syndrom), die 2 bis 15 Jahre nach dem Auftreten erster Symptome zum Tode führt. Wegen der hohen *Aluminium-Gehalte im Boden der Inseln, Aluminium-Ablagerungen in betroffenen, degenerierten Nervenzellen u. der bekannten Neurotoxizität von Aluminium wurde die Krankheit einer umweltbedingt erhöhten Aluminium-Aufnahme u. dem damit einhergehenden Mangel an Calcium u. Magnesium zugeschrieben. Mittlerweile ist β-(Methylamin)-L-alanin, eine nichtproteinogene Aminosäure aus der von der Urbevölkerung als Nahrung genutzten Frucht der Sago-Palme, als wahrscheinliche Krankheitsursache identifiziert. – $E = F = I = S$ guam

Lit.: Massey u. Taylor (Hrsg.), Aluminium in the Food and in the Environment, S. 20, London: Royal Soc. Chem. 1989.

Guanabenz.

Internat. Freiname für das α-*Sympathikomimetikum (2,6-Dichlorbenzylidenamino)-guanidin, $C_8H_8Cl_2N_4$, M_R 231,08, weißer Feststoff aus Acetonitril, Schmp. 227–229 °C (Zers.), λ_{max} (H$_2$O) 265, 305 nm. Verwendet wird auch das Monoacetat, Schmp. 188–190 °C. G. wurde als *Antihypertonikum 1969 von Sandoz patentiert. – $E = F = I$ guanabenz – S guanabenzo

Lit.: Florey **15**, 319–336 ▪ Hager (5.) **8**, 390 ff. – [HS 2928 00; CAS 5051-62-7; 23256-50-0 (Acetat)]

Guanacowolle s. Wolle.

Guanamine.

Unsystemat. Bez. für Verb., die sich von 2,4-Diamino-1,3,5-triazin (*Formoguanamin,* R = H) durch Substitution in 6-Stellung ableiten. Die G. lassen sich aus Dicyandiamid u. Alkyl- od. Arylnitrilen darstellen. Bekannteste Derivate neben *Benzoguanamin (R = C_6H_5) sind das sog. *Acetoguanamin* (R = CH$_3$, s. 2,4-Diamino-6-methyl-1,3,5-triazin), *Caprinoguanamin* [R = –(CH$_2$)$_8$–CH$_3$] u. *Isobutyroguanamin* [R = CH(CH$_3$)$_2$]; farblose Krist., in Wasser meist wenig löslich. Durch Umsetzung mit Formaldehyd entstehen Kondensationsprodukte, die allein od. als Modifizierungsmittel für Melamin- od. a. Aminoplastharze verwendet werden. Benzo- u. Caprino-G. finden außerdem Anw. zur Formaldehyd-Stabilisierung. – $E = F$ guanamines – I guanammine – S guanaminas

Lit.: s. Textstichwörter. – [HS 2933 69]

Guanethidin.

Internat. Freiname für 1-[2-(1-Azocanyl)-ethyl]-guanidin, $C_{10}H_{22}N_4$, M_R 198,31. Verwendet wird das Sulfat, Schmp. 250 °C (Zers.). G. wurde als adrenerger Neuronenblocker u. *Antihypertonikum 1960, 1961 u. 1962 von Ciba (Esimil®, in Kombination mit *Hydrochlorothiazid u. zur Glaukomtherapie mit *Epinephrin in Suprexon® enthalten) patentiert. – E guanethidine – F guanéthidine – $I = S$ guanetidina

Lit.: ASP ▪ Beilstein E V **20/4**, 163 ▪ DAB **1996** u. Komm. ▪ Hager (5.) **8**, 393 ff. – [HS 2933 90; CAS 55-65-2; 645-43-2 *(Monosulfat)*]

Guanfacin.

Internat. Freiname für *N*-Amidino-2-(2,6-dichlorphenyl)-acetamid, $C_9H_9Cl_2N_3O$, M_R 246,10, Schmp. 225–227 °C. Verwendet wird auch das Hydrochlorid, Schmp. 213–216 °C, λ_{max} (H$_2$O) 272, 280 nm ($A_{1cm}^{1\%} = 9,9$; 7,8). G. wurde als *Antihypertonikum 1969 u. 1972 von Wander (Estulic-Wander®) patentiert. – E guanfacin – F guanfacine – $I = S$ guanfacina

Lit.: Hager (5.) **8**, 396 ff. – [HS 2925 20; CAS 29110-47-2 (G.); 29110-48-3 *(Hydrochlorid)*]

Guanidin.

CH_5N_3, M_R 59,07. Farblose, in Alkohol u. Wasser leichtlösl., hygroskop. Krist., Schmp. ca. 50 °C, an der Luft Kohlendioxid anziehend. Die wäss. Lsg. reagieren ebenso stark alkal. wie Alkali-Laugen u. bilden mit einem Äquivalent Säure gut krist. Salze. G. kann als Amidin der *Carbamidsäure aufgefaßt werden u. ist ein Bestandteil des Arginins, Kreatins u. Kreatinins. Seine Salze entstehen durch Erhitzen von Ammoniumthiocyanat u. durch Erhitzen von Dicyandiamid od. Harnstoff mit Ammonium-Salzen; G. kann aus Harnstoff u. Salpetersäure hergestellt werden. Aus Aminen lassen sich G.-Derivate auch durch Guanidierung mittels *Uronium-Salzen herstellen. Das Kation des stark alkal. G., das *Guanidinium-Ion,* ist durch Resonanz stabilisiert, wie aus NMR-Untersuchungen hervorgeht; Verb. mit mehreren derartigen Gruppierungen (*Polyguanidinium-Salze*) eignen sich als anion. Komplexbildner.

Verw.: Mit Fettsäuren bildet G. gut emulgierende, in Wasser, Alkohol, Benzin, Tetrachlormethan u. Benzol lösl. Seifen. G. u. G.-Salze dienen zur Herst. von Flammschutzmitteln, zur Modifizierung u. als Hilfsmittel bei Formaldehyd-, Melamin- u. Phenolharzen, zur Herst. von Emulsionen, Ionenaustauschern, Arzneimitteln (z. B. *Biguaniden), Schädlingsbekämpfungsmitteln, Farbstoffen, Sprengstoffen, in der Leder-Ind. zur Enthaarung, als Antioxidans bei Textilien, Seifen, Ölen, Fetten, als Stabilisator für Aldehyde, aromatische Amine u. PVC-Harze, in der Analyse zur Trennung des Calciums von Barium u. Strontium; vielseitiges Reagenz in der organ. Synthese. – $E=F$ guanidine – $I=S$ guanidina

Lit.: Beilstein E IV **3**, 148–153 ▪ Hager (5.) **8**, 398 ▪ Merck-Index (12.), Nr. 4591 ▪ Paquette **4**, 2626. – *[HS 292520; CAS 50-01-1]*

Guanidino... Nach IUPAC-Regel C-961.2 u. R-9.1.31b Bez. für die Gruppierung –NH–C(NH$_2$)=NH in systemat. Namen; Chem. Abstr.: [(Aminoiminomethyl)amino]... – $E=F=I$ guanidino – S guanidino...

Guanin (2-Amino-1,9-dihydropurin-6-on, Abk.: Gua).

$C_5H_5N_5O$, M_R 151,13. Weißes bis gelblichweißes Pulver, Schmp. >365 °C (Zers.), in Wasser unlösl., in verd. Laugen u. Säuren unter Salzbildung lösl., schwer lösl. in Alkohol u. Ether. Es ist ein Bestandteil der *Nucleinsäuren (vgl. a. Guanosin u. Guanosinphosphate) u. kommt in vielen tier. u. pflanzlichen Organen in Begleitung von *Adenin vor. Die ähnlich gebauten 8-*Azaguanin u. 6-*Thioguanin sind cytostat. wirkende G.-*Antimetabolite. Größere Mengen G. finden sich in den Schuppen u. in der Haut von Fischen, Amphibien u. Reptilien, deren eigenartiger Glanz auf krist. G. zurückgeführt wird (*Fischsilber). G. wurde erstmals von Unger 1846 aus *Guano (daher Name) isoliert u. enthält als Baustein das *Guanidin, welches als Zers.-Produkt des G. erstmals hergestellt wurde. – $E=F$ guanine – $I=S$ guanina

Lit.: Beilstein E V **26/28**, 42–45. – *[HS 293359; CAS 73-40-5]*

Guaninnucleotid-Austauschfaktor, Guaninnucleotid-freisetzendes Protein s. kleine GTP-bindende Proteine.

Guaninnucleotid-bindende Proteine s. G-Proteine.

Guano. Von peruan.: huanu = Mist abgeleitete Bez. für Vogelexkremente, die sich v. a. auf den regenarmen Küsten u. Inseln Perus u. Chiles im Laufe von Jahrtausenden (bes. während der Eiszeit) in großen Mengen angehäuft haben u. seit Inka-Zeiten als Phosphat-Dünger Verw. finden. Die besseren Sorten des alten, heute fast ganz abgebauten Peru-G. enthielten 20–30% leicht aufnehmbares Calciumphosphat u. 10–15% gebundenen Stickstoff, z. T. als harnsaures u. oxalsaures Ammonium. Junger peruan. Vogel-G. enthält 8–22% Wasser, 42–70% organ. Substanz, 3–11% Kalk (CaO), 6–13% Phosphorsäure (P$_2$O$_5$), 11–17% N. Die N-Verb. werden allmählich ausgelaugt od. zersetzt (NH$_3$-Abspaltung), daher findet eine langsame, relative Zunahme des P-Gehalts statt. Der planmäßige G.-Abbau begann um 1840; die 1847 auf 32 Mio. t geschätzten, stellenweise bis 80 m dicken G.-Lager waren 1875 nahezu erschöpft. Seit 1909 ist man in Peru bemüht, die „G.-Vögel" (Peru-Kormoran, gänsegroßer, schwarzweißer Vogel, der auf den peruan. Chincha-Inseln zu Tausenden lebt u. im fischreichen kalten Humboldtstrom Fische fängt, erzeugt jährlich ca. 16 kg G.) zu schonen u. ihnen z. B. bes. Nistgelegenheiten zu bieten. Dank der Schutzmaßnahmen der 1909 gegr. G.-Kompanie stieg die Zahl der G. produzierenden Vögel von einigen Hunderttausend (1909) auf über 30 Mio. (1957). Im Vgl. mit synthet. *Düngemitteln spielt G. jedoch landwirtschaftlich keine Rolle mehr, ebensowenig wie der *Chiropterit (Fledermaus-G.). Dies sind bräunliche, geschichtete Ablagerungen von erhärteten Fledermaus-Exkrementen, die in den Höhlen der warmgemäßigten u. trop. Gebiete vorkommen u. aus Insektenpanzern, Harnstoff, Knochenresten usw. bestehen. – $E=F=I=S$ guano

Lit.: Eckert, Tierphysiologie, 2. Aufl., Stuttgart: Thieme 1993. – *[HS 310100]*

Guanosin. (2-Amino-1,9-dihydro-6-oxopurin-9-β-D-ribofuranosid, 2-Amino-1,9-dihydro-9-β-D-ribofuranosyl-1,9-dihydro-purin-6-on; Abk.: Guo).

$C_{10}H_{13}N_5O_5$, M_R 283,24. Ribosid des *Guanins. Das Dihydrat bildet farblose Krist., wird bei 110 °C Kristallwasser-frei, Zers. bei 240 °C, in siedendem Wasser mäßig lösl., lösl. in verd. Mineralsäuren, unlösl. in Alkohol, Ether, Benzol. G. ist als *Nucleosid Bestandteil von *Nucleinsäuren (genauer: *Ribonucleinsäuren), aus denen es auch hergestellt werden kann (z. B. aus Hefe); in *Desoxyribonucleinsäuren liegt jedoch statt dessen das *Desoxynucleosid Desoxyguanosin (dGuo, $C_{10}H_{13}N_5O_4$, M_R 267,24) vor. – $E=F$ guanosine – $I=S$ guanosina

Lit.: Beilstein E V **26/28**, 84–88. – *[HS 293490; CAS 118-00-3]*

Guanosin-5′-diphosphat s. Guanosinphosphate.

Guanosin-5′-monophosphat, Guanosin-3′,5′-monophosphat s. Guanosinphosphate.

Guanosinphosphate. Von der Purin-Base *Guanin abgeleitete *Nucleotide (*Guaninnucleotide*), die D-*Ribose u. einen od. mehrere Phosphat-Reste enthalten (in der Abb. als Phosphorsäure-Reste dargestellt).

So entstehen durch Veresterung der 5'-Hydroxy-Gruppe des *Guanosins mit Phosphorsäure, Di- u. Triphosphorsäure *Guanosin-5'-monophosphat* (GMP, Guanylat – die korrespondierende Säure heißt auch *Guanylsäure*, als solche: $C_{10}H_{14}N_5O_8P$, M_R 363,22), *Guanosin-5'-diphosphat* (GDP, als freie Säure $C_{10}H_{15}N_5O_{11}P_2$, M_R 443,20) bzw. *Guanosin-5'-triphosphat* (GTP, als freie Säure $C_{10}H_{16}N_5O_{14}P_3$, M_R 523,18). Durch Ausbildung einer Phosphodiester-Brücke zwischen der 3'- u. 5'-Hydroxy-Gruppe des Guanosins ergibt sich *Guanosin-3',5'-monophosphat* (cGMP, *cyclo-GMP, cycl. Guanosinmonophosphat*, als freie Säure $C_{10}H_{12}N_5O_7P$, M_R 345,21). Bei Hydrolyse von *Ribonucleinsäuren (RNA) erhält man je nach Reaktionsbedingungen außer GMP auch *Guanosin-3'-monophosphat* (G-3'-MP, als freie Säure $C_{10}H_{14}N_5O_8P$, M_R 363,22). Aus *Desoxyribonucleinsäuren isoliert man dagegen die entsprechenden 2'-*Desoxynucleotide. GMP wird als *Geschmacksverstärker verwendet.
Biochemie: GMP leitet sich im Organismus – wie auch *Adenosin-5'-monophosphat (AMP) – von *Inosin-5'-monophosphat (IMP) her, das als freies Nucleotid im Muskel vorkommt: IMP wird NAD^+-abhängig (s. Nicotinamid-Adenin-Dinucleotid) unter Katalyse durch IMP-Dehydrogenase (EC 1.1.1.205) oxidiert zu *Xanthosin-5'-monophosphat, auf das durch GMP-Synthase (Glutamin-hydrolysierend; EC 6.3.5.2) – aus energet. Gründen unter ATP-Verbrauch (s. Adenosin-5'-triphosphat) – die Amido-Gruppe des L-*Glutamins übertragen wird. Durch Phosphat-Gruppentransfer aus ATP entstehen nacheinander GDP u. GTP (Enzyme: Guanylat-Kinase, EC 2.7.4.8, bzw. Nucleosiddiphosphat-Kinase, EC 2.7.4.6). Letzteres bildet sich auch im *Citronensäure-Cyclus aus GDP; GMP kann auch durch Verwertung der freien Guanin-Base in nucleophiler Substitution des Diphosphat-Rests des 5-Phospho-α-D-ribosyldiphosphats synthetisiert werden. Der *Abbau* der G. vollzieht sich durch Hydrolyse von GMP zu Guanosin durch 5'-Nucleotidase (EC 3.1.3.5).
GTP nimmt wichtige Funktionen im Stoff-, Energie- u. Informationswechsel wahr: Wie ATP eine energiereiche Phosphat-Verb., kann seine endständige Phosphat-Gruppe z. B. auf *Adenosin-5'-diphosphat übertragen werden, wodurch es zur Energieladung der Zelle beiträgt, ist aber z. B. auch als Phosphat-Donor bei der *Gluconeogenese bekannt. Weiterhin ist es Vorstufe bei der Biosynth. der RNA, wo es unter Diphosphat-Abspaltung mit anderen Nucleotiden copolymerisiert. Zu erwähnen ist auch seine Wirkung als *Coenzym zur Aktivierung der *Mannose im Stoffwechsel dieses Zuckers. G. sind die biosynthet. Vorstufen der *Folsäure-Derivate.
GTP ist auch von Bedeutung als Vorstufe von *Guanosin-3',5'-monophosphat* (cycl. Guanosinmonophosphat, cyclo-GMP, cGMP; s. Abb.). *Guanylat-Cyclasen* (EC 4.6.1.2), die in vielen Fällen *Rezeptor-Eigenschaften haben[1], katalysieren die Umwandlung von GTP zu cGMP; durch eine spezif. cGMP-Phosphodiesterase (3.1.4.35) wird cGMP zu GMP gespalten. cGMP dient wie *Adenosin-3',5'-monophosphat bei hormon- u. neurotransmitterinduzierten Prozessen sowie beim *Sehprozeß u. bei der Chemotaxis von Spermatozoen als *second messenger[2]. Eine sehr wichtige Funktion erfüllt GTP als Energielieferant u. Taktgeber für heterotrimere *G-Proteine u. *kleine GTP-bindende Proteine. Das für viele intrazelluläre Bewegungsvorgänge notwendige *Tubulin bindet ebenfalls GTP[3]. Die oben genannten *GTP-bindenden Proteine sind in der Lage, das Triphosphat zum Diphosphat u. zu anorgan. Phosphat zu hydrolysieren u. werden daher als *Guanosintriphosphatasen*[4] (*GTPasen*) bezeichnet. Die GTP-Hydrolyse hat in diesen Fällen regulator. Funktion; sie bewirkt mol. Schaltvorgänge bei der Signalverarbeitung.
– *E* guanosine phosphates – *F* guanosine-phosphates – *I* guanosina-fosfati – *S* guanosina-fosfatos

Lit.: [1] J. Biol. Chem. **269**, 30741–30744 (1994). [2] Murad, Cyclic GMP: Synthesis, Metabolism, and Function, San Diego: Academic Press 1994; Zool. Sci. **2**, 151–163 (1995). [3] Curr. Biol. **4**, 1053–1061 (1994); Science **264**, 839–842 (1994). [4] Marsh u. Goode, GTPase Superfamily, Chichester: Wiley 1993. – [HS 293359]

Guanosin-5'-triphosphat s. Guanosinphosphate.

Guanosintriphosphatasen s. Guanosinphosphate, G-Proteine.

Guanyl... Veraltete, von *Guanidin abgeleitete Bez. für den *Amidino-Rest (auch Carbamimidoyl- genannt).

Guanylat-Cyclase s. Guanosinphosphate.

Guanylguanidin s. Biguanide.

Guanylhydrazin s. Aminoguanidin.

Guanylsäure s. Guanosinphosphate.

Guaran s. Guar-Derivate u. -Mehl.

Guarana. *Coffein-haltiges Genuß- u. Heilmittel aus den fast kugeligen, 0,5–0,8 g schweren, glänzend-braunen Samen der in Brasilien wildwachsenden Schlingpflanze *Paullinia cupana* H. B. K. u. anderer Arten (Sapindaceae). Die Samen werden von den Indianern getrocknet, geröstet (Stärkeverkleisterung), grob gepulvert, mit Wasser zu einem Teig angerührt, zu zylindr. 10–20 cm langen u. 4–5 cm dicken Stangen od. flachen Kuchen geformt. An der Sonne getrocknet bildet G. eine braunschwarze, bitter schmeckende Masse (*Pasta Guarana*), die als wirksamen Inhaltsstoff 3–4,5% Coffein (früher: *Guaranin*) enthält u. in Südamerika als Genußmittel verwendet wird. G. ist fast geruchlos; der Geschmack ist bitter, zusammenziehend, kakaoähnlich. Der Name leitet sich von einem südamerikan. Indianerstamm her, der G. zubereitet. In letzter Zeit wird G. auch in Westeuropa gelegentlich als „Weckmittel" od. Partydroge angeboten; die empfohlenen Dosierungen führen zu Getränken mit tox. Coffein-Gehalten. – *E=I* guarana, Brazilian cocoa – *F* guarane – *S* guaraná

Lit.: Dtsch. Apoth. Ztg. **134**, 27ff. (1994) ▪ Naturwiss. Rundsch. **47**, 177–180 (1994). – [HS 121190]

Guaranin s. Guarana.

Guar-Derivate. Bez. für Derivate des *Guar-Mehls. *Guaran*, der Hauptbestandteil des Guar-Mehls, läßt sich als *Polysaccharid auf unterschiedlichen Wegen, z. B. durch partielle Veresterung od. Veretherung seiner Hydroxy-Gruppen, derivatisieren. Techn. Bedeutung erlangt haben lediglich die Guarether, insbes. die Carboxymethyl- u. Hydroxyalkyl-Derivate sowie kation. modifizierte Produkte, die bei der Umsetzung von Guar-Mehl mit Monochloressigsäure, Ethylen- od. Propylenoxid u. 2,3-Epoxypropyltrimethylammoniumchlorid in Ggw. von Alkali anfallen. Die Guarether zeichnen sich gegenüber dem nicht modifizierten Guar-Mehl durch schnellere Löslichkeit, erhöhte Transparenz der wäss. Lsg. (Carboxymethylether), verbesserte Salzverträglichkeit (Hydroxyalkylether) od. (kation. G.-D.) durch erhöhte Affinität zu unterschiedlichen Substraten, z.B. Haaren, aus. Die Verw. ist – mit Ausnahme des Einsatzes auf dem Nahrungsmittel- u. Pharmaziesektor – ähnlich wie die von Guar-Mehl. – *E* guar derivatives – *F* dérivés du guar – *I* derivati guar – *S* derivados de guar

Lit.: Carbohydr. Polym. **11**, 279–292 (1989); **12**, 1–7 (1990) ▪ s. a. Guar-Mehl.

Guar-Mehl. Bez. für ein grauweißes Pulver, das durch Mahlen des Endosperms der urprünglich im ind. u. pakistan. Raum endem., inzwischen auch in anderen Ländern, z.B. im Süden der USA, kultivierten, zur Familie der Leguminosen gehörenden Guarbohne (*Cyamopsis tetragonobolus*) gewonnen wird. Hauptbestandteil des G.-M. ist mit bis zu ca. 85 Gew.-% der Trockensubstanz *Guaran* (Guar-Gummi, *Cyamopsis*-Gummi); Nebenbestandteile sind Proteine, Lipide u. Cellulose. Guaran selbst ist ein *Polygalactomannan, d.h. ein *Polysaccharid, dessen lineare Kette aus nichtsubstituierten (I) u. in der C_6-Position mit einem Galactose-Rest substituierten (II) Mannose-Einheiten in β-D-(1→4)-Verknüpfung aufgebaut ist.

Das Verhältnis von I:II beträgt ca. 2:1; die II-Einheiten sind entgegen ursprünglicher Annahmen nicht streng alternierend, sondern in Paaren od. Tripletts im Polygalactomannan-Mol. angeordnet. Das in kaltem Wasser lösl. Guaran besitzt eine extrem hohe Verdickungswirkung (Viskosität einer 1,5 Gew.-%igen wäss. Lsg. beträgt ca. 15 000 mPa·s). Die Lsg. sind durch die unlösl. Nebenbestandteile des G.-M. aber stark getrübt. Die Transparenz der Lsg. kann durch Derivatisierung, insbes. durch Veretherung des G.-M. (s. Guar-Derivate) erheblich verbessert werden. In den meisten organ. Lsm. ist Guaran unlöslich.

Verw.: Ursprünglich als Viehfutter; heute in wachsendem Maße als Verdickungsmittel u. (Co-) Stabilisator im Nahrungsmittelbereich, als Verdickungsmittel im Textil- u. Sprengstoff-Sektor, als Bindemittel in der Papier-Ind., als Flockungsmittel bei der Erzgewinnung u. Hilfsmittel bei der Erdgas- u. Erdölförderung u. im kosmet. u. pharmazeut. Bereich. – *E* guar flour, guar gum – *F* farine de guar – *I* farina guar – *S* harina de guar

Lit.: Aspinall, The Polysaccharides, Bd. 2, 462–465, New York: Academic Press 1983 ▪ Encycl. Polym. Sci. Eng. **7**, 597 ff. ▪ Fiedler, Lexikon der Hilfsstoffe für Pharmazie, Kosmetik u. angrenzende Gebiete, S. 589 ff., Aulendorf: Editio Cantor 1989 ▪ Ullmann (5.) **A 3**, 6; **A 11**, 503. – *[HS 1302 39; CAS 9000-30-0]*

Guaven (Guava, Guajava). Pflaumen- bis apfelgroße Früchte des in Mexico u. im trop. Südamerika heim., in trop. Gebieten Afrikas u. Asiens u. den Mittelmeerländern kultivierten, bis 8 m hohen Baumes od. Strauches *Psidium guajava* (*P. pyriferum*, Myrtaceae). Die geschmacklich an Birnen u. Feigen erinnernden Früchte werden roh, als Saft od. Konfitüre genossen. Je 100 g eßbare Substanz enthalten 83 g Wasser, 0,9 g Eiweiß, 0,4 g Fett, 8,4 g Zucker (davon 3,9 g reduzierende Zucker), 200 mg *Ascorbinsäure sowie β-*Carotin, *Calcium, *Eisen u. *Phosphor; unreife Früchte enthalten reichlich *Quercetin sowie Guajaverin, *Gallussäure u. Leucocyanidine, reife viel freie *Ellagsäure. Blätter u. Rinde enthalten ebenfalls Quercetin u. *Gerbstoffe u. wirken deshalb offizinell als *Adstringens bei Durchfall, als Wund- u. Fiebermittel u. dienen in Indien zum Gerben. – *E* = *S* guavas – *F* guaves – *I* guava, guaiava

Lit.: Franke, Nutzpflanzenkunde, 5. Aufl., Stuttgart: Thieme 1992 ▪ s. a. Obst. – *[HS 0804 50]*

Guayule. *Naturkautschuk aus dem ausdauernden, strauchigen Korbblütler *Parthenium argentatum*, wird in Nordmexiko u. Südkalifornien stellenweise kultiviert. G. enthält 20–25% Harz-Beimischungen, die man mit Aceton herauslöst u. auf Kunststoffe verarbeitet; das entharzte Produkt ist ähnlich wie gewöhnlicher Hevea-*Kautschuk verwendbar. – *E* = *F* = *S* guayule

Lit.: Guayule: An Alternative Source of Natural Rubber, Washington: Nat. Res. Council 1977 ▪ Kirk-Othmer (3.) **5**, 557; **18**, 16; **20**, 468, 489; (4.) **5**, 903 ▪ Ullmann (5.) **A 23**, 225 ff. – *[HS 4001 30]*

Guazatin. Common name für die Acetate einer Mischung guanidierter Polyamine, v. a. Octamethylendiamin, Iminodi(octamethylen)diamin u. Octamethylenbis(iminooctamethylen)diamin, Schmp. ca. 60 °C, LD_{50} (Ratte oral) 230 mg/kg (WHO), von Evans Medical 1968 eingeführtes *Saatgut-Behandlungsmittel gegen einige Krankheitserreger im Getreidebau. – *E* guazatine, guazatine acetate – *F* acétate de guazatine – *I* guazatina – *S* acetado de guazatina

Lit.: Farm ▪ Pesticide Manual. – *[HS 2925 20; CAS 57520-17-9]*

Gudden-Pohl-Effekt. Nach den Entdeckern (1920) benanntes Phänomen aus dem Gebiet der *Elektrolumineszenz: Beim Anlegen eines elektr. Feldes an einen Phosphor (z.B. ZnS, s. Lenard-Phosphore u. Leuchtstoffe) während od. nach *Anregung mit opt. Strahlung kann man in vielen Fällen ein kurzes Aufleuchten beobachten; man bezeichnet diesen Effekt auch als *Elektrophotolumineszenz*. – *E* Gudden-Pohl effect – *F* effet Gudden-Pohl – *I* effetto di Gudden-Pohl – *S* efecto Gudden-Pohl

Lit.: Ullmann **11**, 679 ▪ s. a. Elektrolumineszenz.

Gülle (Flüssigmist). Fließ- u. pumpfähiges Gemisch aus Tierausscheidungen (Kot, Harn), Einstreu, Futterresten u. Wasser. In der BRD fallen jährlich ca. 175 Mio. t (1992) G. an, zum überwiegenden Teil aus der Rindviehhaltung. G. enthält die Pflanzenhauptnährstoffe Stickstoff, Phosphor u. Kalium u. kann als organ.-mineral. Mehrnährstoffdünger bezeichnet werden. Der Stickstoff-Anteil liegt als Ammonium-Stick-

stoff (ca. 50–60% des Gesamtstickstoffs) sowie organ. gebunden (größtenteils in Proteinen) vor.
G. wird als sog. Wirtschaftsdünger landwirtschaftlich verwertet (s. Düngemittel). Bei unsachgemäßer Ausbringung kann es hierbei zur Überdüngung, zur Auswaschung von Stickstoff (Nitrat-Belastung im Grundwasser, *Eutrophierung von Oberflächengewässern), zu Ammoniak-Emissionen u. zur Verbreitung pathogener Mikroorganismen u. Parasiten kommen, darüber hinaus können Geruchsbelästigungen auftreten. Um solche Umweltbeeinträchtigungen zu vermeiden bzw. zu minimieren, wurde die landwirtschaftliche G.-Verwertung gesetzlichen Anforderungen (z.B. Düngemittelgesetz, Dünge-VO) unterworfen.
Zur Erleichterung der G.-Verwertung insbes. bei G.-Überschüssen soll die G.-Aufbereitung dienen. Aufbereitungsziele sind u. a. die Nährstoffentfrachtung der G. u. Überführung der Nährstoffe in eine konzentriertere Form, Desodorierung u. Entseuchung der G. sowie der G.-Einsatz in alternativen Verwertungsgebieten, z. B. bei der Rauchgasentstickung fossilbefeuerter Kraftwerke od. der Energieerzeugung mittels Biogas. Die Aufbereitungsverf. können die Schritte Feststoffabtrennung (z. B. Verw. als Kompostrohstoff), anaerobe Behandlung (Erzeugung von *Biogas) od. Heißfermentation (Hygienisierung) der Flüssigphase, Ammoniak-Strippung u. Aufkonz. od. Umsetzung zu mineral. Ammonium-Dünger sowie weitere Aufarbeitungsschritte (Umkehrosmose, Eindampfung) umfassen. Hierbei unterscheidet man *Teilaufbereitungsverf.*, an die sich eine landwirtschaftliche Nutzung der aufbereiteten G. anschließt, u. *Totalaufbereitungsverf.*, bei denen die G. zu einem einleitfähigen *Abwasser gereinigt wird. – *E* liquid manure – *F* engrais semiliquide, purin – *I* liquame – *S* abono semilíquido
Lit.: Entsorgungspraxis **12**, Nr. 4, 38–42 (1994) ▪ Müll u. Abfall **23**, Nr. 8, 518–528 (1991).

Günzburgs Reagenz. Alkohol. Lsg. von *Phloroglucin u. *Vanillin zum qual. Nachw. freier Salzsäure im Magen, die beim Eindampfen von *Magensaft mit G.R. durch einen scharlachroten Spiegel angezeigt wird (bis 0,01% HCl). – *E* Günzburg's reagent – *F* réactif de Günzburg – *I* reagente di Günzburg – *S* reactivo de Günzburg

Guerbet-Alkohole s. Guerbet-Reaktion.

Guerbet-Reaktion. Bez. für die Selbstkondensation von Alkoholen unter dem Einfluß von Natrium od. Kupfer bei 200 °C u. erhöhtem Druck. Die so gebildeten Alkohole werden als Guerbet-Alkohole bezeichnet (Eutanol). Man nimmt an, daß unter den Reaktionsbedingungen der Alkohol zunächst zum Aldehyd dehydriert wird, dieser *Aldol-Addition mit sich selbst eingeht u. das Kondensationsprodukt anschließend zum Alkohol hydriert wird.

R—CH₂—CH₂—OH $\xrightarrow[-[H]]{\text{Na od. Cu} \\ -200°C, Druck}$ R—CH₂—C—H
                                                             ‖
                                                             O

$\xrightarrow[-H_2O]{\text{Aldol-Kondensation}}$ R—CH₂—CH=C—C—H
                                                      | ‖
                                                      R   O

$\xrightarrow{[H]}$ R—CH₂—CH₂—CH—CH₂—OH
                              |
                              R

– *F* réaction de Guerbet – *I* reazione di Guerbet – *S* reacción de Guerbet
Lit.: Ullmann (5.) **A 10**, 288 ▪ s. a. Alkohole.

Guerbitol®. Guerbet-Alkohole als Veresterungskomponente für techn. Ester, Schmiermittelkomponente in Textilhilfsmitteln, Überfettungsmittel in kosmet. Zubereitungen, Weichmacher, Lsm., Dispergiermittel. *B.:* Henkel.

Gürtelreifen s. Reifen.

Gütegemeinschaften s. RAL.

Gütesalze (Härtesalze). Weniger gebräuchliche Bez. für Salze, die schmelzflüssig im Rahmen der *Wärmebehandlung von *Stahl als Wärmeträger mit definierter Temp. eingesetzt werden, z. B. beim Tauchhärten (s. Härtung von Stahl). – *E* salt melt – *F* fondu de sel – *I* sali d'indurimento – *S* sal fundida

Güteschutz, Gütezeichen s. RAL.

Guidelines for Bio-Industry. Richtlinien in den USA für die Sicherheit der biotechnolog. Forschung u. der verwendeten biotechnolog. hergestellten Produkte. Zudem wird die Zuständigkeit der Behörden (*FDA, *NIH, USDA, *OSHA u. a.) für den jeweiligen Anwendungsbereich eines Produktes festgelegt u. ein evtl. erforderliches koordiniertes Vorgehen geregelt.
Lit.: Safety Considerations for the Use of Genetically Modified Organisms, Paris: OECD 1991.

Guidelines for Recombinant DNA Experiments. Kurzbez. für die vom National Institute of Health der USA (*NIH) herausgegebenen „Guidelines for Research Involving Recombinant DNA Molecules", die das Genehmigungsverf., die Zuständigkeiten der beteiligten Inst. u. Personen, die erforderlichen Sicherheitsmaßnahmen sowie evtl. erforderliche *gentechnische Freilandexperimente regelt. Ähnliche Richtlinien existieren mittlerweile in einer Reihe von Ländern.
Lit.: Inventory for Existing Safety Guidelines in Biotechnology, United Nations (ECE/SC. TECH./40/ADD. 1–34), 1990 ▪ Trends Biotechnol. **6**, 839ff. (1988).

Guignets Grün s. Chrom-Pigmente.

Guillaume, Charles Edouard (1861–1938), Physiker, Direktor des Bureau Internat. des Poids et Mesures in Sèvres (1915–1936). 1920 erhielt er den Nobelpreis für Physik für die Anw. von Invar, einer bezüglich Ausdehnung u. Elastizität Temp.-unabhängigen Nickel-Leg., für die Zeitmeßtechnik.

Guillemin, Roger (geb. 1924), Prof. für Endokrinologie u. Polypeptidchemie am Salk Inst. San Diego (California). *Arbeitsgebiete:* Peptidhormone des Hypothalamus, insbes. Thyroliberin, Gonadoliberin, Somatostatin, ferner Endorphine. Für die Entdeckung der Hirnpeptide Nobelpreis 1977 für Physiologie od. Medizin (zusammen mit *Schally u. *Yalow).
Lit.: Pötsch, S. 180 ▪ Who's Who in America, S. 1495.

Guinesine. Pyrrolidin-*Alkaloide aus der Rinde von *Cassipourea guianensis* (Rhizophoraceae) mit insektizider Wirkung, $C_8H_{15}NOS_2$, M_R 205,33, Diastereomerengemisch.
G. A: *cis-erythro* = (*rel-2'R,3R,4R*), Öl, $[\alpha]_D^{24}$ +80,5° (c 0,7/CHCl₃); G. B: *cis-threo* = (*rel-2'R,3S,4S*), Na-

deln, Schmp. 61–62 °C, $[\alpha]_D^{24}$ –36,5° (c 0,3/CHCl$_3$); G. C: *trans-erythro* = (*rel-2'R,3R,4S*), Nadeln, Schmp.

cis-erythro-Form
Guinesin A (2'*R*,3*R*,4*R*)

76–77 °C, $[\alpha]_D^{24}$ –5° (c 0,5/CHCl$_3$). – *E* guinesines – *F* guinésine – *I* guinesine – *S* guinesinas
Lit.: J. Heterocycl. Chem. **27**, 1361 (1990) ▪ Tetrahedron Lett. **30**, 3671 (1989). – [HS 293990; CAS 121702-91-8 (G. A); 121702-92-9 (G. B); 121702-93-0 (G. C)]

Gukos. Kon. Gummimanschetten mit unterschiedlichen Durchmessern, die die Abdichtung zwischen Trichter, Nutsche, Filtertiegel u. einer *Saugflasche gewährleisten. – *E* guko – *I* manicotto di gomma – *S* gucos

Guldberg, Cato Maximilian (1836–1902), Prof. für Angewandte Mathematik u. Technologie, Oslo. *Arbeitsgebiete:* Thermodynamik, chem. Gleichgew., Massenwirkungsgesetz sowie Untersuchungen über die chem. Affinitäten (zusammen mit P. Waage).
Lit.: Krafft, S. 44 ▪ Neufeldt, S. 59 ▪ Pötsch, S. 181.

Guldberg-Waage-Gesetz s. Massenwirkungsgesetz.

gulo-. Kursiv gesetztes Präfix zur Kennzeichnung einer bestimmten Konfiguration bei *Kohlenhydraten; vgl. die Abb. bei Aldohexosen. – *E* = *F* = *I* = *S* gulo-

Gulose.

C$_6$H$_{12}$O$_6$, M$_R$ 180,16. Bez. für eine sirupöse, süß schmeckende *Aldohexose (in der Abb. in der D-Pyranose-Form), lösl. in Wasser, wenig lösl. in Alkohol, unvergärbar durch Hefe. In wäss. Lsg. bei 44 °C stehen 78% β-D-Gulopyranose u. 16% α-D-Gulopyranose mit 6% D-Gulofuranosen im Gleichgewicht. – *E* = *F* gulose – *I* gulosio – *S* gulosa
Lit.: Beilstein E IV **1**, 4333–4335. – [CAS 4205-23-6]

Guluronsäure s. Uronsäuren.

Gummen s. Gummi.

Gummi. 1. Das G. (Plural: die Gummen). Sammelbez. für pflanzliche *Exsudate (Ausschwitzungen), die nach Verletzungen von unterschiedlichen Pflanzenteilen ausfließen u. an der Luft erstarren. Polymerbestandteile der Gummen sind *Heteropolysaccharide auf Basis von u. a. Arabinose, Galactose, Glucuronsäure, Mannose, Rhamnose u. Xylose, die mit Wasser hochviskose u. klebrige Lsg. bilden. In den Apothekerbez. für offizinell genutzte *Drogen wird „G." – ebenso wie das ähnliche *Resina – immer den latein. Namen der G. u. Harze (die häufig in Einzelstichwörtern behandelt sind) vorangestellt; auch im Engl. geht meist „gum" dem Namen voraus, z. B. gum ghatti = *Ghatti gummi.
Beisp.: Gummi Acaroides = Akaroidharz, G. arabicum = arab. Gummi, G. Asa foetida = Asant, Teufelsdreck, G. Benzoe Siam = Siambenzoe, G. Benzoe Sumatra = Sumatrabenzoe, G. Copal = Kopal, G. Dammar = Dammarharz, G. Elemi = Elemiharz, G. Galbanum = Galbanum, G. Guajaci = Guajakharz, G. Gutti = Gummigutti, G. Kino = Kino, G. Mastix = Mastix, G. Myrrhae = Myrrhe, G. Olibanum = Olibanum, Weihrauch, G. Opoponax = Opoponax, G. Sandaracae = Sandarak, G. Sanguis Draconis = Drachenblut, G. Styrax liquidus = Styrax, G. Tragacantha = Traganth.
Verw.: Die physiolog. weitestgehend unbedenklichen G. werden als *Verdickungsmittel auf dem Lebensmittel- (s. a. Gummi arabicum) u. als Schutzkolloide od. Emulgatoren auf dem Kosmetiksektor verwendet. Sie eignen sich ferner u. a. für den Einsatz als Klebstoffe, als Hilfsmittel in der Textil- u. Papier-Ind., als Stabilisatoren für Tinten u. Farben od. als Verdickungsmittel u. Fluid-loss Reducer bei Erdölbohrungen.
Die englische Bez. „gum" ist übergreifend für wasserlösl. Polymere generell, d. h. sowohl für modifizierte natürliche, fermentativ gewonnene u. vollsynthet. Produkte. Unter den Begriff „gum" fallen also auch Polymere wie *Cellulose- u. *Stärke-Derivate, *Xanthan, *Polyvinylalkohol od. *Polyacrylamid.
2. Der G. (Plural: die Gummis): Allg. Bez. für vulkanisierte natürliche od. synthet. *Kautschuke. Je nach Vernetzungsgrad der G. unterscheidet man zwischen Weich- u. Hartgummi. Näheres zur Herst., Eigenschaften u. Verw. s. bei Kautschuk u. Vulkanisation. – *E* rubber – *F* 1. gomme, 2. caoutchouc, gomme – *I* gomma – *S* 1. goma, 2. goma, caucho
Lit. (zu 1.): Aspinall, The Polysaccharides, Vol. 2, S. 98–193, 411–490, New York: Academic Press 1983 ▪ Davidson, Handbook of Watersoluble Gums and Resins, New York: McGraw-Hill 1980 ▪ Encycl. Polym. Sci. Eng. **7**, 589–613. – *(zu 2.):* s. Kautschuk.

Gummi arabicum. Die älteste bekannte *Gummi-Art (altägypt. Bez. „Kami") ist das getrocknete Exsudat verschiedener Akazienarten der trop. u. subtrop. Regionen von Afrika, Indien, Zentral- u. Nordamerika. Die wichtigste ist die in den südlichen Nilregionen vorkommende Art *Acacia senegal.*
Gewinnung: Das nach Anritzen der Baumrinde ausgetretene, getrocknete Exsudat wird mehrere Wochen an der Luft gebleicht (Ausbeute 0,9–2 kg Gummi pro Baum u. Ernte). Güteklassen: Fast farblose, große Stücke (selected sorts) u. gefärbte, weniger gut aussortierte (clean amber sorts).
Chem. Konstitution: Schwach saures Produkt, welches in natürlicher Form als neutrales od. schwach saures K-, Ca- od. Mg-Salz vorkommt. Die Hauptbestandteile sind L-*Arabinose, *L-Rhamnose, D-*Galactose u. *D-Glucuronsäure. Die molaren Verhältnisse sind stark abhängig von der Akazienart (vgl. Tab.). Es handelt sich um ein verzweigtes Polysaccharid, dessen Hauptteile aus β-(1,3)-verzweigten D-Galactopyranose-Einheiten bestehen, M$_R$ 300000–1200000.

Tab.: Molare Verhältnisse der Einzelbausteine verschiedener Sorten von Akaziengummis.

Sorte	Glucuronsäure	Galactose	Rhamnose	Arabinose
Acacia senegal	1,6	2,9	1,1	3,5
A. seyal	0,9	2,8	0,24	4,1
A. karroo	1,0	4,6	0,2	4,0
A. laeta	0,91	0,72	0,73	–

Physikal. u. chem. Eigenschaften: Sehr gut wasserlösl. (1–15%ige Lsg. besitzen nur geringe Viskosität, bei hohen Konz. entsteht eine zähe, gelartige Masse), lösl. in heißem Ethylenglykol, Glycerin u. bis zu 60% wäss. Ethanol (danach tritt Fällung ein), in anderen organ. Lsm. unlösl. G. a. senkt die Oberflächenspannung von Wasser (4% wäss. Lsg. 62,3 dyn/cm). Erhitzen über 90–95 °C bewirkt Abspaltung von L-Rhamnose, L-Arabinose- u. D-Galactose-haltigen Oligosacchariden. G. a. ist säureempfindlich, schon im schwach sauren Bereich tritt ein Abbau ein. G. a. gibt mit *Gelatine u. a. Proteinen (z. B. *Casein) wasserunlösl. Komplexe (Koercervate).
Verw.: In der *Süßwaren-Ind.* zur Herst. von Gummibonbons; Verhinderung der Auskrist. von Zucker bei Glasuren u. Pralinenfüllungen; bei *Getränken:* Aromastabilisator bei Limonaden, Schaumstabilisator bei Bier; bei *Instantprodukten:* Aromafixierung; für Lebensmittel in der BRD in unbeschränkter Menge zugelassen (E 414). *Pharmazie u. Kosmetik-Ind.:* Stabilisator für Emulsionen (Cremes, Seifen); Fixativ bei Haarfestiger; Bindemittel für Tabletten; *Papier-Ind.:* Klebstoffe für Papierwaren; Stabilisator für Farbpigmente (Wasserfarben, Tinten); *Textil-Ind.:* Appreturmittel. Der jährliche Weltbedarf von 50–60 kt wird zu 75% aus dem Sudan gedeckt. – *E* gum arabic – *F* gomme arabique – *I* gomma arabica – *S* goma arábica
Lit.: Belitz-Grosch (4.), S. 275 ▪ Food Hydrocolloids **2**, 477–490 (1988) ▪ Kirk-Othmer (3.) **12**, 55 f. ▪ Pharm. Unserer Zeit **18**, 33–42 (1989) ▪ Ullmann (3.) **4**, 554; (4.) **19**, 253 ▪ Whistler u. Be Miller, Industrial Gums (3.), S. 311 ff., San Diego: Academic Press 1993. – *[HS 1301 20; CAS 9000-01-5]*

Gummibonbons. G. werden aus *Saccharose, *Glucose-Sirup u. *Invertzucker unter Verw. von gelbildenden Stoffen wie *Agar(-Agar), *Pektin, *Gelatine, *Stärke, *Gummi arabicum sowie unter Zusatz von Säuren u. Aromastoffen hergestellt. Der Wassergehalt liegt zwischen 10–18%. Die Eigenart des verwendeten Gelbildners bestimmt die Technologie der Herstellung[1]. – *E* gumdrops – *F* bonbons de gomme – *I* caramelle di gomma – *S* caramelos de goma
Lit.: [1] Frede u. Osteroth, Taschenbuch für Lebensmittelchemiker, Bd. 2, S. 245, Berlin: Springer 1989. – *[HS 1704 90]*

Gummidruck s. Flexodruck.

Gummielastizität s. Entropieelastizität, Elastizität.

Gummierung. In verschiedenem Sinn gebrauchte Bez., z. B. für die *Beschichtung von Papier mit klebrigen Stoffen (s. Gummi 1.; *Beisp.:* Briefmarken, Etiketten) od. für die Beschichtung von metall. Werkstoffen mit Kautschuken (vgl. Gummi 2.; *Beisp.:* Apparate, s. *Lit.*). – *E* gumming, rubberizing – *F* engommage, gommage, caoutchoutage – *I* gommatura – *S* engomado, engomadura, cauchutado
Lit.: Winnacker-Küchler (4.) **5**, 627 ff.

Gummifasern s. Elastofasern.

Gummi galbanum s. Galbanum.

Gummihaar. Bez. für elast. Polstermaterial aus gekräuseltem Schweinehaar u./od. Kokosfasern, die mit *Latex überspüht, getrocknet u. vulkanisiert worden sind. – *E* rubberized hair – *F* poil en caoutchouc – *I* peli di gomma – *S* crin cauchutada
Lit.: Ullmann (4.) **13**, 681.

Gummischwärze. Qualitätsverbessernder *Kautschuk-Zusatz aus Ruß.

Gunn-Effekt. Der G.-E. wird u. a. verwendet, um hochfrequente elektr. Schwingungen zu erzeugen. Die physikal. Grundlagen sind folgende: Manche *Halbleiter weisen neben ihrem globalen Minimum im Leitungsband bei k = 0 bei geringfügig höheren Energien Nebenminima auf, z. B. GaAs am L-Punkt der *Brillouin-Zone. Legt man an solche homogen n-dotierte Halbleiter eine zunehmende elektr. Feldstärke, so bleibt zunächst die *elektrische Leitfähigkeit konstant, d. h. die elektr. Stromdichte wächst linear mit der elektr. Feldstärke. Werden die Krist.-Elektronen aber soweit im Leitungsband beschleunigt, daß sie in die Nebenminima gelangen können (bei ca. 10^6 V/m), so sinken die Stromdichte u. die Leitfähigkeit mit weiter zunehmender Feldstärke aufgrund der größeren effektiven Masse der Elektronen in den Nebenminima. Der daraus resultierend neg. differentielle Widerstand kann zur Erzeugung elektr. Schwingungen bis in den GHz-Bereich eingesetzt werden (*Gunn-Bauelement*, oft fälschlich als Gunn-Diode bezeichnet). Dabei treten häufig wandernde Domänen unterschiedlicher Leitfähigkeit auf. – *E* gunn effect – *F* effet Gunn – *I* effetto Gunn – *S* efecto (de) Gunn
Lit.: s. Halbleiter.

Guo. Kurzz. für *Guanosin.

Gurjunbalsam.

(-)-α-Gurjunen   β-Gurjunen   γ-Gurjunen

Aus ostasiat. *Dipterocarpus*-Arten (bes. *D. alatus* u. *D. turbinatus*) gewonnener, dem *Kopaivabalsam sehr ähnlicher *Balsam, bzw. ein Ölharz. Gelbbraune, grün fluoreszierende, dickliche Flüssigkeit, die zu ca. 75% aus Gurjunbalsamöl (Sdp. ca. 255 °C) besteht. Dieses enthält v. a. *Sesquiterpene [die Isomeren α-, β- u. γ-Gurjunene, $C_{15}H_{24}$, M_R 204,36, Sdp. (1,3 Pa) 120–135 °C] sowie Sesquiterpenalkohole. Verw. bei der Parfümherst. als Fixateur, in Seifenparfüms, als Streckmittel u. als Grundlage für künstliche ether. Öle. – *E* gurjun balsam – *F* baume de gurjun – *I* balsamo di gurjun – *S* bálsamo de gurjun
Lit.: Food Cosmet. Toxikol. **14**, 789, 791 (1976) ▪ Gildemeister **3a**, 305–307; **5**, 308; **6**, 25 ff. ▪ Perfum. Flavor. **5** (3), 64 (1980). – *[HS 1301 90; CAS 489-40-7 (α-G.); 17334-55-3 (β-G.)]*

Gurken. Unreife Früchte von *Cucumis sativus* (Cucurbitaceae), die in zahlreichen Sorten kultiviert u. roh, gekocht u. auf unterschiedliche Art konserviert (Essig-, Gewürz-, Senf-, Pfeffer-, Salz- od. saure G.) verzehrt werden; letztere werden durch Milchsäure-Gärung ähnlich *Sauerkraut haltbar gemacht. G.-Saft wird schon seit alters her als Kosmetikum (z. B. für Gesichtsmasken) verwendet. Frische G. enthalten in 100 g eßbarer Substanz (in g): 95,6 Wasser, 0,8 Eiweiß, 0,1 Fette, 3,0 Kohlenhydrate (davon 0,6 Faserstoffe) sowie 240 mg *Äpfelsäure u. etwas *Citronen- u.

*Oxalsäure. Der Vitamin-Gehalt ist nicht nennenswert, u. auch der Nährwert ist sehr niedrig (55 kJ = 13 kcal). Am G.-*Aroma* sind verschiedene Aldehyde, bes. (2E,6Z)-2,6-Nonadienal u. (E)-2-Nonenal sowie C_6-Aldehyde beteiligt, die bei Verletzung des G.-Gewebes enzymat. aus Linol- u. Linolensäure gebildet werden. Die in G. oft vorkommenden *Bitterstoffe sind hauptsächlich *Cucurbitacine sowie das Mono-D-glucosid des Elaterins. – E cucumbers – F concombres – I cetrioli – S pepinos

Lit.: Franke, Nutzpflanzenkunde, 5. Aufl., Stuttgart: Thieme 1992. – [HS 070700]

Gurr®. Marke für ein Sortiment von Farbstoffen, Reagenzien u. Feinchemikalien für Biochemie, Histochemie, Bakteriologie usw. *B.:* Merck Ltd.

Gusathion®. Marke von Bayer für Insektizide auf der Basis von Azinphos-methyl zur Bekämpfung von beißenden Insekten in Baumwolle. *B.:* Bayer, Schering.

Guß. Bez. sowohl für die Formgebung durch *Gießen als auch für das dadurch hergestellte Erzeugnis (s. Gießerei). – E casting – F coulée – I colata – S fundición

Lit.: s. Gießerei.

Gußeisen. Älterer, in *Gießformen gegossener *Eisen-Werkstoff, im Gegensatz zu *Stahl nicht in festem Zustand verformbar. Nach anfänglich stürm. Einsatz mit Aufkommen der Industrialisierung wurde G. durch die Entwicklung des *Schweißens zunächst verdrängt, nimmt inzwischen aber wegen seiner fertigungstechn. Möglichkeiten u. Eigenschaften sowie seiner Wirtschaftlichkeit einen festen Platz in der Technik ein.
Herst.: G. wird aus *Roheisen, Gußbruch u. *Altmetall im Schachtofen so eingestellt, daß seine Erstarrung im stabilen *Eisen-Kohlenstoff-System unter überwiegender Ausscheidung von C als *Graphit u. nicht – wie bei Stahl – als Zementit erfolgt. Die Bruchflächen erscheinen grau, daher auch die Bez. *Grauguß.
Arten: G. wird – mit Ausnahme von Temperguß [1] u. bainit. G.[2] – im allg. keiner *Wärmebehandlung unterzogen, sondern allenfalls zur Ausbildung verschleißfester Oberflächen beschleunigt abgekühlt; die Erstarrung erfolgt dann im metastabilen Eisen-Kohlenstoff-Syst. als *Hartguß* mit carbid. Ausscheidungen („weißes" G. wegen der hellen Bruchfläche). *Temperguß ist Hartguß, der anschließend zur Graphit-Ausscheidung u./od. zur Entkohlung wärmebehandelt wird. Legiertes G. wird nur bei bes. Anforderungen an mechan., therm. od. korrosionschem. Gebrauchseigenschaften verwendet, z. B. Silicium-Guß mit 14% Si u. Ni- od. Mn-legiertes austenit. Gußeisen. Bei unlegiertem G. unterscheidet man nach der Form der Graphit-Ausscheidung G. mit *Lamellengraphit* [3] u. G. mit *Kugelgraphit* [4]. Bei letzterem wird der Graphit durch Zusatz von Mg zur kugelförmigen Ausscheidung gebracht [5], was sich pos. auf die *Duktilität des an sich spröden G. auswirkt. Die metall. Grundmasse besteht bei den niedrigfesten G.-Sorten aus *Ferrit; mit zunehmendem Anteil an *Perlit nimmt die *Festigkeit zu. Der Perlit-Anteil wird dabei gesteuert über die Abkühlgeschw., in gewissen Grenzen auch über die Zu-

sammensetzung. Entsprechend wird die Festigkeit auch in erheblichem Maße durch die Wanddicke des Gußstücks beeinflußt. G. läßt sich nach gängigen Verf. oberflächenveredeln.
Zusammensetzung: Der Kohlenstoff-Gehalt von G. liegt im allg. bei 2,5 – 4%, wobei mit steigender Festigkeitsanforderung die höheren Werte eingestellt werden. Da Silicium (bis 3%) die Graphit-Ausscheidung begünstigt, werden für Hartguß eher niedrigere Werte (bis 1%) gewählt. Mangan stabilisiert das metastabile Eisen-Kohlenstoff-Syst. u. damit die Zementit-Ausscheidung. Durch bes. Schmelzbehandlung kann ein G. mit bes. feiner Verteilung der Graphit-Ausscheidung (*Meehanite-G.) hergestellt werden. Für spezielle Einsatzzwecke wird G. in (hoch-)legierter Form [6] hergestellt, z. B. für therm., chem. od. mechan. Anforderungen.
Verw.: Maschinenbau, Fahrzeug-Ind., Elektrotechnik, Eisen-schaffende u. -verarbeitende Ind., Chemietechnik. Bes. zu erwähnen sind die Dämpfungseigenschaften (Maschinenbetten) von lamellarem G. u. seine Beständigkeit gegenüber heißer Schwefelsäure (*Schwefelsäure-Aufkonzentrierung nach Plincke*), beides zurückzuführen auf die Auswirkung der lamellaren Ausscheidungsform des Graphits. Bezogen auf die mechan. Eigenschaften (bes. die Duktilität) bildet G. mit Kugelgraphit die Brücke zwischen G. u. Stahlguß. Für verschleißbeanspruchte Flächen (Walzen) ist Hartguß geeignet. G. wird außerdem auch für dekorativen Kunstformguß mit guter Beständigkeit verwendet. – E grey cast iron – F fonte grise – I glisa, ferro fuso – S hierro fundido, hierro colado

Lit.: [1] DIN EN 1562 (11/1994). [2] DIN EN 1564 (11/1994). [3] DIN EN 1561 (11/1994). [4] DIN EN 1563 (11/1994). [5] Waschenko u. Sofroni, Magnesiumbehandeltes Gußeisen, Leipzig: VEB Dtsch. Verl. Grundstoff-Ind. 1960. [6] Röhrig u. Wolters, Legiertes Gußeisen, Bd. 1/2, Düsseldorf: Gießerei-Verl. 1970/74.
allg.: Nechtelberger, Gußeisenwerkstoffe, Berlin: Fachverl. Schiele & Schön 1977 ■ Patterson, Gußeisen-Handbuch, Düsseldorf: Gießerei-Verl. 1963 ■ Piwowarsky, Hochwertiges Gußeisen, 2. Aufl., Berlin: Springer 1958.

Gußform s. Gießform.

Gußlegierungen. Zum Vergießen in *Gießformen geeignete *Legierungen von Metallen. Neben den G. des *Eisen-Kohlenstoff-Systems (*Gußstahl u. *Gußeisen) werden u. a. Kupfer-Leg. (*Bronzen u. *Messing), Aluminium- u. Magnesium-Leg. sowie Zinn-, Zink- u. Blei-Leg. (s. Gleitlagerwerkstoffe) verwendet. Wenn der Guß zur Herst. von Vorprodukten (Brammen, Blöcke) dient, die in nachfolgenden Fertigungsschritten (Schmieden, Walzen, Ziehen) erst zu *Halbzeug weiterverarbeitet werden, spricht man nicht von Gußlegierungen. – E cast alloy – F alliage de fonderie – I leghe di ferro fuso – S aleación de fundición
Lit.: s. Gießerei.

Gußstahl. Veraltete Bez. für *Stahlguß* (s. Stahl). Direkt in *Gießformen vergossene Leg. des *Eisen-Kohlenstoff-Systems mit einer chem. Zusammensetzung u. Eigenschaften ähnlich denen von (Walz- u. Schmiede-)*Stahl. – E cast steel – F acier fondu – I acciaio colato, acciaio fuso – S acero colado
Lit.: s. Stahl.

Gustducin. Dem *Transducin ähnliches *G-Protein, das für die *Signaltransduktion bei der Wahrnehmung bitteren u. süßen Geschmacks zuständig ist. – *E* gustducin – *F* gustducine – *I* = *S* gustducina
Lit.: Nature (London) **381**, 796–800; **383**, 557 (1996).

Guthrie-Legierung. Niedrigschmelzende Leg. mit 47,4% Bi, 19,4% Pb, 20% Sn u. 13,2% Cd. Anw. s. Schmelzlegierungen. – *E* Guthrie alloy – *F* alliage de Guthrie – *I* legha di Guthrie – *S* aleación de Guthrie
Lit.: s. Schmelzlegierungen.

Gutron®. Tabl., Tropfen u. Ampullen mit *Midodrin-Hydrochlorid gegen orthostat. Hypotonie. *B.:* Nycomed.

Gutta. Latein. Bez. für *Tropfen.

Guttagena®. Weich-PVC-Folie für Abdichtungen, Kaschierungen, Sichthüllen u. Heftpflaster; auch G.-Schlauch für PVC-Verpackungsschläuche. *B.:* Kalle Pentaplast.

Guttapercha. *Naturkautschuk aus dem Guttaperchabaum (*Palaquium gutta* u. *P. oblongifolia*, Sapotaceae) mit ähnlichen Eigenschaften wie Balata. Auf Sumatra, Java u. in Malaysia wird der schnell gerinnende Milchsaft von angeritzten Bäumen gesammelt, rasch verknetet u. als Roh-G. in den Handel gebracht.

Guttapercha

Reine G. ist das *all-trans*-Isomere des *Polyisoprens, verwandt mit Balata, M_R ca. 100000. Im Gegensatz zum *cis*-isomeren Naturkautschuk ist G. hart u. wenig elast., jedoch nicht spröde, sie erweicht bei 25–30 °C, wird plast. bei 60 °C u. schmilzt >100 °C unter Klebrigwerden u. Zersetzung. G. ist gutlösl. in Chloroform, wenig lösl. in Ethanol, unlösl. in Wasser. Sie ist härter u. isoliert besser als Kautschuk, weshalb sie zur Umhüllung von elektr. Kabeln geeignet ist. Weitere Verw. zur Herst. von Pflastern, galvanoplast. Negativen, Füllungen für hohle Zähne, Ätzstiften (in Verbindung mit Zinkchlorid, Ätzkali usw.), Golfbällen, Schienungen bei Knochenbrüchen usw. – *E* = *F* gutta-percha – *I* guttaperca – *S* gutapercha
Lit.: Hager (5.) **1**, 576 ▪ Hodge, in Haslam (Hrsg.), Compr. Org. Chem. 5, S. 833–865, Oxford: Pergamon 1979 ▪ Kirk-Othmer (3.) **20**, 488 ▪ Polym. Sci. Technol. **17**, 213–223 (1983) ▪ Prog. Polym. Sci. **12**, 155–178 (1986) ▪ Ullmann (5.) **A 23**, 225 ff. ▪ Winnacker-Küchler (4.) **6**, 520–524. – *[HS 4001 30; CAS 9000-32-2]*

Guttaplast®. Pflaster mit *Salicylsäure gegen Hornhaut. *B.:* Beiersdorf.

Guttation s. Pflanzen(physiologie).

Gutzeit-Test. Von Heinrich Wilhelm Gutzeit (1845–1888) aufgefundener qual. Test auf AsH_3, der in einem Reagenzglas aus As-haltigen Verb. (z. B. As_2O_3) mittels Zn/HCl freigesetzt wird. Der gasf. Arsenwasserstoff reagiert mit Silbernitrat auf einem Teststreifen unter Bildung einer gelben Doppelverb. $AsAg_3 \cdot 3 AgNO_3$, die sich bei Befeuchtung mit Wasser unter Abscheidung von dunklem Silber zersetzt. – *E* Gutzeit test – *F* test de Gutzeit – *I* test di Gutzeit – *S* ensayo de Gutzeit

Guyton de Morveau, Louis-Bernard (1737–1816), Prof. für Chemie u. Rechtsanwalt in Dijon u. Paris. *Arbeitsgebiete:* Verflüssigung von Ammoniak, Reform der chem. Nomenklatur, Untersuchung an Radikalen, Verbesserung der Herst. von Salpeter u. Schießpulver, Flugstudien mit Luftballons, Struktur des Stahls.
Lit.: Krafft, S. 44 ▪ Neufeldt, S. 391 ▪ Pötsch, S. 183.

GVC. Abk. für *Gesellschaft Verfahrenstechnik u. Chemieingenieurwesen.

GVT. Abk. für *Forschungsgesellschaft Verfahrens-Technik e.V.

G-Wert (chem. Strahlungsausbeutungsfaktor). Die mittlere Stoffmenge n(x) eines Stoffes x, die bei Übertragung der mittleren Energie W erzeugt, vernichtet od. chem. verändert wird, dividiert durch diese Energie W: $G(x) = n(x)/W$. Die Einheit beträgt mol/J. Früher war G′ definiert als die mittlere Zahl von Atomen, Mol., Ionen, Radikalen usw., die bei Übertragung der mittleren Energie W erzeugt, vernichtet od. chem. verändert werden, wobei G′ in Einheiten von $(100\text{ eV})^{-1}$ angegeben wurde. Die Umrechnung erfolgt über die *Avogadro-Konstante N_A mittels $G = G'/N_A$. In den angepaßten Einheiten gilt: $1/N_A = 1{,}0364 \cdot 10^{-7}$ $(100\text{ eV}) \cdot \text{mol}/J$ (*Lit.*[1]). In Parenthese wird normalerweise angegeben, auf welche Spezies sich der strahlenchem. Umsatz bezieht, u. ferner wird der Verbrauch einer Verb. durch ein Minuszeichen gekennzeichnet. Zur Berechnung des G-W. muß man dosimetrieren (s. Dosimetrie). Stöchiomert. Umsetzungen geben sich durch niedrige G-W. zu erkennen, über Kettenreaktionen verlaufende durch hohe G-W.; *Beisp.:* die *Ethylbromid-Synth. hat G (C_2H_5Br) 39000. – *E* G value – *F* valeur G – *I* valore G – *S* valor G
Lit.: [1] Kohlrausch, Praktische Physik, Bd. 2, Stuttgart: Teubner 1996.
allg.: s. Strahlenchemie u. die Textstichwörter.

GWP (GHWP). Abk. für engl. Greenhouse Warming Potential, „Treibhauspotential", Maßstab zur Beurteilung der Klimawirksamkeit von Spurengasen im Vgl. zu Kohlendioxid od. dem *FCKW R11 (Trichlorfluormethan) unter Berücksichtigung der atmosphär. Lebensdauer der jeweiligen Stoffe. – *E* greenhouse warming potential – *I* potenziale serra – *S* potencial de invernadero
Lit.: Römpp Lexikon Umwelt, S. 322.

Gy. Kurzz. für die Einheit *Gray.

Gymnemasäure(n) (Gymnemin). Bez. für ein Gemisch von Glucuroniden des Gymnemagenins ($C_{30}H_{50}O_6$, M_R 506,72, Schmp. 328–335 °C), die als Kalium-Salze in den Blättern der ind. u. afrikan. Schlingpflanze *Gymnema sylvestre* u. verwandten Asclepiadaceae (Schwalbenwurzgewächse) vorkommen. G. ist ein gelbes bis braunes, amorphes, bitter schmeckendes Pulver, lösl. in Ethanol, unlösl. in Wasser. G. unterdrückt die Geschmacksempfindung für „bitter" od. „süß" für mehrere Stunden völlig (z. B. Chinin od. Zucker), saure, adstringierende od. scharfe Stoffe können jedoch weiterhin geschmeckt werden. Das Kalium-Salz von G. ist eine rotbraune Kristallmasse, lösl. in Wasser u. Ethanol. Mittels präparativer HPLC konnte G. in mind. 9 saure Glykoside aufgetrennt werden:

	R¹		R²	
	CO—C(CH₃)=CH—CH₃	(E-Form)	CO—CH₃	G.I
	CO—CH(CH₃)—CH₂—CH₃	(S-Form)	CO—CH₃	G.II
	CO—CH(CH₃)—CH₂—CH₃	(S-Form)	H	G.III
	CO—C(CH₃)=CH—CH₃	(E-Form)	H	G.IV

Tab.: Gymnemasäuren.

	Summen-formel	M_R	Schmp. [°C]	$[\alpha]_D$ (CH₃OH)	CAS
G. I	$C_{43}H_{66}O_{14}$	806,99	211–212	+36,7°	122168-40-5
G. II	$C_{43}H_{68}O_{14}$	809,00	212–213	+36,3°	122144-48-3
G. III	$C_{41}H_{66}O_{13}$	766,97	218–219	+ 7,6°	122074-65-1
G. IV	$C_{41}H_{64}O_{13}$	764,95	220–221	+ 8,8°	121903-96-6

– *E* gymnemic acid(s) – *F* acide gymnémique – *I* acido gimnemaco – *S* ácido gimnémico
Lit.: Chem. Pharm. Bull. **37**, 852–854 (1989); **40**, 1366–1375, 1779ff. (1992) ■ Nachr. Chem. Tech. Lab. **37**, 580 (1989) ■ Pharm. Unserer Zeit **16**, 177 (1987) ■ R.D.K. (4.), S. 387 ■ Stud. Nat. Prod. Chem. **18**, 649–676 (1996) ■ Tetrahedron Lett. **30**, 361, 1103, 1547 (1989). – [HS 2942 00; CAS 22467-07-8 (Gymnemagenin)]

Gymnodinium breve-Toxine. Giftstoffe aus der einzelligen Alge *Gymnodinium breve* (*Ptychodiscus brevis*), die zu den polycycl. Polyethern rechnen u. mit mol. Ionenkanälen interferieren. G. führen insbes. während massenhafter Algenblüte („red tide") zur Vergiftung von Fischen, *Beisp.:* *Brevetoxine Λ–C. – *E* gymnodinium breve toxins – *F* toxines de Gymnodinium breve – *I* tossine di Gymnodinium breve – *S* toxinas de Gymnodinium breve
Lit.: Baden, in Tu (Hrsg.), Marine Toxins and Venoms, S. 259–278, New York: Dekker 1988 ■ Chem. Unserer Zeit **29**, 68–75 (1995) ■ J. Am. Chem. Soc. **108**, 514 (1986); **111**, 4186, 6476 (1989) ■ Nat. Prod. Rep. **1**, 251, 551 (1984); **3**, 1 (1986); **4**, 539 ff. (1987) ■ Scheuer I **1**, 1–42 ■ Science **237**, 1476 (1992).

Gymnoprenole.

n = 5,6 : Gymnoprenol A_9, A_{10}

G. kommen als Gemisch der Homologen u. z. T. als Halbester mit (S)-3-(Hydroxy-3-methyl)glutarsäure (Gymnopiline, neurotox.)[1] in Fruchtkörpern des halluzinogenen Blätterpilzes *Gymnopilus spectabilis* (Basidiomycetes, „Lachender Mönch") vor. Die G. sind für den bitteren Geschmack der Fruchtkörper verantwortlich. – *E* = *F* gymnoprenols – *I* gimnoprenoli – *S* gimnoprenoles

Lit.: [1] Phytochemistry **31**, 4355 (1992).
allg.: Phytochemistry **34**, 661 (1993) ■ Tetrahedron Lett. **24**, 1731, 1735, 1991 (1983); **25**, 1371, 3783, 4023 (1984). – [CAS 86989-11-9 (G.A₉); 86989-10-8 (G.A₁₀)]

Gynäkologika. Mittel zur Behandlung von Erkrankungen der weiblichen Geschlechtsorgane u. von Komplikationen im Zusammenhang mit Schwangerschaft u. Geburt. Man unterteilt in Antidysmerrhoika (Mittel gegen Regelbeschwerden), Klimakterium-Therapeutika, *Antikonzeptionsmittel, Antiabortiva (Mittel gegen Schwangerschaftsabbruch), Uterusmittel (z. B. zur Wehenförderung), Ovulationsauslöser u. Vaginaltherapeutika (z. B. gegen Pilzinfektionen).

Gyno-Daktar®. Vaginalcreme u. -ovula mit dem *Antimykotikum *Miconazol-Nitrat zur Behandlung vaginaler Candidosen u. a. Pilzinfektionen. *B.*: Janssen.

Gynodian Depot®. Injektionslsg. mit *Estradiol-17-Valerat u. *Prasteron-Enantat gegen klimakter. Beschwerden. *B.*: Schering.

Gynoflor®. Vaginaltabl. mit dem *Estrogen *Estriol u. *Lactobacillus acidophilus*-Kulturlyophilisat zur Therapie von juvenilem u. klimakter. Fluor u. Kolpitis. *B.*: Nourypharma.

Gynogamone s. Gamone.

Gyno-Pevaryl®. Vaginalcreme u. -ovula mit dem *Antimykotikum *Econazol-Nitrat gegen Pilzinfektionen der Genitalien. *B.*: Cilag.

Gynotermone s. Termone.

György, Paul (1893–1976), Prof. für Klin. Pädiatrie, Univ. Heidelberg, Cleveland, Philadelphia. *Arbeitsgebiete:* Vitamine, Entdeckung von Riboflavin, Biotin, Pyridoxin u. der Bifidus-Faktoren, Ernährungsphysiologie.
Lit.: Strube et al., S. 171.

Gyrase-Hemmer. Bez. für eine Gruppe bakterizider Breitspektrum-*Chemotherapeutika, die die *DNA-Gyrase*, eine *Topoisomerase von Bakterien, hemmen. G.-H. werden bei bakteriellen Infektionen eingesetzt. Es handelt sich um Derivate der 4-Chinolinon-3-carbonsäure. Schon länger bekannt waren *Nalidixinsäure u. *Pipemidsäure. Eine wesentliche Wirkungsverstärkung u. das Verständnis der Wirkungsweise resultierten aber erst nach der Entwicklung eines neuen Syntheseweges zu vorher schlecht zugänglichen Chinolinoncarbonsäuren[1], der zur Herst. hochwirksamer Derivate wie *Ciprofloxacin, *Norfloxacin, *Ofloxacin u. a. führte. G.-H. hatten 1994 einen Anteil von ca. 25% der *Antibiotika-Verordnungen. – *E* gyrase inhibitors – *F* inhibiteur de la gyrase – *I* inibitore della DNA girasi
Lit.: [1] Justus Liebigs Ann. Chem. **1987**, 29–37.
allg.: Crumplin (Hrsg.), The 4-Quinolones, New York: Springer 1990 ■ Mutschler (7.), S. 684ff. ■ Schwabe u. Paffrath, Arzneiverordnungsreport '95, S. 57 f., Stuttgart: Fischer 1995.

Gyrasen (DNA-Gyrasen) s. Topoisomerasen.

Gyrationsradius s. Trägheitsradius.

Gyrocyanin.

R = H : Gyrocyanin
R = OH : Gyroporin

Gyrolith

$C_{17}H_{12}O_5$, M_R 296,28, zitronengelbe Prismen, Schmp. 240 °C. Oxidationsempfindliches Cyclopentantrion aus den Pilzen *Gyroporus cyanescens* (Kornblumenröhrling), *Leccinum aurantiacum* (Espenrotkappe) u. dem Gastromyceten *Chamonixia caespitosa*. G. ist für die rasche Blauverfärbung der Pilze bei Verletzung der Fruchtkörper verantwortlich. Bei der Oxid. entsteht *Gyroporin. – *E* gyrocyanin – *F* gyrocyanine – *I* = *S* girocianina

Lit.: Chem. Ber. **106**, 3223 (1973) ▪ Chem. Unserer Zeit **9**, 117–123 (1975) ▪ Z. Naturforsch. Teil C **32**, 46 (1977) ▪ Zechmeister **51**, 63–70. – *[CAS 52591-12-5]*

Gyrolith. NaCa$_{16}$[(OH)$_8$/AlSi$_{23}$O$_{60}$] · 14 H$_2$O; hydratisiertes *Calciumsilicat, zu den Phyllo-*Silicaten gehörendes Mineral, krist. triklin[1] (pseudohexagonal), Kristallklasse $\bar{1}$-C$_i$, mit komplizierter Struktur[1], die 2 verschieden gebaute Schichten aus [SiO$_4$]-Tetraedern enthält. Farblos, weiß, grün, gelb, braun od. schwarz. Extrem dünne Blättchen, meist zu rosettenförmigen od. kugeligen Aggregaten mit samtener Außenfläche u. Perlmutterglanz auf den Spaltflächen vereinigt; auch derb od. als faserige Lagen. H. 3–4, D. 2,39–2,40.
Vork.: In Hohlräumen von *Basalten, z. B. Maroldsweisach/Nordbayern, Poona u. Bombay/West-Indien; ferner in Californien, Japan, Grönland, Irland u. Schottland (Inseln Skye u. Mull). G. ist Bestandteil von Zementklinkern u. findet sich auch als Hydratationsprodukt in *Kalksandsteinen. – *E* = *F* gyrolite – *I* girolite – *S* girolita

Lit.: [1] Mineral. Mag. **52**, 377–387 (1988).

allg.: Anthony et al., Handbook of Mineralogy, Bd. II, Tl. 1, S. 307, Tucson (Arizona): Mineral Data Publishing 1995 ▪ Lapis **9**, Nr. 5, 20, 29 (1984). – *[HS 253090; CAS 12416-28-3]*

Gyromitrin [Acetaldehyd-(formyl-methyl-hydrazon)].

$C_4H_8N_2O$, M_R 100,12, instabile Krist., Schmp. 19,5 °C. Giftstoff aus der Frühjahrslorchel (*Gyromitra esculenta*). Liegt im frischen Pilz als Gemisch mit höheren Homologen vor. G. ist wasserdampfflüchtig, was einerseits zur Entgiftung durch Kochen dienen, andererseits zu Vergiftungen mit den Kochdämpfen führen kann. G. ist stark cytotox., insbes. neuro- u. hepatotoxisch. G. u. der Grundkörper *N*-Formyl-*N*-methylhydrazin sind stark carcinogen (Leberkrebs). – *E* gyromitrin – *F* gyromitrine – *I* = *S* giromitrina

Lit.: Agents Actions **14**, 351 (1984) ▪ Bresinsky u. Besl, Giftpilze, S. 62–68, Stuttgart: Wissenschaftliche Verlagsges. 1985 ▪ Hirono, Naturally Occurring Carcinogens of Plant Origin, S. 127–138, Amsterdam: Elsevier 1987 ▪ J. Agric. Food Chem. **25**, 644 (1977); **31**, 1117 (1983) ▪ J. Cancer Res. Clin. Oncol. **93**, 109–121 (1979) ▪ Mutat. Res. **102**, 413–424 (1982) ▪ Sax (8.), Nr. AAH 000. – *[CAS 16568-02-8]*

Gyroporin. $C_{17}H_{12}O_6$, M_R 312,28, Nadeln, Schmp. 209–210 °C. Cyclopentantrion aus *Chamonixia caespitosa* (Basidiomyceten) (Formel s. Gyrocyanin). – *E* gyroporin – *F* gyroporine – *I* = *S* giroporina

Lit.: Z. Naturforsch. Teil C **32**, 46 (1977) ▪ Zechmeister **51**, 63–69. – *[CAS 52077-14-2]*

Formelregister für Band 2

Das folgende Formelregister enthält alle im vorliegenden Band 1 behandelten anorgan., Metall-organ. u. organ. Verbindungen. Zur Einordnung wird das *Hill'sche System* angewandt, d.h., mit Ausnahme der Kohlenstoff-Verb. wird in den *Bruttoformeln aller Verb. die alphabet. Folge der Elementsymbole streng eingehalten. Innerhalb der Elementsymbole, die jeweils wie 1 Buchstabe behandelt werden, wird dann nach Atomzahlindices numer. aufsteigend geordnet. Dies hat allerdings zur Folge, daß z.B. die Di-, Tri- u. Tetrahalogenide eines Elements im allg. *nicht* zusammensortiert auftreten. So ergibt sich z.B. für die im Chemie Lexikon erwähnten Chlor-Verb. von Calcium, Cobalt, Eisen, Iod, Natrium, Schwefel, Silber, Silicium u. Zinn die Folge: $AgCl$, $CaCl_2$, ClI, $ClNa$, Cl_2Co, Cl_2Fe, Cl_2S, Cl_2S_2, Cl_2Sn, Cl_3Fe, Cl_3I, Cl_4S, Cl_4Si, Cl_4Sn, Cl_6Si_2 etc. Das evtl. enthaltene Kristallwasser od. Hydratwasser bleibt bei der Aufstellung der Bruttoformel unberücksichtigt. Die Bruttoformeln der Carbonate, u. Hydrogencarbonate finden sich unter denen der Kohlenstoff-Verbindungen. Im allg. wurden in das Formelregister *nicht aufgenommen*: Verb. mit nichtstöchiometr. Zusammensetzung, Mischkrist. u. Mineralien mit variabler Zusammensetzung wie $Ca_2Al_3[OOHSiO_4Si_2O_7]$ u. dgl. Die mit Eigennamen belegten Isotope ^2H u. ^3H werden alphabet. unter den Symbolen D u. T geführt (z.B. D_2O).

Eine abweichende Behandlung erfahren alle Verb., die C-Atome enthalten. Hier wird *in jedem Fall* das Elementsymbol C vorangestellt. Diesem folgen – aber nur bei *Wasserstoff-freien C-Verb.* – die übrigen Elementsymbole (die der *Heteroatome) in alphabet. Reihung. Daraus ergibt sich z.B. für einige Carbonate, Carbonyl-Verb., Cyanide, Cyanate, Fulminate, Tetrachlormethan u. Phosgen die Folge: $CAgNO$, CAg_2O_3, $CBaO_3$, CCl_2O, CCl_4, CKN, $CNNaO$, CO_3Zn, $C_2HgN_2O_2$, C_4NiO_4, C_5FeO_5. Bei *Wasserstoff-haltigen Verb.* des Kohlenstoffs folgt dem Symbol C zunächst dasjenige des Wasserstoffs u. erst hiernach werden die übrigen Elementsymbole von A–Z angeführt. Die Namen der Verb. mit gleicher Bruttoformel sind alphabet. geordnet.

Es ist zu beachten, daß Bruttoformeln von Verb., die kein eigenes Stichwort im Lexikon sind, im Register unter dem Stichwort erscheinen, in dem sie besprochen werden.

Ag₃Sb = Dyskrasit
Al₂CoO₄ = Cobaltblau
Al₄CaNa₂O₂₄Si₈ = Faujasit
Al₄Mg₂O₁₈Si₅ = Cordierit
Al₈Na₈O₄₈Si₁₆ = Gmelinit
Al₆₀Ca₁₂Mg₈Na₂₀O₃₈₄Si₁₃₂ = Faujasit
AsCoS = Cobaltin
AsCu₃S₄ = Enargit
AsGa = Galliumarsenid
AsNiS = Gersdorffit
As₂Co₃O₈ = Erythrin
Au = Gold
AuCl₃ = Gold-Verbindungen
AuCl₄H = Gold-Verbindungen
BF₄H = Fluoroborsäure
B₂CaO₈Si₂ = Danburit
B₂H₆ = Diboran(6)
B₃CaH₃O₇ = Colemanit
B₁₀H₁₄ = Decaboran(14)
Bi₄O₁₂Si₃ = Eulytin
CClF₃ = FCKW
CCl₂F₂ = FCKW
CCl₃D = Deuteriochloroform
CCl₃F = FCKW
CCoO₃ = Cobalt(II)-carbonat
CFNO₃S = Fluorosulfonylisocyanat
CF₄ = Fluorkohlenwasserstoffe
CFeO₃ = Eisencarbonat
CFe₃ = Eisencarbid
CHClF₂ = FCKW
CHCl₂F = FCKW
CHF₃ = Fluorkohlenwasserstoffe
CH₂ClF = FCKW
CH₂F₂ = Fluorkohlenwasserstoffe
CH₂N₂ = Cyanamid, Diazomethan
CH₂O = Formaldehyd
CH₃F = Fluorkohlenwasserstoffe
CH₃FO₃S = Fluorschwefelsäuremethylester
CH₃NO = Formamid
CH₃NS₂ = Dithiocarbamidsäure
CH₄N₂O₂S = Formamidinsulfinsäure
CH₅N₃ = Guanidin
CNa₃O₃P = Foscarnet
C₂AuKN₂ = Gold-Verbindungen
C₂AuN₂Na = Gold-Verbindungen
C₂CaMgO₆ = Dolomit
C₂ClF₃ = FCKW
C₂ClF₅ = FCKW
C₂Cl₂F₂ = FCKW
C₂Cl₂F₄ = FCKW
C₂Cl₂O₂ = Dichlorketen
C₂Cl₃F₃ = FCKW
C₂Cl₄F₂ = FCKW
C₂Cl₄O₂ = Diphosgen
C₂Cl₅F = FCKW
C₂CoO₄ = Cobalt(II)-oxalat
C₂F₄ = Fluorkohlenwasserstoffe
C₂F₆ = Fluorkohlenwasserstoffe
C₂FeO₄ = Eisen(II)-oxalat
C₂HClF₂ = FCKW
C₂HClF₄ = FCKW
C₂HCl₂F₃ = FCKW
C₂HCl₃F₂ = FCKW
C₂HCl₄F = FCKW
C₂HF₅ = Fluorkohlenwasserstoffe
C₂H₂ClF₃ = FCKW
C₂H₂Cl₂ = Dichlorethylene
C₂H₂Cl₂F₂ = FCKW
C₂H₂Cl₂O₂ = Dichloressigsäure
C₂H₂Cl₃F = FCKW
C₂H₂F₂ = Fluorkohlenwasserstoffe
C₂H₂F₄ = Fluorkohlenwasserstoffe
C₂H₂N₂S₃ = 2,5-Dimercapto-1,3,4-thiadiazol
C₂H₂O₂ = Glyoxal
C₂H₂O₃ = Glyoxylsäure
C₂H₃ClF₂ = FCKW

C₂H₃Cl₂F = FCKW
C₂H₃F = Fluorkohlenwasserstoffe
C₂H₃FO₂ = Fluoressigsäure
C₂H₃F₃ = Fluorkohlenwasserstoffe
C₂H₃NO = Formaldehydcyanhydrin
C₂H₄ = Ethylen
C₂H₄Br₂ = 1,2-Dibromethan
C₂H₄ClF = FCKW
C₂H₄Cl₂ = Dichlorethane
C₂H₄Cl₂O = (Dichlormethyl)-methylether
C₂H₄F₂ = Fluorkohlenwasserstoffe
C₂H₄N₂O₆ = Ethylenglykoldinitrat
C₂H₄N₂S₂ = Dithiooxamid
C₂H₄N₄ = Cyanoguanidin
C₂H₄N₄O₂ = Diazendicarbonsäurediamid
C₂H₄O = Ethylenoxid
C₂H₄O₂ = Essigsäure, Glykolaldehyd
C₂H₄O₃ = Glykolsäure
C₂H₄S = Ethylensulfid
C₂H₅Br = Ethylbromid
C₂H₅Cl = Ethylchlorid
C₂H₅ClO = Ethylenchlorhydrin
C₂H₅F = Fluorkohlenwasserstoffe
C₂H₅FO = 2-Fluorethanol
C₂H₅I = Ethyliodid
C₂H₅N = Ethylenimin
C₂H₅NO₂ = Glycin
C₂H₆ = Ethan
C₂H₆ClO₃P = Ethephon
C₂H₆N₄O₄ = Ethylendinitramin
C₂H₆O = Dimethylether, Ethanol
C₂H₆OS = Dimethylsulfoxid
C₂H₆O₂ = Ethylenglykol
C₂H₆O₂S = Dimethylsulfon
C₂H₆O₃S₂ = Coenzym M
C₂H₆O₄S = Dimethylsulfat
C₂H₆S = Dimethylsulfid
C₂H₆S₂ = 1,2-Ethandithiol
C₂H₇AsO₂ = Dimethylarsinsäure
C₂H₇N = Dimethylamin, Ethylamin
C₂H₇NS = Cysteamin
C₂H₇O₃P = Dimethylphosphit
C₂H₈N₂ = 1,1-Dimethylhydrazin, Ethylendiamin
C₂H₈O₇P₂ = Etidronsäure
C₂N₂ = Dicyan
C₃ClN₃ = Cyanurchlorid
C₃F₈ = Fluorkohlenwasserstoffe
C₃FeN₃S₃ = Eisen(III)-thiocyanat
C₃H₂ClF₅O = Enfluran
C₃H₂F₆O = Desfluran
C₃H₃FeO₆ = Eisen(III)-formiat
C₃H₃NO₂ = Cyanoessigsäure
C₃H₃N₃O₃ = Cyanursäure
C₃H₄ = Cyclopropen
C₃H₄Cl₂ = 1,3-Dichlorpropen
C₃H₄Cl₂O = 1,3-Dichlor-2-propanon
C₃H₄N₂O = 2-Cyanoacetamid
C₃H₄O₃ = 1,3-Dioxolan-2-on
C₃H₅ClO = α-Epichlorhydrin
C₃H₅N₃O₉ = Glycerintrinitrat
C₃H₅NO = Acetaldehydcyanhydrin
C₃H₆ = Cyclopropan
C₃H₆Br₂ = 1,3-Dibrompropan
C₃H₆Cl₂ = Dichlorpropane
C₃H₆Cl₂O = 1,3-Dichlor-2-propanol
C₃H₆N₂O₂ = Cycloserin
C₃H₆O₂ = Dimethyldioxiran, 1,3-Dioxolan, Essigsäuremethylester, Glycidol
C₃H₆O₃ = Dihydroxyaceton, Dimethylcarbonat, Glycerinaldehyd
C₃H₆O₄ = Glycerinsäure
C₃H₇F = Fluorkohlenwasserstoffe
C₃H₇NO = Dimethylformamid
C₃H₇NO₂S = L-Cystein

C₃H₇O₄P = Fosfomycin
C₃H₈NO₅P = Glyphosat
C₃H₈N₂O = 1,3-Dimethylharnstoff
C₃H₈OS₂ = Dimercaprol
C₃H₈O₂ = Ethylenglykol
C₃H₈O₃ = Glycerin
C₃H₉Ga = Gallium-Verbindungen
C₃H₉O₆P = Glycerinphosphate
C₃H₁₁N₂O₄P = Fosaminammonium
C₄ClF₇ = FCKW
C₄Cl₂F₆ = FCKW
C₄F₈ = Fluorkohlenwasserstoffe
C₄F₁₀ = Fluorkohlenwasserstoffe
C₄FeNa₂O₄ = Collmans Reagenz
C₄H₂FeO₄ = Eisen(II)-fumarat
C₄H₃FN₂O₂ = Fluorouracil
C₄H₄FN₃O = Flucytosin
C₄H₄F₆ = Fluorkohlenwasserstoffe
C₄H₄N₂O₄ = Dialursäure
C₄H₄O = Furan
C₄H₄O₂ = Diketen
C₄H₄O₄ = Fumarsäure
C₄H₅N₃O = Cytosin
C₄H₆CoO₄ = Cobalt(II)-acetat
C₄H₆N₂O₂ = Diazoessigester
C₄H₆N₂O₄ = Diazendicarbonsäure-dimethylester
C₄H₆N₄O₁₂ = Erythrittetranitrat
C₄H₆O = Cyclobutanon
C₄H₆O₂ = Essigsäurevinylester
C₄H₆O₃ = Essigsäureanhydrid
C₄H₆O₅ = Diglykolsäure, Dimethyldicarbonat
C₄H₇Cl₂O₄P = Dichlorvos
C₄H₇N₅ = 2,4-Diamino-6-methyl-1,3,5-triazin
C₄H₇NO = Acetoncyanhydrin
C₄H₈ = Cyclobutan
C₄H₈Cl₂ = 1,4-Dichlorbutan
C₄H₈N₂O = Gyromitrin
C₄H₈N₂O₂ = Dimethylglyoxim
C₄H₈N₂O₇ = Diethylenglykoldinitrat
C₄H₈O₂ = 1,4-Dioxan, Essigsäureethylester
C₄H₈O₄ = Erythrose
C₄H₉NO = N,N-Dimethylacetamid
C₄H₁₀O = Diethylether
C₄H₁₀O₂ = Ethylenglykol
C₄H₁₀O₂S₂ = 1,4-Dimercapto-2,3-butandiole
C₄H₁₀O₃ = Diethylenglykol
C₄H₁₀O₄ = Erythrit
C₄H₁₀O₄S = Diethylsulfat
C₄H₁₁N = Diethylamin
C₄H₁₁NO = Deanol, 2-(Dimethylamino)ethanol
C₄H₁₁O₃P = Diethylphosphit
C₄H₁₂ClN₃O = Girard-Reagenzien
C₄H₁₂N₂S₂ = Cystamin
C₄H₁₃N₃ = Diethylentriamin
C₄N₂ = Dicyanoacetylen
C₅F₁₂ = Fluorkohlenwasserstoffe
C₅FeO₅ = Eisencarbonyle
C₅H₄O₂ = Furfural
C₅H₄O₃ = 2-Furancarbonsäure
C₅H₅Cl₃N₂OS = Etridiazol
C₅H₅N₅O = Guanin
C₅H₆ = Cyclopentadien
C₅H₆Br₂N₂O₂ = 1,3-Dibrom-5,5-dimethylhydantoin
C₅H₆O₂ = Furfurylalkohol
C₅H₆O₃ = Glutarsäureanhydrid
C₅H₇NO = Furfurylamin
C₅H₇NOS = Goitrin
C₅H₇NO₂ = Cyanoessigsäureester
C₅H₇N₃ = 2,6-Diaminopyridin
C₅H₇N₃O₂ = 5,5-Dimethylhydantoin
C₅H₈O = Cyclopentanon, 3,4-Dihydro-2H-pyran
C₅H₈O₂ = Essigsäureisopropenylester, Glutaraldehyd

C₅H₈O₄ = Glutarsäure
C₅H₉ClO = 2,2-Dimethylpropionylchlorid
C₅H₉NO₂ = 4-Formylmorpholin
C₅H₉NO₄ = Glutaminsäure
C₅H₁₀ = Cyclopentan
C₅H₁₀N₂O₃ = L-Glutamin
C₅H₁₀N₂S₂ = Dazomet
C₅H₁₀O = Cyclopentanol
C₅H₁₀O₂ = 2,2-Dimethylpropionsäure, Essigsäurepropylester
C₅H₁₀O₄ = Diethylcarbonat, Ethylenglykol
C₅H₁₀O₄ = 2-Desoxy-D-ribose, Glycerinacetate
C₅H₁₂ = 2,2-Dimethylpropan
C₅H₁₂NO₃PS₂ = Dimethoat
C₅H₁₂N₂S = 1,3-Diethylthioharnstoff
C₅H₁₂O₂ = 2,2-Dimethyl-1,3-propandiol
C₅H₁₂O₄S₅ = Dysoxysulfon
C₅H₁₃NO = (Dimethylamino)propanole
C₅H₁₄ClN₃ = Girard-Reagenzien
C₅H₁₅N₂O₄P = Glufosinat-ammonium
C₆H₃Cl₂NO₂ = Dichlornitrobenzole
C₆H₃FN₂O₄ = 1-Fluor-2,4-dinitrobenzol
C₆H₄Cl₂ = Dichlorbenzole
C₆H₄Cl₂O = Dichlorphenole
C₆H₄N₂O₃S = 4-Diazoniobenzolsulfonat
C₆H₄N₂O₄ = Dinitrobenzole
C₆H₄N₂O₅ = Dinitrophenole
C₆H₅N₂ = Diazonium-Verbindungen
C₆H₅Cl₂N = Dichloraniline
C₆H₅F = Fluorbenzol
C₆H₅N₃O₄ = 2,4-Dinitroanilin
C₆H₆ = Fulvene
C₆H₆N₂O₄S₂ = Diclofenamid
C₆H₆N₄O₄ = 2,4-Dinitrophenylhydrazin
C₆H₈ = Cyclohexadien
C₆H₈N₂O = 2,4-Diaminophenol
C₆H₈O₂ = Fettsäuren
C₆H₈O₆ = D-Glucuronsäure-γ-lacton
C₆H₁₀ = Cyclohexen
C₆H₁₀Cl₂N₂O = 2,4-Diaminophenol
C₆H₁₀N₂O₄ = Diazendicarbonsäure-diethylester
C₆H₁₀N₆ = Cyromazin
C₆H₁₀N₆O = Dacarbazin
C₆H₁₀O = Cyclohexanon
C₆H₁₀O₂S = Gonyaulin
C₆H₁₀O₄S₂ = Dimethipin
C₆H₁₀O₆ = Gluconsäure-5-lacton
C₆H₁₀O₇ = Galacturonsäure, D-Glucuronsäure
C₆H₁₀O₈ = Glucarsäure
C₆H₁₁NO = Cyclohexanonoxim
C₆H₁₂ = Cyclohexan
C₆H₁₂F₂N₂O₂ = Eflornithin
C₆H₁₂N₂ = 1,4-Diazabicyclo[2.2.2]octan
C₆H₁₂N₂O₄S₂ = L-Cystin
C₆H₁₂O = Cyclohexanol
C₆H₁₂O₂ = Diacetonalkohol, Essigsäurebutylester, 2-Ethylbuttersäure
C₆H₁₂O₃ = Ethylenglykol
C₆H₁₂O₄ = Digitoxose
C₆H₁₂O₅ = Fucose
C₆H₁₂O₆ = D-Fructose, Galactose, D-Glucose, Gulose
C₆H₁₂O₇ = D-Gluconsäure
C₆H₁₃N = Cyclohexylamin
C₆H₁₃NO₃S = Cyclite

$C_6H_{13}NO_4$=1-Desoxynojirimycin
$C_6H_{13}NO_5$=Galactosamin, D-Glucosamin
$C_6H_{13}N_3$=Geißraute
$C_6H_{13}O_9P$=α-D-Glucose-1-phosphat, D-Glucose-6-phosphat
C_6H_{14}=2,2-Dimethylbutan
$C_6H_{14}FO_3P$=Diisopropylfluorophosphat
$C_6H_{14}O$=Dipropylether, 2-Ethyl-1-butanol, Fettalkohole
$C_6H_{14}O_2$=Ethylenglykol
$C_6H_{14}O_3$=Dipropylenglykol
$C_6H_{14}O_6$=Dulcit
$C_6H_{14}O_{12}P_2$=D-Fructose-1,6-bisphosphat, β-D-Fructose-2,6-bisphosphat, α-D-Glucose-1,6-bisphosphat
$C_6H_{15}N$=Dipropylamine
$C_6H_{15}NO$=2-(Diethylamino)-ethanol
$C_6H_{15}O_3PS_2$=Demeton-S-methyl
$C_6H_{16}N_2$=N,N-Diethylethylendiamin
$C_6H_{17}N_3$=Dipropylentriamin
$C_6H_{18}AlO_9P_3$=Fosetyl-aluminium
$C_7H_3ClN_2O_5$=3,5-Dinitrobenzoylchlorid
$C_7H_3Cl_2N$=Dichlobenil
$C_7H_4Cl_2O_2$=Dichlorbenzoesäuren
$C_7H_4Cl_4O_2$=Drosophilin A
$C_7H_4N_2O_6$=3,5-Dinitrobenzoesäure
$C_7H_5Cl_2FN_2O_3$=Fluroxypyr
$C_7H_5NO_4$=Dipicolinsäure
$C_7H_6N_2O_4$=2,4-Dinitrotoluol
$C_7H_6N_2O_5$=2,4-Dinitroanisol, DNOC
$C_7H_6O_4$=Dihydroxybenzoesäuren
$C_7H_6O_5$=Gallussäure
$C_7H_7N_5O_2$=Fervenulin
C_7H_8=1,3,5-Cycloheptatrien
$C_7H_8O_2$=Guajakol
$C_7H_9NO_2$=Gabaculin
$C_7H_{10}ClN_3O$=Girard-Reagenzien
$C_7H_{10}N_4O_3$=Cymoxanil
$C_7H_{11}NO$=Cyclohexanoncyanhydrin
$C_7H_{11}NO_2$=Ethosuximid
$C_7H_{12}N_2O$=1,5-Diazabicyclo-[4.3.0]non-5-en
$C_7H_{12}N_4O_3S_2$=Ethidimuron
$C_7H_{12}O$=Cycloheptanon
$C_7H_{12}O_5$=Glycerinacetate
C_7H_{14}=Cycloheptan
$C_7H_{14}N_2O_4$=Diaminopimelinsäure
$C_7H_{14}N_4O_4S_2$=Djenkolsäure
$C_7H_{14}O$=2,4-Dimethyl-3-pentanon
$C_7H_{14}O_2$=Essigsäurepentylester
$C_7H_{14}O_8$=Glucoheptonsäure
$C_7H_{15}N_2O_2P$=Cyclophosphamid
$C_7H_{15}N$=1-Ethylpiperidin
$C_7H_{15}NO_2$=Emylcamat
$C_7H_{16}O$=Fettalkohole
$C_8Cl_2N_2O_2$=4,5-Dichlor-3,6-dioxo-cyclohexa-1,4-dien-1,2-dicarbonitril
$C_8H_6Cl_2O_3$=2,4-D, Dicamba
$C_8H_6Cl_3NO_4$=Drosophilin A
$C_8H_7ClN_2O_2S$=Diazoxid
$C_8H_7N_3O_5$=Furazolidon
C_8H_7NO=Benzaldehydcyanhydrin
C_8H_8=Cuban, Cyclooctatetraen
$C_8H_8Cl_2O$=Guanabenz
$C_8H_8O_3$=4-Cyclohexen-1,2-dicarbonsäureanhydrid
$C_8H_8O_4$=Dehydracetsäure, Fumigatin
$C_8H_8O_5$=Gallussäureester

$C_8H_9AsBiNO_6$=Glycobiarsol
C_8H_9NO=Danaidal
C_8H_{10}=Ethylbenzol
$C_8H_{10}N_2O$=N,N-Dimethyl-4-nitrosoanilin
$C_8H_{10}N_4O_2$=Coffein
$C_8H_{10}N_6$=Dihydralazin
$C_8H_{10}O$=Dimethylphenole
$C_8H_{10}O_2$=Dimethoxybenzole, Ethylenglykol
$C_8H_{10}O_3$=1,2-Cyclohexandicarbonsäure, Echinacosid
$C_8H_{11}N$=N,N-Dimethylanilin, N-Ethylanilin
$C_8H_{11}NO_2$=Dopamin
$C_8H_{11}NO_4S_2$=Erdostein
C_8H_{12}=cis,cis-1,5-Cyclooctadien, Fucoserraten
$C_8H_{12}N_2$=N,N-Dimethyl-p-phenylendiamin
$C_8H_{12}O$=1-Ethinylcyclohexanol
$C_8H_{12}O_2$=Dimedon
$C_8H_{12}O_4$=1,2-Cyclohexandicarbonsäure
$C_8H_{14}N_2O_4$=Coprin
$C_8H_{14}O_2$=3-Cyclopentylpropionsäure, Essigsäurecyclohexylester, Frontalin
$C_8H_{15}N$=Conium-Alkaloide
$C_8H_{15}NOS_2$=Guinesine
$C_8H_{15}NO_9S_2$=Glucosinolate
$C_8H_{15}N_7O_2S$=Famotidin
$C_8H_{16}NO_5P$=Dicrotophos
$C_8H_{16}N_2O_7$=Cycasin
$C_8H_{16}O_2$=1,4-Cyclohexandimethanol, Essigsäurehexylester, 2-Ethylhexansäure
$C_8H_{16}O_3$=Ethylenglykol
$C_8H_{17}Cl_2NO_2$=Diisopropylamindichloracetat
$C_8H_{17}N$=Coniin
$C_8H_{17}NO$=Conium-Alkaloide
$C_8H_{17}NO_3$=Desosamin
$C_8H_{17}N_3O_4$=Connatin
$C_8H_{18}O$=Dibutylether, 2-Ethyl-1-hexanol, Fettalkohole
$C_8H_{18}O_2$=Di-tert.-butylperoxid, 2-Ethyl-1,3-hexandiol
$C_8H_{19}N$=Dibutylamin
$C_8H_{19}O_2PS_2$=Ethoprophos
$C_8H_{19}O_2PS_3$=Disulfoton
$C_8H_{20}O_4Si$=Ethylsilicate
$C_9Fe_2O_9$=Eisencarbonyle
$C_9H_4Cl_3NO_2S$=Folpet
$C_9H_6Cl_6O_3S$=Endosulfan
$C_9H_6INO_4S$=Ferron
$C_9H_6O_2$=Cumarin
$C_9H_6O_4$=Daphnetin
$C_9H_7N_5O_5$=Erythropterin
$C_9H_8Cl_2O_3$=Dichlorprop-P
$C_9H_9Cl_2NO$=Diloxanid
$C_9H_9Cl_2N_3O$=Guanfacin
$C_9H_9I_2NO_3$=3,5-Diiodtyrosin
$C_9H_9NO_3$=Erbstatin
$C_9H_{10}Cl_2N_2O$=Diuron
$C_9H_{10}N_2O_3S$=Ethoxzolamid
$C_9H_{10}NO_2$=Essigsäurebenzylester
$C_9H_{10}O_3$=Ethylvanillin
$C_9H_{11}Cl_2FN_2O_2S_2$=Dichlofluanid
$C_9H_{11}F_2N_3O_4$=Gemcitabin
$C_9H_{11}NO$=4-Dimethylaminobenzaldehyd
$C_9H_{11}NO_2$=Ethenzamid
$C_9H_{11}NO_4$=Dopa
$C_9H_{11}N_5O_4$=Eritadenin
C_9H_{12}=Cumol
$C_9H_{12}ClN_3O_4S_2$=Ethiazid
$C_9H_{12}NO_5PS$=Fenitrothion
$C_9H_{12}N_4O_3$=Etofyllin
$C_9H_{12}O_2$=Cumolhydroperoxid
$C_9H_{13}ClN_6$=Cyanazin
$C_9H_{13}N$=N,N-Dimethylbenzylamin
$C_9H_{13}NO$=Gepefrin

$C_9H_{13}NO_2$=Ethinamat
$C_9H_{13}NO_3$=Corbadrin
$C_9H_{13}N_3O_5$=Cytidin, Cytosinarabinosid
$C_9H_{13}N_5O_4$=Ganciclovir
C_9H_{14}=Fichten- u. Kiefernnadelöle
$C_9H_{14}N_3O_8P$=Cytidinphosphate
$C_9H_{14}O_4$=Glycerinacetate
$C_9H_{15}NO_3$=Ecgonin
$C_9H_{15}N_3O_2S$=Ergothionein
$C_9H_{15}N_3O_{11}P_2$=Cytidinphosphate
$C_9H_{16}N_2$=1,5-Diazabicyclo-[4.3.0]non-5-en
$C_9H_{16}N_3O_{14}P_3$=Cytidinphosphate
$C_9H_{17}NO_2$=Gabapentin
$C_9H_{18}NO_3PS_2$=Fosthiazat
$C_9H_{18}O$=2,6-Dimethyl-4-heptanon
$C_9H_{18}O_2$=Fettsäuren
$C_9H_{19}N$=Cyclopentamin
$C_9H_{19}NOS$=EPTC
$C_9H_{19}NO_4$=Dexpanthenol
$C_9H_{20}N_2S$=1,3-Dibutylthioharnstoff
$C_9H_{20}O$=Fettalkohole
$C_9H_{21}Fe_2O_{18}P_3$=Eisen(III)-glycerinphosphat
$C_9H_{22}O_4P_2S_4$=Ethion
$C_9H_{23}INO_3PS$=Ecothiopatiodid
$C_{10}H_4Cl_2O_2$=2,3-Dichlor-1,4-naphthochinon
$C_{10}H_6O_4$=α-Furil
$C_{10}H_8N_2O_4$=α-Furil
$C_{10}H_{10}$=Divinylbenzol
$C_{10}H_{10}Cl_2O_3$=2,4-DB
$C_{10}H_{10}Fe$=Ferrocen
$C_{10}H_{10}N_2O$=Glomerin
$C_{10}H_{10}O_4$=Dimethylterephthalat
$C_{10}H_{11}F_3N_2O$=Fluometuron
$C_{10}H_{12}$=Dicyclopentadien
$C_{10}H_{12}N_2O_5$=Dinoseb, Dinoterb
$C_{10}H_{12}N_4O_3$=Didanosin
$C_{10}H_{12}N_5O_7P$=Guanosinphosphate
$C_{10}H_{12}O$=Estragol
$C_{10}H_{12}O_2$=Eugenol
$C_{10}H_{12}O_3$=Coniferin
$C_{10}H_{12}O_5$=Gallussäureester
$C_{10}H_{13}N_3$=Debrisoquin
$C_{10}H_{13}N_5O_3$=Cordycepin
$C_{10}H_{13}N_5O_4$=Guanosin
$C_{10}H_{13}N_5O_5$=Guanosin
$C_{10}H_{13}NO$=Cymole
$C_{10}H_{14}N_4O_4$=Diprophyllin
$C_{10}H_{14}N_5O_8P$=Guanosinphosphate
$C_{10}H_{14}O_4$=Guajakolglycerinether
$C_{10}H_{14}O_5$=Decarestrictine
$C_{10}H_{15}N$=N,N-Diethylanilin
$C_{10}H_{15}NO$=Ephedrin
$C_{10}H_{15}NO_3$=Etilefrin
$C_{10}H_{15}NO_4$=Domoinsäure
$C_{10}H_{15}N_5O_{11}P_2$=Guanosinphosphate
$C_{10}H_{15}OPS_2$=Fonofos
$C_{10}H_{15}O_2S_2$=Fenthion
$C_{10}H_{16}$=Fenchene
$C_{10}H_{16}KNO_9S_2$=Glucosinolate
$C_{10}H_{16}N_2$=N,N-Diethyl-p-phenylendiamin
$C_{10}H_{16}N_2O_4S_3$=Dorzolamid
$C_{10}H_{16}N_2O_8$=Ethylendiamintetraessigsäure
$C_{10}H_{16}N_5O_{14}P_3$=Guanosinphosphate
$C_{10}H_{16}O$=2,4-Decadienal, Dillether, Fenchon
$C_{10}H_{16}O_2$=Diosphenole, Geraniumsäure
$C_{10}H_{16}O_5$=Decarestrictine
$C_{10}H_{17}Cl_2NOS$=Diallat
$C_{10}H_{17}NO_5S$=Etamsylat

$C_{10}H_{17}NO_6$=Cyanogene Glykoside
$C_{10}H_{17}NO_9S_2$=Glucosinolate
$C_{10}H_{17}N_3O_6S$=Glutathion
$C_{10}H_{17}N_7O_8S$=Gonyautoxine
$C_{10}H_{17}N_7O_9S$=Gonyautoxine
$C_{10}H_{18}$=Decalin
$C_{10}H_{18}O$=2-Decenal, Fenchol, Geraniol, Grandisol
$C_{10}H_{18}OS$=Diosphenole
$C_{10}H_{18}O_2$=γ-Decalacton
$C_{10}H_{18}O_3$=Cyclobutyrol
$C_{10}H_{20}O$=Decanal
$C_{10}H_{20}O_2$=Decansäure
$C_{10}H_{21}N_3O$=Diethylcarbamazin
$C_{10}H_{22}N_4$=Guanethidin
$C_{10}H_{22}O$=1-Decanol, Fettalkohole
$C_{10}H_{24}N_2O_2$=Ethambutol
$C_{11}H_6Cl_2N_2$=Fenpiclonil
$C_{11}H_6Cl_2N_2O$=Diclomezin
$C_{11}H_8N_2O$=Fuberidazol
$C_{11}H_9N_9O_{10}S_2$=Glucosinolate
$C_{11}H_{11}F_3N_2O_3$=Flutamid
$C_{11}H_{12}O_2$=Essigsäurecinnamylester
$C_{11}H_{13}ClN_2$=(-)Epibatidin
$C_{11}H_{13}F_3N_4O_4$=Dinitramin
$C_{11}H_{14}N_2$=Gramin
$C_{11}H_{14}N_2O$=Cytisin
$C_{11}H_{14}N_2O_4$=Felbamat
$C_{11}H_{15}NO_2$=Ecstasy
$C_{11}H_{15}NO_2S$=Ethiofencarb
$C_{11}H_{16}ClN_3O_2$=Formetanat-Hydrochlorid
$C_{11}H_{16}N_2O_2$=Diodon
$C_{11}H_{16}N_2O_5$=Edoxudin
$C_{11}H_{16}O$=Fenipentol
$C_{11}H_{17}NO$=Ephedrin
$C_{11}H_{17}NO_3$=Diethylaminsalicylat, Dioxethedrin
$C_{11}H_{18}O_2$=Geranylester
$C_{11}H_{19}NO_6$=Cyanogene Glykoside
$C_{11}H_{19}N_3O$=Ethirimol
$C_{11}H_{21}NOS$=Cycloat
$C_{11}H_{22}O$=Fettalkohole
$C_{11}H_{22}O_2$=Fettsäuren
$C_{11}H_{24}O$=Fettalkohole
$C_{12}Fe_3O_{12}$=Eisencarbonyle
$C_{12}H_4Cl_2F_6N_4OS$=Fipronil
$C_{12}H_5N_7O_2$=Dipikrylamin
$C_{12}H_6Cl_2NNaO_2$=2,6-Dichlorphenol-indophenol-natrium
$C_{12}H_6F_2N_2O_2$=Fludioxonil
$C_{12}H_8Cl_2O_2S$=Fenticlor
$C_{12}H_8Cl_6O$=Dieldrin, Endrin
$C_{12}H_8O$=Dibenzofuran
$C_{12}H_8O_2$=Dibenzo[1,4]dioxin
$C_{12}H_8S$=Dibenzothiophen
$C_{12}H_9F_2N_5O_2S$=Flumetsulam
$C_{12}H_9N_3Na_2O_8S_2$=Echtgelb
$C_{12}H_{10}AsCl$=Diphenylarsinchlorid
$C_{12}H_{10}Cl_2F_3NO$=Flurochloridon
$C_{12}H_{10}O$=Diphenylether
$C_{12}H_{10}Se_2$=Diphenyldiselenid
$C_{12}H_{11}ClN_2O_5S$=Furosemid
$C_{12}H_{11}N$=Diphenylamin
$C_{12}H_{11}NO_2$=Fenfuram
$C_{12}H_{11}NO_3S$=4-Diphenylaminsulfonsäure
$C_{12}H_{11}N_3$=1,3-Diphenyltriazen
$C_{12}H_{12}Br_2N_2$=Diquat-dibromid
$C_{12}H_{12}ClNO_2S$=Dansylchlorid
$C_{12}H_{12}N_2$=1,1-Diphenylhydrazin
$C_{12}H_{12}N_2OS_2$=5-(4-Dimethylaminobenzyliden)-rhodanin
$C_{12}H_{12}N_2O_2S$=Dapson, Enoximon
$C_{12}H_{12}N_4$=2,4-Diaminoazobenzol
$C_{12}H_{12}O$=Ethyl-2-naphthylether
$C_{12}H_{13}ClN_2$=1,1-Diphenylhydrazin
$C_{12}H_{14}N_2O_3$=Cyclopentobarbital

$C_{12}H_{16}F_3N$=Dexfenfluramin, Fenfluramin
$C_{12}H_{16}N_2$=N,N-Dimethyltryptamin, Fenproporex
$C_{12}H_{16}N_2O$=Cytisin
$C_{12}H_{16}N_2O_3$=Cyclobarbital
$C_{12}H_{17}NO$=N,N-Diethyl-m-toluamid
$C_{12}H_{17}NO_2$=Fenobucarb
$C_{12}H_{17}NO_3$=Etamivan
$C_{12}H_{17}NaO_7$=Dikegulac-Natrium
$C_{12}H_{18}$=1,5,9-Cyclododecatrien, Diisopropylbenzol
$C_{12}H_{18}ClNO_2S$=Dimethenamid
$C_{12}H_{18}O_2$=Diisopropylbenzolhydroperoxid
$C_{12}H_{19}NO$=Elaeocarpus-Alkaloide, Etafedrin
$C_{12}H_{19}NO_2$=2,5-Dimethoxy-4-methylamphetamin
$C_{12}H_{20}O_2$=Geranylester
$C_{12}H_{21}N_2O_3PS$=Diazinon
$C_{12}H_{22}FeO_{14}$=Eisen(II)-gluconat
$C_{12}H_{22}O$=Codlemone, Cyclododecanon, Geosmin
$C_{12}H_{22}O_5$=Cyclohexanonperoxid
$C_{12}H_{22}O_{11}$=Disaccharide, Gentiobiose
$C_{12}H_{23}N$=Dicyclohexylamin
$C_{12}H_{24}$=Cyclododecan
$C_{12}H_{24}O$=Cyclododecanol, Dodecanal
$C_{12}H_{24}O_2$=Fettsäuren
$C_{12}H_{25}Cl$=Dodecylchlorid
$C_{12}H_{26}$=Dodecan
$C_{12}H_{26}O$=1-Dodecanol, Fettalkohole
$C_{12}H_{26}S$=1-Dodecanthiol
$C_{12}H_{27}N$=Dodecylamin
$C_{13}H_4Cl_2F_6N_4O_4$=Fluazinam
$C_{13}H_7Cl_2F_3N_2O_4S$=Flusulfamid
$C_{13}H_8F_2O_3$=Diflunisal
$C_{13}H_8O$=9-Fluorenon
$C_{13}H_8O_3$=Depsidone
$C_{13}H_{10}$=Fluoren
$C_{13}H_{10}AsN$=Diphenylarsincyanid
$C_{13}H_{10}O_2$=2,4-Dihydroxybenzophenon, Diphenylcarbonat
$C_{13}H_{12}$=Diphenylmethan
$C_{13}H_{12}Cl_2O_4$=Etacrynsäure
$C_{13}H_{12}F_2N_6O$=Fluconazol
$C_{13}H_{12}F_3N_3O_5S$=Flazasulfuron
$C_{13}H_{12}N_2O$=1,3-Diphenylharnstoff
$C_{13}H_{12}N_2S$=1,3-Diphenylthioharnstoff
$C_{13}H_{12}N_4O$=1,5-Diphenylcarbazon
$C_{13}H_{12}N_4S$=Dithizon
$C_{13}H_{13}N_3$=1,3-Diphenylguanidin
$C_{13}H_{14}F_3N_3O_4$=Ethalfluralin
$C_{13}H_{14}N_2$=4,4'-Diaminodiphenylmethan
$C_{13}H_{14}N_2O$=Fenyramidol
$C_{13}H_{14}N_2O_4S_2$=Gliotoxin
$C_{13}H_{14}N_4O$=1,5-Diphenylcarbonohydrazid
$C_{13}H_{15}NO_2$=Glutethimid
$C_{13}H_{15}N_3O_3S$=Glymidin
$C_{13}H_{17}NO$=Crotamiton
$C_{13}H_{18}ClN_3O_4S_2$=Cyclopenthiazid
$C_{13}H_{18}N_2O$=Fenoxazolin
$C_{13}H_{18}O$=Cyclamenaldehyd, Damascenone
$C_{13}H_{18}O_5S$=Ethofumesat
$C_{13}H_{19}NO_2$=Dioscorin
$C_{13}H_{20}N_2O_2$=Dropropizin
$C_{13}H_{20}N_2O_3S_2$=Etozolin
$C_{13}H_{20}O$=Damascon
$C_{13}H_{20}O_3$=Febuprol
$C_{13}H_{21}N_5O_2$=Etamiphyllin

$C_{13}H_{22}NO_3PS$=Fenamiphos
$C_{13}H_{22}N_2$=Dicyclohexylcarbodiimid
$C_{13}H_{23}N$=Coccinellin
$C_{13}H_{23}NO$=Coccinellin
$C_{13}H_{24}N_2O$=Cusc(o)hygrin
$C_{13}H_{24}N_2O_{11}$=Cycasin
$C_{13}H_{24}N_6O_3$=Ficellomycin
$C_{13}H_{26}N_2O_3$=Elaiomycin
$C_{13}H_{26}O_2$=Fettsäuren
$C_{13}H_{28}O$=Fettalkohole
$C_{14}H_4N_2O_2S_2$=Dithianon
$C_{14}H_6O_8$=Ellagsäure
$C_{14}H_8O_5$=Flavopurpurin
$C_{14}H_9ClF_2N_2O_2$=Diflubenzuron
$C_{14}H_9Cl_5$=DDT
$C_{14}H_9Cl_5O$=Dicofol
$C_{14}H_{10}F_3NO_2$=Flufenaminsäure
$C_{14}H_{10}N_2O$=Diazocarbonyl-Verbindungen
$C_{14}H_{10}N_4O_5$=Dantrolen
$C_{14}H_{10}O_3$=Dithranol
$C_{14}H_{10}O_4$=Diphensäure
$C_{14}H_{10}O_5$=Gentisin
$C_{14}H_{11}Cl_2NO_2$=Diclofenac
$C_{14}H_{11}N$=Dibenzazepine
$C_{14}H_{12}N_2$=2,9-Dimethyl-1,10-phenanthrolin
$C_{14}H_{12}N_2O_2$=Glyoxal-bis(2-hydroxyanil)
$C_{14}H_{12}N_2O_2$=Diphenylessigsäure, Felbinac
$C_{14}H_{13}NO_2$=Cupron
$C_{14}H_{13}N_5O_7$=Griseolsäuren
$C_{14}H_{13}N_5O_8$=Griseolsäuren
$C_{14}H_{14}$=1,2-Diphenylethan
$C_{14}H_{14}NO_4PS$=EPN
$C_{14}H_{14}N_2O_6S_2$=4,4'-Diamino-2,2'-stilbendisulfonsäure
$C_{14}H_{14}O$=Dibenzylether
$C_{14}H_{14}S_2$=Dibenzyldisulfid
$C_{14}H_{15}Cl_2N_3O_2$=Etaconazol
$C_{14}H_{15}NO_5$=Folescutol
$C_{14}H_{15}N_5O_3$=Cyprodinil, 4-(Dimethylamino)azobenzol, 4-(Dimethylamino)-azobenzol
$C_{14}H_{15}N_5O_7$=Griseolsäuren
$C_{14}H_{15}O_5PS_2$=Edifenphos
$C_{14}H_{16}BrN_3O_2S$=Eudistomine
$C_{14}H_{16}ClO_5PS$=Coumaphos
$C_{14}H_{16}N_2$=3,3'-Dimethylbenzidin
$C_{14}H_{16}N_2O$=o-Dianisidin, Etomidat
$C_{14}H_{16}O_6$=Ellagsäure
$C_{14}H_{17}NO_6$=Cyanogene Glykoside
$C_{14}H_{17}NO_7$=Cyanogene Glykoside
$C_{14}H_{19}NO_{10}S_2$=Glucosinolate
$C_{14}H_{19}N_5O_4$=Famciclovir
$C_{14}H_{20}$=Congressan
$C_{14}H_{20}GdN_3O_{10}$=Gadopentetsäure
$C_{14}H_{21}NO_4$=Diethofencarb
$C_{14}H_{22}N_2O_4$=Dimepranolacedoben
$C_{14}H_{23}N_3O_{10}$=Diethylentriaminpentaessigsäure
$C_{14}H_{26}O_2$=(Z)-7-Dodecenylacetat
$C_{14}H_{28}O_2$=Fettsäuren
$C_{14}H_{30}O$=Fettalkohole
$C_{15}H_{10}ClF_3N_2O_6S$=Fomesafen
$C_{15}H_{10}O_5$=Emodin, Genistein
$C_{15}H_{10}O_6$=Fisetin
$C_{15}H_{10}O_8$=Gossypetin
$C_{15}H_{11}NO$=2,5-Diphenyloxazol
$C_{15}H_{12}N_2O_5$=Gallocyanin
$C_{15}H_{12}O$=Dibenzosuberon
$C_{15}H_{13}FO_2$=Flurbiprofen
$C_{15}H_{13}I_2NO_4$=3,5-Diiodthyronin
$C_{15}H_{14}FN_3O_2$=Flumazenil
$C_{15}H_{14}O_3$=Fenoprofen

$C_{15}H_{14}O_6$=Epicatechin
$C_{15}H_{15}N_3O$=Ethacridin
$C_{15}H_{16}F_5NO_2S_2$=Dithiopyr
$C_{15}H_{16}O_3$=Germacranolide
$C_{15}H_{17}Cl_2N_3O$=Diniconazol
$C_{15}H_{17}FN_4O_2$=Flupirtin
$C_{15}H_{17}FN_4O_3$=Enoxacin
$C_{15}H_{18}$=Guajazulen
$C_{15}H_{18}ClN_3O$=Cyproconazol
$C_{15}H_{18}N_4$=Ferimzon
$C_{15}H_{18}N_4O_7S$=Ethoxysulfuron
$C_{15}H_{18}N_6O_6S$=Ethametsulfuronmethyl
$C_{15}H_{18}O_4$=Complicatsäure, Fomannosin
$C_{15}H_{18}O_5$=Corianin
$C_{15}H_{18}O_6$=Corianin
$C_{15}H_{19}ClN_4O_3$=Dimefuron
$C_{15}H_{19}Cl_2N_3O$=Diclobutrazol
$C_{15}H_{20}O$=Curcumene
$C_{15}H_{20}O_5$=Costuswurzelöl, Frullanolid, Germacranolide
$C_{15}H_{20}O_5$=Corioline
$C_{15}H_{20}O_6$=Deoxynivalenol
$C_{15}H_{21}F_3N_2O_2$=Fluvoxamin
$C_{15}H_{21}FeO_6$=Eisen(III)-acetylacetonat
$C_{15}H_{21}N$=Fencamfamin
$C_{15}H_{21}NO_6$=Domoinsäure
$C_{15}H_{21}NO_9S_2$=Glucosinolate
$C_{15}H_{21}NO_{10}S_2$=Glucosinolate
$C_{15}H_{21}N_3O_3S$=Gliclazid
$C_{15}H_{21}N_5O_{13}P_2$=Cyclische ADP-Ribose
$C_{15}H_{22}$=Curcumene
$C_{15}H_{22}O$=Dendrolasin, Eremophilane, Germacrane
$C_{15}H_{22}O_2$=Curcumene, Drimane, Eremophilane
$C_{15}H_{22}O_3$=Drimane, Fecapentaene, Gemfibrozil
$C_{15}H_{22}O_5$=Gallussäureester
$C_{15}H_{23}NOS$=Esprocarb
$C_{15}H_{23}N_3OS$=Dimazol
$C_{15}H_{24}$=Curcumene, Elemene, Farnesol, Germacrane, Gurjunbalsam
$C_{15}H_{24}O$=2,6-Di-$tert$-butyl-4-methylphenol, Elemene
$C_{15}H_{24}O_3$=Fomannosin
$C_{15}H_{26}O$=Drimane, Elemene, Eudesmane, Farnesol
$C_{15}H_{28}O$=Cyclopentadecanon
$C_{15}H_{29}N$=Gephyrotoxine
$C_{15}H_{30}O_2$=Fettsäuren
$C_{15}H_{32}O$=Fettalkohole
$C_{15}H_{33}N_3O_2$=Dodin
$C_{16}H_8Cl_2FN_5O$=Fluquinconazol
$C_{16}H_9ClN_2Na_2O_9S_2$=Eriochromblau SE
$C_{16}H_{10}$=Fluoranthen
$C_{16}H_{10}Cl_4O_5$=Depsidone
$C_{16}H_{10}N_2Na_2O_7S_2$=Gelborange S
$C_{16}H_{10}O_7$=Endocrocin
$C_{16}H_{11}ClK_2N_2O_4$=Dikaliumclorazepat
$C_{16}H_{11}ClN_2O_3$=Dikaliumclorazepat
$C_{16}H_{11}N_3Na_2O_7S_2$=Fast Magenta B
$C_{16}H_{12}CoF_2N_2O_2$=Fluomine
$C_{16}H_{12}O_6$=Dermocyben-Farbstoffe
$C_{16}H_{12}O_7$=Dermocyben-Farbstoffe
$C_{16}H_{13}ClN_2O$=Diazepam
$C_{16}H_{13}FN_3O_3$=Flunitrazepam
$C_{16}H_{13}F_2N_3O$=Flutriafol
$C_{16}H_{14}Cl_2O_2$=Diclofop-methyl
$C_{16}H_{14}N_4O_4S$=Flavazine
$C_{16}H_{14}O_3$=Fenbufen
$C_{16}H_{15}F_2N_3Si$=Flusilazol

$C_{16}H_{16}N_2O_4$=Desmedipham
$C_{16}H_{18}N_2O$=Elymoclavin
$C_{16}H_{19}ClN_2$=Dexchlorpheniramin
$C_{16}H_{19}NO_2$=Elaeocarpus-Alkaloide
$C_{16}H_{19}NO_3$=Erythrina-Alkaloide
$C_{16}H_{19}N_3O_3$=Febrifugin
$C_{16}H_{20}N_2O_9S_2$=Glucosinolate
$C_{16}H_{20}O_9$=Gentiopikrin
$C_{16}H_{21}N_3O_4S$=Epicillin
$C_{16}H_{22}O_6$=Coniferin
$C_{16}H_{24}O_4$=Gingerol, 6-Gingerol
$C_{16}H_{25}NO_4$=Esmolol
$C_{16}H_{26}GdN_5O_8$=Gadodiamid
$C_{16}H_{26}O_5$=Dodecenylbernsteinsäureanhydrid
$C_{16}H_{28}O_2$=Geranylester
$C_{16}H_{30}O_2$=Fettsäuren
$C_{16}H_{32}O_2$=Fettsäuren
$C_{16}H_{34}O$=Fettalkohole
$C_{16}H_{38}Br_2N_2$=Decamethoniumbromid
$C_{17}H_{10}F_6N_4S$=Flubenzimin
$C_{17}H_{10}O_4$=Fluorescamin
$C_{17}H_{12}Cl_2N_2O_5$=Fenarimol
$C_{17}H_{12}N_2O_5$=Gyrocyanin
$C_{17}H_{12}O_6$=Gyroporin
$C_{17}H_{12}O_7$=Dermocyben-Farbstoffe
$C_{17}H_{12}O_8$=Dermocyben-Farbstoffe
$C_{17}H_{13}ClFN_3O$=Epoxiconazol
$C_{17}H_{14}N_2$=Ellipticin
$C_{17}H_{15}ClFNO_3$=Flampropmethyl
$C_{17}H_{16}F_3NO_2$=Flutolanil
$C_{17}H_{16}O_7$=Fomentariol
$C_{17}H_{17}ClO_6$=Griseofulvin
$C_{17}H_{18}Br_2N_4O_2$=Dibrompropamidin
$C_{17}H_{18}F_3NO$=Fluoxetin
$C_{17}H_{18}F_3N_3O_3$=Fleroxacin
$C_{17}H_{19}N$=Etifelmin
$C_{17}H_{19}NO_3$=Erythrina-Alkaloide
$C_{17}H_{19}NO_4$=Fenoxycarb, Furalaxyl
$C_{17}H_{20}F_6N_2O_2$=Flecainid
$C_{17}H_{21}NO$=Diphenhydramin
$C_{17}H_{21}NO_4$=Cocain, Fenoterol
$C_{17}H_{22}ClNO_4$=Cocain
$C_{17}H_{22}N_2O$=Doxylamin
$C_{17}H_{22}O_5$=Germacranolide
$C_{17}H_{24}O$=Falcarinol
$C_{17}H_{24}O_4$=Cyclandelat
$C_{17}H_{24}O_{10}$=Eisenkraut
$C_{17}H_{25}NO_3$=Cyclopentolat
$C_{17}H_{26}N_4O_3S_2$=Furultiamin
$C_{17}H_{26}O_5$=Fecapentaene
$C_{17}H_{26}O_4$=Gingerol, 6-Gingerol
$C_{17}H_{27}NO_5S$=Cycloxydim
$C_{17}H_{28}N_2O$=Etidocain
$C_{17}H_{29}GdN_4O_7$=Gadoteridol
$C_{17}H_{30}O$=Faranal
$C_{17}H_{34}O_2$=Fettsäuren
$C_{17}H_{36}O$=Fettalkohole
$C_{18}H_{12}N_5O_6$=2,2-Diphenyl-1-pikrylhydrazyl
$C_{18}H_{12}O_7$=Grevilline
$C_{18}H_{12}O_7$=Grevilline
$C_{18}H_{12}O_8$=Grevilline
$C_{18}H_{12}O_9$=Gomphidsäure
$C_{18}H_{13}ClF_3NO_7$=Fluorglycofenethyl
$C_{18}H_{14}F_3NO_2$=Flurtamon
$C_{18}H_{15}ClFNO_2$=Flumipropyn
$C_{18}H_{15}ClN_2O$=Croconazol
$C_{18}H_{15}ClO_6$=Depsidone
$C_{18}H_{15}Cl_3N_2O$=Econazol
$C_{18}H_{16}ClNO_5$=Fenoxaprop-ethyl
$C_{18}H_{16}OSn$=Fentin-hydroxid
$C_{18}H_{17}I_4NO_4$=Etiroxat
$C_{18}H_{17}NO_4$=Cularin-Alkaloide
$C_{18}H_{18}ClNO_5$=Etofibrat

$C_{18}H_{18}F_3NO_4$=Etofenamat
$C_{18}H_{18}O_2$=Dienestrol, Equilenin
$C_{18}H_{19}Cl_2NO_4$=Felodipin
$C_{18}H_{19}NO_3$=Erythrina-Alkaloide
$C_{18}H_{19}NO_4$=Cularin-Alkaloide
$C_{18}H_{20}N_2O_4S$=Difenzoquat-methylsulfat
$C_{18}H_{20}O_2$=Diethylstilbestrol, Equilenin
$C_{18}H_{20}O_4$=Diofenolan
$C_{18}H_{21}NO_3$=Codein, Erythrina-Alkaloide
$C_{18}H_{21}N_3O$=Dibenzepin
$C_{18}H_{22}N_2$=Cyclizin, Desipramin
$C_{18}H_{22}O_2$=Dicumylperoxid, Estron
$C_{18}H_{22}O_8P_2$=Fosfestrol
$C_{18}H_{23}NO_3$=Dihydrocodein, Dobutamin
$C_{18}H_{23}N_5O_2$=Fenetyllin
$C_{18}H_{24}O_6$=Dinocap
$C_{18}H_{24}N_4O$=Granisetron
$C_{18}H_{24}O_2$=Estradiol
$C_{18}H_{24}O_3$=Estriol
$C_{18}H_{25}NO$=Cyclazocin, Dextromethorphan
$C_{18}H_{26}N_2O_4S$=Glibornurid
$C_{18}H_{26}N_2O_5S$=Furathiocarb
$C_{18}H_{30}$=Dodecylbenzol, Estran
$C_{18}H_{30}O$=Dodecylphenol
$C_{18}H_{30}O_2$=Elaeostearinsäure
$C_{18}H_{30}O_3$=F-Säuren
$C_{18}H_{30}O_5$=Gloeosporon
$C_{18}H_{32}O$=Fettalkohole
$C_{18}H_{32}O_2$=Fettsäuren
$C_{18}H_{32}O_{16}$=Gentiobiose
$C_{18}H_{34}O$=Fettalkohole
$C_{18}H_{34}OSn$=Cyhexatin
$C_{18}H_{34}O_2$=Elaidinsäure, Fettsäuren
$C_{18}H_{36}O$=Fettalkohole
$C_{18}H_{36}O_2$=Fettalkohole, Fettsäuren
$C_{18}H_{37}N_5O_8$=Dibekacin
$C_{18}H_{38}O$=Fettalkohole

$C_{19}H_{11}F_5N_2O_2$=Diflufenican
$C_{19}H_{12}O_6$=Dicumarol
$C_{19}H_{14}ClF_5N_4O_2$=Flupoxam
$C_{19}H_{14}F_3NO$=Fluridon
$C_{19}H_{15}FN_2O_4$=Flumioxazin
$C_{19}H_{16}O_3$=Cumatetralyl
$C_{19}H_{17}ClFN_3O_5S$=Flucloxacillin
$C_{19}H_{17}ClN_2O_4$=Glafenin
$C_{19}H_{17}ClN_4$=Fenbuconazol
$C_{19}H_{17}Cl_2N_3O_3$=Difenoconazol
$C_{19}H_{17}Cl_2N_3O_5S$=Dicloxacillin
$C_{19}H_{18}O_5$=Geiparvarin
$C_{19}H_{19}N_7O_6$=Folsäure
$C_{19}H_{20}F_3NO_4$=Fluazifop-butyl, Fluazifop-P-butyl
$C_{19}H_{20}O_6$=Coleone
$C_{19}H_{21}NO_3$=Doxepin
$C_{19}H_{21}NO_4$=Cularin-Alkaloide
$C_{19}H_{21}NS$=Dosulepin
$C_{19}H_{21}N_3$=Cyamemazin
$C_{19}H_{21}N_3O$=Eburnamonin
$C_{19}H_{22}N_2O_3$=Gelsemin
$C_{19}H_{22}N_4$=Corrin
$C_{19}H_{22}O_6$=Gibberellinsäure
$C_{19}H_{23}NO$=Diphenylpyralin
$C_{19}H_{23}NO_3$=Erythrina-Alkaloide
$C_{19}H_{23}N_3O_3$=Ergot-Alkaloide
$C_{19}H_{25}N_3O_2S_2$=Dimetotiazin
$C_{19}H_{26}O_3$=Epimestrol, Formestan
$C_{19}H_{27}N_5O_3$=Dofetilid
$C_{19}H_{27}N_5$=Dapiprazol
$C_{19}H_{27}O_9P$=Fostriecin
$C_{19}H_{28}BrNO_2$=Glycopyrroniumbromid
$C_{19}H_{29}NO$=Gephyrotoxine
$C_{19}H_{29}NO_5$=Dipivefrin
$C_{19}H_{30}O_5$=Gallussäureester
$C_{19}H_{31}N$=Fenpropidin
$C_{19}H_{32}O_3$=F-Säuren
$C_{19}H_{35}NO_2$=Dicycloverin

$C_{19}H_{38}O$=Disparlur
$C_{19}H_{38}O_2$=Fettsäuren
$C_{19}H_{39}N_5O_7$=Gentamicin
$C_{19}H_{40}O$=Fettalkohole

$C_{20}H_6Br_2N_2Na_2O_9$=Eosin
$C_{20}H_6Br_4Na_2O_5$=Eosin
$C_{20}H_6I_4Na_2O_5$=Erythrosin
$C_{20}H_{10}Cl_2F_5N_3O_3$=Fluazuron
$C_{20}H_{12}N_3NaO_7S$=Eriochromschwarz T
$C_{20}H_{12}O_5$=Fluorescein
$C_{20}H_{12}O_7$=Gallein
$C_{20}H_{16}$=7,12-Dimethylbenz[a]anthracen
$C_{20}H_{17}F_3N_2O_4$=Floctafenin
$C_{20}H_{18}BrN_3$=Dimidiumbromid
$C_{20}H_{18}O_2Sn$=Fentinacetat
$C_{20}H_{18}O_9$=Franguline
$C_{20}H_{19}NO_4$=Ficin
$C_{20}H_{19}N_3$=Fuchsin
$C_{20}H_{20}N_2O_3$=Cyclopiazonsäure
$C_{20}H_{20}O_6$=Conidendrin, Cubeben
$C_{20}H_{21}ClO_4$=Fenofibrat
$C_{20}H_{22}N_2$=Fenazaquin
$C_{20}H_{22}N_2O_2$=Gelsemin
$C_{20}H_{22}O_6$=Coleone
$C_{20}H_{23}NO_4$=Cularin-Alkaloide
$C_{20}H_{23}NO_5$=Fuligorubin
$C_{20}H_{23}N_7O_7$=Folinsäure
$C_{20}H_{24}Br_2N_4O_2$=Dibromhexamidin
$C_{20}H_{24}N_2$=Dimetinden
$C_{20}H_{24}O_2$=Ethinylestradiol
$C_{20}H_{24}O_4$=Crinipelline, Crocetin
$C_{20}H_{24}O_9$=Ginkgolide
$C_{20}H_{24}O_{10}$=Ginkgolide
$C_{20}H_{24}O_{11}$=Ginkgolide
$C_{20}H_{25}N$=Fenpipran
$C_{20}H_{25}NO_2$=Fomocain
$C_{20}H_{26}Br_2N_2$=Dimetacrin
$C_{20}H_{26}N_2O_4$=Gelsemin
$C_{20}H_{26}O$=3,4-Didehydroretinal
$C_{20}H_{26}O_6$=Crinipelline
$C_{20}H_{26}O_7$=Cnicin
$C_{20}H_{27}NO_4$=Felbinac
$C_{20}H_{27}NO_{11}$=Cyanogene Glykoside
$C_{20}H_{27}N_5O_5S$=Glisoxepid
$C_{20}H_{28}BrN$=Emeproniumbromid
$C_{20}H_{28}N_2O_4$=N,N'-Dibenzylethylendiamindiacetat
$C_{20}H_{28}N_2O_5$=Enalapril
$C_{20}H_{28}O_2$=Etynodiol
$C_{20}H_{29}FO_3$=Fluoxymesteron
$C_{20}H_{29}NO_4$=Fedrilat
$C_{20}H_{30}O_2$=5,8,11,14,17-Eicosapentaensäure
$C_{20}H_{30}O_3$=Cyathane
$C_{20}H_{31}NO_2$=Drofenin
$C_{20}H_{32}O_2$=Drostanolon
$C_{20}H_{32}O_3$=Cyathane
$C_{20}H_{32}O_5$=Dinoproston, Grayanotoxine
$C_{20}H_{33}NO$=Fenpropimorph
$C_{20}H_{34}O$=Fettalkohole, Geranylgeraniol
$C_{20}H_{34}O_3$=F-Säuren
$C_{20}H_{34}O_5$=Dinoprost
$C_{20}H_{34}O_6$=Grayanotoxine
$C_{20}H_{35}NO_2$=Dihexyverin
$C_{20}H_{36}O_2$=Ethyllinoleat
$C_{20}H_{37}NaO_7S$=Docusat-Natrium
$C_{20}H_{38}BrNO_2$=Diponiumbromid
$C_{20}H_{39}NO_3$=Dodemorph-acetat
$C_{20}H_{40}O$=Fettalkohole
$C_{20}H_{40}O_2$=Fettsäuren
$C_{20}H_{41}N_5O_7$=Gentamicin
$C_{20}H_{42}O$=Fettalkohole

$C_{21}H_{11}ClF_6N_2O_3$=Flufenoxuron
$C_{21}H_{20}O_9$=Curcumin
$C_{21}H_{20}O_{13}$=Gossypetin

$C_{21}H_{21}ClN_2O_8$=Demeclocyclin
$C_{21}H_{21}N$=Cyproheptadin
$C_{21}H_{21}O_{10}$=Fragarin
$C_{21}H_{22}ClNO_4$=Dimethomorph
$C_{21}H_{22}O_2$=Endiandrinsäuren
$C_{21}H_{23}ClFNO_5$=Flumicloracpentyl
$C_{21}H_{23}ClFN_3O$=Flurazepam
$C_{21}H_{23}F_2NO_2$=Etoxazol
$C_{21}H_{24}ClN_3O_3$=Fominoben
$C_{21}H_{24}N_2O_2$=Geissoschizin
$C_{21}H_{25}FN_2O_2$=Fluanison
$C_{21}H_{25}NO_4$=Glaucin
$C_{21}H_{25}NO_5$=Demecolcin
$C_{21}H_{26}N_2O$=Fenpipramid
$C_{21}H_{26}O_2$=Gestoden
$C_{21}H_{27}FO_5$=Fluprednisolon
$C_{21}H_{27}NO_2$=Etafenon
$C_{21}H_{27}N_5O_4S$=Glipizid
$C_{21}H_{28}O_2$=Dydrogesteron, Ethisteron
$C_{21}H_{28}O_5$=Cortison
$C_{21}H_{29}FO_5$=Fludrocortison
$C_{21}H_{29}N_3O$=Disopyramid
$C_{21}H_{30}O_3$=Cortexon
$C_{21}H_{30}O_4$=Corticosteron, Cortodoxon
$C_{21}H_{34}O$=Ginkgo-Extrakt
$C_{21}H_{36}N_7O_{16}P_3S$=Coenzym A
$C_{21}H_{38}O_7$=Erythronolid B
$C_{21}H_{40}O_2$=Glycerinmonooleat
$C_{21}H_{40}O_5$=Glycerinmonoricinoleat
$C_{21}H_{41}N_7O_{12}$=Dihydrostreptomycin
$C_{21}H_{42}O_4$=Glycerinmonostearat
$C_{21}H_{43}N_5O_7$=Gentamicin
$C_{21}H_{44}O$=Fettalkohole

$C_{22}H_{16}O_8$=Ethylbiscoumacetat
$C_{22}H_{18}Cl_2FNO_3$=Cyfluthrin
$C_{22}H_{19}Br_2NO_3$=Deltamethrin
$C_{22}H_{19}Cl_2NO_3$=Cypermethrin
$C_{22}H_{20}N_2$=3,3'-Dimethylnaphthidin
$C_{22}H_{20}O_{10}$=Granaticin
$C_{22}H_{22}FN_3O_2$=Droperidol
$C_{22}H_{22}O_5$=Cyclovalon
$C_{22}H_{23}NO_2$=Fenpropathrin
$C_{22}H_{24}ClN_4O_2$=Domperidon
$C_{22}H_{24}N_2O_8$=Doxycyclin
$C_{22}H_{25}NO_6$=Colchicin
$C_{22}H_{25}N_3O_3$=Fumitremorgene
$C_{22}H_{26}F_3N_3OS$=Fluphenazin
$C_{22}H_{26}N_2O_3$=Corynanthe-Alkaloide, Geissoschizin
$C_{22}H_{26}N_2O_4S$=Diltiazem
$C_{22}H_{27}ClO_3$=Cyproteron
$C_{22}H_{27}FO_5$=Flupreniden
$C_{22}H_{27}F_3O_4S$=Fluticason
$C_{22}H_{27}NO_2$=Danazol
$C_{22}H_{27}NO_4$=Corydalis-Alkaloide
$C_{22}H_{28}FNa_2O_8P$=Dexamethason
$C_{22}H_{28}F_2O_5$=Diflucortolon
$C_{22}H_{28}F_2O_5$=Diflorason, Flumetason
$C_{22}H_{28}N_2O$=Fentanyl
$C_{22}H_{28}N_2O_3$=Corynanthe-Alkaloide
$C_{22}H_{28}N_6O_3S$=Delavirdin
$C_{22}H_{29}BrO_2$=Crinipelline
$C_{22}H_{29}BrN_2O$=Fenpiveriniumbromid
$C_{22}H_{29}FO_4$=Desoximetason, Fluocortolon, Fluorometholon
$C_{22}H_{29}FO_5$=Dexamethason
$C_{22}H_{29}NO_2$=Dextropropoxyphen
$C_{22}H_{30}O$=Desogestrel
$C_{22}H_{31}NO_2$=Daphniphyllum-Alkaloide
$C_{22}H_{32}Br_2N_4O_4$=Distigminbromid
$C_{22}H_{32}N_2O_3$=Dopexamin

$C_{22}H_{34}O_2$=Fettsäuren
$C_{22}H_{34}O_3$=Ginkgo-Extrakt
$C_{22}H_{34}O_7$=Forskolin
$C_{22}H_{36}O_7$=Grayanotoxine
$C_{22}H_{40}BrNO$=Domiphenbromid
$C_{22}H_{42}O_2$=Erucasäure
$C_{22}H_{42}O_4$=Dioctyladipat
$C_{22}H_{44}O$=Fettalkohole
$C_{22}H_{44}O_2$=Fettsäuren
$C_{22}H_{46}O$=Fettalkohole

$C_{23}H_{15}Na_3O_9S$=Eriochromcyanin R
$C_{23}H_{16}O_3$=Diphacinon
$C_{23}H_{16}O_6$=Embonsäure
$C_{23}H_{16}O_{11}$=Cromoglicinsäure
$C_{23}H_{19}ClF_3NO_3$=Cyhalothrin
$C_{23}H_{23}IN_2S_2$=Dithiazaniniodid
$C_{23}H_{24}O_2$=Endiandrinsäuren
$C_{23}H_{24}O_4$=Cyclofenil
$C_{23}H_{25}F_3N_2OS$=Flupentixol
$C_{23}H_{25}N$=Fendilin
$C_{23}H_{25}N_5O_5$=Doxazosin
$C_{23}H_{28}ClN_3O_5S$=Glibenclamid
$C_{23}H_{28}O_5$=Cristatsäure
$C_{23}H_{29}NO_3$=Fenbutrazat
$C_{23}H_{30}O_4$=Etretinat
$C_{23}H_{31}ClN_2O_3$=Etodroxizin
$C_{23}H_{31}Cl_2NO_3$=Esfenvalerat
$C_{23}H_{32}N_2OS$=Diafenthiuron
$C_{23}H_{32}O_2$=Dimethisteron
$C_{23}H_{34}O_4$=Digitalis-Glykoside
$C_{23}H_{34}O_5$=Compactin, Digitalis-Glykoside
$C_{23}H_{34}O_6$=Coriolin
$C_{23}H_{34}O_7$=Coriolin
$C_{23}H_{35}NOS$=Curacin
$C_{23}H_{35}NO_2$=Daphniphyllum-Alkaloide
$C_{23}H_{36}N_2O_2$=Finasterid
$C_{23}H_{38}O_5$=Gemeprost

$C_{24}H_{12}$=Coronen
$C_{24}H_{19}NO_5$=Diphesatin
$C_{24}H_{22}Cl_2N_2OS$=Fenticonazol
$C_{24}H_{22}ClF_3O_3$=Flufenprox
$C_{24}H_{22}BrF_2O_3$=Fubfenprox
$C_{24}H_{25}FNNaO_4$=Fluvastatin
$C_{24}H_{25}NO_4$=Flavoxat
$C_{24}H_{26}FNO_4$=Fluvastatin
$C_{24}H_{27}NO_4$=Fenpyroximat
$C_{24}H_{28}ClN_5O_3$=Dimenhydrinat
$C_{24}H_{29}NO$=Ethaverin
$C_{24}H_{30}F_2O_6$=Fluocinolonacetonid
$C_{24}H_{30}N_2O_2$=Doxapram
$C_{24}H_{31}FO_6$=Dexamethason, Flunisolid
$C_{24}H_{31}N_3O$=Famprofazon
$C_{24}H_{31}N_5O_2$=Eprazinon
$C_{24}H_{32}O_6$=Desonid
$C_{24}H_{33}FO_6$=Fludroxycortid
$C_{24}H_{33}N_3O_3$=Denaverin
$C_{24}H_{34}N_4O_5S$=Glimepirid
$C_{24}H_{34}O_5$=Dehydrocholsäure
$C_{24}H_{40}N_2$=Conessin
$C_{24}H_{40}N_8O_4$=Dipyridamol
$C_{24}H_{40}O_4$=Desoxycholsäure
$C_{24}H_{41}NO_4$=Erythrophleum-Alkaloide
$C_{24}H_{48}O_2$=Fettsäuren

$C_{25}H_{20}ClF_2N_3O_3$=Flucycloxuron
$C_{25}H_{21}N_3O_3$=Coelenterazin
$C_{25}H_{22}ClNO_3$=Esfenvalerat, Fenvalerat
$C_{25}H_{24}O_{12}$=Cynarin
$C_{25}H_{28}O_3$=Etofenprox
$C_{25}H_{31}F_3O_5S$=Fluticason
$C_{25}H_{31}NO_6$=Deflazacort
$C_{25}H_{32}N_2O_2$=Dextromoramid
$C_{25}H_{39}NO_5$=Erythrophleum-Alkaloide
$C_{25}H_{39}NO_6$=Erythrophleum-Alkaloide

$C_{25}H_{44}ClN_3O_2$=Dofamium-chlorid
$C_{25}H_{48}N_6O_8$=Deferoxamin
$C_{26}H_{20}N_2O_2$=Dimethyl-POPOP
$C_{26}H_{21}Cl_2NO_4$=Cycloprothrin
$C_{26}H_{21}N_3O_3$=Coelenterazin
$C_{26}H_{22}ClF_3N_2O_3$=Fluvalinat
$C_{26}H_{23}F_2NO_4$=Flucythrinat
$C_{26}H_{25}FO_5$=Fluocortinbutyl
$C_{26}H_{25}N_3O_8$=Duocarmycine
$C_{26}H_{26}ClN_3O_8$=Duocarmycine
$C_{26}H_{26}F_2N_2$=Flunarizin
$C_{26}H_{32}F_2O_7$=Fluocinonid
$C_{26}H_{38}O_4$=Gestonoron caproat
$C_{26}H_{39}N_6S$=Epothilone
$C_{26}H_{43}NO_6$=Glykocholsäure
$C_{26}H_{50}O_4$=Diisodecyladipat
$C_{26}H_{52}O_2$=Fettsäuren
$C_{27}H_{22}N_2O_{10}S_2$=Emestrin
$C_{27}H_{22}N_2O_{10}S_3$=Emestrin
$C_{27}H_{29}NO_{10}$=Daunorubicin
$C_{27}H_{29}NO_{11}$=Doxorubicin, Epirubicin
$C_{27}H_{30}O_8$=Daphnetoxin
$C_{27}H_{31}ClO_{16}$=Cyanin
$C_{27}H_{31}N_2NaO_6S_2$=Disulfinblau VN 150
$C_{27}H_{33}N_3O_5$=Fumitremorgene
$C_{27}H_{33}N_3O_6S$=Gliquidon
$C_{27}H_{33}N_9O_{15}P_2$=Flavin-Adenin-Dinucleotid
$C_{27}H_{35}N_5O_7S$=Enkephaline
$C_{27}H_{41}NO_6S$=Epothilone
$C_{27}H_{42}FeN_9O_{12}$=Ferrichrome
$C_{27}H_{42}O_3$=Diosgenin
$C_{27}H_{44}N_4O_6$=Glidobactine
$C_{27}H_{44}O$=7-Dehydrocholesterin
$C_{27}H_{44}O_6$=Ecdyson
$C_{27}H_{45}NO$=Demissidin
$C_{28}H_{15}NO_4$=1,1'-Dianthrimid
$C_{28}H_{28}N_2O_2$=Difenoxin
$C_{28}H_{30}O_2$=Granaticin
$C_{28}H_{32}FNO_6$=Dexamethason
$C_{28}H_{32}O_{15}$=Diosmin
$C_{28}H_{34}N_4O_6$=Ephedrin
$C_{28}H_{37}FO_7$=Dexamethason
$C_{28}H_{37}N_5O_7$=Enkephaline
$C_{28}H_{38}N_2O_4$=Emetin
$C_{28}H_{39}FO_6$=Dexamethason
$C_{28}H_{40}N_2O_5$=Gallopamil
$C_{28}H_{41}FNO_6$=Dexamethason
$C_{28}H_{44}O$=Ergosterin
$C_{28}H_{46}O$=Dihydrotachysterol
$C_{29}H_{31}F_2N_3O$=Fluspirilen
$C_{29}H_{32}O_{13}$=Etoposid
$C_{29}H_{35}NO_5$=Cytochalasine
$C_{29}H_{36}N_5O_{18}P$=Coenzym F_{420}
$C_{29}H_{37}NO_5$=Cytochalasine
$C_{29}H_{38}ClFO_8$=Formocortal
$C_{29}H_{39}N_9O_9$=Geldanamycin
$C_{29}H_{40}N_2O_4$=Emetin
$C_{29}H_{40}N_8O_6S_2$=Dolastatine
$C_{29}H_{42}O_{10}$=Convallatoxin
$C_{29}H_{47}NO_6$=Erythrophleum-Alkaloide
$C_{29}H_{51}N_3O_8$=Fusafungin
$C_{30}H_{19}NO_9$=Dynemicine
$C_{30}H_{21}NO_9$=Fredericamycin A
$C_{30}H_{26}O_{10}$=Elsinochrome
$C_{30}H_{26}O_{10}$=Elsinochrome, Flavomannine
$C_{30}H_{26}O_{14}$=Ergochrome
$C_{30}H_{30}EuF_{21}O_6$=Eu(fod)$_3$
$C_{30}H_{30}O_8$=Gossypol
$C_{30}H_{32}N_2O_2$=Diphenoxylat
$C_{30}H_{37}N_5O_5$=Ergot-Alkaloide
$C_{30}H_{40}Cl_2N_4$=Dequaliniumchlorid
$C_{30}H_{42}N_2O_{15}S_2$=Glucosinolate
$C_{30}H_{44}O_7$=Ganoderma
$C_{30}H_{46}NO_7P$=Fosinopril
$C_{30}H_{46}O_4$=Glyzyrrhetinsäure
$C_{30}H_{47}NO_4$=Daphniphyllum-Alkaloide
$C_{30}H_{50}$=Dammarene
$C_{30}H_{50}O$=Cycloartenol, Friedelin
$C_{30}H_{50}O_6$=Gymnemasäure(n)
$C_{30}H_{52}O_2$=Dammarene, Friedelan(e)
$C_{30}H_{52}O_3$=Ginseng
$C_{30}H_{60}I_3N_3O_3$=Gallamintriethiodid
$C_{30}H_{60}O_2$=Fettsäuren
$C_{31}H_{23}BrO_2S$=Difethialon
$C_{31}H_{24}O_3$=Difenacoum
$C_{31}H_{28}O_{14}$=Crocin
$C_{31}H_{34}BrNO_4$=Fentoniumbromid
$C_{31}H_{39}N_5O_5$=Ergot-Alkaloide
$C_{31}H_{41}N_5O_5$=Dihydroergocornin
$C_{31}H_{44}N_2O_{10}$=Dilazep
$C_{31}H_{48}O_6$=Fusidinsäure
$C_{31}H_{64}$=Esparto-Wachs
$C_{32}H_{30}N_4O_6$=Flavomannine
$C_{32}H_{30}O_{14}$=Ergochrome
$C_{32}H_{38}N_2O_8$=Deserpidin
$C_{32}H_{38}N_4$=Etioporphyrine
$C_{32}H_{41}N_3O_7$=Fumitremorgene
$C_{32}H_{41}N_5O_5$=Ergot-Alkaloide
$C_{32}H_{43}N_5O_5$=Dihydroergocryptin
$C_{32}H_{44}O_8$=Cucurbitacine
$C_{32}H_{46}O_8$=Cucurbitacine
$C_{32}H_{49}NO_5$=Daphniphyllum-Alkaloide
$C_{32}H_{52}Br_2N_4O_4$=Demecariumbromid
$C_{32}H_{41}N_5O_5$=Ergot-Alkaloide
$C_{33}H_{25}F_3O_4$=Flocoumafen
$C_{33}H_{35}N_5O_5$=Ergot-Alkaloide
$C_{33}H_{37}N_5O_5$=Dihydroergotamin
$C_{33}H_{41}NO_{17}$=Ethoxazorutosid
$C_{33}H_{45}NO_9$=Delphinin
$C_{33}H_{55}NO_8$=Discodermolid
$C_{33}H_{57}EuO_6$=Eu(DPM)$_3$
$C_{33}H_{57}N_3O_9$=Enniatine
$C_{34}H_{22}N_8Na_2O_{10}S_2$=Diamingrün B
$C_{34}H_{24}N_6Na_4O_{14}S_4$=Evans Blau
$C_{34}H_{26}N_2O_6S$=Echtsäureviolett AAR
$C_{34}H_{37}N_5O_5$=Ergot-Alkaloide
$C_{34}H_{40}O_{12}$=Filixsäuren
$C_{34}H_{50}N_4O_9S$=Dalfopristin
$C_{35}H_{39}N_5O_5$=Ergot-Alkaloide
$C_{35}H_{41}N_5O_5$=Dihydroergocristin
$C_{35}H_{42}O_{12}$=Filixsäuren
$C_{35}H_{46}O_{20}$=Echinacosid
$C_{35}H_{52}O_{15}$=Convallatoxin
$C_{35}H_{55}N_9O_{11}$=Diacetylsplenopentin
$C_{35}H_{58}O_{10}$=Filipin
$C_{35}H_{58}O_{10}$=Filipin
$C_{35}H_{58}O_{11}$=Filipin
$C_{36}H_{24}FeN_6$=Ferroin
$C_{36}H_{44}O_{12}$=Filixsäuren
$C_{36}H_{56}O_{14}$=Digitalin
$C_{36}H_{63}N_3O_9$=Enniatine
$C_{37}H_{42}Cl_2N_2O_2$=Curare
$C_{37}H_{67}NO_{13}$=Erythromycin
$C_{38}H_{59}FO_6$=Dexamethason
$C_{39}H_{41}N_3O_6S_2$=Formylviolett S4BN
$C_{40}H_{44}Cl_2N_4O$=Curare
$C_{40}H_{46}Cl_2N_4O$=Curare
$C_{40}H_{46}Cl_2N_4O_2$=Curare
$C_{40}H_{56}O$=Cryptoxanthin
$C_{40}H_{56}O_3$=Flavoxanthin
$C_{40}H_{80}NO_8P$=Colfosceril-Palmitat
$C_{41}H_{58}FeN_9O_{20}$=Ferrichrome
$C_{41}H_{64}O_{13}$=Digitalis-Glykoside, Gymnemasäure(n)

$C_{41}H_{64}O_{14}$=Digitalis-Glykoside
$C_{41}H_{66}O_{13}$=Gymnemasäure(n)
$C_{42}H_{51}ClN_6NiO_{13}$=Coenzym F_{430}
$C_{42}H_{62}O_{16}$=Glycyrrhizin
$C_{42}H_{68}N_6O_6S$=Dolastatine
$C_{42}H_{78}N_2O_{14}$=Dirithromycin
$C_{43}H_{53}NO_{14}$=Docetaxel
$C_{43}H_{65}N_{11}O_{12}S_2$=Demoxytocin
$C_{43}H_{66}O_{14}$=Gymnemasäure(n)
$C_{43}H_{68}O_{14}$=Gymnemasäure(n)
$C_{44}H_{62}N_8O_{11}$=Etamycin A
$C_{44}H_{64}O_{24}$=Crocin
$C_{44}H_{69}NO_{12}$=FK-506
$C_{46}H_{64}N_{14}O_{12}S_2$=Desmopressin
$C_{46}H_{64}O_{19}$=Gitoformat
$C_{46}H_{65}N_{13}O_{11}S_2$=Felypressin
$C_{47}H_{74}O_{18}$=Digitalis-Glykoside
$C_{47}H_{74}O_{19}$=Deslanosid, Digitalis-Glykoside
$C_{49}H_{56}ClFeN_4O_6$=Cytohämin
$C_{49}H_{76}O_{19}$=Digitalis-Glykoside
$C_{49}H_{76}O_{20}$=Digitalis-Glykoside
$C_{49}H_{78}N_6O_{12}$=Didemnine
$C_{50}H_{83}NO_{20}$=Demissidin
$C_{52}H_{78}N_{10}O_{17}$=Dimepranolacedoben
$C_{52}H_{81}N_7O_{16}$=Echinocandin
$C_{52}H_{82}N_6O_{14}$=Didemnine
$C_{54}H_{82}N_4O_{22}S_3$=Esperamycine
$C_{54}H_{85}N_{13}O_{15}S$=Eledoisin
$C_{54}H_{88}O_{18}$=Elaiophylin
$C_{55}H_{75}N_{17}O_{13}$=Gonadoliberin
$C_{56}H_{92}O_{29}$=Digitonin
$C_{57}H_{89}N_7O_{15}$=Didemnine
$C_{59}H_{84}N_{18}O_{14}$=Goserelin
$C_{59}H_{92}O_{16}$=Gambierinsäuren
$C_{60}H_{78}OSn_2$=Fenbutatinoxid
$C_{60}H_{92}N_{12}O_{10}$=Gramicidine
$C_{60}H_{94}O_{16}$=Gambierinsäuren
$C_{61}H_{89}N_{15}O_{18}S$=Glucagon
$C_{62}H_{111}N_{11}O_{12}$=Cyclosporine
$C_{63}H_{88}CoN_{14}O_{14}P$=Cyanocobalamin
$C_{65}H_{100}O_{19}$=Gambierinsäuren
$C_{66}H_{102}O_{19}$=Gambierinsäuren
$C_{72}H_{100}CoN_{18}O_{17}P$=Coenzym B_{12}
$C_{94}H_{121}N_{19}O_{34}S_2$=Gastrin
$C_{97}H_{124}N_{20}O_{31}S$=Gastrin
$C_{99}H_{140}N_{20}O_{17}$=Gramicidine
$C_{100}H_{164}O$=Dolichole
$C_{109}H_{159}N_{25}O_{32}S_5$=Endotheline
$C_{139}H_{210}N_{42}O_{43}$=Galanin
$C_{149}H_{226}N_{40}O_{45}$=Glucagonartige Peptide
$C_{157}H_{255}N_{49}O_{43}S_6$=Corticostatine
$C_{207}H_{308}N_{56}O_{58}S$=Corticotropin
$C_{208}H_{344}N_{60}O_{63}S_2$=Corticoliberin
$C_{284}H_{442}N_{86}O_{95}S_8$=Erabutoxine
CaF_2=Fluorit
$CaNa_2O_8S_2$=Glauberit
CaO_4S=Gips
CdS=Greenockit
Cl_2Co=Cobalt(II)-chlorid
Cl_2Fe=Eisenchloride
Cl_3Fe=Eisenchloride
Cl_3Ga=Gallium-Verbindungen
Cl_4Ge=Germanium-Verbindungen
Cm=Curium
Co=Cobalt
CoF_2=Cobaltfluorid

CoF_3=Cobaltfluorid
CoN_2O_6=Cobalt(II)-nitrat
CoO=Cobaltoxide
CoO_4S=Cobalt(II)-sulfat
Co_2O_4Zn=Cobaltgrün
Co_3O_4=Cobaltoxide
$Co_3O_8P_2$=Cobalt(II)-phosphat
$Cr_2H_2O_7$=Dichromate
$Cr_3Fe_2O_{12}$=Eisen-Pigmente
$CuFe_2S_3$=Cubanit
$CuGaS_2$=Gallit
CuS=Covellin
Cu_2O=Cuprit
$Cu_6O_{18}Si_6$=Dioptas
Cu_9S_5=Digenit
Cu_9S_8=Covellin
$Cu_{10}S_7$=Covellin
$Cu_{26}Fe_4Ge_4S_{32}$=Germanit
$Cu_{39}S_{28}$=Covellin
D=Deuterium
D_2O=Deuteriumoxid
Dy=Dysprosium
Er=Erbium
Es=Einsteinium
Eu=Europium
Eu_2O_3=Europium-Verbindungen
F=Fluor
FH=Fluorwasserstoff, Flußsäure
FHO_3S=Fluorschwefelsäure
FH_2O_3P=Fluorophosphorsäuren
F_6HP=Fluorophosphorsäuren
F_6HSb=Fluoroantimonsäure
F_6H_2Si=Fluorokieselsäure
Fe=Eisen
$FeHO_2$=Eisenhydroxide, Goethit
FeH_2O_2=Eisenhydroxide
FeN_2O_6=Eisennitrate
FeN_3O_9=Eisennitrate
FeO=Eisenoxide
FeO_4P=Eisen(III)-phosphat
FeO_4S=Eisensulfate
FeP=Eisenphosphide
FeP_2=Eisenphosphide
FeS=Eisensulfide
FeS_2=Eisensulfide
Fe_2N=Eisennitrid
Fe_2O_3=Eisenoxide
Fe_2O_4Si=Fayalit
$Fe_2O_{12}S_3$=Eisensulfate
Fe_2P=Eisenphosphide
Fe_2S_3=Eisensulfide
Fe_3O_4=Eisenoxide
Fe_3P=Eisenphosphide
Fm=Fermium
Fr=Francium
Ga=Gallium
Ga_2O_3=Gallium-Verbindungen
Gd=Gadolinium
Ge=Germanium
GeH_4=Germanium-Verbindungen
$GeMg_2$=Germanium-Verbindungen
$GeNb_3$=Germanium-Verbindungen
GeO_2=Germanium-Verbindungen
H_2N_3=Diimin
$H_2O_5S_2$=Dischweflige Säure
$H_2O_6S_2$=Dithionsäure
$H_2O_7S_2$=Dischwefelsäure
$H_4O_6P_2$=Diphosphorsäure(V)
$H_4O_7P_2$=Diphosphorsäure(V)
$K_2NO_7S_2$=Fremys Salz
$K_3NaO_8S_2$=Glaserit
MgO_4S=Epsomit
O_2Si=Coesit, Cristobalit
O_4SSr=Cölestin
O_4SiU=Coffinit

Lang Kurt

Verzeichnis der Abkürzungen

E Explosions-gefährlich	O Brand-fördernd	F Leichtent-zündlich	F+ Hochent-zündlich	C Ätzend

$[\alpha]$	spezifische Drehung	FP.	Flammpunkt
a	Jahr	*G*	Gefahrenklasse
a.	auch, andere(n, m)	gasf.	gasförmig
	in Zusammensetzungen	geb.	geboren
	wie: s.a., u.a.	GefStoffV	Gefahrstoffverordnung
$A_{1\,cm}^{1\%}$	spezifische Absorption einer	gegr.	gegründet
	gelösten Substanz	Ges.	Gesellschaft
Abb.	Abbildung	gesätt.	gesättigt
Abk.	Abkürzung	Geschw.	Geschwindigkeit
ABl.	Amtsblatt	Gew.	Gewicht
abs.	absolut	ggf.	gegebenenfalls
ADI	acceptable daily intake	Ggw.	Gegenwart
	= annehmbare tägliche Aufnahme	h	Stunde
allg.	allgemein	H.	Härte nach Mohs
Anw.	Anwendung	Hdb.	Handbuch, Handbook
Aufl.	Auflage	Herst.	Herstellung
B.	Bezugsquelle	Hrsg.	Herausgeber
BAT	Biologischer Arbeitsstoff-	*HS*	Harmonisiertes System
	toleranzwert	HWZ	Halbwertszeit
BGBl.	Bundesgesetzblatt	*I*	italienische Bezeichnung
Bd.	Band, Bände	i.m.	intramuskulär
Beisp.	Beispiel	Ind.	Industrie
bes.	besonders, besondere(r, s)	Inst.	Institut(ion)
Bez.	Bezeichnung	i.p.	intraperitoneal
Btm	Betäubungsmittel	i.Tr.	in der Trockenmasse
CAS	Chemical Abstracts Service-Nr.	IZ	Iod-Zahl
ChemG	Chemikaliengesetz	i.v.	intravenös
d	Tag	Jh.	Jahrhundert
D.	Dichte	KBwS	Klassifizierung durch
Darst.	Darstellung		Kommission zur Bewertung
Dest.	Destillation		wassergefährdender Stoffe beim
dest.	destilliert		BMU
dgl.	dergleichen	Koeff.	Koeffizient
Diss.	Dissertation	Konz.	Konzentration
E	englische Bezeichnung	konz.	konzentriert
EC	Enzyme Commission	Krist.	Kristallisation, Kristall
ehem.	ehemals, ehemalig	krist.	kristallisiert, kristallin
Erg.	Ergänzung	Kurzz.	Kurzzeichen
et al.	et alii = und andere	LD	letale Dosis
F	französische Bezeichnung	Leg.	Legierung
f., ff.	die nächst folgende Seite,	Lit.	Literatur
	die folgenden Seiten	lösl.	löslich